疾患別
看護過程の展開

石川ふみよ 上智大学総合人間科学部看護学科教授
髙谷真由美 順天堂大学医療看護学部教授

Gakken

監修

石川　ふみよ（上智大学総合人間科学部看護学科教授）

髙谷　真由美（順天堂大学医療看護学部教授）

執筆（五十音順）

厚美　彰子（順天堂大学医療看護学部助教）

阿部　由香（前日本保健医療大学保健医療学部看護学科准教授）

石川　ふみよ（前掲）

市原　真穂（千葉科学大学看護学部教授/小児看護専門看護師）

伊藤　正恵（心身障害児総合医療療育センター小児看護専門看護師）

鵜澤　久美子（順天堂大学医学部附属順天堂医院慢性疾患看護専門看護師）

漆戸　由紀子（順天堂大学医学部附属順天堂医院慢性疾患看護専門看護師）

大隈　直子（独立行政法人地域医療機能推進機構（JCHO）九州病院副看護師長）

岡本　隆寛（順天堂大学医療看護学部准教授）

荻津　佳奈江（順天堂大学医学部附属順天堂医院がん看護専門看護師）

尾﨑　道江（つくば国際大学医療保健学部看護学科教授）

河西　恵美（順天堂大学医療看護学部助教/慢性疾患看護専門看護師）

加藤　かほり（東京都リハビリテーション病院慢性疾患看護専門看護師）

金子　多喜子（杏林大学保健学部看護学科准教授）

熊倉　深里（上智大学総合人間科学部看護学科助手）

小﨑　綾子（順天堂大学医学部附属浦安病院慢性疾患看護専門看護師）

酒井　礼子（独立行政法人地域医療機能推進機構東京新宿メディカルセンター附属看護専門学校副学校長補佐）

佐藤　典子（順天堂大学医学部附属順天堂東京江東高齢者医療センター老人看護専門看護師/認知症看護認定看護師）

島途　漠（上智大学総合人間科学部看護学科助手）

島村　純子（独立行政法人地域医療機能推進機構（JCHO）東京新宿メディカルセンター副看護部長）

下西　麻美（順天堂大学医学部附属順天堂医院慢性疾患看護専門看護師）

住吉　由巳子（順天堂大学医学部附属浦安病院慢性疾患看護専門看護師・糖尿病看護認定看護師）

瀬尾　昌枝（順天堂大学医療看護学部助教）

高桑　優子（順天堂大学保健看護学部准教授）

髙谷　真由美（前掲）

田村　南海子（上智大学総合人間科学部看護学科助教）

富樫　恵美子（千葉県立保健医療大学健康科学部講師）

中島　淑恵（東京慈恵会医科大学医学部看護学科准教授）

長富　美恵子（順天堂大学医学部附属静岡病院感染症看護専門看護師）

中富　利香（東邦大学医学部新生児学講座博士研究員）

西川　瑞希（上智大学総合人間科学部看護学科助手）

西村　あをい（東京情報大学看護学部教授）

林　幸子（獨協医科大学看護学部講師）

樋野　恵子（順天堂大学医療看護学部准教授）

古屋　千晶（順天堂大学医療看護学部助教）

水谷　郷美（神奈川工科大学健康医療科学部看護学科講師）

水野　芳子（東京情報大学看護学部講師）

峯川　美弥子（東京女子医科大学看護学部助教）

宮澤　初美（順天堂大学医学部附属静岡病院慢性疾患看護専門看護師）

安井　大輔（東海大学医学部看護学科講師）

山本　佳代子（横浜創英大学看護学部看護学科教授）

渡邊　知映（昭和大学保健医療学部看護学科教授）

編集担当　：増田和也，秋元一喜
表紙・カバーデザイン：柴田真弘
DTP　：萩原夏弥，真興社
イラスト　：日本グラフィックス

本書の特長と使い方

- 本書では，臨地実習や臨床現場でよく出会う疾患を 75 疾患に厳選してそれぞれ解説しています．
- さらに本書では看護学生や看護職の皆様により活用していただきやすいよう，看護過程を展開していく上で基礎知識となる医学的情報を最新のものとし，図表やイラストでできる限り見やすく，わかりやすく構成しています．
- 1つの疾患は，すべて共通して下記の流れに沿って解説されています．

> 1．疾患の基礎的知識
> 2．看護過程の展開　アセスメント～ゴードンの機能的健康パターンを用いて
> 3．全体像の把握から看護問題を抽出
> 　1）病態関連図
> 　2）看護の方向性
> 　3）患者・家族の目標
> 4．しばしば取り上げられる看護問題
> 5．看護計画の立案

1．疾患の基礎的知識

この項目では，1）疾患の概念，2）原因，3）病態と臨床症状，4）検査・診断，5）治療，6）予後，といった点を解説しています．その疾患に関する医学的な情報です．看護を考えるうえでのベースとなる知識といえます．

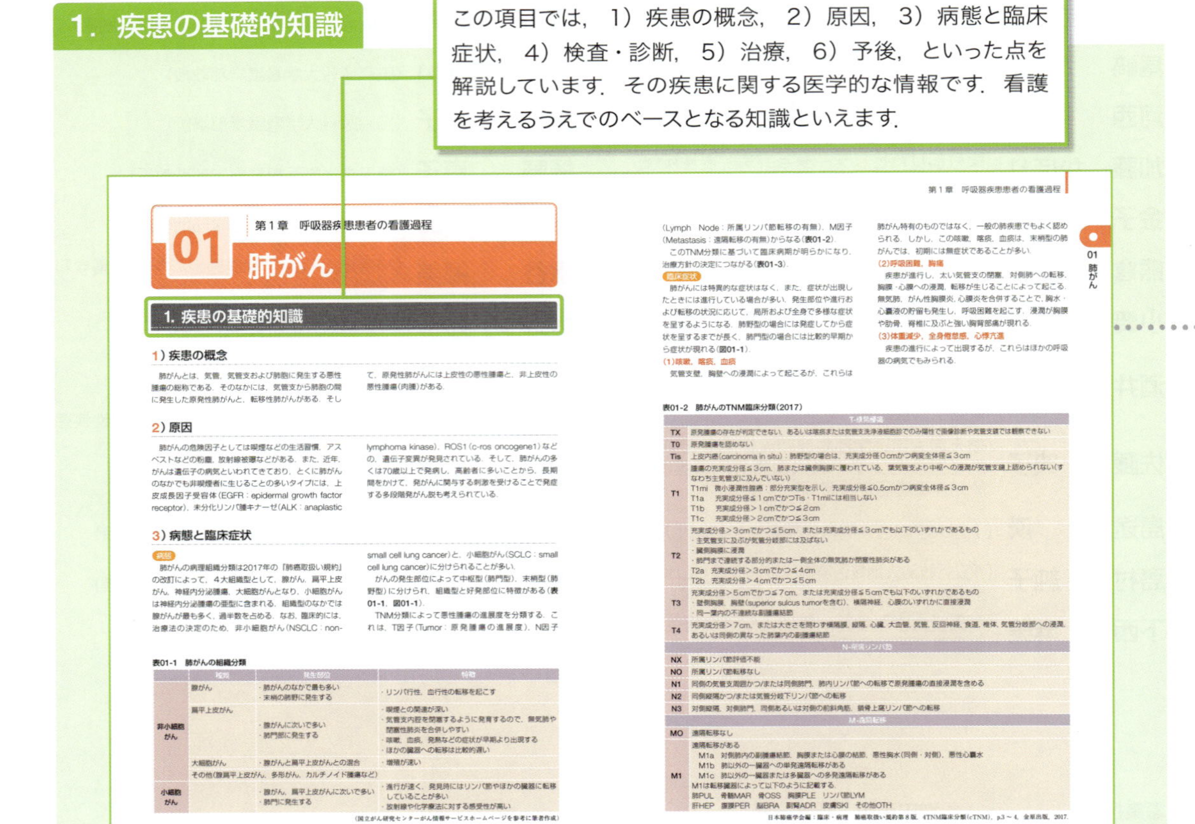

2. 看護過程の展開
アセスメント〜ゴードンの機能的健康パターンを用いて

「ゴードンの機能的健康パターン」を基盤として，アセスメントを解説しています．対象者（患者やその家族）のどこに注目して情報を収集すればよいのか，なぜその情報が必要なのか（根拠），実際に収集すべき情報内容，といった点を表形式でまとめました．

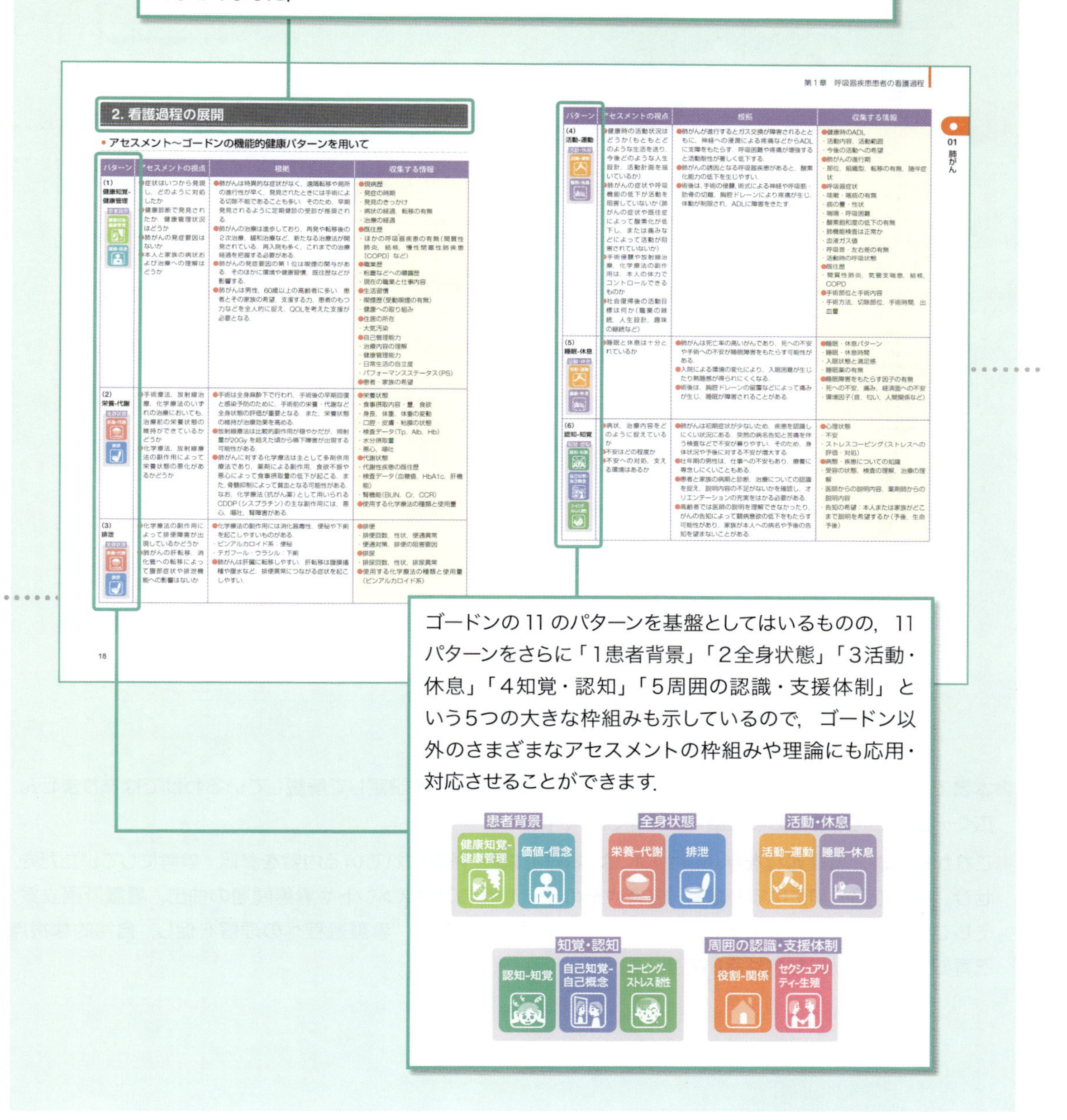

3. 全体像の把握から看護問題を抽出

この項目では，1）病態関連図，2）看護の方向性，3）患者・家族の目標，という流れで解説しています．ここで病態関連図によってあらためて全体像を俯瞰するとともに，「1．疾患の基礎的知識」と「2．看護過程の展開　アセスメント」で学んだ内容をもとにして，実際に看護をする際の考え方（方向性）や，今後の目標の例を見いだします．

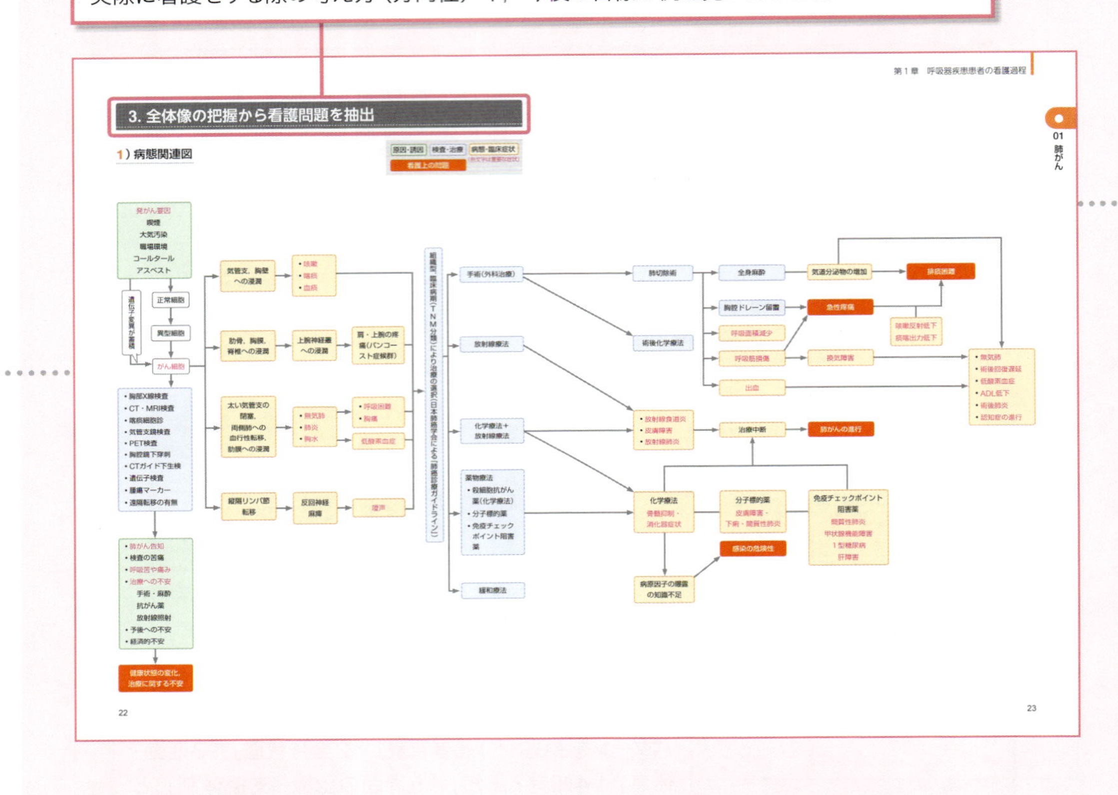

●本書では，各疾患について，具体的な事例（特定の患者像）を設定して解説しているわけではありません．広く一般的で汎用性のある看護過程の解説書です．

●これから本書で看護過程を学ぶ皆さんには，本書を読み，解説されている内容を参照・参考にしていただき，ぜひ，自分の目の前にいる対象者（患者やその家族）へのアセスメントや看護問題の抽出，看護計画立案，そして看護実践にお役立てていただけたらと思います．本書が，看護過程への理解を促し，自律的な視点を育むための一助になれば幸いです．

4. しばしば取り上げられる看護問題

2）看護の方向性

肺がんは，初期では症状がなく，健康診断で発見されることも多い．また，死亡率の高いがんであるため，病名告知による患者の衝撃や治療への不安は大きい．発見されたときには転移し，その症状や随伴症状が出現していることもある．まずは，患者と家族の疾病と治療への理解度と，希望を知る．加えて，症状が出現しているときには速やかに苦痛を和らげて，安楽に療養生活を送れるように援助する必要がある．

進行肺がんでは，神経浸潤や，骨転移によって強い痛みが生じる．早期がんでは，根治療法として手術療法が選択されるが，肺切除による痛みは強く，術後に挿入される胸腔ドレーンによる痛みも生じるため，疼痛緩和を積極的に行い，排痰困難や活動の低下が生じないように援助する必要がある．

肺がんの進行度や，高齢者かどうか，合併症の有無などにより，放射線療法や薬物療法が選択される．その際，治療によってさまざまな副作用が起こる．放射線療法では皮膚・粘膜障害が生じやすく，嚥下障害が起こると食事摂取量の低下につながる．薬物療法では骨髄抑制による好中球減少症からくる易感染がある．治療を中断すると，がん細胞が再燃し，治療効果の減弱につながる．看護師は，治療計画が順調に進むように，栄養状態の維持や感染予防対策を積極的に行い，副作用の予防に努める必要がある．

遺伝子治療や免疫療法など，近年さまざまな薬剤が認可され，肺がんの死亡率は年々低下している．反面，新たな副作用も生じている．新しい治療について看護師は正しい知識をもって対応し，患者が安心して療養できるように支援する必要がある．

3）患者・家族の目標

- 患者と家族は，肺がんの病態と治療計画，起こり得る合併症や副作用を正しく理解し，医療者との信頼関係を築き，不安なく療養生活を送る．
- 患者は，肺がんの症状，また，手術や治療による痛みや苦痛，治療による副作用を我慢することなく，速やかに緩和でき，安楽に過ごすことができる．
- 患者と家族は，健康状態を維持し，治療計画が予定通りに行えるよう，感染対策，禁煙，食事，活動など，必要な健康維持行動を自ら実施することができる．

4. しばしば取り上げられる看護問題

◆1 疼痛，身体的要因（胸腔ドレーン）により効果的な気道浄化がはかれない

なぜ？

肺がんでは，気管，気管支への浸潤があれば，咳嗽や喀痰，血痰などの症状が出現する．痰の停滞は無気肺を拡大し，呼吸困難感の増大や低酸素血症につながる．

進行期の肺がんは，神経浸潤や骨転移，手術では全身麻酔下で行うことから術後は気道分泌物が増大する．さらに手術による呼吸筋の切離や肋間神経損傷などの疼痛から，咳嗽困難になりやすい．気道浄化の低下は低酸素血症，気道感染は回復遅延につながる．

また，胸水が貯留した場合や，術後の肺の再膨張をはかるため，胸腔ドレーンが挿入されると，ドレーンによる牽引痛から呼吸を抑制し，排痰困難となりやすい．

これらは，肺がんでは特徴的な症状であり，治療の合併症である．咳嗽は痛みを生じ，不眠など安楽の障害をもたらす．無気肺は肺炎の原因となり，低酸素状態は組織の回復を妨げる．

➡ 期待される結果

疾患や治療による痛みを緩和し，効果的な咳嗽を行い，気道浄化をはかることができる．

◆2 化学療法による易感染状態，病原体との接触回避についての知識不足に関連した感染の危険性がある

なぜ？

肺がんでは，化学療法をはじめ，遺伝子治療や免疫療法など，さまざまな薬物療法が行われる．そして，使用される薬剤によって，さまざまな副作用が出現する．

化学療法治療後，10日〜2週間後に出現する骨髄抑制から起こる易感染は，頻度が高い副作用である．感染が起こると，改善するまで治療は中断され，がんの治療

24

この項目では，その疾患がある患者・家族において，取り上げられる代表的な看護問題を例示しています．なぜそれらの看護問題が抽出される可能性があるのか，それらの看護問題を取り上げる根拠を知り，看護計画を立てる際の判断材料を把握できます．

臨床現場で働く看護師が，どのような思考過程を経て，看護実践に臨んでいるのか，という点を意識して読むと，よりいっそうの理解が深まります．

5. 看護計画の立案

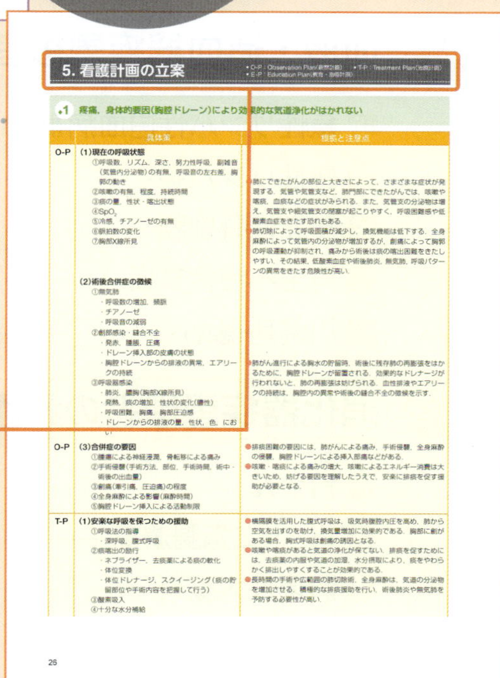

5. 看護計画の立案

• O-P：Observation Plan（観察計画）　• T-P：Treatment Plan（治療計画）
• E-P：Education Plan（教育・指導計画）

◆1 疼痛，身体的要因（胸腔ドレーン）により効果的な気道浄化がはかれない

	具体策	根拠と注意点
O-P	**(1)現在の呼吸状態** ①呼吸数，リズム，深さ，努力性呼吸，副雑音（気管内分泌物）の有無，呼吸音の左右差，胸郭の動き ②咳嗽の有無，程度，持続時間 ③痰の量，性状・喀出状態 ④SpO_2 ⑤冷感，チアノーゼの有無 ⑥脈拍数の変化 ⑦胸部X線所見 **(2)術後合併症の徴候** ①無気肺 ・呼吸数の増加，頻脈 ・チアノーゼ ・呼吸音の減弱 ②創部感染・縫合不全 ・発赤，腫脹，圧痛 ・ドレーン挿入部の皮膚の状態 ・胸腔ドレーンからの排液の異常，エアリークの持続 ③呼吸器感染 ・肺炎，膿胸（胸部X線所見） ・発熱，痰の増加，性状の変化（膿性） ・呼吸困難，胸痛，胸部圧迫感 ・ドレーンからの排液の量，性状，色，におい	●肺にできたがんの部位と大きさによって，さまざまな症状が発現する．気管や気管支など，肺門部にできたがんでは，咳嗽や喀痰，血痰などの症状がみられる．また，気管支の分泌物は増え，気管支や細気管支の閉塞が起こりやすく，呼吸困難感や低酸素血症をきたす恐れもある． ●肺切除によって呼吸面積が減少し，換気機能は低下する．全身麻酔によって気管内の分泌物が増加するが，創痛によって胸郭の呼吸運動が抑制され，痛みから術後は痰の喀出困難をきたしやすい．その結果，低酸素血症や術後肺炎，無気肺，呼吸パターンの異常をきたす危険性が高い． ●肺がん進行による胸水の貯留時，術後に残存肺の再膨張をはかるために，胸腔ドレーンが留置される．効果的なドレナージが行われないと，肺の再膨張は妨げられる．血性排液やエアリークの持続は，胸腔内の異常や術後の縫合不全の徴候を示す．
O-P	**(3)合併症の要因** ①腫瘍による神経浸潤，骨転移による痛み ②手術侵襲（手術方法，部位，手術時間，術中・術後の出血量） ③創痛（牽引痛，圧迫痛）の程度 ④全身麻酔による影響（麻酔時間） ⑤胸腔ドレーン挿入による活動制限	●排痰困難の要因には，肺がんによる痛み，手術侵襲，全身麻酔の侵襲，胸腔ドレーンによる挿入部痛などがある． ●咳嗽・喀痰による痛みの増大，咳嗽によるエネルギー消費は大きいため，妨げる要因を理解したうえで，安楽に排痰を促す援助が必要となる．
T-P	**(1)安楽な呼吸を保つための援助** ①呼吸法の指導 ・深呼吸，腹式呼吸 ②痰喀出の励行 ・ネブライザー，去痰薬による痰の軟化 ・体位変換 ・体位ドレナージ，スクイージング（痰の貯留部位や手術内容を把握して行う） ③酸素吸入 ④十分な水分補給	●横隔膜を活用した腹式呼吸は，吸気時腹腔内圧を高め，肺から空気を出すのを助け，換気量増加に効果的である．胸部に創がある場合，胸式呼吸は創痛の誘因となる． ●咳嗽や喀痰があると気道の浄化が保てない．排痰を促すためには，去痰薬の内服や気道の加湿，水分摂取により，痰をやわらかく排出しやすくすることが効果的である． ●長時間の手術や広範囲の肺切除術，全身麻酔は，気道の分泌物を増加させる．積極的な排痰援助を行い，術後肺炎や無気肺を予防する必要性が高い．

26

前の項目で登場した看護問題について看護計画の例をここで示しています．観察計画（O-P：Observation Plan），治療計画（T-P：Treatment Plan），教育・指導計画（E-P：Education Plan），それぞれについて，具体策を紹介するとともに，その根拠や注意点を学びます．この「看護計画の立案」に至るまでに学んできた内容（疾患の基礎的知識，アセスメント，看護問題など）が踏まえられていることを念頭に置いて，参照してみてください．

CONTENTS

第1章 呼吸器疾患患者の看護過程

第2章 循環器疾患患者の看護過程

第3章 血液・造血器疾患患者の看護過程

第4章 消化器疾患患者の看護過程

第7章 運動器疾患患者の看護過程

第8章 腎・泌尿器疾患患者の看護過程

第9章 女性生殖器・婦人科疾患患者の看護過程

第10章 自己免疫疾患患者の看護過程

01 第1章 呼吸器疾患患者の看護過程

肺がん

1. 疾患の基礎的知識

1）疾患の概念

肺がんとは，気管，気管支および肺胞に発生する悪性腫瘍の総称である．そのなかには，気管支から肺胞の間に発生した原発性肺がんと，転移性肺がんがある．そして，原発性肺がんには上皮性の悪性腫瘍と，非上皮性の悪性腫瘍（肉腫）がある．

2）原因

肺がんの危険因子としては喫煙などの生活習慣，アスベストなどの粉塵，放射線被曝などがある．また，近年，がんは遺伝子の病気といわれてきており，とくに肺がんのなかでも非喫煙者に生じることの多いタイプには，上皮成長因子受容体（EGFR：epidermal growth factor receptor），未分化リンパ腫キナーゼ（ALK：anaplastic lymphoma kinase），ROS1（c-ros oncogene1）などの，遺伝子変異が発見されている．そして，肺がんの多くは70歳以上で発病し，高齢者に多いことから，長期間をかけて，発がんに関与する刺激を受けることで発症する多段階発がん説も考えられている．

3）病態と臨床症状

病態

肺がんの病理組織分類は2017年の『肺癌取扱い規約』の改訂によって，４大組織型として，腺がん，扁平上皮がん，神経内分泌腫瘍，大細胞がんとなり，小細胞がんは神経内分泌腫瘍の亜型に含まれる．組織型のなかでは腺がんが最も多く，過半数を占める．なお，臨床的には，治療法の決定のため，非小細胞がん（NSCLC：non-small cell lung cancer）と，小細胞がん（SCLC：small cell lung cancer）に分けられることが多い．

がんの発生部位によって中枢型（肺門型），末梢型（肺野型）に分けられ，組織型と好発部位に特徴がある（**表01-1，図01-1**）．

TNM分類によって悪性腫瘍の進展度を分類する．これは，T因子（Tumor：原発腫瘍の進展度），N因子

表01-1　肺がんの組織分類

	種類	発生部位	特徴
非小細胞がん	腺がん	・肺がんのなかで最も多い ・末梢の肺野に発生する	・リンパ行性，血行性の転移を起こす
	扁平上皮がん	・腺がんに次いで多い ・肺門部に発生する	・喫煙との関連が深い ・気管支内腔を閉塞するように発育するので，無気肺や閉塞性肺炎を合併しやすい ・咳嗽，血痰，発熱などの症状が早期より出現する ・ほかの臓器への転移は比較的遅い
	大細胞がん	・腺がんと扁平上皮がんとの混合	・増殖が速い
	その他（腺扁平上皮がん，多形がん，カルチノイド腫瘍など）		
小細胞がん		・腺がん，扁平上皮がんに次いで多い ・肺門に発生する	・進行が速く，発見時にはリンパ節やほかの臓器に転移していることが多い ・放射線や化学療法に対する感受性が高い

（国立がん研究センターがん情報サービスホームページを参考に筆者作成）

（Lymph Node：所属リンパ節転移の有無），M因子（Metastasis：遠隔転移の有無）からなる（**表01-2**）．

このTNM分類に基づいて臨床病期が明らかになり，治療方針の決定につながる（**表01-3**）．

臨床症状

肺がんには特異的な症状はなく，また，症状が出現したときには進行している場合が多い．発生部位や進行および転移の状況に応じて，局所および全身で多様な症状を呈するようになる．肺野型の場合には発症してから症状を呈するまでが長く，肺門型の場合には比較的早期から症状が現れる（**図01-1**）．

（1）咳嗽，喀痰，血痰

気管支壁，胸壁への浸潤によって起こるが，これらは肺がん特有のものではなく，一般の肺疾患でもよく認められる．しかし，この咳嗽，喀痰，血痰は，末梢型の肺がんでは，初期には無症状であることが多い．

（2）呼吸困難，胸痛

疾患が進行し，太い気管支の閉塞，対側肺への転移，胸膜・心膜への浸潤，転移が生じることによって起こる．無気肺，がん性胸膜炎，心膜炎を合併することで，胸水・心嚢液の貯留も発生し，呼吸困難を起こす．浸潤が胸膜や肋骨，脊椎に及ぶと強い胸背部痛が現れる．

（3）体重減少，全身倦怠感，心悸亢進

疾患の進行によって出現するが，これらはほかの呼吸器の病気でもみられる．

表01-2　肺がんのTNM臨床分類（2017）

	T-原発腫瘍
TX	原発腫瘍の存在が判定できない，あるいは喀痰または気管支洗浄液細胞診でのみ陽性で画像診断や気管支鏡では観察できない
T0	原発腫瘍を認めない
Tis	上皮内癌（carcinoma in situ）：肺野型の場合は，充実成分径０cmかつ病変全体径≦３cm
T1	腫瘍の充実成分径≦３cm，肺または臓側胸膜に覆われている，葉気管支より中枢への浸潤が気管支鏡上認められない（すなわち主気管支に及んでいない） T1mi　微小浸潤性腺癌：部分充実型を示し，充実成分径≦0.5cmかつ病変全体径≦３cm T1a　充実成分径≦１cmでかつTis・T1miには相当しない T1b　充実成分径＞１cmでかつ≦２cm T1c　充実成分径＞２cmでかつ≦３cm
T2	充実成分径＞３cmでかつ≦５cm，または充実成分径≦３cmでも以下のいずれかであるもの ・主気管支に及ぶが気管分岐部には及ばない ・臓側胸膜に浸潤 ・肺門まで連続する部分的または一側全体の無気肺か閉塞性肺炎がある T2a　充実成分径＞３cmでかつ≦４cm T2b　充実成分径＞４cmでかつ≦５cm
T3	充実成分径＞５cmでかつ≦７cm，または充実成分径≦５cmでも以下のいずれかであるもの ・壁側胸膜，胸壁（superior sulcus tumorを含む），横隔神経，心膜のいずれかに直接浸潤 ・同一葉内の不連続な副腫瘍結節
T4	充実成分径＞７cm，または大きさを問わず横隔膜，縦隔，心臓，大血管，気管，反回神経，食道，椎体，気管分岐部への浸潤，あるいは同側の異なった肺葉内の副腫瘍結節
	N-所属リンパ節
NX	所属リンパ節評価不能
N0	所属リンパ節転移なし
N1	同側の気管支周囲かつ/または同側肺門，肺内リンパ節への転移で原発腫瘍の直接浸潤を含める
N2	同側縦隔かつ/または気管分岐下リンパ節への転移
N3	対側縦隔，対側肺門，同側あるいは対側の前斜角筋，鎖骨上窩リンパ節への転移
	M-遠隔転移
M0	遠隔転移なし
M1	遠隔転移がある M1a　対側肺内の副腫瘍結節，胸膜または心膜の結節，悪性胸水（同側・対側），悪性心嚢水 M1b　肺以外の一臓器への単発遠隔転移がある M1c　肺以外の一臓器または多臓器への多発遠隔転移がある M1は転移臓器によって以下のように記載する． 肺PUL　骨髄MAR　骨OSS　胸膜PLE　リンパ節LYM 肝HEP　腹膜PER　脳BRA　副腎ADR　皮膚SKI　その他OTH

日本肺癌学会編：臨床・病理　肺癌取扱い規約第８版．4TNM臨床分類（cTNM），p.3～4，金原出版，2017．

(4)嗄声

縦隔リンパ節転移によって反回神経をおかされると出現する.

(5)ホルネル症候群，パンコースト症候群

ホルネル症候群とは，頸部交感神経の障害によって起こる症候群である．肺尖部に発生した腫瘍の交感神経浸潤により，神経が圧排され，一側の眼裂狭小，眼瞼下垂，眼球陥凹，縮瞳，発汗異常を示す．パンコースト症候群は，上腕神経叢や頸部交感神経節へのがん浸潤で起こり，上肢の疼痛，同側の手の筋萎縮，同側のホルネル症候群を示す．

図01-1　肺がんの発症部位による分類

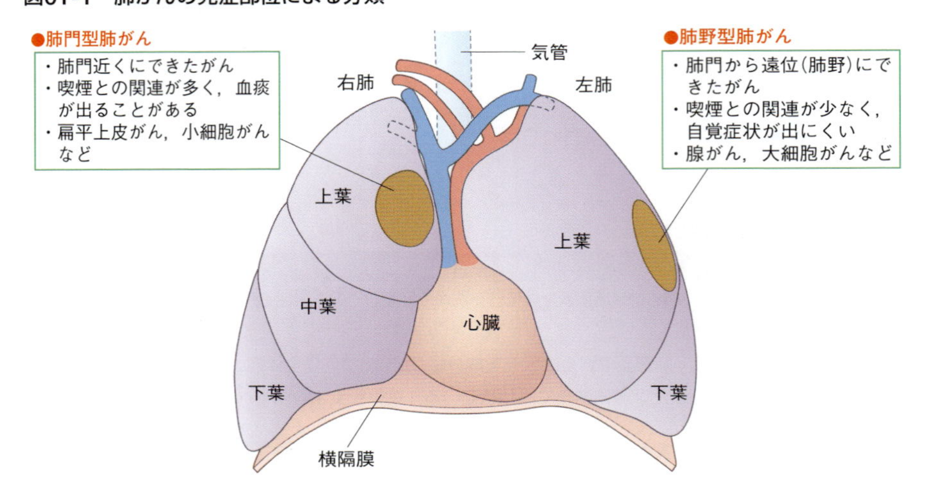

●肺門型肺がん
・肺門近くにできたがん
・喫煙との関連が多く，血痰が出ることがある
・扁平上皮がん，小細胞がんなど
●肺野型肺がん
・肺門から遠位(肺野)にできたがん
・喫煙との関連が少なく，自覚症状が出にくい
・腺がん，大細胞がんなど
気管
右肺
左肺
上葉
中葉
下葉
上葉
下葉
心臓
横隔膜

表01-3　肺がんの病期分類

病期	T-原発腫瘍	N-所属リンパ節	M-遠隔転移
潜伏癌	TX	N0	M0
0期	Tis	N0	M0
ⅠA期	T1	N0	M0
ⅠA1期	T1mi	N0	M0
	T1a	N0	M0
ⅠA2期	T1b	N0	M0
ⅠA3期	T1c	N0	M0
ⅠB期	T2a	N0	M0
ⅡA期	T2b	N0	M0
ⅡB期	T1a	N1	M0
	T1b	N1	M0
	T1c	N1	M0
	T2a	N1	M0
	T2b	N1	M0
	T3	N0	M0

病期	T-原発腫瘍	N-所属リンパ節	M-遠隔転移
ⅢA期	T1a	N2	M0
	T1b	N2	M0
	T1c	N2	M0
	T2a	N2	M0
	T2b	N2	M0
	T3	N1	M0
	T4	N0	M0
	T4	N1	M0
ⅢB期	T1a	N3	M0
	T1b	N3	M0
	T1c	N3	M0
	T2a	N3	M0
	T2b	N3	M0
	T3	N2	M0
	T4	N2	M0
ⅢC期	T3	N3	M0
	T4	N3	M0
Ⅳ期	AnyT	AnyN	M1
ⅣA期	AnyT	AnyN	M1a
	AnyT	AnyN	M1b
ⅣB期	AnyT	AnyN	M1c

日本肺癌学会編：臨床・病理　肺癌取扱い規約第8版．8病期分類，p.6，金原出版，2017.

(6)上大静脈症候群

肺がんが縦隔へ進展して，上大静脈，腕頭静脈を圧迫・閉塞し，顔面や上肢の腫脹，浮腫，胸壁静脈の怒張などを認める．

(7)嚥下困難，頻脈，不整脈，うっ血性心不全

腫瘍やリンパ節転移が進行することで，食道と心臓への圧迫および直接浸潤に至り，こうした症状が出現する．

(8)閉塞性肺炎，無気肺

腫瘍による気管閉塞が末梢肺野の虚脱や肺炎を起こし，発熱，呼吸困難などが出現する．

(9)転移による症状

・肝臓：疼痛（圧痛など），悪心，早期満腹感などが生じ，最終的に肝機能不全を引き起こす．
・脳：行動変化，錯乱，失語，痙攣発作，不全麻痺または麻痺，悪心および嘔吐などが生じ，最終的に昏睡および死を引き起こす．
・骨：重度の疼痛と病的骨折を引き起こす．
・副腎：副腎への遠隔転移は起こりやすいが，まれに副腎機能不全を引き起こす．

(10)腫瘍随伴症候群（腫瘍もしくは転移巣から離れた部位で起こる症状の総称）

・高カルシウム血症：扁平上皮がん患者でみられ，腫瘍が副甲状腺ホルモンに関連するタンパクを産生するために生じる．意識障害がみられることもある．
・バゾプレシン分泌過剰症（SIADH：syndrome of inappropriate secretion of antidiuretic hormone）：低ナトリウム血症，血漿浸透圧低下などを起こす．
・ばち状指：肺性肥大性骨関節症を伴う場合がある．
・表在静脈の遊走性血栓性静脈炎を伴う凝固亢進（トルソー症候群）がみられることもある．

4）検査・診断

がん検診などで肺がんが疑われるときは，まず胸部のX線検査，CT検査，細胞診，組織診などで，病変の部位と組織型を調べる．治療方針の決定や予後の把握には，病巣の広がり，転移の有無などの病期診断を行う．身体に負担の少ない検査から実施を検討していく．

(1)胸部単純X線検査

がんを疑う影，胸水，縦隔陰影の拡大，肺野の縮小があれば，がんの存在を疑う．

(2)CT・MRI検査

がんの大きさ，性質，周囲の臓器への広がりなど多くの情報が得られる．

(3)喀痰細胞診

肺門部にできたがんを発見するのに役立つ．

(4)気管支鏡検査

気管支鏡により，気管や気管支を直接観察する内視鏡検査である．病巣から組織や細胞を採取し，組織診，細胞診を行う（生検）．確定診断に必要な検査である．

先端に超音波装置のついた気管支鏡を用いて行う気管支腔内超音波断層法（EBUS：endobronchial ultrasound）や，CTで確認しながら気管支鏡を用いて針生検するCTガイド下気管支鏡検査もある．

(5)胸腔鏡検査

胸壁からアプローチしやすい胸膜近傍の病変が対象で，上記(3)(4)の組織診，細胞診で確定診断がつかない場合に，肺や胸膜，リンパ節の組織に生検を目的として行う．

(6)PET検査（陽電子放出断層撮影）

陽電子（ポジトロン）を放出する放射性同位元素を用いた核医学検査である．がん細胞が多くのブドウ糖を取り込む性質を利用して，ブドウ糖の類似体で，陽電子放出核種で標識したFDG（フルオロデオキシグルコース）を投与し，その集積の分布や程度を知ることで，病巣や転移の有無を確認できる．PETは全身検索に優れており，一度にPETとCTの画像が得られるPET-CT検査が，悪性腫瘍の診断に必要不可欠になっている．

(7)腫瘍マーカー

肺がん細胞自身が産生する物質で，採血検査で診断できる．治療効果，進行度，再発予知などに役立つ．腫瘍マーカーの陽性率は組織型によって異なる．

・扁平上皮がん：SCC抗原（扁平上皮がん関連抗原），CYFRA21-1（サイトケラチン19フラグメント），CEA（がん胎児性抗原）
・腺がん：CEA，SLX（シアリルLe^{x}-i抗原）
・大細胞がん：CEA，SLX
・小細胞がん：NSE（神経特異エノラーゼ），Pro-GRP（ガストリン放出ペプチド前駆体）

5）治療

病期，組織型による治療方法

治療方針は，組織型・特徴，臨床病期，パフォーマンスステータス（PS：performance status），臓器機能，合併症，年齢などを考慮して決定する．治療方法には，手術療法（外科療法），放射線療法，薬物療法があり，これらを単独で，または複数を組み合わせた集学的治療を行う．進行期にかかわらず，早期から必要に応じて緩和療法を行う．

ここでは，臨床的な分類に準じて，非小細胞肺がんと，小細胞肺がんに分けて考える．

(1)非小細胞肺がんの治療選択

非小細胞肺がんの治療の中心となるのは手術で，臨床病期Ⅰ，Ⅱ，Ⅲ期(N0-1)は手術の適応である．病期によっては，再発予防のために手術後の化学療法が進められている．全身状態，年齢，合併する病気などにより，手術が難しいと判断した場合は放射線治療，さらに進行した状態では薬物療法を中心に行う．

肺がんの85%を占める非小細胞肺がんの薬物療法の選択では，EGFR，ALK，ROS1などのドライバー遺伝子異常の有無，腫瘍におけるPD-L1の発現を検索し，薬物療法を選択する個別化療法がすでに確立されている．薬物療法の選択のため，扁平上皮がん(Sq)と非扁平上皮がん(non-Sq)に分類されることも多い．

(2)小細胞肺がんの治療の選択

小細胞肺がんは，手術が可能な早期に発見されることは少なく，中心となる治療は化学療法である．

治療の種類

(1)手術療法

非小細胞がんの臨床病期Ⅰ，Ⅱ期が適応であり，ⅢA期でも症例に応じて考慮される．

開胸手術または胸腔鏡手術，その併用によって行われる．

①肺葉切除術：右肺(上葉，中葉，下葉)，左肺(上葉，下葉)の肺葉を切除

②肺全摘術：片側の肺をすべて切除

③縮小手術：腫瘍が小さいときに行われる．区域切除，部分切除(楔状切除)がある

④リンパ節郭清術：肺がんはリンパ節に転移しやすいため，周囲のリンパ節を切除するのが標準である

(2)放射線治療

放射線を腫瘍に照射し，DNAを損傷することによって細胞を傷害し，腫瘍の縮小や消失をはかる．治療を目的に行う根治的放射線治療と，骨や脳などへの転移によって起こる症状を緩和する目的で行う緩和的放射線治療がある．小細胞がんで限局型の場合は，脳への転移を予防するために，脳全体に放射線を照射する「予防的全脳照射」を行うこともある．

(3)薬物療法(化学療法)(図01-2，3)

肺がんでは，殺細胞性抗がん薬，分子標的治療薬，血管新生阻害薬，免疫チェックポイント阻害薬に分類される．

殺細胞性抗がん薬は，主にDNA障害と微小血管阻害により，がん細胞を傷害する抗がん薬である．正常細胞にも作用するため，さまざまな副作用が出現する(骨髄抑制，消化器症状，神経障害，呼吸障害など)．

分子標的治療薬は，がん細胞がもつ増殖などに関わる分子を標的として，その作用を阻害することで抗腫瘍効果を発揮する．EGFR，ALK，ROS1などのドライバー遺伝子の陽性の有無を確認し，使用する薬剤を検討する．

血管新生阻害薬は，血管内皮細胞増殖因子(VEGF：vascular endothelial growth factor)に対する中和抗体である．がん細胞の増殖に必要な腫瘍血管の新生を抑制する．

免疫チェックポイント阻害薬は，自己免疫を脱抑制し，細胞性免疫の活性化を高め，がん細胞を免疫応答で排除しようとする．そのためT細胞が正常細胞を攻撃することによる副作用が生じる．

いずれも研究進歩の早い分野であり，今後，適応や使用法が大きく変化する可能性が高い．

(4)内視鏡治療

①ステント留置：腫瘍の発育によって気道に狭窄をきたしている場合，呼吸を確保するために，中枢気道狭窄に対してステント留置を行う．ステント(筒状の構造物)を気道に置いて広げることで，窒息を防ぐ．ステントにはシリコン，金属，ハイブリッドステントがあり，それぞれ利点，欠点がある．

②その他の内視鏡治療：高周波凝固法，マイクロ波凝固法，Nd-YAGレーザーなどによって，中枢気道にある腫瘍の切除，焼灼，または凝固壊死によって，気道狭窄を改善する．

6）予後

2013年の日本の肺がん罹患患者数は，111,837人(男性75,742人，女性36,095人)で全がん罹患の13%を占めた．全がんのなかで肺がん罹患率は男性で2位，女性で4位であり，高齢者になるにつれて罹患率は高くなる．

2018年の日本の肺がん死亡数は全がん死亡の約20%を占め，部位別では男性1位，女性で2位を占め，男女ともに死亡数の多いがんである．また，男性の死亡率は女性と比較して約2倍高い．肺がんの有病者数は，高齢者の増加による罹患数増加に起因すると考えられ，2040年前後で有病者数は減少傾向に突入すると予測される．

しかし，集学的治療の進歩により，1993年以降，肺がん患者の生存率は，診断時の進行度にかかわらず改善傾向を示している．

図01-2　肺がん治療における使用薬剤

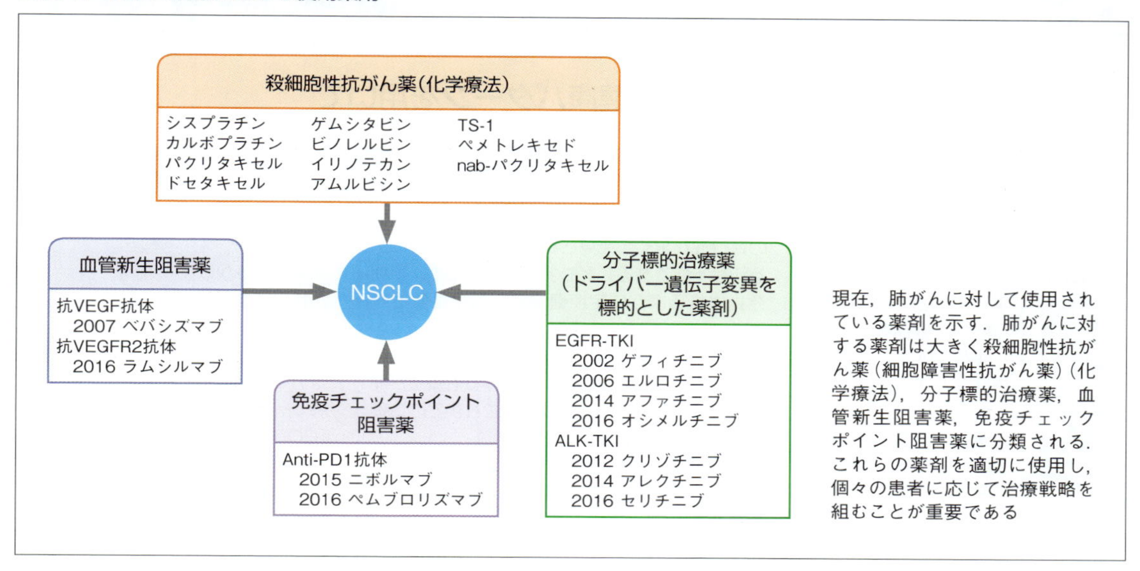

現在，肺がんに対して使用されている薬剤を示す．肺がんに対する薬剤は大きく殺細胞性抗がん薬（細胞障害性抗がん薬）（化学療法），分子標的治療薬，血管新生阻害薬，免疫チェックポイント阻害薬に分類される．これらの薬剤を適切に使用し，個々の患者に応じて治療戦略を組むことが重要である

図01-3　進行NSCLCに対する治療戦略

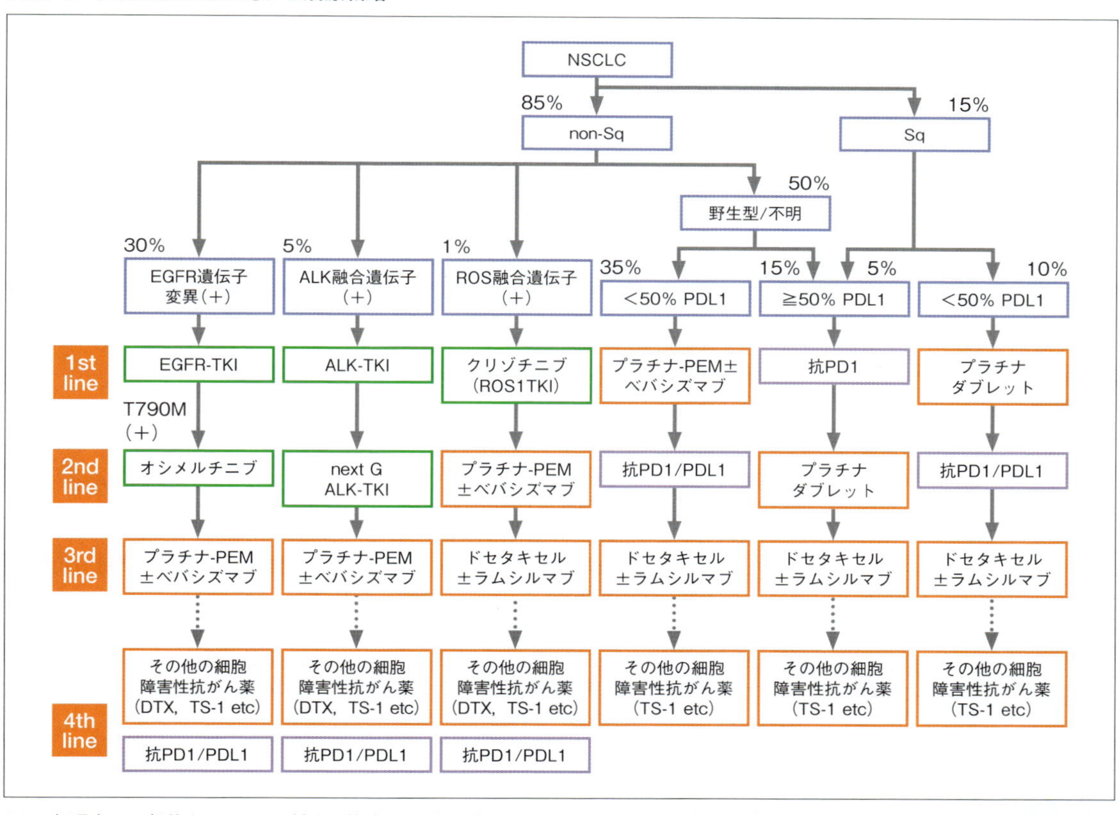

2017年現在の一般的なNSCLCに対する治療アルゴリズムを示す．ドライバー遺伝子異常の有無や腫瘍におけるPD-L1の発現の検索を行ったうえで，治療薬の決定をする
non-Sq：非扁平上皮がん，Sq：扁平上皮がん，PEM：ペメトレキセド，DTX：ドセタキセル

2. 看護過程の展開

● アセスメント～ゴードンの機能的健康パターンを用いて

パターン	アセスメントの視点	根拠	収集する情報
(1) 健康知覚-健康管理 患者背景 健康知覚-健康管理 価値-信念	●症状はいつから発現し，どのように対処したか ●健康診断で発見されたか．健康管理状況はどうか ●肺がんの発症要因はないか ●本人と家族の病状および治療への理解はどうか	●肺がんは特異的な症状がなく，遠隔転移や局所の進行性が早く，発見されたときには手術による切除不能であることも多い．そのため，早期発見されるように定期健診の受診が推奨される． ●肺がんの治療は進歩しており，再発や転移後の2次治療，緩和治療など，新たなる治療法が開発されている．再入院も多く，これまでの治療経過を把握する必要がある． ●肺がんの発症要因の第1位は喫煙の関与がある．そのほかに環境や健康習慣，既往歴などが影響する． ●肺がんは男性，60歳以上の高齢者に多い．患者とその家族の希望，支援する力，患者のもつ力などを全人的に捉え，QOLを考えた支援が必要となる．	●現病歴 ・発症の時期 ・発見のきっかけ ・病状の経過，転移の有無 ・治療の経過 ●既往歴 ・ほかの呼吸器疾患の有無（間質性肺炎，結核，慢性閉塞性肺疾患［COPD］など） ●職業歴 ・粉塵などへの曝露歴 ・現在の職業と仕事内容 ●生活習慣 ・喫煙歴（受動喫煙の有無） ・健康への取り組み ●住居の所在 ・大気汚染 ●自己管理能力 ・治療内容の理解 ・健康管理能力 ・日常生活の自立度 ・パフォーマンスステータス（PS） ●患者・家族の希望
(2) 栄養-代謝 全身状態 栄養-代謝 排泄	●手術療法，放射線治療，化学療法のいずれの治療においても，治療前の栄養状態の維持ができているかどうか ●化学療法，放射線療法の副作用によって栄養状態の悪化があるかどうか	●手術は全身麻酔下で行われ，手術後の早期回復と感染予防のために，手術前の栄養・代謝など全身状態の評価が重要となる．また，栄養状態の維持が治療効果を高める． ●放射線療法は比較的副作用が穏やかだが，照射量が20Gy を超えた頃から嚥下障害が出現する可能性がある． ●肺がんに対する化学療法は主として多剤併用療法であり，薬剤による副作用，食欲不振や悪心によって食事摂取量の低下が起こる．また，骨髄抑制によって貧血となる可能性がある．なお，化学療法（抗がん薬）として用いられるCDDP（シスプラチン）の主な副作用には，悪心，嘔吐，腎障害がある．	●栄養状態 ・食事摂取内容・量，食欲 ・身長，体重，体重の変動 ・口腔・皮膚・粘膜の状態 ・検査データ（Tp，Alb，Hb） ・水分摂取量 ・悪心，嘔吐 ●代謝状態 ・代謝性疾患の既往歴 ・検査データ（血糖値，HbA1c，肝機能） ・腎機能（BUN，Cr，CCR） ●使用する化学療法の種類と使用量
(3) 排泄 全身状態 栄養-代謝 排泄	●化学療法の副作用によって排便障害が出現しているかどうか ●肺がんの肝転移，消化管への転移によって腹部症状や排泄機能への影響はないか	●化学療法の副作用には消化器毒性，便秘や下痢を起こしやすいものがある． ・ビンアルカロイド系：便秘 ・テガフール・ウラシル：下痢 ●肺がんは肝臓に転移しやすい．肝転移は腹膜播種や腹水など，排便異常につながる症状を起こしやすい．	●排便 ・排便回数，性状，便通異常 ・便通対策，排便の阻害要因 ●排尿 ・排尿回数，性状，排尿異常 ●使用する化学療法の種類と使用量（ビンアルカロイド系）

パターン	アセスメントの視点	根拠	収集する情報
(4) 活動-運動 活動・休息 活動-運動 睡眠-休息	●健康時の活動状況はどうか（もともとどのような生活を送り，今後どのような人生設計，活動計画を描いているか） ●肺がんの症状や呼吸機能の低下が活動を阻害していないか（肺がんの症状や既往症によって酸素化が低下し，または痛みなどによって活動が阻害されていないか） ●手術侵襲や放射線療法，化学療法の副作用は，本人の体力でコントロールできるものか ●社会復帰後の活動目標は何か（職業の継続，人生設計，趣味の継続など）	●肺がんが進行するとガス交換が障害されるとともに，神経への浸潤による疼痛などからADLに支障をもたらす．呼吸困難や疼痛が増強すると活動耐性が著しく低下する． ●肺がんの誘因となる呼吸器疾患があると，酸素化能力の低下を生じやすい． ●術後は，手術の侵襲，術式による神経や呼吸筋・肋骨の切離，胸腔ドレーンにより疼痛が生じ，体動が制限され，ADLに障害をきたす．	●健康時のADL ・活動内容，活動範囲 ・今後の活動への希望 ●肺がんの進行期 ・部位，組織型，転移の有無，随伴症状 ●呼吸器症状 ・咳嗽・喀痰の有無 ・痰の量・性状 ・喘鳴・呼吸困難 ・酸素飽和度の低下の有無 ・肺機能検査は正常か ・血液ガス値 ・呼吸音・左右差の有無 ・活動時の呼吸状態 ●既往歴 ・間質性肺炎，気管支喘息，結核，COPD ●手術部位と手術内容 ・手術方法，切除部位，手術時間，出血量
(5) 睡眠-休息 活動・休息 活動-運動 睡眠-休息	●睡眠と休息は十分とれているか	●肺がんは死亡率の高いがんであり，死への不安や手術への不安が睡眠障害をもたらす可能性がある． ●入院による環境の変化により，入眠困難が生じたり熟睡感が得られにくくなる． ●術後は，胸腔ドレーンの留置などによって痛みが生じ，睡眠が障害されることがある．	●睡眠・休息パターン ・睡眠・休息時間 ・入眠状態と満足感 ・睡眠薬の有無 ●睡眠障害をもたらす因子の有無 ・死への不安，痛み，経済面への不安 ・環境因子（音，匂い，人間関係など）
(6) 認知-知覚 知覚・認知 認知-知覚 自己知覚-自己概念 コーピング-ストレス耐性	●病状，治療内容をどのように捉えているか ●不安はどの程度か ●不安への対処，支える環境はあるか	●肺がんは初期症状が少ないため，疾患を認識しにくい状況にある．突然の病名告知と苦痛を伴う検査などで不安が募りやすい．そのため，身体状況や予後に対する不安が増大する． ●壮年期の男性は，仕事への不安もあり，療養に専念しにくいこともある． ●患者と家族の病期と診断，治療についての認識を捉え，説明内容の不足がないかを確認し，オリエンテーションの充実をはかる必要がある． ●高齢者では医師の説明を理解できなかったり，がんの告知によって闘病意欲の低下をもたらす可能性があり，家族が本人への病名や予後の告知を望まないことがある．	●心理状態 ・不安 ・ストレスコーピング（ストレスへの評価・対処） ●病態・疾患についての知識 ・受容の状態，検査の理解，治療の理解 ・医師からの説明内容，薬剤師からの説明内容 ・告知の希望：本人または家族がどこまで説明を希望するか（予後，生命予後）

パターン	アセスメントの視点	根拠	収集する情報
(7) **自己知覚-自己概念** 知覚・認知 認知-知覚 自己知覚-自己概念 コーピング-ストレス耐性	●自己についての認識はどうか ●絶望感や，自尊感情の低下をきたしていないか	●肺がんの受容ができずに，自己価値を低く感じたり，悲観的になる可能性がある． ●高齢者では，肺がんの症状や治療による副作用によって，肉体的な機能低下やADLの低下をもたらしやすく，自尊感情も低下しやすい．	●否定的な自己の捉え方 ・落胆を表す言葉 ・言葉による表現の減少 ・悲観的な見方 ●コミュニケーション不足 ・会話を避ける ・相手をみない ・感情の減退 ・自発性低下
(8) **役割-関係** 周囲の認識・支援体制 役割-関係 セクシュアリティ-生殖	●社会生活，家庭生活のなかで，どのような役割と人間関係か，これからどう過ごしたいと希望しているのか	●肺がんは，初期では手術，進行期では放射線治療，抗がん薬などの多剤併用療法が選択され，長期間の治療を要する．そのため，本来営んでいた社会生活の継続を妨げられやすい． ●一人暮らしの高齢者や高齢者のみの家庭では，日常生活の維持や療養生活の継続に支障をきたしやすい． ●壮年期の男性では，職場での責任が重く，家庭では経済面での主柱となっており，役割への達成意志が強い．	●家族関係 ・同居者の有無 ・キーパーソンは誰か ・介助者はいるか（日常生活の維持，入院や通院などでの療法生活の補助） ・家族の患者への対応状況（面会の頻度，援助内容） ・家族は患者の病気や入院生活について何を希望するのか ●職業上の役割・責任 ・仕事を休む影響は何か ・経済面で困らないか ・仕事を継続するうえで，どんな治療計画を希望するか ●社会的役割・責任 ・家庭での役割と活動内容 ・地域との関わり ・入院による影響
(9) **セクシュアリティ-生殖** 周囲の認識・支援体制 役割-関係 セクシュアリティ-生殖	●性・セクシュアリティでの自己実現の希望は何か	●若年期，壮年期の患者では，肺がん治療によって生殖機能が減退したり，喪失することがあり，それは，本人およびパートナーの人生設計を脅かす．	●生殖歴，生殖段階 ・子どもの有無 ・本人とパートナーの希望 ・生殖機能の温存の希望

パターン	アセスメントの視点	根拠	収集する情報
(10) コーピング-ストレス耐性 知覚・認知 認知-知覚 自己知覚-自己概念 コーピング-ストレス耐性	●ストレスとなる出来事に対処できているか ●ストレスへの対処を支援するサポート体制はあるか ●ストレスへの耐性は高いか	●肺がんは死亡率の高いがんであり，多くは進行がんであることから，患者・家族にとっては大きなストレスとなる．ストレスへの対処ができないと，不安が増大し効果的な治療計画の継続に影響する． ●肺がんでは長期の治療計画が必要となり，仕事や社会生活，経済的な面での問題を生じやすいため，家族の支援，家族のストレスコーピング力があることが望まれる．	●ストレスへの対処行動 ・肺がん，治療についてどう受け止めているか ・ストレスへの対処方法をもっているか ・これまでストレスとなる出来事にどう対応してきたか ・ストレスへの対処は有効であったか ●社会的資源はあるか ・精神的，物的サポートはあるか ・家族はストレスへ対応する力をもっているか
(11) 価値-信念 患者背景 健康知覚-健康管理 価値-信念	●肺がんと診断されたことをどのように捉えているか ●人生において大切なものは何か ●これから何を大切にしたいのか	●肺がんは，死を意識せざるを得ない疾患であり，患者にとって人生を見直す機会となる． ●信じることや大切にしているものがあることは，闘病の精神的な支えとなり，心の安寧につながる． ●患者自身が大切にしていることを周囲が理解し，可能な限りかなうように支援することは患者の尊重につながる．	●価値観・信念 ・人生，健康についての希望 ・これからどのように生きたいと望んでいるのか ●スピリチュアル ・信仰をもっているか ・大切にしていることは何か ・困難が生じたときに助けになるものはあるか ●心の支えとなるものはあるか ・人的な支え ・環境：ベッドサイドにあるもの，大切にしているもの，快適だと感じる環境

3. 全体像の把握から看護問題を抽出

1）病態関連図

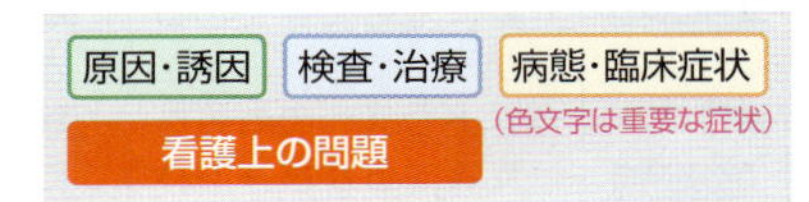

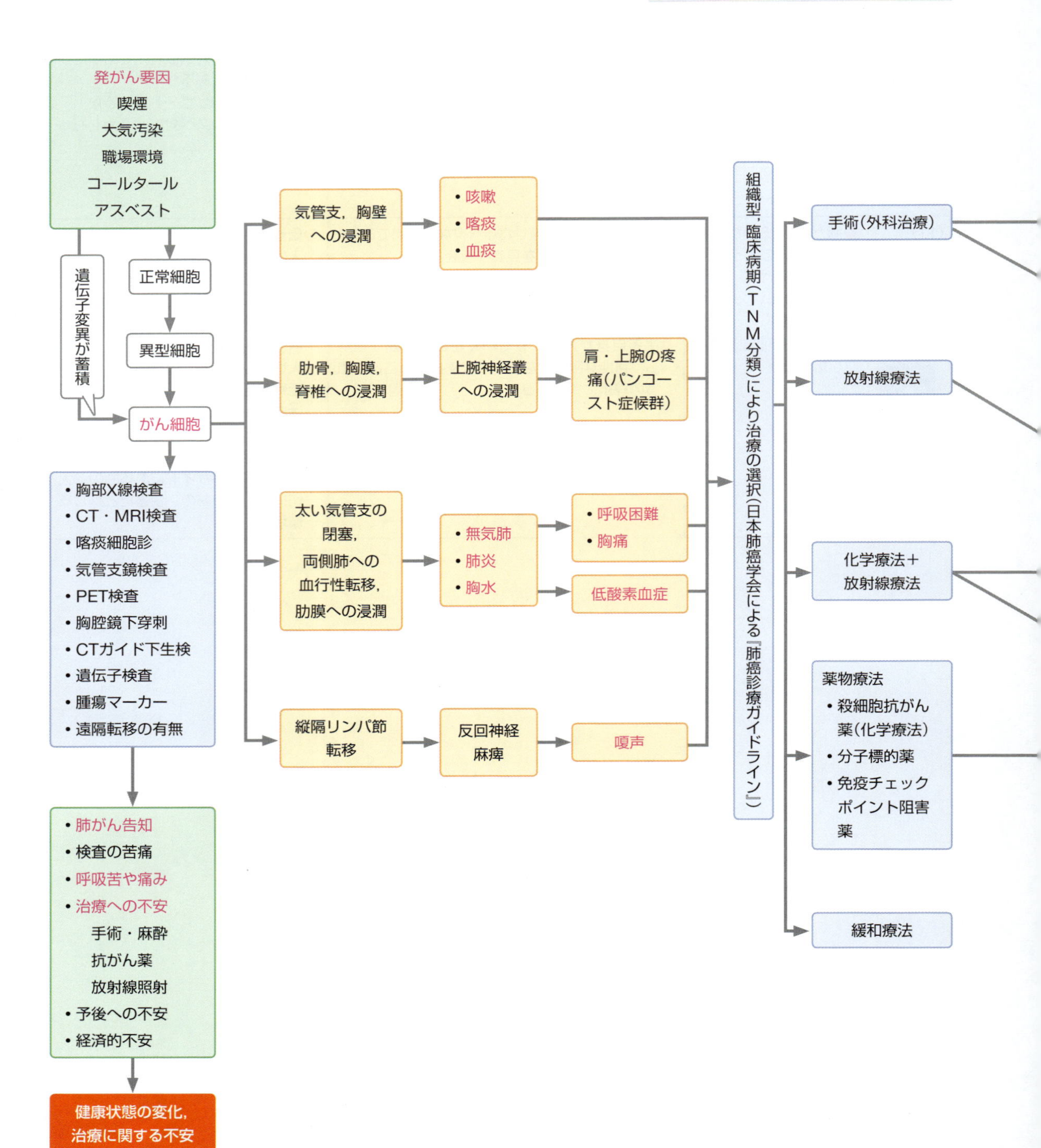

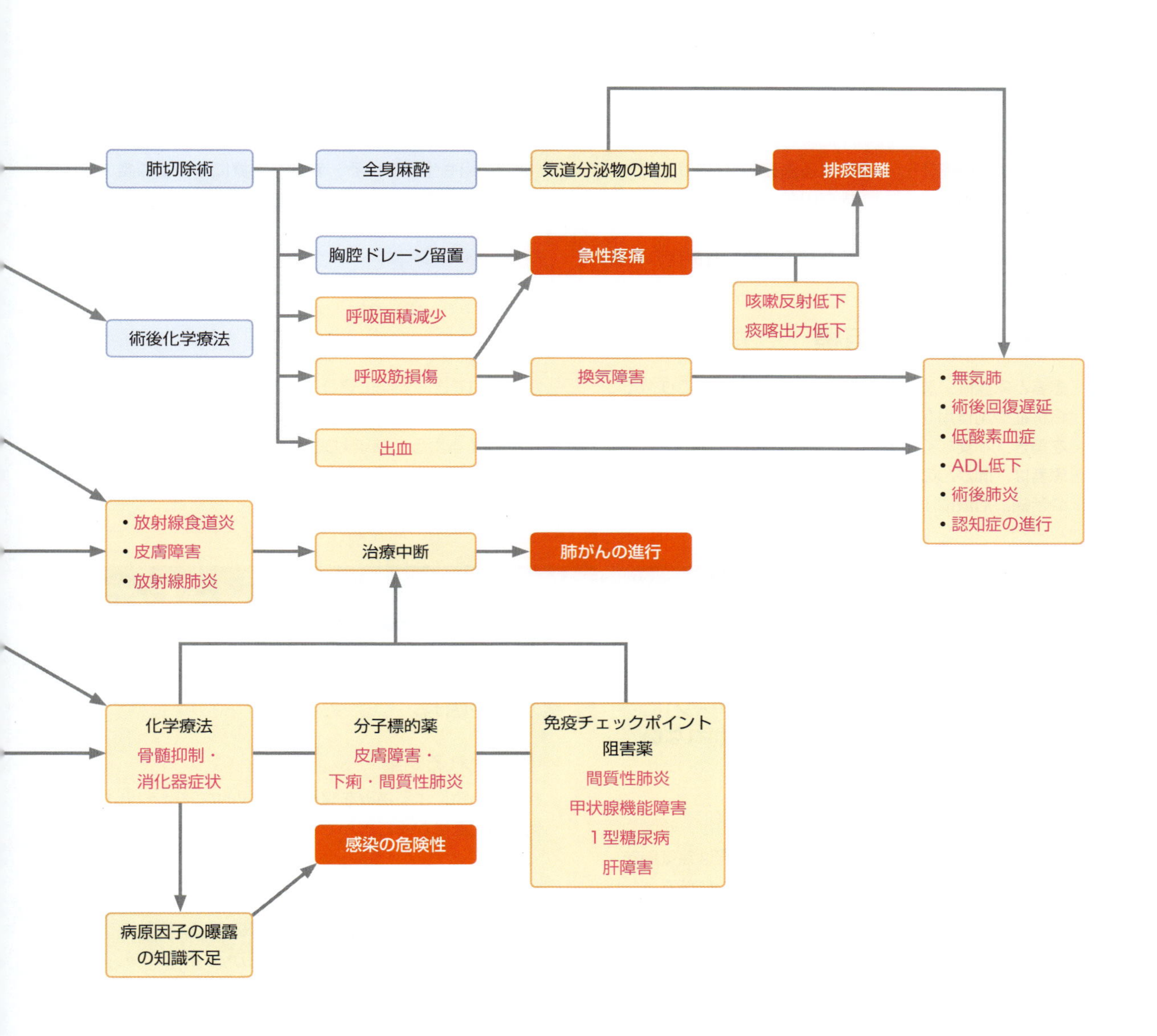
肺切除術
全身麻酔
気道分泌物の増加
排痰困難
胸腔ドレーン留置
急性疼痛
咳嗽反射低下
痰喀出力低下
術後化学療法
呼吸面積減少
呼吸筋損傷
換気障害
出血
・無気肺
・術後回復遅延
・低酸素血症
・ADL低下
・術後肺炎
・認知症の進行
・放射線食道炎
・皮膚障害
・放射線肺炎
治療中断
肺がんの進行
化学療法
骨髄抑制・
消化器症状
分子標的薬
皮膚障害・
下痢・間質性肺炎
免疫チェックポイント
阻害薬
間質性肺炎
甲状腺機能障害
１型糖尿病
肝障害
感染の危険性
病原因子の曝露
の知識不足

2）看護の方向性

肺がんは，初期では症状がなく，健康診断で発見されることも多い．また，死亡率の高いがんであるため，病名告知による患者の衝撃や治療への不安は大きい．発見されたときには転移し，その症状や随伴症状が出現していることもある．まずは，患者と家族の疾病と治療への理解度と，希望を知る．加えて，症状が出現しているときには速やかに苦痛を和らげて，安楽に療養生活を送れるように援助する必要がある．

進行肺がんでは，神経浸潤や，骨転移によって強い痛みが生じる．早期がんでは，根治療法として手術療法が選択されるが，肺切除による痛みは強く，術後に挿入される胸腔ドレーンによる痛みも生じるため，疼痛緩和を積極的に行い，排痰困難や活動の低下が生じないように援助する必要がある．

肺がんの進行度や，高齢者かどうか，合併症の有無などにより，放射線療法や薬物療法が選択される．その際，治療によってさまざまな副作用が起こる．放射線療法では皮膚・粘膜障害が生じやすく，嚥下障害が起こると食事摂取量の低下につながる．薬物療法では骨髄抑制による好中球減少症からくる易感染がある．治療を中断すると，がん細胞が再燃し，治療効果の減弱につながる．看護師は，治療計画が順調に進むように，栄養状態の維持や感染予防対策を積極的に行い，副作用の予防に努める必要がある．

遺伝子治療や免疫療法など，近年さまざまな薬剤が認可され，肺がんの死亡率は年々低下している．反面，新たな副作用も生じている．新しい治療について看護師は正しい知識をもって対応し，患者が安心して療養できるように支援する必要がある．

3）患者・家族の目標

- 患者と家族は，肺がんの病態と治療計画，起こり得る合併症や副作用を正しく理解し，医療者との信頼関係を築き，不安なく療養生活を送る．
- 患者は，肺がんの症状，また，手術や治療による痛みや苦痛，治療による副作用を我慢することなく，速やかに緩和でき，安楽に過ごすことができる．
- 患者と家族は，健康状態を維持し，治療計画が予定通りに行えるよう，感染対策，禁煙，食事，活動など，必要な健康維持行動を自ら実施することができる．

4. しばしば取り上げられる看護問題

疼痛，身体的要因（胸腔ドレーン）により効果的な気道浄化がはかれない

なぜ？

肺がんでは，気管，気管支への浸潤があれば，咳嗽や喀痰，血痰などの症状が出現する．痰の停滞は無気肺を拡大し，呼吸困難感の増大や低酸素血症につながる．

進行期の肺がんは，神経浸潤や骨転移，手術では全身麻酔下で行うことから術後は気道分泌物が増大する．さらに手術による呼吸筋の切離や肋間神経損傷などの疼痛から，咳嗽困難になりやすい．気道浄化の低下は低酸素血症，気道感染は回復遅延につながる．

また，胸水が貯留した場合や，術後の肺の再膨張をはかるため，胸腔ドレーンが挿入されると，ドレーンによる牽引痛から呼吸を抑制し，排痰困難となりやすい．

これらは，肺がんでは特徴的な症状であり，治療の合併症である．咳嗽は痛みを生じ，不眠など安楽の障害をもたらす．無気肺は肺炎の原因となり，低酸素状態は組織の回復を妨げる．

➡ 期待される結果

疾患や治療による痛みを緩和し，効果的な咳嗽を行い，気道浄化をはかることができる．

化学療法による易感染状態，病原体との接触回避についての知識不足に関連した感染の危険性がある

なぜ？

肺がんでは，化学療法をはじめ，遺伝子治療や免疫療法など，さまざまな薬物療法が行われる．そして，使用される薬剤によって，さまざまな副作用が出現する．

化学療法治療後，10日～２週間後に出現する骨髄抑制から起こる易感染は，頻度が高い副作用である．感染が起こると，改善するまで治療は中断され，がんの治療計画を妨げるとともに，社会復帰の時期が遅れる．もし，敗血症を起こすと生命への危機にもつながるため，早期の抗菌薬の投与や，顆粒球コロニー刺激因子（G-CSF：granulocyte-colony stimulating factor）の予防的投与などの感染対策が行われる．

化学療法は繰り返し行い，外来での通院治療となる場合も多い．そのため，患者自身が使用される薬剤の特徴と感染予防の必要性を理解して，日常生活のなかで病原体との接触回避について，知識をもって実行することが重要となる．

薬剤の副作用はさまざまであるが，感染予防への患者教育はいずれにも共通する要素となり，その他の健康行動の実践への導入となる．

➡ 期待される結果

感染予防の知識を理解し，自ら実施できる．

◆3 肺がんによる神経浸潤や手術による侵襲，胸腔ドレーン挿入による急性疼痛

なぜ？

進行期の肺がんは，神経浸潤や骨転移による疼痛が生じやすい．また，手術では，肋間筋の切離や神経損傷による強い痛み，胸腔ドレーン挿入による痛みが出現し，苦痛が大きい．痛みは，不眠などの安楽障害のみならず，呼吸の抑制や活動制限，食欲の低下など，さまざまな影響をもたらす．

痛みに対しては早期から麻薬を投与し，積極的な疼痛緩和を行うことが推奨されている．薬物投与によって多くの痛みは改善されるが，その効果を客観的に評価するとともに，薬剤の副作用のコントロールを看護師は行う必要がある．

また，胸腔ドレーンの挿入は長期化することも多く，ドレーン挿入の違和感，体動時の牽引痛が出現しやすいため，予防的に鎮痛薬が投与されることもある．痛みがなく過ごせているか，日常生活で妨げられる活動はないか，看護師は観察し，苦痛を緩和する必要がある．

➡ 期待される結果

疼痛が緩和し，安楽な呼吸，睡眠，活動が維持できる．

◆4 肺がんのもたらす健康状態の変化，その治療の侵襲と副作用出現に関連した不安がある

なぜ？

肺がんは，早期であれば手術，進行期であればさまざまな集学的治療を長期間にわたって行う．それに伴い，疾患の症状，治療の合併症，副作用，治療計画がもたらす社会生活や経済面などへの影響から，さまざまな不安が生じる．

肺がんの原因に喫煙があるが，診断後に禁煙指導を受けた場合も禁煙が守れない患者はおり，その理由に不安が大きいことが根底にあると考えられる．

治療中も疾患の進行や新たな症状の出現など，不安が増大していくことは多い．病状の変化と治療内容，患者の思いを理解して不安を緩和していくことが必要となる．

壮年期の患者では経済面や家族への責任を果たせなくなることへの不安，高齢者や独居患者では自宅での生活の継続への不安が生じやすい．必要時にはソーシャルワーカーや行政サービスの活用など，多職種が関わり，患者の個別性を考えた対応が必要となる．

➡ 期待される結果

疾患や治療による不安がなく，入院生活を送ることができる．

5. 看護計画の立案

• O-P：Observation Plan（観察計画） • T-P：Treatment Plan（治療計画）
• E-P：Education Plan（教育・指導計画）

1 疼痛，身体的要因（胸腔ドレーン）により効果的な気道浄化がはかれない

	具体策	根拠と注意点
O-P	**（1）現在の呼吸状態** ①呼吸数，リズム，深さ，努力性呼吸，副雑音（気管内分泌物）の有無，呼吸音の左右差，胸郭の動き ②咳嗽の有無，程度，持続時間 ③痰の量，性状・喀出状態 ④SpO_2 ⑤冷感，チアノーゼの有無 ⑥脈拍数の変化 ⑦胸部X線所見	●肺にできたがんの部位と大きさによって，さまざまな症状が発現する．気管や気管支など，肺門部にできたがんでは，咳嗽や喀痰，血痰などの症状がみられる．また，気管支の分泌物は増え，気管支や細気管支の閉塞が起こりやすく，呼吸困難感や低酸素血症をきたす恐れもある． ●肺切除によって呼吸面積が減少し，換気機能は低下する．全身麻酔によって気管内の分泌物が増加するが，創痛によって胸郭の呼吸運動が抑制され，痛みから術後は痰の喀出困難をきたしやすい．その結果，低酸素血症や術後肺炎，無気肺，呼吸パターンの異常をきたす危険性が高い．
	（2）術後合併症の徴候 ①無気肺 ・呼吸数の増加，頻脈 ・チアノーゼ ・呼吸音の減弱 ②創部感染・縫合不全 ・発赤，腫脹，圧痛 ・ドレーン挿入部の皮膚の状態 ・胸腔ドレーンからの排液の異常，エアリークの持続 ③呼吸器感染 ・肺炎，膿胸（胸部X線所見） ・発熱，痰の増加，性状の変化（膿性） ・呼吸困難，胸痛，胸部圧迫感 ・ドレーンからの排液の量，性状，色，におい	●肺がん進行による胸水の貯留時，術後に残存肺の再膨張をはかるために，胸腔ドレーンが留置される．効果的なドレナージが行われないと，肺の再膨張は妨げられる．血性排液やエアリークの持続は，胸腔内の異常や術後の縫合不全の徴候を示す．
O-P	**（3）合併症の要因** ①腫瘍による神経浸潤，骨転移による痛み ②手術侵襲（手術方法，部位，手術時間，術中・術後の出血量） ③創痛（牽引痛，圧迫痛）の程度 ④全身麻酔による影響（麻酔時間） ⑤胸腔ドレーン挿入による活動制限	●排痰困難の要因には，肺がんによる痛み，手術侵襲，全身麻酔の侵襲，胸腔ドレーンによる挿入部痛などがある． ●咳嗽・喀痰による痛みの増大，咳嗽によるエネルギー消費は大きいため，妨げる要因を理解したうえで，安楽に排痰を促す援助が必要となる．
T-P	**（1）安楽な呼吸を保つための援助** ①呼吸法の指導 ・深呼吸，腹式呼吸 ②痰喀出の励行 ・ネブライザー，去痰薬による痰の軟化 ・体位変換 ・体位ドレナージ，スクイージング（痰の貯留部位や手術内容を把握して行う） ③酸素吸入 ④十分な水分補給	●横隔膜を活用した腹式呼吸は，吸気時腹腔内圧を高め，肺から空気を出すのを助け，換気量増加に効果的である．胸部に創がある場合，胸式呼吸は創痛の誘因となる． ●咳嗽や喀痰があると気道の浄化が保てない．排痰を促すためには，去痰薬の内服や気道の加湿，水分摂取により，痰をやわらかく排出しやすくすることが効果的である． ●長時間の手術や広範囲の肺切除術，全身麻酔は，気道の分泌物を増加させる．積極的な排痰援助を行い，術後肺炎や無気肺を予防する必要性が高い．

	具体策	根拠と注意点
T-P	**(2)胸腔ドレーンの管理** ①吸引方法，指示された吸引圧を正しく保つ(低圧持続吸引器：吸引圧：－5～－15cmH_2O) ②刺入部の固定を確実に行い，圧迫痛を和らげるとともに自然抜去を防ぐ ③時間ごとのミルキング ④バッグ交換時，無菌操作を保つ ⑤排液バッグを患部より上に持ち上げない ⑥エアリークのある場合，クランプはせずに管理する	●胸水貯留時の対症療法や，術後では創部に貯留した空気，血液，滲出液を排出して，肺の再膨張と虚脱の予防を目的として，胸腔ドレーンが留置される． ・胸腔内を陰圧に保つことで胸腔内にたまった異物を排出するとともに，肺は再膨張し，肺胞での酸素交換が営まれる．効果的なドレナージが行われないと，低酸素血症や縫合不全，創感染を悪化させる可能性がある． ・胸腔内は無菌であり，胸腔ドレーンは閉鎖された空間とつながっている．ルートのリークや排液の逆流があると，重大な感染を起こす恐れがある． ・エアリークの原因が気胸であれば，クランプによって緊張性気胸を起こす恐れがある．人工呼吸器による陽圧換気中にはとくに注意する必要がある．
	(3)疼痛緩和への援助 ①鎮痛薬の使用 ・定期投与(内服，硬膜外注入，注射) ・疼痛増強時は早めに頓用薬使用 ②安楽な体位の工夫，ファウラー位，安楽枕の使用，電動ベッドの使用 ③深呼吸，咳嗽・痰喀出時には，胸部や創部を保護し，胸郭の動きを小さくして，痛みの緩和をはかる	●創痛，呼吸による牽引痛，ドレーンによる異物感などによって，呼吸が浅くなり，痰の喀出が妨げられる． ●上半身挙上により，肺は拡張し，痰の喀出もしやすい．胸郭の揺れを小さくすることで，痛みや創痛が増大せずに効果的な排痰を促すことができる．
E-P	**(1)排痰の必要性と，効果的な咳嗽・排痰方法を指導** ①禁煙の徹底 ②痛みが増大しないような痰の排出方法 ・安楽な排痰を促す内服薬 ・水分摂取 ・体位ドレナージ(痰の停滞部位にあわせた体位の指導) **(2)痛みを我慢しないように指導** ・定期の鎮痛薬に加えて疼痛増強時には痛みを我慢しない ・痛みを誘発しない，創部や胸郭を固定した排痰方法の工夫 **(3)体動時の注意点の指導** ・ドレーンを引っ張らない ・遠慮せずに看護師をよぶ ・鎮痛薬使用後に活動する	●合併症予防の必要性を説明し，患者自身が可能な行動をとれるように具体的に説明する． ●喫煙は気道粘膜を刺激し，気道分泌物を増加させる．全身麻酔後の合併症を予防するため，術前3週間の禁煙が望ましい． ●ただし注意点として，喫煙習慣の依存性は高く，肺がん告知後も禁煙が守れない人がいる． ●疼痛を我慢すると，痰の停滞や換気障害による呼吸器合併症を起こしやすい．疼痛緩和対策が十分か評価し，積極的に行う． ●体動時にドレーンを忘れたり，無理して動くことがある．苦痛の少ない方法を指導する． ●高齢者では，手術後の夜間せん妄からドレーンを抜去したり，危険行動を起こすことがある．遠慮せずに看護師に依頼するように，入院時から信頼関係を築く． ●痛みのため活動の低下をきたすと回復遅延につながる．そのため，鎮痛薬を積極的に使用して，動いてよいことを理解してもらう．

◆2 化学療法による易感染状態，病原体との接触回避についての知識不足に関連した感染の危険性がある

	具体策	根拠と注意点
O-P	**(1)副作用の有無と程度** ①使用される薬剤名と量 ②放射線照射との併用の有無 ③易感染状態の有無と程度 ・感染徴候(白血球［好中球］数減少，口内炎，上気道炎，発熱の有無) ④消化器症状の有無と程度 ・悪心・嘔吐の有無と程度 ・食事摂取量と摂取内容の変化 ・便秘・下痢の有無と程度 ・体重の変化	●骨髄抑制から生じる白血球減少による感染および敗血症は，がん化学療法における治療関連死の原因の1つである．放射線治療との併用では副作用が強く出現しやすい． ●白血球数や血小板数は，通常，化学療法後10日～2週間で最低値となり，以後，自然に回復する．低下しやすい時期を考え，感染徴候を観察し，早期に対処していく必要がある． ●肺がん化学療法で骨髄抑制が強い薬剤に下記などがある． ・カルボプラチン，ゲムシタビン塩酸塩，ビノレルビン酒石酸塩，パクリタキセル，nab-パクリタキセル，イリノテカン塩酸塩水和物，ノギテカン塩酸塩，エトポシド ・内服薬：テガフール・ウラシル，テガフール・ギメラシル・オテラシルカリウム ●消化器症状により食事摂取が十分でないと感染へのリスクが高くなる
	(2)感染予防行動への理解と実施状況 ・治療内容と副作用への理解の程度(手洗い，マスクの使用など，感染予防行動の実施状況)	●注意点として，易感染状態であることを患者自身が意識して行動できているか把握し，指導する．
T-P	**(1)清潔保持の援助** ①環境調整 ・部屋の整理，整頓，環境の清掃を行う ②口腔内の清潔 ・歯みがきの励行，虫歯予防 ・必要時，含嗽薬の使用(アズノール®，イソジン®，洗口液) ③粘膜，皮膚の清潔保持と保湿 ・石けん類は弱酸性のものを使用し，こすりすぎないようにする ・陰部，肛門周囲の保清(洗浄便座の使用) ④食事前，排泄後，外出後の手洗い ⑤外出時マスク着用の確認 ⑥シャワー浴，清拭，寝衣交換 ・1人でできないときは介助で行う ⑦排便コントロール ・便通が規則的に行われていくように，排便回数と性状を確認，排便が努責せずに行えるようにする ・早めに下剤の投与：酸化Mg剤，大腸刺激性下剤	●感染を予防するには，とくに皮膚や粘膜の清潔に注意し，傷つけないようにする． ●口腔内細菌は夜間に増殖し，起床時に多くなる．頻回に含嗽を行い，乾燥を防ぐことで細菌繁殖を予防する．また，口腔内の清潔保持は味覚を保たせ，食欲増進につながる． ●とくに高齢者は乾燥予防に保湿剤を使用するなど，皮膚のバリア機能を失わせないようにする． ●痔核や下痢による粘膜障害は感染源となりやすい． ●抗がん薬の副作用には便秘もあり，とくにビノレルビン酒石酸塩使用時は麻痺性イレウスに注意する． ●疼痛緩和で麻薬を使用している患者では，副作用に便秘がある．便の硬化，排便困難は肛門部の裂傷につながるため，排便コントロールが必要となる．注意点として，排便ごとに洗浄して清潔を保つとともに，便通を調整する．
T-P	**(2)食事の援助** ・形態の変化(主食おにぎり，全粥，パン食，麺類ほか) ・量の調整(半分量へ減らす) ・化学療法食(酸味，果物，ゼリーなど)への変更 ・可能であれば，持ち込みや外食で食べられるもの ・水分補給	●化学療法の副作用である消化器症状として，味覚障害やにおいへの過敏症状が出現しやすい．早めに食事の工夫を行う．注意点として，易感染性が高いときは，生の食べ物は避けるようにする． ●適切な栄養状態を保ち，体力の低下を防ぐため，バランスよく食事が食べられるように工夫することが望ましい．

	具体策	根拠と注意点
	(3)悪心・嘔吐への援助 ①制吐薬の使用（5-HT$_3$受容体拮抗型制吐薬，ニューロキニン1（NK1）受容体拮抗型制吐薬ほか） ②環境整備 ・落ち着いた静かな環境（やや暗い照明，騒音遮断） ・臭気の除去，換気， ・吐物は速やかに除去 ・汚染された寝具や寝衣の交換 ・安楽な体位 ③冷水による含嗽 ・胃部の冷却法	●制吐薬は，抗がん薬の１時間から２時間前に投与し，効果的な薬効をはかる． ●臭気によって嘔吐は誘発される．環境の調整と吐物の速やかな除去を心がける． ●冷水による爽快感，口腔内の清浄化，胃部への冷罨法によって吐き気が緩和される．
	(4)感染隔離の援助 ①個室隔離（大部屋であればカーテン隔離） ②活動の制限（外出時，面会時はマスク着用） ③環境の清掃 ・生もの，生花などの除去 ・開封した飲料水の管理 ④家族指導（感染者の面会制限，マスク・手洗いの励行）	●生花や土壌にはアスペルギルスなどの真菌が生育しており，免疫不全の患者には感染源となり得る． ●生もの，開封して口をつけた飲料水では，細菌が繁殖しやすい． ●注意点として，高齢者や世話をする人が少ない患者では，賞味期限切れの食べ物を残していることもあり，環境整備を徹底する．
E-P	**(1)感染予防対策への指導** ①使用された薬剤と副作用，易感染状態であることや，今後の感染性について説明する ②清潔維持の必要性を説明する ・クリーンルームや個室隔離の必要性 ③感染経路とその予防法について説明する ・口腔内の清潔，歯みがきの励行，含嗽の実施 ・皮膚の清潔保持と保湿 ・陰部，肛門周囲の保清（洗浄便座の使用） ・食事前，排泄後，外出後の手洗い ・外出時マスク着用の確認 ・発熱時，白血球数減少時は入浴しない	●患者自身が，薬剤の副作用と感染予防の必要性を理解することが，感染予防行動の実践の動機づけとなる． 外来での通院治療では，本人と家族の予防行動実践がとくに重要となる． ●日常生活ではさまざまな行動が感染や出血につながる危険性がある．患者の生活習慣から危険回避がイメージできるように具体的に説明する．
	(2)悪心・嘔吐に対して，制吐薬の使用が可能であることを説明する	●治療後も悪心・嘔吐は遷延しやすい．食事前後の制吐薬の使用で改善がみられる．

引用・参考文献

1）山口瑞穂子，関口恵子監：疾患別看護過程の展開．第５版，学研メディカル秀潤社，2016.
2）日本肺癌学会編：臨床・病理 肺癌取扱い規約．第８版，金原出版，2017.
3）三嶋理晃ほか編：肺癌．呼吸器疾患 診断治療アプローチ，中山書店，2018.
4）医療情報科学研究所編：病気がみえるvol.4 呼吸器．第３版，メディックメディア，2018.
5）田村和夫編：がん治療副作用対策マニュアル．改訂第３版，南江堂，2014.
6）T．ヘザー・ハードマン，上鶴重美原書編集，上鶴重美訳：NANDA-I看護診断―定義と分類2018-2020．原書第11版，医学書院，2018.

Memo

第１章　呼吸器疾患患者の看護過程

02 肺炎

1. 疾患の基礎的知識

1）疾患の概念

肺炎とは，肺の最も奥に存在する肺胞（末梢気道，肺間質含む），肺実質の感染性炎症である．発症原因（とくに原因菌）は多岐にわたっている．肺炎の病態は，市井の生活を送っている人に発症した市中肺炎と，多剤耐性病原体が関与する施設入所者肺炎に大別され，後者には院内肺炎と人工呼吸器関連肺炎（VAP：ventilator-associated pneumonia）が含まれる．

肺炎は病理学的には，大葉性肺炎（実質性肺炎），気管支肺炎，間質性肺炎，粟粒肺炎の４つに大きく分類される．病理組織学的には，肺胞性肺炎（実質性肺炎）と間質性肺炎とに分類される．

2）原因

肺炎は，病原性を有する微生物が，宿主の防御能を圧倒するのに十分な数や毒性をもって，下気道に到達することで発症する．経路としては，誤嚥，エアロゾル吸入，感染巣からの連続性波及などがある．また，肺炎は，基礎疾患があるなど，宿主の防御能が障害されている場合に起こりやすい．

（1）病原因子側の問題（図02-1）

・耐性菌の出現：ペニシリン耐性肺炎球菌（PRSP：penicillin resistant *Streptococcus pneumoniae*），β-ラクタマーゼ陰性アンピシリン耐性インフルエンザ菌（BLNAR：β-lactamase negative ampicillin resistant *Haemophilus influenzae*），メチシリン耐性黄色ブドウ球菌（MRSA：methicillin-resistant *Staphylococcus aureus*），多剤耐性緑膿菌（MDRP：multi-drug resistant *Pseudomonas aeruginosa*）

・新興・再興感染症：レジオネラ肺炎，クラミジア肺炎，結核，インフルエンザ

図02-1　肺炎の病因分類

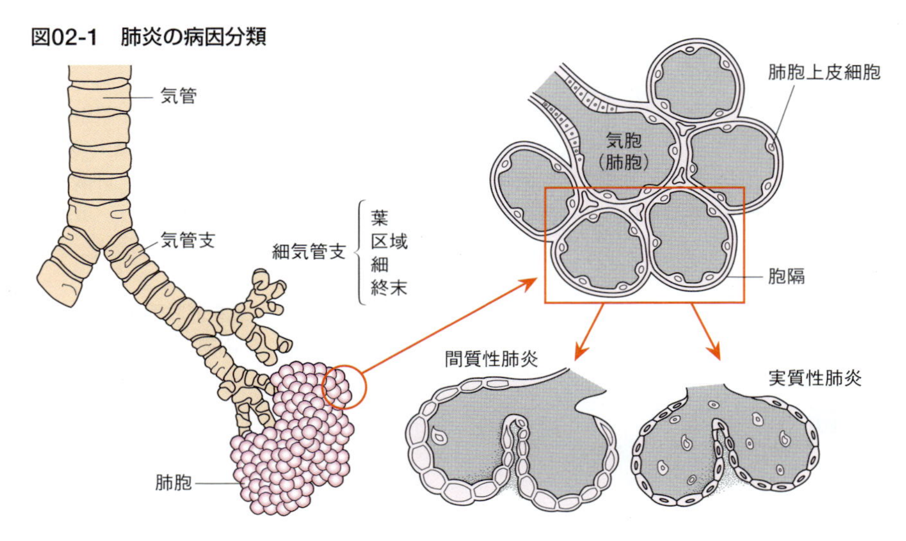

実質性肺炎は細菌によって肺胞に生じる．間質性肺炎は細菌以外の微生物によって肺胞壁，胞隔に生じる．このほかに真菌などによって実質性および間質性に生じる肺炎がある

(2)宿主側の原因

・高齢化社会：免疫力の低下，不顕性誤嚥，合併症による肺炎罹患リスクの増加

(3)環境の問題点

・生活様式の変化：24時間循環式風呂，施設による集団感染

(4)院内感染の原因・発症機序

・外科手術(とくに胸腹部)，乳幼児，気管挿管・人工呼吸管理，意識レベルの低下，大量の誤嚥，免疫抑制状態，薬物(ステロイド，免疫抑制薬，抗がん薬)

主な病原微生物

市中肺炎で最も頻度の高い原因菌は肺炎球菌であり，ときに重症化し，致死的となる．外来診療可能な軽・中症肺炎では，マイコプラズマやクラミジアなど，グラム染色をしても痰が染まらない細菌以外の微生物が原因である非定型肺炎の頻度が高い．

①細菌

・グラム陽性菌：肺炎球菌，黄色ブドウ球菌，レンサ球菌(ミレリ・グループ)，結核菌

・グラム陰性桿菌：インフルエンザ菌，クレブシエラ，大腸菌，緑膿菌，モラクセラ・カタラーシス，レジオネラ，エンテロバクター，アシネトバクター

②真菌：クリプトコッカス，アスペルギルス

③ウイルス：インフルエンザウイルス，アデノウイルス，サイトメガロウイルス，RSウイルス

④原虫：ニューモシスチス・イロベチイ

⑤マイコプラズマ

⑥リケッチア

⑦クラミジア

3）病態と臨床症状

病態

感染性肺炎は，病原体の侵入によって局所の肺血管が拡張し，白血球，赤血球，マクロファージ，フィブリンを含む滲出液が，局所の肺胞腔や末梢気管支を満たす．この結果，肺胞腔は無気的状態となる．そして，肺活量，肺コンプライアンス，機能的残気量，全肺気量が正常よりも低下し，換気血流不均衡と肺内シャントが起こり，低酸素血症をきたす．

肺炎は，軽症から致死的なものまで，重症度はさまざまである．発症は突然で，劇症と潜行性の場合がある．

発熱，咳(喀痰を伴わない，あるいは膿性痰や赤褐色の痰を伴う)，胸膜痛，悪寒，戦慄，息切れは，典型的な症状である．身体徴候には，頻呼吸，打診での濁音，声音振盪の増強，やぎ音(患者に「あー」と言ってもらいながら聴診すると「いー」と聞こえる所見)，水泡音，胸膜摩擦音などがある．

臨床症状

(1)発熱

数日間のかぜ様症状のあとに，悪寒・戦慄を伴い発熱する．高齢者では必ずしも高熱を示さないため，重症度を見逃しやすい．

(2)胸背部痛

炎症が胸膜・横隔膜に及び，痛覚を刺激するために胸痛が起こる．上腹部痛を伴うこともある．これは，深呼吸，咳嗽，体動時に増強し，胸背部痛を呈し，痰喀出が困難となる．胸痛の発生部と病巣部は必ずしも一致しない．

(3)咳嗽

肺胞腔や末梢気道に貯留した滲出液を除去するため，随意・不随意に，咳中枢が働くことによって起こる．マイコプラズマ肺炎は，強く頑固な咳が特異的である．咳嗽によって胸痛を伴うことが多い．

(4)喀痰

病原体の侵入に対する防御反応としての気道粘膜の分泌増加，あるいは炎症，粘膜線毛輸送系機能(MCT系)の低下によって生じ，発症後２～３日から粘稠性の黄色膿性痰が喀出される．その後，血液の混入により，レンガ色の錆色痰となる．レンサ球菌では，血液混入は少なく漿液性である．

(5)呼吸困難

胸痛によって咳嗽しにくく，痰喀出が困難になるため，あるいは炎症による呼吸面積の減少のために起こる．その程度は病変の広さに比例する．呼吸数の増加は，成人の場合でも30回/分以上にも及び，重症の場合にはチアノーゼ，鼻翼呼吸を呈する．

(6)その他の症状

主要症状に伴い，全身倦怠感，関節痛，頭痛，悪心，嘔吐，食欲不振，下痢，筋肉痛，便秘などがある．

4）検査・診断

(1)理学的所見

聴診では吸気終了時に副雑音(断続性ラ音)を聴取する．胸水の程度，病巣の広がりの程度によっては濁音や気管支音化を認める．胸水の貯留があれば，胸部打診で濁音となる．

(2)胸部X線検査

肺炎の臨床診断は，身体所見のみでは難しく，胸部X線検査で確認する．両側性ないし，多葉性(２葉以上)に

及ぶ陰影，両側性胸水の存在，陰影の急速な進行があげられる．

(3)微生物学的検査

①迅速検査法：呼吸器検体を用いるものでは，インフルエンザウイルス，RSウイルス，アデノウイルス，A群溶血性レンサ球菌を診断できる．尿検体を用いる検査法では，レジオネラおよび肺炎球菌感染症の診断キットが開発されており，検体採取後10～20分で診断が可能である．

②塗抹鏡検査法：グラム染色は簡易キットを用いることによって3～5分で実施できる．市中肺炎の原因菌診断において重要な情報となる．

③培養同定検査：肺炎球菌，A群レンサ球菌，肺炎桿菌，モラクセラ・カタラーシス，緑膿菌，黄色ブドウ球菌などの場合には，その特徴的なコロニー形態と簡易同定検査によって，高い確率で推定できる．正確な菌種の同定には，さらに純培養や同定検査の実施が必要となる．

(4)一般血液検査

白血球増加が著明であり，赤沈亢進，CRPの陽性化など，炎症所見をみる．細菌性肺炎では，重症化すると逆に低下することもある．非定型肺炎では白血球は正常～軽度上昇のことが多い．基礎疾患がある場合や高齢者では，白血球が上昇しない場合がある．CRPは炎症の評価に役立つが，実際の炎症性変化より1～2日遅れて変化する．腎機能は，脱水の評価，肝機能とあわせて抗菌薬代謝に必要な情報である．

(5)動脈血ガス分析

病巣が広範囲に及ぶときには，動脈血酸素分圧(PaO_2)の低下，動脈血二酸化炭素分圧($PaCO_2$)の上昇，およびpHの異常もある．

(6)治療方針の決定

診断と治療では，まず患者の状態，重症度を判断することが重要である．日本呼吸器学会による『成人肺炎診療ガイドライン2017』では，市中肺炎と，院内肺炎や医療・介護関連肺炎の2つに分けて考えるフローチャートが示された(**図02-2**)．重症度の判断は，敗血症の有無(qSOFAスコア：**表02-1**，SOFAスコア：**表02-2**)，市中肺炎ではA-DROPシステム(**表02-3**)，院内肺炎ではI-ROADシステム(**図02-3**)で対応することが推奨された．

医療・介護関連肺炎は，施設内入居者や老人病院の多

表02-1　qSOFAスコア

1）呼吸数22回/分以上
2）意識変容*
3）収縮期血圧100mmHg以下

＊：厳密にはGlasgow Coma Scale(GCS)＜15を指す．
※2点以上であれば敗血症が疑われる．
日本呼吸器学会編：成人肺炎診療ガイドライン2017．p.11，2017．

図02-2　『成人肺炎診療ガイドライン2017』フローチャート

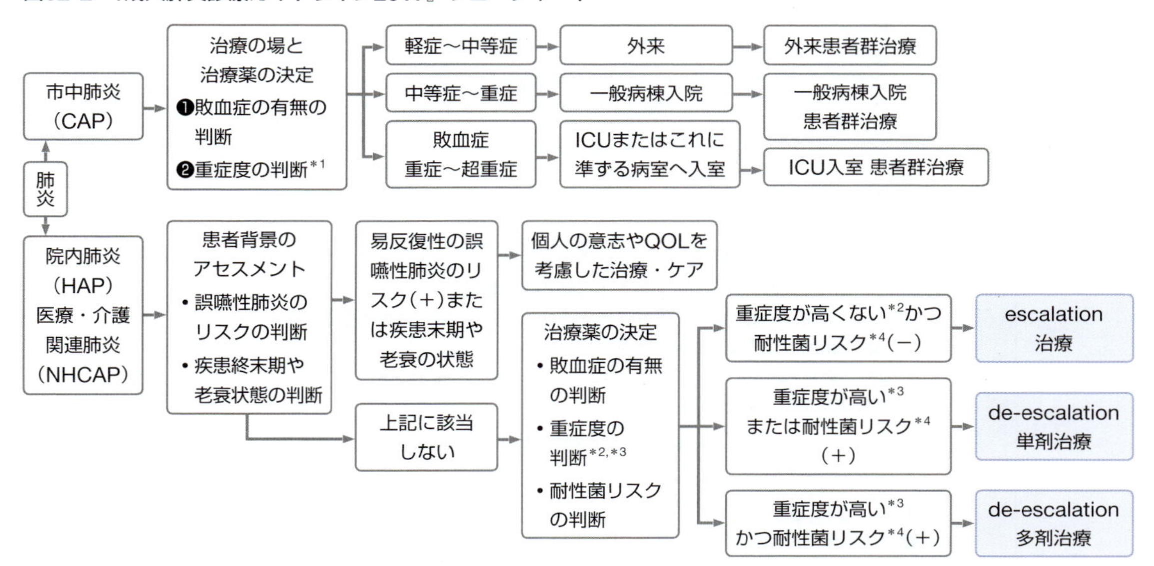

＊1：市中肺炎の重症度判定：市中肺炎ではA-DROPにより重症度を判定する．
＊2：敗血症の状態ではなく，医療・介護関連肺炎ではA-DROPで中等症以下，院内肺炎ではI-ROADで軽症．
＊3：敗血症の状態，または，院内肺炎ではI-ROADで中等症以上，医療・介護関連肺炎ではA-DROPで重症以上．
＊4：耐性菌リスクあり：①過去90日以内の経静脈的抗菌薬の使用歴　②過去90日以内に2日以上の入院歴　③免疫抑制状態　④活動性の低下，のうち2項目を満たす．

日本呼吸器学会編：成人肺炎診療ガイドライン2017．p.iii，2017．

いわが国の特徴を踏まえた肺炎群であり，市中肺炎と院内肺炎の中間的な性質をもつ．高齢者が多くを占め，抗菌薬治療のみでは予後改善に結びつかない超高齢者を対象とする．そのため，「個人の意思やQOLを考慮した治療・ケア」

表02-2　SOFAスコア（sequential organ failure assessment score）

項目	0点	1点	2点	3点	4点
呼吸器 PaO_2 /FiO_2（mmHg）	≧400	＜400	＜300	＜200 ＋呼吸補助	＜100 ＋呼吸補助
凝固能 血小板数（×10^3/μL）	≧150	＜150	＜100	＜50	＜20
肝臓 ビリルビン（mg/dL）	＜1.2	1.2～1.9	2.0～5.9	6.0～11.9	＞12.0
循環機能	MAP≧ 70mmHg	MAP＜ 70mmHg	DOA＜5 or DOB	DOA5.1～15 or Ad≦0.1 or NOA≦0.1	DOA＞15 or Ad＞0.1 or NOA＞0.1
中枢神経系Glasgow Coma Scale	15	13～14	10～12	6～9	＜6
腎 クレアチニン（mg/dL） 尿量（mL / 日）	＜1.2	1.2～1.9	2.0～3.4	3.5～4.9 ＜500	＞5.0 ＜200

DOA：ドパミン，DOB：ドブタミン，Ad：アドレナリン，NOA：ノルアドレナリン
※ベースラインから2点以上の増加すれば敗血症と診断される．

日本呼吸器学会編：成人肺炎診療ガイドライン2017．p.11，2017．

表02-3　A-DROPシステム

A（Age）：男性70歳以上，女性75歳以上 D（Dehydration）：BUN21mg/dL以上または脱水あり R（Respiration）：$SpO_2$90%以下（$PaO_2$60torr以下） O（Orientation）：意識変容あり P（Blood Pressure）：血圧（収縮期）90mmHg以下
軽症：上記5つの項目のいずれも満たさないもの． 中等度：上記項目の1つまたは2つを有するもの． 重症：上記項目の3つを有するもの． 超重症：上記項目の4つまたは5つを有するもの． ただし，ショックがあれば1項目のみでも超重症とする．

日本呼吸器学会編：成人肺炎診療ガイドライン2017．p.12，2017．

図02-3　I-ROADシステム

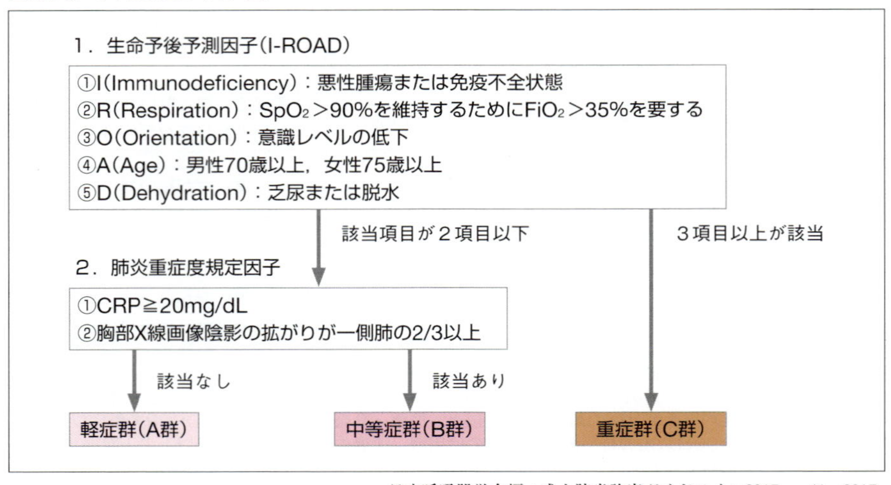

日本呼吸器学会編：成人肺炎診療ガイドライン2017．p.41，2017．

が明文化され，患者本人の意思を確認し，多職種の医療チームで治療方針を考えるトータルケアが示された．

5）治療

原因治療，対症療法，一般療法の３側面から治療が開始されるが，基礎疾患を有する場合，および合併症を起こしている場合には，その状況を考慮し，対処する．

(1)原因治療

起因菌を判定し，薬剤感受性の結果から抗菌薬を決定するのが基本である．ただし，判定に時間がかかり，治療開始が遅れるため，臨床症状，基礎疾患，治療歴，環境因子などを考え，原因微生物の判定を待たずに有効な抗菌薬を選択するエンピリック治療が基本となっている．肺炎球菌性肺炎の疑いであれば，ペニシリン系，セフェム系を，非定型肺炎の疑いであれば，マクロライド系，テトラサイクリン系などの抗菌薬を選択し，できるだけ早期に治療を開始する．また，耐性菌リスクの評価を踏まえて，狭域抗菌薬からスタートすることが推奨されている（escalation therapy，**図02-2**参照）．なお，de-escalation therapyは，抗菌スペクトルが広域薬からスタートし，可能であれば狭域へ変更するものである．

(2)対症療法

①解熱

発熱によって生体に極度の負担があるときには，解熱薬が投与される．しかし，体内の自己免疫機構のバランスを保つためや熱型を把握するためにも，解熱薬をむやみに投与しない．解熱薬の乱用により，かえって体力を消耗し，脱水を引き起こすことがある．発熱時には環境の調節を行い，冷罨法（氷枕，氷嚢など）を適宜使用することにより，苦痛を緩和する．

②去痰

喀痰溶解薬，抗炎症薬および気管支拡張薬を併用して，湿度を60％に保つことにより，痰の喀出を促す．鎮咳薬はかえって喀出困難になり，ますます肺内に分泌物がたまることになるので，激しい咳嗽の場合に限り与える．乳幼児には去痰薬は使用しない．

③鎮痛

胸痛に対しては温湿布が有効である．激しい場合には鎮咳薬や神経ブロックが行われる．また，バストバンドなどで胸部を固定することで，痛みが和らぐ．胸痛を我慢すると，無気肺を助長することもあるので注意する．

④酸素吸入

低酸素血症に対して行われる．基礎疾患に慢性呼吸器疾患を有する場合には，酸素吸入でCO_2ナルコーシスを起こすことがあるので，動脈血ガス分析値をみながら投与量を調整する．

⑤人工呼吸（ベンチレーション）

両側広範囲に病変のある場合や，高齢者で慢性の呼吸器疾患を有する場合などで，呼吸不全に陥れば必要となることがある．

(3)一般療法

①安静

絶対安静とし，体力の消耗を最小限とする．

②環境調整

室温は20～24℃に保つ．湿度は60％とし，乾燥を防ぎ，咽頭への刺激を避ける．また換気，清掃などを行い，室内の清浄化をはかる．

③食事

食欲および消化機能が低下するため，流動食，粥食などの消化のよいものや，牛乳，卵などの栄養価の高い食品を与える．

④保清

入浴は，解熱し，胸部X線写真上の陰影が消退し，血圧，CRPともに安定してから許可となる．毎日の清拭などは負担がないように短時間で行う．

⑤水分出納の管理

発熱によって脱水を起こしやすいので，十分に水分を補給する．また，高齢者の場合や病巣が広範囲の場合，呼吸不全によって循環動態に変化が生じ，心不全へと移行することがあるため，利尿薬やジギタリス製剤などが使用されることもある．

⑥各種モニターの装着

経皮的動脈血酸素飽和度（SpO_2）モニター，重症者では心電図モニターを装着する．

6）予後

肺炎は，早期に適切な治療が行われれば，順調な経過を経て後遺症もなく完治する．しかし，基礎疾患に糖尿病や慢性呼吸器疾患を有する患者，合併症を併発した患者，高齢者では完治しにくく，近年では高齢者の増加によって，2011年に死因順位で３位になった．とくに免疫能が低下する65歳以上では，肺炎の発症率・死亡率が急激に高くなる．そして，高齢者に多く発症する肺炎は，誤嚥性肺炎である．また，震災の多いわが国では，避難所での肺炎が多数発生している．そのため，肺炎球菌ワクチンやインフルエンザワクチン，口腔ケアといった予防医療が重視されている．

2. 看護過程の展開

アセスメント～ゴードンの機能的健康パターンを用いて

パターン	アセスメントの視点	根拠	収集する情報
(1) 健康知覚-健康管理 患者背景 健康知覚-健康管理 価値-信念	●発症の要因となる背景は何か ●患者の年齢，発症した場所はどこか ●既往歴はないか ●肺炎発症の原因を理解できているか ●肺炎の予防に努めることができていたか ●患者と家族の認識と理解度はどうか	●肺炎の原因によっては反復の可能性がある，疾病の悪化を予測する． ●レジオネラ肺炎，オウム病，Q熱などの可能性もある． ●若年者には非定型肺炎が多い．また，男性70歳，女性75歳以上は重症化しやすい． ●慢性呼吸器疾患や基礎疾患（糖尿病，腎不全，心不全，慢性肝疾患，低栄養状態）などがあると重症化しやすい． ●市中肺炎，院内肺炎，医療・介護関連肺炎発症時など，環境によって起因菌が異なる． ●早期治療による肺炎の重症化の防止が重要である．そのため，患者自身が肺炎の原因と治療の必要性を理解し協力する必要がある． ●施設入居者は施設内感染にて発症する可能性が高い． ●高齢者や基礎疾患のある患者では，肺炎の再発予防が重要となる．そのため，肺炎発症の要因を明らかにし，患者と家族の健康管理能力を評価し，再発防止策を考える必要がある．	●現病歴 ・年齢 ・病状の経過 ・治療の経過 ・温泉や旅行歴，動物との接触の有無 ●既往歴 ・慢性呼吸器疾患の既往 ・ほかの基礎疾患の有無 ●社会的状況 ・独居や高齢者のみの家族環境ではないか ・社会資源の活用はあるか（職場，学校，家庭環境，施設入居，入院環境） ●生活習慣 ・喫煙歴，活動レベル，飲酒 ●健康行動 ・活動レベル，食事 ・定期健康診断 ・感染予防対策（手洗い，含嗽） ・予防注射（肺炎球菌，インフルエンザ） ●病態・治療の理解 ・病態の理解 ・治療内容の理解 ・再発の可能性の理解 ●家族の協力体制 ●再発予防のための具体策
(2) 栄養-代謝 全身状態 栄養-代謝 排泄	●食欲不振，咀しゃく，嚥下力の低下が生じ，栄養摂取量が低下していないか ●嚥下障害はないか ●不顕性誤嚥はないか	●低栄養状態は，液性免疫，細胞性免疫，好中球やマクロファージ機能などの種々の生体防御機能の低下をもたらす． ●低栄養状態では肺炎の重症化と難治化が生じる． ●経口摂取によって十分な栄養がとれない場合は，経腸栄養や中心静脈栄養が必要となる． ●高齢者の肺炎の原因は誤嚥が多い．基礎疾患（認知症など）のある患者ではリスクが高い．	●栄養状態 ・食事摂取内容，量，食欲 ・身長，体重，体重の変動 ・口腔，皮膚，粘膜の状態 ・検査データ（Alb，TP，Hb） ・悪心・嘔吐 ●輸液内容，水分量，カロリー量 ●基礎疾患 ・意識障害，認知症，慢性神経疾患，長期臥床 ●嚥下状態 ・口腔内の衛生状態 ・咀しゃく機能 ・義歯の有無 ・う歯の有無 ・覚醒状態 ・嚥下反射，咳反射の有無 ・食事（自立度，誤嚥の有無，一口量，食事摂取量，嚥下にかかる時間） ・食事中の体位の保持 ●嚥下機能の評価 ・水飲み試験 ・嚥下造影検査

パターン	アセスメントの視点	根拠	収集する情報
(3) 排泄 全身状態 栄養-代謝 排泄	●便秘，下痢はないか	●高齢者は，体動の低下，発熱，脱水によって便秘に傾く．また，抗菌薬の使用により，下痢になると脱水になる恐れがある． ●排泄の乱れは，嘔吐による誤嚥を誘発したり，食欲不振の原因になることも多い．	●排泄状態 ・便秘，下痢，鼓腸（こちょう）（腸管内にガスがたまって腹部膨満の状態），排便の性状，量 ・排便支障因子 ・排尿支障因子 ・水分出納
(4) 活動-運動 活動・休息 活動-運動 睡眠-休息	●肺炎の重症度はどうか，呼吸不全はないか，敗血症はないか ●酸素化は保たれているか ●咳嗽が効果的に行えず，気道分泌物が貯留し，呼吸苦は生じていないか ●日常生活活動は自立しているか ●清潔が保持できているか ●口腔内の衛生が保たれているか	●市中肺炎や医療・介護関連肺炎の重症度と，敗血症の有無を判定し，重症肺炎に対して早期に対応する．なお，重症化の徴候として，呼吸数30回/以上，頻脈，血圧低下，意識障害がある． ●動脈血酸素分圧（PaO_2）が60mmHg以下では，組織に十分な酸素を供給できなくなる．そのため，チアノーゼや酸素飽和度90％未満は呼吸不全と考えて対処する． ●発症後２～３日から，粘稠性の黄色膿性痰が喀出される．しかし，脱水になると痰が喀出しにくくなる．とくに高齢者では体力消耗により，効果的に咳嗽や排痰ができないと，気道分泌物が貯留して回復を妨げることがある． ●酸素化が保てないと，活動障害や活動不足，セルフケア不足が生じる． ●皮膚・粘膜，口腔内の清潔状態の保持は，生体の防御能を高め，肺炎の治療効果を促進する．	●呼吸器症状 ・バイタルサイン ・発熱の程度 ・熱型 ・呼吸状態，呼吸数，喘鳴，呼吸困難の有無，呼吸音 ・咳嗽の有無と程度 ・喀痰の有無と色・性状・量 ・チアノーゼ・胸背部痛の有無と程度 ●肺炎の重症度の評価 ・脱水の有無，尿量減少 ・意識レベルの低下 ・ショック ・A-DROPシステム，院内肺炎はI-ROADシステム，敗血症の診断ではSOFAスコアを使用（表02-1，表02-2，表02-3，図02-3参照） ●検査所見・酸素投与量 ・動脈血液ガス分析，経皮的動脈血酸素飽和度（SpO_2） ・酸素投与量，投与方法 ●活動の自立度 ・歩行（ふらつき，歩行距離，歩行時間） ・清潔（歯みがき，洗面，整容行動，入浴習慣，寝衣交換） ・食事，排泄行動
(5) 睡眠-休息 活動・休息 活動-運動 睡眠-休息	●安静保持はできているか ●夜間の睡眠はとれているか	●安静保持と睡眠は，生体の防御能を高め，肺炎の治療効果を促進する．	●睡眠状態，熟睡感の有無，昼間と夜間の休養と睡眠 ●意識障害の有無 ・酸素投与量 ・呼吸パターン ・無呼吸の有無 ・動脈血ガス分析の把握

パターン	アセスメントの視点	根拠	収集する情報
(6) **認知-知覚** 知覚・認知 認知-知覚 自己知覚-自己概念 コーピング-ストレス耐性	●肺炎による苦痛，不眠はないか ●再発予防について，本人と家族の知識はあるか ●CO_2ナルコーシスによる意識障害は起こっていないか	●呼吸困難や高熱は不安感や不眠を伴い，咳嗽や高熱の持続は体力を消耗する．そのため，苦痛症状の緩和と睡眠への援助が必要である． ●高齢者，基礎疾患のある患者では，肺炎の再発は多い．そこで，家族も予防策に関する知識をもっていることが必要である． ●慢性呼吸器疾患を合併した肺炎や，重症化した肺炎では，動脈血炭酸ガス分圧（$PaCO_2$）が上昇し，45torrを超えるとⅡ型呼吸不全となる．その場合，不用意に高濃度酸素を投与するとCO_2ナルコーシスに陥る．	●認知症の有無・変化 ・見当識，せん妄症状，自発性の低下，危険行動 ●コミュニケーション能力 ●苦痛の有無 ・発熱の程度，持続時間 ・呼吸苦の有無 ・咳嗽と喀痰の頻度，性状 ・胸背部痛の有無と程度 ・発熱による随伴症状（不眠，倦怠感，頭痛） ●本人・家族の知識 ・肺炎の原因とその予防に関する知識 ・再発予防のための具体策 ・家族の協力体制
(7) **自己知覚-自己概念** 知覚・認知 認知-知覚 自己知覚-自己概念 コーピング-ストレス耐性	●疾病，症状，治療をどう理解しているか，不安はないか ●回復後の生活をどうイメージしているか	●発熱や咳嗽の持続，治療や入院期間の長期化によって不安を生じる． ●とくに高齢者の肺炎は回復が難しく，ADLの低下や認知症の悪化が起こると，本人および家族の生活へ影響を及ぼす． ●入院前の生活状況と退院後の希望を知って，関わる必要がある．	●心理状態 ・疾病や治療への不安 ・不眠や気分の変化の有無 ・退院への希望は何か（本人，家族） ●自分と家族の力の捉え方 ・もとの生活を送る自信の有無 ・弊害となること ・支えになること
(8) **役割-関係** 周囲の認識・支援体制 役割-関係 セクシュアリティ-生殖	●患者の社会的活動に影響はないか ●家族の協力状態，退院後の協力者はいるか	●緊急に入院する場合も多いため，患者が家庭的・社会的にどのような立場・状況にあるのかを把握して対応することが，安静保持や不安の軽減につながる． ●治療のために安静が必要となり，日常生活活動で介助を必要とする場合，心理的安寧のために家族の協力は大きい．	●家族構成 ●家庭内，職場内での役割 ・対人関係（家庭，学校，職場） ・周囲，家族への依存度 ●家族の協力状況 ・面会状況，キーパーソン ・家族の疾病に対する知識，指導への反応（肺炎の原因・治療の理解，予後・再発防止対策） ・退院後の協力者
(9) **セクシュアリティ-生殖** 周囲の認識・支援体制 役割-関係 セクシュアリティ-生殖	●性に対する満足・不満足	●肺炎は，回復することで性・生殖機能への影響は及ぼさない．	・パートナーの有無 ・パートナーとの関係性の変化，問題点の有無

パターン	アセスメントの視点	根拠	収集する情報
(10) コーピング-ストレス耐性 知覚・認知 認知-知覚 自己知覚-自己概念 コーピング-ストレス耐性	●ストレスとなる出来事に対処できているか ●ストレスへの対処を支援するサポート体制はあるか ●ストレスへの耐性は高いか	●肺炎が重症化すると死への不安が生じる．意識レベルや認知力が低下した患者では，家族が主体となって治療の継続を判断する必要がある．	・これまでのストレスとなる出来事への対応方法 ・精神的，物的サポートとなる存在の有無 ・キーパーソン，家族関係
(11) 価値-信念 患者背景 健康知覚-健康管理 価値-信念	●肺炎と診断されたことをどのように捉えているか ●人生において大切なものは何か ●これから何を大切にしたいのか	●高齢者では，治療が予後改善につながらず，重症肺炎で人工呼吸管理が必要となる場合がある．そのため，治療の選択では本人の希望，家族の意思を確認し，尊重して選択する必要がある．	・本人と家族の救命への希望 ・将来の人生設計 ・死生観 ・宗教の影響

3. 全体像の把握から看護問題を抽出

1）病態関連図

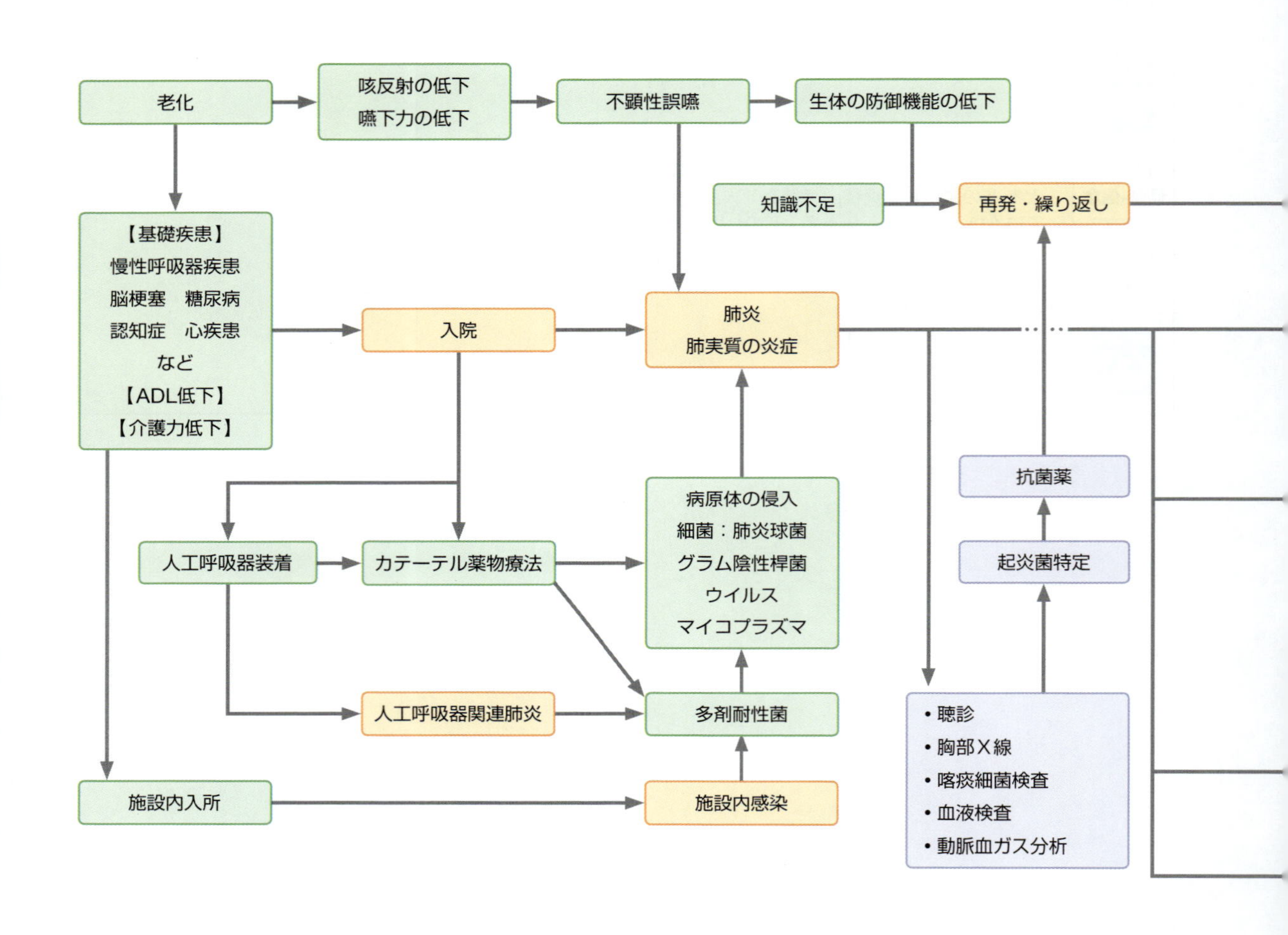

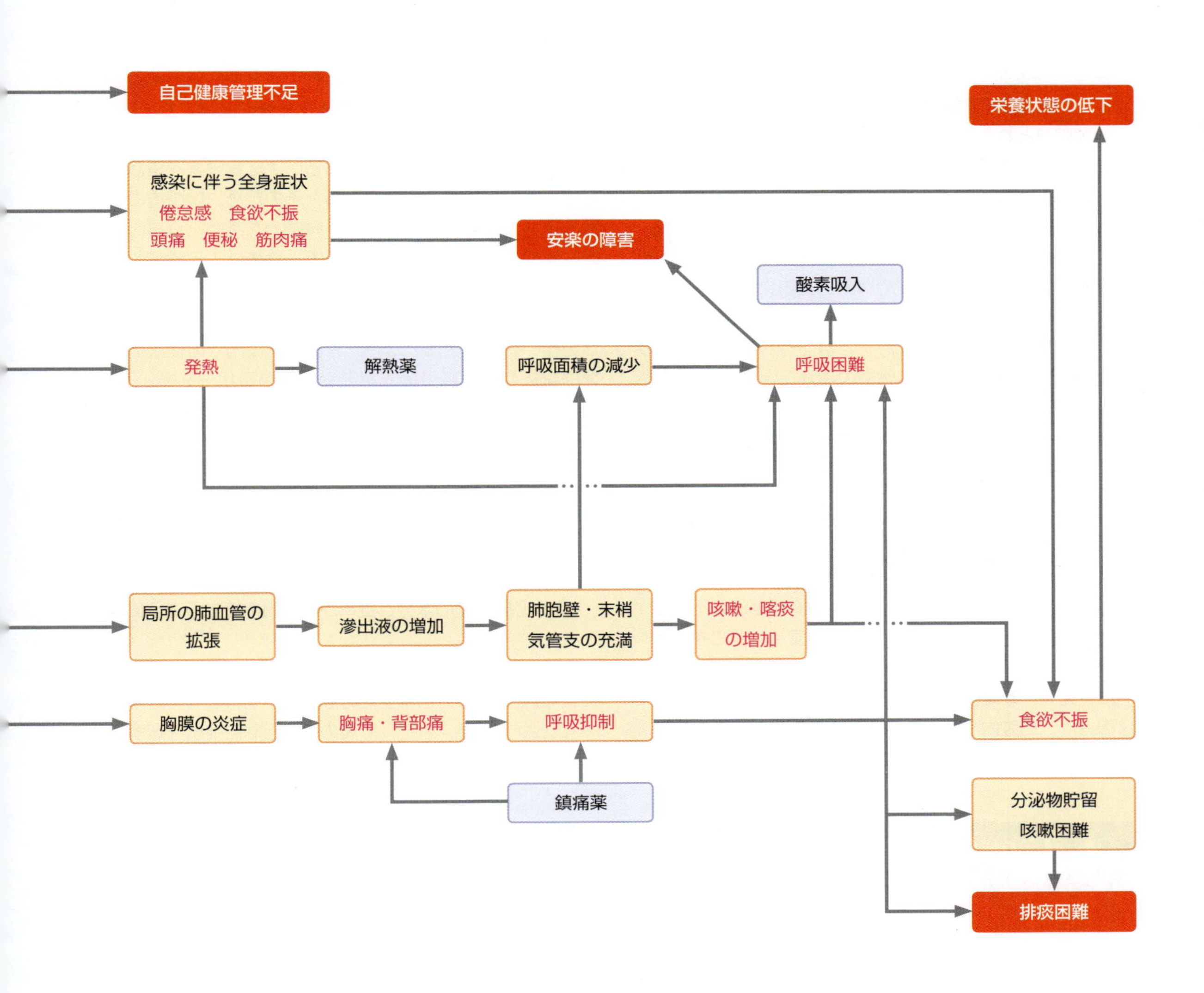
自己健康管理不足
栄養状態の低下
感染に伴う全身症状
倦怠感　食欲不振
頭痛　便秘　筋肉痛
安楽の障害
酸素吸入
発熱
解熱薬
呼吸面積の減少
呼吸困難
局所の肺血管の拡張
滲出液の増加
肺胞壁・末梢気管支の充満
咳嗽・喀痰の増加
食欲不振
胸膜の炎症
胸痛・背部痛
呼吸抑制
鎮痛薬
分泌物貯留
咳嗽困難
排痰困難

2）看護の方向性

肺炎は，さまざまな原因菌によって発生し，治療では原因菌の同定が重要となる．たとえば，若年者には非定型肺炎が多いという特徴がある．そして，肺炎は重症度を早期に判断し，早期治療を行えば後遺症なく治癒可能な疾患である．

しかし，高齢者の院内肺炎，医療・介護関連肺炎に該当する患者では，治療が回復へ結びつかない場合も多い．そのため，高齢者の肺炎では，老衰や終末期の状態を鑑別して，患者や家族の希望を確認し，個人の意思を尊重した医療を行うことが推奨されている．

肺炎による高熱や咳嗽の持続によって，患者は体力を消耗する．休養や睡眠がとれないと消耗性の疲労を生じ，回復を妨げる可能性がある．そのため，急性期には，体温を正常に保ち，呼吸困難感が生じず，安楽に睡眠がとれることが重要となる．

肺炎は肺実質で炎症が生じるため，気道分泌物が増え，肺胞換気が障害される．さらに，肺炎による胸膜痛が出現すると，痛みから深呼吸や咳嗽は妨げられる．また，膿性痰を伴う咳嗽が生じやすいものの，高齢者はもともと咳嗽力の低下や体力の低下によって効果的に排痰できず，呼吸困難感が増大し，酸素投与や人工呼吸器による呼吸管理が必要となる恐れもある．そのため，苦痛なく排痰し，気道の清浄化と酸素化を保つことが重要となる．

高齢者の肺炎の多くは誤嚥性肺炎であり，嚥下評価が必要なため，まずは経腸栄養から開始することも多い．食事の開始は慎重に始められる．また，肺炎による体力の消耗や活動性の低下，認知力の低下があると，食欲不振が生じる．食形態は嚥下困難食から開始することが多いため，嗜好にあわないメニューだと食事摂取量の低下は起こりやすい．必要な栄養の摂取ができないと，免疫力低下につながり，回復を妨げたり肺炎再発の誘因となる．食べることは，楽しみや喜び，生きる意欲につながる．そのため，誤嚥なく経口から必要な量の食事をとることが，回復には重要となる．

高齢者の肺炎は再発しやすい．また，高齢者では発熱や咳嗽などの症状を起こさないことも多く，発見が遅れる場合がある．肺炎になった原因・誘因を理解して予防することや，徴候がみられたら早期に対処することが再発を防ぐ．とくに誤嚥性肺炎の原因として，口腔内の細菌を含んだ唾液を無意識に誤嚥する不顕性誤嚥が指摘されており，絶食あるいは経管栄養を留置している場合でも肺炎は起こる．そのため，口腔内の清潔保持が重要となる．また，咳嗽力を高め，食事の咀しゃくや嚥下力を高めることで，食事による誤嚥も減少する可能性がある．

高齢者は，老化現象や個々の病歴によって，日常生活動作の自立が困難となり，家庭や施設内での健康管理は家族や施設職員の支援を受けている状況も多い．そのため，支援者が肺炎の再発予防の知識をもって関わることが重要となる．

3）患者・家族の目標

- 患者は，体温が平熱になり，咳嗽や胸痛などの不快症状が持続せず，睡眠や休養がとれて安楽に過ごすことができる．また，咳嗽は持続せず，痰の喀出が速やかに行えて，呼吸困難や低酸素状態にならない．
- 患者は，口腔内や義歯を清潔な状態に保ち，乾燥や汚れ，口腔粘膜の異常が生じない．食事開始後は，誤嚥なく必要な量の水分と食事が経口摂取できるようになる．
- 患者と家族（または施設職員）は，肺炎になった原因と誘因を理解し，日常生活のなかで予防行動を実践することができる．また，肺炎の徴候となる症状を理解して，早めの受診や対策を実施することができる．

4. しばしば取り上げられる看護問題

◆1 感染による気道分泌物増加に関連した排痰困難

なぜ？

一般細菌による肺炎では，気道分泌物が増加する．発熱で痰が粘稠化すると，咳嗽・喀痰が効果的に行えない．体力の低下した高齢者では，気道分泌物が貯留し，呼吸困難や低酸素状態となりやすい．

肺炎は，肺実質で炎症を起こすため，気道分泌物が増加する．咳嗽・喀痰は生体の防御反応であるが，高齢者ではもともと咳反射の低下があるため，効果的に咳嗽・

喀痰し，気道浄化を保つことは難しい．気道分泌物の停滞があれば低酸素状態となり，肺炎症状の悪化につながる．そのため，急性期から退院まで，気道浄化を維持することは重要な看護問題となる．肺炎の急性期では，高齢者自身が痰を自然に排出することは難しく，必要時に吸入や吸引などで介入して，気道の清浄化を維持する．

➡期待される結果

分泌物の性状がやわらかくなり，痰喀出が速やかにできる．呼吸苦が生じない．

♦2 健康管理能力の低下により自己健康管理ができない

なぜ？

高齢者での肺炎の再発は多いが，一人では健康管理が難しい．社会資源を活用し，本人と家族が肺炎発症の原因と誘因を理解し，再発予防対策を継続することが重要となる．

高齢者の肺炎の多くは誤嚥性肺炎である．高齢者は，感染を誘発した生活習慣や基礎疾患をもつことが多い．また，口腔内の衛生管理や，栄養管理の不十分さ，日常生活行動の制限など，なんらかの健康管理能力の低下がみられる場合もある．高齢者は，身体，認知機能ともに徐々に衰えていくことが自然な経過のため，肺炎の再発は起こりやすく，場合によっては死の転帰をとりかねない．そこで，肺炎を予防するためには，本人のみでなく，家族の協力や社会資源を活用するなど，健康管理が継続できる環境をつくることが重要となる．また，QOL（クオリティオブライフ）を考えると制限するのみでなく，本人と家族が何を優先したいのかや，希望や価値観，死生観を知って，生活に満足感が得られるように調整する必要がある．

➡期待される結果

本人，家族が，肺炎の再発防止策をいえる．本人，家族が，肺炎の再発防止策を日常生活のなかで実践できる．

♦3 発熱や咳嗽による安楽の障害

なぜ？

肺炎の急性期は，高熱や咳嗽の持続，それに伴う食欲不振が生じやすい．消耗性の疲労や入眠困難が生じると，疾病の増悪をまねき，回復を妨げる．

肺炎の主症状には，感染による発熱と咳嗽・喀痰がある．なかでも，高熱の持続は代謝を亢進させて体力を消耗する．体温上昇によって消化機能も低下しやすく，電解質のアンバランスや，脱水を起こすと生命の危険をまねく恐れがある．また，発汗などの不快症状の持続は苦痛となる．そして，咳嗽の持続はエネルギーを消耗するとともに，胸痛の原因ともなり，いずれも睡眠や休養の妨げとなる．とくに肺炎の急性期では，体力の消耗を最小限として心身の安静の保持が重要となる．そのため，対症療法を速やかに行い，高熱の持続や排痰困難感が生じないように介入する．

➡期待される結果

体温が平熱となり，正常な呼吸ができる．呼吸困難感がなく，安楽に睡眠をとれる．

 食物の摂取が不十分なことによる栄養状態の低下

なぜ？

高齢者の肺炎の多くは誤嚥性肺炎であり，食事は慎重に開始される．咀しゃく，嚥下力の低下から，必要な水分や栄養摂取を保てないことが多い．栄養摂取量の低下は免疫力低下につながり，回復を妨げたり，肺炎再発の誘因となる．

高齢者は，もともと嚥下力の低下や咳嗽力の低下がある．唾液の減少や腸蠕動など，消化機能の低下も起こりやすく，食欲不振に陥りやすい．そのようななかで，肺炎罹患による体力消耗や咳嗽の持続があれば，ますます経口からの食事摂取は困難となりやすい．高齢者の肺炎の多くは誤嚥性肺炎といわれているため，高齢者にとって誤嚥せず必要な水分と栄養を経口的にとることが，健康管理を継続するにも重要となる．食事は生活のなかの楽しみであり，高齢者にとっては生きる希望にもつながる．患者自身が楽しみながら食事を必要量摂取することが，健康回復を促す動機ともなる．

➡期待される結果

嚥下しやすく，患者自身の嗜好にあった食事を準備し，食べたいときに食べられる．食事をとりやすい環境を調整できる（姿勢，食器類）．

5. 看護計画の立案

• O-P：Observation Plan（観察計画） • T-P：Treatment Plan（治療計画）
• E-P：Education Plan（教育・指導計画）

1 感染による気道分泌物増加に関連した排痰困難

	具体策	根拠と注意点
O-P	**(1)痰の喀出状況** **(2)痰の喀出を困難にさせている要因** **(3)臨床症状と苦痛の程度** ①バイタルサイン：発熱，血圧低下，脈拍・呼吸増加，意識レベル低下，経皮的動脈血酸素飽和度（SpO_2） ②臨床症状：咳嗽，胸・背部痛，喀痰の量・性状，呼吸困難感，不眠，全身倦怠感，頭痛，消化器症状 ③モニタリング：心電図，経皮的動脈血酸素飽和度（SpO_2），血圧，脈拍，呼吸 ④血液データ ・静脈血ガス分析：PaO_2，$PaCO_2$，HCO_3^-，SpO_2，pH ・腎機能：BUN・Cr ・炎症反応：CRP，CBC（WBC，RBC，Hb，PLT） ・電解質：Na，K，Cl，Ca ・その他：Alb，TP，肝機能 ⑤胸部理学的所見：視診，聴診，打診 ⑥X線写真：胸部X線，胸部CT ⑦微生物学的検査所見：痰培養，血液培養	●重症肺炎や意識障害がある場合は，気道の清浄化の維持が難しく，窒息など急激に変化する場合もあるのでバイタルサインをモニタリングする． ●自覚症状と検査データの両面から，肺炎の重症度・肺炎の原因，肺炎の進行を正確に把握して対応する． （重症度分類A-DROP，I-ROAD，SOFAスコア参照，表02-1，表02-2，表02-3，図02-3参照） ●入院直後の変化を観察する．意識障害，呼吸数30回/以上，頻脈，血圧低下がみられるときには重症化に注意する． ●胸部X線検査では，両側性の有無，陰影の面積，分布，性状（空洞など），胸水，進行スピードをみる． ●痰細菌培養は起因菌を明らかにするために行う．喀痰採取時には，口腔内の常在菌による汚染がないように，注意が必要である．
	(2)治療内容とその反応 ①安静度，日常生活の制限 ②薬物療法（抗菌薬，輸液量，内容，持続時間） ③酸素療法	●薬物療法・治療の効果はどうか，治療内容を確実に実施し，その効果と副作用を観察する．
T-P	**(1)気道の清浄化** ①加湿 ・ネブライザーによる痰の軟化 ・含嗽または頻回な口腔ケア ②安楽な体位の工夫 ・安静時ファウラー位，排痰時は起坐位とする．咳嗽時，胸郭を支持して揺れを緩和する ・体位ドレナージにて，患部を上にして痰を出しやすい体位をとる ③排痰援助 ・ハッフィング，スクイージング ・呼吸リハビリテーション ④吸引 ・痰の自己喀出ができない，または不十分な場合，痰の停滞があれば必要時吸引を行う ・酸素飽和度もしくは心電図をモニタリングして，痰の停滞の有無を観察する	●気道の清浄化が保てなければ，窒息，急死にもつながる怖れが高い．痰の排出の援助と呼吸困難感の緩和，酸素化の維持は積極的に行う． ●ネブライザーや含嗽は，痰を軟化することで排痰しやすくする．患者自身で含嗽が難しければ口腔ケアを行う． ●ファウラー位は呼吸しやすく排痰もしやすい．咳嗽時に両側の胸郭を支えることで，咳による痛みを緩和し，痰を排出しやすくできる．痰の貯留部位を考えて体位ドレナージを行う． ●患者自身が行えるときには，効果的な痰の排出方法を一緒に実施する．自己にて痰の排出が難しいときはスクイージングを行う． ●痰の停滞は気道を閉塞し，窒息につながる危険性が高い．意識障害や認知症のある高齢者は，痰の喀出力が低下しており，自ら訴えられないため，急変するリスクが高い．痰の量や性状を観察するとともに，バイタルサインをモニタリングして低下時に速やかに対処し，吸引を積極的に行う．

	具体策	根拠と注意点
T-P	**(2)呼吸苦の緩和** ①酸素吸入 ・呼吸不全があり，チアノーゼを認められるとき ・SpO_2が指示の値を保てなければ酸素吸入を行う ・酸素投与量，投与方法は医師の指示に従い，呼吸状態，SpO_2値，意識状態をモニタリングする ②胸・背部痛には，温湿布，吸入で緩和をはかる ③夜間の点滴はできるだけ睡眠を阻害しないように時間調整する ④排泄時は，車椅子にてトイレまで移送する．排便コントロールをはかり，便秘および下痢を極力避ける ⑤夜間熟睡感がもてるように援助する ・室温と寝具の調整 ・発熱時は冷罨法を行う（氷枕・アイスノンなど使用）	●呼吸困難，発熱，不眠など，身体的な苦痛を緩和して，十分な休養と夜間の睡眠がとれるようにする． ●酸素投与は，SpO_2をその患者にとっての最適値近くに保つのがよい．酸素吸入は患者個々の目標値を維持するようにする．気道の清浄化とともに酸素化を保つことを重視する． ●Ⅱ型呼吸不全をもつ患者では，高濃度酸素投与によるCO_2ナルコーシスに注意が必要であり，SpO_2 90%前半を目標とする．また，呼気ガスの再吸入を軽減するために，低酸素流量で酸素マスクは使用しない． ●夜間の処置を少なくし，睡眠がとれるようにする． ●羞恥心を伴うため，排泄は重症時のみ床上排泄とする．また，努責によって苦痛が増すので注意する．下痢による体力消耗，脱水に注意する． ●発熱時には，室温は低めの方が気持ちがよい．また，喀痰を促すために湿度を保つようにする． （※呼吸苦が強いときは，頭部の冷却は安楽な睡眠を促す．患者の希望にあわせて対応する）
	(3)薬剤の確実な投与 ・輸液管理：指示の抗菌薬，時間投与を確実に行う．輸液，解熱薬の使用 ・内服管理：気管支拡張薬，去痰薬など	●抗菌薬は，72時間前後で効果をみない場合は変更される．また，アレルギー反応などの副作用の出現もあるため，予測して副作用に対する援助を行う．高熱の持続で体力を消耗しないように，指示の解熱薬を使用する．
	(4)環境調整 ①室温を20～24℃前後とし，湿度は60%前後に保つ．酸素吸入時にはとくに湿度を保持する．酸素流量５L/分以上では吸入酸素の加湿を行う ②換気を１時間に１回は行い，塵埃の少ない環境を維持する ③ベッド上，ベッド周囲の清掃，病室の整理・整頓 ・喀痰の取り扱いでは手袋を着用し，衛生的に処理する ④手洗いを徹底する ・患者，面会者への指導，必要時は面会制限	●清潔で快適な環境を保つ． ●塵埃は咳嗽を誘発する．また，痰の飛沫により，ベッド周囲は汚染されやすい．喀痰は感染源であり，速やかな除去と周囲への拡散防止が望まれる． ●高齢者では耐性菌の発現も多い．感染隔離が必要となれば，個室隔離，使用物品の専用化など，感染拡大を防ぐことが重要となる．
	(5)口腔内，身体の清潔 ①含嗽，歯みがきを励行し，口腔内の清潔を保つ ②清拭は部分的に短時間で．発汗時には適宜行う ③洗髪，部分浴は熱型と全身状態をみながら実施	●疲労を増大させないように，口腔内清潔の援助を行い，爽快感を得られるようにする． ●気道分泌物の増加によって口腔内は汚染されやすく，生体防御反応の低下によって新たな感染が起こりやすい．口腔内の保清と粘膜保護に努める必要がある．
	(6)水分と栄養の補給 ①水分出納管理を行い，適宜水分を補給する ②消化がよく栄養価の高い食事をする	●解熱時にはかなり多量の発汗がある．発汗を予測して速やかに清拭を行う．清潔行為は感染予防に加えて，爽快感や気分転換をもたらす． ●栄養状態を維持し，疲労感を軽減する． ●一般に，高熱による食欲不振・エネルギー消費量の増加，発汗多量による電解質の不均衡や脱水を起こしやすい．また，栄養状態の低下や褥瘡などを防止する必要がある． ●水分は痰を軟化させる．経口摂取できなければ輸液による補給が必要となる．

	具体策	根拠と注意点
E-P	**(1)排痰の必要性を指導する** ・咳嗽と喀痰によって呼吸苦が緩和する ・吸引時は方法や回数を説明して承諾を得る **(2)安楽な排痰方法の指導** ・安楽な体位(起坐位，ファウラー位) ・深呼吸，ハッフィング ・吸入(目的と実施方法) ・水分補給(起坐位で飲む，必要時水分にとろみをつける) **(3)禁煙の必要性を説明する** **(4)家族の支援を依頼する**	●痰の貯留は肺炎症状を悪化させる．しかし，咳嗽や喀痰は，胸痛や疲労を増大させ，苦痛も増大するため，必要性を理解することが重要である．とくに苦痛の大きい吸引では患者の協力が必要となる． ●気道の清浄化の維持には，咳嗽や喀痰を患者自身が苦痛なくできることが重要となる．また，誤嚥が原因の場合は，誤嚥を予防する水分摂取方法を患者と家族が理解する必要がある． ●高齢者では，一人で継続して気道浄化を維持することが難しくなる．体力や認知力の低下は自然な経過であるため，家族の支援は重要となる．

2 健康管理能力の低下により自己健康管理ができない

	具体策	根拠と注意点
O-P	**(1)患者の学習意欲，知識(疾患・治療，予防法)，実践力** **(2)管理不十分の要因** **(3)家族の理解力，協力状況**	●肺炎の発症原因を明らかにして，再発防止に必要な学習内容を精選する． ●肺炎を起こした個別的な要因を，本人や家族が考えられるようにすることで，再発予防のポイントを絞ることができる． ●再発予防に向けて，本人と家族の理解と，実践力を観察する． ●高齢者では本人のみでなく，家族の協力が必要となる．施設入居者では施設職員に伝える必要がある．
T-P	**(1)体力・栄養状態の回復・増強** ①床上での筋力アップを行う．下肢を中心として計画的に行い，基礎体力の回復を援助する ②食事による栄養補給 ・タンパク質・エネルギー量，食事形態をもとに戻し，摂取量を増加させる **(2)行動範囲の拡大** ①起きている時間を徐々に長くしていき，室内歩行から範囲・時間を拡大していく ②行動前後の呼吸・脈拍の変化，動悸の出現の有無を確認しながら拡大していく ③室外を歩行する場合，靴下などの着用と，上着を1枚追加し，外気の刺激を避ける **(3)回復への意欲を高める** ①体力と自信をつける ②家族からの期待感を自覚させる **(4)退院後の環境調整** ①入院直後に，退院後に希望する生活環境を確認 ・患者と家族の希望 ・患者のADLの評価 ・家族の介護力の評価 ②退院支援チームの発足 ・医師，看護師，リハビリテーションスタッフ，ソーシャルワーカー，栄養士ほか，多職種で希望を踏まえた退院後の生活プランを検討 ・介護保険導入の検討 ③社会資源の活用を助言	●長期入院患者や高齢者では，退院後の転倒や回復遅延を予防するため，早期に体力・栄養状態の改善をはかる． ●高齢者では，安静期間が長いとさまざまな合併症をきたす．臥床時から実施可能なリハビリテーションを行っていく． ●食欲に応じて，流動食，粥食から早期に普通食へ戻し，栄養価を高めて体力増強をはかる．誤嚥が原因の場合は嚥下食，やわらか食など，食形態を工夫する． ●計画的に活動量を増やす． ●肺炎再燃の恐れがある場合は，回復状況，年齢，既往症などに応じて，慎重に活動量を増やす．再び，発熱，咳嗽，喀痰などが出現するようであれば，経口摂取やリハビリテーションを中止して様子をみる． ●家族の心理的な支えは非常に重要なものであり，患者の存在価値を高める． ●高齢者では，回復後も入院前のADLに戻れず，自宅への退院が難しくなる場合も多い．患者と家族の希望，介護力や経済面など，情報を得て，リハビリテーションが可能な療養の場や，介護施設などの準備を早めに行う必要性は高い． ●在宅で社会資源の活用を希望する場合，介護認定には時間を要するため，早期に希望を確認し，準備していく必要がある．

	具体策	根拠と注意点
E-P	**・肺炎再発防止の指導** ①体力・筋力の保持・増進（適度な運動，規律ある生活）	●高齢者，あるいは基礎疾患や合併症の存在する場合は，再発防止のための指導が重要となる． ●規則的に運動し，労作時の呼吸困難感の改善，廃用症候群の予防，運動能力の向上を狙う．
	②気道の浄化（上気道感染予防） ・口腔ケア，加湿，咳嗽を促して気道浄化をはかる	●高齢者は，咽頭にグラム陰性桿菌などの腸内細菌が付着しやすい．また，老化に伴い，免疫機能は低下する．肺炎予防の基本は，上気道粘膜の効率的なクリーニング（口腔ケア）である．
	③誤嚥予防指導 ・口腔ケア：口腔内の清掃，歯周病ケア，義歯の手入れ，乾燥予防 ・誤嚥予防の体位：坐位，45～60°のファウラー位，または側臥位をとる．頸部は前屈位で食事をとる ・食事の管理：ゼリーなどのやわらかく食べやすい形状のもの，液状のものは増粘剤を使用する，一口量の調整，小スプーンや小さめのコップ ・排便コントロール：便秘しないように調整	●誤嚥性肺炎は致死率が高く，かつ難治性で繰り返すことが多いため，予防の必要性は高い．高齢者，あるいは脳梗塞，認知症，逆流性胃炎などの既往のある患者ではとくに必要となる． ●口腔内や咽頭部に貯留している分泌物・食物が，気道に流れ込むのを防ぐためには，上半身を挙上するか側臥位をとることが効果的である．消化管からの逆流を予防するためには，ファウラー位が有効である．頸部伸展すると誤嚥しやすくなるため，前屈位を維持する． ●水は誤嚥しやすいが，とろみをつけて食塊形成することで，誤嚥なく食べやすくなる．また，一口量が多いと誤嚥リスクが高まる． ●高齢者は，腸蠕動や腹筋力が低下したり，水分摂取が減少し，便秘に傾きやすい．便やガスが充満することによる腹部の膨満は，胃を圧迫するなどで嘔吐の原因にもなる．嘔吐による誤嚥を予防する必要がある．
	④インフルエンザ・肺炎球菌の予防接種をすすめる ⑤栄養管理	●インフルエンザ予防接種は，施設入所高齢者や慢性呼吸器疾患患者において，入院頻度，肺炎発症率，死亡率を低下させる．また，肺炎球菌ワクチンとの併用によって肺炎の発症が減少する．
	⑥呼吸・嚥下機能リハビリテーションの指導 ・呼吸訓練（腹式呼吸，シルベスター法） ・運動療法（呼吸体操，上下肢筋訓練，歩行訓練） ・排痰訓練（体位ドレナージ，スクイージング，ハッフィング） ・嚥下体操：頸部の回旋，頭部挙上訓練 ・口腔周囲のマッサージ，舌の運動，義歯装着 ⑦家族指導 （※誤嚥予防，呼吸リハビリテーションは，家庭においても継続できるように患者・家族へ指導する）	●多量の気道分泌物の貯留や，慢性閉塞性肺機能障害が既往にある場合，呼吸リハビリテーションは患者の咳嗽と排痰を促進し，急性増悪の頻度を低下させる． ●呼吸介助法によって呼吸筋の負担を改善し，呼吸困難を軽減する．家族が行えば，呼吸困難に陥った患者をパニック状態から救い出すことが可能となる． ●高齢者では，嚥下体操や口周囲のマッサージなどで，あらかじめ嚥下機能を賦活することで，より安全に食事をとることができる．

引用・参考文献

1）山口瑞穂子，関口恵子監：疾患別看護過程の展開．第５版，学研メディカル秀潤社，2016．
2）日本呼吸器学会編：成人肺炎診療ガイドライン．日本呼吸器学会，2017．
3）三嶋理晃総編集，藤田次郎専門編集：呼吸器感染症．呼吸器疾患 診断治療アプローチ，中山書店，2017．
4）松本慶蔵総監修：高齢者の肺炎─治療・リハビリテーション・予防 改訂版．医薬ジャーナル社，2017．
5）医療情報科学研究所編：病気がみえるvol.4 呼吸器．第３版，メディックメディア，2018．
6）福井次矢，黒川清監：ハリソン内科学．第３版，メディカル・サイエンス・インターナショナル，2009．
7）T．ヘザー・ハードマン，上鶴重美原書編集，上鶴重美訳：NANDA-I看護診断─定義と分類 2018-2020．原書第11版，医学書院，2018．

Memo

03 第１章　呼吸器疾患患者の看護過程

気管支喘息（患児）

1. 疾患の基礎的知識

1）疾患の概念

喘息は，発作性に起こる気道狭窄によって，喘鳴や咳嗽，呼気延長，呼吸困難を繰り返す疾患である．これらの臨床症状は自然ないし治療によって軽快，消失するが，ごくまれには致死的となる．

気道狭窄は気道平滑筋収縮，気道粘膜浮腫，気道分泌亢進を主な成因とする．

基本病態は，慢性の気道炎症と気道過敏性の亢進であるが，小児においても気道の線維化，平滑筋肥厚などの，不可逆的な構造変化（＝リモデリング）が関与することもある（**図03-1**）．

2）原因

気管支喘息は，個体因子（遺伝的素因など）と環境因子が絡みあって発症する．個々の患者での，発症・増悪に関わる危険因子（**表03-1**）を明らかにすることは重要である．とくに，アレルギー性素因（アトピー）とは環境アレルゲンへの曝露によってIgE抗体を産生しやすい体質であり，小児の気管支喘息患者の90%以上がこの「アトピー型喘息」であるといわれている．

3）病態と臨床症状

病態

小児の喘息は，特定の遺伝的素因にいくつかの環境因子が作用して発症すると考えられている．

基本病態は気道の慢性炎症であり，主に炎症の結果，気道過敏性亢進を生じ，これにさまざまな誘因・悪化因子が作用すると，気管支平滑筋の収縮，気道粘膜の浮腫，気道分泌物亢進による気流制限が引き起こされて，喘息症状に至る（**図03-2**）．

図03-1　気管支喘息・発作時の気管支内腔の変化

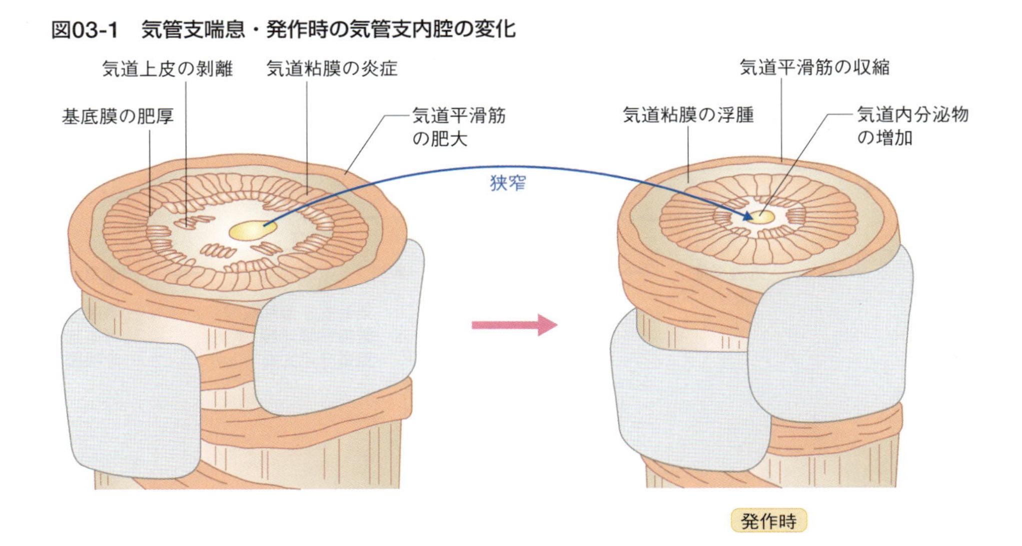

(1)気道炎症

喘息発作のほとんどは，ウイルスの感染とアレルギーの原因になる環境性抗原（ダニ，ホコリ，動物の毛など）を吸い込んで，気管支粘膜で免疫反応が起こる．そのため，ヒスタミン，ロイコトリエン，化学伝達物質が遊離され，マスト細胞，好中球，リンパ球によるアレルギー炎症反応が生じる．これが長期間続くことで，気道の慢性炎症が起こる．

(2)気道リモデリング

気道リモデリングとは，慢性的な気管支の炎症によって気道に障害が生じた場合，気道壁が肥厚し，気管支の内腔が狭くなる現象である（**図03-1**）．

気道が硬くなって弾力性が失われると，肺機能が低下し，薬物に対する反応も低下して，治療が難しくなる．

(3)気道過敏性

気道過敏症とは，気管に慢性炎症が起こっていると気道粘膜が腫脹して過敏性が増強し，冷たい空気を吸ったり，急に走ったり，大泣きしたときなどに，喘息発作が出現する状態である．

しかし，気道炎症レベルと気道過敏性の間に相関があるかは，明確な結論が得られていない．

(4)気流制限

喘息の特徴的な症状である“反復する喘鳴や呼吸困難”は，気管支平滑筋の収縮，気道粘膜の浮腫，気道分泌物亢進による可逆的な気流制限によって生じる．

臨床症状

(1)喘鳴

喘鳴(ぜんめい)は，呼気時に努力呼吸とともに認められ，ヒューヒュー・ゼイゼイという笛声喘鳴を伴うのが特徴的である．また，気管支平滑筋の攣縮だけではなく，気道の狭窄時に通過する気流の速度が増大することでも生じる．

なお，年少児は，「末梢気道に影響を受けやすい」，「末梢気道の抵抗が比較的高い」，「胸腔内圧の陽圧化が生じやすい」，「気道における分泌物が多い」などの理由により，喘鳴が生じやすい．

(2)咳嗽，喀痰

咳嗽は，気管支腔内に分泌された痰を取り除くための生理的反応である．しかし，喀痰を伴ったり痰を伴わない乾咳であったりと，さまざまである．

(3)呼吸困難

喘息の急性増悪（発作）の典型的な症状は，喘鳴や咳嗽，および呼気延長を伴う呼吸困難である．増悪時の呼吸困難は呼気性が主体だが，症状が進むと吸気性呼吸困難も

表03-1　喘息の危険因子

個体因子	1．家族歴と性差 2．素因 ・アレルギー ・気道過敏性 ・肥満や出生時低体重
環境因子	1．アレルゲン ・吸入 ・食物（食品添加物を含む） 2．呼吸器感染症 ・ウイルス ・肺炎マイコプラズマ 3．空気汚染 ・受動および能動喫煙 ・刺激物質（煙，臭気，水蒸気など） ・室内・屋外大気汚染 4．その他 ・気象 ・運動と過換気 ・心因 ・薬剤 ・月経 ・呼吸器合併症

図03-2　小児喘息の病態

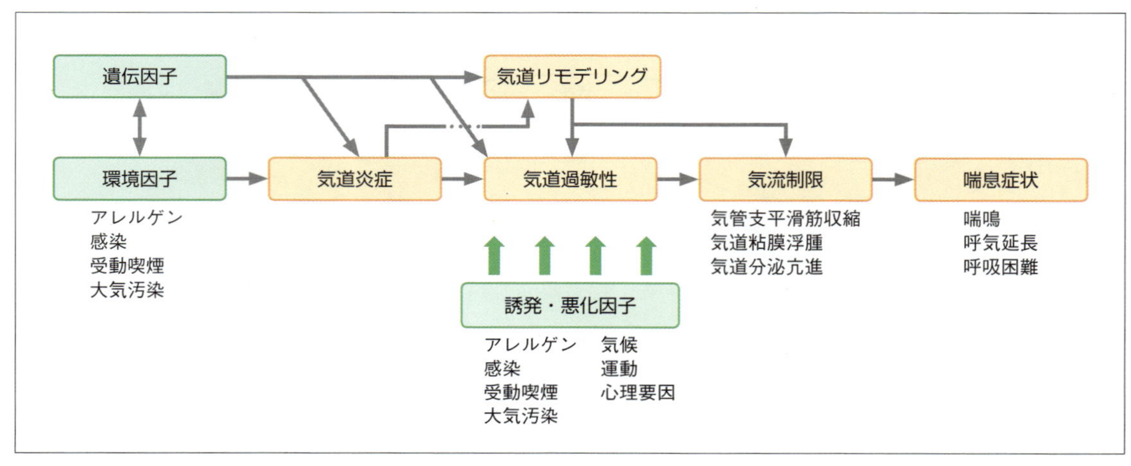

認められる．

呼吸困難の増強とともに，努力呼吸(陥没呼吸，鼻翼呼吸，肩呼吸)，シーソー呼吸，起坐呼吸が生じ，呻吟(しんぎん)，啼泣(ていきゅう)や多呼吸などにより呼気は延長し，チアノーゼ，四肢冷感，不穏状態などが生じる．これらは呼気性の呼吸困難の特徴である．

(4)喘息発作の重積

気道閉塞が通常の薬物療法では改善せず，喘息発作がおさまらずに重症化して持続する状態を重積発作という．意識障害，失禁，チアノーゼ，血圧低下，補助呼吸筋の過剰な使用，呼吸困難の増強，不穏，疲労の増強，筋緊張の低下の出現がみられる．

4) 検査・診断

臨床診断は，定義に示された臨床的・病態的特徴を証明することによって行われる．実際にはすべてを確認できない場合が多いので，遺伝的素因，アトピー素因，臨床症状・所見，呼吸機能検査などを参考に，総合的に判断する．

(1)症状

典型的な喘息発作の症状は，発作性の喘鳴や咳嗽，および呼気延長を伴う呼吸困難である．喘息発作時の呼吸困難は呼気性が主体であるが，症状が進むと吸気性呼吸困難も合併してくる．

このような症状が，運動，呼吸器感染症，ハウスダストなどのアレルゲンの吸入，気候の変動によって反復すれば，症候学的に喘息の可能性は高い．

また，喘息と紛らわしい症状を呈するほかの疾患も多いので，後述の鑑別診断(**表03-4**参照)が重要となる．

(2)アレルギー疾患の既往歴・家族歴

一般の小児と比較して喘息患児では，アレルギー疾患の既往歴・家族歴を有する者の割合が高いことが報告されている．とくに気道過敏性の亢進は喘息の重要な病態であるため，気道過敏性の存在を示唆するような症状，すなわち，運動，冷気，タバコの煙などの刺激によって容易に咳嗽や喘息を起こす場合を，既往歴として確認することが重要である．

(3)検査

下記に示すアレルギー検査と生理学的検査を参考にして判定する．

①アレルギー検査：血清総IgE値，末梢血好酸球数，アレルゲン特異的IgE抗体とプリックテスト
②呼吸機能検査：スパイロメトリー，フローボリューム曲線，ピークフロー(PEF)
③気道過敏性検査：直接法(アセチルコリン，メサコリン，ヒスタミンなど)，間接法(運動負荷試験など)
④気道炎症検査：呼気中一酸化窒素濃度(FeNO)，喀痰中好酸球数

(4)急性増悪(発作)の症状と所見

発作強度の判定は，急性増悪(発作)時における治療管理を的確に行ううえで必須なばかりでなく，長期管理治療薬の選択のもとになる重症度を判定するうえでも重要である．発作強度は，小，中，大発作と，呼吸不全の４段階に分類し，呼吸状態と生活状態の障害の度合いによって判定する(**表03-2**)．

なお，『小児気管支喘息治療・管理ガイドライン(JPGL)2017』では，これまで「急性発作」とよんでいた用語が「急性増悪」に改められたが，喘息発作という用語を便宜上使っても構わないとしている．

(5)重症度の評価

喘息の治療を行ううえで，患児の重症度を評価(**表03-3**)することは非常に重要である．患児の重症度を，ある程度の長さの期間で区切って評価・確認することにより，治療計画が考慮されるだけでなく，日常生活の指導や心理的なサポートが計画できる．

(6)鑑別診断

小児気管支喘息の鑑別疾患を**表03-4**に示す．

乳幼児においては，喘息ではない場合でも気道感染に伴って喘鳴を呈することが多い．また，喘息の場合でも笛声喘鳴が出現しないこともある．そのため，年少児の喘息の診断は注意深く行う．

5) 治療

急性増悪(発作)への対応

急性増悪(発作)への対応には，「家庭での対応」と「医療機関での対応」がある．発作を重篤化・遷延化させないために，家庭では喘息発作を認めた早期からの適切な対応が重要である．一方，医療機関では治療と同時に発作強度や合併症の把握，また，ほかの疾患の鑑別も行う．さらに，慢性疾患の急性増悪(発作)であることを認識して，重症度の評価と患者指導を行う．

(1)家庭での対応

家庭で急性増悪(発作)に対して早期から治療介入することによって，さらなる増悪を防ぎ，患児ならびにその保護者のQOL低下(夜間の睡眠障害や欠席・欠勤など)を，最小限に抑えることができる．

喘息に関する知識量は，患児および家族によって異なるため，重症度や薬物も異なる．個々の患児と家族に対して，発作時の対処法を，発作の強度に応じて具体的に

表03-2　急性増悪(発作)の症状と所見

		小発作	中発作	大発作	呼吸不全
呼吸の状態	喘鳴	軽度	明らか	著明	減少または消失
	陥没呼吸	なし〜軽度	明らか	著明	
	呼気延長	なし	あり	明らか＊1	
	起坐呼吸	横になれる	座位を好む	前かがみになる	
	チアノーゼ	なし	なし	可能性あり	あり
	呼吸数＊2	軽度増加	増加	増加	不定
呼吸困難	安静時	なし	あり	著明	著明
	歩行時	急ぐと苦しい	歩行時著明	歩行困難	歩行不能
生活の状態	会話	文で話す	句で区切る	一語区切り	不能
	食事の仕方	ほぼ普通	やや困難	困難	不能
	睡眠	眠れる	時々目を覚ます	障害される	
意識障害	興奮状況	平静	平静〜やや興奮	興奮	錯乱
	意識	清明	清明	やや低下	低下
PEF	(吸入前)	＞60%	30〜60%	＜30%	測定不能
	(吸入後)	＞80%	50〜80%	＜50%	測定不能
SpO_2(室内気)		≧96%	92〜95%	≦91%	＜91%
$PaCO_2$		＜41mmHg	＜41mmHg	41〜60mmHg	＞60mmHg

＊1：頻呼吸のときには判定しにくいが，大発作時には呼気相は吸気相の２倍以上延長している．
＊2：年齢別標準呼吸数(回/分)　0〜1歳：30〜60，1〜3歳：20〜40，3〜6歳：20〜30，6〜15歳：15〜30，15歳〜：10〜30
注)急性増悪(発作)が強くなると乳児では肩呼吸ではなくシーソー呼吸を呈するようになる．呼気，吸気時に胸部と腹部の膨らみと陥没がシーソーのように逆の動きになるが，意識的に腹式呼吸を行っている場合はこれに該当しない．

日本小児アレルギー学会：小児気管支喘息治療・管理ガイドライン2017(2019年改訂版)．p.30，協和企画，2019.

表03-3　治療前の臨床症状に基づく小児喘息の重症度分類

重症度	症状程度ならびに頻度
間欠型	・年に数回，季節性に咳嗽，軽度喘鳴が出現する ・時に呼吸困難を伴うこともあるが，短時間作用性β_2刺激薬の頓用で短期間で症状は改善し，持続しない
軽症持続型	・咳嗽，軽度喘鳴が1回/月以上，1回/週未満 ・時に呼吸困難を伴うが，持続は短く，日常生活が障害されることは少ない
中等症持続型	・咳嗽，軽度喘鳴が1回/週以上．毎日は持続しない ・時に中・大発作となり日常生活が障害されることがある
重症持続型	・咳嗽，軽度喘鳴が毎日持続する ・週に1〜2回，中・大発作となり日常生活や睡眠が障害される
最重症持続型	・重症持続型に相当する治療を行っていても症状が持続する ・しばしば夜間の中・大発作で時間外受診し，入退院を繰り返し，日常生活が制限される

日本小児アレルギー学会：小児気管支喘息治療・管理ガイドライン2017(2019年改訂版)．p.33，協和企画，2019.

表03-4　小児気管支喘息と鑑別を要する疾患

●先天異常，発達異常に基づく喘鳴	●感染症に基づく喘鳴	●その他	
大血管の解剖学的異常	鼻炎，副鼻腔炎	過敏性肺炎	うっ血性心不全
先天性心疾患	クループ	気管支内異物	アレルギー性気管支肺アスペルギルス症
気道の解剖学的異常	気管支炎	心因性咳嗽	囊胞性線維症
喉頭，気管，気管支軟化症	急性細気管支炎	声帯機能不全(vocal cord dysfunction，VCD)	サルコイドーシス
線毛運動機能異常	肺炎／気管支拡張症	気管，気管支の圧迫(腫瘍など)	肺塞栓症
	肺結核		閉塞性細気管支炎
			胃食道逆流症

日本小児アレルギー学会：小児気管支喘息治療・管理ガイドライン2017(2019年改訂版)．p.31，協和企画，2019.

指示する(**図03-3**).

とくに,「強い喘息発作のサイン」がみられた場合には,医療機関の受診が必須であることを十分に説明する.また,発作が起きたときに頓用薬がない場合には,原則として医療機関を受診するよう指導する.

(2)医療機関での対応

救急外来では,以下の点を把握する.①発作強度の判定,②発症からの時間と増悪の原因把握,③喘息の重症度と服薬状況(長期管理薬の内容,アドヒアランス,急性増悪(発作)時に家庭あるいは前医で使用した薬物とその時間),④喘息による入院および呼吸不全の既往と救急外来の受診状況,⑤薬物アレルギーの有無.

発作の強度が小発作もしくは中発作であれば,β_2刺激薬吸入やステロイド薬全身投与,アミノフィリン点滴静注などを外来で行い,改善後に帰宅させることも可能である.しかし,前日から急性増悪(発作)が持続している場合や,すでに家庭でβ_2刺激薬吸入・内服を繰り返し使用している,重篤な発作の既往歴がある,乳幼児,合併症がある場合などは,中発作でも入院治療が必要である.

大発作・呼吸不全は,入院での迅速かつ適正な治療が必要とされる.その効果を経時的に判断し,有効であれば改善するまで継続し,不十分であれば遅滞なく治療強化を行うことが重要である.呼吸不全の状態では,集中治療による管理が望ましい.

長期管理

喘息の治療は,基本病態である気道炎症を抑制し,無症候状態の維持,呼吸機能や気道過敏性の正常化,QOLの改善をはかり,最終的には寛解・治癒を目指すことである(**表03-5**).長期管理は,薬物療法のみで構成されるものではなく,危険因子への対応,患者教育,パートナーシップを三位一体で進め(**表03-6**),JPGL2017では評価・調整・治療のサイクルを回し,漫然と治療のみを継続しないように強調している(**図03-4**).

小児気管支喘息の日常の治療目標を以下に示す.

①症状コントロール:β_2刺激薬の頓用の減少または無使用,昼夜ともに症状が出現しない.

②呼吸機能の正常化:ピークフローやスパイログラムがほぼ正常で安定,気道過敏性が改善し,運動や冷気などによる症状誘発がない.

③QOLの改善:普通の日常生活(スポーツを含む)を

図03-3　急性増悪(発作)時の過程での対応(家族への伝え方)

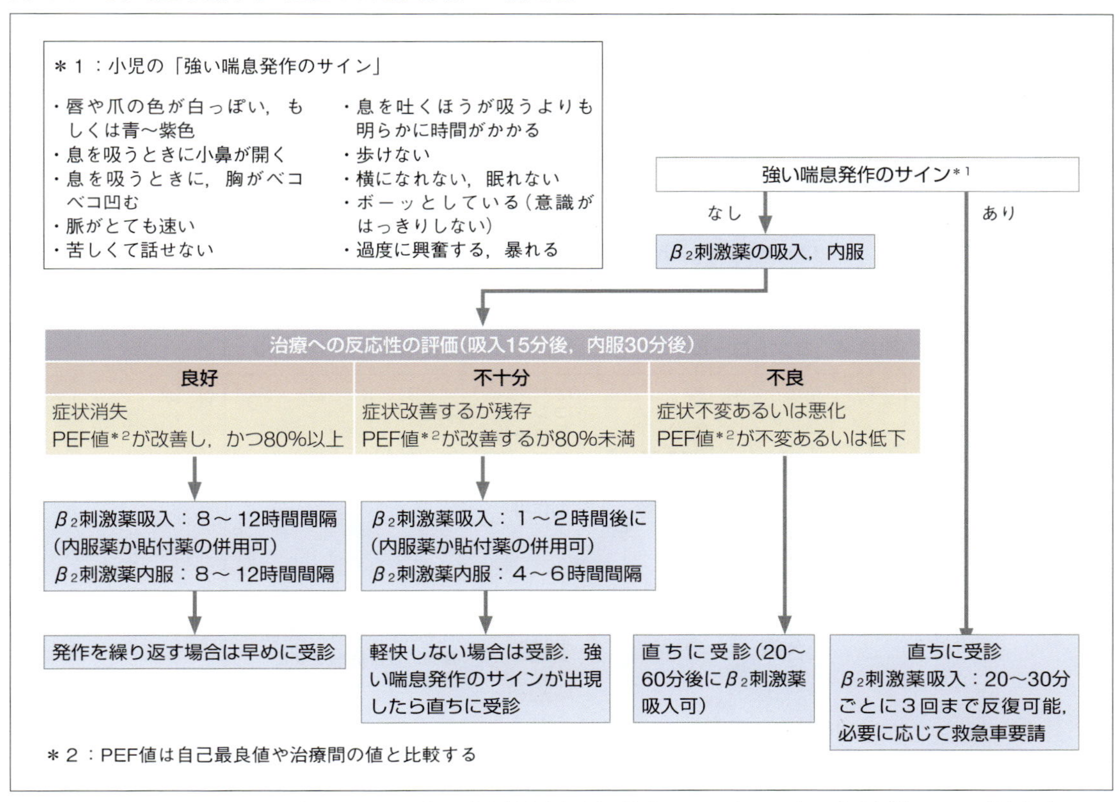

日本小児アレルギー学会:小児気管支喘息治療・管理ガイドライン2017(2019年改訂版).p.143,協和企画,2019.

送れる，治療に伴う副作用の出現がない．

(1)薬物療法

抗喘息薬による日常管理は，治療・管理の中心である．抗喘息薬は，長期管理薬（コントローラー）と発作性治療薬（リリーバー）に大別され，両方の薬剤を適切に使用することが重要である．

長期管理薬は，主に気道炎症を抑制するための抗炎症薬（吸入ステロイド薬ICS，抗アレルギー薬）と，長時間にわたって気道収縮を予防する気管支拡張薬（テオフィリン除放製剤，長時間作用性β刺激薬）がある．抗炎症薬を中心にして，必要に応じて気管支拡張薬の併用が行われる．発作性治療薬には，短時間性β_2刺激薬が有効である．

治療を開始する際には，まず患児の重症度判定（**表03-3**参照）を行う．そして，重症度に対応する治療ステップの基本治療薬を中心とした薬物療法を，小児の成長・発達を考慮して開始する．JPGL2017では，5歳以下，6～15歳のそれぞれに治療ステップが提示されている．

(2)環境整備

喘息を発症させる危険因子には，個体因子と環境因子（**表03-1**参照）が存在するため，薬物療法のほかに，危険因子へ講じる対策も重要な治療のひとつである．とくに室内環境整備（布団，枕，ぬいぐるみなどの室内塵や

表03-5　小児喘息の治療目標

最終的には寛解・治癒を目指すが，日常の治療の目標を以下に示す	
症状のコントロール	・短時間作用性β_2刺激薬の頓用が減少，または必要がない ・昼夜を通じて症状がない
呼吸機能の正常化	・ピークフロー（PEF）やスパイロメトリーがほぼ正常で安定している ・気道過敏性が改善し，運動や冷気などによる症状誘発がない
QOLの改善	・スポーツも含めて日常生活を普通に行うことができる ・治療薬による副作用がない

日本小児アレルギー学会：小児気管支喘息治療・管理ガイドライン2017（2019年改訂版）．p.117，協和企画，2019．

表03-6　小児喘息の長期管理の要点

薬物療法	・気道炎症の抑制を目的とした長期管理薬を中心とした治療 ・重症度・コントロール状態に応じた治療ステップの選択
危険因子への対応	・環境整備（ダニ，ペット，受動喫煙など） ・運動誘発喘息（EIA）予防，合併症治療など
患者教育・パートナーシップ	・病態の理解 ・アドヒアランスの向上 ・吸入手技の向上

日本小児アレルギー学会：小児気管支喘息治療・管理ガイドライン2017（2019年改訂版）．p.117，協和企画，2019．

図03-4　コントロール状態に基づいた小児喘息の長期管理のサイクル

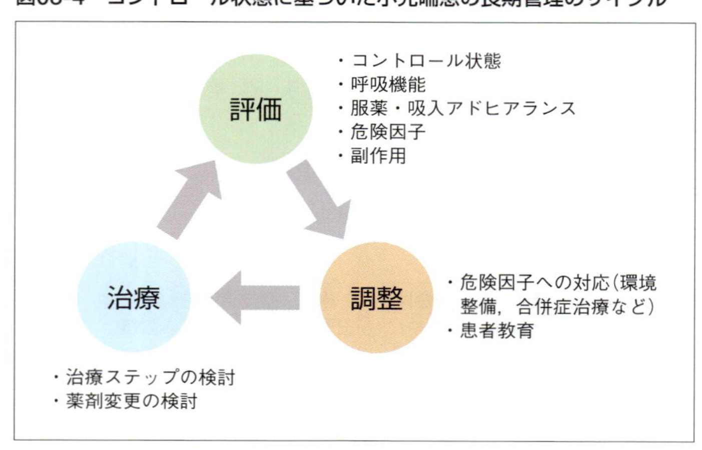

日本小児アレルギー学会：小児気管支喘息治療・管理ガイドライン2017（2019年改訂版）．p.117，協和企画，2019．

ダニアレルゲンの除去）は大切である．

また，受動喫煙は喘息を最も誘発しやすい要因であり，ほかにも，室内でペットを飼うことは好ましくない．さらに，壁紙や新建材などからの揮発性物質が気道に刺激を与え，発作を誘発することもあるので注意する．

(3)運動療法

運動によって喘鳴や呼吸困難が起こることは古くから知られているが，この現象を運動誘発喘息（EIA：exercise induced asthma）という．

EIAは，重症な患児や，発作がコントロールされていない患児が高強度の運動を続けた場合，また冷たく乾燥した環境で起こりやすく，かつ，強く起こる．家庭や学校で日常的に運動をする機会が多い小児では，EIAによって呼吸困難が生じるためにQOLが損なわれることが多く，運動を回避してしまうケースもある．

患児・家族が，EIAの機序や特徴を理解し，それに基づく指導により，適切な運動（水泳，ウオーキングなど）を行うことによって，喘息児のQOLはもとより，喘息症状の改善効果が認められる．

(4)心因性ストレス

心因性のストレスが，喘息の有病率を増加させることは広く知られている．また，激しく感情が高ぶることによって過換気となり，低炭酸ガス血症が生じることで，急性増悪（発作）が誘発される場合もある．心身両面のケアを行うことで，心理的因子の解消をはかる必要がある．

(5)患者教育

小児気管支喘息の治療管理に関する基本的考え方に沿った治療目標を達成することは，患者教育がゴールとして定める重要な任務である．喘息治療は，患児に適切な処方や指示を出すだけでは不十分であり，患児がそれを実行しなければ期待通りの効果は得られない．

そのためには，患児・家族とのパートナーシップを確立し，治療目標を共有してアドヒアランス（患者自身が責任をもって主体的に治療を進めること）の向上をはかるような患者教育を行う．

6）予後

小児においては，長期管理のステップアップ，ステップダウンが的確になされて，良好なコントロールが得られれば，予後は改善されると考えられる．患者・家族の指導にあたっては，症状がなくても治療の継続が必要な場合を理解させ，アドヒアランスの向上が維持できるように支援していく．

予後の判定の主な項目は，治療と寛解が用いられる．５年以上の無治療・無症状が続き，呼吸機能，気道過敏性が正常の場合を機能的治癒と考え，５年以上の無治療・無症状が続いた場合を臨床的治癒と便宜上考える．寛解は，無投薬で症状がない状態を示す．

2. 看護過程の展開

● アセスメント〜ゴードンの機能的健康パターンを用いて

パターン	アセスメントの視点	根拠	収集する情報
(1) 健康知覚-健康管理 患者背景 健康知覚-健康管理 価値-信念	●患児・家族の認識と理解度，自己管理能力はどの程度か ●疾患や治療をどのように認識しているか	●気管支喘息の治療・コントロールには，児・家族の理解と管理能力が不可欠である．「気管支喘息の治療は医師が適切に処方・指示しても患者側が受容して実行しなければ意味がない．(JPGL2017)」とあるように，患者実行型の治療とすることが重要である． ●また，「患者教育の対象は治療に直接・間接に関わる人すべてであるが，特に患者・家族とのパートナーシップを確立することが重要である(JPGL2017)」ことから，たとえば母親以外の家族の協力や学校関係者などの支援も必要となる．患児のアドヒアランスが向上し，治療・コントロールに対して主体的に取り組めるようになるには，患児・家族の，疾患や治療の受け止め方や自己管理の程度，家族のサポート状況，発作予防に対する認識などの情報を収集する必要がある．	●現病歴 ・発症時期 ・病状の経過 ・治療経過 ・アレルギー・感染症の有無 ●既往歴 ・喘息発作の既往 ●年齢，性別，発達段階，就学状況 ●性格，気質 ・発作誘発因子の有無 ・ストレスや疲労 ・疾患の捉え方 ●患児の疾患や治療(服薬)に対する認識と実施状況 ●健康習慣・保健行動などの，健康・療養管理に対する理解度と実践状況 ●増悪徴候と対処法への理解 ●家族歴 ・家族内のアレルギー疾患の有無 ●家族の疾患・治療に対する認識や支援体制 ●生活環境・生活習慣 ・地域特性 ・家族構成と生活状況 ・喫煙習慣やペットの有無など ●学校関係者(就学児の場合)の，疾患・治療に対する認識や支援体制
(2) 栄養-代謝 全身状態 栄養-代謝 排泄	●小児の発育と療養に必要な栄養状態は適切に摂取できているか ●喘息発作時に水分摂取困難による脱水は生じていないか	●小児の喘息の原因はアレルギーであることが多いため，卵や牛乳，小麦などの食物アレルギーを回避する必要がある．そのため，小児の発育に必要な栄養状態に問題はないのか観察する必要がある． ●発作時に生じる呼吸困難に伴う気道からの不感蒸泄の増大と，咳嗽による水分摂取困難により，乳幼児は容易に脱水に陥る．脱水は，気道からの分泌物の粘稠度を増し，発作はさらに重症化するため，脱水症状の観察と体重の減少度や血液データの観察は重要である．	●栄養状態 ・体重 ・身長 ・カウプ指数やローレル指数などの栄養状態の判定 ・皮膚・爪色・歯の成長 ●食生活の状態 ・食事時間や食事回数 ・間食の内容と頻度 ・食行動の自立 ●食事・水分摂取量 ・食欲 ・平均的な食事内容と摂取量 ・水分摂取内容と量 ・嗜好や偏食の有無 ●脱水徴候とその状態 ・皮膚・粘膜の乾燥や湿潤，口喝，全身倦怠感 ・悪心・嘔吐 ●検査データ ・TP，Alb ・Na，K，Cl，BUN，Cr，HT，Hb

パターン	アセスメントの視点	根拠	収集する情報
(3) 排泄 全身状態 栄養-代謝 排泄	●適切な排泄習慣が身につき，排泄の問題を抱えていないか	●小児期は排泄の自立が発達課題にあるが，ストレスや生活習慣・食生活の乱れによって，夜尿や便秘など，排泄に関する問題も生じやすい．気管支喘息の治療やコントロールを目標とした小児の生活の背後に，排泄に関わる問題の有無を確認する必要がある．	●排泄状態 ・排便・尿の回数と量 ・性状 ●排泄習慣と自立度 ・適切な排便・排尿コントロール ・トイレットトレーニングの段階 ・夜尿の有無 ●水分出納バランス ・食事，水分摂取の状態
(4) 活動-運動 活動・休息 活動-運動 睡眠-休息	●喘息発作を起こさず，呼吸困難を感じない日常生活を過ごしているか ●活動・運動が喘息発作の誘因になっていないか(活動・運動の制限・回避はないか) ●適切な運動が実施できているか	●喘息発作時は，呼吸困難の状態を適切にアセスメントし，発作による苦痛を緩和することが重要である．そして，発作強度の評価(小発作，中発作，大発作，呼吸不全)を行うことで決定される． ●喘息発作改善のための治療や検査が続くことで，家庭で過ごしていたときの子どもの日常は一変する． ●運動により発作や呼吸困難を生じることがある． ●適切な運動は，症状の改善につながる．	●呼吸状態：発作強度による判定が必要 ・喘鳴 ・呼吸数 ・呼吸困難の有無と程度(陥没呼吸・呼気延長・起坐呼吸・チアノーゼ) ・咳嗽の有無と程度 ●検査データ ・呼吸生理状態(SpO_2，動脈血ガス分析値) ・呼吸機能検査(ピークフロー値PEF，スパイロメーター値) ・気道過敏性検査(直接法：アセチルコリン，メサコリン，ヒスタミンなど，間接法：運動負荷試験など) ・気道炎症検査(呼気中一酸化窒素濃度FeNO，喀痰中好酸球数) ・胸部X線 ・アレルギー検査(血清総IgE値，末梢血好酸球数，アレルゲン特異的IgE抗体とプリックテスト) ●随伴症状の有無 ・意識状態，活気，会話の有無，発熱，発汗 ●活動・運動機能の状態 ・ADLの状態 ・入院時はベッド上での過ごし方や遊びの状況 ・運動誘発喘息(EIA)が起きたことはあるか ●１日の活動パターン ・未就学児童の生活状況と通園の有無 ・就学児童の学校生活やクラブ活動の状況，放課後の過ごし方 ●日常生活習慣の自立 ・衣服着脱・清潔行動の自立
(5) 睡眠-休息 活動・休息 活動-運動 睡眠-休息	●喘息発作によって睡眠が阻害されていないか	●喘鳴は，夜間や早朝に起こりやすいため，小児の睡眠を妨げてしまうことも多い．また，家族の生活パターンが不規則であったり，夜間遅くまで起きている場合は，その影響を子どもが受けることがある．	●睡眠状況 ・睡眠時間 ・熟睡感 ・中途覚醒の有無 ・不機嫌や活気の有無 ・夜泣きの有無 ●覚醒時の呼吸状態(SpO_2，呼吸困難) ●夜間症状出現の頻度と程度 ●活動と休息のバランス ●家族の睡眠習慣 ・家族の睡眠時間，起床時間，就寝時間

パターン	アセスメントの視点	根拠	収集する情報
(6) 認知-知覚 知覚・認知 認知-知覚 自己知覚-自己概念 コーピング-ストレス耐性	●重積発作により意識障害を生じていないか ●気管支喘息に関する知識はあるか ●疾患の管理に必要な認知機能があるか	●気管支喘息の最終的な治療目標は，「健常児と同じ活動を行っても発作が起こらず，日常生活に支障がなくなることである（JPGL2017）」．そのため，患児・家族は気管支喘息について認識する必要がある． ●管理のために気管支喘息に関する知識が必要である．	●認知発達 ・子どもの年齢と認知発達・認知レベル ●疾患・治療についての理解・認識 ●家族の疾患・治療についての理解 ●家族のサポート状況 ●疾患・治療に関する学校関係者の理解 ●喘息キャンプ・スクールなど，喘息教育の機会の有無
(7) 自己知覚-自己概念 知覚・認知 認知-知覚 自己知覚-自己概念 コーピング-ストレス耐性	●自分の身体をどのように捉えているか ●自己概念や自尊心の脅威はないか	●症状コントロールのために行う吸入，内服治療の継続，発作出現時の救急外来受診，学校生活での運動制限は，健康な子どもとは異なる自己概念を形成し，「人とは違う自分」を強く意識させられるようになる．慢性疾患を抱えながら生きていく自分に劣等感を感じたり，将来への不安を感じたりすることがある．また，患児がポジティブな思考をもち，自己肯定感を高く認知できるような自己コントロール感が必要である．	●自己概念 ・疾患を抱え，治療が必要な自己に対する思いや感情 ・自分への自信のなさ ・運動への不参加による劣等感 ●ボディイメージ ・病気や治療による自分の容姿や外見の特徴 ●感情表出 ・不安，恐怖，怒り，悲しみなど
(8) 役割-関係 周囲の認識・支援体制 役割-関係 セクシュアリティ-生殖	●周囲との人間関係や家族関係，家族のなかでの位置づけ，役割に問題はないか	●気管支喘息の発症は，２歳までが60%，６歳までが80～90%といわれ，幼い頃から母親（家族）が治療管理の代行を行うことで，患児の療養生活は継続される．しかし，このような母子一体型の親子関係が長く続くと，小児自身が治療や療養生活の意思決定・選択を行うことに，躊躇するようになる．そして，疾患や治療の理解・認識，健康を維持するための主体的な取り組みに，影響を及ぼすようになる．また，喘息発作予防のための運動制限は，子どもに疎外感を感じさせることにもつながる．	●家族の状況 ・家族構成と家族関係，同胞の有無と関係性 ●養育者の役割・関係性 ・養育者との関係 ・養育者への依存の程度 ・養育行動の特徴 ●学校や課外活動での役割と人間関係
(9) セクシュアリティ-生殖 周囲の認識・支援体制 役割-関係 セクシュアリティ-生殖	●性についての考えや性意識，生殖機能の発達をどのように認識しているか	●思春期以降は，気管支喘息という疾患をもつことで，本人が性の発達に問題を抱えることがある．	●性の意識と関心の芽生え ●思春期では第二次性徴と生殖器の発達

パターン	アセスメントの視点	根拠	収集する情報
(10) コーピング-ストレス耐性 知覚・認知 認知-知覚 自己知覚-自己概念 コーピング-ストレス耐性	●ストレスの原因となる出来事と，適切なコーピングを学んでいるか	●心因性のストレスは，喘息の有病率の増加や喘息の増悪因子となる．また，激しい感情の高ぶりは，過換気となって急性増悪（発作）が誘発される．あるいは，家族の精神状態が不安定なために，喘息コントロールが不良となるケースもある．	●治療や症状に伴うストレスの有無と内容 ●ストレスに対する反応とコントロール状況（啼泣，無言，抵抗，怒り，寡黙など） ●ストレス解消方法 ●家族や友人・知人のサポート状況 ●家族が抱えるストレス
(11) 価値-信念 患者背景 健康知覚-健康管理 価値-信念	●治療方針（自己管理）に，小児あるいは養育者の価値・信念の葛藤はないか	●子どもの価値や信念は，養育する家族の影響を大きく受ける．患児の治療目標に，家族の価値や信念がネガティブな影響を与えることもある．	●子どもの価値・信念 ・日々の生活のなかで子どもが大事にしていることや考え ●家族の価値・信念 ・家族の価値，信条，宗教 ●道徳性の発達

3. 全体像の把握から看護問題を抽出

1）病態関連図

原因・誘因　検査・治療　病態・臨床症状
（色文字は重要な症状）
看護上の問題

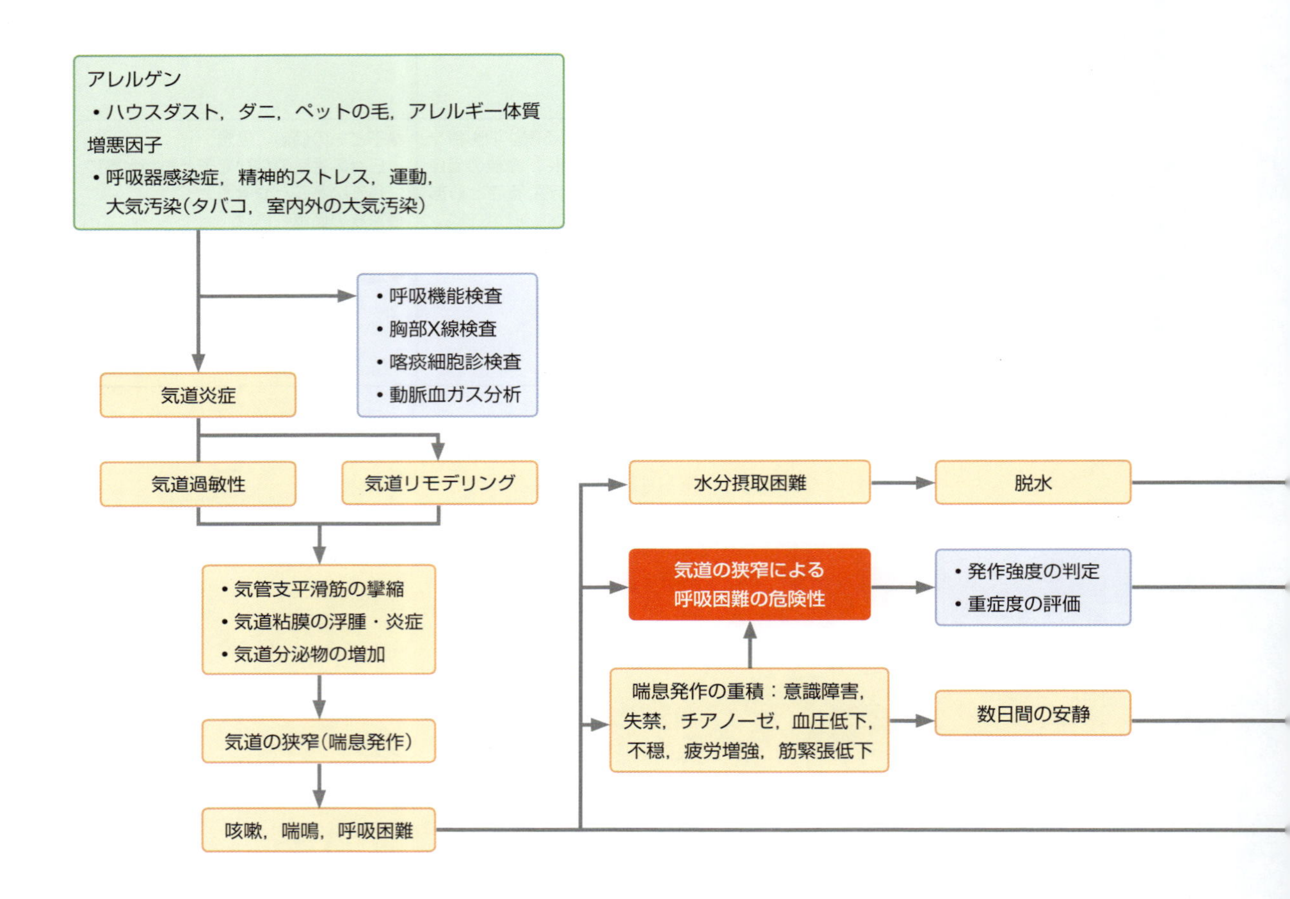

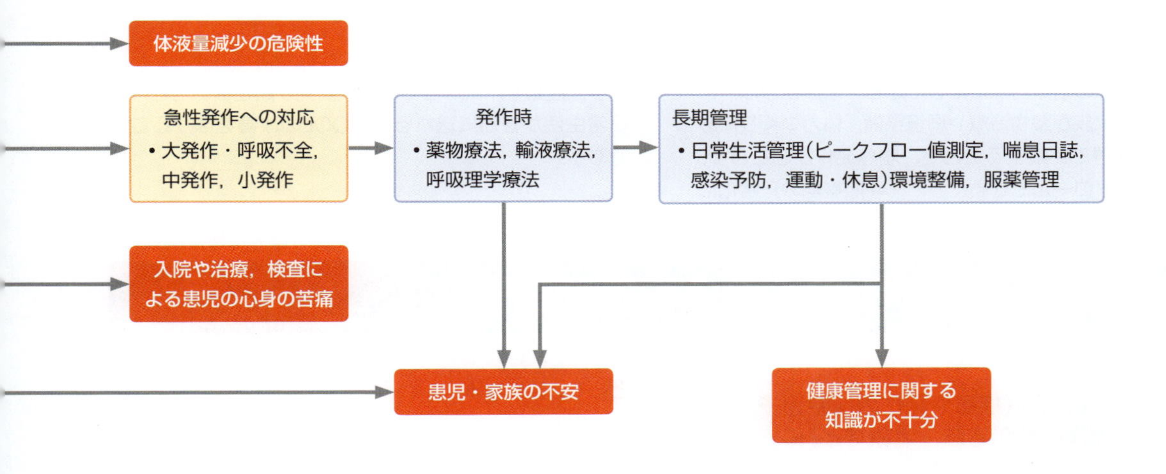
体液量減少の危険性
急性発作への対応
• 大発作・呼吸不全，中発作，小発作
発作時
• 薬物療法，輸液療法，呼吸理学療法
長期管理
• 日常生活管理(ピークフロー値測定，喘息日誌，感染予防，運動・休息)環境整備，服薬管理
入院や治療，検査による患児の心身の苦痛
患児・家族の不安
健康管理に関する知識が不十分

2）看護の方向性

気管支喘息の看護を考えるうえで重要なことは，以下の3点である．

1つ目は，適切な治療とセルフケアにより，症状コントロールができるよう支援する．2つ目は，症状出現時（急性増悪：発作）への適切な対応を行う．3つ目は，日常生活のQOL向上をはかり，患者・家族が心身ともに安定した普通の生活を過ごせることである．

（1）適切な治療とセルフケアにより，症状コントロールができるよう支援する

気管支喘息の治療目標は，薬物療法による副作用を最小限にとどめながら気道炎症を抑制し，無症状状態を長期に維持しながら寛解・治癒を目指すことである．そのためには，症状がない時期にも長期管理やセルフケアを適切に続けることで，症状のコントロールをはかる必要がある．しかし，症状が改善しても寛解・維持までには長い年月を要するため，患児・家族が主体的に療養行動に取り組む「アドヒアランス」の向上を目指した支援が重要である．

（2）症状出現時（急性増悪：発作）への適切な対応を行う

急性増悪（発作）出現時は，呼吸困難の状態を適切にアセスメントし，心身の苦痛を緩和することが重要である．その前提として，発作強度・増悪因子および基本的な治療に対する理解は不可欠であるが，重積発作による呼吸困難が顕著な場合は，薬物療法に加えて酸素療法あるいは人工呼吸器などの準備も想定しておく必要がある．

（3）日常生活のQOL向上をはかり，患児・家族が心身ともに安定した普通の生活を過ごせる

気管支喘息治療の最終目標は，健常児と同じ活動を行っても発作が起こらず，日常生活に支障がなくなることである．この目標の実現に向けて，どのようなステップを踏めばよいのかを，患児・家族とよく話し合って当面の治療目標を共有し，治療内容を決めていくことが重要である（JPGL2017）．そのためには，まずは医療者が患児・家族とのパートナーシップを確立し，治療目標の実現に向けて患児・家族がすべきことを意思決定できるように導いていく必要がある．そして，薬物治療を休止しても喘息発作を起こさず，患児・家族が安定した日常生活を普通に過ごせるよう支援していく．

3）患者・家族の目標

気管支喘息の治療目標に応じた患者・家族目標は，①患児および家族が薬物治療や環境整備，体力づくりに必要な知識を得て実践することで，喘息発作が起こらず，症状をコントロールできること，②呼吸機能の正常化により，運動や冷気などでの症状誘発が起きないこと，③日常生活が普通に送れるようQOLの改善をはかることである．

4. しばしば取り上げられる看護問題

♦1 健康管理（疾患や発作の増悪因子，発作の予防方法，治療など）に関する知識が十分でない

なぜ？

気管支喘息の治療目標は，適切な治療と生活管理による症状コントロールであり，それは患児・家族によるセルフケアによって実施されるものであるため，疾患や発作の増悪因子，発作の予防方法，治療についての知識をもつことが必要である．

気管支喘息の発作を起こさず症状をコントロールするには，患児のアドヒアランスが向上し，治療に主体的に取り組めることが重要である．そのためには，患児・家族と医療者とのパートナーシップの確立が，治療の前提として必要になる．

➡期待される結果

喘息発作が予防できる．

♦2 気道狭窄による呼吸困難の危険性がある

なぜ？

急性増悪（発作）時は，気道の炎症から発生する気道狭窄によって起こるが，まずは生命を脅かすリスクのある呼吸困難症状を緩和することが優先される．

➡期待される結果

気道開存性が維持でき，呼吸不全を予防できる．

 気道からの不感蒸泄の増大や咳嗽による水分摂取量低下に関連した体液量減少の危険性がある

なぜ？

呼吸困難に伴う気道からの不感蒸泄の増大と，咳嗽による水分摂取困難により，乳幼児は容易に脱水に陥る．小児にとって生命を脅かすリスクを伴うため，脱水の程度を早期に観察して判断し，輸液による水分・電解質の補給が必要となる．

➡期待される結果

脱水症状を改善することができる．

 安静が続くことによる活動耐性低下の危険性がある

なぜ？

喘息発作改善のための治療や検査が続く入院生活により，子どもの日常は一変する．

家族と離れた不安や恐怖があり，また退屈な生活となり，心身の苦痛を伴うことになる．

➡期待される結果

入院や治療，検査による心身の苦痛を緩和することができる．

◆5 健康状態の大きな変化による患児と家族の不安

なぜ？

小児気管支喘息の予後は，発症年齢や重症度，喘息のタイプによってさまざまであるが，寛解・治療までは長期間を要し，患児と家族の不安が大きい．さらに，患児と家族は「いつか治る」という期待とともに，「いつ発作が起こるのか」という喘息発作に対する不安や心配も同時にもちあわせている．

➡期待される結果

患児と家族の不安を軽減することができる．

◆6 十分なソーシャルサポートがないことにより効果的なコーピングがとれない

なぜ？

患者教育の主体は，意思決定と治療行為を実行する患児・家族であるが，子どもの日々の治療に直接関わる周囲の人間（学校関係者や地域住民など）からのサポートが不足すると的確な喘息の治療継続ができなくなる．

➡期待される結果

周囲の人たちからの支援を患児が適切に受けることができる．

5. 看護計画の立案

- O-P：Observation Plan（観察計画）
- T-P：Treatment Plan（治療計画）
- E-P：Education Plan（教育・指導計画）

◆1 健康管理（疾患や発作の増悪因子，発作の予防方法，治療など）に関する知識が十分でない

	具体策	根拠と注意点
O-P	**(1)疾患や治療に対する理解と受け止め方** ①患児の疾患や治療（服薬）に対する認識と実施状況 ②家族の疾患や治療（服薬）に対する認識と実施状況 **(2)服薬やピークフロー値測定，喘息日記の記入など，自己管理の実施状況** **(3)発作予防の知識と対処方法の実際** **(4)家族のサポート状況**	●患児や家族が，喘息の治療や疾患管理に対して，どのような理解のもとに実施しているのか，その内容を把握する．自己管理の実施状況や発作時への対処方法を確認することで，これまでの自己管理目標を見直したり，新たな目標設定を行うことができる．

	具体策	根拠と注意点
T-P	**(1)疾患や治療に対する不安や思いの聴取と信頼関係の構築**	●喘息発作予防のための話し合いに必要なのは，まずは患児や家族が抱いている現在の疾患や治療に対する不安や苦痛・疑問などの思いを受け止め，また現在実施している治療や処置に対する理解の程度を確認することである．そこから，患児・家族と医師・看護師との信頼関係構築が始まる．
	(2)アドヒアランス向上への支援 ①現在実施している治療や処置に関する確認と励まし	●患児・家族が主体的に治療方針の決定に参加し，治療管理目標を共有するためには，医療者が基本的な情報を適切に伝えることが重要である．また，日常生活のなかでの患児・家族の努力を認めて励ますことにより，患児の自己効力感が高まり，自己管理が強化される．
	②入院時までに実施していた自己管理内容の検討と評価	●入院時までに実施していた自己管理の実施状況を患児・家族から説明してもらい，それに対する評価を医療者とともに行う．これは，適切な自己管理を継続するために必要である．
	③退院後の自己管理に関する目標設定	●退院後の自己管理目標を患児自身が設定できるように，家族とともに関わる．個々の患児に応じた予防的な目標設定を行い，長期的な目標も具体的に表現できるよう支援することで，目標が明確になり，自己管理に期待と意欲が生じる．
	④自己管理における家族のサポート内容と方法を確認	●家族の適切なサポートは患児の自立を促すとともに，自己管理継続の支えとなる．自己管理上，家族のサポートが必要な部分が明確になるよう，家族も一緒に話し合いに参加してもらう．
E-P	**(1)現在の疾患の状態，治療計画の説明**	●発作を起こして入院したときは，治療に対する意識が高まり，患児指導が最も効果的なときであるといわれている．疾患や治療計画の説明は医師から行われるが，患児や家族の理解を深めるために，看護の立場から説明内容の確認を行い，必要時は説明内容を繰り返す．
	(2)服薬指導 ①薬剤の種類と作用・副作用，投薬方法 ②自己管理の内容と方法	●入院前に処方され，継続していた薬剤があれば，その服用時間や回数，吸入手技などを確認する．継続できていない場合は，その理由を確認する．
	(3)ピークフロー値測定と喘息日記の記入	●長期管理における自己管理の方法を，ピークフロー値測定と喘息日記の記入により指導する． ●ピークフロー値の測定により，喘息の状態が数値などの客観的な情報で評価でき，またそれを喘息日記に記入することで，今後の自己管理目標が具体化する．
	(4)発作時の対処法の指導	●発作の前兆や初期症状を理解し，発作時には我慢をせず，家族や学校の先生など，患児の周囲にいる大人の助けを得ることが重要であると指導する．
	(5)日常生活管理の指導：発作の誘因除去 ①体調管理 かぜなどの上気道感染予防(咳嗽，手洗い，予防接種) ②環境整備 家庭内のチリやダニの除去のための掃除，カーペットの除去，布製ソファーの除去，布団の手入れ，受動喫煙の防止，ペットとの関わり方 ③ストレス対処	●喘息の治療効果を上げるためには，日々の体調管理と環境整備が重要であることを，患児の家庭の状況や日常生活を振り返りながら具体的に指導する．また，喘息やストレスに負けない身体づくりを行うにはどうしたらよいのか，患児自身ができることを一緒に考える．
	(6)患者団体や喘息キャンプの紹介：社会資源の活用	●喘息患者の仲間づくりや喘息の体験学習を通じて，患児の不安や苦痛を共有できる場所をつくり，病気への前向きな気持ちを育めるように支援する．

2 気道狭窄による呼吸困難の危険性がある

	具体策	根拠と注意点
O-P	**(1)呼吸状態の観察** ①呼吸困難の状態 ・呼吸状態：回数，深さ，リズム，肺音 ・異常呼吸音：笛声喘鳴，呻吟 ・呼吸困難の程度：陥没呼吸，起坐呼吸，肩呼吸，鼻翼呼吸，呼気延長 ②咳嗽，喀痰の量と性状 ③チアノーゼ・四肢冷感の有無 ④意識障害，不穏状態，失禁，筋緊張の有無 ⑤バイタルサイン	●喘息発作時は，呼吸困難の状態を観察して，発作による苦痛を緩和することが最優先課題となる．また，医師の診察による発作強度や重症度の判定を早期に情報収集し，検査値なども含めた臨床医学的な情報から患児の状態をアセスメントする．
	(2)急性増悪(発作)の症状，重症度の評価 ①急性増悪(発作)：小・中・大発作，呼吸不全 ②重症度：間欠型・軽症持続型，中等症持続型，重症持続型，最重症持続型	●急性増悪(発作)症状や重症度の評価は，治療管理上重要であるばかりでなく，日常生活での指導や心理的なサポートが計画できる．
	(3)検査値 ①動脈血酸素飽和度SpO_2，動脈血ガス分析値 ②ピークフロー値(PEF)，スパイロメータ値 ③その他：胸部X線検査，白血球中好酸球数，CRP値，アレルギー検査	●呼吸機能検査や血液検査，胸部X線検査により，喘息の状態や合併症の有無を把握し，援助内容や方法を考える．
	(4)発作出現に対する患児の苦痛や不安，恐怖感 ①活気，機嫌，顔色，表情，啼泣，精神状態 ②排泄の状態(排尿・便回数，性状，自立度) ③睡眠状態(睡眠時間，熟睡感) ④治療や処置への反応や理解度	●小児は，自らの苦痛や症状を言語化して他者に伝えることができない．呼吸困難などの症状による苦痛を，患児は不機嫌や啼泣，活気の消失，不安定な精神状態，治療や処置への抵抗という形で表現する場合もある．そのため，患児の行動や表情をよく観察し，患児の抱える不安や恐怖を把握する．
	(5)薬物(テオフィリン)の効果と副作用	●喘息発作治療薬として用いるテオフィリンの副作用(悪心，下痢，腹痛，興奮，動悸など)に注意する． ●テオフィリンは，血中濃度8～15μg/mLが有効濃度域とされるが，その代謝は個人差が大きく，中毒症状(痙攣，不整脈，意識障害など)を引き起こすこともある．
T-P	**(1)治療薬(輸液，内服，吸入，貼付)の確実な投与**	●治療薬の選択と酸素療法は，喘息発作の程度によって，医師の指示のもとに実施される．アミノフィリンの持続投与は，輸液ポンプ使用によって正確に投与する． ●小児へのアミノフィリン投与は，痙攣を引き起こしやすいので，てんかんや痙攣の既往がある場合や，発熱している患児にはとくに注意が必要である．
	(2)酸素・ネブライザー吸入療法	●医師の指示のもとに酸素療法やネブライザー吸入を実施する．酸素療法や吸入を嫌がる小児も多いので，年齢に応じた説明と協力を求めることが必要である．
	(3)気道閉塞の予防 ①気道確保の体位 ②呼吸介助，排痰の援助(体位変換，スクイージング) ③喀痰の吸引	●喘息発作によって，呼吸困難が著しい場合や舌根沈下がある場合は，頭部後屈顎先挙上，下顎挙上による気道確保の体位をとる． ●聴診器によって痰の貯留の程度と部位を確認した後，吸引を行う．体位変換やスクイージングにより，上気道に分泌物を移動させる

	具体策	根拠と注意点
T-P	**(4)安楽な体位と呼吸の保持：呼吸困難の緩和** ①上体挙上（起坐位，ファウラー位）や腹臥位，抱っこ	●起坐位やファウラー位などの，呼吸が安定する安楽な体位を，患児の状態に応じて保持する．これらの体位は横隔膜を下げ，呼吸面積を広げるため，呼吸がしやすくなる．
	②腹式呼吸や深呼吸，口すぼめ呼吸の奨励	●腹式呼吸や深呼吸は，呼吸に伴うエネルギーと酸素消費量を減少させて，肺胞換気量を保つことができる．また，口すぼめ呼吸は，呼吸数の減少や気道閉塞の防止，1回換気量の増加が期待できる．
	(5)衣服や寝具の調整 衣服をゆるめる，寝具の圧迫を防ぐ	●全身をゆったりとして安楽な呼吸を促すためには，衣服や寝具の調整も必要である．
	(6)経口的水分補給	●水分補給は，気管支内の粘稠な分泌物をやわらかくして喀痰を促す効果がある．
	(7)環境整備 ①室温，湿度 ②換気	●密閉された空間や換気の悪い場所では，空気中の酸素濃度が低くなり，呼吸困難が助長される．また，発作誘発因子を確認して除去する．
	③アレルゲン除去	●発作の誘因となるアレルゲンを確認して除去する．なぜなら，小児気管支喘息患者の90%はアトピー型喘息であるため，身の回りのチリやダニ，ハウスダストなどのアレルゲンを吸入して反応するためである．
	(8)日常生活の援助 食事，睡眠，排泄，活動（運動）	●食事や排泄は必要時に介助する．また，患児の睡眠が保てるように環境を整える．さらに，症状回復とともに安静度の変更を随時行ってADLの拡大に努める．なお，適度な運動の実施によって身体を鍛える方法もあるが，運動誘発喘息が起こらないよう，医師と相談しながら楽しく運動ができる方法を探す．
E-P	**(1)再発作や呼吸困難出現への対応** ①看護師や家族への連絡	●再発作の徴候や呼吸困難に患児自身が早期に気づき，看護師やつき添う家族への連絡が重要であることを，発達段階に応じて指導する．
	②安楽な体位と呼吸方法 上体挙上（起坐位，ファウラー位）や腹臥位，抱っこ，腹式呼吸や深呼吸，口すぼめ呼吸	●呼吸困難を緩和する安楽な体位と呼吸方法を，必要なときに自ら実践できるように指導する．
	(2)ストレス・不安への対応：レジリエンスの育成	●喘息治癒の可能性を信じて悲観的にならず，発作や入院に伴う不安やストレスへの対応，リラックスできる環境や方法を，自ら考えて対応できるように関わる．つまり，喘息の治癒に時間を要するというストレスに対して，児のレジリエンスを育み高めるような関わりが，周囲の人間には必要となる．
	(3)感染予防対策 ①ウイルス感染による喘息発作への予防	●ウイルス感染によって喘息発作が起きないように，手洗いやうがいを励行し，感染予防対策を指導する．RSウイルスやインフルエンザウイルスなどの呼吸器感染症は，喘息発作を増悪させる．
	②口腔内の清潔	●口腔内は分泌物や痰で不潔になりやすく，分泌物の貯留は感染症のリスクを高めるため，清潔を保つ必要がある．

引用・参考文献

1) 日本小児アレルギー学会：小児気管支喘息治療・管理ガイドライン2017（2019年改訂版）．協和企画，2019．
2) 渡邊トシ子編：ヘンダーソン・ゴードンの考えに基づく 実践看護アセスメント．第3版，ヌーヴェルヒロカワ，2011．
3) マージョリー・ゴードン著，江川隆子監訳：ゴードン博士の看護診断アセスメント指針．第2版，照林社，2006．
4) 茎津智子編：発達段階を考えたアセスメントにもとづく小児看護過程．医歯薬出版，2012．
5) 二村昌樹：小児気管支喘息治療・管理ガイドライン2017解説．小児看護，42(3)：266～273，2019．
6) 宮島環ほか：小児気管支喘息コントロール状態のアセスメントと評価．小児看護，42(3)：289～294，2019．
7) 石井真：患者・家族の情報活用の実際と看護師によるサポート．小児看護，42(3)：256～300，2019．
8) 山田知子：アドヒアランスを促進する介入．小児看護，42(3)：301～305，2019．
9) 満生順子ほか：思春期の子どもへのかかわり．小児看護，42(3)：319～325，2019．
10) 山本淳ほか：やさしい小児ぜんそくの治し方．主婦と生活社，2008．

第１章　呼吸器疾患患者の看護過程

04 気管支拡張症

1. 疾患の基礎的知識

1）疾患の概念

気管支拡張症とは，反復的な気道の感染と炎症により，気管支および細気管支が不可逆的に拡張したことが原因となって，気道感染を繰り返し，咳嗽や喀痰のような症状が生じる慢性呼吸器疾患である．この疾患名は，解剖学的変化の意味が強いので，症候群として位置づけられることもある．

2）原因

先天性因子として遺伝性疾患や形態学的異常など，後天性因子として感染症や全身性疾患，幼小児期の呼吸器感染症などがある．特定の疾患ではなく，さまざまな疾患が原因で生じ，そうした疾患の最終段階であるといえる．なお，約半数が原因を特定できず特発性気管支拡張症と診断されている．

気管支拡張症は，多数の肺の領域をおかすこと（びまん性）もあれば，病変が１ないし２領域に限られること（限局性）もある．

国内では，びまん性汎細気管支炎（DPB：diffuse panbronchiolitis），副鼻腔気管支症候群（SBS：sinobronchial syndrome）などを合併したものが多い．近年は非結核性抗酸菌症が増加している．

乳幼児期の肺炎や気道感染症の後遺症として限局的な気管支拡張症がみられるが，公衆衛生の向上や抗菌薬の進歩などといった感染症のコントロールとともに減少傾向にある．また，胃食道逆流症（GERD：gastroesophageal reflux disease）に関連した反復誤嚥との関連も注目されている．

アレルギー性気管支肺アスペルギルス症は，喘息患者にときどきみられ，比較的太い中枢性の気管支拡張がみられる．

原因となる疾患については**表04-1**に示す．

なお，気管支拡張症の有病率は明らかではないが，女性で高齢になるほど頻度が高い．

3）病態と臨床症状

病態

先天性の疾患や感染症，気道閉塞などで気管支壁の部分に損傷を受けたり，気道の防御機構である線毛が損傷を受けた後，気管支の損傷した部分に細菌や真菌などが

表04-1　気管支拡張を引き起こす原因疾患

感染症	ウイルス（インフルエンザウイルス，アデノウイルス，麻疹ウイルスなど）/ 細菌（百日咳，肺炎球菌，黄色ブドウ球菌，肺炎桿菌など）/ 結核 / 非結核性抗酸菌
免疫不全	分類不能型免疫不全症（CVID: common variable immunodeficiency）/ 低γグロブリン血症 / 悪性腫瘍，化学療法，免疫抑制薬 / HIV感染
先天性疾患	気管支軟化症（Williams-Campbell症候群）/ 気管気管支巨大症（Mounier-Kuhn症候群）/ 囊胞性線維症（cystic fibrosis）＊東洋人はまれな疾患　/ 原発性線毛機能不全症 / α_1アンチトリプシン欠損症 / Young症候群
炎症性疾患	関節リウマチ / 全身性エリテマトーデス / シェーグレン症候群 / 再発性多発性軟骨炎 / 炎症性腸疾患 / アレルギー性気管支肺アスペルギルス症
線維症	特発性肺線維症 / サルコイドーシス / 慢性閉塞性肺疾患（COPD）/ 結核感染後の線維化
機械的閉塞	異物，腫瘍，外部からの圧迫
その他	胃食道逆流症（GERD），毒素吸入 / びまん性汎細気管支炎（DPB）

※併存疾患としては，COPD，気管支喘息などがみられる．

付着しやすくなる．また，生体の反応によるサイトカイン産生などが，気道の線毛機能の障害や分泌物のクリアランスの低下などを増悪させ，細菌や真菌が増殖して炎症を起こすようになる．この反応により，気道の弾性組織・気管支軟骨・気道平滑筋が損傷を受けて気道が拡張し，袋状に広がる．気管支拡張症は，感染と気道の傷害という悪循環が起きることで進行すると考えられている（**図04-1**）．

増殖した細菌や真菌は，病変部以外のほかの肺のなかにも広がり，肺炎を起こし，発熱や呼吸状態の悪化を引き起こすこともしばしばみられる．

気管支が拡張した部分には，気管支壁の炎症により，血管が増生し，気管支動脈と肺動脈にシャントが形成されるが，この血管は破綻しやすいため，喀血することがある．

また，病気が進行すると呼吸が妨げられ，低酸素血症や，瘢痕化した肺組織に血液を送り出そうとする心臓に負担がかかって右心不全を生じることがある．

臨床症状

症状は通常，無症状の場合が多い．再発のたびに増悪する．

(1)慢性の咳嗽，喀痰

気道の慢性的な炎症や感染によって起こる．喀痰は粘稠から膿性の痰であり，量は少量から1日100mL以上のこともある．咳の発作は早朝と夕方遅い時刻に起こることが多い．

(2)血痰・喀血

気管支の毛細血管が炎症によって損傷された場合や，気管支動脈から生じる血管増生によって起こる．

(3)水泡音の聴取

病変部位には，断続性ラ音（coarse crackle），喘鳴などが聴取される．

(4)ばち状指

長期の低酸素血症が原因で起こる．

(5)全身倦怠感・体重減少

感染による発熱や呼吸困難などが影響し，出現する．

4）検査・診断

(1)胸部X線検査

肥厚した気管支壁が電車の線路のようにみえる所見（tram-line sign）や，拡張した気管支に分泌物が貯留して指を広げたようにみえる所見がみられることがある．また，肺気量の減少による無気肺，病変の進行による気管支の静脈瘤様拡張や嚢状拡張と，その内部に分泌物が貯留している場合には液面形成も認められることがある．

(2)胸部CT検査（図04-2）

高分解能CT（HRCT）は，侵襲が少なく，最も確実な

図04-1　悪循環のメカニズム

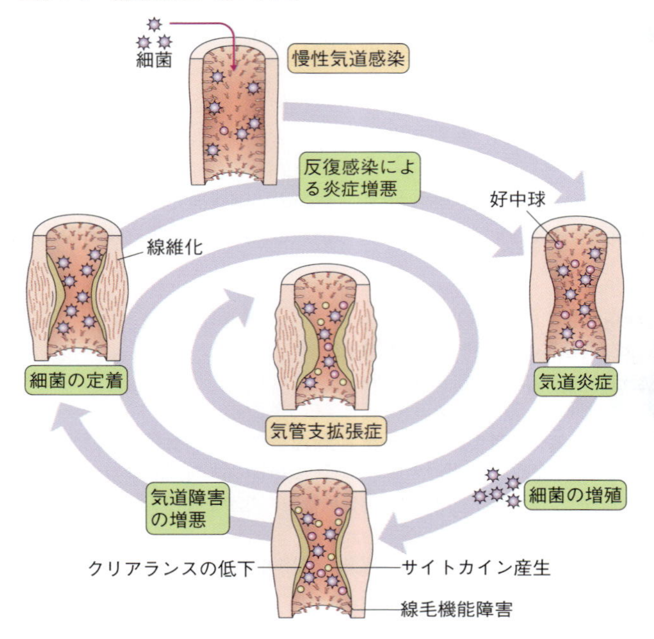

落合慈之監：呼吸器疾患ビジュアルブック．p.169，学研メディカル秀潤社，2011.

図04-2　気管支拡張症のCT像

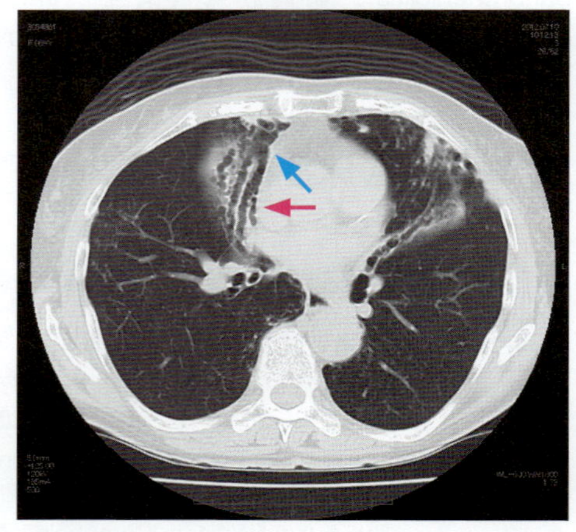

気管支の拡張（→），気管支壁の肥厚（→）がみられる
（写真提供：山岸亨氏［元東邦大学医療センター大橋病院呼吸器内科］）

検査法であり，X線検査で特徴的な所見が得られない場合に推奨されている（**表04-2**）.

(3)血液検査

血液一般検査，血清グロブリン，IgA，IgM，IgG

(4)呼吸機能検査

病変が限局している症例では，とくに異常を認めない場合も多い．呼吸機能検査では病変の進行に従い，閉塞性換気障害や混合性換気障害を示すこともある．

(5)動脈血ガス分析

動脈血ガス分析所見は，病状が進行すると低酸素血症，高二酸化炭素血症を生じる．

(6)喀痰の細菌検査

原因疾患の鑑別，インフルエンザ菌，肺炎球菌などの慢性気道感染および急性増悪時の起炎菌の検索，薬剤感受性などを知るために行う．

(7)気管支内視鏡検査

血痰や喀血の出血源の確認や止血，腫瘍や異物の確認を行う．また，気管支の線毛の構造的機能的評価などを行う．

重症度の判定

表04-3，4，5，6がある．

5）治療

現時点では，気管支拡張症に対して確立した治療は少ない．しかし，重症度に応じた段階的な治療を行う．

すべての患者に対する一般的な治療や生活指導内容

・日常的な手洗い，うがいの励行
・インフルエンザと肺炎球菌に対するワクチン接種
・原因疾患と合併症に対する治療
・呼吸リハビリテーション，日常的な運動
・緑膿菌と非結核性抗酸菌に対する定期的な喀痰検査
・急性増悪に対する治療

表04-2　HRCTを用いた気管支拡張症の診断上の基準

大基準	①気管支が異常に拡張する結果，気管支の内腔径が，伴走する気管支動脈の直径よりも大きい． ②気管支が漸次先細りしない． ③肺野末梢で胸膜から１cm以内に気管支が観察される．
小基準	①気管支壁の過剰な肥厚 ②粘液栓子 ③気管支の集積

表04-4　FACEDscore

因子		ポイント
F：FEV1	≧50%	0
	<50%	2
A：年齢	<70歳	0
	≧70歳	2
C：慢性定着	緑膿菌なし	0
	緑膿菌あり	1
E：拡張	影響を受けている肺葉が１～２個	0
	影響を受ける肺葉が＞２個	1
D：mMRC（表04-5参照）	0～2	0
	3～4	1

０～２ポイント：軽度の気管支拡張症　３～４ポイント：中等度の気管支拡張症　５～７ポイント：重度の気管支拡張症

表04-3　bronchiectasis severity index（BSI：気管支拡張症の重症度指数）

因子		ポイント
年齢	＜50	0
	50～69	2
	70～79	4
	≧80	6
Body mass index（BMI：肥満度指数）(kg/m²)	＜18.5	2
	≧18.5	0
対標準１秒率(%)	＞80	0
	50～80	1
	30～49	2
	＜30	3
過去２年間の入院歴	あり	5
	なし	0
過去12か月での急性増悪頻度	0～2	0
	≧3	2
MRC（表04-5参照）	1～3	0
	4	2
	5	3
病原体のコロニー形成	緑膿菌	3
	その他の病原菌	1
	なし	0
画像的な重症度	３葉以上または嚢状の気管支拡張	1
	２葉以下の気管支拡張	0

入院または死亡に対するリスク
０～４点：低い　５～８点：中等度　９点以上：高

6）予後

感染症やそのほかの合併症を予防または治療できていれば，予後はおおむね良好である．予後不良因子としては，高齢，男性，COPDの合併や罹患肺葉数，1秒量の低値，呼吸困難の程度や緑膿菌感染の有無である．急性増悪を繰り返す場合（年3回以上），予後不良な経過をたどる．

表04-5
***modified British Medical Research Council questionnaire（mMRC：修正MRC質問票）**

グレード	あてはまるものに1つだけチェックしてください	
グレード0	激しい運動をした時だけ息切れがある	□
グレード1	平坦な道を早足で歩く，あるいは緩やかな上り坂を歩くときに息切れがある．	□
グレード2	息切れがあるので，同年代の人より平坦な道を歩くのが遅い，あるいは平坦な道を自分のペースで歩いているとき，息切れのために立ち止まることがある．	□
グレード3	平坦な道を約100m，あるいは数分歩くと息継ぎのために立ち止まる．	□
グレード4	息切れがひどく家から出られない，あるいは衣服の着替えをするときにも息切れがある．	□

表04-6　気管支拡張症の急性増悪の診断

①咳嗽	③膿性痰	⑤倦怠感
②喀痰の量または粘稠度	④息切れ	⑥血痰

・48時間以内に上記の6項目中3項目以上の悪化がある
・医師が気管支拡張症に対する治療の変更が必要と判断した場合

2. 看護過程の展開

● アセスメント～ゴードンの機能的健康パターンを用いて

パターン	アセスメントの視点	根拠	収集する情報
(1) **健康知覚-健康管理** 患者背景 健康知覚-健康管理 価値-信念	●原因疾患は特定されているのか ●原因疾患に対する治療はどのように行われているのか ●現在の健康状態をどのように知覚しているか ●原因疾患についての成り行きや治療法を理解しているか ●日頃の生活習慣や健康管理法は正しいか ●健康状態の変化を知覚し，適切な対処行動がとられているか ●主体的に治療に参加しているか	●原因疾患によって治療法が違うため，疾患や治療についての知識が必要． ●日常生活のなかで少しずつ症状が進行していく病変であり，完治はしないため，自己管理が求められる． ●知識不足は自己管理を困難にする．気道の感染や炎症の繰り返しにより悪化することを理解し，感染予防の知識をもっている必要がある． ●自己管理していくにあたり，行動変容できることが望ましい． ●原因疾患は，遺伝や過去の感染症なども関連していることがある．	●原因疾患の知識 ●治療法についての理解，実施している治療方法についての知識 ●正しい感染予防の知識をもっているか ●感染予防行動はできているか ●健康管理の方法 ●生活習慣（喫煙・飲酒） ●薬の自己管理状況 ●有毒物質や粉塵を吸う職業や機会の有無 ●他者や外的要因への依存

パターン	アセスメントの視点	根拠	収集する情報
(2) 栄養-代謝 全身状態 栄養-代謝 排泄	●食欲低下はないか ●悪心，嘔吐はないか ●水分摂取量を行えているか ●栄養摂取不足はないか ●水分出納バランス，電解質バランスの不均衡はないか ●体温の異常はないか	●気道感染によって，発熱，咳嗽が出現する．これらによってエネルギー消費の増大や食欲低下が起こり，必要な栄養摂取ができなくなり，体重減少(易感染状態)につながる． ●気道感染に対して抗菌薬が投与されるが，副作用として消化器症状が出現することもある． ●発熱による発汗の増加などによって，体内の水分排出が増加する． ●食欲不振による水分摂取量不足が加わると，水分出納バランスが崩れる． ●大量の喀痰や発熱による発汗量の増加，水分摂取量の低下によって痰の粘稠度が増し，痰が気道から剥がれにくく，排出しづらくなる．	●食欲 ●食事摂取内容，量，嗜好 ●水分摂取量 ●体重(の変動) ●身長 ●BMI ●皮膚，粘膜の状態 ●悪心・嘔吐の有無 ●発熱，熱型，倦怠感 ●栄養の検査データ(TP，Alb，Hbなど) ●感染の検査データ(白血球数，CRPなど) ●水分摂取量と排泄量のバランス
(3) 排泄 全身状態 栄養-代謝 排泄	●下痢，便秘の症状はないか ●発汗に異常はないか	●水分摂取量が不足すると便が硬くなる． ●気道感染を起こした場合，抗菌薬を投与することで消化器症状が出現することがある．	●排便回数・性状 ●下痢や便秘の有無 ●悪心，嘔吐の有無 ●腹痛，腹部膨満感，腸蠕動音 ●排尿回数・量 ●腎機能検査値 ●発汗の程度
(4) 活動-運動 活動・休息 活動-運動 睡眠-休息	●喀痰の性状や量に異常はないか ●咳嗽に異常はないか ●呼吸困難，酸素化の異常はないか ●胸部不快などの異常はないか ●活動，運動が制限されていないか ●日常生活が制限されていないか	●普段は自覚症状がほとんどない場合でも，気道感染を起こすと咳嗽や喀痰がみられる．痰の量は多いと100mL/日以上となることもある． ●咳嗽がひどいと血痰や喀血を起こすことがある． ●呼吸困難や，十分酸素供給がされていないことによる倦怠感によって，活動に影響を与える． ●感染によって発熱がある場合に，倦怠感が生じて活動に影響を与える．	●喀痰の性状(血痰，喀血の有無)，量 ●喀血がある場合は，時間，量，性状 ●咳嗽の有無と程度 ●息苦しさの有無 ●喘鳴の有無 ●胸部不快感 ●酸素飽和度低下の有無) ●呼吸音，呼吸数，呼吸パターン ●補助呼吸筋の使用の有無 ●倦怠感の有無 ●日常生活の活動状況，呼吸困難による活動制限の有無と程度 ●胸部X線所見 ●呼吸機能検査の結果 ●動脈血ガス分析の結果 ●四肢の冷感，チアノーゼの有無
(5) 睡眠-休息 活動・休息 活動-運動 睡眠-休息	●咳嗽によって睡眠リズムに異常がないか ●咳嗽によって休息が阻害されていないか	●咳の発作や多量の痰は呼吸困難を生じ，夜間の睡眠の妨げになる． ●夜間睡眠がとれず，昼間に睡眠をとることで，昼夜逆転となる．	●睡眠時間 ●不眠，夜間覚醒の有無 ●熟眠感の有無 ●疲労感，倦怠感の有無 ●睡眠薬の内服の有無 ●昼間の睡眠や休息の状態

パターン	アセスメントの視点	根拠	収集する情報
(6) **認知-知覚** 知覚・認知 認知-知覚 自己知覚-自己概念 コーピング-ストレス耐性	●認知，知覚機能に異常はないか ●精神的不安，苦痛の緩和がはかれているか	●酸素化の障害により，認知・知覚機能に障害を生じることがある． ●認知機能に障害があると現状理解や危険回避が困難となる．	●意識レベル 集中力の低下，記銘力の低下の有無 ●いらいらしているか ●苦痛の有無，内容 ●話に対する理解力
(7) **自己知覚-自己概念** 知覚・認知 認知-知覚 自己知覚-自己概念 コーピング-ストレス耐性	●現在の自分をどのように知覚しているか ●咳嗽・喀痰に対する周囲の人からの疎外を感じていないか	●息苦しさのために日常生活に制限があったり，他者への依存の頻度が増えると自己イメージが否定的に変化することがある．	●現在の自分の状態についてどのように考えているか ●自己イメージはどのように変化しているか ●不安に感じていることはあるか
(8) **役割-関係** 周囲の認識・支援体制 役割-関係 セクシュアリティ-生殖	●役割変更の必要性はないか ●治療継続に必要なサポートが得られているか ●会話によるコミュニケーションは可能か	●気管支拡張症は慢性的な経過をとるため，家族が健康管理に参加できる状況であるかなど，家庭環境や家族の協力体制を確認する必要がある． ●高齢者の場合は経年的に呼吸機能が低下している場合もあり，在宅での生活維持のために社会資源を活用していることもある． ●若年での発症の場合は就労に影響することもある． ●職場環境が発症に影響している場合は，退職を余儀なくされることもある．この場合は経済的基盤を失うことになり，家族のサポートが必要になる．	●家族構成 ●家族は患者に協力できるか ●患者の家庭内での役割 ●患者の職業（職場環境・内容・継続状況） ●家族の就労状況 ●キーパーソンの有無 ●社会的役割（社会生活での活動状況）
(9) **セクシュアリティ-生殖** 周囲の認識・支援体制 役割-関係 セクシュアリティ-生殖	●セクシュアリティ・生殖の問題を知覚しているか	●呼吸困難によって性行動ができなくなったり，困難を感じたりすることがある．	●性機能や性行動に問題がある発言はあるか

パターン	アセスメントの視点	根拠	収集する情報
(10) コーピング-ストレス耐性 知覚・認知 認知-知覚 自己知覚-自己概念 コーピング-ストレス耐性	●不可逆性の疾患であることをどのように知覚しているか ●ストレスへの対処法は適切か	●気管支の炎症による気道閉塞から必要な酸素を取り込むことができず，息苦しさを感じることもある．息苦しさから日常生活に支障をきたし，ストレスになっていることがある． ●不安やストレスは苦痛を増強させる．それによって血管収縮を引き起こし，酸素消費量を増加させ，呼吸の仕事量を増加させることになる． ●初発症状が，血痰や喀血の場合がある．血痰や喀血は，活動や安楽を阻害するだけでなく，不安や死の恐怖をもたらす． ●喫煙はストレスに対するコーピングであることも多く，依存性がある．喫煙によって有害物質を吸入し，気道の慢性的な感染を起こしたり，増悪させる．	●ストレスに感じていること ●不安の有無と程度 ●不安の表出 ●ストレスを感じたときの対処方法 ●コミュニケーション能力とコミュニケーション方法の特徴 ●相談できる人の有無 ●喫煙習慣と喫煙の有無
(11) 価値-信念 患者背景 健康知覚-健康管理 価値-信念	●どのような価値や信念をもっているか	●価値や信念は，望ましいとされる治療に影響することもある．	●信仰している宗教 ●人生において大事にしていること ●健康に関して大事にしていること

3. 全体像の把握から看護問題を抽出

1）病態関連図

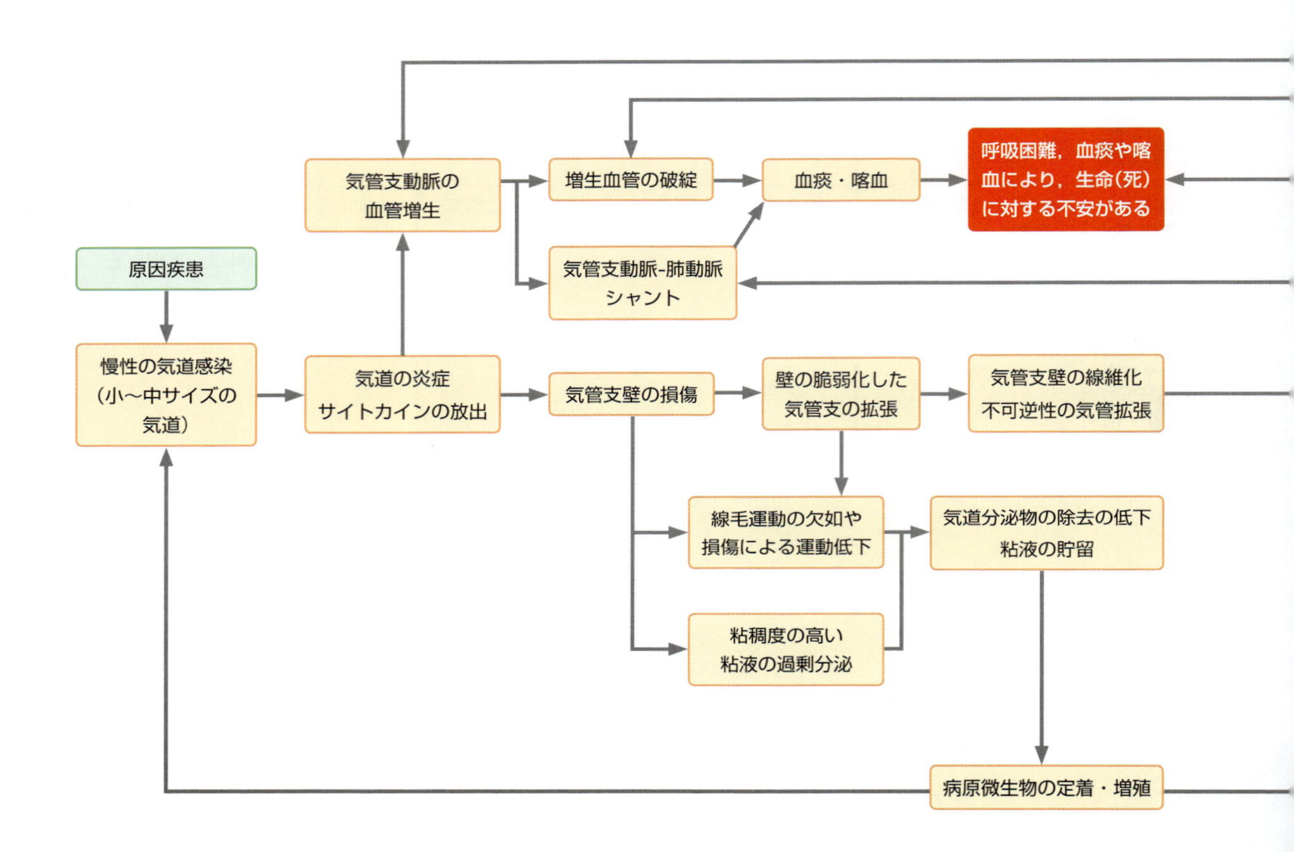

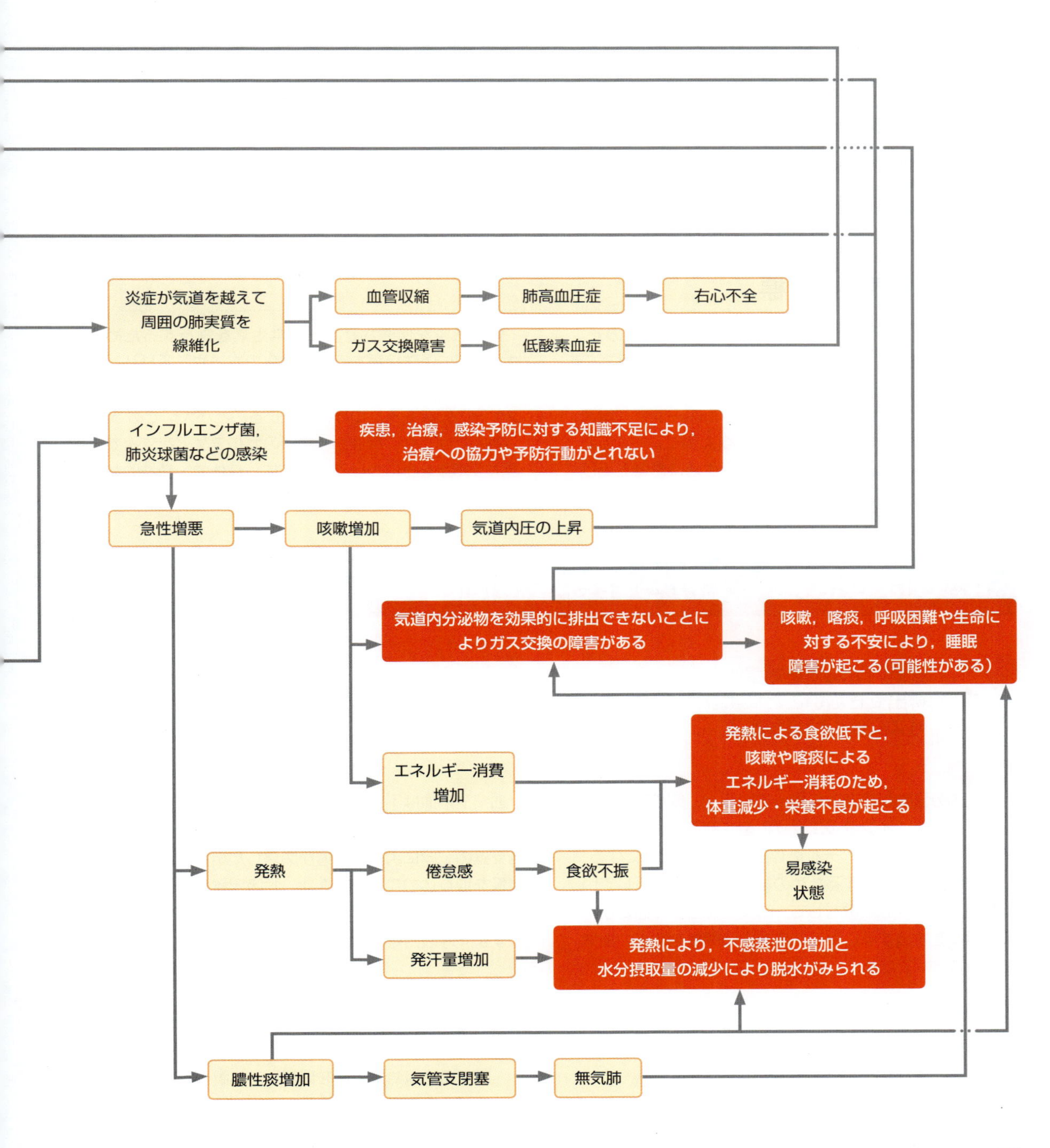
炎症が気道を越えて
周囲の肺実質を
線維化
血管収縮
肺高血圧症
右心不全
ガス交換障害
低酸素血症
インフルエンザ菌，
肺炎球菌などの感染
疾患，治療，感染予防に対する知識不足により，
治療への協力や予防行動がとれない
急性増悪
咳嗽増加
気道内圧の上昇
気道内分泌物を効果的に排出できないことに
よりガス交換の障害がある
咳嗽，喀痰，呼吸困難や生命に
対する不安により，睡眠
障害が起こる（可能性がある）
エネルギー消費
増加
発熱による食欲低下と，
咳嗽や喀痰による
エネルギー消耗のため，
体重減少・栄養不良が起こる
易感染
状態
発熱
倦怠感
食欲不振
発汗量増加
発熱により，不感蒸泄の増加と
水分摂取量の減少により脱水がみられる
膿性痰増加
気管支閉塞
無気肺

2）看護の方向性

気管支拡張症は，さまざまな疾患を原因とし，慢性的な気道感染から気道に炎症を起こし，気道内壁の構造を破壊して，不可逆性な気管支拡張を起こす．気道構造の破壊によって線毛運動が欠如して，粘稠度の高い気道内の分泌物が増えるとともに，除去できない分泌物が気道に貯留する．その悪循環を繰り返すなかで，気管内壁の炎症から血管の増生が進むことや，気管支動脈と肺動脈にシャントが形成される．

宿主（患者）の免疫力が低下することや感染予防行動の不徹底などにより，インフルエンザや肺炎に罹患して，膿性痰の増加，咳嗽の増加，発熱がみられ，急性増悪する．膿性痰や咳嗽の増加により，効果的に痰の喀出ができず，分泌物が気道内に貯留して効果的なガス交換が行えなくなる．また，咳嗽の回数が増えることによって気道内圧が上昇し，増生した血管や気管支動脈と肺動脈シャントが破綻し，血痰や喀血となって出現する．

喀血によって死を意識したり，凝血が気道を塞ぐことで呼吸困難を起こしたり，痰や咳嗽の増加から呼吸困難に陥って不安が増大する可能性が考えられる．また，痰と咳嗽の増加は息切れを増強させ，エネルギー消費量を増加させたり，不眠を起こすことも考えられる．発熱によって食事摂取量が低下することで，咳によるエネルギー消費の増加と相まって，体重減少や栄養不良を起こす．さらに，発熱による不感蒸泄の増加と，咳嗽による水分摂取量低下から，脱水を起こすことが考えられる．

3）患者・家族の目標

慢性的な気道感染のため，痰や咳嗽がみられるので，効果的な咳嗽法を身につけ，痰を喀出することで気道の浄化をはかる必要がある．また，咳は１回に2kcal消費するといわれ，咳の回数が多いとエネルギー消費が増える．このため，エネルギー摂取できるように工夫する必要がある．さらに，咳嗽によって日常生活に影響を受けるため，生活リズムをつける必要がある．

気道感染を増悪させずに日常生活を維持するためには，適切に予防接種を行い，排痰の方法や呼吸リハビリテーション，確実な内服，日常生活の注意点などのセルフケアの知識を身につけ，実施することが大切である．

本人だけでなく家族も，患者のセルフケアを支援できるよう知識を身につけると同時に，身体的・精神的なサポートを適宜行う．

4. しばしば取り上げられる看護問題

◆1 気道内分泌物を効果的に排出できないことにより，ガス交換の障害がある

なぜ？

気道内分泌物が気道内に残っていると，気道感染を繰り返す．また，インフルエンザ桿菌や肺炎球菌に感染すると，痰の量が増え，それに伴って咳嗽も頻回になる．気道内分泌物を排出するための線毛の機能が低下しているため，効果的な咳嗽をして，喀痰を排出する必要がある．喀痰を排出することで，気道内の閉塞を防ぎ，換気を行うことができる．

➡期待される結果

- 効果的な咳嗽を行うことができる．
- 排痰により，ガス交換が正常化する．

◆2 呼吸困難，血痰や喀血により，生命（死）に対する不安がある

なぜ？

血痰や喀血は不安や死の恐怖をもたらす．また，喀血による気道閉塞，また喀血していなくても多量の痰や気管支壁の肥厚によって気道が閉塞した場合に，必要な酸素量を取り込むことができず，呼吸困難が起こり，不安が増大する．さらに不安によって酸素消費量が増大し，ますます呼吸困難が増大する．

➡期待される結果

- 不安に感じていることや思っていることを表出できる．
- 症状の治療や対処法を理解し，処置への協力や自己で対処法を実施できる．

◆3 発熱による食欲低下と，咳嗽や喀痰によるエネルギー消耗のため，体重減少・栄養不良が起こる(可能性がある)

なぜ？

気道感染を起こすと，発熱が続き，エネルギー消費が増える．また，発熱によって倦怠感が強くなって食欲不振が起こる．抗菌薬を長期間内服している場合には，副作用で消化器症状(悪心，食欲不振)がみられ，食事摂取量が低下する．気道感染すると痰や咳が増加するが，咳は１回に２kcal消費するといわれ，咳嗽のために体力を消耗する状況などからエネルギー不足が起こる．

➡期待される結果

- １日必要量のエネルギーを摂取できる．
- 栄養状態が改善する(悪化しない)

 発熱により，不感蒸泄の増加と水分摂取量の減少により脱水がみられる

なぜ？

気道感染による発熱のため，発汗量の増加や咳嗽や痰による不感蒸泄が増加する．咳嗽によって水分摂取量の低下が重なると，脱水を起こす．

➡期待される結果

- １日に必要な水分を十分に摂取できる．
- 脱水症状が改善する

◆5 咳嗽，喀痰，呼吸困難や生命に対する不安により，睡眠障害が起こる(可能性がある)

なぜ？

咳嗽発作は早朝や夜間に起こることが多いので，睡眠を妨げられやすい．咳嗽によって呼吸困難を感じることもあり，睡眠が浅くなる．夜間の睡眠が確保されないと日中の活動と休息にも影響があり，昼夜逆転を起こしたりする．

➡期待される結果

- 入眠前に喀痰・喀出を行い，入眠できる．
- 十分な睡眠時間を確保できる．
- 夜間の睡眠が確保できない場合は，日中に工夫して休息をとることができる．

◆6 疾患，治療，感染予防に対する知識不足により，治療への協力や予防行動がとれない

なぜ？

退院後のセルフマネジメントに関わる問題であり，原疾患や気管支拡張症に対する正しい知識をもち，感染症を予防する方法を身につけ，感染をコントロールする必要がある．

➡期待される結果

- 原疾患や気管支拡張症の病態や治療法について理解できる．
- 感染症の予防法を実施できる．
- 気道感染を起こさずに過ごすことができる．

5. 看護計画の立案

• O-P：Observation Plan（観察計画）　• T-P：Treatment Plan（治療計画）
• E-P：Education Plan（教育・指導計画）

1 気道内分泌物を効果的に排出できないことにより，ガス交換の障害がある

	具体策	根拠と注意点
O-P	**(1)現在の呼吸状態** ①呼吸数，リズム，深さ ②呼吸音の聴診，胸郭の動き ・副雑音の有無 ・呼吸音の減弱や消失がないか ・呼気の延長がないか ③呼吸困難の程度 ④痰の量・性状・喀出状況 ⑤血痰，喀血の有無・量・性状 ⑥経皮的動脈血酸素飽和度（SpO_2） ⑦四肢冷感・爪床チアノーゼの有無 ⑧心拍数の変化 ⑨胸部X線検査所見	●呼吸音を聴取し，喘鳴の有無や副雑音などの異常の有無によって病変部を確認する．呼吸音の減弱や呼気の延長がある場合は，気道閉塞を示す． ●痰の性状変化は，感染の状況や抗菌薬に対する起因菌の耐性を示すことがある． ●気道感染している場合には，膿性痰が多量に喀出される． ●血液中の酸素量が減少すると，その代償として心拍数と呼吸数が増加して，血液中の酸素量を増加させようとする．四肢への循環血液量は減少する． ●SpO_2は非侵襲的に動脈血ガス分析値を反映する値を測定できるため，臨床では有用である．
	⑩動脈血ガス分析（pH，PaO_2，$PaCO_2$） ⑪治療に対する効果と副作用 ⑫日常生活（睡眠，食事摂取など）への影響はあるか ⑬患者や家族の反応	●病状が進行した場合，低酸素血症だけではなく高二酸化炭素血症を生じる． ●咳嗽や喀痰・喀出が，睡眠，食事などの日常生活にどのように影響を及ぼしているか把握する．
	(2)患者が自分で行っている痰喀出方法の確認 ①患者が実施している方法 ②効果的に痰喀出がされているか	
T-P	**(1)痰喀出のための援助** ①体位の工夫：患者が安楽な体位を優先しつつ，腹筋収縮や腹圧をかけやすい体位を工夫する ②体位ドレナージ（スクイージング，振動法，揺すり法）の実施	●咳嗽時のエネルギーの消耗を少なくする． ●適切な咳嗽は，疲労やストレスを軽減する． ●食事の前に痰喀出の援助を行い，食事中の咳嗽を減らす． ●食事の直前・直後は呼吸訓練を行わない．なぜなら，訓練による活動が食欲低下を引き起こすことがあるため．また，食後は嘔吐を起こすことがある．
	③咳の介助法とハッフィング（アクティブサイクル呼吸法）の実施	●自分自身で排痰を促す方法であり，分泌物が中枢気道に移動するまで繰り返して行う．
	(2)気道の加湿と水分補給 ①水分摂取（2～3L/日）をすすめる ②室内の温度，湿度を適正に保つ ③炭酸飲料は避ける	●気道内を加湿することで痰を水溶性にして喀出を容易にする．もし水分が不足し，気道内分泌物の粘稠度が高くなって固まると，気道内壁から剝がれにくくなり，気道閉塞の原因となる． ●発熱がある場合には不感蒸泄が多くなるので水分摂取量に注意する． ●炭酸飲料を摂取した場合，炭酸で胃が膨張し呼吸困難感を増悪させる．
	(3)口腔内の清潔援助 ・口腔ケア（ブラッシング3回/日）	●口腔ケアを行うことで，気道内への細菌の侵入を予防する．
	(4)確実な与薬 ・抗菌薬，去痰薬などの内服	●急性増悪の場合，起因菌を特定し，治療が開始される．症状が落ち着くと断薬することがあるので，注意する．抗菌薬は繰り返し使用することで耐性化するため，不用意に中断せず確実に内服する．

	具体策	根拠と注意点
E-P	**(1)排痰の促進と呼吸機能回復・維持の援助** ①痰喀出の方法について，目的，方法，注意点の説明をしながら一緒に実施する ②呼吸筋トレーニング(運動療法)について，目的，方法，注意点の説明をしながら一緒に実施する ③呼吸法(口すぼめ呼吸，横隔膜呼吸法)について，目的，方法，注意点の説明をしながら一緒に実施する	●呼吸困難の軽減，運動耐容能改善，健康関連QOLおよびADLの改善を目的として行う． ●歩行距離やQOLなどの改善により，抗菌薬長期投与の治療反応性が高くなる． ●全身の筋力を高めることで，呼吸筋の機能を改善し，呼吸困難を減らすことができる． ●患者と一緒に実施しながら説明することで，理解しやすくする．
	(2)気道感染を予防するための自己管理への援助 ①感染症予防の重要性と予防法の説明 ・手洗い，うがい ・マスクの着用 ・感染している人との接触を避ける ・清潔な物品の使用 ・十分な休息	●感染症にかからないように予防することが大切である．
	・バランスのとれた食事摂取	●疲労から食欲不振になり，栄養摂取の低下を起こすことがある．
	・確実な内服	●症状が改善しても抗菌薬などの内服を続ける必要がある．
	・ワクチン接種(インフルエンザワクチン，肺炎球菌ワクチン)	●インフルエンザ菌や肺炎球菌は急性増悪を起こす頻度が高い．
	・禁煙	●喫煙は，気道を刺激し，痰を増加させる．また，線毛運動を低下させる．喫煙者には必ず禁煙してもらい，副流煙も吸わないようにする．

2 呼吸困難，血痰や喀血により，生命(死)に対する不安がある

	具体策	根拠と注意点
O-P	**(1)血痰や喀血，呼吸困難の有無と程度** ①血痰や喀血の色，量(例：痰に縦じまで入っている，スプーン１杯，コップ一杯，洗面器１杯)，性状 ②血痰や喀血の持続時間や回数，前駆症状 ・胸部や咽頭部の不快感	●慢性的に気管支拡張した気道粘膜下で新生した血管には，咳嗽によって気道内に圧がかかり，新生した血管が破綻して出血を起こす．大量の喀血は，気管支動脈系からの出血であることが多い． ●出血量や性状の観察内容は，治療方針に影響を与えるので，正確に測定する． ●大量出血は洗面器１杯程度(400～600mL/日)であり，状況によっては集中治療室で治療を行う． ●喀血によって気道閉塞を起こすことがある．
	③呼吸困難の有無と程度 ・チアノーゼ ・酸素飽和度 ・呼吸パターン ④咳嗽の程度 ⑤バイタルサイン ・呼吸数，血圧，心拍数，	

	具体策	根拠と注意点
O-P	**(2)不安を表す行動の程度** ①自覚症状 ・不眠 ・落ち着きのなさ ・集中力の低下 ・いらいら感 ・食欲不振 ②他覚症状 ・表情，言動 ・睡眠状態 ・食事摂取量	●血痰や喀血，呼吸困難は死を連想させ，不安を引き起こす． ●不安は，呼吸数や心拍数を増加させ，酸素消費量を増加させる．
	(3)疾患治療に関する反応や理解度 ①治療に協力的であるか ②わからないことへの質問などの言動	●スムーズに治療を進めるために，患者の協力を得ながら実施する．
T-P	**(1)血痰・喀血時の援助** ①喀血の排出と気道確保への援助 ・顔を横に向けて血液を吐き出しやすくする ・大量出血している場合は，出血している気管支を特定し，出血している側を下にした体位にする ・患側胸部に冷罨法を行う	●気道を清浄化して，血液の誤飲を予防する． ●最初は出血源が不明なことが多いので，健側肺を保護することが難しい． ●凝血によって気道閉塞を起こさないようにする． ●健側肺に血液が入り込まないようにする．
	②症状緩和への援助 ・安静 ・冷水による口腔内の含嗽 ・吐いたものをすぐに処分する ・室内環境の調整：温度，湿度，空気清浄，騒音 ・汚れた寝衣寝具の交換	●冷水で含嗽することで爽快感が得られる． ●喀血されたものを速やかに処理することで不安の軽減につながる． ●病室環境を整え，気道を刺激しないことで咳嗽を減らす． ●血液で汚染されたものや刺激は不安や緊張を高める．
	③呼吸法の実施 ・規則正しい呼吸 ・あくびやくしゃみの禁止 ・口すぼめ呼吸，横隔膜呼吸	
	④止血のための治療と援助 ・静脈路の確保と輸液による止血薬の投与・輸血の管理 ・必要時，気管支鏡検査（止血部位の同定と確認，止血薬の散布）の準備と介助 ・必要時，動脈から血管内治療を行うため，検査治療室への出棟の準備（気管支動脈塞栓術の実施）	●少量の場合は，止血薬の投与にて経過を観察する． ●持続的な出血がある場合に行う． ●気管支鏡の治療でも止血不能な場合に，実施する．
	(2)呼吸困難時の援助 ①気道分泌物の除去 ・体位ドレナージ ・ハッフィング ・吸引器の使用など	
	②心身の適度な安静 ・日常生活における活動量の調整 ③体位の工夫 ・ファウラー位，起坐位 ・枕，クッションの使用 ④環境や寝具の調整	●酸素消費量を低下させることに役立つ．安静にしすぎると心肺機能や筋力低下を起こすので注意する． ●横隔膜を下げ，呼吸をしやすくする．患者の好みがあるので，沿うようにする．

	具体策	根拠と注意点
	(3)不安の緩和への援助 ①安心感を与える声かけ ・注意点を端的に伝える，状況をわかりやすく伝える ・できる限り誰かがそばにつき添い，話を聞く ②コミュニケーションの工夫 ・筆談 ③安心感を与える環境 ・静かな個室，医療機器が視界に入らないようにする ④気分転換・リラクゼーションを促す ・マッサージ，リラックス運動 ・音楽など ⑤食事と水分の摂取 ・食事形態の工夫(のど越しのよいものにする) ・味つけや温度の工夫 ・飲水量の確保(飲みやすい味つけなどの工夫)	●不安は，交感神経を興奮させ，呼吸困難を増悪させる． ●会話は酸素消費量を増加させる． ●呼吸困難による会話の不成立は患者にストレスを与える． ●同室者が重症だったり不安が強いと患者自身も不安が増強するため，避ける． ●呼吸困難によって補助呼吸筋などの筋肉が緊張状態にある．筋肉の緊張は酸素消費量を増大させる． ●食欲不振は食事摂取量不足となり，低栄養状態となる．エネルギー不足は，筋力低下につながり換気や喀痰・喀出力の低下となる． ●水分摂取は痰の喀出や体液バランス維持に重要である． ●のど越しのよい形態だと摂取できることが多い． ●好みの味つけだと食欲が増す．
E-P	**(1)症状出現時に主観的情報をすぐに報告するように説明する** ①血痰・喀血・胸部不快感 ②息苦しさ・疲労感など **(2)不安がある場合には，遠慮せずに表現するように説明する** ①不安な内容を言葉で表現する ②緊張緩和に適した気分転換の方法について説明する	

引用・参考文献

1) 門田淳一ほか編：呼吸器疾患最新の治療 2019-2020．p.298～301，南江堂，2019．
2) 藤田次郎ほか編：臨床・画像・病理を通して理解できる！呼吸器疾患：Clinical-Radiological-Pathologicalアプローチ．p.115～117，南江堂，2017．
3) 日本呼吸器学会編：新 呼吸器専門医テキスト．p.325～327，南江堂，2015．
4) 弦間昭彦編：呼吸器疾患診療最新ガイドライン．p.108～112，総合医学社，2014．
5) 落合慈之監：呼吸器疾患ビジュアルブック．p.167～172，学研メディカル秀潤社，2011．
6) 齋藤好信：気管支拡張症．日本医科大学医学会誌，14(2)：72～80，2018．
7) Bronchiectasis Toolbox
https://bronchiectasis.com.au/assessment/medical/bronchiectasis-severity-index　より2020年８月11日検索

Memo

第１章　呼吸器疾患患者の看護過程

05 慢性閉塞性肺疾患(COPD)

1. 疾患の基礎的知識

1）疾患の概念

慢性閉塞性肺疾患（COPD：chronic obstructive pulmonary disease）は，タバコ煙を主とする有害物質を長期に吸入曝露することなどによって生じる肺疾患であり，呼吸機能検査で気流閉塞を示す．

気流閉塞は，末梢気道病変と気腫性病変が，さまざまな割合で複合的に関与して起こる．臨床的には，徐々に進行する労作時の呼吸困難や慢性の咳・痰を示すが，これらの症状に乏しいこともある．

2）原因

COPDの原因となる危険因子には，喫煙や大気汚染などの外因性因子と，遺伝性素因などの内因性因子とがある（**表05-1**）．

タバコ煙は最大の危険因子であるが，COPDを発症するのは喫煙者の一部であることから，喫煙感受性を規定する遺伝素因の存在が考えられている．

3）病態と臨床症状

病態

COPDは，タバコ煙などの有害な粒子やガスの吸入によって生じた，肺の炎症反応に基づく，進行性の気流閉塞を呈する疾患である．炎症は禁煙後も長期間持続する．

COPDの気流閉塞は，気腫性病変と末梢気道病変がさまざまな割合で複合的に作用して起こるため，その病型として気腫性病変が優位である気腫型COPDと，末梢気道病変が優位である非気腫型COPDがある（**図05-1**）．

気腫性病変は，肺胞構造が破壊されて気腔が拡大し，肺の弾性収縮力の低下をもたらして気流閉塞をきたす（**図05-2**）．また，肺血管床の減少から，ガス交換障害や肺動脈圧の上昇を引き起こす．肺動脈圧の上昇は肺高血圧症となり，進行すると肺性心を生じる．

末梢気道病変部位では，炎症細胞浸潤による気道壁の

表05-1　COPDの危険因子

	最重要因子	重要因子	可能性の指摘されている因子
外因性因子	タバコ煙	・大気汚染 ・受動喫煙 ・職業性の粉塵や化学物質への曝露 バイオマス燃焼煙	・呼吸器感染 ・小児期の呼吸器感染 ・妊娠時の母体喫煙 ・肺結核の既往 ・社会経済的要因
内因性因子	α_1-アンチトリプシン欠損症		・遺伝子変異 ・気道過敏性 ・COPDや喘息の家族歴 ・自己免疫 ・老化

日本呼吸器学会COPDガイドライン第５版作成委員会編：COPD（慢性閉塞性肺疾患）診断と治療のためのガイドライン2018．p.18，第５版，メディカルレビュー社，2018．

図05-1　COPDの病型

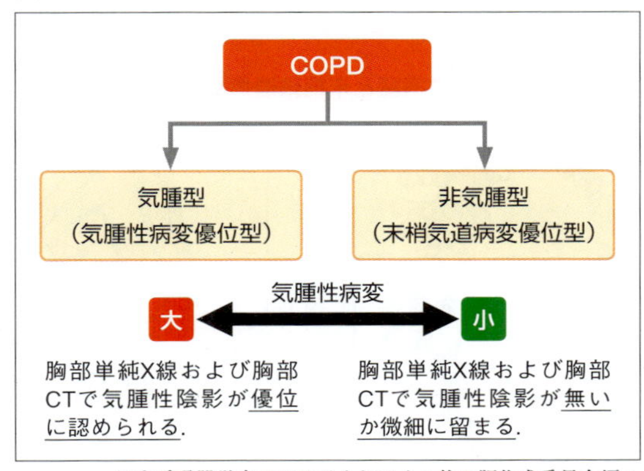

日本呼吸器学会COPDガイドライン第５版作成委員会編：COPD（慢性閉塞性肺疾患）診断と治療のためのガイドライン2018．p.10，第５版，メディカルレビュー社，2018．

炎症および線維化が生じ，結果，気道壁が肥厚して，痰などの内腔滲出液の貯留と相まって気流閉塞をきたす（**図05-2**）.

COPD患者は，呼気時の気道抵抗の増加および肺の弾力性の減少により，動的肺過膨張が生じる．動的肺過膨張は，呼気時に呼気を吐き出しきる前に次の吸気が始まり，呼吸のたびに肺に空気がたまって膨張していった結果，気流閉塞とともに呼吸困難の原因となる．

臨床症状

喫煙歴のある40歳以上の成人で，労作時の呼吸困難（息切れ）や慢性の咳・痰がある場合，COPDを疑うことが重要となる．重症になるまで無症状であることが多いが，慢性の咳と痰が呼吸困難に先行してみられることもある．進行すると，労作時の呼吸困難を自覚することもあり，日常生活に支障を生じ始める．

呼吸困難の程度を評価する方法として，mMRC（modified British Medical Research Council）質問紙が用いられる（**表05-2**）．この質問票は，健康状態を評価するほかの指標との相関性に優れ，将来の死亡の危険性を予測することもできる．

症状は年単位でゆっくり進行・悪化し，自覚症状を契機とした自発的な受診は，病期分類（**表05-4**参照）のⅡ期以上の患者であることが多い．また，COPD自体が肺以外にも全身へ影響をもたらし，併存症を誘発すると考えられていることから，COPDは全身性疾患として捉えられている．

①身体所見

進行した病期では，気流閉塞を反映して呼気の延長がみられ，口すぼめ呼吸が自然にみられる場合がある．また，肺の過膨張によって胸郭の前後経が増大する樽状胸郭となる．さらに，呼吸補助筋の利用が増強されて胸鎖乳突筋の肥大や，爪床部を中心にして手や足の指の先端部が肥大したばち状指を呈することがある（**図05-3**）.

表05-2　呼吸困難（息切れ）を評価するmMRC質問票

グレード分類	あてはまるものにチェックしてください（1つだけ）	
0	激しい運動をした時だけ息切れがある．	□
1	平坦な道を早足で歩く，あるいは緩やかな上り坂を歩く時に息切れがある．	□
2	息切れがあるので，同年代の人よりも平坦な道を歩くのが遅い，あるいは平坦な道を自分のペースで歩いている時，息切れのために立ち止まることがある．	□
3	平坦な道を約100m，あるいは数分歩くと息切れのために立ち止まる．	□
4	息切れがひどく家から出られない，あるいは衣服の着替えをする時にも息切れがある．	□

呼吸リハビリテーションの保険適用については，旧MRCのグレード2以上，すなわち上記mMRCのグレード1以上となる．

日本呼吸器学会COPDガイドライン第5版作成委員会編：COPD（慢性閉塞性肺疾患）診断と治療のためのガイドライン2018．p.54，第5版，メディカルレビュー社，2018．

図05-3　COPDの主な症状と身体所見

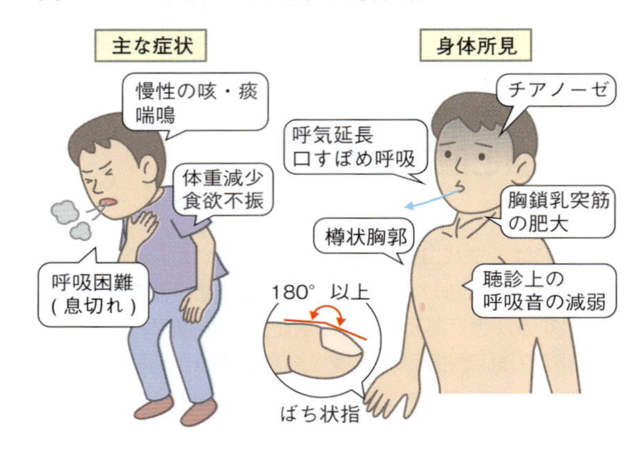

図05-2　気腫性病変と末梢気道病変

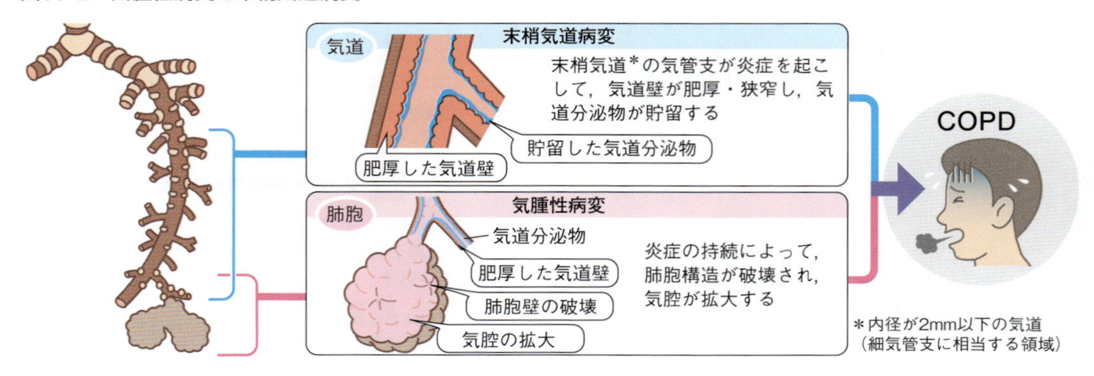

②全身併存症

COPDでは喫煙や加齢に伴う併存症が多く，QOLや予後に影響を及ぼす（**表05-3**）．とくに，重症COPDでは栄養障害を併存することが多く，同程度の閉塞性換気障害でもBMIが低値の方がより生命予後が悪いとされる．栄養障害の原因としては，安静時のエネルギー代謝の亢進や，換気効率低下に伴う呼吸仕事量の増加によるエネルギーバランスの障害がある．また，消化器病変（胃食道逆流，胃十二指腸潰瘍など）の合併による摂食不良などによって栄養障害となる場合もある．

③肺合併症

肺に限局した疾患の併存は，肺合併症として，喘息とCOPDオーバーラップ（ACO：asthma and COPD overlap），肺がん，気腫合併肺線維症，肺高血圧症，肺炎，気胸などがある．

表05-3　COPDの併存症

- 栄養障害：脂肪量の減少，除脂肪量の減少
- 骨格筋機能障害：筋力の低下，筋線維構成・酵素活性の変化，サルコペニア
- 心・血管疾患：高血圧症，心筋梗塞，狭心症，不整脈，脳血管障害
- 骨粗鬆症：脊椎圧迫骨折，大腿骨頸部骨折
- 精神疾患：不安・抑うつ
- 代謝性疾患：糖尿病，メタボリックシンドローム
- 消化器疾患：胃潰瘍，GERD
- SAS

※GERD：胃食道逆流症，SAS：睡眠時無呼吸症候群

日本呼吸器学会COPDガイドライン第５版作成委員会編：COPD（慢性閉塞性肺疾患）診断と治療のためのガイドライン2018．p.34，第５版，メディカルレビュー社，2018．

4）検査・診断

検査

COPDの病期分類は，気流閉塞の障害の程度で分類され，重症度を反映する．指標としては予測１秒量に対する比率（対標準１秒量：% FEV_1）を用いる（**表05-4**）．なお，対標準１秒量とは，年齢・体格・性別に基づいて算出される１秒量の予測値に対する実測値の比率である．気管支拡張薬を吸入してもFEV_1%（１秒率）＜70%であれば，完全に正常化しない閉塞性換気障害があると判定され，COPD診断の必須条件となる．また，その特徴は，最大吸気位から最大努力で一気に呼気する手技（FVC手技）によって，１秒量（FEV_1），努力肺活量（FVC）を求めるスパイログラムにおいて，健常者との違いが明確になる．１秒量が1,500mL以下になると，労作時呼吸困難を自覚することが多くなる（**図05-4**）．

表05-4　COPDの病期分類

病期		定義
Ⅰ期	軽度の気流閉塞	% FEV_1 ≧ 80%
Ⅱ期	中等度の気流閉塞	50% ≦ % FEV_1 ＜ 80%
Ⅲ期	高度の気流閉塞	30% ≦ % FEV_1 ＜ 50%
Ⅳ期	きわめて高度の気流閉塞	% FEV_1 ＜ 30%

気管支拡張薬吸入後のFEV_1/FVC 70%未満が必須条件

日本呼吸器学会COPDガイドライン第５版作成委員会編：COPD（慢性閉塞性肺疾患）診断と治療のためのガイドライン2018．p.50，第５版，メディカルレビュー社，2018．

図05-4　健常者および重症のCOPD患者のスパイログラム

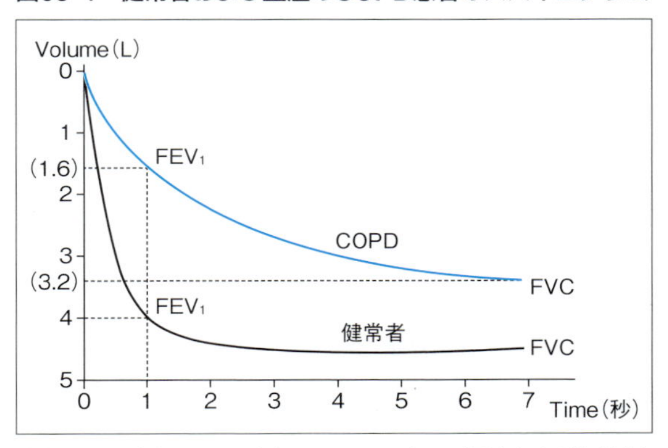

健常者および重症COPD患者のスパイログラム（最大努力呼気曲線）
FVC：努力肺活量，FEV_1：１秒量
COPD：FEV_1=1.6L，FVC=3.2L，
FEV_1%（FEV_1/FVC）=1.6/3.2×100=50%＜70%

日本呼吸器学会COPDガイドライン第５版作成委員会編：COPD（慢性閉塞性肺疾患）診断と治療のためのガイドライン2018．p.62，第５版，メディカルレビュー社，2018．

図05-5　換気障害

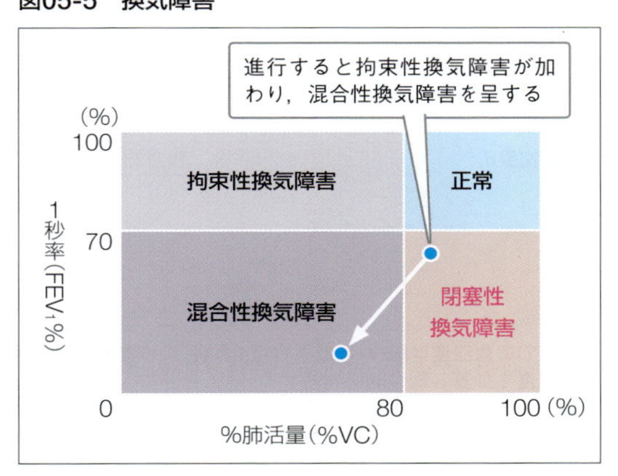

・閉塞性換気障害（１秒率＜70%）の所見が特徴的である

診断

病態が進行し，加齢が進むと，労作時呼吸困難（息切れ）や湿性咳嗽の症状が顕在化してくるものの，自覚症状は乏しい場合もあり，痰の詰まる感じや痰の喀出，咳を訴えることも多い．COPDの診断には，気流閉塞の存在を示すことが必須となる．

COPDの診断基準は以下の3点である．

①長期の喫煙歴などの曝露因子があること

②気管支拡張薬吸入後のスパイロメトリーでFEV_1/FVC70%未満であること（**図05-5**）

③ほかの気流閉塞をきたし得る疾患を除外すること

ほかの疾患との鑑別で重要なのは，閉塞性換気障害をきたす疾患や，呼吸困難，倦怠感，咳，喘鳴などの症状をきたす疾患との鑑別である．

よって，診断を確定するためには呼吸機能検査（スパイロメトリー）は欠かせず，また，ほかの疾患との鑑別に有効となる主な検査としては，胸部X線検査，胸部CT検査，心電図，血液・生化学検査などを適宜行うことになる．

5）治療

COPDの管理目標は，以下となる．

①現状の改善：症状およびQOLの改善，運動耐容能と身体活動性の向上および維持

②将来のリスクを低減：増悪の予防，全身併存症と肺合併症の予防・診断・治療

基本的には根本的な治療法はなく，病態の進展を阻止し，症状緩和の対症療法が主体となる．具体的には，禁煙指導，薬物療法に加え，非薬物療法となる呼吸リハビリテーション（運動療法，セルフマネジメント，栄養療法），酸素療法，換気補助療法，外科療法などを行う．非薬物療法は，呼吸困難の軽減，運動耐容能の改善，健康関連QOLの改善に有効であり，薬物療法と同様に重要な治療介入である．

禁煙指導

COPD治療は，有害物質となった喫煙を止めることから始まる．一定要件を満たした医療機関では，薬物療法による禁煙治療は保険適用の対象となる．タバコに対する依存が強い患者は，禁煙補助薬であるニコチンパッチやニコチンガムなどを使用したり，専門医の指導のもと，非ニコチン製剤の飲み薬を使って禁煙したりする方

図05-6　安定期COPDの重症度に応じた管理

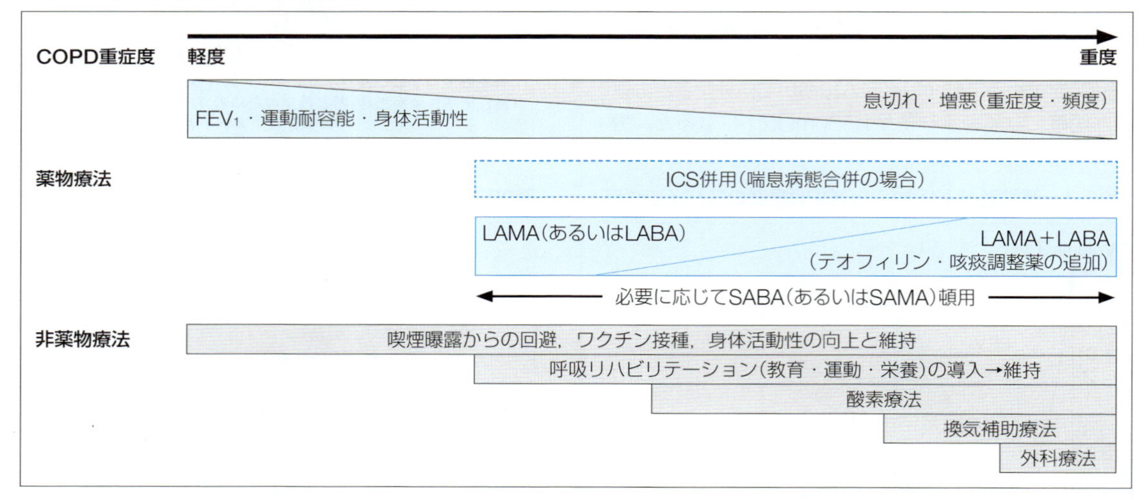

・COPDの重症度はFEV_1の低下程度（病期）のみならず運動耐容能や身体活動性の障害の程度，さらに息切れの強度や増悪の頻度と重症度を加算し総合的に判断する．
・通常，COPDが重症化するにしたがいFEV_1・運動耐容能・身体活動性が低下し，息切れの増加，増悪の頻回化を認めるがFEV_1と他の因子の程度に乖離がみられる場合は，心疾患などの併存症の存在に注意を要する．
・治療は，薬物療法と非薬物療法を行う．薬物療法では，単剤で不十分な場合は，LAMA，LABA併用（LAMA/LABA配合薬の使用も可）とする．
・喘息病態の合併が考えられる場合はICSを併用するが，LABA/ICS配合薬も可．
SABA：短時間作用性β_2刺激薬，SAMA：短時間作用性抗コリン薬，LABA：長時間作用性β_2刺激薬，LAMA：長時間作用性抗コリン薬，ICS：吸入ステロイド薬

日本呼吸器学会COPDガイドライン第5版作成委員会編：COPD（慢性閉塞性肺疾患）診断と治療のためのガイドライン2018．p.88，第5版，メディカルレビュー社，2018．

法もある．

安定期の管理

安定期の管理を**図05-6**に示す．

（1）薬物療法

薬物療法の中心は，気管支を広げて呼吸を楽にする気管支拡張薬となる．気管支拡張薬には，$β_2$刺激薬・抗コリン薬・テオフィリンの３種類がある．これらを重症度にあわせて併用する．そのほかに，痰を除く喀痰調整薬，感染症を防ぐ抗菌薬，増悪を繰り返すなどで症状が重い場合には，吸入ステロイド薬を使用する．

（2）非薬物療法

①呼吸リハビリテーション

COPDの患者は，労作時呼吸困難から身体活動性が低下しやすいため，廃用症候群や社会的孤立，抑うつなどを合併しやすい．このような合併症により，さらに呼吸困難をまねくという悪循環に陥りやすい．そのため，呼吸リハビリテーションによって悪循環を断ち切ることが重要となる．呼吸リハビリテーションプログラムの中核は，運動療法，セルフマネジメント教育，栄養療法である．

・**運動療法**：全身持久力ならびに筋力トレーニングを中心とした運動療法，呼吸練習，リラクゼーションや柔軟性の改善のためのストレッチなどのコンディショニング，基本動作能力の回復や生活動作の工夫などのADLトレーニングによって構成される．プログラムは重症度によって構成割合を調整する（**図05-7**）

・**セルフマネジメント教育**：セルフマネジメント教育では，**表05-5**に示した学習項目について評価を行った後に，プログラムを作成して教育的支援を実施していく．単なる知識や技術の習得にとどまらず，患者自身のセルフマネジメント行動の実践へとつながるものであることが重要であり，行動変容につなげていくことを目的としている．

・**栄養療法**：病期分類Ⅲ期（重症）以上のCOPDでは，その約40％に体重減少がみられ，栄養障害のあるCOPD患者では，QOLが低下して増悪や入院のリスクが高く，呼吸不全への進行や死亡のリスクも高い．定期的に体重を測定するとともに，食習慣や食事を妨げる要因となる，食事摂取時の息切れや腹部膨満の有無，咀しゃくや嚥下の状態に関して評価する必要がある．COPDの栄養障害に対しては，高エネルギー，高タンパク食を基本的な指導とする．

②酸素療法［LTOT：長期酸素療法（long-term oxygen therapy）/HOT：在宅酸素療法（home oxygen therapy）］

一般的には室内空気での呼吸で，PaO_2＜60TorrまたはSpO_2＜90％ の急性呼吸不全状態の患者に用いる．LTOT/HOTの適応は，十分な内科的治療と呼吸リハビリテーションを行い，１か月以上安定した状態において，安静時PaO_2≦55Torr，およびPaO_2≦60Torrで，かつ睡眠時または運動負荷時にPaO_2≦55Torr（SpO_2≦88％）程度の著しい低酸素血症をきたすものであって，医師が必要であると認めた患者である．

また，導入にあたり，患者および家族に対してLTOTの意義，目的および機器の安全な利用方法，機器の保守管理，災害・緊急時の対応，増悪の予防と対応，福祉制度の利用・医療費などについての説明や教育指導を十分に行う必要がある．

図05-7　維持期における開始時プログラムの構成

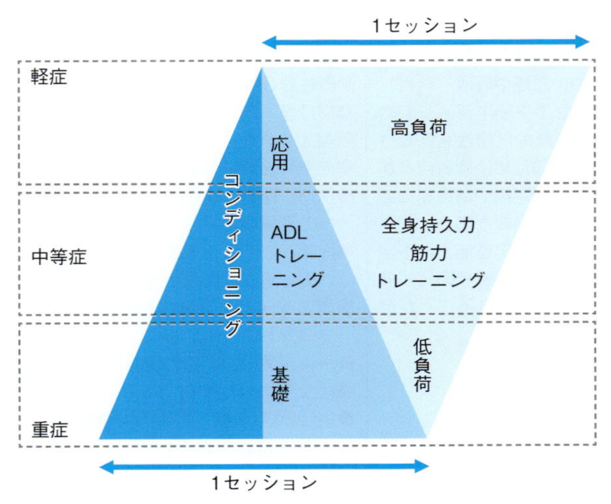

日本呼吸器学会COPDガイドライン第５版作成委員会編：COPD（慢性閉塞性肺疾患）診断と治療のためのガイドライン2018．p.96，第５版，メディカルレビュー社，2018．

表05-5　セルフマネジメント教育の学習項目

1.	疾患のセルフマネジメント
2.	肺の構造・疾患・理解
3.	禁煙
4.	環境因子の影響
5.	薬物療法
6.	ワクチン接種
7.	増悪の予防，早期対応
8.	日常生活の工夫と息切れの管理
9.	運動，活動的な生活の重要性
10.	栄養・食事療法
11.	栄養補給療法
12.	HOT
13.	HMV
14.	福祉サービスの活用
15.	心理面への援助
16.	倫理的問題

※HOT：在宅酸素療法，HMV：在宅人工呼吸療法

日本呼吸器学会COPDガイドライン第５版作成委員会編：COPD（慢性閉塞性肺疾患）診断と治療のためのガイドライン2018．p.99，第５版，メディカルレビュー社，2018．

③**換気補助療法**

換気補助療法を行う場合は，患者および家族の希望，薬物療法，呼吸リハビリテーション，栄養療法などが最大限に行われていることや，急性増悪をきたした原因などから総合的に判断する．導入は容易で侵襲度の低い非侵襲的陽圧換気療法(NPPV)を第１選択とする．

④**外科・内視鏡療法**

欧米ではCOPDに対する肺移植件数は多いが，わが国では少ない．最大限の非外科的治療がすでに行われているにもかかわらず，呼吸困難で日常生活に大きな障害となっている症例に，外科的治療の適応を検討する．なかでも，肺容量減量手術(LVRS)は，気腫化によって過膨張した病変を切除することで，呼吸機能の改善をはかる手術である．

増悪期の管理

COPDの増悪とは，息切れの増加，咳や痰の増加，胸部不快感・違和感の出現あるいは増強などを認め，安定期の治療の変更が必要になる状態をいう．ただし，他疾患(心不全，気胸，肺血栓塞栓症など)の先行の場合を除く．増悪は患者のQOLや呼吸機能を低下させ，生命予後を悪化させる．

COPDの増悪の原因となる細菌感染症のなかで多いのは，インフルエンザ菌，モラクセラ・カタラーリス，肺炎球菌である．また，ウイルス感染に関しては，インフルエンザウイルス，アデノウイルス，ライノウイルスなどが増悪の原因となる．よって，インフルエンザワクチンと肺炎球菌ワクチンの併用により，COPDの感染性増悪の頻度を減少させることができる．

6）予後

COPDの進行によって生命予後は悪化するが，適切な管理を行えば予後の改善は期待できる．COPDの予後因子には，年齢，性別，喫煙，呼吸困難の程度，FEV_1，気腫性病変の程度，低酸素血症，肺高血圧症，運動耐容能，身体活動性，増悪の頻度，全身併存症と肺合併症などがある．禁煙，インフルエンザワクチン，LTOT/HOTは，COPD患者の生命予後を改善する．COPDの病期分類で，わが国の調査成績では，５年生存率はⅠ期で90%，Ⅱ期で80%，Ⅲ期で60%程度である．

2. 看護過程の展開

● アセスメント〜ゴードンの機能的健康パターンを用いて

パターン	アセスメントの視点	根拠	収集する情報
(1) 健康知覚-健康管理 患者背景 健康知覚-健康管理 価値-信念	●残存機能に見合った生活を維持するため，安定期や増悪期における自己管理を行えるか ●自分の状況について正しく認識できているか	●COPDの患者は，労作時呼吸困難から身体活動性が低下しやすいため，廃用症候群や社会的孤立，抑うつなどを合併しやすい．このような合併症により，さらに呼吸困難をまねくという悪循環に陥りやすいため，禁煙や呼吸リハビリテーション(運動療法，セルフマネジメント教育，栄養療法)により，増悪の危険性を低減させることが重要となる．そのため，患者自身が疾患に対する理解を深め，安定期や増悪期における自己管理能力を獲得する必要がある． ●治療や予防に関する知識や情報処理能力の不足は，治療の妨げになることから，患者の認知機能に及ぼす要因を，コントロールすることが重要となる．	●現病歴 ・症状の発生と経過 ・病期と生活への影響 ・治療の経過 ●既往歴(呼吸器感染，肺結核) ●喫煙歴・喫煙習慣 ●ADLの状態 ●疾患や治療に対する認識 ●禁煙，運動，食生活など，生活管理への理解度と実践状況 ●服薬，在宅酸素療法などの治療管理への理解度と実践状況 ●増悪徴候と対処法への理解(パニックコントロール) ●併存疾患についての理解 ●社会活動への意欲・期待 ●生活環境(職業，家族の喫煙習慣) ●予防接種の有無(インフルエンザ，肺炎球菌) ●家族の疾患・治療に対する認識や協力度 ●家族歴(COPD，喘息など)

パターン	アセスメントの視点	根拠	収集する情報
(2) 栄養-代謝 全身状態 栄養-代謝 排泄	●呼吸や活動を維持するために必要な栄養状態が保たれているか	●COPDでは，気流閉塞や肺過膨張により，呼吸筋酸素消費量の増大，全身性炎症による代謝亢進によってエネルギー消費量が増大すること，呼吸困難，抑うつ状態による心理的影響，さらに消化管潰瘍などによる食事量の低下などによって，栄養障害を起こしやすい． ●こうした栄養障害は呼吸筋量を減少させてCOPDを進行させ，増悪要因である感染症を生じやすくさせる．よって，栄養状態を維持・管理することが重要となる．	●栄養状態（食欲，食事摂取量，体重・身長，BMI，皮膚状態） ●食習慣（１日の食事回数，食事時間，間食の有無） ●検査データ（TP，Alb，Ch-E，TLC，Hbなど） ●食事摂取の少ない背景：食事摂取時の呼吸器症状（咳，痰，呼吸困難の有無），味覚の変化，疲労感の有無，嚥下・咀しゃく機能低下の有無 ●水分摂取状況 ●栄養障害に伴う随伴症状（易疲労感，倦怠感，無力感，めまい，ふらつき，筋力低下など） ●消化器症状（既往歴や併存症の有無）：胃痛，胸やけ，胃もたれ，悪心，嘔吐など ●患者の嗜好 ●患者の言動（心理的ストレスの状態） ●家族のサポート状況
(3) 排泄 全身状態 栄養-代謝 排泄	●排泄状況が呼吸活動へ及ぼす影響はないか	●便秘による腸内ガスの発生は，横隔膜を挙上させて呼吸運動を妨げる．また，排便時の努責は酸素消費量を増加させるため，便通を整えることが重要となる．	●排泄状態（排便回数・性状，腹部症状，排泄行動） ●排泄行動における呼吸器症状 ●呼吸状態（呼吸数・深さ・リズム，呼吸パターン，酸素飽和度，呼吸困難の有無・程度，咳嗽の有無・程度，喀痰の有無と程度，チアノーゼ） ●活動状況：ADLの状態 ●食事摂取状況 ●心理的ストレス
(4) 活動-運動 活動・休息 活動-運動 睡眠-休息	●有効なガス交換が行えて，活動耐性に見合った活動が行えているか	●肺胞構造が破壊されて気腔が拡大し，肺血管床の減少からガス交換障害を引き起こし，低酸素血症から呼吸困難が生じる．とくに労作時呼吸困難は最も多い主訴で，労作時の空気とらえこみは動的肺過膨張を生じさせ，吸気量を減少させるため，さらなる呼吸困難，運動機能の低下を引き起こし，結果として自立したADLの低下をまねくことになる．よって，活動耐性に見合った活動を行う工夫が重要になる．	●呼吸状態（呼吸数・深さ・リズム，呼吸パターン，酸素飽和度，呼吸困難の有無・程度，咳嗽の有無・程度，喀痰の有無と程度，チアノーゼ） ●検査データ：呼吸機能（VC，%VC，$FEV_{1.0}$，%予測値），栄養状態（TP，Alb，Ch-E，TLC，Hbなど） ●動脈血ガス分析，酸素飽和度 ●肺合併症の徴候（喘息，肺がん，肺高血圧症，肺炎，気胸などの症状出現） ●全身併存症（栄養障害，骨格筋機能障害，心血管疾患，骨粗鬆症，抑うつ，糖尿病，消化器疾患，睡眠障害） ●活動状況：ADLの状態 ●活動時の生理的変化（活動前後のバイタルサインの変化，呼吸困難，めまい，疲労感，チアノーゼ） ●運動機能の状態（筋力，関節可動域など） ●活動に対する患者の認識 ●パニックコントロール（呼吸困難が生じたときにパニックにならないための対処法）への理解と実践状況

パターン	アセスメントの視点	根拠	収集する情報
(5) 睡眠-休息 活動・休息 活動-運動 睡眠-休息	●呼吸症状により睡眠が阻害されていることはないか	●睡眠時の低換気とともに睡眠時無呼吸により，苦しさで目が覚めて浅い眠りとなる場合がある．また，夜間の呼吸困難や痰の喀出などにより，睡眠障害になることもある． ●夜間睡眠障害のCOPD患者は，疾患の増悪進行や合併症との関連も指摘されていることから，症状の早期発見を行い，援助することが重要となる．	●睡眠状況（睡眠時間，熟眠感，中途覚醒の有無など） ●覚醒時の呼吸状態（SpO_2，呼吸苦など） ●夜間症状出現の頻度・程度 ●日中の疲労感や居眠り状況 ●活動と休息のバランス ●感情や気分の変化
(6) 認知-知覚 知覚・認知 認知-知覚 自己知覚-自己概念 コーピング-ストレス耐性	●疾患や，疾患に伴う症状に対する知識と心理状態はどうか	●COPDの患者は，労作時呼吸困難から身体活動性が低下しやすいため，廃用症候群や社会的孤立，抑うつなどを合併しやすい．このような合併症により，さらに呼吸困難をまねくという悪循環に陥りやすい． ●また，低酸素血症によって認知機能が低下することがある．	●認知機能（記憶力，注意力，集中力，判断力など） ●疾患・治療についての知識 ●低酸素血症の症状（不穏，興奮，見当識障害など）
(7) 自己知覚-自己概念 知覚・認知 認知-知覚 自己知覚-自己概念 コーピング-ストレス耐性	●自分の身体をどのように捉えているか，自己概念・自尊心の脅威はないか	●COPDは不可逆的で，病期によって急性増悪を繰り返し，進行していく．呼吸困難は身体的な苦しさだけでなく，呼吸ができないという生命を脅かす恐怖でもある．こうした恐怖や不安はさらに呼吸困難を増悪させる要因にもなる．また，病状が進行していくと，思うようにならない身体状況に自己像が脅かされることがある．	●自分の身体をどのように捉えているか（ボディイメージの混乱はないか） ●自己概念・自尊心の脅威はないか ●感情表出（不安，恐怖，怒り，悲しみなど）の有無 ●自律神経反応（発汗，悪心，震え，動悸，不眠，めまいなどの症状）
(8) 役割-関係 周囲の認識・支援体制 役割-関係 セクシュアリティ-生殖	●コミュニケーションをとることに障害はなく，家族関係・家族役割の問題はないか	●呼吸困難などの呼吸器症状により，言語的コミュニケーションが障害されやすい状況にもなる．また，運動機能が低下し，家庭内に閉じこもるようになると，孤独感や疎外感が生じ，徐々に家庭内の役割変更が必要になる．	●家族構成 ●社会的役割 ●家族のサポート状況 ●長期（在宅）酸素療法の適応の有無 ●日常の過ごし方 ●コミュニケーション障害の有無（呼吸器症状に伴う言語的コミュニケーションの困難感など）

パターン	アセスメントの視点	根拠	収集する情報
(9) セクシュアリティ-生殖 周囲の認識・支援体制 役割-関係 セクシュアリティ-生殖	●性行動に問題はないか	●呼吸困難によって性行動をとりにくくなる.	●性行動に対する不満
(10) コーピング-ストレス耐性 知覚・認知 認知-知覚 自己知覚-自己概念 コーピング-ストレス耐性	●ストレスの原因となる出来事はあるか ●コーピングは効果的か	●呼吸困難によって死への不安を感じ，思うようにならない身体状況にイライラすることがある．適正にコーピングがはかれない場合，呼吸困難の悪化要因でもある抑うつになりやすい．よって，効果的なストレスマネジメントを身につけることが重要となる．	●治療や症状に伴うストレス ●コミュニケーション障害の有無 ●感情表出の有無とコントロール状況 ●気分転換方法 ●ストレス解消方法 ●家族のサポート状況
(11) 価値-信念 患者背景 健康知覚-健康管理 価値-信念	●価値・信念と治療方針との間に葛藤はないか	●生活信条が治療方針と対立すると，スムーズに治療や生活管理が進まないことがある．	●人生や生活に伴う価値に対する言動 ●治療方針に対する認識

3. 全体像の把握から看護問題を抽出

1）病態関連図

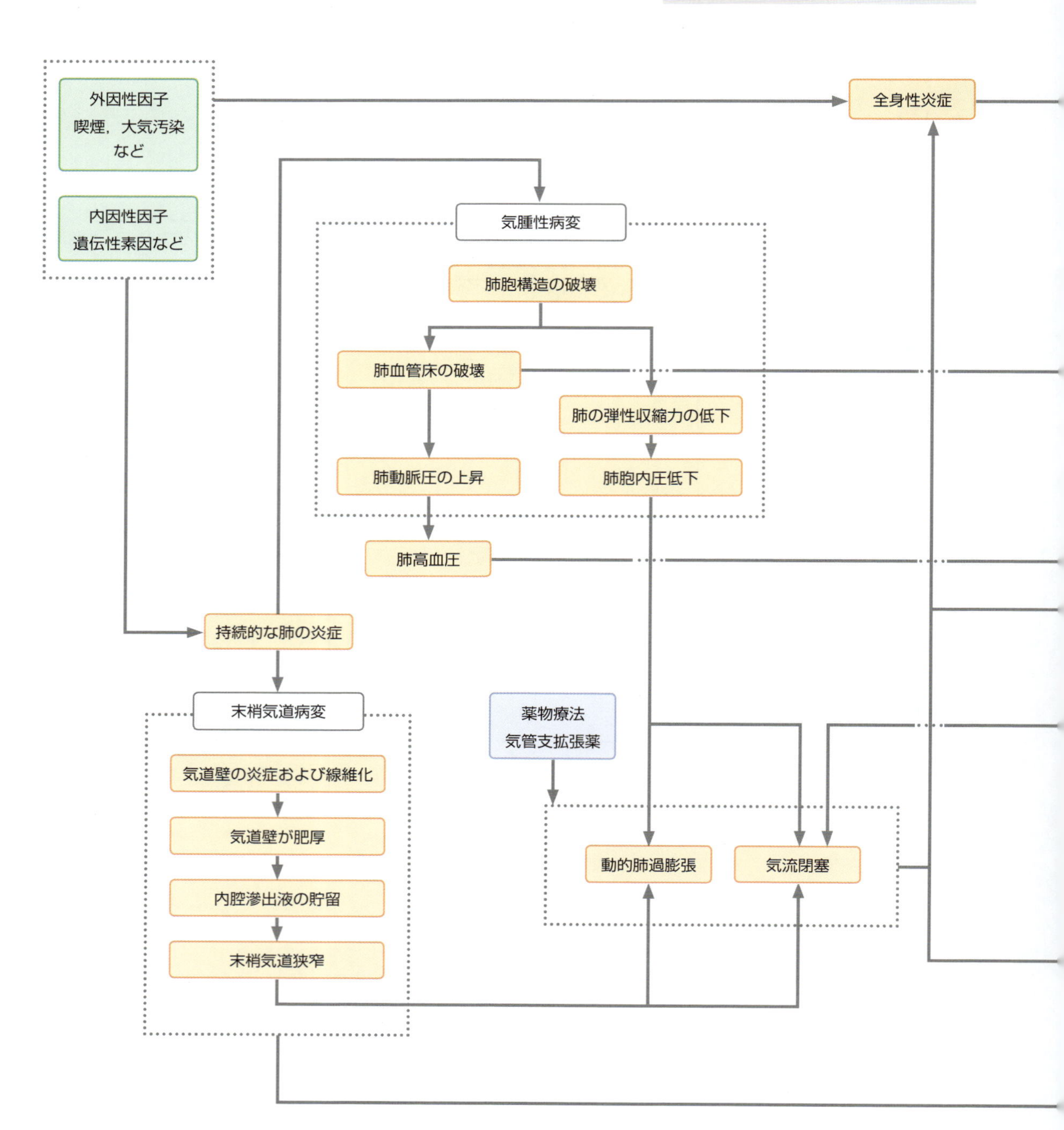

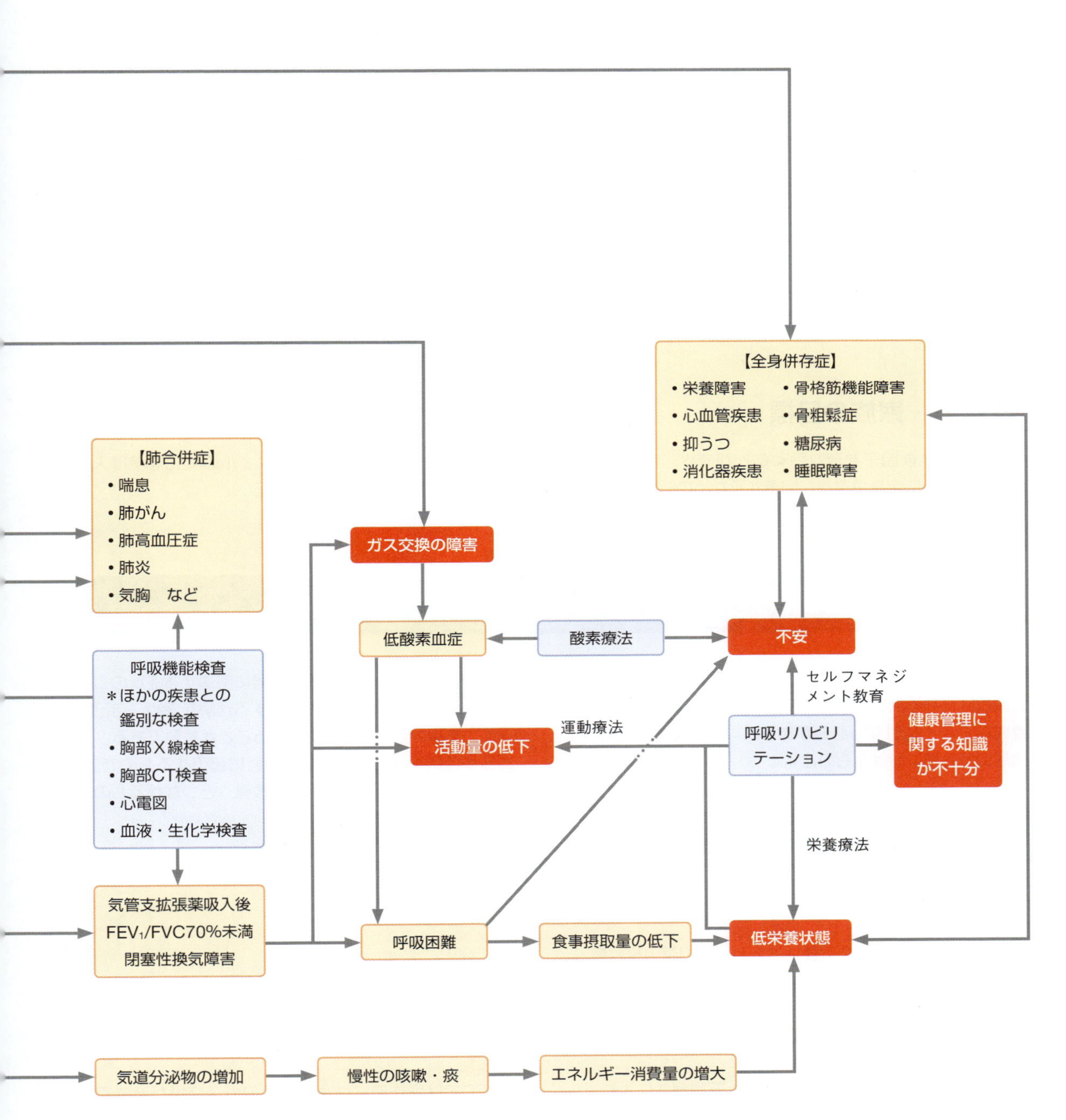

【全身併存症】
・栄養障害
・骨格筋機能障害
・心血管疾患
・骨粗鬆症
・抑うつ
・糖尿病
・消化器疾患
・睡眠障害
【肺合併症】
・喘息
・肺がん
・肺高血圧症
・肺炎
・気胸　など
ガス交換の障害
低酸素血症
酸素療法
不安
呼吸機能検査
＊ほかの疾患との鑑別な検査
・胸部Ｘ線検査
・胸部CT検査
・心電図
・血液・生化学検査
セルフマネジメント教育
活動量の低下
運動療法
呼吸リハビリテーション
健康管理に関する知識が不十分
栄養療法
気管支拡張薬吸入後
FEV1/FVC70%未満
閉塞性換気障害
呼吸困難
食事摂取量の低下
低栄養状態
気道分泌物の増加
慢性の咳嗽・痰
エネルギー消費量の増大

2）看護の方向性

COPDの看護を考えるうえで，重要なことは3つある．1つ目は，COPDの危険因子を取り除くこと．2つ目は，COPDに伴う症状をコントロールするとともに，全身併存症を回避するための援助を行うこと．3つ目は，長期的な治療の継続や在宅酸素療法により，ライフスタイルの変化を余儀なくされる患者・家族の心身の安定を支援することである．

(1)COPDの危険因子を取り除くこと

COPDの最重要となる危険因子はタバコ煙である．よって，COPD治療は有害物質となった喫煙を止めることから始まる．一定要件を満たした医療機関では，薬物療法による禁煙治療は保険適用の対象となる．タバコに対する依存が強い患者は，禁煙補助薬であるニコチンパッチやニコチンガムなどを使用したり，専門医の指導のもとで非ニコチン製剤の飲み薬を使って禁煙したりする方法もある．

(2)COPDに伴う症状をコントロールするとともに，全身併存症を回避するための援助を行うこと

COPDは全身へ影響をもたらし，COPD自体が肺以外にも併存症を誘発すると考えられていることから，全身性疾患として捉える必要がある．COPDに伴う呼吸困難（息切れ）や，慢性の咳・痰によるガス交換の障害，気道浄化の援助，それらにとどまることなく，徐々に進行する活動レベルの低下や栄養障害などに対して，同時進行で介入していく必要がある．

(3)長期的な治療の継続や在宅酸素療法により，ライフスタイルの変化を余儀なくされる患者・家族の心身の安定を支援すること

在宅酸素療法は，ライフスタイルの変更やボディイメージの変化，経済的負担などの問題を生じさせる．長期的な療養生活による，身体的，心理的，社会的，経済的な負担を強いられるなかで，患者・家族が心身ともに安定した生活を送れるような支援が重要である．

3）患者・家族の目標

COPDの危険因子を取り除くことができ，苦痛症状の緩和とともに全身併存症を回避するための呼吸リハビリテーションを実施できる．また，長期的な治療の継続や在宅酸素療法に伴うライフスタイルの変化を受け入れ，心身の安定を保つことができる．

4. しばしば取り上げられる看護問題

展開事例がどのような病期であるかにより，以下の優先順位は異なるため，患者の病期および個別情報により，優先順位を再検討する必要がある．以下の優先順位は，病態の急性期におけるものとする．

◆1 換気血流比不均衡によるガス交換の障害

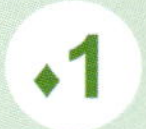

なぜ？

肺気腫となった肺胞の気腔は拡大し，肺胞壁の模欧最血管数が減少することで硬化が起こり，肺胞領域への血管循環が低下する．さらにガス交換可能な肺胞面積が減少するため，換気血流比不均衡が起こり，ガス交換が障害される．

そのため気管支拡張薬を中心とした薬物療法により，気道抵抗の低下や肺の過膨張を改善させることが重要である．また，呼吸リハビリテーションによって呼吸困難症状を改善するとともに，呼吸困難に関連する症状のコントロールのためにも，疾患に対する理解を深め，自己管理能力を獲得できるよう支援することが重要である．

あらゆる問題はこのガス交換障害に起因するもので，この問題の改善は，ほかの問題の改善へとつながるものである．

➡期待される結果

安楽に呼吸を行うことができる．

◆2 体動が制限されることによる活動量の低下

なぜ？

COPDでは労作時にはより多くのガス交換が必要であり，一回換気量が増加する．吸気時には胸郭が拡張し，気道が広げられ肺胞への気流制限は防げられにくい状態だが，呼気時には胸郭が縮小し，気道も狭くなるため気流制限が生じる．そのため患者は「吸えるが吐き出せない」と自覚し，休み休みでないと動けない状態となり体動が制限されADL，QOLが低下する．

これまでの活動方法と同じように行うことを目指すのではなく，現在の呼吸機能を理解して，安楽に行える日常生活行動のあり方について工夫することが重要である．

➡期待される結果

安楽に日常生活活動をとることができる．

栄養摂取と消費バランスの不均衡に関連した低栄養状態

なぜ？

COPDでは，気流閉塞や肺過膨張によって呼吸筋酸素消費量が増大し，全身性炎症による代謝亢進によってエネルギー消費量が増大するが，呼吸困難などの症状によって食事摂取量は低下することから，低栄養状態に陥りやすい．栄養障害はさらなる身体機能を低下させ，生命予後に影響する．栄養管理の方法を身につけて栄養状態を改善することが重要である．

さらに栄養障害は，呼吸筋量を減少させてCOPDを進行させ，増悪要因である感染症を生じやすくさせることからも，栄養状態の維持・管理は重要となる．

➡期待される結果

栄養状態を整え，エネルギーを保持できる．

呼吸困難に関連した不安

なぜ？

COPDは不可逆的で，病期によって急性増悪を繰り返し，進行していく．また，呼吸困難は，身体的な苦しさだけでなく，呼吸ができないという「生命を脅かす恐怖」でもある．こうした恐怖や不安はさらに呼吸困難を増悪させる要因にもなる．

呼吸困難は身体的な苦しさだけでなく，呼吸ができないという「生命を脅かす恐怖」でもある．こうした恐怖や不安は，さらに呼吸困難を増悪させる要因にもなる．

➡期待される結果

不安を低減することができる．

健康管理（合併症の予防や増悪の危険性など）に関する知識が十分でない

なぜ？

COPDの患者は，労作時呼吸困難から身体活動性が低下しやすいため，廃用症候群や社会的孤立，抑うつなどを合併しやすい．このような合併症により，さらに呼吸困難をまねくという悪循環に陥りやすいため，禁煙や呼吸リハビリテーション（セルフマネジメント教育，運動療法，栄養療法），増悪の危険性を低減させるためのワクチン接種が効果的となる．安定期や増悪期における自己管理能力を獲得することが重要となる．

➡期待される結果

苦痛症状を改善することができる．

5. 看護計画の立案

• O-P：Observation Plan（観察計画）　• T-P：Treatment Plan（治療計画）
• E-P：Education Plan（教育・指導計画）

1 換気血流比不均衡によるガス交換の障害

	具体策	根拠と注意点
O-P	**(1)呼吸状態** ①バイタルサイン ②呼吸困難の有無と程度 ③呼吸音聴取 ④咳嗽性状 ⑤喀痰（痰の性状，粘稠度，量） ⑥喘鳴	●呼吸状態を把握するなかで，ガス交換障害の程度や影響を理解する．また，低酸素血症に伴う症状の程度により，援助内容などを決定する．
	(2)低酸素血症の症状（頻呼吸，頻脈，不整脈，呼吸困難，チアノーゼ，不穏，興奮，見当識障害など）	●肺合併症（喘息，肺がん，肺高血圧症，肺炎，気胸などの症状出現）や，全身併存症（栄養障害，骨格筋機能障害，心血管疾患，骨粗鬆症，抑うつ，糖尿病，消化器疾患，睡眠障害）の早期発見と予防を行う．
	(3)全身状態 ①栄養状態（身長，体重，BMI，食欲，食事の摂取状況） ②消化器症状（胃食道逆流，胃十二指腸潰瘍など） ③精神症状（不安，抑うつなど）	●現状の病期を理解し，適時，援助内容や援助方法を修正する．
	(4)検査データ ①呼吸状態（呼吸機VC，%VC，$FEV_{1.0}$，%予測値，動脈血ガス分析，酸素飽和度，胸部X線，胸部CTなど） ②栄養状態（TP，Alb，Ch-E，TLC，Hbなど）	
	(5)活動・休息の状況 ①ADLの状態 ②睡眠状況（睡眠時間，熟眠感，中途覚醒の有無など）	●活動と休息の配分を整えることで，活動に伴う疲労感を最小限にし，エネルギーを温存することができる．
	(6)疾患および服薬への理解度 ①疾患についての理解度 ②服薬状況	
T-P	**(1)服薬管理**	●気管支拡張薬，ステロイド薬などは危険な副作用があるため，十分に注意して管理する．また，服用後も症状が思うように好転しないことから，服薬の自己調整を行う危険性が高いため，教育・指導をあわせて行う必要がある．
	(2)酸素療法の管理	●医師の指示に基づき酸素療法を行う．高濃度酸素を投与するとCO_2ナルコーシスを起こす恐れがあるため，SpO_2をモニタリングしながら実施する．
	(3)気道閉塞の予防 ①排痰の援助（スクイージング） ②喀痰の吸引	●スクイージングなどにより，呼吸や早い呼気を促すことで，分泌物を移動させる効果がある． ●聴診により，主気管支に痰の貯留を確認した場合に実施する．高すぎる吸引圧は，気道粘膜の損傷をまねく危険性があり，吸引時間が長すぎると，低酸素血症発症の危険性を高め，患者に苦痛を与えてしまう．
	(4)安楽な呼吸の促進 ・体位の工夫（前傾姿勢の坐位など）	●横隔膜を下げ，横隔膜の運動を制限せず，呼吸面積を広げることにより，呼吸をしやすくする．患者は自然と最も楽な姿勢・体位をとることが多いので，患者の好みを確かめて援助する必要がある．

	具体策	根拠と注意点
T-P	**(5)酸素消費量を増加させる要因の除去** ①コミュニケーションの工夫 ②不安の軽減 (不安を表出できるように傾聴し，不安を取り除くための手立てを一緒に考え，実践する)	●会話は酸素消費量を増し，呼吸困難を増悪させる．こうしたコミュニケーション障害により，精神的ストレスを高める場合がある．その患者に適したコミュニケーション方法を工夫するとともに，必要時，面会なども調整する． ●呼吸困難は身体的な苦しさだけでなく，呼吸ができないという「生命を脅かす恐怖」でもある．こうした恐怖や不安はさらに呼吸困難を増悪させる要因にもなる．
E-P	**(1)呼吸法の指導** ①口すぼめ呼吸 ②パニックコントロール(急な息切れの対処法)	●動的肺過膨張による吸気量減少から生じる呼吸困難の場合，口すぼめ呼吸を行うと，気管支の内側に圧力がかかり，気道の狭窄を防いで呼気を助け，空気を効率よく吐き出すことができる． ●日常生活においては，気をつけていても強い息切れが発生する場合がある．こうした経験は活動を萎縮させてしまいかねないため，事前にそうした強い息切れを想定した対処を理解することで，活動に対する不安を軽減でき，活用の萎縮を予防できる．
	(2)口腔ケアの重要性	●口腔内の分泌物の貯留は，肺炎などの感染症のリスクを高めるため，清潔を保つ．口腔内の乾燥を予防し，痰を喀出しやすくする．
	(3)禁煙指導	●タバコに対する依存が強い患者は，禁煙補助薬であるニコチンパッチやニコチンガムなどを使用したり，専門医の指導のもとで非ニコチン製剤の飲み薬を使って禁煙したりする方法もある．

2 体動が制限されることによる活動量の低下

	具体策	根拠と注意点
O-P	**(1)活動時の呼吸状態・循環動態** ①バイタルサイン ②呼吸困難の有無と程度 ③呼吸音聴取 ④咳嗽性状 ⑤喀痰(痰の性状，粘稠度，量) ⑥喘鳴 ⑦めまい ⑧疲労感 ⑨チアノーゼ **(2)低酸素血症の症状(頻呼吸，頻脈，不整脈，呼吸困難，チアノーゼ，不穏，興奮，見当識障害など)** **(3)検査データ** ①呼吸状態(呼吸機VC，%VC，$FEV_{1.0}$，%予測値，動脈血ガス分析，酸素飽和度) ②栄養状態(TP，Alb，Ch-E，TLC，Hbなど)	●病状を把握し，呼吸リハビリテーションのプログラムを決定するとともに，日常生活活動の援助を行う．効果的な運動療法においては，患者が「ややきつい」と感じる程度の運動が必要となる．そのため，患者にとっての「ややきつい」動作や運動の内容を見極めるためにも，呼吸状態を把握することが重要となる．
	(4)活動状況 ①1日の歩数(身体活動量) ②フィールド歩行試験(6分間歩行試験など) ③握力 ④ADLの状態 ⑤運動機能の状態(筋力，関節可動域など)	●できる動作とできない動作を詳細に把握する．たとえば，どの動作をどの姿勢で，どのくらいの速さでどの順序で，どのような環境で行うと息切れが生じているのかを理解する．その結果から，筋力の問題であるのか，呼吸法，動作の要領，環境，不安など，何が原因となっているのかを把握する．息切れに対する不安から行動が消極的になることもある．原因を明らかにするなかで，必要な対策を行うことが重要となる．
	(5)活動に対する患者の認識 ・パニックコントロールへの理解と実践状況 **(6)睡眠状況(睡眠時間，熟眠感，中途覚醒の有無など)**	

	具体策	根拠と注意点
T-P	**(1)活動状況に見合った援助の実施** ①移動動作への援助（歩行介助，車椅子介助など） ②清潔動作への援助（入浴介助，洗髪，清拭，陰部洗浄，口腔ケアなど） ③排泄動作への援助 ④食事動作への援助	●現状の病期・病状を把握し，活動状況に見合った援助を行うことで，必要以上の援助を行ってADLの維持を妨げないように注意する．
	(2)運動療法 ①筋力トレーニング ②持久力トレーニング ③柔軟性トレーニング	●日常における身体活動レベルの高さは，生命予後との関連が指摘されていることから，身体活動性の向上と維持がCOPDの治療上重要となる． ●現実的で達成可能なトレーニング内容とし，自己効力感を高め，継続できるように支援する．運動内容は，適時，種類，頻度，時間，強度を調整することが重要となる．
	(3)症状出現による活動の中止 ①呼吸困難感（SpO_2 90%以下） ②低酸素血症症状の出現 ③その他の症状（胸痛，動悸，疲労感など） ④バイタルサインの変動（医師の指示による範囲を超えた場合）	●活動前には，活動が可能な状態であることを確認し，活動中の中止のサインを患者と確認をして行うことが重要となる．
	(4)栄養管理 ①食事内容，食事量，食事回数を調整 ②嗜好品や栄養補助食品の利用	●患者は健康な人よりも多くのエネルギーが必要となるものの，食事摂取量が低下するなどによって栄養不足に陥りやすい．そのため，栄養管理をすることが重要となる． ●適正体重を維持することが必要となり，定期的な体重測定と日々の食事摂取を整えることが重要である． ●食べられない場合は，分食にして１回に食べる量を減らし，少量で高エネルギー，高タンパク質の食品を考慮する．また，栄養補助食品（濃厚流動食）などを利用する．炭酸飲料などのガスが発生して腹部膨満感をきたすものは避ける．
E-P	**(1)息切れを軽くする日常生活動作の工夫** ①息苦しくなる動作とその理由を理解する ②呼吸と動作のタイミングをあわせる ③ゆっくりと動作を行う ④休憩のとり方を工夫する ⑤計画的に余裕をもって過ごす ⑥症状にあわせて適切な酸素療法を行う ⑦口すぼめ呼吸や腹式呼吸を行う	●重いものを持ち上げるときの息をこらえる動作や，肩より腕を上げる動作，反復動作やかがむ動作は，息切れが発生しやすい．こうした動作を避けることができるように，家族とともに生活の工夫について話し合う．
	(2)パニックコントロールの指導 場面ごとに自分の呼吸を楽にする姿勢を発見する（ベッド上で寝ているとき，座っているとき，立っているとき）	●呼吸困難が生じたときにパニックにならないための対処法を事前に理解することで，活動における恐怖心を軽減して活動への意欲を維持できる．
	(3)活動と休息の必要性についての指導	●休息時間を設け，活動と休息を上手に配分することによって，エネルギーを過剰に消費することなく，温存することができる．

引用・参考文献

1) 日本呼吸器学会COPDガイドライン第５版作成委員会編：COPD（慢性閉塞性肺疾患）診断と治療のためのガイドライン2018．第５版，メディカルレビュー社，2018．
2) 井上智子，佐藤千史編：病期・病態・重症度からみた疾患別看護過程＋病態関連図．第２版，医学書院，2012．
3) 高木永子監：看護過程に沿った対症看護．第５版，学研メディカル秀潤社，2018．
4) リンダJ．カルペニート著，黒江ゆり子監訳：看護診断ハンドブック．第11版，医学書院，2018．
5) 独立行政法人環境再生保全機構：日常生活を考慮した運動療法，https://www.erca.go.jp/yobou/pamphlet/form/01/pdf/archives_25014.pdf より 2020年8月11日検索
6) 医療情報科学研究所編：病気が見えるVol.４呼吸器．第３版，メディックメディア，2018．
7) 石川ふみよ監：アセスメント力がつく！臨床実践に役立つ看護過程．学研メディカル秀潤社，2014．

Memo

06 心筋梗塞（狭心症）

1. 疾患の基礎的知識

1）疾患の概念

狭心症とは，冠動脈（**図06-1**）の狭窄により，心筋が一過性に虚血して酸素欠乏に陥ったために，胸部や隣接領域に特有な不快感を主症状とする疾患である．心筋壊死は生じない．

心筋梗塞は，冠動脈の高度狭窄または閉塞により，そこから先の血流が遮断されることで不可逆的な心筋壊死を起こした状態である．ときに致死的な状態となり，発症後の迅速な診断と治療が重要である．冠血流を再開させる再灌流療法ができるかどうかで予後が左右される．

冠動脈粥腫（プラーク）の破綻とそれに伴う血栓の形成により，冠動脈内腔に高度の狭窄を呈する病態を急性冠症候群（ACS：acute coronary syndrome）とよぶ．不安定狭心症や急性心筋梗塞は，急性の心筋虚血を呈する疾患群とされる．

2）原因

（1）狭心症

心筋の虚血は，冠血流量の減少，心筋の酸素需要の増加，動脈血の酸素含有量の低下，また，これらの因子の組み合わせによって生じる．

冠血流量の減少の主な原因は，冠動脈の粥状動脈硬化（アテローム硬化）による器質的または機能的狭窄・閉塞である．太い冠動脈の内径が，50%以上狭窄すると冠血流量の予備能が低下し，75%以上狭窄すると安静時

図06-1　冠動脈

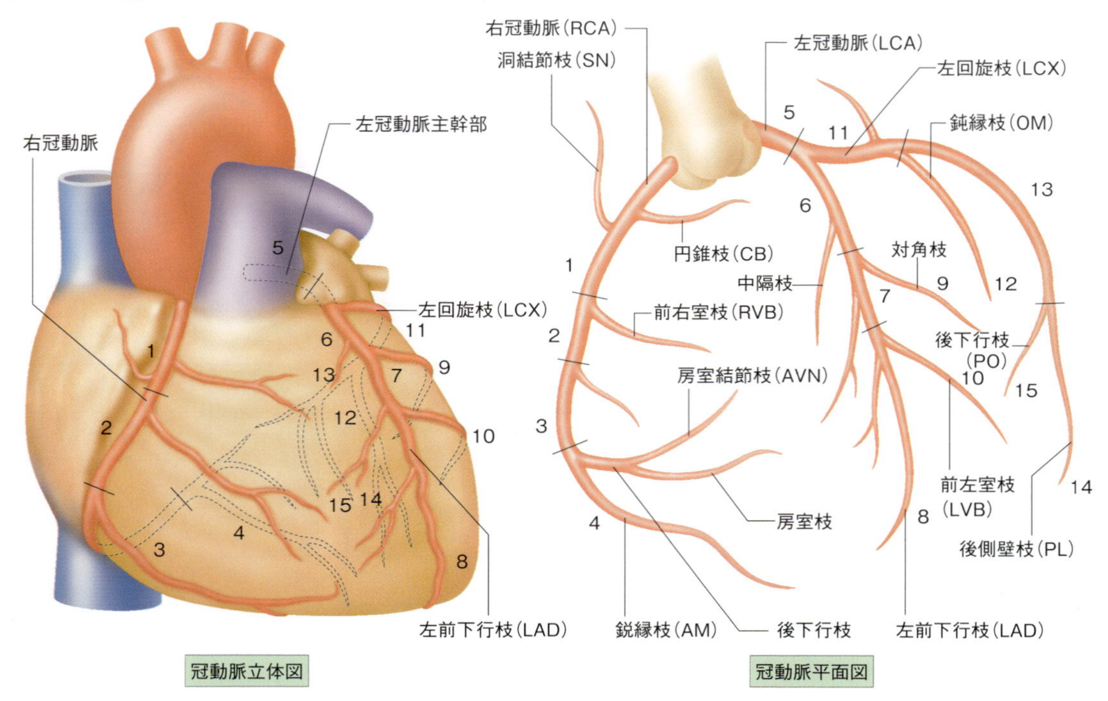

においても冠血流量が減少するといわれている．

粥状動脈硬化の原因にはさまざまなものがあり，加齢，脂質異常症，高血圧，喫煙，糖尿病（高血糖），肥満，ストレス，攻撃的な性格，女性ホルモンの欠乏などがあげられる．

また，冠動脈攣縮（冠攣縮）も原因の１つとなる．冠攣縮とは，冠動脈が異常に収縮することである．欧米に比べ，わが国においては，冠攣縮の頻度の高いことが知られている．日本人に冠攣縮が比較的多くみられるのは，喫煙者が多いことと，遺伝子的背景が大きく関与しているといわれている．

これら以外に，器質的狭窄が著明でなくても，重度の貧血，大動脈弁狭窄症や大動脈弁逆流症においても，心筋の酸素需要の増加に追いつかず，一過性の虚血が生じることがある．

(2)心筋梗塞

動脈硬化により，血管壁に脂質に富んだアテローム（粥腫）が形成され，このアテロームを包んでいる皮膜が薄く裂けて，その内容物が冠動脈内に流出し，冠動脈が閉塞したことによって生じる．

アテローム性動脈硬化を進展させる要因には，高血圧，糖尿病，脂質異常症，喫煙，メタボリック症候群（内臓脂肪症候群）などがある．

3）病態と臨床症状

病態

(1)狭心症

心筋の栄養血管である冠動脈は，心筋の表面を走り，心室壁内に細い動脈を出している．この細い動脈は，心臓が収縮しているときは，心筋によって強く圧迫されるせいで血流がほとんど止まってしまう．このため，収縮期には冠血流がないに等しい．拡張期になり，心筋の圧迫がとれると流れ出すようになる．

ほかの組織では，酸素が多く必要になったとき，血流量を多くすると同時に，動脈血からの酸素の取り込み量を多くして対処している．しかし，心筋が必要とする酸素のわりに，冠動脈は細くて冠血流量が少ない．そのため，安静にしているとき，心筋は動脈血から取れるだけの酸素を取り込んでしまう．よって，ほかの組織と同じ方法で酸素を多く補うことができない．労作によって心臓がより多くの酸素を必要とする場合には，冠血流が並行して増加することで対処している．正常な心臓は，労作時に心筋酸素消費量が増大しても，冠血流量が増大して酸素を供給するため，心筋の虚血は起こらない．しかし，冠動脈が，動脈硬化による器質的狭窄や，攣縮による狭窄によって，冠血流の増加がある程度のところでストップし，必要とするだけの血流が送れなくなるため，心筋虚血を生じる（**表06-1**）．

一過性の心筋虚血であれば，細胞は影響を受けるが，回復が可能である．

(2)心筋梗塞

冠動脈の閉塞に伴い，冠血流が途絶し，心筋への血流がゼロになることによって，心筋の虚血が生じて心筋の壊死が起こる（**表06-2**）．心筋壊死が広範囲に及ぶと，心筋のポンプ失調が起こる．

表06-1　狭心症の分類

分類の視点	名称	特徴
発作の誘因による分類	労作性狭心症	労作時に発作が起こる
	安静狭心症	安静時に発作が起こる．多くの場合，冠攣縮性狭心症と同義
発生機序による分類	器質的狭心症	器質的な冠状動脈狭窄を認める
	冠攣縮性狭心症	冠状動脈の痙攣（攣縮）が原因である
典型的な胸部症状の有無による分類	顕性狭心症	発作時には必ず胸部症状を伴う
	無症候性心筋虚血	高齢者，神経障害を合併した糖尿病患者などに多い
臨床経過による分類	安定狭心症	発作の出現する閾値や頻度が一定である
	不安定狭心症	発作の出現する閾値が急速に低下している．あるいは発作の出現頻度が増えている

表06-2　心筋梗塞の分類

分類の視点	名称	特徴
発症からの時間経過による分類	急性心筋梗塞	発症後72時間以内
	亜急性心筋梗塞	発症後72時間～30日
	陳旧性心筋梗塞	発症後30日以降
心電図上のST変化による分類	ST上昇型心筋梗塞	心電図上のSTの上昇がある
	非ST上昇型心筋梗塞	心電図上のSTの上昇がない
梗塞の深達度による分類	貫壁性心筋梗塞	Q波心筋梗塞ともいう
	非貫壁性心筋梗塞	非Q波心筋梗塞ともいう
梗塞発生部位による分類	前壁（前壁中隔）梗塞	梗塞部位によって，心電図上の変化がみられる誘導が異なる
	下壁梗塞	
	側壁梗塞	
	後壁梗塞	
	右室梗塞	

臨床症状

(1)胸痛：狭心症

患者の「胸が絞めつけられる」「圧迫される」といった，胸部絞扼感や胸部圧迫感として訴えられる．また，「胸が焼ける」「熱くなる」といった胸部灼熱感を訴える場合もある．その疼痛範囲は広く，前胸部以外での部位で，肩，頸部，後頭部，歯，背中，上肢，心窩部などに，放散痛や関連痛を感じることもある．

労作性狭心症では，労作によって心筋に必要な酸素が得られず虚血となって，胸痛が出現する．症状は数分～15分程度持続し，安静によって消失する．労作性狭心症の重症度分類を**表06-3**に示す．ニトログリセリン（硝酸薬）の舌下投与によって，通常２～３分以内に消失する．

冠攣縮性狭心症では，冠動脈の攣縮により，一過性の虚血となって胸痛が起こる．夜間から早朝にかけて出現しやすい．

(2)胸痛：心筋梗塞

胸部中央部，前胸部の突然の激痛，えぐられるような，締めつけられるような痛みを生じる．狭心症より長く，30分から数時間持続し，ニトログリセリンは無効で，モルヒネが有効である．痛みは，左肩，左上腕，頸部，背部に放散する．

(3)随伴症状：心筋梗塞

①悪心・嘔吐：迷走神経症状として出現する．下壁梗塞の際，しばしばみられる．

②呼吸困難：肺静脈うっ血を起こしている場合は，肺水腫により生じる．

③精神状態：突然に起こる激しい胸痛や重圧感から，死の恐怖，強い不安を伴う．ストレスによる胃潰瘍も出現する．脳血流の低下が起こると，無力感，せん妄状態，うつ状態を呈する．

(4)合併症：心筋梗塞

①不整脈：虚血によって刺激伝導系が電気的に不安定となり，不整脈が生じる．半数以上に心室性期外収縮の頻発・連発がみられる．致死的不整脈としては，心室細動，心室粗動，持続性心室頻拍がある．適切な治療が必要である．

②心不全：心筋のポンプ機能が低下し，循環不全を起こす．20～50%にみられる．

③心原性ショック：心筋梗塞の大きさが広範囲に及ぶと，心筋のポンプ機能の低下によって，末梢循環不全に陥り，心原性ショックとなる．心原性ショックの発生頻度は，急性心筋梗塞の10～15%である．顔面蒼白，チアノーゼ，冷汗（四肢冷感），脈拍微弱，血圧低下などのショック症状を呈している場合，循環動態の不全で重症度が高い．重症度の判定にはキリップ分類（**表06-4**）が広く用いられている．

④心膜炎：約20%の症例に，発生直後から１週間以内に心膜炎が認められる．１週間以内に改善することが多い．

⑤心破裂と乳頭筋不全：心筋梗塞を起こした心筋の壊死部分が脆弱なため，断裂や穿孔が生じる．頻度は低いが致死率は高い．心筋梗塞発症から２週間までの間に起こりやすく，とくに急性期から３～５日後に起こりやすい．

⑥再梗塞と梗塞後狭心症：急性心筋梗塞後に消退した狭心症症状の再発で，30～60%に生じる．発症時期は，心筋梗塞発症後24時間以降から１か月以内に出現し，予後不良である．

⑦心室瘤：心筋梗塞による心筋壊死が心内膜・筋層にまで及ぶと心室瘤を形成し，左室からの駆出量を低下させる．心室性不整脈の原因となることが多い．

表06-3　カナダ心臓血管学会（CCS）分類

重症度	特徴
1度	歩いたり，階段をのぼったりするような通常の労作では狭心症は起こらない．仕事やレクリエーションでの激しい長時間にわたる運動により，狭心症が出現する．
2度	日常の生活ではわずかな制限がある．①急いで歩いたり，②急いで階段をのぼったり，③坂道をのぼったり，④食後，寒い日，風の日，感情的にイライラしたとき，起床後数時間の間に歩いたり，階段をのぼると狭心症が起こる．3ブロック※以上歩いたり，1階から3階まで普通の速さでのぼると，狭心症が起こる．
3度	日常生活の著明な制限がある．1～2ブロック※歩いただけで狭心症が生じ，1階から2階までのぼるだけで，狭心症が生じる．
4度	どのような肉体的活動でも狭心症が起こる．安静時に胸痛があることもある．

※アメリカやカナダの市内の１ブロックは，約70～100mである．

表06-4　キリップ分類

クラス	症状	急性期死亡率
Ⅰ	心不全の徴候なし	3～5%
Ⅱ	軽～中等度の心不全，肺ラ音聴取域＜全肺野の50%	6～10%
Ⅲ	肺水腫，肺ラ音聴取域≧全肺野の50%	20～30%
Ⅳ	心原性ショック，血圧＜90mmHg，尿量減少，冷たく湿った皮膚，チアノーゼ，意識障害	80%以上

4）検査・診断

狭心症

不安定狭心症については心筋梗塞の項で述べる．

(1)心電図検査

非発作時は正常所見のことが多い．労作性狭心症など，冠動脈の狭窄で発作時にSTが低下するが，冠攣縮性狭心症で冠動脈が閉塞するとSTが上昇する．

①運動負荷（**図06-2**）心電図：運動負荷をかけることによって需給のバランスが崩れ，心電図変化が生じる．マスター２階段法，エルゴメータ法，トレッドミル法がある．狭心症の診断，心筋虚血の重症度の判定，運動耐用能，抗狭心症薬の効果判定に用いる．

②ホルター心電図：患者に携帯型の心電図記録計を装着してもらうことで，日常生活中のSTの解析ができる．

(2)生化学検査など

- 血清酵素：心筋梗塞とは異なり，発作時に心筋由来の逸脱酵素（CK，AST［GOT］，LDHなど）は上昇しない．

(3)超音波検査

負荷心エコー検査として，ドブタミン塩酸塩負荷心エコー検査，運動負荷心エコー検査などがある．

心エコー上，左室壁運動の異常がみられない患者に対して，心筋虚血を誘発し，心筋虚血時の壁運動異常を検出する．

(4)核医学的検査（心筋血流シンチグラフィ）

冠動脈に有意狭窄がある場合は，運動負荷や薬物負荷を行うことで負荷初期には欠損像を認めるが，運動負荷から数時間経過した後期には，血流が改善して欠損像が改善する．これにより，一過性の心筋虚血なのか，心筋梗塞なのかを鑑別できる．

(5)冠動脈MDCT検査（マルチディテクトCT）

造影剤を経静脈的に注入し，立体的に冠動脈を再構築し，冠動脈に狭窄や石灰化病変があるかを診断できる．造影剤を使用するため，腎機能障害がある患者には使用できない．また，10秒程度の息止めが必要である．

(6)磁気共鳴血管造影（MRI）

心臓の構造，冠動脈の形態などの解剖学的評価や，心筋の性状，心機能を評価することができる．

(7)心臓カテーテル検査

①冠状動脈造影（CAG：coronary angiography）：カテーテルを通して造影剤を冠動脈へ注入し，X線撮影を行う．冠動脈の閉塞部位（責任病変）や程度を知ることができる．さらに，冠攣縮性狭心症が疑われる場合，CAG下でアセチルコリン，またはエルゴノビンを冠動脈内に注入し，冠攣縮発作が誘発されるか知ることができる．

②左室造影（LVG：left ventriculogram）：左心機能を評価する有用な検査法である．左室の壁運動異常，駆出率から左室機能を判定する．

不安定狭心症および急性心筋梗塞

患者到着後は，あらかじめ定められた手順によって患者の病態を評価し，直ちに初期治療を開始できるようにする．

(1)心電図検査

心電図所見でほぼ確定的になる．梗塞の部位や経過とともに変化していくので，経過を観察する．

①ST上昇型心筋梗塞（STEMI：ST elevation myocardial infarction）

心筋梗塞の心電図上の特徴を要約すると，ST上昇，Q波の出現，鋭く尖った冠性T波（T波の陰転）の出現がある（**図06-3**）．

図06-2　運動負荷試験

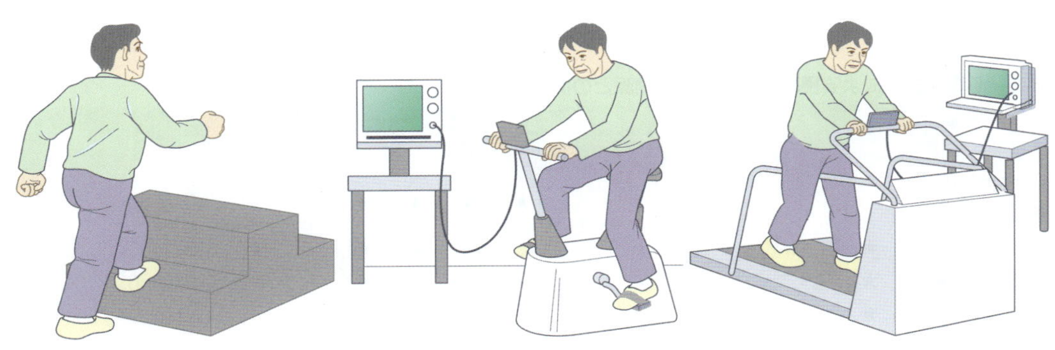

a. マスター２階段法
２段の階段を決めた時間と回数で昇降

b. エルゴメータ法
一定に負荷をかけた自転車をこぐ

c. トレッドミル法
速度や傾斜を変更できる歩行ベルトを歩く

・胸痛発作後数十分：T波の増高・尖鋭化
・胸痛発作後数時間：ST部分が基線から上昇
・胸痛発作後数時間〜数日：異常Q波の出現
異常Q波やST変化が標準12誘導心電図のいずれかに現れることによって，梗塞部位が推定できる（**表06-5**）．それにより，合併症の発症の予測や，予後の予測に活用できる．

②非ST上昇型心筋梗塞（NSTEMI：non-ST elevation myocardial infarction）
STは下降，T波は陰転する．Q波は現れないという特徴がある．

(2)心筋生化学マーカー

急性心筋梗塞の診断に用いられる心筋生化学マーカーは，①心筋細胞質に存在する細胞質マーカー（クレアチンキナーゼ［CK］，CK-MB，ミオグロビン），②心筋収縮を担う筋原線維マーカー（トロポニンT，ミオシン軽鎖など），③心筋ストレスに応じて血中への分泌が亢進する（心室由来B型ナトリウム利尿ペプチド［BNP］）などの３種類に分類される．

①CK：心筋梗塞発症後４〜８時間で上昇し，２〜３日後に正常化する．CK最高値は心筋壊死量にほぼ相関する．正確な最高値を捉えるために，発症後３〜６時間ごとの採血が必要となる．CKのアイソザイムであるCK-MBは，さらに心筋に特異性が高い．

②ミオグロビン：発症後約１〜1.5時間以内に上昇し，約10時間で最高値に到達，24〜48時間以内に正常化する．

③ミオシン軽鎖：発症後約４〜８時間後から上昇し，最高値は発症後３〜５日後である．ミオシン軽鎖も梗塞サイズと相関し，最高値の高い症例ほど合併症を併発しやすい

④トロポニンT：心筋トロポニンTは心筋特異性が高く，健常者では上昇しない．心筋トロポニンの上昇は，CKが上昇しない微小の心筋傷害も確実に検出でき，診断に有用とされている（**図06-4**）．また，迅速キットにより，採血後10〜15分後に測定結果を得ることができる．

(3)胸部X線検査

心不全の合併があるかを評価する．また，胸痛を起こすほかの疾患（大動脈解離，肺塞栓症，胸膜炎など）との鑑別に用いる．

(4)心エコー検査

壁運動，冠血流量の状態，合併症の有無を評価する．

(5)冠動脈造影（CAG）

カテーテルを通して造影剤を冠動脈へ注入し，X線撮影を行う．冠動脈の閉塞部位（責任病変）や程度を知ることができる．

(6)カテーテル検査

右心系カテーテル法により，心拍出量，右房圧，右室圧，肺動脈圧，肺動脈楔入（せつにゅう）圧（左房圧）を測定し，血行動態をモニタリングする．

図06-3　心筋梗塞の心電図上の特徴

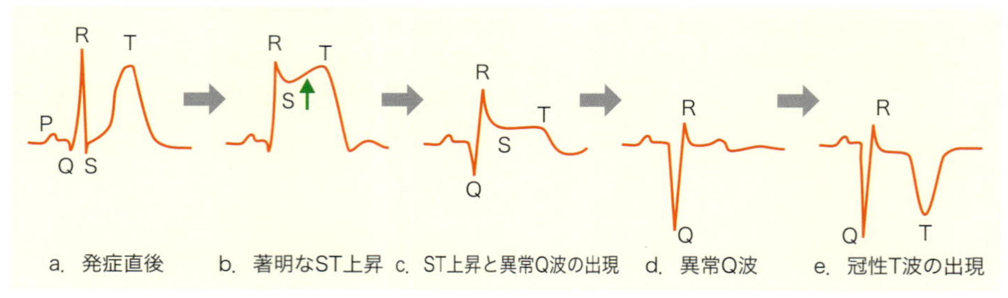

表06-5　心電図変化による梗塞部位と責任冠動脈との関係

梗塞部位	標準12誘導心電図												責任冠動脈
	Ⅰ	Ⅱ	Ⅲ	aVR	aVL	aVF	V_1	V_2	V_3	V_4	V_5	V_6	
前壁および前壁中隔梗塞							★	★	★	★			LAD（seg6，7，8）
前側壁梗塞	★				★			★	★	★	★	★	LAD（seg6，7，8，9，10）
広汎前壁梗塞	★				★		★	★	★	★	★	（★）	LAD（seg6，7，8，9，10）
側壁梗塞	★				★								LCX（seg11，HL，12，14）
下壁梗塞		★	★			★							PAC（seg4PL）あるいはLCX（seg15）
後下壁梗塞		★	★			★	高いR波						RCAあるいはLCX

5）治療

狭心症

(1)安静療法

労作性狭心症の場合，わずかな労作で症状が増悪するため運動を制限し，血液の必要量を減らすことで心臓の負担を軽減させる．安静だけで発作が消失することが多い．

(2)薬物療法

①硝酸薬（ニトログリセリンの舌下または口腔内スプレーの噴霧など）：血管平滑筋を弛緩させて静脈を拡張させることにより，静脈還流を減らし，心臓への前負荷を軽減させ，左室の壁緊張力が低下することで，心筋酸素消費量を減少させる．また，動脈拡張作用により，虚血心筋への酸素供給量を増加させる作用がある．副作用として頭痛や血圧低下がみられる．

②β遮断薬：労作性狭心症の第１選択薬である．交感神経の受容体に作用し，受容体に対するカテコールアミンの作用を遮断する薬物である．心拍数や心収縮力を低下させることにより，労作時や精神的興奮時の酸素需要量を減らす．

③カルシウム（Ca）拮抗薬：Caイオンの細胞内への流入を阻害する，末梢血管の平滑筋の収縮を担う．Ca拮抗薬の投与によって，血管を拡張させる．

④抗血小板薬：血栓形成を予防する．

⑤HMG-CoA還元酵素阻害薬（スタチン）：LDLコレステロールの低下，動脈硬化進展抑制作用がある．

(3)経皮冠動脈インターベンション（PCI），冠動脈バイパス術（CABG）

後述の **急性心筋梗塞** を参照．

(4)生活指導(冠危険因子の是正)

脂質異常症，高血圧，喫煙，糖尿病，肥満などがあれば是正する．

不安定狭心症

不安定狭心症は発症後，迅速に血行再建を行わなければ，心筋梗塞へ移行する可能性が高い．治療の決定にはブラウンワルド（Braunwald）分類が用いられる（**表06-6**）．

①初期対応

不安定狭心症の診断時は，心筋梗塞への移行を防ぐため，集中治療室で安静にし，循環動態の観察を行う．

②薬物治療

アスピリン，ヘパリン（抗凝固薬），硝酸薬，β遮断薬またはCa拮抗薬，スタチンの投与．

③経皮冠動脈インターベンション（PCI），冠動脈バイパス術（CABG）

重症度に応じて早期に冠動脈造影を行い，決定する．

急性心筋梗塞

急性心筋梗塞の診断後は，まず心電図によるモニタリングを開始し，酸素投与，静脈路の確保を全例に行う．緊急PCIの実施を念頭に，胸痛の軽減，循環動態の安定化を試みることが重要である．

図06-4　急性冠症候群における心筋トロポニン測定のフローチャート

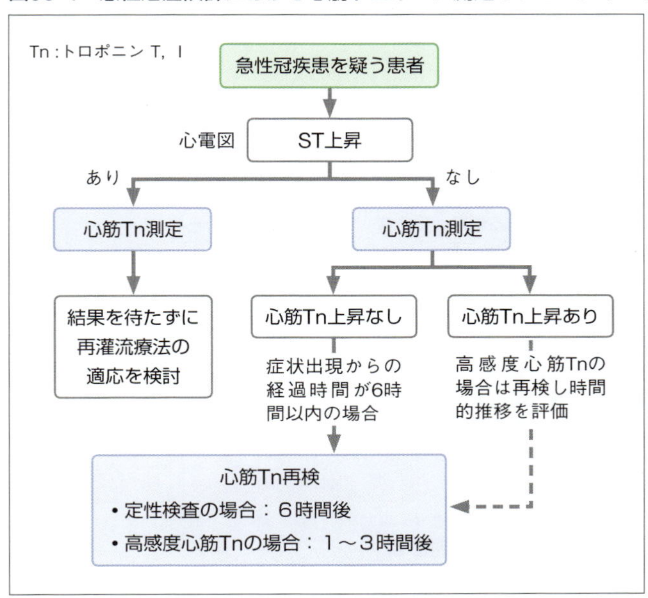

急性冠症候群を疑う患者では，診断・治療方針の決定・リスク評価のために心筋バイオマーカーとしてすみやかに心筋トロポニンを測定する（心筋トロポニンの測定は高感度測定を推奨する）．

ただし，ST上昇型急性心筋梗塞患者では，採血結果を待たずに再灌流療法の適応について検討する．非ST上昇型急性冠症候群患者では，初回心筋トロポニンの上昇がない場合でも症状出現から６時間以内では判断が難しいので，初回検査から１～３時間後に再度測定する．

ただし，現状では心筋トロポニン測定を定性で行っている施設もあり，その場合には再検は症状出現後６時間以降に行う．

(1)初期治療

①酸素療法：低酸素血症や心不全，心原性ショックのリスクがある場合には酸素投与を行う．

②硝酸薬：ニトログリセリン製剤を舌下投与またはスプレーによる口腔内噴霧で投与する．

③鎮痛薬：硝酸薬の投与後も胸痛が持続する場合は，モルヒネを投与する．モルヒネは，交感神経の緊張亢進による血圧上昇，頻拍による心筋酸素需要量の増加を防止する．

④抗血小板薬：アレルギーの有無を確認したうえで，アスピリンを投与する．緊急時には咀しゃく投与（噛み砕き服用させる）する．

⑤抗凝固薬：ヘパリンを点滴静脈内注射する．

(2)再灌流療法

発症12時間以内の再灌流療法は有効性が確立しており，総虚血時間をできるだけ短くすることは，予後の改善のために最も有効な方策である．そのため，来院から検査・治療の流れをいかに迅速にできるかが重要となる．

①経皮冠動脈インターベンション（PCI）：カテーテルによる再灌流治療で，狭窄部位の血管内腔を広げて血管を形成，あるいは再灌流させる治療法である．設備や人員の体制が整った施設においては，冠動脈造影（CAG）による診断の後，血栓溶解療法を先行せずに，PCIを実施するプライマリーPCIが行われている．また，薬剤溶出性ステント（DES：drug eluting stent）というステントが留置されることが多い．

②血栓溶解療法：ST上昇型心筋梗塞で，迅速なPCIが困難な場合，血栓溶解薬（組織プラスミノーゲン・アクチベータ［t-PA］）を，適応基準に従い投与する．

③外科的療法：冠動脈バイパス術（CABG）．手術の適応は，左冠動脈主幹部病変を責任病変とするショック症例など，PCIが困難である場合，緊急CABGが必要となる．

(3)薬物療法

①抗血小板薬：二次予防（再発予防）をする．

②ACE阻害薬およびアンジオテンシンⅡ受容体拮抗薬：心機能が低下している場合，臓器保護効果があり，拡大を抑制する．

③β遮断薬：虚血心筋を保護する．心筋障害部位の心筋酸素需要を減少させる．

④HMG-CoA還元酵素阻害薬（スタチン）：LDLコレステロールの低下，動脈硬化進展抑制作用がある．

(4)心臓リハビリテーション

冠危険因子の是正，教育，およびカウンセリングなどを行う，長期的で包括的なプログラムである．実施時期から，「急性期心臓リハビリテーション（Phase1）」，「回復期早期心臓リハビリテーション（Early PhaseⅡ）」，「回復期後期リハビリテーション（late PhaseⅡ）」，「維持期（PhaseⅢ）」の４つの時期に分類される．回復期後期と維持期リハビリテーションは，外来心臓リハビリテーションとなる．医師，看護師，理学療法士，栄養士，健康運動指導士などのさまざまな専門職が協働し，医療チームとして行う．

①急性期リハビリテーション

・目標：食事·排泄・入浴など，身の回りの事柄を安全に行えるようになることと，二次予防行動（心筋梗塞後の心血管事故の予防）への動機づけができるようになることである．

・時期：心筋梗塞発症から１～２週間以内の期間．プログラムは，PCI後から始まる．心筋梗塞の程度や合併症の有無にもよるが，ガイドラインによると，

表06-6　不安定狭心症の分類

重症度
クラスⅠ：新規発症の重症または増悪型狭心症 ・最近２ヵ月以内に発症した狭心症 ・１日に３回以上発作が頻発するか，軽労作でも発作が起きる増悪型狭心症．安静狭心症は認められない
クラスⅡ：亜急性安静狭心症 ・最近１ヵ月以内に１回以上の安静狭心症があるが，48時間以内に発作が認められない
クラスⅢ：急性安静狭心症 ・48時間以内に１回以上の安静時発作がある
臨床状況
クラスA：二次性不安定狭心症（貧血，発熱，低血圧，頻脈などの心外因子により出現）
クラスB：一次性不安定狭心症（クラスAに示すような心外因子のないもの）
クラスC：梗塞後不安定狭心症（心筋梗塞発症後２週間以内の不安定狭心症）
治療状況
1）未治療または最小限の狭心症治療中
2）一般的な安定狭心症の治療中（通常量のβ遮断薬，長時間持続硝酸薬，Ca拮抗薬）
3）ニトログリセリン静注を含む最大限の抗狭心症薬による治療中

繰り返す心筋虚血，遷延する心不全，重症不整脈を合併する例を除いて，ベッド上安静期間は12～24時間以内とされている．

・内容：安静度拡大の各段階で負荷試験を行い，自覚症状，心拍数，血圧，心電図変化を観察し，次の段階に進む[1)]（**表06-7**）．急性心筋梗塞の心臓リハビリテーションは，クリニカルパスに包含されている．例を**表06-8**に示す[1)]．急性期における患者教育は，最小限の重要事項を先行させる．

②回復期のリハビリテーション

・目標：急性期において再調節された運動の能力や，低下した心機能を徐々に改善させ，心筋梗塞の再発予防と，より質の高い社会復帰を目指す．

・時期：発症後１，２週間から１～３か月までの期間．急性期リハビリテーションで200m歩行負荷試験に合格した後，回復期リハビリテーションに移行する．

・内容：プログラムの例を**図06-5**に示す[1)]．教育としては，二次予防のための冠危険因子の是正へ向けた生活改善に，具体的な取り組みができるように支援する．

③維持期のリハビリテーション

・目標：回復期で得た良好な身体的・精神的機能を維持し，生涯にわたり快適な生活を継続する．

・時期：発症後２～３か月以降で社会復帰を達成した後．

・内容：自宅や地域の運動施設などで運動療法を実施する．食事療法，禁煙などの二次予防行動を継続する．

6）予後

狭心症

狭心症は，病態，左室機能，心筋梗塞の既往，合併症，治療の選択と効果によって，経過や予後が左右される．しかし，薬物療法，冠血行再建術が適切に選択されれば，多くの場合，経過，予後ともに良好である．

心筋梗塞

(1)急性期

死亡例の大部分は，発作後１週間以内に死亡し，とくに24時間以内の死亡が多い．発症から病院に到着するまでの心筋梗塞救急体制が重要となる．病院に到着後は，いかに不整脈死を防ぐかが死亡率を左右することになる．

(2)長期予後

ST上昇型の心筋梗塞患者の退院後の1年死亡率は5.7～6.2%，５年死亡率は19～27%と報告されている．また，発症後６年以内に男性患者の18%と女性患者の35%が再梗塞を発症し，男性患者の22%と女性患者の46%が心不全に陥るとされている．糖尿病がある心筋梗塞患者は糖尿病がない心筋梗塞患者に対して１年死亡率が35%高く，７年後の心筋梗塞再発率が著しく高率である．よって，高リスク患者に対する退院後の医学的管理の継続が重要であるといえる．

表06-7　急性心筋梗塞に対する急性期リハビリテーション負荷試験の判定基準

1．胸痛，呼吸困難，動悸などの自覚症状が出現しないこと
2．心拍数が120/分以上にならないこと，または40/分以上増加しないこと
3．危険な不整脈が出現しないこと
4．心電図上１mm以上の虚血性ST下降，または著明なST上昇がないこと
5．室内トイレ使用時までは20mmHg以上の収縮期血圧の上昇・低下がないこと（ただし，２週間以上経過した場合は血圧に関する基準は設けない）

負荷試験に不合格の場合は，薬物追加などの対策を実施したのち，翌日に再度同じ負荷試験を行う．

表06-8　急性心筋梗塞クリニカルパス（国立循環器病研究センター例）

病日	10日パス	PCI当日	2日目	3日目	4日目	5日目	6日目	7日目	8日目	9日目	10日目
	14日パス								8~10日目	11~13日目	14日目
達成目標		•急性心筋梗塞およびカテーテル検査に伴う合併症を防ぐ		•急性心筋梗塞に伴う合併症を防ぐ	•心筋虚血が起きない	•心筋虚血が起きない •服薬自己管理ができる •退院後の日常生活の注意点について知ることができる			•心筋虚血が起きない •退院後の日常生活の注意点について理解できる	•亜最大負荷で虚血が起きない •退院後の日常生活の注意点について言える	退院
安静度		圧迫帯除去後，床上自由	室内自由	負荷合格後トイレまで歩行可	200m病棟内自由（200m×3回/日 歩行を促す）	亜最大負荷試験合格後は入浴可および院内自由 リハビリテーション棟でリハビリ実施					
清潔		•洗面介助 •全身清拭	•洗面は室内洗面台使用 •全身清拭・洗髪・足浴		•洗面は室内洗面台使用 •清拭は背部のみ介助・洗髪	•シャワー浴					
患者教育		•急性心筋梗塞パンフレット・患者用パスに基づき説明 安静度・二重負荷回避 症状出現時のナースコール •排便コントロール		•安静度，二重負荷回避，排便コントロールについて説明 •心臓リハビリテーションについて説明 •日常生活上の注意点について説明 •服薬指導・内服自己管理			•緊急受診方法 •発作時の対処方法 •服薬・食事・禁煙について説明		•指導内容を確認		
処置・負荷試験	10日パス	•採血（CK最高値到達まで3時間ごと） •ECG（6時間ごと） •心エコー •ヘパリン持続 •シース抜去 •圧迫帯除去	•採血 •ECG（6時間ごと） •心エコー •ヘパリン終了 •尿カテーテル抜去	•ECG（1回/日） •50m歩行負荷試験	•ECG（1回/日） •200m歩行負荷試験	5日目	6日目	7日目	8日目	9日目	
						•ECG（1回/日） •心臓リハビリテーションエントリーテスト	•ECG（1回/日）7日目まで •心臓リハビリ室で運動療法（非エントリー例ではマスターシングル試験またはシャワー浴負荷試験）				
	14日パス					5日目	6日目	7日目	8～10日目	11～13日目	
						•ECG（1回/日） •心臓リハビリテーションエントリーテスト（非エントリー例では6日目に500m歩行負荷試験）		•ECG（1回/日）7日目まで •心臓リハビリ室で運動療法（非エントリー例ではマスターシングル試験またはシャワー浴負荷試験）			

図06-5　急性心筋梗塞回復期心血管疾患リハビリテーションプログラム（国立循環器病研究センター例）

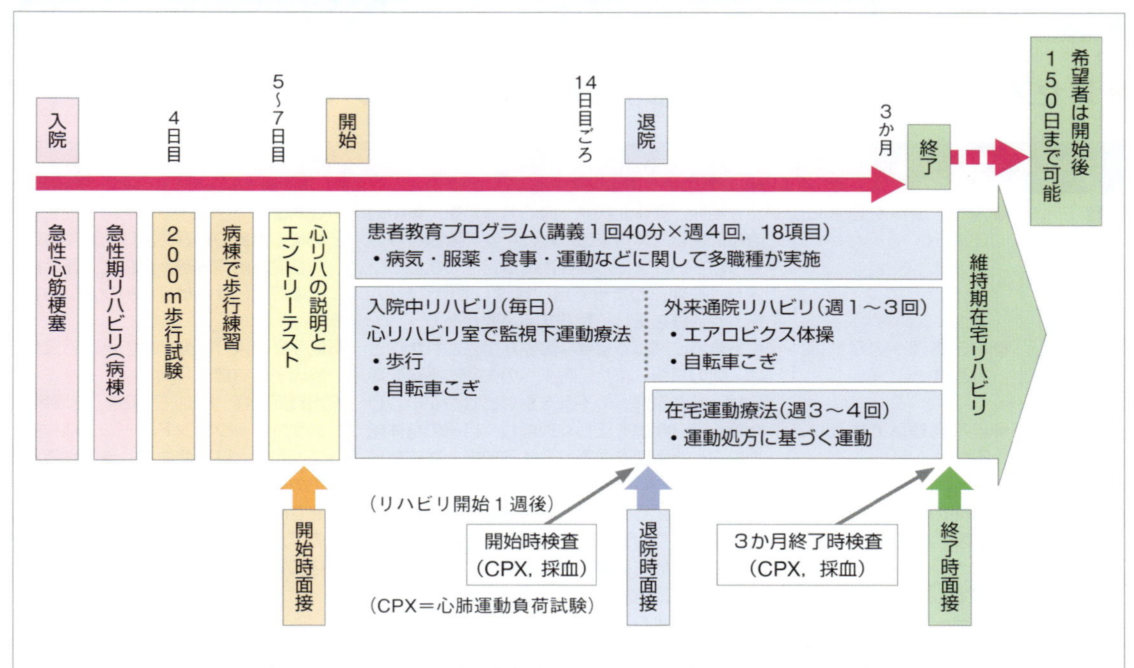

・14日間クリニカルパスの第４日目病棟で200m歩行負荷試験を施行し，合格なら５〜７日目以降，心血管疾患リハビリテーション室での回復期リハビリテーションプログラムに参加する．
・退院後は，外来通院型監視下運動療法と在宅運動療法を併用する．
・開始１週間後および３か月後に，心肺運動負荷試験（CPX）および血液検査を施行し，運動耐容能および冠危険因子を評価し，運動処方を決定する．

2. 看護過程の展開

● アセスメント～ゴードンの機能的健康パターンを用いて

パターン	アセスメントの視点	根拠	収集する情報
(1) 健康知覚-健康管理 患者背景 健康知覚-健康管理 価値-信念	●疾患，治療を理解しているか ●自己管理への意欲はあるか ●自己管理はできているか ●再発の誘因となる危険因子はないか ●患者・家族のリハビリテーションに対する認識はどうか	●急性期は，身体症状や一時的救命処置・集中的治療による身体拘束感など，不安の要因となるものが多い．また，回復期には自己の疾患を受容し，長期にわたって自己管理していくため，疾患や治療を正しく理解する必要がある． ●生命維持に関わる重要な臓器が障害されたことは，死の恐怖，また，将来への失望，不安を募らせ，社会復帰への不安を生じさせやすい．したがって，疾患を正しく理解し，自己の身体能力に応じた生活を送ろうとする前向きな姿勢が必要となる． ●喫煙は，少量であっても心筋梗塞の発症リスクを上昇させる．また，肥満は動脈硬化性の疾患の形成や進展に影響がある．禁煙や適切な体重管理など，冠危険因子の是正が必要である．認識の程度により，患者は悲観的にも楽観的にもなる．患者にとって，家族や周囲の人々は心の支えであり，回復への意欲をもたらす．	●現病歴 ・病状，治療の経過および認識：疾患の程度，治療経過，合併症，運動負荷の評価，リハビリテーションの評価 ●既往歴および再発の誘因となる冠危険因子の有無 ・脂質異常症，高血圧，喫煙，糖尿病，メタボリックシンドローム，精神的ストレス，高尿酸血症，虚血性心疾患の既往歴，性格的要素 ●患者の社会的状況 ・職業，生活習慣 ●自己管理への意欲
(2) 栄養-代謝 全身状態 栄養-代謝 排泄	●冠危険因子の誘因となる食事習慣はないか	●脂質異常症，高血圧，糖尿病は，冠動脈の粥状動脈硬化の原因となり食生活との関連が大きい．体重増加の予防，標準体重の維持も必要である．	●栄養状態 ・身長，体重，BMI ・偏食の有無（カロリー過多，脂質過剰摂取など） ・入院中の食事内容，食事摂取量 ・栄養状態データ （TC，TG，HDL-C，LDL-C）
(3) 排泄 全身状態 栄養-代謝 排泄	●循環動態に影響を及ぼす排泄習慣はないか	●排便時の努責は，血圧や心拍数を上昇させ，再発作や心破裂をきたしやすいといわれている．緩下剤を服用してスムーズな排便を促すことが必要である．	●排泄状態 ・排尿回数，性状，排尿異常 ・排尿支障因子 ・水分出納 ・排便回数，性状，排便異常 ・便通対策，排便支障因子 ●腎機能 ・心筋梗塞による腎機能低下

パターン	アセスメントの視点	根拠	収集する情報
(4) 活動-運動 活動・休息 活動-運動 睡眠-休息	●心筋梗塞の発症時期と経過はどうか	●発症後72時間は重篤な合併症(致死的不整脈，心原性ショック，心不全など)により，生命の危機に陥る可能性が高いため，梗塞の発症時期を知る．	●梗塞の発症時期と経過
	●合併症の徴候の有無と程度はどうか ●不整脈の前駆症状の出現はないか ●心原性ショックの徴候はないか ●心不全の徴候はないか	●心筋梗塞(急性期)は電気的に不安定であり，不整脈はほぼ全例に合併する可能性がある．重篤な不整脈の70～80%は発作後24時間以内に起こることが多く，前駆的不整脈の出現に注意する．また，発症後48～72時間に心室性期外収縮が多発する．これも致死的不整脈に移行する可能性があり，心拍出量を減少させる． 広範囲の発症では発症後24時間以内に心原性ショックを生じることが多い．死亡例の大部分は12時間以内にみられる．極めて重篤な合併症であり，広範囲の梗塞がみられるときには注意する． 心筋の収縮能の低下からポンプ作用が低下し，諸臓器は酸素欠乏状態に陥り，うっ血を起こした状態にある．急性期から回復期までの長期間にわたって出現する可能性が高い．急性心不全は発症初期に出現することが多く，左冠動脈狭窄に伴う広範囲の梗塞では，心原性ショックに次いで重篤な合併症である．	●合併症の出現状態と程度 ・不整脈：脈拍微弱，欠代(欠損)，不整，心電図所見 ・ショック徴候：血圧低下，意識障害，チアノーゼ，冷汗(四肢冷感)，尿量減少，アシドーシスなど ・心不全徴候：湿性ラ音，胸部X線所見，動脈血ガス分析，中心静脈圧，肺動脈楔入圧，心係数，全身倦怠感，動悸，息切れなど ・穿刺部出血 ●検査所見 ・心電図検査，CK-MB，ミオグロビン，ミオシン軽鎖，トロポニンT
	●再発作を起こすような誘因はないか	●急性期は，心筋の酸素消費量を減少させるためにも心身の安静が必要であり，心負荷は再梗塞や合併症発症の誘因となる． ●患者は運動機能的には問題なく，急性期から離脱後には自覚症状がないことから，過剰な運動負荷による再梗塞の危険性がある．	●活動状況 ・安静度 ・リハビリテーション内容 ・運動負荷前後の変化の有無 ・ADLの状態 ・患者・家族のリハビリテーションに対する認識
	●運動負荷前後の変化はないか	●運動負荷によって症状悪化がみられた場合は，リハビリテーション内容が変更される．運動の過負荷による再発作を生じる可能性がある．	
	●梗塞の範囲はどうか	●一般に梗塞が広範囲であるほど予後は悪い．梗塞の範囲を知ることで合併症の発現を予測できる． ●カテーテル挿入によって血栓性塞栓症を起こす危険性がある． ●冠動脈バイパス術：術前から心機能低下と手術侵襲，体外循環の影響によって，心機能がさらに低下し，血行動態が不安定になる．それに伴う低心拍出量症候(LOS：low cardiac output syndrome)に注意する．	
(5) 睡眠-休息 活動・休息 活動-運動 睡眠-休息	●睡眠はとれているか	●急性期の治療中はCCUで循環動態の管理が行われる．拘束感や機械に囲まれる環境ではストレスとなりやすい．	・夜間の睡眠時間，深さ，中途覚醒の有無 ・日中の休息時間

パターン	アセスメントの視点	根拠	収集する情報
(6) 認知-知覚 知覚・認知 認知-知覚 自己知覚-自己概念 コーピング-ストレス耐性	●胸部痛の程度はどうか(治療により軽減しているか) ●脳血流減少による意識障害は生じていないか	●心筋梗塞に起因する胸痛は，冠動脈閉塞による虚血の結果，乳酸その他の代謝産物の蓄積，ブラジキニンなどの血管作動性ポリペプチド，K^{+}，H^{+}などが心筋内の知覚神経末端を刺激し，交感神経を介して感じられるものである． ●急性心筋梗塞は突然の強烈な(圧迫されるような，引き裂くような，息苦しい)胸痛の自覚で始まることが多い．痛みは左肩，左前腕などに放散する．胸痛発作は狭心症よりも激しく，その持続時間も長く，30分～数時間に及ぶ．	●現在の症状 ・胸痛の出現状況，部位，程度 ・胸痛に対する治療内容とその効果および副作用
	●経皮冠動脈インターベンション(PCI)に伴う合併症の出現はないか	●治療部位が急に閉塞する急性冠閉塞と，胸痛が出現する．治療後，冠動脈血栓形成予防として抗凝固薬や抗血小板薬が投与される．穿刺部からの出血に注意する．	●治療内容と合併症 ・合併症：急性冠閉塞による胸部痛，塞栓症
(7) 自己知覚-自己概念 知覚・認知 認知-知覚 自己知覚-自己概念 コーピング-ストレス耐性	●疾患による自己知覚，自己概念の変化はどうか ●死を想起させる痛みから不安を抱いていないか	●心筋梗塞により死をイメージすることがあり，不安につながる．逆に症状がなくなると自分の状況を受け入れることができないことがあり，自己管理の阻害要因となる． ●痛みは患者にとって何よりも苦痛である．とくに心筋梗塞に起因する痛みは生命に直結するため，患者は心臓が止まってしまうのではないか，死ぬのではないかと死の恐怖を感じる．そのため非常に敏感となり，かつ不安が強い．また，患者を見守る家族も同様である．	●自分自身についてどう感じているか ●患者・家族の胸痛に対する不安の有無
(8) 役割-関係 周囲の認識・支援体制 役割-関係 セクシュアリティ-生殖	●家族，職場の人々の理解と協力はあるか	●心筋梗塞は壮年期以降の患者が多いことから，自己管理の継続のためには，家族や職場の人々の理解と協力が必要である．	●生活環境 ●家族の認識や協力 ●職場の理解
(9) セクシュアリティ-生殖 周囲の認識・支援体制 役割-関係 セクシュアリティ-生殖	●性生活への影響はどうか	●性行為のエネルギー消費量は心負荷を増すため，再発のリスクを伴う．	●性生活に関する不安はないか

パターン	アセスメントの視点	根拠	収集する情報
(10) **コーピング-ストレス耐性** 知覚・認知 認知-知覚 自己知覚-自己概念 コーピング-ストレス耐性	●身体症状や治療に伴うADLの制限の苦痛，ストレスはないか	●急性期には集中的治療下にあることから，拘束感が生じる．ADLが自分で行えず，基本的欲求が満たされない状況下にある．また，胸痛が強い場合には呼吸が抑制され，呼吸困難を呈することもあり，精神状態の混濁がみられる．これらに伴って安静や安楽が妨げられ，不眠を招き，食欲不振に陥ることもある．	●活動制限に対するストレス
(11) **価値-信念** 患者背景 健康知覚-健康管理 価値-信念	●どのような価値観をもっているか ●治療するにあたって宗教上の問題は生じていないか	●急性心筋梗塞では発症後，速やかな治療が必要となるが，治療について価値観や宗教上の影響が生じることがある．	●信仰している宗教 ●価値観

3. 全体像の把握から看護問題を抽出

1）病態関連図

原因・誘因　検査・治療　病態・臨床症状（色文字は重要な症状）
看護上の問題
※ → は狭心症の病態を示す

冠動脈の攣縮
労作・精神的興奮など
心筋の低酸素状態
一過性の心筋虚血

冠危険因子
高血圧，糖尿病，喫煙，家族歴，
脂質異常症，肥満，年齢，性別，
慢性腎臓病（CKD）など

冠動脈硬化（多くはアテローム硬化）
冠動脈の狭窄（アテロームの破綻）

- カテコールアミン分泌亢進
- 血小板凝集能亢進
- プロスタグランジン代謝異常

血栓形成
心筋虚血
心筋酸素不足
心筋壊死

心電図検査
- T波の増高・先鋭化（発症直後数十分）
↓
- ST上昇（発症後数時間）
↓
- 異常Q波の出現（発作後数時間〜数日）

血清酵素の心筋細胞外への流出

心筋生化学マーカー
- 細胞質マーカー（CK，CK-MB，ミオグロビン上昇）
- 筋原線維マーカー（トロポニンT，ミオシン軽鎖上昇）

胸部の激痛
左肩，左上腕，頸部，背部への放散痛

胸痛の緩和
- モルヒネ塩酸塩水和物を5〜10mg/回の静脈注射（ニトログリセリンは無効）

心臓のリスクに関連した不安
心筋の酸素消費量の増大
再梗塞の誘因

低心機能 → 心負荷

合併症
左室の広範な障害 → 心拍出量の低下
心筋細胞の傷害 → 不安定な刺激伝導
- 心筋の収縮力低下
- ポンプ機能低下
→ 心不全
左心室壁の高度の梗塞 → 壊死部分の脆弱化
再梗塞

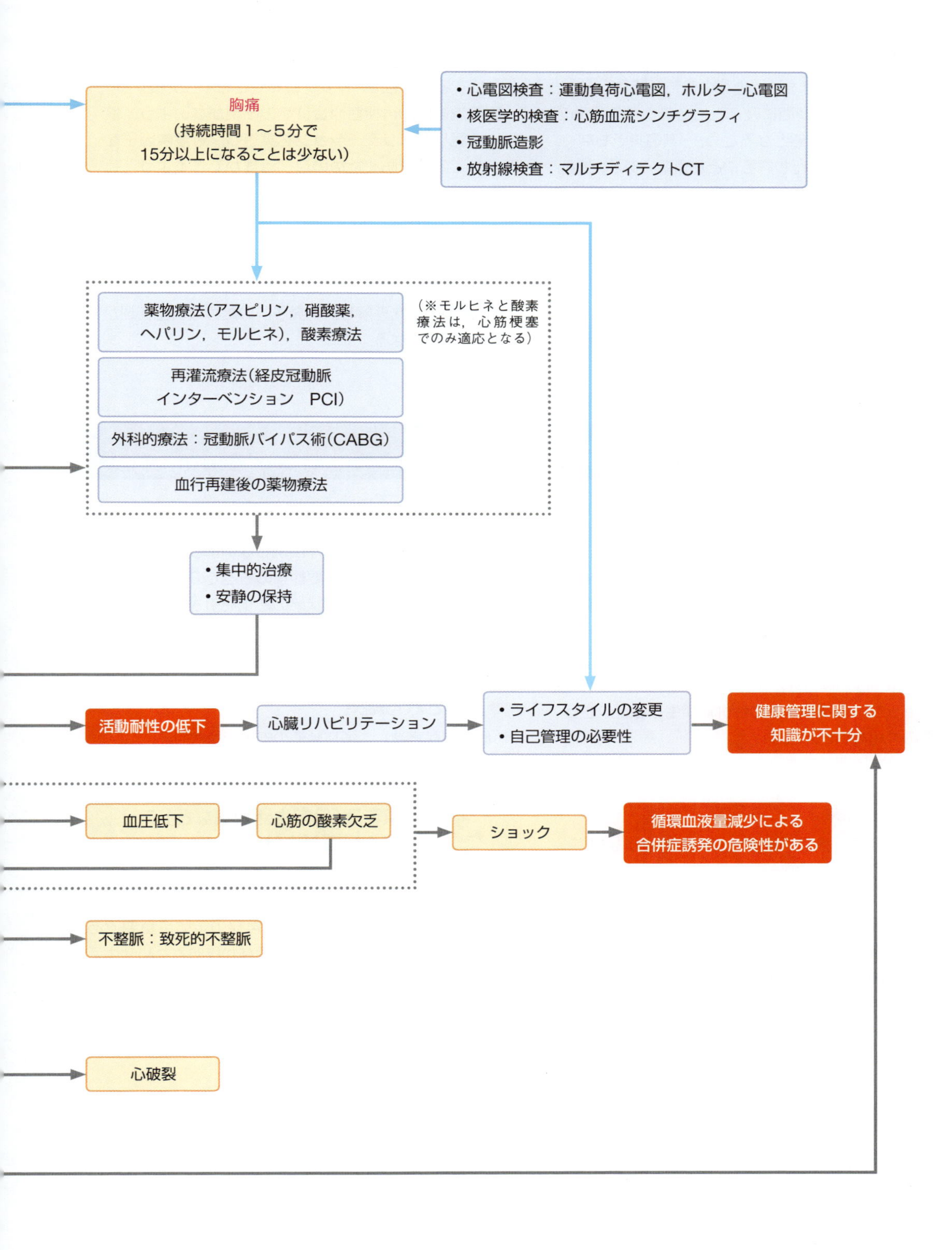
胸痛
(持続時間１～５分で
15分以上になることは少ない)
• 心電図検査：運動負荷心電図，ホルター心電図
• 核医学的検査：心筋血流シンチグラフィ
• 冠動脈造影
• 放射線検査：マルチディテクトCT
薬物療法(アスピリン，硝酸薬，
ヘパリン，モルヒネ)，酸素療法
(※モルヒネと酸素
療法は，心筋梗塞
でのみ適応となる)
再灌流療法(経皮冠動脈
インターベンション　PCI)
外科的療法：冠動脈バイパス術(CABG)
血行再建後の薬物療法
• 集中的治療
• 安静の保持
活動耐性の低下
心臓リハビリテーション
• ライフスタイルの変更
• 自己管理の必要性
健康管理に関する
知識が不十分
血圧低下
心筋の酸素欠乏
ショック
循環血液量減少による
合併症誘発の危険性がある
不整脈：致死的不整脈
心破裂

2）看護の方向性

狭心症，急性心筋梗塞は，胸痛を自覚し，痛みは左肩，左前腕などに放散することもある．狭心症の場合，胸痛は安静や硝酸薬によって改善するが，急性心筋梗塞の胸痛発作は狭心症よりも激しく，その持続時間も長く，苦痛である．患者は心臓が止まってしまうのではないか，死ぬのではないかと死の恐怖も感じる．

冠動脈の虚血が長時間に及ぶと，心筋への障害も広がり，生命に危険な状態となるため，一刻の猶予もなく，検査，治療が速やかに行われることが重要である．苦痛，心負荷の軽減をはかり，再灌流療法が行われる準備を進めるとともに，致死的不整脈の出現など，症状の変化を注意深く観察する必要がある．急性期の治療中はCCUで循環動態の管理が行われるため，拘束感を抱きやすい．また，心負荷軽減のためには安静にする必要があり，ストレスとなりやすい．睡眠，休息がとれるようにするとともに，不安を緩和できるよう支援する．

再灌流後は，再梗塞や合併症の出現がないよう，慎重に心臓リハビリテーションを実施し，冠危険因子を理解して再発を防ぐための自己管理ができるよう，社会復帰へ向けて支援する．

3）患者・家族の目標

・発症に伴う苦痛，不安が緩和される．
・心臓リハビリテーションによって日常生活活動が遂行できるようになる．
・冠危険因子を理解し，再発予防のための自己管理ができるようになる．

4. しばしば取り上げられる看護問題

♦1 循環血液量の減少に関連した合併症誘発の危険性がある

なぜ？

冠動脈の狭窄・閉塞によって心筋が虚血に陥ることで，心筋の収縮能が低下し，心拍出量の低下をきたす．心原性ショック，心不全などの合併症が生じると，さらなる状態の悪化を引き起こす．

生命に直結する問題であり，優先順位は高い．

➡期待される結果

異常の早期発見，重症不整脈出現時の速やかな対応，集中治療による循環動態の安定．

♦2 心筋酸素消費量の増大による活動耐性の低下

なぜ？

エネルギーを供給するために重要な心機能が不安定な状態である．そのため，運動機能には問題がないが，日常生活動作を制限し，循環動態を確認しながら心臓リハビリテーションを進め，心機能にあわせた活動が行えるようにする必要がある．

心臓リハビリテーションは，段階を経て徐々に活動を増やしていくが，合併症が出現しないように，心負荷がかかりすぎないように，要観察のもとでの実施となる．

合併症が生じることで状態の悪化を引き起こすリスクもあり，回復段階にある患者の理解と協力が必要となるため，看護計画を立案する．

➡期待される結果

心負荷が軽減し，循環動態の安定がはかれる．

♦3 健康管理(日常生活習慣など)に関する知識が十分でない

なぜ？

冠危険因子を取り除くことは再発の予防に重要である．冠危険因子は日常生活習慣のなかにあるため，生活の見直しが重要である．

社会生活のなかで仕事をしながら生活の見直しをしていくことは容易ではなく，十分な理解と生活改善への意識をもつことが必要である．

➡期待される結果

再発の予防．

再発作や不整脈，心機能低下に関連した不安

なぜ？

心筋梗塞は，突然の強烈な胸痛の自覚で，患者にとって苦痛である．また，その激しい胸痛は心臓が止まってしまうのではないか，死ぬのではないかと死の恐怖を感じる．

患者は非常に敏感となり，不安が強くなり，緊張状態となる．不安，緊張はストレスとなり，さらに心臓に負荷をかけることとなる．

さらには，回復過程においても，心臓にリスクがある状態での社会復帰は常に不安を伴うものとなる．

患者を見守る家族の不安も同様である．

➡期待される結果

不安，緊張が最小限で治療に臨め，順調な回復過程をたどることが期待される．

5. 看護計画の立案

• O-P：Observation Plan(観察計画)　• T-P：Treatment Plan(治療計画)
• E-P：Education Plan(教育・指導計画)

急性心筋梗塞における看護計画を展開する．

♦1 循環血液量の減少に関連した合併症誘発の危険性がある

	具体策	根拠と注意点
O-P	**(1)梗塞の経過と程度** ①梗塞の発症後の経過 ②梗塞の範囲を示す検査データ	●梗塞の発症時期，梗塞巣部位とその範囲から，合併症の出現時期や合併症を予測し，観察する．
	(2)合併症の徴候 ①心電図モニターの24時間持続監視 ・異常波形の有無(異常Q波，ST上昇，冠性T波，心室性期外収縮の有無と程度) ②不整脈に随伴する症状の有無 ・胸痛，胸部不快感，意識状態，顔色，チアノーゼ，脈拍減弱，欠代(欠損)，血圧低下など ③心原性ショックの徴候の有無と程度 ④心不全徴候の有無と程度 ・水分出納(輸液量，尿量)，中心静脈圧，スワン-ガンツカテーテルによる肺動脈楔入圧と心拍出量のモニタリング状況	●前駆的不整脈の出現状況から，致死的不整脈への移行を予測する．また，それまでに出現しなかった波形がみられた場合は，直ちに12誘導心電図をとり，記録する． ●代表的な合併症として考えられる不整脈，心原性ショック，心不全について早期発見できるように，それぞれの症状について注意し，観察する．
	(3)合併症の誘因 **(4)合併症予防や予防に対して行われる治療内容とその効果および副作用** **(5)患者・家族の疾患，治療に対する理解**	●治療の特徴を把握し，それに起因する合併症の徴候の早期発見に努める．
T-P	**(1)安静保持への援助** ①環境調整 ・室温は18℃前後に維持し，40%前後の湿度に保つ ・患者の訴えに応じて寝具を調節する	●安静は，心臓の仕事量，心筋酸素消費量，呼吸筋運動を減少し，循環動態の保持や梗塞巣の拡大阻止に必要である． ●寒冷刺激は四肢血管を拡張させ，静脈還流を抑制し，胸痛を増強させることがあるので保温に努める．
	②体動制限のなかで可能な安楽な体位の工夫 ・呼吸困難がある場合はファウラー位がとれるように援助する	●ファウラー位は静脈還流を低下させ，心臓の前負荷を減少させる．

	具体策	根拠と注意点
T-P	③睡眠促進への援助	●安静臥床によって1日の生活リズムが変わり，24時間の心電図監視モニター，点滴治療などの処置により安眠が妨げられる．また，病状に対する不安や，身体を動かすことが少ないため肉体的疲労感が少なく，不眠傾向になる．不眠による体力消耗やストレスは心負荷となるため，睡眠促進の援助を行う．
	④排泄，清潔ケアの介助 ⑤排便コントロール	●排便時の努責は血圧や心拍数を上昇させ，再発作や心破裂をきたしやすいといわれている．そのため，早期から排便状態について情報収集し，緩下剤を服用してスムーズな排便を促すことが推奨されている．
	⑥会話の配慮 ⑦口渇の緩和	●会話は酸素消費量の増加にもつながるため，患者が「はい」「いいえ」で答えられる内容になるように配慮する．また，食事摂取は心筋の酸素消費量を増加させるため，発症当日は禁食となることが多い．口渇などの苦痛に対して氷片を含ませたり，含嗽できるように配慮する．
	(2)確実な酸素投与	
	(3)確実な薬物療法 ・血管拡張薬，抗不整脈薬，利尿薬など	●薬物療法は，梗塞巣の拡大防止，低下した心機能の回復，心負担軽減などを目的に行われる．効果と副作用の観察を行いながら確実に与薬する．
	(4)バイタルサインや自覚症状の観察 ・異常時は，医師に報告して対処する	●常に緊急処置がとれるように除細動器や救急カートの準備をする．
E-P	**(1)発作の誘因について説明し，それを避けるように指導する(許可されていない動作，興奮など)** **(2)安静の必要性について説明する**	●発症後72時間は最も注意しなければならない．心筋の酸素供給保持のために安静にする必要があることを，患者自ら理解できるように指導する．
	(3)処置やケア実施前に，わかりやすく説明して理解を得る **(4)現在の身体状況に変化があった場合には，すぐに知らせるように説明する**	●患者は集中的治療を受け，24時間監視下にあることで拘束感も強い．治療，処置については，その都度わかりやすく説明し，不安を除去し，治療に臨めるようにする．

2 心筋酸素消費量の増大による活動耐性の低下

	具体策	根拠と注意点
O-P	**(1)梗塞の経過と現症，リハビリテーションの進行状況** **(2)運動負荷前後のバイタルサイン，自覚症状の変化の有無** **(3)精神状態，ストレスの有無** **(4)日常生活の状況** **(5)患者・家族の疾患とリハビリテーションに対する認識**	●心筋梗塞後のリハビリテーションは，患者の残存している心臓予備能力の範囲内で，酸素の需要と供給を維持しながら徐々に生理機能を高めていく．運動の増加による心臓の仕事量が過剰になると，再発作を起こす危険性がある．したがって，その徴候の早期発見に努める．
T-P	**(1)リハビリテーション・プログラムに沿った実施** ①運動負荷前後にはバイタルサイン，12誘導心電図所見をとる ②運動中は心電図モニター，パルスオキシメーターを装着して監視する ③運動過負荷の徴候がある場合には中止し，安静を促す	●運動中に，胸痛，息切れなどの自覚症状の出現，心拍数100回/分以上，収縮期血圧20mmHg以上の低下，心電図上のSTの変化などがみられた場合は，運動過負荷徴候の出現と判断し，運動を中止して，安静を促し，医師に報告・対処する．

	具体策	根拠と注意点
T-P	**(2)活動耐性に応じたADL援助** ①プログラムに沿って必要なADLを介助する ②前屈位姿勢に注意する	●安静保持のよる苦痛除去，緩和をはかる．急性期は絶対安静や集中的治療が必要とされ，他者に身のまわりの世話を委ねていたが，病状が安定してリハビリテーションが開始されると，運動機能障害がないため，ADLを他者に依存することは苦痛となる．その都度，説明してから行う． ●急性期(心筋梗塞発症からおよそ１～２週間以内の期間)は，身体労作に伴うバルサルバ効果を避けることが必要である(バルサルバ効果とは，前屈位姿勢などによって胸腔内圧，腹腔内圧，および脳脊髄圧が上昇し，静脈還流，心拍出量の低下および動脈圧が減少する変化のこと．いきみ)．脳や心臓の血流を低下させ，血圧の急激な変動や循環動態の変化を生じ，再発作の誘因となるため．
	③排便コントロール ④排泄の援助	●緩下剤などで排便をコントロールし，努責をかけず排便できるようにする．排便困難があると努責が強くなり，再発作を誘発するため． ●PCI後１～２日は，排尿は尿道カテーテルを使用，排便はポータブル使用とする．研究では，床上排泄による努責は，ポータブル便器への移動動作よりもエネルギーが必要といわれている．
	(3)精神的援助 ①円滑なコミュニケーションを保つ．リハビリテーション中は患者のペースにあわせ，焦らせない ②性格や生活背景を考慮した環境を整える ③面会時間を調整する ④仕事，家族などへの不必要な心配が生じないように家族の協力を得る	●物的・人的環境を適切に整えることにより，二次的な身体症状出現を予防する．
E-P	**(1)心臓リハビリテーションの必要性について説明する** **(2)リハビリテーション中の注意点について説明し，プログラムに沿って進めることが大切であり，無理をしないことを指導する** **(3)心臓過負荷徴候について説明し，リハビリテーション中にみられたときは伝えるように指導する**	●身体状態をみながら進めていくことを説明し，プログラムが順調に進行しない場合は，その理由を説明し，励ましていく．心臓リハビリテーションは負荷を少しずつかけながら行う．自覚症状，心拍数，血圧，心電図変化をみながら次に進めるか評価する．心機能にあわせて行うため，無理してはいけないことを説明する． ●患者の治療への参加を促し，今後のライフスタイル変更の調整に気づけるようにする．

#3 健康管理(日常生活習慣など)に関する知識が十分でない

	具体策	根拠と注意点
O-P	**(1)疾患，治療に対する関心や理解** ①疾患に対する患者の言動 ②治療に対する患者の言動 ③指導中の様子(表情，質問と内容など) ④入院中の患者の行動 ⑤疾患や治療に対する知識 **(2)再狭窄の誘因や病状の再発を促進する冠危険因子の有無** ・喫煙，飲酒，高塩分の食事，過剰摂取，１日の活動量，体重コントロール，排便コントロール，環境上の寒暖の差 **(3)自己管理が継続できる生活環境かの確認**	●誰でも新しい問題にぶつかったときは，それに関する情報を理解し，自分の生活に適応すれば問題は解決する．しかし，その能力をもっていても学習意欲がない場合や，指示された治療計画を日常に取り込めない場合は，必要な自己管理が行えない．患者の理解力，意欲，性格的要素，ライフスタイルなどをアセスメントする． ●日常生活のなかで再狭窄の誘因を除去し，病状の再発を防止するために，個々の患者の生活習慣における冠危険因子を把握する．

	具体策	根拠と注意点
T-P	**(1)患者個々に応じた指導時間・方法** **(2)指導内容の理解度の確認** ①一方的にならないようにする ②患者自身の言葉で説明を言い換えて述べられるように問いかける **(3)精神的サポート** ①ライフスタイルの修正には時間がかかることを認め，励ます ②入院中の患者の行動を評価し，励まし，支持する	●正しい知識と管理方法により，患者自身が疾患をコントロールできるように援助する．そのためには，生活に密着し，個別性を重視した関わりが重要となる．患者が理解できたかどうかはもちろん，看護師が行った指導の内容が患者に適していたかどうかを繰り返し評価して修正する． ●生活習慣を急に変えることはストレスを蓄積し，自己管理意欲の低下をまねき，管理を放棄してしまう可能性がある．よい行動を認めつつ，個々の患者にあった目標を設定し，意欲を損なわないようにする．
E-P	**(1)疾患の程度，治療内容についての説明** **(2)患者の冠危険因子是正への指導** ・以前のような生活を続けていくことがどのような結果をまねくか説明する（喫煙，脂質異常症，高血圧，糖尿病，肥満，ストレスなど） **(3)日常生活上の注意点の指導** ①食事（標準体重維持を目指した食事制限） ②排泄 ・トイレと室内との室温差をなくすために，ヒーターなどをトイレに設置する（とくに冬期は早朝の排泄時に注意する） ③入浴 ・湯の温度，入浴時間（40℃前後/10分） ・脱衣所と浴室の温度差に注意 ④生活習慣 ・室内外の温度差を少なくする ・起床時に冷たい風にあたらないように，また，冷暖房の温度調節に配慮する ⑤活動 ⑥ストレスコーピング ⑦性生活	●粥状動脈硬化の促進因子を説明し，患者の冠危険因子に対して指導する． ●喫煙は一酸化炭素，ニコチンの影響で血管収縮，血液凝固機能亢進，動脈硬化促進をもたらす．入院中の禁煙が継続できるように指導する． ●日常生活上の注意点は，ライフスタイル上の危険因子は何かを患者自身が気づけることである．ライフスタイルを見直し，患者にとって可能な範囲で，長期にわたって継続できる方法を，ともに考える．ライフスタイルの変更は患者だけでなく家族や職場の協力が必要で，家族も指導の対象となる． ●入院中と自宅での食事の違いを確認し，患者が自分の食生活の問題に気づけるようにする．また，実際に食事をつくる家族も参加できるようにする． ●浴室やトイレなどが寒いと急激な血管収縮をまねく．自宅での入浴環境や方法を確認，指導する． ●蒸し暑いときにも発作は起こりやすいので注意する． ●運動負荷テストやトレッドミル検査の結果から，患者の運動許容量に沿って指導する． ●外出時には発作の発現に備えて常にニトログリセリン舌下錠を携帯する． ●性行為のエネルギー消費量について，一般には実際の負担は早歩きや軽いジョギングよりも少ない．心臓リハビリテーションの実施のなかで，復帰可能かどうかを適宜指導する必要がある．性生活に関する相談は患者からしにくい内容であり，患者が不快な印象をもたないようにする． ●不規則な生活やストレスは，自律神経系への刺激や血液中のコレステロール増加につながりやすい．患者の性格を加味しながら，休息のとり方や対処方法を一緒に考える．
	(4)薬物の管理方法 ①服用している薬物の作用・服用方法 ②継続の必要性 **(5)家族や職場の人々の協力と支援を得る**	●症状がないと，内服を自己判断で中止しやすくなる．患者に服用継続の必要性を説明し，認識できるように指導する．

引用・参考文献

1) 日本循環器学会：急性冠症候群ガイドライン（2018年改訂版）．2019年６月１日更新．http://www.j-circ.or.jp/guideline/pdf/JCS2018_kimura.pdf より2020年８月12日検索
2) 吉田俊子ほか：循環器―成人看護学３．系統看護学講座 専門分野Ⅱ，第15版，医学書院，2019.
3) 医療情報科学研究所編：病気がみえる vol.2 循環器．第４版，メディックメディア，2017.

第２章　循環器疾患患者の看護過程

07 心不全

1. 疾患の基礎的知識

1）疾患の概念

心不全とは，血液を送り出している心臓のポンプ機能が低下することによって，全身の細胞に必要な酸素が届かず，身体が酸素不足になっている状態である．

心臓は，心筋の収縮・拡張によってポンプのように全身に血液を送り出しているが，さまざまな要因で心筋の収縮・拡張機能は障害され，ポンプ機能は低下する．心臓疾患，呼吸器疾患，腎臓疾患，脳血管疾患，内分泌疾患，自己免疫疾患，血液疾患など，全身への酸素供給と血液循環に関係するどのような疾患であっても，心臓のポンプ機能に負担がかかり続けると，最終的には心不全という状態に陥る．心不全患者の平均年齢は70歳代であり，高齢化が進むにつれて患者数は増加傾向にある．

2）原因

心臓のポンプ機能が低下する原因には，①心臓の疾患や機能低下によるもの，②体内の水分量調整や酸素需要に関連する臓器の疾患や機能低下によるもの，③全身への酸素供給不足や酸素需要量の増加に伴う心拍数の増加によるもの，④心理・社会的要因，環境を含む日常生活要因などがある．

(1)心臓の疾患や機能低下

- 心臓のポンプ機能を直接低下させる疾患：虚血性心疾患や心筋炎・心筋症
- 長期的な心筋への負荷をもたらす疾患：高血圧，心臓弁膜症，不整脈など

(2)体内の水分量調整や酸素需要に関連する臓器の疾患や機能低下

- 体内水分量の調節と血圧調節の機能不全をもたらす疾患：慢性腎臓病(CKD：chronic kidney disease)，内分泌疾患など
- 肺循環，酸素運搬の障害をもたらす疾患：慢性閉塞性肺疾患(COPD：chronic obstructive pulmonary disease)，肺炎，喘息など

(3)全身への酸素供給不足や酸素需要量の増加に伴う心拍数の増加

- 全身の代謝と酸素需要量が増加する疾患：甲状腺機能亢進症
- 血液中の運搬酸素量が低下する状態：貧血
- 酸素需要量が増加する疾患：敗血症
- 血液の喪失によって供給酸素量が減少した状態：外傷，身体内外の大出血，手術

(4)心理・社会的要因，環境を含む日常生活要因

- 心理的ストレス，不眠，うつ状態・認知機能の低下
- 過労・身体的ストレス，許容範囲を超えた身体活動
- 社会的要因(退職，家族の病気や介護など)
- 環境要因を含む日常生活要因(猛暑・寒冷などの気候の変動，生活習慣の変化など)

3）病態と臨床症状

心不全の分類と症状

(1)前方障害と後方障害による症状

心不全の症状は，心臓が血液を送り出せなくなることによる症状(前方障害による症状)と，血液が送り出されないので心臓にそれ以上の血液が入れずに滞ることによる症状(後方障害による症状)に分類される．前方障害の症状は，低酸素によって起こり，皮膚の蒼白・冷感，交感神経の興奮による発汗などがある．後方障害の症状は，うっ滞した静脈から血漿成分が組織に滲出することで起こり，浮腫，湿性ラ音，肝うっ血，頸静脈怒張などがある．うっ血性心不全という診断名は，後方障害の症状が強い心不全の状態を表している．

(2)左心不全と右心不全(図07-1)

血液を送り出す心室の，どちら側に機能低下が起こっているかによって，左心不全と右心不全に分類される．それぞれ特徴的な症状が現れる．

①左心不全

左心室に貯留した血液を十分に送り出すことができず，全身への酸素供給が不足する．また，左心室の血液が送り出されていないため，左心房に血液が滞り，左心房に血液を送っている肺循環も滞る（肺うっ血）．左心不全の症状は，起坐呼吸，労作時の呼吸困難などが特徴的で，胸部では湿性ラ音が聴取される．左心不全による肺うっ血が起こると，上昇した左心房圧が肺静脈から毛細血管，肺動脈へと伝播されていくメカニズムにより，肺動脈内圧が上昇する．肺動脈内圧が上昇すると，血液を送り出す右心室にかかる負荷も増大することになるため，右心不全を併発し，両心不全に陥ることも多い．

②右心不全

右心不全は，右心室の収縮力が低下するため，その前にある右心房に血液がうっ滞し，さらに右心房に戻ってくる全身の血液もうっ滞する．主な症状は，全身の静脈血がうっ滞することによって生じる，下腿浮腫，静脈怒張，腹水貯留，肝腫大などである．

急性心不全と慢性心不全

心不全の発症からの時間によって，急性と慢性に分類される．

急性心不全は，心臓の器質的的・機能的な異常によって急速に心臓のポンプ機能が低下した状態で，ショック状態，強い呼吸困難，不穏，疼痛などが生じるため，迅速な治療処置が行われなければ死に至る危険性がある．

慢性心不全は，心臓のポンプ機能が低下し，それを補うための代償機能が続いた結果，悪化して心不全の症状が出現した状態である．自覚症状は，身体活動時の息切れや，易疲労感，食欲低下など，非特異的で個人差がある．高齢者では，見当識障害，せん妄なども心不全の悪化徴候の1つであるため，注意が必要である．

4）検査・診断

(1)バイタルサイン

①血圧：心臓の収縮機能が低下するため，血圧や脈圧は低下する．

②脈拍・呼吸数：心拍出量が低下すると，代償的に脈拍数は増加し，低酸素状態になるため，呼吸数も増加する．

③経皮的酸素飽和度（SpO_2）：全身への酸素供給が不足するため，PaO_2（動脈血酸素分圧）は低下する．動脈血ガス分析値で判断できるが，通常はパルスオキシメーターを用いたSpO_2の値で判断する．

(2)画像検査

①胸部X線検査（**図07-2**）：心筋に負荷がかかることで心臓が拡大するため，胸郭の幅に対する心臓の陰影の割合である心胸郭比（CTR：cardio-thoracic ratio）が上昇する．左心不全によって肺循環が滞ると，肺うっ血像（バタフライシャドウ），胸水貯留像がみられる．

②心臓超音波検査：心拍出量の低下の程度を知るためにEF（ejection fraction：駆出率）またはLVEF（left ventricular ejection fraction：左室駆出率），心筋への負荷やリモデリングの程度を知るために心房・心室の肥大・壁の厚さ，心不全の原因となり得る弁の開閉などをみる．

③冠状動脈造影検査：心筋の虚血につながる冠状動脈

図07-1　左心不全と右心不全

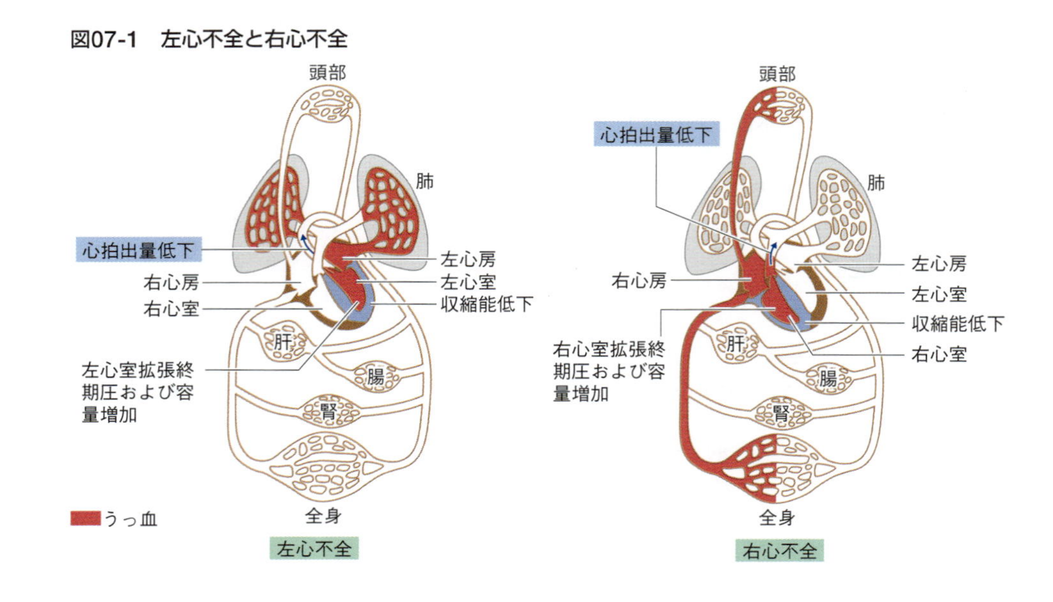

の閉塞程度を知るために，カテーテルを血管に挿入して造影剤を注入し，冠状動脈を造影する．

(3)血液検査

BNP値(brain natriuretic peptides：脳性ナトリウム利尿ペプチド)とは，循環血液量を減らして，少しでも負荷を軽減させるために心臓から分泌される利尿ホルモンであり，心不全の程度を推測できる．BNPが100pg/mL以上が急性心不全と診断される目安である．

(4)心電図検査

心筋の障害，刺激伝導系の異常，電解質の異常などを判断する．

(5)中心静脈圧・肺動脈楔入圧

中心静脈ラインやスワン-ガンツカテーテルが挿入されている場合に測定できる．測定値から心臓のポンプ機能を直接知ることができるが，侵襲的な処置が必要になるため，症状による診断基準やほかの非侵襲的な検査結果などをあわせて判断して治療を進めることも多い．

(6)心臓カテーテル検査

血管からカテーテルを挿入し，大動脈・大静脈・肺動脈などの血管内圧，右心房・右心室・左心室などの内圧の測定，心拍出量の測定，造影による心室の大きさや動きの測定を行う．不整脈の原因を特定するための電気生理学的な検査や，心筋の病変が疑われる場合には，心筋細胞を採取する検査を行うこともある．

(7)症状による重症度分類

①NYHA分類(**表07-1**)：活動に伴う自覚症状や病歴から重症度を分類する．慢性的に経過している心不全の重症度を判断する場合に有用であり，普段の日常生活への影響から，治療内容の変更や生活行動面での具体的指導を行う場合など，広く活用できる．

②Nohria-Stevensonの分類：うっ血(dry-wet)と低還流(cold-warm)の臨床的な所見を組み合わせて，重症度を判断する．出現している症状のみで診断できるため，非侵襲的であり，複数の慢性疾患をもつ高齢者の診断に有用である．

③Forrester分類(**図07-3**)：急性心筋梗塞による急性心不全の程度と予後を予測するために作成された分類であるが，心不全全般の治療方針を決めるのに役立つ．侵襲的に肺動脈圧を測定する必要があることと，加齢による心係数の低下が十分考慮されていないため，すべての患者にそのまま適応できるわけではない．

④フラミンガムのうっ血心不全診断基準(**表07-2**)：臨床的な症状から，うっ血性心不全を診断する．

(8)心不全ステージ分類(図07-4)

心不全のリスク因子と症状，身体機能をあわせてA～Dの進展ステージとして分類し，各ステージで推奨される治療目標を提示しているものである．ステージCはNYHA分類のⅠ度～Ⅳ度，ステージDはNYHA分類のⅢ度，Ⅳ度に該当する．

5) 治療

心臓のポンプ機能を酷使せず，かつ全身主要臓器への酸素供給も不足しないようにすることが，心不全治療の目的となる．心臓に負荷をかけないための治療には，循環血液量を減らす，末梢血管の抵抗を減らす，血圧を下げる，組織の酸素需要量を減らす，不整脈・脈拍数の増加を抑える，血液の酸素濃度を増やす，運動量を制限するなどがあり，これらはすべて同時進行で行われる．

治療は薬物療法が中心となるが，心筋にリモデリング

図07-2　心不全の胸部X線所見

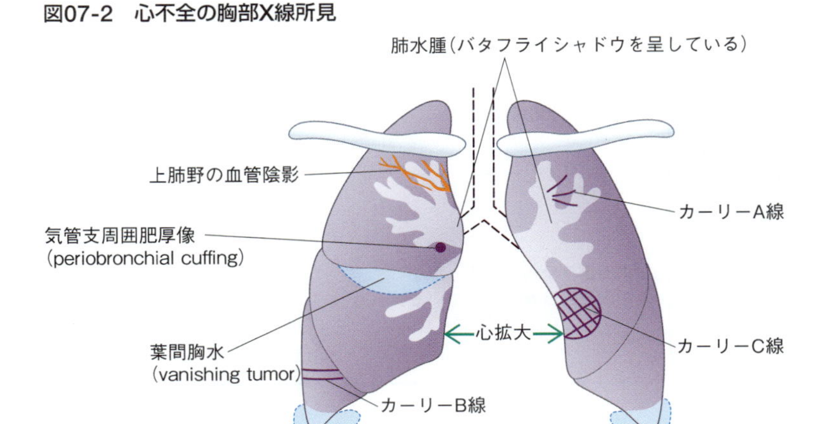

が起こっている場合は，外科的治療も行われる．また，過度な安静による身体活動機能の低下は，心筋の収縮力低下などの直接的な心機能低下につながるだけでなく，ADLに影響を及ぼし，栄養摂取不足，不十分な服薬管理などによって，間接的に心機能低下をもたらすことにもつながるため，心臓リハビリテーション，日常生活維持のためのリハビリテーションも重要になる．

急性の状態を脱した後は，心負荷をかけないような日常生活行動を実施してもらう必要があるため，日常生活上の注意点やセルフモニタリングに関する患者教育も行われる．

(1)薬物療法(図07-5)

①利尿薬：尿の排泄量を増やして循環血液量を減らすことによって，血液を送り出す心臓のポンプ機能へ

表07-1　NYHA(ニューヨーク心臓協会)分類

程度	心疾患と活動制限	症状
Ⅰ度(無症候性)	心疾患はあるが身体活動で症状はない	日常的な身体活動では著しい疲労，動悸，呼吸困難あるいは狭心痛を生じない
Ⅱ度(軽症)	軽度の活動制限が必要だが安静時には無症状	日常的な身体活動で疲労，動悸，呼吸困難あるいは狭心痛を生じる
Ⅲ度(中等度～重症)	高度の活動制限が必要だが安静時には無症状	日常的な身体活動以下の労作で疲労，動悸，呼吸困難あるいは狭心痛を生じる
Ⅳ度(重症・難治性)	心疾患のため，いかなる身体活動も制限される	心不全症状や狭心痛が安静時にも存在する．わずかな労作でこれらの症状は増悪する

※Ⅱs度：身体活動に軽度制限のある場合
　Ⅱm度：身体活動に中等度制限のある場合

表07-2　フラミンガムうっ血性心不全診断基準

大項目	小項目	大項目あるいは小項目
・発作性夜間呼吸困難あるいは起坐呼吸 ・頸静脈怒張 ・ラ音聴取 ・心拡大 ・急性肺水腫 ・Ⅲ音奔馬調律 ・静脈圧上昇＞16cmH_2O ・循環時間≧25秒 ・肝頸静脈逆流	・足の浮腫 ・夜間の咳 ・労作時呼吸困難 ・肝腫大 ・胸水 ・肺活量最大量から1/3低下 ・頻脈(心拍≧120拍/分)	治療に反応して５日で4.5kg以上体重が減少した場合

図07-3　Forrester分類

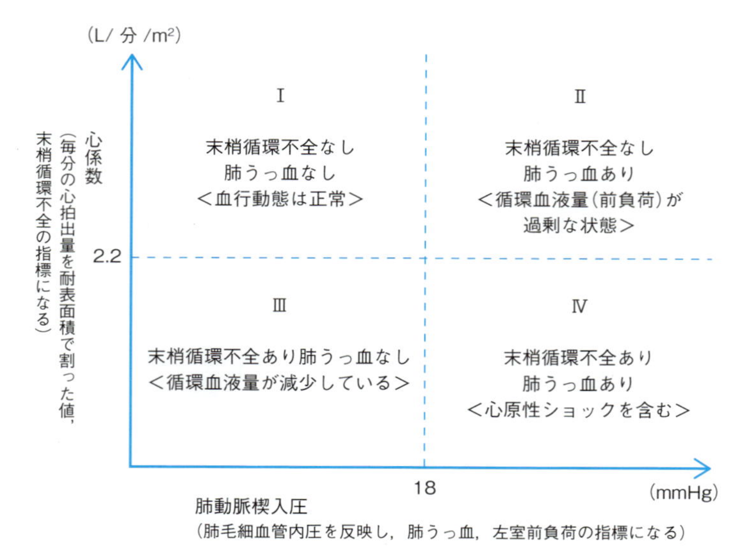

の負荷（前負荷）を減らす目的で，利尿薬が使用される．

②血管拡張薬：静脈系を拡張させる薬物は，静脈還流量を減少させて肺うっ血が改善（前負荷軽減）することを目的とする．動脈系を拡張させる薬物は，血液を送り出すために心筋が収縮するときにかかる負荷（心臓の後負荷）を軽減し，心拍出量を増加させる目的で使用される．ACE阻害薬，アンジオテンシンⅡ受容体拮抗（ARB）薬，カルシウム拮抗薬，PDEⅣ阻害薬，β遮断薬などがある．

③強心薬：心筋の収縮力を上昇させることで心臓のポンプ機能を直接強めるが，心筋には負荷がかかるので，長期間の使用には注意を要する．ジギタリス製剤やカテコラミン，PDE阻害薬などがある．ジギタリス製剤は，血中に蓄積して中毒症状が起こりやすいので，ジギタリス中毒症状の出現に注意する．

④心筋の負担を軽減する薬：心筋の過剰な収縮を抑えて心筋を保護することを期待した交感神経の働きの軽減や，代償的に活性化したホルモンの働きの抑制のために使用する．ARB薬，カルシウム拮抗薬，β遮断薬などであり，血管拡張薬としても使用されている薬物が多い．

⑤原因となる心疾患に対する治療薬：心不全の原因となっている基礎疾患によって選択する．たとえば，心筋梗塞などの虚血性心疾患や心房細動の場合はワルファリン製剤や抗血小板薬，不整脈があれば抗不整脈薬などもあわせて使用される．

(2)酸素療法

全身組織への酸素供給量の不足は心拍数を増加させ，心臓への直接の負荷になるため，酸素吸入によって，血中の酸素濃度を高めることで心臓への負荷を減らす．

(3)運動療法・リハビリテーション

心不全患者に対する運動療法は，運動耐用能の改善，心室の収縮力の改善，心筋リモデリングの進行予防，自律神経機能の改善，不安や抑うつの改善など，さまざまな効果が立証されている．

(4)補助循環・外科的療法

心不全症状が改善せず，生命の危機状況に陥っている場合や，リモデリングによって不可逆的に肥大した心臓の状態を改善するために行う．患者が高齢である場合は，侵襲の程度や生命予後，QOLを考慮しながら，適応を慎重に判断する必要がある．

図07-4　心不全とそのリスクの進展ステージ

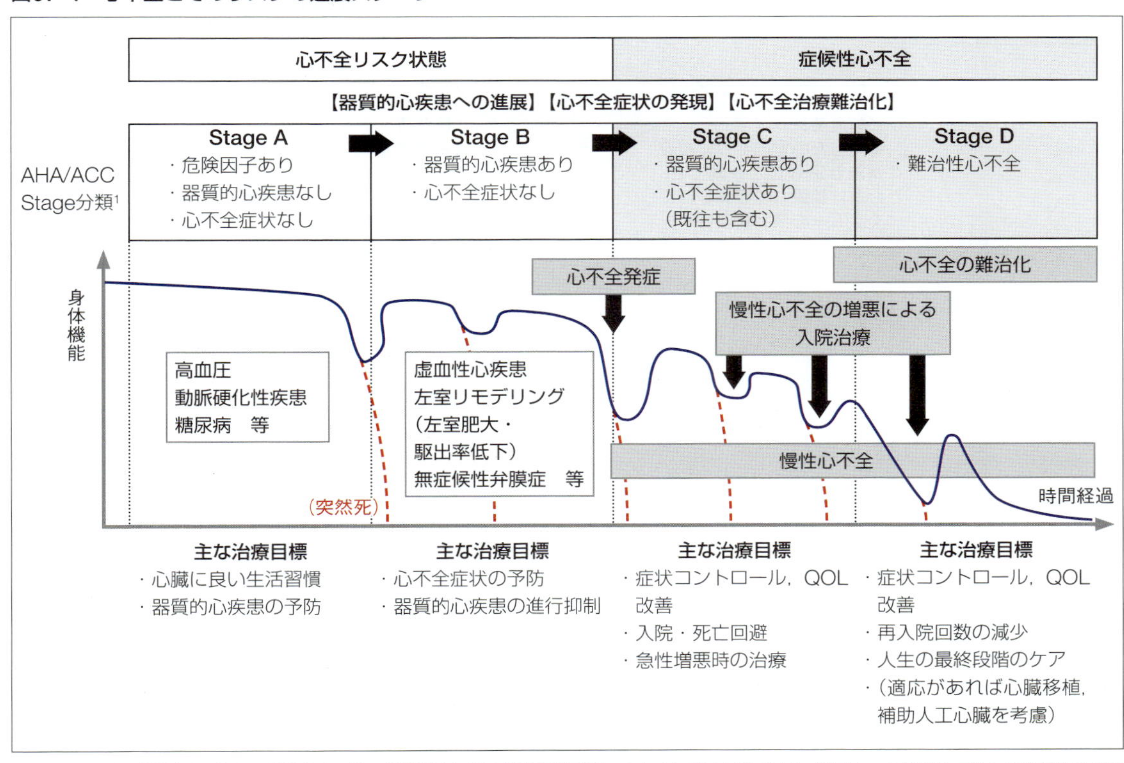

厚生労働省（脳卒中，心臓病その他の循環器病に係る診療提供体制の在り方に関する検討会）：脳卒中，心臓病その他の循環器病に係る診療提供体制の在り方について（平成29年7月）．http://www.mhlw.go.jp/file/05-Shingikai-10901000-Kenkoukyoku-Soumuka/0000173149.pdf より2020年9月28日検索

(5)心負荷を軽減するための患者教育

心不全の原因と悪化徴候，服薬，塩分・水分の適切な摂取，食事，身体活動量，ストレス軽減，セルフモニタリングなどについて，多職種での情報交換を行いながら，協働で患者教育が行われる．

6）予後

心臓のポンプ機能が代償されずに急速に低下すると，主要臓器への酸素供給が断たれて，死に至る．急性心不全で対処が遅れると，低酸素状態が続き，救命後も脳や主要臓器に深刻な障害を残す．心不全の状態によっては，手術などの全身に侵襲が加わる治療が不可能になり，間接的に予後に影響する．慢性心不全の急性増悪が繰り返されると，一般に予後は悪い．心不全全体での5年生存率は50%程度であるが，NYHAレベルがⅢ度～Ⅳ度になるとさらに短くなる．

図07-5　心不全の症状と負荷，治療薬の関係

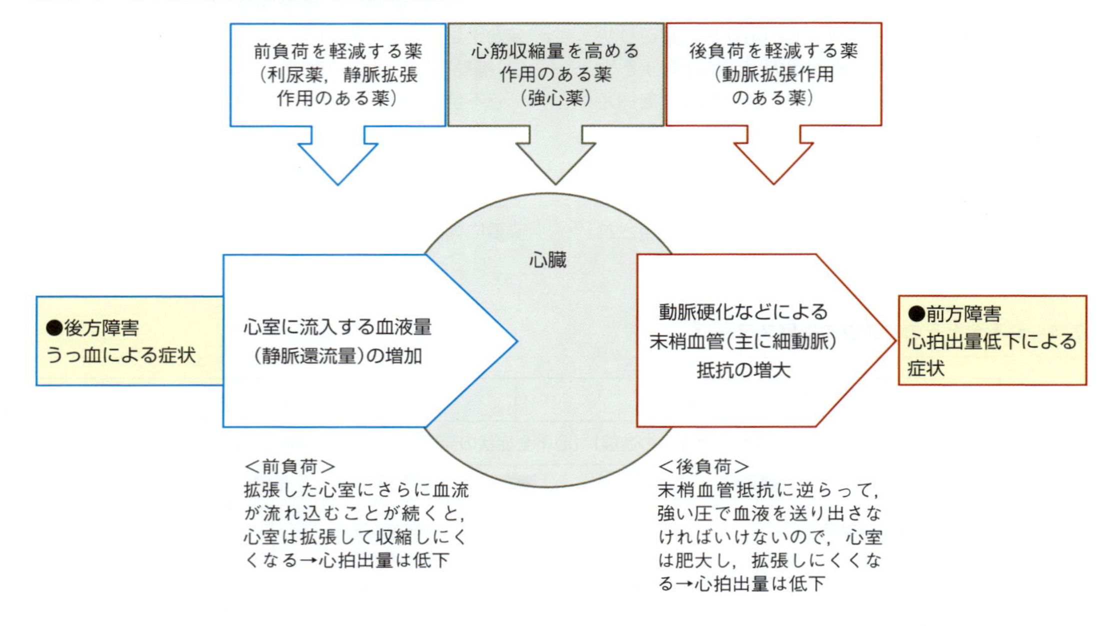

2. 看護過程の展開

アセスメント～ゴードンの機能的健康パターンを用いて

パターン	アセスメントの視点	根拠	収集する情報
(1) 健康知覚-健康管理 患者背景 健康知覚-健康管理 価値-信念	●心不全の原因になるような基礎疾患はあるか ●心不全の悪化につながるような生活習慣はあるか ●定期受診や悪化したときの受診はどのようにしているか ●自己管理能力はどの程度か ●健康状態を把握するためのモニタリング習慣はあるか	●心不全は，心疾患以外の基礎疾患によって発症することも多いため，心疾患以外の既往歴はすべて把握する．症状の増悪は生活習慣に起因することが多く，社会的要因も含めて患者の生活状況を把握することが重要である． ●再発・増悪による入院を繰り返すたびに心機能は低下するため，日頃からセルフモニタリングを行い，悪化徴候を感じたときの受診行動についても聞いておくことで，早期の受診につながる． ●治療を継続していくためには，心機能の程度に応じた自己管理が必要であり，自己管理の内容や意欲，持続可能性についても把握が必要である．	●既往歴 ●生活習慣（飲酒・運動習慣・身体活動量・食事内容・水分・塩分摂取量） ●定期受診の必要性に関する認識 ●心不全による入院回数 ●悪化徴候や受診の目安についての知識 ●セルフモニタリングの習慣（体重，血圧測定，むくみの程度など）
(2) 栄養-代謝 全身状態 栄養-代謝 排泄	●栄養状態は保たれているか ●食事の摂取量は多すぎたり少なすぎたりしないか ●塩分・水分が多くなりがちな食習慣はないか ●栄養バランスはとれているか ●食欲低下を感じていないか	●心不全が増悪すると，腸管浮腫などによる消化器障害が生じて，食欲が低下することもある．また，食欲が少しでも出るように，塩分の濃い加工食品や麺類，果物などを普段よりも多くとることで，塩分・水分の過剰な摂取につながることもある． ●調味料による塩分摂取だけでなく，食品そのものに含まれている塩分が多く，結果として塩分摂取量が多くなる場合もあるため，塩分が多く含まれる食品をとる習慣や傾向がないかを把握することも重要になる．	●栄養状態（身長・体重，BMI，体脂肪率，腹囲，血液検査データ：TP，Alb，Hb，T-Cho，TG） ●食欲の有無・変化 ●食事の内容，習慣 ・塩分摂取量，塩分の多い食品の嗜好 ・食事全体の量，糖質・脂質の摂取量 ●水分摂取量 ・清涼飲料水，お茶，水，ジュースなどをとる頻度や量 ・果物や水分の多い食品の摂取状況
(3) 排泄 全身状態 栄養-代謝 排泄	●腎機能の低下はないか ●尿量は保たれているか ●毎日排便はあるか，便の性状はどうか	●心不全悪化の徴候として，尿量や排尿頻度の把握は重要である． ●便秘やそれに伴う排便時の努責は，血圧を上昇させ，心負荷がかかる．また，高血圧がある場合，降圧薬のなかには副作用として便秘になるものがある． ●心不全の悪化による腸管浮腫によって，下痢や便秘が起こる場合がある．	●腎機能に関する検査データ（eGFR，BUN，Cre） ●尿回数，尿量 ●便秘や下痢の有無
(4) 活動-運動 活動・休息 活動-運動 睡眠-休息	●活動に伴う息切れや動悸，倦怠感などはないか ●現在の心機能の範囲内での運動や身体活動を行えているか ●過剰に身体活動を控えてはいないか ●仕事や家事などで，心負荷がかかってはいないか	●心不全による息切れや倦怠感のような症状は，身体活動の減少につながる．また，普段よりも少ない活動量で症状が出現する場合は，心不全の悪化徴候であると考えられるため，症状の強さや活動との関係，症状を自覚していた時期なども把握する． ●活動量の低下は，活動に必要な筋肉量の減少から逆に心負荷を増加させることにもなるため，意識的に身体活動を行うようにしているかどうかも把握が必要である．	●心機能に関するデータ（左室駆出率，胸部X線，血圧・脈拍，酸素飽和度） ●身体活動に伴う症状の有無，程度，NYHA分類 ●身体活動量，家事・仕事上の身体活動量 ●運動習慣，運動の種類・方法・時間

パターン	アセスメントの視点	根拠	収集する情報
(5) 睡眠-休息 活動・休息 活動-運動 睡眠-休息	●就寝後に呼吸困難や咳嗽などは出現していないか ●過労やストレス，睡眠不足によって心身の休息が不足していないか ●心負荷がかかるような入浴習慣はないか	●心不全が悪化すると，臥床の姿勢で肺うっ血が生じて，咳嗽や呼吸困難につながる． ●睡眠障害や睡眠不足は，交感神経系や視床下部一下垂体一副腎系の活動性を亢進させるため，心負荷がかかる． ●精神的ストレスや過労による交感神経神経の興奮は心負荷につながる． ●入浴の時間やタイミング，湯温，浴室温度によっては，心拍数増加，血圧の急な変動，脱水など，心負荷の要因が多くなる．	●睡眠状態（時間，熟睡感，中途覚醒の有無など） ●発作性夜間呼吸困難の有無 ●いびき，睡眠時無呼吸 ●睡眠薬使用の有無 ●社会生活上のストレスやライフイベント，生活の変化 ●ストレス解消法，リラクゼーションの実施 ●入浴習慣（時間，タイミング，湯温，室温など）
(6) 認知-知覚 知覚・認知 認知-知覚 自己知覚-自己概念 コーピング-ストレス耐性	●加齢や基礎疾患などによる認知機能の低下はないか ●心不全の悪化による，認知力・判断力の低下はないか ●認知力・判断力の低下によって，服薬などの療養行動に影響はないか	●心不全の悪化による全身への酸素供給量の低下は，直接・間接的に認知機能に影響する． ●心不全や基礎疾患の悪化，加齢などの影響で，言語や運動機能，認知機能に障害が生じている場合は，服薬忘れなどの療養行動に影響し，心不全の悪化につながる．	●心不全の原因となる基礎疾患の治療状況や進行の程度 ●現在の心機能・心不全の程度（検査データ，自覚症状） ●心不全症状による身体的苦痛・不快感・不安 ●夜間の症状による睡眠への影響の有無 ●言語障害，四肢の感覚障害，認知力の低下の有無
(7) 自己知覚-自己概念 知覚・認知 認知-知覚 自己知覚-自己概念 コーピング-ストレス耐性	●心不全や悪化時の症状についての認識はあるか ●浮腫，体重増加，活動耐性の低下などについてどのように感じているか ●心不全による活動や食事への影響をどのように捉えているか ●基礎疾患と心不全の関係をどのように理解しているか	●心不全の症状は，息切れや呼吸の苦しさ，倦怠感，食欲の低下など，心臓と直接関係ないように感じられるものも多いため，風邪や胃腸炎，運動不足や過労だと認識している場合もある． ●食欲の低下や活動耐性の低下について，心不全症状ではなく，加齢による全身状態の衰えと感じていると，バランスの悪い食事摂取や無理な身体活動につながったりする． ●基礎疾患の治療やコントロールが，心機能に影響していることを理解できていないと，悪化徴候を見逃し，受診時に正確な症状を伝えられていないこともある．	●心不全症状，悪化症状についての理解 ●心不全症状とボディイメージへの影響 ●基礎疾患の治療やコントロール状況
(8) 役割-関係 周囲の認識・支援体制 役割-関係 セクシュアリティ-生殖	●社会的役割による心身への負荷，ストレスが過剰になっていないか ●家族や周囲の人との人間関係はどうか ●症状や身体の異変を感じたときに，すぐに話したり，協力を得られたりすることができるか ●社会的支援は得られているか	●仕事や家庭での役割によっては，精神的なストレスが多くなっていたり，身体的な疲労が蓄積したりすることで，心負荷が増大することがある． ●周囲の人が，心機能が低下していることについて理解できていないと，療養行動に影響する可能性もある．	●職業，仕事上の役割 ●家庭・地域での役割 ●社会的支援 ●周囲の人，友人，家族とのコミュニケーション

パターン	アセスメントの視点	根拠	収集する情報
(9) セクシュアリティ-生殖 周囲の認識・支援体制 役割-関係 セクシュアリティ-生殖	●性生活のパートナーはいるか ●性生活上の悩みはないか	●とくに男性において性行為は，血圧や心拍の上昇，身体活動量の増加から，心負荷がかかりやすい． ●性生活による心機能への影響が気になっていても，医療者に相談しにくい場合もあるため，日常生活上の注意事項として説明し，相談しやすい状況にする必要もある．	●性生活，パートナーの有無
(10) コーピング-ストレス耐性 知覚・認知 認知-知覚 自己知覚-自己概念 コーピング-ストレス耐性	●仕事や，社会生活上の変化によってストレスが増強したり，慢性的にストレスフルな状況が続いたりしていないか ●コーピングパターンが，心負荷につながってはいないか ●ストレスの蓄積や，増大などを自覚して，対処しようとしているか	●ストレスは，心不全の原因になる心疾患の悪化要因であり，ストレス自体が心負荷にもなる． ●仕事や家庭において，ストレス要因になるような出来事が増えたり，蓄積したりすることで，心不全が増悪することもある．仕事や家庭，社会生活上のトラブルやライフイベントについても聴取することが重要である． ●ストレスコーピングや社会的支援は，ストレス軽減に重要な要因となる．	●ストレスコーピング，社会的支援状況 ●仕事や社会生活上のストレスの有無，程度 ●社会生活上のトラブルやライフイベントの有無
(11) 価値-信念 患者背景 健康知覚-健康管理 価値-信念	●重要な仕事や，対処が必要な物事に対しての向き合い方（完璧主義，自分がやらないと気が済まない，物事を先送りにできないなど）はどうか ●日常生活に関して，心負荷がかからないような日常生活上の注意や療養生活とは相容れない信念や価値観をもっていないか	●心不全の悪化予防には，確実な服薬と定期的な受診，心負荷のかからないような生活上の注意が必要である．仕事や生活上の信念，価値観が，生活上の注意事項を実施するための障害になる場合もあるため，もともとの習慣やその背景にある価値観などをあわせて把握しておく必要がある．また，物事をほどほどにしたり，適度に休息をとったりすることが苦手ではないかなど，仕事や物事への向き合い方を日常の行動や会話のなかから把握しておく．	●仕事や物事に向き合う姿勢 ●食事や運動などの日常生活習慣に関する考え方やこだわりなど ●服薬治療についての考え方

3. 全体像の把握から看護問題を抽出

1）病態関連図

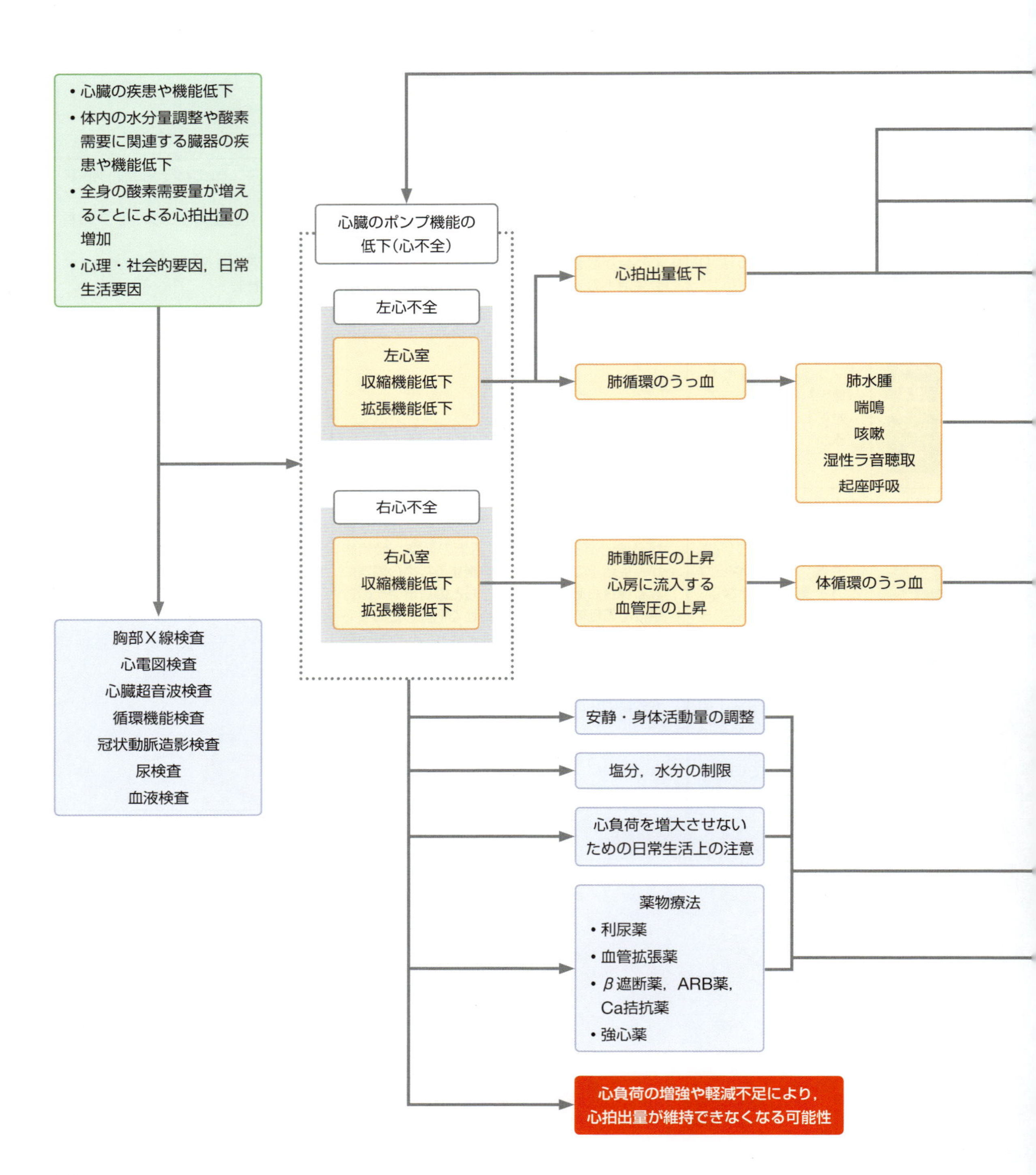

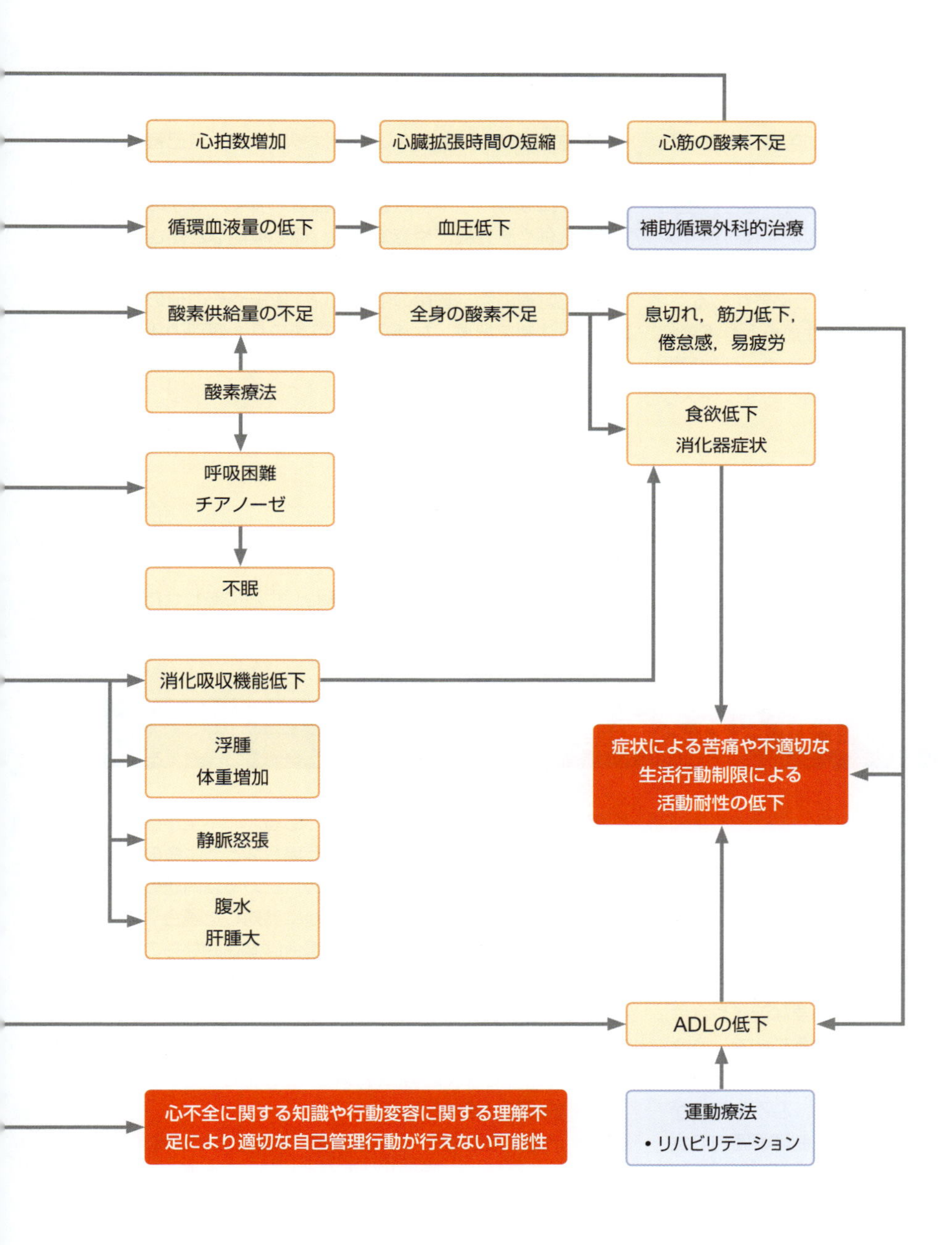

心拍数増加
心臓拡張時間の短縮
心筋の酸素不足
循環血液量の低下
血圧低下
補助循環外科的治療
酸素供給量の不足
全身の酸素不足
息切れ，筋力低下，
倦怠感，易疲労
酸素療法
食欲低下
消化器症状
呼吸困難
チアノーゼ
不眠
消化吸収機能低下
症状による苦痛や不適切な
生活行動制限による
活動耐性の低下
浮腫
体重増加
静脈怒張
腹水
肝腫大
ADLの低下
心不全に関する知識や行動変容に関する理解不
足により適切な自己管理行動が行えない可能性
運動療法
• リハビリテーション

2）看護の方向性

心不全とは，疾患名ではなく心臓が血液を送り出すポンプ機能が低下している状態を示している．心不全になる原因は，虚血性心疾患や心筋症，不整脈，弁膜症などの心疾患以外だけでなく，腎疾患，呼吸器疾患など，多様である．心不全は，急性増悪すると生命に関わるため，迅速な救命処置が必要になる．また，急性期の状態にあるときは，強い呼吸困難や食欲不振，不眠などの身体症状による苦痛，塩分や水分の制限による苦痛，薬物の副作用による身体的苦痛，活動制限による苦痛など，さまざまな身体的苦痛が伴う．一方で，治療によって自覚症状が軽減すると，もとの生活に戻ってしまい，増悪による緊急の入院を繰り返す人も多いため，心臓に負荷がかかる要因を理解し，生活習慣を見直し，継続的に実施してもらう必要がある．

心臓への負担を最小限にする必要性から，心不全症状が強い時期は身体活動が制限されるため，制限範囲内で食事・睡眠・清潔・排泄などの基本的なニーズが満たされるように援助する．身体活動を最小限にすることで，一時的に心臓への負担は軽減されるが，廃用性に全身状態が悪化して機能低下が起こると，逆に心臓への負荷が増すことになる．残存機能を低下させないために，適切な活動量や運動強度を見計らいながら，少しずつ活動量を増やしていく．

服薬，塩分制限，適切な水分摂取の順守，増悪時の症状の自覚や早期受診など，患者および家族が理解して実施しなければならないことは多いので，自己管理能力向上のための教育的援助も，心不全治療にとっては重要になる．心不全患者は高齢者も多く，ほかの疾患の合併や感覚機能や認知機能，運動機能など，さまざまな身体機能が低下している場合もある．患者本人の自己管理能力，普段の生活状況，家族やその他のサポート体制を把握しながら，焦点を絞り，個別の状況にあわせた自己管理内容を厳選して指導する必要がある．

3）患者・家族の目標

- 適切な診断・治療が行われ合併症を起こさずに生命の危機状態を脱する．
- 心不全の症状や治療に伴う心身の苦痛が軽減され，ニードが満たされる．
- 心臓への負担を軽減し，かつ残存能力を低下させないような生活行動を継続できる．
- 必要な自己管理行動を理解し，生活にあわせた方法で実施できる

4. しばしば取り上げられる看護問題

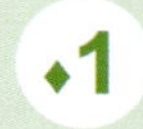 心負荷の増強や軽減不足により，心拍出量が維持できなくなる可能性

なぜ？

心不全の急性期で生命の危機状況にある場合は，迅速な診断・治療が最優先で行われる．不必要な苦痛や合併症が生じずに治療が行われるよう援助することで，心負荷を増大させずに心拍出量を維持させることができる．心臓への負担を最小限にする必要性から，心不全症状が強い時期は身体活動が制限されるため，制限範囲内で食事・睡眠・清潔・排泄などの基本的なニーズが満たされるように援助することも看護の重要な役割である．一つひとつの活動が制限内であっても，続けて行うことで心負荷が増大するので，たとえば食事直後に移動や清潔ケアを行わないなどの配慮も必要である．心不全が急性増悪し，集中治療室での治療を行う場合など，生命の危機を脱することが最優先であるため，この看護問題の優先順位は高くなるが，治療が速やかに奏効した場合や，悪化徴候の段階で早めに受診した場合は潜在的なものとなるため，優先順位は◆2，3のほうが高くなる．

➡期待される結果

- 診断・治療が適切に行われ，合併症を起こさずに心拍出量が維持される．
- 治療や活動制限，心不全症状による苦痛が軽減する．
- 心不全悪化症状が出現することなく，食事・生活・排泄・移動・睡眠などの基本的なニーズが満たされる．

◆2 心不全に関する知識や行動変容に関する理解不足によって適切な自己管理行動が行えない可能性

なぜ？

日常生活のなかで心不全の悪化要因となる事柄は多く，それらは相互に関連している．そのため，自己管理として患者・家族が実施しなければならないことも多くなり，確実に実施していくためには，適切な支援が必要である．また，普段は実施できていても，仕事や社会生活上の特別な出来事や行事，趣味やつきあいの場など，通常とは違う場面に注意事項を応用できず，悪化につながることもある．悪化時の症状には個人差があるため，早期に発見し，受診につなげるためには，セルフモニタリングの継続も不可欠になる．心不全は，増悪による入院を繰り返すたびに心機能が不可逆的に低下していくため，増悪を予防し，早期に受診することは，生命予後にも関わる重要な問題である．急性期の状態を乗り越えた場合，この看護問題の優先度は高くなり，とくに自己管理不足による入退院を繰り返す人の場合は，最優先の問題となる．

➡ 期待される結果

- 心不全の悪化予防に必要な生活上の注意を，根拠も含めて理解できる．
- 心不全悪化時の症状とそのモニタリング方法を理解し，実施できる．
- 心機能に応じた生活行動を理解し，自分の生活にあわせた改善点や継続するための工夫を具体的に考えることができる．

◆3 症状による苦痛や不適切な生活行動制限による活動耐性の低下

なぜ？

心不全は，全身への酸素供給が不足するため，心身の活動に伴う呼吸困難や倦怠感などの強い症状が出現する．そのため，症状の出現や，苦痛・不快感を避けるゆえに，身体活動を必要以上に減らしてしまう場合もある．身体活動を最小限にすることで，一時的に心臓への負担は軽減されるが，廃用性に全身状態が悪化して機能低下が起こると，逆に心臓への負荷が増すことになる．心機能にあわせた適度な活動は，心機能の指標に基づく具体的なアドバイスがなければ実施することは難しい．また，どのような生活や身体活動を行いたいのかということは個人差が大きいため，年齢や社会的な背景要因を含めた個別のアセスメントが重要になる．残存機能を低下させずに，本人の希望する生活が維持できるようにすることは，患者・家族のQOLに影響し，急性期から回復期，慢性期といずれの健康レベルにおいても重要な問題となる．

➡ 期待される結果

- 心臓への負担を軽減し，かつ残存能力を低下させないような生活行動がとれる．
- 心機能に応じた適切な身体活動量を理解でき，本人・家族の希望する生活が維持できる．

5. 看護計画の立案

• O-P：Observation Plan（観察計画）　• T-P：Treatment Plan（治療計画）
• E-P：Education Plan（教育・指導計画）

1 心負荷の増強や軽減不足により，心拍出量が維持できなくなる可能性

	具体策	根拠と注意点
O-P	**(1)バイタルサイン** ・血圧，脈拍，呼吸数，SpO_2 **(2)心不全症状** ①呼吸器症状 ・呼吸数：安静時呼吸数の増加，日常生活動作に呼吸数の増加 ・呼吸困難：労作に伴う呼吸困難，起坐呼吸（身体を起こしていると大丈夫でも，臥床時に呼吸困難が生じていないか），夜間発作性呼吸困難（夜間呼吸困難が生じて眠れない，呼吸困難で目が覚める） ・咳，痰：乾性の咳嗽，泡沫状の淡血性の痰 ・胸部聴診：水泡音（湿性ラ音）の聴取 ・チアノーゼ ②体内水分貯留の程度 ・体重：増加の程度，治療開始後の減少 ・浮腫（下腿，足背，顔面），腹水 ・尿量：尿量の減少，治療開始後の尿量増加の程度 ③循環器症状 ・心拍・脈拍：安静時の脈拍・心拍数の増加，不整脈，薬物療法の副作用による徐脈，足背脈拍の触知・左右差 ・心電図波形：心拍数の増加，減少，不整脈，電解質異常， ・頸静脈：怒張の程度	
	④低酸素による活動エネルギー不足 ・全身倦怠感：なんとなく調子が悪い，風邪をひいたときのような感じ，1日中眠い，動こうと思っても身体が動かない ・易疲労性：食事・排泄・入浴など，日常生活行動後の強い疲労感，検査やリハビリテーション後の疲労感	●呼吸器症状，循環器症状だけでなく，易疲労性や倦怠感などが心不全の症状として出現していることもあるため，食事や清潔援助，移動など，酸素消費量の多くなる活動後の症状などに注意して観察する．
	⑤精神状態 ・活気・活動意欲：抑うつ状態，食欲，リハビリテーションへの意欲 ・せん妄・不穏：夜間の睡眠状態，不穏言動，失見当識，不眠，強い不安，落ち着かない様子 ・認知機能の低下：入院前，前日との比較 ・使用薬物の副作用	●急性心不全や慢性心不全の急性増悪で入院した患者は，抑うつ状態に陥りやすい．また，高齢患者は中枢の低酸素状態および利尿薬の使用による電解質バランスの崩れ，安静による外部刺激の低下などで，せん妄状態や認知機能の低下が起こりやすい．検査データや使用している薬物，食事摂取量とあわせて，精神状態や認知機能を注意して観察する．
	⑥消化器症状 ・食欲不振：摂取量の低下，食事摂取による呼吸困難，塩分制限の影響 ・悪心・嘔吐，便秘，下痢	

	具体策	根拠と注意点
O-P	**(3)検査データ** ・循環動態に関するデータ（心拍出量，右心房圧，肺動脈楔入圧など） ・胸部X線像（心胸郭比（CTR）の増大，胸水貯留，バタフライシャドウ） ・心電図（12誘導心電図，モニター心電図：不整脈，異常波形の有無） ・血液検査データ（WBC, Hb, 電解質, 腎機能・肝機能など）	●基礎疾患の状態，心不全の程度を把握して，予測できる悪化徴候を見逃さず，救命のための緊急処置の必要性も判断する必要がある．
T-P	**(1)バイタルサインの異常，症状出現時の早期対処**	●重症心不全は症状の進展が早いため，異常の徴候を察知したら迅速に対処する．
	(2)身体的苦痛の緩和	●心不全は，急性増悪すると呼吸困難や食欲不振，不眠などの身体症状による苦痛，塩分や水分の制限による苦痛，薬物の副作用による身体的苦痛，活動制限による苦痛など，さまざまな苦痛が生じる．
	(3)心負荷が最小限になるように，日常生活援助を行う ・体位の工夫（起坐位，半坐位，安楽枕の使用など） ・睡眠，休息の援助（体位，保温，寝具，睡眠薬使用など） ・室内の環境調整（温度，湿度，換気，照明，医療機器などの騒音） ・排泄の援助（床上排泄，排便コントロール） ・清潔援助（全身清拭，頭髪，口腔，陰部の清潔）	●心不全症状が強い時期は，心負荷を最小限にするために身体活動が制限される．制限範囲内で食事・睡眠・清潔・排泄などの基本的なニーズが満たされるように援助する．一つひとつの活動が制限内であっても，続けて行うことで心負荷が増大することがあるので，たとえば食事直後の清潔ケアなど，連続しないように援助計画を立てる必要がある． ●患者が高齢の場合，急性期の治療環境でせん妄になることもある．曜日や時間などの感覚が失われないような適度な刺激や変化を工夫しながらも，安心して休養できるように，騒音や人の出入りなどの刺激が過剰にならないようにする必要もあり，病床環境への配慮も重要になる．
	(4)心機能にあわせて段階的に身体活動を増やす	●バイタルサインや循環動態のデータ，自覚症状などをみながら，少しずつ日常生活動作や活動範囲を拡大していく．過剰な活動制限にならないように，自力で行うことを増やしていくようにする．
	(5)二次感染・障害の予防 ・呼吸器，尿路感染の予防 ・深部静脈血栓症の予防	●肺うっ血や誤嚥による肺炎，膀胱留置カテーテルによる尿路感染，安静による深部静脈血栓などが生じやすいため，予防のための援助が必要である．
	(6)患者・家族への精神的サポート	●症状の確認や治療処置時以外にも，こまめにコミュニケーションをとり，現状が把握できるようにする． ●患者や家族は，不安や疑問を感じていても，自分から声をかけにくかったり，どのように何を聞いていいかわからなかったりすることも多いので，表出しやすいようにこちらから声をかける． ●日常生活援助を行いながら，現在の状態と今後の見通しがわかるように説明する．
E-P	**(1)安静の必要性と具体的な目安を説明する** **(2)現在の心臓の状態，心機能について説明する** **(3)服用している薬物の種類と服薬の必要性を説明する** **(4)適切な食事・水分・塩分摂取について説明する** **(5)適切な身体活動量と運動の必要性を説明する**	●教育的な援助は，症状が軽減して退院が近くなってから始めるのではなく，症状が続いている時期から開始することが重要である．医療処置や身体的援助を行う際，あるいは安静の必要性を説明する際に，心負荷と関連づけて説明することは現状理解を促進する．

◆2 心不全に関する知識や行動変容に関する理解不足によって適切な自己管理行動が行えない可能性

	具体策	根拠と注意点
O-P	(1)心不全の基本的知識の有無 (2)悪化時の症状，増悪要因とその予防方法についての理解度 (3)食事療法，運動療法，薬物療法についての理解度	●自己管理についての教育的支援を行う際に，これまでの経験も踏まえて説明内容の理解度などを確認しておく必要がある．
	(4)自己管理の必要性の認識と意欲 (5)服薬や定期受診，増悪時の相談や定期外の受診状況 (6)生活上の注意事項や制限の実施程度	●入退院を繰り返していても，必ずしも生活上の注意点を守れていないというわけではないため，どのように注意し，実施していたのかを話してもらうようにする．なるべく実際の生活状況を詳しく把握していくと，増悪につながるような要因が抽出できる．
	(7)自己管理に影響する心理・社会的要因 (8)社会的サポート	●心不全の自己管理は，患者自身が注意しているだけでは実施や継続が難しい場合もある．さまざまな心理・社会的要因によって，自己管理行動が妨げられていなかったかも把握する必要がある．
T-P	(1)自己管理について実施可能な方法を一緒に考えることを提案する	
	(2)自己効力感を高める	●急性増悪を繰り返していたとしても，実施できている療養行動や，継続的に注意していること，実施しているセルフモニタリングなど，これまでできていたことを承認・称賛することによって，自己効力感が高まり，退院後の自己管理行動への動機づけになる．
	(3)不安やストレスを軽減する	
E-P	(1)心不全の原因・病態・症状，重症度に関する説明	
	(2)心不全の悪化要因，悪化徴候についての説明	●心不全は，悪化徴候を感じたら早期に受診することが重症化の予防につながるため，異常を感じたら早期に受診することを患者や家族にすすめる．しかし，悪化時の身体症状や感じ方には個人差が大きく，悪化要因も多いため，自覚している症状を受診が必要な状態と解釈できない場合も多いので，なるべく具体的な例を示しながら説明する． ●日常生活における心不全の悪化要因は，感染症・過労やストレス・服薬の不徹底・基礎疾患の悪化など，多様である．とくに冬季には，インフルエンザやノロウィルスなどの感染症が流行するため，予防接種，手洗い，寝室の適切な加湿などに注意してもらう．風邪やインフルエンザが流行しやすい時期は，咳や息切れ，倦怠感などが，風邪症状なのか，心不全悪化による症状なのか区別しにくいため，呼吸器症状が出現したら必ず受診するように指導することが重要である．過労やストレスの要因の把握には，個々の生活状況を知る必要がある．患者にとっての優先度・重要度を理解したうえで，負荷を減らすための具体的な方法を指導する．

	具体策	根拠と注意点
E-P	(3)薬物療法，食事療法(塩分制限，脂質・糖質制限，水分，果物，嗜好品の適切な摂取など)，運動療法，日常生活上の注意点についての説明	●塩分は，調理の過程で使用されてすでに含まれている場合や，加工食品には多く含まれていることがある．食事全体の塩分を減らそうとすると，「味が薄くておいしくない」「食欲が出ない」と感じるような食事内容になることも多く，食事のおいしさを損なわずに制限の範囲内の塩分量に抑えることは容易ではない．患者が高齢の場合，漬け物，梅干し，干物，みそ汁など，塩分の多い食事を好む人も多い．なるべく，食習慣を大きく変えずに，妥協可能な範囲を本人に一緒に考えてもらい，実行につなげる．食欲が低下して摂取量そのものが減ると，栄養状態が低下し，感染症，貧血など，心臓への負担増加の要因になるため，食事摂取量を減らさないことも意識してもらう． ●水分摂取に関しては，習慣に個人差があるので，お茶を飲む習慣，飲酒の習慣，水分量の多い果物の摂取量や頻度などを確認し，服薬時に必要な水分量も考慮し，適切な水分摂取が可能なのかを具体的に示すことが大切である．
	(4)セルフモニタリングの方法と必要性についての説明：血圧，体重，浮腫の有無，水分摂取量など	●とくに下肢の浮腫や体重は，数値に現れることと，目にみえることや触ってわかることから，心不全の悪化徴候を察知するための有効なモニタリング指標になるため，実施のタイミングや生活のなかで継続しやすい方法や記録，実施の意義などをわかりやすく説明する．
	(5)ストレス要因とストレス軽減の必要性についての説明 (6)(1)～(5)について家族やパートナー，日常生活の支援者にも説明する	●患者とともに生活している人や，生活の支援を行っている人は，悪化徴候など，患者の異変に最も早く気づくことができる．どのような点に注意して見守ってほしいかを具体的に伝えておく．

引用・参考文献

1) 日本循環器学会/日本心不全学会合同ガイドライン：急性・慢性心不全診療ガイドライン（2017年改訂版）https://www.j-circ.or.jp/cms/wp-content/uploads/2017/06/JCS2017_tsutsui_h_190830.pdf より2020年９月28日検索
2) 大八木秀和：まるごと図解 循環器疾患．照林社，2013.
3) 村川裕二監：新・病態生理できった内科学１ 循環器疾患．第２版，医学教育出版社，2009.
4) 長山雅俊ほか編：循環器臨床サピア４ 心臓リハビリテーション 実践マニュアル―評価・処方・患者指導．中山書店，2010.

08 心室中隔欠損症(患児)

1. 疾患の基礎的知識

1）疾患の概念

先天性心疾患は，出生児のおよそ100人に１人発症するといわれている．その病型は多岐にわたるが，心室中隔欠損症(VSD：ventricular septal defect)は頻度が最も多く，過半数を占める[1)]．

病態は，心臓の左右心室を隔てる心室中隔での先天的な欠損孔の存在で，その欠損孔の大きさ，位置，合併する心臓の構造や血管の異常，肺血管抵抗により，治療方法が決定される．欠損孔が大きいと，左室から右室を経て肺動脈へと流れる血液量が多くなるため，肺血流が増加して左房・左室の容量負荷となり，心不全症状を引き起こす．容量負荷が増大した状態が持続すると，収縮しきれなくなり，駆出分画(EF：ejection fraction)が低下するので，その前に手術を行う[2)]．

肺血流が増加すると，肺動脈圧が上昇して肺高血圧となり，次第に肺血管の内膜の肥厚が始まって，肺血管抵抗は上昇する．この状態が持続すると，肺血管の中膜も肥厚し，肺血管の閉塞性病変が完成して，血液は肺を流れにくくなる．その結果，右左短絡(シャント)となってチアノーゼが生じるようになり，これをアイゼンメンジャー(Eisenmenger)化という．進行の速さは個人差が大きいが，アイゼンメンジャーの状態で欠損孔を閉鎖する手術を行うと，術後急性期に右心不全のために亡くなる可能性があるため，手術の前に正確に適応を判断する必要がある．

小欠損の場合は，５歳頃までに約半数が自然閉鎖するといわれており，経過を観察する[3)]．しかし，欠損孔の位置によって，大動脈弁逸脱から大動脈の変形・閉鎖不全を認める場合は，手術の適応となる．また，心室中隔欠損は感染性心内膜炎の高リスク群とされ，予防が必要であり[5)]，感染性心内膜炎を反復する場合も手術が考慮される．

2）原因

先天性心疾患全体の成因は，遺伝子異常や染色体異常などの遺伝要因によるものが約13%，風疹や母体の全身病，薬剤など，ある種の催奇形因子や環境要因によるものが２%で，約85%は成因不明の多因子遺伝といわれている[4)]．

心室中隔欠損症は，22q11.2欠失症候群，ダウン(Down)症候群などの，染色体異常症候群に合併する頻度が多い先天性心疾患のひとつといわれているが[4)]，一般的には原因は不明とされている．

3）病態と臨床症状

心室中隔欠損の血行動態は**図08-1**の通りであり，欠損孔を通じて動脈血が左室から右室に流れ込み，肺血流が増加する．欠損孔の位置によって分類される．分類法としてKirklin分類，Sotoらの分類がある(**表08-1**，**図08-2**)．

欠損孔の大きさが，大動脈弁輪径と同等かそれ以上(大欠損)，または大動脈弁輪径の1/2程度(中欠損)では，肺血流増加によって多呼吸や体重増加不良が生じる．まれに，肺血流増加が重度の場合，ホワイトスペル(white spell)またはPHクライシス(PH crisis)とよばれ，啼泣後に蒼白あるいはチアノーゼになる循環不全発作を起こすことがあり[6)]，長引くと心室性頻拍，心室細動となって，生命に関わる．

大動脈弁輪径の1/3以下(小欠損)の場合は，心雑音を認めるのみで無症状である．

4）検査・診断

心室中隔欠損症についての検査と診断過程は以下の通りである.

(1)胸部X線検査

中欠損以上では，左室・左房は拡大して肺血管陰影の増強を認め，肺高血圧に応じて主肺動脈が突出する．重症になると右房・右室も拡大し，肺野は気腫状となり，無気肺を認める場合もある．小欠損では正常である.

(2)心電図

左室容量負荷によって，高いR波および深いＱ波といった左室肥大所見，肺高血圧を伴う場合はV_1誘導の陽性Ｔ波を認める．小欠損では心電図も正常である.

(3)心臓超音波検査

最も診断的価値の高い検査である.

欠損孔の場所，大きさ，短絡の方向，中隔と大動脈の整列の有無，右室・肺動脈圧の測定，容量負荷の程度（左室拡大，左房拡大，肺動脈拡張），膜性中隔瘤の有無，大動脈弁逸脱の有無と程度，大動脈閉鎖不全の有無と程度，僧房弁閉鎖不全などの合併症の有無を判定できる．カラードプラー法を使用することにより，多発性心室中隔欠損，とくに筋性部欠損の抽出も可能である.

(4)心臓カテーテル検査

肺体血流比，肺血管抵抗の測定が必要な場合や，大動脈弁の変形が問題となる例，ほかの合併症が疑われる場合に行う.

心内各部位の酸素飽和度と血圧を測定し，肺体血流比（Q_p/Q_s），短絡率，肺血管抵抗（R_p）が算出できる．肺高血圧を認めず，$Q_p/Q_s > 1.5$かつ左室拡大がみられる場合は手術治療を考慮する．また，肺高血圧を認める場

図08-1　心室中隔欠損症の血行動態

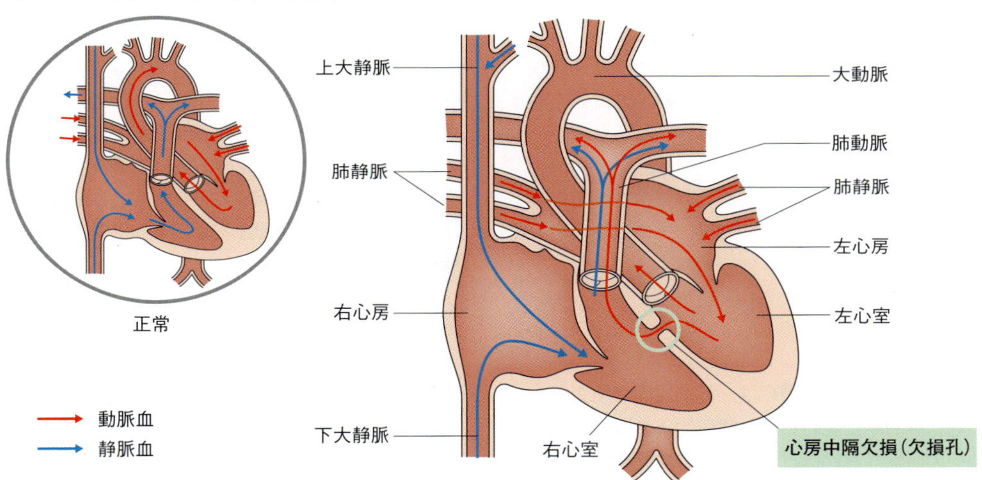

表08-1　心室中隔欠損の分類

Kirklin分類		Soto分類	
Ⅰ型	漏斗（円錐部）部	1	漏斗部
Ⅱ型	膜様部	2	膜性周囲部
Ⅲ型	流入部（共通房室弁口）		
Ⅳ型	筋性部	3	筋性中隔 流入部 肉柱部 流出部

図08-2　右室側からみた心室中隔とSoto分類

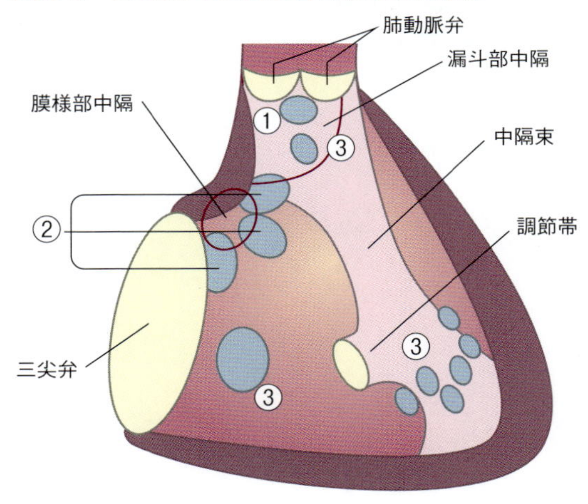

合は，一酸化窒素（NO）・酸素・エポプロステノール負荷で，肺動脈の可逆性を評価し，手術適応を決定する．

(5)冠動脈造影コンピュータ断層撮影（CT：Computed Tomography）検査，心臓磁気共鳴像（MRI: Magnetic Resonance Imaging）検査，肺血流シンチ

成人患者では，手術の前に冠動脈の評価のために造影CT検査を行う．また，MRI検査は，欠損孔の数や形態のほか，肺体血流比の評価，左室・右室の容積や機能評価するために実施する場合がある．肺血流シンチは，肺高血圧症を合併した場合に，慢性血栓性肺高血圧症の除外などのために実施することがある[8]．

5）治療

小欠損は，原則として手術適応はない．感染性心内膜炎の予防を，本人と家族に説明し，経過観察を続ける．しかし，大動脈弁逸脱から大動脈弁の変形や閉鎖不全を認める場合は手術適応となる．また，感染性心内膜炎を繰り返す場合も手術を検討する．

中欠損以上で，多呼吸，哺乳障害，体重増加不良，気道感染の反復などがあれば，まず利尿薬（フロセミドおよびスピロノラクトン）の内服を開始する．RSウイルス感染症などの気道感染をきっかけに呼吸循環不全に陥る場合もあるため，流行期のパリビズマブ投与と予防接種をすすめ，呼吸器感染症の重症化予防に努める．なお，パリビズマブは，RSウイルス感染症の重症化リスクがある患児の重症化抑制を目的として，早産児や気管支肺異形成症，先天性疾患などに使用されている．

欠損孔の自然閉鎖傾向がみられなければ，中欠損以上は手術が必要であり，利尿薬の内服で心不全が改善しない場合や肺高血圧が合併する乳幼児は，手術を急ぐ必要がある．

手術は，胸骨正中切開で人工心肺を使用し，心停止下に開心，パッチ閉鎖術または直接閉鎖術を行う．体重2kg以上あれば比較的安全に手術ができるとされており，2kg以下ではまず肺動脈絞扼術を行い，時期をみて閉鎖術を行う場合もある[2]．近年では，無輸血での手術や小切開による手術も安全に行えるようになってきた．海外では経皮的カテーテルによる閉鎖術も行われているが，術後完全房室ブロックの発生が報告されており，日本ではまだ実施されていない．

手術後の経過は，術前の肺血流増加の程度によって左右される．肺血流が多かった新生児や乳児は，術後24時間以内に気管内吸引などの刺激によって，肺高血圧症（PH）クライシスを起こす可能性がある．刺激の直後に急激に肺動脈圧が上昇し，循環が破綻して心停止に至る場合もあるので注意が必要となる．また，術前に肺うっ血や呼吸器感染症を起こしていると，術後に気道分泌物が多く，しばしば無気肺を起こし，長期の呼吸管理が必要となる場合もある．

6）予後

中欠損以上の心室中隔欠損症は，乳幼児期に閉鎖術を施行し，適切な時期に施行された症例の予後は良好である．閉鎖術の時期が遅いほど，遠隔期の左室機能不全や心室性不整脈の合併が多く，適切な時期での閉鎖手術の施行が重要となる．アイゼンメンジャー化した場合は，成人期に低酸素血症が進行し，心不全のほか，肺出血，腎障害，脳梗塞など，全身合併症を引き起こし，予後は不良となる．

小欠損で閉鎖術が不要の場合も，小児期は無症状でも成人期に体血管抵抗の上昇などによる短絡血流の増加や，大動脈弁逆流，左室機能不全などの後期合併症を起こすこともあり[7]，定期的な観察の継続が必要といわれている．

心室中隔欠損症手術による死亡率は0.3%と，心房中隔欠損症に次いで低いと報告されている[9]．

2. 看護過程の展開(手術前)

● アセスメント～ゴードンの機能的健康パターンを用いて

パターン	アセスメントの視点	根拠	収集する情報
(1) 健康知覚-健康管理 患者背景 健康知覚-健康管理 価値-信念	●養育者が患児の健康状態をどのように知覚し，管理しているか ●健康管理において，患児の身体的発育や社会生理機能，基本的生活習慣の獲得の段階，成長発達促進に影響する因子は何か	●乳幼児期の，欠損孔が大きく，肺血流増加によって左心不全を悪化させる可能性がある心室中隔欠損症の患児では，手術前の在宅療養において，家族による適切な内服や栄養管理，感染予防などの療養行動が，症状悪化を抑え，適したタイミングでの手術治療を可能にする． ●治療経過のなかでも，患児の成長発達を促すような関わりを継続する．	●妊娠経過 ●出生時の状況 ●定期健康診査の結果 ●成長発達の経過 ●基本的生活習慣の獲得状況 ●予防接種の実施状況 ●小児感染症の罹患の有無 ●既往歴 ●アレルギーの有無 ●現病歴 ●内服の有無と実施状況 ●家族の疾患や治療に対する認識 ●患児本人の健康や身体に関する認知と行動 ●家族の健康状態と管理 ●家族の喫煙の有無 ●家族の育児および経済状態
(2) 栄養-代謝 全身状態 栄養-代謝 排泄	●生命維持や成長発達に必要な栄養や水分が保たれているか	●肺血流増加による呼吸不全や左心不全，呼吸器感染症による呼吸および心不全の悪化は，哺乳力を低下させ，必要な栄養と水分量の摂取を妨げる．	●身長・体重とその経過 ●カウプ指数，標準偏差 ●皮膚や爪の状態・顔色 ●歯の成長，虫歯の有無 ●栄養摂取状態：母乳・人工乳の量および回数，かかる時間，離乳食の内容・量・回数 ●嗜好・偏食の有無 ●食行動の自立の程度と用具 ●水分摂取状態 ●血液検査データ
(3) 排泄 全身状態 栄養-代謝 排泄	●腎機能および消化機能が保たれているか ●排泄行動は年齢に応じて発達しているか	●肺血流の増加，呼吸器感染による呼吸不全，利尿薬の不十分な内服などによって，心不全が悪化する．また，哺乳力が低下して脱水となる可能性がある．利尿薬内服や心不全によって便秘も引き起こされる．また，トイレットトレーニングなど，排泄の自立に向けて，継続して支援する必要がある．	●排尿の状況 ・回数，量，色 ・夜尿の有無 ●排便の状況 ・回数，性状，いきみの有無 ●緩下剤や浣腸使用の有無 ●腹部の状態 ・張り，腸蠕動音 ●排泄の自立と習慣 ●水分出納 ●体重の変化

パターン	アセスメントの視点	根拠	収集する情報
(4) 活動-運動 活動・休息 活動-運動 睡眠-休息	●呼吸，循環機能および活動や意欲関心が保たれているか ●病状や治療，処置をどのように認識しているか	●心室中隔欠損によって肺血流が増加すると，左心負荷となり，悪化すると呼吸不全，循環不全となる．呼吸循環状態，遊びや活動の状況に変化が生じる． ●治療への協力が得られ，入院中でも成長発達が促されるよう，入院生活に取り入れる工夫が必要である．	●精神運動機能の発達 ●好きな遊び，お気に入りのもの ●１日の過ごし方 ●保育園・幼稚園通園の有無 ●日常生活習慣の自立：衣服の着脱，清潔行動 ●現在の過ごし方，活気 ●呼吸循環状態：呼吸パターン，回数，酸素飽和度，心拍数，血圧，四肢冷感 ●家族の疾患および治療の理解と思い ●家族による入院および治療についての本人への説明
(5) 睡眠-休息 活動・休息 活動-運動 睡眠-休息	●呼吸状態や心不全症状が，睡眠や休息を阻害していないか ●循環動態安定のために鎮静薬を要する場合，効果的な安静保持の方法は何か	●呼吸不全が悪化すると，長時間持続しての入眠が困難となる．また，哺乳力低下や不機嫌により，夜泣きや日中の不機嫌，午睡が生じる． ●啼泣によって循環状態が悪化する場合は，睡眠習慣を把握して，鎮静薬の使用などによって落ち着かせ，入眠を促す必要がある．	●睡眠パターン：起床・就寝時刻，夜泣き，午睡の有無 ●睡眠習慣 ・入眠にかかせないお気に入りのもの・儀式 ・家族の睡眠導入方法 ●鎮静薬使用の有無 ●睡眠中の体勢，体動，覚醒の有無
(6) 認知-知覚 知覚・認知 認知-知覚 自己知覚-自己概念 コーピング-ストレス耐性	●感覚器および認知，思考の発達段階はどうか	●呼吸不全や心不全による不快な症状，内服採血，点滴などの痛みを伴う処置，検査や手術による不慣れな環境など，手術前は多くの不快な刺激と制限を受ける．これらについて，本人の認知発達段階に応じた説明をする． ●疾患や治療は家族の理解，発達に応じた本人の理解が不可欠である．	●感覚器の発達：視覚，聴覚，嗅覚，触覚 ●コミュニケーションの状況 ・言語発達，理解の様子 ・気持ちの表現方法 ●認知発達 ・不快な刺激への反応 ・家族に対する反応 ●性格
(7) 自己知覚-自己概念 知覚・認知 認知-知覚 自己知覚-自己概念 コーピング-ストレス耐性	●自己と他者をどのように認識しているか ●自分をどう捉えているか	●乳幼児では，自己の概念についての把握は難しいが，家族の本人への関わり方は自己知覚に影響すると考えられる． ●学童以降では，ボディイメージも含めて自己についての表現が可能となる．	●自己についての表現 ●ボディイメージに関する表現 ●家族の本人への関わり方

パターン	アセスメントの視点	根拠	収集する情報
(8) 役割-関係 周囲の認識・支援体制 役割-関係 セクシュアリティ-生殖	●自宅療養や入院治療により，家族や周囲との関係および役割，家族内の変化はあるか	●入院生活による家族との分離による影響や通院や面会により家族も影響を受ける学童以降では友人との関係の変化などが生じる．	●家族構成と関係 ●家族との分離による反応 ●入院および治療による家族内の変化 ●友人との関係の変化
(9) セクシュアリティ-生殖 周囲の認識・支援体制 役割-関係 セクシュアリティ-生殖	●生殖器の発達および性別の意識，関心はどうか	●生殖器の発達，性の意識の発達への支援が必要である．	●性別 ●生殖に関する既往：性染色体異常，生殖器の問題 ●性別および性への意識，関心
(10) コーピング-ストレス耐性 知覚・認知 認知-知覚 自己知覚-自己概念 コーピング-ストレス耐性	●ストレス状況への反応と対処方法，ストレス耐性，自己コントロールの状況はどうか	●症状，検査や治療と，それに関わる家族や医療者の反応が，本人にとってストレスとなることもある．	●ストレスとなるものと反応：痛み，怒りや不安への反応 ●ストレスの自己コントロールの状況 ●ストレス状況への家族の対応
(11) 価値-信念 患者背景 健康知覚-健康管理 価値-信念	●日常行動や療養行動，治療の基盤となる価値，信念は何か	●本人および家族の意思決定や治療の選択を考える際に，価値観，信念，宗教などがよりどころとなる．	●本人または家族の生活や行動に関する価値観，信念，宗教 ●本人または家族の大事にしたいこと，目標

3. 全体像の把握から看護問題を抽出（手術前）

1）病態関連図

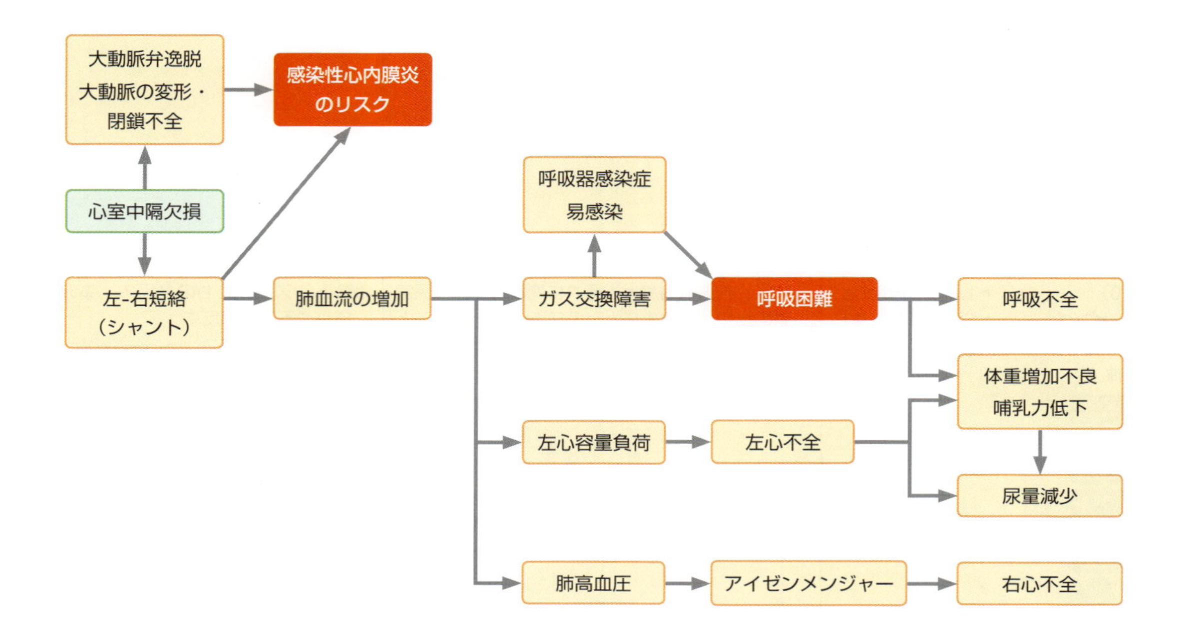

2）看護の方向性

心室中隔欠損症は，欠損孔の大きさと位置によって手術治療が必要となる．とくに欠損孔が大きい場合，左右シャントによって肺血流が増加し，左室の容量負荷から左心不全状態となり，呼吸困難や哺乳力低下，体重増加不良を生じ，患児の不機嫌が続く．しかし，手術治療のためには，摂取方法の工夫などによって，栄養摂取を維持し，脱水を予防して全身状態を整える必要がある．

また，肺うっ血による気道分泌物の増加は呼吸器感染症にかかりやすくなり，罹患すると呼吸不全循環不全を引き起こし，予定した手術の延期や緊急手術となる場合があるため，呼吸器感染症の予防は重要である．このような経過は乳幼児に多く，苦痛な症状や痛みを伴う処置，入院による環境の変化などに対処できるよう，発達段階に応じた説明や対処を支援し，療養生活のなかでも成長発達を促す関わりが必要となる．

そして，心臓の手術が必要な疾患であり，症状や思いを十分な言葉で表現できない乳幼児の家族は不安が大きく，保護的に関わりがちとなる．疾患や治療を十分理解して意思決定し，本人とともに前向きに療養生活に取り組めるような支援が重要となる．

3）患者・家族の目標

・呼吸不全を引き起こすことなく予定した手術治療が受けられる．

・前向きな安定した気持ちで手術に臨む．

4. しばしば取り上げられる看護問題(手術前)

◆1 左心不全による体重増加不良

なぜ？

大きな欠損孔の心室中隔欠損では，肺血流が増加し，左心不全状態になると哺乳力が低下し，体重増加が不良となる．呼吸仕事量の増加や呼吸困難は，１回の哺乳量の減少にも影響する

手術侵襲からの回復や創の治癒，感染予防のためには，栄養摂取によって全身状態を整える必要がある．左心不全による症状であるが，摂取方法の工夫や，経口摂取が困難であれば経管栄養を医師と相談するなど，外科的治療を進めるために重要な問題であると認識し，対処を優先する．

➡期待される結果

体重増加がある．

◆2 呼吸困難および環境の変化による不機嫌

なぜ？

呼吸困難および哺乳量が十分とれずに満足できない，継続した睡眠がとれない，などにより，患児の不機嫌が持続する．また，採血などの苦痛を伴う検査や処置，不慣れな環境も不機嫌を助長する．

肺うっ血による呼吸困難は，手術治療を終えないと消失しないが，適切な与薬，体位の工夫，栄養や睡眠確保への援助などにより，軽減することはできる．苦痛な検査や不慣れな環境などストレス状況への対処を助け，不機嫌を緩和する必要がある．

➡期待される結果

笑顔で遊ぶ時間がある．
持続した睡眠がとれる．

◆3 心不全状態および手術治療に対する家族の不安

なぜ？

呼吸困難や哺乳力不良という苦痛な症状，心臓の疾患であり手術治療が必要であることについて，家族は大きな不安を感じる．

家族の不安の軽減は本人の安定につながり，乳幼児であれば家族が代理意思決定をするための重要な問題であるが，苦痛ある症状の緩和への対応がまず優先される．

➡期待される結果

家族が前向きな気持ちで手術治療に臨む.

5. 看護計画の立案(手術前)

- O-P：Observation Plan(観察計画)
- T-P：Treatment Plan(治療計画)
- E-P：Education Plan(教育・指導計画)

1 左心不全による体重増加不良

	具体策	根拠と注意点
O-P	**(1)体重(栄養状態)** ・尿量，水分出納，体重 ・哺乳量，回数，哺乳時間，離乳食の量 **(2)心不全の状態** ・心拍数，血圧，心音 ・呼吸数，呼吸パターン，呼吸音，酸素飽和度 ・顔色，全身色，末梢冷感の有無 ・哺乳後の発汗，疲労感，多呼吸，頻脈 ・排便回数，性状，腹部膨満の有無 ・肝腫大，発汗，浮腫の有無 ・活気，機嫌 ・睡眠時間と継続の状態 ・検査データ(胸部X線，心電図，心エコー所見，採血，血液ガス) ・治療薬の内容	●循環状態および呼吸状態とその変化を評価する. ●乳幼児は言葉で病状を表現できないため，循環と呼吸の指標を観察する. ●体重の変化，排尿の間隔と量，水分出納を，排便や発汗とあわせて観察する. ●哺乳による負荷の程度を把握する. ●普段の活気や機嫌と比べて情報を得る. ●体調がいいときの生活パターンと比べて観察する. ●心不全の程度，内服薬の効果・副作用の有無を把握する.
T-P	**(1)哺乳量を増やす工夫** ・1回量を減らし，回数を増やして哺乳する．呼吸困難や疲労感が強く，必要量が飲めない場合は，医師に報告する ・摂取可能水分量は指示による ・哺乳後は上体挙上または抱っこ ・離乳食は食べるようなら継続する **(2)心不全のコントロール(悪化防止)** ・排便が1日ない，腹部膨満がある場合は，指示に従って浣腸またはガス抜きを施行 ・安静時，ファウラー位を保つ ・不機嫌で入眠困難なときは，好みの用具や行動を試し，長引く場合は指示の鎮静薬または睡眠薬を使用する ・尿量減少時，医師に報告する	●1回哺乳量を少なくし，回数を増やすことで1日摂取量を増やす. ●哺乳の疲労によって呼吸困難を悪化させる場合があるので，必要時医師と相談する. ●哺乳後，胃部膨満によって横隔膜が挙上し，呼吸困難を悪化させる場合がある. ●便の貯留も横隔膜を挙上させるため，腹部の観察と処置は重要である. ●啼泣は末梢循環不全となって心負荷を与えるため，長引く場合は薬物の使用を検討する.
E-P	●1日水分量(哺乳量)は指示内となるよう配分を考え，与えるよう家族に説明する ●哺乳によって疲労や呼吸困難が増強する場合は，休みながら哺乳し，1回量を減らすよう家族に説明する	●家族の協力と理解を促す.

2 呼吸困難および環境の変化による不機嫌

	具体策	根拠と注意点
O-P	**(1)機嫌** ●表情，活気，会話 ●哺乳・食事の量と回数 ●機嫌，遊びの様子 ●睡眠 **(2)機嫌に関連する要因** ●呼吸回数，呼吸パターン，呼吸音，酸素飽和度 ●咳，痰，喘鳴の有無，痰の色・性状 ●家族の関わり方 ●痛みのある処置への反応 ●医療者への反応，表情	●肺血流の増加によって左心不全となり，肺うっ血から呼吸状態が悪化し，気道分泌物も増加する． ●乳幼児が多く，言葉で表現できないため，観察によって症状を把握する． ●呼吸困難が悪化すると経口摂取量が減少し，遊びや睡眠にも影響する． ●心理的な安定に家族の関わりが重要である．
T-P	●安楽な体位の工夫 ●哺乳や離乳食は，摂取量や疲労の程度をみながら１回量を減らし，回数を増やす ●好きなおもちゃや物，好む遊び，明るく楽しそうな環境や声かけなど，安心できる環境を工夫する ●家族の協力を得る ●痛みのある処置は手早く実施できるよう準備・介助し，苦痛な状態が長引かないようにする ●清潔援助(入浴，殿部浴，清拭)は手早く行い，疲労を最小限にする	●体格と発達段階にあった安楽な体位を工夫する． ●栄養摂取の確保は，全身状態の維持と発達に重要であるが，呼吸困難のために１回量が多く摂取できない． ●小児が安心できる環境の工夫と，遊びによるストレス対処ができる援助が必要である． ●避けられない苦痛ある処置は，医師とも相談し，できるだけ短時間で行う． ●肺炎や感染症を予防し，新たな苦痛を増やさないために清潔援助は重要だが，疲労を避ける．
E-P	●症状を引き起こす病態や経過の見通しを医師の説明にあわせて説明する ●環境が小児に与える影響を家族に説明する	●不機嫌や呼吸困難に対する家族の不安を軽減し，落ち着いて対処できるよう説明する． ●本人への対応へ協力を得る．

2. 看護過程の展開(手術後)

● アセスメント～ゴードンの機能的健康パターンを用いて

パターン	アセスメントの視点	根拠	収集する情報
(1) 健康知覚-健康管理 患者背景 健康知覚-健康管理 価値-信念	●養育者が，術後の患児の健康状態をどのように知覚し，管理しているか ●健康管理において，患児の身体的発育や社会生理機能，基本的生活習慣の獲得の段階，成長発達促進に影響する因子は何か	●心室中隔欠損症の心内修復術は，術後急性期に，後出血，心不全，不整脈，呼吸器および創・カテーテル留置による感染症のリスクがある．大動脈遮断による心筋虚血の影響，術前の心室過膨張，術後の急激な前負荷減少，短絡消失による後負荷の増加などによって，低心拍出量症候群(LOS)に陥る可能性がある．そして，心房切開による心房性不整脈，パッチ縫縮による房室ブロック，心筋虚血による心室性期外収縮が出現する可能性がある．そのため，術直後は慎重な全身管理を要する．また，術前に気道分泌物が増加しており，術後に呼吸器合併症を起こすリスクは高い． ●術後急性期から自宅療養に向けて，家族が経過を理解し，本人も主体的に療養行動が行えるようになる．	●妊娠経過 ●出生時の状況 ●定期健康診査の結果 ●成長発達の経過 ●基本的生活習慣の獲得状況 ●予防接種の実施状況 ●小児感染症の罹患の有無 ●既往歴 ●アレルギーの有無 ●現病歴 ●内服の有無と実施状況 ●家族の疾患や治療に対する認識 ●患児本人の健康や身体に関する認知と行動 ●家族の健康状態と管理 ●家族の喫煙の有無 ●家族の育児および経済状態
(2) 栄養-代謝 全身状態 栄養-代謝 排泄	●術後，生命維持や成長発達に必要な栄養や水分が保たれているか	●手術による疼痛，倦怠感，腸蠕動の低下，薬剤の影響による悪心，活動性の低下やストレスなどにより，食欲や水分摂取量が低下する．乳幼児は必要性を理解して摂取する認知発達段階にないが，栄養および水分摂取は循環を維持し，手術侵襲からの回復には必須である．	●体重とその経過 ●皮膚や顔色 ●腹部膨満，腸蠕動音，排便・排ガスの有無 ●疼痛の部位・程度と鎮痛薬の使用状況 ●栄養摂取状態 ・むせの有無 ・母乳・人工乳の量および回数，かかる時間，離乳食の内容・量・回数 ●嗜好・偏食の有無 ●水分摂取状態 ●血液検査データ
(3) 排泄 全身状態 栄養-代謝 排泄	●腎機能および消化機能が保たれているか	●術後，循環不全から腎不全に陥る可能性がある．また，麻酔の影響や活動性の低下により，腸蠕動が低下，利尿薬の影響もあって便秘になりやすい． ●術後の回復にあわせて排泄の自立を継続して支援する必要がある．	●排尿の状況 ・回数，量，色 ・夜尿の有無 ●排便の状況：回数，性状，いきみの有無 ●緩下剤や浣腸使用の有無 ●腹部の状態：張り，腸蠕動音 ●排泄の自立と習慣 ●水分出納 ●体重の変化
(4) 活動-運動 活動・休息 活動-運動 睡眠-休息	●呼吸，循環機能および運動する意欲と活気が回復してきているか	●術後，倦怠感や疼痛によって活動意欲が低下する．点滴やドレーンなどのルート留置も行動を制限する．活動量の減少は呼吸器合併症の要因となり，腸蠕動および心機能回復のリハビリテーションの阻害要因となる． ●リハビリテーションを進め，回復を促すためには本人の意欲や関わり方が必要である．	●呼吸循環状態：呼吸パターン，回数，酸素飽和度，心拍数，血圧，四肢冷感 ●創治癒の状態 ●活気，遊びの内容 ●好きな遊び，お気に入りのもの ●現在の1日の過ごし方 ●家族の関わり方

パターン	アセスメントの視点	根拠	収集する情報
(5) **睡眠-休息** 活動・休息 活動-運動 睡眠-休息	●手術の侵襲や処置により，睡眠や休息を阻害していないか	●手術の影響により，睡眠パターンは変化する．さまざまなストレスや治療に必要な点滴などによる疼痛によって，睡眠や休息を妨げる場合もある．	●睡眠パターン：起床・就寝時刻，夜泣き，午睡の有無 ●睡眠中の体勢，体動，覚醒の有無 ●点滴やドレーンの固定による疼痛，皮膚障害の有無

パターン						アセスメントの視点	根拠	収集する情報
(6) **認知-知覚** 知覚・認知 認知-知覚 自己知覚-自己概念 コーピング-ストレス耐性	**(7)** **自己知覚-自己概念** 知覚・認知 認知-知覚 自己知覚-自己概念 コーピング-ストレス耐性	**(8)** **役割-関係** 周囲の認識・支援体制 役割-関係 セクシュアリティ-生殖	**(9)** **セクシュアリティ-生殖** 周囲の認識・支援体制 役割-関係 セクシュアリティ-生殖	**(10)** **コーピング-ストレス耐性** 知覚・認知 認知-知覚 自己知覚-自己概念 コーピング-ストレス耐性	**(11)** **価値-信念** 患者背景 健康知覚-健康管理 価値-信念	**(6)-(11) 手術前**：に同じ(p.142～143)		

3. 全体像の把握から看護問題を抽出(手術後)

1）病態関連図

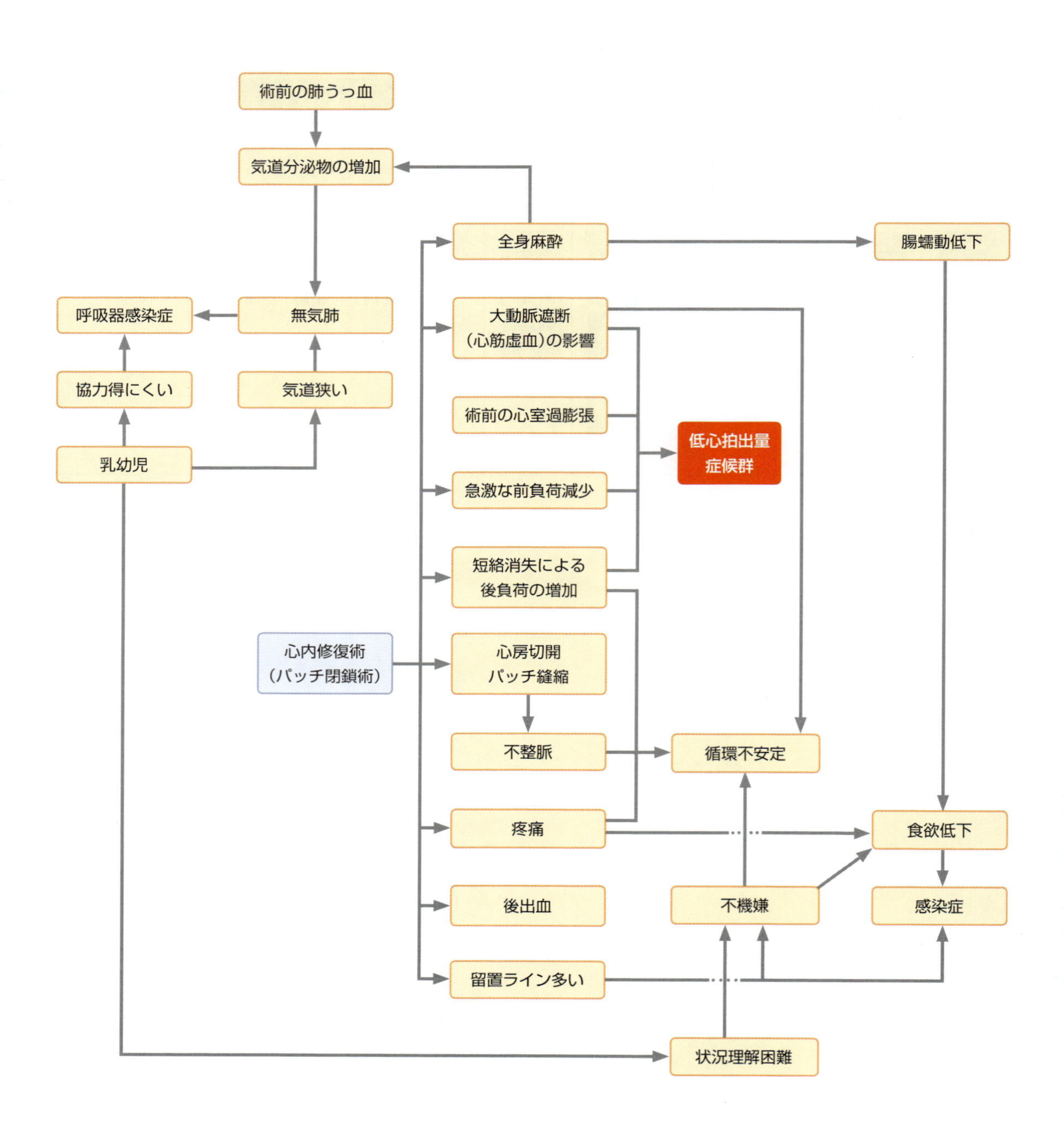

2）看護の方向性

心室中隔欠損症のパッチ閉鎖術直後の急性期は，開心術の影響による低心拍出症候群（LOS），不整脈，呼吸器合併症などの可能性があるため，集中管理を要し，十分な観察と水分出納の評価，点滴やドレーンなどのライン管理により，合併症を予防する必要がある．また，創部の疼痛や倦怠感，食欲低下など，苦痛が多くある．疼痛管理や観察によって苦痛を最低限とし，発達段階にあわせてストレス対処ができ，食欲や活動意欲が増加して回復を促すよう支援する必要がある．不快な症状や処置による苦痛，不慣れな環境による不安が生じやすく，処置の必要性や経過の見通しを理解できない年齢であることが多いため，受ける処置について発達段階に応じた説明や気分転換，家族の協力により，できるだけ前向きに受け止められるような援助が重要となる．

年少の小児では成人患者とは異なり，計画的な心臓リハビリテーションではなく，本人の回復にあわせて，日常生活と遊びのなかで行動を拡大することが，リハビリテーションとなる．体調の観察，感染予防と栄養水分管理，内服など，必要な療養行動を家族が理解し，退院後も順調に回復できるような援助が必要とされる．

3）患者・家族の目標

・創痛および処置や検査の苦痛が速やかに軽減する．
・合併症の徴候がみられない．
・退院後に必要な療養行動がわかる．

4. しばしば取り上げられる看護問題（手術後）

心内修復術の影響による循環不安定

なぜ？

心室中隔欠損症のパッチ閉鎖術後は，大動脈遮断（心筋虚血）の影響，術前の心室過膨張，術後の急激な前負荷減少，短絡消失による後負荷の増加などによって，低心拍出量症候群（LOS）に陥る可能性がある．また，全身麻酔から覚醒し，啼泣や不機嫌，疼痛による前負荷の増加や発熱，咳嗽，体動なども循環動態に影響し，合併する不整脈も循環を不安定にする．

術前に肺高血圧であった場合，周手術期に吸引の刺激などで肺高血圧発作（PHクリーゼ）を起こし，急激な循環不全に陥る可能性がある．

術後早期に対応が必要とされる問題であり，疼痛，発熱，不安，体動など，全身を観察し，発達段階と個々の経過にあった対処を要するため，優先度は高い．

➡期待される結果

バイタルサインが標準値で安定し，急な体重増加がない．

術前の肺うっ血や麻酔の影響による呼吸器合併症の危険性がある

なぜ？

術前の肺うっ血や，麻酔および気管内挿管の刺激に伴う気道分泌物の増加により，無気肺を生じやすく，痰の排出が十分できないと術後肺炎となり，呼吸不全をきたす．重篤な呼吸不全は，容易に循環不全も引き起こし，挿管による呼吸管理が長引いて，本人の苦痛が続くことになる．乳幼児では喀痰に協力を得にくい．

手術を要するような大きな心室中隔欠損症の術後には，可能性が高い合併症であり，多くが呼吸不全から循環不全に陥るため，優先的に考える．

➡期待される結果

呼吸器合併症を起こさない．

◆3 手術による疼痛および不機嫌や活気の低下

なぜ？

心室中隔欠損症のパッチ閉鎖術は，胸骨を切開して行われる．術後1か月ほどは体動時に胸骨の痛みがあるため，鎮痛対策が必要となる．また，体液や電解質バランスの変化，手術の侵襲などによって倦怠感が生じ，言葉で症状を表現できない年齢の乳幼児では，不機嫌や活気の低下が続く．これは不慣れな環境や処置のストレスにも助長される．

疼痛は優先して解決すべき問題であるが，疼痛の自覚には個人差がある．また，循環や呼吸器の合併症予防の対処により，日々軽減することが期待される問題でもある．

➡期待される結果

苦痛表情が持続せず笑顔で遊ぶようになる．

麻酔および手術の侵襲による食欲低下

なぜ？

全身麻酔による気分不快や，気管挿管の刺激による咽頭痛，気道分泌物増加による呼吸困難，電解質バランスの変化による倦怠感，腸蠕動低下による腹部膨満と悪心，環境や疼痛によるストレスなどが影響し，食欲が低下する．食事をとる必要性を理解して摂取する成人患者とは異なり，乳幼児は哺乳や水分摂取量が低下し，食事も進まない場合が多くある．経口摂取量が十分とれないと，創傷治癒を遅らせ，活気が出ないために離床が進まず，術後合併症のリスクが高まる．

術後の食欲低下は避けられない問題であるが，経過観察によって数日で回復する場合もある．麻酔および気管挿管の刺激の程度，本人の感じるストレスなどに影響される．

➡期待される結果

術前と同程度の哺乳および食事量が摂取できる．

◆5 手術創およびライン留置による感染症の危険性がある

なぜ？

開心術の術後は，複数の点滴，創部ドレーン，尿留置カテーテルなど，多くのラインが留置され，創保護される．小児（とくに乳児）の皮膚は薄く脆弱で，炎症や剥離などを起こしやすく，皮膚障害およびライン固定や創保護の不十分さは，感染症のリスクを高める．

食事量の回復の時期や呼吸循環合併症の有無により，ライン留置の期間が決まり，感染症のリスクの程度にも影響する．

➡期待される結果

創部およびラインに関連した感染症に罹患しない．

退院後の療養生活についての家族の不安

なぜ？

術後の創部や，本人の不機嫌さや活気のなさなど，手術の侵襲の大きさに，多くの家族は不安を感じる．体調が回復することによって不安は軽減するが，退院後は，内服や栄養管理，感染予防，創の保護や体調の観察，遊びや外出などの活動において，必要な療養行動と観察を行う必要がある．生活についての漠然とした不安が生じることがある．

入院経験や家族のパーソナリティ，本人の回復の程度により，退院後の療養生活に対する家族の不安の程度が決まる．

➡期待される結果

退院後の生活について不明な点がない．

5. 看護計画の立案(手術後)

• O-P：Observation Plan(観察計画)　• T-P：Treatment Plan(治療計画)
• E-P：Education Plan(教育・指導計画)

1 心内修復術の影響による循環不安定

	具体策	根拠と注意点
O-P	●患児の状態の観察 ・血圧，心拍数，心電図の調律と波形 ・中心静脈圧(CVP)値 ・尿量，水分バランス ・末梢冷感の有無，中枢温と末梢温の差 ・顔色，全身色 ・浮腫の程度，肝腫大，発汗の有無 ・意識レベル，活気，機嫌 ・呼吸数，呼吸パターン，呼吸音 ・気道吸引前後の酸素飽和度，心拍，血圧，呼吸音の変化 ・創部ドレーンからの排液量と性状 ・検査データ(胸部X線，心電図，採血，血液ガス，心エコー)	●パッチ閉鎖術は，大動脈遮断時間が短いがLOSを起こす可能性はあり，適切に対処するために十分な観察が必要である． ●膜様部欠損では，手術操作によって房室ブロックを起こす可能性がある．不整脈に注意してモニタリングを継続する． ●麻酔からの覚醒状況と，覚醒による循環動態への影響の有無を把握する． ●術前に肺高血圧があった場合は，吸引による肺高血圧クリーゼの有無を観察する． ●創出血の程度を把握する． ●呼吸器合併症，不整脈，貧血や電解質異常の有無，呼吸状態の評価，心機能の回復や遺残シャントの有無を把握する．
T-P	●バイタルサインが安定してドレーンからの出血が減少したら医師と相談し，ベッドアップや体位交換 ●覚醒したら，おしゃぶり，タッチング，声かけ，DVDなど，好みのもので安心できるような関わり ●ラインの確実な固定と皮膚障害予防 ●ドレーンを適宜ミルキング ●四肢末梢保温 ●体温上昇を抑制 ●指示内の水分・食事 ●確実な与薬	●循環動態が安定するまでは頭部挙上はせず安静保持が必要だが，後出血がなく循環が安定したら，創周囲の排液を促し，呼吸を助けるようベッドアップや体位交換を進める． ●不安による啼泣は，末梢循環を悪化させて前負荷となるため，できるだけ安心して過ごせるような関わりが必要である． ●乳幼児は皮膚が薄く脆弱であり，術後の浮腫がある皮膚は容易に皮膚障害を生じる．ラインの不十分な固定とともに疼痛による前負荷となる． ●発熱は末梢血管を開いて血圧を下げ，エネルギーを消費させる． ●後負荷を防ぐために水分制限を守る必要がある．
E-P	●状態，治療および経過の見通しについて，医師からの説明の理解にあわせ，わかりやすく説明する ●啼泣や不機嫌な様子が続く場合，看護師に連絡するよう家族に話す ●水分制限および必要量，食事内容，行動範囲について説明する	●経過を見守る家族が安心できるよう説明する． ●啼泣の持続は心負荷になるため，原因を一緒に考える必要がある． ●水分や食事の摂取，活動など，家族が主体的に療養に参加できるよう，必要な行動を説明する．

2 術前の肺うっ血や麻酔の影響による呼吸器合併症の危険性がある

	具体策	根拠と注意点
O-P	●患児の状態の観察 ・呼吸回数，呼吸パターン，呼吸音，酸素飽和度，血液ガス値 ・気管口腔内分泌物の量・性状 ・咳嗽の有無と強さ ・人工呼吸器設定 ・血圧，心拍，体温 ・顔色，全身色 ・末梢冷感・発汗の有無	●呼吸の状態，痰の貯留，肺高血圧による気道攣縮の有無を把握する． ●分泌物の量と性状を把握し，感染の有無を予測して対応する． ●痰の自己喀出ができているか評価する． ●循環状態，感染の有無を評価する．

	具体策	根拠と注意点
O-P	・苦痛表情，活気，体動 ・水分バランス ・腹部膨満・排便の有無 ・検査結果（胸部X線，採血）	●疼痛は，代謝を亢進させて呼吸数を増やす．浅い呼吸となって本人の苦痛も増強する． ●便やガスの貯留による腹部膨満は，呼吸を浅く速迫させる．
T-P	●人工呼吸器・酸素療法の管理 ●指示の範囲でベッドアップ，体位交換 ●安楽な体位の工夫 ●指示の吸入・水分摂取 ●深い呼吸の促し（可能であれば覚醒，坐位で上肢を使った遊び，深呼吸の促し） ●喀痰を促す（声をかけて喀痰，吸引） ●必要時，鎮痛薬の使用 ●腹部膨満がある場合はガス抜き，排便処置，腹部マッサージ ●感染予防標準予防策および皮膚口腔の清潔援助に留意する	●ベッドアップや体位交換は横隔膜を下げ，呼吸筋のリハビリテーションとなり，体位ドレナージによって排痰を促す． ●無気肺を生じると，感染から肺炎となりやすいため，無気肺を予防する． ●発達段階にあった方法を計画する． ●空気の飲み込みや便秘による腹部膨満が生じやすい． ●身体の清潔を保ち，標準予防策によって院内感染を予防する．
E-P	●幼児以上で人工呼吸管理でなければ，深呼吸や喀痰方法を説明する ●家族に，患児の状態と治療，経過の見通しを，医師の説明にあわせてわかりやすく説明する	●幼児以上になると，説明によって協力が得られる． ●家族に，見通しも含めて説明し，不安の軽減をはかるとともに協力を得る．

引用・参考文献

1) 中澤誠編：先天性心疾患．新 目でみる循環器病シリーズ13，p.12～16，メジカルビュー社，2005.
2) 藤原直：小児心臓血管外科手術．p.51～71，中外医学社，2011.
3) 中本祐樹：心室中隔欠損．小児科診療，81.Suppl：327～329，2018.
4) 中澤誠編：先天性心疾患．新 目でみる循環器病シリーズ13，p.17～33，メジカルビュー社，2005.
5) 日本循環器学会：感染性心内膜炎の予防と治療に関するガイドライン．p.59～66．http://www.j-circ.or.jp/guideline/pdf/JCS2017_nakatani_h.pdf より2020年８月13日検索
6) 中本祐樹：心室中隔欠損．小児科診療，p.327～329，2018.
7) 丹羽公一郎編：成人先天性心疾患．p.112～121，メジカルビュー社，2015.
8) 日本循環器学会：成人先天性心疾患診療ガイドライン．p.69～71．http://www.j-circ.or.jp/guideline/pdf/JCS2017_ichida_h.pdf より2020年８月13日検索
9) 平田康隆ほか：先天性心疾患手術．日本心臓血管外科学会雑誌，48(1)：１～５，2019.
10) 浅野みどりほか編：発達段階からみた小児看護過程＋病態関連図．第３版，p.198～216，医学書院，2017.
11) 茎津智子編：発達段階を考えたアセスメントにもとづく小児看護過程．p.9～24，医歯薬出版，2012.

第２章　循環器疾患患者の看護過程

09 大動脈解離

1. 疾患の基礎的知識

1）疾患の概念

大動脈の内膜に亀裂が生じて血液が中膜に流入し，血管が真空と偽腔の２重構造になった状態を大動脈解離という．通常，急性に発症し，大動脈壁の破綻や内腔の閉塞した場所により，さまざまな症状を呈する．50〜70歳での発症が多い．

2）原因

大動脈解離の発生メカニズムは不明な点が多いが，高血圧が重要な因子となる．また，高齢者では動脈硬化によって大動脈壁が脆弱化し，拡張していることも原因となる．そのほかに，マルファン症候群やエーラス・ダンロス症候群などの遺伝性結合組織疾患や，遺伝性（家族性大動脈解離），睡眠時無呼吸症候群，自己免疫疾患などが関与している．

3）病態と臨床症状

病態

大動脈解離とは，なんらかの原因で大動脈（**図09-1**）の内膜が裂け，中膜に血液が流入することで，大動脈が二層に裂ける状態のことである（**図09-2**）．この二層は，真腔（本来の動脈内腔）と偽腔（新しく壁内にできた腔）とよばれ，真腔と偽腔の両腔はフラップ（内膜と中膜の一部からなる隔壁）によって隔てられている．真腔から偽腔に血液が流入する部分を入孔部（エントリー），偽腔から真腔に血液が流入する部分を再入孔部（リエントリー）という．大動脈の血液が入孔部に流入し，解離を広げる．解離は，血管の壁内を心臓方向と末梢方向の両方に進むため，発症直後から状態が経時的に変化する．

分類

(1)解離の範囲による分類

スタンフォード分類とドベーキー分類（**表09-1**）が用いられるが，臨床では，治療方針の決定や予後の判定に有用なスタンフォード分類を用いることが多い．

(2)偽腔の種類による分類

偽腔は，①偽腔開存型，②ULP型，③偽腔血栓閉塞型の３つに分けられる（**図09-3**）．

①偽腔開存型：偽腔に血流が存在するもの．部分的に血栓が存在していても，偽腔内に血流がある場合は偽腔開存型である．

②ULP型（潰瘍状突出型）：偽腔の大部分に血流は存在せず，亀裂近傍に限局した偽腔内血流を認めるもの．

③偽腔閉塞型：偽腔が血栓で閉塞しているため，血流

図09-1　大動脈の構造

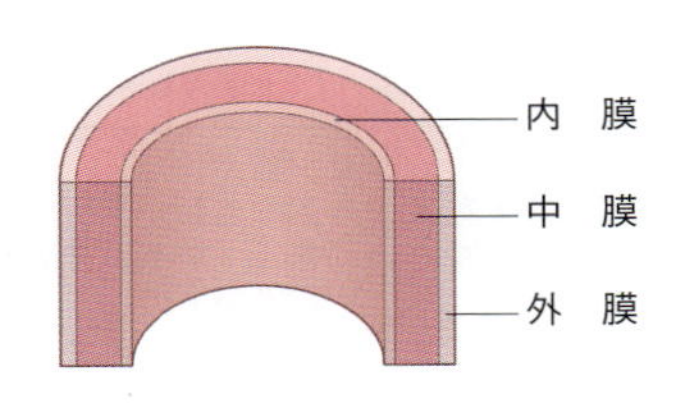

図09-2　大動脈解離の模式図

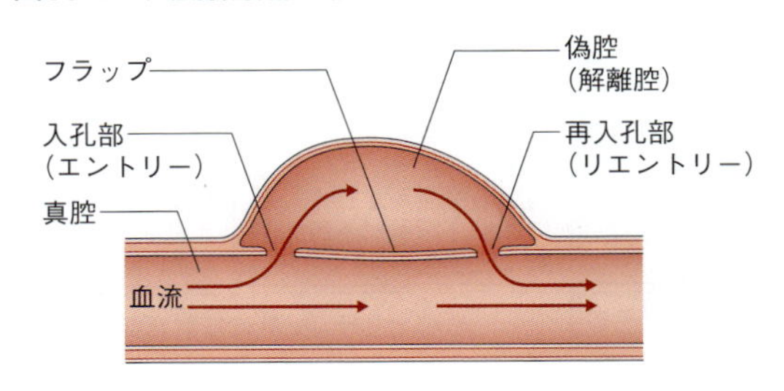

が存在しない.

(3)発症時期による分類

発症から2週間以内を急性期，2週間以降を慢性期とする.

臨床症状

主な症状は，突然の胸背部痛である．持続する激痛であり，疼痛部位は解離の進行によって移動することがある.

偽腔の破裂や圧迫によってさまざまな血管に異常をきたし，種々の合併症が生じる．心タンポナーデや破裂によってショックを伴う場合もある．血管の状態は，①拡張，②破裂，③狭窄と閉塞に分かれ，以下に示すような合併症症状が生じる(**図09-4**).

(1)拡張

①大動脈弁閉鎖不全：解離によって生じる大動脈弁閉鎖不全は，上行大動脈に病変が存在する場合に比較的よくみられる．解離が大動脈弁輪部に及んだ場合に，大動脈弁の逆流をきたす．発症に伴って急激に生じる弁逆流のために，急性左心不全をきたすことがある．その結果，息切れや呼吸困難が生じる.

②瘤形成：急性期では大動脈径の拡大が急速に進行した場合，慢性期では解離腔の外壁が拡張した場合に，瘤を形成する．他臓器に圧迫され瘤が形成された部位によって，上大静脈症候群，嗄声，嚥下障害が生じる.

(2)破裂

・心タンポナーデ：大動脈解離の死因として最多であり，大動脈解離の死因の70%を占める．心内膜腔に大量の血液や体液が貯留して心内膜圧が上昇し，心臓が圧迫されて拡張が障害され，心拍出量が低下する．その結果，静脈圧上昇，血圧低下，心音微弱(これらはBeckの三徴とよばれる)，頻脈，奇脈，呼吸数増加が生じる．自覚症状は，呼吸困難，四肢冷感，乏尿，胸痛が生じる.

(3)分枝動脈の狭窄・閉塞による末梢循環障害

①心筋虚血(狭心症，心筋梗塞)：解離は，大動脈起始

図09-3　偽腔の種類

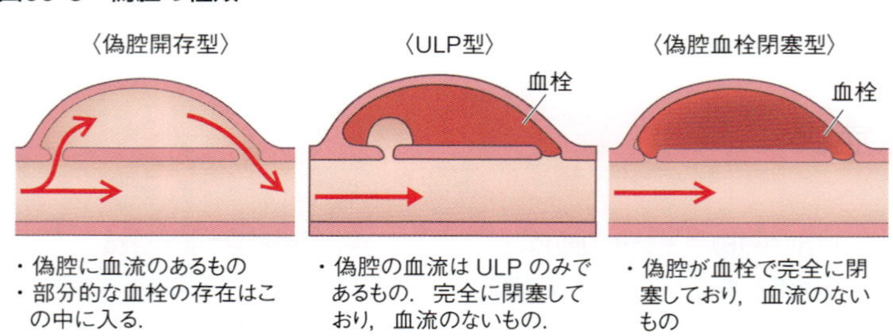

〈偽腔開存型〉
〈ULP型〉
〈偽腔血栓閉塞型〉
血栓
血栓
・偽腔に血流のあるもの
・部分的な血栓の存在はこの中に入る.
・偽腔の血流はULPのみであるもの．完全に閉塞しており，血流のないもの.
・偽腔が血栓で完全に閉塞しており，血流のないもの

表09-1　スタンフォード分類とドベーキー分類

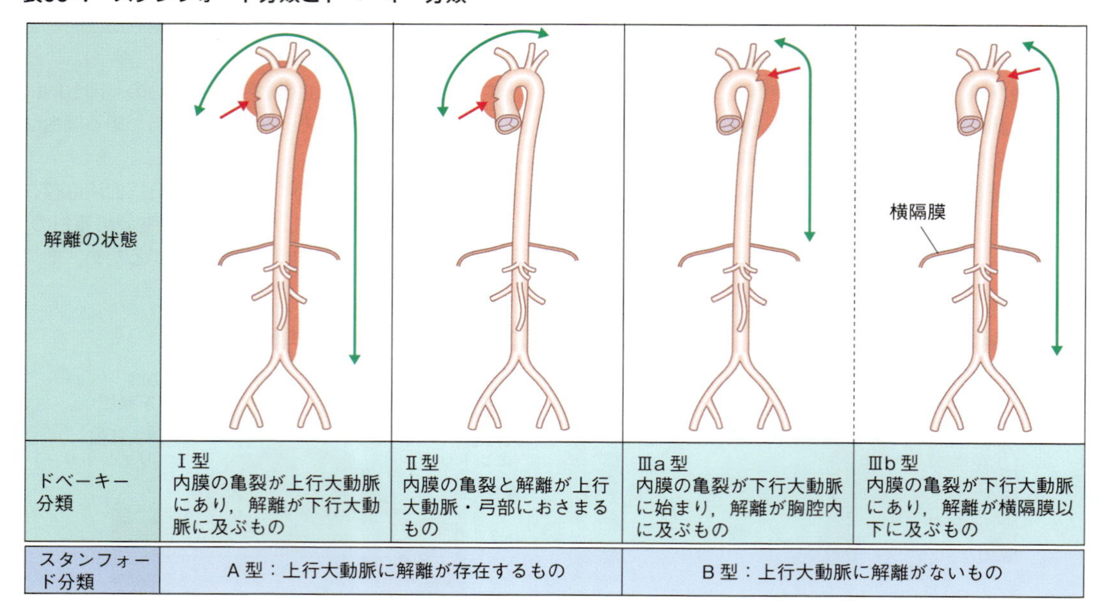

解離の状態				
ドベーキー分類	Ⅰ型 内膜の亀裂が上行大動脈にあり，解離が下行大動脈に及ぶもの	Ⅱ型 内膜の亀裂と解離が上行大動脈・弓部におさまるもの	Ⅲa型 内膜の亀裂が下行大動脈に始まり，解離が胸腔内に及ぶもの	Ⅲb型 内膜の亀裂が下行大動脈にあり，解離が横隔膜以下に及ぶもの
スタンフォード分類	A型：上行大動脈に解離が存在するもの		B型：上行大動脈に解離がないもの	

部では右側に沿って生じることが多いため，右冠動脈がおかされやすい．冠動脈の血流障害によって，胸痛，呼吸困難などの，虚血性心疾患にみられる症状が生じる．致死率が高い．

②脳虚血：弓部分枝の狭窄・閉塞によって，脳梗塞，意識障害（失神），めまい，頭痛などが生じる．

③上肢虚血：腕頭動脈や鎖骨下動脈の狭窄・閉塞によって生じる．上肢の脈拍消失や虚血，左右の上肢の血圧差（20mmHg以上）がみられ，右上肢のほうが左に比べて虚血を生じやすい．

④脊髄虚血（対麻痺）：下行大動脈の解離によって，肋間動脈・腰動脈の狭窄や真腔からの遮断，偽腔の血栓閉塞が起こり，アダムキュービッツ動脈の血流が障害されることで，対麻痺が生じる．

⑤腸管虚血：腹腔動脈や上腸管膜動脈の狭窄・閉塞によって，消化管に虚血が生じる．その結果，腹痛，イレウス，腸管壊死が生じる．

⑥腎不全：腎動脈の狭窄・閉塞によって，腎血流障害が起き，腎不全が生じる．

⑦下肢虚血：腸骨動脈，大動脈の狭窄・血栓閉塞によって生じる．虚血によって末梢神経が障害され，下肢の疼痛や冷感が生じる．また，循環障害によってチアノーゼが生じる．

⑧その他：胸水，播種性血管内凝固症候群（DIC：disseminated intravascular coagulation）を生じることがある．

4）検査・診断

検査

(1)血液検査

Dダイマーの上昇，その他WBC，CRP，FDPも上昇する．合併症によって心筋梗塞や腎不全が生じた場合，LDH，CK，CK-MB，AST，ALT，BUN，Crなどが上昇する．

(2)胸部X線

縦隔陰影の拡大，弓部の突出などがある．

(3)超音波検査

①経胸壁心エコー：上行大動脈（弓部・下行大動脈）の大動脈解離フラップ（隔壁）の有無，心囊液貯留・心タンポナーデ，大動脈閉鎖不全，冠動脈血流障害などを評価する．

②経食道心エコー：血流パターンの観察，エントリー部位（入孔部）の診断が可能である．検査を実施するために鎮静が必要となるため，手術時の麻酔導入後に行われることが多い．

(4)CT検査

解離の部位や範囲，程度，大動脈径の拡大，偽腔の血栓や閉塞の有無，大動脈分枝の解離の有無や血流の状態が検出でき，病型分類や治療方針の決定に役立つ．造影剤を使用することで詳細な描出結果が得られるが，造影剤アレルギーに注意する必要がある．

(5)MRI，MRA検査

真腔と偽腔がはっきり描出され，フラップ（隔壁）の情報が得られる．

図09-4　大動脈解離で生じやすい合併症

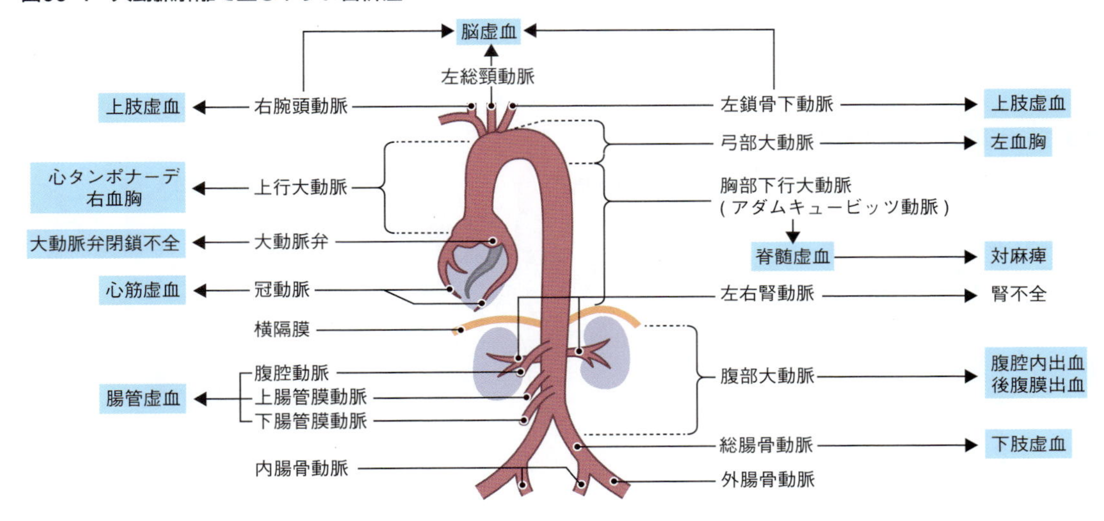

5）治療

治療方針は，スタンフォード分類を用いて決定されることが多い．スタンフォード分類A型は手術療法，スタンフォード分類B型は保存的治療が原則である．

ただし，A型でも重篤な合併症がない場合や，血圧のコントロールが可能で偽腔が早期に血栓化している場合は，保存的治療を行うことがある．また，B型で破裂や臓器虚血などの合併症があれば手術の適応となる．

急性期治療

(1)外科的治療（手術療法）

手術療法の主な目的は，大動脈内膜亀裂部位の切除と，人工血管置換術を行うことである．これによって，解離の進行予防と臓器血流障害を改善する．

①大動脈人工血管置換術：スタンフォード分類A型が適応となる．人工心肺を用い，脳分離体外循環併用，低体温循環停止法を用いて行われることが多い（**図09-5**）．

- 上行置換術：大動脈解離が上行大動脈にある場合に施行される．
- 弓部置換術：大動脈解離が弓部にある場合や若年者の場合に施行される．手術中は脳保護のために，選択的脳分離対外循環法または低体温循環停止逆行性脳灌流法を行う．
- 上行基部置換術（ベントール手術）：大動脈解離が大動脈基部に及び，弁逆流がある場合に施行される．

②血管内治療：スタンフォード分類B型で，破裂や臓器虚血，血流障害などの合併症を有する場合に適応となる（**図09-6**）．ステントグラフト留置術（EVAR：endovascular aortic repair）のなかでも，胸部大動脈疾患に行われるステントグラフト術はTEVAR（Thoracic endovascular aortic stentgraft）とよばれる．術後合併症には，エンドリーク（動脈瘤内への血液の流入），脳梗塞，脊髄障害などがある．

(2)保存的治療

解離の進行抑制のため，降圧療法と安静療法が行われる．とくに破裂の危険が高いとされる48時間以内は，厳重な血圧管理と安静が重要となる．ガイドラインでは，血圧管理は収縮期血圧120mmHg以下，心拍数60/分未満を目標にすることが推奨されている．降圧薬はβ遮断薬が第１選択であり，そのほかにカルシウム拮抗薬が使用される[1]．

疼痛は，血圧上昇，安静を保てない要因となるため，疼痛コントロールを行う．オピオイド系鎮痛薬を使用してコントロールする．

大動脈解離に伴う合併症に対する治療は，出現している症状にあわせて治療を行う

リハビリテーションは，全身状態が安定し，収縮期血圧が130mmHg未満でコントロールが可能な場合に開始する．

慢性期治療

(1)外科的治療（手術療法）

大動脈径の急速な拡大（＞５mm/６か月）や，最大径が55mm以上の場合，手術適応となる．術式は大動脈解離の部位によって選択される．

(2)保存的治療

再解離と破綻を予防するため，ガイドラインでは収縮期血圧を130mmHg以下，心拍数60～70bpmにコントロールするとされている．降圧薬はβ遮断薬が第１選択であり，そのほかにカルシウム拮抗薬が使用される．

リハビリテーションはプログラムに沿って行い，ADLの拡大を目指す．リハビリテーションの開始基準は，負荷前収縮期血圧130mmHg未満とし，負荷後の収縮期血圧は150mmHg未満が望ましい．

発症後２年間程度は，CTなどによる画像評価を行う．

図09-5　大動脈人工血管置換術

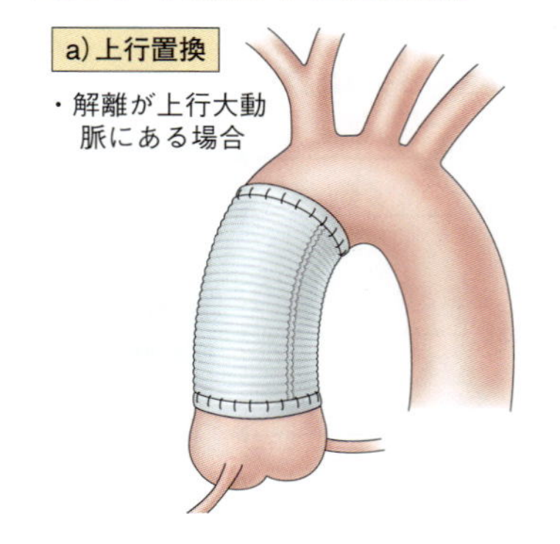

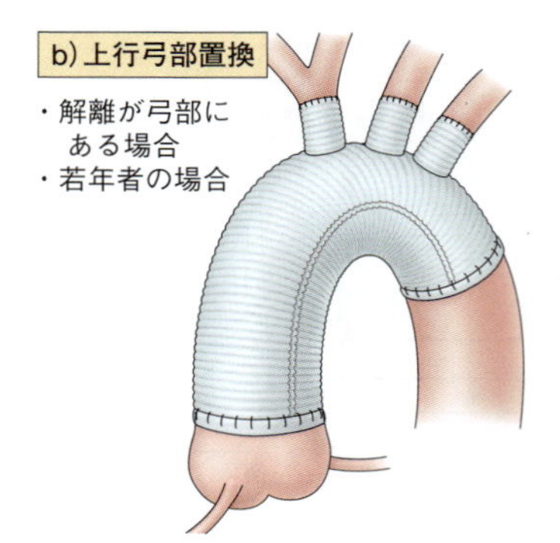

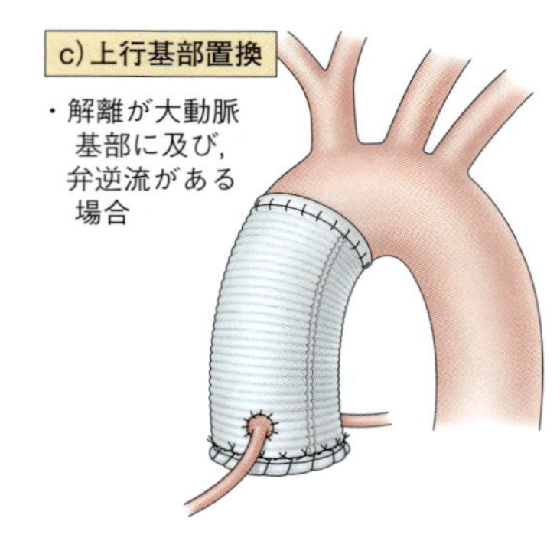

6）予後

未治療のスタンフォード分類Ａ型の場合，発症48時間以内に50%，２週間以内に80%が死亡するといわれている．A型でも偽腔閉塞型の予後は比較的良好である．またスタンフォード分類B型の予後は比較的良好である．

図09-6　ステントグラフトによるエントリー閉鎖術

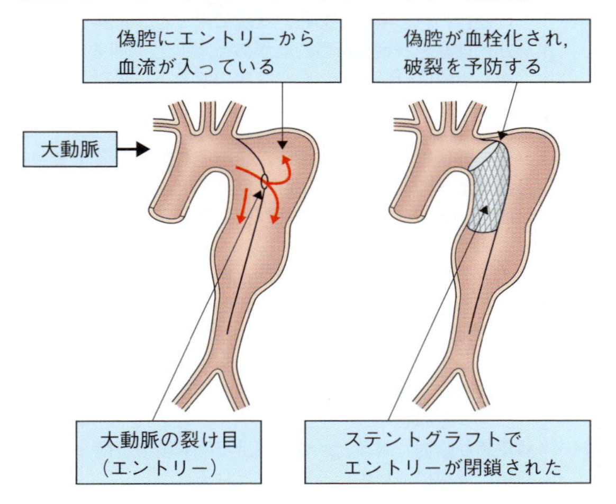

2. 看護過程の展開

アセスメント～ゴードンの機能的健康パターンを用いて

パターン	アセスメントの視点	根拠	収集する情報
(1) 健康知覚-健康管理 患者背景 健康知覚-健康管理 価値-信念	●疾患の状態と治療について正しく理解しているか	●大動脈解離は，動脈解離の部位，範囲によって治療法が選択される．そのため，疾患や治療について理解が不十分であると，よりよい身体状態を保つことができない．また，スタンフォード分類A型の場合，緊急手術が施行されることが多いため，理解が不十分な状態で手術を受ける可能性がある．	●現病歴：発症の時期，経過，治療の内容と経過 ●既往歴と今までの健康管理と健康状態の認識 ●生活習慣，喫煙歴，飲酒の有無，運動習慣の有無など ●家族の疾患と治療についての理解度
	●手術を受ける場合，術後に生じる合併症について理解できているか	●手術を受ける場合，理解が不十分であると術後合併症を生じる危険性が高くなる．	
	●発症前の生活で病気を悪化させる要因はあるか ●薬物管理や運動について理解し，実施できているか	●保存的治療が施行される場合，血圧管理が重要となる．退院後も再解離と破綻を予防するため，血圧管理や運動についてセルフケアが必要である．	

パターン	アセスメントの視点	根拠	収集する情報
(1) 健康知覚-健康管理 患者背景 健康知覚-健康管理 価値-信念	●安静が守れ，転倒や身体損傷の危険性はないか ●家族は疾患と治療について理解しているか	●安静の必要性を理解していないと安静を保つことができず，血圧上昇につながる．また，点滴や手術を受けた場合，ドレーン類が挿入され，ベッドからの転落や事故・自己抜去により，身体に損傷を生じる可能性がある． ●患者に意識障害が出現している場合や，緊急手術が行われる場合がある．状況によっては家族が代理意思決定を行うことがある．また，退院後も治療は継続するため，家族の協力が必要である．	
(2) 栄養-代謝 全身状態 栄養-代謝 排泄	●栄養状態に問題はないか ●水分の過不足はないか ●電解質バランスに異常はないか ●血糖値に異常はないか ●皮膚の脆弱性はないか ●肝機能に異常はないか ●凝固，止血機能に異常はないか	●低栄養状態であると，術後に感染症や創部の治癒遅延，体力の回復遅延が生じるリスクとなる． ●肥満があると呼吸器合併症が生じるリスクとなる． ●水分の過不足があると心負荷となる．心不全が生じている場合，増悪のリスク因子となる． ●電解質バランスの異常は不整脈が生じるリスクとなる． ●高血糖は術後感染症や創部の治癒遅延が生じるリスクとなる． ●皮膚が脆弱であると，ベッド上安静や術中・術後に皮膚損傷が生じるリスクとなる． ●肝機能障害があると，薬物代謝が遅延し，麻酔からの覚醒が遅くなる． ●手術を受ける場合，術中の体外循環や低体温により，凝固機能の低下が生じる．また，出血傾向や止血を阻害する薬剤を使用している場合，術後出血が生じるリスクとなる．また，貧血がある場合，創部の治癒遅延が生じるリスクとなる．	●身長，体重，BMI，最近の体重変動の有無 ●食事の形態，食習慣 ●皮膚の状態，創部の状態 ●輸液の有無と輸液をしている場合はその内容 ●血液検査データ ・肝機能 ・血糖値に関するもの ・凝固，止血機能 ・貧血に関するもの ・電解質
(3) 排泄 全身状態 栄養-代謝 排泄	●腎機能に異常はないか ●排尿障害はないか ●消化管の機能に異常はないか ●排便パターンに異常はないか	●偽腔によって腎動脈に狭窄や閉塞が生じた場合，腎虚血によって急性腎不全が生じるリスクとなる． ●術後，心機能低下によって腎機能障害を生じることがある．術前から腎機能に障害がある場合，腎機能障害を発症するリスクが高くなる． ●ステントグラフト術の場合，造影剤を使用するため，腎機能の低下を生じることがある． ●脊髄障害によって膀胱障害を生じる場合がある． ●高齢男性の場合，術後，膀胱留置カテーテル抜去後に尿閉を生じるリスクがある． ●偽腔によって腹腔大動脈に狭窄や閉塞を生じた場合，胃潰瘍を生じるリスクがある．また，上下腸間膜動脈に生じた場合，腹痛やイレウス，虚血性腸炎を生じるリスクとなる． ●消化管の機能に異常がある場合，術後イレウスを生じるリスクがある． ●脊髄障害によって直腸障害を生じる場合がある． ●疼痛コントロールでオピオイド系鎮痛薬を使用した場合，便秘が生じるリスクとなる． ●便秘による怒責は心負荷を高める．また，怒責によって血圧上昇をきたし，動脈瘤がある場合は，動脈瘤破裂の誘因となる．	●排尿回数，1日の排尿量 ●排尿障害の有無とその対処方法 ●腎機能に関する血液検査データ ●排便回数，便の性状 ●便秘の有無とその対処方法 ●腹部の状態，腸蠕動音や腹部膨満など ●腹部X線

パターン	アセスメントの視点	根拠	収集する情報
(4) 活動-運動 活動・休息 活動-運動 睡眠-休息	●疾患の重症度はどの程度か ●血圧は適正にコントロールされているか ●心機能に異常はないか	●疾患の重症度により，術後合併症のリスクに差が生じる． ●血圧が適正にコントロールされていない場合，血管の破綻によって心タンポナーデや循環血液量減少性ショックを生じるリスクがある．また，術後出血を生じるリスクとなる． ●偽腔により冠動脈が狭窄や閉塞された場合，狭心症や心筋梗塞が生じる．また，鎖骨下動脈の場合，上肢脈拍と血圧の左右差が生じる． ●四肢の血圧の左右差は，解離の進行が疑われる． ●手術後，出血やドレーンの閉塞によって低拍出量症候群を生じるリスクがある．	●バイタルサイン ●呼吸状態 ・呼吸音 ・呼吸困難の有無 ・咳や痰の有無など ●循環状態 ・顔色 ・血圧の左右差の有無，脈圧 ・胸痛，胸部不快 ・四肢冷感，倦怠感，疲労感など ●心機能に関する検査データ ・心エコー ・心電図 ・X線検査など ●呼吸機能に関する検査データ ・呼吸機能検査 ・画像検査 ・血液ガスデータなど ●ドレーンからの排液量，性状 ●運動麻痺や運動失調，関節の変形の有無など
	●呼吸器系の機能に異常はないか	●大動脈解離が大動脈弁輪に及んだ場合，大動脈弁閉鎖不全が生じ，急性左心不全による呼吸困難や息切れが生じる． ●術後の心機能低下によって肺うっ血が生じやすくなるため，呼吸器系に異常がある場合，術後呼吸器合併症が生じるリスクとなる．	
	●運動機能に異常はないか	●偽腔の影響で，肋間動脈や腰動脈の狭窄・閉塞となり，対麻痺を生じるリスクがある． ●偽腔の影響で，下肢動脈の狭窄や閉塞となり，間欠性跛行を生じるリスクがある． ●関節の変形や運動麻痺は，術後の神経麻痺や皮膚損傷が生じるリスクとなる．	
	●現在のADL	●大動脈解離の進行予防のため，術後は床上安静となる．また，疼痛や酸素療法や輸液，ドレーンにより，ADLに制限を生じている場合がある．	●現在のADLと日常生活の支障の有無
(5) 睡眠-休息 活動・休息 活動-運動 睡眠-休息	●睡眠に異常はないか ●休息はとれているか	●疼痛により，不眠が生じるリスクとなる． ●不眠があるとせん妄発症のリスクとなる． ●心機能にあわせて休息がとれずに活動量が多くなると，心負荷となる．	●睡眠パターン ●睡眠障害の有無とその対処方法 ●休息時間とそのパターン
(6) 認知-知覚 知覚・認知 認知-知覚 自己知覚-自己概念 コーピング-ストレス耐性	●認知機能に異常はないか	●偽腔によって総頸動脈が狭窄や閉塞された場合，脳虚血を生じるリスクがある．脳虚血によって意識障害や脳梗塞，痙攣を生じる場合がある． ●状況が十分に理解できていないと，せん妄を生じるリスクや，患者が治療に参加できないリスクとなる． ●体外循環の使用により，術後脳梗塞や脳出血を生じるリスクがある．	●意識状態 ●瞳孔の大きさ，瞳孔不同の有無 ●視力障害，聴力障害の有無と対処方法 ●記憶障害の有無 ●質問や説明に対する理解度 ●知覚障害，感覚障害の有無と部位 ●疼痛の有無と部位，対処方法の効果 ●めまい，頭痛の有無
	●感覚機能に異常はないか	●感覚障害があると，術後神経障害や皮膚損傷を生じやすい． ●下行大動脈の手術では脊髄麻痺を生じるリスクがある．	
	●疼痛はコントロールされているか	●疼痛があると血圧上昇をまねき，血管の破綻が生じるリスクとなる．また，術後疼痛がある場合，呼吸器合併症の発症やADL拡大を阻害するリスクとなる．	

パターン	アセスメントの視点	根拠	収集する情報
(7) 自己知覚-自己概念 知覚・認知 認知-知覚 自己知覚-自己概念 コーピング-ストレス耐性	●自分の状態をどのように捉えているのか ●自己概念，自尊感情の脅威はないか	●緊急で手術を受けることが多いため，生死に関わる不安が生じやすい．その結果，自己概念が脅威にさらされるリスクがある． ●疾患に伴う症状や術後の合併症によって運動障害が生じた場合，ボディイメージの変容を迫られる．	●性格 ●病気や治療に伴う自分に対する思い ●病気や治療に伴う外観，身体機能の変化の有無 ●話し方や表情
(8) 役割-関係 周囲の認識・支援体制 役割-関係 セクシュアリティ-生殖	●役割遂行に問題はないか ●家族関係に問題はないか	●治療や入院により，役割の遂行が困難となる場合がある． ●仕事の内容や家庭内役割によって，重いものを持ち上げる場合，血圧の上昇をきたし，大動脈の再解離や破裂を生じるリスクがある． ●治療や入院によって患者の役割遂行が困難となった場合，家族の支援が必要となる． ●再発を予防するためには家族の支援が必要となる． ●長期にわたって患者の役割遂行が困難となった場合，家族の役割遂行にも問題を生じるリスクがある．	●職業 ●家族構成 ●患者の家族内役割 ●経済状況 ●キーパーソン ●家族の健康状態，就労状況，面会状況など
(9) セクシュアリティ-生殖 周囲の認識・支援体制 役割-関係 セクシュアリティ-生殖	●性，生殖に関する問題はないか	●術後，心理的なことから性行動に問題を生じるリスクがある．	●性，生殖に関する発言の有無 ●生殖器の異常・障害の有無
(10) コーピング-ストレス耐性 知覚・認知 認知-知覚 自己知覚-自己概念 コーピング-ストレス耐性	●今回の病気や治療をどのように受け止めているのか ●ストレスと対処方法に問題はないか ●強い不安や恐怖を感じていないか	●突然の発症や治療を受けることがストレッサーとなるリスクがある． ●対処方法の内容によっては，安静に伴って適正にコーピングがはかれない場合がある． ●激しい疼痛や緊急手術により，生命の危機を連想させる．	●ストレスと感じていることの有無 ●ストレスの対処方法 ●相談する人 ●不安の有無

パターン	アセスメントの視点	根拠	収集する情報
（11） 価値-信念 患者背景 健康知覚-健康管理 価値-信念	●価値信念と治療の間に対立はないか	●退院後（術後）も治療や生活管理が必要であるが，治療の継続に際し，価値や信念の影響を受ける.	●健康に関する価値や信念，大事にしていること ●宗教

3. 全体像の把握から看護問題を抽出

1）病態関連図

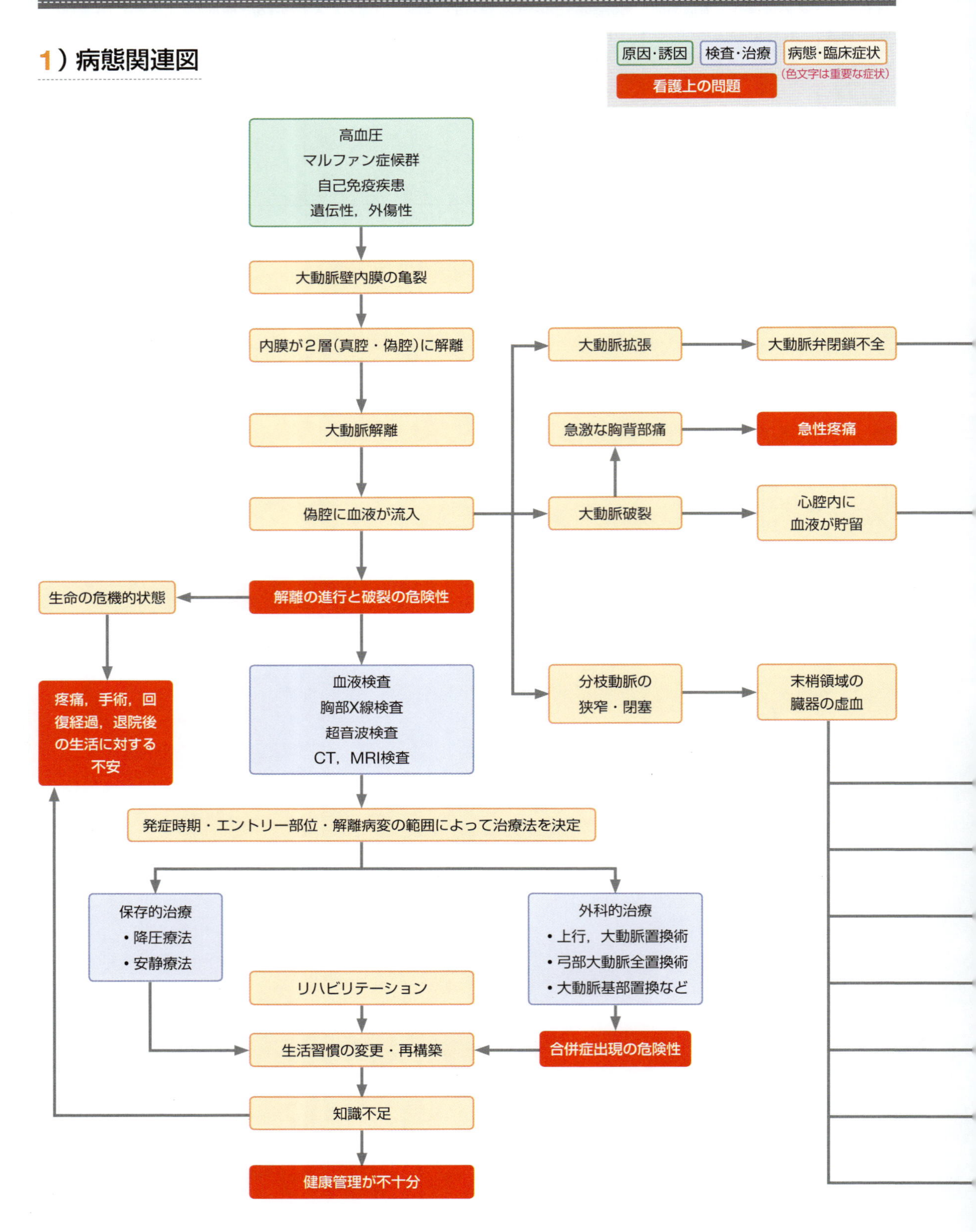

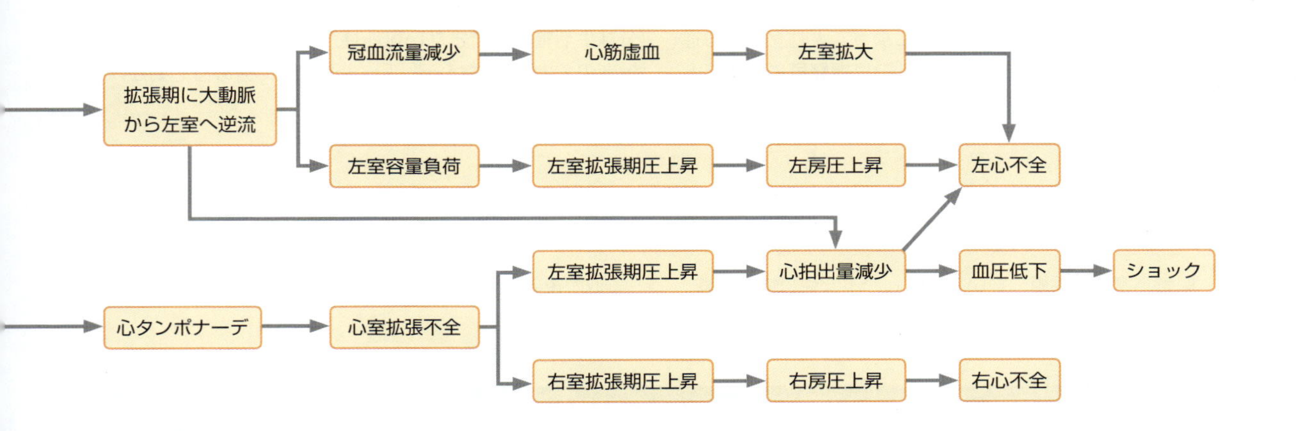

拡張期に大動脈から左室へ逆流
冠血流量減少
心筋虚血
左室拡大
左室容量負荷
左室拡張期圧上昇
左房圧上昇
左心不全
心タンポナーデ
心室拡張不全
左室拡張期圧上昇
心拍出量減少
血圧低下
ショック
右室拡張期圧上昇
右房圧上昇
右心不全

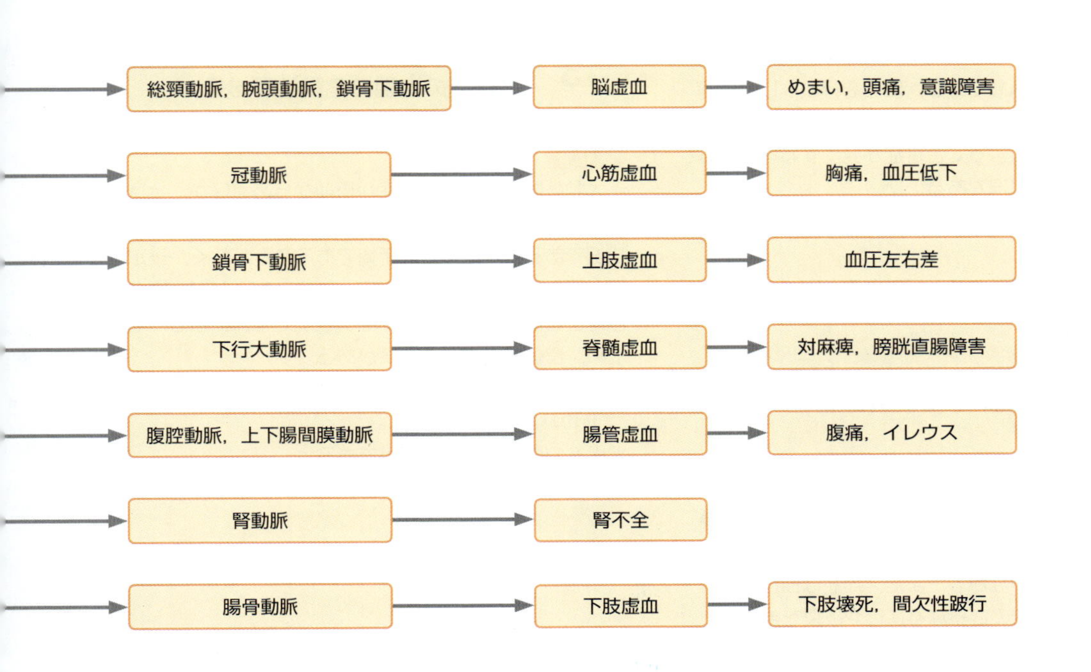

総頸動脈，腕頭動脈，鎖骨下動脈
脳虚血
めまい，頭痛，意識障害
冠動脈
心筋虚血
胸痛，血圧低下
鎖骨下動脈
上肢虚血
血圧左右差
下行大動脈
脊髄虚血
対麻痺，膀胱直腸障害
腹腔動脈，上下腸間膜動脈
腸管虚血
腹痛，イレウス
腎動脈
腎不全
腸骨動脈
下肢虚血
下肢壊死，間欠性跛行

2）看護の方向性

大動脈解離は突然発症し，自覚症状として激しい胸背部痛を感じる．また，大動脈解離の部位や解離の進行に伴い，さまざまな症状や合併症を生じる．発症時から生命の危機的状況であることが多いため，緊急手術になることが多く，短時間で的確なアセスメントと苦痛を緩和するケアが必要である．

治療は病状によって異なるが，手術療法では体外循環を用いて手術が行われることが多い．そのため，心機能低下や凝固機能の亢進によって循環動態が変動しやすく，合併症を生じるリスクが高い．保存的療法では厳重な降圧療法と安静療法によって大動脈解離の進行と破裂を予防するため，異常の早期発見に努めるとともに，患者が安楽に生活できるようケアする必要がある．

大動脈解離は激痛を伴う突然発症であり，合併症としてショックや意識障害を生じる．患者は死の恐怖や不安を感じやすく，置かれている状況や治療内容の理解が困難な状態である．家族も同様に患者の死を意識し，状況理解が困難な状態である．

退院に向けて，食事療法や血圧上昇を予防する方法などの生活管理や感染予防について，患者には生活習慣の変更や再構築が必要となってくる．しかし，大動脈解離は突然発症が多いため，患者は退院後の生活に関する知識が乏しいことが多い．そのため，退院後十分な生活管理ができない可能性があるので，家族や支援者の協力を得ながら生活し，再構築に努める必要がある．

3）患者・家族の目標

患者，家族が手術について理解し，不安や恐怖を軽減して治療に臨むことができる．

退院後の生活について理解し，自己管理することができる．

4. しばしば取り上げられる看護問題

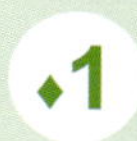

大動脈解離の進行・破裂の危険性がある

なぜ？

大動脈解離は動的病態であり，治療を行わなければ解離の進行や破裂が生じる．また，治療を行っても発症後２週間は大動脈解離によって合併症が発生する可能性は高く，生命の危機的状況である．

➡期待される結果

解離の進行がなく過ごすことができる．

◆2 大動脈解離による胸背部痛

なぜ？

突然の発症による激しい胸背部痛は，患者にとって身体的な苦痛を生じるとともに，激しい疼痛であるため，死の恐怖や不安にもつながる．また，疼痛は血圧の上昇をまねき，大動脈解離のさらなる進行や破裂をまねく．

➡期待される結果

疼痛がコントロールされ，血圧上昇がみられない．

◆3 手術に関連した合併症の出現の危険性がある

なぜ？

大動脈解離による合併症が術前からあるほか，全身麻酔・体外循環の影響によって，術後合併症が生じやすい状況である．また，緊急手術であることが多く，予定手術と違って術前練習などが行われていないなど，患者は心身ともに準備が整っていない状況で手術に臨む．そのため，合併症を生じる危険がある．

➡期待される結果

異常の早期発見と予防ができる．

◆4 疼痛，手術，回復経過，退院後の生活に対する不安

なぜ？

激しい疼痛と突然の発症であるため，死への不安や恐怖を抱きやすい．また，緊急手術となることもあるが，治療や回復経過について患者や家族も状況を理解することが困難な場合が多く，不安を抱きやすい．さらに，退院後の生活についても知識が不足していることが多いため，不安を抱きやすい．

➡期待される結果

不安が表出できる．

◆5 健康管理（疾患や治療，退院後の生活管理）に関する知識が不十分

なぜ？

大動脈解離は突然の発症であるため，患者は得てして病気と治療についての知識が乏しい．手術後も治療と生活管理が必要であるが，知識が不足しているためにセルフケアができない可能性がある．今後の治療や経過とともに，必要なセルフケア行動を認識してもらうことが必要である．

➡期待される結果

退院後の生活がイメージでき，日常生活の管理方法について言葉で言える．

5. 看護計画の立案

- O-P：Observation Plan（観察計画）
- T-P：Treatment Plan（治療計画）
- E-P：Education Plan（教育・指導計画）

◆1 大動脈解離の進行・破裂の危険性がある

	具体策	根拠と注意点
O-P	**(1)バイタルサイン**	
	(2)疼痛の有無，部位，程度	●解離の進行によって，疼痛部位の変化や増強が生じることがある．
	(3)皮膚状態，末梢循環状態：冷感・湿潤・浮腫の有無，色調	●ショックによる循環不全や四肢の虚血によって，冷感やチアノーゼを生じることがある．
	(4)解離の進行に伴って生じる合併症の有無	●大動脈解離が進行した部位によって，さまざまな合併症が生じる．
	①心タンポナーデ：胸部圧迫感，呼吸困難など	●上行大動脈・弓部大動脈で解離を生じた場合には，心内膜腔に大量の血液が貯留し，心臓の拡張障害が起き，心拍拍出量が低下することがある．心外閉塞性ショックによって死に至る場合もある．
	②大動脈弁閉鎖不全→左心不全症状：息切れ，呼吸困難など	●急性の大動脈弁閉鎖不全症を生じた場合，左心不全も急性に発症する．
	③四肢虚血：四肢の血圧差，疼痛，冷感，チアノーゼ	●上肢に虚血が生じた場合，血流障害によって左右の上肢に20mmHg以上の血圧差が生じる．とくに右上肢に血流障害が生じやすい．下肢に虚血が生じた場合，足背動脈の拍動の減弱や左右差が生じる．
	④脳虚血，脳梗塞：意識レベル，意識障害の有無，神経学的所見	●脳虚血が生じた場合，意識障害を生じることがある．また，脳梗塞が生じている場合や，ショックによって意識障害が生じることがある．
	⑤心筋虚血：胸痛，胸部不快感，動悸など	●心筋虚血が生じた場合，狭心症や心筋梗塞の症状が出現することがある．
	⑥腸管虚血：腹痛，圧痛，腹部膨満，下血，腸蠕動音	●腸管虚血が生じた場合，腹痛やイレウスが生じることがある．
	⑦腎虚血，腎不全：尿量，性状	●腎虚血による腎不全が生じ，乏尿を伴う．

	具体策	根拠と注意点
O-P	⑧脊髄障害：対麻痺，膀胱直腸障害など	●脊髄障害が生じた場合に生じる．
	(5)排便回数，性状，便秘の有無	●床上安静によって，便秘が生じやすい．また，麻薬性鎮痛薬の副作用や，腸管虚血や脊髄障害による直腸障害が生じた場合に，排便の変調をきたしやすい．
	(6)水分出納	●急性心不全が生じている場合，水分の過負荷で心不全を増悪させる．
	(7)検査所見 ①血液検査 ②画像検査：X線検査，CT	●検査によって，解離の進行や合併症の程度を確認する．
	(8)モニター心電図波形	●心筋虚血や不整脈による異常を発見する．
	(9)治療に対する理解や，制限が守られているか	●突然発症であるため，現状や治療内容が理解できないことがある．解離の進行を予防するためには安静が必要だが，理解をしていないと安静が保持できない可能性がある．
	(10)精神状態	●生命の危機的状況であったり，集中治療室で治療を受けるなど，不安やストレスを生じやすい状況である．
	(11)睡眠状態	●不安や環境の変化によって，不眠になることがある．
T-P	(1)輸液管理	●医師の指示によって降圧薬や鎮痛薬を与薬し，血圧と疼痛コントロールを行い，解離の進行や破裂を予防する．
	(2)安楽な体位の工夫	●指示された安静の範囲内で，可能な限り体位を調整し，苦痛を軽減する．
	(3)環境の調整	●安静の範囲内で生活しやすいよう，物品の位置の調整や室温の調整を行う．
	(4)指示された安静の範囲内での日常生活援助：食事，排泄，清潔，更衣，洗面，口腔ケアなど	●床上安静によってADLが制限されるため，必要に応じて日常生活の援助を行う．
E-P	(1)患者，家族に血圧上昇の誘因や安静の必要性について説明する	●突然の発症であるため，状況を十分に理解できていない場合がある．状態にあわせて繰り返し説明する．
	(2)症状の増強や，新たな症状を自覚した場合は，直ちに医療者に伝えることを説明する	●症状の増強や，新たな症状の出現は，大動脈解離が進行している可能性がある．
	(3)血圧が上昇する行動について説明する	●急激な体位変化や努責によって，血圧上昇をきたしやすいことを説明する．

2 大動脈解離による胸背部痛

	具体策	根拠と注意点
O-P	(1)バイタルサイン	
	(2)疼痛の有無，部位，程度．VASやNRSの使用	●疼痛は血圧上昇の要因となる．また，疼痛があることで安静が守れず，さらに血圧上昇の要因となる．痛みを評価するときは，視覚アナログスケール（VAS：visual analogue scale）や，数値評価スケール（NRS：numeric rating scale）を用いて，経時的に評価する．
	(3)鎮痛薬の使用状況とその効果	●鎮痛薬の使用前後で痛みの状態を評価し，緩和されていない場合は追加投与を検討する．
	(4)行動，表情，言動	●大動脈解離の疼痛は激痛であるため，痛みがあることで不安や恐怖を生じる．
	(5)睡眠状態	●痛みがあることで睡眠が障害される可能性がある．
	(6)ADL	●疼痛によってADLが障害されている場合がある．
	(7)検査データ	●大動脈解離が生じている部位から，疼痛の部位が予測できる．

	具体策	根拠と注意点
T-P	(1)医師に指示された鎮痛薬の与薬	●大動脈解離による痛みは激痛であり，疼痛があることで血圧上昇をまねき，動脈瘤の破裂につながる可能性があるため，適切な疼痛コントロールが重要となる．
	(2)医師に指示された安静の範囲内で体位を調整する (3)環境の調整	●急激な体動は血圧上昇をまねくため，疼痛の状態にあわせて安楽な体位がとれるよう工夫する．
	(4)指示された安静の範囲内での日常生活援助：食事，排泄，清潔，更衣，洗面，口腔ケア	●疼痛によって阻害されているADLに対し，ADLの介助を行う．
E-P	(1)患者と家族に痛みは我慢せず，増強する場合は医療者に伝えるように説明する (2)安静の必要性について説明する	●痛みや活動によって血圧上昇をまねき，解離の進行や破裂につながることを説明する．

引用・参考文献

1) 日本循環器学会：大動脈瘤・大動脈解離診療ガイドライン（2011年改訂版）．http://www.j-circ.or.jp/guideline/pdf/JCS2011_takamoto_h.pdf　より2020年8月13日検索
2) 落合慈之監：循環器疾患ビジュアルブック．第２版，p.309～313，学研メディカル秀潤社，2017.
3) 渕本雅昭監：循環器疾患看護 2つの関連図で観察・ケア・根拠．日総研，2014.
4) 新東京病院看護部編：本当に大切なことが１冊でわかる 循環器．照林社，2019.
5) 堀隆樹監：やさしくわかる 心臓血管外科．照林社，2018.

10 高血圧

1. 疾患の基礎的知識

1）疾患の概念

血圧とは，心臓から送り出された血液が，血管の壁に与える圧力のことである．心臓が収縮し，全身や肺に血液が送り出されるとき，血圧は最も高くなる．心臓が拡張し，全身や肺からの血液が心臓に流れ込んでくるときには，血管にかかる圧力は最も弱くなり，血圧は低くなる．このどちらか，あるいは両方の値が，基準よりも高い状態を高血圧という．血圧は，心臓から送り出される血液の量と，圧力を受ける側の血管の抵抗性によって左右される．収縮期血圧が140mmHgを超える人の割合は，2019年度の全国調査では，男性約37%，女性約28%であり，この10年でやや減少傾向にある．

2）原因

原因がはっきり限定できない本態性高血圧は，遺伝や体質，生活習慣，加齢などによって発症し，高血圧全体の約90%を占める．原因となり得る生活習慣には，塩分摂取量，肥満，ストレス，アルコール摂取量，喫煙などがある．一方，二次性高血圧は，腎，内分泌，血管，脳・中枢，薬剤，睡眠障害などが原因で生じる．

3）病態と臨床症状

病態

血圧は，自律神経系と内分泌系の働きや，水分・ナトリウムの量や調節機能の影響によって変動する．

- 自律神経系：交感神経が働くことによって，動脈の平滑筋が収縮し，血圧は上昇する．また，交感神経の働きによって脈拍が増加し，血液の拍出量全体が増加することによる血圧の上昇も生じる．逆に副交感神経が働くと，血管が拡張し，脈拍数が減少することで血圧は低下する．
- 内分泌系：レニン・アンジオテンシン・アルドステロン系とカリクレイン・キニン系は，血圧上昇に影響しており，これらの働きを促進・阻害することによって血圧を低下させる降圧薬が多い．
- 水分・ナトリウムの調節：血圧は，血管内の血漿量が増加することによって上昇するため，身体の水分・ナトリウム調節機能は血圧調節に影響を及ぼす．

高血圧とは，拡張期血圧，収縮期血圧のいずれかある

表10-1　成人における血圧値の分類

分類	診察室血圧(mmHg)			家庭血圧(mmHg)		
	収縮期血圧		拡張期血圧	収縮期血圧		拡張期血圧
正常血圧	＜120	かつ	＜80	＜115	かつ	＜75
正常高値血圧	120-129	かつ	＜80	115-124	かつ	＜75
高値血圧	130-139	かつ/または	80-89	125-134	かつ/または	75-84
Ⅰ度高血圧	140-159	かつ/または	90-99	135-144	かつ/または	85-89
Ⅱ度高血圧	160-179	かつ/または	100-109	145-159	かつ/または	90-99
Ⅲ度高血圧	≧180	かつ/または	≧110	≧160	かつ/または	≧100
(孤立性)収縮期高血圧	≧140	かつ	＜90	≧135	かつ	＜85

日本高血圧学会高血圧治療ガイドライン作成委員会編：高血圧治療ガイドライン2019．p.18，ライフサイエンス出版，2019．

いは両方が高い状態であり，値によって分類されている(**表10-1**)．高血圧は，慢性的に持続することで，血管壁に慢性的に圧負荷がかかり，動脈硬化や血管壁の脆弱化が進む．さらに，血管内腔が狭窄することによる虚血や，血管壁の破綻による出血も起こる．末梢血管抵抗が増大することによって，心臓の左心室に負荷がかかり，左室肥大が生じる．

臨床症状

本態性高血圧は，自覚症状が乏しい．二次性高血圧や高血圧の合併症が生じている場合は，それらによる症状が出現するが，高血圧に特有のものではない．

合併症

- 小動脈・中動脈の硬化，狭窄，大血管の脆弱化
- 脳血管障害：脳出血，脳梗塞，一過性脳虚血発作
- 心疾患：狭心症，心筋梗塞，高血圧性心疾患，心不全，心房細動
- 腎疾患：腎硬化症，タンパク尿，腎機能低下(慢性腎臓病：CKD)，腎血管性高血圧症
- 血管障害：閉塞性動脈硬化症，大動脈瘤，大動脈解離

4）検査・診断

血圧測定

血圧測定には，以下の３つの方法がある．

(1)診察室血圧

水銀血圧計または自動血圧計を用いる．１～２分の間隔をおいて複数回測定し，安定した２回の平均を血圧値とする．血圧は，測定時の諸条件によって変動しやすいため，２回以上の異なる機会に測定した値での診断が望ましい(**表10-2**)．

(2)家庭血圧

上腕カフの自動血圧計を用いる．１測定時に２回以上測定し，その平均値を血圧値とし，朝と晩の測定が必須になる．診察室血圧と家庭血圧の間に診断の差がある場合は，家庭血圧の診断が優先される．生活状況に伴う変動や，降圧薬の効果を評価することができる．診察時のみ血圧が高くなる白衣高血圧や，非医療環境下では血圧が高くなる仮面高血圧の診断にも有効である(**図10-1**)．

表10-2　異なる測定法における高血圧基準

	収縮期血圧(mmHg)		拡張期血圧(mmHg)
診察室血圧	≧140	かつ/または	≧90
家庭血圧	≧135	かつ/または	≧85
自由行動下血圧			
24時間	≧130	かつ/または	≧80
昼間	≧135	かつ/または	≧85
夜間	≧120	かつ/または	≧70

日本高血圧学会高血圧治療ガイドライン作成委員会編：高血圧治療ガイドライン2019. p.19，ライフサイエンス出版，2019.

図10-1　白衣高血圧と仮面高血圧

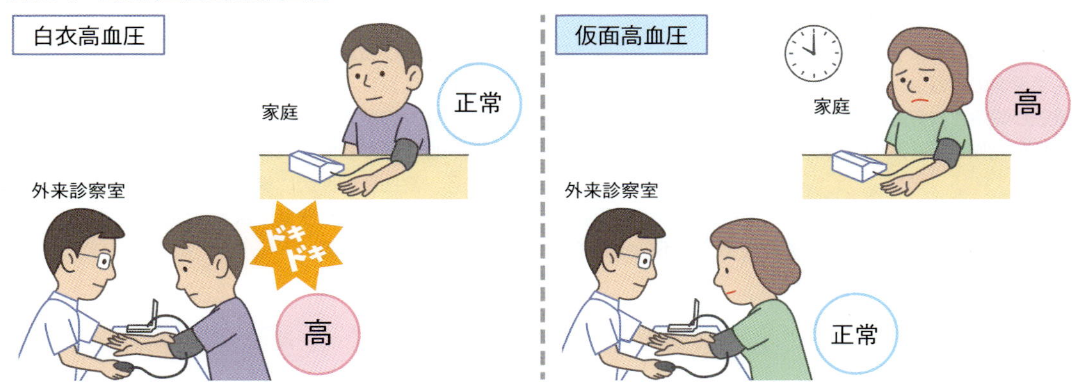

(3)自由行動下血圧(ABPM：ambulatory blood pressure monitoring)

測定装置を身体に装着し，15〜30分間隔で血圧を自動的に測定する．家庭血圧と同様に，生活状況や薬物の効果を評価できる．また，睡眠中の血圧や，睡眠状態による影響をみることができる．

問診

(1)現病歴

健康診断や家庭血圧の測定などで高血圧の疑いが生じた時期，持続時間や程度，受診・治療経過などを聴取する．

(2)既往歴

腎疾患，脳血管疾患，心疾患，末梢動脈疾患，自己免疫疾患，糖尿病，脂質異常症，呼吸器疾患，内分泌疾患，妊娠高血圧症候群，睡眠時無呼吸症候群などの疾患と，処方された薬物のなかで，血圧に影響するものはないかを把握する．

(3)生活習慣

飲酒，喫煙，運動習慣，食習慣，睡眠習慣，職業・職種，家庭や社会生活上のストレスなどを把握する．

(4)家族歴

高血圧のほかに，肥満，脂質異常症，糖尿病，腎疾患，若年発症の脳・血管疾患などを把握する．

身体診査

身長・体重，BMI，腹囲，眼底所見，頸部触診(甲状腺腫大，頸部静脈怒張)，腹部触診(肝腫大，腹部腫瘤)，聴診(心雑音，腹部血管雑音)，皮下脂肪，四肢・頸動脈の拍動・雑音，浮腫の有無を確認する．

検査

高血圧の診断は，前述の血圧測定によって行う．以下の検査は，合併症や二次性高血圧の有無を診断するために行われる．

- 血液生化学検査：血中脂質(LDLコレステロール，HDLコレステロール，総コレステロール，中性脂肪)，空腹時血糖，HbA1c，eGFR，尿素窒素(BUN)，クレアチニン(Cr)，血漿レニン活性，AST，ALT，LDH，γGTP，CRP，ホルモンの血中濃度(コルチゾール，アドレナリン，ノルアドレナリン，下垂体ホルモンなど)
- 尿検査：一般尿検査，血中微量アルブミン排泄量，尿中カテコラミン
- 画像検査：胸部X線検査，心臓超音波，頸動脈超音波，頭部CT・MRI，腎・副腎超音波
- 心電図検査：左心室肥大，不整脈などをみる
- 足関節上腕血圧比(ABI：ankle brachial pressure index)，脈波伝播速度(PWV：pulse wave velocity)検査：動脈の閉塞や動脈硬化の程度を判断する

5）治療

本態性高血圧の治療は，第一段階として生活習慣の修正，第二段階が降圧薬治療である．診断・検査の結果から，患者のリスクを総合的に判断して層別化(**表10-3**，**図10-2**)し，治療目標が設定される．

- 低リスク群：3か月以内の生活習慣改善指導で高血圧が続くなら，降圧薬治療を開始
- 中等リスク群：生活習慣の改善を始めて1か月後も高血圧が続いている場合，降圧薬治療を開始
- 高リスク群：すぐに降圧薬治療を開始

(1)生活習慣の改善

生活習慣の改善は，高血圧治療の基本になるため，薬物療法が開始されても続けることが重要である．

①塩分制限(減塩)：1日の食塩摂取量は6g未満にする

②食事パターン：野菜・果物の積極的摂取，飽和脂肪酸・コレステロールの摂取を控える．高不飽和脂肪酸，低脂肪乳製品の積極的摂取

③適正体重の維持：BMI25未満に維持する

④運動：軽強度の有酸素運動(動的および静的筋肉不可運動)を毎日30分，または180分/週以上行う

⑤節酒：エタノールで男性20〜30mL/日以下，女性10〜20mL/日以下に制限する(エタノール20〜30mLはおおよそ日本酒1合，ビール中瓶1本に相当)

⑥禁煙

(2)薬物療法

血圧を下げる(降圧)効果のある薬物を使用する．降圧のメカニズムによって複数の種類があり，合併症の有無など，個々の患者の特徴に応じて選択される(**表10-4**)．単剤を低用量から開始し，効果を評価しながら増量，併用する．高血圧の原因は複合的であり，降圧薬は対症療法に過ぎないため，服薬によって血圧が下がっても，飲み続ける必要がある．

表10-3　診察室血圧に基づいた脳心血管病リスク層別化

リスク層＼血圧分類	高値血圧 130-139/80-89mmHg	Ⅰ度高血圧 140-159/90-99mmHg	Ⅱ度高血圧 160-179/100-109mmHg	Ⅲ度高血圧 ≧180/≧110mmHg
リスク第一層 予後影響因子がない	低リスク	低リスク	中等リスク	高リスク
リスク第二層 年齢（65歳以上），男性，脂質異常症，喫煙のいずれかがある	中等リスク	中等リスク	高リスク	高リスク
リスク第三層 脳心血管病既往，非弁膜症性心房細動，糖尿病，蛋白尿のあるCKDのいずれか，または，リスク第二層の危険因子が３つ以上ある	高リスク	高リスク	高リスク	高リスク

JALSスコアと久山スコアより得られる絶対リスクを参考に，予後影響因子の組合せによる脳心血管病リスク層別化を行った．
層別化で用いられている予後影響因子は，血圧，年齢（65歳以上），男性，脂質異常症，喫煙，脳心血管病（脳出血，脳梗塞，心筋梗塞）の既往，非弁膜症性心房細動，糖尿病，蛋白尿のあるCKDである．

日本高血圧学会高血圧治療ガイドライン作成委員会編：高血圧治療ガイドライン2019．p.50，ライフサイエンス出版，2019．

図10-2　初診時の血圧レベル別の高血圧管理計画

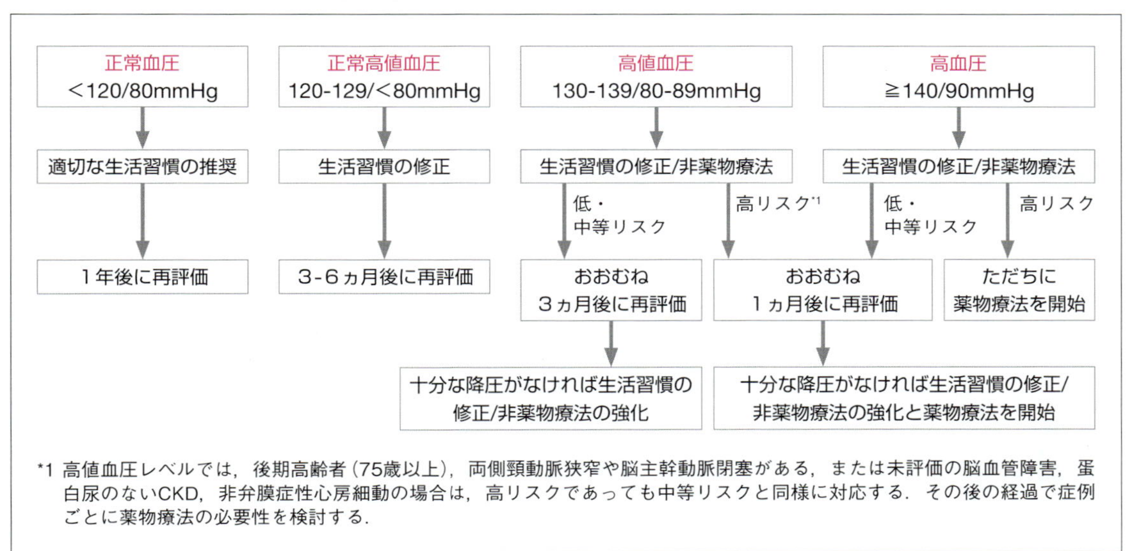

*1 高値血圧レベルでは，後期高齢者（75歳以上），両側頸動脈狭窄や脳主幹動脈閉塞がある，または未評価の脳血管障害，蛋白尿のないCKD，非弁膜症性心房細動の場合は，高リスクであっても中等リスクと同様に対応する．その後の経過で症例ごとに薬物療法の必要性を検討する．

日本高血圧学会高血圧治療ガイドライン作成委員会編：高血圧治療ガイドライン2019．p.51，ライフサイエンス出版，2019．

表10-4　主要降圧薬の積極的適応

	Ca拮抗薬	ARB/ACE阻害薬	サイアザイド系利尿薬	β遮断薬
左室肥大	●	●		
LVEFの低下した心不全		●*1	●	●*1
頻脈	●（非ジヒドロピリジン系）			●
狭心症	●			●*2
心筋梗塞後		●		●
蛋白尿/微量アルブミン尿を有するCKD		●		

*1 少量から開始し，注意深く漸増する
*2 冠攣縮には注意

日本高血圧学会高血圧治療ガイドライン作成委員会編：高血圧治療ガイドライン2019．p.77，ライフサイエンス出版，2019．

6）予後

高血圧は，脳心血管病による死亡に影響する最大の危険因子である．年齢にかかわらず，血圧が高くなるほど，脳心血管病の死亡リスクは高くなる．また，高血圧であることは，腎臓病や認知症などのほかの疾患への罹患を通して，死亡リスクを上昇させる．国民の収縮期血圧を平均4mmHg低下させることで，男性の脳卒中の死亡率は8.9%，冠動脈疾患の死亡率は5.4%減少すると推測されている．

2. 看護過程の展開

● アセスメント〜ゴードンの機能的健康パターンを用いて

パターン	アセスメントの視点	根拠	収集する情報
(1) 健康知覚-健康管理 患者背景 健康知覚-健康管理 価値-信念	●高血圧の原因になるような生活習慣はあるか ●日頃から，自分の健康状態に関心をもっているか ●健康診断の結果に関心をもっているか ●日常のなかで自分の健康状態を把握するためのモニタリング習慣をもっているか	●高血圧は，病院などで診断される前に健康診断で指摘されていることが多い．健康診断を定期的に受けているかどうか，健康診断の結果を把握して受診行動につなげているかなどによって，高血圧への対処が変わってくる． ●高血圧の治療は，生活習慣の改善が基本になるため，高血圧につながるような生活習慣はないか把握しておく．また，毎日血圧を測定し，記録しておくことも重要になるため，もともとのモニタリング習慣の把握も重要である．	●生活習慣（喫煙・飲酒・運動習慣・食事内容・水分・塩分摂取量） ●定期健康診断の受診状況，結果の把握 ●セルフモニタリングの習慣（体重，血圧測定など）
(2) 栄養-代謝 全身状態 栄養-代謝 排泄	●高血圧の原因になるような，食習慣はあるか ●塩分の多い食品の摂取量はどうか ●野菜・果物の摂取量はどうか ●食事や食材へのこだわりなどはあるか	●高血圧の予防・治療のための生活習慣修正のなかには，食生活に関するものが多いため，一つひとつ確認する必要がある． ●加工食品，麺類など，食品や食材にも塩分が多く含まれているものがあり，自覚のないまま，塩分をとりすぎていることもある． ●「減塩の食事は食べる気がしない」，「食事は残さない」など，食事へのこだわりが，食生活の改善に影響することもあるので，食事の内容と同時に把握しておく．	●食事の内容，習慣について（食事全体の量，回数，時間，野菜・果物の摂取量，糖質・脂質の摂取量，塩分摂取量，塩分の多い食品の嗜好）
(3) 排泄 全身状態 栄養-代謝 排泄	●尿量は保たれているか ●便秘になっていないか，努責せずに排便できているか	●高血圧による動脈硬化が進行していると，心臓や腎臓の合併症を生じる．心不全や腎機能障害の悪化の徴候として，尿量や排尿頻度の把握も重要である． ●便秘やそれに伴う排便時の努責は，血圧上昇の要因になる．また，降圧薬のなかには副作用として便秘になるものがある．	●排泄状態 ●便秘の有無

パターン	アセスメントの視点	根拠	収集する情報
(4) 活動-運動 活動・休息 活動-運動 睡眠-休息	●脳心臓血管系の合併症の徴候や症状はないか ●高血圧の改善や悪化につながるような運動習慣や生活活動はあるか	●高血圧そのものは，自覚症状に乏しいため，合併症の症状や悪化徴候を把握しておくことが重要である． ●脳心臓血管系の合併症は，身体活動に影響を及ぼす． ●高血圧改善のためには，軽強度の運動を継続して行うことが治療としてもすすめられるため，運動習慣や身体活動量を把握する．運動習慣の有無だけでなく，効果的な運動方法や運動量であるかどうかの確認も重要である． ●運動の種類によっては，急激な血圧上昇を伴い，危険な場合もあるので，脳心臓血管系の合併症がある場合や高齢者は，運動を開始する前にメディカルチェックが必要である．	●呼吸・循環状態 ●脳心臓血管系の症状 ●身体活動量 ●運動習慣，運動の種類・方法・時間
(5) 睡眠-休息 活動・休息 活動-運動 睡眠-休息	●高血圧の悪化要因になるような睡眠障害や睡眠習慣はないか ●過労や睡眠不足によって心身の休息が不足していないか ●入浴時に血圧上昇につながる要因はないか	●睡眠時無呼吸症候群は，低酸素状態から血圧が上昇し，心血管疾患や脳血管疾患の危険因子になる． ●睡眠障害や睡眠不足は，交感神経系や，視床下部—下垂体—副腎系の活動性を亢進させ，長期的に高血圧の悪化につながる． ●精神的ストレスや過労によって交感神経が興奮することで血圧が上昇する． ●入浴の時間やタイミング，湯温，浴室温度によっては，血圧の変動が大きくなる．	●睡眠状態（時間，熟睡感，中途覚醒の有無など） ●いびき，睡眠時無呼吸 ●睡眠時無呼吸症候群の症状（起床時の頭痛，日中の眠気など） ●社会生活上のストレスやライフイベント，生活の変化 ●ストレス解消法，リラクゼーションの実施 ●入浴習慣（時間，タイミング，湯温，室温など）
(6) 認知-知覚 知覚・認知 認知-知覚 自己知覚-自己概念 コーピング-ストレス耐性	●高血圧の影響，合併症による認知・知覚への影響は出ていないか ●本人が高血圧と関連していると考えていない自覚症状はないか	●高血圧による自覚症状はほとんどないことが多いが，動脈硬化の進行による合併症などにより，知覚や認知力に障害が起こっている可能性もある． ●現在あるいは過去の脳血管障害によって，言語や運動機能，認知力に障害が生じている場合は，定期的な服薬や生活改善にも影響する．	●高血圧の合併症症状（眼底の変化，頭痛など） ●高血圧の自覚症状（頭痛，めまい，肩こり，など） ●言語障害，四肢の感覚障害，認知力の低下の有無
(7) 自己知覚-自己概念 知覚・認知 認知-知覚 自己知覚-自己概念 コーピング-ストレス耐性	●高血圧とその合併症，治療，生活の改善方法についての知識はあるか ●高血圧の原因につながるような性格傾向はないか ●高血圧の診断についてどう考えているか	●高血圧に関しては，一般的な知識やイメージをもっている人も多いが，それらが正確な知識・情報でない場合，修正が必要になる． ●「せっかちでイライラしやすい」，「ストレスをためやすい」などの性格傾向があると，間接的に高血圧の要因になるため，性格や気質を把握する． ●高血圧は，自覚症状に乏しいため，診断されていても「血圧が高いという実感がもてない」，「たまたま高かっただけでそのうち下がるのではないか」，「年齢とともに血圧は上がるので治療する必要はない」などのように捉えている人も多いため，診断されたことに関して，どの程度の危機感をもっているのか把握が必要である．	●高血圧とその予防・治療に関する知識 ●高血圧の診断についての認識・考え ●性格傾向

パターン	アセスメントの視点	根拠	収集する情報
(8) 役割-関係 周囲の認識・支援体制 役割-関係 セクシュアリティ-生殖	●重い責任や心身の緊張が持続する可能性のある社会的役割はあるか ●家族や周囲の人との人間関係はどうか ●社会的支援は得られているか	●社会的役割の責任が重いと，ストレスの蓄積や，睡眠不足や過労，偏った食事などにつながる場合がある．職業だけでなく家庭での役割も把握する． ●家族・周囲の人との関係性は，それ自体がストレス要因になることもある．また，服薬や食事・運動などの療養行動にも社会的支援の影響が大きい．	●職業，仕事上の役割 ●家庭・地域での役割 ●社会的支援 ●周囲の人，友人，家族とのコミュニケーション
(9) セクシュアリティ-生殖 周囲の認識・支援体制 役割-関係 セクシュアリティ-生殖	●性生活のパートナーはいるか ●妊娠・出産の予定，妊娠高血圧症候群の既往はあるか	●とくに男性において，性行為によって血圧は上昇するため，脳心血管病を合併している場合は注意が必要になる． ●妊娠に関連した高血圧として，妊娠高血圧症候群があり，緊急に高血圧治療が必要な場合もある．	●性生活，パートナーの有無 ●妊娠の予定
(10) コーピング-ストレス耐性 知覚・認知 認知-知覚 自己知覚-自己概念 コーピング-ストレス耐性	●仕事や，社会生活上の変化によってストレスが増強し，慢性的にストレスフルな状況が続いたりしていないか ●コーピングパターンが，高血圧の増悪につながってはいないか ●ストレスの蓄積や，増大などを自覚して，対処しようとしているか	●ストレスは高血圧の要因であり，合併症の1つである虚血性心疾患のリスク要因にもなり得る． ●仕事や家庭において，ストレス要因になるような出来事が増えたり，蓄積したりすることで，高血圧が悪化することもあるため，仕事上のトラブルやライフイベントについても聴取することが重要である． ●ストレスコーピングや社会的支援は，ストレス軽減に重要な要因となる．	●ストレスコーピング，社会的支援状況 ●仕事や社会生活上のストレスの有無，程度
(11) 価値-信念 患者背景 健康知覚-健康管理 価値-信念	●重要な仕事や，対処が必要な物事に対しての向き合い方（完璧主義，自分がやらないと気が済まない，物事を先送りにできないなど）はどうか ●多少健康に悪くても，好きなものを食べたい，運動をするなら有酸素運動よりも強い負荷のかかる筋力トレーニングをやりたいなど，日常生活に関して高血圧の療養とは相容れない信念や価値観をもっていないか	●高血圧の増悪や合併症の予防には，服薬だけでなく日常生活習慣の改善も必要である．日頃から自分の価値観に基づいて続けてきた習慣がある場合は，修正が必要になるため，もともとの習慣やその背景にある価値観などを，あわせて把握しておく必要がある．また，ストレスも血圧上昇の原因になるため，物事をほどほどにしたり，適度に休息をとったりすることが苦手ではないかなど，仕事や物事への向き合い方を，日常の行動や会話のなかから把握しておくことが重要である．	●仕事や物事に向き合う姿勢 ●食事や運動などの日常生活習慣に関する考え方やこだわりなど ●服薬治療についての考え方

3. 全体像の把握から看護問題を抽出

1）病態関連図

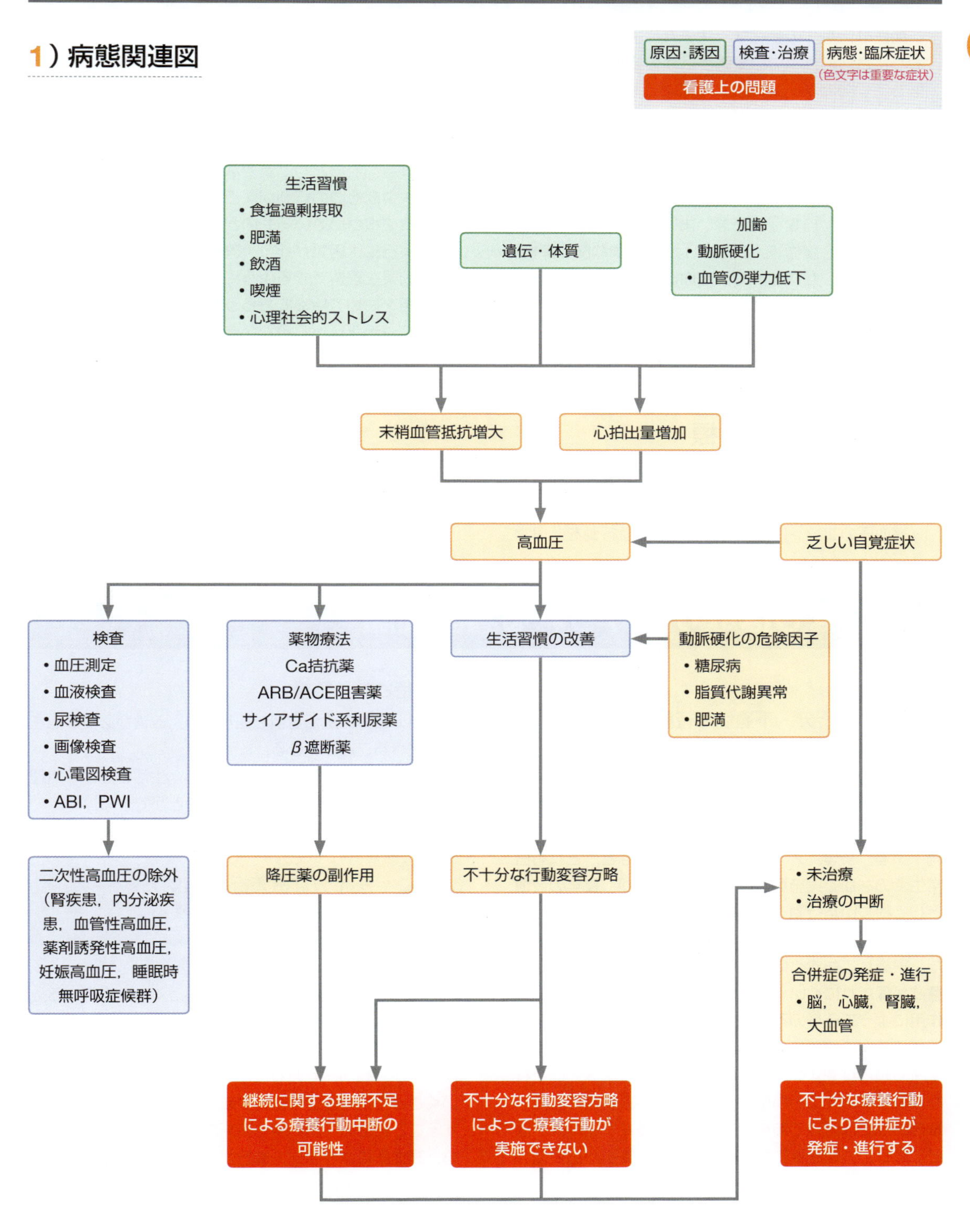

2）看護の方向性

血圧は，身体の多様なシステムによって調節されており，さらに，1つの要因がほかの要因にも影響を及ぼしているため，高血圧になる要因は特定しにくい．また，合併症が起こっていない場合に自覚症状はほとんどないため，治療の必要性を感じにくく，未治療または不十分なコントロールのまま経過してしまうことが多い．高血圧は，血管壁に高い圧が慢性的にかかり続けるため，自覚症状がないまま，血管障害や心負荷が進み，脳心臓血管，腎など，さまざまな臓器障害を引き起こす．したがって，高血圧と臓器障害のレベルが低く，自覚症状や危機意識も低い時期から，早めに生活習慣の改善と服薬による治療を開始・継続し，合併症の発症と進行を防ぐことが重要になる．

合併症が発症することで高血圧の診断に至る場合も多いため，合併症の治療と高血圧の治療は同時に進められる．薬物療法は数種類を組み合わせ，血圧のコントロール状況にあわせて処方されるが，副作用についても理解しながら継続的な服薬ができるように支援が必要になる．治療として重要な位置づけにある生活改善は，一つひとつの行動が，これまで積み重ねられてきた習慣に根づいているものが多く，効果はわかっていても実行には困難が伴う．改善が必要な根拠や，得られる効果を理解できるように説明し，できそうな行動や目標を決めて始めてもらうなど，行動変容に向けたアプローチを行っていく．また，家族や周囲の人の理解やサポートも重要になる．

3）患者・家族の目標

- 高血圧が身体に及ぼす影響と治療の必要性を理解できる．
- 高血圧のコントロールに関連した療養行動を，日常生活習慣として継続できる．
- 高血圧による合併症の発症や進行を予防できる．

4. しばしば取り上げられる看護問題

不十分・不適切な行動変容方略により療養行動が継続できない

なぜ？

高血圧の治療に不可欠な生活改善は，減塩や運動の継続，節酒，禁煙，ストレスマネジメントなど，どれも日常生活のなかで実施可能なことではあるが，長年の習慣として根づいた行動であることも多く，必要性がわかっていたとしても，実行するのは容易なことではない．また，実施してもすぐに効果が現れないことから，継続の意欲が保たれにくい．服薬治療を行っている場合も，副作用によって心身の不調が生じること，服薬後に血圧が下がることで改善したと自己判断することによる服薬の中断も起こりやすい．生活習慣の改善や服薬は，いずれも継続していくことが重要であるため，必要性の認識や意志だけでは困難であり，社会生活やライフイベントなどに応じた方略を身につけられるような支援が必要になる．また，高血圧のための生活習慣改善は，合併症が発症した場合にも重要となる．

➡期待される結果

- 自分自身の生活習慣を振り返り，改善が必要な点を述べることができる．
- 必要な療養行動について理解し，生活のなかで無理なく実施できる方法を考えることができる．

不十分な療養行動により，合併症が発症・進行する

なぜ？

高血圧は，自覚症状がないままゆっくりと進行するため，合併症が出現して初めて診断されることもある．合併症の治療と必要な生活改善は，高血圧と重複するものが多いが，高血圧であることを認識し，同時に改善していくことで，合併症の進行や新たな合併症の発症を予防することになる．脳心臓血管系の疾患，腎疾患そのものも，高血圧により悪化の進行が早まるリスクがあり，死亡率を高める要因にもなる．高血圧が全身に及ぼす影響や，合併症やその他の疾患の増悪要因になることを理解できるように援助し，合併症の発症や進行を予防する必要がある．

高血圧の状態が続くことによって，動脈硬化は確実に進行し，生命に関わる深刻な合併症を発症する．合併症の徴候を早期に発見し，進行を予防することが重要である．そのため，高血圧に対する療養行動という観点だけではなく，合併症の進行を予防するためにも，療養行動の理解や実施状況を再確認し，不十分な点を補足して実施できるように援助計画を立てる必要がある．合併症が発症・進行している場合は，高血圧による看護問題ということではなく，合併症の増悪予防の要因の１つとして高血圧の治療・療養指導が組み込まれることが多い．

➡期待される結果

・合併症の発症・進行と高血圧の関係を自分なりに述べることができる．
・合併症の発症・進行の徴候や症状を早期に発見し，医療者に伝えることができる．

 継続に関する理解不足による療養行動中断の可能性

なぜ？

本態性高血圧は，自覚症状に乏しく，療養行動の必要性を感じにくい．また，罹患率の高い疾患であることから，家族や周囲にも血圧が高め，あるいは高血圧治療中の人がいることも多く，疾患に対する危機感をもちにくい．そのため，生活習慣の改善や服薬の実施・継続だけでなく，定期的な受診の継続にもつながるように，全身に及ぼされる高血圧のリスクや，療養行動一つひとつの根拠と効果が理解できるように，患者・家族の背景要因にあわせて教育的な支援を行う必要がある．

服薬も含めた高血圧の療養行動は，適切に行うことで血圧という数値で効果がわかるため，患者本人や家族も成果を自覚しやすい．その反面，血圧が低下することで，高血圧は改善した，と思いもとの生活に戻ってしまうことも多い．生活習慣の改善や服薬は，現在の血圧が正常範囲であっても，継続する必要があることと，その理由を確実に理解してもらうことが必要である．この看護問題は，◆1によって行動変容が適切に行われ，高血圧の療養に望ましい習慣が自然に生活の中で実施できている場合には生じないこともあるため，継続に関する問題が生じた場合に必要となる．

➡期待される結果

・高血圧の療養行動継続の必要性を述べることができる．
・自分の生活を振り返り，療養行動中断の要因をあげることができる．
・療養行動を継続するための工夫を具体的に述べられる．

5. 看護計画の立案

• O-P：Observation Plan（観察計画）　• T-P：Treatment Plan（治療計画）
• E-P：Education Plan（教育・指導計画）

◆1 不十分・不適切な行動変容方略により療養行動が実施できない

	具体策	根拠と注意点
O-P	(1)病状・現状の理解度 (2)高血圧と合併症の関連，合併症予防の理解度	●高血圧は自覚症状に乏しいため，血圧が高いことを指摘されても，受診や治療，生活改善の必要性に結びつかないことが多い．血圧が高いとはどういうことなのか，高い状態が持続すると身体にどのような影響があるのかを理解しているかを含めて，自分の血圧についての認識を把握する必要がある．
	(3)高血圧の原因や増悪につながる生活習慣の有無と程度	●高血圧の治療に必要な，生活習慣の改善を指導するにあたって，とくに重点的に指導する項目を把握するために，その人の生活習慣を把握する．塩分摂取や飲酒量なども，本人は多くないと捉えている場合もあるため，具体的な数量で把握できるように聴取するほうがよい．
	(4)職場，家庭，社会での役割 (5)社会生活や役割の変化，ライフイベントによる療養生活への影響	●職場や家庭などでの社会的役割は，直接ストレスの要因になり，薬の飲み忘れや，食事，塩分制限，飲酒制限などの生活行動修正の妨げにもなりやすい．職業や家族構成について聞きとるだけでなく，ライフステージ上で起こり得るさまざまな出来事も予測して，把握できるようにする．

	具体策	根拠と注意点
O-P	(6)家族や周囲の人の理解と支援・協力状態	●高血圧の既往をもつ人がいる場合，療養行動に協力的な場合もあるが，逆に「自分の経験から」，薬を飲まなくても大丈夫などといった誤った助言をする場合もある．周囲の人の反応や理解についても把握が必要である．
	(7)ストレスの蓄積程度やストレス対処法の把握	●同じような状況にあっても，ストレスをためやすい人と，うまく対処できる人がいる．ストレス解消に飲酒をするなど，対処法が高血圧につながりやすい場合もある．直接質問するだけなく，ストレスチェック表などの客観的指標を使用すると把握しやすい．
T-P	(1)療養行動が実施できない患者の思いや背景への共感	
	(2)栄養指導・運動プログラム・服薬指導の計画・実施	●栄養士，薬剤師など，他職種と協働でのプログラム（他職種が施設内で行っているプログラムや個別指導など）を受けられるようにすることや，既存の教材などを使用して看護職が実施することなど，自施設の資源を活用して行う．
	(3)ストレス軽減法やリラクゼーション法の実施	●ストレッチ，呼吸法や自律訓練法などは，web上で多くの動画教材もあるため，一緒に実施してもらい，患者の好みにあった方法を取り入れることが可能である．紹介だけでは実施に至らないこともあるので，短時間でよいので一緒に実施するほうがよい．
E-P	(1)高血圧の原因・病態・合併症についての説明	
	(2)高血圧の治療（服薬・生活改善）と継続の必要性についての説明	
	(3)血圧測定方法とセルフモニタリングについての説明	●血圧手帳など，セルフモニタリングのための媒体をすでに患者がもっていることも多いので，記録がどのように役に立つのかを，医療者の立場からも説明しておくことが必要である．継続したモニタリング習慣がある場合は，その行動を称賛し，自己効力感が高まるように働きかける．
	(4)生活習慣改善について (5)服薬に関する指導	●既存のパンフレットが渡されていたり，他職種による指導も行われていることもあるが，さまざまな機会を捉えて理解度を確認したり，質問を受けたりすることで，少しずつ理解が深まる．
	(6)ストレスマネジメントについて	●ストレスは，血圧上昇に密接に関係しているため，わかりやすくメカニズムを説明しながら，ストレス軽減法についても説明するとよい．

引用・参考文献

1) 日本高血圧学会高血圧治療ガイドライン作成委員会編：高血圧治療ガイドライン2019．ライフサイエンス出版，2019．
2) 医療情報科学研究所編：病気がみえる Vol.2 循環器．第４版，メディックメディア，2017．
3) 村川裕二監：新・病態生理できった内科学１ 循環器疾患．第２版，医学教育出版社，2009．
4) 大八木秀和：まるごと図解 循環器疾患．照林社，2013．

11　第２章　循環器疾患患者の看護過程

心臓弁膜症

1. 疾患の基礎的知識

1）疾患の概念

心臓の弁は，腱索によって心筋（乳頭筋）と連結しており，心収縮に連動して受動的に開閉を行う．この弁の開放・閉鎖が障害された結果，機能不全を起こし，心機能および心臓のポンプ機能に低下をきたした状態のことを心臓弁膜症という．

2）原因

先天性と後天性がある．後天性の場合，以前はリウマチ熱によるリウマチ性弁膜症が多かったが，近年は減少し，加齢に伴う動脈硬化類似の弁変性や，石灰化の変性による弁膜症が増加している．

3）病態と臨床症状

病態

心臓には三尖弁・肺動脈弁・僧帽弁・大動脈弁の４つの弁があり，各弁には一定の方向に血液が流れるように，開放・閉鎖する機能がある．

弁の機能不全は，狭窄症と閉鎖不全症の２つに分かれる．狭窄症とは，弁が完全に開かないために血液の流れが妨げられた状態（弁の開放障害）のことをいう．一方，閉鎖不全症とは，弁が完全に閉じないために血液が逆流する状態（弁の閉鎖障害）のことをいう．狭窄による圧負荷や閉鎖不全による容量負荷をきたした結果，心機能および心臓のポンプ機能が低下し，最終的には心不全に陥る．

心臓弁膜症は４つの弁すべてに起こり得るが，僧帽弁と大動脈弁に生じることが多い．また，２つの弁が同時に障害されたものを連合弁膜症といい，大動脈弁と僧帽弁，僧帽弁と三尖弁が，同時に障害される組み合わせが多い．

代表的な大動脈弁疾患，僧帽弁疾患について，以下にまとめる．

図11-1　僧帽弁狭窄症（MS）の病態

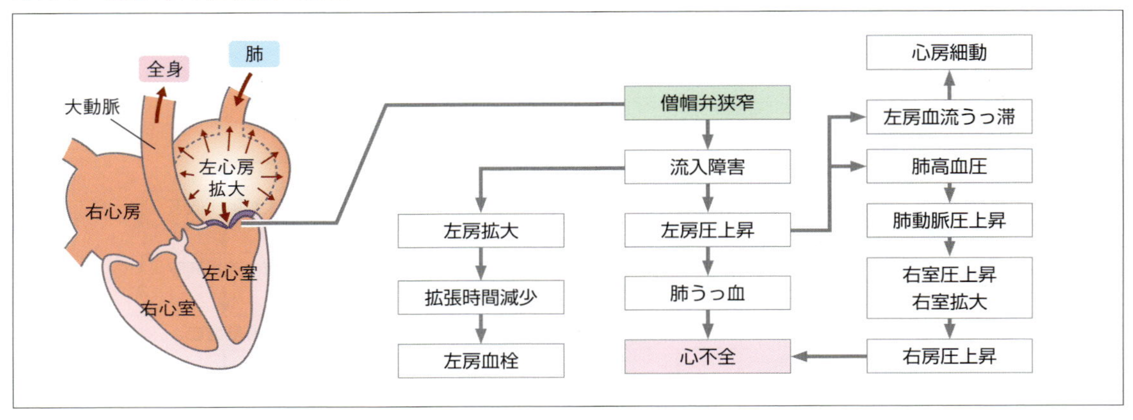

(1)僧帽弁狭窄症(MS：mitral stenosis)

僧帽弁の狭窄により，拡張期の左心房から左心室への血液の流入が障害されている状態である(**図11-1**)．心拍出量を保つため，左心房圧が上昇し，さらに肺静脈圧が上昇し，肺うっ血(左心不全)や心拍出量の減少を生じる．重症化すると肺高血圧症へ移行し，肺高血圧症に至ると，肺動脈圧の上昇によって右心不全となる．また，左心房圧の上昇によって左房内の血流がうっ滞し，心房細動を生じやすい．

僧帽弁の弁口面積の正常は3～5 cm^2であるが，2 cm^2以下になると血液の流入に影響を生じる．

(2)僧帽弁閉鎖不全症(MR：mitral regurgitation)

僧帽弁の閉鎖不全により，収縮期に左心室から左心房へ血流が逆流した状態である(**図11-2**)．左房圧が上昇して肺うっ血が起こるとともに，肺高血圧症となる．拡張期には左心室への流入血液量が増大し，左房と左室が拡大する．

急性心筋梗塞や感染性心内膜炎による急性MRは代償機構が働かず，左房・左室の拡大が起きずに肺うっ血，心拍出量の低下を生じ，心原性ショックが起こる．一方，慢性MRは，左房と左室が拡大する代償機構が働くため，症状が出現しにくい．

(3)大動脈弁狭窄症(AS：aortic stenosis)

大動脈弁口の狭窄により，収縮期に左心室から大動脈への流出障害をきたした状態である(**図11-3**)．この際，左心室は慢性的に圧負荷を受けるため，左室肥大となる．初期は無症状であるが，大動脈弁の弁口面積が1 cm^2以下，大動脈と左心室の収縮期の平均圧較差が40mmHg以上になると，代償機構が働かなくなり，狭心痛，失神発作，心不全などが出現する．

(4)大動脈弁閉鎖不全症(AR：aortic regurgitation)

拡張期の大動脈弁が完全に閉鎖されないため，大動脈から左室内へ血液が逆流する状態である(**図11-4**)．左室は容量負荷・圧負荷を受けるため，左室拡大をきたす．また，拡張期の大動脈圧の低下によって冠血流量が減少し，心筋虚血をきたしやすい．大動脈解離や感染性心内膜炎によって起こる急性の大動脈弁閉鎖不全の場合は，左室の拡大はなく，重症の急性心不全を生じる．

症状・合併症

心臓弁膜症は，心臓の代償機構によって長時間無症状

図11-2　僧帽弁閉鎖不全症(MR)の病態

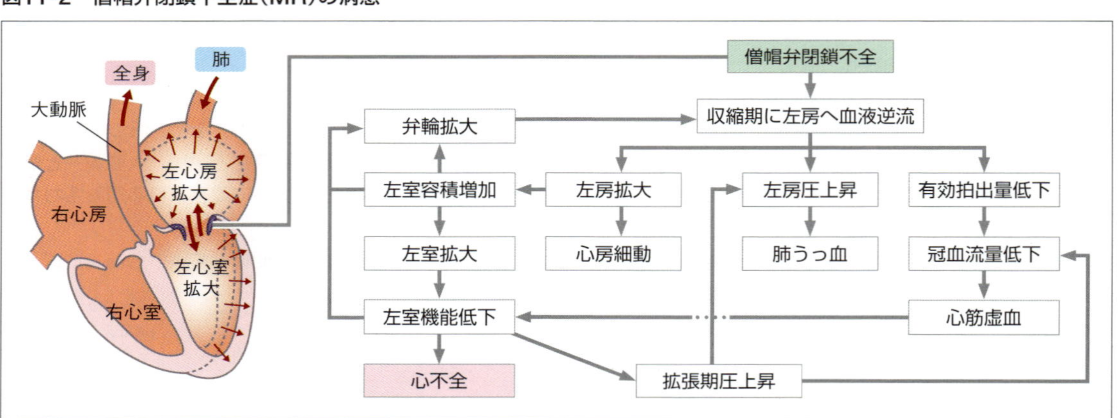

図11-3　大動脈弁狭窄症(AS)の病態

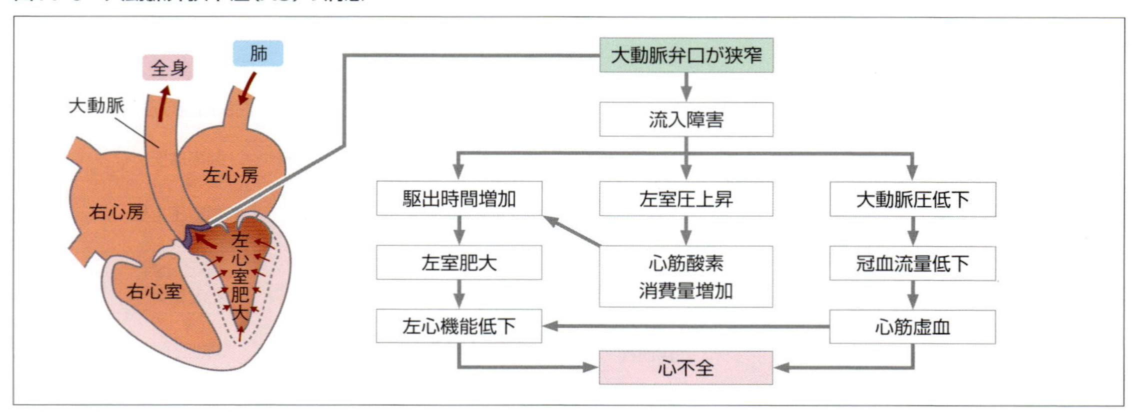

で進行する．進行性であるため，非代償期になると息切れや呼吸困難などの自覚症状が出現する（**表11-1**）．また，心臓弁膜症の代表的な合併症を**表11-2**に示す．

4）検査・診断

検査

心臓弁膜症の代表的な検査には，聴診，胸部X線検査，心電図，心エコー，心臓カテーテル検査などがある（**表11-3**）．

分類

心エコーによる重症度分類を以下に示す（**表11-4，5，6，7**）．

図11-4　大動脈弁閉鎖不全症（AR）の病態

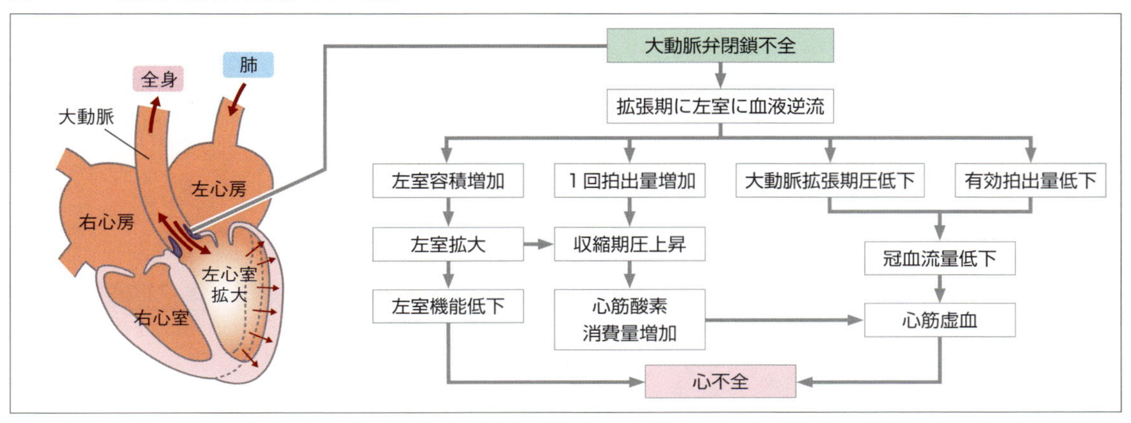

表11-1　心臓弁膜症の代表的な症状

僧帽弁狭窄症	・労作時呼吸困難，動悸（左房圧の上昇による肺うっ血（左心不全）や，心房細動により生じる）
僧帽弁閉鎖不全症	・労作時呼吸困難，動悸，息切れ，易疲労感，発作性夜間呼吸困難，起坐呼吸（左心室拡大に伴う機能低下による肺うっ血（左心不全）により生じる） ・急性の僧帽弁閉鎖不全症の場合，急激な左室の容量負荷に対して，肺うっ血，心拍出量低下を生じ，ときにショックに陥る．
大動脈弁狭窄症	・失神発作・めまい・遅脈・小脈（左室駆出抵抗の増加により心拍出量が低下する．その結果，血圧低下に関連した症状として生じる） ・左心不全症状：息切れ（左室駆出抵抗の増加により左室収縮期圧の上昇，左室肥大に関連した症状として生じる） ・狭心痛（拡張期血圧の低下と左室拡張期圧の上昇により，心筋虚血をきたしやすくなる）
大動脈弁閉鎖不全症	・狭心痛：（拡張期の大動脈圧の低下により冠血流量が減少し，心筋虚血により生じる） ・左心不全症状：呼吸困難，息切れ（左室容量負荷による左室拡大，機能低下と肺うっ血，心拍出量低下，左房圧の上昇をきたす） ・大脈，速脈，動悸（脈圧増大，1回拍出量増加による）

表11-2　心臓弁膜症の代表的な合併症

合併症	機序	合併が生じやすい弁膜症
左心不全	左室拡張末期圧や左房圧の上昇により，肺うっ血に伴う症状をきたす	僧帽弁，大動脈弁疾患
右心不全	右室拡張末期圧，右房圧の上昇により，全身浮腫や胸水・腹水を生じる．左心不全に伴う肺動脈圧上昇により二次的に生じることが多い	三尖弁，肺動脈弁疾患
不整脈（心房細動）	僧帽弁疾患は，長期の左房負荷により心房細動を起こし，血栓塞栓症の原因となる	僧帽弁疾患 血栓による塞栓症は僧帽弁狭窄症に多い
感染性心内膜炎	弁膜症があると弁に菌が付着しやすく，感染性心内膜炎を起こしやすい	僧帽弁狭窄症以外の弁膜症

表11-3　心臓弁膜症の検査

	聴診	胸部X線検査	心電図	心エコー	心臓 カテーテル検査
僧帽弁 狭窄症	・Ⅰ音の亢進 ・僧帽弁開放音 ・拡張期ランブル（雑音） ・前収縮期雑音	・左2・3弓の突出 ・気管分岐部の角度開大 ・肺うっ血	・左房負荷 ・僧帽性P波（二峰性P波） ・心房細動	・弁口面積の減少，僧帽弁前尖のドーム形成，弁下構造の変化 ・僧帽弁前尖拡張期後退速度の低下	・圧評価（スワン-ガンツカテーテル検査） ・冠動脈造影 ・左室造影
僧帽弁 閉鎖不全症	・Ⅰ音の減弱 ・Ⅲ音の聴取 ・全収縮期雑音	・左第3・4弓突出 ・肺うっ血	・心房細動 ・僧帽性P波（二峰性P波）	・左房・左室の拡大 ・収縮期に左室から左房への血液逆流	・左室機能評価 ・圧評価（肺動脈圧） ・弁口面積
大動脈弁 狭窄症	・Ⅳ音の聴取 ・収縮期駆出性収縮期雑音	・左第4弓の拡大	・左室肥大	・弁通過血流速度，圧格差，弁口面積から重症度の評価 ・弁の石灰化，左室肥大，左室拡大，左室壁運動の低下	・圧評価 ・冠動脈造影
大動脈弁 閉鎖不全症	・Ⅲ音の聴取 ・拡張期雑音	・左室拡大（左第4弓の左下方突出） ・肺うっ血	・左軸偏位 ・左側胸部誘導の高電位	・大動脈弁の形態，左室拡大・機能低下，大動脈基部の拡大，解離の有無 ・大動脈弁逆流，弁口面積 ・僧帽弁の細かな振動（フラッタリング）	・大動脈造影 ・冠動脈造影

表11-4　僧帽弁狭窄の重症度

	軽度	中等度	重度
弁口面積	＞1.5cm^2	1.0～1.5cm^2	＜1.0cm^2
平均圧較差	＜5mmHg	5～10mmHg	＞10mmHg
肺動脈収縮期圧	＜30mmHg	30～50mmHg	＞50mmHg

表11-5　僧帽弁逆流の重症度評価

	軽度	中等度	高度
定性評価法			
左室造影グレード分類	1＋	2＋	3～4＋
カラードプラジェット面積	＜4cm^2または 左房面積の20%未満		左房面積の40%以上
Vena contracta width	＜0.3cm	0.3～0.69cm	≧0.7cm
定量評価法			
逆流量(/beat)	＜30mL	30～59mL	≧60mL
逆流率	＜30%	30～49%	≧50%
有効逆流弁口面積	＜0.2cm^2	0.2～0.39cm^2	≧0.4cm^2
その他の要素			
左房サイズ			拡大
左室サイズ			拡大

表11-6　大動脈弁狭窄の重症度

	軽度	中等度	重度
大動脈弁通過最高血流速度	＜3.0m/s	3.0～4.0m/s	≧4.0m/s
収縮期平均圧較差	＜25mmHg	25～40mmHg	≧40mmHg
弁口面積	＞1.5cm^2	1.0～1.5cm^2	≦1.0cm^2
弁口面積係数	—	—	≦0.6cm^2/mm^2

5）治療

心臓弁膜症の初期は薬物治療を中心とした内科的治療を行うが，病状の進行に伴って内科的治療の限界と手術のリスクを考慮し，適切な時期に手術療法を行う．

(1)僧帽弁狭窄症

・**薬物治療**：心不全症状に対する対症療法，心房細動による塞栓症の予防，心拍数コントロール．

・**経皮的僧帽弁交連切開術**（PTMC：percutaneous transluminal mitral commissurotomy）（**図11-5**）：狭窄化した僧帽弁をバルーンで拡張する弁形成術．開心術が不要のため，侵襲が少ない．心房内血栓，Ⅲ度以上の僧帽弁閉鎖不全症がなく，下記 a）または b）の場合，適応となる．

a）NYHA分類Ⅱ～Ⅳ度の中等度のMS

b）無症候性であるが，肺高血圧（安静時肺動脈圧≧50mmHg，運動負荷時肺動脈圧≧60mmHg）を合併した例

・外科的治療

①僧帽弁置換術（MVR：mitral valve replacement）（**図11-6**）：適応は，心不全症状のある中等度～高度MSで，PTMCやOMCよりも，MVRが適切と考えられるものである．

②直視下僧帽弁交連切開術（OMC：open mitral commissurotomy）：適応は下記の場合となる．

a）心不全症状のある中等度～高度ＭＳ（弁口面積≦1.5cm²）で，PTMCやMVRよりも，OMCが適切と思われる場合

b）PTMCを行いにくく，人工弁を避けたい場合

(2)僧帽弁閉鎖不全症

・**薬物治療**：心不全に対する対症療法，心房細動を合併している場合にはワルファリンを投与する．

・**外科的治療**：以下に示す適応例に対して，僧帽弁形成術や僧帽弁置換術を行う．第１選択は僧帽弁形成術である．理由として，手術による合併症が僧帽弁置換術と比較して少ないことと，術後３か月程度を過ぎると抗凝固療法の必要がないためである．弁や腱索に高度の病変がある場合は，僧帽弁置換術が選択される．

①急性症候性：末梢血管拡張薬やカテコールアミンを投与しても，循環動態が不安定な例は，緊急手術の適応となる．

表11-7　大動脈弁逆流の重症度評価

	軽度	中等度	重度
定性評価			
Vena contracta幅	＜0.3cm	0.3～0.6cm	＞0.6cm
左室流出路逆流幅比	＜25%	25～64%	＞65%
連続波ドプラPHT※法	＞500msec	200～500msec	＜200msec
下行大動脈の拡張期逆行性波	拡張早期	拡張早期	全拡張期
定量評価			
大動脈弁逆流量	＜30mL	30～59mL	≧60mL
大動脈弁逆流率	＜30%	30～49%	≧50%
有効逆流弁口面積	＜0.10cm²	0.10～0.29cm²	≧0.30cm²

※PHT＝pressure half-time

図11-5　経皮的僧帽弁交連切開術

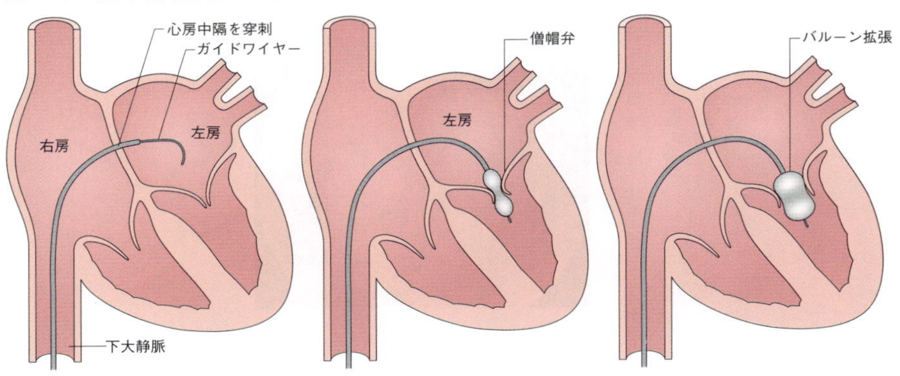

②慢性の重症MR：

a)無症候性：軽度から中等度の左室機能低下（左室駆出率30～60%，左室収縮終期径≧40mm）

b)症状がある場合：高度左室機能低下（左室駆出率<30%，左室収縮終期径>55mm）

(3)大動脈弁狭窄症

・**薬物療法**：心不全に対する対症療法.

・**経カテーテル大動脈弁移植術**（TAVI：transcatheter aortic valve implantation）：低侵襲のため，開心術が困難な場合に適応となる．通常は，鼠径部よりカテーテルを用いて生体弁を挿入する.

・**経皮的大動脈弁形成術**（PTAV：percutaneous transluminal aortic valvuloplasty）：心原性ショックなど，開心術が困難な場合の救命処置として行われることがある．一時的な弁口拡張のため，再狭窄を起こす可能性がある.

・**外科的治療**：高度狭窄がある場合，症状の出現，左室機能低下が出現した場合に適応となる.

①大動脈弁置換術（AVR：aortic valve replacement）：**図11-7**に示す.

②大動脈弁形成術（AVP：aortic valvuloplasty）：再手術のリスクが高いため，あまり選択されない.

(4)大動脈弁閉鎖不全症

・**薬物治療**：原疾患の治療，心不全に対する対症療法.

・**外科的治療**：高度のARで症状がある場合，手術が適応となる.

①大動脈弁置換術（AVR：aortic valve replacement）.

②大動脈弁形成術（AVP：aortic valvuloplasty）：基本的には大動脈弁置換術が行われる．大動脈弁輪拡張症によるARの場合は，大動脈基部の置換術（ベントール手術）もあわせて行う場合がある.

(5)機械弁と生体弁の比較

弁置換術で使用する弁は，患者の状態・状況にあわせて選択し，使用する（**表11-8**）.

機械弁の耐久性は優れているが，生涯にわたって抗凝固療法が必要となる．そのため，若年者が適応となる．生体弁は15年程度の耐久性だが，手術後３か月以降は抗凝固療法が不要となる．そのため，高齢者や，妊娠・出産を希望する女性に適応となる．TAVIで用いられるのは生体弁である.

図11-6　僧帽弁置換術

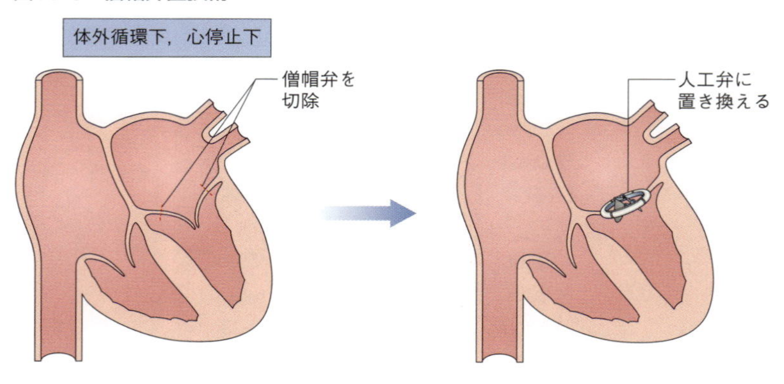

図11-7　大動脈弁人工置換後

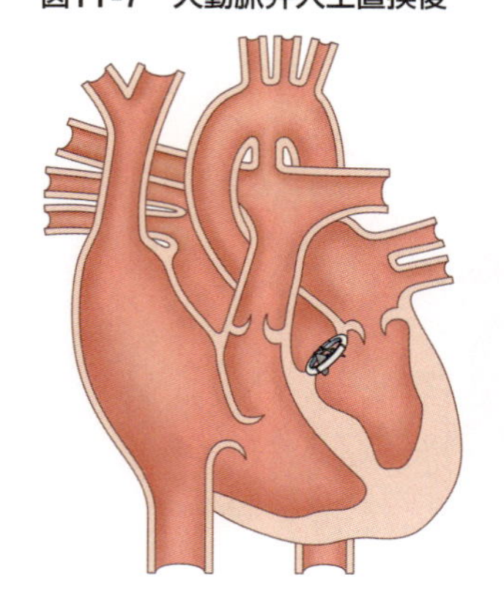

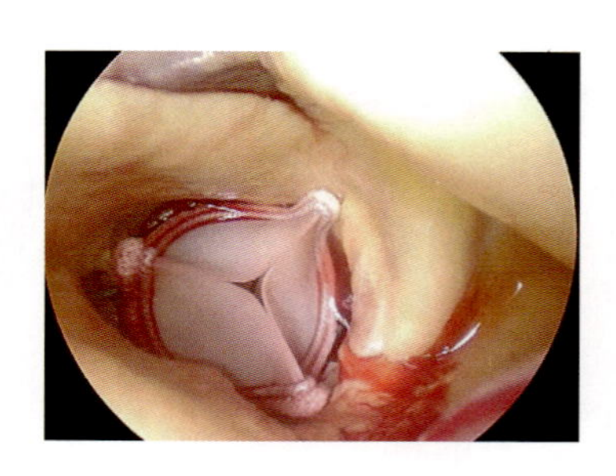

6）予後

・僧帽弁狭窄症；未治療の場合，10年生存率は50～60%である．初診時に自覚症状が軽微な場合は10年生存率80%だが，重度の場合は15%以下となる．
・僧帽弁閉鎖不全症；左室機能障害がある場合は予後不良である．内科的治療の５年生存率は約50%である．腱索・乳頭筋断裂により，急激に発症したMRは，放置すると予後は極めて不良である．
・大動脈弁狭窄症；自覚症状出現後の予後は不良である．手術を受けない場合の平均余命は，狭心痛出現後は５年，失神出現後は３年，心不全出現後では２年で，突然死もみられる．
・大動脈弁閉鎖不全症；長期にわたって代償機構が働くが，代償しきれなくなって心不全が生じると，回復は困難で予後不良である．

表11-8　機械弁と生体弁の比較

機械弁	生体弁
・パイロリックカーボン製 ・耐久性は良い ・血栓が生じやすいため，生涯にわたりワルファリン内服が必要(妊娠の可能性のある患者には不適)	・ウシ心嚢膜やブタの大動脈弁などをグルタルアルデヒドなどで処理しつくられる ・耐久性に欠ける ・弁の破壊，石灰沈着が生じやすい
大動脈弁用人工弁(機械弁) 写真提供：日本ライフライン株式会社	カーペンターエドワーズ牛心のう膜生体弁マグナ 写真提供：エドワーズライフサイエンス株式会社

2. 看護過程の展開

● アセスメント～ゴードンの機能的健康パターンを用いて

ここでは手術療法を中心としてアセスメントする．

パターン	アセスメントの視点	根拠	収集する情報
(1) 健康知覚-健康管理 患者背景 健康知覚-健康管理 価値-信念	●疾患の状態と治療について正しく理解しているか	●疾患や治療について理解が不十分であると，よりよい身体状態を保つことができず，術前に心不全が悪化し，術後合併症を生じる可能性がある．	●現病歴：発症の時期，経過，治療の内容と経過 ●既往歴と今までの健康管理と健康状態の認識 ●生活習慣，喫煙歴，飲酒の有無，運動習慣の有無など ●家族の疾患と治療についての理解度
	●手術を受ける場合，術後に生じる合併症について理解できているか	●術前の呼吸練習によって，心負荷増大，狭心痛が出現する可能性がある場合は，術前練習を行わないときがある．そのため，理解が不十分であると術後合併症を生じるリスクが高くなる．	

パターン	アセスメントの視点	根拠	収集する情報
(1) **健康知覚-健康管理** 患者背景 健康知覚-健康管理 価値-信念	●発症前の生活で病気を悪化させる要因はあるか ●薬物管理や運動について理解し，実施できているか	●術前に保存的治療が施行される場合，心機能が重要となる．退院後も心機能低下を予防するために，血圧管理や運動についてセルフケアが必要である．	
	●心不全悪化の要因や感染の要因はあるか．また，要因の除去に努めているか	●心臓弁膜症で心不全が生じている状態で手術を受けると，血液の逆流，流入障害はなくなっても，すでに受けた心筋の障害は改善しないため，退院後も心負荷を軽減したセルフケアが必要である．	
	●安静が守れ，転倒や身体損傷の危険性はないか	●手術を受けた場合，ドレーン類やペーシングリード［経皮的(経静脈的)に心臓へ挿入して人工的に電気的な刺激を与えるもの］が挿入され，ベッドからの転落や事故・自己抜去により，身体に損傷を生じる可能性がある．	
	●家族は疾患と治療について理解しているか	●退院後も治療は継続するため，家族の協力が必要である．	
(2) **栄養-代謝** 全身状態 栄養-代謝 排泄	●栄養状態に問題はないか	●術前から心不全がある場合，食欲低下や摂取量の低下により，栄養障害を生じていることがある． ●低栄養状態であると，術後に，感染症や創部の治癒遅延や体力の回復遅延を生じるリスクとなる． ●肥満があると呼吸器合併症が生じるリスクとなる．	●身長，体重，BMI：術前，術後の体重変化 ●食事の形態，食習慣 ●皮膚の状態，創部の状態 ●輸液の有無と輸液をしている場合はその内容 ●血液検査データ ・肝機能 ・血糖値に関するもの ・凝固，止血機能 ・貧血に関するもの ・電解質
	●水分の過不足はないか	●術後，水分の過不足があると心負荷となる．過剰な場合は心不全を生じやすく，不足の場合は循環血液量減少による低心拍出量症候群(LOS)につながるリスクとなる． ●術後，体重が増加傾向である場合は，心負荷を軽減するために飲水制限を行うことがある．	
	●感染症はないか	●感染症は心不全を悪化させる要因であるため，術前・術後ともに注意が必要である．	
	●電解質バランスに異常はないか	●電解質バランスの異常は不整脈が生じるリスクとなる． ●手術侵襲や循環不全により，術後代謝性アシドーシスとなる．	
	●血糖値に異常はないか	●高血糖は，術後感染症や創部の治癒遅延が生じるリスクとなる．また，弁置換手術を行った場合，遠隔部位の感染症も術後感染の要因となる．	
	●皮膚の脆弱性はないか	●皮膚が脆弱であると，術中，術後に皮膚損傷を生じるリスクがある．	
	●肝機能に異常はないか	●右心不全を生じている場合，肝機能が低下する． ●肝機能障害があると薬物代謝が遅延し，術後麻酔からの覚醒が遅くなる．	

パターン	アセスメントの視点	根拠	収集する情報
(2) 栄養-代謝 全身状態 栄養-代謝 排泄	●凝固，止血機能に異常はないか	●術前に心房細動があり，抗凝固療法を使用している場合や術中の体外循環や低体温により，凝固機能の低下が生じて，術後出血を生じるリスクとなる． ●人工心肺を使用した場合，凝固系が亢進し，出血しやすい状態となる． ●機械弁を用いた人工弁置換術を行った場合は，半永久的に抗凝固療法が必要となる．生体弁の場合は術後３か月を目安に抗凝固療法が必要となる． ●貧血がある場合，創部の治癒遅延が生じるリスクとなる．	
(3) 排泄 全身状態 栄養-代謝 排泄	●腎機能に異常はないか ●排尿障害はないか ●消化管の機能に異常はないか ●排便パターンに異常はないか	●術前心不全によって腎機能に障害がある場合，腎機能障害を発症するリスクが高くなる． ●高齢男性の場合，術後，膀胱留置カテーテル抜去後に尿閉を生じるリスクがある． ●術前に心不全がある場合，消化管うっ血による腸管浮腫や低拍出量によって腸管虚血が生じ，消化管粘膜の障害，蠕動運動の低下を引き起こすリスクとなる． ●排便時の怒責は心負荷を高める．とくに重症ASの場合，失神や突然死の原因となる． ●術後，全身麻酔の影響と活動性の低下により，便秘になるリスクがある．	●排尿回数，１日の排尿量 ●排尿障害の有無とその対処方法 ●腎機能に関する血液検査データ ●排便回数，便の性状 ●便秘の有無とその対処方法 ●腹部の状態，腸蠕動音や腹部膨満など ●腹部X線 ●下剤使用の有無
(4) 活動-運動 活動・休息 活動-運動 睡眠-休息	●疾患の重症度はどの程度か ●心機能の低下はどの程度か ●呼吸器系の機能に異常はないか	●疾患の重症度により，術後合併症のリスクに差が生じる． ●術前から心不全症状があり，心機能が低下している状態で手術を受けると，術後心不全や低心拍出量症候群(LOS)を生じるリスクがある． ●大動脈弁弁膜症でLVF(左心機能)40%以下の場合，術後心不全を生じるリスクが高い． ●人工心肺を使用した場合，心機能が低下する． ●人工心肺の使用や過剰な輸液によって循環血液量が増加し，心不全を生じるリスクがある． ●術後，出血やドレーンの閉塞により，低心拍出量症候群(LOS)を生じるリスクがある． ●術後出血や心タンポナーデにより，血圧低下，ショックを生じるリスクがある． ●術前から徐脈がある場合，術後に一時的ペーシングを使用することがある． ●術前から心房細動がある場合，開心術時にメイズ手術を行うことがある． ●開心術後の３～４割に発作性心房細動が出現する． ●心臓弁膜症で手術を受ける患者のほとんどが心不全である．肺うっ血による左心不全症状が生じている可能性がある． ●術後の心機能低下によって肺うっ血が生じやすくなるため，呼吸器系に異常がある場合，術後呼吸器合併症が生じるリスクとなる． ●術前の心負荷を避けること，狭心発作を予防すること，呼吸器合併症予防のために，術前呼吸練習が行えない場合，術後呼吸器合併症が生じるリスクとなる． ●手術によって正中切開をすると，呼吸時に創部痛が増強し，呼吸が浅くなることがある．	●バイタルサイン ●呼吸状態 ・呼吸音 ・呼吸困難の有無 ・咳や痰の有無　など ●循環状態 ・顔色 ・血圧の左右差の有無，脈圧 ・胸痛，胸部不快，動悸 ・四肢冷感，倦怠感，疲労感　など ●心機能に関する検査データ ・心エコー ・心電図 ・X線検査 ●呼吸機能関する検査データ ・呼吸機能検査 ・画像検査 ・血液ガスデータ ●ドレーンからの排液量，性状 ●運動麻痺や運動失調，関節の変形の有無など ●現在のADLと支障の有無

パターン	アセスメントの視点	根拠	収集する情報
(4) 活動-運動 活動・休息 活動-運動 睡眠-休息	●運動機能に異常はないか ●現在のADL	●関節の変形や運動麻痺は，術後の神経麻痺や皮膚損傷が生じるリスクとなる. ●身体に変形があると，人工心肺のカニュレーション(カニューレを挿入すること)がうまくできない場合がある. ●術後血栓・塞栓症によって脳梗塞が生じた場合，運動障害を生じるリスクがある. ●疼痛や酸素療法や輸液，ドレーンにより，ADLに制限を生じていることがある. ●術後心臓リハビリテーションが進まず，ADLに制限を生じることがある.	
(5) 睡眠-休息 活動・休息 活動-運動 睡眠-休息	●睡眠に異常はないか ●休息はとれているか	●CCUやICUなどの特殊な環境下，人工呼吸器使用，ドレーンや各種ライン類の挿入，身体拘束や疼痛などにより，不眠を生じるリスクがある. ●不眠があると，術後せん妄発症のリスクとなる. ●心機能にあわせて休息が取れず，活動が多くなると心負荷となる.	●睡眠パターン ●睡眠障害の有無とその対処方法 ●休息時間とそのパターン
(6) 認知-知覚 知覚・認知 認知-知覚 自己知覚-自己概念 コーピング-ストレス耐性	●認知機能に異常はないか ●感覚機能に異常はないか ●疼痛はコントロールされているか	●状況が十分に理解できていないと，術後せん妄を生じるリスクや，患者が治療に参加できないリスクとなる. ●僧帽弁狭窄症や閉鎖不全は，術前から心房細動を併発していることが多く，不整脈によって脳梗塞を生じるリスクがある. ●人工心肺の使用による脳灌流の低下や虚血や不整脈により，術後脳梗塞を生じるリスクがある. ●感覚障害があると，術後神経障害や皮膚損傷を生じやすい. ●術後疼痛がある場合，呼吸器合併症の発症やADL拡大を阻害するリスクとなる.	●意識状態 ●瞳孔の大きさ，瞳孔不同の有無 ●視力障害，聴力障害の有無と対処方法 ●神経学的所見 ●質問や説明に対する理解度 ●知覚障害，感覚障害の有無と部位 ●疼痛の有無と部位，対処方法の効果 ●めまい，頭痛の有無 ●脳血管障害などの既往歴の有無
(7) 自己知覚-自己概念 知覚・認知 認知-知覚 自己知覚-自己概念 コーピング-ストレス耐性	●自分の状態をどのように捉えているのか ●自己概念，自尊感情の脅威はないか	●自分の状態が心臓手術後どのように変化するのか，不安や恐怖を抱くリスクがある. ●疾患に伴う症状や術後の合併症，人工弁の挿入により，ボディイメージの変容を迫られる.	●性格 ●病気や治療に伴う自分に対する思い ●病気や治療に伴う外観，身体機能の変化の有無 ●話し方や表情　など

パターン	アセスメントの視点	根拠	収集する情報
(8) 役割-関係 周囲の認識・支援体制 役割-関係 セクシュアリティ-生殖	●役割遂行に問題はないか ●家族関係に問題はないか	●治療や入院により，役割の遂行が困難となることがある． ●治療や入院により，患者の役割遂行が困難となった場合，家族の支援が必要となる． ●再発を予防するためには家族の支援が必要となる． ●長期にわたって患者の役割遂行が困難となった場合，家族の役割遂行にも問題を生じるリスクがある．	●職業 ●家族構成 ●患者の家族内役割 ●経済状況 ●キーパーソン ●家族の健康状態，就労状況，面会状況など
(9) セクシュアリティ-生殖 周囲の認識・支援体制 役割-関係 セクシュアリティ-生殖	●性，生殖に関する問題はないか	●術後，心理的なことから性行動に問題を生じるリスクがある．	●性，生殖に関する発言の有無 ●生殖器の異常・障害の有無
(10) コーピング-ストレス耐性 知覚・認知 認知-知覚 自己知覚-自己概念 コーピング-ストレス耐性	●今回の病気や治療をどのように受け止めているのか ●ストレスと対処方法に問題はないか ●強い不安や恐怖を感じていないか	●ICUやCCUなどで治療を受けるため，ストレスは増強しやすく，適正にコーピングがはかれないことがある． ●心臓を手術するということは，生命の危機を連想させる．	●ストレスと感じていることの有無 ●ストレスの対処方法 ●相談する人 ●不安の有無
(11) 価値-信念 患者背景 健康知覚-健康管理 価値-信念	●価値信念と治療の間に対立はないか	●退院後（術後）も治療や生活管理が必要であるが，治療の継続に際し，価値や信念の影響を受ける．	●健康に関する価値や信念，大事にしていること ●宗教

3. 全体像の把握から看護問題を抽出

1）病態関連図

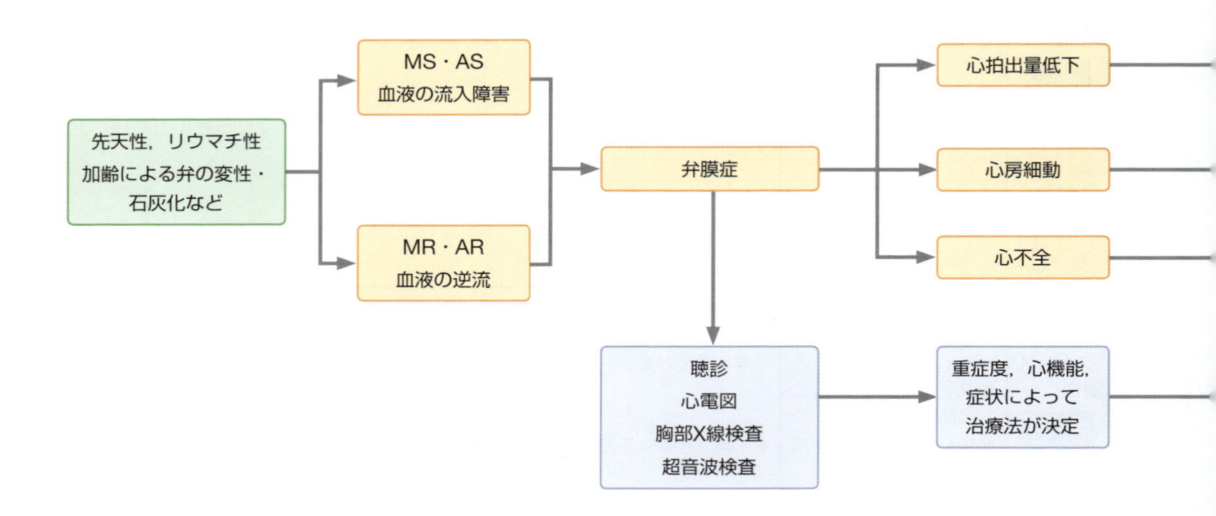

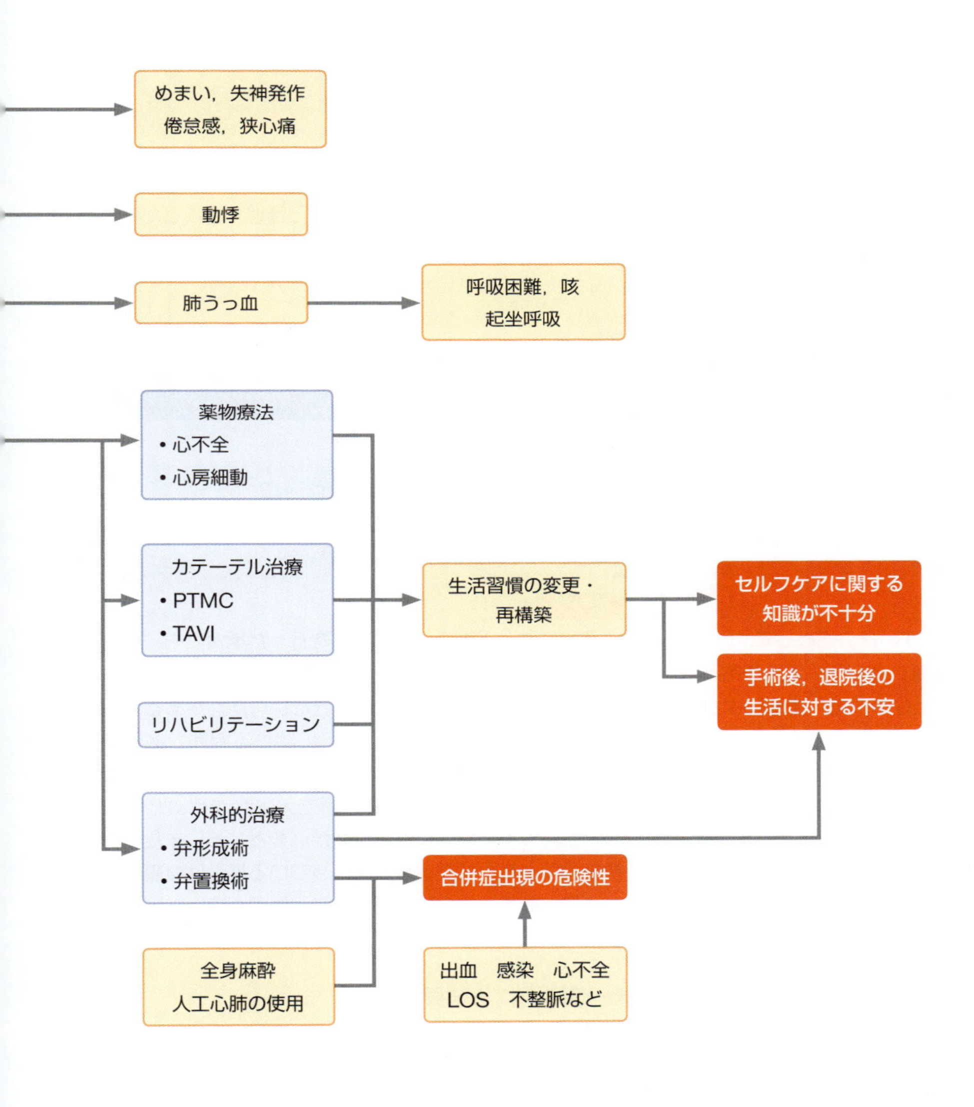
めまい，失神発作
倦怠感，狭心痛
動悸
肺うっ血
呼吸困難，咳
起坐呼吸
薬物療法
・心不全
・心房細動
カテーテル治療
・PTMC
・TAVI
リハビリテーション
外科的治療
・弁形成術
・弁置換術
全身麻酔
人工心肺の使用
生活習慣の変更・
再構築
セルフケアに関する
知識が不十分
手術後，退院後の
生活に対する不安
合併症出現の危険性
出血　感染　心不全
LOS　不整脈など

2）看護の方向性

心臓弁膜症は，弁の逆流や狭窄により，心肥大または心拡大を生じ，心機能が低下して心不全となる．代償機構が働いている間は，心不全を悪化させないように薬物療法や生活管理ができているかアセスメントし，ケアする必要がある．

手術療法を行う場合は，術前の心機能が術後の合併症や回復過程を左右するため，術前の心機能をアセスメントする必要がある．術後は，術前からの心負荷に加え，人工心肺や全身麻酔などの侵襲が加わることにより，弁の機能が改善されても心不全やそのほかの合併症を生じやすい状態である．そのため，合併症のリスク因子はないかアセスメントし，ケアする必要がある．

退院に向けて，生活管理や感染予防についてなど，患者は生活習慣の変更や再構築が必要となってくる．十分に理解をしていないと生活管理ができない可能性があるため，家族や支援者の協力を得ながら生活し，再構築に努める必要がある．

また，心臓を手術すること自体に不安や死の恐怖を抱きやすく，さらに，術後のセルフケアを十分に行うことができるかどうかの不安が生じやすいため，精神的なケアが必要である．

3）患者・家族の目標

患者，家族が手術について理解し，体調を整え，手術を受けることができる．

合併症を生じず，心機能を回復させることができる．

退院後の生活について理解し，自己管理することができる．

4. しばしば取り上げられる看護問題

◆1 手術・全身麻酔・人工心肺の使用に関連した合併症出現の危険性

なぜ？

心臓弁膜症の手術後に生じやすい合併症として，出血，心不全，不整脈，低心拍出量症候群（LOS），感染がある．術前の心機能や，手術を行った弁の部位・病態により，生じやすい合併症に違いがある．

術前からの心機能低下，手術侵襲，全身麻酔，人工心肺を用いて手術を行うことにより，術後は循環動態が不安定になりやすい．心タンポナーデや左室破裂，ショックなどの合併症は生命の危機的状況をまねく．

➡期待される結果

異常の早期発見と予防ができる．

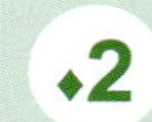

◆2 セルフケア（疾患や治療，退院後の生活管理）に関する知識が十分でない

なぜ？

薬物療法と手術療法のどちらを行った場合でも，退院後の生活管理や治療の継続が必要である．知識が不足していると十分なセルフケアができない可能性がある．

入院中や退院後のセルフケアに関わる問題であるため，必要な知識を得てセルフケア行動ができるように促す必要がある．とくに弁置換術で人工弁を用いた場合は，生涯にわたって抗凝固療法が必要となる．また，心房細動があり，抗凝固療法を行っている場合は食事制限が必要となる．さらに，適切な自己管理ができないと心不全や縦隔炎などの感染を生じることがある．

➡期待される結果

退院後の生活がイメージでき，日常生活の管理方法について言葉で言える．

◆3 手術，退院後の生活に対する不安

なぜ？

心臓弁膜症で手術療法を行う場合は，心臓弁膜症が進行し，労作時呼吸困難や狭心痛などの自覚症状が出現している場合が多い．自覚症状があるなかで心臓手術を行うため，死の恐怖や不安を抱きやすい．また，術後は術前とは異なる生活管理を行う必要があるため，実施できるかどうかの不安を生じやすい．

手術を受けることに対する不安と，退院後の生活や自己管理に関する不安など，経過によって不安に感じる内容が変化する．また，術後創部痛やドレーン類挿入による体動制限，ICUやCCU入室に伴う環境変化により，不安やストレスが生じやすい．不安やストレスからせん妄を生じると治療の妨げとなり，回復が遅延する可能性がある．

➡期待される結果

不安が表出できる．

5. 看護計画の立案

- O-P：Observation Plan（観察計画）
- T-P：Treatment Plan（治療計画）
- E-P：Education Plan（教育・指導計画）

◆1 手術・全身麻酔・人工心肺の使用に関連した合併症出現の危険性

心不全や低心拍出量症候群（LOS）を中心に考える．

	具体策	根拠と注意点
O-P	**(1)バイタルサイン** **(2)意識レベル** **(3)呼吸音，呼吸パターン** **(4)呼吸困難や起坐呼吸の有無，咳の有無，痰の有無と性状** **(5)末梢冷感，チアノーゼの有無** **(6)皮膚の湿潤の有無** **(7)疲労感，倦怠感の有無** **(8)水分出納バランス** **(9)浮腫の有無と部位と程度** **(10)体重の変化** **(11)血行動態のモニター値：CVP，PAWP，PAP，CI，CO** **(12)検査データ** ・血液検査：電解質，凝固系 ・動脈血ガス分析 ・心電図 ・胸部X線検査 ・心エコー **(13)リハビリテーション内容** **(14)緊張，ストレスの有無**	●心臓弁膜症術後は心不全やLOSを生じやすい．そのため，症状の観察と異常の早期発見が必要となる． ●LOSの診断指標 ①収縮期血圧80～90mmHg以下 ②CVP15mmHg以上 ③PAWP15mmHg以上 ④CI2.0L/分8m^{2}以下 ⑤中枢と末梢温度差５℃以上 ⑥混合静脈血酸素飽和度50%以下 ⑦四肢冷感，チアノーゼ ・低体温やストレス，緊張により，末梢血管抵抗が上昇し，心負荷につながる． ・リハビリテーションなどの負荷によって血圧が上昇した場合，血管抵抗も上昇し，心負荷につながる．
T-P	**(1)輸液管理** ・カテコールアミン，血管拡張薬，利尿薬など **(2)酸素療法の管理** **(3)ペースメーカー管理** **(4)医師に指示された安静度内で安楽な体位を工夫する** **(5)排便コントロール（便秘の予防）** **(6)精神的な支援：傾聴，声かけ**	●前負荷，後負荷を軽減するため，利尿薬や血管拡張薬などが使用される． ●徐脈傾向の場合，手術時に留置された心房心筋電極リードから一時的にペーシングを行い，心拍数を維持する． ●心負荷を避けるため，体位の工夫や排便コントロールを心がける． ●ストレスを軽減するために患者が話しやすい環境をつくり，訴えを傾聴する．

	具体策	根拠と注意点
E-P	(1)現在の状況を説明する (2)自覚症状がある場合は看護師に報告するよう説明する	●術後の経過にあわせて説明する. ●患者自身が自覚することで異常の早期発見につながる.

♦2 セルフケア(疾患や治療，退院後の生活管理)に関する知識が十分でない

	具体策	根拠と注意点
O-P	(1)病気や治療，退院後の生活に必要な知識の有無と理解度 (2)入院前の症状管理や服薬などのセルフケア行動の状況 (3)ADLの自立度 (4)ライフスタイル (5)患者の社会的役割 (6)キーパーソン，家族のサポート体制	●手術後の経過や退院後の自己管理行動についての理解度を把握する. ●心臓弁膜症は手術前から自覚症状があり，セルフケア行動を行っている．入院前のセルフケア行動の管理能力や，症状を促進する要因と阻害する要因を把握する. ●日常生活行動は徐々に拡大するため，退院後すぐには入院前の役割やライフスタイルが行えない可能性がある. ●退院後に患者が自己管理を継続するためには，家族の協力が重要である．家族の状況を把握し，家族も含めた支援体制を考える.
T-P	●内服薬の自己管理に向けた支援 ・薬剤師とともに行う ●患者とともに創部の観察を行う ●栄養指導の受講を調整する ●患者が望ましい行動がとれているときはその努力を認める	●術後の身体状況にあわせて薬剤師と協働しながら，服薬の自己管理を支援する. ●退院に向けて，創感染の徴候を一緒に観察する. ・創部をみることに恐怖や不安を抱く場合は，不安軽減の支援を同時に行う. ●患者・家族から希望があれば，栄養指導が受けられるよう調整する．また，一般的な栄養指導ではなく，患者の嗜好やライフスタイルにあわせた指導になるよう調整する. ●努力を認めることで，自己効力感が高まり，自己管理への意欲が高まる.
E-P	●以下の内容について患者と家族とともに考え，説明する ①毎日決まった時間に自己検脈，体重測定，下肢の浮腫の有無，血圧測定を行うよう説明する ②食事療法・水分制限について ・水分制限 ・塩分制限 ・抗凝固療法に伴うビタミンKを多く含む食品の摂取制限 ③薬物療法について ・作用，副作用，用法・用量	●退院後の自己管理について患者だけでなく，家族にも理解をしてもらうことで協力が得やすくなる. ●患者・家族に理解をしてもらうためには，知識や理解度，性格や年代にあわせた説明の仕方を工夫する. ●術後の不整脈，心不全の徴候を，患者自身で早期に発見するため. ●自己検脈について説明する場合は，理解・実施しやすいよう，実際に患者自身が脈に触れてもらう. ●体重増加の程度によっては受診が必要な場合があるため，事前に医師に受診の目安を確認する. ●術後，一時的に水分制限が必要な場合がある．説明するときは，飲水量がわかりやすいようペットボトルやコップなどの具体例を用いて行う. ●入院中の日々の食事から，制限食に関する理解を含めて指導につなげる. ●ワーファリンは，ビタミンKによって作用が減弱する.

	具体策	根拠と注意点
E-P	・抗凝固薬服用中の注意点 1)出血傾向について 2)採血後などは十分に止血を行う 3)カミソリによるひげ剃りや歯みがき時の出血に注意する 4)歯科受診時は主治医に相談する	●抗凝固薬は効果が強いと出血傾向を強め，弱いと血栓形成のリスクが高くなるため，患者の状態にあわせて量を調整する．そのため，適切に内服できるよう家族も含めて十分に理解できるよう説明する．
	④感染予防について	
	・創部の洗浄方法	●創感染を予防するため，毎日シャワーで愛護的に洗浄する．
	・人工弁の感染や心不全の増悪を防ぐため，風邪などの感染を起こさないよう注意する：手洗いや含嗽の励行	●感染を生じると，心不全の増悪をまねき，心機能が低下する．また，人工弁が感染した場合は再手術が必要となる．
	⑤創部の管理について	
	・創部の観察を毎日行う	●創感染や縫合不全の早期発見のため．
	・胸帯の装着方法	●胸骨を切開している場合，完全に融合するには３か月以上かかる．胸骨を保護するために胸帯を使用している場合は，正しい装着方法について説明する．
	⑥心負荷の予防	
	・便通を整える	●排便時の怒責は血圧の上昇をまねき，心負荷となる．
	・禁煙	●ニコチンには心拍数増加・末梢血管の収縮・血圧上昇・動脈硬化の増加作用がある． ●術前に禁煙ができていても，術後に喫煙を再開してしまう場合があるため，喫煙によるリスクを説明する．
	・室温の調整	●急激な温度差は血圧の変動を生じる．夏は室温と外気温の温度差，冬は浴室との温度差が少なくなるよう説明する．
	⑦退院後の生活について	
	・ADL，家事，仕事，趣味など ・障害者手帳の申請	●活動は徐々に拡大するため，手術後から，現在可能な動作，退院後に可能な動作や行動について話し合う． ●重いものを持つ動作は創部に負担がかかるので避け，家族の協力を得るよう説明する． ●人工弁の手術を受けた場合，身体障害者手帳の申請が可能となる．

引用・参考文献

1) 日本循環器学会：循環器超音波検査の適応と判読ガイドライン（2010年改訂版） https://www.j-circ.or.jp/old/guideline/pdf/JCS2010yoshida.h.pdf より2020年8月13日検索
2) 落合慈之監：循環器疾患ビジュアルブック．第２版，p.119～141，学研メディカル秀潤社，2017.
3) 日本循環器学会：弁膜疾患の非薬物治療に関するガイドライン（2012年改訂版） http://www.j-circ.or.jp/guideline/pdf/JCS2012_ookita_h.pdf より2020年8月13日検索
4) 齋藤宣彦，大門雅夫：ナース・メディカルスタッフのための循環器レクチュア．第４版，文光堂，2018.
5) 堀隆樹監：やさしくわかる 心臓血管外科．照林社，2018.
6) 新東京病院看護部編：本当に大切なことが１冊でわかる 循環器．照林社，2019.

12 急性リンパ性白血病（患児）

1. 疾患の基礎的知識

1）疾患の概念

急性リンパ性白血病（ALL：acute lymphoblastic leukemia）とは，主に骨髄にある造血幹細胞（リンパ球系幹細胞）が，リンパ球に分化する過程において，幼若（成長途中）の段階で腫瘍化（白血病細胞）し，無制限に増殖することで発症する疾患[1)2)]である．なお，分け方として，骨髄球系細胞の腫瘍化であれば「骨髄性白血病」であり，白血病細胞が成熟血球への分化能と増殖能を有している場合は，「慢性」と分類される（**図12-1, 2**）．

ALLの好発年齢は２～５歳であり，小児期に多く発症する疾患である．具体的な発症数は，小児500～600人/年といわれている．

2）原因

現時点では，急性リンパ性白血病の発生機序は不明である．発病への影響因子として，放射線被曝や特定の化学療法薬，ウイルスなどが指摘されており，特定の染色体や遺伝子の異常でもALLが高頻度に合併することは明らかとなっている．

3）病態と臨床症状

発症初期では，元気がない，疲れやすい，食欲不振，四肢の関節痛などの非特異的症状が生じる．骨髄中の芽球（Blast：未熟な血液細胞）の比率が増加するとともに正常造血は圧迫され，赤血球・好中球・血小板産生が抑制され，貧血，感染に伴う発熱，出血傾向などの症状を訴えることが多い[3)]．

また，骨髄以外の臓器である肝臓・脾臓・リンパ節・脳脊髄（中枢系）などに，白血病細胞が増殖すると，肝脾

図12-1　造血幹細胞の分化

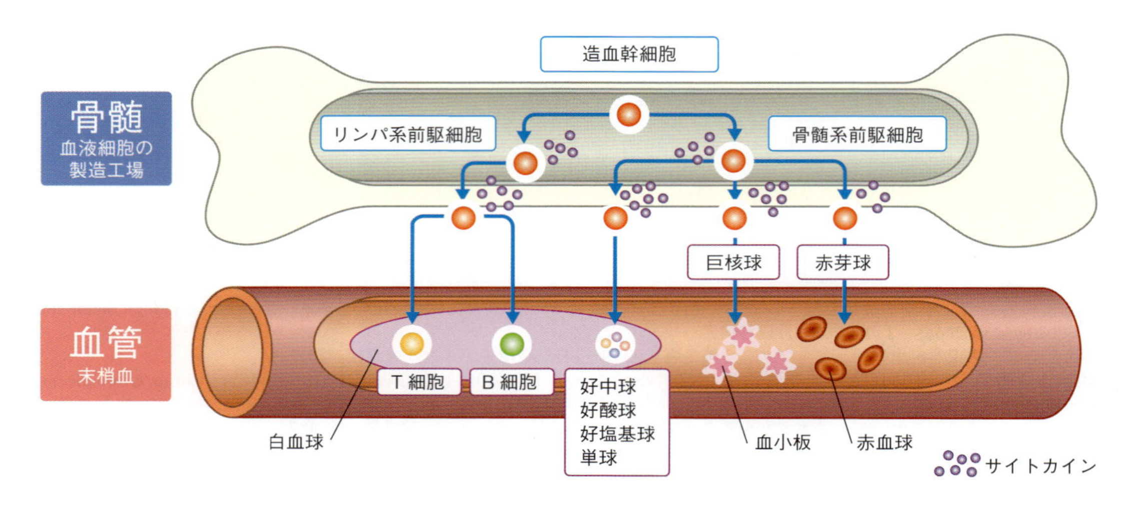

腫，リンパ節腫脹，頭痛や悪心・嘔吐（中枢神経症状）などの症状が出現する．

乳児ALLの場合，とくに自覚的な症状を訴えることが難しい乳児では，発熱・体重増加不良・哺乳不良・多呼吸・なんとなく元気がない，といった症状でみつかることが多く，著明な肝脾腫やリンパ節増大を伴う頻度が高い．中枢神経浸潤の頻度も高く，嘔吐や大泉門膨隆を認めることもある．

4）検査・診断[4)]

骨髄像で芽球が20%以上，芽球のペルオキシターゼ染色が陰性でALLの診断となる．小児ALLの治療方針の決定や予後予測のためにも検査が行われている．

（1）治療開始前に確認すべき検査

年齢・白血球数・中枢神経系（CNS：central nervous system）および精巣浸潤の有無を把握し，免疫学的分類・染色体・遺伝子異常などの検査を行うことが，強く推奨されている．

（2）初期治療開始後に確認すべき検査

初期治療反応性（治療開始後８日目の末梢血芽細胞数や15日目の骨髄芽球割合など）と，寛解の有無を評価することが，強く推奨されている．寛解後は，フローサイトメトリー（FCM：flow cytometry）や，ポリメラーゼ連鎖反応（PCR：polymerase chain reaction）を用いた，微小残存病変（MRD：minimal residual disease）検査を行う．

（3）各検査方法

①骨髄穿刺：確定診断を行い，病型分類を決定する．急性リンパ性白血病の診断基準は以下のとおり．

・骨髄穿刺の骨髄像：芽球が20%以上
・芽球の染色（ペルオキシターゼ・エラスターゼ染色）：ペルオキシターゼ陰性
・白血病細胞の表面マーカー，染色体異常や遺伝子異常：核細胞質比の高い小型な芽球など

図12-2　白血病（小児）の分類

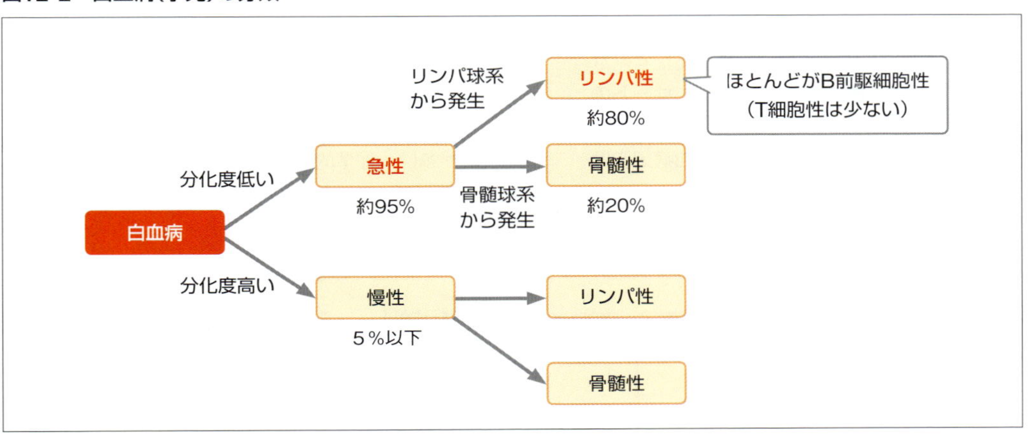

表12-1　白血病のWHO分類（第４版）

分類	主な染色体・遺伝子異常	
1．前駆リンパ系細胞腫瘍	1）Bリンパ芽球性白血病/リンパ腫	2）以外のもの
	2）反復性遺伝子異常を有するBリンパ芽球性白血病/リンパ腫	a）t(9；22)(q34；q11.2)：BCR-ABL1（Ph陽性ALL） b）t(v；11q23)：MLL異常 c）t(12；21)(p13；q22)：TEL-AML1 d）高二倍体染色体型 e）低二倍体染色体型 f）t(5；14)(q31；q32)：IL3-IGH g）t(1；19)(q23；p13.3)：E2A-PBX1
	3）Tリンパ芽球性白血病／リンパ腫	
2．成熟B細胞腫瘍のカテゴリー	Burkittリンパ腫/白血病	

通山薫：FAB分類とWHO分類―白血病：診断と治療の進歩．日本内科学会雑誌，102(7)：1667～1675，2013．を参考に作成

②血液検査：白血球（好中球）の数によって，予後のリスク把握および病型を診断する．また，諸臓器への浸潤の有無を把握する．

③X線・CT・MRI検査，腰椎穿刺などの画像検査：髄外浸潤を確認する．

④年齢や初回化学療法時における寛解までの期間：1歳未満を除く低年齢の場合や，初回化学療法で4週間以内に寛解に入るのが早いほど，予後は良好である．

上記検査の結果，形態学的なFAB分類や，染色体異常・遺伝子異常にWHO分類などを使用し，病型に応じた治療選択を行っていく．なお，近年，白血病の国際病型分類は，血球形態学を基盤にしたFAB分類から，生物学的に区別できるWHO分類が主流となってきている（**表12-1**）．

5）治療

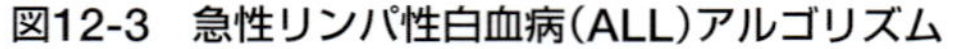

急性リンパ性白血病の治療は，確定された診断およびリスク分類に基づいた急性リンパ性白血病アルゴリズムに沿って進められている（**図12-3**）．

(1)化学療法

①抗がん薬による化学療法

抗がん薬で直接，がん細胞を死滅させる方法である（**図12-4**）．以下，小児白血病・リンパ腫診療ガイドライン2016年版[5]で推奨されている「標準的治療」に沿って述べる．

a)寛解導入療法

多剤の化学療法薬（プレドニゾロン，またはデキサメタゾン，ビンクリスチン，L-アスパラキナーゼの3剤，またはアントラサイクリンを加えた4剤など）を用いた寛解導入療法と，メトトレキサートの髄腔内投与（髄注）を行うことが強く推奨されている．この療法により，体内に存在する白血病細胞は約1/100以下に減少させることを目標にしている．

b)寛解後強化療法

寛解導入療法終了後，副作用から回復する3～4週間後に，寛解後強化療法を実施する．寛解導入療法に使用していない薬剤を主に選択し，CNS予防治療（メトトレキサートを含む長期間予防髄注療法および静注療法の組み合わせ）もあわせて行い，白血病細胞の根絶を目指す．状態により，再寛解導入療法も行う．

なお，CNSの治療には，頭蓋照射が行われてきたが，二次がん発症，認知機能障害や成長発達における合併症の問題により，世界的にも軽減・撤廃される方向である．

c)維持療法

a～bは入院治療で行い，維持療法は通院で行うことが多い．標準的な方法として，連日のメルカプト

図12-3　急性リンパ性白血病（ALL）アルゴリズム

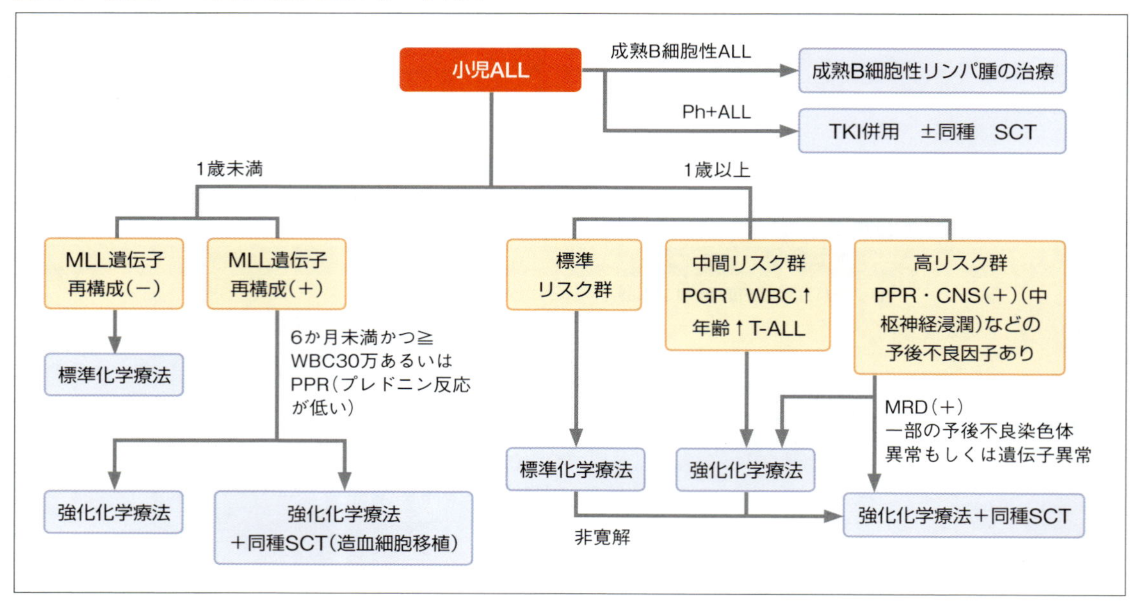

日本小児血液・がん学会：小児白血病・リンパ腫診療ガイドライン2016年版．p.8，日本小児血液・がん学会，2016．を参考に作成

プリン内服と，週１回のメトトレキサート（MTX）投与がされている．

なお，a～cの全治療期間としては最低２年間行われている．しかし，晩期障害に備え，その後も長期的にフォローしていく必要がある．

②分子標的治療薬

がんに特異的な分子異常を同定し，その異常を標的に開発された薬剤である．フィラデルフィア染色体陽性白血病などで用いられる[6]．

(2)放射線療法

放射線により，がん細胞がそのDNAに損傷を受けて，分裂，増殖できずに死滅することを目的とした治療である．電磁波（X線）に加え，中性子・陽子・炭素イオンなどの粒子線の治療などがあり，2016年から小児にも保険適用となった陽子線治療[6]は，その長期的な合併症リスクを減らすことが期待されている．

(3)造血幹細胞移植

患児に，ドナー細胞あるいは自己の造血細胞を注入する方法で，抗腫瘍効果や造血機能の回復を目的に行う．標準的治療で寛解にならない場合や，再発などの難治性，予後不良な遺伝子異常例が適応となることがあり，化学療法に比べて強力な治療となることが多い[6]．

(4)治療の副作用

これらの治療に伴い，骨髄抑制による貧血・出血傾向・易感染状態などの副作用がみられる．また，嘔吐や口内炎，脱毛など，多くの苦痛を伴う副作用症状も出現する．

図12-4　抗がん薬治療と腫瘍細胞の数の関係

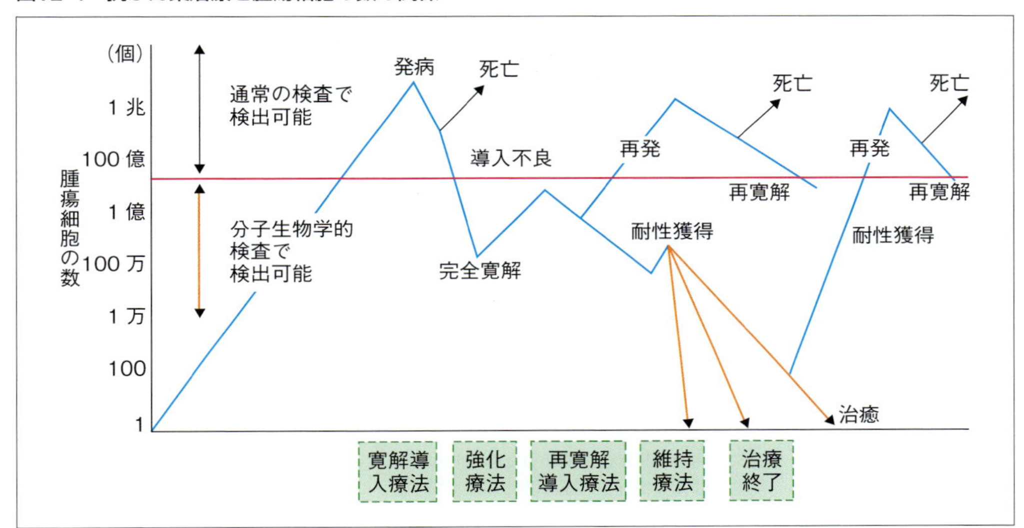

表12-2　急性リンパ性白血病（ALL）の予後

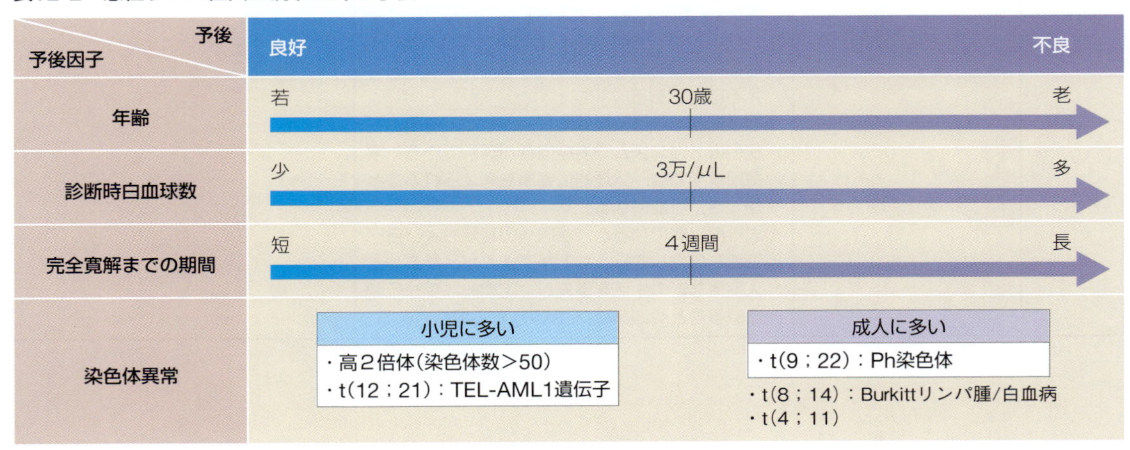

予後因子＼予後	良好 → 不良
年齢	若 ― 30歳 ― 老
診断時白血球数	少 ― 3万/μL ― 多
完全寛解までの期間	短 ― ４週間 ― 長
染色体異常	小児に多い：・高２倍体（染色体数＞50）　・t(12；21)：TEL-AML1遺伝子 成人に多い：・t(9；22)：Ph染色体 ・t(8；14)：Burkittリンパ腫/白血病　・t(4；11)

6）予後

ALLは，初診時の白血球数，発症時の年齢，寛解までの期間など，危険因子によって予後が予測されるが，全体として長期生存率は80％以上になっている．しかし，乳児および思春期・若年成人期（AYA世代：adolescents and young adults）の治療の成績は，一般的に小児よりも劣るといわれている．その理由として，乳児ALLでは最も予後不良型であることが多く，AYA世代ALLでは予後良好因子が少なく，予後不良の染色体陽性の割合が増加することがいわれている．しかし，近年のめまぐるしい治療の進歩により，予後が大きく変わる可能性は大いにあり得る（**表12-2**）．

長期生存の場合，化学療法や頭蓋照射，同種造血幹細胞移植の影響により，治療後数か月〜数年の時間を経て，学習障害や成長障害，性機能障害や二次がんの発生などの晩期障害を生じることがある．そのため，長期フォローや成人移行支援を行っていく必要がある（**表12-3**）．

表12-3　晩期障害

成長・発達への影響	身長の伸び，骨格・筋・軟部組織，知能・認知力，心理的・社会的成熟，性的成熟
生殖機能への影響	妊娠可能か，子孫への影響
臓器機能への影響	心機能，呼吸機能，腎機能，内分泌機能，消化管機能，視力・聴力
二次がん（腫瘍）	良性腫瘍，悪性腫瘍

2. 看護過程の展開

アセスメント〜ゴードンの機能的健康パターンを用いて

パターン	アセスメントの視点	根拠	収集する情報
（1） **健康知覚-健康管理** 患者背景 健康知覚-健康管理 価値-信念	●病状や治療経過はどうなっているか ●子どもと親の疾患に対する認識と理解度はどうか，自己管理能力はあるか	●急性リンパ性白血病は，診断されたリスク分類によって治療法が選択され，治療効果や副作用を把握するためにさまざまな検査を定期的に行い，長期にわたって治療を続けることが重要な疾患である．病状や治療効果そのものが，患児の予後にも関わる． ●子ども（患児）の場合は，病気への理解度やセルフケア能力の発達途中にあるため，セルフケア能力には発達状況と，親の関わりが影響する． ●幼児期後期になると，命に関わる可能性のある疾患についてなんらかの形で気づき，「バイキン」，「やっつける」などのわかりやすい言葉での説明によって，理解することが可能である．また，「手を洗う」「マスク」をつけるという一つひとつの行動は自立して行えるようになる．なお，この時期は，病気になったのは罰だと考えることもある． ●学童期前半では，具体的な図・絵などを用いて疾患のメカニズムや治療内容が理解できる．学童期後半では，論理的に物事を考えられることができ，可能になる． ●思春期以降になると，疾患への理解および自己管理を自立して行うことができるが，学業や友人関係などの生活を優先し，定期的な受診行動を怠ることや，忘薬などがみられる場合もある．	●現病歴，病状の経過とその治療 ●入院環境，生活リズム ●認知発達，セルフケア，感染予防行動，転倒転落への予防行動 ●易感染状態や貧血，出血傾向の程度 ●晩期障害の有無や長期フォローアップでの受診行動の様子

パターン	アセスメントの視点	根拠	収集する情報
(2) 栄養-代謝 全身状態 栄養-代謝 排泄	●疾患そのものによる栄養・代謝への影響はあるか（どの程度か）	●ALLは，腫瘍細胞からの発熱物質の放出，腫瘍細胞に対するマクロファージ・リンパ球の反応，好中球数減少による感染症発症によって発熱を生じ，代謝が亢進すると高カリウム血症となり，それに伴った倦怠感・食欲不振・悪心・嘔吐・便秘を生じることがある．	●水分・栄養摂取量：栄養状態（TP・Albなど），尿量減少，pH低下，水分出納バランス，浮腫，体重の増加，検査データ（BUN/血清クレアチニン/電解質） ●皮膚口腔粘膜：損傷，色，湿潤程度・脱毛時期と程度 ●抵抗力・感染徴候の有無・貧血・出血傾向・倦怠感，口内炎や消化器症状の有無・食欲・身長・体重
	●治療の副作用によって引き起こされる栄養・代謝障害はあるか	●ALLの治療は，増殖した白血病細胞を標的に根絶することを目的としており，正常細胞へのダメージも大きい．とくに皮膚は影響を受けやすく，脱毛や爪の傷みだけでなく，皮膚炎が生じ，びらんや疼痛も生じることがある．また，腫瘍崩壊症候群（壊された腫瘍内から尿酸・カリウム・リンが大量流出する）により，代謝機能障害や腎障害を生じやすい．	
	●食欲低下は生じているか	●骨髄抑制の影響より，貧血に伴う倦怠感や，感染に伴う粘膜障害（口内炎）による疼痛，さらに薬剤などの催吐作用に伴う悪心・嘔吐により，食欲低下が高頻度にみられる．	
(3) 排泄 全身状態 栄養-代謝 排泄	●治療に伴う便秘や下痢は生じているか	●化学療法や鎮痛薬による副作用，悪心・嘔吐や口内炎による苦痛から脱水や食事摂取量の減少，倦怠感などに伴う活動性の低下により，容易に便秘を引き起こしやすい．一方，化学療法や放射線治療の副作用，移植による移植片対宿主病（GVHD）に伴う粘膜障害や，骨髄抑制が引き起こす腸管の感染により，下痢を生じることも多い．	●治療内容：化学療法・放射線療法・薬物の副作用の把握，使用時期 ●症状の把握：消化管通過障害の有無，便性，排便回数，腹部状態，食事摂取量や活動状況の評価 ●検査データ：血液（電解質・TP/Alb・CRP・腹部X線） ●環境・セルフケア能力：トイレやシャワー室の場所，患児の排泄自立状況
	●排泄物に含まれる抗がん薬の曝露はないか	●抗がん薬は，曝露によってさまざまな健康障害をもたらす，もしくは疑われる薬剤である．投与を受けた患児の排泄物や体液に含まれており，薬剤によるが曝露期間が48時間～７日程度生じる．入浴介助や排泄介助を行う家族や看護者，他児が曝露することもある．	
(4) 活動-運動 活動・休息 活動-運動 睡眠-休息	●疾患や治療が活動にどのような影響を及ぼしているか	●ALLとその治療がもたらす影響として，造血機能の低下による易感染性や出血傾向があり，患児の生活や遊びに大きな影響を与える． ●具体的には，白血球減少の状況により，外出や他者との交流で感染症罹患の危険性が高まる．また，出血傾向となるため，粗大運動（全身を使った運動）の遊びや活動内容によっては，打撲や内出血を生じやすい．しかし，制限を設け過ぎることで，遊びや交流関係によって育まれる発達が阻害されてしまう可能性も大いにある． ●貧血が著明な場合には，呼吸困難・うっ血性心不全をきたすことがあり，骨髄外浸潤の場合には骨痛により，跛行，歩行拒否がみられる．さらに，高カルシウム血症によって脱力も生じやすく，ALLの症状や治療により，活動意欲そのものが低下している可能性もある．	●化学療法に伴う骨髄抑制（ヘモグロビン・血小板数・白血球（好中球）） ●呼吸機能（呼吸数・リズム・動脈血ガスなど） ●循環機能（脈拍・血圧など） ●歩行機能（疼痛や脱力の有無・筋力・関節可動域・歩行状態） ●年齢と発達段階 ●通園・通学の有無 ●基本的生活習慣の自立度

パターン	アセスメントの視点	根拠	収集する情報
(5) 睡眠-休息 活動・休息 活動-運動 睡眠-休息	●睡眠に影響をもたらす症状や環境要因はあるか(どのようなことか)	●子ども(患児)は，睡眠一覚醒リズムの発達過程にあるため，入院や検査治療を優先とした生活が，適正な睡眠習慣の獲得に影響を及ぼすことがある．また，ALLの症状や治療の副作用に伴う苦痛から，十分に休息できない可能性も生じる．	●睡眠・休息の状態 ●日常生活リズム ●ALLの症状や治療に関連した苦痛の有無(口内炎や関節痛など)
(6) 認知-知覚 知覚・認知 認知-知覚 自己知覚-自己概念 コーピング-ストレス耐性	●発達段階に応じた認知や知覚表出ができているか	●ALLの症状や治療の副作用により，多くの不快や苦痛を経験するが，子ども(患児)は言語や認知能力の獲得段階であり，十分に表出できない場合が多い． ●以下は，発達段階における痛みの表現・行動の例である([7]を参考に作成)． ・乳幼児期(～２歳)：苦痛表情をみせて泣くことが主ではあるが，１歳半以上になってくると，痛みの場所を示して「痛い」という表現で伝える行動や，抱っこを求めて痛みに対処しようとする行動がみられる． ・幼児期(３～６歳)：苦痛は「ある」「ない」の表現ができるようになり，原因と結果(鎮痛薬を使用すると楽になる)も経験をすることで，理解が進む．しかし，前よりどのくらい楽になったかなどの表現は難しく，子どもの行動と表現とをあわせて，苦痛を理解する必要がある． ・学童期・思春期：苦痛を周囲に伝えることや，自分の生活を踏まえて鎮静薬の使用計画を立てることができる．	●ALLの症状や治療の副作用の有無 ●機嫌，表情，いつもの様子との違い ●認知発達段階・コミュニケーション能力・表出方法
	●骨髄外浸潤による認知能力への影響はあるか	●症状の進行に伴い，白血病細胞が中枢神経に浸潤すると，頭痛・光過敏・乳頭浮腫・脳神経障害を生じ，認知能力に影響する．患児のコミュニケーション能力や認知発達と，その経過を継続的にアセスメントしていく必要がある．	●疾患がもたらす認知機能への影響：骨髄外浸潤に伴う感覚機能・知覚機能の変化
(7) 自己知覚-自己概念 知覚・認知 認知-知覚 自己知覚-自己概念 コーピング-ストレス耐性	●治療に伴いボディイメージの変化はあるか	●治療の副作用により，脱毛があると乳幼児であっても，抜けた髪の毛をつかみ，じっとみつめるなど，感覚を通して自身に生じている変化を感じとり，身体的自己概念を揺さぶられることがある．学童期～思春期になると，自己および他者を認識する能力を獲得するがゆえに，他者との比較や自己概念に対しての混乱や不安を抱きやすい．	●発達段階：コミュニケーション能力，認知発達段階 ●病態・疾患についての知識：現在の状態の捉え方，感じ方，ボディイメージ，自己概念・自尊感情の脅威の有無
	●病状が深刻な子どもは自己をどのように知覚しているか	●患児は成長発達とともに，症状や今までの経過から，自身のおかれている病状の深刻さを自覚し，病状の進行や再発，ターミナル期においては，死への不安を感じていることも多い．しかし，思考の未熟性から新たな恐怖心や罪悪感を生じる場合が多い． ●以下は，死についての概念発達の例である([8][9]を参考に作成)． ・２～３歳：動くものだけを生物(生命)と捉え，死は「動かない」すなわち「寝ている」と同等に感じている．死ぬと遠いところに行くが，生きている世界と死後の世界はつながっており，再び生きている状態に戻れると考えることが多い．	●治療経過・予後・本人への告知の状況 ●子どもの言動

パターン	アセスメントの視点	根拠	収集する情報
(7) 自己知覚-自己概念 知覚・認知 認知-知覚 自己知覚-自己概念 コーピング-ストレス耐性		・4～6歳：自分の行為が死をまねく原因になったと考えがちである．死者を敵・擬人化する(死神が連れ去ってしまうなど)．5歳を過ぎると死の恐怖を感じる．痛みで表現することも多い． ・8～10歳：9歳前後で死の不可逆性・不可避性・普遍性を理解する．死は生の最終段階で，亡くなった人は戻らないと認識する． ・思春期：死は「敗北」と捉える場合も多い．	
(8) 役割-関係 周囲の認識・支援体制 役割-関係 セクシュアリティ-生殖	●ALLの子どもの親の思いや役割はどうか	●患児が幼少の場合，親が治療管理を主体的に行うことになる．ALLの患児に対して，親は自責の念を抱き，患児に病名や疾患の詳細を告げないこともある．その場合，対応に多くのエネルギーを費やすことがあり，精神的負担が大きくなる．	●家族構成 ●祖父母や親戚，近隣地域の支援体制の状況 ●面会者の有無，面会の頻度や面会の様子 ●両親の仕事の有無，就業形態，収入状況 ●自宅や職場から病院までの距離 ●患児の治療管理において家族員の役割分担 ●疾患や治療内容，予後についての共有状況
	●子ども(患児)の治療管理に伴う支援体制は整っているか	●入院や通院，在宅の治療において，ほかの家族員などからの支援が得られない場合，主たる介護者の心身の負担が生じる．また，支援体制があっても，家族員や支援者それぞれの患児への思いや治療方針に関する価値観の相違が生じる場合もあり，対立や傷つきあうケースも生じる．	
	●きょうだい児はどのような状態か	●きょうだいがいる場合(ALLの患児の同胞をきょうだい児と称す)，きょうだい児は，患児や親の状態から，重要なことが起きていることを感じとり，不安や戸惑いが生じる．また，親が患児の世話に多くの時間を費やすことで，きょうだい児が孤独を感じる場合もあり，ときに問題行動などで表出されたり，当時は問題が生じない場合でも，何年か経った後に，精神面などにおいてその影響が顕在化することもある．	●きょうだい児の年齢，日常生活での様子，面会制限の有無，きょうだい児の支援者の有無
	●ALLの疾患や治療は子ども(患児)の社会参加へどのような影響を及ぼしているか	●治療に伴って，学校や保育園，幼稚園などの欠席が，学習や友人関係に影響を及ぼすことがある．感染リスクに伴った面会制限により，社会への関わりなどの機会が失われてしまうことが多い．また，復学しても，治療の影響による身体的な変化や活動制限を周囲に理解されず，孤独感から不登校などになる場合もある．	●学校などの出席状況・友人とのつながり，子ども(患児)のことについての説明の有無

パターン	アセスメントの視点	根拠	収集する情報
(9) セクシュアリティ-生殖 周囲の認識・支援体制 役割-関係 セクシュアリティ-生殖	●妊孕性（にんようせい）への影響はあるか	●化学療法や放射線療法によって，卵巣・精巣機能が影響を受け，妊孕性(妊娠できる可能性)が低下する場合がある．しかし，幼少期に治療を行う場合は，患児に説明されない場合も多く，生殖年齢に差し掛かった時期に初めて本人に告知される場合もある．治療開始年齢や時期により，生殖機能の温存に向けた取り組みも多く研究開発されており，患児がまだ理解・選択できない場合には，家族に情報提供し，選択肢を提示していく必要がある．	●治療内容：治療開始年齢，使用薬剤，使用期間 ●妊孕性に関する内容：治療前への情報提供・本人，親の理解度・生殖機能温存 ●自身の性についての認識 ●身長・体重・性発達(ターナー分類など)・初経や精通の有無
	●二次性徴への影響はあるか	●治療の副作用で成長ホルモンに影響が生じ，低身長や無月経など，二次性徴に遅れを生じる場合がある．周囲の友人と比べ，自身の男らしさ・女らしさに劣等感を抱くこともある．	
(10) コーピング-ストレス耐性 知覚・認知 認知-知覚 自己知覚-自己概念 コーピング-ストレス耐性	●疾患や治療によって心理状態にはどのような影響を及ぼすか	●何度も行われる苦痛を伴う検査・治療は，子ども(患児)の不安や緊張を高め，脱毛などの副作用はボディイメージの混乱をまねく可能性がある．検査・治療を実施する医療者や，それを許す親に憤りを感じることもある．	●治療の経過・検査の頻度 ●苦痛・疼痛の状況 ●ストレス症状の有無 ●ストレス症状の表出方法 ●ストレス対処方法(不安や緊張の和らげる方法など)
	●発達段階における生じやすいストレスはどうなっているか	●長期治療や骨髄抑制に伴う生活制限があり，発達段階によってさまざまなストレスが生じやすい．乳幼児～幼児期では，ストレスや不安がうまく解消されず，心理的混乱を生じやすい．学童期では，友人や学校教諭と疎遠になるのではないかという不安が生じ，検査・処置や今後のことを予測できず，ストレスが高まる．思春期に近づくと，疾患や治療によって自分の身体が変化することや，これまでに獲得してきた能力を失うのではないかという不安を感じる可能性がある．	
	●長期的な精神的フォローが必要な状態ではないか	●成長発達途上の小児期に，ALLによる長期間にわたる闘病を体験すると，のちに心的外傷後ストレス障害(PTSD：Post Traumatic Stress Disorder)など，精神症状を引き起こす場合もある．	●長期フォロー(定期診断など)での様子

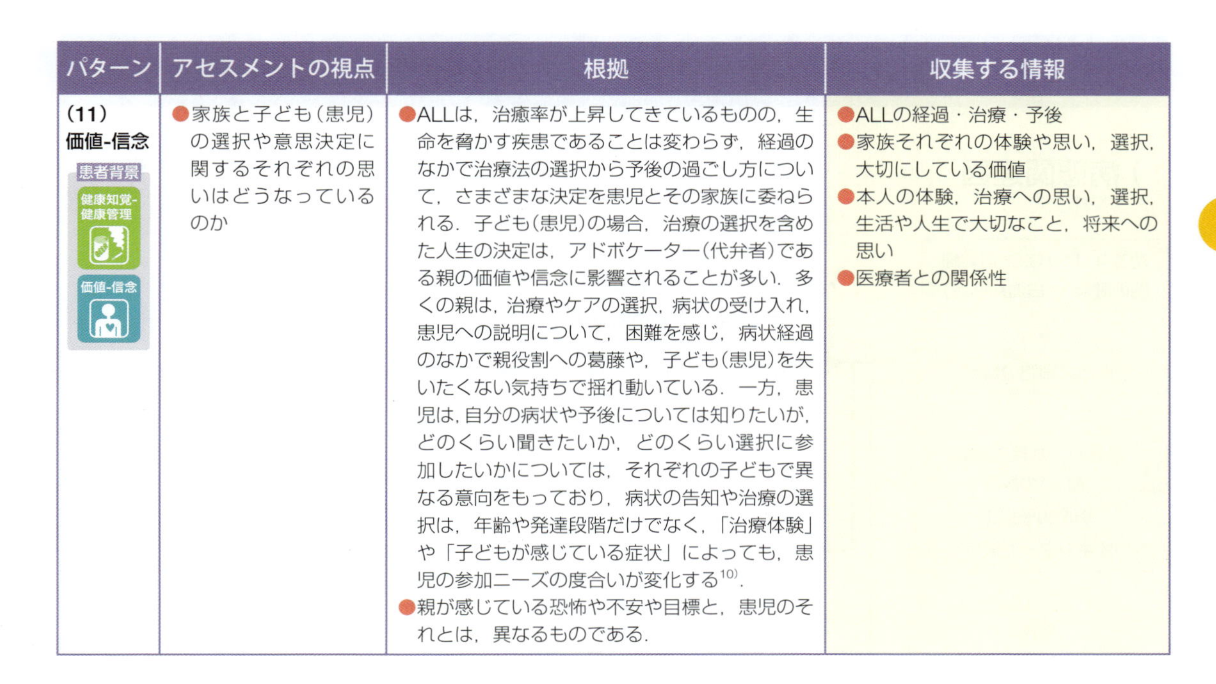

パターン	アセスメントの視点	根拠	収集する情報
(11) 価値-信念 患者背景 健康知覚-健康管理 価値-信念	●家族と子ども(患児)の選択や意思決定に関するそれぞれの思いはどうなっているのか	●ALLは，治癒率が上昇してきているものの，生命を脅かす疾患であることは変わらず，経過のなかで治療法の選択から予後の過ごし方について，さまざまな決定を患児とその家族に委ねられる．子ども(患児)の場合，治療の選択を含めた人生の決定は，アドボケーター(代弁者)である親の価値や信念に影響されることが多い．多くの親は，治療やケアの選択，病状の受け入れ，患児への説明について，困難を感じ，病状経過のなかで親役割への葛藤や，子ども(患児)を失いたくない気持ちで揺れ動いている．一方，患児は，自分の病状や予後については知りたいが，どのくらい聞きたいか，どのくらい選択に参加したいかについては，それぞれの子どもで異なる意向をもっており，病状の告知や治療の選択は，年齢や発達段階だけでなく，「治療体験」や「子どもが感じている症状」によっても，患児の参加ニーズの度合いが変化する[10]． ●親が感じている恐怖や不安や目標と，患児のそれとは，異なるものである．	●ALLの経過・治療・予後 ●家族それぞれの体験や思い，選択，大切にしている価値 ●本人の体験，治療への思い，選択，生活や人生で大切なこと，将来への思い ●医療者との関係性

3. 全体像の把握から看護問題を抽出

1）病態関連図

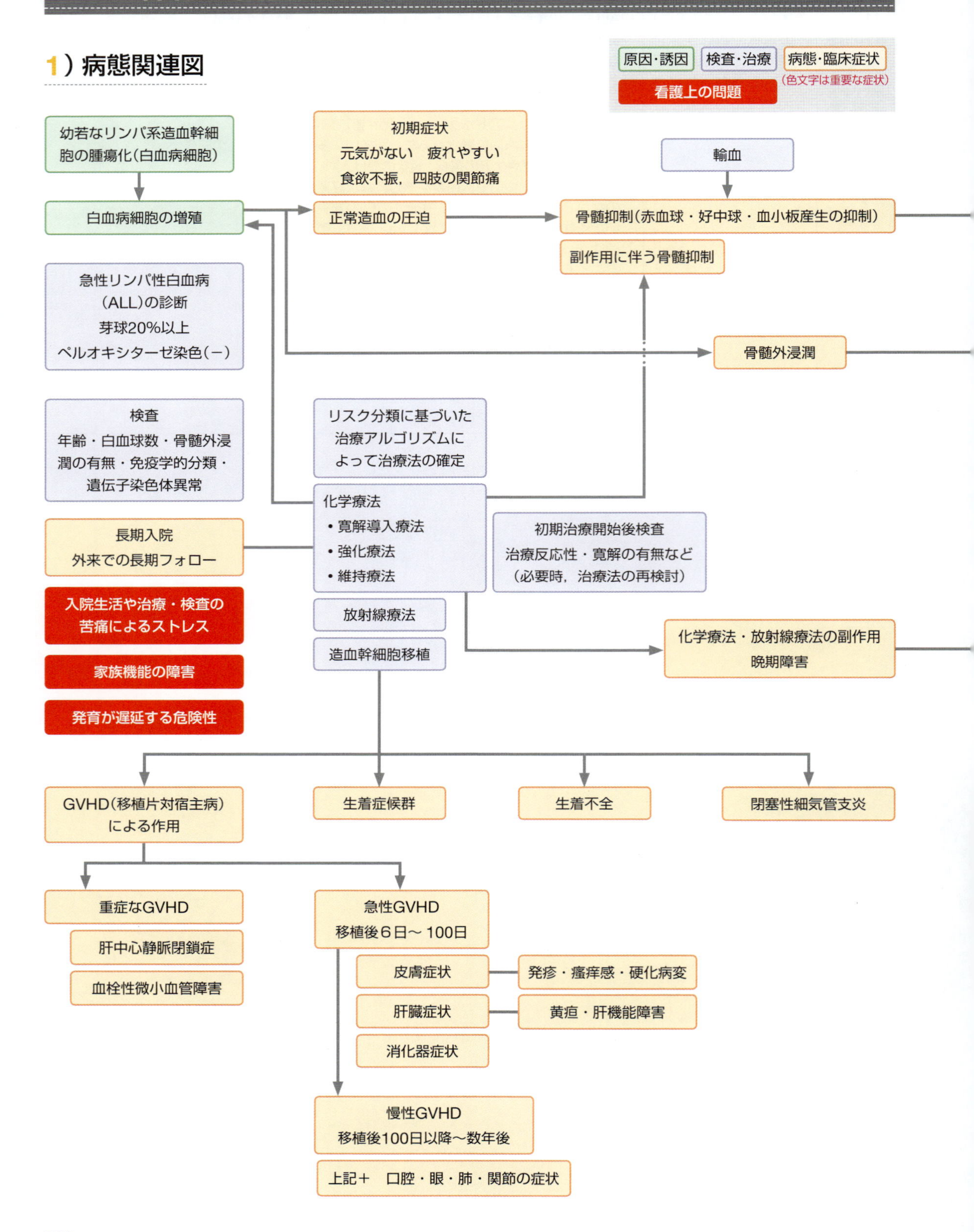

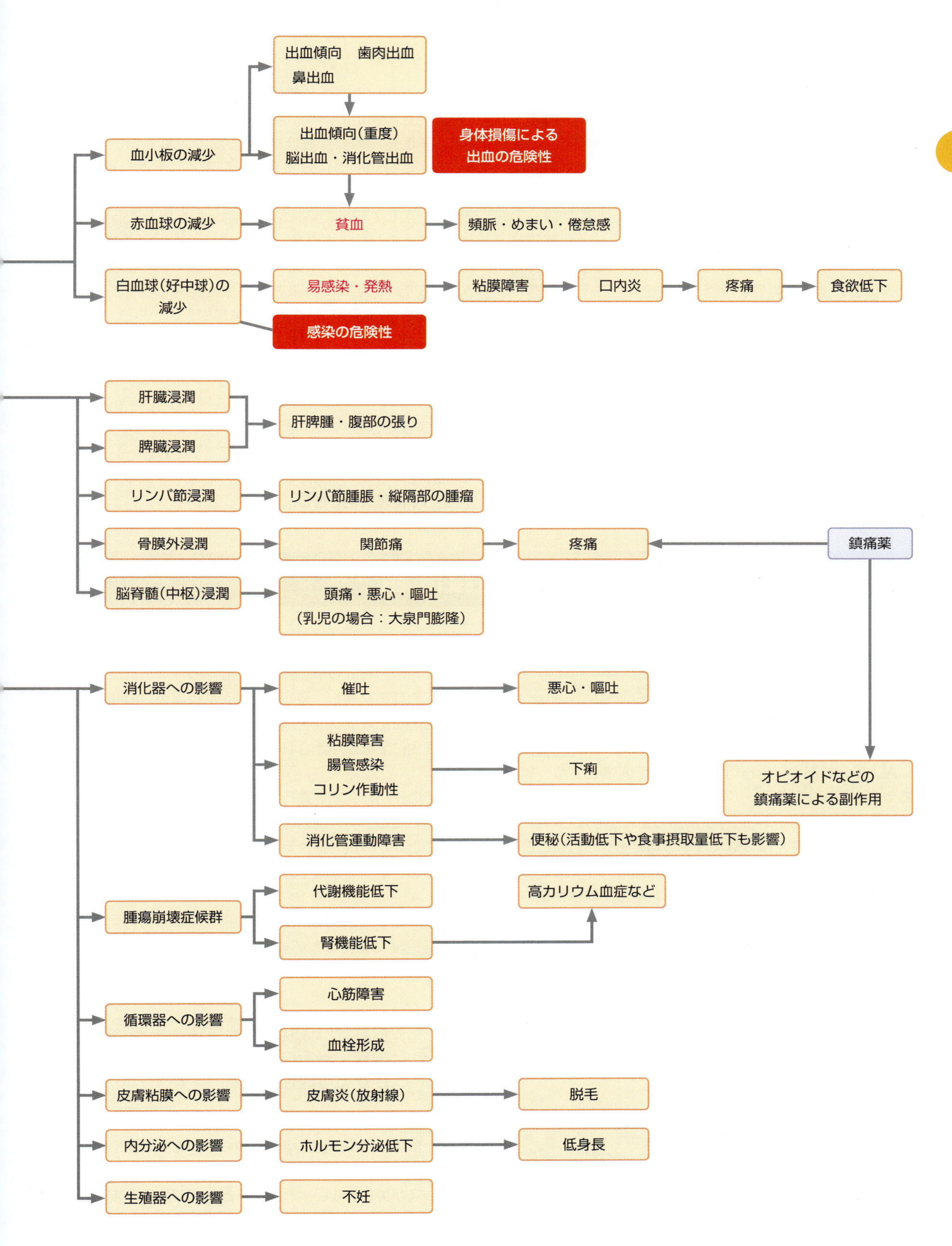

出血傾向　歯肉出血
鼻出血
出血傾向（重度）
脳出血・消化管出血
身体損傷による
出血の危険性
血小板の減少
赤血球の減少
貧血
頻脈・めまい・倦怠感
白血球（好中球）の
減少
易感染・発熱
粘膜障害
口内炎
疼痛
食欲低下
感染の危険性
肝臓浸潤
脾臓浸潤
肝脾腫・腹部の張り
リンパ節浸潤
リンパ節腫脹・縦隔部の腫瘤
骨膜外浸潤
関節痛
疼痛
鎮痛薬
脳脊髄（中枢）浸潤
頭痛・悪心・嘔吐
（乳児の場合：大泉門膨隆）
消化器への影響
催吐
悪心・嘔吐
粘膜障害
腸管感染
コリン作動性
下痢
オピオイドなどの
鎮痛薬による副作用
消化管運動障害
便秘（活動低下や食事摂取量低下も影響）
腫瘍崩壊症候群
代謝機能低下
腎機能低下
高カリウム血症など
循環器への影響
心筋障害
血栓形成
皮膚粘膜への影響
皮膚炎（放射線）
脱毛
内分泌への影響
ホルモン分泌低下
低身長
生殖器への影響
不妊

2）看護の方向性

リンパ系造血幹細胞が腫瘍化し，繁殖する急性リンパ性白血病（ALL）の病態は，正常造血を妨げ，貧血・感染・出血傾向などの骨髄抑制症状を引き起こす．また，髄外に浸潤することで，中枢やさまざまな臓器にも影響を及ぼし，生命を脅かす疾患である．治療も長期間にわたり，副作用に伴う苦痛や生活への制限も大きい．ALLはとくに，小児期に多くみられる疾患であるため，疾患や長期間の療養生活が，子どもの成長発達にどのような影響を及ぼすのか，子どもを取り巻く家族にはどのような影響を及ぼすのか，という視点でアセスメントしていく必要がある．加えて，セルフケア能力や意思決定に関する能力も発達途上であるがゆえに，子ども（患児）が医療から置き去りになる場合も多い．子ども（患児）の成長発達を踏まえ，子ども（患児）自身が現状をどのように捉えているのか，主体的に治療に参加していくためにはどのような支援をすることが必要なのかも，重要なアセスメントの視点である．さらに，ALLの罹患や治療の影響は，成人以降にも生じる．今だけでなく，将来を見越した視点で，起こり得る課題を見いだしていくことも非常に大切である．

3）子ども（患児）・家族の目標（全体）

疾患そのものがもたらす症状や，繰り返される検査での侵襲，長期間に及ぶ治療の副作用など，さまざまな苦痛が最小限になる．

子ども（患児）・家族が健康管理（予防行動やリスク回避）を実践できる．

ALLとともに生きるなかにおいて，子ども（患児）が成長発達を成し遂げることができる，治療や今後の生き方に関して意思決定できる．

4. しばしば取り上げられる看護問題

◆1 血液像の異常に関連した身体損傷の危険性がある

なぜ？

ALLの症状および副作用で生じる骨髄抑制により，貧血や血小板減少が生じ，ふらつきや活動低下に伴う転倒転落の危険性，出血傾向に伴う損傷の拡大が考えられる．ALLの治療は入院だけでなく在宅の場でも行われることから，活動性や衝動性が高く，健康管理能力が発展途上である患児（小児期）がALLに罹患した場合，身体損傷のリスクは非常に大きい．

ときに生命を脅かす状況に至るため，看護上極めて重要な問題である．

➡期待される結果

身体損傷なく日常生活を送ることができる．

◆2 第二次生体防御機能の不備（免疫抑制）に関連した感染の危険性がある

なぜ？

ALLの症状および副作用によって生じる骨髄抑制は，白血球（好中球）を減少させ，易感染状態をまねく．感染症は，呼吸器をはじめ，皮膚・口腔粘膜や消化管などの全身に影響を及ぼし，激しい口内炎や皮膚炎，嘔吐・下痢などの新たな症状や苦痛をもたらす．重症の場合，感染を理由に治療が中断されるケースや，死に至ることもある．

感染の予防が病態を進行させないことになり，さらに小児期でセルフケア能力の発達に応じて感染予防に取り組むことが，今後の健康管理行動へとつながる糧となり得るため，重要な看護上の問題である．

➡期待される結果

発達段階に見合った感染予防行動を行うことができる．

◆3 慣れない入院生活や苦痛を伴う検査・治療により過剰なストレスがかかる可能性がある

なぜ？

住み慣れた家や家族と離れ，慣れない場所で長期にわたる入院生活と，苦痛を伴う検査・治療により，多くのストレスが生じやすい．とくに子ども（患児）はうまく表出できない可能性がある．長期フォロー中にこの体験が

PTSDになる可能性や，精神疾患に至るケースも生じる．

➡期待される結果

発達段階にあわせた疾患や入院への理解や苦痛への対処行動をとることができる．

子ども(患児)の長期間に及ぶ治療により家族機能が障害される可能性がある

なぜ？

子ども(患児)の急な入院や長期間に及ぶ治療において，子ども(患児)の闘病を支え続ける家族は，それぞれの立場でさまざまな体験をしていく．とくに，家族が入院･通院の付き添いや，在宅での治療管理を行ううえで，仕事や家事の調整など，家族は役割を再調整していく必要がある．

子ども(患児)の長期間に及ぶ治療が，家族へもたらす影響は大きく，この影響は，対象となる子どもと家族の状況や治療経過などによって異なる．看護師は家族との関わりが非常に多い．

➡期待される結果

家族員が体調を崩すことなく，役割の再調整ができる．きょうだい児のケアが行える．

長期間に及ぶ治療や生活制限による成長発達が遅延するの危険性がある

なぜ？

ALLは，症状や治療の副作用により，他者との交流に伴う感染リスクや，身体損傷のリスクから活動の制約を生じるなどの，日常生活に制限が生じ，そしてその治療は成人期に至るまで長期間に及ぶ．また，化学療法の副作用に伴い，低身長や二次性徴の遅れなど，成長そのものへの影響が生じる．

ALLにかかわらず，慢性疾患の子どもが抱える問題であり，どのような病状であっても，子どもは成長発達のために，遊びや学習の保障がなされるべき存在である．

➡期待される結果

病状に応じて，入院生活の援助や遊び・学習の機会が提供され，成長発達が促進する．

5. 看護計画の立案

- O-P：Observation Plan(観察計画)
- T-P：Treatment Plan(治療計画)
- E-P：Education Plan(教育・指導計画)

◆1 血液像の異常に関連した身体損傷の危険性がある

	具体策	根拠と注意点
O-P	**(1)疾患の影響・治療の副作用に伴った症状の程度** ①治療内容や使用する薬剤 ②血液検査データ：赤血球・血小板数・Hb・PT・PTT・HPT(ヘパプラスチンテスト)およびPTなど ③バイタルサイン：脈拍・血圧など ④貧血症状の有無：倦怠感・ふらつき・顔色不良など ⑤出血症状の有無：出血斑・鼻出血・消化管出血・けがによる出血 ⑥月経時の出血：出血期間・貧血症状悪化の有無 ⑦貧血や血小板減少に対する対処療法：内服・輸血・成分輸血 ⑧骨髄外浸潤に伴う症状の有無：歩行障害・脱力など	●治療内容や使用する薬剤によって，貧血や血小板数減少の程度が異なる． ●ヘモグロビン量に伴う貧血症状 ・Hb８/dL以下：全身組織への酸素運搬能力の低下で，代償的に心拍数・呼吸数の増加・動悸息切れがみられる． ・Hb７/dL以下：末梢組織細胞への酸素不足・栄養不足により，倦怠感・四肢冷感・脳細胞の酸欠著明による思考力の低下・頭痛・耳鳴り・めまい・失神・心拍出量の増加・頻脈・毛細血管拍動・広範囲な心雑音がみられる． ・Hb６/dL以下：血液変化によって広範囲な心雑音聴取がある． ・Hb５/dL以下：口内炎・舌炎・食欲不振・悪心・便秘など，粘膜や消化器症状がある． ・Hb３/dL以下：生体機能は危険な状態で，呼吸困難・心不全・昏睡に至ることがある． ●血小板数による出血傾向の状況 ・血小板数８×10^4/μL以下：皮下出血・粘膜出血 ・血小板数１～２×10^4/μL以下：頭蓋出血などの重症出血

	具体策	根拠と注意点
O-P	**(2)日常生活への影響** ①ADL：移動時，普段の遊びの様子，日常生活の自立度 ②入院生活の環境：ベッドの種類・周囲の状況 ③出血傾向・貧血の状態にあることへの理解の程度 ④気をつけることについての理解度の程度	●骨痛により，歩行拒否が生じることや，高カルシウム血症によって脱力を生じることがある． ●客観データと同様に，患児の表情や様子なども注意深く観察する． ●患児の発達段階によっては，夢中になると苦痛などの表現がされないことや，安静が守れない場合があるため，観察を重視する．
T-P	**・身体損傷予防に対するケア** ①環境整備を行う ・ベッド柵をスポンジで巻く，角が鋭いものや硬いものをベッドにおかない ②倦怠感・ふらつきなどが強い場合には，日常生活の介助を行う ・例）ポータブルトイレの使用，車椅子の使用，ベッド上での日常ケア，入浴などを短時間で行う ③安静度にあわせた遊びを行う ④出血傾向の場合，ガーゼや毛先の軟らかい歯ブラシを使用し，硬い食べ物を避ける ⑤検査や処置による侵襲を最小限にする	●ADL・検査・処置など，すべての面で配慮が必要となる． ・出血傾向が強い場合には，血圧測定の加圧によって出血斑ができることもある．採血時の止血にも注意する． ・出血傾向の程度によっては，ハサミなどの道具の使用を控える代わりに，軟らかい素材を楽しむ遊びに変える．活動レベルによっては，動き回る遊びではなく，座って何かに夢中になれる遊びや，保育者との触れ合いを楽しむ遊びなど，その子ども（患児）にとって，制限するだけでなく，制限される遊びと同等に魅力的な遊びを提案できることが望ましい．
E-P	**・化学療法に伴う貧血や出血傾向とその影響を説明** ・身体損傷を予防していくための方法を，患児・家族とともに考える	●小児の入院生活において最も多い事故は，ベッド柵を上げずに転落することである．とくに出血傾向がある場合は，頭蓋内出血などの重篤になる危険性があるため，注意する．身体的特徴として，小児は全身のバランスのなかで頭部が最も大きい．柵が上がった状態でも，頭部が柵より這い出している場合，重みでベッドから転落してしまう危険性がある．

◆2 第二次生体防御機構の不備（免疫抑制）に関連した感染の危険性がある

	具体策	根拠と注意点
O-P	**(1)ALLに伴う化学療法による造血機能と，化学療法による骨髄抑制の程度** ①血液データ：白血球（好中球）数，Hb，CRP，TP，Alb ②治療内容や使用する薬剤 ・化学療法，放射線療法，造血幹細胞移植など ③バイタルサイン：体温・脈拍・呼吸数・SpO_2・血圧・肺副雑音・腸蠕動音 ④免疫抑制に伴う感染徴候：発熱・咳嗽・鼻汁・下痢・発赤・疼痛・瘙痒感 ⑤化学療法の副作用に伴う苦痛の程度と水分・食事摂取量：口内炎・悪心・嘔吐 ・水分摂取量・食事摂取量・補液 **(2)感染予防の促進行動の程度** ①感染予防の実施状況：うがい・手洗い・歯みがき・入浴・清拭・陰部洗浄・環境整備など ②感染予防薬の服用状況 ③感染しやすい状態であることへの理解の程度 ④感染予防セルフケア行動について	●決められた時間での確認だけではなく，清潔ケアや食事介助，処置や検査時など，日常生活のケアや遊びのなかでも注意深く観察する． ・患児は，年齢が低いほど言葉で自分の状態を伝えられないことが多く，観察による情報収集が中心となる．普段から意識的に観察することが大切である． ●データは，必ず治療内容とともに，経過を追っていく． ・化学療法開始から骨髄抑制が始まり，4～10日でピークに達する．多剤併用で何クールにもわたる治療であり，休息期間には骨髄抑制の回復を待ち，再度治療を開始するため，検査データを確認する． ・白血球数減少による局所感染に伴い，投与後2～10日で口内炎が起こることが多い．悪心・嘔吐は，消化管の粘膜障害の程度に影響して出現することもある．苦痛を伴い，食事摂取量が低下し，免疫機能への影響も考えられる ●発達段階と家族の協力も含め，感染予防に必要なアセスメントを行う． ・ブクブクうがいや手洗いの一連動作は，2～3歳でできるようになる．ガラガラうがいやマスク装着は幼児期後期であり，自ら感染予防行動がとれるようになるのは学童期くらいからである．

	具体策	根拠と注意点
T-P	・感染予防ケア ①うがい，手洗い，マスク着用などの感染予防を患児・家族とともに実施する ②皮膚の清潔保持を状態にあわせて行う：入浴・清拭・陰部洗浄 ③環境整備を行う：ベッド柵の清掃・埃などの除去・清潔なシーツ ④易感染状態によっては，逆隔離やクリーンカーテンの使用などを取り入れる ⑤感染予防のための内服薬の内服方法，タイミング，形状の工夫をしていく ⑥口内炎などの症状を緩和し，食事や水分が効果的に摂取できるよう援助する	●収集した情報をもとに，患児にとって最もよい感染予防方法を検討する．確実に予防しながらも，患児のセルフケア能力を向上させることを踏まえ，実施する． ・患児の発達段階・性格・これまでの経験により，適している方法や援助内容が異なる． ●患児・家族とともに白血球（好中球）数の推移を確認していく．患児が苦痛なく過ごせる環境を整える． ●白血球（好中球）数による易感染の程度 ・好中球が100/μL以下であると重篤感染を引き起こしやすい． ・白血球数1,000/μL（好中球500/μL）を易感染状態とし，医師からも隔離指示が出される場合が多い． ●閉鎖された空間で過ごすことは，外界からの刺激で成長発達している患児にとっては，たいへんな苦痛となる．
E-P	・感染予防教育 ①患児・家族に，治療効果と副作用に伴う感染の危険性，および感染予防についての必要性を説明する ②患児・家族の感染予防行動が継続できるような方法を促進する ③感染徴候出現時には医療者に報告することを説明する	●家族が負担にならないように予防行動を心がける．発達段階にあわせてご褒美シールなどを活用する． ・長期にわたる感染対策が必要であるため，家族のつき添いなしではできないような予防行動は，継続が難しい．幼児期以降は，励みがあることで，好ましい行動を継続していくことが可能である．

引用・参考文献

1) 日本小児がん看護学会：小児がん看護ケアガイドライン2018．p.3，日本小児がん看護学会，2019．
2) 日本小児血液・がん学会：小児白血病・リンパ腫の診療ガイドライン．p.9，日本小児血液・がん学会，2016．
3) 中畑龍俊：日常診療と血液・腫瘍性疾患．小児科診療，80(10)：1151〜1156，2017．
4) 日本小児血液・がん学会：小児白血病・リンパ腫の診療ガイドライン．p.10〜11，日本小児血液・がん学会，2016．
5) 日本小児血液・がん学会：小児白血病・リンパ腫の診療ガイドライン．p.9〜35，日本小児血液・がん学会，2016．
6) 日本小児がん看護学会：小児がん看護ケアガイドライン2018．p.5〜8，日本小児がん看護学会，2019．
7) 丸光惠ほか監：ココからはじめる小児がん看護．p.224，へるす出版，2009．
8) チャイルド・リサーチ・ネット：子どものためのDeathEducation，2011．https://www.blog.crn.or.jp/report/02/120.html より2020年9月11日検索
9) ホープツリー：がんになった親と子どものために―子どもの発達段階と悲嘆の表現．https://hope-tree.jp/information/cancercare-for-kids-04/ より2020年9月11日検索
10) 日本小児がん看護学会：小児がん看護ケアガイドライン2018．p.85〜88，日本小児がん看護学会，2019．
11)「総合的な思春期・若年成人（AYA）世代のがん対策のあり方に関する研究」班編：医療従事者が知っておきたいAYA世代がんサポートガイド．p.2〜10，金原出版，2018．

第３章　血液・造血器疾患患者の看護過程

13 悪性リンパ腫

1. 疾患の基礎的知識

1）疾患の概念

悪性リンパ腫（ML：malignant lymphoma）は，血液中のリンパ球が腫瘍性に増殖した悪性腫瘍の総称である．全身のリンパ節，脾臓や扁桃などのリンパ組織のみならず，胃や腸管，脳など，さまざまな臓器に病変が及ぶ，全身性の疾患である．組織学的にホジキンリンパ腫と非ホジキンリンパ腫に大別されるが，わが国においては，ホジキンリンパ腫は５～10％程度であり，大半が非ホジキンリンパ腫である．

罹患率（粗罹患率）は23.8と年々増加傾向であり，男女比においては，約３：２と男性に多く，発症年齢は60歳代から増加し，加齢に伴って上昇する[1]．人口の高齢化に伴い，今後も罹患者の増加が予測される．

2）原因

悪性リンパ腫の発症原因は明らかになっていない．

内因性の要因としては，遺伝子異常，免疫異常による慢性の炎症，免疫不全状態が考えられている．外因性の要因としては，EBウイルス，ヒトT細胞白血病ウイルスⅠ型（HTLV-１），ヘリコバクター・ピロリ，ヒトヘルペスウイルス８型（カポジ肉腫）などがあげられている．また，慢性関節リウマチに使用される免疫抑制薬のメトトレキサートの服用にて，悪性リンパ腫を発症することが報告されている．

3）病態と臨床症状

病態

悪性リンパ腫は，ひとつの細胞由来のリンパ球が腫瘍化し，リンパ節などのリンパ組織や，皮膚などのリンパ節外臓器にとどまり，そこで増殖し，腫瘤などの病変を形成する（**図13-1**）．この際，増殖した腫瘍細胞が骨髄や末梢血に浸潤したものは，リンパ性白血病とされる．

リンパ系組織は全身にある．そして，リンパ球は全身を循環するため，悪性リンパ腫は全身のどの部位でも発症する．リンパ系組織とは，骨髄，胸腺，末梢リンパ組織（リンパ節，脾臓，扁桃），粘膜表面（パイエル板，虫垂）のことである．なお，胃，腸管，甲状腺，骨髄，肺，肝臓，皮膚などのリンパ節以外の組織に発生した場合を，節外性という．

悪性リンパ腫の分類は，WHO分類（2017）（**図13-2**）が広く用いられており，腫瘍細胞の由来や形態によって，ホジキンリンパ腫と非ホジキンリンパ腫に分類される．ホジキンリンパ腫は，ホジキン細胞，リード・スタンバーグ細胞が出現することが特徴である．

図13-1　全身のリンパ節とリンパ節内の病変の様子

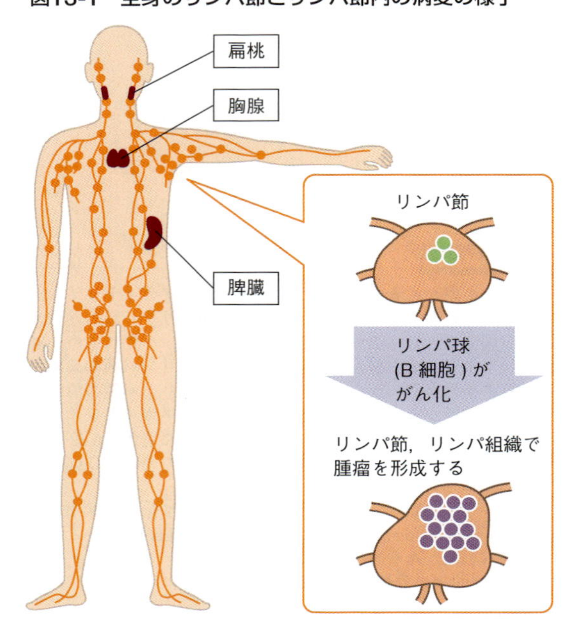

臨床症状

臨床症状は，リンパ節の腫大と多臓器の浸潤によって，局所・全身にさまざまな形で現れる．全身のリンパ組織すべてが発症部位となるため，初発症状もさまざまである．

(1)全身症状

全身症状として多いのが原因不明の発熱である．とくに発熱，盗汗，体重減少をB症状とよぶ(**図13-3**)．

・発熱：38℃以上の原因不明の発熱
・寝汗(盗汗)：掛け布団やシーツなどを変えなければならないほどのずぶぬれになる汗
・体重減少：６か月以内に通常体重の10%を超す体重減少
・その他：全身倦怠感，食欲不振，皮膚の瘙痒感など

(2)ホジキンリンパ腫の症状

①初発症状として，無痛性の表在リンパ節腫脹を頸部に認め，隣接するリンパ節である縦隔リンパ節，腋窩リンパ節へ連続性に進展することが多い．表在リンパ節の腫脹は，無痛性，可動性，弾性硬(ゴム様)である．
②リンパ節腫大による圧迫症状．とくに縦隔リンパ節腫大による上大静脈症候群(顔面，頸部・上腕の浮腫，頭痛)，気道圧迫による呼吸困難など．
③発熱と解熱を繰り返す周期性の弛張熱が特徴である．

(3)非ホジキンリンパ腫の症状

①無痛性の表在リンパ節(頸部，腋窩，鼠径部)の腫脹や，表在リンパ節外の扁桃，腹部のリンパ節腫大を認める．進展は非連続性である．表在リンパ節の腫脹は，無痛性，可動性，弾性硬(ゴム様)である．
②リンパ節腫大による圧迫症状がある．
・鼠径部，大腿部リンパ節の腫大による下肢の浮腫
・鼻腔・ワルダイエル輪の圧迫による鼻閉感，咽頭痛，嚥下障害
③リンパ節外腫瘍，臓器浸潤による症状がある．半数以上が節外性病変であり，浸潤した臓器の障害により，以下のようなさまざまな症状を呈する．
・中枢神経への浸潤：意識障害，痙攣，神経麻痺，感覚障害，頭痛，嘔吐
・肝臓への浸潤：肝機能障害，黄疸，全身倦怠感，肝

図13-2　悪性リンパ腫の分類　WHO分類(2017)

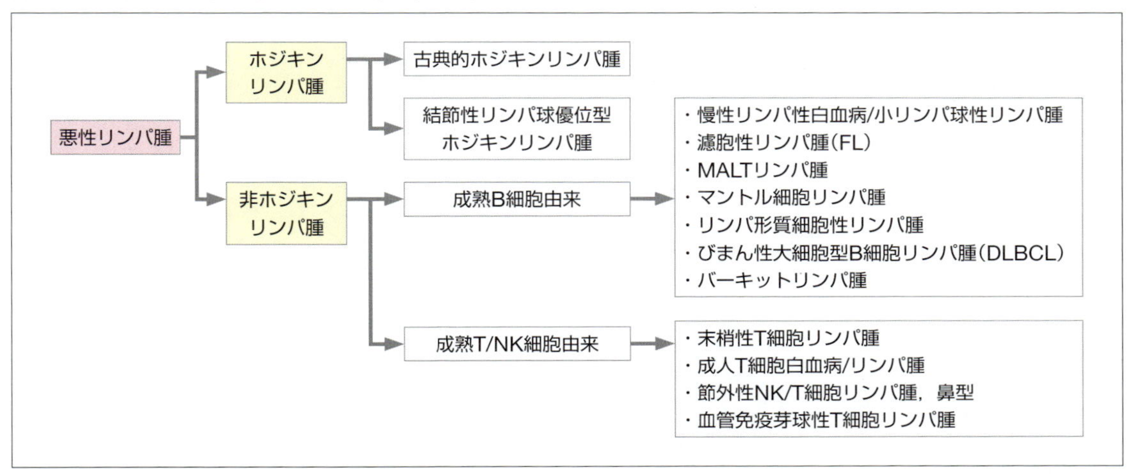

日本血液学会：造血器腫瘍診療ガイドライン2018年版，第2版，p.167～170，金原出版，2018．を参考に作成

図13-3　B症状

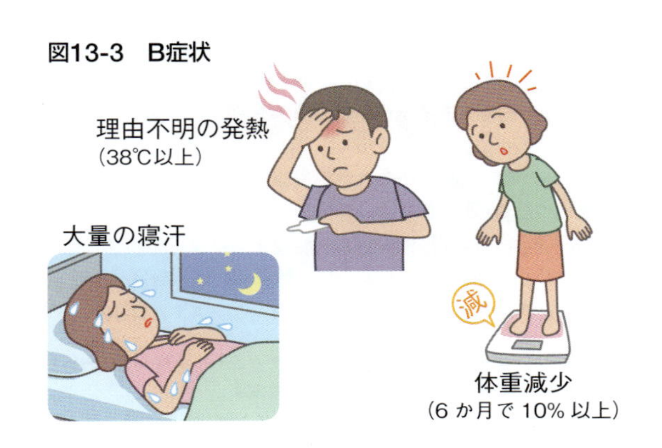

腫大

・胃への浸潤：潰瘍性病変による出血

(4)感染症

リンパ組織が破壊されることで，リンパ球が減少し，細胞性免疫機能が低下する．そのため，日和見感染を生じやすい．治療開始後は，化学療法の骨髄抑制によってさらに感染症が起こりやすくなる．

4）検査・診断

治療法の選択と予後の判定には，正確な病理組織学的診断と病型診断が重要となる．

(1)血液検査

①血算：白血球数，好中球数，リンパ球数，腫瘍細胞数，赤血球数，ヘモグロビン値，血小板数

・異形細胞の有無を確認する

②生化学：TP，Alb，ALT，AST，LDH，ALP，γ-GTP，電解質，BUN，Cr，尿酸

・腫瘍の増大や進行により，LDHやCRPが上昇する

③免疫血清：CRP，IgG，IgA，IgM，タンパク分画，可溶性インターロイキン2受容体（sIL-2R），β_2ミクログロブリン

・CRP，sIL-2Rやβ_2ミクログロブリンの上昇がみられる

④ウイルス：HBs抗原，HBs抗体，HBc抗体，HCV抗体，HIV抗体，HTLV-1抗体

・成人T細胞白血病は，HTLV-1ウイルス感染によって起こる

(2)画像検査

病変の広がりと治療の効果判定を行う．具体的には，胸・腹部X線検査，CT検査（頭部・頸部・胸部・腹部・骨盤），超音波検査，MRI検査，ガリウム（Ga）シンチグラフィ，核医学検査（FGD-PET），上部・下部内視鏡検査がある．

なお，FGD-PET検査は，悪性リンパ腫の病期決定や治療の効果判定に有用である．陽電子を放出するブドウ糖（FGD）を用いて行われる．

図13-4　アン・アーバー分類

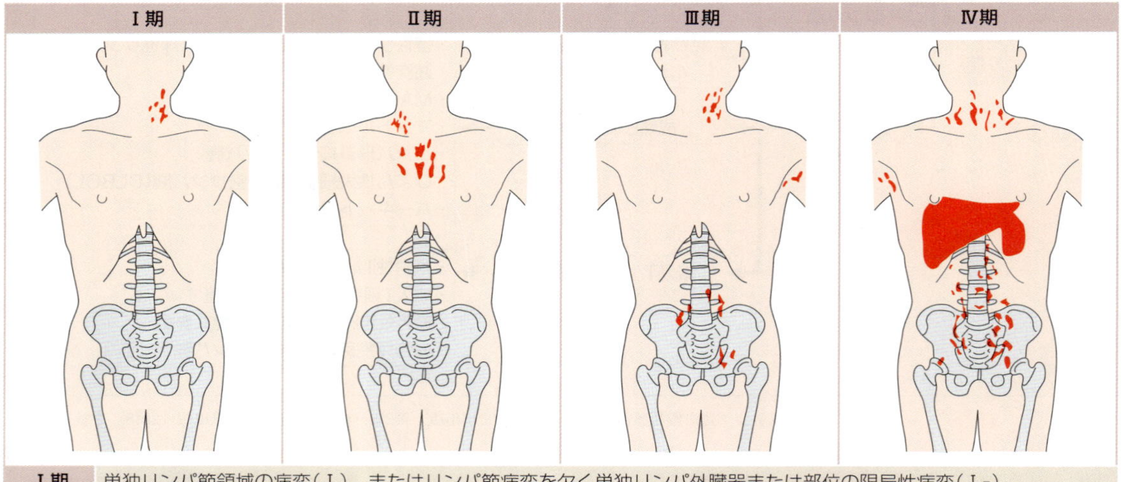

Ⅰ期	単独リンパ節領域の病変（Ⅰ）．またはリンパ節病変を欠く単独リンパ外臓器または部位の限局性病変（$Ⅰ_E$）．
Ⅱ期	横隔膜の同側にある２つ以上のリンパ節領域の病変（Ⅱ）．または所属リンパ節病変と関連している単独リンパ外臓器または部位の限局性病変で，横隔膜の同側にあるその他のリンパ節領域の病変はあってもなくてもよい（$Ⅱ_E$）．病変のある領域の数は下付きで，例えば$Ⅱ_3$のように表してもよい．
Ⅲ期	横隔膜の両側にあるリンパ節領域の病変（Ⅲ）．それはさらに隣接するリンパ節病変と関連しているリンパ外進展を伴ったり（$Ⅲ_E$），または脾臓病変を伴ったり（$Ⅲ_S$），あるいはその両者（$Ⅲ_{ES}$）を伴ってもよい．
Ⅳ期	１つ以上のリンパ外臓器のびまん性または播種性病変で，関連するリンパ節病変の有無を問わない．または隣接する所属リンパ節病変を欠く孤立したリンパ外臓器病変であるが，離れた部位の病変を併せ持つ場合．

AおよびB分類（症状）各病期は以下のように定義される全身症状の有無に従って，AまたはBのいずれかに分類される．

1）発熱：38℃より高い理由不明の発熱．

2）寝汗：寝具（マットレス以外の掛け布団，シーツなどを含む，寝間着は含まない）を変えなければならない程のずぶ濡れになる汗．

3）体重減少：診断前の６か月以内に通常体重の10％を超す原因不明の体重減少．

日本血液学会：造血器腫瘍診療ガイドライン2018年版，第２版，p.171，金原出版，2018．を参考に作成

(3)骨髄検査・骨髄生検

造血機能の確認と，骨髄への浸潤の程度を確認する.

①細胞数の測定
②塗抹標本，クロット標本による病理診断
③フローサイトメトリーによる細胞表面抗原の検出
④染色体分析(FISH法)
⑤遺伝子解析

(4)リンパ節生検

悪性リンパ腫の確定診断のためには，生検による病理組織検査は必須である.表在に触れるリンパ節の場合は，局所麻酔で検体を採取するが，表在リンパ節に病変がない場合は，CTガイド下生検が行われる.

①フローサイトメトリーによる細胞表面抗原の検出
②染色体分析(FISH法)
③遺伝子解析

(5)腰椎穿刺(脳脊髄液検査)

中枢神経への浸潤の有無を確認する.

病期分類

悪性リンパ腫における病期分類は，ホジキンリンパ腫に対して開発されたアン・アーバー(Ann Arbor)分類(**図13-4**)が非ホジキンリンパ腫に対しても用いられているが，Lugano分類(**表13-1**)も使用されている.

また，非ホジキンリンパ腫では，病状の進行速度によって悪性度が分類される(**表13-2**).

5)治療

治療は，悪性リンパ腫の病型と病期，患者の要因(年齢，臓器障害など)によって治療方針が決定され，限局期(病期Ⅰ・Ⅱ)か，進行期(病期Ⅲ・Ⅳ)かにより，治療選択が異なる.

(1)放射線療法

限局期の病変を標的に単独照射するか，あるいは化学療法との併用で実施される.低悪性度群のリンパ腫では，放射線療法のみで治癒が得られることもある.

表13-1　Lugano分類(2014)(リンパ節を原発とする悪性リンパ腫のための改訂病期分類)

病期		病変部位	節外病変(E)の状態
限局期	Ⅰ期	1つのリンパ節病変または隣接するリンパ節病変の集合	リンパ節病変を伴わない単独のリンパ外臓器の病変
	Ⅱ期	横隔膜の同側にある2つ以上のリンパ節病変の集合	リンパ節病変の進展による，限局性かつリンパ節病変と連続性のある節外臓器の病変を伴うⅠ期またはⅡ期
	Ⅱ期 bulky*	bulky病変を伴うⅡ期	該当なし
進行期	Ⅲ期	横隔膜の両側にある複数のリンパ節病変または脾臓病変を伴う横隔膜の上側の複数のリンパ節病変	該当なし
	Ⅳ期	リンパ節病変に加えてそれとは非連続性のリンパ外臓器の病変	該当なし

病変の進展は，集積を示す悪性リンパ腫ではPET，集積を示さないリンパ腫ではCTで決定する．扁桃，ワルダイエル輪，脾臓は節性病変とみなす.

*bulky病変を伴うⅡ期を限局期または進行期のどちらで扱うかは，組織型や予後因子の数によって決定してもよい．Bulky病変の定義は組織型によって異なるため，“X”表記はせず最長径を記録する．Ann Arbor分類のAおよびB分類(症状)は，Lugano分類(2014)からは削除されている．ホジキンリンパ腫のみで付加する.

日本血液学会：造血器腫瘍診療ガイドライン2018年版，第2版，p.172，金原出版，2018.

表13-2　悪性度による分類表

悪性度による分類	病勢	非ホジキンリンパ腫の種類(病型)
低悪性度：インドレントリンパ腫 慢性的に経過し， 治癒が望めないものが多い	年単位で進行	慢性リンパ性白血病/小リンパ球性リンパ腫 MALTリンパ腫，濾胞性リンパ腫，マントル細胞リンパ腫，菌状息肉症/セザリー症候群
中悪性度：アグレッシブリンパ腫 早急な治療が必要だが 治癒を望めるものも多い	月単位で進行	びまん性大細胞型B細胞リンパ腫 末梢性T細胞リンパ腫，成人T細胞白血病/リンパ腫，血管免疫芽球性T細胞リンパ腫
高悪性度：高度アグレッシブリンパ腫 直ちに治療開始が必要となる	週単位で進行	バーキットリンパ腫/白血病，急速進行性NK細胞白血病

日本血液学会：造血器腫瘍診療ガイドライン2018年版，第2版，p.167～170，金原出版，2018. を参考に作成

ホジキンリンパ腫の限局期(病期Ⅰ・Ⅱ)の場合は，後述のABVD療法4コース後に放射線療法(20〜30Gy)を行う.

(2)化学療法

異なる種類の薬剤を使用する多剤併用化学療法が治療の主体である．使用する薬剤による副作用に注意が必要である(**表13-3**).

①ホジキンリンパ腫

・ABVD療法(ドキソルビシン，ブレオマイシン，ビンブラスチン，ダカルバジン)(**表13-4**)

②非ホジキンリンパ腫

・CHOP療法(シクロホスファミド，ドキソルビシン，ビンクリスチン，プレドニゾロン)(**表13-5**)：びまん性大細胞型B細胞リンパ腫を中心とした基本レジメン(抗がん薬や支持療法薬などの投与に関する時系列的な治療計画)であり，リツキシマブと併用したR-CHOP療法も行われる

・大量MTX療法(メトトレキサートの大量投与)：原発性中枢神経系リンパ腫の治療のほか，中枢神経系への浸潤予防にも用いられる

③救援療法(サルベージ療法)

完全寛解に至った後，再発した場合に，再発前と異なる薬剤を用いて行う治療のことである.

・ESHAP療法(メチルプレドニゾロン，エトポシド，シタラビン，シスプラチン)

・ICE療法(イホスファミド，カルボプラチン，エトポシド)

・GDP療法(ゲムシタビン，デキサメタゾン，シスプラチン)

・DHAP療法(デキサメタゾン，シスプラチン，シタラビン)

(3)分子標的薬

リツキシマブ(**図13-5**)は，Bリンパ球の表面にあるCD20抗原に結合する抗体であり，CD20陽性のB細胞腫瘍に対して効果がある．CD20に結合することで抗腫瘍効果を発揮する．しかし，CD20を有する正常細胞にも作用して，B細胞減少による免疫低下をきたすことがある．また，infusion reaction(インフュージョン・リアクション：輸注関連合併症)という副作用を起こすことがある.

表13-3　化学療法に使用される主な薬剤

分類	一般名(商品名)	作用	副作用
抗がん性抗菌薬	ドキソルビシン(アドリアシン®) ブレオマイシン(ブレオ®)	DNA,RNAの合成を阻害する	心毒性 アレルギー，肺障害
微小管阻害薬 ビンカアルカロイド	ビンクリスチン(オンコビン®) ビンブラスチン(エクザール®)	染色体に関与する微小管の働きを阻害する	末梢神経障害，便秘
アルキル化薬	シクロホスファミド(エンドキサン®) ダカルバジン(ダカルバジン®)	悪性腫瘍細胞の核酸代謝を阻害する アルキル化作用により抗腫瘍効果を発現	出血性膀胱炎 血管痛，悪心
代謝拮抗薬	メトトレキサート(メソトレキセート®)	DNA合成を妨げ，がん細胞の代謝を阻害し，増殖を抑制する	腎機能低下，粘膜障害
分子標的薬	リツキシマブ(リツキサン®)	補体依存性・抗体依存性細胞障害作用	Infusion reaction 発熱，皮疹，ショック
副腎皮質 ホルモン製剤	プレドニゾロン(プレドニン®)	抗炎症作用，リンパ球の細胞死誘導	高血糖，高血圧，不眠 骨粗鬆症，消化性潰瘍

表13-4　ABVD療法

薬剤	Day1	Day2-14	Day15	Day16-28	
ドキソルビシン	○	休薬	○	休薬	1コースを28日とし，4週間ごとに繰り返す
ブレオマイシン	○		○		
ビンブラスチン	○		○		
ダカルバジン	○		○		

表13-5　CHOP療法

薬剤	Day1	Day2	Day3	Day4	Day5	Day6-21	
シクロホスファミド	○					休薬	1コースを21日とし，3週間ごとに繰り返す
ドキソルビシン	○						
ビンクリスチン	○						
プレドニゾロン	○	○	○	○	○		

(4)造血幹細胞移植

標準的な化学療法のみで治癒する可能性が低い症例は，大量化学療法との併用による造血幹細胞移植が行われる．若年者(65歳以下)においては，化学療法に感受性のある再発例や，難治性の症例で，自家造血幹細胞移植が行われることが多い．

化学療法や自家移植に対する難治性の症例については，ヒト白血球抗原(HLA：human leukocyte antigen)が一致した同胞，骨髄バンクなどからの同種造血幹細胞移植も検討される．

(5)手術療法

消化管の悪性リンパ腫では，腫瘍摘出などの手術療法が行われる．

(6)支持療法

治療に対する有害事象への対処として，輸血療法，感染予防における顆粒球コロニー刺激因子(G-CSF：granulocyte colony stimulating factor)の投与が行われる．

図13-5　リツキシマブ

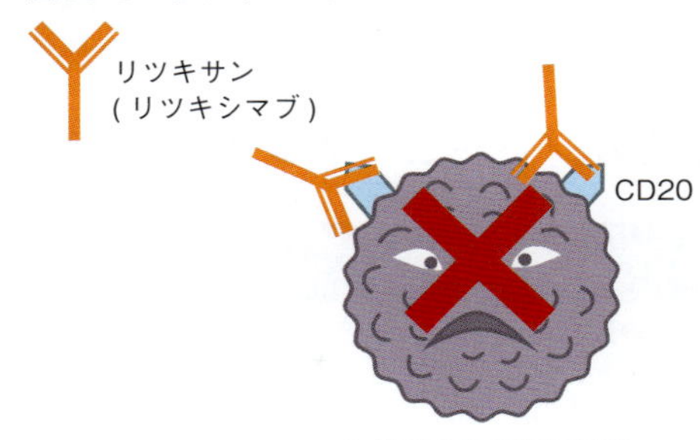

(7)その他

消化管原発のMALT(mucosa-associated lymphoid tissue)リンパ腫では，ヘリコバクター・ピロリ菌の除菌療法が行われる．

(8)治療の効果判定

効果判定にはCTやFDG-PETが用いられる．

6) 予後

悪性リンパ腫は，化学療法や放射線療法の治療効果が高いが，予後は病型や病期により，著しく異なる．

非ホジキンリンパ腫は病態によって悪性度が分類され，ホジキンリンパ腫と比較して予後が不良である．

予後判定として，国際予後指標(IPI：International Prognostic Index)(**表13-6**)が用いられている．そのほかに，濾胞性リンパ腫のFLIPI，マントル細胞リンパ腫のMIPIなどが提唱されている．

表13-6　国際予後指標

予後因子	予後不良因子
年齢	61歳以上
血清 LDH	正常上限を越える
Performance Status	2～4
病期	Ⅲまたは Ⅳ期
節外病変数	２つ以上

予後因子	リスク
0・1	低リスク
2	低中間リスク
3	高中間リスク
4・5	高リスク

2. 看護過程の展開

アセスメント～ゴードンの機能的健康パターンを用いて

パターン	アセスメントの視点	根拠	収集する情報
(1) 健康知覚-健康管理 患者背景 健康知覚-健康管理 価値-信念	●患者は疾患や治療をどのように認識しているのか ●病気についての考え方，健康についての考え方はどうか ●自己（健康）管理はできているのか	●悪性リンパ腫は化学療法が奏功しやすい疾患であるが，病型や病期によって予後が異なり，病名告知において患者の受ける衝撃や予後に対する不安は大きい．また，血液がんのイメージがつきにくいことから疾患に対する理解が難しい． ●年齢，病型・病期によって行われる治療が異なるため，治療内容を把握したうえで援助する．また，使用する薬剤により，出現する副作用の種類や症状が異なり，薬剤の自己管理も必要となる．そのため，患者・家族ともに納得したうえで治療を開始する．	●現病歴：発症の時期，診断に至る経過 ●既往歴：悪性疾患，感染症 ●治療歴 ●職業 ●生活習慣 ●疾患，治療についての理解・認識 ●自己管理状況
(2) 栄養-代謝 全身状態 栄養-代謝 排泄	●腫瘍による局所症状はあるか ●治療による栄養状態への影響はどの程度か	●B症状とよばれる発熱，盗汗（寝汗），体重減少の症状は，患者の身体的苦痛を増強させるが，治療が開始されると症状は軽快していくことが多い． ●腫瘍が消化管にある場合は，腹痛などの臓器障害を生じる可能性がある． ●抗がん薬により，悪心・嘔吐などの消化器毒性を生じる可能性がある．造血幹細胞移植時においては，消化器症状は頻発である．悪心・嘔吐は身体的苦痛だけでなく，食事摂取量の低下が栄養状態を悪化させ，体力低下を引き起こす．	●栄養状況 ・食事内容，食事形態 ・食欲，味覚変化 ●身長，体重，BMI ●B症状の有無，程度 ●血液データ ●腎機能障害の程度 ・浮腫 ●消化器症状 ・悪心，嘔吐
(3) 排泄 全身状態 栄養-代謝 排泄	●腫瘍による局所症状はあるか ●化学療法による有害事象，腫瘍崩壊症候群，腎機能障害はないか	●消化管に腫瘍がある場合は，腫瘍の圧迫による腹痛，下痢，便秘，通過障害などを生じ，病状の進行によって消化管穿孔などの合併症が起こる．また，アルカロイド系抗がん薬の使用時では，便秘を生じやすく，ときに麻痺性イレウスを起こすことがある． ●化学療法によって腫瘍細胞が急速に破壊され，腫瘍細胞内の成分が血液中に流出することで，高尿酸血症，高カリウム血症，高リン血症，低カルシウム血症が生じる．その場合，急性腎不全や不整脈などの生命の危機につながることがある．危険因子として，腫瘍量が多い，腫瘍速度が速い，治療前から腎障害があることなどがあげられる．	●血液データ ●排便回数，排便量，性状 ・腹部膨満感の有無 ・腸蠕動 ・末梢神経障害の部位，程度 ・緩下剤の使用状況 ●水分出納 ・尿量，排尿回数，尿性状 ・尿pH，尿潜血 ●腎機能：BUN，クレアチニン，電解質，UA ・浮腫の有無，程度 ●高カルシウム血症症状

パターン	アセスメントの視点	根拠	収集する情報
(4) 活動-運動 活動・休息 活動-運動 睡眠-休息	●リンパ腫の腫大から起こる圧迫症状は，ADLにどのような影響を与えているか ●治療による副作用はADLにどのような影響を与えているか	●悪性リンパ腫の症状（発熱，体重減少，盗汗，全身倦怠感など）は，体力の消耗とADLの低下をまねく．リンパ腫の発症する部位により，出現する症状はさまざまである． ●治療が開始されると，副作用の影響によってADLや意欲が低下しやすく，セルフケア不足となりやすい． ●化学療法による骨髄抑制：抗がん薬の造血機能障害のため，白血球（好中球）減少，赤血球減少，血小板減少が起こる． ・白血球（好中球）減少：好中球が1,000/μL未満となると，重症の敗血症を起こす可能性が高くなる． ・赤血球減少：目安として，以下のような数値で貧血症状を呈する．Hb10g/dL：自覚症状は少ない，Hb8～9g/dL：顔面蒼白，Hb7g/dL：動悸，息切れ ・血小板減少：口腔内，鼻，眼，消化管，性器に出血をしやすい．	●全身状態 ●腫瘍の部位，圧迫症状 ・自覚症状の程度 ●安静度 ●リハビリテーションの状況 ●ADL ●血液データ ・貧血症状：倦怠感，動悸，息切れ，めまい，顔色 ・感染徴候：発熱，腫脹，咳嗽など ・出血傾向 ●セルフケア状況
(5) 睡眠-休息 活動・休息 活動-運動 睡眠-休息	●リンパ腫や化学療法の副作用により認知・知覚機能に影響はないか	●リンパ腫の圧迫症状・局所症状により，睡眠－休息が妨げられることがある． ●治療に副腎皮質ステロイドを含む場合もあり，その際に副作用で睡眠障害が起こることもある．	●身体症状の程度 ●睡眠状況，時間 ●日中の活動時間 ・活動範囲，安静度 ●睡眠薬の使用の有無
(6) 認知-知覚 知覚・認知 認知-知覚 自己知覚-自己概念 コーピング-ストレス耐性	●リンパ腫の症状や，化学療法の副作用をどのように認知しているか	●リンパ腫により中枢神経が障害されることがある．化学療法や放射線療法の副作用に伴う症状を由来とする苦痛も大きい． ●化学療法による末梢神経障害が出現することも多い．	●身体症状の有無 ・疼痛 ●認知機能 ●感覚機能 ●末梢神経障害 ●味覚障害
(7) 自己知覚-自己概念 知覚・認知 認知-知覚 自己知覚-自己概念 コーピング-ストレス耐性	●自分自身の価値や，自身の能力をどのように捉えているか	●長期の治療による役割変化，化学療法の副作用による，脱毛やムーンフェイス（満月様顔貌）などにより，ボディイメージの変容を迫られる．身体や社会的役割の変化を受け止めることができず，ボディイメージが混乱することもある．	●病態・疾患の理解 ・受容の状態 ・治療の理解 ●価値観，信念 ●自己概念，自己評価 ●心理状態，精神状態 ・感情，話し方など ●ボディイメージ

パターン	アセスメントの視点	根拠	収集する情報
(8) 役割-関係 周囲の認識・支援体制 役割-関係 セクシュアリティ-生殖	●家族や支援者の，疾患・治療に対する受け止め方はどうか	●悪性リンパ腫の治療の場は，入院から外来へ移行しており，初回治療時から外来治療を視野に入れたセルフケア支援が求められる．外来治療を継続する患者は，有害事象による苦痛や，予後に対する不安，社会生活に対する不安など，さまざまなストレスを抱えている．患者が精神的ストレスを抱えると，家族も何かしてあげたいと思うものの，どうしてよいかわからないと困惑してしまうことが多い． ●病気になる前の家族関係や相互関係により，家族の理解も大きく異なる．	●家族構成，家族員，年齢 ●同居家族 ●患者の家族内役割 ●家族との関係性 ●キーパーソン，ケアギバー（ケアの提供者）の有無 ●家族・支援者の疾病・治療についての理解
	●社会的役割への影響はどの程度であるか	●若年者から高齢者までと罹患する年齢層が幅広く必要とした社会的支援が異なる． ●壮年期の患者に対して，就業状況の把握は必須である．治療のために長期休職を必要としたり，退職を余儀なくされる場合もある．家庭の経済的基盤が失われることにより，心理的な負担も増加する．	●患者の社会的役割 ・社会生活での活動状況 ・学業 ・仕事の種類・内容・継続状況 ●経済状況 ●社会資源の利用状況 ・限度額適用認定証 ・高額療養費制度
	●治療や療養に伴う経済的負担はどうか	●治療に伴う経済的負担は，患者・家族のQOLに影響を及ぼす．治療に使用する薬剤には薬価が高額なものがある．治療の選択に際して，費用と活用できる社会資源に関する情報を共有する必要がある．	●予定されている治療期間
(9) セクシュアリティ-生殖 周囲の認識・支援体制 役割-関係 セクシュアリティ-生殖	●治療が及ぼす生殖への影響はどうか ●挙児希望はあるか	●化学療法を行うことで，生殖機能に影響を及ぼす． ●抗がん薬の種類によって性腺機能障害の程度は異なる．	●性機能評価 ●妊孕性温存についての意向 ●性生活への思い ●パートナーの有無
(10) コーピング-ストレス耐性 知覚・認知 認知-知覚 自己知覚-自己概念 コーピング-ストレス耐性	●疾患や治療による全人的な苦痛はどの程度か，どのように対処をしているのか	●リンパ腫の治療は長期にわたり，疾患の再発・再燃や，治療への不安が増強しやすい． ●不安の表出の仕方は個人差がある．	●心理状態 ●表情，言動 ●ストレスコーピング方法 ●コミュニケーション能力 ●サポート体制

パターン	アセスメントの視点	根拠	収集する情報
(11) 価値-信念 患者背景 健康知覚-健康管理 価値-信念	●患者・家族が大切にしている価値や信念はあるか	●生き方や人生観，価値観は病気のとらえ方に影響する．	●価値観 ●信念 ●目標 ●宗教 ●精神，心理状況

3. 全体像の把握から看護問題を抽出

1）病態関連図

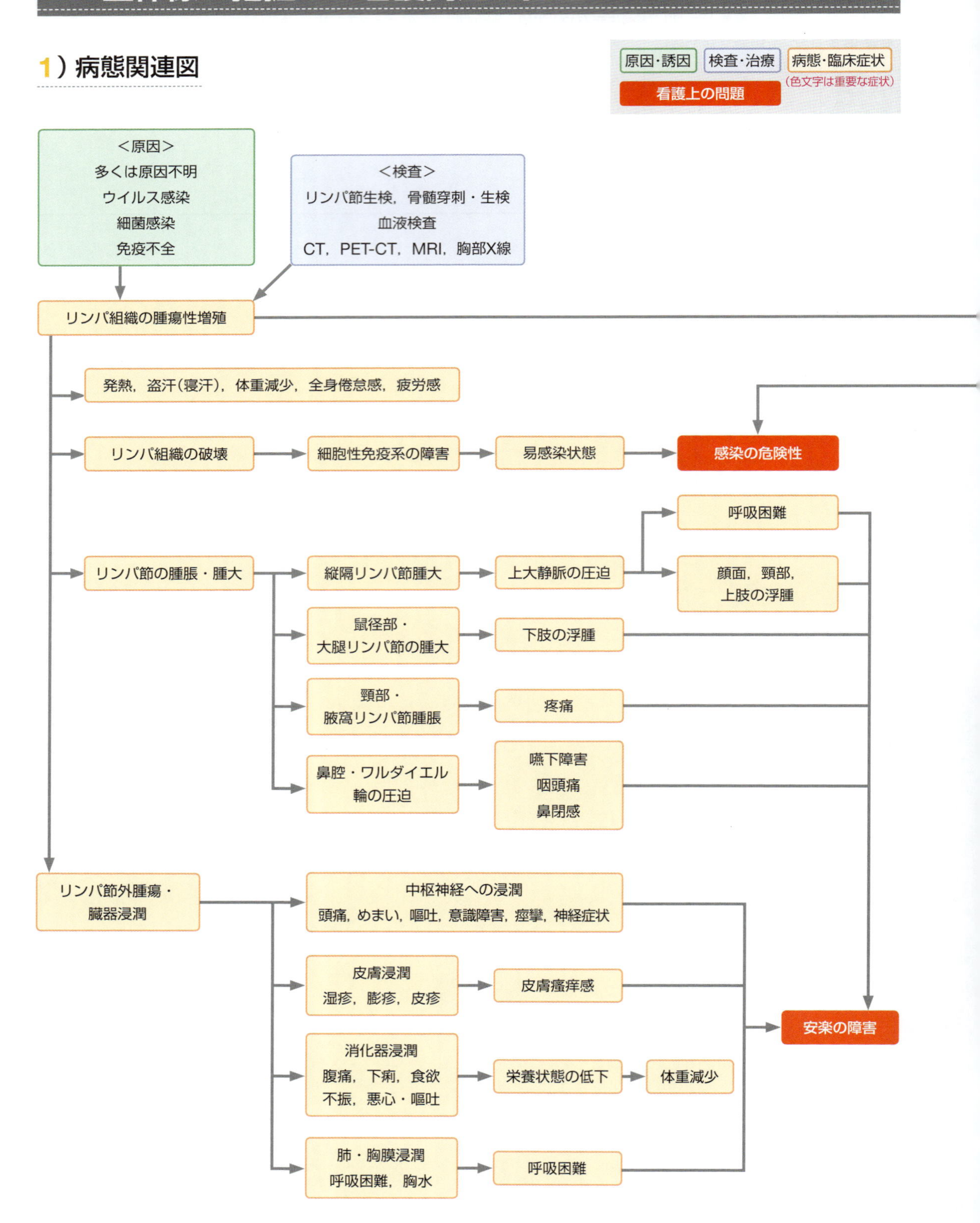

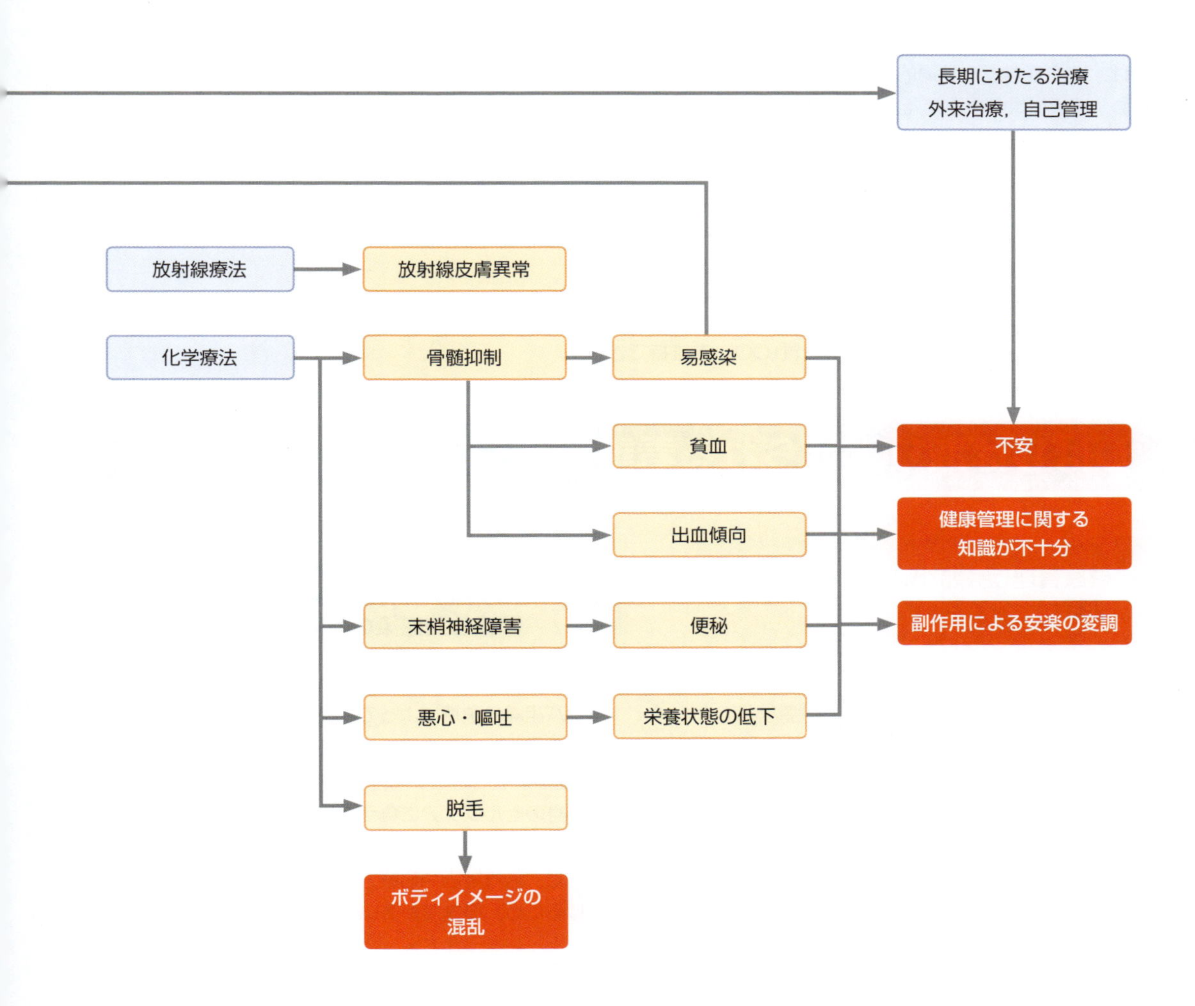
長期にわたる治療
外来治療，自己管理
放射線療法
放射線皮膚異常
化学療法
骨髄抑制
易感染
貧血
不安
出血傾向
健康管理に関する
知識が不十分
末梢神経障害
便秘
副作用による安楽の変調
悪心・嘔吐
栄養状態の低下
脱毛
ボディイメージの
混乱

2）看護の方向性

悪性リンパ腫は，全身に発症する疾患であり，発症部位や腫瘍の圧迫部位により，身体症状や身体的苦痛が異なる．頸部リンパ節腫脹による気道圧迫や，中枢神経の腫瘍による意識障害など，生命の危機をもたらす場合もあり，身体症状のアセスメントが重要となる．身体的苦痛は，ADLの低下や体力の消耗だけでなく，疾患に対する不安を増強させるため，症状緩和を早期に行うことが重要である．

免疫機能が低下している状態に加え，抗がん薬の骨髄抑制により，易感染状態になりやすい．骨髄抑制期の感染は，敗血症などの致命的な状態をまねく恐れがあるため，感染徴候の早期発見と治療が重要となる．

治療の主体は外来で行われるため，患者自身が主体的に自己管理を行えるように指導・教育を行う．また，化学療法の副作用によっては，出現した身体症状により，今までの家庭内役割や社会的役割を遂行することが困難となる．患者が治療の作用・副作用を理解し，副作用に対する対処行動をとれるようなセルフケアを習得できるように支援する．

悪性度が高いリンパ腫においては，診断後，早期に治療が開始されることが多い．血液がんに罹患したショックや予後の不安などを抱えたまま治療を開始することもあるため，疾患や治療について受け入れがスムーズにできるように治療選択の意思決定支援を行う．また，治療が長期的に繰り返されることによる社会的役割の変化・喪失，副作用によりボディイメージが否定的に変化すること，再発や予後への不安など，さまざまな心理的葛藤を抱きやすい．患者の思いや不安に寄り添い，患者・家族への心理・社会的支援を行うことが重要となる．

3）患者・家族の目標

セルフケアを継続して行うことで，生活の質（QOL）を維持できる．

4. しばしば取り上げられる看護問題

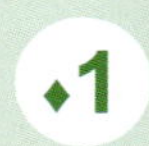

◆1 健康管理（治療計画）に関する知識が十分でない

なぜ？

疾患の病期・病型，患者の全身状態，合併症などにより，治療法が選択される．また，治療に用いられる薬剤によって，出現する副作用や，症状の程度は異なる．そのため，治療に用いられる薬剤の作用・副作用についての知識を習得し，治療に臨むことが重要である．

初回治療を入院で行った後の，２回目以降は外来治療で行うことが多く，患者がセルフケアを獲得できるように入院早期から教育・指導を行うため，優先度が高い．

➡ 期待される結果

・正しい知識をもち，治療に臨むことができる．
・自己管理によって症状の悪化を予防できる．

◆2 疾患による免疫機能低下，化学療法の骨髄抑制に関連した感染の危険性がある

なぜ？

リンパ組織の破壊によって免疫力が低下していることから，化学療法の副作用によって骨髄抑制が加わることで，重症感染症を起こす可能性がある．感染予防行動は，患者自身のセルフケアに負うところが大きい．

重症感染症は生命の危険をもたらし，感染症を併発することで，治療計画や治療方針を変えざるを得ない場合も生じるため，優先度が高い．

➡ 期待される結果

・感染症を起こさない．
・感染予防行動を理解し，実施することができる．

♦3 発熱や悪性リンパ腫の症状による安楽の障害

なぜ？

悪性リンパ腫の全身症状や腫瘍の圧迫症状は，日常生活に支障をきたすだけでなく，精神状態にも影響するため，早期に症状を緩和する必要がある．

➡ 期待される結果

・身体的苦痛が緩和する．
・安楽な日常生活を送ることができる．

♦4 病状や不確かな予後に関連した不安

なぜ？

患者・家族は診断初期には，疾患の進行や治療に対する知識不足，予後の不確かさによって漠然とした不安を抱えやすい．放射線療法や化学療法による副作用は苦痛を伴い，身体的苦痛が増強すると，精神的に影響を与える．

不安が増強することで，抑うつ症状の悪化や不適応状態になりやすい．患者の表情や言動に注意して，思いを表出しやすいような，患者と医療者間の信頼関係を構築することが求められる．長期の治療になることで病気の見通しに対する不安が生じやすく，また，治療が奏功しない場合の治療方針の変更時には，死への不安に対しての精神的苦痛が増強しやすい．

➡ 期待される結果

・不安が軽減し，心理的に安定して過ごすことができる．

♦5 化学療法の副作用による安楽の変調

なぜ？

副作用としての悪心・嘔吐や，食欲不振などの消化器症状が出現すると，安楽の変調をきたす．アルカロイド系抗がん薬の末梢神経障害による便秘が生じた場合は，麻痺性イレウスへ移行する危険性がある．

出現する副作用は身体的苦痛だけでなく，心理的にも影響を及ぼす．

➡ 期待される結果

・化学療法の副作用への予防行動がとれる．

♦6 疾患に関連したボディイメージの混乱

なぜ？

副腎皮質ステロイド使用によるムーンフェイス（満月様顔貌）や抗がん薬の副作用による脱毛，皮膚障害などの外見の変化（アピアランス）は，治療初期には身体症状が優先されてしまうことが多く後回しになってしまうことがある．治療に伴う外見の変化は，日常生活の変化やQOLを低下させる要因のひとつであり，心理・社会的に与える影響が大きい．

悪性リンパ腫は壮年期に多く，治療を継続しながら社会生活を送る患者も増加しており，社会的側面からの支援も重要となる．

ボディイメージが否定的に変化した場合は，精神的負担だけでなく，社会生活にも影響を及ぼす．

➡ 期待される結果

・ボディイメージについての自分の感情を認識し，表出できる．

5. 看護計画の立案

• O-P：Observation Plan（観察計画）　• T-P：Treatment Plan（治療計画）
• E-P：Education Plan（教育・指導計画）

 健康管理（治療計画）に関する知識が十分でない

	具体策	根拠と注意点
O-P	**(1)疾患，治療の理解度，認識**	●治療は，初回導入を入院で行い，その後は外来通院にて行うことが多い．患者・家族が十分にセルフケア行動を獲得するために，指導を行う．
	(2)患者のセルフケア能力	●患者・家族がセルフケアの必要性を理解していても，実際に療養生活の場で行動する際には阻害要因が存在する．退院後の生活，環境を把握して，取り入れやすい方法や手段を検討する．
	(3)服薬アドヒアランス ・服薬の必要性を理解しているか ・患者の周囲のサポート体制はあるか ・実生活に取り入れられる服薬方法であるか	●アドヒアランスとは，患者自身が積極的に治療方針の決定に参加し，その決定に従って治療を受けることである．服薬アドヒアランスの低下は，内服薬の飲み忘れや自己中断につながり，治療効果の低下をまねくため，アドヒアランスを向上させることは重要な課題である．
	(4)化学療法による副作用症状と程度 ①骨髄抑制による症状 ・感染徴候 ・貧血症状 ・血小板減少 ②消化器症状の有無，程度 ・悪心，嘔吐 ・便秘，下痢 ③末梢神経障害・便秘	●使用する薬剤の特性により，出現する副作用の症状や副作用の発現時期は異なる． ●薬剤の特徴を理解した指導を行う．
	(5)ボディイメージの変化，患者の受け止め方	●抗がん薬投与による脱毛や，副腎皮質ステロイド薬によるムーンフェイス（満月様顔貌）は可逆的なものであるが，ボディイメージに大きく影響する． ●患者の疾患の受け止め方にも関わり，闘病意欲にも影響する．
T-P	**(1)感染予防の援助** ①身体・皮膚の清潔 ・肛門部，陰部を清潔に保つ ・皮膚の乾燥を予防し，保湿を行う ②口腔ケア ・含嗽，歯ブラシ，含嗽薬の使用 ③適切なカテーテル管理 ・清潔操作の徹底 ④感染源となる部位の感染徴候 ⑤生肉，生魚，生卵などの禁止	●疾患の易感染性に加え，化学療法の骨髄抑制期は感染症を併発しやすい．感染予防行動がとれるように指導をする．
	(2)貧血への援助 ①安静度にあわせた日常生活援助 ②輸血製剤の投与	●患者の自覚症状を把握し，休息を促すことや，日常生活動作の援助を行うことで，転倒を予防する． ●Hb7.0g/dLの維持を目安として，赤血球製剤の使用を行う．
	(3)出血傾向への援助 ①皮膚，粘膜の保護 ②環境整備 ③輸血製剤の投与	●転倒や転落は致命的な出血を引き起こす可能性があるため，環境を整える．

	具体策	根拠と注意点
T-P	**(4)末梢神経障害への援助** ①日常生活援助 ・ボタンの大きい服を選ぶ，スプーンなどの自助具の使用 ・踵の覆われた履きやすい靴を選択する ②症状を緩和する薬剤の投与 ・疼痛治療薬(プレガバリン) ・抗けいれん薬 ・漢方薬 ・ビタミン剤(B群)	●CHOP療法で使用されるビンクリスチンは，末梢神経障害が問題となる．末梢神経障害は，しびれや疼痛といった身体的苦痛だけでなく，日常生活に影響をもたらし，QOLの低下を引き起こす． ●日常生活が安全に過ごせるように生活の工夫をすることや，症状緩和の薬剤を使用することも有効である．
	(5)抗体薬使用時の援助 ①予防薬の投与 ・抗ヒスタミン薬，解熱薬の前投与 ②救急カートの準備 ③インフュージョン・リアクション(輸注関連合併症)の観察 ・モニター管理，頻回なバイタルサイン測定 ④症状出現時は速やかに投与を中止する	●リツキシマブなどの抗体薬使用時は，アレルギー症状，インフュージョン・リアクションが生じやすい．初回投与時や，腫瘍量が多い場合は注意が必要である．
	(6)消化器症状への援助 ①悪心・嘔吐 ・出現している悪心のタイプをアセスメントし，症状にあわせた対応を行う(急性，遅延性，予期性) ・摂取しやすい食形態・食事内容を検討する ・患者の好むリラクセーションを取り入れる ②便秘・下痢 ・水分摂取の援助 ・緩下剤，止痢剤の使用 ・温罨法	●脱水や栄養不足を予防する． ●使用する薬剤により，催吐リスクは異なる． ●急性期の悪心に対しては，抗がん薬投与前の制吐薬の使用を行い，安心して治療が受けられるように支援する． ●遅発性の悪心が強い患者や，催吐リスクが高い抗がん薬は，NK_1受容体拮抗薬であるアプレピタントや，第二世代の$5\text{-}HT_3$受容体拮抗薬であるパノロセトロンの使用も検討する． ●末梢神経障害による便秘対策は，退院後も患者自身が行わなければならない．緩下剤の使用のタイミングを患者が理解して実施できるように，入院中から指導を行う．
	(7)脱毛時の援助 ・環境整備 ・頭皮の清潔保持，刺激の少ないシャンプーの選択 ・ヘアキャップや帽子の着用	●使用する薬剤により，脱毛の程度は異なる．精神的ダメージも大きいため，支援が必要となる．
	(8)妊孕性への支援 ・挙児希望を確認し，妊孕性の温存を検討する	●不妊リスクがある治療を選択する場合は，治療開始前から妊孕性温存を検討する．患者の状態と治療開始時期を検討する．
	(9)服薬アドヒアランスの向上 ・内服薬の一包化 ・退院後の生活リズムを考慮した服薬時間の検討	●服薬アドヒアランスを阻害する要因を検討する．退院後の日常生活を考慮し，患者だけでは管理ができない場合は，家族にも指導が必要となる．
E-P	**(1)症状や化学療法の有害事象のセルフモニタリングについて説明する** ①感染予防行動の対応 ②貧血時の対応 ③出血予防の方法 ④消化器症状への対処方法 ⑤脱毛への対処 ⑥末梢神経障害への対処 ・具体的な症状を医療者へ伝えるように説明する ・身体損傷を避ける日常生活の方法：入浴や調理時などの熱傷予防，転倒予防	●治療による有害事象の出現は個人差があるため，個別性にあわせた指導内容とする． ●薬剤専用の自己管理日誌，手帳などを利用し，セルフチェックを行い，症状出現時に早期に医療者へ伝えることができるようにする． ●患者が記載した日誌をもとにして，ともに評価することは，患者の自己効力感の向上にもつながる．
	(2)服薬アドヒアランスへの指導 ①作用／副作用の説明 ②患者と一緒にどのような服薬方法がよいか検討する ③服薬の自己管理の指導 ④支援者への指導	●患者と，患者の支援者に対して，薬剤師と協働して指導を行う．

	具体策	根拠と注意点
E-P	**(3)活用できる社会資源の情報提供** ・MSW(メディカルソーシャルワーカー)などの相談窓口を説明する	●高額療養費制度や限度額適応認定証など，利用できる社会資源についての情報を提供する．
	(4)就学・就労支援 ・就労状況について ・就労に関する患者の希望を確認する	●治療期間や，感染症などの合併症の出現により，仕事の範囲を制限せざるを得ないこともあり，役割の喪失や社会的孤立に陥りやすい． ●患者の仕事への価値や社会的状況を把握し，多職種で対応することが求められる．
	(5)家族・支援者への援助	●家族の健康状態も患者の療養生活に影響するため，家族への支援も重要である．

⬩2 疾患による免疫機能低下，化学療法の骨髄抑制に関連した感染の危険性がある

	具体策	根拠と注意点
O-P	**(1)バイタルサイン** ①発熱，熱型 ②呼吸回数，呼吸状態 **(2)検査データ** ①白血球数(好中球数)，CRPなど ②胸部X線 ③細菌培養検査(血液，尿，便，喀痰など) **(3)感染徴候** ①皮膚，肛門，口腔内，陰部の状態 ②呼吸器症状，咽頭痛 ③便・尿性状 ④リンパ節腫脹 ⑤関節痛，筋肉痛 ⑥点滴・カテーテル留置部位の疼痛，腫脹，熱感 ⑦感染リスクのある部位の疼痛(う歯や痔核など) **(4)治療状況** ①化学療法のレジメン内容，クール数 ②化学療法開始後の日数 ③抗菌薬の使用状況 ④G-CSF製剤の使用状況 ⑤放射線療法の状況	●骨髄抑制による好中球の推移と感染徴候の有無を把握する． ●好中球が1,000/μL未満となると，重症感染症を生じやすい．抗がん薬投与後１～２週間で好中球が最も減少するため，感染徴候を注意深く観察し，早期に発見・対応することが必要である． ●発熱性好中球減少症(FN) ・化学療法により，好中球数1,000/μL未満で発熱(原則として38℃以上)，あるいは好中球数500/μL未満が観察された状態をいう．リスク分類にあわせて治療が行われる．
	(5)感染予防行動の理解度，実施状況 **(6)疾患，治療の理解度**	●骨髄抑制期の感染は短時間で重症化しやすいため，患者・家族に対して予防行動ができるように指導・教育を行う．検査データや易感染状態を理解できるか把握する．
T-P	**(1)清潔保持の援助** ①身体・皮膚の清潔 ・肛門部，陰部を清潔に保つ ・温水洗浄便座の使用 ・皮膚の乾燥を予防し，保湿を行う ・シャワー浴，清拭	●感染を予防するには，皮膚のケアの際には皮膚や粘膜を傷つけないよう注意し，皮膚保護のための保湿を行う．
	②口腔内の清潔 ・イソジン®，アズノール®，ファンギゾン®などの含嗽薬による含嗽(８回/日) ・舌苔の除去 ・ブラッシング	●口腔内細菌は夜間に増殖し，起床時に多くなる．頻回に含嗽を行い，乾燥を防ぐことで感染を予防する．

	具体策	根拠と注意点
T-P	**(2)感染源となり得る創傷や痔核への処置** ・感染徴候の観察 ・痔核に対しては軟膏を塗布し，排便コントロールを行う	●便秘による痔の悪化や肛門の亀裂は感染の原因となるため，便秘の予防を行う．
	(3)環境整備 ・床に直接物を置かない ・生花や鉢植えを避ける ・必要時，個室管理やアイソレーターの使用，無菌室へ移動する	●生活環境から，感染源となる要因を排除する． ●土壌にはアスペルギルス（カビの一種）などの細菌が生息しており，免疫不全の状況下では感染源となり得る．
	(4)適切なカテーテル管理 ・清潔操作での点滴管理（２段階消毒の徹底） ・留置針やカテーテル刺入部位の感染予防 ・手指衛生の徹底	●スタンダードプリコーションの実施や，マキシマル・バリアプリコーションの実施，WHOの手指衛生ガイドライン（手指衛生の５つのタイミング）を遵守することで感染経路を遮断する． ①患者に触れる前 ②清潔・無菌操作の前 ③体液に曝露された可能性がある場合 ④患者に触れた後 ⑤患者周囲の環境や物品に触れた後
	(5)食事への配慮 ・生肉，生魚，生卵など，鮮度が不安定なものを避ける ・骨髄抑制期は過熱した食事を摂取する ・調理時の衛生状態を保つ	●治療中は感染源になるものを避け，バランスのよい食事を摂るように心がける．
	(6)家族，面会者への指導 ・手洗い，マスクの着用を指導する	●感染予防行動は家族も継続して行うことが必要となる．
	(7)セルフケア行動実施・促進の援助 ・セルフケア行動の実施に対するねぎらい，励まし	●患者にとって取り入れやすい行動手段を検討する．
E-P	**(1)好中球減少時期の注意点についての説明** ・好中球減少時期を理解しているか ・易感染状態時の注意点について理解しているか **(2)日常生活の注意点についての説明**	●外来で治療を継続するために，患者自身がセルフモニタリングを行い，感染予防行動をとれることが大切である．また，予防行動がとれること，対処行動がとれることで，患者の自己効力感につながる．
	(3)患者・家族へのセルフケア行動の指導 ・手指衛生 ・清潔保持	●セルフケア行動が日々の習慣となるように患者へねぎらいの言葉をかけるなど，患者の治療継続の意欲を高めるための支援が重要となる．
	(4)体調不良時の受診行動への指導 ・発熱時の対応について ・緊急連絡先について	●骨髄抑制期の感染は短時間で重症化しやすいため，我慢をしないことや，症状出現時の対応方法について説明を行う．

引用・参考文献

1) 国立がん研究センターがん情報サービス：がん登録・統計　https：//ganjoho.jp/reg_stat/statistics/stat/summary.html
2) 日本血液学会編：造血器腫瘍診療ガイドライン2018年版，第２版，p.167～170，金原出版，2018.
3) 磯部泰司ほか編：リンパ系腫瘍診療ハンドブック．中外医学社，2014.
4) 中村栄男ほか編：リンパ腫アトラス．第５版，文光堂，2018.
5) 佐藤禮子監訳：がん化学療法・バイオセラピー看護実践ガイドライン，医学書院，2009.
6) 国立がん研究センター内科レジデント編：がん診療レジデントマニュアル．第７版，医学書院，2016.
7) T. ヘザー・ハードマン，上鶴重美原書編集，上鶴重美訳：NANDA-I看護診断―定義と分類2018-2020．原書第11版，医学書院，2018.
8) 藤澤陽子，大内紗也子：根拠がわかる血液がんのケア．がん看護，18(５)：p.489～533，2013.

14 多発性骨髄腫

1. 疾患の基礎的知識

1）疾患の概念

多発性骨髄腫（MM：multiple myeloma）とは，抗体を産生する形質細胞ががん化した造血器腫瘍である．

骨髄での，形質細胞の単クローン性（腫瘍性）増殖によって，溶骨性骨病変・高カルシウム血症・貧血が起こるとともに，骨髄腫細胞が産生する単クローン性免疫グロブリン（Mタンパク）の血清・尿中での増加が続発することで，腎障害などの臓器障害を呈する．

わが国においては，人口10万人あたり約5.5人の発症率，全悪性腫瘍の約１％であるが，高齢者に多い疾患であるため，わが国では近年の高齢化に伴い，患者数が著しい増加傾向にある[1)]．

2）原因

多発性骨髄腫の発症には，人種や加齢，遺伝的素因，環境因子などが関係している．年齢別の罹患率をみると，40歳未満にはほとんど発症がなく，60歳代から増加し，高齢者に多いことが特徴である．性別では，男性にやや多い傾向がある．

遺伝子異常が生じていることが知られており，免疫グロブリン遺伝子の存在する14番染色体の転座や，13番染色体長腕，17番染色体短腕の異常を伴うものが多い．

発症要因は不明であるが，放射線被曝や，化学薬品の影響，ダイオキシンの曝露などが報告されている．

3）病態と臨床症状

病態

形質細胞ががん化した骨髄腫細胞は，造骨を担う骨芽細胞を抑制するとともに，溶骨を促す破骨細胞を活性化させる．これに伴い，溶骨性骨病変や病的骨折，高カル

図14-1　多発性骨髄腫の病態図

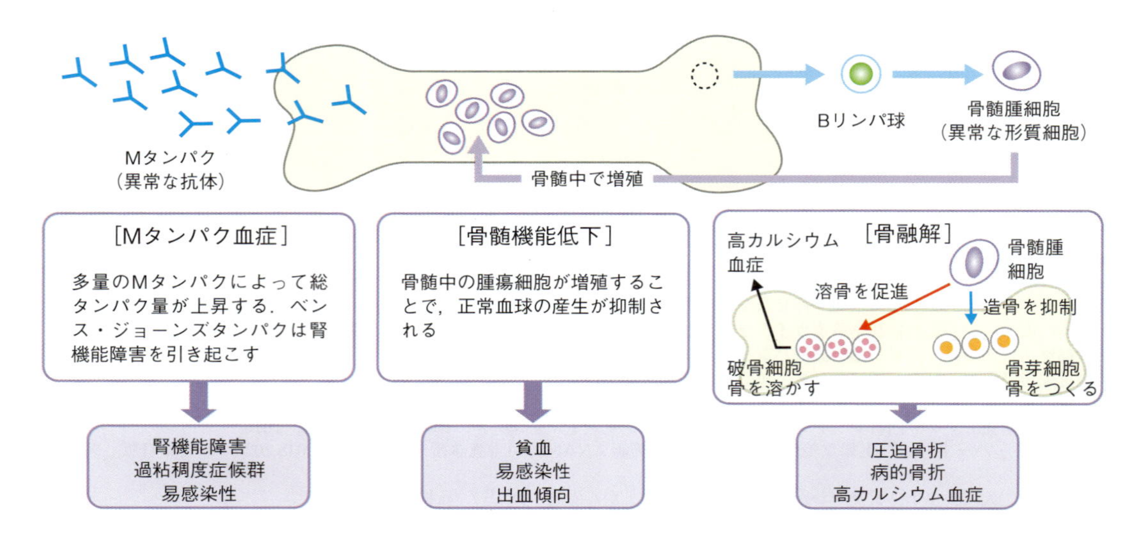

シウム血症を認める．そして，骨髄腫細胞の増殖によって骨髄中の造血能が制御されることで，血球減少が生じ，貧血などの症状が生じる．また，尿中にMタンパクが増加することによる腎機能低下や，血清の粘稠度が増加することによる循環障害をきたす（過粘稠度症候群）．骨髄腫細胞から生じた免疫グロブリン軽鎖はベンス･ジョーンズタンパク（BJP：Bence Jones protein）とよばれ，血清中にとどまらず，腎臓から尿中に排泄される．このように，骨髄腫細胞が増殖することによって正常な免疫グロブリンが低下するため，易感染状態も伴う（**図14-1**）．

臨床症状

多発性骨髄腫の特徴的な症状は，臓器症状として定義されるCRAB（O）に代表される諸症状である（**表14-1**）．

これらのいずれかの症状を呈するものを，（症候性）多発性骨髄腫と定義する．これらを認めない骨髄腫は，無症候性（または，くすぶり型）骨髄腫に分類される．

4）検査・診断

検査

多発性骨髄腫が疑われる場合は，血清，尿中のMタンパクの存在，骨髄中の形質細胞の増加，骨病変の有無などから診断を行う．

（1）血液検査

①血算：赤血球数，Hb，Ht，白血球数，白血球分画，血小板数

②生化学：総タンパク，アルブミン，総ビリルビン，AST，ALT，ALP，LDH，アミラーゼ，アンモニア，尿酸，血糖，BUN，クレアチニン，電解質，KL-6（治療にボルテゾミブを使用する場合）

③免疫血清：免疫グロブリン定量（IgG，IgA，IgD（現在国内では測定不可），IgM，IgE），タンパク分画，β_2ミクログロブリン，CRP，フリーライトチェーン定量，免疫電気泳動（または免疫固定法）

（2）尿検査

①タンパク定量（24時間尿）

②尿タンパク電気泳動

③尿中ベンス･ジョーンズタンパク（免疫電気泳動法，免疫固定法）

（3）骨髄検査

①骨髄腫細胞の存在と比率

②フローサイトメトリーによる表面形質解析

③染色体分析（とくにFISH法）

（4）画像検査

骨病変の評価，および形質細胞腫の有無の確認目的で，以下の検査を行う．

①骨X線検査：頭蓋骨，四肢，椎骨など，全身の評価を行う一般的な検査（骨打ち抜き像が特徴である）

②CT検査：X線より感度が高いが，被曝量は多くなる

③MRI検査：腫瘤性病変，溶骨性病変の評価に適している

④FDG-PET検査：検出感度が高く，骨髄外病変の評価に有用である

⑤心臓超音波検査：心機能，心アミロイドーシスの評価

診断

多発性骨髄腫の診断基準には，国際骨髄腫作業部会（IMWG：International Myeloma Working Group）によるものが広く用いられている（**表14-2**）．

そのほかに，症候性骨髄腫に対して患者予後を推定するための病期分類として，血清β_2ミクログロブリン値とアルブミン値のみを用いる国際病期分類（ISS：International Staging System）や，高リスク染色体異常の有無とLDH値を追加した改訂国際病期分類（R-ISS：Revised-ISS）が推奨される（**表14-3, 4**）．

表14-1　CRAB（O）とよばれる多発性骨髄腫の特徴的な症状

	検査値・定義	症状
Calcium elevation 高カルシウム血症	血清カルシウム＞11mg/dL	脱水，全身倦怠感，消化器症状（悪心，食欲不振，便秘），意識障害，多飲，多尿，腎障害，QT延長
Renal dysfunction 腎障害	血清クレアチニン＞2mg/dL	浮腫，高血圧，尿毒症症状，貧血，不整脈
Anemia 貧血	ヘモグロビン＜10g/dL	易疲労感，息切れ，動悸，顔面蒼白
Bone disease 骨病変	溶解性病変または骨粗鬆症	腰部，背部の疼痛
Others その他	アミロイドーシス，過粘稠度症候群，年２回以上の感染症	アミロイドーシス：タンパク沈着による臓器障害（心臓，腎臓，消化管，神経） 過粘稠度症候群：出血，神経症状，目症状

5）治療

多発性骨髄腫は，治癒を期待できる疾患とはいいがたいため，患者の全身状態や基礎疾患などから一律に治療方針を決定することは困難である．初発か再発（再燃）か，移植適応の可否，併存疾患の有無などにより，治療選択が異なる．プロテアソーム阻害薬などの新規薬剤の導入（**表14-5**）によって長期生存が可能となっているが，QOLを維持しながら長期生存を目指すことが治療目標となる．

症候性骨髄腫の前がん病態であるMGUS（意義不明の単クローン性ガンマグロブリン血症）や，無症候性骨髄

表14-2　多発性骨髄腫の診断基準[2]（IMWGの診断基準より筆者作成）

分類	Mタンパク量	骨髄中の形質細胞	骨髄腫関連臓器障害*	腫瘤形成	治療方針
Non-IgM MGUS（非IgM型意義不明の単クローン性ガンマグロブリン血症）	非IgM型Mタンパク＜3g/dL	＜10％	なし		経過観察
IgM MGUS（IgM型意義不明の単クローン性ガンマグロブリン血症）	IgM型Mタンパク＜3g/dL	＜10％	なし		経過観察
Light-chain MGUS（軽鎖型意義不明の単クローン性ガンマグロブリン血症）	・血清遊離軽鎖比の異常（＜0.26または＞1.65） ・尿中Mタンパク＜500mg/24時間	なし	なし		経過観察
くすぶり型（無症候性）骨髄腫	血清Mタンパク（IgGまたはIgA型）≧3g/dL または 尿中Mタンパク≧500mg/24時間	形質細胞が10％以上で60％未満	なし		経過観察
（症候性）多発性骨髄腫（分泌型/非分泌型）	あり	≧10％ または生検にて診断	あり		化学療法
孤立性形質細胞腫	なし（または少量）	なし	なし	1か所に形質細胞腫ができる	放射線療法
多発性形質細胞腫	なし（または少量）		なし	2か所以上の形質細胞腫，骨破壊	化学療法
形質細胞白血病	あり	末梢血中形質細胞＞2,000/μL	あり/なし		化学療法

骨髄腫関連臓器障害 myeloma-defining events（MDE）*
1）高カルシウム血症：血清Ca＞11mg/dLまたは正常上限値よりも1mg/dLを超えて増加
2）腎不全：CrCl＜40mL/minまたは血清Cr＞2.0mg/dL
3）貧血：ヘモグロビン値＜10g/dLまたは正常下限値よりも2g/dLを超えて低下
4）骨病変：1つ以上の病変を骨X線，CTまたはPET-CT検査で認める
5）次の骨髄腫関連バイオマーカーの1つ以上を有する
①骨髄中のクローナルな形質細胞 ≧60％　②involved/uninvolved FLC（血清遊離軽鎖）比≧100（involved FLC≧100mg/Lであること）　③MRIで2か所以上の5mm以上の巣状骨病変あり

表14-3　国際病期分類[3]

Stage	基準	生存期間中央値
Ⅰ	血清β_2ミクログロブリン＜3.5mg/L 血清アルブミン≧3.5g/dL	62か月
Ⅱ	ⅠでもⅢでもないもの	44か月
Ⅲ	血清β_2ミクログロブリン≧5.5mg/L	29か月

表14-4　改訂国際病期分類[4]

Stage	基準	5年生存割合
Ⅰ	ISS stageがⅠ，かつ染色体異常がなく，血清LDHが正常値	82％
Ⅱ	R-ISS stageのⅠでもなくⅡでもない	62％
Ⅲ	ISS stageがⅢかつ染色体異常または血清LDHが高値	40％

ハイリスク染色体：欠失（17p），t（4;14），t（14;16）

腫は，治療を行わずに経過観察を行い，多発性骨髄腫へ移行した時点で治療を開始する．

治療は，自家造血幹細胞移植の適応となる65歳未満の患者と，65歳以上や臓器障害のために自家造血幹細胞移植が適応とならない患者に大別される（**図14-2**）．

化学療法には，多剤併用療法が実施される（**表14-6**）．

(1)化学療法

寛解導入療法，地固め療法，維持療法，そして救援（サルベージ）療法に分かれる．

①寛解導入療法

自家造血幹細胞移植を行うか否かを決めてから治療

表14-6　化学療法に使用されるレジメン名

BD療法	ボルテゾミブ，デキサメタゾン
LD療法	レナリドミド，デキサメタゾン
BAD療法	ボルテゾミブ，ドキソルビシン，デキサメタゾン
VAD療法	ビンクリスチン，ドキソルビシン，デキサメタゾン
HDD療法	高用量デキサメタゾン
MP療法	メルファラン，プレドニゾロン
VMP療法	ボルテゾミブ，メルファラン，プレドニゾロン
TD療法	サリドマイド，デキサメタゾン

表14-5　新規薬剤

分類	一般名（商品名）	作用	副作用
プロテアソーム阻害薬	ボルテゾミブ（ベルケイド®） カルフィルゾミブ（カイプロリス®） イキサゾミブ（ニンラーロ®）	細胞増殖に関わるNF-κBを抑制することで，骨髄腫細胞の増殖を抑える	末梢神経障害 肺障害・心筋障害 注射部位反応（紅斑，発赤）：ボルテゾミブの場合 血小板減少
免疫調整薬（IMiDs）サリドマイド関連薬	サリドマイド（サレド®） レナリドミド（レブラミド®） ポマリドミド（ポマリスト®）	サイトカイン産生調節作用 血管新生阻害作用 免疫調整作用	血栓症 催奇形性 末梢神経障害
HDAC阻害薬	パノビノスタット（ファリーダック®）	細胞増殖抑制作用 アポトーシス誘導作用	骨髄抑制
抗体薬	ダラツムマブ（ダラザレックス®） エロツズマブ（エムプリシティ®）	抗原に結合することにより，抗腫瘍効果を示す	インフュージョン・リアクション（輸注関連合併症）

図14-2　治療のアルゴリズム

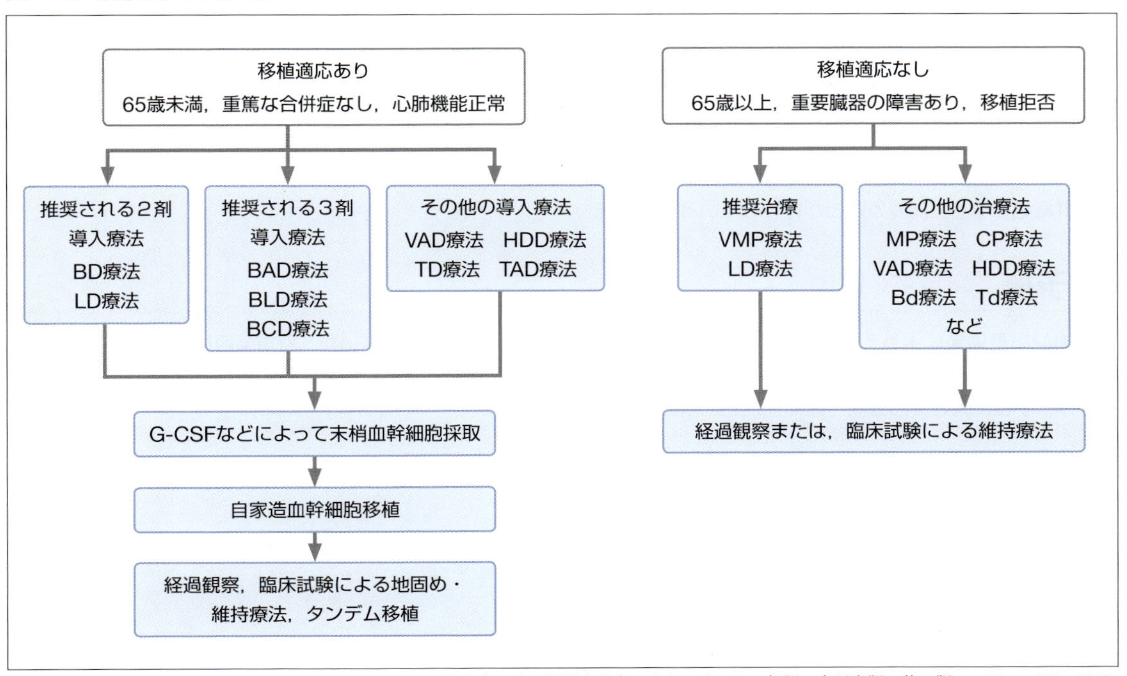

日本血液学会：造血器腫瘍診療ガイドライン2018年版．金原出版，第２版，p.330～332，2018．
日本骨髄腫学会：多発性骨髄腫の診療指針．文光堂，第４版，p.43，2016．を参考に作成

を開始する．自家移植適応例では，幹細胞採取に悪影響を与えるため，複数サイクルのメルファランやレナリドミドを含む化学療法を回避する．現在ではBD（ボルテゾミブ＋デキサメタゾン）療法，LD（レナリドミド＋デキサメタゾン）療法，BLD（ボルテゾミブ＋レナリドミド＋デキサメタゾン）療法などが主体である．一方，非移植例ではMP療法に新規薬剤を含めた，VMP（ボルテゾミブ＋メルファラン＋プレドニゾロン）療法，BLD-lite（ボルテゾミブ＋レナリドミド＋デキサメタゾン）療法，DVMP（ダラツムマブ＋ボルテゾミブ＋メルファラン＋プレドニゾロン）療法，そしてDLd（ダラツムマブ＋レブラミド＋デキサメタゾン）療法などが行われている．

②地固め療法

寛解導入療法や自家移植後に，さらなる深い寛解を得る目的で行う治療のことである．

③維持療法

寛解後，これを中長期間維持することを目的として行う治療である．新規薬剤の単剤療法が一般的である．

④救援療法

再燃・再発時に行われる化学療法を意味する．数多くの治療レジメンが存在する．

(2)大量化学療法＋自家末梢血幹細胞移植

・65～70歳以下で臓器障害を認めない場合が対象となる．

・新規薬剤を含む寛解導入療法後，自家末梢血幹細胞を採取し，移植を行う．

・大量化学療法としてはメルファランが使用される．自家移植を２回連続で行うことをタンデム移植とよぶ．

(3)同種造血幹細胞移植

・治癒を目指して，自家造血幹細胞移植後に同種造血幹細胞移植を実施することが行われているが，臨床試験としての実施が推奨されている．

(4)放射線療法

・形質細胞腫が適応となる．少ない線量で抗腫瘍効果を得ることができる．

・腫瘍が脊髄や神経を圧迫している場合や，骨病変の疼痛コントロールのために実施することもある．

(5)補助療法

①高カルシウム血症

・高度のカルシウム血症は，放置すれば腎不全によって生命に直結する問題となる．大量補液，ステロイド投与，カルシトニン製剤を投与する．

②骨病変

・骨病変に対してビスホスホネート製剤（ゾメタ®など）や抗RANKL抗体（ランマーク®）が投与される．ビスホスホネート製剤は顎骨壊死との関係が指摘されており，使用前に歯科健診での評価を行い，その後も定期受診が推奨されている．

・疼痛に対しては，早期より麻薬製剤を積極的に使用し，WHO方式３段階徐痛ラダーに沿って疼痛コントロールを行う．

・骨痛緩和目的の放射線療法（10～20Gy）を行うことや，骨病変の程度にあわせたリハビリテーション介入も重要となる．

③血球減少

・貧血：赤血球輸血，エリスロポエチン製剤を投与する．

・白血球減少：G-CSF製剤の投与．

・血小板減少：血小板輸血．

④感染症

・抗がん薬治療中は，ニューモシスチス肺炎や帯状疱疹，真菌感染症などを発症しやすい．抗菌薬，抗真菌薬，G-CSF製剤の投与を行う．低ガンマグロブリン血症を伴う場合は，ガンマグロブリン製剤を投与する．

6）予後

病期や治療効果によって，生存期間は数年から10年以上と大きく異なる．とくにアミロイドーシスの合併の有無は，予後に大きな影響を与える．治癒が望める治療法は確立していないが，新規薬剤によって生存期間を延長することが可能となっている．

2. 看護過程の展開

● アセスメント～ゴードンの機能的健康パターンを用いて

パターン	アセスメントの視点	根拠	収集する情報
(1) 健康知覚-健康管理 患者背景 健康知覚-健康管理 価値-信念	●患者は疾患や治療をどのように認識しているのか ●病気についての考え方，健康についての考え方はどうか ●薬剤の自己管理はできているか	●多発性骨髄腫は，主として腰痛から発症し，確定診断までに時間を要することもあり，不安を抱く場合も多い．治癒を望みにくい悪性疾患なため，患者が受ける衝撃や予後に対する不安は大きい． ●年齢，重症度によって行われる治療が異なるため，治療内容を把握したうえで援助する． ●また，使用する薬剤により，出現する副作用の種類や症状が異なり，薬剤の自己管理も必要となる．	●現病歴 ・発症の時期，診断に至る経過 ●既往歴 ・悪性疾患，感染症 ●治療歴 ●職業 ●生活習慣 ●薬剤の自己管理状況
(2) 栄養-代謝 全身状態 栄養-代謝 排泄	●治療や疾患が影響する栄養への影響はどの程度か	●使用する抗がん薬により，悪心などの消化器毒性を生じる可能性がある．とくに造血幹細胞移植時においては，消化器症状は頻発である．食事摂取量低下は栄養状態を悪化させ，体力低下を引き起こす． ●腎障害によって高カルシウム血症が生じると，食欲不振や悪心を引き起こす．	●栄養状況 ・食事内容，食事形態 ・食欲，味覚変化 ●身長，体重，BMI ●血液データ ●腎機能障害の程度 ・浮腫 ●消化器症状 ・悪心，嘔吐
(3) 排泄 全身状態 栄養-代謝 排泄	●腎機能障害はどの程度であるか	●骨髄腫細胞は，破骨細胞を活性化させることで，骨破壊が進行し，高カルシウム血症をきたす．高カルシウム血症や，Mタンパクの沈着により，腎障害を引き起こす．腎不全状態は生死に直結する問題である．	●排尿回数，尿性状 ●腎機能障害 ・BUN，クレアチニン，電解質，尿タンパク ●浮腫の有無，程度 ●排便回数，性状 ●高カルシウム血症症状
(4) 活動-運動 活動・休息 活動-運動 睡眠-休息	●骨病変による症状，疼痛は，ADLにどのような影響を及ぼしているか	●骨髄腫細胞は，骨芽細胞を抑制して破骨細胞を活性化させるので，骨破壊が進む．そのため，骨痛が出現しやすい．	●全身状態 ●自覚症状の有無 ●骨病変の骨痛 ・疼痛の程度 ・麻薬使用の有無 ・安静度 ●リハビリテーションの状況 ●ADL ●血液データ ●検査結果 ●貧血症状 ・倦怠感，動悸，息切れ，めまい，顔色 ●感染徴候 ・発熱，腫脹，咳嗽など ●出血傾向

パターン	アセスメントの視点	根拠	収集する情報
(4) 活動-運動 活動・休息 活動-運動 睡眠-休息	●骨髄腫の症状が身体症状にどのように影響を及ぼしているか	●骨髄中に骨髄腫細胞が増殖することで，正常な造血が行われないため，血球減少を生じる． 貧血：Hb10g/dL：自覚症状は少ない Hb8～9g/dL：顔面蒼白 Hb7g/dL：動悸，息切れ 血小板減少：口腔内，鼻，眼，消化管，性器に出血をしやすい． 易感染状態：正常Bリンパ球，Tリンパ球の機能抑制と免疫グロブリン低値による免疫不全があり，易染状態となる治療に伴う好中球減少や，ステロイド使用による免疫不全の増悪が加わると，より感染しやすい状態となる．	
(5) 睡眠-休息 活動・休息 活動-運動 睡眠-休息	●骨髄腫の症状や治療により，睡眠や休息を妨げる要因はないか	●骨病変は，骨痛によって睡眠や休息に直接的な影響を及ぼす．また，貧血や易疲労感，化学療法による副作用なども影響する． ●治療に副腎皮質ステロイドを含む場合もあり，副作用で睡眠障害が起こることもある．	●骨痛の有無，程度 ●身体症状の程度 ●睡眠状況，時間 ●日中の活動時間 ●活動範囲，安静度 ●睡眠薬の使用の有無
(6) 認知-知覚 知覚・認知 認知-知覚 自己知覚-自己概念 コーピング-ストレス耐性	●疾患，化学療法により認知・知覚機能に影響はないか	●骨髄腫細胞の圧迫により，神経障害が生じることがある． ●化学療法による末梢神経障害が出現することも多い．	●苦痛の有無 ・疼痛 ・安静に伴う拘束感 ・倦怠感 ・悪心・嘔吐 ●認知機能 ●感覚機能 ・末梢神経障害 ・味覚障害
(7) 自己知覚-自己概念 知覚・認知 認知-知覚 自己知覚-自己概念 コーピング-ストレス耐性	●自分自身の価値や，自身の能力をどのように捉えているか	●長期の治療による役割変化，化学療法の副作用などにより，ボディイメージの変容を迫られる．変化を受け止めることができていない場合，ボディイメージの混乱を生じることもある．	●病態・疾患の理解 ・受容の状態 ・治療の理解 ●価値観，信念 ●自己概念，自己評価 ●心理状態，精神状態 ・感情，話し方など ●ボディイメージ

パターン	アセスメントの視点	根拠	収集する情報
(8) 役割-関係 周囲の認識・支援体制 役割-関係 セクシュアリティ-生殖	●家族や支援者の疾患・治療に対する受け止め方はどうか	●予後不良な疾患であり，家族が抱える不安も大きい．治療が奏功しない場合は，終末期緩和ケアへ移行していくことから，患者の支えとなる家族や支援者の存在が重要となる．病気になる前の家族関係や相互関係により，家族の理解も大きく異なる． ●高齢者に多い疾患であり，セルフケアには，家族の協力が必要となる．	●家族構成，家族員，年齢 ●同居家族 ●家族内役割 ●家族との関係性 ●キーパーソン，ケアギバー(ケアの提供者)の有無 ●社会的役割 ・社会生活での活動状況 ・仕事の種類・内容・継続状況 ●経済状況 ●社会資源の利用状況 ・限度額適用認定証 ・高額療養費制度 ●家族のサポート状況
	●社会的役割への影響はどの程度であるか	●患者は壮年期から老年期の男性が多い．治療のため，長期休職を必要としたり，退職を余儀なくされる場合もある．家庭の経済的基盤が失われることにより，心理的な負担も増加する．	
	●治療や療養に伴う経済的負担はどうか	●治療に伴う経済的負担は，患者・家族のQOLに影響を及ぼす．治療に使用する薬剤には薬価が高額なものがある．治療選択の際には，費用と活用できる社会資源に関する情報も共有する必要がある．	
(9) セクシュアリティ-生殖 周囲の認識・支援体制 役割-関係 セクシュアリティ-生殖	●治療が及ぼす生殖への影響はどうか	●サリドマイド系薬剤(IMiDs)は催奇形性のリスクがあるため，性交渉時の避妊が定められている． ●化学療法を行うことで，生殖機能に影響を及ぼす．	●性機能評価 ●妊孕性温存についての意向 ●性生活への思い ●パートナーの有無
(10) コーピング-ストレス耐性 知覚・認知 認知-知覚 自己知覚-自己概念 コーピング-ストレス耐性	●疾患や治療による全人的な苦痛はどの程度か，どのように対処をしているのか	●治療は長期にわたり，疾患の進行や，治療への不安が増強しやすい．	●心理状態 ●表情，言動 ●ストレスコーピング方法 ●コミュニケーション能力 ●サポート体制
(11) 価値-信念 患者背景 健康知覚-健康管理 価値-信念	●患者・家族が大切にしている価値や信念はあるか	●生き方や人生観，価値観は病気のとらえ方，自己管理に影響する．	●価値観 ●信念 ●目標 ●宗教 ●精神，心理状況

3. 全体像の把握から看護問題を抽出

1）病態関連図

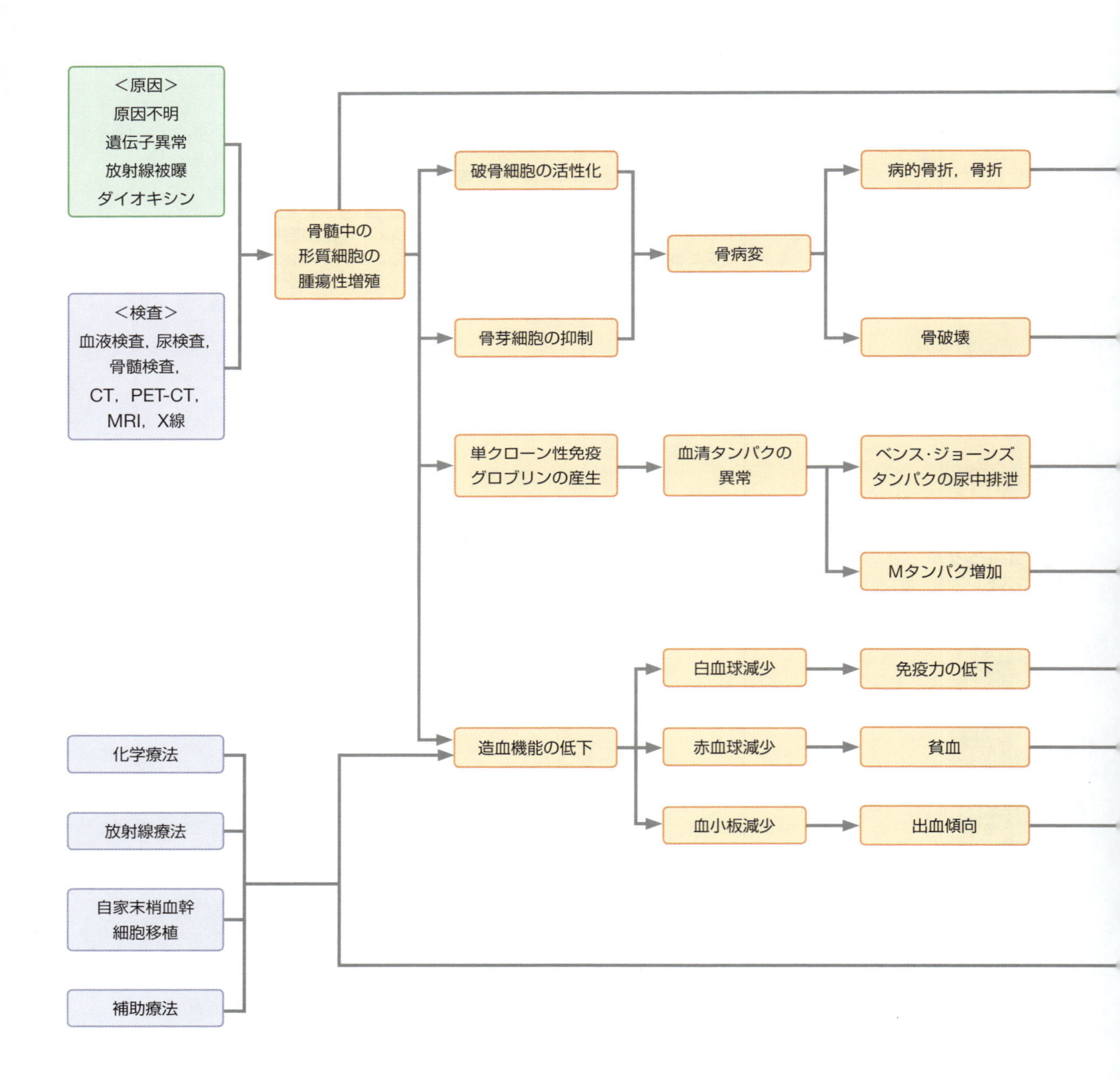

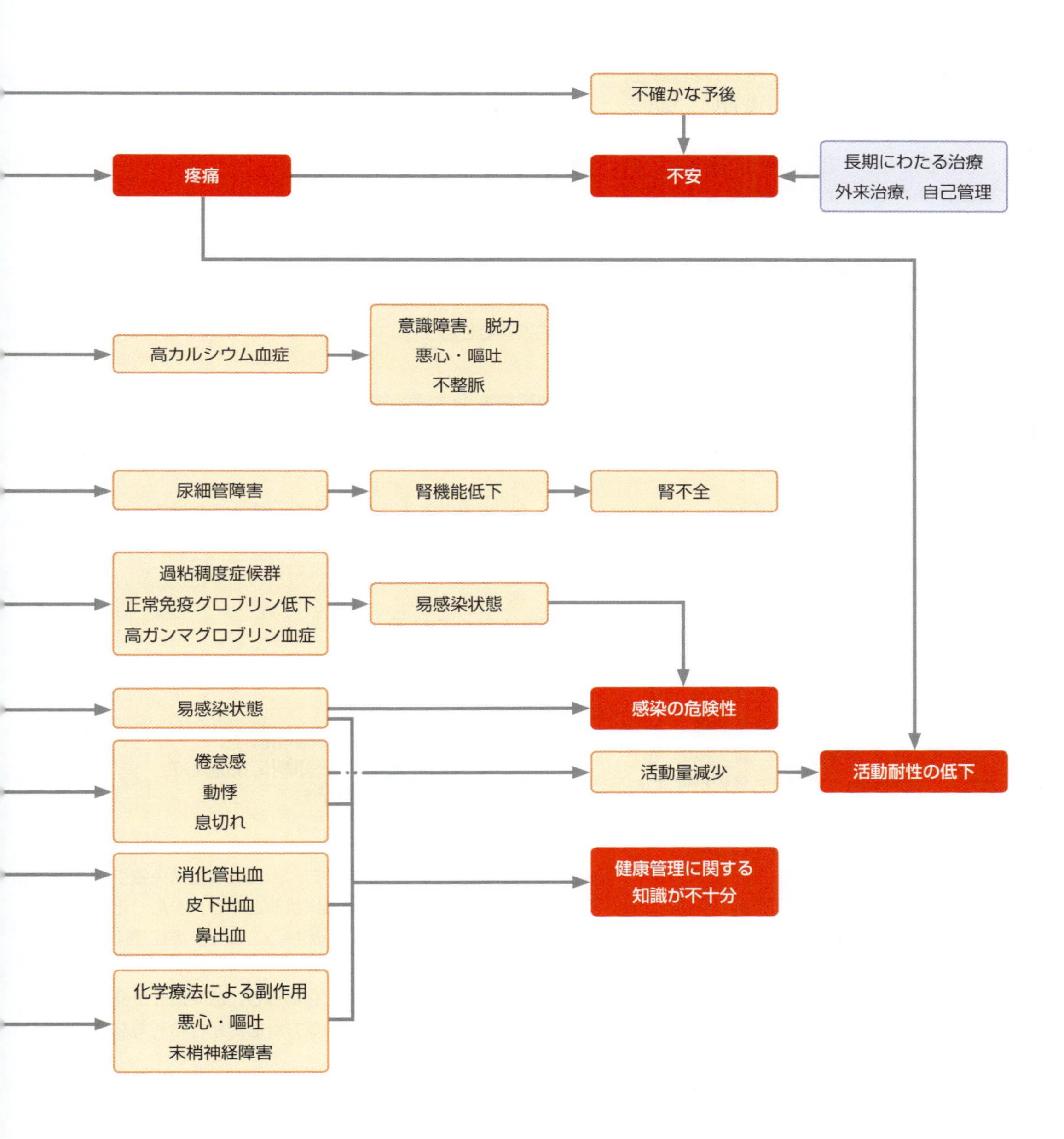
不確かな予後
疼痛
不安
長期にわたる治療
外来治療，自己管理
高カルシウム血症
意識障害，脱力
悪心・嘔吐
不整脈
尿細管障害
腎機能低下
腎不全
過粘稠度症候群
正常免疫グロブリン低下
高ガンマグロブリン血症
易感染状態
易感染状態
感染の危険性
倦怠感
動悸
息切れ
活動量減少
活動耐性の低下
消化管出血
皮下出血
鼻出血
健康管理に関する
知識が不十分
化学療法による副作用
悪心・嘔吐
末梢神経障害

2）看護の方向性

多発性骨髄腫は，骨病変による疼痛や造血機能低下による貧血症状，免疫機能低下による易感染性など，多様な症状を呈する．骨病変による圧迫骨折が生じると，長期にわたる安静や活動制限が必要となるため，身体的苦痛だけでなく，精神的・社会的苦痛が増強しやすい．また，骨髄腫細胞がMタンパクを産生することにより，腎機能障害や高カルシウム血症，過粘稠度症候群などを引き起こすため，症状を慎重に観察する必要がある．診断時から治療期においては，身体的苦痛に対しての症状緩和と日常生活援助を行い，セルフケア不足への介入をすることが重要である．

進行性で予後不良であること，治癒が望みにくい疾患であることが特徴である．治療の目標は完治ではなく，長期生存であるため，治療のゴールがどこにあるのか，患者・家族との共有が大切である．また，疾患の進行や治療方針を変更するごとに，患者は予後に対する不安が増強しやすい．患者の思いや不安に寄り添い，心理，社会的支援を行わなければならない．

治療の主体は化学療法であり，外来での治療も行われるため，患者自身の自己管理が重要となる．化学療法の副作用によっては，出現した身体症状が今までの家庭内役割や社会的役割の遂行を困難にすることがある．患者が治療の作用・副作用を理解し，副作用に対する対処行動をとれるように，セルフケア能力を獲得することが必要である．

3）患者・家族の目標

セルフケアを継続して行うことで，生活の質（QOL）を維持することができる．

4. しばしば取り上げられる看護問題

骨破壊や病的骨折による疼痛

なぜ？

骨破壊や病的骨折による疼痛は，日常生活に支障をきたすだけでなく，病状に対する不安も増強させ，さらに，セルフケア不足の要因となる．また，身体的影響だけでなく，精神的，社会的にも影響を与える．優先度の高い問題である．また，治療を開始していても易骨折性はすぐには改善しない．

➡期待される結果

- 骨破壊や病的骨折による疼痛が緩和する．
- 安楽な日常生活を送ることができる．

健康管理（治療計画）に関する知識が十分でない

なぜ？

患者の年齢，疾患の進行度，合併症などによって治療法が選択される．また，治療に用いられる薬剤により，出現する副作用や，症状の程度，薬剤の管理方法などが異なる．治療の主体は外来となり，本人または家族が治療に用いられる薬剤の作用・副作用についての知識が不足すると自己管理が適切に行えない．

➡期待される結果

- 正しい知識をもち，治療に臨むことができる．

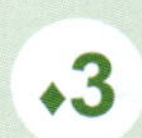

疾患による免疫機能低下，化学療法の骨髄抑制に関連した感染の危険性がある

なぜ？

骨髄腫細胞が増加することで，白血球や正常免疫グロブリンの産生が低下し，易感染状態となる．また，化学療法の副作用にて骨髄抑制が加わることで，重症感染症を起こす可能性がある．

重症感染症は生命の危険をもたらし，感染症を併発することによって治療計画や治療方針を変えざるを得ない場合も生じる．

➡期待される結果

- 感染症の徴候がみられない．
- 感染予防行動を理解し，実施することができる．

◆4 病状や予後の不確かさによる不安

なぜ？

多発性骨髄腫は治癒を望むことが困難な疾患であり，治療目標は長期生存，QOLの維持と考えることが多い．

新規薬剤の導入によって長期生存が可能となっているが，患者・家族は，疾患の進行や，予後に対しての不確かさによって不安を抱きやすい．

不安が増強することで，抑うつ症状の悪化や不適応状態になりやすい．治療が奏功しない場合の治療方針の変更時には，死への不安に対しての精神的苦痛が増強しやすい．

➡ 期待される結果

・不安が軽減し，心理的に安定して過ごすことができる．

◆5 疼痛や貧血などの身体症状に関連した活動制限による活動耐性の低下

なぜ？

骨折予防のための安静度の制限や，出血予防などによって活動制限をすることで，活動性が低下しやすい．多発性骨髄腫は高齢者に多い疾患であることから，活動制限で容易にADLが低下する恐れがある．

➡ 期待される結果

・ADLを維持できる．

5. 看護計画の立案

• O-P：Observation Plan（観察計画）　• T-P：Treatment Plan（治療計画）
• E-P：Education Plan（教育・指導計画）

◆1 骨破壊や病的骨折による疼痛

	具体策	根拠と注意点
O-P	**(1)疼痛の有無，程度，部位，持続時間，疼痛の性質** ・疼痛の増悪要因，疼痛の緩和要因	●疼痛評価スケール（NRS，VAS，フェイススケール）など，患者にあわせて評価を行う．
	(2)表情，言動	
	(3)神経症状，麻痺，しびれ	●腫瘍の圧迫によって神経が圧迫され，麻痺症状を起こす．
	(4)鎮痛薬の種類，使用状況	
	(5)日常生活動作（ADL）の自立度	
	(6)骨病変，溶骨病変の程度，部位	●初発症状のうち，骨痛の頻度が高い．頭蓋骨，肋骨，脊椎骨，上腕骨，大腿骨に生じやすい．
	(7)骨X線，CT・MRI検査，骨密度 ・骨折部位 ・骨抜き打ち像の有無	
	(8)安静度，可動域制限	
T-P	**(1)疼痛の緩和** ・温罨法 ・マッサージ ・コルセットなどの装具使用	●適切な鎮痛薬の使用によって痛みを緩和し，QOLの向上をはかる．
	・鎮痛薬の投与（WHO３段階式除痛ラダーに沿った薬剤投与）	●一般的にNSAIDs（非ステロイド性抗炎症薬）が使用されるが，腎障害を悪化させることが懸念されるため，NSAIDsで十分な効果が得られない場合や，腎障害例では，麻薬性鎮痛薬を使用する．

	具体策	根拠と注意点
T-P	**(2)日常生活活動の援助** ・清潔の援助 ・排泄の援助 ・食事の援助 ・睡眠・休息の援助 ・環境の調整 **(3)リハビリテーションの実施** ・安静度，可動域制限を確認する ・運動制限 **(4)ビスホスホネート製剤の投与** **(5)放射線療法による症状緩和** **(6)手術療法** ・経皮的椎体形成術 ・バルーン椎体形成術 **(7)自宅療養に向けた療養支援** ・利用できる社会資源の確認（介護保険の利用状況など） ・自宅環境の調整 ・退院連携部門，地域との連携	●痛みによって制限される日常生活動作の援助，セルフケア援助を行い，安楽な生活を送れるようする． ●疼痛によって睡眠や休息が妨げられていないかを確認することも重要である． ●過度な安静は骨萎縮や筋力低下につながる．活動制限による廃用症候群を予防し，安全な範囲のADLを拡大するために，理学療法士・作業療法士，整形外科医，放射線科医などの多職種連携が重要である． ●ビスホスホネートは，破骨細胞の作用を抑制することで骨吸収を抑制する（合併症として顎骨壊死に注意する）． ●骨髄腫細胞の放射線感受性は高く，疼痛の改善や腫瘍縮小効果が認められる．一般的に30Gy10分割が行われる． ●圧迫された椎体内に，経皮的に骨セメントを注入する． ●初期治療が進むと，治療の場は病院から外来へ移行する．シームレスに在宅療養へ移行できるように，家族背景を把握し，必要な社会資源について情報提供を行う．
E-P	**(1)疼痛のセルフマネジメント教育** ・痛みの評価（スケールや日誌，手帳などの利用） ・痛みを我慢しないように説明する **(2)鎮痛薬の使用方法についての説明** ・レスキューの使用方法，タイミング ・使用している薬剤の特徴，副作用について **(3)安楽な日常生活を送るための指導** ・運動制限，可動域制限 ・コルセットや杖の正しい使用方法の指導	●痛みは主観的なものであり，患者の表出が重要である．患者自身が痛みの特性を理解し，痛みとつきあいながら疼痛コントロールを行えることが，患者の自己効力感の高まりにつながる． ●麻薬という言葉を聞いて，マイナスなイメージや不安が増強することもある．正しい知識を提供し，不安が軽減するようにする．また，麻薬使用時の有害事象（便秘，眠気，吐気）などへの予防策も十分に行う． ●痛みが軽減すると，運動制限の必要性を感じなくなる場合もある．易骨折性にあることを患者自身が理解し，危険な動作は避けるなど，自己管理ができるように患者・家族へ指導する．

◆2 健康管理（治療計画）に関する知識が十分でない

	具体策	根拠と注意点
O-P	**(1)疾患，治療の理解度，認識** **(2)患者のセルフケア能力** **(3)服薬アドヒアランス** ・服薬の必要性を理解しているか ・患者の周囲のサポート体制はあるか ・実生活に取り入れられる服薬方法であるか	●治療は初回導入を入院で行い，その後は外来通院にて行うことが多い．患者・家族が十分にセルフケア行動を獲得するために，指導を行う． ●患者・家族がセルフケアの必要性を理解していても，実際に療養生活の場で行動するには阻害要因が存在する．退院後の生活，環境を把握して，取り入れやすい方法や手段を検討する． ●アドヒアランスとは，患者自身が積極的に治療方針の決定に参加し，その決定に従って治療を受けることである．服薬アドヒアランスの低下は，内服薬の飲み忘れや自己中断につながり，治療効果の低下をまねくため，アドヒアランスを向上させることは重要な課題である．
T-P	**(1)感染予防の援助** ①身体・皮膚の清潔 ・肛門部，陰部を清潔に保つ ・皮膚の乾燥を予防し，保湿を行う	●疾患の易感染性に加え，化学療法の骨髄抑制期は感染症を併発しやすい．感染予防行動がとれるように指導をする．

	具体策	根拠と注意点
T-P	②口腔ケア ・含嗽，歯ブラシ，含嗽薬の使用 ③適切なカテーテル管理 ・清潔操作の徹底 ④感染源となる部位の感染徴候 ⑤生肉，生魚，生卵などの禁止	●メルファランは粘膜障害の発生頻度が高いため，粘膜障害予防にクライオセラピー（冷却療法）を実施する.
	(2)貧血への援助 ①安静度にあわせた日常生活援助 ②輸血製剤の投与	●患者の自覚症状を把握し，休息を促すことや，日常生活動作の援助を行うことで，転倒を予防する. ●Hb7.0g/dLの維持を目安として，赤血球製剤の使用を行う.
	(3)出血傾向への援助 ①皮膚，粘膜の保護 ②環境整備 ③輸血製剤の投与	●転倒や転落は致命的な出血を引き起こす可能性があるため，環境を整える.
	(4)末梢神経障害への援助 ①日常生活援助 ・ボタンの大きい洋服を選ぶ，スプーンなどの自助具の使用 ・踵の覆われた履きやすい靴を選択する ②症状を緩和する薬剤の投与 ・疼痛治療薬（プレガバリン） ・抗けいれん薬 ・漢方薬 ・ビタミン剤（B群）	●末梢神経障害は，しびれや疼痛といった身体的苦痛だけでなく，日常生活に影響をもたらし，QOLの低下を引き起こす. ●日常生活を安全に過ごすことができるように生活の工夫をすることや，症状緩和の薬剤を使用することも有効である.
	(5)抗体薬使用時の援助 ①予防薬の投与 抗ヒスタミン薬，解熱薬の前投与 ②救急カートの準備 ③インフュージョン・リアクションの観察 ・モニター管理，頻回なバイタルサイン測定 ④症状出現時は速やかに投与を中止する	●抗体薬使用時は，アレルギー症状，インフュージョン・リアクションが生じやすい．初回投与時に注意する.
	(6)消化器症状への援助 ①悪心・嘔吐 ・出現している悪心のタイプをアセスメントし，症状にあわせた対応を行う（急性，遅延性，予期性） ・摂取しやすい食形態・食事内容を検討する ・患者の好むリラクセーションを取り入れる ②便秘・下痢 ・水分摂取の援助 ・緩下剤，止痢剤の使用 ・温罨法	●脱水や栄養不足を予防する. ●使用する薬剤によって催吐リスクは異なる．急性期の悪心に対しては，抗がん薬投与前の制吐薬の使用を行い，安心して治療が受けられるように支援する.
	(7)脱毛時の援助 ・環境整備 ・頭皮の清潔保持，刺激の少ないシャンプーの選択 ・ヘアキャップや帽子の着用	●使用する薬剤によって脱毛の程度は異なる．精神的ダメージも大きいため，精神的な支援も重要となる.
	(8)免疫調整薬（IMiDs）の管理 ①深部静脈血栓予防 ・抗血栓療法 ・弾性ストッキングの着用 ②避妊に関する指導 ・妊娠検査薬での確認 ③誤投与予防の対策 ・他者への譲渡を禁止する ・患者専用の与薬ケースを利用する	●妊娠の可能性がある女性患者には，処方前に妊娠の有無を検査し，投与開始４週間前から投与終了４週間後まで避妊が必要となる.

	具体策	根拠と注意点
T-P	**(9)服薬アドヒアランスの向上** ・服薬の自己管理の指導 ・内服薬の一包化 ・退院後の生活リズムを考慮した服薬時間の検討	●服薬アドヒアランスを阻害する要因を検討する．退院後の日常生活を考慮し，患者だけでは管理ができない場合は家族にも指導が必要となる．
E-P	**(1)症状や化学療法の有害事象のセルフモニタリングについての指導** ①感染予防行動の対応 ②貧血時の対応 ③出血予防の方法 ④消化器症状への対処方法 ⑤脱毛への対処 ⑥末梢神経障害への対応 ・具体的な症状を医療者へ伝えるように説明する ・神経症状のチェックシートを用いてセルフモニタリングを行うように指導する ・身体損傷を避ける日常生活指導：入浴や調理時などの熱傷予防，転倒予防	●治療による有害事象の出現は個人差があるため，個別性にあわせた指導内容が必要となる． ●薬剤専用の自己管理日誌，手帳などを利用し，セルフチェックを行い，症状出現時に早期に医療者へ伝えることができるようにする． ●患者が記載した日誌をともに評価をすることは，患者の自己効力感の向上にもつながる．
	(2)服薬アドヒアランスへの指導 ①作用／副作用の説明 ②患者と一緒にどのような服薬方法がよいか検討する ③服薬の自己管理の指導 ④支援者への指導	●薬剤師と協働して指導を行う．
	(3)免疫調整薬(IMiDs)の管理についての指導 ①避妊に関する指導 ・性交渉時の避妊具の使用 ・授乳の禁止 ②内服時間 ・内服は就寝前に行い，内服後の運転を避ける ③管理方法の指導 ・ほかの薬剤とは別の専用ケースに保管し，飲み終えた空のPTPシートも捨てずに保管する ・薬剤の中止／減量の場合は，そのまま保管する ・紛失した場合，直ちに処方された病院に届け出る ・幼児などの手が届くような場所に保管しない ・外来受診時に専用ケースと処方IDを持参し，服薬状況を確認する	●サリドマイド，レナリドミドは催奇形性があるため，使用にあたっては製薬会社に登録された患者，登録医師が処方できるシステムとなっている． ●副作用として眠気が生じるため，日中の内服や，自動車の運転を避ける． ●管理方法においては，患者のみならず家族にも指導する．
	(4)活用できる社会資源の情報提供 ・MSW(メディカルソーシャルワーカー)との面談調整	●高額療養費制度や限度額適応認定証など，利用できる社会資源についての情報を提供する．
	(5)就労支援について ・就業についての不安や悩みはないか把握する	●働きながら治療を継続する患者も多いため，就業状況などの情報を得ながら支援を行うことが求められる．
	(6)家族・支援者への指導	●家族の健康状態や心理状態も患者の療養生活に大きく影響するため，家族への支援も重要である．

引用・参考文献

1）国立がん研究センターがん情報サービス：がん登録・統計 https://ganjoho.jp/reg_stat/statistics/stat/summary.html
2）Rajkumar SV, et al：International Myeloma Working Group updated criteria for the diagnosis of multiple myeloma. Lancet Oncol, 15(12)：e538-48, 2014.
3）Greipp PR,et al：International staging system for multiple myelima. J Clin Oncol, 23(15)：3412-20, 2005.
4）Palumbo A, et al：Revised International Staging System for Multiple Myeloma：A Report From International Myeloma Working Group. J Clin Oncol, 33(26)：2863-9, 2015.
5）日本血液学会編：造血器腫瘍診療ガイドライン2018年版，第２版，p.330～332，金原出版，2018.
6）日本骨髄腫学会編：多発性骨髄腫の診療指針．第４版，p.43，文光堂，2016.
7）磯部泰司ほか編：リンパ系腫瘍診療ハンドブック．中外医学社，2014.
8）佐藤禮子監訳：がん化学療法・バイオセラピー看護実践ガイドライン，医学書院，2009.
9）国立がん研究センター内科レジデント編：がん診療レジデントマニュアル．第７版，医学書院，2016.
10）T. ヘザー・ハードマン，上鶴重美原書編集，上鶴重美訳：NANDA-I看護診断—定義と分類2018-2020．原書第11版，医学書院，2018.
11）藤澤陽子，大内紗也子：根拠がわかる血液がんのケア．がん看護，18(５)：p.521～525，2013.

Memo

第３章　血液・造血器疾患患者の看護過程

15 再生不良性貧血

1. 疾患の基礎的知識

1）疾患の概念

再生不良性貧血は，末梢血でのすべての血球の減少（汎血球減少）と，骨髄の細胞密度の低下（低形成）を特徴とする１つの症候群である．実際にはこれらの検査所見を示す疾患は数多くあるため，そのなかから，ほかの疾患を除外することによって再生不良性貧血と診断することができる（**表15-1**）．

罹患率は8.2（/100万人年）と推計され，罹患率の男女比は１：1.6とやや男性が多く，男女とも10～20歳代と70～80歳代にピークがある．

2）原因

・先天性：遺伝性，原因不明
・後天性：一次性（特発性）…原因不明
　　　　　二次性…抗菌薬，抗がん薬，放射線，ウイルス，ベンゼン
・特殊型：肝炎後再生不良性貧血，再生不良性貧血-PNH（paroxysmal nocturnal hemoglobinuria）症候群（発作性夜間ヘモグロビン尿症）

3）病態と臨床症状

病態

造血幹細胞の異常により，骨髄での造血能が低下し，細胞成分の乏しい脂肪髄（骨髄組織の多くが脂肪に置き換わっている），汎血球減少を呈する，難治性の造血障害である．

臨床症状

汎血球減少による症状として下記がある．

・赤血球減少による貧血：息切れ，動悸，めまい，顔面蒼白
・血小板減少による出血傾向：皮下出血斑，歯肉出血，鼻出血，眼底出血による視力障害
・白血球減少による易感染状態：感染に伴う発熱，気管支炎，肺炎，敗血症など，感染症を起こしやすい

4）検査・診断

(1)末梢血検査

赤血球，白血球，血小板すべてが減少する．ただし，軽症や中等症例では，貧血や血小板減少のみしかみられないことがある．

(2)骨髄穿刺，骨髄生検

有核細胞数の減少，とくに幼若顆粒球，赤芽球，巨核

表15-1　再生不良性貧血の病型分類

1. 先天性	Fanconi貧血，Dyskeratosis kongenia，その他
2. 後天性	一次性（特発性） 二次性：薬品，化学物質，放射線，妊娠
3. 特殊型	肝炎関連再生不良性貧血，再生不良性貧血-PNH症候群（発作性夜間ヘモグロビン尿症）

厚生労働科学研究費補助金 難治性疾患政策研究事業 特発性造血障害に関する調査研究班：再生不良性貧血診療の参照ガイド2018年改訂．p.2，2018．

球の著明な減少がみられる.

(3)血液生化学・血清検査所見

血清鉄，鉄飽和率は上昇する．慢性型ではフェリチンが上昇している例もある．血中エリスロポエチン値，トロンボポエチン値などが上昇する.

(4)MRI検査

胸，腰椎のMRIにて，脂肪組織の増加，島状の造血組織の残存がみられる.

5）治療

原因の存在する二次性のものでは，まずそれらを取り除く．一方，特発性再生不良性貧血では，重症度に応じて治療方針が異なる(**表15-2**，**図15-1**，**2**).

治療は，支持療法と造血の回復を目指す治療の，大きく2つに分けられる

(1)支持療法

①輸血療法

・赤血球輸血：ヘモグロビン値を7.0g/dL以上に保つことが一つの目安となる．患者の自覚症状や頻脈，心肥大，浮腫などの他覚所見，および社会生活の活動状況によって決定する.

・血小板輸血：致命的な出血を避けるためには，10,000/μL以上に保つことが望ましい．しかし，

表15-2　再生不良性貧血の重症度基準

Stage1	軽症	下記以外で輸血を必要としない
Stage2	中等症	以下の2項目以上を満たし， a. 赤血球輸血を必要としない b. 赤血球輸血を必要とするが，その頻度は毎月2単位未満 ・網赤血球　60,000/μL未満 ・好中球　1,000/μL未満 ・血小板　5,0000/μL未満
Stage3	やや重症	以下の2項目以上を満たし，毎月2単位以上の赤血球輸血を必要とする ・網赤血球　60,000/μL未満 ・好中球　1,000/μL未満 ・血小板　50,000/μL未満
Stage4	重症	以下の2項目以上を満たす ・網赤血球　20,000/μL未満 ・好中球　500/μL未満 ・血小板　20,000/μL未満
Stage5	最重症	好中球200/μL未満に加えて，以下の1項目以上を満たす ・網赤血球　20,000/μL未満 ・血小板　20,000/μL未満

厚生労働科学研究費補助金 難治性疾患政策研究事業 特発性造血障害に関する調査研究班：再生不良性貧血診療の参照ガイド2018年改訂．p.3～4，2018.

図15-1　輸血不要の軽症(ステージ1)及び中等度(ステージ2a)に対する治療方針

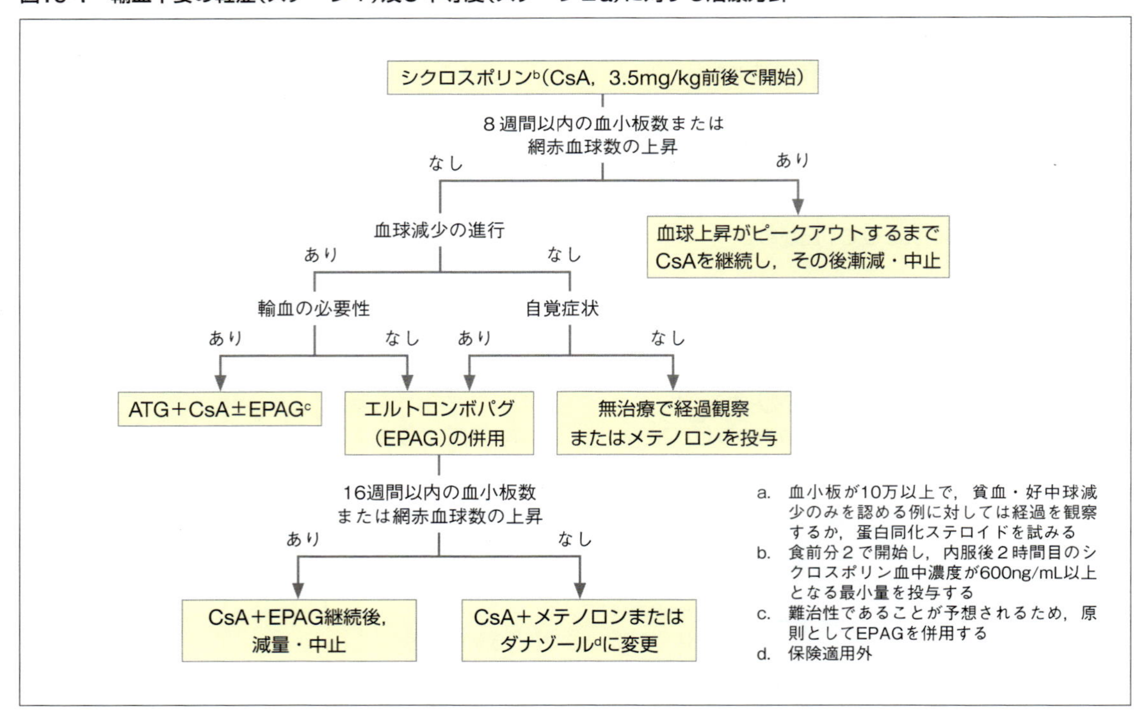

厚生労働科学研究費補助金 難治性疾患政策研究事業 特発性造血障害に関する調査研究班：再生不良性貧血診療の参照ガイド2018年改訂．p.11，2018.

予防的な血小板輸血は，抗HLA抗体の産生を促し，血小板輸血に対する不応性を誘発する．よって，血小板値が5,000/μL以上あり，出血症状が皮下出血程度の軽微な場合は，血小板輸血の適応とならない．ただし，5,000/μL以下に低下し，出血傾向が著しい場合は重篤な出血をきたす可能性があるため，予防的な輸血を行う．なお，発熱や感染症を合併している場合には出血傾向が増悪することが多いため，血小板値を20,000/μL以上に保つようにする．

・輸血投与時の注意点：輸血開始前に全身状態の観察を行い，輸血後の状態変化を的確に把握できるようにする．輸血開始直後に観察される副作用にはアナフィラキシーなどの重篤なものが多いので，輸血開始後５分間はベットサイドにつき添い，異常の観察を行う．そして，開始15分後に再度全身状態の観察を行う．とくに，血小板輸血は発疹や蕁麻疹などのアレルギー症状を起こしやすいため，重症化する前に抗ヒスタミン薬やステロイドの投与などを速やかに行う．

②造血因子

・G-CSF製剤：好中球が500/μL以下の場合には，重症感染症の頻度が高いため，顆粒球コロニー刺激因子（G-CSF：granulocyte colony-stimulating factor）投与の適応がある．

・エリスロポエチン：一部の例で，赤血球輸血の頻度を減らす効果があることが示されているが，保険適用はない．

③鉄キレート療法

・赤血球輸血を繰り返し行うことにより，体内に鉄が必要以上に蓄積し，臓器障害を起こす．そのような鉄過剰症を予防，改善させるために，経口鉄キレート薬デフェラシロクスを10～30mg/kg内服する．

(2)造血回復を目的とした薬物療法

①免疫抑制療法

a)適応

・40歳以上の患者，中等症例や，造血幹細胞移植が適応できない重症例に行う．

・非重症例でも，血球減少が進行し，血小板が

図15-2　ステージ２のうち輸血が必要な例（ステージ２b）とステージ３～５に対する治療方針

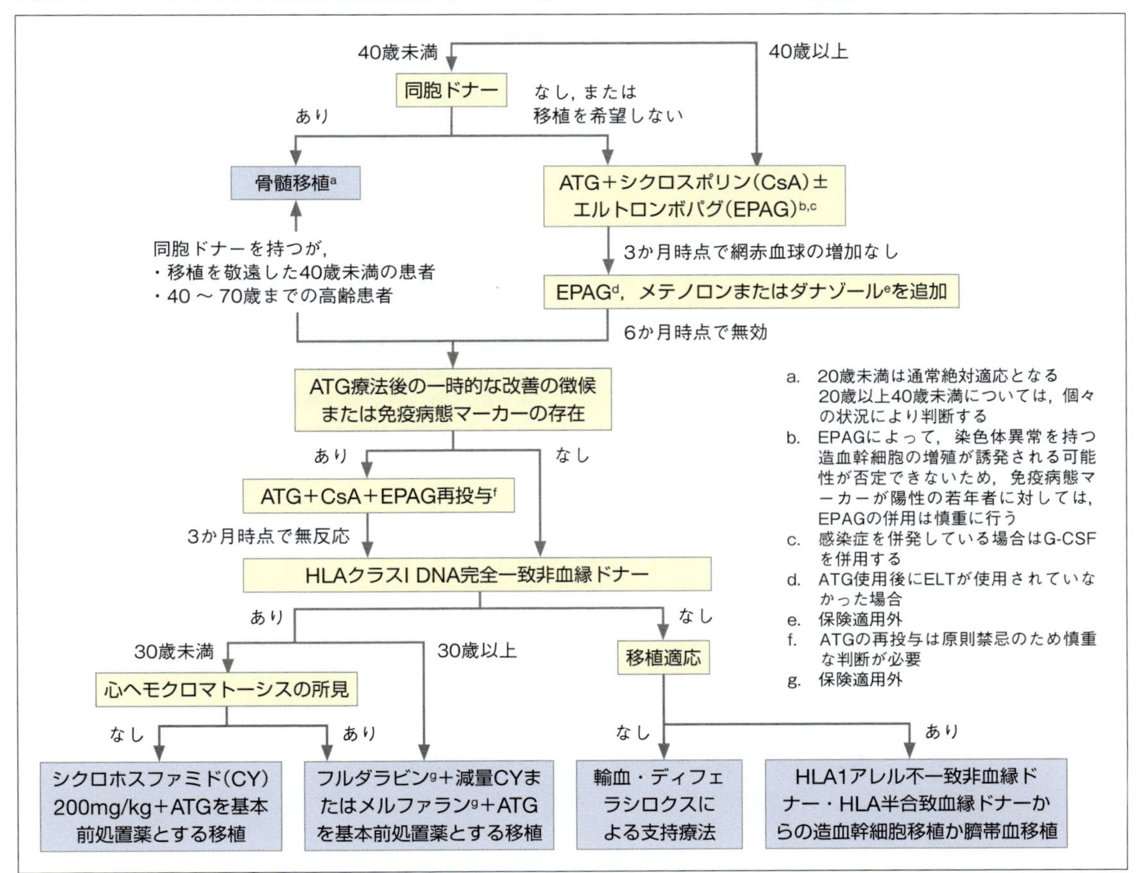

厚生労働科学研究費補助金 難治性疾患政策研究事業 特発性造血障害に関する調査研究班：再生不良性貧血診療の参照ガイド2018年改訂．p.12，2018．

50,000/μL未満の場合は適応となる.

b)方法

・ATG(抗胸腺細胞グロブリン)療法：サイモグロブリンを点滴静注にて５日間連日投与する．投与に伴い，アナフィラキシーショックや血清病，関節のこわばりなどの副作用(**表15-3**)が出る可能性がある．そのため，副作用の予防として副腎皮質ステロイドを併用する．投与に伴うアナフィラキシー症状を確認するため，初回投与前に試験投与を行う.

・シクロスポリン療法：内服にて投与する．副作用として，腎機能障害や血圧上昇，多毛，歯肉腫脹などがある．血中トラフ濃度を150〜250ng/mLに調整しながら投与を行う．シクロスポリンの血中濃度が上昇するため，薬剤や食物(グレープフルーツなど)の摂取に注意する.

・副腎皮質ステロイド療法：成人で1mg/kgのプレドニゾロンを投与する．副腎皮質ステロイドは，副作用が多彩であり，注意深い観察が必要である．副作用として，消化性潰瘍，糖尿病の誘発・増悪，感染症の誘発，精神障害，ムーンフェイス(満月様顔貌)などがある.

②タンパク同化ステロイド療法

a)適応

・血球減少が進行するか，汎血球減少が安定していても血小板が50,000/μL以下に低下している症例，もしくは軽症例，免疫抑制療法後３か月の時点で効果が認められない(免疫療法が無効の)重症例に用いられることもある.

b)方法

・タンパク同化ホルモン(酢酸メテノロン)療法：プリモボラン®錠10〜20mg/日を内服する．副作用として，肝障害，多毛症，声の男性化，無月経がある．女性に投与する際は，嗄声がみられ，ときに不可逆的であるため，投与前に十分に説明する.

③造血幹細胞移植

a)適応

・40歳未満の重症例(stage３〜５)，同胞にHLAの合致した骨髄提供者がいる場合は，積極的に移植を行う.

・非血縁者ドナーからの移植は，生着不全や移植片対宿主病(GVHD：graft versus host disease)などによる移植関連合併症の危険性が高まるため，適用は免疫抑制療法の無効例に限る.

・末梢血幹細胞移植は，骨髄移植と比較してGVHDの頻度が増えるため，①ドナーの骨髄採取が困難な場合，②ドナーの体重が患者体重と比較して著しく軽い場合，③移植後早期に重症感染症を発症する可能性が極めて高い場合，などを除き，骨髄移植を選択する.

b)方法

・骨髄提供者の骨髄液を採取し，抗がん薬や放射線の前処置により破壊された患者の静脈内に点滴注射すると，正常な造血幹細胞が患者の骨髄に生着し，増殖する．移植前の患者は強力な化学療法と放射線療法を行うため，骨髄抑制，免疫抑制が起こる．そのため，生着までの１か月近く，白血球減少の状態が続くので，無菌室での個室管理，加熱食などの感染予防管理が必要となる.

6)予後

軽症・中等症のなかには，汎血球減少があってもまったく進行しない例や自然に回復する例もある． かつては，重症例は汎血球減少が進行し，支持療法のみでは半年で 50%が死亡するとされていた．最近では抗菌薬，G-CSF，血小板輸血などの支持療法が発達し，免疫抑制療法や造血幹細胞移植が発症後早期に行われるようになったため，約７割が輸血不要となるまで改善し，９割近くに長期生存が期待できる． 主な死亡原因は出血，感染症である.

表15-3　注意すべき副作用

初期：	アナフィラキシー，悪寒，発熱，血圧低下，静脈炎，膨隆疹，血小板減少
投与３〜10日：	関節痛，こわばり
投与４〜８日：	血圧上昇，狭心症
投与５〜20日：	血清病(紅班，低酸素症，タンパク尿，体重増加)

2. 看護過程の展開

● アセスメント～ゴードンの機能的健康パターンを用いて

パターン	アセスメントの視点	根拠	収集する情報
(1) 健康知覚-健康管理 患者背景 健康知覚-健康管理 価値-信念	●疾患に関する理解はどうか ●治療目的，方法，効果，副作用を理解しているか ●治療内容に同意ができているか ●長期間の治療経過について気分の変調はないか ●出血傾向に対するセルフケアができているか ●易感染状態に対する感染予防行動はとれているか	●再生不良性貧血の多くは原因不明であり，突然に診断されることもある．治療が開始されると日常生活に大きな変化をきたす． ●慢性的な経過をたどり，治療は長期にわたるため，社会的役割に与える影響や精神的・経済的にも負担が大きい． ●自覚症状として動悸，息切れ，頭痛，めまい，全身倦怠感などが出現し，活動量の減少により活動耐性が低下する． ●出血傾向のある患者は，出血しやすく止血しにくいため，失血や血液貯留などの危険性がある．症状の現れ方も，局所にとどまらず全身に及ぶ． ●出血予防と症状の早期発見，出血時は迅速な対応を行えるようにすることが必要である． ●白血球数が2,000/μL以下になると感染の危険性があり，1,000/μL以下で敗血症のリスクが高まる．免疫抑制薬や副腎皮質ステロイドを投与している場合，細菌や真菌感染症だけではなく，単純ヘルペスウイルス，水痘・帯状疱疹ウイルス，ニューモシスチス肺炎など，日和見感染症も合併する．	●疾患に関する理解 ・現病歴 ・発症時期 ・治療経過 ●既往歴 ●年齢 ●性別 ●職業，学業など ●生活環境 ●生活習慣 ●自己管理状況 ●服薬管理状況 ●感染予防行動
(2) 栄養-代謝 全身状態 栄養-代謝 排泄	●どのような症状があるか ●栄養状態はどうか ●治療に伴う口腔粘膜障害はないか ●治療に伴う食欲の変化はないか ●注意が必要な食物を理解できているか	●息切れや出血はほかの疾患でも起こりやすいため，鑑別が必要である．ときにはなかなか診断されず，症状が悪化してから確定診断されることがある． ●造血能低下から貧血を生じる．貧血による全身倦怠感から食欲が減退し，栄養状態も悪化する．また，化学療法や免疫抑制療法による副作用で食事摂取量も低下する． ●シクロスポリン投与の際には，グレープフルーツに代表される食物の摂取によって血中濃度の上昇をきたす．	●バイタルサイン ●血液データ ・赤血球数 ・白血球数 ・血小板数 ・TP，アルブミン ●貧血症状の有無 ・動悸，息切れ，めまい，倦怠感，頭痛 ●食事摂取状況 ●口腔粘膜障害 ●薬剤師による指導内容
(3) 排泄 全身状態 栄養-代謝 排泄	●治療に伴う粘膜障害がないか ●治療に伴う便秘，下痢はないか	●治療内容により，粘膜障害をきたすリスクがある．消化管の障害をきたすと排泄に影響する．	●排泄パターン ●便性状 ●消化管の粘膜障害の有無

パターン	アセスメントの視点	根拠	収集する情報
(4) 活動-運動 活動・休息 活動-運動 睡眠-休息	●日常生活におけるADLの低下はないか ●貧血に伴う転倒リスクはないか	●好発年齢は，20歳代と60～70歳代にピークがある．また，汎血球減少による貧血症状や，出血傾向，易感染など，全身状態への影響により，活動が制限される．さらに，貧血症状の増悪により活動量が減少すると，活動耐性が低下する．貧血の症状は，進行度，年齢，心肺機能によって個人差がある．なお，過剰な安静は筋力低下や骨組織の脆弱化をきたし，セルフケアの低下をまねく．	●血液データ ・赤血球数，ヘモグロビン値 ●日常生活状況 ●呼吸状態 ●徒手筋力テスト（MMT：Manual Muscle Test） ●骨粗鬆症の有無 ●活動耐性
(5) 睡眠-休息 活動・休息 活動-運動 睡眠-休息	●睡眠，休息はとれているか ●薬剤の副作用による不眠はないか	●貧血症状の進行に伴い，倦怠感が出現する．また，全身の酸素供給量が低下することで呼吸困難が生じやすい． ●重症度によって，副腎皮質ステロイドが治療薬に選択される．副作用である不眠が出現する可能性が高く，休息に影響を及ぼす．	●血液データ ・赤血球数，ヘモグロビン値 ●バイタルサイン ●睡眠状況 ●ステロイドによる不眠の有無
(6) 認知-知覚 知覚・認知 認知-知覚 自己知覚-自己概念 コーピング-ストレス耐性	●疾患，治療，副作用についての知識をどの程度もっているか	●疾患および治療目的，方法，副作用に関する知識の不足は自己管理に影響する．多くは原因不明であるため，身体症状に加えて不安やいら立ちが増し，治療への意欲が低下する．	●疾患，治療，副作用についての知識
(7) 自己知覚-自己概念 知覚・認知 認知-知覚 自己知覚-自己概念 コーピング-ストレス耐性	●治療に伴いボディーイメージの変化はあるか	●自尊感情低下することもある． ●治療により，多毛症，声の男性化など，ボディイメージの変容を迫られる．	●自分の状況の知覚 ●ボディイメージの変化 ●自尊感情

パターン	アセスメントの視点	根拠	収集する情報
(8) 役割-関係 周囲の認識・支援体制 役割-関係 セクシュアリティ-生殖	●家族やパートナー，周囲の人々の疾患理解や協力体制はどうか ●周囲の人間関係に変化はあるか ●役割遂行に影響はないか	●家族機能の変化を生じる可能性がある． ●好発年齢は20歳代と60～70歳代にピークがあるため，社会的役割影響を及ぼすことがある． ●再生不良性貧血の治療は長期にわたる．通院のために休学や休職が必要となり，治療法によっては１か月以上の入院期間を要する． ●長期期間にわたる治療，通院が必要となる．周囲の人間関係に変化を生じる場合がある． ●感染予防や出血予防などの必要とされるセルフケア行動が多いため，患者だけではなく，家族も知識をもつことが必要である． ●再生不良性貧血は，厚生労働省の定める難治性疾患政策研究事業の対象であり，医療費助成が受けられる．	●社会的孤立の有無 ●家族，パートナーの有無 ●家族内の役割 ●社会的役割 ●経済状況 ●社会資源活用の有無
(9) セクシュアリティ-生殖 周囲の認識・支援体制 役割-関係 セクシュアリティ-生殖	●挙児希望はあるか ●治療法による性腺機能障害を理解しているか	●治療方法により，性腺機能障害を生じ，受胎率の低下をきたす場合がある．タンパク同化ステロイド療法の副作用として多毛症，声の男性化，無月経がある． ●再生不良性貧血は20歳代に好発であり，家族計画をどのように考えているかは重要となる．また，若年層の場合，将来の家族計画にイメージが湧かない場合がある．	●家族構成 ●パートナーの有無 ●挙児希望の有無 ●薬剤による副作用の有無
(10) コーピング-ストレス耐性 知覚・認知 認知-知覚 自己知覚-自己概念 コーピング-ストレス耐性	●疾患，治療，副作用に対する受け止め方はどうか ●適切なコーピングははかれているか	●突然診断を受け，治療に対して十分に理解や受容ができないまま治療が開始されるとストレスフルな状態になる恐れがある．また，これまでのコーピング方法がとれない場合もある．	●診断に対する受け止め方 ●不安，抑うつ，恐怖心の有無 ●ストレスコーピング方法
(11) 価値-信念 患者背景 健康知覚-健康管理 価値-信念	●治療に対する同意はできているか ●宗教上の理由による治療継続困難はないか	●価値感，生活信条が治療の選択や継続に影響する． ●血球減少の状態により，輸血療法が必要となる．また，ステージ2a以上は同種造血幹細胞移植が適応となる．信仰する宗教によっては輸血療法や同種造血幹細胞移植が困難となる．	●信仰する宗教 ●価値感 ●生活信条

3. 全体像の把握から看護問題を抽出

1）病態関連図

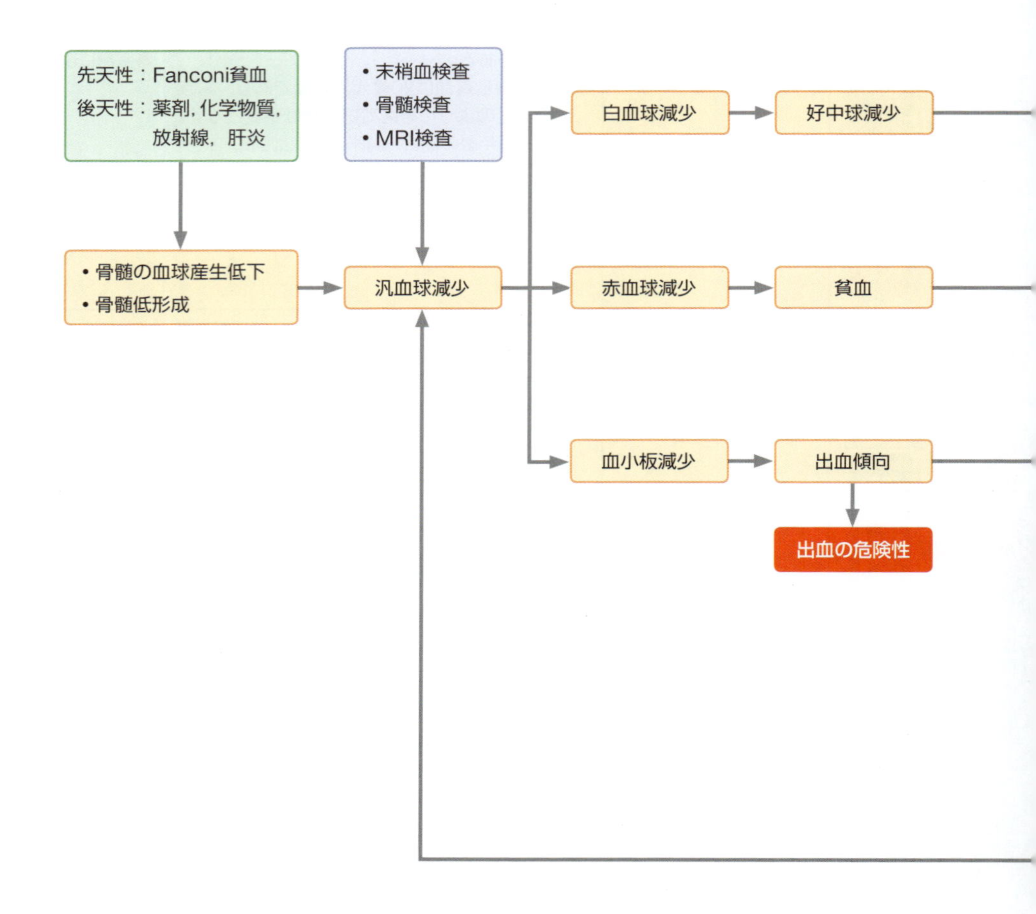

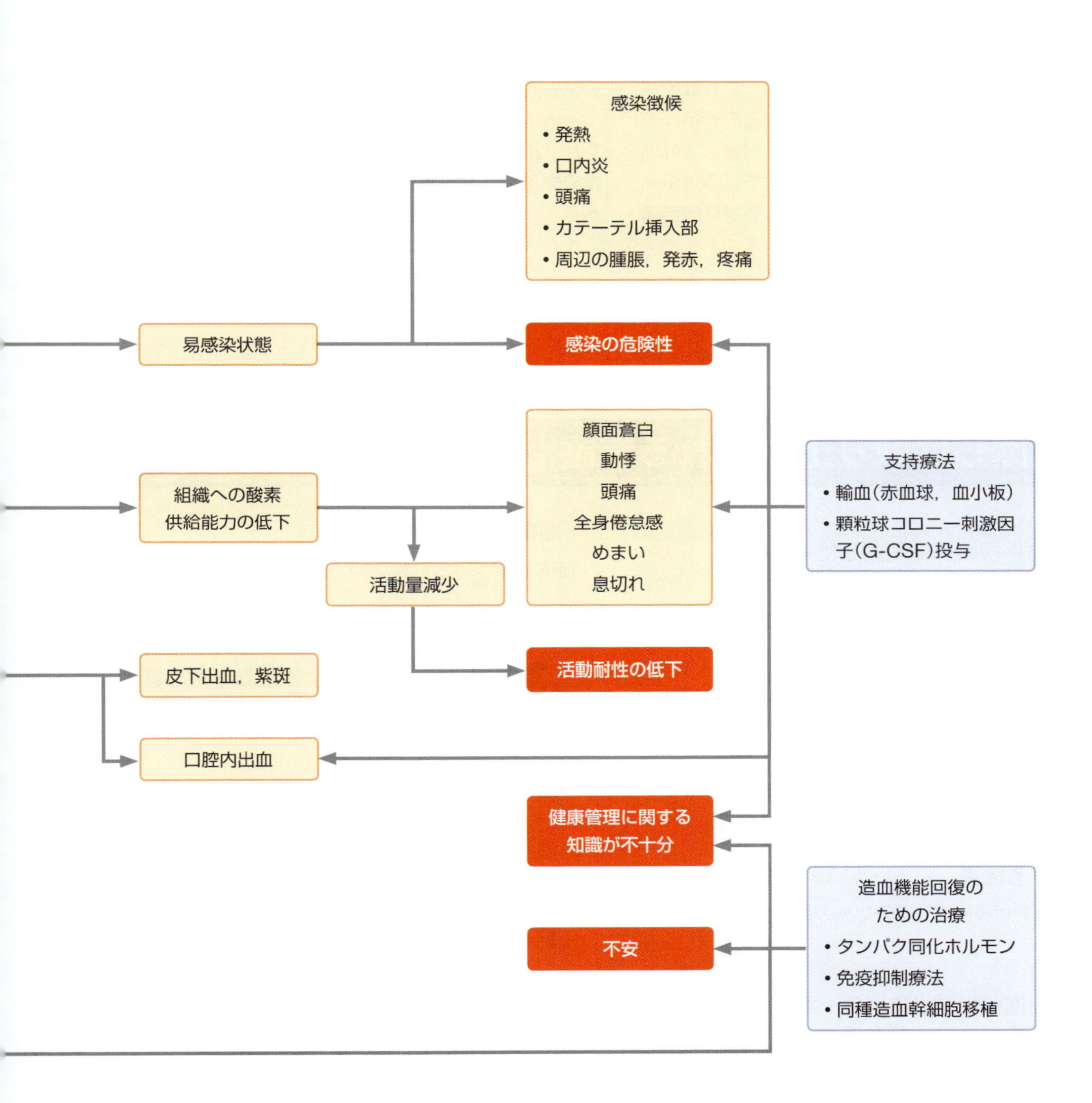
感染徴候
• 発熱
• 口内炎
• 頭痛
• カテーテル挿入部
• 周辺の腫脹，発赤，疼痛
易感染状態
感染の危険性
顔面蒼白
動悸
頭痛
全身倦怠感
めまい
息切れ
組織への酸素供給能力の低下
活動量減少
活動耐性の低下
支持療法
• 輸血（赤血球，血小板）
• 顆粒球コロニー刺激因子（G-CSF）投与
皮下出血，紫斑
口腔内出血
健康管理に関する知識が不十分
不安
造血機能回復のための治療
• タンパク同化ホルモン
• 免疫抑制療法
• 同種造血幹細胞移植

2）看護の方向性

再生不良性貧血の多くは原因不明であり，国の指定難病である．自覚症状が乏しい時期に診断を受けることもあり，病名告知を受けた患者は大きな衝撃を受ける．汎血球減少に伴い出現する貧血，出血傾向，易感染状態に対するセルフケアが重要となる．

重症度により，治療方法が異なり，造血器の回復のための治療や支持療法が行われる．軽症から中等症では輸血療法や免疫抑制療法が行われるが，これは治療直後の急性症状や長期にわたって出現する副作用があるため，患者教育が重要となる．また，同種造血幹細胞移植を受ける患者は，移植前処置として行う大量化学療法による副作用や，移植合併症による身体的苦痛を伴う．行う治療，使用薬剤によって副作用の出現には違いがあり，セルフケアの向上は患者のQOLにも影響する．

治療は長期にわたり，心理的にも経済的にも大きな負担となる．ただしこれは厚生労働省の定める難治性疾患政策研究事業の対象であり，医療費助成が受けられる．必要な情報を患者が得られるよう他職種連携を強化していく．

治療法の進歩により，長期生存が望めるようになったが，出血，感染症が死亡原因であり，寛解状態を維持できるよう，患者，家族のセルフケア支援が課題である．

3）患者・家族の目標

寛解状態を維持し，日常生活を送ることができる．

4. しばしば取り上げられる看護問題

◆1 血小板減少に関連した出血予防行動がとれないことによる出血の危険性がある

なぜ？

血小板減少は，再生不良性貧血の主症状のひとつであり，出血は死亡原因のひとつである．致死的な出血を予防するために，患者が血液データを把握し，日常生活における注意点（活動，休息のとり方，清潔ケア，排泄ケアなど）を理解することが必要である．

➡期待される結果

日常生活における出血予防のための行動ができる．

◆2 白血球の減少による感染の危険性がある

なぜ？

白血球減少に伴い易感染状態となる．感染症は，再生不良性貧血の死亡原因の１つである．患者が易感染状態にあることを理解し，日常生活に感染予防を取り込み，家族や周囲の人々の理解を得ながら日常生活を送ることが必要である．

➡期待される結果

感染徴候がみられない．

◆3 赤血球の減少による活動耐性の低下

なぜ？

再生不良性貧血は，造血幹細胞の異常によって赤血球の減少が生じ，主症状である貧血が出現する．再生不良性貧血患者は長い経過をたどり，徐々に症状を呈することが多いため，貧血の自覚症状が軽い場合がある．

➡期待される結果

貧血による危険を理解し，活動することができる．

◆4 健康管理（治療計画）に関する知識が十分でない

なぜ？

再生不良性貧血は状態によって治療が異なる．入院，外来で治療を継続する．

患者が治療によって生じる副作用について知識を得て，合併症を予防するためにセルフケアする必要がある．

➡期待される結果

治療を理解し，自己管理を行うことができる．
治療の副作用を理解し，対応することができる．

長期にわたる治療経過への不安

なぜ？

再生不良性貧血は徐々に進行することが多く，自覚症状が乏しいなかで診断されることもある．治療法の進歩により，長期生存が望めるようになったが，難治性疾患であることから治療は長期にわたり，患者は身体的，心理社会的にも苦痛を伴う．

➡期待される結果

不安を表出し，治療を継続することができる．

5. 看護計画の立案

• O-P：Observation Plan（観察計画）　• T-P：Treatment Plan（治療計画）
• E-P：Education Plan（教育・指導計画）

◆1 血小板の減少に関連した出血予防行動がとれないことによる出血の危険性がある

	具体策	根拠と注意点
O-P	**(1)血液検査データ** ・血小板値，出血時間，プロトロンビン時間	●血小板50,000/μL未満で中等症，20,000/μL未満で重篤化が懸念される．
	(2)バイタルサイン ・血圧，脈拍，意識レベル，チアノーゼ	●脈拍増加や血圧変動に注意する． ●血圧上昇は，臓器出血や脳内出血などの致命的な出血の要因となり得る．自覚症状とともにバイタルサインに注意する．
	(3)出血傾向の程度と部位 ・皮下出血（点状，斑状） ・口腔粘膜，歯肉，眼瞼結膜，鼻腔，肛門粘膜など ・血尿，血便，月経時の出血量	●皮膚の状態は，清拭や更衣などのケアを行う際にも観察する．患者自身にもセルフチェックを促し，変化があったら知らせるように教育する．
	(4)治療内容 **(5)出血傾向についての理解度** **(6)患者の表情，顔色**	●ATG療法では副作用として血小板減少が起こるため，治療時期にも注意する．
	(7)家族の協力体制	●症状の早期発見や予防には，患者自身の観察が大切である．患者が行うことが困難な場合には家族に協力を得る．
T-P	**(1)環境調整による出血の予防** 1)転倒防止のために生活環境を整える 2)転倒，転落リスクの評価	●転倒，転落は致命的な出血を引き起こす可能性があるため，どの程度のリスクがあるか把握する．
	3)物理的刺激を避ける ・駆血帯，マンシェットは必要以上に強く巻かない ・注射，採血，処置後の圧迫止血を確実に行う	●わずかな外力で出血しやすく，止血しにくいことを考慮してケアを行う．
	・便秘の予防	●過度な努責や浣腸は，出血のリスクがあるので可能な限り避ける．便通は薬剤を使用してコントロールする．
	・下着，靴下など衣類の締めつけに注意する ・軟らかい毛先の歯ブラシの選択，ひげ剃りは電気カミソリを選択する	●衣類などの圧迫で摩擦が起こりやすい．衣類や寝具は軟らかい素材のものを選択する．
	(2)全身の安静，安全の確保 ・床上安静，つき添い移動の実施	●運動や労作による物理的刺激を避け，出血を予防するとともに，出血部位の凝血，止血を促進するために安静を保持する．

	具体策	根拠と注意点
E-P	(1)血小板減少時は易出血状態であることを説明 (2)出血の誘発因子と，日常生活での出血予防のセルフケアについて具体的に説明 (3)安静の必要性の説明と理解度の確認	●日常生活を送るなかで，皮膚や粘膜の症状をセルフモニタリングできるように教育する． ●家族にも教育をすることで，患者が気づかない出血症状を早期に発見できる．

◆2 白血球の減少およびセルフケア不足による感染の危険性がある

	具体策	根拠と注意点
O-P	(1)検査データ ・白血球(好中球)，リンパ球，免疫グロブリン，CRP (2)胸部X線検査 (3)培養検査(血液，尿，便，喀痰)	●汎血球減少から白血球数減少を起こしていることに加え，免疫抑制薬の使用に伴い，細菌，真菌感染やウイルス感染を起こしやすい．好中球数500/μL以下では感染症の重篤化が懸念される．また，敗血症による死亡率は高い．
	(4)感染徴候 ・咽頭痛 ・粘膜の性状，損傷の有無 ・点滴，カテーテルの挿入部位	●発赤，腫脹，疼痛など，炎症所見がないか確認する． ●静脈内留置針や，中心静脈カテーテルの長期留置による，血液感染に注意する． ●膀胱留置カテーテルやドレーンからの感染を早期に発見する．
	(5)バイタルサイン，自覚症状 ・発熱，熱型 ・悪寒，戦慄，倦怠感，疼痛 (6)排便状況 ・便性状，回数 (7)治療内容	
	(8)手洗い，含嗽などのセルフケア行動	●易感染状態であることを，患者自身が意識して行動できているか観察する．
T-P	(1)環境調整 ・床に物を置かない ・生花や鉢植えを避ける	●生活環境から感染源となるものを避ける． ●生花や土壌にはアスペルギルスなどが生息しており，免疫不全の患者には感染源となり得る．
	(2)個室管理，アイソレーターの使用	●必要に応じて個室管理とする． ●不要な隔離は患者の孤独感を増強させる．
	(3)清潔保持のための援助 ・口腔内清潔：含嗽液による含嗽(8回/日)，歯磨き実施．アズノール®，ファンギゾン®，キシロカイン®入りの洗口液の使用を検討する	●感染を予防するためには，とくに皮膚や粘膜の清潔に注意し，傷つけないようにする． ●口腔内細菌は夜間に増殖し，起床時に多くなる．頻回に含嗽を行い，乾燥を防ぐことで菌の繁殖を予防する．また，口腔内の清潔保持は味覚を保たせ，食欲増進につながる．
	(4)粘膜，皮膚の清潔保持 ・食事前，排泄後の手洗い ・シャワー浴，清拭の実施，寝衣交換 ・排泄時の温水洗浄便座の使用	●石けん類は弱酸性のものを推奨する．摩擦を防ぐ． ●過剰な洗浄は皮膚の保護機能を低下させる．強い刺激を与えることで，皮膚の損傷を起こす可能性がある． ●排便ごとに洗浄し，清潔を保つとともに便通の調整を行う． ●痔核がある場合は軟膏を使用する．
	(5)食事の調整 ・加熱食を中心として生ものを避ける	●果物は，加熱処理した缶詰が望ましいが，生で摂取する場合は皮の厚い果物を選び，皮を厚くむく． ●感染源になるものは避けるとともに，バランスのよい食事をとるよう心掛ける．

	具体策	根拠と注意点
	・飲料水などは開封したその日のうちに摂取する **(6)活動の制限** ・人ごみを避ける ・面会時，外出時はマスクを着用する **(7)医療処置における感染予防** ・無菌操作での点滴管理 ・針やカテーテル挿入部位からの感染予防	●ペットボトルは直接口をつけずにコップに移して摂取する． ●直接口をつけると，菌が繁殖しやすい． ●人ごみを避けて行動できるよう患者とともに検討する． ●家族や面会者が感染源となり得ると理解することで，感染予防行動につなげる． ●必要に応じてスタンダードプリコーション（標準予防策），マキシマル・バリアプリコーション（標準予防策に加えてキャップ，サージカルマスク，滅菌手袋，滅菌ガウン，滅菌ドレープなどを用いての無菌操作）を実施する．
E-P	**(1)易感染状態時の注意点についての説明** ・発熱時の対応 **(2)患者，家族への日常生活上の感染予防について説明** ・手指消毒 ・清潔保持 ・ワクチンについて	●セルフモニタリングができるようにわかりやすく説明する． ●日々の習慣となるよう，必要なことを説明する． ●予防行動が日々の習慣となるように労う，支持するなど，自己効力感を高めるように関わる． ●家族に対してもインフルエンザワクチン，肺炎球菌ワクチンなどの接種について説明を行う． ●易感染状態にある患者と生活する家族からの感染リスクがある．

引用・参考文献

1) 厚生労働科学研究費補助金 難治性疾患政策研究事業 特発性造血障害に関する調査研究班：再生不良性貧血診療の参照ガイド 2018年改訂，2018．http://zoketsushogaihan.com/file/guideline_H30/02.pdf より2020年８月15日検索
2) 日本造血細胞移植学会：造血細胞移植ガイドライン 第２巻．2020． https://www.jshct.com/modules/guideline/index.php?content_id=1 より2020年８月15日検索
3) 中尾眞二ほか編：血液疾患 最新の治療 2020-2022．南江堂，2019．
4) 厚生労働省医薬食品局血液対策課：輸血療法の実施に関する指針（改定版），2005．https://www.mhlw.go.jp/new-info/kobetu/iyaku/kenketsugo/5tekisei3a.html より2020年８月15日検索
5) T．ヘザー・ハードマン，上鶴重美原書編集，上鶴重美訳：NANDA-I看護診断—定義と分類2018-2020．原書第11版，医学書院，2018．

16 川崎病（患児）

1. 疾患の基礎的知識

1）疾患の概念

川崎病とは，全身性の血管炎を主体とした炎症性疾患である．主として，４歳以下の乳幼児に好発する．①発熱，②両側眼球結膜の充血，③口唇，口腔の所見，④発疹，⑤四肢末端の変化（急性期は手足の硬性浮腫，手掌足底または指趾先端の紅斑．回復期は指先からの膜様落屑），⑥非化膿性頸部リンパ節腫脹，これらの６つの主要症状のうち，５つ以上の症状を伴う．

2）原因

川崎病の原因は不明であるが，感染説（リケッチア・細菌・真菌・ウイルス）や非感染説（合成水銀・ダニ抗原）があるといわれている．

3）病態と臨床症状

病態

組織学的には，中小動脈を主体とした全身の系統的血管炎である．約１か月半で陳旧化する（いわゆる慢性期に入る）．

炎症を伴った免疫担当細胞の強い活性化が基本病態と考えられる．免疫担当細胞はマクロファージ（モノサイト），Tリンパ球，Bリンパ球，好中球，血小板および血管内皮細胞である．したがって，これらの免疫担当細胞の活性化によって分泌あるいは遊離するプロスタグランジンやサイトカインが，川崎病の臨床症状の発現や冠動脈病変の併発に関与するものと考えられている．

臨床症状

(1)主要症状（※（　　）内は，出現率を表す）

①発熱（98%）
②両側眼球結膜の充血（98%）
③口唇，口腔所見：口唇の紅潮，いちご舌，口腔咽頭粘膜のびまん性発赤（98%）
④発疹（96%）
⑤四肢末端の変化
・急性期：手足の硬性浮腫，手掌足底または指趾先端の紅斑（96%）
・回復期：指先からの膜様落屑
⑥急性期における非化膿性頸部リンパ節腫脹（72%）

(2)主要症状以外

①消化器
・胆嚢腫大（急性期早期1/3～半数近くに認められる所見で，腹壁から腫瘤状に触れる）
・肝障害（血清トランスアミナーゼ値上昇）
・イレウス
②尿：無菌性膿尿（白血球沈渣で白血球増多を認める）
③皮膚：BCG接種部位の発赤，爪の横溝
④心血管：心膜炎，心筋炎（最も初期）
⑤その他：顔面神経麻痺，四肢麻痺

4）検査・診断

６つの主症状のうち５つ以上，もしくは４つの症状に冠動脈病変を認められる場合，川崎病と診断される（**表16-1**）．その他，診断に有力な症状として，BCG接種痕の紅斑・腫脹・臍や陰部の発赤，ブドウ膜炎などがある．

検査

・血液検査（肝機能軽度低下，白血球増多，赤沈亢進，CRP上昇，LDH上昇，Hb低下，低アルブミン血症，低ナトリウム血症，回復期の血小板増多）
・心電図検査

表16-1　川崎病診断の手引き

本症は，主として４歳以下の乳幼児に好発する原因不明の疾患で，その症候は以下の主要症状と参考条項とに分けられる．

【主要症状】

１．発熱
２．両側眼球結膜の充血
３．口唇，口腔所見：口唇の紅潮，いちご舌，口腔咽頭粘膜のびまん性発赤
４．発疹(BCG 接種痕の発赤を含む)
５．四肢末端の変化：
(急性期)手足の硬性浮腫，手掌足底または指趾先端の紅斑
(回復期)指先からの膜様落屑
６．急性期における非化膿性頸部リンパ節腫脹
a.６つの主要症状のうち，経過中に５症状以上を呈する場合は，川崎病と診断する．
b.４主要症状しか認められなくても，他の疾患が否定され，経過中に断層心エコー法で冠動脈病変(内径のZスコア+2.5以上，または実測値で５歳未満3.0mm以上，５歳以上4.0mm以上)を呈する場合は，川崎病と診断する．
c.３主要症状しか認められなくても，他の疾患が否定され，冠動脈病変を呈する場合は，不全型川崎病と診断する．
d.主要症状が３または４症状で冠動脈病変を呈さないが，他の疾患が否定され，参考条項から川崎病がもっとも考えられる場合は，不全型川崎病と診断する．
e.２主要症状以下の場合には，特に十分な鑑別診断を行ったうえで，不全型川崎病の可能性を検討する．

【参考条項】

以下の症候および所見は，本症の臨床上，留意すべきものである．
１．主要症状が４つ以下でも，以下の所見があるときは川崎病が疑われる．
１)病初期のトランスアミナーゼ値の上昇
２)乳児の尿中白血球増加
３)回復期の血小板増多
４)BNPまたはNT pro BNPの上昇
５)心臓超音波検査での僧帽弁閉鎖不全・心膜液貯留
６)胆嚢腫大
７)低アルブミン血症・低ナトリウム血症
２．以下の所見がある時は危急度が高い．
１)心筋炎
２)血圧低下(ショック)
３)麻痺性イレウス
４)意識障害
３．下記の要因は免疫グロブリン抵抗性に強く関連するとされ，不応例予測スコアを参考にすることが望ましい．
１)核の左方移動を伴う白血球増多
２)血小板数低値
３)低アルブミン血症
４)低ナトリウム血症
５)高ビリルビン血症（黄疸）
６)CRP 高値
７)乳児
４．その他，特異的ではないが川崎病で見られることがある所見(川崎病を否定しない所見)
１)不機嫌
２)心血管：心音の異常，心電図変化，腋窩などの末梢動脈瘤
３)消化器：腹痛，嘔吐，下痢
４)血液：赤沈値の促進，軽度の貧血
５)皮膚：小膿疱，爪の横溝
６)呼吸器：咳嗽，鼻汁，咽後水腫，肺野の異常陰影
７)関節：疼痛，腫脹
８)神経：髄液の単核球増多，けいれん，顔面神経麻痺，四肢麻痺

【備考】

１．急性期の致命率は0.1%未満である．
２．再発例は３～４%に，同胞例は１～２%にみられる．
３．非化膿性頸部リンパ節腫脹(超音波検査で多房性を呈することが多い)の頻度は，年少児では約65%と他の主要症状に比べて低いが，３歳以上では約90%に見られ，初発症状になることも多い．

日本川崎病学会，特定非営利活動法人日本川崎病研究センター，厚生労働科学研究難治性血管炎に関する調査研究班：川崎病診断の手引き改訂第６版，2019．http://www.jskd.jp/info/pdf/tebiki201906.pdf より2020年２月15日検索

・断層心エコー検査
・心筋シンチグラフィ（心筋梗塞診断）
・心血管造影（心筋梗塞診断）

5）治療

血管炎を改善し，冠動脈瘤をはじめとする血管後遺症の発現を防ぐ薬物療法が主となる．治療は，日本小児循環器学会作成の『川崎病急性期治療ガイドライン』に基づいて行われ，免疫グロブリンの大量療法が，炎症反応あるいは有熱期間の短縮に有効であることが認められている．急性期には，炎症症状による脱水を予防するために補液が必要である．

急性期

急性期の強い炎症反応を可能な限り早期に終息させ，結果として，合併症である冠動脈瘤の発症頻度を最小限にする．治療は，第７病日以前に免疫グロブリンの投与（IVIG：intravenous immunoglobulin，完全分子型免疫グロブリン静注）が開始されることが望ましい．

（1）薬剤

・免疫グロブリン製剤（献血ヴェノグロブリンIH，献血グロベニン-I）：抗炎症作用であり，冠動脈瘤の発症頻度を低下させる
・抗血小板・抗炎症薬（アスピリン，フルルビプロフェン）：抗炎症作用である．アスピリンで肝機能に異常がある場合は，フルルビプロフェンに変更する

（2）IVIG治療前評価

治療開始前の評価によるIVIG不応予測を**表16-2**に示す．

（3）IVIG療法不応例の治療

IVIG投与後24時間で解熱しない場合，もしくは再発熱を認めた場合は，冠動脈病変形成のリスクが高いため，IVIG以外の選択を考える．その場合の治療には，ステロイドパルス療法や免疫抑制薬，血漿交換など選択することがある．

（4）抗血栓療法

IVIG療法と併用する．前記の急性期治療参照．急性期は，腸管からの吸収が悪く，血中濃度の上昇が悪い．そのため，中等量の（30～50mg/kg/日）のアスピリンを併用することが多い．アスピリンは，炎症の程度が陰性化した後２～３か月間は継続する．

冠動脈病変などの合併症がみられない場合は，急性期の臨床症状消失後に減量し，末梢血液検査が正常化してから投与を中止する．また，血栓形成予防のために，血管拡張薬や抗血小板薬（ジピリダモールやチクロピジン塩酸塩）が併用されることがある．

6）予後

冠動脈障害がない場合，心肺予後は良好である．

10%～20%で，主要血管である冠動脈に強い変化が出現する動脈瘤が認められ，まれに心筋梗塞によって突然死に至ることがある．冠動脈瘤は，通常は発症から５日目以降にみられ，心エコー検査で診断することができる．冠動脈瘤の約半数は，１～２年程度で治癒するが，残りの半数は治癒せず残る．冠動脈障害が治った場合でも，冠動脈の状態は成長とともに変化して心臓障害のリスクが高くなる．したがって，定期的な検査が必要になる．巨大な瘤が発生した患者では，15年で約70%は冠動脈に狭窄や閉塞がみつかるが，60%程度は無症状で無症候性心筋梗塞とよばれる．

冠動脈障害（狭窄）により血行が十分に確保されない（心筋虚血）場合は，血行再建術（外科手術）により治療を行う．具体的には，カテーテルによる経皮的冠動脈形成術（PTCA）と冠動脈大動脈バイパス移植術（CABG）で，発症後２年以内に行うと治療効果が高い．

表16-2　IVIG治療前リスクスコア表（群馬大方式）

項目	閾値	点数（点）
血清Na	133mmol/L以下	2
治療開始（診断）病日	第４病日以前	2
AST	100IU/L以上	2
好中球比率	80%以上	2
CRP	10mg/dL以上	1
血小板数	30.0×10^4mm^3	1
月齢	12か月以下	1

評価法：５点以上をハイリスクとする

日本小児循環器学会川崎病急性期治療のガイドライン作成委員会：川崎病急性期治療のガイドライン（2012年改訂版），p.8，2012.

2. 看護過程の展開

アセスメント～ゴードンの機能的健康パターンを用いて

パターン	アセスメントの視点	根拠	収集する情報
(1) 健康知覚-健康管理 患者背景 健康知覚-健康管理 価値-信念	●患児の疾患に対する受け止めや理解はどうか ●患児の入院に対する受け止めや理解はどうか ●冠動脈瘤の形成による活動制限に対する子どもの認識はどうか．また，安静を保つことはできるか ●管理状況はどうか	●患児の年齢や発達段階によって，疾患や治療の知識や入院に対しての理解度は異なる． ●幼児の場合，健康管理は家族が担うことが多い．	●患児の疾患に対する知識とその理解 ●治療に対する知識と理解 ●過去の医療体験 ●入院に対する理解 ●日常生活援助の程度 ●発達段階 ●家族の患者に対する健康管理の状況 ●家族の疾患，治療に関する認識，反応，期待 ●生活習慣変更の必要性に関する認識 ●合併症に対する認識
(2) 栄養-代謝 全身状態 栄養-代謝 排泄	●発熱に伴う症状 ●症状（口唇の所見）に伴う，経口摂取はどうか ●治療薬に伴い，経口摂取を制限する必要はあるか	●発熱の症状が続くことで体力の消耗が考えられる．また，口唇・口腔内の症状による疼痛から，経口摂取困難となりやすい． ●口唇の紅潮や疼痛．	●経口摂取の状況（種類，量，水分摂取量） ●口唇・口腔の所見（口唇の紅潮，いちご舌，口腔咽頭粘膜のびまん性発赤） ●血液検査データ ●体重の変化 ●輸液量 ●食欲 ●水分バランス ●頸部リンパ節腫脹 ●嚥下時の疼痛の有無（嚥下困難）
(3) 排泄 全身状態 栄養-代謝 排泄	●発熱に伴う脱水症状はどうか．尿量は1 mL/Kg/hが保てているか ●入院・治療に伴う排泄機能や行動の変化はないか ●発達段階にあわせた排泄行動ができているか	●診断直後は，発熱に伴う脱水症状が生じやすい． ●入院生活により，普段の排泄行動がとれない可能性がある．	●排尿量・排便量 ●排泄行動 ●発熱 ●脱水症状（口唇，口腔粘膜の乾燥，皮膚の乾燥，眼窩陥没） ●血液データ

パターン	アセスメントの視点	根拠	収集する情報
(4) 活動-運動 活動・休息 活動-運動 睡眠-休息	●入院前の活動量や運動量はどうか ●入院に伴い，活動量の低下や遊びの制限はあるか ●冠動脈瘤形成による悪化徴候はないか	●通常，中等度の冠動脈瘤の場合は，年齢にかかわらず運動制限は不要である．しかし，巨大冠動脈瘤を伴う場合には，破裂の危険があり過激な運動は避けたほうがよい．閉塞性病変のある場合は，運動制限はより厳しくなる． ●また，冠動脈瘤の巨大化は，瘤の破裂，血栓形成による血栓性閉塞を起こし，急性心不全による突然死の危険性も大きい．さらに，梗塞部位の拡大は心機能不全をまねき，合併症を併発させる．とくに，左室心筋の約40%が虚血や壊死によって機能不全に陥った場合は，心原性ショックを起こす．	●日常生活での活動状況（入院前・入院してから）：食事，排泄，睡眠，安静度，遊び ●社会生活での活動状況：学校生活（クラブ活動），活動範囲，習い事 ●冠動脈瘤の形成の有無 ●バイタルサイン：心音，不整脈 ●活気や機嫌 ●顔色 ●悪化を示す徴候の有無と程度 ・冠動脈，心筋，心外膜，弁膜の炎症 ・冠動脈の変化，冠動脈瘤 ・不機嫌，苦しそうな啼泣，顔色不良，冷汗，嘔吐，腹痛 ・腋窩動脈瘤の触知 ・不整脈，ショック，心不全 ●血液データ ●心エコー検査
(5) 睡眠-休息 活動・休息 活動-運動 睡眠-休息	●発達段階にあわせた睡眠か ●入院前の睡眠パターンはどうか ●疾患や治療，入院が，睡眠や休息に影響はないか	●症状や治療，生活環境の変化が患児の睡眠に影響することがある．	●睡眠状況（夜間・昼間） ●普段の睡眠パターンや習慣 ●川崎病に伴う症状（発熱による苦痛，冠動脈の変化による不機嫌，悪心など） ●輸液による夜間の排泄
(6) 認知-知覚 知覚・認知 認知-知覚 自己知覚-自己概念 コーピング-ストレス耐性	●症状に伴う苦痛（疼痛）はないか	●泣くことは小児のコミュニケーションの１つであるが，激しく，苦しそうな啼泣であれば異常といえる． ●表現は患児により異なるが，冠動脈の閉塞による心筋虚血の結果，心筋内の知覚神経末梢を刺激するため，交感神経を介して感じられる痛み，嘔吐，腹痛，冷汗などが症状として出現する．	●苦しそうな啼泣の有無 ●胸腹部の疼痛の有無
(7) 自己知覚-自己概念 知覚・認知 認知-知覚 自己知覚-自己概念 コーピング-ストレス耐性	●入院や検査・処置に対する不安や恐怖心はどうか．検査・処置の受け入れはどうか ●入院や疾患・治療に対する家族の不安が患児に影響していないか	●子どもは，初めての慣れない検査や処置に対して恐怖心を抱く． ●川崎病は原因不明の重症の心臓病で，突然死の恐れがあるという世間のイメージから，家族は非常に不安をもちやすい．そのため，家族のささいな態度は患児に影響を及ぼし，神経質になりやすく不安を抱かせる．	●検査や処置の受け入れ ●家族の疾患，治療に関する認識，反応，期待 ●疾患受容の程度 ●生活習慣変更の必要性に関する認識 ●合併症についての認識 ●不安や不満の有無 ●家族の反応と期待 ●キーパーソン

パターン	アセスメントの視点	根拠	収集する情報
(8) 役割-関係 周囲の認識・支援体制 役割-関係 セクシュアリティ-生殖	●入院生活における医療者や他患児との関係はどうか ●病気の子どもが入院することで家族の役割に変化はないか ●病気の子どもが入院することできょうだいへの影響はないか	●病気や入院は，子どもにとって身体的・精神的に影響を及ぼすことがある.同じく,家族にとっても子どもの入院による影響が予想される．ましてや冠動脈瘤が形成した場合や，予後や入院期間が長期になれば，経済的にも負担となる.	●医療者との関係 ●他患児との関係 ●家族と患児との関係 ●家族機能の変化 ●きょうだいへの影響
(9) セクシュアリティ-生殖 周囲の認識・支援体制 役割-関係 セクシュアリティ-生殖	●子どもの場合はない	●なし	●なし
(10) コーピング-ストレス耐性 知覚・認知 認知-知覚 自己知覚-自己概念 コーピング-ストレス耐性	●入院や検査・処置によるストレスはどうか．対処はできているのか	●患児の年齢や発達段階によって，疾患や入院に対しての理解度は異なる.	●患児の疾患の理解度 ●入院に対する理解 ●ストレス反応，対処，家族の対応 ●日常生活援助の程度 ●発達段階 ●家族，キーパーソン
(11) 価値-信念 患者背景 健康知覚-健康管理 価値-信念	●患児はどのようなことを好むのか ●家族の価値観，信念はどのようなものか	●家族の価値観，信念は患児の治療や健康管理に影響を及ぼす.	●患児の好み，好きなこと ●家族の価値観，信念

＊患者が子どもの場合は，発達段階によっては患者自身が健康パターンを変化させる能力をもっていない場合がある．その際は，主たる養育者(家族)が変える必要がある.

3. 全体像の把握から看護問題を抽出

1）病態関連図

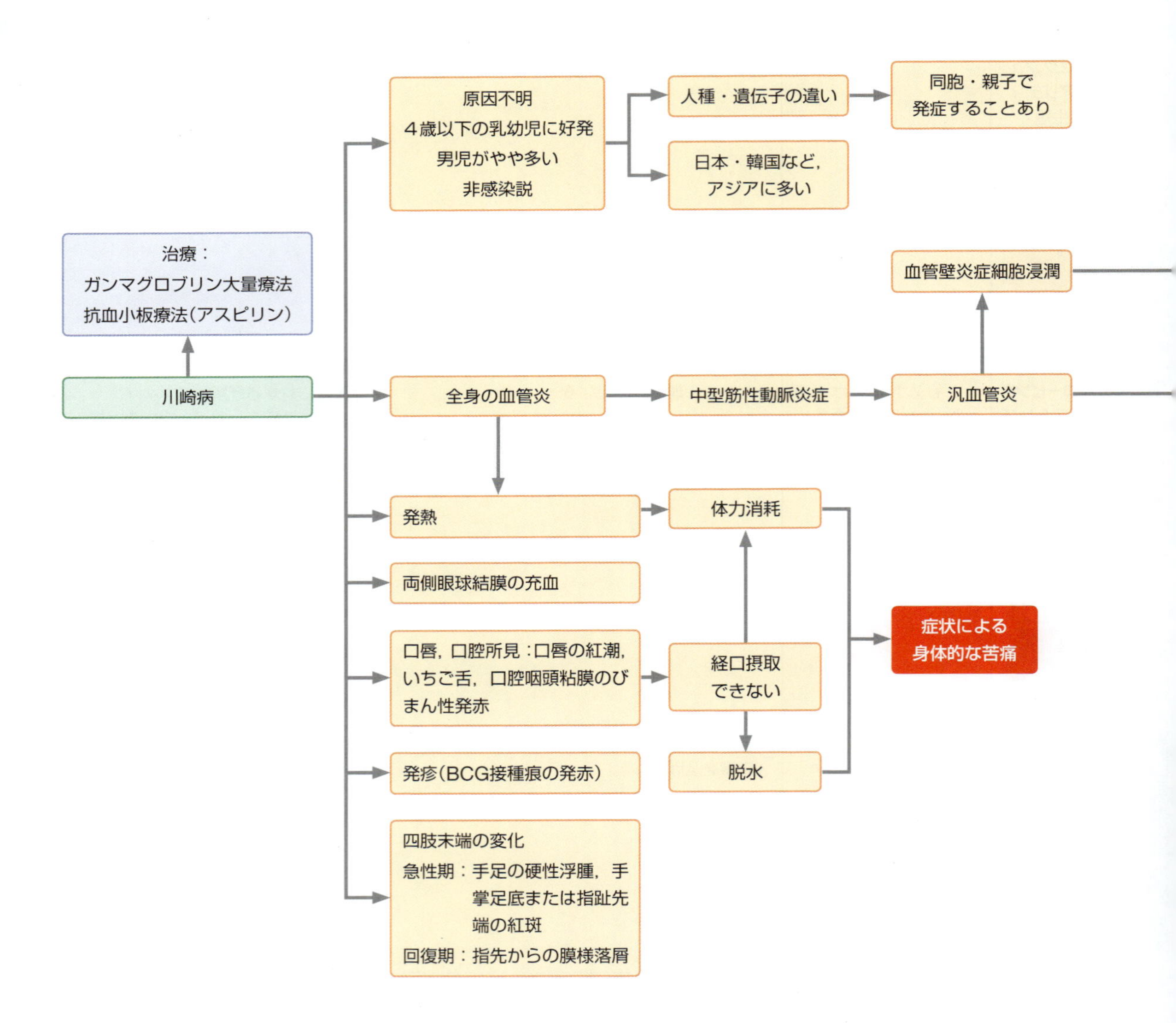

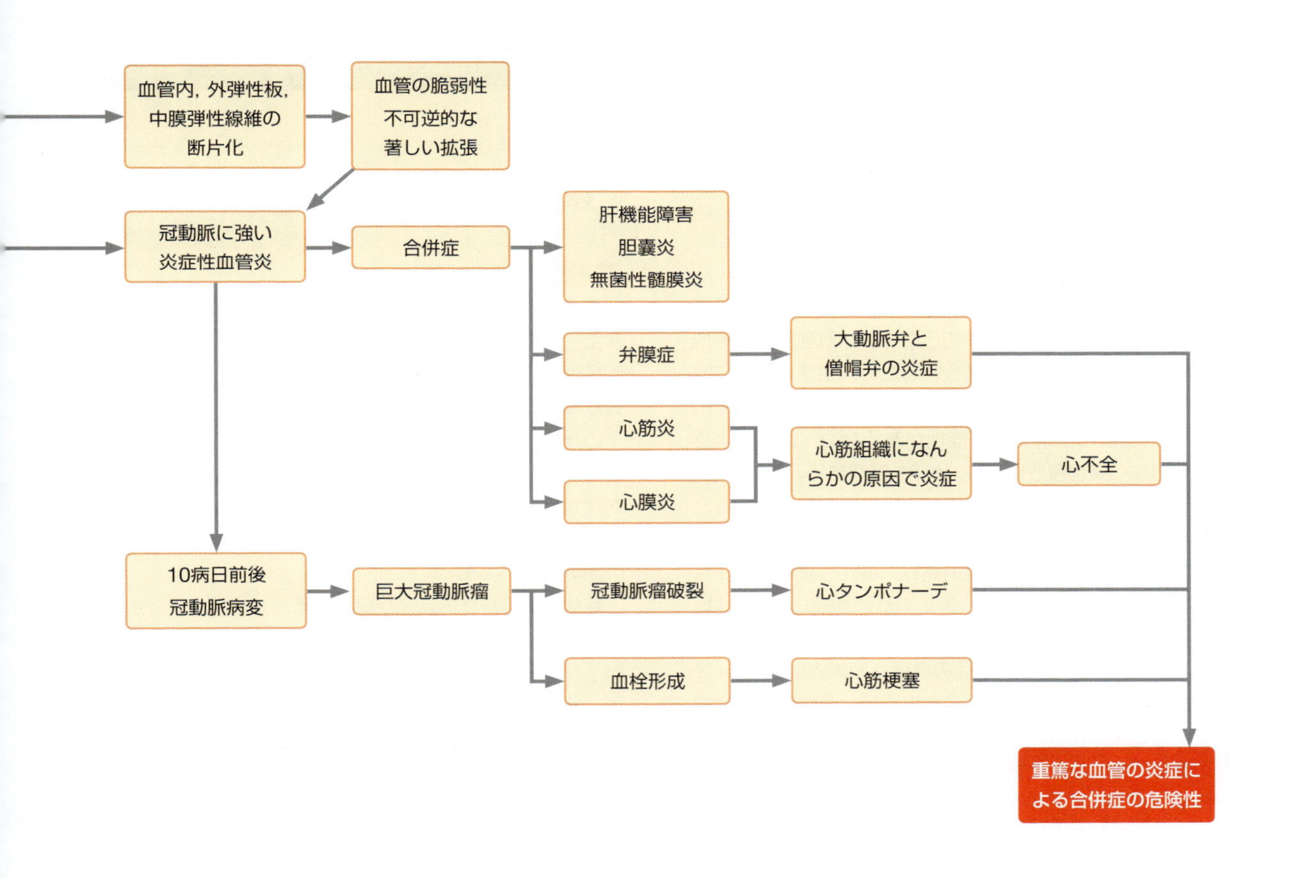
血管内，外弾性板，
中膜弾性線維の
断片化
血管の脆弱性
不可逆的な
著しい拡張
冠動脈に強い
炎症性血管炎
合併症
肝機能障害
胆嚢炎
無菌性髄膜炎
弁膜症
大動脈弁と
僧帽弁の炎症
心筋炎
心膜炎
心筋組織になん
らかの原因で炎症
心不全
10病日前後
冠動脈病変
巨大冠動脈瘤
冠動脈瘤破裂
心タンポナーデ
血栓形成
心筋梗塞
重篤な血管の炎症に
よる合併症の危険性

2）看護の方向性

川崎病は，全身の血管炎によって発熱などの症状が出現する．早期に炎症を抑える治療を開始する必要がある．そして，急性期症状に対する身体的苦痛緩和に努める必要がある．さらには，冠動脈の強い炎症性の血管炎による，冠動脈瘤からの症状の変化を早期に発見して対処する必要がある．

3）患者・家族の目標

- 発熱などの症状による身体的苦痛が緩和（軽減）する．子どもと家族が症状に対する対処行動がとれる．
- 血栓性閉塞による心筋梗塞を起こさず，回復に向かう．
- 成長発達段階に応じて川崎病を理解し受容できる．
- 家族は，川崎病を理解し受容できる．川崎病の治療や予後に対する不安を表出できる．
- 家族が患児の療養生活（退院後を含め）を管理できる．

4. しばしば取り上げられる看護問題

重篤な血管の炎症による合併症の危険性（冠動脈瘤，心筋梗塞）

なぜ？

川崎病は全身の血管炎であるが，心臓の主要な血管である冠動脈に炎症を起こすことにより，冠動脈瘤を形成し瘤が破裂することも考えられるため，生命の危機に直結する看護問題である．冠動脈瘤の形成は、発症後10～15日目から出現する可能性があるため，医師による定期的な心臓超音波により，状態を確認する必要がある．

表現は患児によって異なるが，冠動脈の閉塞による心筋虚血の結果，心筋内の知覚神経末梢を刺激するため，交感神経を介して感じられる痛み，嘔吐，腹痛，冷汗などが症状として出現する．また，冠動脈瘤の巨大化は，瘤の破裂だけでなく，血栓形成による血栓性閉塞を起こし，急性心不全による突然死の危険性も大きい．さらに，梗塞部位の拡大は心機能不全をまねき，合併症を併発させる．とくに，左室心筋の約40%が虚血や壊死によって機能不全に陥った場合は，心原性ショックを起こす．

➡ 期待される結果

冠動脈瘤，血栓形成による心筋梗塞の徴候がみられない．

症状による身体的苦痛（症状の再燃）

なぜ？

全身の血管炎に伴う発熱のため，体力が消耗しやすい．また，口唇や口腔内をはじめ身体的苦痛を感じる．

急性期の症状による身体的苦痛は，子どもにとって行動が制限され，さまざまな生活への影響が予測される．そのため，発熱による苦痛の軽減に対する援助が必要である．また，川崎病の再燃症状として早期に発熱の症状を注意して観察していくことが大切である．

➡ 期待される結果

症状による身体的苦痛が緩和する．

患児の疾患，症状に関連した不安とストレス

なぜ？

子どもは病気に伴う入院により慣れない環境であるためストレスを生じやすい．初めて見る人や医療器具等，痛みや不安を伴う検査や処置等，ストレスになりうる要因が多数ある．

そのため、ストレスから食事摂取ができなくなったり，啼泣、甘えなど，さまざまなストレスサインを見逃すことなく，最善な状態で医療を受けられよう考える必要がある．

期待される結果

不安とストレスを緩和する．

◆4 家族の疾患に対する認識不足に関連した予期悲嘆

なぜ？

家族は，突然の疾患治療による入院のため，不安が増大していることが予測される．そのため，疾患の正しく分かりやすい説明を行い，不必要な不安が軽減できるよう援助が必要である．また，再燃や合併症について過度な不安を持ち，患児に必要以上に生活上の制限を加えることも考えられる．家族が患児の療養生活（退院後を含め）を管理できるための疾患の理解と日常生活（退院後も含め）について把握し援助することが必要である．

➡期待される結果

家族は，川崎病の治療や予後に対して不安を表出できる．

5. 看護計画の立案

• O-P：Observation Plan（観察計画）　• T-P：Treatment Plan（治療計画）
• E-P：Education Plan（教育・指導計画）

◆1 重篤な血管の炎症による合併症の危険性（冠動脈瘤，心筋梗塞）

	具体策	根拠と注意点
O-P	**(1)身体症状** ①バイタルサイン ②自覚症状	●小さいきっかけが発作につながる恐れがあるため，一般状態の観察を行いながら，ADLの範囲を拡大していく．
	(2)狭心痛の出現状況 ①部位 ②痛みの持続時間 ③表現方法 **(3)狭心痛の誘因** ①安静時 ②労作時	●冠動脈瘤形成後に冠動脈狭窄を起こすと，冠血流量が減少しているところへ運動や興奮などで心筋の酸素消費量が増加することになり，心臓の働きに必要な冠血流量が維持できず，心筋が虚血状態となり，狭心症発作を起こす．
	(4)狭心痛以外の症状の出現状況	●患児の一部に，無症候の冠動脈瘤の後遺症が残ることがある．このような患児には，将来，心筋梗塞発作を起こす危険性がある．急性期を過ぎたのちも，患児の状態やそのほかの症状から判断しなければならない．また，有症状例でも，典型的な胸痛を訴える例は少ない点に注意する．
	(5)合併症の徴候と程度	●重要な臓器・細胞への血液量と酸素の有効な供給ができないと，臓器の機能低下をきたし，不可逆的な障害を起こすため，早期に発見し対処する．
	(6)水分出納 ①輸液量 ②食事・飲水摂取量 ③排泄量	●心不全徴候を早期に発見するために必要である．利尿薬の効果判定にも有効である．
	(7)行動範囲の拡大に伴う変化 ・負荷時の心電図所見	●段階的な負荷試験は，虚血性心疾患を有する患児の症状を客観的に評価するため，定量的でしかも非観血的に行える方法である．
	(8)日常生活の状況	●負荷試験でわかった許容量の範囲内で，毎日の散歩などの適度な運動を行う．急激な負荷，怒責を伴うもの，頭を下げるものは避ける．
	(9)検査データ ①標準12誘導心電図所見 ②血液検査データ **(10)治療薬の内容・効果・副作用**	●定期的検査により，治療の効果，症状を把握する．一般状態の観察とともに，検査所見は異常の早期発見と症状の悪化防止のため，重要な資料となる．

	具体策	根拠と注意点
T-P	**(1)病変の程度に応じた生活制限**	●安静は，心仕事量および心筋の酸素消費量を減少させ，梗塞の治療を促進させる．啼泣させることで，心負荷がかかるため，泣かせないことも必要である．
	(2)酸素療法の確実な実施	●心筋虚血による梗塞範囲の拡大を防ぐために行われる．
	(3)確実な薬物療法	●冠動脈拡張薬により，虚血心筋への酸素の供給がはかれ，梗塞巣の拡大が防止できる．副作用を観察しながら，確実に予薬する．
	(4)心電図異常の場合の対応 ①致死的不整脈に移行したときの準備（除細動器，ペースメーカー） ②不整脈への早期対処（抗不整脈薬の使用）	●急に虚血に陥った心筋では不整脈が起こりやすいため，常時，観察を行う．心室性期外収縮の頻発は，重症の心室性不整脈の発症をしばしば予告するため，注意する．
E-P	**(1)主要症状の変化，随伴症状などの主観的情報を報告できるように指導する** **(2)前記T-Pの(1)〜(4)の必要性を説明し，患児や家族が自ら積極的に治療に参加できるように指導する．とくに，心血管系の合併症については十分に説明し，その徴候の見方を指導する**	●主要症状を経過観察し，それらによる心身の苦痛を取り除くには，患児自身が主観的情報を提供できるように指導する． ●症状による心身の苦痛を緩和し，悪化を防止するために，これらの指導を行う． ●心血管系の合併症のほか，予測される症状について説明し，早期発見・対処できるように家族の協力を得る．

2 症状による身体的苦痛（症状の再燃）

	具体策	根拠と注意点
O-P	**(1)機嫌，活気** **(2)主要症状の経過** ①発熱 ②両側眼球結膜の充血 ③口唇，口腔の所見 ④発疹 ⑤四肢末端の変化（急性期は手足の硬性浮腫，手掌足底または指趾先端の紅斑．回復期は指先からの膜様落屑） ⑥非化膿性頸部リンパ節腫脹	●症状を観察する際は，いつからどの程度の症状が出現しているか，また，症状に伴う痛みの観察も必要である．小児は痛みをうまく表現できない可能性もあるため，機嫌や活気，食欲なども観察する．また，幼児後期頃より，フェイススケールを用いて主観的な評価をすることも有効である． ●(1)(2)は，治療や看護の緊急性を判断するうえで，重要な観察項目である．発熱の程度の変化は，急性期の治療をするうえで，治療薬の内容，効果，副作用と関連づけて観察する．
	(3)留意すべき症状の経過 ①消化器（胆嚢腫大・肝障害・麻痺性イレウス） ②尿量 ③皮膚（BCG接種部位の発赤） ④爪の横溝 ⑤心血管 ⑥顔面神経麻痺 ⑦四肢麻痺 ⑧呼吸器 ⑨体重変化 **(4)生活習慣**	
	(5)既往歴（痙攣など）	●とくに，熱性痙攣の既往がある場合は，発熱時の対処が異なることがあるため，注意が必要である． ●既往に熱性痙攣がある場合，1/3の確率で再び起こす．6か月児〜6歳児までは注意が必要である．
	(6)脱水症状の有無 ①水分バランス ②検査データ：電解質	●発熱による脱水状態を予防・早期発見するために，尿量や頻脈，大泉門の状態，皮膚の状態なども観察する．

	具体策	根拠と注意点
T-P	**(1)冷罨法の施行（氷嚢，氷枕）**	●血液を冷却する冷罨法は，皮膚冷覚の刺激によって局所ならびに全身に気持ちよさを感じさせ，随伴症状を軽減して，身体の苦痛を安楽に促す．腋窩や鼠径部を冷却することも効果的である．また，痛覚を鈍くしたり消失させたりするので，頭痛や頭重感などの緩和になる． ●腋窩や鼠径部の動脈は，皮膚に近い場所にあるため，効率的に冷却できる．
	(2)病変の程度に応じた安静保持とADLの援助	●小児にとって安静の保持は困難やストレスが生じやすいため，患児の好きな遊びを取り入れたり，ベッド上の遊びを工夫したり，遊び相手になる必要がある． ●体温が１℃上昇するごとに，代謝が約13%増加するといわれている．安静は代謝を最小限にしてエネルギーの消耗を防ぎ，症状悪化を防ぐのに有効である．発達段階に応じて，安静の必要性をわかりやすく説明することも有効である．
	(3)口腔内の痛み，乾燥による不快の緩和 ①口腔内の清潔 ・歯みがき，口腔清拭，含嗽	●口腔内を清潔に保つ必要があり，発熱によって悪化する口腔内の乾燥を防ぐ． ●細菌の繁殖は口内炎，耳下腺炎，呼吸器系などの二次感染をまねく可能性がある．
	②口唇，鼻腔，眼瞼の清潔と保持 ・口唇乾燥や亀裂には，ワセリンやリップクリームなどを塗布する ・眼瞼はホウ酸で清拭する．眼脂の除去や目薬を効果的に使用する	●解熱して一般状態が回復し始める頃，指趾の皮膚から膜様落屑は始まる．患児は痛みがないため，おもしろがってむしりとろうとするが，皮膚を傷つけないように注意するとともに，必要に応じてはさみで切る．また，落屑の激しい部位にはオリーブ油などを塗布し，保護する．
	③陰部，殿部，全身の清潔	●剥離している皮膚を無理やりむしることにより，出血させたり，二次感染の原因になる．
	(4)脱水症状の緩和と食事の援助 ①水分・電解質の補給（水分出納や電解質の検査データをもとにバランスを維持する） ②高タンパク質・高エネルギーで消化しやすい食べ物を摂取する	●発熱時には，エネルギーおよび水分を摂取して代謝機能を維持する． ●発熱時は発汗や不感蒸泄が増して脱水の危険性が高くなるため，喉の渇きなどの患児の主観的データ以外に，体重，尿量，尿比重，ケトン体，脱水症状などの客観的データをもとに，水分・電解質の補給を行う．経口水分摂取は，少量ずつ頻回に摂取することが望ましい．飲み物の量・時間を提示すると同時に好みの温度の維持に努める必要がある． ●水分を一度に多量摂取すると，排尿を促し，有効利用されにくい．また，急性期は，血管炎によって血漿成分が血管外に漏出しているため，抗利尿ホルモンの過剰分泌によって体内は水分過多となっている．体内の過剰水分は（輸液を含む），冠動脈に対する圧力を増加する方向に働くため，冠動脈障害を助長するので注意が必要である． ●高熱時のタンパク質燃焼率は，健康時の３～４倍となる．糖質でエネルギーをカバーしようとすると代謝が増し，体重減少をきたすことがある．脂質は消化機能を低下させ，食欲不振があって摂取しにくい．さらに口唇の乾燥，舌の変化などから急性期は食事が困難となり，一時的に食欲不振となる可能性もある．そのため，良質のアミノ酸を含んだタンパク質・高エネルギーを十分に摂取する．消化機能も低下するため，負担を増さないように繊維質の少ない食品を選ぶ．
	③ビタミン類の補給	●代謝が亢進するとビタミンの消耗が大きくなる．
	④食欲を増進する工夫（患児の嗜好，分食，温度，味つけ，盛りつけなど）	●発熱による消化機能の低下や急性期の口腔内症状は，食欲不振をまねくため，左記のような工夫が必要である．
	(5)衣類・寝具類の調整 ①悪寒時は，寝具類・電気毛布などで保温する ②発汗時は，寝衣・寝具類を交換する	●体温の変化に応じた衣類・寝具類の調整は，発熱に伴う悪寒や震えを最小限に抑え，体温上昇や不快感を緩和する．あわせて部屋の温度・湿度の調節を行う．

	具体策	根拠と注意点
T-P	**(6)環境調整**	●高温多湿は不感蒸泄を妨げ，不快感をもたらし，また，体温上昇の原因になる．適切な室温・湿度調節は，不必要なエネルギーの消耗を防ぎ，精神的鎮静に役立つ． ●主要症状は心身全体に影響し，そのバランスを崩す．崩れを最小限にとどめるため，刺激となるものはできる限り避ける．
	(7)体位の工夫と体位交換	●枕などを使用して，安全・安楽な体位の工夫をする．
	(8)輸液・薬物療法の管理	●発汗や不感蒸泄などによって，体液や電解質の平衡が乱れ，かつ経口摂取が困難な場合もあるため，輸液療法を的確に継続して管理する．
	(9)モニター管理	●免疫グロブリン静脈療法の際，投与中は心電図モニターを装着する． ●投与中は，ショックやアナフィラキシー様症状，すなわち呼吸困難，脈拍数増加，血圧低下，チアノーゼ，異常な発汗，嘔吐，悪寒などが出現する可能性があるため，観察を十分に行う必要がある．
E-P	**(1)主要症状の変化，随伴症状などの主観的情報を報告できるように指導する** **(2)前記T-Pの(1)～(9)の必要性を説明し，患児・家族が自ら積極的に治療に参加できるように指導する．とくに，心血管系合併症について十分に説明し，その徴候の見方を指導する**	●主要症状を経過観察し，それらによる心身の苦痛を取り除くには，患児自身が主観的情報を提供できるように指導する． ●症状による心身の苦痛を緩和し，悪化を防止するために，これらの指導を行う． ●心血管系合併症のほか，予測される症状について説明し，早期発見・対処ができるように家族の協力を得る．

引用・参考文献

1) 石井正浩，五十嵐隆編：小児科臨床ピクシス 川崎病のすべて．中山書店，2015.
2) 日本川崎病学会編：川崎病診断の手引きガイドブック2020．診断と治療社，2020.
3) 小林京子，高橋孝雄編：新体系看護学全書　小児看護学② 健康障害をもつ小児の看護．メヂカルフレンド社，2019.
4) 浅野みどりほか編：発達段階からみた小児看護過程＋病態関連図．第3版，医学書院，2017.

Memo

17 胃がん

1. 疾患の基礎的知識

1）疾患の概念

胃がんとは，胃粘膜上皮細胞から発生する悪性腫瘍を指す．腫瘍の中心が食道胃接合部から胃側に２cm以上あるものが胃がんと定義され，それよりも口側は食道胃接合部がんとなる[1]．

罹患者数は男性に多く，50歳以降で増加する．日本の胃がんの年齢調整罹患率は，男性では2000年代前半まで減少傾向，その後は横ばいであるが，女性は減少傾向にある．

2）原因

胃がんのリスクとして，ヘリコバクター・ピロリ（*H. pylori*：*Helicobacter pylori*）感染，胃粘膜萎縮，遺伝性疾患，喫煙などの，明らかなリスクファクターが指摘されている．近年，血清ヘリコバクター・ピロリ抗体および血清ペプシノゲンの組み合わせが，胃がんのリスク層別化に有用である可能性が指摘されている．そのほかにも，食事，嗜好，EBウイルス（EBV：Epstein-Barr virus）などの関連の可能性が報告されている[2]．

遺伝性疾患として遺伝性びまん性胃がん（HDGC：hereditary diffuse gastric cancer）のほか，Lynch（リンチ）症候群，家族性大腸腺腫症（FAP：familial adenoma-atous polyposis），Peutz-Jeghers（ポイツ・イエガース）症候群，Li-Fraumeni（リ・フラウメニ）症候群に伴う胃がんなどがある．

3）病態と臨床症状

胃壁の粘膜層～粘膜下層にとどまる早期胃がんと，胃壁の固有筋層以下に浸潤する進行胃がんに分類される．好発部位は，前庭部・胃角部・胃体部の順である．

胃がんの分類

(1)組織学的分類

胃がんの組織型は腺がんが多く，増殖形態から分化型と未分化型に分けられる．未分化型はリンパ節に転移しやすく，びまん性進展するものにスキルス型胃がんがある．

(2)肉眼型分類

胃がんの肉眼型分類は，０～５型に分けられる（**図17-1**）．０型は表在型の早期胃がんとされ，１～４型が進行胃がんに分類される．進行胃がんでは３型が最も多い．

(3)深達度分類

がんの浸潤の深さは，粘膜層（M）から漿膜（SE），他臓器浸潤（SI）までの深達度により，T1～T4に分類される（**図17-2**）．がん浸潤がM～SMにとどまっているものは早期胃がん，MP以上に達しているものは進行胃がんである．

(4)TNM分類・進行度分類

TNM分類によって，胃がんの進行度を分類している．T（Tumor）とは腫瘍の壁深達度，N（Node）とはリンパ節への転移，M（Metastasis）とはその他への転移を表している．**表17-1**に臨床分類，**表17-2**に病理分類を示す．

胃がんの転移型

胃がんの転移型は，リンパ行性転移，血行性転移，腹膜播種性転移がある．特徴的な転移型としてリンパ行性転移では，左鎖骨下上リンパ節への転移をウィルヒョウ（Virchow）転移とよぶ．がんの浸潤が漿膜に達すると，がん細胞が腹腔内に遊離して，腹膜や骨盤腔，卵巣などに転移する．骨盤腔のダグラス窩に転移したものをシュニッツラー（Schnitzler）転移，卵巣に転移した腫瘍をクルッケンベルグ（Krukenberg）腫瘍という．腹膜転移は，進行するとがん性腹膜炎となって，腹水が貯留する．血行性転移は，肝転移の頻度が最も高い．

主な症状

早期胃がんでは無症状なことが多い．しかし，早期胃がんでも潰瘍が併存している場合には，心窩部痛，上腹部の違和感などの症状を有する場合がある．がんの進行に伴い，食欲低下，悪心，胸やけ，体重減少，疲労感，貧血，吐血（コーヒー残渣様），便潜血（黒色便）などが現れる．また，腫瘤が増大すると触知できることがある．

4）検査・診断

(1)胃内視鏡検査

口または鼻から電子スコープを挿入し，胃の内部を映し出して診断する．病変がみつかった場合には，組織生検をして，病理組織診断を行う．

(2)超音波内視鏡検査

内視鏡に超音波プローブがついているものを超音波内視鏡（EUS：endoscopic ultrasonography）という．粘膜下にある腫瘍の位置と大きさ，浸潤の程度，リンパ節転移の有無を診断するのに用いられる．

(3)胃X線検査

硫酸バリウムと発泡剤の二重造影によって，胃内部の凹凸を写し出す．

(4)一般検査

血液検査では，萎縮性胃炎の予測のために，ペプシノゲン検査や腫瘍マーカー（CEA，CA19-9，AFP，NCC-ST-439など）の検査を行う．

(5)腹部エコー，CT，PET-CT

がんの広がりや遠隔転移の診断に用いる．

図17-1　胃がんの肉眼型分類

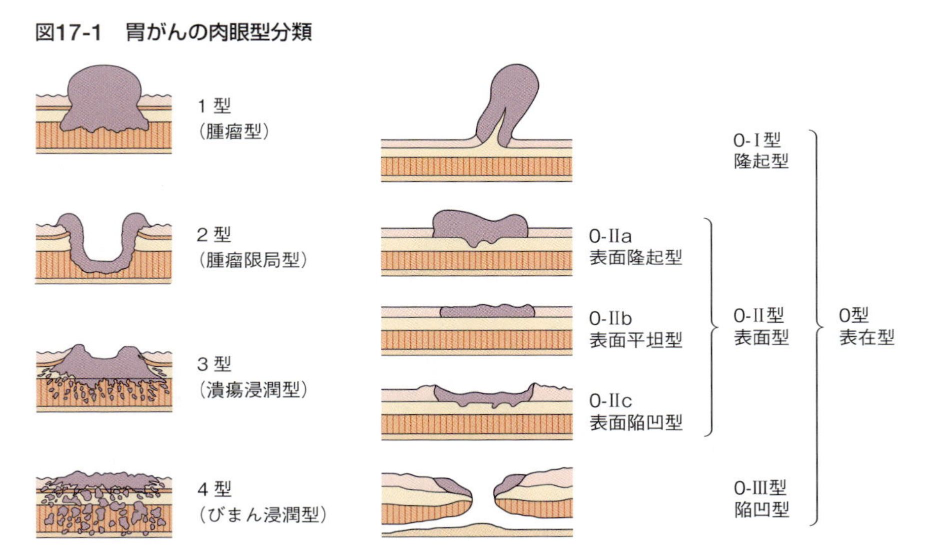

日本胃癌学会編：胃癌取扱い規約．第15版，p.11，金原出版，2017．より改変

図17-2　胃壁深達度分類

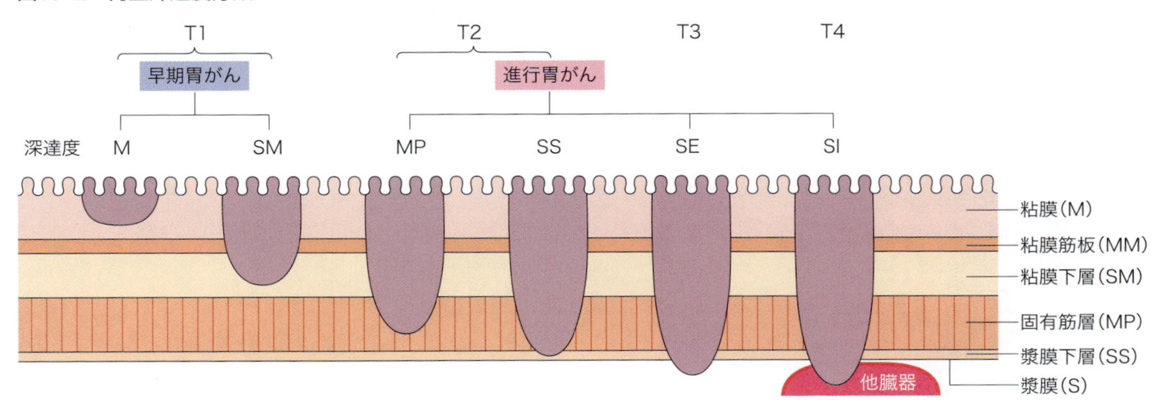

5）治療

(1)内視鏡的切除（図17-3）

①内視鏡的粘膜切除術（EMR：endoscopic mucosal resection）

・適応病変：2cm以下の肉眼的粘膜内がん（cT1a），分化型がん，UL0（潰瘍なし），と判断されるもの

・方法：胃の粘膜病変を挙上して鋼線のスネアをかけ，高周波によって焼灼切除する

②内視鏡的粘膜下層剥離術（ESD：endoscopic submucosal dissection）

・適応病変：

a）2cmを超える肉眼的粘膜内がん（cT1a），分化型がん，UL0（潰瘍なし）と判断されるもの

b）3cm以下の肉眼的粘膜内がん（cT1a），分化型がん，UL1（潰瘍あり）と判断されるもの

表17-1　胃がんの進行度分類（臨床分類）

	N0：領域リンパ節に転移を認めない	N1：領域リンパ節に1～2個の転移を認める N2：領域リンパ節に3～6個の転移を認める N3：領域リンパ節に7個以上の転移を認める
T1：癌の局在が粘膜（M）または粘膜下組織（SM）にとどまるもの T2：癌の浸潤が粘膜下組織を越えているが，固有筋層にとどまるもの（MP）	Ⅰ	ⅡA
T3：癌の浸潤が固有筋層を越えているが，漿膜下組織にとどまるもの（SS） T4a：癌の浸潤が漿膜表面に接しているか，またはこれを破って腹腔に露出しているもの（SE）	ⅡB	Ⅲ
T4b：癌の浸潤が直接他臓器まで及ぶもの（SI）	ⅣA	
T/NにかかわらずM1：領域リンパ節以外の転移を認める	ⅣB	

接頭辞cをつける．

日本胃癌学会編：胃癌取扱い規約．第15版，p.17，20，24，26，金原出版，2017．より作成

表17-2　胃がんの進行度分類（病理分類）

	N0：領域リンパ節に転移を認めない	N1：領域リンパ節に1～2個の転移を認める	N2：領域リンパ節に3～6個の転移を認める	N3a：領域リンパ節に7～15個の転移を認める	N3b：領域リンパ節に16個以上の転移を認める	T/NにかかわらずM1：領域リンパ節以外の転移を認める
T1a：癌が粘膜にとどまるもの（M） T1b：癌の浸潤が粘膜下組織にとどまるもの（SM）	ⅠA	ⅠB	ⅡA	ⅡB	ⅢB	
T2：癌の浸潤が粘膜下組織を越えているが，固有筋層にとどまるもの（MP）	ⅠB	ⅡA	ⅡB	ⅢA	ⅢB	
T3：癌の浸潤が固有筋層を越えているが，漿膜下組織にとどまるもの（SS）	ⅡA	ⅡB	ⅢA	ⅢB	ⅢC	
T4a：癌の浸潤が漿膜表面に接しているか，またはこれを破って腹腔に露出しているもの（SE）	ⅡB	ⅢA	ⅢA	ⅢB	ⅢC	
T4b：癌の浸潤が直接他臓器まで及ぶもの（SI）	ⅢA	ⅢB	ⅢB	ⅢC	ⅢC	
T/NにかかわらずM1：領域リンパ節以外の転移を認める						Ⅳ

接頭辞pをつける．

日本胃癌学会編：胃癌取扱い規約．第15版，p.17，20，24，26，金原出版，2017．より作成

c) 2cm以下の肉眼的粘膜内がん(cT1a)，分化型がん，UL0(潰瘍なし)，と判断されるもの

・方法：高周波デバイスを用いて病巣周囲の粘膜を切開し，さらに粘膜下層を剥離して切除する

EMRおよびESDの根治性は，局所の切除度とリンパ節転移の可能性という２つの要素によって決定され，内視鏡的切除後の根治度の評価判定により，その後の治療方針が決定する．

(2)手術療法

・定型手術：主として治癒を目的とし，標準的に施行されてきた胃切除術法を定型手術という．胃の2/3以上切除とD2リンパ節郭清を行う．

・非定型手術：進行度に応じて切除範囲やリンパ節郭清の範囲を変えて行う．非定型手術には，縮小手術と拡大手術がある．

胃がんに対して行われる手術は，切除範囲の多い順に以下のようなものがある[3]．同時に，リンパ節郭清，消化管再建，周辺転移臓器の合併切除が行われる．リンパ節転移が認められない場合は，腹腔鏡下手術が増加傾向にある．幽門部を切除することにより，ダンピング症候群が出現する．胃全摘術を行うことで，胃の貯留機能，撹拌・消化，蠕動運動，噴門部の逆流防止機能の喪失，胃酸による細菌防御機能の低下など，術後合併症が生じる恐れがある．

・切除範囲

①胃全摘術(TG：Total gastrectomy)：噴門(食道胃接合部)および幽門(幽門輪)を含んだ胃の全切除．

②幽門側胃切除術(DG：Distal gastrectomy)：幽門を含んだ胃切除．噴門は温存．定型手術では胃の2/3以上切除．

③幽門保存胃切除術(PPG：Pylorus-preserving gastrectomy)：胃上部1/3と幽門および幽門前庭部の一部を残した胃切除．

④噴門側胃切除術(PG：Proximal gastrectomy)：噴門(食道胃接合部)を含んだ胃切除．幽門は温存．

⑤胃分節切除術(SG：Segmental gastrectomy)：噴門，幽門を残した胃の全周性切除で，幽門保存胃切除に該当しないもの．

⑥胃局所切除術(LR：Local resection)：胃の非全周性切除．

⑦非切除手術(吻合術，胃瘻・腸瘻造設術)

・再建方法(**表17-3**，**図17-4**)

胃切除に伴う，消化管の流れを代替するために，消化管再建を行う．最も生理的な流れが確保できるビルロートⅠ法や食道と空腸の吻合を行い，十二指腸の断端と空腸を肛門側に吻合するルーワイ(Roux-en-Y)再建法が用いられる．ビルロートⅡ法は，輸入した十二指腸内に胆汁・膵液がたまる輸入脚症候群をきたしやすい．

(3)薬物療法

①術後補助化学療法

再発予防のために，根治術を受けたpStageⅡ，ⅢA，ⅢB症例(ただしT1症例を除く)に対して，TS-1®(テガフール，ギメラシル，オテラシルカリウム)補助化学療法が推奨されている．

②切除不能進行・再発胃がんに対する薬物療法

図17-3　EMRとESDの手順

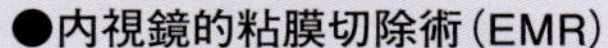

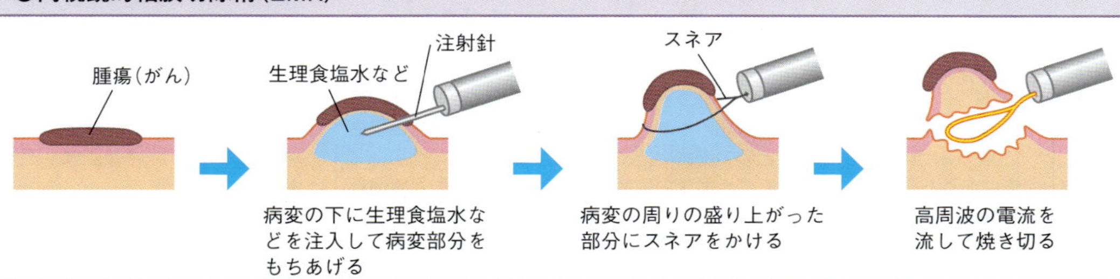

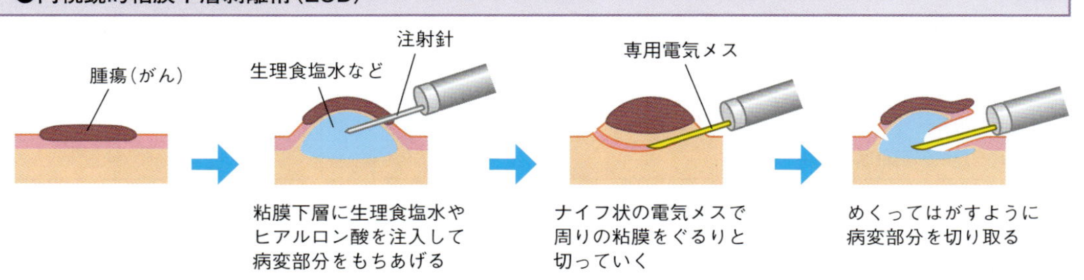

切除不能進行・再発症例，あるいは非治癒切除症例で，全身状態が比較的良好，主要臓器機能が保たれている場合は，化学療法の適応となる．HER2（ヒト表皮成長因子受容体２型）の有無によって治療方針が異なる．細胞障害性抗がん薬だけでなく，分子標的薬，免疫チェックポイント阻害薬などが用いられる．

6）予後

胃がんの予後は比較的よく，2010年から2011年に診断されたがん診療連携拠点病院等院内がん登録報告[4]によると，５年相対生存率は，全体で71.4%，StageⅠで94.7%，StageⅡで67.6%，StageⅢで45.7%，StageⅣで8.5%となっている．

表17-3　主な胃がんの再建法

術式	再建法
胃全摘術	ルーワイ（Roux-en-Y）法，空腸間置法，ダブルトラクト法
幽門側胃切除術	ビルロート（Billroth）Ⅰ法，ビルロートⅡ法，ルーワイ法，空腸間置法
幽門保存胃切除術	胃胃吻合法
噴門側胃切除術	食道残胃吻合法，空腸間置法，ダブルトラクト法

図17-4　再建方法の例

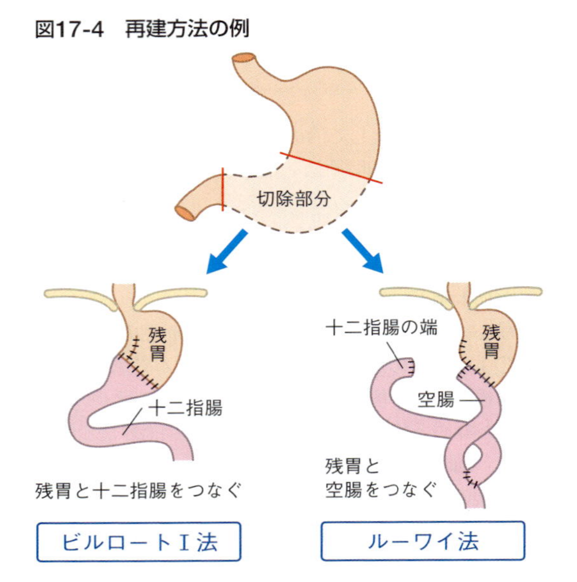

2. 看護過程の展開

● アセスメント〜ゴードンの機能的健康パターンを用いて

パターン	アセスメントの視点	根拠	収集する情報
(1) 健康知覚-健康管理 患者背景 健康知覚-健康管理 価値-信念	●現在の健康状態をどのように認識しているか ●術後合併症のリスクになるような生活習慣はあるか ●術後合併症のリスクになるような併存疾患はあるか ●併存疾患は適正にコントロールされてきたか ●術後の合併症について適切に理解しているか ●危険の回避は可能か	●健康管理の行動について知ることで，術後の管理に関する強みや改善点を把握できる． ●がんという病気の受け止め方や，治療選択の意思決定のしかたが治療への向き合い方や合併症とのつき合い方に影響を及ぼす． ●喫煙や食事摂取量の低下は，術後の創治癒過程や呼吸器合併症のリスク要因となる． ●糖尿病や呼吸器・循環器疾患は，術後合併症のリスク要因となる． ●術後の合併症予防のためには正しい理解と積極的な予防行動が重要である． ●術後せん妄などにより転倒予防などの危険回避行動が困難となることがある．	●胃がんの進行度，適応される術式 ●疾病に対する認識と理解度 ●疾病や手術に対する説明と受け止め ●術後合併症に関する知識と理解，予防行動の実行性（呼吸訓練や禁煙など） ●喫煙・飲酒・食事摂取の程度 ●併存疾患の有無と程度，服薬状況 ●転倒のリスクの認識

パターン	アセスメントの視点	根拠	収集する情報
(2) 栄養-代謝 全身状態 栄養-代謝 排泄	●胃がんに伴う消化器症状は生じていないか ●貧血，低栄養状態にないか ●現在の食事内容に問題はないか ●食習慣と嗜好に偏りはないか ●出血の要因はないか ●代謝異常や肝機能障害はないか ●皮膚障害や脆弱性はないか	●胃がんの進行に伴い，食欲不振や低栄養，体重減少がみられる．腫瘍からの持続的な出血によって貧血を伴う場合がある． ●食欲低下，疼痛などによる経口摂取量の低下，消化管通過障害，下痢などの消化管機能障害による栄養摂取・消化吸収量低下から低栄養状態が生じる．低栄養状態や，貧血の状況下で手術を受けることは，術後感染症，縫合不全などの合併症を生じやすい． ●固い食べ物や刺激物は胃粘膜への刺激となる． ●胃を切除することによって食習慣の再構築が必要となる． ●凝固系の異常，抗凝固薬の内服は術中・術後出血の助長因子となる． ●麻酔侵襲によって，術後肝機能が悪化することがあり，それにより麻酔覚醒遅延への影響がある． ●術前に高血糖状況下にあると，術後感染症のリスク要因となる． ●術中の体位保持や術後の臥床安静に伴い，皮膚障害を起こす危険性がある． ●幽門部の喪失によりダンピング症候群，噴門部の喪失により逆流性食道炎，胃の容積の減少により小胃症状，胃酸の分泌により貧血などの合併症を生じることがある．	●食欲，悪心，疼痛，胸やけ，飲み込みづらさ，嘔吐(コーヒー残渣様)などの有無 ●栄養状態(BMI，TP，Alb)　食事摂取量，脱水症状，水分出納バランス ●貧血の有無(赤血球数Hb，Ht，Fe) ●食事の嗜好，食習慣，食事形態，外食の頻度 ●PLT，PT(%)，PT(秒)，出血傾向に関係する内服薬 ●肝機能(AST，ALT，γ-GTP，LDH，ALP)，血糖値，CRP ●皮膚の状態
(3) 排泄 全身状態 栄養-代謝 排泄	●腎機能は正常か ●排便の問題はないか ●排尿に問題はないか ●電解質バランスの異常はないか	●麻酔侵襲によって腎機能が一時的に悪化する可能性がある． ●術後，全身麻酔や開腹術の影響で，生理的イレウス腸管麻痺のリスクがある．また，腸管の癒着により腸閉塞を生じることがある． ●術後に尿道カテーテルを挿入するにあたり，前立腺肥大などの既往は，抜去後の尿閉のリスク因子となる． ●術前の電解質バランスの異常は，術後せん妄のリスク因子である．手術侵襲によって，水分出納の変化に伴い電解質のバランスが崩れることがある．	●排便習慣　排便の量と性状 ●排便コントロールのための工夫 ●腹部の状態(腸蠕動音，腹部膨満など) ●便潜血の有無 ●排尿習慣 ●排尿困難・残尿感の有無，排尿の量と性状 ●尿検査所見 ●血液検査値(BUN，Cre，CCr，Na，K，Cl)
(4) 活動-運動 活動・休息 活動-運動 睡眠-休息	●日常生活は自立しているか ●関節可動域に障害はないか ●呼吸器系・循環器系の障害はないか ●エネルギーの需要と共有のバランスはとれているか ●病気に伴う倦怠感などが活動にどのように影響しているか	●日常生活の自立度は術後の早期離床に影響を与える． ●関節可動域に障害がある場合，術中・術後の身体損傷や神経麻痺のリスク要因となる． ●COPDや気管支喘息などの既往は，呼吸器合併症のリスクとなる． ●胃がんの進行に伴い，骨格筋組織と脂肪組織のエネルギー代謝が異常をきたし，エネルギー消費量が増加することにより，全身のエネルギーバランスは負になる． ●倦怠感やエネルギー消費の増大に伴い，日常性の活動量が低下する可能性がある．	●呼吸器疾患の既往の有無(呼吸回数，呼吸音，呼吸困難，呼吸パターン，呼吸機能検査，胸部X線所見，血液ガス分析，酸素飽和度) ●循環器疾患の既往の有無(血圧，体温，脈拍，心音，CTR，心電図異常，LVEF〔左室駆出率〕) ●骨・関節・筋の状態(麻痺・運動失調の有無) ●ADLのレベル(歩行補助具・自助具の使用) ●易疲労感，倦怠感，日常生活活動状況

パターン	アセスメントの視点	根拠	収集する情報
(5) 睡眠-休息 活動・休息 活動-運動 睡眠-休息	●睡眠・休息のパターンに問題はないか	●環境の変化や術後の創部痛によって，睡眠パターンに変調をきたすことがある.	●睡眠時間，睡眠パターン，熟睡感の程度，入眠の工夫
(6) 認知-知覚 知覚・認知 認知-知覚 自己知覚-自己概念 コーピング-ストレス耐性	●認知機能に問題はないか ●感覚機能に問題はないか ●疼痛はあるか，あるとすればどの程度か	●認知機能の障害は術後のせん妄や危険行動のリスク因子となり得る. ●表在知覚の異常は術後の皮膚損傷のリスク因子となる. ●胃がんの進行に伴い，心窩部痛が生じる. ●術後の創部痛は早期離床や痰の喀出の阻害要因となる.	●認知機能（記銘力・集中力・説明の理解力） ●聴覚・触覚・視覚障害の有無と程度 ●疼痛の有無と程度
(7) 自己知覚-自己概念 知覚・認知 認知-知覚 自己知覚-自己概念 コーピング-ストレス耐性	●がんと診断された自己をどのように捉えているか ●がんと診断されたことが自己概念や自尊感情に影響を及ぼしていないか	●がんと診断されたことや胃を切除して生きていくことについて，自己概念や自尊感情への変化が生じている可能性がある.	●がんと診断されたことをどのように受け止めているか ●がんと診断されたことで失ったことや自分らしさの喪失を感じているか ●どのように今後がんとともに生きていこうと考えているか
(8) 役割-関係 周囲の認識・支援体制 役割-関係 セクシュアリティ-生殖	●社会的・家族内役割変更の必要性はあるか ●家族や重要他者から手段的・情緒的サポートが得られているか	●後遺症によっては役割変更の必要が生じる. ●術後は食生活の再構築が必要である.	●家庭内役割 ●就業状況 ●経済状況 ●社会活動（地域での活動など） ●家族構成 ●家族や重要他者から手段的・情緒的サポートが得られているか

パターン	アセスメントの視点	根拠	収集する情報
(9) セクシュアリティ-生殖 周囲の認識・支援体制 役割-関係 セクシュアリティ-生殖	●性役割，性行動および満足感での問題はあるか	●倦怠感や自尊心などが性生活に影響を与える場合がある．	●挙児希望の有無，性生活での問題の有無
(10) コーピング-ストレス耐性 知覚・認知 認知-知覚 自己知覚-自己概念 コーピング-ストレス耐性	●疾病・障害・治療をストレスと感じているか ●ストレスにはどのような対処法をとっているか ●どのようなストレス反応を示しているか	●がんと診断された患者は約３割が急性の適応障害を起こす可能性があることが指摘されている．さらに，がんと診断され，治療が必要となることでストレスが高まりやすい．	●表情や言動，過去に困難なことがあった際の対処方法 ●趣味など気分転換方法
(11) 価値-信念 患者背景 健康知覚-健康管理 価値-信念	●生活信条・価値観と治療の対立はないか	●がんとともに生きる，治療後の生活を再構築するうえで，個々の価値や信念が基盤となる．	●信仰する宗教，人生において大切にしていること ●健康観

3. 全体像の把握から看護問題を抽出

1）病態関連図

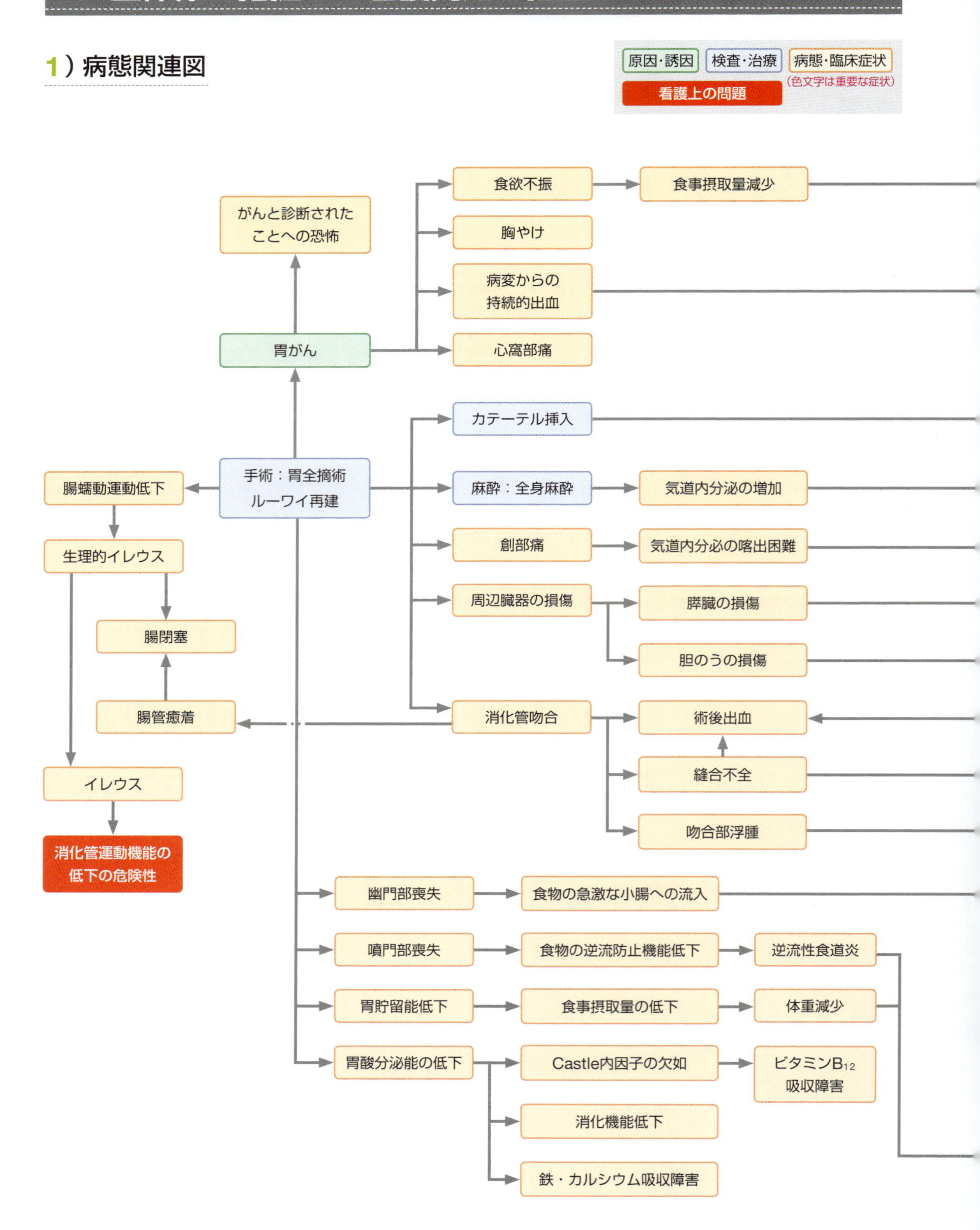

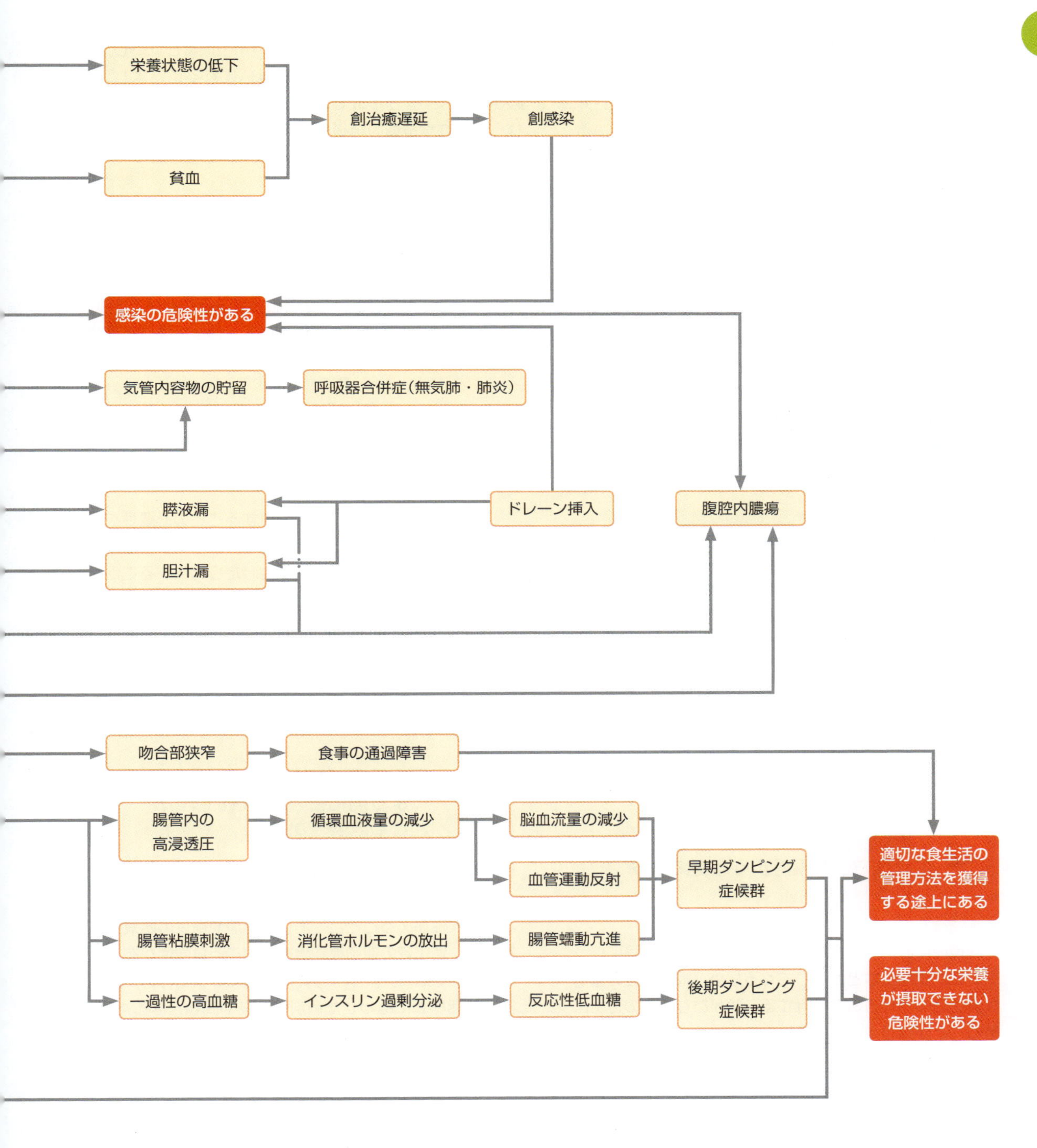
栄養状態の低下
貧血
創治癒遅延
創感染
感染の危険性がある
気管内容物の貯留
呼吸器合併症（無気肺・肺炎）
膵液漏
胆汁漏
ドレーン挿入
腹腔内膿瘍
吻合部狭窄
食事の通過障害
腸管内の
高浸透圧
循環血液量の減少
脳血流量の減少
血管運動反射
早期ダンピング
症候群
腸管粘膜刺激
消化管ホルモンの放出
腸管蠕動亢進
一過性の高血糖
インスリン過剰分泌
反応性低血糖
後期ダンピング
症候群
適切な食生活の
管理方法を獲得
する途上にある
必要十分な栄養
が摂取できない
危険性がある

2）看護の方向性

胃がんは，無症状で健診にて指摘される場合を除くと，手術前に心窩部痛や食欲不振などの消化管症状が出たり，病変からの持続的な出血に伴う貧血を有することが多い．術前の栄養状態の低下や貧血は，術後の感染や創治癒遅延の要因となるため，その場合は感染のリスク状態を問題として取り上げる必要がある．

手術や麻酔の侵襲に伴い，術後は呼吸器合併症や出血，疼痛，縫合不全，が生じる危険性がある．さらに，手術の影響によって消化管運動機能が低下していることから，イレウスへ移行したり，消化管の癒着によって腸閉塞を生じる危険性がある．観察と予防に努める必要がある．個別の問題がない場合は，標準看護計画で対応していく．回復期においては，胃を切除することによって，幽門部切除によるダンピング症候群，噴門部切除による逆流性食道炎，胃酸分泌障害に伴う消化・吸収障害などが生じる．さらに，胃切除後は胃の貯留能が低下することによって，食事摂取量が低下し，体重の10～15%程度の減少が見込まれることより，必要十分な栄養が摂取できないことが予測される．それらにより食習慣の再構築が必要となり，適切な食生活の管理方法を獲得できるよう援助する必要がある．

3）患者・家族の目標

- 術後早期の合併症を起こすことなく食事が開始される．
- 胃切除に伴う合併症と適切な食習慣について理解し，適切な食事摂取方法を自ら試みることができる．
- 家族は，退院後の生活に向けて，術後の体調管理や食習慣について必要な知識を得ることができる．

4. しばしば取り上げられる看護問題

低栄養状態に関連した感染の危険性がある

なぜ？

低栄養状態であると感染のリスクが高くなる．術後回復遅延につながるため，優先順位が最も高い．

➡期待される結果

- 術後感染の徴候がみられない．

胃切除後の適切な食生活の管理方法を獲得する途上にある

なぜ？

回復期において，食事が開始になると，胃切除に伴うダンピング症状などが生じてくるため，胃切除後の適切な食生活の管理方法を獲得する必要があり，その途上にあることが問題点として優先される．

➡期待される結果

- 少量ずつしっかり咀嚼しながら時間をかけて食事を摂取することができる．
- 食後安静をとることや，分食することの必要性を理解して実施することができる．
- ダンピング症候群の症状が生じたら報告することができる．

胃の消化機能の低下により必要十分な栄養が摂取できない危険性がある

消化管癒着や術後の腸蠕動抑制により消化管の運動機能障害が起こる危険性がある

なぜ？

胃の消化機能の低下により必要十分な栄養が摂取できない危険性があることと，消化管癒着や術後の腸蠕動抑制により消化管の運動機能障害が起こる危険性があることについては，入院中は優先度が高くないものの，退院後は生活様式にあわせた個別性の高い問題となるため，退院後も継続観察していくことが必要である．

➡期待される結果

- 術後の体重減少を10～15%以内に抑えることができる．

・１日1,200～1,600kcal摂取することができる.
・食事の工夫（少量でも高タンパク・高カロリーとする）について説明できる.
・栄養状態が悪化しない.
・術後イレウスの徴候がみられない.

5. 看護計画の立案

• O-P：Observation Plan（観察計画）　• T-P：Treatment Plan（治療計画）
• E-P：Education Plan（教育・指導計画）

1 低栄養状態に関連した感染の危険性がある

	具体策	根拠と注意点
O-P	**(1)栄養状態**	●術前から低栄養状態であると術後感染のリスクが高くなる.
	①術前の食事摂取状況 ・食欲 ・食事内容，嗜好の有無と内容 ・食事量 ・胃部不快感，悪心や嘔吐の有無，嘔吐の回数，吐物の性状や量	●胃がんの初期症状としての消化器症状と，食事摂取に影響する.
	②栄養に関連する全身状態	
	・口腔内の状態（乾燥・炎症・アフタ・舌苔の有無）	●栄養状態の悪化によって口腔内環境が変化し，感染源となり得る.
	・咀嚼嚥下困難の有無と程度	●原疾患以外でも食事を摂取することの障害が生じていることがある.
	・疼痛，腹部膨満感	●原疾患による心窩部痛，腹部膨満感が生じている可能性がある.
	・排便状態	●原疾患による排便習慣の変調，術後の消化管運動の低下が生じている場合，食事摂取に影響を及ぼす.
	・BMI，体重減少率	●栄養状態の客観的評価を行う.
	③血液検査所見	
	・TP，Alb，Pre-Alb，Hb，RBC，血糖値，電解質	●栄養状態の客観的評価を行う.
	(2)感染のハイリスク因子（栄養以外）	●感染を引き起こしやすい因子を同定する.
	・皮膚・粘膜の清潔状態	●皮膚の脆弱性は，バリア機能を低下させ，皮膚感染のリスク因子となる.
	・カテーテル類の有無	●術後のカテーテル・ドレーン類の長期留置は，感染源となる.
	(3)感染の徴候	●感染の徴候をアセスメントし，感染を早期発見する.
	・全身症状：発熱，悪寒，倦怠感，悪心・嘔吐 ・腹部症状：腹痛，腹部膨満感，排ガス，腸蠕動，圧痛	●術後の腹腔内感染，縫合不全，手術部位感染（SSI）によって生じる症状である.
	・創部・カテーテル挿入部周囲の炎症の有無（発赤，腫脹，熱感，疼痛，離開）	●手術部位感染（SSI）の徴候である.
	・ドレーンからの排液の性状・量・におい	●縫合不全，腹腔内感染の徴候の指標となる.
	・呼吸器感染症状：咳嗽・喀痰の状況，呼吸困難・呼吸音の減弱・副雑音の有無，胸部X線所見・動脈血ガス分析・酸素飽和度	●麻酔侵襲，術後疼痛などの影響で，気道内分泌の増加，創部痛に伴う喀出困難などによって，無気肺から肺炎に移行する可能性がある.
	・尿路感染症状：排尿痛・残尿感・尿の性状・浮遊物の有無	●尿道カテーテルが挿入されることによって，尿路感染症が生じる可能性がある.
	③血液検査所見：WBC，CRP，血液培養	●感染徴候の客観的指標として重要となる.

	具体策	根拠と注意点
T-P	**(1)呼吸器感染症の予防** ・疼痛時の排痰方法を指導する ・口腔内が乾燥しているときは，咳嗽を頻回に行う ・必要に応じて口腔内・鼻腔内吸引を行う ・口腔内の清潔援助 ・飲水を行い，排痰しやすくする ・早期離床を促す **(2)SSIの予防** ・カテーテルやドレーン刺入部の清潔保持（消毒，フィルムドレッシングの交換） ・創部処置は清潔操作を徹底する ・ドレーンの屈曲・閉鎖がないように管理する ・陰圧のかかっていない閉鎖式ドレーンは，排液バッグを挿入部より上げないようにする ・必要にあわせて保清の介助	●呼吸器感染症予防のため． ●手術部位感染（SSI）やカテーテル感染を予防するため． ●ドレーン類の閉塞によって適切な排液ができず，腹腔内感染を起こすことを予防する． ●逆行性感染を予防する． ●全身の清潔を保持するため．
E-P	**・創部の清潔保持の重要性を説明する** **・早期離床の重要性を説明する** **・創部に急激な痛みや熱感，異常を感じたら報告するように説明する** **・ドレーン類にはできるだけ触れないように指導する**	●患者自身の清潔保持に対する動機づけを行い，セルフケアを高める必要があるため． ●早期離床が，創治癒や呼吸器合併症の予防につながることを理解してもらう． ●患者自身が手術部位感染（SSI）の徴候を理解し，異常を感じたら速やかに報告することができるようにするため． ●ドレーン類に関連した感染予防のためには，患者自身も適切な管理方法を理解する必要があるため．

2 胃切除後の適切な食生活の管理方法を獲得する途上にある

	具体策	根拠と注意点
O-P	**(1)術後の合併症と食事摂取の留意点についての理解度の確認** **(2)入院前の生活の食生活に適応させた改善点の理解** **(3)食事摂取の仕方** ・1食30分程度かけて少量ずつ摂取できているか ・よく咀嚼できているか ・どのくらいで満腹感を感じているか，無理して食べていないか **(4)食後の安静の仕方** ・食後1時間くらい上体を起こして安静を保持できているか **(5)ダンピング症候群の有無と自覚した際の対処方法** ①早期ダンピング症候群 ・血管運動性症状：冷汗，顔面紅潮，動悸，頭痛，めまい ・消化器症状：下痢，悪心嘔吐，腹痛，腹部膨満感 ②後期ダンピング症候群 ・低血糖症状：めまい，立ちくらみ，冷汗，動悸，意識障害	●本人の理解度を確認しながら教育計画を進めていく必要がある． ●入院前の食習慣を見直すべき点について患者自らが気づき，新しい食習慣への適応を提案することができるようにするため． ●E-Pで説明した内容の実施状況の評価をするため．

	具体策	根拠と注意点
T-P	**・患者が焦らずに食事ができるように環境を整える**	●本人のペースにあわせた食事環境を確保するため．
E-P	**(1)胃を切除したことによる機能障害について説明をする** ・貯留機能が低下したことによる影響 ・ダンピング症状の機序と症状について ・ビタミンB_{12}，カルシウム，鉄の吸収の障害について **(2)そのうえで，退院後の食生活について説明を行う** ①１回の食事量は少なくし，回数を増やす ・退院後２～３か月は３食に加えて10時，15時に間食をとる ・徐々に１回の食事量を増やしていく ・生活のなかで，どのように間食の習慣をもっていくか話しあう ②よく噛んで，ゆっくり食べる ③食後は逆流防止のために，20～30°頭部を挙上した状態で安静にすることを説明する ④満腹感を感じたら食べ過ぎない ⑤退院後しばらくは，繊維質や脂肪分の多い食べ物，生ものは消化に負担がかかるため，少量ずつ摂取する ⑥香辛料や熱い飲み物，コーヒーなどの刺激の強いものは少しずつ摂取する	●胃を切除したことによって，身体にどのような影響が起こっているのか正しく理解し，食生活の再構築への動機づけをはかる． ●浸透圧の高い食事が急激に小腸に入ると，細胞外液が腸管内腔へ移動するすることや消化管ホルモン分泌の上昇に伴い，血管運動症状や腹部症状を呈する． ●胃全摘術の場合には，胃壁からの吸収が低下するため，長期的に貧血や骨粗鬆症が生じやすい． ●胃の容量が減少しているため，一気に食べると，早期ダンピング症候群や腹部症状を誘発する． ●社会活動を営みながら間食の習慣を取り入れるためには，個々のライフスタイルにあわせた工夫について提案する必要がある． ●よく噛むことで，唾液に含まれているアミラーゼによって消化が助けられる． ●ダンピング症候群予防のために食後の安静が必要である．逆流防止のために頭部を挙上する． ●胃の容量が減少しているため，一気に食べると，早期ダンピング症候群や腹部症状を誘発する． ●胃酸分泌能の低下によって，脂肪分の多い食べ物や生ものは消化不良を起こし，下痢を起こしやすい． ●繊維質の多い食品は，吻合部の狭窄部の通過障害によってイレウスを誘発することがある． ●香辛料などの刺激物は胃壁を刺激し，胃液の分泌作用を高める．

引用・参考文献

1）日本胃癌学会編：胃癌取扱い規約．第15版，金原出版，2017．
2）八尾建史ほか：早期胃癌の内視鏡診断ガイドライン．日本消化器内視鏡学会雑誌，61(6)：1283～1319，2019．
3）日本胃癌学会編：胃癌治療ガイドライン医師用2018年１月改訂．第５版，金原出版，2018．
4）国立がん研究センターがん情報サービス：がん診療連携拠点病院等院内がん登録生存率集計 https://ganjoho.jp/reg_stat/statistics/brochure/hosp_c_reg_surv.html より2020年８月31日検索

18 胃・十二指腸潰瘍

1. 疾患の基礎的知識

1）疾患の概念

消化性潰瘍は，消化管粘膜の一部に生じる，表面組織の欠損である．典型的には，胃（胃潰瘍）または十二指腸の最初の数cmの部分（十二指腸潰瘍）に生じ，粘膜筋板を貫通する．

ほぼ全ての潰瘍がヘリコバクター・ピロリ（*H. pylori*：*Helicobacter pylori*）による感染，または非ステロイド性抗炎症薬（NSAIDs：non-steroidal anti-inflammatory drugs）の使用に起因する．しかし近年，ヘリコバクター・ピロリの感染率が低下していることに伴って，ヘリコバクター・ピロリ陽性潰瘍の発症数は減少している．一方で，高齢者においては，鎮痛作用や抗血栓作用を得る目的でNSAIDsや低用量アスピリンの使用が広く行われ，薬剤性潰瘍の割合は大きくなっている．

症状は，潰瘍の部位および患者の年齢によって異なり，高齢患者はほとんど症状がないか無症状であることが多い．典型的な症状としては心窩部痛があり，しばしば食事により軽減する．

診断は，内視鏡検査，ヘリコバクター・ピロリ検査，多発性潰瘍を認める場合は血清ガストリン値の測定による．

治療は，ヘリコバクター・ピロリ除菌（存在する場合）を行い，胃酸分泌抑制薬内服により胃液酸度を低下させる．薬剤性潰瘍では，NSAIDsなどの潰瘍形成の原因とされる服薬を中止する．潰瘍による穿孔や難治性潰瘍に対しては外科的治療が行われることもある．

2）原因

２大成因は，ヘリコバクター・ピロリの感染と，非ステロイド性抗炎症薬（NSAIDs）の使用である．現在のところは約半数はヘリコバクター・ピロリ感染によるものであるが，今後は減少していくと考えられる．

一方，薬剤性潰瘍の割合が増加し，消化性潰瘍の約30～40％が薬剤性潰瘍であると考えられる[1]．ヘリコバクター・ピロリ感染やNSAIDsによらない原因不明の消化性潰瘍を特発性潰瘍とよぶ．

3）病態と臨床症状

病態

胃・十二指腸潰瘍の病態は，胃粘膜における防御因子と攻撃因子のバランスが乱れることによって，胃粘膜防御機構が脆弱化し，破綻することによって発症すると考えられている（**図18-1**）．

胃粘膜の防御因子には，胃粘膜の血流および成分，胃粘膜関門，プロスタグランジン（PG），重炭酸塩（HCO_3^-）があげられる．粘膜の血流は消化管ホルモンなどによって調節されており，粘液やHCO_3^-分泌，酸素や栄養素の補給に重要な役割を果たし，損傷粘膜の修復にも寄与する．粘膜内腔に分泌されたHCO_3^-は，胃酸を中和し，上皮表層のpHを７前後に維持している．

一方，胃粘膜攻撃因子は，胃酸（塩酸），ペプシン，ヘリコバクター・ピロリ，薬剤（NSAIDs，アスピリン），ストレス，アルコール，喫煙，遺伝因子などがある．

潰瘍部位から出血すると，出血性潰瘍として，吐血，タール便を認める．胃や十二指腸の潰瘍が漿膜に達して穿孔すると，穿孔性腹膜炎を引き起こし，外科的治療が必要になる（**図18-2**）．

(1)ヘリコバクター・ピロリ陽性潰瘍

ヘリコバクター・ピロリは，グラム陰性らせん状桿菌である（**図18-3**）．酸性環境である胃粘膜に感染して，慢性胃炎を惹起する．５歳までに父母などからヘリコバクター・ピロリの曝露を受けて感染が成立した場合，除菌しない限り生涯にわたって感染が持続する．成人になって感染した場合，一時的に急性胃炎を起こすことはあっても生涯にわたり感染が持続することは少ないことがわかっている[3]．しかし，感染経路は不明である．

近年，ヘリコバクター・ピロリ感染者は低下し，とくに29歳以下の若年者における感染率は低い[3]．一般的に，衛生環境の悪い発展途上国における感染率が高いといわれる．現在は生活用水が完備されるとともに，ヘリコバクター・ピロリの感染による胃がん発生リスクに関する啓発の浸透，除菌療法の保険適用拡大に伴う急速な普及から，日本における感染率は今後も低下していくことが推測される．加えて，除菌効果の高い青少年における感染のスクリーニング検査の手段が検討されている[4]．

ヘリコバクター・ピロリに感染すると，サイトトキシン，アンモニアと好中球由来の活性酸素によるモノクラミンなどにより，強い胃粘膜障害が起こり，炎症性サイトカインの分泌を誘発して慢性胃炎が生じる．そのうえ，一酸化窒素なども関与し，胃粘膜の正常な防御機構および修復機構が妨げられる．それにより，胃および十二指腸壁の組織に炎症，血流障害が生じ，組織障害物質による粘膜傷害が起こる．環境因子や感染の時間経過などが加わって，慢性非萎縮性胃炎が生じ，病変から1～10年単位で消化性潰瘍を発症する．

胃潰瘍は，胃角部から胃体部に好発する．

(2)薬剤性潰瘍

NSAIDs起因性の潰瘍は，内視鏡的に，粘膜欠損の大きさが5mm以上の状態をいう．

服用を開始してから3か月以内に発症するリスクが最も高く，胃幽門部に浅い潰瘍が多発する傾向にある[5]．

胃粘膜防御機構の破綻機序としては，シクロオキシゲナーゼ（COX）の阻害作用が生じることに起因する．細胞膜のリン脂質から遊離されるアラキドン酸は，プロスタグランジン（PG）を産生する際にCOXを必要とする．COXは胃潰瘍の発生に抑制的に働く酵素で，それにより産生されたPGは粘膜の血流増加，粘液分泌亢進，胃運動の低下などの作用を有している．NSAIDsや低用量アスピリンは，炎症組織において，アラキドン酸からPGを生成するCOXの生成を抑制することで，薬理作用を発揮する．そのため，胃粘膜におけるPG生産が抑制され，粘膜防御機構が脆弱化することで，消化性潰瘍の発症を誘発することとなる．

なお，NSAIDsの使用とヘリコバクター・ピロリの感染が加わった場合，消化性潰瘍の発症のリスク[6]や，上部消化管出血の発症リスク[7]が著しく高くなる．さらに，NSAIDsと低用量アスピリンの服用を併用している

図18-1　胃粘膜防御機構

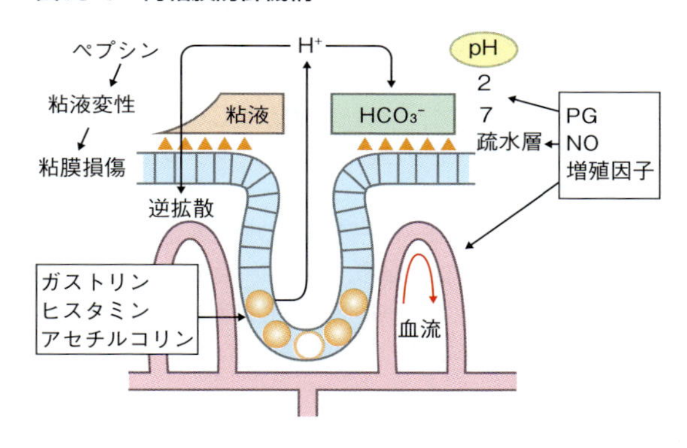

図18-3　ヘリコバクター・ピロリ

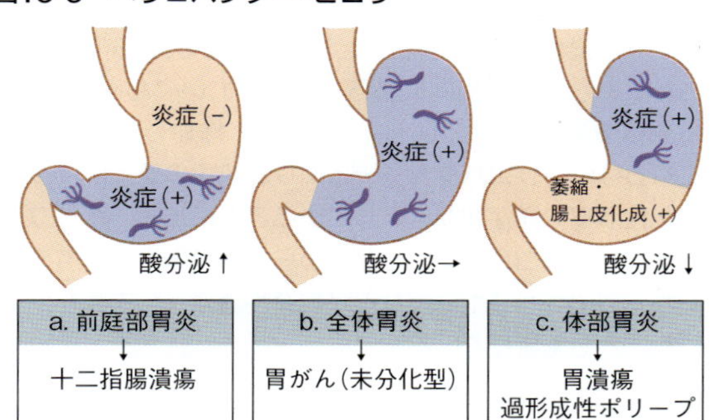

図18-2　胃潰瘍・十二指腸潰瘍の分類[2]

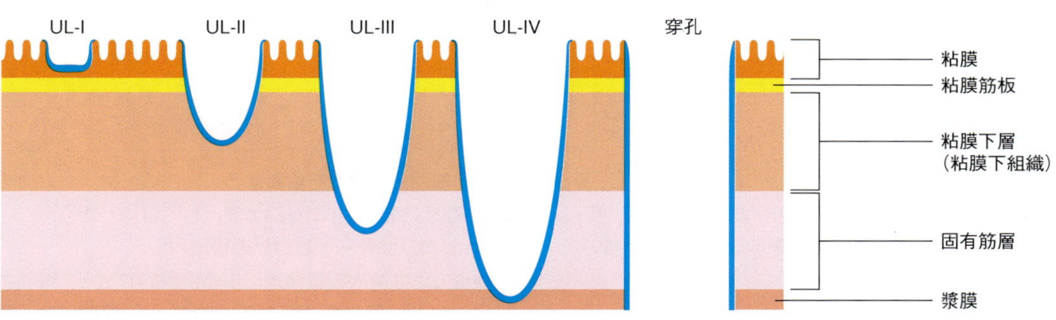

UL-I ：粘膜の浅い欠損
UL-II ：粘膜筋板を破って粘膜下層に達したもの
UL-III：欠損が固有筋層の一部に及ぶもの
UL-IV：欠損が固有筋層を貫き，粘膜下組織あるいは漿膜に及ぶもの
穿孔 ：潰瘍が深くなり，穴が開いた状態

場合では，下部消化管出血のリスクが増加し，出血の重症化や再出血のリスク，大腸憩室出血のリスクが高くなる[8]．

ちなみに，高齢者は，NSAIDsや低用量アスピリンを常用していることも多く，服用が消化管粘膜障害を引き起こすリスクを高める．とくに，NSAIDsの内服では大腸憩室出血，低用量アスピリンでは上部消化管出血，NSAIDsと低用量アスピリンの併用では下部消化管出血を惹起しやすい[8]．超高齢社会にある日本においては，多剤併用する高齢者も増加しており，薬剤性消化性潰瘍の成因，病態，診断，治療の確立は急務とされている．

ところで，NSAIDsなどの服用により，高頻度で小腸粘膜に傷害を引き起こすことがわかっている[8]．これは，カプセル内視鏡や小腸内視鏡が開発されて広範囲の消化管の検査が可能になったことで，明らかにされた．つまり，上下部消化管障害に限らず，消化管全域における影響を鑑みた対処が必要である．

そのほかの胃粘膜傷害を惹起する薬剤として経口ステロイド薬が知られている．単剤でも組織修復抑制作用によって胃・十二指腸粘膜傷害をきたすが，とくに低用量アスピリン，NSAIDsと併用する場合に，傷害作用が強くなる．

(3)特発性潰瘍

諸外国においては，1990年から2000年にかけての報告で，特発性潰瘍の発症が全消化性潰瘍の30%前後を占めており，増加傾向にある．日本においても同様で，特発性潰瘍の発症は10%以上とされ，増加している[9]．これらは，ヘリコバクター・ピロリ感染率の低下に伴う消化性潰瘍の発症数が低下していることに加え，ヘリコバクター・ピロリ感染にもかかわらず潰瘍発生には直接関わっていなかった潰瘍などが特発性潰瘍として顕在化したことも影響している[9]．

(4)その他

糖尿病や肝硬変では，胃粘膜の血流障害を引き起こすため，消化性潰瘍を発症するリスクが高い．加えて，抗がん薬肝動注療法後，多量のアルコール摂取，ゾリンジャー・エリソン症候群，サイトメガロウイルスの感染，潰瘍性大腸炎，クローン病が，消化性潰瘍発症のリスク因子にあげられる．

なお，ゾリンジャー・エリソン症候群では，酸分泌を刺激するホルモンであるガストリンを過剰に生産する腫瘍が形成され，難治性・再発性の消化性潰瘍を引き起こす．ガストリノーマともよばれ，十二指腸下行部に好発する．

臨床症状

(1)心窩部痛，上腹部痛

胃潰瘍では，食後に上腹部(心窩部)の鈍痛を引き起こす．十二指腸潰瘍では，空腹時に心窩部痛が発症するが，摂食によって軽減する．

出現頻度が高い症状で，持続性の鈍痛を呈することが多い．しばしば上腹部より背部・肩部に放散することがある．

(2)胸やけ，曖気(げっぷ)，呑酸

胸やけは，仰臥位で誘発されやすい．

曖気(あいき)は，心窩部痛などの苦痛症状により，唾液や空気を頻回に嚥下することで生じると考えられる．

酸っぱい液体にともなって曖気が出る呑酸(どんさん)もみられる．

(3)悪心・嘔吐，食欲不振，腹部膨満感などの随伴症状

潰瘍形成によって粘膜が浮腫を起こし，幽門や十二指腸球部の内腔が狭窄することで食塊の通過障害を起こし，腹部膨満感，食欲不振が起こる．狭窄がさらに進行すると，胃液貯留によって嘔吐が誘発される．潰瘍部位からの出血や穿孔によっても悪心，嘔吐がみられる．

(4)吐血・下血

潰瘍からの出血で，吐血・下血が生じる．血液が胃酸と混じることでヘモグロビンが塩酸ヘマチンに変化して黒褐色となる．

吐血は，多くがコーヒー残渣様の性状を呈するが，出血量が多いと新鮮血になる．下血は，上部消化管で出血が変性して，黒色のタール便として排泄される．出血量が多いと新鮮血になる．

(5)腹部圧痛

臍部と剣状突起の間に，限局性の圧痛を認めることが多い．胃潰瘍の場合は心窩部に限局し，十二指腸潰瘍ではそれより右上部寄りに偏っている傾向にある．消化性潰瘍の病巣部が圧痛点となっている．

4) 検査・診断

(1)上部消化管内視鏡検査

確実な診断を行うために実施する．潰瘍部の出血，穿孔の有無を確認し，組織学的診断をするために病変部の組織を生検する．

(2)上部消化管造影検査

発泡剤と硫酸バリウムを用いて，X線下で体位を変換しながら，食道，胃，十二指腸を造影する検査である．病変の範囲，深達度を診断する．

病変部は特徴的なニッシェ像として確認できる．

(3)ヘリコバクター・ピロリの検出

検査方法は胃内視鏡検査による侵襲的方法と，呼気検査などの非侵襲的方法がある(**表18-1**)．保険診療で感染診断をする場合は内視鏡検査を行い，胃炎の有無を確認する．

(4)組織学的鑑別診断

内視鏡下で生検した病変組織を，組織学的に鑑別する．

(5)既往や薬物療法の履歴

消化性潰瘍を合併しやすい疾患に罹患していないか，NSAIDsや低用量アスピリンを常用していないかを聴取する．

(6)胃液検査

胃液は，胃管を挿入し，左側臥位で１時間安静にして採取する．胃液中の酸分泌機能やペプシンの活性を測定する．また，胃酸分泌刺激薬を投与して酸分泌刺激後の胃酸分泌量を測定する．胃潰瘍では，基礎分泌量および刺激後の酸分泌は亢進する．

5）治療

消化性潰瘍の治療は，まず，出血・穿孔・狭窄の合併症がある場合と，これらの合併症がない場合に大きく分けて治療を進める（**図18-4**）．合併症がない場合は，NSAIDsの使用の有無を確認する．NSAIDsを使用している場合は直ちに中止する．NSAIDsの使用がない場合はヘリコバクター・ピロリの有無を検査し，ヘリコバクター・ピロリ陽性の場合は除菌治療を行う．ヘリコバクター・ピロリ陰性もしくは除菌適応がない場合は，非除菌治療として酸分泌抑制薬の治療を行う．

(1)薬物療法

①ヘリコバクター・ピロリ除菌治療

除菌基本治療は３剤併用で，具体的には，プロトンポンプ阻害薬（PPI：proton pump inhibitor），アモキシシリン（AMPC：amoxicillin），クラリスロマイシン（CAM：clarithromycin）である．１日２回（朝・夕），７日間服用する．最近は，飲み忘れの少ないパック製剤もある．なお，除菌率を低下させる主な原因は，CAM耐性菌の増加とされている．その場合は，二次除菌治療（PPI，AMPC，メトロニダゾール）を行う．この際も一次除菌と同様，１日２回（朝・夕），７日間服用する．除菌後の再感染率は年１％以下である．ちなみに，２つの方法は保険適用となっている．

②非除菌治療

胃・十二指腸潰瘍の非除菌治療（初期治療）では，第１選択として酸分泌抑制薬であるプロトンポンプ阻害薬（PPI）を服用する．この薬剤は，プロトンポンプの働きを阻害し，胃壁細胞からの胃酸分泌を抑制させる．強力な胃酸抑制効果がある．

第１選択としてPPIが選択できない場合，ヒスタミンH_2受容体拮抗薬（H_2RA）を服用する．H_2RAは，ヒスタミンと胃壁細胞のヒスタミンH_2受容体との

表18-1　ヘリコバクター・ピロリの検出方法（侵襲的・非侵襲的）

種類	方法	内容	備考
胃内視鏡検査	細菌学的診断	生検検査で採取した菌を分離培養する	
	病理学的診断	HE（ヘマトキシリン-エオジン）染色，ギムザ染色，または免疫染色をした標本を顕微鏡で観察し，感染を認識する．弱好塩基性の桿菌あるいはらせん菌として，粘液円柱上皮に付着するか，粘液層のなかに浮く形で観察される	
	迅速ウレアーゼ試験	菌体の有するウレアーゼ活性指標．内視鏡検査中に，前庭部大彎および体上部大彎より，生検にて胃粘膜を採取し，キットにて診断する	
非侵襲的検査法	尿素呼気試験 Urea breath test：UBT	検査薬（^{13}C-尿素）を服用し，呼気により排出されたウレアーゼ活性の成分を検査する．胃内全体に存在するヘリコバクター・ピロリを反映する	高価だが簡便で感度特異度の高い検査で，除菌判定（除菌治療後４週以降）に適している
	血清抗体診断法*	ヘリコバクター・ピロリに感染したことにより生成された血液中の抗体量を測定する．必ず抗体価を記載する必要がある	陰性者のなかに胃がんリスクの高い過去の感染や除菌後症例が含まれることがあるため，注意が必要（除菌判定に用いる場合は除菌治療後６か月以降）
	尿中抗体診断法*	ヘリコバクター・ピロリに感染したことにより生成された尿中の抗体量を測定する．必ず抗体価を記載する必要がある	除菌後の抗体価低下には１年以上かかる場合もある
	糞便中ヘリコバクター・ピロリ特異抗原測定法	便中ヘリコバクター・ピロリ抗原の有無を判定	

*抗体検査：抗体価が陰性であっても比較的高値の場合は，ヘリコバクター・ピロリの既感染の場合を少なからず認めるので，胃がんリスクが低いと解釈してはいけない．

結合を阻害して，胃酸分泌を抑制する．あるいは，選択的ムスカリン受容体拮抗薬（アセチルコリン受容体拮抗薬）は，ムスカリンM_1受容体に作用して，胃酸分泌を抑制する．H_2RAと同様，潰瘍治癒に効果が高い．それ以外では，PG製剤や粘膜防御因子増強薬を用いることがある．

③維持療法

消化性潰瘍の再発抑制には，ヘリコバクター・ピロリ除菌治療が第１選択となるが，非除菌例の胃潰瘍ではH_2RAなどの酸分泌抑制薬や防御因子増強薬，十二指腸潰瘍ではPPIもしくはH_2RAなどの酸分泌抑制薬や防御因子増強薬を併用した維持療法が有効である．２年ほど継続した治療が有効であるとされる[5]．

図18-4　消化性潰瘍の治療のフローチャート

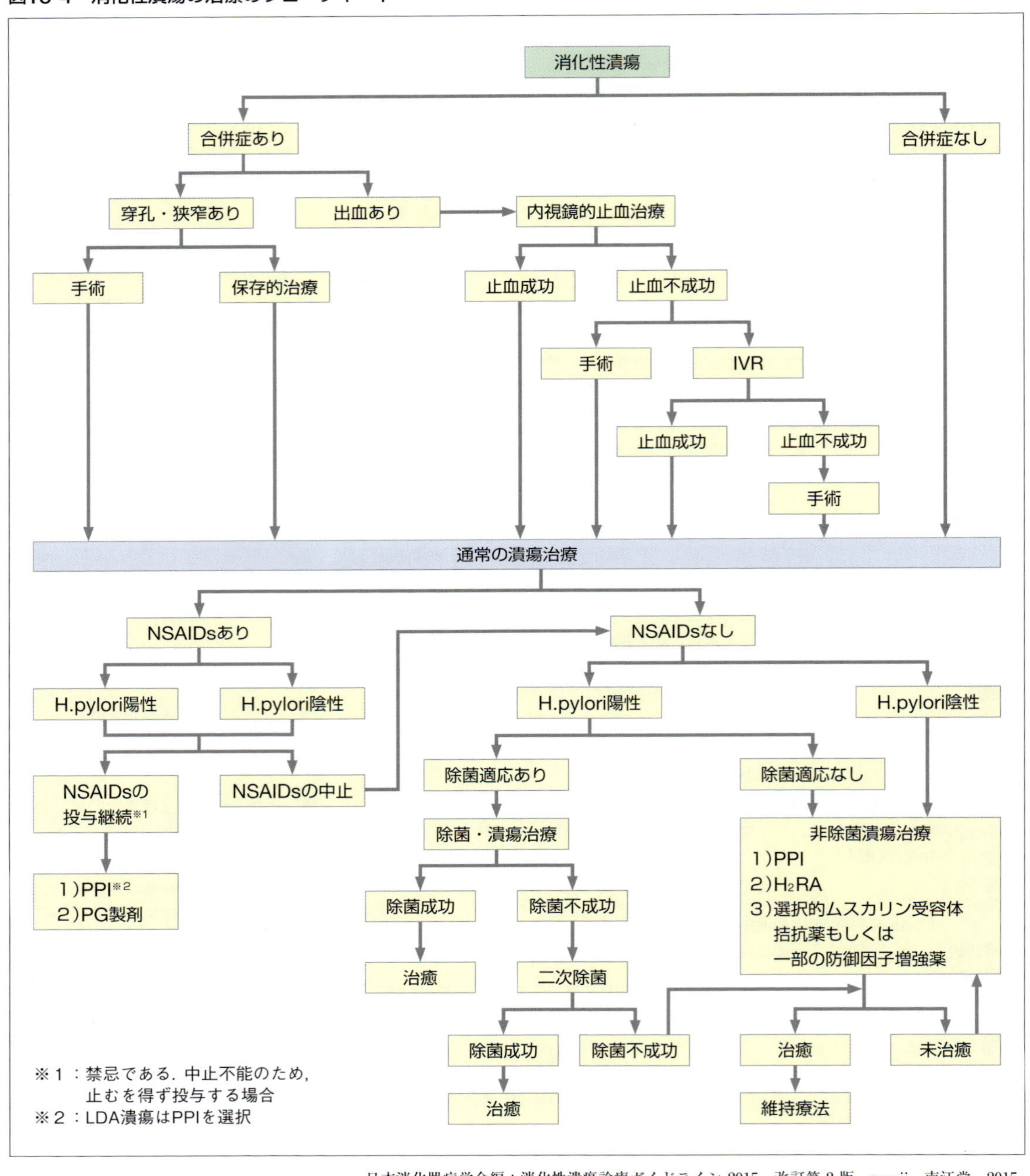

日本消化器病学会編：消化性潰瘍診療ガイドライン 2015．改訂第２版，p.xvii，南江堂，2015.

(2)NSAIDs，低用量アスピリンの中止

NSAIDsに起因する消化性潰瘍は，服薬の中止が重要である．NSAIDsを中止した後は，NSAIDs不使用例と同様に治療を進める．しかし，服用中止が困難な場合は，PPIまたはPG製剤を併用して服用する．

低用量アスピリンにおいてもNSAIDsと同様，消化性潰瘍を発症した場合は直ちに服薬を中止する．低用量アスピリン服薬例では，上部消化管出血のリスクが高いため，服薬中止が困難な場合はPPIまたはH_2RAを併用して服用する．

(3)出血に対する治療

消化性潰瘍の深達度によっては出血を引き起こす．

フォレスト(Forrest)分類(**表18-2**)による噴出性出血や湧出性出血がみられる潰瘍，あるいは露出血管が認められる潰瘍は，内視鏡的止血法(**表18-3**)が行われる．エピネフリン局注法，クリップ法などがある．

内視鏡治療後，急性期は絶飲食とし，酸分泌抑制薬としてPPIまたはH_2RAを静脈内投与する．出血性ショックを認める場合は輸血が行われる．

(4)穿孔に対する治療

消化性潰瘍が進行し，病変部の深達度が漿膜を超えて腹膜に達する状態を穿孔という．

程度の軽い限局性腹膜炎の併発でとどまっている場合は内科的治療となり，絶飲食，補液，経鼻胃管の留置，抗菌薬および酸分泌抑制薬であるPPIまたはH_2RAの静脈内投与となる．

腹膜炎の症状が改善しない場合や，吐血，下血が認められる場合や70歳以上の高齢患者の穿孔例に対しては，外科的治療が行われる．外科的治療としては，腹腔洗浄ドレナージ，穿孔部閉鎖大網被覆術が行われる．

(5)狭窄に対する治療

慢性的な狭窄が認められる場合は，内視鏡下バルーン拡張術が行われる．効果が認められないときは外科的治療が行われる．

6) 予後

出血や穿孔などの合併症を伴わなければ予後は良好である．しかし，再発を繰り返し，慢性的に経過する場合もある．

表18-2　改変フォレスト分類

Ⅰ．活動性出血
a. 噴出性出血
b. 湧出性出血
Ⅱ．出血の痕跡を認める潰瘍
a. 非出血性露出血管
b. 血餅付着
c. 黒色潰瘍底
Ⅲ．きれいな潰瘍

表18-3　内視鏡的止血法

機械的止血法	クリップ法
薬剤局注法	
血管収縮剤局注法	エピネフリン 高張Naエピネフリン(HSE)
硬化剤局注法	純エタノール ポリドカノール
凝固法	高周波凝固(モノポーラー，バイポーラー) Nd-YAGレーザー ヒータープローブ アルゴンプラズマ(APC) マイクロ波凝固 ソフロ凝固

2. 看護過程の展開

アセスメント～ゴードンの機能的健康パターンを用いて

パターン	アセスメントの視点	根拠	収集する情報
(1) **健康知覚-健康管理** 患者背景 健康知覚-健康管理 価値-信念	●消化性潰瘍の悪化や，再発の誘因となるものはないか ●消化性潰瘍であることを認識しているか ●患者の認識する健康状態と現在の健康状態に乖離はあるか ●管理計画の有無や方法はあるか ●今後必要と考えている疾病管理行動があるか ●期待する医療者の支援はどのようなものか ●心身の安寧，精神的な健康の順守方法はあるか ●元来もつ個人的健康管理方法のパターンはどうなっているか ●症状や治療に必要なことを理解できているか	●消化性潰瘍の原因である，①ヘリコバクター・ピロリの感染，②NSAIDs・低用量アスピリンの使用，以上①②のほかに，肉体的・精神的ストレスは潰瘍を形成・悪化誘因になるとされている．①に対しては，除菌に成功すれば極めて高い確率で再発は予防できる． ●慢性的な疾患や症状に対する治療としてNSAIDsや低用量アスピリンを使用していることが消化性潰瘍の原因になる． ●不規則な日常生活や，社会生活を送るうえでの身体的・精神的ストレスは，病気を悪化・進行させる誘因ともなる． ●喫煙は，消化性潰瘍の治癒に必要な胃粘膜血流を減少させるともいわれ，治療効果を下げることが指摘されている． ●消化性潰瘍の再発を予防するために，薬物療法が行われることがある．治療の継続には，患者のセルフケア能力や社会生活背景，ストレスコーピングが影響する． ●消化性潰瘍の再発を繰り返している場合は，生活習慣を変更せざるを得ないこともある． ●悪化防止，再発予防のためには治療の継続，規則的な生活，適切なストレスコーピングなどを心がける必要がある． ●ヘリコバクター・ピロリの除菌や潰瘍治療の中断は，症状の悪化，治癒過程の遅延，再発を繰り返す原因になる．	●年齢，性別 ●社会的背景（職業の有無，職種，業務内容，職場での地位，職場の繁忙度や人間関係など） ●家族的背景（家庭での役割，家族状況，経済状況） ●精神状態（精神的ストレスの有無とその原因，ストレスコーピング） ●日常生活習慣（喫煙の有無・程度，飲酒の有無・程度，食生活，嗜好品，睡眠時間，排便・排尿状況など） ●現病歴（発症の時期，病状，治療の経過など） ●患者の病識の程度（疾患や症状，治療に対する反応，理解度など） ●ヘリコバクター・ピロリ除菌歴の有無，治療効果 ●ヘリコバクター・ピロリ感染家族の有無 ●消化性潰瘍に関連する症状の有無 ●常用薬・種類・服用量・回数（NSAIDs・低用量アスピリンの服用歴の有無） ●採血データ（白血球数，赤血球数，他血清・生化学検査） ●検査所見 ・上部消化管内視鏡検査 ・腹部X線検査 ・ヘリコバクター・ピロリ検査 ●既往歴：消化性潰瘍の既往の有無，糖尿病，肝臓疾患，その他潰瘍を併発しやすい疾患の罹患の有無 ●健康状態の認識（病識，疾病管理能力） ●健康（ワークライフバランス，自覚症状の知覚，問題対処行動など）管理状態 ●服薬の有無 ●受診結果 ●これまでの指導歴 ●バイタルサイン ●病気に対する思い

パターン	アセスメントの視点	根拠	収集する情報
(2) 栄養-代謝 全身状態 栄養-代謝 排泄	●腹痛などの症状の出現と，食事摂取の時間や量・内容が関係しているか ●食習慣（嗜好・摂取量・摂取時間と睡眠時間など）に問題がないか ●水分摂取量や内容に問題がないか ●栄養状態に問題はないか	●胃潰瘍では，食事摂取後30～60分で腹痛が出現することが多く，十二指腸潰瘍では，空腹時に増悪することが多い．潰瘍が穿孔を起こした場合は，漿膜が刺激されて激痛が増強して持続する． ●腹痛や随伴症状の出現により，食欲不振，栄養状態の悪化を引き起こし，潰瘍治癒の遅延をもたらす．また，潰瘍部の炎症や瘢痕化で狭窄が生じ，通過障害から嘔吐がみられることがある． ●ヘリコバクター・ピロリ除菌中でも２次除菌を行っている場合（メトロニダゾール）は，アルデヒド脱水素酵素阻害作用によって血中アセドアルデヒド濃度が上昇するため，アルコールは禁止する必要がある． ●酸分泌抑制薬投与下では，食事による胃内酸度に差がないため食事内容は治療成績や，症状の管理に影響はないとされている． ●カフェイン，香辛料などの刺激物の多量摂取は避けることが推奨される． ●吐血による口腔内の不快感は嘔吐を誘発して再出血を引き起こしやすくなる．また，下血時は，便の回数が多くなり，肛門部に炎症が起こり，びらんを形成することもある．	●皮膚の状態 ●口腔粘膜の状態 ●採血データ（血清総タンパク・アルブミン値，ヘモグロビン値，酸塩基平衡，白血球数，C反応性タンパク（CRP）など） ●通常の食事摂取状況（時間や間隔・回数・量・内容・嗜好など） ●食欲の有無，程度 ●食後の腹痛・胸やけ・悪心・嘔吐の有無 ●水分摂取状況（飲水量，種類） ●体重 ●身長 ●BMI ●皮下脂肪量
(3) 排泄 全身状態 栄養-代謝 排泄	●排便の状態に問題はないか ●排便・排尿習慣に問題はないか ●発汗状態に異常はないか	●消化性潰瘍と，それによる症状として腹痛や吐血・下血がみられることがある．	●排便パターン（回数，性状，色調など） ●排便時症状の有無（腹痛，不快感，悪心・嘔吐，肛門痛など） ●便潜血の有無，程度 ●排尿パターン（回数，色調，残尿感・排尿時痛の有無，間隔など）
(4) 活動-運動 活動・休息 活動-運動 睡眠-休息	●消化性潰瘍の症状によりADLに問題は生じていないか ●身体活動量に問題はないか ●活動耐性低下が生じていないか ●制限されている日常生活はあるか ●運動習慣はあるか ●余暇はどのように過ごしているのか	●消化性潰瘍による疼痛がある場合は，ADLに支障をきたす場合がある． ●出血性潰瘍の場合，貧血随伴症状によって身体活動量の低下に至る場合もある． ●腹痛は，筋緊張を増大させる．それにより，患者のADLが制限されたり，睡眠が障害されたり，全身の疲労感が生じる可能性がある．	●ADLの状況（摂食，入浴，排泄，更衣，整容，調理，家事，全般的な身体可動性） ●歩行，姿勢 ●身体活動量（デスクワーク中心の軽作業・立ち仕事が中心の中労働・力仕事が中心の重労働） ●活動に伴う症状（動悸，息切れ，立ちくらみなど） ●筋緊張の有無，関節可動域制限の有無 ●余暇の過ごし方
(5) 睡眠-休息 活動・休息 活動-運動 睡眠-休息	●睡眠に問題はないか ●休息できているか ●心身の安静は保たれているか	●十二指腸潰瘍では，夜間の胃酸分泌増加に伴い，疼痛が発生し，夜間覚醒を引き起こす．	●睡眠パターン，睡眠時間，熟睡感 ●睡眠導入薬などの使用の有無 ●夜間覚醒の有無，程度 ●日中活動状況 ●普段のリラクゼーション法

パターン	アセスメントの視点	根拠	収集する情報
(6) 認知-知覚 知覚・認知 認知-知覚 自己知覚-自己概念 コーピング-ストレス耐性	●感覚機能に問題はないか ●記憶・注意に問題はないか ●意思決定に問題はないか ●理解度に問題はないか ●胃痛・腹痛やむかつきなど，苦痛・不快はないか	●年齢や脳機能障害によっては，消化性潰瘍に伴う症状を自覚しにくい．	●視覚，聴覚，触覚，嗅覚の異常の有無，程度 ●補聴器の使用の有無 ●視力矯正の有無 ●記憶 ●服薬・管理方法の理解，程度 ●服薬行動における協力者の有無（家族，周囲の人，訪問看護，訪問介護ほか） ●手指，上肢の巧緻性 ●腹痛や胸やけ，悪心などの症状の自覚，対処方法 ●意思決定（治療方針，日常生活上など）に関する言動
(7) 自己知覚-自己概念 知覚・認知 認知-知覚 自己知覚-自己概念 コーピング-ストレス耐性	●自尊感情に問題はないか ●感情の表出に問題はないか ●自身の置かれている状況を理解し，今後のことをイメージできているか	●自分自身への感情のもち方（よい生き方をしていると思っているか，他人と比べて自分が不幸だと思っているかなど），自己の表現の仕方によって，疾病に罹患した自分をどのように知覚しているかを確認することができる． ●ヘリコバクター・ピロリから慢性胃炎，胃がんの発症に移行するのではないかと不安を抱くこともある． ●吐血・下血には，胃液や粘液が混入しているため，実際の出血量より多く感じられる．緊急の処置や検査が行われる場合が多いので，患者は不安，恐怖心，重症感を抱きやすい．それによって，精神的・身体的に安静を保ちにくい状態になり，治癒過程に悪影響を与え，再出血や全身状態の悪化を招くことになる．患者だけでなく，家族の動揺も大きいものとなる．	●自分自身の理解，認識の仕方 ●消化性潰瘍になった自分の受け止め方 ●不安，怒りなどのマイナス感情の有無，程度 ●元来の性格
(8) 役割-関係 周囲の認識・支援体制 役割-関係 セクシュアリティ-生殖	●家庭や地域での役割と関係に問題はないか ●職場での役割と関係に問題はないか ●他者との関係性を形成するうえで問題はないか	●疾病管理や症状管理の遂行において，家族関係，職場や地域での役割が変化することもある． ●悪化防止・再発防止には周囲の人の心理的サポート，社会生活の場での理解が必要である．定期的な検査や治療の継続によって，社会的な役割を遂行できないときもある．	●家族や他者による面会の様子 ●家族や周囲の人が病気になったことをどう受け止めているか ●職業内容，役割 ●発症や治療に伴う家庭，会社での役割の変化の有無 ●家庭，会社における代償的役割の遂行の有無 ●社会的グループへの参加の有無 ●家族の不安の有無 ●経済上の問題の有無 ●日常生活上の人間関係
(9) セクシュアリティ-生殖 周囲の認識・支援体制 役割-関係 セクシュアリティ-生殖	●生殖機能に問題はないか	●女性の場合，月経随伴症状の有無と消化性潰瘍による症状と鑑別する必要がある．	●（女性の場合）月経，月経随伴症状の有無，程度，期間 ●妊娠可能性の有無 ●性的な問題の有無

パターン	アセスメントの視点	根拠	収集する情報
(10) コーピング-ストレス耐性 知覚・認知 認知-知覚 自己知覚-自己概念 コーピング-ストレス耐性	●ストレス耐性に問題はないか ●コーピング方法に問題はないか ●ストレスとなる出来事は最近生じていないか ●リラクセーションの方法に問題はないか ●問題解決における対処行動に問題はないか	●ストレス過多は，消化性潰瘍の発症の要因となる． ●ストレスイベントが生じた際に適切な対処がとれないと悪化要因となる． ●ストレス過多の状態になると大脳皮質から視床下部に伝わり，迷走神経や内臓神経が興奮し，胃酸の分泌が増加したり，胃粘膜の血流低下が生じることで，潰瘍の発生や，治癒を妨げる可能性がある． ●日常生活上の精神的・身体的ストレスが自律神経系の働きに影響を及ぼし，潰瘍の形成や治癒過程の遅延に関与してくる．	●ストレッサーの有無，内容 ●ストレスに対する対処方法 ●コーピングのためのサポート体制の有無 ●レジリエンスの状態，程度 ●飲酒量，頻度，機会の有無
(11) 価値-信念 患者背景 健康知覚-健康管理 価値-信念	●治療の継続や生活習慣の改善に影響を及ぼす価値観，信念はあるか	●価値観，目標，信念(信仰も含む)は，疾病管理や受療行動に影響する．	●人生や健康に関する価値観，信念，欲望 ●スピリチュアリティ ●パーソナリティ ●上記に関して心配に思っていることの有無，その内容

3. 全体像の把握から看護問題を抽出

1）病態関連図

胃・十二指腸潰瘍の発症まで

胃酸やペプシン，ヘリコバクター・ピロリの感染によって，胃や十二指腸に潰瘍を形成するものを総称して消化性潰瘍という

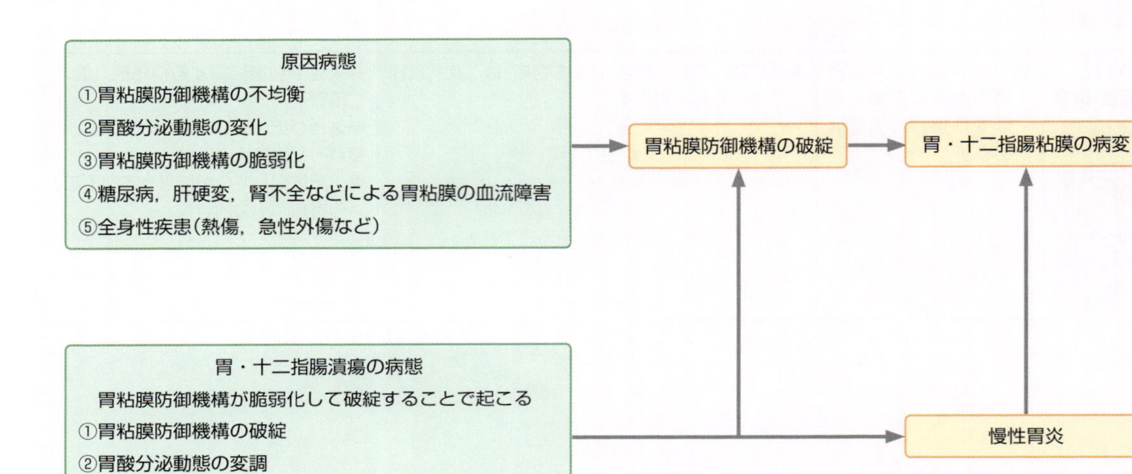

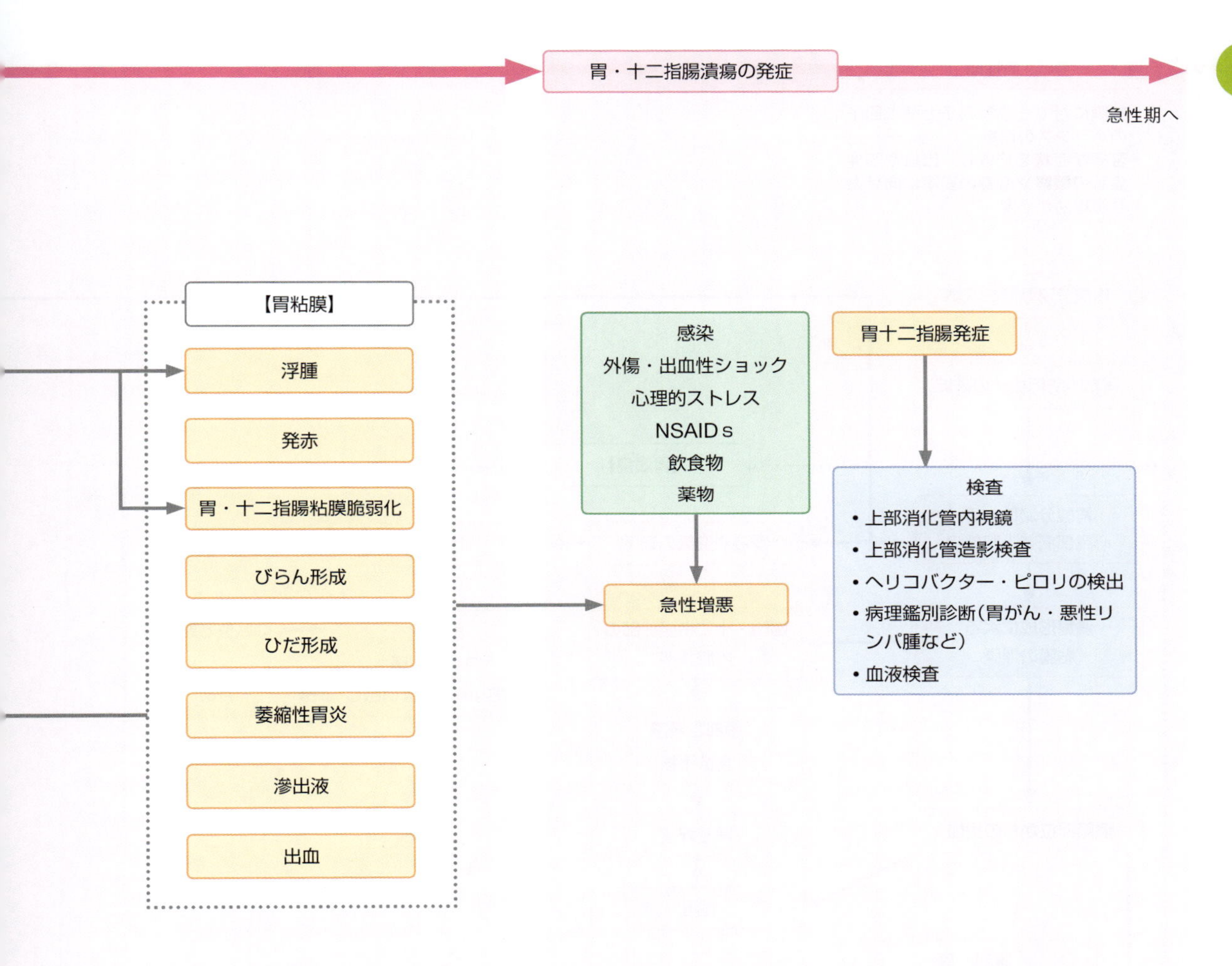
胃・十二指腸潰瘍の発症
急性期へ
【胃粘膜】
浮腫
発赤
胃・十二指腸粘膜脆弱化
びらん形成
ひだ形成
萎縮性胃炎
滲出液
出血
感染
外傷・出血性ショック
心理的ストレス
NSAIDｓ
飲食物
薬物
急性増悪
胃十二指腸発症
検査
• 上部消化管内視鏡
• 上部消化管造影検査
• ヘリコバクター・ピロリの検出
• 病理鑑別診断（胃がん・悪性リンパ腫など）
• 血液検査

1）病態関連図（続き）

原因・誘因　検査・治療　病態・臨床症状（色文字は重要な症状）　看護上の問題

急性期

・粘膜に対する攻撃因子と防御因子のバランスの崩壊
・苦痛な症状を把握し，出血や随伴症状の観察や心身の安寧に向けた看護援助が必要

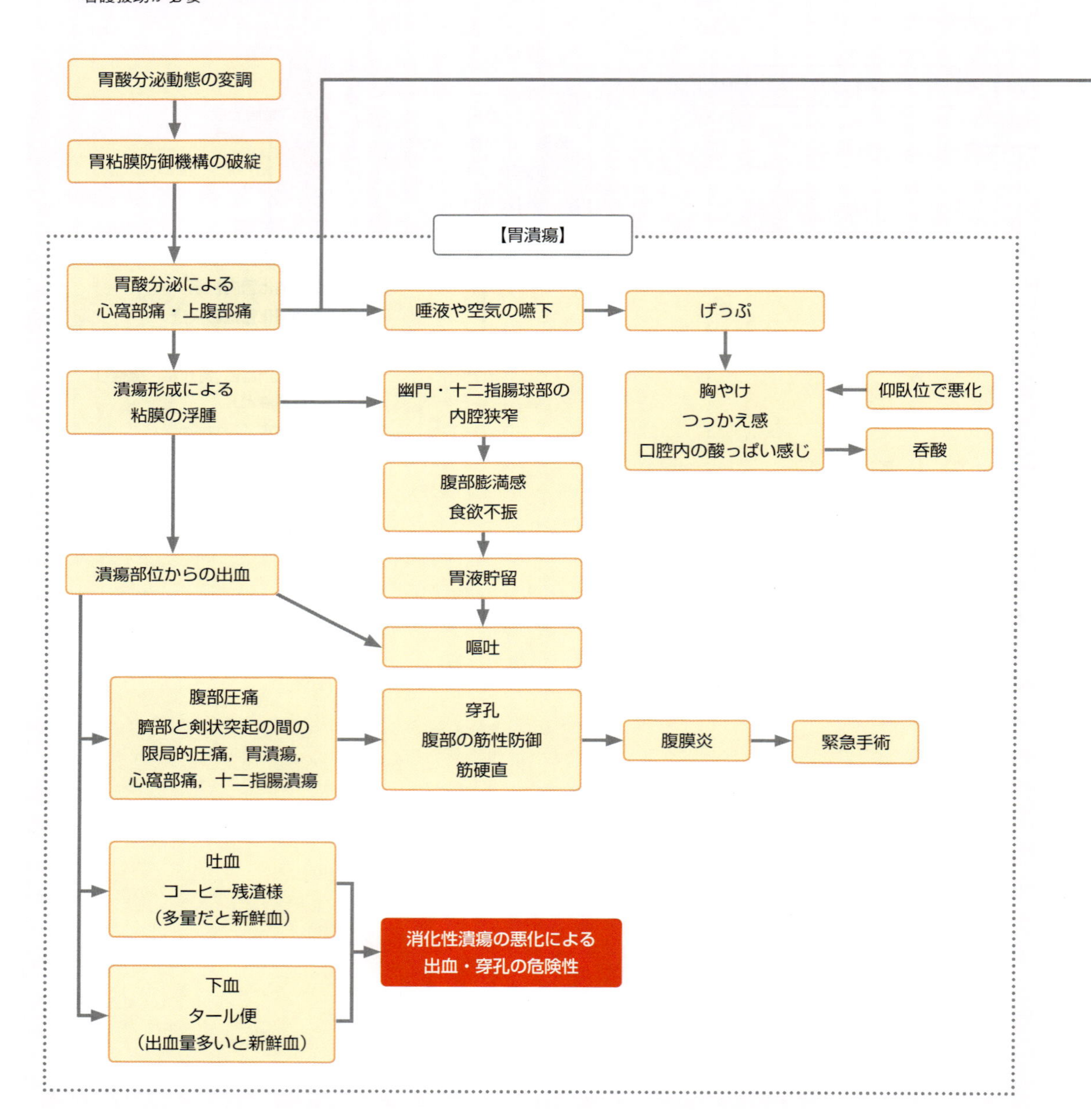

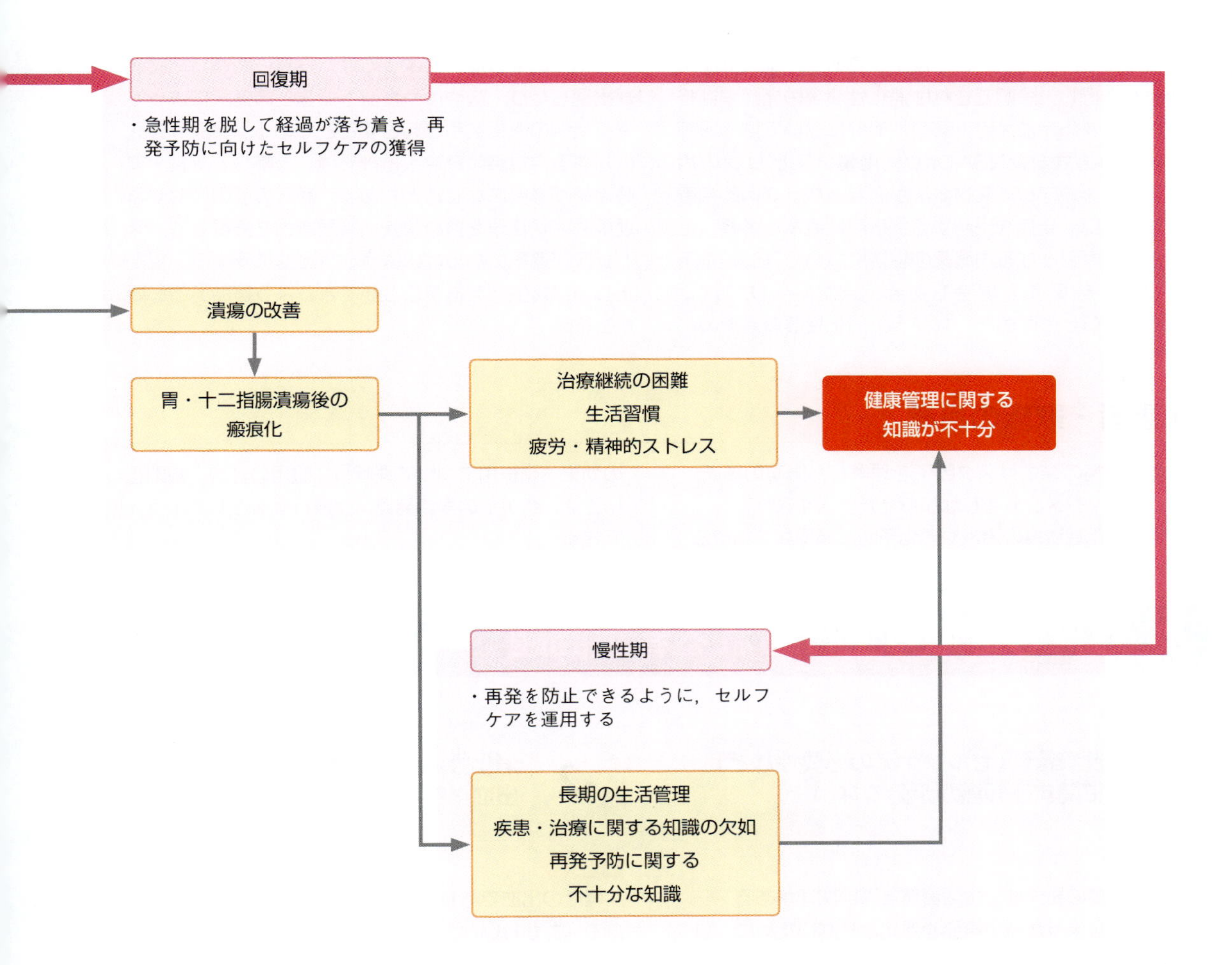
回復期
・急性期を脱して経過が落ち着き，再発予防に向けたセルフケアの獲得
潰瘍の改善
胃・十二指腸潰瘍後の瘢痕化
治療継続の困難
生活習慣
疲労・精神的ストレス
健康管理に関する知識が不十分
慢性期
・再発を防止できるように，セルフケアを運用する
長期の生活管理
疾患・治療に関する知識の欠如
再発予防に関する
不十分な知識

2）看護の方向性

消化性潰瘍が進行すると出血・穿孔に発展し，腹膜炎や出血性ショックによって生命の危機的状態に陥るリスクもある．消化性潰瘍の発症・悪化を予防するためには，早期にヘリコバクター・ピロリ感染の有無を明らかにし，除菌することが重要である．確実な服薬治療を遂行し，除菌できれば消化性潰瘍の発症率は格段に低下する．加えて，薬剤性潰瘍においては，医師により処方されたNSAIDsや低用量アスピリンの用法・容量を順守し，薬物療法が必要となっている疾患管理を行い，発症を予防する．薬剤性潰瘍を併発した場合は，原因となる内服薬の継続について医師の指示に従って休薬する場合もある．また，ヘリコバクター・ピロリの除菌をしながら，消化性潰瘍治療のために胃酸分泌を抑制する薬物療法を併用する必要がある．出血性潰瘍の場合は内視鏡的止血治療が行われるが，止血が困難な場合や穿孔が認められる場合は，外科的手術を受けることになる．

消化性潰瘍の症状によっては，食事に関連した腹痛が出現したり，胸やけや食欲不振などの症状によって栄養状態の悪化を引き起こすこともある．出血や穿孔に対する内視鏡治療や手術後では，入院して絶食・安静治療が必要になることもある．病気の成因に対する理解や症状管理を含めた疾病管理能力を獲得して，ストレスが過多にならないよう心身ともに安寧で，規則正しい日常生活を送ることができるよう援助する必要がある．

3）患者・家族の目標

消化性潰瘍の発生リスク因子を理解し，服薬の継続，ストレスマネジメントをしながら社会生活を送れる．

家族が消化性潰瘍の治療や悪化予防に必要な薬物療法の効果・副作用について理解し，服用の継続，規則正しい生活，合併症の早期発見・受療行動をとれるよう支援できる．

4. しばしば取り上げられる看護問題

◆1 健康管理（セルフケアの必要性など）に関する知識が十分でない

なぜ？

消化性潰瘍の発生は，生活習慣と深い関連がある．一度発症してしまったら，再発や悪化させないために，自身の生活習慣を見直し，症状を管理する行動をとらなくてはならない．

消化管潰瘍の悪化防止，再発防止のためには服薬，症状管理，合併症の早期発見に関するセルフケアが必要であり，知識不足があると自己管理がうまくいかない．

看護問題の根幹となる重要な内容であるため，優先度が最も高い．

➡期待される結果

消化性潰瘍のリスク因子を理解し，再発予防のための生活習慣を獲得し，疾病管理ができる．

自己管理に必要なことがらを述べることができる．

自己管理できる．

◆2 消化性潰瘍の悪化による出血・穿孔の危険性がある

なぜ？

軽度の出血であれば，胃部不快感や便の色調など，自身で「おかしいな，いつもと違うな」という変化に気づく必要がある．早期に疾病管理行動をとることで，穿孔まで進展する前に，症状の悪化を予見する必要がある．

ヘリコバクター・ピロリによる慢性胃炎が早期に診断され，除菌ができた場合は，潰瘍発症率は著しく低下するが，除菌中に服薬を中断したり，NSAIDsや低用量アスピリンの用法・容量の指示が順守できないと，消化性潰瘍が進行し，出血性潰瘍による吐血や下血による出血性ショック，穿孔性腹膜炎による敗血症などに進展し，外科的治療に移行し，生命の危機状況に陥るリスクがある．また，多くの併存疾患があるゆえにポリファーマシーによって有害事象が生じやすい高齢者や，ストレスが過多な状態で心身の安寧がはかれていない場合など，入院看護や救急看護においては消化性潰瘍による合併症リスク管理が重要となる．

出血や穿孔の症状悪化は，非常に短時間でも発生することがある．そのため，徴候を見逃さずに即時介入しなくてはならないことから，看護問題としての優先度も高い．

➡期待される結果

消化性潰瘍に伴う出血や穿孔を起こさない．消化性潰瘍に伴う出血や穿孔を早期に発見し，受療行動がとれる．

消化管出血の徴候がみられない．

異常の早期発見，対処がなされる．

 心窩部痛や腹痛により睡眠障害を生じる危険性がある

なぜ？

生活リズムや社会生活の制約をきたしかねない症状であり，その苦痛を緩和する対応が必要になる．

確実な服薬管理によって症状管理が行えれば，腹痛や悪心・嘔吐の症状出現はコントロールできる．しかし，なかには症状により睡眠障害やADLに困難をきたすこともある．

もし，疼痛をコントロールして生活リズムをストレスなく整えることができない場合，社会参加や活動制約に波及する恐れがあることから，疾病に伴う社会生活への影響が大きいことが予測されるため，十分な介入が必要である．

➡期待される結果

消化性潰瘍に関連する心窩部痛，腹痛による苦痛が緩和する．

症状が緩和し十分に睡眠がとれる．

 腹痛や食物の消化吸収による栄養摂取バランス異常の危険性がある

なぜ？

症状や病態に関連した栄養評価は，経時的な変化を追う必要があり，緊急性が高い看護問題というよりも，持続的に介入が必要な看護問題に該当する．

消化性潰瘍ができると，胃粘膜の血流を低下させ，さまざまな胃粘膜障害を惹起することで，症状が出現する．NSAIDsによる薬剤性潰瘍では小腸・大腸の粘膜に病変をきたしやすく，小腸・大腸の潰瘍・治癒・瘢痕化を繰り返し，狭窄から消化管の通過障害が生じることもある．それらにより食事摂取が不十分となり必要な栄養素が摂取できなくなる．

取り上げた看護問題のなかで，最も長期的な目標を掲げて，段階的な評価を行う必要がある．

➡期待される結果

規則正しい食生活を送り，不適切な食行動を回避し，適切でバランスのよい栄養豊富な食事を摂取して適正体重を維持できる．

必要な栄養素が摂取できる．

5. 看護計画の立案

• O-P：Observation Plan（観察計画）　• T-P：Treatment Plan（治療計画）
• E-P：Education Plan（教育・指導計画）

♦1 健康管理（セルフケアの必要性など）に関する知識が十分でない

	具体策	根拠と注意点
O-P	**（1）患者のセルフケア能力に関する観察** ・症状，検査データ，合併症の有無，治療の効果・副作用の有無 ・薬物療法とその管理状況 ・薬剤の必要性やその副作用の理解度 ・患者の病識，理解度，セルフケア能力 ・患者のセルフケアの内容・程度 ・家族の病気の理解度，援助の有無	●ヘリコバクター・ピロリの除菌治療は，途中で自己中断してしまうと，菌の薬物に対する抵抗性が増し，治療効果が得られなくなる．患者は内服の必要性や治療の必要性を理解し，除菌治療による副作用を理解したうえで自己管理する必要がある． ●セルフケアを行いながら再発予防を目標とした日常生活および社会生活を送れるよう，病状をコントロールし，患者や家族が実施可能なセルフケアを獲得させる． ●NSAIDsや低用量アスピリンの治療が必要な基礎疾患の状態を確認し，症状コントロールの評価を行う． ●潰瘍治療薬の内服中は自己判断で中断しないか，服用の必要性，方法を理解しているかを確認する． ●ヘリコバクター・ピロリの除菌治療中は決められた内服薬，用量，回数を守り，通常７日間の継続内服をする必要がある．除菌治療中は下痢や腹痛などの症状がみられることもあるが，整腸薬の処方などによって副作用症状はコントロール可能であることを理解しているかを確認する． ●定期的な健診や，治療の継続の必要性を理解し，社会生活および日常生活を送る必要がある． ●家族および重要他者，周囲の人の疾患に対する理解を確認し，再発予防のために援助する必要性がある．
T-P	**（1）薬物療法の管理** **（2）患者および家族のセルフケア状況を確認する** **（3）精神的支援** ・性格や生活背景，心理状況，普段の対処行動を考慮しながら，対応する ・訴えを傾聴する ・家族の言動を観察する ・必要時，家族とともに患者の精神的支援を行う	●疾病管理がうまくいかず，潰瘍から出血したり，急性疼痛が出現することの恐怖や，社会生活や日常生活の中断への不安を抱くことが多い．患者および家族がどのような不安を現在抱えているかを把握し，治療行動の遂行に影響をきたさないかを判断する必要がある． ●患者本人の理解度を確認し，確実に服用する必要性を伝えながら，確実に治療薬を内服できるよう支援する． ●患者と十分に話し合い，継続可能なセルフケアを患者および家族とともに考える． ●社会生活を送りながら治療の継続に努める必要があり，自宅や社会での役割を遂行しながら継続していけるかを十分に話し合う． ●コントロールできていた症状が再燃した場合は頻回に訪室し，十分な観察と，言語的傾聴をはかる．
E-P	**（1）生活指導** ・性格や職業，今までのストレスコーピングにあわせ，患者が獲得可能な方法でセルフケア指導を行う ・日常生活と社会生活，休息のバランスを保つことの重要性を説明する **（2）服薬指導** ・潰瘍治療薬やヘリコバクター・ピロリ除菌に必要な薬剤および服用方法，副作用について指導する ・基礎疾病の管理状況に応じ，医師の指示のもとでNSAIDsや低用量アスピリンの服薬は中止する ・家族や周囲の人にも指導する	●ヘリコバクター・ピロリ除菌中の服薬は，自己中断してしまうと除菌率が低下する．消化性潰瘍の治療薬として胃酸分泌抑制薬を中断すると胃壁障害を加速させ，腹痛や心窩部痛が出現する原因となり，治癒が遅延したり，再発を繰り返す恐れがある．服薬による効果と副作用出現のリスクに関して説明し，医師の指示に従った用法・容量を遵守できるよう，本人と家族の理解度を確認する必要がある．

	具体策	根拠と注意点
E-P	**(3)食事指導** ・消化のよい，高カロリー高タンパクの食事を適量摂取する ・空腹時間を短くし，必要時消化のよい補食をとるとよいことを説明する ・食事時間は十分にとる ・食後は20～30分ほど休息をとる ・暴飲暴食を避ける ・カフェインを多く含むものや，香辛料，刺激物を多く含む食品の摂取を避ける ・熱すぎるものや冷たすぎるものの摂取を避ける	●食事によって胃酸が分泌され，潰瘍形成部の粘膜に直接影響を与える．そのため，食事に関連した腹痛の出現や出血の危険性を確実に理解し，管理を行う．また，空腹時間が長くなると胃粘膜を刺激し，腹痛が発生しやすい状況になる．
	(4)症状管理について説明する ・腹痛出現時は様子をみて，安定しないときは受診をする ・出血の前駆症状が感じられたら直ちに受診をする ・定期的に受診をする	
	(5)増悪因子の除去について説明する ・規則正しい日常生活 ・ストレスをためず，休養をとる	●心身の疲労やストレスは，自律神経系活動を亢進させ，胃液分泌の亢進，胃粘膜局所の血流低下を引き起こす．NSAIDsや低用量アスピリンの服用や，ヘリコバクター・ピロリが陽性の場合は，潰瘍形成を促進する条件がそろっており，潰瘍の治癒過程を阻害することになる．よって，仕事や家庭生活でストレスを調整する必要がある． ●治療薬を継続して内服する必要性についての理解を得る．患者および家族に説明し，理解度を確認する． ●NSAIDsや低用量アスピリンが基礎疾患のコントロールに欠かせない場合は，潰瘍治療薬と併用して服用する．その際はNSAIDsと低用量アスピリンの服用量と回数を順守し，過剰な内服を防ぐように指導する． ●消化性潰瘍はヘリコバクター・ピロリの除菌が成功した例では再発が少ないが，食事に関連して出現する心窩部痛や腹痛は潰瘍の再燃も考えられる．症状を自覚したら病院を受診するように説明する．

2 消化性潰瘍の悪化による出血・穿孔の危険性がある

	具体策	根拠と注意点
O-P	**(1)吐血・下血の有無，程度・性状** **(2)吐血・下血の前駆症状** ・悪心，前胸部・胃部不快感，腹痛 **(3)吐血・下血の随伴症状** ・胸やけ，咽頭部不快・疼痛，心窩部痛，腹痛 **(4)バイタルサインのチェック** ・意識レベル ・血圧 ・脈拍 ・呼吸数，呼吸型，酸素飽和度 ・顔色，四肢の冷感，チアノーゼの有無と程度	●病変部周囲の粘膜に露出した血管が損傷すると，急激な出血が予測される．消化管出血として下血・吐血の前駆症状を観察し，異常の早期発見に努める必要がある． ●継続的に消化管出血がある場合は，貧血となる．貧血になると消化管粘膜の血流が低下し，潰瘍治癒を阻害する． ●出血による失血状態となるとショック状態となる．吐血・下血時に意識を消失することもあるため，環境整備に努める必要がある． ●コーヒー残渣様吐物，タール便が認められたときは，潰瘍部より出血していることが考えられる．新鮮血が混じる場合は継続した出血，多量出血が推測できる． ●症状が急激に進行している可能性もあるため，吐血，下血が見られた際は，それまでの性状と比較する． ●出血量が多い場合，ショック状態に陥ることがある．バイタルサインの変動を観察し，意識状態を確認する． ●吐血・下血の前駆症状を認めた場合は側臥位で安静を保つ．

	具体策	根拠と注意点
O-P	**(5)貧血症状の有無** ・全身倦怠感 ・めまい ・息切れ・呼吸困難 ・皮膚の色調 ・冷汗，しびれ ・眼瞼アネミー（貧血）	●貧血は，出血によりRBC，Hb濃度，Htc値が低下した状態となる． （WHO基準で成人男子は13g/dL未満，成人女子や小児は12g/dL未満は貧血と定義される．出血性貧血では小球性低色素性貧血となるため，MCVやMCHCの値が低下する） ●眼瞼アネミーは，毛細血管透過性が高い眼瞼結膜の赤みで貧血状態の有無を推測できる１つのフィジカルアセスメント項目である． ●皮膚，爪床，口腔粘膜の色調でも貧血の程度を予測できる．
	(6)水分出納バランス ・補液量，尿量，嘔吐量・性状，便性状・量，体温，体重など	●In take 量は，輸液量＋経口摂取量＋代謝水（200～300mL） ・out put 量は，尿量＋不感蒸泄量になる． ・成人の不感蒸泄量は，15mL×体重（Kg）で算出できる．しかし，体温が１℃上昇するごとに不感蒸泄量は約200mL増加する． ●出血時は絶飲食となる．よってin-outバランスによる循環動態のアセスメントは重要となる．
	(7)内視鏡所見	●ショック状態の場合は全身状態の改善をはかり，循環動態が安定したのちに緊急内視鏡を施行する． ●活動期の潰瘍で，粘膜上に血管が露出し，噴出様の出血を認めた場合は，状態にあわせた止血法を実施する． ●内視鏡的止血法には，機械的止血法（クリップ法）やトロンビン粉末を散布する方法などがある．
T-P	**(1)医師の指示に従って初期治療の実施** ・血管確保および採血の実施 ・輸液・輸血の実施 ・必要時，酸素療法の実施 ・必要時，尿道カテーテルの挿入・管理を実施 ・薬物療法の管理	●出血量が多い場合は輸血と補液を同時に行うため，輸血も可能な留置針を選択する．活動期の潰瘍からの出血は，止血しても再出血しやすい．そのため安静の保持は重要になる． ●留置針を挿入し血管を確保する（16-20G）．ショック症状がみられる場合は２か所以上の血管確保を行う． ●出血が多くなって貧血状態が進行すると，Hbの酸素運搬量が著しく低下して低酸素状態になる．
	(2)安静を保持する	●安静保持の必要性がある場合やショック時は尿道カテーテルを挿入して管理する． ●絶食中は，経静脈的に酸分泌抑制薬（プロトンポンプ阻害薬）やヒスタミンH_2受容体拮抗薬を投与する．経口摂取開始後は内服薬に切り替える．
	(3)安楽な体位を確保する ・悪心・嘔吐，胸やけ，腹部膨満感があるときは腹筋の緊張を和らげるよう膝と股関節を屈曲する ・活動制限によって長時間の同一体位が続くときは，安楽枕やベッドのギャッチアップなどにより，苦痛を軽減するよう体位を適宜工夫する	●循環動態が不安定になっていると，ベッド上の体動でも血圧の低下，気分不快，嘔吐を誘発する．患者の苦痛が最小限に抑えられるよう素早く安楽な体位を確保できるよう援助する． ●急な吐血による誤嚥を予防するために前駆症状がある場合は側臥位または前傾姿勢をとるよう援助する．
	(4)合併症の予防を行う ・吐血による誤嚥を予防する ・下血による肛門部周囲のびらんを予防する ・安静保持による褥瘡形成・皮膚トラブルを予防する ・点滴ラインの自己抜去などのトラブルを予防する	●吐血および誤嚥時は直ちに対応できるよう吸引を準備する． ●消化液と混合した血液の排泄で，肛門周囲の皮膚や粘膜に炎症を起こす． ●頻回な下血によって肛門部にびらんを形成しやすい．トイレを使用中は排便後にウォシュレットを使用するようにする．安静臥床が強いられているときは，ベッド上で陰部洗浄を行う． ●出血性ショック状態に陥ると意識レベルは低下し，現状を認識することができず，点滴ラインに注意が払えなくなる．自己抜去などのトラブルは，必要な補液や輸血が中断され，患者の循環動態を保持できなくなる恐れがある． ●ライン類の整理，環境整備を行いトラブル回避する．
	(5)身体の清潔を保持する ・吐血後の口腔内を清潔に保つ ・頻回な下血時には肛門周囲を清潔に保つ	●下血・吐血による排泄物は血液のにおいが強い．嘔吐が誘発されることもあるため，直ちに処理する． ●血液と胃液が混入した吐物によって口腔内の不快感を伴う．吐血・嘔吐後は含嗽を行うよう援助する．

	具体策	根拠と注意点
T-P	**(6)環境整備を行う** ・においによる気分不快や嘔吐を誘発しないよう，換気をはかる ・貧血による転倒を防ぐためにベッド周囲の整理を行う ・安静保持により日常生活におけるセルフケアを最大限発揮できるように患者とともにベッド環境を整える	●安静保持によるセルフケアニード不足を軽減するために，制限内で患者が自由に生活できるよう支援する．
	(7)排便時の腹圧による再出血を予防するために排便の調節をはかる	
	(8)精神的援助を行う	●吐血・下血は患者にとって恐怖や不安を誘発する．患者および家族に声をかけ，精神的な安寧をはかる．
E-P	**(1) 吐血・下血による管理の必要性を説明する** ・頻回の訪室，バイタルサインの測定の必要性を説明する ・安静保持，絶飲食，輸液・輸血，点滴ラインの挿入管理の必要性や，治療上の制限を説明する ・吐血・下血や，その前駆症状を自覚したときは直ちに医療者に伝えるよう説明する ・排便による怒責，咳嗽など，腹圧をかける動作が再出血の誘因となることを説明する ・水分出納の管理が必要であることを説明する	●患者が自分の病状を理解し，疾病に対する不安や恐怖を増大させないようにする． ●出血時には速やかに対処できるよう，患者には前駆症状やその他の自覚症状について理解してもらい，異常の早期発見に努める． ●再出血の可能性を説明し，要因を除去した日常生活を送る必要性を説明する． ●胃粘膜の保護，安静のために，適切な食事の摂取方法を説明し，患者が理解して行動できるよう援助する．
	(2)貧血による症状の出現の危険性を説明する ・貧血による転倒の危険性について説明する ・貧血によって各臓器への酸素供給量が低下していることを説明し，酸素療法の必要性を説明する	

引用・参考文献

1) Kanno T et al：A multicenter prospective study on the prevalence of Helicobacter pylori -negative and nonsteroidal anti-inflammatory drugs-negative idiopathic peptic ulcers in Japan. Journal of Gastroenterology and Hepatology, 30：842-848, 2015.
2) 山田幸宏編著：看護のための病態ハンドブック改訂版．p.203，医学芸術社，2007.
3) 加藤元嗣ほか：Helicobacter pylori 感染の疫学．日本内科学会雑誌，106(1)：10〜15，2017.
4) 日本ヘリコバクター学会ガイドライン作成委員会編：H. pylori感染の診断と治療のガイドライン2016改訂版．先端医学社，2016.
5) 日本消化器病学会編：消化性潰瘍ガイドライン2015．改訂第２版，2015．https://www.jsge.or.jp/files/uploads/syoukasei2_re.pdf より2020年８月19日検索
6) Huang JQ et al：Role of Helicobacter pylori infection and non-steroidal anti-inflammatory drugs in peptic-ulcer disease：a meta-analysis. Lancet, 5：359(9300)：14-22, 2002.
7) Sakamoto C et al：Case-control study on the association of upper gastrointestinal bleeding and nonsteroidal anti-inflammatory drugs in Japan. European Journal of Clinical Pharmacology, 62(9)：765-72, 2006.
8) 山本貴嗣ほか：高齢者におけるNSAIDs起因性消化管傷害の特徴と問題について．日本消化器病学会雑誌，116(6)：479〜487，2019.
9) 飯島克則：Helicobacter pylori 感染陰性時代の消化管疾患：胃・十二指腸潰瘍はどう変わる．日本内科学会雑誌，106(1)：33〜38，2017.
10) 村上和成：Helicobacter pylori 除菌治療の現状と除菌治療後の諸問題．日本内科学会雑誌，106(1)：16〜22，2017.
11) 江川隆子編：ゴードンの機能的健康パターンに基づく看護過程と看護診断．第５版，ヌーヴェルヒロカワ，2016.
12) マージョリー・ゴードン著，江川隆子監訳：ゴードン博士の看護診断アセスメント指針．第２版，照林社，2006.

Memo

第４章　消化器疾患患者の看護過程

19 潰瘍性大腸炎

1. 疾患の基礎的知識

1）疾患の概念

炎症性腸疾患（IBD：inflammatory bowel disease）とは，慢性あるいは寛解・再燃性の腸管の炎症性疾患を総称する．そして，原因不明のIBDの多くを占める潰瘍性大腸炎（UC：ulcerative colitis）とクローン病（CD：Crohn's disease）に大別される．

潰瘍性大腸炎は，大腸粘膜と直腸側から連続して，しばしばびらんや潰瘍を形成する，原因不明のびまん性特異性炎症である．再燃と寛解を繰り返すことが多く，腸管外合併症を伴うことがある．さらに，長期的かつ広範囲に大腸をおかす場合には，がん化の傾向がある．

30歳以下の成人で罹患する割合が多いが，小児や50歳以上の年齢層にもみられる．日本では性差はみられない．1975（昭和50）年に厚生労働省の特定疾患に指定されており，2016（平成28）年の患者数は約17万人以上と，年々増加の一途をたどっている．

2）原因

原因ははっきりしていないが，遺伝子的因子と環境因子が複雑に絡みあって，なんらかの抗原が消化管の免疫細胞を介して腸管各所で過剰な応答を引き起こしていると考えられている．現在の研究では，133の遺伝子が関連しているといわれ，喫煙が潰瘍性大腸炎に対して防御的に働くという報告もあるが，因果関係は明確になっていない．経口避妊薬の服用は発症と関連し，NSAIDs（非ステロイド性抗炎症薬）は症状の増悪と発症に関連があ

表19-1　潰瘍性大腸炎診断基準（2020年１月改訂）

A. 臨床症状：持続性または反復性の粘血・血便，あるいはその既往がある．
B. ①内視鏡検査：ｉ）粘膜はびまん性におかされ，血管透見像は消失し，粗ぞうまたは細顆粒状を呈する．さらに，もろくて易出血性（接触出血）を伴い，粘血膿性の分泌物が付着しているか，ⅱ）多発性のびらん，潰瘍あるいは偽ポリポーシスを認める．ⅲ）原則として病変は直腸から連続して認める．
　②注腸X線検査：ｉ）粗ぞうまたは細顆粒状の粘膜表面のびまん性変化，ⅱ）多発性のびらん，潰瘍，ⅲ）偽ポリポーシスを認める．その他，ハウストラの消失（鉛管像）や腸管の狭小・短縮が認められる．
C. 生検組織学的検査：活動期では粘膜全層にびまん性炎症性細胞浸潤，陰窩膿瘍，高度な杯細胞減少が認められる．いずれも非特異的所見であるので，総合的に判断する．寛解期では腺の配列異常（蛇行・分岐），萎縮が残存する．上記変化は通常直腸から連続性に口側にみられる．

確診例：
[１] AのほかBの①または②，およびCを満たすもの．
[２] Bの①または②，およびCを複数回にわたって満たすもの．
[３] 切除手術または剖検により，肉眼的および組織学的に本症に特徴的な所見を認めるもの．

〈注1〉確診例は下記の疾患が除外できたものとする．細菌性赤痢，クロストリディウム・ディフィシル腸炎，アメーバ性大腸炎，サルモネラ腸炎，カンピロバクタ腸炎，大腸結核，クラミジア腸炎などの感染性腸炎が主体で，その他にクローン病，放射線大腸炎，薬剤性大腸炎，リンパ濾胞増殖症，虚血性大腸炎，腸管型ベーチェット病など
〈注2〉所見が軽度で診断が確実でないものは「疑診」として取り扱い，後日再燃時などに明確な所見が得られた時に本症と「確診」する．
〈注3〉鑑別困難例
クローン病と潰瘍性大腸炎の鑑別困難例に対しては経過観察を行う．その際，内視鏡や生検所見を含めた臨床像で確定診断がえられない症例はinflammatory bowel disease unclassified（IBDU）とする．また，切除術後標本の病理組織学的な検索を行っても確定診断がえられない症例はindeterminate coliti（s IC）とする．経過観察により，いずれかの疾患のより特徴的な所見が出現する場合がある．

厚生労働科学研究費補助金 難治性疾患等政策研究事業「難治性炎症性腸管障害に関する調査研究」（鈴木班）令和元年度分担研究報告書：『潰瘍性大腸炎・クローン病 診断基準・治療指針』．p.1，2020.

る．

3）病態と臨床症状

潰瘍性大腸炎は，なんらかの要因によって免疫学的異常が引き起こされ，腸管内抗原などによって過剰または異常な免疫反応が起こることで，腸管の炎症が生じるとされている．それは臨床経過によって，初発型・再燃寛解型・慢性持続型・劇症型に分類され，再燃寛解型が全患者の52%と大部分を占める．また，病変の部位により，直腸型・遠位大腸炎型，左側大腸炎型，全大腸炎型，右側大腸炎型に分類される．

特徴的な症状としては，腹痛，下痢，粘血便があるが，病変範囲と重症度によって症状は左右される．腹痛は，ほとんどの症例で認められ，大腸が病変になることから左下腹部痛をきたす場合が多く，腹痛は便意に伴って増強する．すなわち，腸蠕動や便意に伴う腹痛増強は特徴的な症状といえる．軽症では血便を伴わないこともあるが，重症化すれば粘膜損傷に伴って粘液便や血便も認められる．

また，潰瘍性大腸炎では日内変動が特徴的で，早朝に症状が強くなる．重症になると，食欲低下や悪心，全身倦怠感や夜間便意などの症状が出現する．

なお，腸管外合併症を有する頻度は20～40%程度とされており，強直性脊椎炎などの関節・骨合併症のほか，結節性紅斑や壊疽性膿皮症といった皮膚合併症，眼合併症，肝機能障害などがある．

4）検査・診断

問診，診察に加え，血液検査，消化管造影，腹部超音波検査，内視鏡，CT，MRIで診断する必要がある．

血液検査では，消化管出血に伴って鉄欠乏性貧血を認めることが多く，腸管炎症に伴い，白血球や血小板の増加，CRPの上昇が認められる．また，アルブミン値の低下は栄養指標だけでなく，疾患の重症度の指標ともなる．さらに，炎症性腸疾患の患者においては原発性硬化性胆管炎を合併することが多く，約30%で肝機能異常が起こるとされている．なお，大腸内視鏡検査で特徴的な所見が観察されて診断がつくことが多いため，最近では注腸造影（大腸造影法）を施行する機会は減少している．CTやMRI検査の絶対的適応としては，消化管穿孔が疑われる場合や，他臓器との間に瘻孔形成を有する場合があげられる．

診断基準は，臨床所見，画像所見，生検組織学的検査である（**表19-1**）．診断後には，臨床的重症度による分類を用いた軽度・中等度・強度の判断が重要となる（**表19-2**）．厚生労働省の基準（**表19-2**）のほかに，海外の臨床的指標が使用されている．**表19-3**のMayo Scoreは３日間で判断する．

5）治療

内科的治療

潰瘍性大腸炎と診断したら，臨床的重症度と病型，QOLの状態などを考慮し，治療指針に従って治療を開始する（**表19-4**，**図19-1**）．活動期には寛解導入治療を行い，寛解導入後には寛解維持治療を，長期にわたり継続する．重症例や全身障害を伴う中等症例に対しては，入院のうえ，脱水，電解質異常，貧血，低タンパク血症，

表19-2　臨床的重症度による分類

	重症	中等症	軽症
1）排便回数	6回以上	重症と軽症の中間	4回以下
2）顕血便	（＋＋＋）		（＋）～（－）
3）発熱	37.5℃以上		（－）
4）頻脈	90/分以上		（－）
5）貧血	Hb 10g/dL以下		（－）
6）血沈	30mm/時以上		正常

表19-3　Mayo Score

スコア	排便回数	血便	粘膜結腸	PGA
0	正常回数（①）	血便なし	正常または非活動所見	正常
1	①より１～２回/日多い	排便時の半数以下でわずかに血液が付着する	軽症（発赤，血管透見像の減少，軽度脆弱）	軽症
2	①より３～４回/日多い	ほとんどの排便時に明らかな血液がみられる	中等症（著明に発赤，血管透見像の消失，脆弱，びらん）	中等症
3	①より５回/日以上多い	大部分が血液である	重症（自然出血，潰瘍）	重症

栄養障害に対する治療が必要となる.

劇症型は急速に悪化して生命予後に影響する危険があるため, 内科と外科で協力して治療にあたる必要がある. 小児例では, 短期間で全大腸炎型に進展しやすい, 重症化しやすい, といった特徴がある. 高齢者や免疫力の低下した患者では, 免疫を抑制する薬剤治療の副作用により, 肺炎や日和見感染を発症して致死的になることがあるため, 予防投与などを考慮する必要がある.

(1)寛解導入療法

①軽症から中等症の遠位大腸炎型(直腸炎型を含む)

5-ASA(5-アミノサリチル酸)製剤の経口剤(ペンタサ®顆粒/錠・サラゾピリン®錠・アサコール®錠・リアルダ®錠), または, 坐薬(ペンタサ®坐剤・サラゾピリン®坐剤), あるいは注腸薬(ペンタサ®注腸)による治療を行う. 症状改善がなければ, 製剤の変更や追加, あるいは成分の異なる局所製剤への変更または追加を行う. ステロイドを含む製剤は, 長期投与によって副作用の可能性があるため, 症状改善によって漸減中止していくことが望ましい.

②軽症から中等症の全大腸炎・左側大腸炎型

軽症であれば, ペンタサ®顆粒/錠１日1.5～4.0g, サラゾピリン®錠１日３～４g, アサコール®錠１日

表19-4　潰瘍性大腸炎治療指針

<table>
<tr><th colspan="5">寛解導入療法</th></tr>
<tr><th></th><th>軽症</th><th>中等症</th><th>重症</th><th>劇症</th></tr>
<tr><td>全大腸炎型
左側大腸炎型</td><td colspan="2">経口剤：5-ASA製剤
注腸剤：5-ASA注腸, ステロイド注腸
フォーム剤：ブデソニド注腸フォーム剤
※中等症で炎症反応が強い場合や上記で改善ない場合はプレドニゾロン経口投与
※さらに改善なければ重症またはステロイド抵抗例への治療を行う
※直腸部に炎症を有する場合はペンタサ坐剤が有用</td><td>・プレドニゾロン点滴静注
※状態に応じ以下の薬剤を併用
経口剤：5-ASA製剤
注腸剤：5-ASA注腸, ステロイド注腸
※改善なければ劇症またはステロイド抵抗例の治療を行う
※状態により手術適応の検討</td><td>・緊急手術の適応を検討
※外科医と連携のもと, 状況が許せば以下の治療を試みてもよい.
・ステロイド大量静注療法
・タクロリムス経口
・シクロスポリン持続静注療法*
・インフリキシマブ点滴静注
※上記で改善なければ手術</td></tr>
<tr><td>直腸炎型</td><td colspan="4">経口剤：5-ASA製剤
坐　剤：5-ASA坐剤, ステロイド坐剤
注腸剤：5-ASA注腸, ステロイド注腸
フォーム剤：ブデソニド注腸フォーム剤
※安易なステロイド全身投与は避ける</td></tr>
<tr><td rowspan="2">難治例</td><th colspan="2">ステロイド依存例</th><th colspan="2">ステロイド抵抗例</th></tr>
<tr><td colspan="2">免疫調節薬：アザチオプリン・6-MP*
※(上記で改善しない場合)：
血球成分除去療法・タクロリムス経口・インフリキシマブ点滴静注・アダリムマブ皮下注射・ゴリムマブ皮下注射・トファシチニブ経口・ベドリズマブ点滴静注を考慮してもよい
※トファシチニブ経口はチオプリン製剤との併用は禁忌</td><td colspan="2">中等症：血球成分除去療法・タクロリムス経口・インフリキシマブ点滴静注・アダリムマブ皮下注射・ゴリムマブ皮下注射・トファシチニブ経口・ベドリズマブ点滴静注
重　症：血球成分除去療法・タクロリムス経口・インフリキシマブ点滴静注・アダリムマブ皮下注射・ゴリムマブ皮下注射・トファシチニブ経口・ベドリズマブ点滴静注・シクロスポリン持続静注療法*
※アザチオプリン・6-MP*の併用を考慮する(トファシチニブ以外)
※改善がなければ手術を考慮</td></tr>
<tr><th colspan="5">寛解維持療法</th></tr>
<tr><td rowspan="2"></td><th colspan="2">非難治例</th><th colspan="2">難治例</th></tr>
<tr><td colspan="2">5-ASA製剤(経口剤・注腸剤・坐剤)</td><td colspan="2">5-ASA製剤(経口剤・注腸剤・坐剤)
免疫調節薬(アザチオプリン, 6-MP*), インフリキシマブ点滴静注**, アダリムマブ皮下注射**・ゴリムマブ皮下注射**, トファシチニブ経口**, ベドリズマブ点滴静注**</td></tr>
</table>

＊：現在保険適応には含まれていない, ＊＊：それぞれ同じ薬剤で寛解導入した場合に維持療法として継続投与する

5-ASA経口剤(ペンタサ®顆粒/錠, アサコール®錠, サラゾピリン®錠, リアルダ®錠), 5-ASA注腸剤(ペンタサ®注腸), 5-ASA坐剤(ペンタサ®坐剤, サラゾピリン®坐剤)

ステロイド注腸剤(プレドネマ®注腸, ステロネマ®注腸), ブデソニド注腸フォーム剤(レクタブル®注腸フォーム), ステロイド坐剤(リンデロン®坐剤)

※(治療原則)内科治療への反応性や薬物による副作用あるいは合併症などに注意し, 必要に応じて専門家の意見を聞き, 外科治療のタイミングなどを誤らないようにする. 薬用量や治療の使い分け, 小児や外科治療など詳細は本文(注：報告書本文)を参照のこと.

厚生労働科学研究費補助金 難治性疾患等政策研究事業「難治性炎症性腸管障害に関する調査研究」(鈴木班)令和元年度分担研究報告書：『潰瘍性大腸炎・クローン病 診断基準・治療指針』. p.11, 2020.

2.4～3.6g，リアルダ®錠1日2.4～4.8gのいずれかを経口投与する．ペンタサ®注腸を併用すると効果の増強が期待できる．左側大腸の炎症が強い場合は，ステロイド注腸やプレドニゾロン注腸フォーム剤の併用が有効になる場合がある．２週間以内に明らかな改善があれば引き続きこの治療を継続し，ステロイド薬は漸減中止する．

中等症の場合には，プレドニゾロンを１日30～40mgの経口投与を併用する．これで明らかな効果がない場合には，重症治療やステロイド抵抗性の治療を行う．

重症では，入院のうえ，全身状態の改善に対する治療を行う．薬物療法としては，プレドニゾロン１日40～80mgの点滴静注を追加する．さらに症状や状態に応じて，経口薬および注腸薬を併用する．これで明らかな効果がない場合には，血球成分除去療法や，シクロスポリン（サンディミュン®）持続静注療法，タクロリムス（プログラフ®）経口投与，インフリキシマブ（レミケード®）点滴静注，アダリムマブ（ヒュミラ®）皮下注射などの治療を行う．

③劇症型（急性劇症型または再燃劇症型）

劇症型は，急速に悪化して生命予後に影響する危険

図19-1　潰瘍性大腸炎の治療のフローチャート

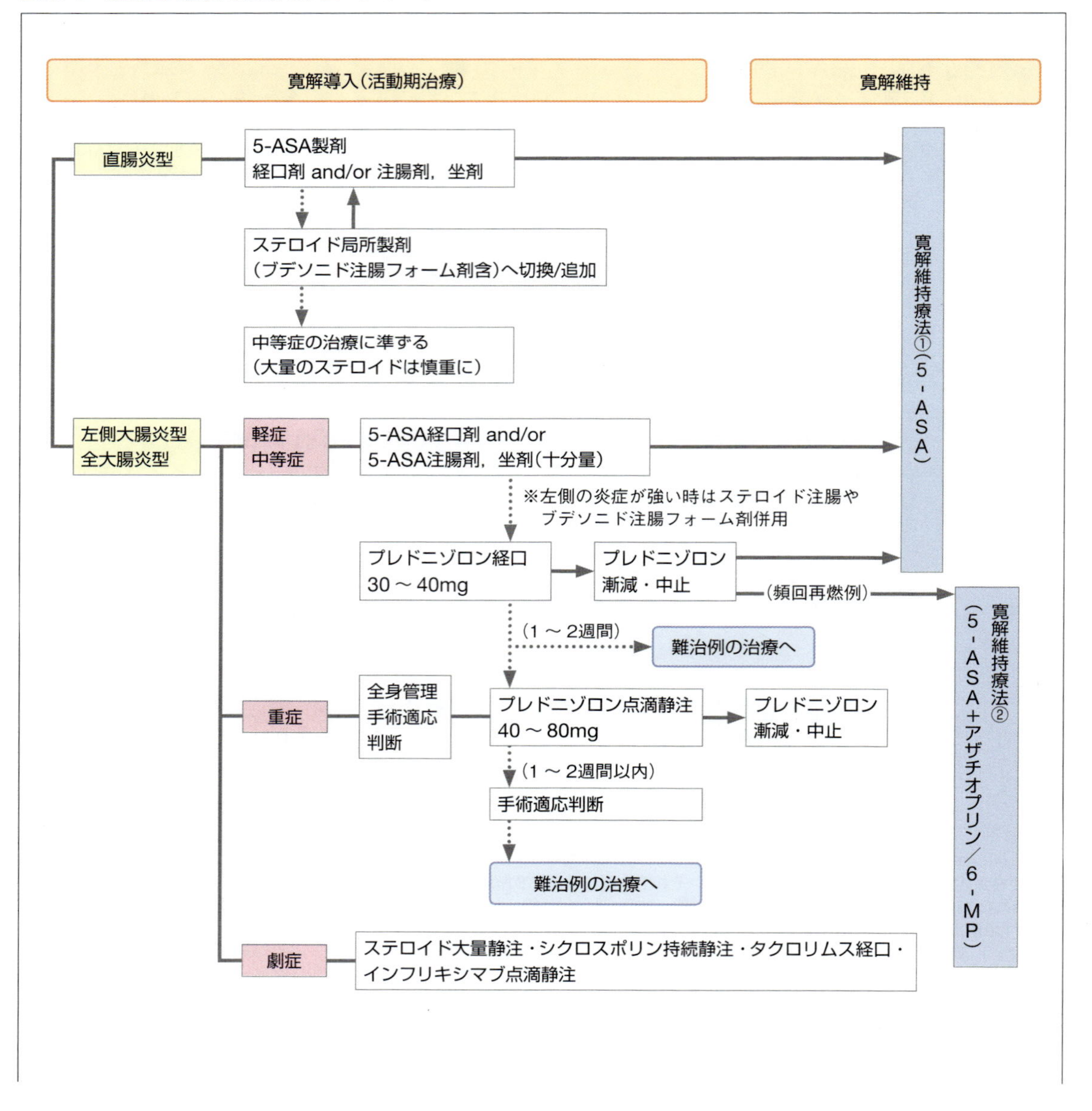

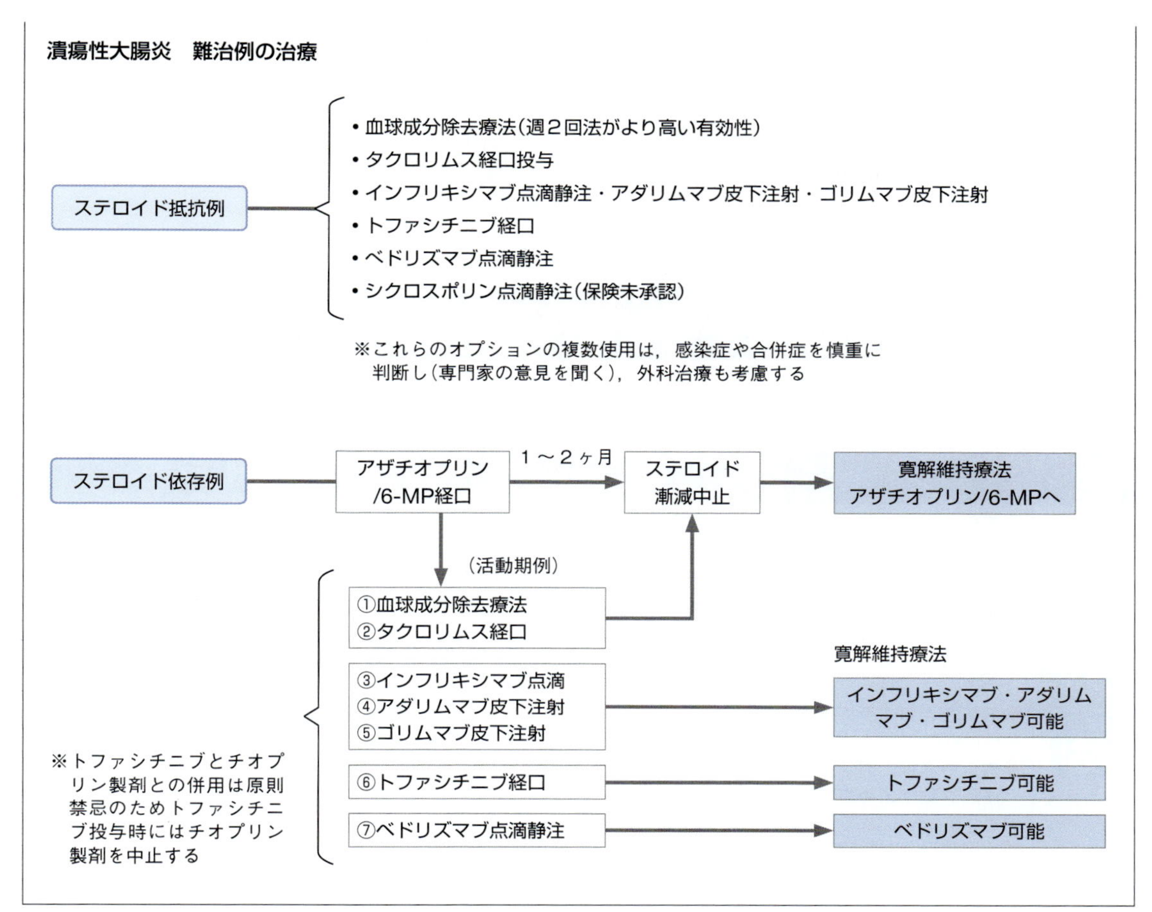

厚生労働科学研究費補助金 難治性疾患等政策研究事業「難治性炎症性腸管障害に関する調査研究」（鈴木班）令和元年度分担研究報告書：『潰瘍性大腸炎・クローン病 診断基準・治療指針』．p.12 ～ 13，2020．を一部改変

があるため，外科的な治療も考慮して治療を行う必要がある．ステロイド大量静注療法を行うが，この際には経口摂取を禁じ，経静脈的栄養補給を行う．中毒性巨大結腸症や穿孔を起こしやすいので，腹部所見に留意する必要がある．

(2)寛解維持療法（図19-1参照）

寛解が得られたら，再燃を予防してQOLを維持できるような治療を行う．遠位大腸炎型に対して5-ASA製剤の経口薬投与，あるいは，局所治療の単独または併用を行う．ステロイドには寛解維持効果はないとされている．ステロイド抵抗例や依存例などの難治例では，免疫調整薬による寛解維持治療を行う．

外科的治療

潰瘍性大腸炎の手術適応は，炎症の悪化やがん化である．絶対的手術適応は，①穿孔や大量出血，中毒性巨大結腸症，②重症や内科治療が無効な場合，③がん化や高度異型，といったケースである．内科治療で十分な効果がない場合や，内科治療で重症の副作用が出現した場合には，相対的な手術適応となる．手術のタイミングとしては，生命が脅かされるような穿孔や大量出血，劇症などはショックを伴うことが多いため，緊急手術が必要となる．

患部の範囲にかかわらず，大腸全摘術が標準術式となる．これは，正常と思われる部分を残せば，再燃やがん化の可能性が残り，繰り返す手術では肛門温存術が不可能となる可能性（＝永久的人工肛門）があるため，部分切除術は推奨されていない．肛門機能を温存することは，肛門括約筋が便意を感じる，おならと便を区別する，排便をコントロールする，役割を保つために重要である．

低栄養や貧血，ステロイドを使用している場合が多いことから創傷治癒が悪く，縫合不全や創感染などの合併症をきたすことがある．また，術後にも腸管外合併症や腸管合併症（胃・十二指腸炎，小腸炎，回腸嚢炎）が出現することもある．

6）予後

潰瘍性大腸炎は慢性の炎症性疾患であり，再燃と寛解を繰り返すが，生命予後は良好で，健常人と比較して差がないとされている．重症度（軽症，中等症，重症）別に10年以上経過観察したところ，すべての群において活動性が低下する傾向にある．軽症例の約半数は，6年後に活動性がなくなっていたと報告されている．しかし，潰瘍性大腸炎の罹患期間が長期化すると大腸がんのリスクが高くなる．

2. 看護過程の展開

● アセスメント～ゴードンの機能的健康パターンを用いて

パターン	アセスメントの視点	根拠	収集する情報
(1) 健康知覚-健康管理 患者背景 健康知覚-健康管理 価値-信念	●病気になってからの日常生活の変化をどのように認識しているか ●これまでの健康と病気に対しどのように認識しているか ●病気をどのように受け止めているか ●検査や治療に対する理解や受け止め方はどうか ●自己管理（健康管理）はできているか	●健康に関する考えやこれまでの生活背景，潰瘍性大腸炎（UC）と診断されてからの病気の理解や生活変化を情報収集することは，今後の療養を検討するうえで必要な情報となるため．	●主訴 ●既往歴（アレルギー歴を含む） ●入院歴の有無 ●診断前の生活パターン ●家族構成と支援者 ●病気や治療に対する説明内容とその受け止め方 ●病気の自己管理方法 ●喫煙・飲酒歴
(2) 栄養-代謝 全身状態 栄養-代謝 排泄	●症状悪化につながる食習慣，食生活はないか ●UCにより栄養障害，貧血は生じていないか ●合併症は生じていないか	●食事の習慣や栄養状態を確認することはUCにおいて重要で，症状悪化の要因となる． ●合併症として口内炎などがある．	●身長体重 ●BMI ●体重の増減 ●食事習慣（食事内容・回数） ●食事時間 ●外食の内容 ●食欲 ●採血データ（白血球・血小板数の増加，赤血球沈降速度の亢進，CRP上昇，ヘモグロビン，ヘマトクリット，フェリチン低下，アルブミン，血清タンパク，コレステロール，コリンエステラーゼの低下，感染性腸炎除外データ） ●栄養摂取量と栄養状態 ●口内炎の有無 ●水分摂取量 ●貧血の有無 ●炎症の有無 ●血液凝固異常の有無

パターン	アセスメントの視点	根拠	収集する情報
(3) 排泄 全身状態 栄養-代謝 排泄	●排便の変化がいつから生じているか	●UCにより腹痛，下痢，粘血便を生じる．腹痛は便意に伴って増強する． ●下痢により脱水となることもある．	●排便の変化の時期 ●排便回数 ●血便の有無と程度 ●排尿回数 ●内服状況 ●飲水量 ●排便状況 ●排便に伴う腹痛 ●尿比重 ●腹痛の場所と出現パターン・程度 ●痛みの評価
(4) 活動-運動 活動・休息 活動-運動 睡眠-休息	●病気の診断前後で身体活動状況に変化はあるか，運動に制限はないか ●日常生活活動に変化はないか	●症状が強くなることや腸管外合併症の出現により，しばしば活動が制限されることがある．	●身体状況の変化 ●運動の変化 ●日常生活活動の変化 ●趣味 ●気分転換方法 ●関節可動域の変化 ●腸管合併症の出現の有無（皮膚病変，骨・骨格系など）
(5) 睡眠-休息 活動・休息 活動-運動 睡眠-休息	●排便により睡眠が妨げられていないか	●UCの特徴として，早朝に症状が強くなることや，重症となると夜間の便意や腹痛が生じるため，睡眠が妨げられる可能性がある．	●睡眠状況 ●睡眠環境 ●夜間の症状の有無 ●診断前の睡眠状況 ●睡眠時間 ●熟眠感の有無 ●休息の取り方 ●不眠の既往 ●睡眠導入薬使用の有無 ●夜間の排便回数と腹痛の有無 ●早朝の腹痛の有無
(6) 認知-知覚 知覚・認知 認知-知覚 自己知覚-自己概念 コーピング-ストレス耐性	●認知，記憶，見当識に問題はないか ●腹痛はどのような状況となっているか	●治療方針を決定し自己管理を継続するには認知機能が適正である必要がある．また，UCにおいて主訴は腹痛となる場合が多い．	●意識レベル ●認知機能レベル ●意思決定能力障害の有無 ●下腹部痛の有無または左下腹部痛の有無，程度 ●便意時の腹痛増強の有無 ●腹痛の持続時間 ●腹痛出現の時間帯 ●日内変動の有無 ●鎮痛薬使用の効果 ●疼痛の指標（NRS） ●腹痛の有無，程度，時間，対処方法 ●疼痛に対する治療方針

パターン	アセスメントの視点	根拠	収集する情報
(7) 自己知覚-自己概念 知覚・認知 認知-知覚 自己知覚-自己概念 コーピング-ストレス耐性	●アイデンティティとボディイメージの問題はないか ●自尊感情の低下がみられていないか ●病気や療養に対する悩みはないか	●UCは再燃と寛解を繰り返す慢性疾患のため，心理的に常に不安にさらされている可能性がある．精神的ストレスがUCにおいて，活動性を高める可能性があることが指摘されている．また，好発年齢が10～30歳代であることや，排泄に関する疾患のため，アイデンティティやボディイメージに関する自尊感情の低下が指摘されている．	●病気や療養における心配事，不安，自己についての表現 ●情動的症状（怒り，拒絶感，不満，恐れ，悲しみ，自己否定，孤独感など）の有無 ●家族や他者との関係性 ●認知的症状（注意力散漫，放心状態，混乱など） ●精神科・心療内科の受診歴
(8) 役割-関係 周囲の認識・支援体制 役割-関係 セクシュアリティ-生殖	●他者との関係性の変化が生じていないか ●病気や治療による役割の変化や喪失があったか	●小児や思春期の場合は，学校や周囲に適応することが課題となる．頻回な排便回数や食事制限，薬の内服や副作用などによる身体や顔貌の変化などから，学校生活を過ごすことに自信がもてなくなり，友人との食事の機会を避けたり，行事や部活動を諦めることもある．大人では，症状の悪化から就業することができなくなったり，通勤途中での排便の不安から退職を選択したり，家族内の役割を遂行できなくなる，といった問題を生じることがしばしばある．	●家族構成 ●同居者の有無 ●社会的役割 ●就業の有無 ●家庭内での役割 ●病気によって役割変化が生じているか ●代行者の有無 ●家族や関わる人々が病気をどのように理解し，捉えているか ●経済的状況 ●医療・社会支援制度の活用の有無
(9) セクシュアリティ-生殖 周囲の認識・支援体制 役割-関係 セクシュアリティ-生殖	●性機能の問題が生じていないか ●病気によって変化が生じたことがあるか	●若年者に好発するため，性機能，妊娠や出産に影響する．炎症性腸疾患（IBD）患者の子どもがIBDを発症する確率は，一般的に数倍高いが，遺伝疾患ではない．女性患者ならば，活動期に妊娠すると，流産・早産・低体重のリスクがわずかに上昇する．治療薬による不妊や先天性異常はないが，妊娠中の薬剤投与が児に悪影響を与える場合がある．	●性機能障害の有無 ●性機能に対する悩みや不安 ●女性ならば月経異常の有無 ●月経周期 ●出産歴 ●家族計画の予定 ●子どもの有無
(10) コーピング-ストレス耐性 知覚・認知 認知-知覚 自己知覚-自己概念 コーピング-ストレス耐性	●問題が生じたときどのような対処方法をとっているか ●どのようなことがストレス要因となっているか ●ストレスに対する対処方法は適切か	●IBD患者は，寛解期でも30%，活動期では60%の割合で，抑うつや不安などの心理的機能障害があるといわれている．長期的なストレス状態にあることは，意識と患者の解離が生じやすくなり，ストレスに対して鈍感になる．自分の感情を捉え，言語化することが健常者よりも難しいといわれている．不安や抑うつ感の緩和は，寛解の維持や炎症を抑制する効果があるといわれている．自分自身でも気づいていないストレスをいかにキャッチし，対処方法を身につけるかが療養生活において重要となる．	●病気と診断される前の困ったときの対処方法と効果 ●支援者の有無 ●病気に対する受け止めと療養上での心配事，対処方法 ●医療者との関係性

パターン	アセスメントの視点	根拠	収集する情報
（11） 価値-信念 患者背景 健康知覚-健康管理 価値-信念	●病気により価値観や信念の変化はないか ●信仰・意思決定を決める価値観は何か	●長期を見据えた治療が必要となる．UCにおいて，寛解期は内服治療が中心となるが，活動期をきたした場合には外科的な手術によって人工肛門造設などが必要になる場合がある．また，再入院などの可能性や長期間の休養などにより，経済的喪失や，孤独感や未来への不安に直面する場合がある．生活信条や，価値観は療養生活の維持，治療への意思決定に影響を及ぼす．	●信仰している宗教の有無 ●生活信条 ●座右の銘

3. 全体像の把握から看護問題を抽出

1）病態関連図

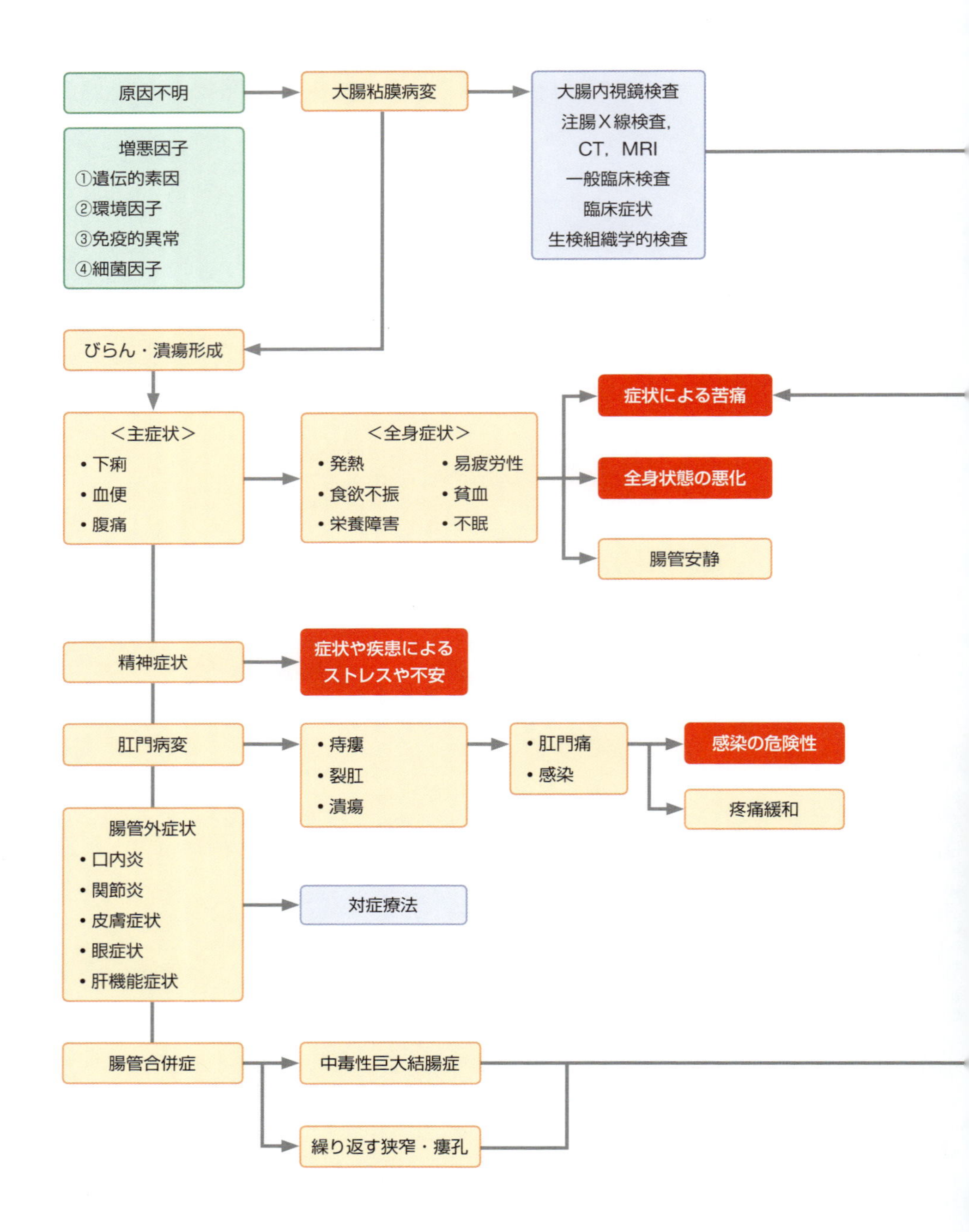

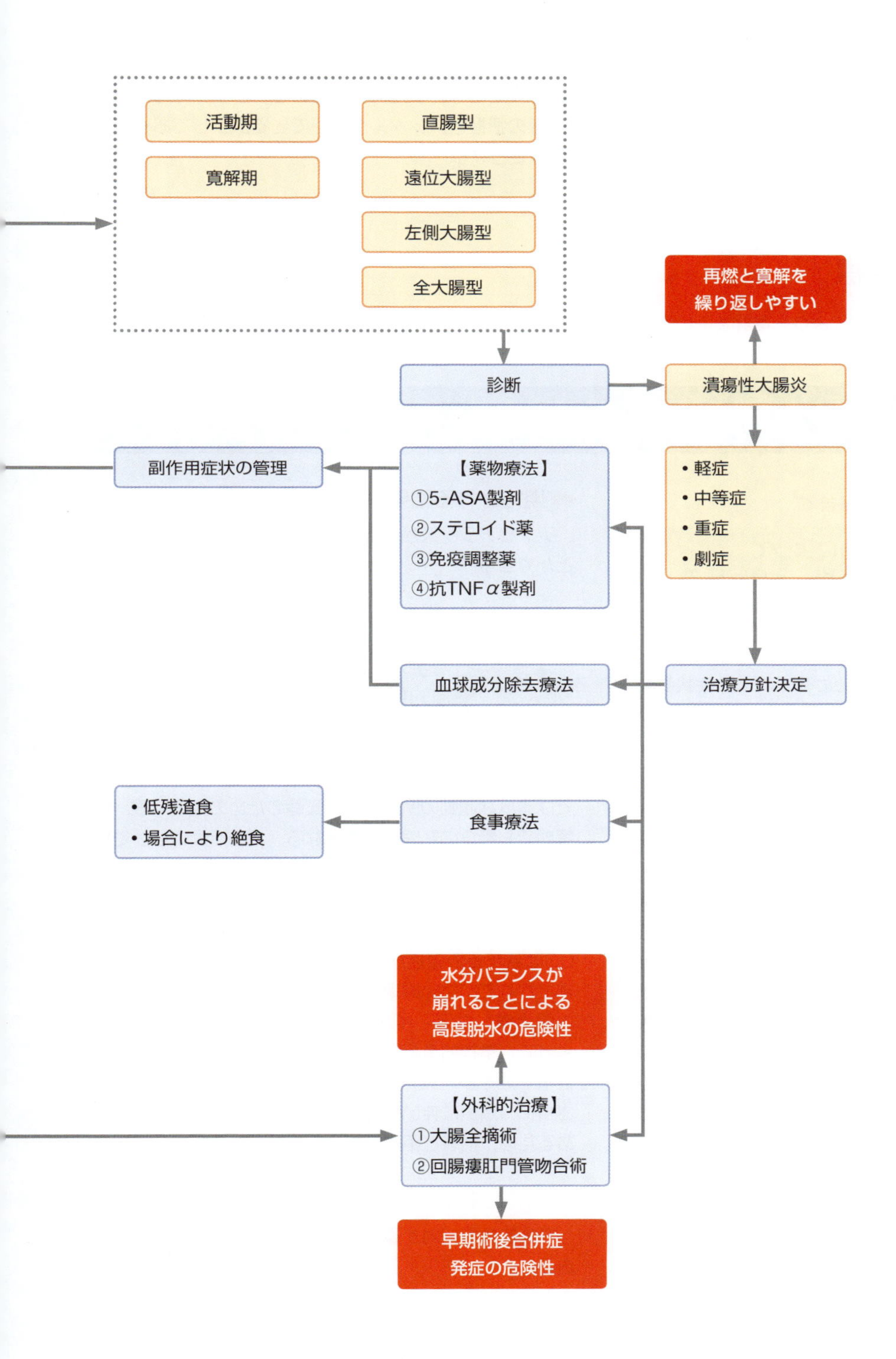
活動期
寛解期
直腸型
遠位大腸型
左側大腸型
全大腸型
再燃と寛解を
繰り返しやすい
診断
潰瘍性大腸炎
副作用症状の管理
【薬物療法】
①5-ASA製剤
②ステロイド薬
③免疫調整薬
④抗TNFα製剤
・軽症
・中等症
・重症
・劇症
血球成分除去療法
治療方針決定
・低残渣食
・場合により絶食
食事療法
水分バランスが
崩れることによる
高度脱水の危険性
【外科的治療】
①大腸全摘術
②回腸嚢肛門管吻合術
早期術後合併症
発症の危険性

2）看護の方向性

潰瘍性大腸炎（UC）は若年者の発症が多く，ライフイベントを考慮する必要がある．原因不明な病気ではあるが，これまでの生活背景や療養方法を知ることが，長期にわたって療養をするうえでの重要なポイントとなる．内服治療から外科的治療まで，治療方針が多岐にわたるため，本人の意思決定に影響する人物の把握や，家族状況の把握などの情報収集も大切となる．

UCでは，臨床症状に加えて内視鏡などの検査により，正確な病状を把握する必要がある．頻回な下痢や下血によって，脱水や貧血，腸管穿孔で生命の危機に陥る可能性があるため，症状の注意深い観察が必要である．

UCは，寛解期をより長い状態で維持できることが重要となるため，内服や食事療養，生活についてのアドヒアランスが向上できるよう，支援体制を整備することが必要である．また，若年者の患者が多いため，精神状態の把握とメンタルケアができるようしておくことが重要となる．

3）患者・家族の目標

適切な治療と療養方法の獲得により，寛解維持状態が維持できる．

4. しばしば取り上げられる看護問題

(1)寛解導入療法～寛解維持療法まで

下痢や下血，腹痛によって貧血症状や脱水症状，全身状態の悪化をきたす可能性がある

なぜ？

治療開始時は活動期であることが多く，貧血症状や脱水症状によって全身状態が悪化する可能性がある．

➡ 期待される結果

全身状態の悪化を早期発見早期対応がとれる．

◆2 アドヒアランスの低下によって適切な療養行動が継続できない可能性がある

なぜ？

活動期では心身の負担になるような肉体労働や運動を避ける必要がある．療養を送るうえで，禁煙や活動期における飲酒，疲労や睡眠不足は，症状の悪化をまねく可能性がある．また，UCの治療薬では免疫機能を低下させる薬剤がある．

内服治療が中心となるため，UCにおいて食事・栄養療法は補助的な役割で，寛解期は必要がないとされている．しかし，活動期では腸管安静の目的や低栄養改善の目的で必要となることがある．服薬アドヒアランスの低下が，活動期に移行しやすくなる．高齢や小児の場合は，周囲の人の服薬アドヒアランスが問われる．

➡ 期待される結果

アドヒアランスが高上する．適切な療養行動をとることができる．

◆3 病気による治療に伴い，日常生活に制限があるため精神的負担が生じる危険性がある

なぜ？

内服継続は，活動期，寛解期ともに必要だが，活動期では過度な運動の制限や腸管安静のための食事制限，寛解期でも暴食の制限が重要となる．社会活動のなかで日常生活の制限が生じるため，精神的負担が強くなり，治療中断につながる危険性がある．

寛解期ではおおむね日常生活の制限がない．しかし，UCは若年者の発症が多く，アイデンティティの確立がまだされていない時期でもある．病気そのものの苦痛や内服治療，ボディイメージが否定的に変化することによって，精神的負担を感じることがある．脂肪分の多い食事や油を多く使用する料理は症状の悪化につながる．さらに，治療に伴い，運動や社会活動を制限する場合があるため，他者と距離をおいてしまう患者も多くいる．

➡ 期待される結果

精神的負担に対する対処方法を獲得し，治療継続ができる．

◆4 内服薬による副作用症状によって，易感染状態となる危険がある

なぜ？

UCの治療は内服薬が中心になる．そのなかでもステロイドや免疫抑制薬の内服が必要となる場合が多くある．プレドニゾロン20mg/日以上を２週以上投与することが感染症発生のリスク増大と関連があるとECCO（European Crohn's and Colitis organization）のガイドラインで報告されている．また，免疫抑制作用のある薬剤を２剤以上利用することや，高齢であることも感染のリスクを高める．

免疫抑制薬使用の患者において，ニューモシスチス肺炎を発症した報告もあり，肺炎は重篤化する可能性がある．

➡期待される結果

感染予防の必要性を理解し，感染予防行動が獲得できる．

(2)外科的治療適応

◆1 低栄養・貧血・ステロイド使用歴により，縫合不全や創感染の早期術後合併症を発症する危険がある

なぜ？

術前の状態が創傷治癒遅延につながる可能性が高い．

たとえ若年者であっても，低栄養状態や頻回な下血による貧血，ステロイドや免疫抑制薬の利用により，一般的な早期術後合併症のリスクがより高まる．縫合不全や創部感染から腹膜炎を発症する場合もある．

➡期待される結果

早期術後合併症の速やかな発見と適切な対応ができる．

◆2 手術によって高度脱水をまねく危険性がある

なぜ？

UCの手術は大腸全摘出術が原則となるため，手術によって水分バランスが崩れることがある．

大腸で行われていた１～1.5Lの水分吸収がなくなり，便の水分量が増加する．術後早期には，排便が10～20回/日の回数になるが，術後１年ほどで５～８回/日となる．排便回数を意識したり，頻便や漏便を避けるために，水分摂取を制限する患者が多くいることから，脱水となりやすい．

➡期待される結果

患者自身が脱水予防行動を実行できる．

◆3 手術による影響や症状の悪化によって腸閉塞を繰り返す可能性がある

なぜ？

手術での癒着や腸管浮腫，過食，活動期による症状悪化などによって，腸閉塞を起こす可能性が高くなる．腸閉塞は，絶食，輸液，イレウスチューブ挿入などの治療が必要になるため，多くの場合で入院が必要となる．腸閉塞の症状について患者が理解し，セルフケアすることが必要となる．

術後の早期だけでなく，長い療養生活のなかで，食事摂取の内容や脱水，止痢薬などの内服によって，腸閉塞を繰り返す可能性がある．腸閉塞から穿孔などの生命危機状況に陥ることがある．

➡期待される結果

腸閉塞に対する予防行動が獲得できる．

5. 看護計画の立案

・O-P：Observation Plan（観察計画）　・T-P：Treatment Plan（治療計画）
・E-P：Education Plan（教育・指導計画）

(1)寛解導入療法～寛解維持療法まで

♦1 下痢や下血，腹痛によって貧血症状や脱水症状，全身状態の悪化をきたす可能性がある

	具体策	根拠と注意点
O-P	(1)表情や言動，活動状況や睡眠状況	●腹痛や下痢などにより，活動や睡眠が阻害される場合が多くある．表情や言動，日中と夜間の状況などを観察する必要がある．
	(2)下痢や下血(粘血便)の回数と程度	●重症度分類などを用いて，症状と活動の程度を正確に把握する必要がある．軽症では血便を伴わないこともあるが，重症化すれば粘膜損傷に伴って粘液便や血便も認められる．また，貧血症状や脱水症状を把握する必要がある．
	(3)腹痛の有無とバイタルサイン	●大腸が病変になるため，左下腹部痛をきたすことが多く，腹痛は腸蠕動や便意に伴って増強する．また，潰瘍性大腸炎(UC)では日内変動が特徴的で，早朝に症状が強くなる．重症になると，発熱や食欲低下や悪心，全身倦怠感や夜間便意などの症状が出現する．
	(4)検査データの異常の有無	●血液検査では消化管出血に伴い，鉄欠乏性貧血を認めることが多く，腸管炎症に伴って白血球や血小板の増加，CRPの上昇が認められる．また，アルブミン値の低下は栄養指標であるだけでなく，疾患の重症度の指標ともなる．
T-P	(1)適切な下痢・下血に対する援助	●頻回な下痢と下血により，脱水や鉄欠乏性貧血を起こす場合が多い．活動期には腸管安静のために食事制限が必要となる．すでに低栄養状態になっている可能性があるため，場合によっては中心静脈栄養での点滴管理が必要となる．
	(2)腹痛が増強する場合には鎮痛薬を使用して症状緩和をはかる	●非ステロイド性抗炎症薬(NSAIDs)内服は，UCにおいて増悪要因として報告されているが，腹痛や発熱などの苦痛症状がある場合には奏功し，症状軽快の一助になる．必要に応じた最小限の投薬を，できるだけ短期間で使用することが重要となる．
	(3)処置や検査に伴う苦痛の緩和をはかる	●血液検査やX線検査とともに，大腸内視鏡検査での観察が，病状の把握や治療方針の決定において重要となる．重症例においては前処置や内視鏡にて増悪することがあるため，無処置で直腸・S状結腸までの観察にとどめる場合もある．また，検査によって中毒性巨大結腸症を誘発する可能性があるため，鎮痙薬の使用には注意が必要である．
E-P	・腹痛増強時や体調変化時は速やかに医療者に伝えるよう説明する	●下血の回数や腹痛増強は，症状の悪化だけでなく，穿孔などの危機的状況を引き起こしている可能性もあるため，すぐに医療者に伝えるよう説明する．また，ナースコールを患者の手の届く範囲に配置しているか確認する．

2 アドヒアランスの低下によって適切な療養行動が継続できない可能性がある

	具体策	根拠と注意点
O-P	(1)療養行動 (2)疾患に対する知識と理解度 (3)周囲のサポート体制と疾患の理解度 (4)服薬アドヒアランス	●患者の生活習慣や1日の生活スケジュール，これまでのセルフケア状況の把握が，問題点の把握や支援の方向性を決めるうえで重要となる． ●難病に対するネガティブイメージが先行する場合が多いため，適切な治療の継続で良好な症状コントロールが可能であることが理解できるような支援が重要である．患者の疾患や治療の理解度，活動期と寛解期の違いなどを，どのように捉えているか把握する必要がある． ●家族の，疾患や治療，日常生活上の留意点に関する理解度が，患者の療養に影響を与えるため，その把握をする必要がある．小児では学校，成人では職場など，周囲の理解や協力体制も大きく影響する可能性があることを理解しておく． ●退院後に再燃させないための重要なポイントとしては，内服薬を確実に服薬できるよう支援することである．ステロイド減量中や免疫抑制薬投与中では，急な自己中断によって症状が再燃する場合も多く，症状のモニタリングも重要になる．
T-P	(1)患者とコミュニケーションをはかり，信頼関係を築きながら，療養における目標を患者とともに明確にする (2)これまでのセルフケア行動を振り返り，適切なセルフケア行動を患者とともに考える (3)患者だけでなく，家族やサポートする人々の理解や支援を促す	●アドヒアランスを高めるうえでは，患者と医療者の信頼関係を築くことが重要になる．患者と医療者が対等な立場で，今後どのような療養を目標にするか明確にしておくことが大切である． ●日常生活状況，食事，社会生活状況などをともに振り返り，どのようなセルフケアをしてきたかを把握し，ともに修正していく作業が大切である．また，適切なセルフケア行動を再度検討する必要がある． ●患者だけのアドヒアランス向上では，療養がうまくいかない場合もある．家族や周囲のサポートする人々の，疾患や治療に対する理解を支援し，どのように本人の療養に協力していけばよいか，ともに検討することが重要となる．
E-P	(1)薬剤師と協力して服薬アドヒアランスが向上するよう説明する (2)治療継続にあたり困難が生じたときには医療者にいつでも相談するよう説明する	●内服薬に対する正しい知識が必要になるため，病棟看護師からの説明に加え，薬剤師と連携していく必要がある． ●再燃と寛解を繰り返す疾患のため，内服をしていたとしても病状の変化が生じる場合がある．また，社会生活のなかで療養行動を継続していくことは，思いがけない問題に衝突する場合もあるため，相談できる窓口を明確にしておくことが必要である．

(2)外科的治療適応

低栄養・貧血・ステロイド使用歴により，縫合不全や創部感染などの早期術後合併症を発症する危険がある

	具体策	根拠と注意点
O-P	**(1)縫合不全の有無** ①バイタルサイン(発熱，頻脈) ②腹痛の有無 ③腸蠕動音・排ガスの有無 ④腹腔ドレーンからの排液量・性状 ⑤ドレーン挿入部周辺の皮膚異常の有無 ⑥創部汚染の有無 ⑦血液データ	●一般的な術後管理の視点が必要だが，低栄養状態や貧血，ステロイド使用によって，通常よりも早期術後合併症を引き起こす割合が高くなる．ドレーンからの排液量が多く，性状が膿性や胆汁様であった場合には，縫合不全が生じている可能性が考えられる．
	(2)創部感染の有無 ①バイタルサイン ②腹痛の有無 ③創部汚染の有無，滲出液の有無 ④創部皮膚状態 ⑤血液データ	●発熱などのバイタルサインの変化や，創部腫脹，創部発赤などが出現した場合には感染が疑われる．ステロイドの使用歴などはさらに易感染となるため，重篤にならないよう観察と早期対応が必要となる．
	(3)術後腸閉塞の有無 ①経鼻カテーテルからの排液量・性状 ②腸蠕動音・排ガス・排便の有無 ③悪心・嘔吐の有無 ④腹部膨満感の有無 ⑤口渇感の有無 ⑥水分出納バランス ⑦バイタルサイン ⑧血液データ ⑨腹部X線・腹部CT	●術後2～3日は腸蠕動が回復しないため，経鼻胃管カテーテルが挿入される．経鼻胃管カテーテルの抜去後の腹部膨満感や悪心・嘔吐の出現は，術後の腸閉塞が予測されるため，経口摂取は一時中止し，X線や腹部CTなどの検査を行う必要がある．
	(4)リスク因子 ①栄養状態 ②貧血	
T-P	**(1)術後の栄養管理を適切に行う**	●術前からのステロイドの使用，絶食や低栄養状態，貧血などは，創傷治癒を障害する要因となる．術後は中心静脈栄養療法や，早期の食事の経口摂取による栄養管理を行い，創傷治癒が遅延しないよう管理していくことが重要となる．
	(2)創部痛を緩和して早期離床を促す	●創部痛があることで早期離床の遅延につながる．術後疼痛を早期から取り除き，術後肺炎や深部静脈血栓予防のためにも，離床を促していく必要がある．
	(3)ドレーン類の管理を確実に行う	●ドレーン・チューブ類の長さや高さ，固定方法を工夫する必要がある．ドレーンの接触による二次的なスキントラブルや，ドレーン挿入によって活動が制限されることから早期離床が進まない，といった影響がある．
E-P	**(1)術後の栄養管理の必要性について説明する**	●術後の栄養管理は退院した後も重要になる．低栄養状態を予防するだけでなく，腸閉塞を予防する観点からも大切である．食事はよく噛んで，腹八分で抑えることや，消化の悪そうなものは細かくする・茹でる・つぶすなどの調理上の工夫が必要なことを伝える．
	(2)疼痛出現時の対処方法，早期離床の必要性について説明する	●疼痛を過度に我慢せず，医療者に伝えるよう説明する．疼痛管理を行い，早期離床をすることがさまざまな合併症の予防につながることを説明する．

2 手術によって高度脱水をまねく危険性がある

	具体策	根拠と注意点
O-P	**(1)排便回数，便の性状**	●大腸で行われていた１～1.5Lの水分吸収がなくなるため，便の水分量が増す．術後早期には，10～20回/日の排便回数となるため，観察が必要である．
	(2)水分出納のバランス ①点滴量 ②飲水量 ③尿量 ④人工肛門からの排液量 ⑤排便量 ⑥不感蒸泄	●術後早期は輸液管理が中心となるため，排泄量のカウントを正しく行い，適宜輸液を調整して脱水を予防する必要がある．
	(3)脱水症状の有無 ①頭痛 ②皮膚や舌の乾燥 ③口渇感 ④尿量 ⑤倦怠感の有無 ⑥バイタルサイン	●患者にも脱水となる可能性を説明し，症状をモニタリングする．退院後も，脱水予防を患者自身が行う必要があることを説明する．
T-P	**・適切な輸液管理を行い，脱水を予防する**	●水分出納バランスに注意しながら適切に輸液を管理するとともに，アウトバランス時には追加点滴を投与，飲水を促すなどの対応をする．
E-P	**・脱水症状のモニタリングと対処方法を説明する**	●術直後は排便回数が非常に多いが，術後１年ほどで平均５～８回/日程度になる．脱水症状が出現してからの飲水タイミングでは対応が遅くなるため，こまめな水分補給，とくに発汗時には経口補水液を摂取するよう説明する．また，排便回数を意識して水分摂取を制限する患者もいるため，水分はなるべく昼間摂取することで，夜間の便漏れが少なくなることを説明する．

引用・参考文献

1) 公益財団法人難病医学研究財団(厚生労働省補助事業)：難病情報センターホームページ　https://www.nanbyou.or.jp/ より2020年８月19日検索
2) 日本消化器病学会編：炎症性腸疾患(IBD)診療ガイドライン2016．南江堂，2016．
3) 日比紀文，久松理一：炎症性腸疾患を日常診療で診る―IBDとは？ その診断と患者にあわせた治療．羊土社，2010．
4) 日比紀文監：チーム医療につなげる！ IBD診療ビジュアルテキスト．羊土社，2016．
5) 厚生労働科学研究費補助金 難治性疾患等政策研究事業「難治性炎症性腸管障害に関する調査研究」(鈴木班) 令和元年度分担研究報告書：『潰瘍性大腸炎・クローン病 診断基準・治療指針』．2020．

Memo

第４章　消化器疾患患者の看護過程

20 クローン病

1. 疾患の基礎的知識

1）疾患の概念

クローン病（CD：Crohn's disease）は，非連続性に分布する全層性肉芽腫性炎症や瘻孔を特徴とする，原因不明の慢性炎症性疾患である．口腔から肛門までの，どの部位にも病変を生じ得るが，小腸・大腸，肛門周囲に好発する．10歳代後半から30歳代に好発し，日本では男女比が２：１と男性が多いが，欧米では女性が多い傾向にある．1975（昭和50）年に厚生労働省の特定疾患に指定されており，2016（平成28）年では患者数が約７万人と，年々増加の一途をたどっている．腹痛，下痢，血便，発熱，肛門周囲症状，体重減少などが，再燃と寛解を繰り返すため，日常のQOL低下が多くある．また，結節性紅斑，関節痛，ブドウ膜炎などの腸管外合併症が２～10%の割合で出現する．

2）原因

はっきりとした原因は不明だが，遺伝因子，環境因子，免疫異常などが示唆されている．遺伝因子では，欧米の研究では163の遺伝子座が炎症性腸疾患と関連し，140の遺伝子座がCDと関連しているといわれている．

日本の研究では，脂肪酸摂取，砂糖菓子や砂糖，甘味料の摂取，不飽和脂肪酸，ビタミンEの摂取が関連すると報告されている．また，喫煙によって発症のリスクが高まると報告されている．経口避妊薬の使用もCDの発症と関連し，NSAIDs（非ステロイド性抗炎症薬）の使用は炎症性腸疾患の増悪，発症と関連している．

原因は一元的に説明できるものではないが，単球・マクロファージ系細胞の異常や，腸管内抗原・腸内細菌に対する過剰な免疫応答，そして，CD4陽性T細胞によるTh1型免疫反応が，病態や炎症の持続に重要といわれている．

3）病態と臨床症状

CDの主要所見は縦走潰瘍と敷石像である．縦走潰瘍は，基本的に４～５cm以上の長さを有する，腸管の長軸に沿った潰瘍ができることが特徴となる．好発部位は回盲部だが，大腸では結腸ひも付着側，小腸では腸管膜付着側に沿って縦走化する．一方，敷石像は，縦走潰瘍と炎症性変化による残存粘膜が玉石状に膨隆したもので，この隆起は粘膜下層の浮腫や炎症細胞浸潤による．

ときに縦走潰瘍や敷石像を認めず，アフタや不整形潰瘍のみを認めることがある．また，特徴的な肛門病変としては，裂肛，難治性の痔瘻，肛門周囲膿瘍などがある．肛門病変を契機にCDと診断される場合も多くある．胃・十二指腸病変では，典型的なものでは竹の節状外観，十二指腸のノッチ様陥没などがある．

CDの病変は，縦走潰瘍，敷石像または狭窄の存在部位により，小腸型・小腸大腸型・大腸型に分類される．消化管のどの部位でも生じるだけでなく，腸管外合併症による全身への影響も評価しなければならない．疾患パターンとしては，炎症・瘻孔形成・狭窄の３通りに分類することが国際的に提唱されている．さらに，疾患の活動性を捉える必要がある．症状が軽微または消失する「寛解期」と，種々の症状のために日常生活に支障をきたす「活動期」では，治療方針が異なる．厚生労働省の研究班では，クローン病活動指数（CDAI：Crohn's disease activity index）その他の指標を用いた重症度評価基準を提唱している（**表20-1**，**2**）．

CDの主症状は，下痢と腹痛である．そのほかにも，血便，体重減少や発熱などの全身症状，虫垂炎に類似した症状や，腸閉塞や腸穿孔などの症状が出現する（**表20-3**）．発症初期は軽い症状の場合も多く，診断前に病院を受診しても，急性胃腸炎として経過をみられる場合がある．また，CDでは，肛門病変が特徴的な症状としてあげられる．CD患者の50～60%に合併するといわれ，腸管病変よりも肛門病変が先行して出現する可能性もある．この肛門病変は，多発，難治，複雑化していることが特徴といえる．

4）検査・診断（図20-1）

CDの診断では，病歴聴取と身体診察による特徴的な所見から推察し，内視鏡をはじめとした画像検査をあわせて検査する．CDの急性期では，急性虫垂炎，大腸憩室炎などに症状が類似しているため，鑑別が必要となる．CDの診断基準を**表20-4**に示す．2010（平成22）年に，副所見として肛門病変と特徴的な胃・十二指腸病変が加わり，より早期から診断可能となった．

CDにおける血液検査は，炎症の評価や貧血の程度，栄養評価を行う．とくに活動性小腸病変を有するCD患者には，栄養障害を認めることが多く，食事摂取不良や，腸管でのタンパク質やそのほかの栄養素の吸収不良，漏出によって起こるとされている．

また使用している薬剤の副作用として，肝機能や腎機能，膵臓機能の変化がないかの評価を行う．5-ASA製剤では白血球減少や血小板減少があり，ステロイドでは糖尿病や続発性副腎不全などの，さまざまな副作用がある．免疫抑制薬では腎機能や肝機能障害が報告されている．

尿検査では，脱水の程度や，感染症の有無，腸管外合併症の評価もあわせて行う．また，便検査は，感染性腸炎などの除外のために必須の検査となる．

CDにおけるX線検査は，小腸病変や腸管合併症を有する症例の評価に有効である．また，大腸内視鏡検査は必須の検査となる．活動期の大腸内視鏡検査像は，不整形潰瘍や縦走する潰瘍が，非連続性，非対称性で不規則に配列され，潰瘍周囲の粘膜が正常で血管透見があることが特徴的である．また，敷石像が典型的な所見で，縦走潰瘍と炎症性変化による残存粘膜が玉石状に膨隆した所見がみられる．寛解期の内視鏡では，アフタや小潰瘍は完全に消失することがあるが，深い潰瘍性病変は上皮化しても瘢痕を残す．

CDにおいて，大腸型は全体の15～20%であるのに対し，約80%が小腸病変を認める．したがって，小腸検査が重要となるため，カプセル内視鏡やダブルバルーン小腸内視鏡の検査が重要となる．CDは全消化管で起こるため，腸管壁の肥厚や腸管炎症，瘻孔や膿瘍形成を評価するために，体外式超音波（US）や，CT，MRIを適宜行う必要がある．

表20-1　臨床的重症度による分類

	CDAI	合併症	炎症（CRP値）	治療反応
軽症	150～220	なし	わずかな上昇	
中等症	220～450	明らかな腸閉塞などなし	明らかな上昇	軽症治療に反応しない
重症	450<	腸閉塞，膿瘍など	高度上昇	治療反応不良

＊CDAI：Crohns　disease activity index

厚生労働科学研究費補助金 難治性疾患等政策研究事業「難治性炎症性腸管障害に関する調査研究」（鈴木班）令和元年度分担研究報告書：『潰瘍性大腸炎・クローン病 診断基準・治療指針』．p.28，2020.

表20-2　クローン病の重症度分類（IOIBDスコア）

①腹痛	⑤その他合併症	⑨腹部圧痛
②１日６回以上の下痢または粘血便	⑥腹部腫瘤	⑩10g/dL以下の血色素
③肛門部病変	⑦体重減少	
④瘻孔	⑧38℃以上の発熱	

＊１項目につき１点とする
＊寛解期：スコア０点または１点で血沈値，CRPが正常化した状態
＊活動期：スコア２点以上で血沈値，CRPが異常な状態

表20-3　CDにおけるよくみられる臨床症状

臨床症状	出現率	補足
腹痛	70%	診断時に高率でみられる
下痢	80%	診断時に高率でみられる
血便	30%	大量出血はCD全体の0.6～５%と頻度は多くない
肛門病変	50%以上	裂肛，肛門潰瘍，痔瘻，肛門周囲膿瘍，肛門膣瘻
体重減少，発熱などの全身症状	40～70%	体重減少は小腸型に多い

5）治療

(1)内科的治療

CDの場合は，潰瘍性大腸炎（UC：ulcerative colitis）と同様に，重症度と病態や病変部位の分類を確認する．活動性のタイプによっては，治療を段階的に強化する方法では腸管の変形や機能低下を防げない場合があるため，腸管機能低下リスクが高い病態を見極めて，初期から強い治療を導入する場合がある．広範囲の小腸病変，診断時の肛門病変，初期より狭窄型や穿孔型，若年発症，腸管の手術歴，喫煙などがあれば，状態悪化を予測した治療から開始する．

①軽症～中等症の活動期

サラゾスルファピリジン（SASP）またはステロイドの投与を開始する．しかし，SASPは大腸病変に有効性が限られている．ステロイドの使用では15週以上にわたって投与した場合が有効とされている．中等症の場合で，とくにステロイド依存例やステロイド抵抗性がある場合では，抗TNF製剤の使用が推奨されている．また，既存の薬物療法や栄養療法で改善が得られない場合は，顆粒球除去療法が有効とされている．治療薬と併用して抗菌薬を使用することが重要である．

②中等症～重症の活動期

ステロイドには寛解維持効果がないため，ステロイド減量中に症状増悪や，中止後に短期間の再燃を起こした場合には，アザチオプリン（AZA）やメルカプトプリン水和物（6-MP）などの免疫抑制薬の併用をする．経腸栄養療法も寛解導入効果が期待できるとされている．大腸病変で，薬物療法や栄養療法が無効・適応できない場合には，2010（平成22）年から承認されている顆粒球単球除去療法を検討する必要がある．

③重症～劇症の活動期

重症～劇症例は，原則として入院し，全身管理をする必要がある．必要に応じて，絶食，輸液，輸血を考慮し，ステロイドを経静脈的に投与し，感染徴候があれば抗菌薬投与を開始する．ステロイド抵抗例では，抗TNF製剤の投与を検討するが，全身状態不良や腹膜刺激症状のある症例などでは，早期に外科に相談する必要がある．

④寛解維持療法

アザチオプリン（AZA）とメルカプトプリン（6-MP）は，寛解維持期におけるステロイド減量離脱効果とともに，長期寛維持に対しても有用とされている．また，長期の寛解維持療法として，経腸栄養療法は安全性が高いといわれている．１日摂取エネルギー量の30～50％相当を経腸栄養で補うことにより，

図20-1　クローン病の診断的アプローチ

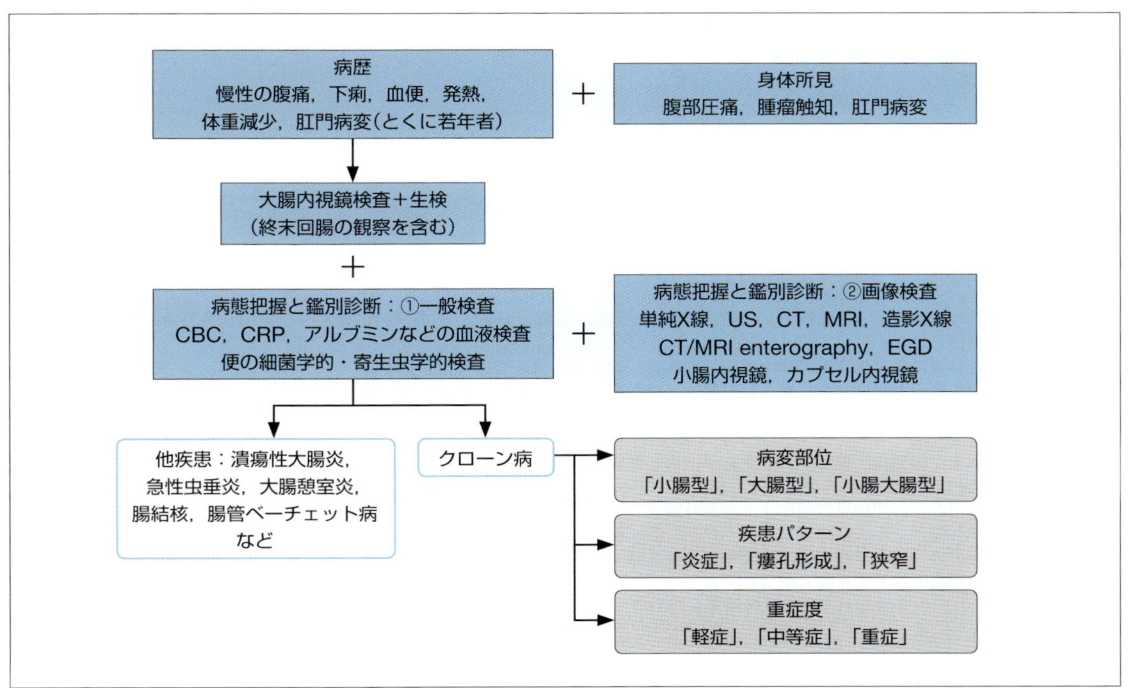

日本消化器病学会編：炎症性腸疾患（IBD）診療ガイドライン2016．p.xxii，南江堂，2016．

通常食のみの摂取と比較して，寛解維持率が有意に高いとされている．また，手術などによって小腸を切除して残存小腸が１m以下になった場合には，腸管からの栄養吸収ができない．中心静脈栄養が必要となるため，ポート造設術を行い，在宅で点滴管理を行う．

(2)外科的治療

CDでは，内科治療で改善できない腸管病変，肛門病変に対して行う．絶対的適応としては，完全な腸閉塞，穿孔，大量出血，中毒性巨大結腸症は，緊急手術の適応となる．相対的適応としては，内視鏡的拡張術で改善しない狭窄，狭窄を繰り返すもの，瘻孔を伴うものは，手術適応とされている．CDはUCと比べて病態が複雑であり，定型的な術式はない．腸管切除が必要となるため，なるべく切除範囲を少なくすることを検討する．術後の経過としては，腸管病変の再発が問題となる．再発率は５年で16～43%，10年で26～57%と高く，術後再発予防として薬物療法や栄養療法を継続していく必要がある．

6）予後

CDは再燃・寛解を繰り返しながら経過する慢性疾患である．再燃を繰り返すうちに，狭窄や瘻孔，膿瘍などによって腸管合併症をきたし，外科的手術の適応となる場合がある．疾患そのものは生命予後に影響することはない．しかし，長期の経過とともにがん化のリスクが高る．がん化の特徴的症状としては，痛みが強くなる，粘液が多くなることがあげられる．CDの直腸肛門管がん症例は，長期間経過とともに増加しているため，10年を超える直腸肛門病変を有している場合は，がんの発症を予測し，１年に１回は直腸指診を行う必要がある．状況によっては専門医を紹介し，生検などで確定診断をする必要がある．

表20-4　クローン病の診断の基準

（1）主要所見
　A. 縦走潰瘍〈注1〉
　B. 敷石像
　C. 非乾酪性類上皮細胞肉芽腫〈注2〉
（2）副所見
　a. 消化管の広範囲に認める不整形～類円形潰瘍またはアフタ〈注3〉
　b. 特徴的な肛門病変〈注4〉
　c. 特徴的な胃・十二指腸病変〈注5〉

確診例：
［1］主要所見のAまたはBを有するもの．〈注6〉
［2］主要所見のCと副所見のaまたはbを有するもの．
［3］副所見のa，b，cすべてを有するもの．

疑診例：
［1］主要所見のCと副所見のcを有するもの．
［2］主要所見のAまたはBを有するが潰瘍性大腸炎や腸管型ベーチェット病，単純性潰瘍，虚血性腸病変と鑑別ができないもの．
［3］主要所見のCのみを有するもの．〈注7〉
［4］副所見のいずれか２つまたは１つのみを有するもの．

〈注１〉腸管の長軸方向に沿った潰瘍で，小腸の場合は，腸間膜付着側に好発する．典型的には４～５cm以上の長さを有するが，長さは必須ではない．
〈注２〉連続切片作成により診断率が向上する．消化管に精通した病理医の判定が望ましい．
〈注３〉消化管の広範囲とは病変の分布が解剖学的に複数の臓器すなわち上部消化管（食道，胃，十二指腸），小腸および大腸のうち２臓器以上にわたる場合を意味する．典型的には縦列するが，縦列しない場合もある．また，３ヶ月以上恒存することが必要である．なお，カプセル内視鏡所見では，十二指腸・小腸においてKerckring襞上に輪状に多発する場合もある．腸結核，腸管型ベーチェット病，単純性潰瘍，NSAIDs潰瘍，感染性腸炎の除外が必要である．
〈注４〉裂肛，cavitating ulcer，痔瘻，肛門周囲膿瘍，浮腫状皮垂など．Crohn病肛門病変肉眼所見アトラスを参照し，クローン病に精通した肛門病専門医による診断が望ましい．
〈注５〉竹の節状外観，ノッチ様陥凹など．クローン病に精通した専門医の診断が望ましい．
〈注６〉縦走潰瘍のみの場合，虚血性腸病変や潰瘍性大腸炎を除外することが必要である．敷石像のみの場合，虚血性腸病変や４型大腸癌を除外することが必要である．
〈注７〉腸結核などの肉芽腫を有する炎症性疾患を除外することが必要である．

厚生労働科学研究費補助金 難治性疾患等政策研究事業「難治性炎症性腸管障害に関する調査研究」（鈴木班）令和元年度分担研究報告書：『潰瘍性大腸炎・クローン病 診断基準・治療指針』．p.27，2020．

2. 看護過程の展開

● アセスメント～ゴードンの機能的健康パターンを用いて

パターン	アセスメントの視点	根拠	収集する情報
(1) **健康知覚-健康管理** 患者背景 健康知覚-健康管理 価値-信念	●病気になってからの日常生活の変化と認識，これまでの健康と病気に対する認識，病気に対する受け止め方，検査や治療に対する理解や受け止め方はどうか ●健康管理はできているのか	●CDでは，家族歴がある場合は発症のリスクが1.5～7倍，喫煙・経口避妊薬・ホルモン補充療法によって発症リスクが1.5倍増加するといわれている． ●再燃をくり返すため，自己管理が重要である．	●主訴，既往歴（アレルギー歴を含む），入院歴の有無，虫垂切除術の既往，経口避妊薬やホルモン補充療法の治療歴，診断前の生活パターン，家族構成と支援者，病気や治療に対する説明内容とその受け止め方，病気の自己管理方法，喫煙・飲酒歴
(2) **栄養-代謝** 全身状態 栄養-代謝 排泄	●病状を悪化させるような食事習慣はないか，栄養摂取ができているか，栄養状態の低下はないか，貧血はないか	●CDではUCと比較して粘血便が少ないが，体重減少などの栄養障害や，小児では成長障害が認められる場合が多い．発熱などをきたしている場合が多く，急性胃腸炎と診断されるケースが多い．	●身長体重，BMI，体重の増減，食事内容，回数，食事時間，外食の内容，食欲，採血データ（白血球・血小板数の増加，赤血球沈降速度の亢進，CRP上昇，ヘモグロビン，ヘマトクリット，フェリチン低下，アルブミン，血清タンパク，コレステロール，コリンエステラーゼの低下，感染性腸炎除外データ）
(3) **排泄** 全身状態 栄養-代謝 排泄	●排便の変化がいつから生じているか	●CDにおいては血便が少ないが，裂肛・痔瘻・肛門周囲膿瘍などの肛門病変が出現することが特徴的である．	●排便回数，肛門病変の有無，排尿回数，内服状況，飲水量，尿比重，腹痛の場所と出現パターン・程度，痛みの評価
(4) **活動-運動** 活動・休息 活動-運動 睡眠-休息	●病気により身体活動状況や運動習慣，日常生活活動に変化があるか	●CDはUCと異なり，全層性の炎症をきたすことから，腸管内腔だけでなく腸管外の合併症が多くみられることが特徴である．症状が多彩なため，しばしば活動が制限されることがあり，身体活動状況や運動習慣，日常生活活動が変化する．	●身体状況の変化，運動の変化，日常生活動作の変化，趣味，気分転換方法，関節可動域の変化，肛門病変の有無，腸管合併症の出現の有無（皮膚病変，骨・骨格系など）
(5) **睡眠-休息** 活動・休息 活動-運動 睡眠-休息	●排便により睡眠が妨げられていないか	●CDでは腹痛の日内変動はないが，下痢の継続，発熱，痔瘻や肛門周囲膿瘍などの肛門病変を伴うため，疼痛の出現により，休息や睡眠が妨げられることが予測される．	●診断前の睡眠状況，睡眠時間，熟眠感の有無，休息のとり方，不眠の既往，睡眠導入薬使用の有無，夜間の排便回数と腹痛の有無，早朝の腹痛の有無

パターン	アセスメントの視点	根拠	収集する情報
(6) 認知-知覚 知覚・認知 認知-知覚 自己知覚-自己概念 コーピング-ストレス耐性	●認知，記憶，見当識に問題はないか ●腹痛の対処方法と治療はどうなっているか	●治療方針を決定していくうえで，認知力が必要である．また，CDにおいて腹痛が出現する．	●意識レベル，認知機能レベル，意識決定能力障害の有無，腹痛の程度・持続時間，腹痛異常の疼痛の有無，鎮痛薬使用の効果，疼痛の指標（NRS）
(7) 自己知覚-自己概念 知覚・認知 認知-知覚 自己知覚-自己概念 コーピング-ストレス耐性	●アイデンティティとボディイメージの問題はないか ●自尊感情の低下がみられていないか ●病気や療養に対する不安・悩みはないか	●CDは再燃と寛解を繰り返す慢性疾患のため，心理的に常に不安にさらされている可能性がある．好発年齢が10〜30歳代であることや，排泄に関する疾患のため，自尊心の低下や否定的なボディイメージをもつようになるといわれている．	●病気や療養における心配事，不安，自己についての表現，情動的症状（怒り，拒絶感，不満，恐れ，悲しみ，自己否定，孤独感など）の有無，家族や他者との関係性，認知的症状（注意力散漫，放心状態，混乱など），精神科・心療内科の受診歴
(8) 役割-関係 周囲の認識・支援体制 役割-関係 セクシュアリティ-生殖	●他者との関係に変化が生じていないか ●病気や治療による役割の変化や喪失があるか	●小児や思春期の場合は，学校や周囲に適応することが課題となる．頻回な排便回数や食事制限，薬の内服や副作用などによる身体や顔貌の変化などから，学校生活を過ごすことに自信がもてなくなり，友人との食事の機会を避けたり，行事や部活動を諦めることもある．大人では，症状の悪化や経腸栄養療法が必要な状態となり，就業することができなくなったり，通勤途中での排便の不安から退職を選択したり，家族内の役割を遂行できなくなるなどの問題を生じることがしばしばある．	●家族構成，同居者の有無，社会的役割，就業の有無，家庭内で役割，病気により役割変化が生じているか，代行者の有無，家族や関わる人々が病気をどのように理解して捉えているか，経済的状況，医療・社会支援制度の活用の有無
(9) セクシュアリティ-生殖 周囲の認識・支援体制 役割-関係 セクシュアリティ-生殖	●性機能の問題が生じていないか，病気によって変化が生じたことがあるか	●若年者に好発するため，病気に伴う性機能の問題について把握し，妊娠や出産を希望する場合には安全な方法を提案する必要がある．炎症性腸疾患（IBD：inflammatory bowel disease）患者の子どもがIBDを発症する確率は，一般的に数倍高いが遺伝疾患ではない．CDでは肛門病変や瘻孔・膣瘻が生じることがある．女性患者ならば，活動期に妊娠すると，流産・早産・低体重のリスクがわずかに上昇する．治療薬による不妊や先天性異常はないが，妊娠中の薬剤が児に悪影響を与える場合がある．	●肛門病変の有無，膣瘻の有無，性機能障害の有無，性機能に対する悩みや不安，女性ならば月経異常の有無，月経周期，出産歴，家族計画の予定，子どもの有無

パターン	アセスメントの視点	根拠	収集する情報
(10) **コーピング-ストレス耐性** 知覚・認知 認知-知覚 自己知覚-自己概念 コーピング-ストレス耐性	●問題が生じたときの対処方法，ストレスの認識，ストレスへの対処方法はどうか	●IBD患者は，寛解期でも30%，活動期では60%の割合で抑うつや不安などの心理的機能障害をもっているといわれている．長期的なストレス状態にあることは，意識と患者の乖離が生じやすくなり，ストレスに対して鈍感になる．自分の感情を捉え，言語化することが健常者よりも難しいといわれている．不安や抑うつ感を緩和することは，寛解の維持や炎症を抑制する効果があるといわれている．自分自身でも気づいていないストレスをいかにキャッチし，対処方法を身につけておくかが療養生活において重要となる．	●病気と診断される前の困ったときの対処方法と効果，支援者の有無，病気に対する受け止めと療養上での心配事，対処方法，医療者との関係性
(11) **価値-信念** 患者背景 健康知覚-健康管理 価値-信念	●病気により価値観や信念の変化はないか，意思決定に影響を及ぼす価値観や信念はあるか	●長期を見据えた治療が必要となる．寛解期は内服治療や経腸栄養療法が中心となるが，活動期は外科的な手術が必要になる場合がある．また，再入院などの可能性や長期間の休養などにより，経済的喪失や，孤独感や未来への不安に直面する場合がある．治療の決定や継続には生活信条や，価値観が影響を及ぼす．	●信仰している宗教の有無，生活信条，座右の銘

3. 全体像の把握から看護問題を抽出

1）病態関連図

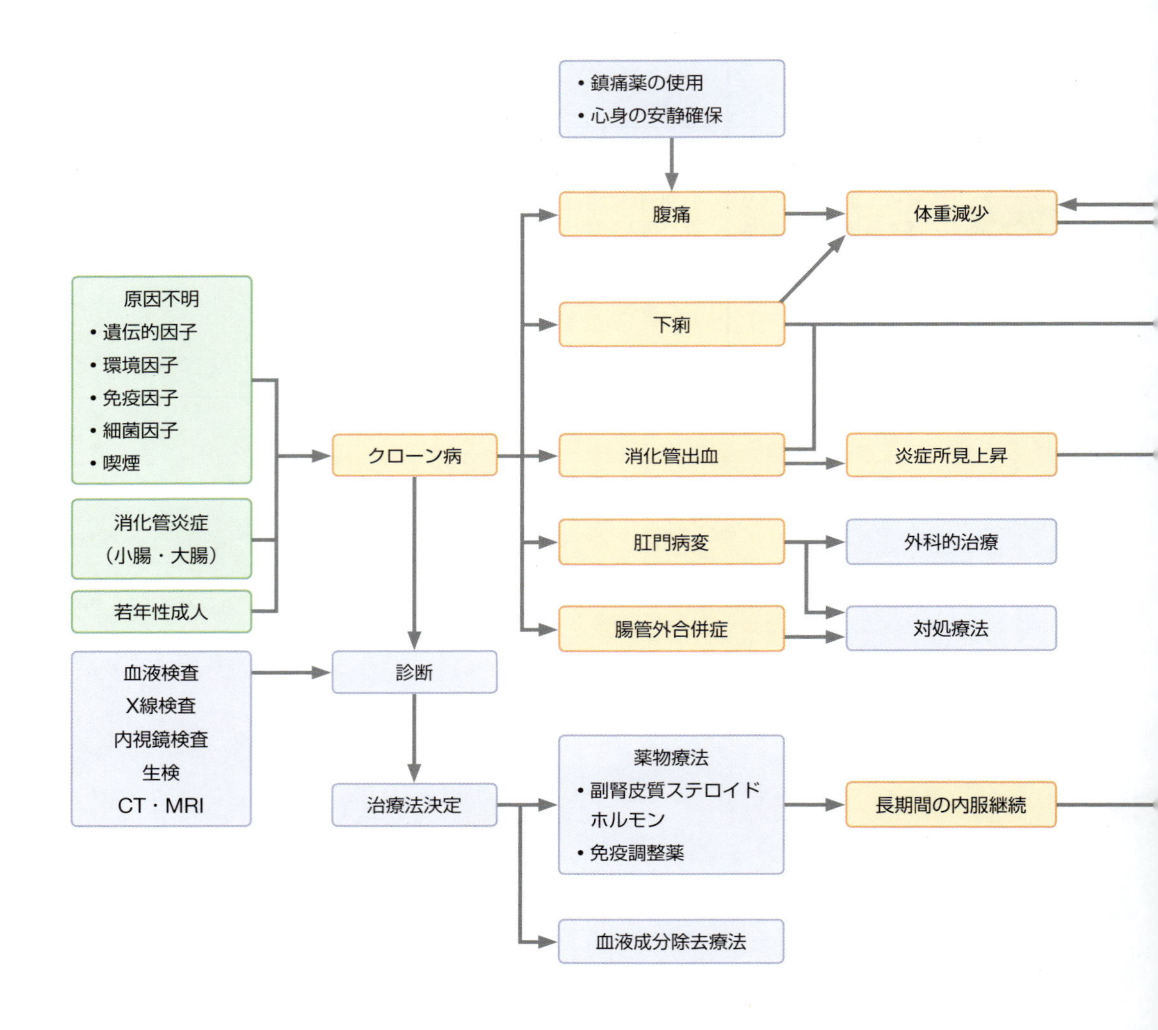

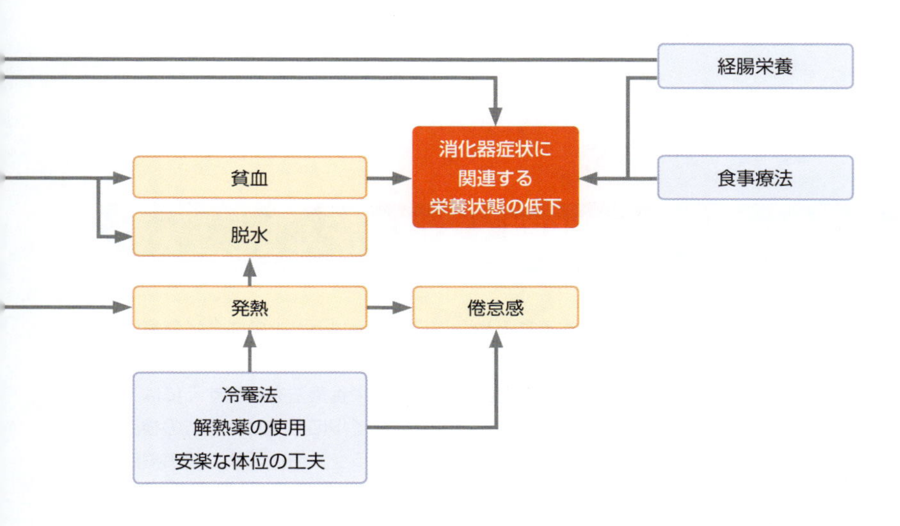
経腸栄養
消化器症状に
関連する
栄養状態の低下
食事療法
貧血
脱水
発熱
倦怠感
冷罨法
解熱薬の使用
安楽な体位の工夫
長期療養によるストレス

2）看護の方向性

CDは，口腔から肛門までの，どの部位にも病変を生じる炎症性腸疾患である．主症状が，腹痛，下痢，発熱のため，感染性腸炎と診断されることも多い．そのほか，裂肛や肛門潰瘍，痔瘻などの肛門病変を，半数の患者が併発している．肛門病変は難治性になる場合が多く，治療に加えて否定的なボディイメージをもったり自尊心の低下が予測されるため，十分な配慮が必要となる．

UCと比較して，病理学的に全層性で炎症を認めるため，腸管合併症をきたしやすい特徴がある．治療の経過で臨床的寛解状態であっても，腸管粘膜病変は活動性を有していたりするため，症状だけでなく血液検査での所見を十分に確認することが必要とされている．消化管の全層性で炎症を繰り返すうちに，狭窄や瘻孔，膿瘍などの腸管合併症をきたして外科的手術に至る割合が高い．外科的手術方法は統一した方法がないが，繰り返し手術が必要になる場合も多く，短腸症候群になる可能性が高い．術後の創傷管理にあわせて，腸管吸収の問題が生じるため，栄養管理をどのような方法で行うかの検討が必要である．経腸栄養方法や在宅静脈栄養法などの方法がある．また，早期離床もケアとして重要となる．症状の緩和とともに全身状態の管理が必要である．繰り返す活動期とさまざまな合併症から，終了できる患者は全体の30%未満とされている．

3）患者・家族の目標

適切な療養方法を獲得し，寛解を維持できる．

4. しばしば取り上げられる看護問題

(1)寛解導入療法～寛解維持療法まで

♦1 脱水により全身状態が悪化する可能性がある

なぜ？

下痢や発熱により脱水を生じやすい．炎症や脱水によって全身状態が悪化していく可能性がある．

➡期待される結果

脱水が改善する．全身状態の悪化がみられない．

♦2 アドヒアランスの低下により適切な療養行動が継続できない可能性がある

なぜ？

CDでは，寛解導入療法～寛解維持療法まで，内服，食事・栄養療法が有効とされている．そのため，内服アドヒアランス，食事・栄養療法に対する理解を深め，セルフマネジメントができるようになることが求められる．食事・栄養療法が優れている点は，副作用が少なく安全な点である．種類としては，①経静脈栄養療法，②経腸栄養療法，③経口からの低残渣・低脂肪食がある．寛解維持療法では，総摂取カロリーの半分を成分栄養療法にすることや，１日30kcal/kg以上の成分栄養療法の継続が有効とされている．

学校や職場のなかでこの栄養療法を継続するには工夫が必要であり，ライフスタイルにあわせた方法の検討が必要である．内服アドヒアランスの低下や，食事療法の中断などが，活動期に移行する要因となるため，本人だけではなく家族の協力も必要となる．高齢や小児の場合は，とくに周囲の治療アドヒアランスを高める必要がある．

また，発症および再燃や増悪に，喫煙が関与しているといわれているためCDと診断されたら禁煙が必要である．

➡期待される結果

内服アドヒアランス，食事・栄養療法に対する理解を深め，セルフマネジメントができ，適切な療養行動が継続できる．

♦3 肛門病変が生じることで，否定的なボディイメージとなる危険がある

なぜ？

CD患者の50～90%に肛門病変が合併するといわれている．肛門病変は，痔瘻や裂肛，腟瘻，肛門周囲膿瘍

などがあるが，多発，難治，複雑化することが特徴であるため，結果的に外科的手術が必要となる場合も多くある．根治を目的とした場合には，肛門括約筋の損傷が大きくなり，永久的人工肛門となる可能性が高くなるため，QOLの低下や否定的なボディイメージをもつことがある．膿瘍形成した場合は炎症を伴うため，ドレナージや外科的手術の検討も必要となる．女性の場合の腟瘻では痛みの継続，歩行困難，不妊の要因となるなどの問題がある．悪臭のある排膿を伴う場合が多く，否定的なボディイメージをもつ可能性が予測される．

➡期待される結果

身体の変化を受け入れ肯定的なボディイメージをもつことができる．

日常生活の制限により，精神的負担が生じる危険性がある

なぜ？

内服継続は活動期，寛解期ともに必要だが，活動期では過度な運動制限や腸管安静のための食事制限，寛解期でも暴食の制限が重要となる．病気そのものの苦痛や内服治療，身体状況の変化，さらに経腸栄養療法や成分栄養療法を学校や職場で継続していくことが困難な場合もあるため，精神的負担が強くなり，治療中断につながる危険性がある．

また治療に伴い，運動や社会活動を制限する場合があるため，他者と距離をおいてしまう患者も多くいる．

➡期待される結果

精神的負担に対する対処方法を獲得し，治療継続ができる．

内服薬より，易感染状態となる危険がある

なぜ？

ステロイドや免疫抑制薬の内服が必要となる場合が多くある．CDでは，サラゾスルファピリジン（SASP）またはステロイド投与が治療の選択肢となる．小腸病変でも，経腸栄養療法またはステロイドの全身投与を選択することを推奨している．治療によって易感染症となり感染症発生リスクが高まる．

手洗い・うがい・マスクの着用などの予防行動を身につける必要がある．免疫抑制薬使用の患者において，ニューモシスチス肺炎が発症した報告もあり，肺炎は重篤化する可能性がある．

➡期待される結果

感染予防の必要性を理解し，感染予防行動がとれる．

(2)外科的治療適応

低栄養・貧血・ステロイド使用歴により，縫合不全や創感染を発症する危険がある

なぜ？

術前からの，低栄養状態や下血による貧血や腸管の炎症，ステロイドや免疫抑制薬の使用により，創傷治癒遅延になる可能性が高く術後合併症のリスクがより高まる．縫合不全や創部感染から腹膜炎を発症する場合もある．

➡期待される結果

早期術後合併症の早期発見と適切な対応ができる．

◆2 手術により高度脱水を生じる危険がある

なぜ？

CDはあらゆる粘膜に病変が出現するため，部位によって術式は異なる．繰り返す手術によって短腸症候群というような，腸管吸収問題が生じる．術後は萎縮粘膜の回復に時間を要するため，さらに吸収不良が生じる．経口摂取を開始した場合に，浸透圧の問題で下痢や脱水を起こすことがある．

➡期待される結果

脱水予防行動を実施できる．

◆3 手術や症状の悪化によって腸閉塞を繰り返す危険がある

なぜ？

手術での癒着や腸管浮腫，過食，活動期による症状悪化などによって，腸閉塞を起こす可能性が高くなる．腸閉塞は，絶食，輸液，イレウスチューブ挿入などの治療が必要になるため，多くの場合で入院が必要となる．また，腸閉塞の症状について患者が理解し，予防と早期発見のためのセルフケア行動ができるようになることが必要である．

狭窄・瘻孔・膿瘍などによる炎症が強いままで手術を行うと，汚染や浮腫によって吻合不全や再狭窄を起こす危険性が高くなる．また，再燃を繰り返すこと，食事摂取の内容や脱水，止痢薬などの内服によって，腸閉塞を繰り返す危険性がある．排便量の観察や脱水予防を身につける必要がある．腸閉塞は，穿孔などの生命危機状況に陥ることもある．

➡期待される結果

腸閉塞に対する予防行動が実践できる．

5. 看護計画の立案

• O-P：Observation Plan（観察計画）　• T-P：Treatment Plan（治療計画）
• E-P：Education Plan（教育・指導計画）

（1）寛解導入療法〜寛解維持療法まで

♦1 脱水により，全身状態が悪化する可能性がある

	具体策	根拠と注意点
O-P	（1）下痢や下血（粘血便の回数と程度）	●UCと比較すると出現頻度は少ないが，全体の30%の割合で血便が出現する．下痢はほとんどの患者で出現する．貧血症状や脱水症状を予測するためにも把握する必要がある．
	（2）腹痛の有無とバイタルサイン	●腹痛はほとんどの患者でみられ，発熱を伴う場合も多く，虫垂炎症状と類似している．腹部症状が強く，手術歴がないにもかかわらず腸閉塞を疑う場合も注意が必要である．体重減少は小腸型に多くみられ，栄養障害や小児の場合は成長障害がみられる場合がある．
	（3）肛門病変の有無	●肛門病変は50%以上の患者が有しており，裂肛，肛門潰瘍，痔瘻，肛門周囲膿瘍，膣瘻などが出現する．ほかの症状がないにもかかわらず，肛門病変をきっかけに診断される場合がある．肛門病変により，炎症所見の増悪や穿孔や狭窄をきたして外科的手術が必要になる場合があるため，観察が重要となる．
	（4）検査データの異常の有無	●血液検査では，消化管出血に伴い，鉄欠乏性貧血が認められることが多く，腸管炎症に伴って，白血球や血小板の増加，CRPの上昇が認められる．また，アルブミン値の低下は栄養指標であるだけでなく，疾患の重症度の指標ともなる．CTやMRIでは，全層性で炎症が起こるCDにおいて，小腸病変や腸管の癒着や瘻孔，膿瘍の程度を把握するうえで重要となる．
T-P	（1）適切な全身状態管理	●頻回な下痢と下血により，脱水や鉄欠乏性貧血を起こす場合が多い．活動期には腸管安静のために食事制限が必要となる．すでに低栄養状態になっている可能性があるため，場合によっては中心静脈栄養での点滴管理が必要となる．
	（2）腹痛が増強する場合には鎮痛薬を使用して症状緩和をはかる	●NSAIDs内服は，症状の増悪要因として報告されているが，腹痛や発熱などの苦痛症状がある場合には奏功し，症状軽快の一助になる．必要に応じた最小限の投薬を，できるだけ短期間で使用することが重要となる．
E-P	・腹痛増強時や体調変化時は速やかに医療者に伝えるよう説明する	●下血の回数や腹痛増強は，症状の悪化だけでなく，穿孔などの危機的状況を引き起こしている可能性もあるため，すぐに医療者に伝えてもらう．また，ナースコールを患者の手の届く範囲に配置しているか確認する．

◆2 アドヒアランスの低下により適切な療養行動が継続できない可能性がある

	具体策	根拠と注意点
O-P	(1)療養行動または療養に必要な行動についての知識	●患者の生活習慣や１日の生活スケジュール，これまでのセルフケア状況の把握が，問題点の把握や支援の方向性を決めるうえで重要となる． ●難病に対するネガティブイメージが先行する場合が多いため，適切な治療の継続で良好な症状コントロールが可能だと理解できるよう支援することが重要である．患者の疾患や治療の理解度，活動期と寛解期の違いなどをどのように捉えているか把握する必要がある．
	(周囲の人の療養行動についての知識)	●家族の，疾患や治療，日常生活上の留意点に関する理解度が，患者の療養に影響を与えるため，把握する必要がある．小児では学校，成人では職場などの，周囲の理解や協力体制も大きく影響する可能性を理解しておくことが大切である．
	(2)服薬アドヒアランス	●退院後に再燃させないための重要なポイントとしては，内服薬を確実に内服できるよう支援することである．ステロイド減量中や免疫抑制薬投与中では，急な自己中断によって症状が再燃する場合も多く，症状のモニタリングも重要になる．
	(3)食事・栄養療法アドヒアランス	●内服治療と並行して，食事・栄養療法が必要となる．これまでの食事内容を把握することや，食事は他者との関わりが多いため，日常生活のスケジュールを把握する必要がある．患者の食事・栄養療法に対する理解度を確認する．
T-P	(1)患者とコミュニケーションをはかり，信頼関係を築きながら，療養における目標を患者とともに明確にする	●アドヒアランスを高めるうえでは，患者と医療者の信頼関係を築くことが重要になる．患者と医療者が対等な立場で，今後どのような療養を目標にしていくか明確にすることが大切である．
	(2)これまでのセルフケア行動を振り返り，適切なセルフケア行動を患者とともに考える	●日常生活状況，食事，社会生活状況などをともに振り返り，どのようなセルフケアをしてきたか把握し，ともに修正していく作業が大切である．また，適切なセルフケア行動を再度検討する必要がある．
	(3)患者だけでなく，家族やサポートする人々の理解や支援を促す	●患者だけのアドヒアランス向上では，療養がうまくいかない場合もある．家族や周囲のサポートする人々の，疾患や治療に対する理解ができるように支援し，どのように本人の療養に協力していけばよいかを，ともに検討することが重要となる．
E-P	(1)療養行動についての指導 (2)薬剤師と協力して服薬アドヒアランスを向上できるよう説明する	●内服薬に対する正しい知識が必要になるため，病棟看護師からの説明に加え，薬剤師と連携していく必要がある．
	(3)栄養士と協力して食事・栄養療法アドヒアランスを向上できるよう説明する	●点滴療法や経腸栄養方法以外にも，経口摂取をする際に低残渣・低脂肪食が有用とされている．食事内容や外食時の選択内容，家族が協力できる体制を整備するため，栄養士と連携する必要がある．
	(4)治療継続にあたって困難が生じたときには医療者にいつでも相談するよう説明する	●再燃と寛解を繰り返す疾患のため，内服をしていたとしても病状の変化が生じてくる場合がある．また，社会生活のなかで療養行動を継続していくことは，思いがけない問題に衝突する場合もあるため，相談できる窓口を明確にしておくことが必要である．

◆1 低栄養・貧血・ステロイド使用歴により，縫合不全や創部感染を発症する危険がある

	具体策	根拠と注意点
O-P	**(1)縫合不全の有無** ①バイタルサイン(発熱，頻脈) ②腹痛の有無 ③腸蠕動音・排ガスの有無 ④腹腔ドレーンからの排液量・性状 ⑤ドレーン挿入部周辺の皮膚異常の有無 ⑥創部汚染の有無 ⑦血液データ	●一般的な術後管理の視点が必要だが，低栄養状態や貧血，ステロイド使用によって，通常よりも早期術後合併症を引き起こす割合が高くなる．ドレーンからの排液量が多く，性状が膿性や胆汁様であった場合には，縫合不全が生じている可能性が考えられる．
	(2)創部感染の有無 ①バイタルサイン ②腹痛の有無 ③創部汚染の有無，滲出液の有無 ④創部皮膚状態 ⑤血液データ	●発熱などのバイタルサインの変化や，創部腫脹，創部発赤などが出現した場合には，感染が疑われる．ステロイドの使用歴などはさらに易感染を引き起こすため，重篤にならないよう観察と早期対応が必要となる．
	(3)術後イレウスの有無 ①経鼻カテーテルからの排液量・性状 ②腸蠕動音・排ガス・排便の有無 ③悪心・嘔吐の有無 ④腹部膨満感の有無 ⑤口渇感の有無 ⑥水分出納バランス ⑦バイタルサイン ⑧血液データ ⑨腹部X線・腹部CT	●術後2～3日は腸蠕動が回復しないため，経鼻胃管カテーテルが挿入される．経鼻胃管カテーテルの抜去後の腹部膨満感や悪心・嘔吐の出現は，術後の腸閉塞が予測されるため，経口摂取は一時中止し，腹部X線や腹部CTなどの検査を行う必要がある．
	(4)栄養状態，貧血 ①体重の増減 ②検査データ(TP，Alb，RBC，Hb，Ht) ③経鼻胃管カテーテルからの投与エネルギー ④食事摂取量(経口摂取再開後)	●感染の危険因子についてアセスメントする．
T-P	**(1)術後の栄養管理を適切に行う**	●術前からのステロイドの使用，絶食や低栄養状態，貧血などは，創傷治癒を障害する要因となる．術後は，中心静脈栄養療法や，早期の食事の経口摂取による栄養管理を行い，創傷治癒が遅延しないよう管理していくことが重要となる．
	(2)創部痛を緩和して早期離床を促す	●創部痛があることで早期離床の遅延につながる．術後疼痛を早期から取り除き，術後肺炎や深部静脈血栓予防のためにも，離床を促していく必要がある．
	(3)ドレーン類の管理を確実に行う	●ドレーン・チューブ類の長さや高さ，固定方法を工夫する必要がある．ドレーンの接触による二次的なスキントラブルや，ドレーン挿入によって活動が制限されるため，早期離床が進まないなどの影響がある．
E-P	**(1)術後の栄養管理の必要性について説明する**	●術後の栄養管理は，退院した後も重要になる．低栄養状態を予防するだけでなく，腸閉塞を予防する観点からも大切である．食事はよく噛んで，腹八分で抑えること，消化の悪そうなものは細かくする・茹でる・つぶすなどの，調理上の工夫が必要なことを伝える．
	(2)疼痛出現時の対処方法，早期離床の必要性について説明する	●疼痛を過度に我慢せず，医療者に伝えるよう説明する．疼痛管理を行い，早期離床をすることが，さまざまな合併症を予防することを説明する．

♦2 手術により高度脱水が生じる危険がある

	具体策	根拠と注意点
O-P	**(1)排便回数，便の性状**	●腸管の狭窄や癒着をきたす割合が多く，手術を繰り返すことや小腸切除することで，腸管吸収ができなくな下痢や栄養障害を起こす可能性がある．術後の排便回数や性状を把握することが重要となる．
	(2)水分出納のバランス ①点滴量 ②飲水量 ③尿量 ④人工肛門からの排液量 ⑤排便量 ⑥不感蒸泄	●術後早期は輸液管理が中心となるため，排泄量のカウントを正しく行い，適宜輸液を調整して脱水を予防する必要がある．
	(3)脱水症状の有無 ①頭痛 ②皮膚や舌の乾燥 ③口渇感 ④尿量 ⑤倦怠感の有無 ⑥バイタルサイン	●患者にも脱水になる可能性を説明し，症状をモニタリングする．退院後も，脱水予防を患者自身が行う必要があることを説明する．
T-P	**(1)適切な輸液管理を行い，脱水を予防する**	●水分出納バランスに注意しながら適切に輸液を管理していくとともに，アウトバランス時には追加点滴を投与，飲水を促すなどの対応を行う．
	(2)経腸栄養療法の管理	●術後は中心静脈栄養療法で管理を行うが，小腸病変によって狭窄や通過障害が生じやすい場合や，栄養吸収障害をきたしやすい状況では，経腸栄養療法が併用される．主にエレンタール®やラコール®などが選択される．
E-P	**・脱水症状のモニタリングと対処方法を説明する**	●脱水症状が出現してからの飲水タイミングでは対応が遅くなるため，こまめな水分補給，とくに発汗時には経口補水液を摂取するよう説明する．経腸栄養療法が併用される場合には，1日の目標量を，どのような方法でどのタイミングで摂取するか患者とともに検討する必要がある．

引用・参考文献

1) 公益財団法人難病医学研究財団(厚生労働省補助事業)：難病情報センターホームページ　https://www.nanbyou.or.jp/ より2020年 8 月20日検索
2) 日本消化器病学会編：炎症性腸疾患(IBD)診療ガイドライン2016．南江堂，2016．
3) 日比紀文，久松理一：炎症性腸疾患を日常診療で診る―IBDとは？ その診断と患者にあわせた治療．羊土社，2010．
4) 日比紀文監：チーム医療につなげる！ IBD診療ビジュアルテキスト．羊土社，2016．
5) 厚生労働科学研究費補助金 難治性疾患等政策研究事業「難治性炎症性腸管障害に関する調査研究」(鈴木班) 令和元年度分担研究報告書：『潰瘍性大腸炎・クローン病 診断基準・治療指針』．2020．　http://ibdjapan.org/pdf/doc01.pdf より2020年 8 月20日検索

21 食道がん

1. 疾患の基礎的知識

1）疾患の概念

食道がんとは，食道入口部から食道胃接合部までの粘膜に発生する上皮性悪性腫瘍である．日本では90%以上が扁平上皮がんである．

2）原因

食道がんのうち扁平上皮がんの発症原因として，飲酒，喫煙があげられる．とくに飲酒と喫煙を併用すると，発症のリスクが高くなることが指摘されている．また，栄養状態の低下や，果物・野菜を摂取しないことによるビタミンの欠乏も危険因子とされている．

日本の食道がん罹患率は，男女比が約6：1で，圧倒的に男性が多い．

なお，欧米に多い腺がんの発症原因としては，胃食道逆流症によるバレット（Barrett）食道，肥満があげられる．

3）病態と臨床症状

病態

食道は，頸部食道・胸部食道（上部・中部・下部）・腹部食道に分かれる．がんの好発部位は胸部中部食道（Mt）が最多（50%）で，次いで胸部下部食道（Lt）に多い（**図21-1**）．

粘膜下層にはリンパ管・血管が多く存在するため，がんが粘膜下層に浸潤するとリンパ行性転移や血行性転移を起こしやすい．たとえば，粘膜下層のリンパ流は縦走する流れが多いため，食道周囲よりも反回神経沿いや胃噴門部へのリンパ節転移を生じやすい．一方の血行性転移は，上部食道では肺に多く，下部食道では門脈を介して肝臓に至ることが多い．また，食道は漿膜に覆われていないため，固有筋層を超えて浸潤したがんは，容易に周囲の臓器（肺・気管・心膜など）に浸潤する．

食道がんは，T（壁深達度）N（リンパ節転移）M（遠隔転移）分類（**表21-1**）によって進行度（**表21-2**）が決定され，治療方針や予後予測が立てられる．一例として，早期食道がんは，壁深達度が粘膜層にとどまるがんであり，リンパ節転移の有無は問わない．病型分類として，「表在型」は壁深達度が粘膜下層（SM）までにとどまるものであり，「進行型」は壁深達度が固有筋層以深に及んでいるものである（**図21-2**）．

臨床症状

早期は無症状であることが多く，自覚症状が出現したときにはすでに進行がんであることが多い．原発巣に隣

図21-1　食道がんの好発部位

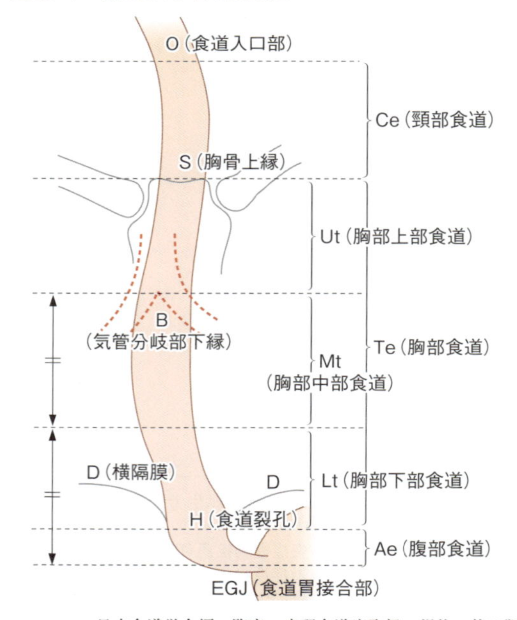

日本食道学会編：臨床・病理食道癌取扱い規約．第11版，p.7，金原出版，2015．より改変

接する組織に浸潤しやすいが，腫瘍の位置や，腫瘍が食道壁のどちらの方向に存在するかによって，浸潤しやすい臓器を予測することができるため，それらに応じて症状の観察が重要である．

(1)嚥下時の痛み，しみるように感じる

早期の粘膜変化に伴う症状であり，嚥下時に胸の奥がチクチク痛んだり，熱いものを飲み込んだときにしみるように感じる，という症状がある．早期発見のために重要な症状である．腫瘍が大きくなると，このような感覚を感じなくなるため，放置されてしまうことがある．

(2)嚥下障害，つかえ感，体重減少

腫瘍の増大に伴う狭窄症状で，食物がつかえることによって出現する．胸部食道の狭窄であっても，口側の咽頭周囲がつかえるように感じることがある．腫瘍がさらに増大すると，食道が閉塞して水分も通過できないため，唾液も吐き続けることとなる．経口摂取量の減少に伴い低栄養状態となり，体重減少がみられるようになる．

(3)嗄声，誤嚥

頸部～胸部上部食道がんでは，その近傍に反回神経が存在する．また，転移しやすいリンパ節も反回神経の周囲に存在する．反回神経は声門の運動機能を調節しているため，反回神経に腫瘍が浸潤すると嗄声や誤嚥が出現する．両側の反回神経が麻痺を起こすと，窒息の危険があるので注意が必要である．

(4)咳嗽，食道気管瘻，食道気管支瘻

呼吸器系（肺，気管，気管支）に浸潤すると，むせるような咳嗽や血痰が出る．また，浸潤した部位に瘻孔（ろうこう）ができることにより，食道と呼吸器系の間に瘻孔が出現することがある．

(5)胸部痛，背部痛

胸膜や神経系，胸椎，大動脈が圧迫されることにより，胸部痛，背部痛が出現する．

(6)吐血

大動脈に腫瘍が浸潤して穿通すると，大吐血を起こして致命的となる．

表21-1　TNM分類

T：壁深達度	
TX	癌腫の壁深達度が判定不可能
T0	原発巣としての癌腫を認めない
T1a	癌腫が粘膜内にとどまる病変
T1a-EP	粘膜上皮内にとどまる病変（Tis）
T1a-LPM	粘膜固有層にとどまる病変
T1a-MM	粘膜筋板に達する病変
T1b	癌腫が粘膜下層にとどまる病変（SM）
T1b-SM1	粘膜下層を3等分し，上1/3にとどまる病変
T1b-SM2	粘膜下層を3等分し，中1/3にとどまる病変
T1b-SM3	粘膜下層を3等分し，下1/3に達する病変
T2	癌腫が固有筋層にとどまる病変（MP）
T3	癌腫が食道外膜に浸潤している病変（AD）
T4	癌腫が食道周囲臓器に浸潤している病変（AI）
T4a	胸膜，心膜，横隔膜，肺，胸管，奇静脈，神経
T4b	大動脈（大血管），気管，気管支，肺静脈，肺動脈，椎体
N：リンパ節転移	
NX	リンパ節転移の程度が不明である
N0	リンパ節転移を認めない
N1	第1群リンパ節のみに転移を認める
N2	第2群リンパ節まで転移を認める
N3	第3群リンパ節まで転移を認める
N4	第3群リンパ節より遠位のリンパ節（第4群）に転移を認める
M：遠隔転移	
MX	遠隔臓器転移の有無が不明である
M0	遠隔臓器転移を認めない
M1	遠隔臓器転移を認める

日本食道学会編：臨床・病理食道癌取り扱い規約，第11版，p.9，金原出版，2015.

4）検査・診断

食道がんは，まずX線造影検査，内視鏡検査を用いてがんの有無が検索される．食道がんを発見したら，病期

表21-2　食道がんの進行度

壁深達度＼転移	N0	N1	N2	N3	N4	M1
T0，T1a	0	Ⅱ	Ⅱ	Ⅲ	Ⅳa	Ⅳb
T1b	Ⅰ	Ⅱ	Ⅱ	Ⅲ	Ⅳa	Ⅳb
T2	Ⅱ	Ⅱ	Ⅲ	Ⅲ	Ⅳa	Ⅳb
T3	Ⅱ	Ⅲ	Ⅲ	Ⅲ	Ⅳa	Ⅳb
T4a	Ⅲ	Ⅲ	Ⅲ	Ⅲ	Ⅳa	Ⅳb
T4b	Ⅳa	Ⅳa	Ⅳa	Ⅳa	Ⅳa	Ⅳb

T4a：胸膜，心膜，横隔膜，肺，胸管，奇静脈，神経
T4b：大動脈（大血管），気管，気管支，肺静脈，肺動脈，椎体

日本食道学会編：臨床・病理 食道癌取扱い規約．第11版，p.21，金原出版，2015.

(stage) 決定のために，エコーや各種画像検査を追加する．検査結果によって病期がTNM分類で決定され，治療法や予後予測の目安とされる．

(1)食道X線造影

嚥下したバリウムが食道を流れ落ちるタイミングにあわせて撮影するため，基本的に立位にて検査を行う．早期がんでは，表在型でわずかな壁の変形を認め，進行がんでは壁の変形が強い．

(2)食道内視鏡検査

がん病変部の部位や深達度の診断を行うことができる．また，生検を行うことで，病理組織学的診断の確認ができる．食道がんの大部分は扁平上皮がんであるが，内分泌細胞がんの場合は治療の第１選択が化学療法であり，使用する抗がん薬が扁平上皮がんとは異なる．あるいは，腺がんで手術療法が可能と判断される場合は，扁平上皮がんとは異なって化学療法は行わず，手術療法が第１選択となる．いずれにせよ，治療方針の決定のためにも，できる限り正確な病理組織学的診断を得ることが極めて重要である．

早期がんでは変化が微小なのでヨード染色を行い，見落としに注意する．健常粘膜はヨードによって染色されるが，がんや炎症によって健常粘膜が欠損するとその部分が染色されず，ヨード不染として認められる．

(3)CT，MRI

周囲の臓器(大動脈，気管・気管支)などへのがんの浸潤の有無や，リンパ節転移の診断，他臓器(肝，肺など)転移の有無の診断に有用である．

(4)超音波内視鏡(エコー)

超音波内視鏡(EUS：endoscopic ultrasonography)は，リンパ節転移や転移性肝腫瘍の有無，その他の腹部臓器に重大な合併病変がないかを評価するために行う．

(5)ポジトロン断層撮影

ポジトロン断層撮影(PET：positron emission tomography)は，転移の全身検索に有用である．高度進行がんでは，術前に検査することが望ましい．

5) 治療

病期によって治療方法が異なる．

(1)内視鏡的粘膜切除術，内視鏡的粘膜下層剥離術

壁進達度が粘膜層(T1a)のうち，EP，LPM病変ではリンパ節転移は極めてまれであり，内視鏡治療の適応となる．内視鏡的粘膜切除術(EMR：endoscopic mucosal resection)は，表在がんの深達度の浅いものが対象となる．内視鏡的粘膜下層剥離術(ESD：endoscopic submucosal dissection)は，表在度の深い病変が対象となり，また，組織的診断において望ましいとされる「一括切除ができるESD」が現在主流となっている．

(2)手術療法

①右開胸開腹食道切除術

胸部食道がんのT1b-SM2，3以上は，進行がんとしてこの術式が選択される．胸部腹部食道の全摘と，頸部・胸部・腹部の３領域リンパ節郭清が標準的である．皮膚切開は約18cmの右側側方切開とし，右第４または第５肋間にて開胸し(左は大動脈があるため)，胸部リンパ節と食道を切除する．このとき，右反回神経・迷走神経を確認・温存し，神経損傷や

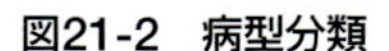
図21-2　病型分類

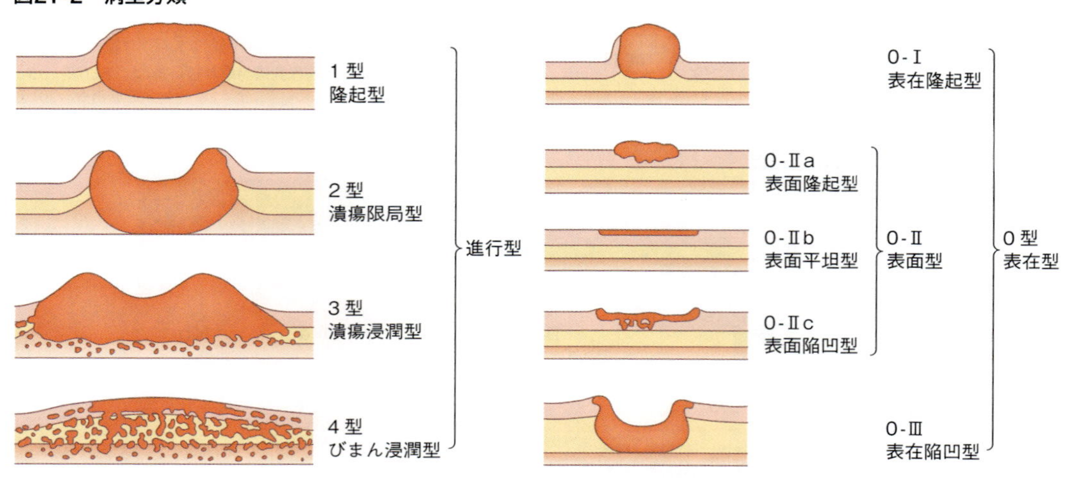

日本食道学会編：臨床・病理 食道癌取扱い規約．第11版，p.9，金原出版，2015.

切除による合併症を防ぐ．次に腹部正中切開にて開腹し，腹部リンパ節とともに腹部食道と胃を切離する．

食道切除後の再建臓器には，胃管（胃を管状に形成したもの）を用いることが多い．これは吻合箇所が１か所で済むためである．胃を使えない場合は，結腸や小腸を用いることがある．再建臓器を通す経路は，胸壁前（皮下），胸骨後，後縦隔の３つがある（**図21-3**）．それぞれの再建方法により，長所と短所がある（**表21-3**）．

②腹腔鏡下食道切除・再建術（VATS/HALS）

右開胸開腹食道切除術を腹腔鏡下で行うもので，手術侵襲が少ないが手術手技の難易度が高い．術式の概要は①と同様である．

(3)放射線療法・化学放射線療法

食道扁平上皮がんは放射線に感受性が高いことから，食道がんにおける放射線療法の役割は重要である．根治的放射線治療では，化学療法の同時併用が推奨されている．切除可能進行がんでは，術前化学療法のほかに，化学放射線同時療法が導入されることがある．切除不能でPS（Performance Status）が良好な場合は化学放射線療法の適応となり，PSが不良な場合は放射線単独治療が検討される．通過障害があるStageⅣbでは，緩和的放射線療法が用いられることがある．

放射線を身体の外部から照射する外部照射を１回1.8～2.0Gy，１日１回×週５日の通常分割照射法が一般的である．食道がんはリンパ節転移の頻度が高いため，治療開始時には腫瘍と所属リンパ節を含めて照射野を設定し，40～44Gy程度まで治療する．その後，脊髄を避けて，腫瘍に絞り，総線量としては放射線療法単独では60～70Gy，化学放射線療法では50～60Gｙまで治療する．

放射線療法の急性期の有害事象としては，食道炎，皮膚炎，倦怠感，肺臓炎がある．急性期有害事象は，治療後２～４週で改善する．遅発性有害事象として，肺臓炎，食道狭窄を生じることがあり，化学療法との併用で胸水貯留，心嚢水貯留の頻度が高くなるといわれている．治療前からがんが進行していた場合は，気管，大動脈，縦隔などの隣接臓器との間に瘻孔が形成され，致死的になることがある．

(4)化学療法

①術前術後補助化学療法

現在，わが国におけるStageⅡ～Ⅲの胸部食道がんに対する標準治療は，フルオロウラシル（5-FU®），シスプラチン（CDDP）を用いた術前化学療法＋手術療法である．また，術中にリンパ節転移が認められた場合，術後の化学放射線療法を追加することで再発までの期間や生存期間を延ばすことができた臨

図21-3　食道再建方法

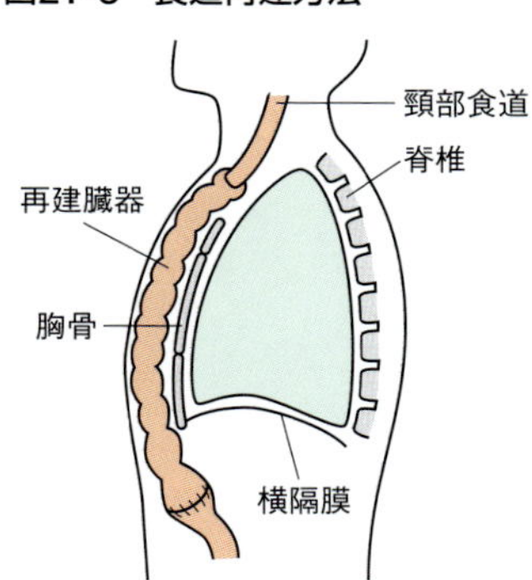

a．胸壁前
皮膚と胸骨の間を剥離して，消化管を挙上する

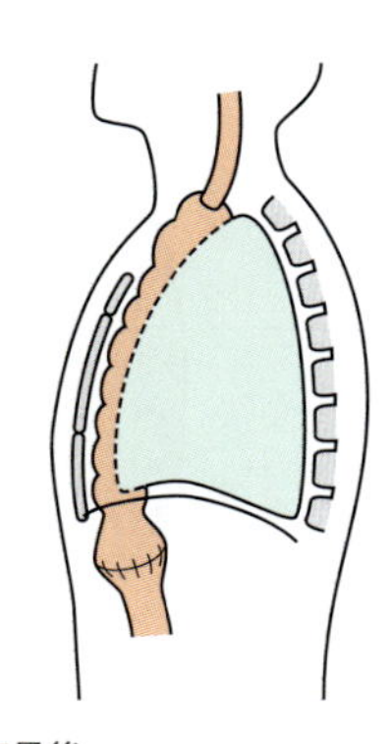

b．胸骨後
胸骨の裏側を剥離して，消化管を挙上する．最も多く用いられる再建経路である

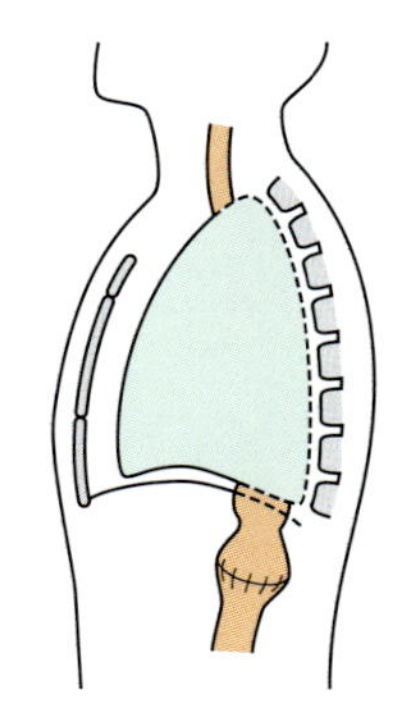

c．後縦隔
切除した食道と同じ位置に消化管を挙上する

表21-3　食道再建方法別の長所・短所

	胸壁前（皮下）	胸骨後	胸腔内（後縦隔）
長所	・縫合不全が起こった場合の，ドレナージなどの処置が容易で安全 ・吻合操作が容易	・吻合が頸部のため，縫合不全を生じても頸部の膿瘍のみで致命的にならない ・挙上食道が後縦隔にないため，再発や術後照射の影響を受けにくい	・経路が短いため，吻合部の緊張が少ない ・生理的経路であるため，嚥下障害が起こりにくい
短所	・経路が長く，屈曲しやすい ・食物塊が移動する様子が胸壁からみえる	・経路が長く狭いため，吻合部の血流が低下しやすい ・心臓が圧迫されやすい	・経路が短いため，吻合部の緊張が少ない ・縫合不全が生じると，縦隔炎や膿胸を起こして重症化する

床試験結果より，術後補助療法が選択されることが多い．

②転移再発がんに対する緩和的化学療法

食道がんでは，StageⅣであっても放射線照射可能な範囲の転移であれば，化学放射線療法が選択される．化学療法単独療法の適応となるのは，肺や肝臓などの他臓器転移を認める場合や，傍大動脈リンパ節などの照射不能な部位へ転移しているような場合である．また，術後あるいは化学放射線療法後の再発症例に対しても用いられる．

③注意点

フルオロウラシル(5-FU®)，シスプラチン(CDDP)の有害事象として，悪心，嘔吐，全身倦怠感，食欲不振がある．また，フルオロウラシル(5-FU®)は粘膜障害(口内炎・下痢)を引き起こし，シスプラチン(CDDP)は腎機能障害，末梢神経障害，聴覚障害を引き起こすことがある．なお，フルオロウラシル(5-FU®)，シスプラチン(CDDP)の併用療法は，4～5日間の24時間持続点滴を要するため，入院治療が主であったが，近年外来治療への移行が進むなかで外来化学療法が導入され始めている．

(5)食道ステント挿入術

切除不能進行がんにおける，食道の高度狭窄や食道気管瘻・食道気管支瘻に対して，X線透視下で食道にステントを挿入する(**図21-4**)．

6）予後

早期がんの治療成績は良好で，Stage 0のがんにおいて，内視鏡的粘膜切除術で切除された後の５年生存率は100%である．粘膜にとどまるがんでは内視鏡的粘膜切除術で切除できない場合でも，手術療法で切除できれば５年生存率はほぼ100%である．がんが粘膜下層まで広がっていてもリンパ節転移を起こしていなければ，手術療法で80%が治癒可能である．2009年～2011年の病期別５年相対生存率はStageⅠ88.5%，StageⅡ56.7%，StageⅢ29.6%，StageⅣ14.2%である．

図21-4　ステント留置

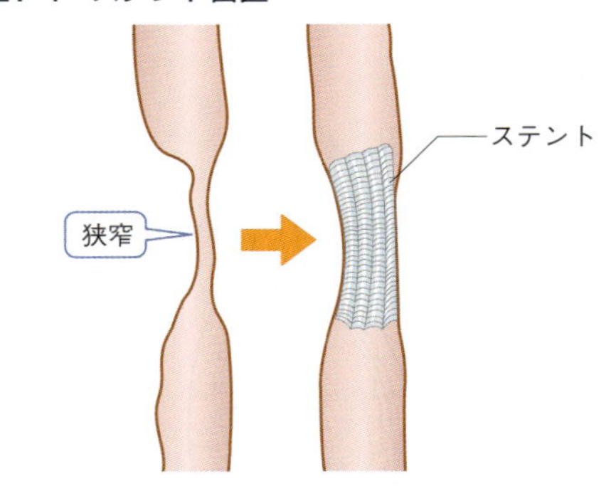

狭窄が著しく切除不能の高度進行食道がん(左)に対しては，ステント留置(右)することにより症状を軽減し，食事摂取を可能にする

2. 看護過程の展開

• 手術療法を受ける患者のアセスメント〜ゴードンの機能的健康パターンを用いて

パターン	アセスメントの視点	根拠	収集する情報
(1) 健康知覚-健康管理 患者背景 健康知覚-健康管理 価値-信念	●現在の健康状態をどのように知覚しているか，手術の必要性や術後合併症とその管理方法について理解しているか	●病状や治療の必要性，治療方法と合併症や合併症の管理に関する理解が不十分だと，手術やその後の治療に対する不安を抱き，術後せん妄を起こしたり早期離床の妨げを起こすことがある．	●疾患と治療の合併症に関する理解状況，治療に積極的に臨もうとしているか
	●これまでの健康管理に対する取り組みはどうか	●食道がんのリスク因子として喫煙・飲酒がある．日常的な大量飲酒は術後せん妄の要因にもなる．また，糖尿病・高血圧などの既往は，術後感染や後出血・循環器系合併症の危険因子となる． ●退院後も食事管理などが必要であり，健康習慣についての情報は，発症原因の推測とともに，退院後の健康管理に対する援助に反映させることができる．	●これまでの健康管理行動や疾病の予防行動，喫煙歴，飲酒歴，既往歴
	●手術に向けた準備として禁煙や呼吸訓練を行っているか	●術後，最も高頻度で起こる呼吸器合併症を防ぐために，術前から準備行動をとる必要がある．	●禁煙の有無と期間，呼吸訓練の必要性の理解状況と実施状況
(2) 栄養-代謝 全身状態 栄養-代謝 排泄	●食事の摂取状況，栄養状態・電解質バランスの状態はどのようであるか	●腫瘍の増大に伴い，食道の内腔が狭くなり，食物のつかえ感，嚥下障害を生じる．経口摂取量の減少に伴い，術前から低栄養状態，体重減少がみられることが多い．また，水分摂取量が減っている場合，電解質バランスの異常を生じていることもある．そして，術後は反回神経麻痺や喉頭挙上障害による嚥下機能障害のために，食事摂取量が減少したり，手術侵襲によるタンパク異化の亢進により低タンパク血症になりやすい．	●食事摂取内容，量，食事のパターン，食物のつかえ感や通りにくさ，体重の変化，口腔・粘膜・皮膚の状態，血液データ（TP，Alb，Hb，Ht，Na，K，Cl）
	●嚥下機能はどうか	●食道がんでは，反回神経周囲のリンパ節転移により，術前から反回神経麻痺による嚥下機能障害が生じることがある．また，術後は反回神経周囲のリンパ節郭清をするため，反回神経麻痺が出現することが多い．とくに左の反回神経は右より長いため，障害されやすい．加えて，頸部の手術操作による喉頭挙上障害が生じることがあるため，嚥下機能の障害が起こるリスクが高い．	●飲み込みにくさ，嚥下時のむせ，嗄声，ベッドサイドスクリーニング評価（頸部聴診法・反復唾液嚥下テスト・改訂水飲みテスト），気管支鏡・嚥下造影の結果
	●感染のリスクはどうか	●術前より栄養状態が低下していることが多く，易感染状態であること，手術侵襲が大きいこと，創部が頸部・胸部・腹部と多いことに加えて挿入されるドレーンの種類も多いことから，感染のリスクが高い．	●創部・ドレーンカテーテル類の刺入部の感染徴候・血液データ（TP，Alb，BS，WBC，CRP）
	●術後の縫合不全・ダンピング症候群は生じていないか	●食道がん摘出術は，手術手技の難易度が高く，また，術前より栄養状態が低下している場合が多いため，術後縫合不全のリスクが高い．さらに，術後は胃管を作成して再建するため，胃の食物貯留機能や消化機能が消失する．そのため，胃切除術後と同様に早期ダンピング症候群，後期ダンピング症候群が発症することがある．	●ドレーンの排液量・性状，頸部膨満感・緊満感，早期ダンピング症状，後期ダンピング症状

パターン	アセスメントの視点	根拠	収集する情報
(3) 排泄 全身状態 栄養-代謝 排泄	●術後の消化管の機能回復はどうか	●全身麻酔，消化管操作により，腸蠕動運動が低下しやすい．また，術後の離床の遅れは，蠕動運動の回復を妨げてイレウスの発症の要因となる．	●腹部膨満感，腸蠕動の聴診，排ガス・排便の回数・性状，離床状況
	●腎機能は正常か	●手術侵襲が大きいため，術後早期は体内の水分が間質に移行することによって有効循環血液量が低下しやすく，腎血流量の低下によって腎機能障害を生じるリスクがある．	●尿量，排尿パターン，腎機能データ（BUN，Cre）
(4) 活動-運動 活動・休息 活動-運動 睡眠-休息	●呼吸器系の合併症（無気肺や肺炎）は生じていないか	●手術によって最も高頻度で発生する合併症が，呼吸器系合併症である．食道がん患者は，長期の大量喫煙をしている場合が多く，気道の線毛運動が低下しやすい．術当日～1POD は，間質への体液の移動によって痰の粘稠度が高まりやすく，疼痛によって咳嗽力も低下するため，分泌物の喀出が十分にできないことが多い．2～3POD のリフィリング期（血管内に水分が戻る時期）には肺水腫を発症するリスクがある．また，水様性の痰が増加するため，肺炎の危険性が高くなる．4～7POD には徐々に咳嗽力が回復し，痰の自己喀出が可能となる． ※POD：post operative day，術後日数	●痰の性状，量，咳嗽力，呼吸数，呼吸パターン，喘鳴，呼吸困難感，呼吸音，SpO_2，胸部X線，血液ガスデータ（PaO_2，$PaCO_2$）
	●循環器系の合併症は生じていないか	●食道がんに対する手術は，侵襲が大きいため，血管内の水分が血管外へ移行しやすい．さらにリンパ節摘出によってリンパ経路の障害，出血，そしてドレーンからの排液によって循環血液量が減少し，血圧の低下や頻脈が生じやすい．2～4POD には，リフィリング期となり血管外に移行していた水分が血管内に戻り，循環血液量が増加する．これによって，血圧の上昇や尿量の増加，不整脈（とくに心房細動）が出現しやすい．心疾患の既往がある場合，この時期に急性心不全などの合併症が出現するリスクがある．	●血圧，脈拍（数，リズム），不整脈の有無，In-Out，体重，CVP，薬剤の種類・量
	●ADLはどのようであるか	●術後の疼痛や，術中・術直後のICU管理下の長期臥床により，ADLが低下しやすい．早期離床は術後の呼吸器系・消化器系合併症を予防するために重要である．	●離床状況，ADL，リハビリテーション訓練の内容・レベル
(5) 睡眠-休息 活動・休息 活動-運動 睡眠-休息	●睡眠，休息は十分にとれているか	●術後の疼痛やドレーン類などの苦痛により，睡眠が阻害されやすい．夜間に十分な睡眠がとれないと，せん妄や回復の遅延の要因となる．	●睡眠時間，満足度，睡眠に関する薬剤使用の有無

パターン	アセスメントの視点	根拠	収集する情報
(6) 認知-知覚 知覚・認知 認知-知覚 自己知覚-自己概念 コーピング-ストレス耐性	●疼痛のコントロールはできているか	●手術創が大きく，ドレーン類が多いことから疼痛を生じやすい．硬膜外カテーテルからの麻酔薬によるPCAを効果的に用いることや，疼痛を緩和した体動方法をとることで，コントロールしながら離床を促すことが重要である．	●疼痛のレベル（NRS，VASなど），PCAに関する理解・使用状況，離床時・咳嗽時の疼痛コントロール方法，体位
	●認知機能は正常か	●術直後はICU管理が必要となることが多く，疼痛や体動困難から，せん妄を発症するリスクが高い．	●意識レベル（JCS・GCS），せん妄症状とリスク因子（CAM-ICU，ICDSC，NEECHAM混乱錯乱スケール）
	●術後の合併症管理に関する知識はあるか	●術後早期～退院後まで，合併症を予防するためのセルフケアが重要となるが，それらに関する知識がなければ十分なセルフケアをはかることができない．	●術後合併症に関する知識
(7) 自己知覚-自己概念 知覚・認知 認知-知覚 自己知覚-自己概念 コーピング-ストレス耐性	●食道がんである自身についての患者，家族の受け止めはどのようであるか	●近年治療成績が向上しているが，依然悪性度は高く，疾患をもつ自身について本人と家族が否定的に知覚することもある．	●病状や今後の治療に関する本人・家族の受け止め
	●術後の状態をどのように受け止めているか	●開胸開腹術だと，手術創が胸部横創と腹部正中創に残る．また，食道再建のための胃管により，胃の機能を喪失するとともに，胸壁前（皮下）再建の場合は食塊の移動が外観できることで，身体的変化が生じることがある．	●創部を観察できているか，身体的変化に対する発言
(8) 役割-関係 周囲の認識・支援体制 役割-関係 セクシュアリティ-生殖	●疾患・治療による現在の役割や責任への影響はどの程度か，それらをどのように受け止めているか	●術後３週間～４週間程度の入院生活が必要となる．また，退院後も合併症予防のための健康管理を要するため，これらのことが社会・家庭での役割に影響を及ぼす可能性がある．	●家族内・社会的役割と活動状況，役割の変化，役割の変化に対する受け止め
	●家族や周囲のサポートは得られるか	●日常生活を送るうえで，食事に関するサポートや治療に伴う体力の低下により，生活上のサポートが必要になることがある．	●家族や周囲の人々の病状・治療に関する理解，家族や周囲のサポートは得られるか
(9) セクシュアリティ-生殖 周囲の認識・支援体制 役割-関係 セクシュアリティ-生殖	●性に関する問題はないか	●食道摘出術によって性機能に障害を生じる可能性は少ないが，術創や術後の疲労感などが性行動に影響を及ぼす可能性がある．	●性機能に関する変化・問題の有無

パターン	アセスメントの視点	根拠	収集する情報
(10) コーピング-ストレス耐性 知覚・認知 認知-知覚 自己知覚-自己概念 コーピング-ストレス耐性	●術後の状態をどのように知覚しているか，コーピングははかれているか	●手術侵襲が大きいこと，術後ICUにおける頻回な観察やケアが必要なこと，身体的苦痛などがストレッサーとなりやすい．効果的なコーピングをはかることが身体機能の回復にも影響を及ぼす．	●表情，不安の表出，心拍数の増加，血圧の上昇，コーピング方法
(11) 価値-信念 患者背景 健康知覚-健康管理 価値-信念	●どのような価値観をもっているか，もともとの価値観と現在の状態に葛藤を生じていないか	●手術による心身の状態の変化や，それに伴う社会的な状態の変化に対して，もともとの価値観との間に葛藤を生じる可能性がある．	●人生で大切にしていることは何か，術後の状態に対して葛藤はないか

● 化学放射線療法を受ける患者のアセスメント～ゴードンの機能的健康パターンを用いて

パターン	アセスメントの視点	根拠	収集する情報
(1) 健康知覚-健康管理 患者背景 健康知覚-健康管理 価値-信念	●現在の健康状態をどのように知覚しているか，化学放射線療法の必要性や有害事象とその管理方法について理解しているか ●これまでの健康管理に対する取り組みはどうか	●術前後の補助的化学放射線療法か，根治目的の治療か，手術不能による化学放射線療法か，転移再発に対する緩和目的の治療か，など．治療目的や方法と，有害事象やその管理に関する理解が不十分であると，不安が大きくなる可能性がある． ●食道がんのリスク因子として喫煙・飲酒がある．また，有害事象である粘膜障害の要因になるため，禁煙・禁酒が必要となる．その他にも有害事象に対するセルフケアが重要になるため，これまでの健康習慣についての情報は，今後の健康管理に対する援助に反映させることができる．	●疾患と治療の有害事象に関する理解状況，治療に積極的に臨もうとしているか ●これまでの健康管理行動や疾病の予防行動，喫煙歴，飲酒歴，既往歴
(2) 栄養-代謝 全身状態 栄養-代謝 排泄	●食事の摂取状況，栄養状態・電解質バランスの状態はどのようであるか	●腫瘍の増大に伴い，食道の内腔が狭くなり，食物のつかえ感，嚥下障害を生じる．経口摂取量の減少に伴い，治療前から低栄養状態，体重減少がみられることが多い．また，水分摂取量が減っている場合，電解質バランスの異常を生じていることもある．フルオロウラシル（5-FU®）とシスプラチン（CDDP）の併用療法では，投与後早期から悪心・嘔吐の発現リスクが高い．	●食事摂取内容，量，食事のパターン，食物のつかえ感や通りにくさ，体重の変化，血液データ（TP，Alb，Hb，Ht，Na，K，Cl），制吐薬の使用状況

パターン	アセスメントの視点	根拠	収集する情報
(2) 栄養-代謝 全身状態 栄養-代謝 排泄	●粘膜障害の状態はどうか	●放射線療法では，粘膜への総線量が粘膜炎発症に関与するとともに，摂食時の刺激の度合いや，飲酒・喫煙などの化学的刺激も大きな要因である．化学療法ではフルオロウラシル（5-FU®）の投与によって投与後７～14日目に発現し，約１週間持続する．放射線療法・化学療法を併用することによって発症のリスクは高まる．	●口腔内の状態，食事時の疼痛・通りにくさ，食事内容
	●皮膚の状態はどうか	●放射線療法の重大な有害事象として，照射部位の皮膚炎がある．	●照射野の皮膚の炎症の有無，予防行動の状況
	●感染や出血のリスクはどうか	●治療開始前より栄養状態が低下していることが多く，易感染状態であること，5-FU®の有害事象である骨髄抑制が遷延しやすいことから，感染や貧血による転倒，血小板減少による出血のリスクがある．	●感染徴候（WBC，CRP，体温）・血液データ（WBC，Neutro，Lympho，HB，PLT，TP，Alb）
(3) 排泄 全身状態 栄養-代謝 排泄	●排泄パターンはどうか	●フルオロウラシル（5-FU®）の有害事象として下痢がある．また，食事摂取量の変化により，排泄パターンに変化が生じやすい．	●腸蠕動の聴診，排ガス・排便の回数・性状
	●腎機能は正常か	●シスプラチン（CDDP）の重大な有害事象として腎障害がある．腎障害は予防が重要となるため，大量輸液と利尿が必要な治療となる．	●尿量，輸液量，飲水量，腎機能データ（BUN，Cre，GFR）
(4) 活動-運動 活動・休息 活動-運動 睡眠-休息	●呼吸器系の有害事象は生じていないか	●反回神経周囲のリンパ節転移によって反回神経麻痺による嚥下機能障害が生じ，誤嚥性肺炎を生じる危険性がある．また，放射線療法の有害事象として，照射開始後１～２週間頃までに浮腫が生じ，気管狭窄が出現することがある．あるいは，照射野である呼吸器系の肺臓炎・胸水貯留があり，これは急性期のみでなく晩期合併症として数か月～数年後に出現することもある．胸水貯留は化学療法との併用で出現頻度が高くなる．	●痰の性状，量，咳嗽力，呼吸数，呼吸パターン，喘鳴，呼吸困難感，呼吸音，SpO_2，胸部X線，嚥下機能
	●循環器系の合併症は生じていないか	●放射線療法の晩期有害事象として，胸部が照射野になることにより，心嚢水の貯留が生じることがある．これにより心不全を合併する危険性もある．また，シスプラチン（CDDP）の有害事象である腎機能障害により，心負荷が増大する危険性がある．	●血圧，脈拍（数，リズム），不整脈の有無，In-Out，体重，胸部X線（心胸郭比）
	●ADLはどのようであるか	●化学放射線療法の有害事象である倦怠感や，食事摂取量の低下により，治療後早期からADLが低下しやすい．また，点滴の持続投与によって活動の意欲が低下しやすい．さらに，シスプラチン（CDDP）の有害事象である末梢神経障害により，手足のADLが阻害される可能性がある．	●離床状況，ADL
(5) 睡眠-休息 活動・休息 活動-運動 睡眠-休息	●睡眠，休息は十分にとれているか	●フルオロウラシル（5-FU®）とシスプラチン（CDDP）の併用療法では，24時間の持続点滴が４～５日間連続し，夜間の排尿も頻回となるため，睡眠が阻害されやすい．	●睡眠時間，満足度，睡眠に関する薬剤使用の有無

パターン	アセスメントの視点	根拠	収集する情報
(6) 認知-知覚 知覚・認知 認知-知覚 自己知覚-自己概念 コーピング-ストレス耐性	●疼痛は生じていないか，コントロールをはかることができているか ●感覚機能障害は生じていないか ●治療に伴う有害事象の管理に関する知識はあるか	●有害事象である粘膜炎(口内炎・食道炎)による疼痛が生じる可能性がある．疼痛コントロールのためのセルフケアが重要となる． ●シスプラチン(CDDP)の有害事象として，末梢神経障害と聴覚障害がある． ●治療開始早期の急性期～退院後の晩期有害事象を早期発見・予防することや，症状を軽減するためのセルフケアが重要となるが，それらに関する知識がなければ十分なセルフケアをはかることができない．	●疼痛の部位，疼痛コントロール方法 ●手足のしびれや感覚異常，動かしにくさ，聴覚 ●有害事象に関する知識
(7) 自己知覚-自己概念 知覚・認知 認知-知覚 自己知覚-自己概念 コーピング-ストレス耐性	●食道がんである自身について患者，家族の受け止めはどのようであるか ●治療に伴う変化をどのように受け止めているか	●近年治療成績が向上しているが，依然悪性度は高く，疾患をもつ自身について本人と家族は否定的に知覚することがある．とくに，手術療法の適応にならず化学放射線療法を受ける場合，治療や今後の療養についてのイメージがつかず不安を生じやすい． ●フルオロウラシル(5-FU®)とシスプラチン(CDDP)の併用療法により，軽度の脱毛のリスクがあること，倦怠感や悪心，粘膜炎による食事摂取量の低下によって自尊感情が脅かされる可能性がある．	●病状や今後の治療に関する本人・家族の受け止め ●身体的変化に対する発言や行動
(8) 役割-関係 周囲の認識・支援体制 役割-関係 セクシュアリティ-生殖	●疾患・治療による現在の役割や責任への影響はどの程度か，それらをどのように受け止めているか ●家族や周囲のサポートは得られるか	●フルオロウラシル(5-FU®)とシスプラチン(CDDP)の併用療法は4～5日間の入院治療が必要となり，また，放射線療法は平日の連日照射が6週間継続する．そして，治療中～終了後も有害事象に対する健康管理を必要とするため，これらのことが社会・家庭での役割に影響を及ぼす可能性がある． ●日常生活を送るうえで，食事に関するサポートや治療に伴う体力の低下により，生活上のサポートが必要になることがある．	●家族内・社会的役割と活動状況，役割の変化，役割の変化に対する受け止め ●家族や周囲の人々の病状・治療に関する理解，家族や周囲のサポートは得られるか
(9) セクシュアリティ-生殖 周囲の認識・支援体制 役割-関係 セクシュアリティ-生殖	●妊孕性(にんようせい)に関する問題はないか	●化学放射線療法による副作用として妊孕性に影響を及ぼす．	●発達段階，挙児希望の有無

パターン	アセスメントの視点	根拠	収集する情報
(10) コーピング-ストレス耐性 知覚・認知 認知-知覚 自己知覚-自己概念 コーピング-ストレス耐性	●治療の状態をどのように知覚しているか，コーピングははかれているか	●有害事象である悪心や粘膜炎，24時間の持続点滴やそれに伴う不眠などがストレッサーとなりやすい．効果的なコーピングをはかることが治療の継続にも影響を及ぼす．	●表情，不安の表出，心拍数の増加，血圧の上昇，コーピング方法
(11) 価値-信念 患者背景 健康知覚-健康管理 価値-信念	●どのような価値観をもっているか，もともとの価値観と現在の状態に葛藤を生じていないか	●治療による心身の状態の変化や，それに伴う社会的な状態の変化に対して，もともとの価値観との間に葛藤を生じる可能性がある．	●人生で大切にしていることは何か，現在の状態との間に葛藤はないか

3. 全体像の把握から看護問題を抽出

1）病態関連図

(1)手術療法

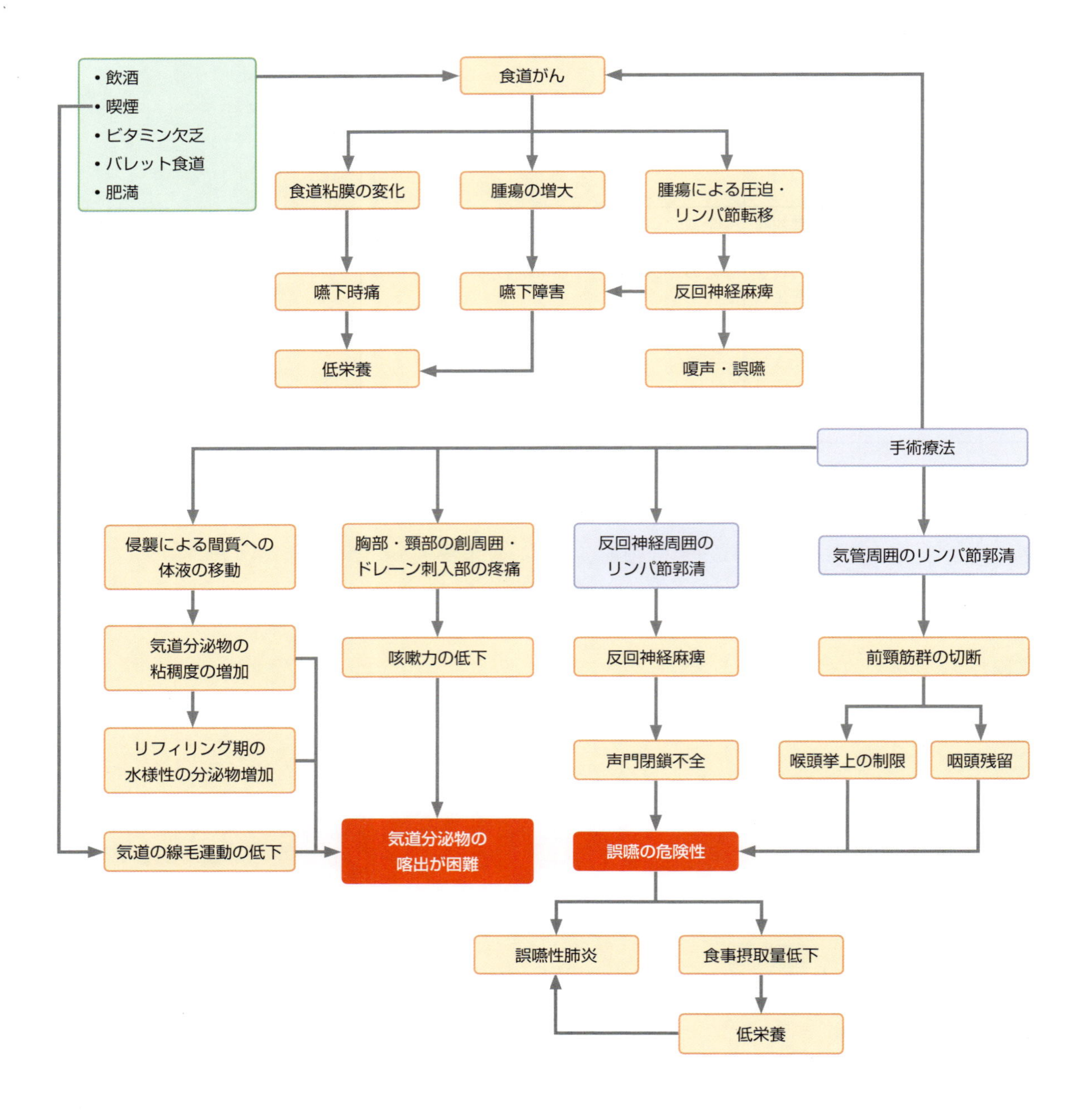

1）病態関連図

(2)化学放射線療法

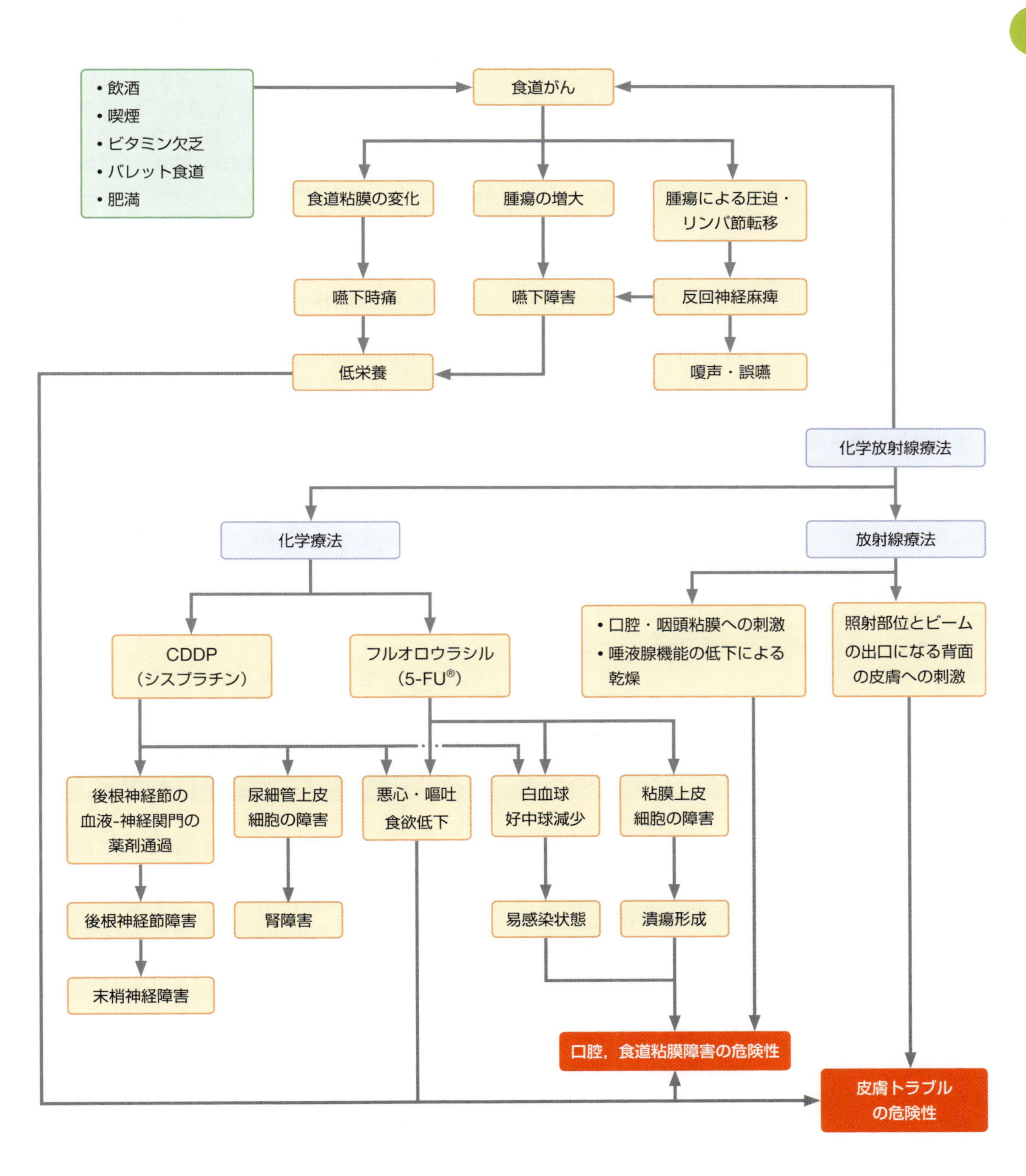

2）看護の方向性

(1)手術療法

食道がんでは，反回神経周囲のリンパ節転移により，術前から反回神経麻痺による嚥下機能障害が生じていることがある．また，術後は反回神経周囲のリンパ節を郭清するため，反回神経麻痺が出現することが多く，声門閉鎖不全によって嚥下中期の障害が生じやすい．さらに頸部の手術操作による喉頭挙上障害や咽頭残留が生じやすいため，嚥下中・後期の障害も出現しやすく，誤嚥を生じるリスクが高い．そのリスクが高いことを理解したうえで，日々の生活に予防行動を取り入れられることが早期回復と全身状態の悪化を防ぐために重要となる．

食道がん患者は長期の大量喫煙をしている場合が多く，気道の線毛運動が低下しやすい．術後早期は疼痛による咳嗽力の低下に加え，サードスペースへの体液の喪失によって痰の粘稠度が増加しやすく分泌物の喀出が十分にできないことが多い．リフィリング期には水様性の痰が増加するため，十分な分泌物の喀出ができないと肺炎の危険性が高くなる．分泌物が多い要因や喀出の必要性を理解できるように術前から働きかけ，セルフケアを促す関わりが重要となる．

(2)化学放射線療法

放射線療法による粘膜への影響や唾液腺機能の低下に加えて，化学療法ではフルオロウラシル（5-FU®）の投与によって粘膜上皮細胞が障害されることや，好中球の減少によって易感染状態へ陥るために投与後7～14日目には口腔内・食道の粘膜炎が発現し，約1週間持続する．さらに，原疾患による低栄養状態に加えて，化学放射線療法による悪心・嘔吐，食欲低下，倦怠感から栄養状態が低下するリスクが高い．食事の摂り方や生活習慣といった個人的因子も発症の大きな要因であり，予防のためのセルフケアと，早期発見のための知識や症状出現時の対応方法の理解が重要となる．

放射線療法の外部照射により，照射野と放射線のビームの出口である背面の皮膚に刺激が加わり，開始後3～4週間から皮膚炎が多くみられる．加えて，前述した要因によって低栄養状態になりやすく，皮膚の再生機能も低下して症状の出現や悪化が生じやすく，軽度の発赤から始まって，悪化するとびらんを生じることがある．糖尿病や膠原病の既往がある場合，皮膚炎が強く出現するリスクが高くなるため，積極的な予防行動が必要となる．

3）患者・家族の目標

(1)手術療法

術後の食生活や身体の変化に慣れ，これまでの生活に戻ることができる．

(2)化学放射線療法

治療を受けながら日常生活を送ることに慣れ，できるだけ副作用が生じない．また，軽度である．

4. しばしば取り上げられる看護問題

(1)手術療法

反回神経麻痺と喉頭挙上障害による嚥下機能低下に関連した誤嚥の危険性がある

なぜ？

食道がんでは，反回神経周囲のリンパ節転移により，術前から反回神経麻痺による嚥下機能障害が生じていることがある．また，術後は反回神経周囲のリンパ節を郭清するために反回神経麻痺が出現することが多く，さらに頸部の手術操作によって喉頭挙上障害が生じやすく，嚥下機能が低下して誤嚥を生じるリスクが高い．嚥下機能の低下により，術前からの低栄養状態に加えて食事摂取量が減少しやすくさらに栄養状態が悪化する要因となる．これによって誤嚥を生じた場合，誤嚥性肺炎を併発する危険性が高く，術後の回復過程に大きな影響を及ぼす．反回神経麻痺は術後6か月以内に自然に回復することが多いが，退院後も長期にわたるセルフケアが必要となる．

➡期待される結果

誤嚥を予防する方法を生活に取り入れることができる．

◆2 開胸手術による疼痛，分泌物増加により気道分泌物の喀出が困難

なぜ？

食道がん患者は長期の大量喫煙をしている場合が多く，気道の線毛運動が低下しやすい．術後早期は疼痛による咳嗽力の低下に加え，サードスペースへの体液の喪失によって痰の粘稠度が増加しやすく分泌物の喀出が十分にできないことが多い．リフィリング期には水様性の痰が増加するため，十分な分泌物の喀出ができないと肺炎の危険性が高くなる．

➡期待される結果

効果的に気道分泌物を喀出することができる．

(2)化学放射線療法

◆1 口内炎・食道炎に対する予防行動の不足による口腔・食道粘膜障害の危険性がある

なぜ？

放射線療法による粘膜への影響に加えて，化学療法ではフルオロウラシル(5-FU®)の投与によって投与後7～14日目に粘膜障害が発現し，約１週間持続する．食事の摂り方や生活習慣といった個人的因子も発症の大きな要因であり，予防のためのセルフケアと，早期発見のための知識や症状出現時の対応方法の理解が重要となる．放射線療法・化学療法の併用で発症のリスクは高まり，出現した場合，治療終了後２週間程度で症状は軽減するが，発症に伴ってさらに食事摂取量が低下しやすく，栄養状態の低下を助長する．

➡期待される結果

口内炎・食道炎を予防する行動ができ，出現時の対応方法を述べることができる．

◆2 放射性皮膚炎に対する知識の不足による皮膚トラブルの危険性がある

なぜ？

放射線療法の開始後３～４週間から照射部位の皮膚炎が多くみられる．治療開始前からの予防的なセルフケアとリスクアセスメントが重要になる．糖尿病や膠原病の既往がある場合，皮膚炎が強く出現するリスクが高くなるため，積極的な予防行動が必要となる．しかし，粘膜障害に比較して発症頻度が少ないことなどから，優先順位が下がる．

➡期待される結果

皮膚炎を予防・早期発見するための知識を述べることができる．

5. 看護計画の立案

- O-P：Observation Plan(観察計画)
- T-P：Treatment Plan(治療計画)
- E-P：Education Plan(教育・指導計画)

(1)手術療法

◆1 反回神経麻痺と喉頭挙上障害による嚥下機能低下に関連した誤嚥の危険性がある

	具体策	根拠と注意点
O-P	**(1)誤嚥を予防する行動の実施状況** ・食事の摂取方法，内容・量 ・嚥下訓練の実施状況 **(2)嚥下機能の評価** ・嚥下困難感の有無，食品による差の有無 ・頸部聴診法 ・反復唾液嚥下テスト ・改訂水飲みテスト	●誤嚥の予防には日々のセルフケアや訓練の積極的な実施が重要であり，期待される成果を評価する視点をもちながら観察する． ●反回神経麻痺によって声門の運動障害が生じている場合，嗄声が出現するため． ●ベッドサイドで日々客観的に嚥下機能を観察することにより，術後経過やT-P・E-Pによる機能の変化や改善を経時的に評価することができる．また，嚥下プロセスのどの段階に障害があるか判断できるため．水飲みテストは，医師の指示により飲水が可能となってから観察を開始する．

	具体策	根拠と注意点
O-P	**(3)誤嚥リスクの評価** ・食事中・後の湿性嗄声の有無 ・痰の性状や量，食物残渣の有無 ・夜間の咳の有無 ・呼吸音(断続性ラ音の有無，左右差) **(4)反回神経麻痺・喉頭挙上障害の状態** ・嗄声の有無 **(5)血圧・脈拍・体温**	●誤嚥を生じている場合，食事前に比べて食事中・後で湿性の声がみられる．また，誤嚥によって痰が増加したり，喀出された分泌物に食物残渣が混ざることがある．誤嚥は，食事の摂取時のみでなく，夜間の唾液の嚥下によっても生じるため，夜間の観察も必要となる．誤嚥は，むせや咳などの反応を示す明らかな顕在性誤嚥のみでなく，むせなどの反応がみられない不顕性誤嚥も生じ得るため，むせや咳以外の観察によって早期発見することが重要となる． ●T-Pの訓練が実施可能か確認するため．
T-P	**(1)嚥下訓練** ・声門内転訓練：上肢で壁や机を押しながら力を入れて強い声で「アー」などを出す(pushing exercise)．椅子に座り，両手で椅子の肘掛けや座板を持ち上げるようにして力を入れて強い声を出す(lifting exercise)．5～10回を1セットとして1日3回行うが，喉を痛める様子がないかや，患者の状態や意欲を観察し，患者とともに目標回数を設定する ・声門上嚥下(息こらえ嚥下)：大きく息を吸い込む→息を止める→唾液を嚥下する(空嚥下)→その後すぐに息を吐き出す．5回1セットとして1日3セット行う．空嚥下の後に息を吸わないように留意する．また，鼻から息を吸って口から吐き出すように説明し，口から吸うことによる誤嚥を防ぐ **(2)食事摂取の援助** ・食事を見下ろせるように，テーブルの高さを調整するといった工夫を，退院後の生活にあわせて患者とともに考える ・一口量が多いと誤嚥しやすいため，小さめのティースプーンを用いて摂取することをすすめる． ・増粘剤の量の調整を患者・家族とともに確認しながら行う ・食事開始当初から無理に食べようとせず，ゆっくりと焦らず摂取することを促す	●いずれの訓練も，咽頭期の嚥下機能障害に対して効果がある． ●声門内転訓練は，声門の閉鎖機能を強化する効果がある．反回神経麻痺や迷走神経麻痺による声門閉鎖不全がある場合に適応となる．血圧の上昇や低下のリスクがあるため，血圧が安定していることが必要となる． ●声門上嚥下は，嚥下の前に息をこらえることで声門閉鎖が強化され，声門下圧が上昇して気道に唾液や食物が入りにくくなる．また，唾液や食物が咽頭を通過しているときに息を吸い込むことがなくなり，飲み込んだ後に大きく息を吐くため，呼気によって唾液や食物を飛ばし，誤嚥を防ぐ．
E-P	**・食事摂取方法についての説明** ・摂取時の体位は，体幹を保持できるように足底を床につけられる端坐位で，頸部前屈位とすることが誤嚥予防になる． ・コップから水分摂取をする場合，下顎が挙上しやすいため，挙上しないように口に含んで一口ずつゆっくり嚥下することを意識する ・嚥下機能が低下していると水分でむせやすい． ・水分や粥，おかずと水分が分離した場合など，増粘剤を用いてとろみをつけることで誤嚥予防になる	●体幹が傾いたり，上半身が後傾することにより，誤嚥を引き起こしやすくなる．頸部前屈位とすることで，嚥下角ができるため，気道に流れ込みにくくなる． ●水は流れ込むスピードが速いため，嚥下機能が低下している場合は誤嚥しやすい．ただし，とろみをつけすぎると口腔内や咽頭残留が多くなり，とろみが少ないと効果が十分に得られない． ●経口摂取開始後，早期回復を目指し，努力して多く食べようとすることがあるが，開始当初はとくに誤嚥のリスクが高く，また，再建臓器の吻合部狭窄によって逆流が生じる可能性もあるため，焦らないことが重要であると説明する．

(2)化学放射線療法

◆1 口内炎・食道炎に対する予防行動の不足による口腔・食道の粘膜障害の危険性がある

	具体策	根拠と注意点
O-P	**(1)口内炎・粘膜炎の予防行動の実施状況** ・食事の摂取方法，内容 ・禁酒，禁煙 ・口腔内の観察，粘膜炎の症状の確認 ・口腔ケア，含嗽	●口内炎・粘膜炎の予防には日々のセルフケアが重要であり，期待される成果を評価する視点をもちながら観察する．
	(2)口内炎・粘膜炎の出現時の対応方法に関する知識 **(3)口内炎・粘膜炎の観察** ・CTCAEv4.0や口腔アセスメントガイド(OAG)を用いて観察する	●客観的な評価指標を用いることで，経時的な変化を確認できる．
T-P	**(1)口内炎の予防と発症時のケア** ①治療開始前に歯科を受診する	●う歯や歯周病などの感染源の治療，プラークコントロールによって口腔内の細菌数を減少させるため．
	②毎食後・就寝前の歯みがきを行う．歯ブラシはナイロン製で毛先がストレートの歯ブラシを選択し，症状出現時は超軟毛の歯ブラシやスポンジブラシに変更する．血小板２万/mm³以下になったら，歯ブラシを用いたブラッシングに注意する．動物毛製の歯ブラシは選択しない	●ブラッシングによる出血や損傷を防ぐため．動物毛製のブラシは溝に細菌が入り，菌が繁殖しやすい．
	③骨髄抑制期は，口腔内の含嗽とうがいをそれぞれ８回/日程度(起床時，食前・食後，就寝前)行う．患者に適した含嗽薬を用いて含嗽を励行する	●フルオロウラシル(5-FU®)による白血球減少が重なり，局所感染として発症することもあるため，口腔内の細菌数制御によって口内炎の発症を予防する．口腔内の状態を観察し，予防時や発症時の状態にあわせて医師に相談しながら含嗽薬を選択する．ヨード剤は殺菌効果が強いが，粘膜損傷がある場合は損傷を助長することがあるため注意する．
	④口腔内の保湿のため，口腔ケア前後に口唇をワセリン塗布する．保湿効果のある含嗽薬や保湿ジェルを用いて乾燥を防止する	●口腔内の乾燥は，口腔内の菌数増加・口内炎発症の要因となるため．
	⑤口内炎発症時は抗炎症作用のある軟膏の塗布をする	●軟膏の使用により，疼痛を軽減したり治癒を促す．
	(2)粘膜炎の出現時のケア ・粘膜保護薬，鎮痛薬の投与	●食前にこれらの薬剤を内服することで，疼痛を軽減することができる．予防効果はないため，予防のための食事摂取方法や食事内容の選定が大切である．
	・栄養士による栄養指導を希望する場合，受けられるように調整する ・さまざまな形態のレトルト食品を掲載した通販カタログなどの資料を配布する	●栄養士から，粘膜炎出現時にも摂取しやすいメニューや調理方法の紹介を受けることができる．
E-P	**(1)口内炎・粘膜炎を予防についての説明** ①口内炎・粘膜炎の症状の観察 ・口腔内の疼痛，発赤，腫脹，出血 ・食事摂取時の嚥下時違和感やしみる感覚	●症状の早期発見ができるように，出現前から観察ができるように促す．
	②食事摂取方法 ・食事をよく噛み咀嚼してから摂取する ・一口量を少なくする ・治療によって通過障害が改善したことで，よく噛まずに食べてしまうことがあるが，腫瘍の縮小とは別に，治療による粘膜炎のリスクがある	●咀嚼により，食べ物が軟らかくなって粘膜への刺激を軽減できる．また，咀嚼によって唾液分泌も促されるため，消化の促進につながる．なお，照射によって粘膜は弾力性が低下しているため，一口量が多いと粘膜内腔に圧がかかり，負担が生じる．治療前からの通過障害や粘膜炎による嚥下時痛が生じている場合，粥などを流し込むことが習慣になるケースがある．

	具体策	根拠と注意点
E-P	③食事の内容 ・熱すぎるもの，冷たすぎるもの，強い辛さのもの ・摂取して痛みを感じたりしみるものは控える	●刺激が強い食べ物は粘膜への刺激になりやすい．
	④治療を完遂するために禁酒・禁煙をする	●飲酒や喫煙による化学的刺激は，重篤な粘膜炎発症の要因となり，治療中断や中止の原因となる．化学放射線治療では，予定量の完遂が治療効果の意義として大きい．
	⑤治療中に症状が出現すると，治癒能力の低下から回復に時間がかかるため，予防が重要である	●粘膜炎に対しては予防が重要であることの理解を促すため．
	⑥フルオロウラシル（5-FU®）の投与後７〜14日に出現することが多く，放射線治療では20Gyを超えた頃より出現しやすい	●出現時期を理解することで症状の早期発見につながるため．
	（2）粘膜炎の出現時の対応についての説明	
	①食べやすいメニューの紹介 ・スープや粥など水分の多いもの，軟らかく通過のスムーズなもの（ヨーグルト，豆腐，プリン，ゼリーなど） ・口内炎がある場合は薄味で酸味が少ないものの方が痛みを感じにくい ・栄養バランスを重視するよりも，喉ごしがよく，食べやすいものを摂取する ・患者・家族とともに日頃の生活にあわせて考える	●患者の嗜好や日々の生活にあわせて食べやすいメニューを選択できることが重要である．治療の終了によって粘膜炎の症状は改善するため，限られた期間であることを考えると，栄養バランスよりも摂取カロリーのさらなる低下を生じないよう，嗜好や食べやすさを重視する．
	②フルオロウラシル（5-FU®）による場合は，症状出現後１週間程度，放射線治療による場合は，終了後２週間程度で症状は軽減する	●粘膜炎の出現により，がんの進行と思う患者もいるため，一時的な有害事象であることを説明し，不安が増強しないようにする．

引用・参考文献

1）野村和弘ほか監：食道がん．がん看護実践シリーズ４，メヂカルフレンド社，2008.
2）佐々木常雄ほか編：新がん化学療法ベスト・プラクティス．照林社，2012.
3）医療情報科学研究所編：病気がみえるvol.１ 消化器．第５版，メディックメディア，2016.
4）日本食道学会編：臨床・病理 食道癌取扱い規約．第11版，金原出版，2015.
5）日本食道学会編：食道癌診療ガイドライン2017年版．第４版，金原出版，2017.

Memo

22 肝がん

1. 疾患の基礎的知識

1）疾患の概念

肝がんとは，肝臓に発生する悪性腫瘍で，原発性肝がんと転移性肝がんに大別される．

原発性肝がんのうち，日本では95%が肝細胞がんであり，そのほかに肝内胆管がん（胆管細胞がん）や混合型肝がん，未分化がんなどの，ごくまれながんがある．また，小児の肝がんである肝細胞芽腫などがある．

転移性肝がんは，ほかの臓器を原発としたがんが転移することによって生じる．肝臓は血液が集まることから転移先の臓器として代表的であり，消化器がん，肺がん，乳がんなど，さまざまながんからの転移が起こる．

2）原因

肝細胞がんの主要な原因は，肝炎ウイルス（主にB型・C型）の持続感染である．ウイルスの持続感染によって，肝細胞で長期にわたり炎症と再生が繰り返されるうちに遺伝子の突然変異が積み重なり，肝細胞がんに進展すると考えられている．

肝炎ウイルス以外の要因としては，アルコール，喫煙，肥満，糖尿病，食事に混入するカビ毒のアフラトキシンなどがあげられる．最近は肝炎ウイルスが要因とならない肝細胞がんが増加しているという報告があり，その主な要因として脂肪肝が指摘されている．

また，罹患率・死亡率ともに全年齢を通じて男性のほうが圧倒的に高い．

3）病態と臨床症状

病態

肝臓は，糖質・タンパク質・脂質の代謝・合成，ビタミンの貯蔵・活性化，ホルモンの代謝といった代謝合成能を有する．また，排泄・解毒機能，胆汁産生を担っている．

肝細胞がんは，腫瘍が小さいうちは特有の症状は少なく，原因となる慢性肝炎や肝硬変による病態を示す．がんによって門脈や胆管への脈管浸潤をきたすことがある．この際，門脈に浸潤すると肝内転移や門脈圧亢進を引き起こし，胆管に浸潤すると閉塞性黄疸を生じる．これらが生じると肝予備能が低下して，肝不全に移行する可能性がある．門脈圧亢進による食道静脈瘤破裂，腫瘍の破裂による腹腔内出血からショック状態に陥る危険性がある．

(1)肝障害度分類（表22-1），Child-Pugh分類（表22-2）

肝細胞がんの患者の多くは慢性肝炎を有している．肝細胞がんの治療は，いずれも肝臓に負担をかけることになるため，治療方針の決定には，肝予備能や肝障害度の

表22-1　肝障害度分類

項目＼肝障害度	A	B	C
腹水	ない	治療効果あり	治療効果少ない
血清ビリルビン値（mg/dL）	2.0未満	2.0～3.0	3.0 超
血清アルブミン値（g/dL）	3.5 超	3.0～3.5	3.0 未満
ICG R_{15}（%）	15 未満	15～40	40 超
プロトロンビン活性値（%）	80 超	50～80	50 未満

日本肝癌研究会編：臨床・病理　原発性肝癌取扱い規約．第６版補訂版，p.15，金原出版，2019．

註：２項目以上の項目に該当した肝障害度が２か所に生じる場合には高い方の肝障害度をとる．
たとえば，肝障害度Bが３項目，肝障害度Cが２項目の場合には肝障害度Cとする．
また，肝障害度Aが３項目，B，Cがそれぞれ１項目の場合はBが２項目相当以上の肝障害と判断して肝障害度Bと判定する．

評価が極めて重要になる．

(2)病期分類

肝がんの進行度は，がんの大きさ，個数，がん細胞が肝臓内にとどまっているか，肝外に転移があるかによって決まる．病期分類はいくつか種類があるが，日本の『原発性肝癌取扱い規約』(**表22-3**)，または国際分類が用いられる．

臨床症状

肝臓は症状が出にくい臓器といわれており，肝細胞がん特有の症状は少なく，一般的に食欲低下，体重減少，倦怠感などがある．腫瘍が大きい場合は，腹部に腫瘤を触れたり，痛みを訴える場合がある．腫瘍からの出血を生じた場合は，突然の激痛，貧血症状などが起こり得る．また，肝細胞がんでは慢性肝炎・肝硬変が要因であることも多く，それらの症状が併存することも多い．加えて，肝門部付近に腫瘍ができた場合は，胆管閉塞による症状が出現することがある．

(1)肝硬変の非代償期による症状

慢性肝炎や肝硬変の代償期は特徴的な症状がないが，非代償期になると，黄疸，クモ状血管腫，腹水貯留による腹部膨満感，浮腫，食道静脈瘤破裂による吐下血，肝性脳症に伴う意識混濁や消失・羽ばたき振戦などが出現する．

(2)胆管閉塞に伴う症状

胆汁の流れが滞ることにより，閉塞性黄疸の症状である眼球や皮膚の黄染，褐色尿，皮膚瘙痒感，白色便などが出現することがある．肝内胆管がん(胆管細胞がん)では，黄疸の出現頻度が高い．また，胆管閉塞が生じている場合，胆管炎を合併することも多く，発熱，悪寒・戦慄などがみられるときには早急の対応が必要となる．

表22-2　Child-Pugh分類

項目＼ポイント	1点	2点	3点
脳症	ない	軽度	ときどき昏睡
腹水	ない	少量	中等量
血清ビリルビン値(mg/dL)	2.0 未満	2.0～3.0	3.0 超
血清アルブミン値(g/dL)	3.5 超	2.8～3.5	2.8 未満
プロトロンビン活性値(%)	70 超	40～70	40 未満

各項目のポイントを加算しその合計点で分類する．

Child-Pugh分類	
A	5～6点
B	7～9点
C	10～15点

註1：Child分類ではプロトロンビン活性値の代わりに栄養状態(優，良，不良)を用いている．

日本肝癌研究会編：臨床・病理　原発性肝癌取扱い規約．第6版補訂版，p.15，金原出版，2019．

表22-3　肝細胞がんの進行度分類

Stage＼因子	T因子	N因子	M因子
Stage Ⅰ	T1	N0	M0
Stage Ⅱ	T2	N0	M0
Stage Ⅲ	T3	N0	M0
Stage ⅣA	T4	N0	M0
	Any T	N1	M0
Stage ⅣB	Any T	N0，N1	M1

T因子　TX：肝内病変の評価が不可能
T0：肝内病変が明らかでない
T1～T4：癌腫の「個数」，「大きさ」，「脈管侵襲」の3項目によって規定される．複数の癌腫は多中心性癌腫であっても肝内転移癌腫であってもよい．肝細胞癌破裂はS3と明記するがT因子は変更しない．

N因子　N0：リンパ節転移を認めない
N1：リンパ節転移を認める

M因子　M0：遠隔転移を認めない
M1：遠隔転移を認める

	T1	T2	T3	T4
①腫瘍個数　単発 ②腫瘍径　2cm以下 ③脈管侵襲なし (Vp_0，Vv_0，B_0)	①②③すべて合致	2項目合致	1項目合致	すべて合致せず

日本肝癌研究会編：臨床・病理　原発性肝癌取扱い規約．第6版補訂版，p.26，金原出版，2019．

4）検査・診断

肝がんは，超音波検査と造影CTによって，病変の個数や性状の把握，解剖学的な位置の確認，他臓器転移の有無，他疾患合併の有無を評価し，診断される．また，診断の補助として腫瘍マーカーが用いられる．診断後の治療方針を立てるために，肝予備能を評価するための血液生化学検査やインドシアニングリーン（ICG：indocyanine green）試験が行われる．

(1)腫瘍マーカー

肝細胞がんでは，血液検査で検出されるAFP（α-fetoprotein：α胎児タンパク），AFP-L3分画，PIVKA-Ⅱ（protein induced by vitamin K absence or antagonist Ⅱ：異常プロトロンビン，ビタミンK欠乏時産生タンパク質）が代表的である．腫瘍量の増大に伴って数値が上昇し，治療によってがんが縮小または消失した場合に下降したり正常化する．このため，診断や治療効果の判定に用いられるが，画像診断の補助的役割にとどめるとされている．胆管細胞がんでは，CA19-9，CEA（carcinoembryonic antigen：がん胎児性抗原）が代表的であるが，他臓器原発のがんでも上昇するため，特有の腫瘍マーカーでないことに注意が必要である．

(2)ICG試験（インドシアニングリーン試験）

肝切除術前に肝障害度を判定するために必要な試験であり，ICGを静脈から注射して，肝臓の解毒能力の状態を評価する．ICGは，血液中から肝臓に取り込まれて胆汁中へ排出され，排出される量は肝血流量と肝細胞の色素摂取量によって変わる．ICGを静脈注射した15分後に採血し，ICGがどの程度排出されたかを調べることで，解毒能力を判定できる．なお，ICGは微量のヨウ素を含むため，ヨードアレルギーの有無を確認する必要がある．

5）治療

肝細胞がんの約90%は，ウイルス性肝炎をもとにして発生する．そのため，肝細胞がんの患者は慢性肝炎や肝硬変を伴って，肝機能が低下している場合が多い．したがって，肝細胞がんの治療は，常に肝機能を考慮して

図22-1　肝がん治療アルゴリズム

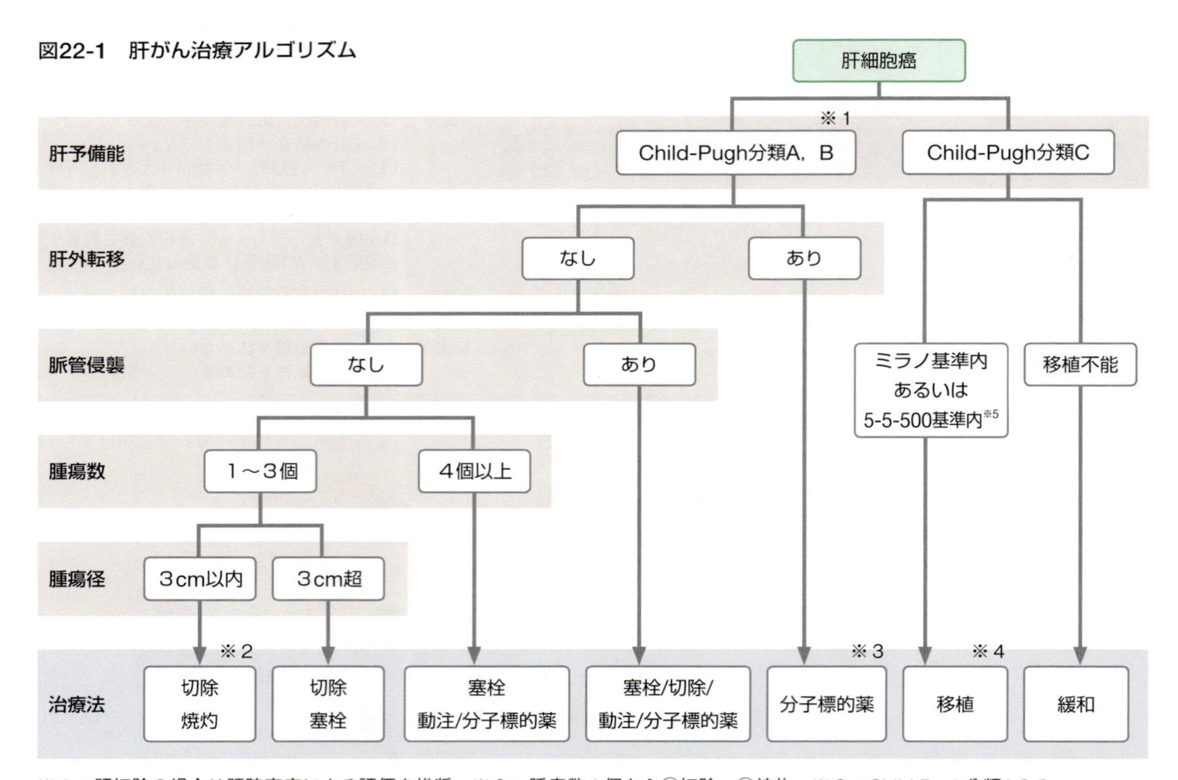

※1：肝切除の場合は肝障害度による評価を推奨　※2：腫瘍数1個なら①切除，②焼灼　※3：Child-Pugh分類Aのみ
※4：患者年齢は65歳以下　※5：遠隔転移や脈管侵襲なし，腫瘍径5cm以内かつ腫瘍数5個以内かつAFP500ng/mL以下

日本肝臓学会編「肝癌診療ガイドライン2017年版補訂版」2020年，P70，金原出版

方針を立てることが重要となる．現在，肝細胞がんの治療に関するアルゴリズムは，肝障害度または肝予備能，肝外転移，脈管侵襲，腫瘍数，腫瘍径の５因子をもとに『肝癌診療ガイドライン』によって設定されている（**図22-1**）．肝予備能評価はChild-Pugh分類に基づいて行い，肝切除を考慮する場合はICG検査を含む肝障害度を用いる．肝外転移，脈管侵襲，腫瘍数，腫瘍径は，治療前の画像診断に基づいて判定する．

(1)手術療法

手術療法には肝切除と肝移植がある．

①肝切除術

肝切除は，肝臓に腫瘍が限局しており，個数が３個以下であることが適応となり，腫瘍の大きさについては制限がない．切除範囲は，腫瘍の大きさや術前の肝機能によって選択され，肝葉切除（右葉切除または左葉切除），区域切除，部分切除・核出術が選択される．切除範囲によって，肝不全などの合併症の出現頻度も変わるため，切除範囲の決定は重要となる．近年，医療技術の進歩によって腹腔鏡下肝切除術も行われるようになり，肝部分切除や肝外側区域切除術の場合にそれが適応となることがある．手術療法の代表的な合併症として，肝臓は動脈，門脈，胆管の３つの脈管が一体となったグリソン鞘が末梢まで分布して血流が豊富な臓器であることや，肝細胞がんは豊富な血流を必要とすることから，肝切離によって術後出血が生じるリスクが高い．また，グリソン鞘の切離によって細い胆管から術後に胆汁が漏れる，胆汁漏を生じることがある．胆汁漏が生じた場合，感染が加わり腹腔内感染を合併する危険性もある．加えて，術前から肝予備能が低下していることで，肝切除後に肝不全といった重大な合併症を生じる危険性がある．このため，術前検査によって過大な肝切除を避け安全な切除範囲を確定する．

②肝移植

ミラノ基準に基づき，他臓器への転移がなく，腫瘍が1個で５cm以下または３cm以下で３個以内の場合が肝移植の適応となる．日本でも2004年より生体肝移植が保険適用となり，手術件数が増加している．

(2)穿刺局所療法

体外から皮膚を経由して腫瘍に直接針を穿刺して治療を行うラジオ波焼灼療法（RFA：radiofrequency ablation）と経皮的エタノール注入療法（PEIT：percutaneous ethanol injection therapy）がある．第１選択とし

図22-3　肝動脈塞栓療法

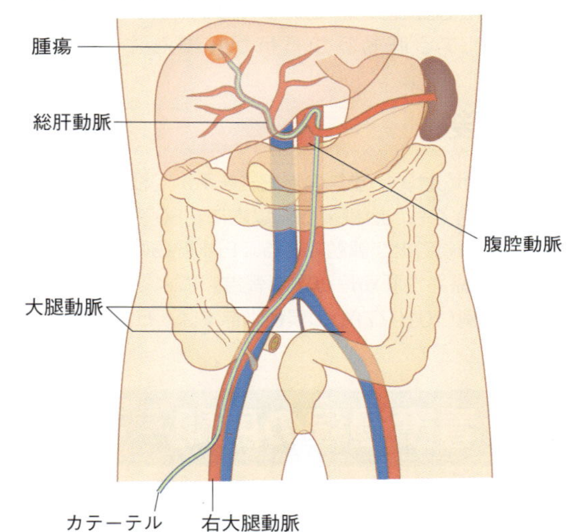

肝細胞がんを栄養する動脈の末梢部を塞栓し，肝がんのみを壊死させる．
正常な部分は門脈血流で栄養されているので，死滅することはない

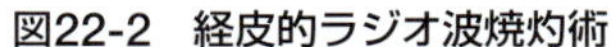

図22-2　経皮的ラジオ波焼灼術

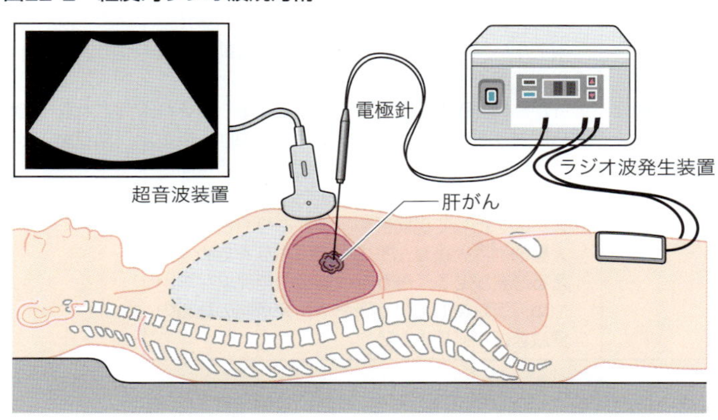

池田健次，宗村美江子編：実践肝疾患ケア．JJNスペシャル79，p.192，医学書院，2006.

てはラジオ波焼灼療法が推奨されている．いずれも，体外式エコーで腫瘍を描出しながら，穿刺ルートにあわせて針を穿刺する方法が一般的である（**図22-2**）．ラジオ波焼灼療法は高周波電流を腫瘍に流すことで壊死させ，経皮的エタノール注入療法は高濃度（99%）のエタノールを腫瘍に注入することで腫瘍を壊死させる．

術後は，発熱，疼痛，倦怠感，食欲不振，肝機能障害などが生じやすい．合併症として，出血，腹水，胆管炎，肝膿瘍がある．ラジオ波焼灼療法では，消化管穿孔のリスクが経皮的エタノール注入療法に比べて高い．

(3)肝動脈塞栓療法（TAE）/肝動脈化学塞栓療法（TACE）

肝臓の正常組織は，7割が門脈から3割が肝動脈から血流を受けるとされているが，肝悪性腫瘍は肝動脈からほぼすべての血流を受けている．肝細胞がんは非常に豊富な血流を必要とする，という特徴があることから，腫瘍に流入する肝動脈から抗がん薬を注入したり（TACE：transcatheter arterial chemoembolization），血流の塞栓（TAE：transcatheter arterial embolization）を行う．

具体的には，血管造影検査で腫瘍を栄養する血管を同定し，大腿動脈や上腕動脈から細いカテーテルを挿入して治療を行う（**図22-3**）．注入される抗がん薬は，ドキソルビシン塩酸塩，エピルビシン塩酸塩，マイトマイシンC，シスプラチン，ネオカルチノスタチンなどで，腫瘍に蓄積する油性造影剤（リピオドール）と混合し，塞栓効果を上げている．抗がん薬の注入後に，ゼラチン製剤を用いて肝動脈の塞栓を追加して行う．

合併症としては，血管造影による血管損傷や出血と，局所麻酔薬・造影剤によるアレルギー反応がある．また，抗がん薬に対するアレルギーや，抗がん薬や動脈塞栓による肝不全がある．そのため，術前に肝予備能の評価を十分に行い，肝不全を予防する．

6）予後

肝細胞がんは，いずれの治療法を用いて根治的治療を行った場合でも，治療後5年以内に約80%の症例で再発がみられることが課題である．日本肝癌研究会の「第18回全国原発性肝癌追跡調査報告」によると，肝細胞がん全症例（101977例）の累積生存率は，5年が37.9%とされている．治療法ごとの5年生存率は，肝切除が54.2%，穿刺局所療法が45.6%，TAEが24.2%である．

2. 看護過程の展開

● アセスメント～ゴードンの機能的健康パターンを用いて

パターン	アセスメントの視点	根拠	収集する情報
(1) 健康知覚-健康管理 患者背景 健康知覚-健康管理 価値-信念	●現在の健康状態をどのように知覚しているか，手術の必要性や術後合併症とその管理方法について理解しているか	●病状や治療の必要性，治療方法と合併症やその管理に関する理解が不十分であると，手術やその後の治療に対する不安を抱き，術後せん妄を起こしたり早期離床の妨げを起こすことがある．また，術後の呼吸器合併症を防ぐために，術前から禁煙や呼吸訓練などの準備行動をとる必要がある．	●疾患と治療の合併症に関する理解状況，治療に積極的に臨もうとしているか，禁煙の有無と期間，呼吸訓練の必要性の理解状況と実施状況
	●これまでの健康管理に対する取り組みはどうか	●肝がんの要因として肝炎・肝硬変があり，それらに対する受診行動や症状管理の状況は，術後の合併症予防のための健康管理に対する援助に反映させることができる．また，肝炎以外のリスク因子として脂肪肝や喫煙があり，日常的な大量飲酒は術後せん妄の要因にもなるため，控える必要がある．肝がんは術後の再発率が高いため，退院後も合併症予防や再発予防のための健康管理が必要となる．	●これまでの健康管理行動や疾病の予防行動，飲酒歴，既往歴

パターン	アセスメントの視点	根拠	収集する情報
(2) 栄養-代謝 全身状態 栄養-代謝 排泄	●肝機能の状態はどうか	●肝細胞がんの背景には慢性肝炎などがあるため，術前から肝機能が低下していることが多い．このため，肝切除術によってさらに肝機能が低下し，肝不全という重大な合併症を生じるリスクがある．	●血液データ（AST，ALT，ALP，総ビリルビン，直接ビリルビン，NH_3，γ-GTP，TP，Alb，Hb，Ht），黄疸，浮腫，腹水，倦怠感，術前の肝硬変による症状（クモ状血管腫，手掌紅斑，メドゥーサの頭，ばち状爪，体毛脱落）
	●出血のリスクはどうか，生じていないか	●術前からの肝機能低下により，血液凝固因子の生成機能が低下していることが多く，出血傾向であることが多い．加えて，肝臓は血流が豊富な臓器であり，肝切除術はグリソン鞘を切断しながら手術を進めるため，出血を生じやすい．また，切除範囲によっては肝静脈・動脈・門脈の主幹も合併切除をするため，出血のリスクが高くなる．	●ドレーンの排液量・性状，血液データ（Hb，Ht，Plt，PT，APTT，ATⅢ）
	●胆汁漏は生じていないか	●肝切除術では，グリソン鞘を切離することに伴い，グリソン鞘内の胆管が切断されるため，術後に胆汁が漏れる胆汁漏を生じることがある．	●ドレーンの排液量・性状，ドレーンビリルビン値，血液データ（直接ビリルビン値）
	●感染のリスクはどうか，生じていないか	●術前からの肝機能低下によるタンパク合成能の低下，手術侵襲によるタンパク異化の亢進により，低タンパク血症になりやすく，また，術中の出血量が多いと貧血も生じやすい．加えてドレーン・カテーテル類が挿入されていることから感染のリスクがある．胆汁漏が生じた場合，感染を伴って肝膿瘍を形成し，腹腔内感染を生じることがある．	●創部・ドレーンカテーテル類の刺入部の感染徴候，腹膜炎の徴候（反跳痛，筋性防御），血液データ（WBC，CRP，TP，Alb，BS）
	●皮膚の状態はどうか	●長時間の手術であること，侵襲が大きいので術後の疲労感が強いと離床が遅れること，術前からのタンパク合成能の低下によって皮膚のバリア機能が低下していることから，術後に褥瘡発生のリスクがある．	●術中体位に応じた骨突出部の発赤，びらん
(3) 排泄 全身状態 栄養-代謝 排泄	●腎機能は正常か	●術後早期は体内の水分が間質に移行することによって有効循環血液量が減少し，腎血流量の低下により，腎機能障害を生じるリスクがある．また，術後肝不全を生じた場合は肝腎症候群を発症し，急性腎不全に陥ることがある．	●尿量，腎機能データ（BUN，Cre）
	●術後の消化管の機能回復はどうか	●全身麻酔，消化管操作によって腸蠕動運動が低下する．また，術後の離床の遅れは，蠕動運動の回復を妨げ，イレウス（腸閉塞）の発症の要因となる	●腹部膨満感，腸蠕動の聴診，排ガス・排便の回数・性状，離床状況
(4) 活動-運動 活動・休息 活動-運動 睡眠-休息	●呼吸器系の合併症（無気肺や肺炎）は生じていないか	●肝切除術は，手術創が上腹部であり，咳嗽時の疼痛によって気道分泌物の喀出力が低下しやすい．術当日～１PODは間質への体液の移動によって痰の粘稠度が高まりやすく，疼痛によって分泌部の喀出が十分にできないことが多い．２～３PODのリフィリング期（血管内に水分が戻る時期）には肺水腫を発症するリスクがある．また，水様性の痰が増加するため，肺炎の危険性が高くなる． ※POD：post operative day，術後日数	●痰の性状，量，咳嗽力，呼吸数，呼吸パターン，喘鳴，呼吸困難感，呼吸音，SpO_2，胸部X線，血液ガスデータ（PaO_2，$PaCO_2$）

パターン	アセスメントの視点	根拠	収集する情報
(4) 活動-運動 活動・休息 活動-運動 睡眠-休息	●循環器系の合併症は生じていないか	●肝切除術は，侵襲が大きいこと，術前からの低タンパク血症により，血管内の水分が血管外へ移行しやすい．また，肝臓が血流に富む臓器のため，術中の出血量が多くなりやすく，循環血液量が減少して血圧の低下や頻脈が生じやすい．2～4PODには，リフィリング期となって血管外に移行していた水分が血管内に戻り，循環血液量が増加する．それによって，血圧の上昇や尿量の増加，不整脈（とくに心房細動）が出現しやすい．心疾患の既往がある場合，この時期に，急性心不全などの合併症が出現するリスクがある．	●血圧，脈拍（数，リズム），不整脈の有無，In-Out，体重，CVP，薬剤の種類・量
	●ADLはどのようであるか	●術後の疼痛や術中・術直後の長期臥床により，ADLが低下しやすい．また，術前から肝機能が低下していることが多く，肝切除術によってさらに肝機能が低下することで倦怠感が出現しやすい．早期離床がはかれないと術後の呼吸器系・消化器系合併症を生じやすくなる．	●離床状況，ADL，リハビリテーション訓練の内容・レベル
(5) 睡眠-休息 活動・休息 活動-運動 睡眠-休息	●睡眠，休息は十分にとれているか	●術後の疼痛やドレーン類などの苦痛により，睡眠が阻害されやすい．夜間に十分な睡眠がとれないと，せん妄や回復の遅延の要因となる．	●睡眠時間，満足度，睡眠に関する薬剤使用の有無
(6) 認知-知覚 知覚・認知 認知-知覚 自己知覚-自己概念 コーピング-ストレス耐性	●疼痛のコントロールはできているか	●肝葉切除の場合，手術創が大きく，ドレーン類が多いことから疼痛を生じやすい．硬膜外カテーテルからの麻酔薬によるPCA法（患者自己鎮痛管理法：patient controlled analgesia）を効果的に用いることや，疼痛を緩和した体動方法をとることでコントロールしながら離床を促すことが重要である．	●疼痛のレベル（NRS，VASなど），PCA法に関する理解・使用状況，離床時・咳嗽時の疼痛コントロール方法，体位
	●認知機能は正常か	●術直後はICU管理が必要となることが多く，疼痛や体動困難から，せん妄を発症するリスクが高い． ●肝不全を生じると意識障害がみられる．	●意識レベル（JCS・GCS），せん妄症状とリスク因子（CAM-ICU，ICDSC，NEECHAM混乱錯乱スケール）
	●術後の合併症管理に関する知識はあるか	●術後早期～退院後まで，合併症を予防するためのセルフケアが重要となるが，それらに関する知識がなければ十分なセルフケアをはかることができない．	●術後合併症に関する知識
(7) 自己知覚-自己概念 知覚・認知 認知-知覚 自己知覚-自己概念 コーピング-ストレス耐性	●肝がんである自身について患者，家族の受け止めはどのようであるか	●近年治療成績が向上しているが，再発率が高く，疾患をもつ自身を否定的にとらえることがある．	●病状や今後の治療に関する本人・家族の受け止め
	●術後の状態をどのように受けとめているか	●肝葉切除の場合，手術創が上腹部に残る．また，倦怠感が持続することで術後の回復への不安が増強することがある．	●創部を観察できているか，身体的変化に対する発言

パターン	アセスメントの視点	根拠	収集する情報
(8) **役割-関係** 周囲の認識・支援体制 役割-関係 セクシュアリティ-生殖	●疾患・治療による現在の役割や責任への影響はどの程度か，それらをどのように受け止めているか ●家族や周囲のサポートは得られるか	●術後２週間程度の入院生活が必要となる．また，退院後も合併症予防のための健康管理を要するため，これらのことが社会・家庭での役割に影響を及ぼす可能性がある． ●日常生活を送るうえで，食事に関するサポートや治療に伴う体力の低下により，生活上のサポートが必要になることがある．	●家族内・社会的役割と活動状況，役割の変化，役割の変化に対する受け止め ●家族や周囲の人々の病状・治療に関する理解，家族や周囲のサポートは得られるか
(9) **セクシュアリティ-生殖** 周囲の認識・支援体制 役割-関係 セクシュアリティ-生殖	●性に関する問題はないか	●肝切除術によって性機能に障害を生じる可能性は少ないが，術創や術後の疲労感などが性行動に影響を及ぼす可能性がある．	●性機能に関する変化・問題の有無
(10) **コーピング-ストレス耐性** 知覚・認知 認知-知覚 自己知覚-自己概念 コーピング-ストレス耐性	●術後の状態をどのように知覚しているか，コーピングははかれているか	●手術侵襲が大きいこと，術後ICUにおける頻回な観察やケアが必要なこと，身体的苦痛などがストレッサーとなりやすい．効果的なコーピングをはかることが身体機能の回復にも影響を及ぼす．	●表情，不安の表出，心拍数の増加，血圧の上昇，コーピング方法
(11) **価値-信念** 患者背景 健康知覚-健康管理 価値-信念	●どのような価値観をもっているか，もともとの価値観と現在の状態に葛藤を生じていないか	●手術による心身の状態の変化やそれに伴う社会的な状態の変化に対して，もともとの価値観との間に葛藤を生じる可能性がある．	●人生で大切にしていることは何か，術後の状態に対して葛藤はないか

3. 全体像の把握から看護問題を抽出

1）病態関連図

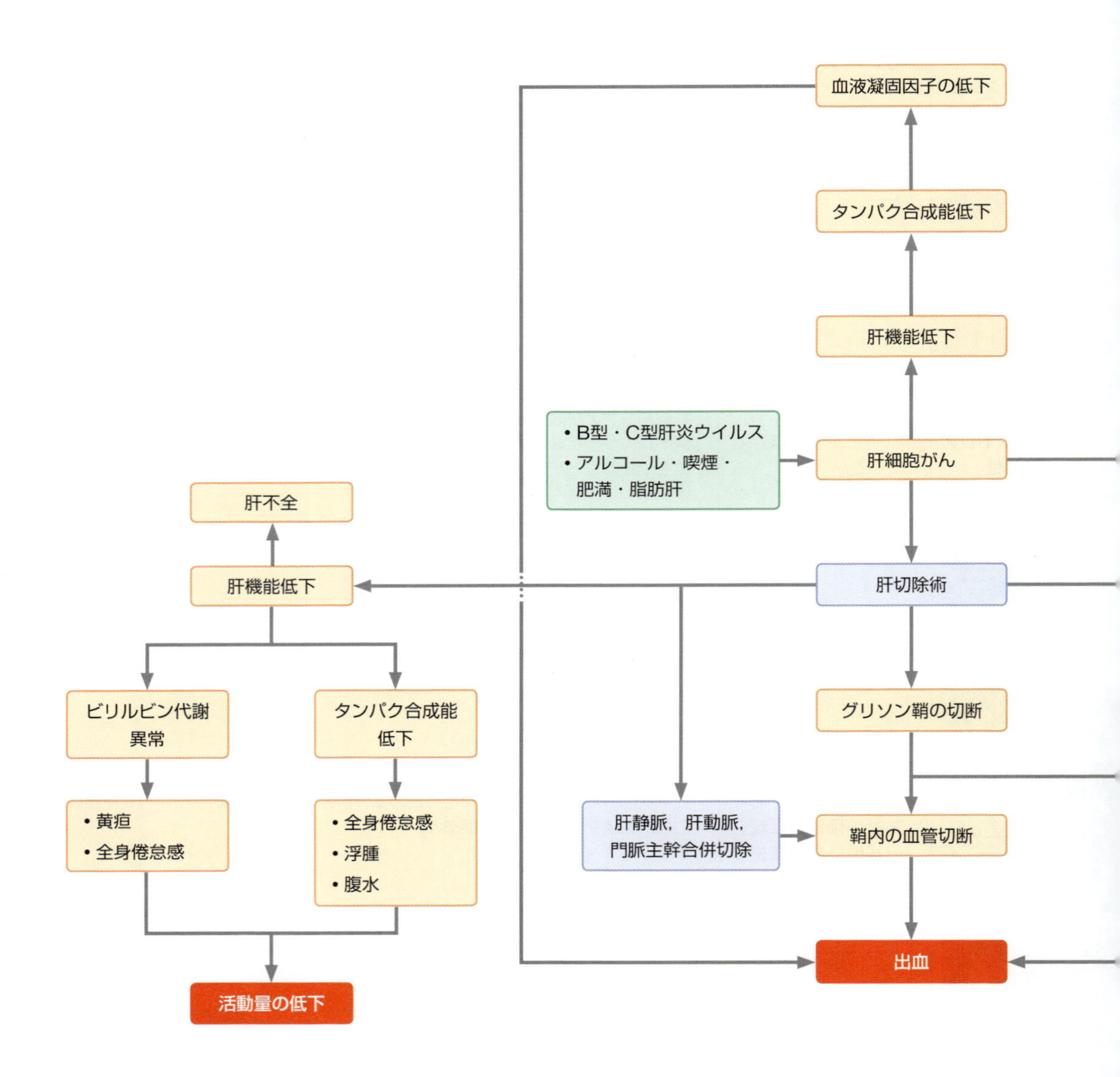

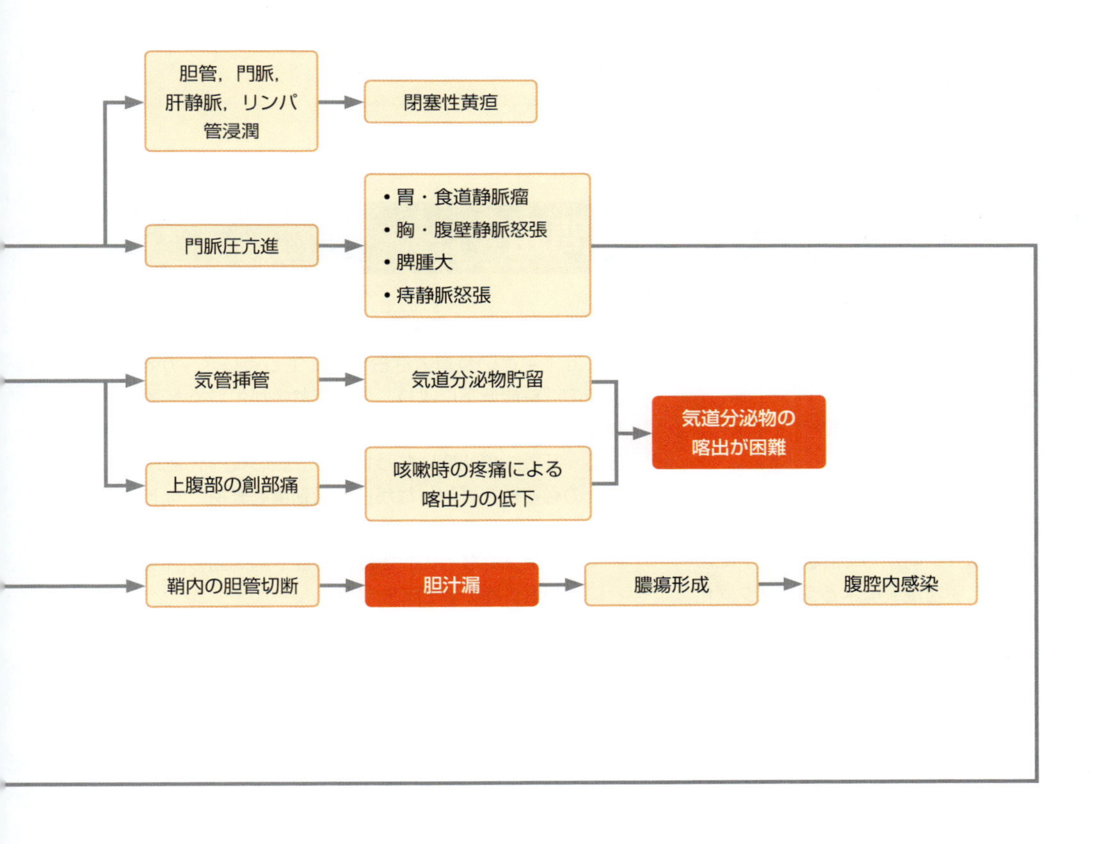
胆管，門脈，肝静脈，リンパ管浸潤
閉塞性黄疸
門脈圧亢進
• 胃・食道静脈瘤
• 胸・腹壁静脈怒張
• 脾腫大
• 痔静脈怒張
気管挿管
気道分泌物貯留
気道分泌物の喀出が困難
上腹部の創部痛
咳嗽時の疼痛による喀出力の低下
鞘内の胆管切断
胆汁漏
膿瘍形成
腹腔内感染

2）看護の方向性

肝臓は血流が豊富な臓器であり，肝切除術はグリソン鞘を切断しながら手術を進めるため，出血を生じやすい．また，切除範囲によっては肝静脈・動脈・門脈の主幹も合併切除をするため，出血のリスクが高くなる．そして，術前からの肝機能低下により，血液凝固因子の生成機能が低下していることが多く，出血傾向であることが多い．出血の徴候を見逃さないように観察していくことが必要である．

また，肝切除術ではグリソン鞘を切離することに伴い，グリソン鞘内の胆管が切断されるため，術後に胆汁が漏れる胆汁漏が生じることがある．胆汁漏は胆汁の流出障害がなければ自然治癒するが，十分なドレナージが行われないと感染の危険性がある．

肝細胞がんの背景には慢性肝炎などがあるため，術前から肝機能が低下していることが多い．このため，肝切除術によってさらに肝機能が低下することがあり，それにより全身倦怠感などの症状が出現することで「活動量の低下」が問題となる．

肝切除術は，手術創が上腹部であり，咳嗽時の疼痛によって気道分泌物の喀出力が低下しやすい．術当日～1PODは血管外への体液の喪失によって痰の粘稠度が増加しやすく，疼痛によって分泌物の喀出が十分にできないことが多い．このことから呼吸器合併症を発症するリスクが高くなるため，疼痛のコントロールは重要である．

3）患者・家族の目標

手術が無事終わり，これまでの生活に戻ることができる．

4. しばしば取り上げられる看護問題

◆1 潜在的合併症としての胆汁漏

なぜ？

肝切除術ではグリソン鞘を切離することに伴い，グリソン鞘内の胆管が切断されるため，術後に胆汁が漏れる胆汁漏を生じることがある．術前からの肝機能低下によるタンパク合成能の低下，手術侵襲によるタンパク異化の亢進によって低タンパク血症になりやすく，感染への抵抗力が下がる．そのため，胆汁漏が生じた場合，感染を伴って肝膿瘍を形成し，腹腔内感染を生じることがある．肝切除術ではとくにリスクが高い合併症である．

➡期待される結果

胆汁漏の早期発見・対応をする．

◆2 術前からの肝機能低下，肝切除による活動量の低下

なぜ？

肝細胞がんの場合，術前から肝機能が低下していることが多く，肝切除術によってさらに肝機能が低下した場合，肝不全という重大な合併症を生じるリスクがある．術後の肝機能低下により，全身倦怠感が生じると活動量が低下しやすく，患者もそのことに不安を感じることがある．肝機能の状態にあわせて，肝臓の負荷を軽減することの必要性を説明しながら，活動量を維持・向上するケアが重要となる．術後の倦怠感による活動量の低下が続くと，無気肺などの呼吸器合併症や腸蠕動の回復遅延といった合併症の要因にもなる．

➡期待される結果

肝臓への負荷を軽減する必要性を知り，活動量を維持することができる．

◆3 潜在的合併症としての出血

なぜ？

肝細胞がんの背景には慢性肝炎などがあるため，術前から肝機能が低下していることが多い．それに伴い，血液凝固因子の生成機能が低下していることが多く，出血傾向であることが多い．加えて，肝臓は血流が豊富な臓

器であり，肝切除術はグリソン鞘を切断しながら手術を進めるため，出血を生じやすい．また，切除範囲によっては肝静脈・動脈・門脈の主幹も合併切除をするため，出血のリスクが高くなる．後出血を生じると致死的合併症となる．

➡期待される結果

後出血の早期発見をする．

上腹部手術による疼痛，分泌物の喀出力低下により気道分泌物の喀出が困難

なぜ？

肝切除術は，手術創が上腹部であり，咳嗽時の疼痛によって気道分泌物の喀出力が低下しやすい．術当日〜1PODは間質への体液の喪失によって痰の粘稠度が増加しやすく，疼痛によって分泌物の喀出が十分にできないことが多く，無気肺や肺炎の原因になることがある．疼痛を緩和したり加湿を行い，排痰を促すケアが重要となる．術後呼吸器合併症を防ぐために重要である．

➡期待される結果

気道分泌物を喀出し，副雑音が聴取されなくなる．

5. 看護計画の立案

• O-P：Observation Plan（観察計画）　• T-P：Treatment Plan（治療計画）
• E-P：Education Plan（教育・指導計画）

◆1 潜在的合併症としての胆汁漏

	具体策	根拠と注意点
O-P	**(1)胆汁漏の早期発見**	
	①ウインスロー孔または肝下面ドレーンの色が褐色でないか	●肝切除術後に挿入されるウインスロー孔または肝下面周囲が胆汁漏を生じた場合，最も早期に胆汁の排出がされる部位である．性状のドレーン排液の経過は血性→淡血性→淡々血性→漿液性だが，胆汁が漏れて混入することにより，褐色に変化する．
	②3PODのドレーンビリルビン値が血清ビリルビン値の3倍以上でないか	●この状態が，肝切除インターナショナル研究会の基準により，胆汁漏の定義となる．
	(2)腹腔内感染の早期発見	
	①腹部の視診による膨満・緊満の有無 ②反跳痛・筋性防御の有無 ③ドレーン排液が混濁・膿性でないか	●胆汁漏によって膿瘍が形成され，腹腔内で感染が生じた場合に出現する症状である．
	④採血データ（WBC・CRP）	●炎症徴候を示す所見であり，腹腔内感染を生じた場合も上昇するが，ほかの所見とあわせて腹腔内での感染かを判断する必要がある．
	⑤体温・血圧・脈拍	●感染による発熱や低血圧・頻脈が生じていないかを判断するため．
T-P	**(1)胆汁漏の早期発見**	
	①ドレーンの屈曲・閉塞の有無を確認する	●ドレーンが屈曲・閉塞していると排液ができないため，胆汁漏の発見が遅れる．また，胆汁漏が生じた場合，排液をすることが腹腔内での膿瘍の形成，感染を防ぐことになる．
	②挿入部の固定	●ドレーンの抜去を防ぐために重要である．抜去した場合，再挿入が必要となることもある
	③離床時のドレーンの整理	●肝切除術の場合，術後早期はドレーンに加えてカテーテル類も多く挿入されている．離床時の抜去を防ぐためにも重要になる．
	④o-p(1)(2)が観察された場合，早急に医師に報告する．	●早期に治療を受けられるようにするため．
	(2)胆汁漏の発症時	
	①o-p(2)に基づき観察を行い，腹腔内の感染徴候がみられる場合，早急に医師に報告する	●胆汁漏は，肝切離面の治癒によって改善が見込まれるが，腹腔内感染を生じた場合，重大な合併症となるため．

	具体策	根拠と注意点
T-P	②発熱を生じている場合や熱産生中の場合は保温し，熱放散をしている場合は冷罨法を行う ③自覚症状の出現がなく，循環動態が安定していれば，早期回復のために離床を行うことを説明し，援助する	●発熱による疲労や代謝の亢進を抑え，肝臓の負担を軽減するため． ●胆汁漏は，肝切離面の治癒によって改善が見込まれるため，症状の出現がない場合はその他の合併症を防ぐためにも，説明して離床の援助を行う．

◆2 術前からの肝機能低下，肝切除による活動量の低下

	具体策	根拠と注意点
O-P	**(1)活動量について**	
	①離床・ADLの状況	●ADLや活動量を維持・拡大できているか評価をするため．
	②活動前中後のSpO_2，呼吸数	●活動に伴う酸素消費量の増大が，肝機能に負荷を与える可能性があるため．
	③活動と休息のバランス	●肝臓を保護しながらADLの拡大をはかることが重要なため．
	(2)肝機能の状態	
	①血液データ(AST，ALT，ALP，総ビリルビン，直接ビリルビン，NH_3，γ-GTP，TP，Alb)	●肝機能の状態を評価するため，血液データの変化を確認する．肝機能が低下するとビリルビン代謝が低下して血清ビリルビン値が上昇する．またアミノ酸代謝機能が低下することでアンモニア値が上昇する．タンパク合成能が低下することによって低タンパク血症となる．
	②倦怠感，浮腫，腹水，黄疸	●肝機能が低下することで出現する症状である．低タンパク血症になることにより，血管外に体液が漏出しやすく，浮腫や腹水が出現する．血清ビリルビン値の上昇に伴い，黄疸が出現する．
	③意識レベル，錯乱の有無，行動・人格・気分の変化の有無，睡眠パターンの変化，判断力の低下の有無，羽ばたき振戦	●肝機能低下によるNH_3上昇に伴う肝性脳症の症状である．
	(3)肝臓への負担を軽減する必要性についての理解状況	●E-Pの介入の評価を行うため．
T-P	**・肝機能の状態にあわせてADLの援助を行う**	
	①O-P(2)を観察してアセスメントした患者の肝機能の状態に応じて，必要時負担を軽減したADLの援助を行う	●肝臓への血流量の確保と酸素消費量を最小限にするため，過負荷にならないようADLの援助が必要となる．
	②安静時・活動時ともに適切な酸素投与を行う	●肝臓への十分な酸素供給を行うことで，肝機能の低下を防ぐ．
	③O-P(2)を観察し，アセスメントした患者の肝機能の状態に応じて離床をはかる	●肝機能の状態に応じて，離床をはかることで術後の早期回復につながる．
	④肝庇護薬が処方されている場合，投与を行う	●肝機能の状態に応じて薬剤が投与される．必要性を患者に説明しながら投与を行う．
E-P	**・術後の倦怠感は肝機能の低下が要因の1つであることを説明し，肝臓への負担を軽減する必要性について説明する** ・酸素投与の必要性を説明する ・必要時，過度な活動が肝臓への負担を増やすため，休息をとることの必要性を説明する	●早期回復に向けて活動量の拡大は重要であるが，肝機能の状態に応じて過負荷にならないように活動量を増やすことを，患者が理解する必要がある．

引用・参考文献

1) 野村和弘，平出朝子監：肝・胆・膵がん―がん看護実践シリーズ7．メヂカルフレンド社，2007.
2) 日本肝臓学会編：肝癌診療ガイドライン2017年版．第4版，金原出版，2017.
3) 日本肝癌研究会編：臨床・病理 原発性肝癌取扱い規約．第6版補訂版，金原出版，2019.
4) 医療情報科学研究所編：病気がみえるvol.1 消化器．第5版，メディックメディア，2016.

第４章　消化器疾患患者の看護過程

23 肝炎

1. 疾患の基礎的知識

1）疾患の概念

肝臓に炎症が生じ，肝臓の細胞が損傷された状態を肝炎という．臨床経過から，発症後４～６週間で完治する急性肝炎と，６か月以上の肝機能障害が継続する慢性肝炎に分類される．肝炎ウイルスの感染によって国内最大の感染症となっていて，肝炎の予防と早期発見，肝炎治療が適切かつ均一に提供できることや，その研究を推進するため，2010（平成22）年に肝炎対策基本法が施行されている．

2）原因

(1)ウイルス性肝炎

肝炎の原因として最も多い．現在A，B，C，D，E型が知られている（**表23-1**）．その他と，認定されていない肝炎ウイルス（G型，TTV，SEN-V）も存在するが，肝炎の多くはA～C型である．

・A型：渡航中の，生水，生ものの摂取によって感染することが多い．急性肝炎で発症するが，慢性化することはほとんどなく治癒する．

表23-1　肝炎の型

	A型肝炎	B型肝炎	C型肝炎	D型肝炎	E型肝炎
起因ウイルス	A型肝炎ウイルス（HAV）	B型肝炎ウイルス（HBV）	C型肝炎ウイルス（HCV）	D型肝炎ウイルス（HDV）	E型肝炎ウイルス（HEV）
直径（nm）	27	42	55	36	32
核酸	RNA	DNA	RNA	RNA	RNA
感染経路	経口（水，魚介）	血液・体液（唾液，精液）・母子 ウイルスの感染力が強い	血液 HBVより感染力が弱く，性行為感染はまれ	血液・体液・母子HBVに寄生し，増殖する	経口（猪，鹿，豚）
好発年齢	小児，青年	60歳以上	若年～中高年		
潜伏期間	２～６週	１～６か月	２～25週	３～13週	２～９週間（平均６週）
慢性化	終生免疫獲得し，慢性化しない	成人ではほとんどが一過性．10%が持続感染に至る． 母子感染では児の免疫機能が未発達のため，十分にウイルスを排除できず，90%が持続感染し，非活動性キャリアとなる．	70～80％で持続感染．すべての肝炎ウイルスのなかで最も慢性化しやすい．	HBVに感染している人のみ感染する．	なし
予防法	ＨＡワクチン	ＨＢワクチン 抗ＨＢヒト免疫グロブリン	なし	ＨＢワクチン	なし
診断	IgM・HA抗体	HBs抗体 IgM・HBc抗体	HCV抗体	HDV抗体	HEV抗体
病状の進行	予後良好 まれに劇症肝炎	劇症肝炎（多い） 慢性肝炎 肝硬変 肝細胞がん	劇症肝炎 慢性肝炎（多い） 肝硬変 肝細胞がん	劇症肝炎 慢性肝炎 肝硬変 肝細胞がん	劇症肝炎（妊婦）

・B型：成人は，血液製剤や注射針の使いまわし，性行為で感染する．ウイルスを排除して治癒することが多い．乳幼児感染では，HBs抗原陽性の母親から生まれた母子感染があり，乳幼児の場合は慢性化することが多い．劇症化する原因として最も多いウイルスである．
・C型：過去には血液製剤による感染が多かったが，B型を含めて現在は血液製剤による感染はほとんどない．注射針による感染が多く，最も慢性化しやすい．

(2)肝炎ウイルス以外のウイルス肝炎

ヘルペス群（EBウイルス，単純ヘルペスウイルス，サイトメガロウイルス），アデノウイルス，コクサッキーウイルス，風疹ウイルスなどが原因で発症する．

(3)薬物性肝炎

薬物性肝炎には，薬剤の代謝による肝炎と，薬剤自身が毒性をもち，肝障害を起こすもの（中毒性肝障害）がある．薬剤代謝による肝炎は，複数の薬物を併用することで相互作用による代謝の遅れから薬剤血中濃度が亢進し，診断に至る．一方，中毒性は，薬剤そのものが肝組織に影響し，肝細胞障害，胆汁うっ滞，腫瘍形成，ビリルビン代謝異常が生じる．

(4)アルコール性肝炎

長期（通常５年以上）にわたる過剰飲酒が原因の肝炎である．１日平均純エタノール60ｇ以上の飲酒（常習飲酒＝日本酒換算３合以上）や，大酒家（１日５合以上５日以上）に多くみられ，アルコール性脂肪肝を呈し，アルコール性肝炎からアルコール性肝硬変に至る．

脂肪肝はアルコール性肝炎の前駆症状であるため，生活習慣の改善で可逆的に変化するが，進行すると肝細胞が線維化を起こし，不可逆的となる．女性やALDH2（アルデヒド脱水素酵素）活性欠損者の場合，2/3程度の飲酒量で病変が起こることがわかっている．

(5)自己免疫性肝炎

自己免疫性肝炎（AIH：autoimmune hepatitis）とは，自己免疫機序に関与した原因不明の肝炎である．慢性，進行性に肝障害をきたす．男女比は１対６と女性に多く，好発年齢は50～70歳．血中抗核抗体値が陽性を示し，関節リウマチ，慢性甲状腺炎，シェーグレン症候群を合併することがある．自己免疫疾患の素因をもつ人が発症しやすい．

(6)非アルコール性脂肪肝炎

非アルコール性脂肪肝炎（NASH：non alcoholic steatohepatitis）とは，飲酒を原因としない脂肪肝を認める肝障害をいう．メタボリックシンドロームの肝病変である．日本での有病率は９～30％で，男性の中年層が多い．病態は，ほとんど進行しないと考えられる非アルコール性脂肪肝（NAFLD：non alcoholic fatty liver disease）と，進行性で肝硬変や肝がんとなる非アルコール性脂肪肝炎（NASH）に分類される．

(7)その他

遺伝性，寄生虫による肝炎がある．

3）病態と臨床症状

病態

(1)急性肝炎

発症後，肝酵素（血清トランスアミナーゼ）が上昇し，６週ほどで肝機能が正常に戻る．組織には肝細胞の変性と壊死，リンパ球，単球，多核白血球の浸潤がみられる．

(2)慢性肝炎

６か月以上の肝機能異常とウイルス感染が持続している病態をいい，門脈域にリンパ球を主体とした細胞浸潤と線維化を認め，肝実質には肝細胞の変性と壊死所見を認める．

臨床症状

(1)急性肝炎

前駆症状は，発熱，咽頭痛，関節痛，感冒症状であり，特異的症状である黄疸症状が出るまで肝炎とわからないことが多い．黄疸とともに褐色尿が出現し，全身倦怠感，悪心，食欲不振，上腹部不快感，全身瘙痒感，右季肋部痛，肝腫大，リンパ節腫大，上腹部痛，脾腫などがみられる．

なお，A型B型肝炎の急性期はインフルエンザ様の症状がみられるが，C型肝炎は軽症であることが多い．

(2)慢性肝炎

しばしば無自覚症状で，かぜ症状と認識されていることがある．急性増悪期の場合は，全身倦怠感，食欲不振，黄疸などを認めることがある．

4）検査・診断

(1)理学所見

・皮膚，眼球結膜，口腔粘膜の黄染，黄疸症状
・肝肥大：右季肋部圧痛
・脾腫：急性肝炎初期に軽度の脾腫

(2)尿検査

・濃黄褐色尿，ビリルビン（卌），ウロビリン体（初期）

(3)便検査

胆汁の排出障害のある場合は灰白色便，黄疸の軽減に先行して便の着色がみられる．

(4)血液生化学検査

①血清トランスアミナーゼ（ALT，AST）は，アミノ酸やエネルギーの代謝に使われ，肝細胞が壊れると血中に出てくる．これによって炎症の程度がわかる．急性肝炎では500～1,500IU/Lとなる．2,000IU/L以上になる場合は重症化に注意する．慢性肝炎では50～200IU/L程度で推移する．

②ビリルビン値（直接ビリルビン値上昇）は，肝細胞の障害の程度を示す．生成した胆汁を胆管に運搬する能力が低下することで血中に出てくる．黄疸の強いときは20～30mg/dLとなる．

③プロトロンビン時間（PT）は，肝臓で合成される凝固因子で，肝予備能を示す．重症化すると低下し，60%以下で肝障害，40%以下は重症や劇症型に分類される．

④乳酸脱水素酵素（LDH）の上昇は肝細胞の壊死を示すが，肝細胞に特異的ではない．

⑤γ-GTPは，胆汁うっ滞で上昇する．アルコール性肝炎などの胆道系病変に関わる疾患では上昇する．

⑥末梢血：ウイルス性肝炎では，軽度の貧血やリンパ球分画の増加がみられる．薬剤性肝炎では，好酸球数増加，血小板数減少がみられる．

(5)血清ウイルスと抗体価検査

①A型肝炎：IgM型HA抗体陽性が確定診断となる．発症中から回復期に陽性となる．

②B型肝炎：感染初期のHBs抗原とIgM型HBc抗体陽性が確定診断となる．HBe抗原陽性は肝炎活動中を示し，セロコンバージョン（陰性化）すればHBe抗体となり，回復を示す．

③C型肝炎：HCV抗体は，感染後に陽転（陽性化）するのに１か月以上かかるため，HCV-RNAを測定する．

(6)腹部画像検査

超音波は，低侵襲であることから，初期から用いる検査である．CT，MRIを使用し，肝実質の病変や肝線維化の有無，肝細胞がんへの進展をみることができる．

(7)肝生検

肝疾患の病理診断のために実施される．以前は腹腔鏡下で行われていたが，現在は超音波下で経皮的に行われることが多い．侵襲が強く，検査後の安静が必要で，頻度は低いが合併症（感染，腹腔内出血）に注意が必要である．

(8)急性肝不全の診断

・初発症状出現から８週以内にプロトロンビン時間（PT）が40%以下もしくはINR値1.5以上を示すものを指す．肝性脳症を示さないか昏睡度Ⅰまでを非昏睡型，昏睡度Ⅱ以上を昏睡型とし，この肝性昏睡は予後に大きく関わる．

・劇症肝炎は，急性肝不全のうち，ウイルス性，薬剤性，自己免疫性肝炎によって引き起こされたものを指す．B型肝炎ウイルスによるものが最も多い．

・肝細胞の壊死や肝臓の合成・代謝機能の低下により，以下の異常値が指標となる．

①肝細胞壊死：AST，ALT，LDH上昇

②合成能低下：Alb，総コレステロール，コリンエステラーゼ低下．凝固能低下（PT，APTT）．

③肝排泄障害：血中アンモニア上昇，血清BUN低下，直接・間接ビリルビン上昇．

④肝性脳症

⑤黄疸

⑥腹水

⑦出血傾向

⑧腎機能の低下

(9)肝炎の進行度評価

慢性肝炎の活動性と線維化進展度の２項目をスコア化した組織学的病勢判定を**表23-2**に示す．

5）治療

(1)安静

安静は，肝臓の負担を軽減し，肝細胞の再生修復を助け，十分な酸素と栄養を供給する．肝血流量は，立位で20～30%，運動負荷では80～85%程度減少する．食後１～２時間は消化吸収が活発であるため，血流量を保つように床上安静が望ましい．

表23-2　新犬山分類

炎症活動性（gradling）	線維化進展度（staging）
A0：壊死・炎症所見なし	F0：線維化なし
A1：軽度の壊死・炎症所見	F1：門脈行の線維性拡大
A2：中程度の壊死・炎症所見	F2：線維性架橋形成
A3：高度の壊死・炎症所見	F3：小葉のひずみを伴う線維性架橋形成
	F4：肝硬変

(2)食事療法

急性肝炎で食欲が低下している場合は，栄養が不足しないように補液などで補う．肝臓の修復を助けるために，高エネルギー，高タンパク，高ビタミン食が推奨されているが，栄養のバランスが偏らない限り，とくに厳密な食事療法を行う必要はない．慢性肝炎の場合も同様である．合併症や重症化の傾向がある場合は，症状に応じてタンパク制限などを要すこともある．

(3)急性肝炎の治療

経口的に栄養がとれない場合は，輸液，肝庇護薬の投与などが行われる．

(4)慢性肝炎の治療

①B型慢性肝炎

・治療対象は，ALT≧31U/LかつHBV DNA量≧2,000IU/mL(3.3LogIU/mL)である．HBV感染者の治療は，抗ウイルス療法であるインターフェロン(INF)療法，核酸アナログ製剤による治療を行う(**表23-3**)．

・核酸アナログ製剤として，エンテカビル水和物(ETV：バラクルード®)，テノホビルジソプロキシルフマル酸塩(TDF：テノゼット®)，ラミブジン(LAM：ゼフィックス®)，テノホビルアラフェナミドフマル酸塩(TAF：ベムリディ®)がある．

・従来型IFNは，35歳以上であることや，遺伝子型により，治療効果の低下が指摘されたが，Peg-IFN(INFをポリエチレングリコールでコーティングした効果持続時間が長いもの)により，現在の治療の基本方針では，HBe抗原陽性・陰性やHBV遺伝子型にかかわらず，原則Peg-IFN単独治療を第1に検討する．B型慢性肝炎の抗ウイルス治療の基本方針を**図23-1**に示す．

②C型慢性肝炎

・治療対象は，ALT≧31U/Lあるいは血小板数15万/μ未満である．C型肝炎に対する抗ウイルス治療は，遺伝子型を問わず，初回治療，再治療ともに直接型抗ウイルス薬(DAA)併用によるINFフリー抗ウイルス治療(INFを使用しない)が推奨される．現在，DAAによるINFフリー抗ウイルス治療の初回投与では，ウイルス排除率は95%以上となった．内服薬だけの簡便さ，治療に伴う副作用の減少と，投与期間が12週間と短くなったことで，高齢者への投与も可能となった．

・直接型抗ウイルス薬(DAA)として，ソホスブビル(SOF：ソバルディ®)，レジパスビル(LDV)，エル

表23-3　治療薬の選択(Peg-IFNと核酸アナログ製剤：薬剤特性)

	Peg-IFN	ETV・TDF・TAF
作用機序	抗ウイルス蛋白の誘導 免疫賦活作用	直接的ウイルス複製阻害
投与経路	皮下注射	経口投与
治療期間	期間限定(24～48週間)	原則として長期継続投与
薬剤耐性	なし	まれ※1
副作用頻度	高頻度かつ多彩	少ない
催奇形性・発癌	なし	催奇形性は否定できない
妊娠中の投与	原則として不可※2	危険性は否定できない※3
非代償性肝硬変への投与	禁忌	可能※4
治療反応例の頻度	HBe抗原陽性の20～30%， HBe抗原陰性の20～40%(予測困難)	非常に高率
治療中止後の効果持続	セロコンバージョン例では高率	低率

●Peg-IFNと核酸アナログはその特性が大きく異なる治療薬であり，その優劣を単純に比較することはできない．

●Peg-IFNは期間を限定して投与することで持続的効果を目指す治療である．治療反応例では投与終了後も何ら薬剤を追加投与することなく，drug freeで治療効果が持続するという利点があり，さらに海外からは長期経過でHBs抗原が高率に陰性化すると報告されている．しかし，Peg-IFNによる治療効果が得られる症例はHBe抗原陽性の場合20～30%，HBe抗原陰性では20～40%にとどまる．加えて週1回の通院が必要であり，様々な副作用もみられる．また，現段階においてわが国ではPeg-IFNの肝硬変に対する保険適用はない．

※1：ETVでは3年で約1%に耐性変異が出現，TDFでは8年間投与，TAFでは2年間の投与で耐性変異の出現は認めなかったと報告されている．

※2：欧州肝臓学会(EASL)，アジア太平洋肝臓学会(APASL)のB型慢性肝炎に対するガイドラインでは，妊娠中の女性に対するPeg-IFNの投与は禁忌とされている．

※3：FDA(U.S. Food and Drug Administration，米国食品医薬品局)薬剤胎児危険度分類基準において，ETVは危険性を否定することができないとされるカテゴリーCであるが，TDFはヒトにおける胎児への危険性の証拠はないとされるカテゴリーBとされていた．このFDA分類基準は現在廃止され，その後更新されていないため，TAFに対するカテゴリー分類は示されていない．

※4：非代償性肝硬変に対する核酸アナログ投与による乳酸アシドーシスの報告があるため，注意深い経過観察が必要である．

日本肝臓学会 肝炎診療ガイドライン作成委員会編「B型肝炎治療ガイドライン(第3版・簡易版)」2017年9月，P3-4
https://www.jsh.or.jp/medical/guidelines/jsh_guidlines/hepatitis_b (2020年8月参照)

バスビル（EBR：エレルサ®），グラゾプレビル水和物（GZR：グラジナ®），グレカプレビル水和物（GLE）・ピブレンタスビル（PIB）配合剤（マヴィレット®），リバビリン（RBV：コペガス®・レベトール®），ソホスブビル・レジパスビル配合剤（ハーボニー®）がある．

・C型慢性肝炎の初回治療フローチャートを**図23-2**に示す．

（5）インターフェロン（INF）療法の副作用

①ほとんどの人に見られる症状：短期（治療開始後２週間まで）

・自・他覚症状……インフルエンザ様症状：発熱，関節痛，筋肉痛，頭痛

・検査所見：血小板減少，白血球数減少（治療開始後１～２週間で最低となり，以降持続する）

・注射部位の腫脹，疼痛

②ほとんどの人に見られる症状：中長期（治療開始２週間以降）

・自・他覚症状……全身症状：微熱，全身倦怠感，脱毛

・自・他覚症状……消化器症状：食欲低下，体重減少，

・検査所見：血小板減少，白血球数減少．Alb，コレステロール値減少

③ときどき出現する症状

・自・他覚症状……皮膚症状：発疹

・自・他覚症状……精神症状：眠気，意欲低下，不眠，抑うつ，いらいら

・検査所見：タンパク尿

④頻度は少ないが治療を中止する必要のある重篤な副作用

・肝機能障害の急激な悪化，眼底出血，自己免疫疾患の出現・悪化，間質性肺炎，甲状腺機能亢進，心筋症，脳内出血

・Peg-IFNの副作用発生頻度は，従来型IFNに比べて血球減少・注射部位の疼痛，発赤はやや多く，インフルエンザ様症状や倦怠感，食欲低下はやや少ない．

図23-1　B型慢性肝炎の抗ウイルス治療の基本方針

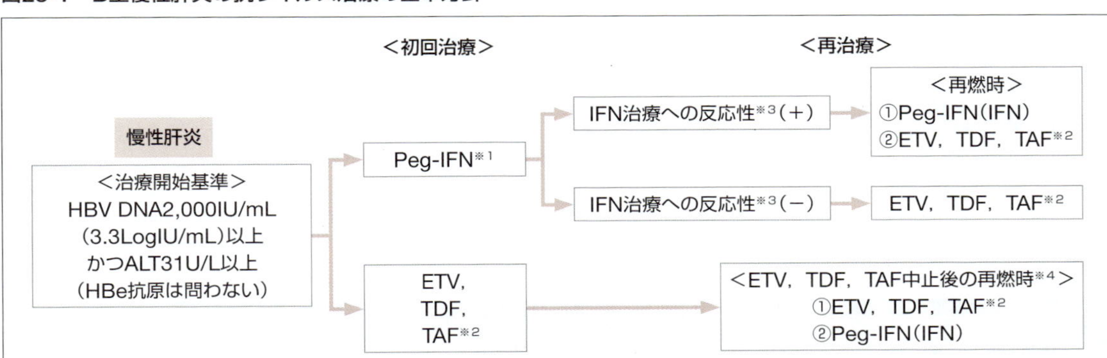

●慢性肝炎に対する初回治療では，HBe抗原陽性・陰性やHBVゲノタイプにかかわらず，原則としてPeg-IFN単独治療を第一に検討する．
●核酸アナログ製剤を使用する場合には，薬剤耐性獲得のリスクが少ないETV，TDF，TAFが第一選択薬である．
●挙児希望者あるいは妊娠中の女性に核酸アナログを投与する場合には，催奇形性のリスクについて十分に説明する．核酸アナログのうち，現時点で低リスクのエビデンスがあるのはTDFである．
●核酸アナログ治療においては，長期投与における副作用についても考慮し，治療開始時に腎機能障害，低P血症，骨減少症・骨粗鬆症を認める場合は，ETVあるいはTAFが第一選択薬となる．
●黄疸を伴う急性増悪を来した症例ではLAMが推奨される．
●IFN治療歴のある慢性肝炎に対する再治療では，従来型IFN・Peg-IFNによる既治療に対する再燃例に対してはPeg-IFN治療による再治療を考慮する．既治療において効果がみられなかったIFN不応例では核酸アナログによる治療を行う．核酸アナログ治療を中止したものの再燃した症例においても核酸アナログによる再治療を考慮する．
●肝硬変では，代償性・非代償性に関わらず，初回治療より核酸アナログが第一選択薬となる．

※１：HBe抗原セロコンバージョン率やHBV DNA陰性化率が必ずしも高くはないこと，個々の症例における治療前の効果予測が困難であること，予想される副作用などを十分に説明すること
※２：挙児希望がないことを確認した上で，長期継続投与が必要なこと，耐性変異のリスクがあることを十分に説明すること．核酸アナログ製剤の選択においては，それぞれの薬剤の特性を参考にする
※３：ALT正常化，HBV DNA量低下（HBe抗原量低下），さらにHBe抗原陽性例ではHBe抗原陰性化を参考とし，治療終了後24～48週時点で判定する
※４：ETV中止後再燃時の再治療基準：HBV DNA100,000IU/mL（5.0LogIU/mL）以上，またはALT80U/L以上

日本肝臓学会 肝炎診療ガイドライン作成委員会編「B型肝炎治療ガイドライン（第３版・簡易版）」2017年９月，P12
https://www.jsh.or.jp/medical/guidelines/jsh_guidlines/hepatitis_b（2020年８月参照）

6）予後

・急性肝不全：初発症状出現後８週間以内に，以下の肝障害を呈す．プロトロンビン時間40%以下，あるいはINR値1.5以上．

・劇症肝炎：急性肝不全のうち，重症型急性肝炎によって昏睡Ⅱ度以上の肝性脳症を発症したもの．肝臓での代謝や合成能が低下し，脳浮腫，肝腎症候群，敗血症，播種性血管内凝固症候群（DIC：disseminated intravascular coagulation）の合併症を起こし，致死的となることがある．

・肝硬変：肝炎ウイルスによる慢性肝炎の起因となることが最も多い（66%）．近年，B型C型肝炎ウイルスの治療効果が上がり，肝硬変への進展は減少傾向にあるが，非アルコール性脂肪肝炎（NASH）によるものが増加傾向にある．

図23-2　C型慢性肝疾患（ゲノタイプ１型・２型）に対する治療フローチャート

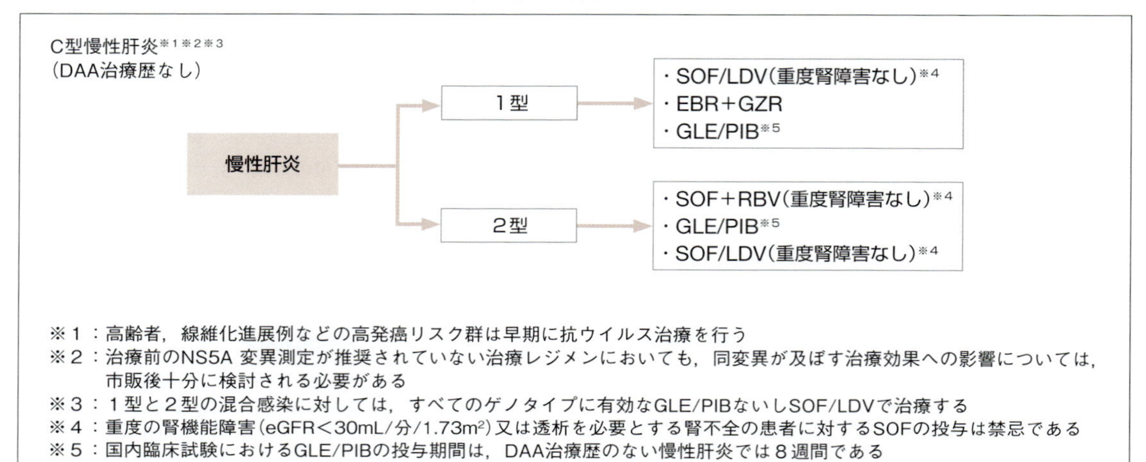

※１：高齢者，線維化進展例などの高発癌リスク群は早期に抗ウイルス治療を行う
※２：治療前のNS5A 変異測定が推奨されていない治療レジメンにおいても，同変異が及ぼす治療効果への影響については，市販後十分に検討される必要がある
※３：１型と２型の混合感染に対しては，すべてのゲノタイプに有効なGLE/PIBないしSOF/LDVで治療する
※４：重度の腎機能障害（eGFR＜30mL/分/1.73m²）又は透析を必要とする腎不全の患者に対するSOFの投与は禁忌である
※５：国内臨床試験におけるGLE/PIBの投与期間は，DAA治療歴のない慢性肝炎では８週間である

日本肝臓学会 肝炎診療ガイドライン作成委員会編「C型肝炎治療ガイドライン（第８版）」2020年７月，P129-130
https://www.jsh.or.jp/medical/guidelines/jsh_guidlines/hepatitis_c（2020年８月参照）

2. 看護過程の展開

アセスメント～ゴードンの機能的健康パターンを用いて

パターン	アセスメントの視点	根拠	収集する情報
(1) 健康知覚-健康管理 患者背景 健康知覚-健康管理 価値-信念	●自己の病状・疾患・治療に関する認識はどうか ●疾患に関する自己管理能力はどうか	●感染の原因の認識と生活状況：ウイルス性肝疾患は，感染の原因がある程度特定できる．1992年以前の輸血歴，輸入性非加熱血液製剤，フィブリノゲン製剤の使用歴は，重要な情報となる．注射針を介したウイルス感染としては，生活習慣や嗜好，社会的背景によって考えられる．経口感染では，海産物の摂取状況や海外渡航歴や渡航場所が関与する． ●肝炎と治療についての認識とセルフケアに対する意識：急性肝炎の完全治癒を除き，長期の経過のなかで，投薬や日常生活における正しい知識とセルフケア能力が必要とされる．	●既往歴：手術，臓器移植，外傷，輸血歴，血液製剤の使用，妊娠，出産，感染症，精神疾患，糖尿病，肥満 ●現病歴：発症時期，診断に至る経過，診断後の治療経過 ●生年，海外渡航・滞在歴，輸入食品の摂取，海産物の摂取，刺青，ボディピアス，飲酒歴，薬物乱用歴，性感染症の可能性

パターン	アセスメントの視点	根拠	収集する情報
(2) 栄養-代謝 全身状態 栄養-代謝 排泄	●症状に伴う栄養の摂取は低下していないか ●肝機能低下による代謝機能への影響はあるか ●栄養状態の低下はないか ●治療による副作用はないか	●肝臓は体内の代謝の中心であり，機能の低下によって多くの代謝機能に影響を与える．とくに糖代謝・タンパク代謝・脂質代謝の障害が生じやすい． ●インターフェロンによる副作用で血球減少が出現した場合，感染リスクが生じる．	●栄養状態 ・食欲，悪心，嘔吐，腹痛，腹部膨満感，体重，BMI ・摂取カロリー（経口・輸液） ●水分出納量：飲水量，輸液量，体重の変化，腹水，浮腫 ●代謝状態 ・肝機能の検査データ ・肝機能障害における代謝障害（Alb，TP，血糖値，凝固機能） ●タンパク代謝：皮膚，爪，口腔粘膜，歯，頭髪 ●インターフェロンの副作用：白血球数，好中球数，貧血，皮膚の瘙痒感，食欲不振など
(3) 排泄 全身状態 栄養-代謝 排泄	●便の異常，便秘は生じていないか ●泌尿器系の機能は正常か ●治療の副作用はないか	●肝細胞が障害され，生成した胆汁を胆管へ運搬する機能が低下すると，血中に直接ビリルビンが増加し，腸管に運搬されないため，灰白便となる．また，腸管は，ビリルビンの排出と再吸収などの代謝に深く関わる． ●腹水が腸管を圧迫して便秘が誘発される． ●ウイルス性慢性肝炎の治療である核酸アナログ製剤（アデホビル）の副作用には，腎機能低下がみられる．	●排便状況（回数・性状・色） ●排尿状況（回数・量・色調） ●腎機能状態（BUN，Cr，Crr）
(4) 活動-運動 活動・休息 活動-運動 睡眠-休息	●運動，動作に支障はないか ●病状に伴う日常活動への影響はあるか ●体調に伴う余暇活動への影響はあるか ●症状に伴う呼吸/循環への影響はあるか	●肝機能障害による倦怠感やインフルエンザ様症状，発熱，食欲不振，不眠などの症状で，日常生活に支障が生じることがある． ●ウイルス性慢性肝炎のインターフェロン治療は，一般的に副作用が強く，日常生活が阻害されやすい．	●ADLの状況（食物摂取の動作，更衣，家事，入浴，身づくろい，排泄） ●日常生活の活動状況（仕事内容，通勤通学の手段や状況） ●余暇活動の障害 ●バイタルサイン（血圧，脈拍，呼吸，体温）
(5) 睡眠-休息 活動・休息 活動-運動 睡眠-休息	●症状に伴い睡眠状況に影響はないか ●肝機能の改善に向けて休息はとれているか	●急性肝炎の全身倦怠感や発熱，関節痛などの症状や，ウイルス性慢性肝炎の治療の副作用による症状で，熟眠感が得られなかったり，病気への不安感から不眠症状が生じることがある． ●臥床安静は，肝血流量を増やし（坐位と比較して50%増），治癒速度を速めて重症化を予防するために大切であるが，肝臓は沈黙の臓器といわれるように自覚症状の少ない臓器である．とくに食後の安静が必要である．	●睡眠の状況（睡眠時間，中途覚醒，熟眠感） ●食後の安静状況．安静時の体位
(6) 認知-知覚 知覚・認知 認知-知覚 自己知覚-自己概念 コーピング-ストレス耐性	●感覚・知覚機能はどうか ●症状に伴う疼痛はどうか ●認知機能はどうか ●疾患・治療についての知識はあるか	●重症化・劇症化により肝性脳症を生じることがある． ●肝炎による症状を伝達できる感覚機能がないと異常の早期発見ができない．． ●肝炎による疼痛，苦痛の症状は個々に異なるため，コントロール方法について十分な知識が必要である． ●肝炎の治療や症状は多様で，セルフケアするにはある程度の認知機能が必要とされる．	●視力・聴力・視覚・味覚，触覚の状況 ●肝炎の症状による苦痛，腹痛，季肋部痛，関節痛． ●治療やセルフケアを行ううえで障害となる感覚器の異常の有無 ●治療やセルフケアを行ううえで障害となる認知機能の異常の有無 ●病気・治療に関する知識，インターフェロン（INF）に関する知識．内服薬に関する知識．副作用に関する知識．副作用症状の対処方法に関する知識

パターン	アセスメントの視点	根拠	収集する情報
(7) 自己知覚-自己概念 知覚・認知 認知-知覚 自己知覚-自己概念 コーピング-ストレス耐性	●肝炎である自身，治療の継続を必要とする自身をどのように知覚しているか ●自己概念は脅かされていないか	●疾患をもつ自身，治療を受ける自身のとらえ方：感染性疾患のため，診断を受けた精神面の負担や不安感は大きく，それまでの自己のアイデンティティを覆しかねない． ●病気の進行に伴い，できることの変化などの能力面の変化や，浮腫，黄疸による皮膚の色調，脱毛などといった外見上の変化によりボディイメージの変化を迫られる．	●自分自身のアイデンティティの変化 ●病気に対する受け止め方 ●将来の自分についてどのように感じているか ●肝炎にかかったことで生じる身体・精神・社会的変化と，それをどのように受け止めているか
(8) 役割-関係 周囲の認識・支援体制 役割-関係 セクシュアリティ-生殖	●家族の役割や責任はどうか ●職業上の役割や責任はどうか ●社会的役割や責任はどうか	●肝炎が慢性化すれば，長期的な治療が必要となり，それまでの家族の役割が果たせなくなる可能性がある． ●経済的な問題を生じることはあるのか：保険適用範囲は拡大し，公的な補助が受けられる場合も増えているが，インターフェロン治療は高額で負担も大きい．療養に伴い，患者本人が休職や退職し，収入が減少することも考えられる． ●家族や周囲の人の，疾患や治療に対する受け止め方：慢性肝炎では症状がわかりにくく，自覚症状が乏しいこともあるため，周囲が正しい認識をしていないことがある．感染性の疾患であることに不正確な知識や情報をもつことで，誤った療養をすすめる可能性がある． ●肝炎が慢性化すると，治療をしながら社会生活を送ることになるため，病気への偏見を恐れて周囲に公表しないケースもある．仕事や学業を優先し，治療を中断したり，療養できないことで病状の悪化をまねく恐れがある．	●家族内での役割，家事分担，家族の状況，家族の疾患の認識や治療の理解状況，キーパーソンは誰か，経済的な問題の有無，活用可能な社会資源の知識 ●疾患や治療に対する家族や周囲の反応や受け止め ●職業，職種，業務内容，業務上の立場，業務と治療の調整状況（休職・退職）
(9) セクシュアリティ-生殖 周囲の認識・支援体制 役割-関係 セクシュアリティ-生殖	●疾患による性行動への影響はないか ●出産に伴う感染拡大の危険はないか	●B型肝炎は性行為感染症の１つであるため，パートナーとなる相手にも病気や感染リスク，感染防止対策（HBVワクチン接種）について留意してもらう必要がある． ●B型肝炎では出産による母子感染の危険がある	●生殖歴，生殖段階 ●性的パートナー ●初潮，最終月経，経産回数，経妊回数，閉経の有無，性的関係における変化や問題 ●性的パートナーの有無，避妊具，避妊薬の使用の有無，性行為での感染の知識と感染防止対策

パターン	アセスメントの視点	根拠	収集する情報
(10) コーピング-ストレス耐性 知覚・認知 認知-知覚 自己知覚-自己概念 コーピング-ストレス耐性	●コーピングパターンはどうなっているか ●ストレス耐性はどうか	●急性肝炎で急きょ入院が必要となった，肝炎が慢性化した，症状が進行して劇症化したなど，自分の病状を受け入れることが難しく，対処行動をとることが困難となりやすい．ストレス耐性の強さによって現状の受け入れには時間がかかる場合がある．	●病状についての気持ち，イライラ感，不安感，落ち込み ●今までで大きな問題に直面したとき，どのように対処したのか ●精神的サポートとなる人や物や行動 ●対処方法は有効か
(11) 価値-信念 患者背景 健康知覚-健康管理 価値-信念	●自己管理に影響を及ぼす価値観や信念や欲望はあるか ●治療方針や看護方針は患者の価値観とあっているか	●肝炎での投薬の継続や変更，治療法の選択など，患者自身は，決定する機会に迷うことも多くある．副作用の出現などで治療に迷いが出ることもある． ●価値観や信念が治療の選択や継続に影響する．	●生きるうえで大切にしていること．優先順位，夢，希望

3. 全体像の把握から看護問題を抽出

1）病態関連図

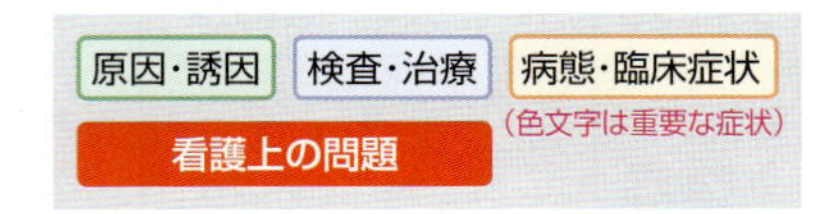

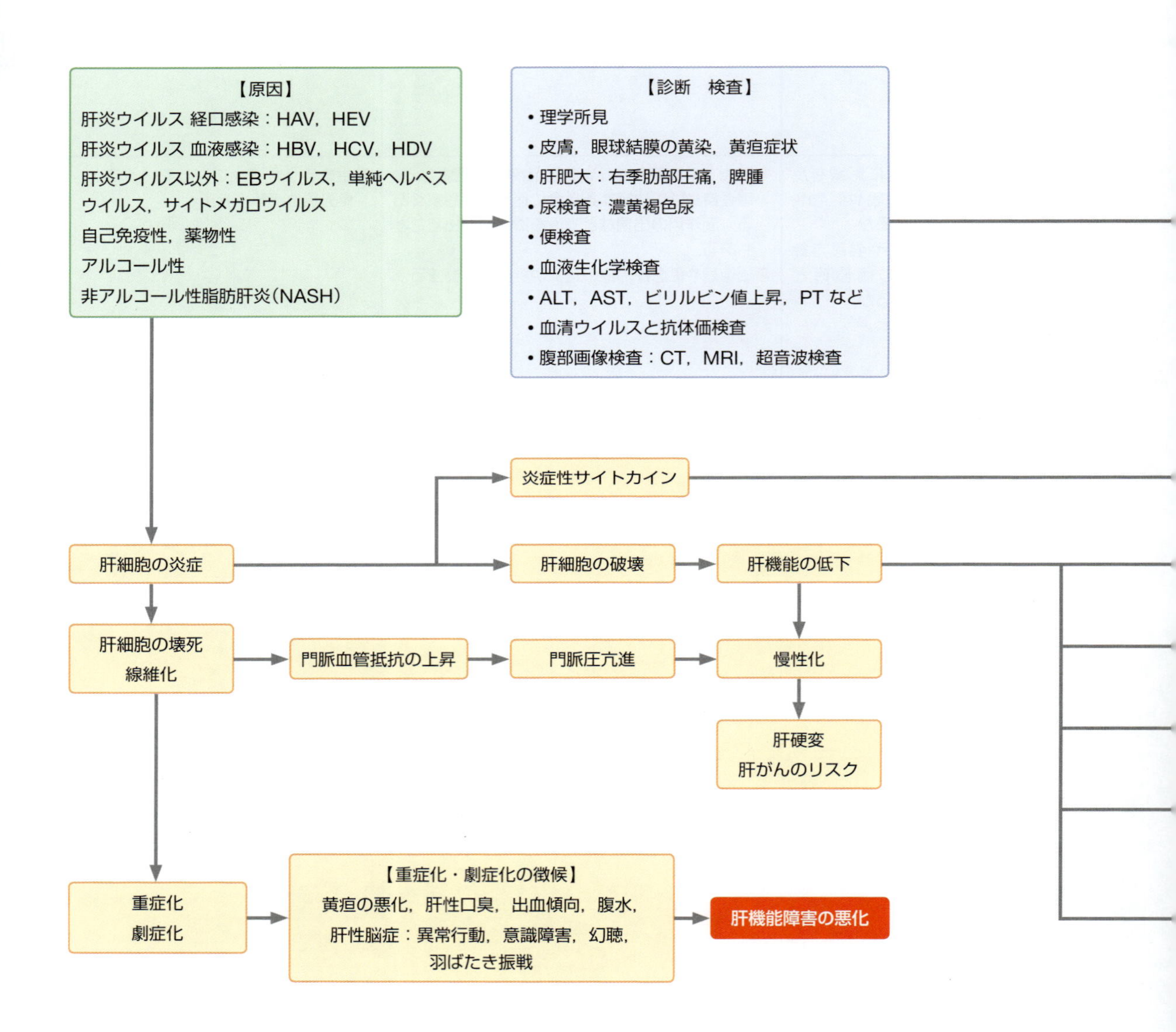

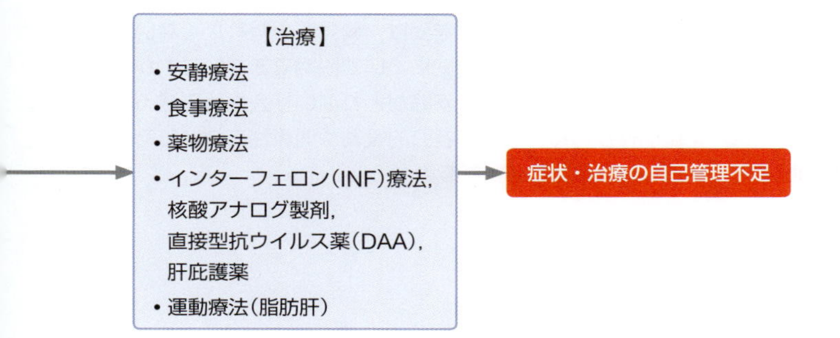
【治療】
・安静療法
・食事療法
・薬物療法
・インターフェロン(INF)療法，
核酸アナログ製剤，
直接型抗ウイルス薬(DAA)，
肝庇護薬
・運動療法(脂肪肝)
症状・治療の自己管理不足

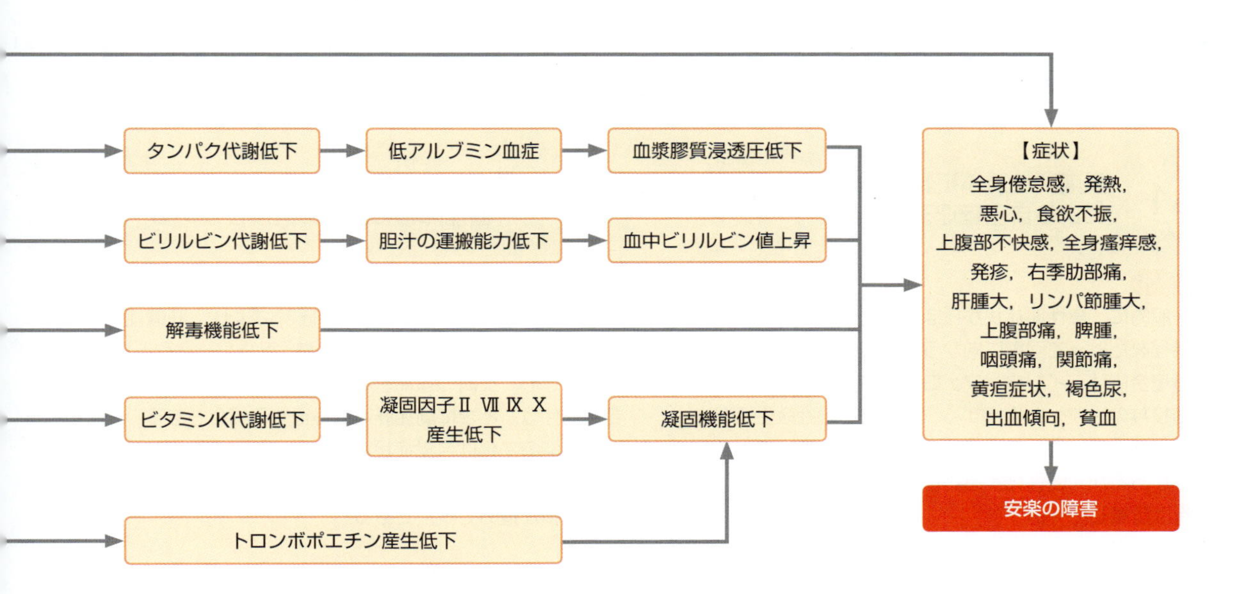
タンパク代謝低下
低アルブミン血症
血漿膠質浸透圧低下
ビリルビン代謝低下
胆汁の運搬能力低下
血中ビリルビン値上昇
解毒機能低下
ビタミンK代謝低下
凝固因子Ⅱ Ⅶ Ⅸ Ⅹ
産生低下
凝固機能低下
トロンボポエチン産生低下
【症状】
全身倦怠感，発熱，
悪心，食欲不振，
上腹部不快感，全身瘙痒感，
発疹，右季肋部痛，
肝腫大，リンパ節腫大，
上腹部痛，脾腫，
咽頭痛，関節痛，
黄疸症状，褐色尿，
出血傾向，貧血
安楽の障害

2）看護の方向性

肝臓は沈黙の臓器といわれるように，ダメージを受けていても症状として現れにくく，自覚症状の乏しい臓器である．予備能力や再生能力が高いため，肝機能低下の初期の時期に正しいセルフケアの方法を理解し，生活習慣を改善できれば，肝炎の進行を抑えることができる．また，近年，肝炎の治療は抗ウイルス薬の開発で大きく躍進し，ウイルスの完全排除も可能となった．そのため，治療計画を見極め，正しい日常生活を送るとともに健康管理をし，重症化・慢性化しないように自己管理をしていく必要がある．そのためには，正しい知識をもち，患者自身で治療に前向きに取り組むことが必要となる．

一方，肝臓は代謝機能や解毒機能，胆汁生成などの重要な機能をもっており，身体には欠かせない臓器である．劇症肝炎への進行や，慢性肝炎に移行すれば，肝硬変や肝がんのリスクも高くなり，命に関わることとなる．症状に応じた対処療法や十分な水分，栄養をとり，安静にして肝機能の改善をはかる必要がある．また症状のモニタリングを行い，経過を観察して異常の早期発見を行う必要がある．

治療効果が高くなったとはいえ，治療には副作用が伴い，長期間の治療を続けるなかで，身体的にも精神的にも経済的にも安楽を阻害されることもある．感染症であるがゆえに誤解を受け，偏見をもたれたくないなどの理由で周囲に病気について説明できないことから，十分な受診行動や安静がとれない社会生活を送る可能性がある．患者の社会的役割や関係性について考慮し，支援する必要がある．

3）患者・家族の目標

自分の体調や治療計画を理解し，症状のセルフコントロールを行い，肝炎が重症化・慢性化しない．

4. しばしば取り上げられる看護問題

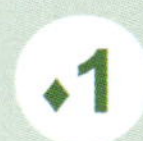

1 長期間に及ぶ複雑な治療計画による自己管理不足

なぜ？

一般的に，急性期症状からほとんどが慢性化せず，治癒過程をたどって回復に向かうが，慢性化や症状が進行する場合には，インターフェロンや核酸アナログ製剤の長期投与の治療へと移行する．仕事などの社会生活を送りながら，定期的な受診行動や服薬管理を続けていく必要性があるが，慢性化すると自覚症状が少なく，症状の進行は認識しにくい．

ほとんどのケースで退院後も治療が継続されるため，治療計画を正しく認識し，正しい治療計画を行うことやセルフケア行動を実施することが必要となる．このことは病気の進度に大きく関わり，肝硬変や肝がんにならないために飲酒や過労を防ぎ，生活習慣を改善し，定期的な受診や治療をすることが必要となる．

➡期待される結果

治療に伴う自己管理の必要性が理解できる．社会生活を送りながら自己管理行動が取れ，治療が継続できる．

2 重症化，劇症化による肝機能障害の悪化の危険性がある

なぜ？

急性肝炎では急激な肝機能の低下により，肝機能のデータが悪化し，全身倦怠感や発熱，吐き気，食欲不振，黄疸，悪心，皮膚の瘙痒感などの症状によって身体的な苦痛を伴う．ときに劇症肝炎に移行する場合もある．

肝機能の変化は自覚症状に現れにくく，急性に転機する．重症化するケースは1％と少ないものの，急性肝不全は予後が極めて不良である．

➡期待される結果

肝機能不全症状が悪化しない．生命の危機状態に陥らない．

◆3 治療による安楽の障害

なぜ？

治療の内容によってはそれほど苦痛を伴わない場合があるが，薬剤によっては副作用が強く，それによる安楽障害が起こり，日常生活に支障をきたし，治療の継続ができなくなる可能性がある．とくにPeg-INFは，従来型の薬剤に比べて副作用の少ない薬剤であるが，治療には依然としてインフルエンザ様の発熱，全身倦怠感，関節痛，貧血症状などの副作用が伴う．これらの症状に加え，肝機能の低下による苦痛が強く，安楽が障害される可能性がある．

➡期待される結果

治療の副作用による苦痛が緩和する．予測される副作用を軽減する予防行動がとれる．

5. 看護計画の立案

• O-P：Observation Plan（観察計画）　• T-P：Treatment Plan（治療計画）
• E-P：Education Plan（教育・指導計画）

◆1 長期間に及ぶ複雑な治療計画による自己管理不足

	具体策	根拠と注意点
O-P	**(1)自己管理の状況** ・糖尿病の有無，食事量，過食，喫煙，飲酒の有無，仕事量，仕事内容，過労，睡眠時間，休息時間，運動習慣 **(2)治療計画についての理解** ①病気の進行と予防行動について ②治療の内容と副作用の理解 ③感染リスクと防止方法 **(3)治療に対する意欲** ①治療の学習内容 ②指導後の表情，言動 ③定期受診の意欲と受診状況	●自己管理が重要である． ・禁酒：アルコールは肝臓で代謝され，肝機能に影響を与える因子である．肝硬変や肝がんのリスクとなる． ・過食と運動量の低下：非アルコール性肝炎など，脂肪肝はアルコールを飲まなくても食習慣と運動量の低下で起こりやすい．糖尿病などの生活習慣病も脂肪肝となる． ●核酸アナログ製剤は，ウイルスの遺伝子によって薬を組み合わせて服用し，B型肝炎では効果がある一方で，中止すると肝炎の再燃がみられ，10年以上服用することもある．用量や回数の間違いや，決められた薬剤を飲み忘れると，耐性ウイルスができて治療効果が下がってしまう． ●核酸アナログ製剤，DAAともに，催奇形性の副作用を起こすこともあるため，挙児希望のある場合は，薬剤の選択を医師と相談し，納得のいく治療を行う． ●インターフェロンは，ほとんどの人にインフルエンザ様の症状が出るため，事前の知識と対処方法を知っておく． ●治療内容の理解や生活習慣の改善の意欲：自覚症状が乏しく，治療が長期に及ぶことで治療の意欲が下がり，生活習慣上の規制を守れなくなることがある．定期的な受診行動や体調管理ができているのかは，病状の進行に影響がある．
T-P	**(1)指示された治療は看護師が正しく行う** **(2)患者(家族)が指示された治療を正しく行えたときは，できたことを評価し，自己肯定感を高める** **(3)退院後支援が必要かどうか判断し，入院当初から，サポートする家族や多職種との連携を調整する**	●退院を見据えたセルフケアの方法を見いだす． ・治療が長期となることが多いため，患者本人だけでなく，家族や社会資源を利用し，サポート体制を整えることが大切である．

	具体策	根拠と注意点
E-P	**(1)生活指導** ①食事指導 ②運動指導 ③感染管理指導	●一般的に，肝炎には高タンパク，高カロリーといわれるが，バランスのよい食事であれば問題はなく，むしろ脂肪肝の防止には適度な運動をすすめ，過食とならないように指導する． ●急性肝炎で安静が必要な場合は，食後の臥床安静の有効性を指導する． ●B型肝炎では，血液や体液で感染するため，日常生活において家族間での感染防止について指導する．歯ブラシやかみそりを専用にする．月経時は湯船に入らない．性交渉ではコンドームを使用し，パートナーにはワクチン接種をすすめる．月経や外傷などの血液は密封して廃棄する．
	(2)治療に関する指導 ①受診行動 ②服薬管理と体調のモニタリング指導	●肝機能やウイルス量により，治療内容が変更になることもある．正しい服薬管理と治療内容を理解する．定期的に受診を行い，日ごろから食欲，体温，皮膚状態，倦怠感，睡眠状況などをモニタリングし，体調の変化に気をつける． ●核酸アナログ製剤，DAAともに，同時に使用できない薬剤があるため，飲みあわせについての理解が必要となる．

2 重症化，劇症化による肝機能障害の悪化の危険性がある

	具体策	根拠と注意点
O-P	**(1)バイタルサイン・症状** ・発熱，血圧の異常，不整脈，頻脈，心電図異常，呼吸困難，SpO_2の低下，全身倦怠感，黄疸，皮膚瘙痒感，食欲不振，悪心，嘔吐，腹水，浮腫，不穏行動，不眠，抑うつ症状	●急性肝炎は，急激に肝機能が悪化する可能性があり，バイタルサインや症状の変化は常に観察する．
	(2)肝機能に関する検査データ ①血液検査 ・炎症反応，血清トランスアミナーゼ，胆道系酵素，肝不全の指標，肝炎ウイルスマーカー，自己抗体 ②画像検査 ・CT，MRI，超音波	
	(3)治療内容，治療・診断による侵襲，治療の副作用	●急性期は，臥床安静と持続点滴，頻回な検査に伴う苦痛が多い． ●肝生検は，慢性期などに肝細胞の線維化の状況を判断するために行い，身体侵襲が大きい．
	(4)安静を守れているか	●安静が守れないと肝臓への血流が維持できないため，安静を保つ必要がある．
	(5)精神的ストレスや不安，家族の不安	●病状や治療による苦痛や，長期にわたる治療内容に，不安やストレスを感じることが多い．経済的な問題，家族・社会的役割に関するストレスや不安を把握する必要がある．

	具体策	根拠と注意点
T-P	**(1)肝機能不全症状の緩和** ①発熱 ・冷温罨法，解熱薬の使用 ②全身倦怠感 ・ADLの援助，病床環境の整備，マッサージ，足浴 ③疼痛の緩和 ・鎮痛薬の使用，体位の工夫，冷温罨法 ④悪心，嘔吐，下痢，腹痛 ・病床環境の整備，食事の工夫，口腔ケア，含嗽，陰部の清潔ケア，肛門周囲のケア，冷温罨法 ⑤瘙痒感 ・止痒薬の塗布，皮膚の保湿，冷罨法 ⑥出血傾向 ・転倒，打撲防止のための環境整備，衣服の圧迫を防止，皮膚の保護 ⑦肝性脳症の症状 ・転倒転落防止，ADL援助 ⑧腹水　呼吸困難 ・体位の工夫，ADL援助	●急性肝不全は，初発症状から8週以内に起こり，脳症の出現が遅いほど予後不良となる．肝炎による肝性脳症を起こすと，劇症肝炎と診断され，肝臓の代謝機能が著しく低下し，さまざまな症状が出現する． ●劇症肝炎の治療は，絶対安静と呼吸・循環管理，中心静脈栄養による輸液栄養管理，合併症対策，血液浄化療法（人工肝補助療法）などの特殊療法を，全身管理のもとで組み合わせて行う．
	(2)日常生活上の援助 ①食事 ・食事内容の調整，食事介助， ②排泄 ・トイレ移動の介助，床上排泄の援助，膀胱留置カテーテル挿入と管理 ③不眠 ・病床環境の整備，身体的精神的苦痛の緩和 ④清潔 ・全身清拭，部分清拭，部分浴	●肝庇護のため安静の必要性を考慮し，援助の方法を考えていく．
	(3)検査・治療に伴う苦痛の緩和 ・持続点滴実施時の援助，検査時の援助，人工肝補助療法時の援助	●検査や治療に伴う苦痛は避けられないものもあるが，十分な説明と同意を得て実施し，少しでも苦痛が軽減できるように配慮する．
	(4)苦痛に伴う精神的ストレスの緩和	●症状が強いときは，不安感も強く感じ，精神的なストレスも感じやすい．説明時の言葉の選び方や看護師の挙動に注意し，少しでも安楽が得られるようにケアを行う．
E-P	**(1)患者と家族に現在の身体状況，治療について説明する**	●肝不全症状が強いときは，脳症の影響で理解力や記憶力が低下し，納得できない状況になる恐れがあるため，繰り返しわかるように説明を行う．
	(2)ADLの援助を受ける，無理をしない，依頼することの必要性を説明する	●援助を受けることに負担感を感じ，自力で行おうとする患者も多いため，安静の必要性と，支援を受けることが治療上必要であることを説明する．
	(3)家族の不安・疑問に答え，家族ができる援助を具体的に説明する	●家族は肝性脳症の症状で，かつての患者と異なった様子に驚き，衝撃を受けることもあるため，家族の心情に寄り添い，家族の不安や疑問に答え，家族ができる援助を一緒に行うことで，安心感や家族の存在価値を認めるように支援をする．

3 治療による安楽の障害

	具体策	根拠と注意点
O-P	**(1)バイタルサイン・症状** ①発熱，インフルエンザ様症状，血圧の異常，不整脈，呼吸困難，SpO_2の低下， ②全身倦怠感， ③関節痛，頭痛，筋肉痛 ④黄疸，発疹，皮膚瘙痒感， ⑤食欲不振，水分摂取量，悪心，嘔吐， ⑥腹水，浮腫， ⑦不穏行動，不眠，イライラ感，抑うつ症状 ⑧貧血症状，出血傾向，皮下出血 ⑨脱毛 ⑩肝機能不全症状 ⑪注射部位の腫脹，疼痛	●インターフェロンでは，ほとんどの人に発熱，倦怠感の症状が出て，インフルエンザ様症状，血球減少，発疹，皮膚瘙痒感，抑うつ症状や，脱毛症状が出る． ●核酸アナログ製剤では，副作用は少ないが頭痛，倦怠感，食欲不振，下痢など，あるいは長期間服用でまれに骨粗鬆症，腎障害が起こるとされている．
	(2)検査データ ①血液検査 ・骨髄抑制：白血球，好中球，血小板，赤血球 ・肝機能：炎症反応，血清トランスアミナーゼ，胆道系酵素，肝不全の指標，肝炎ウイルスマーカー ・腎機能：BUN，Cr，e-GFR ・栄養状態：TP，Alb，BMI，体重 ②画像検査 ・CT，MRI，超音波，骨密度	●肝機能不全症状（黄疸，肝性口臭，出血傾向，浮腫，呼吸困難，意識障害，幻聴，幻視，異常行動など）の遷延化は，劇症肝炎の徴候の1つとなる．検査データと症状を十分モニタリングし，治療内容の把握と今後の治療方針を把握する．．
	(3)現在の病状，治療についての患者，家族の理解度と不安，精神的ストレス	●治療が長期化し，肝機能が思うように改善しないなど，検査や治療や症状に対する疑問・不安を多く抱え，現在の状況を正しく把握できていないことで，精神的なストレスを感じていることが多い．患者・家族の理解度を確認し，把握する必要がある．
T-P	**(1)身体的な苦痛の緩和** ①発熱 ・冷温罨法，解熱薬の使用，保温，水分補給 ②全身倦怠感 ・ADLの援助，病床環境の整備，マッサージ，足浴 ③疼痛の緩和 ・鎮痛薬の使用，体位の工夫，冷温罨法 ④悪心，嘔吐，下痢，腹痛 ・病床環境の整備，食事の工夫，口腔ケア，含嗽 ⑤患者の症状について話を聞き，つらさを共感し，傾聴する	●インターフェロンの場合，インフルエンザ様の症状が出ることが多く，全身倦怠感，関節痛，悪寒などの症状が出るため，悪寒時には保温に努め，高熱があるときは冷罨法や解熱薬を使用する． ●インターフェロンの注射部位に腫脹，疼痛がある場合は，温罨法を実施し，症状の軽減に努める．
	(2)症状に応じたセルフケアの支援 ①食事 ・食事内容の調整，食事介助， ②排泄 ・トイレ移動の介助，床上排泄の援助，膀胱留置カテーテル挿入と管理 ③不眠 ・病床環境の整備，身体的精神的苦痛の緩和 ④清潔 ・全身清拭，部分清拭，部分浴	●治療や症状の変化で未充足となるセルフケアについて，自尊心や羞恥心に配慮し，援助する．

	具体策	根拠と注意点
E-P	（1）患者に現在の身体状況，治療についての説明する （2）家族に現在の身体状況，治療について説明する	●治療内容によってはつらい副作用が出現する．症状が起こる原因や，症状の見通しについての知識がない状況は不安感を増し，症状を強くするため，医師を交えて患者と家族にわかりやすく説明を行う．

引用・参考文献

1）医療情報科学研究所編：病気が見えるvol.1 消化器．第５版，メディックメディア，2016.
2）南川雅子ほか：消化器：成人看護学５．系統看護学講座 専門分野Ⅱ，第15版，医学書院，2019.
3）泉並木監：肝炎のすべてがわかる本―C型肝炎・B型肝炎・NASHの最新治療．講談社，2017.
4）土本寛二監：肝炎・肝硬変・肝がん―患者のための最新医学．高橋書店，2018.
5）三田英治ほか編著：必ず役立つ！肝炎診療バイブル 研修医・レジデント必携 各種ガイドライン準拠．改訂第４版，メディカ出版，2018.
6）厚生労働省難治性疾患政策研究事業「難治性の肝・胆道疾患に関する調査研究」班：自己免疫性肝炎（AIH）診療ガイドライン2016年Ver3．2020． http://www.hepatobiliary.jp/uploads/files/AIH%E3%82%AC%E3%82%A4%E3%83%89%E3%83%A9%E3%82%A4%E3%83%B3ver3%202020.1.27%281%29.pdf より2020年８月18日検索
7）国立研究開発法人国立国際医療研究センター：肝炎情報センター． http://www.kanen.ncgm.go.jp/index.html より2020年８月18日検索
8）日本消化器病学会編：NAFLD/NASH診療ガイドライン2014． https://www.jsge.or.jp/files/uploads/NAFLD_NASHGL2_re.pdf より2020年８月18日検索
9）日本肝臓学会，肝炎診療ガイドライン作成委員会編：B型肝炎治療ガイドライン（第３版）．2017． https://www.jsh.or.jp/files/uploads/HBV_GL_ver3__Sep13.pdf より2020年８月18日検索
10）日本肝臓学会，肝炎診療ガイドライン作成委員会編：B型肝炎治療ガイドライン（第３版・簡易版）．2017． https://www.jsh.or.jp/files/uploads/Brief_B_v3_2017Sept13.pdf より2020年８月18日検索
11）日本肝臓学会，肝炎診療ガイドライン作成委員会編：C型肝炎治療ガイドライン（第6.1版・簡易版）．2018． http://www.jsh.or.jp/files/uploads/Brief_C_v6.1_Mar29.pdf より2020年８月18日検索
12）日本肝臓学会，肝炎診療ガイドライン作成委員会編：C型肝炎治療ガイドライン（第７版）．2019． https://www.jsh.or.jp/files/uploads/HCV_GL_ver7_June11_final__2.pdf より2020年８月18日検索

第４章　消化器疾患患者の看護過程

24 肝硬変

1. 疾患の基礎的知識

1）疾患の概念

肝硬変は，長期間の肝細胞の障害に基づく変化で，慢性肝炎あるいは慢性肝障害に起因し，肝実質細胞の減少，線維化などにより，肝内血管系の変化が生じて，門脈圧亢進，腹水，肝性脳症，肺障害，心障害，腎障害，血清ナトリウム低下などを引き起こす．

2）原因

・ウイルス性肝炎：60%がC型肝炎，12%がB型肝炎といわれている．
・その他26%：アルコール性肝炎，非アルコール性脂肪肝炎（NASH：non alcoholic steatohepatitis），自己免疫疾患，薬剤性，肝静脈うっ血（右心不全，バッド-キアリ症候群），胆汁うっ滞，代謝異常（ウィルソン病，ヘモクロマトーシス）などがある．

3）病態と臨床症状

病態

肝臓は強い再生能力によって肝細胞の破壊と修復を繰り返し，肝小葉の線維化と再生結節の形成によって初期に腫大するが，さらに線維化が進むと次第に萎縮・硬化して，肝表面に大小さまざまな結節がみられ，肝表面に凸凹を認める．

門脈は，消化管から吸収された栄養を肝臓に送る静脈であるが，肝臓の線維化によって，肝臓内への血液の流入が低下する．そのため，行き場のなくなった血液は，門脈と肝静脈の間に短絡を形成する．短絡は，細い静脈への多量の血液流入によって，食道静脈瘤，胃静脈瘤や脾腫を生じさせることとなる．また，門脈圧亢進と血清アルブミンの低下による腹水など，体液・電解質異常が生じる．肝硬変とは，これらに起因する慢性の肝障害であり，慢性肝疾患の終末像である．

臨床症状

(1)成因による分類

①肝機能障害による症状：全身倦怠感，易疲労感，全身の瘙痒感，黄疸，肝性脳症（意識障害，羽ばたき振戦，肝性口臭），浮腫，出血傾向（皮下出血，鼻出血，歯肉出血），女性化乳房，クモ状血管腫，手掌紅斑

②肝内血流障害（門脈圧亢進）による症状：食欲不振，悪心・嘔吐，脾腫，腹水，門脈側副路血行路発達（腹壁静脈怒張，食道静脈瘤，胃静脈瘤，直腸静脈瘤），汎血球減少（貧血症状，めまい，出血傾向）

門脈圧亢進による側副路形成を図示する（**図24-1**）．

③その他：腹部膨満感，肝腫大，上腹部鈍痛

図24-1　門脈圧亢進による側副路形成

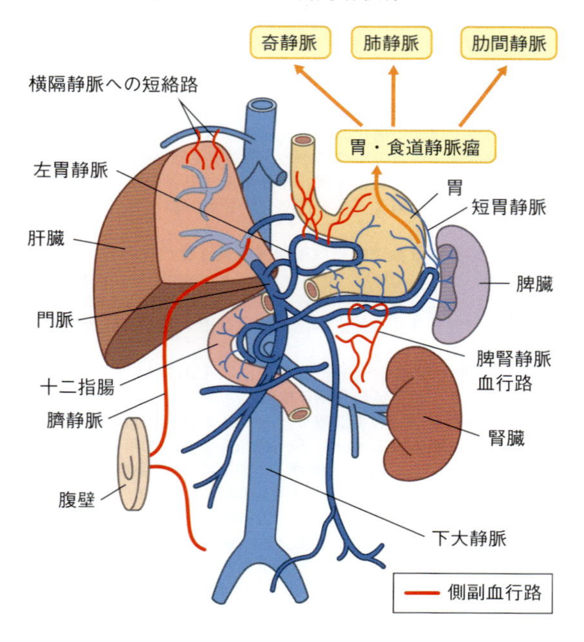

(2)臨床上の分類

①代償期：肝機能が比較的保たれていて症状が乏しい

②非代償期：肝予備能力が失われ，黄疸，腹水，肝性脳症，門脈圧亢進症がみられる

肝機能を表すChild-Pugh分類（チャイルド-ピュー分類）が用いられる．（p.365，**表22-2**参照）．この５項目の点数がすべて１点なら合計５点，すべて３点なら合計15点になる．治療予後（生存期間）を推測するには最も有用とされる．予後の欄も参照のこと．

4）検査・診断

肝硬変は，以下の検査を行い，総合的に診断する．

(1)理学的所見

・問診：過去の飲酒状況，輸血歴

・視診・触診：肝腫大，クモ状血管腫，手掌紅斑，腹壁静脈怒張，黄疸，浮腫，腹水

(2)血液生化学検査

①タンパク質合成能低下：Alb低下，コリンエステラーゼ低下，血漿フィブリノゲン低下，プロトロンビン時間延長，ヘパプラスチンテスト低下，タンパク分画（A/G比逆転）

②肝細胞の変性・壊死：トランスアミナーゼ（AST，ALT）上昇，AST>ALT

③脾機能亢進：汎血球減少（血小板減少，赤血球減少）

④脂質合成能低下：コレステロール低下

⑤解毒能低下：ICG（インドシアニングリーン）検査15分値上昇

⑥肝線維化：血清ヒアルロン酸上昇，TTT・ZTT・γグロブリン上昇

⑦胆汁うっ滞：アルカリホスファターゼ（ALP）上昇，γ-GTP上昇

(3)画像検査

①超音波：肝表面の不整凸凹像，エコー像の不均一を認める

②CT・MRI検査：左葉，尾状葉の腫大，右葉の萎縮，肝表面の凸凹を認める

③MRアンギオグラフィ（MRA）：造影剤を使用せず，動脈，静脈，門脈をカラーで抽出できる．侵襲がなく，門脈圧亢進による静脈瘤などの血管の評価が可能である

④内視鏡検査：食道・胃静脈瘤

(4)腹腔鏡的肝生検

①腹腔鏡所見：肝表面に凸凹

②肝生検組織診：小葉構造が破壊され，線維性隔壁の形成と大小さまざまな結節（偽小葉）を生じる

5）治療

肝硬変の治療で重要なことは，肝臓の予備能のある代償期の段階で炎症を鎮め，線維化の進行を食い止めることである．

(1)安静・運動療法

従来は，肝機能低下患者には運動を避け，肝血流量を増加させるために安静療法をすすめてきたが，とくに代償期における肝硬変患者では適度な運動が推奨される．

肝硬変によってタンパク合成能が低下し，アミノ酸の血中濃度が減少するため，筋肉量が減少する．一方でタンパク質量の低下によって筋肉での異化亢進が促進され，その結果，サルコペニア（加齢や疾患で筋肉量が減少して身体機能が低下すること）が起こりやすい．そのため，適度な運動を行うことで筋肉量を保つことができる．

①代償期：食後１時間は運動を避け，肝血流量増加のために臥床安静が望ましい．食後１～２時間以降に，30分～１時間のウオーキングなどの運動を行う

②非代償期：代償期と同様に食後の安静をはかる．体調が許せば疲労感を感じない程度の簡単な運動（ストレッチ）を行う．AST，ALTが200以上，肝炎増悪や黄疸，腹水，肝性脳症の発症時は，運動を制限する

(2)栄養療法

①代償期

・過剰摂取を避け，栄養のバランスのとれた食事が重要である．非窒素エネルギーは2.5～3.5kcal/kg/日，タンパク質は1.0～1.2g/kg/日を摂取するが，肝性脳症が出現した場合，摂取量を0.5g/kg/日までいったん下げ，その後，1.0～1.5g/kg/日に上げる．

・肝機能低下によるグリコーゲンの枯渇から夜間早朝空腹時のエネルギー低下を補うために，摂取総カロリーより200kcal程度を分割し，軽食として就寝前に摂取することが推奨されている

・体重制限：脂肪肝改善のため，脂肪の過剰摂取を控え，標準体重に近づける

・塩分制限：浮腫，腹水の予防のため，塩分を7g/日未満に制限する

・飲酒の禁止

②非代償期

・肝性脳症を起こしていない場合：代償期と同様

・肝性脳症を起こしている場合：昏睡期は絶食とし，

栄養状態改善と覚醒目的として，分岐鎖アミノ酸製剤の静脈内投与を行う．覚醒後，経口摂取に移行するが，タンパク質に不耐性である場合，植物性タンパク質や分岐鎖アミノ酸製剤を経口的に摂取する

(3)薬物療法

①B型肝炎による肝硬変

- 代償性，非代償性にかかわらず，初回治療の第１選択薬には核酸アナログ製剤を使用した治療を行う．具体的には，エンテカビル水和物(バラクルード®)，もしくはテノホビルジソプロキシルフマル酸塩(テノゼット®)，テノホビルアラフェナミドフマル酸塩(ベムリディ®)がある．中断すると肝不全を引き起こすため，生涯服用を続ける．なお，腎機能が低下している場合は，投与量や投与間隔の調整が必要となる

②C型肝炎による肝硬変

- 代償性肝硬変では，抗ウイルス薬(DAA)の治療によって，高い確率でウイルス排除が可能となったが，腎機能が低下していると使用できない
- 非代償期の肝硬変では，抗ウイルス薬(DAA)の治療に対する安全性が十分に確立していない．一部使用可能となった薬剤(ソホスブビル：ソバルディ®)もあるが，専門医による十分な管理と経過観察が必要である

③腹水

- 少量～中等量の場合：第１選択として抗アルドステロン作用のある利尿薬(スピロノラクトン：アルダクトン®)を開始する．効果が不十分な場合，フロセミドを追加内服する．これらの利尿薬は，腎臓の尿細管での水やナトリウムの再吸収を抑え，体外に排出することで，血管外からの水分を取り込み，腹水を改善する働きがある
- 多量の場合：入院治療にて塩分制限５～７g，今まで使用した利尿薬を増量し，バソプレシン受容体に作用するV_2受容体拮抗薬(トルバプタン：サムスカ®)や電解質改善薬(カンレノ酸カリウム：ソルダクトン®)を追加増量し，アルブミン製剤を投与する
- 難治性腹水の治療

腹水濾過濃縮再静注法(CART)：穿刺腹水を濾過器に通して除菌，除細胞した後，濃縮して点滴静注することで，腹水中のタンパクを再利用できるメリットがあるが，エンドトキシン血症のリスクがある

経頸静脈肝内門脈大循環シャント術(TIPS)：70歳未満で，Child-Pugh分類11点以下を適応とする．経皮的にカテーテルを挿入し，肝静脈と肝内門脈の間にバイパスを作成する．効果の報告がある反面，肝性脳症が起こりやすく，肝不全や心不全が進む恐れもあり，肝硬変が進行した萎縮肝では手技が困難となる

腹腔・頸静脈シャント(P-Vシャント)：腹水のたまった腹腔と頸静脈の間に逆流防止弁を取りつけたカテーテルを留置し，自動的に腹水を頸静脈に注入する．QOLの向上が期待でき，腹部膨満の改善，体重の減少，呼吸困難や体動制限の改善がみられる一方で，呼吸不全，播種性血管内凝固症候群(DIC)，腹膜炎，消化管出血，心不全などの合併症が高頻度に発生し，長期予後改善はみられないとの報告がある

④肝性脳症

肝性脳症による昏睡度分類を**表24-1**に示す．

- 便秘予防：下剤
- 腸内細菌の減少：硫酸カナマイシン，ポリミキシン

表24-1　昏睡度分類(第12回犬山シンポジウム，1982)

昏睡度	精神症状	参考事項
Ⅰ	睡眠－覚醒リズムの逆転 多幸気分，ときに抑うつ状態 だらしなく，気にとめない態度	retrospective*にしか判定できない場合が多い
Ⅱ	指南力(時・場所)障害，物をとり違える(confusion) 異常行動(例：お金をまく，化粧品をゴミ箱に捨てるなど) ときに傾眠状態(普通の呼びかけで開眼し，会話ができる) 無礼な言動があったりするが，医師の指示に従う態度をみせる	興奮状態がない 尿，便失禁がない 羽ばたき振戦あり(flapping tremor)
Ⅲ	しばしば興奮状態またはせん妄状態を伴い，反抗的態度をみせる 嗜眠状態(ほとんど眠っている) 外的刺激で開眼しうるが，医師の指示に従わない，または従えない(簡単な命令には応じえる)	羽ばたき振戦あり(患者の協力がえられる場合) 指南力は高度に障害
Ⅳ	昏睡(完全な意識の消失) 痛み刺激に反応する	刺激に対して，払いのける動作，顔をしかめるなどがみられる
Ⅴ	深昏睡 痛み刺激にも全く反応しない	

*retrospective：後ろ向き，遡って

B硫酸塩などの抗菌薬の使用．長期間服用時には副作用への注意が必要
・アンモニア吸収抑制：アンモニアの発生を抑制し，結腸粘膜の通過を抑制するラクツロース（モニラック®）の使用．緩下効果もある
・代謝異常の是正：アンモニア処理を促進するL-アルギニンL-グルタミン酸塩水和物（アルギメート®），アミノレバン®やリーバクト®によって筋肉でのアンモニア処理を促進し，芳香族アミノ酸の脳内への移行を阻害し，血中アミノ酸組成の改善を行う
⑤その他：肝庇護薬や症状にあわせた治療を実施する

(4)合併症に対する治療

①消化管出血（門脈圧亢進による食道静脈瘤破裂，急性胃粘膜病変，消化管潰瘍）：内視鏡的硬化療法（EIS：endoscopic injection sclerotherapy），内視鏡的静脈瘤結紮術（EVL：endoscopic variceal ligation），バルーン閉塞下逆行性経静脈的塞栓術（B-RTO：balloon-occluded retrograde transcatheter variceal obliteration）などで対応する
食道・胃内視鏡所見基準（**表24-2**）で，食道静脈瘤のF3以上，RC2以上，胃静脈瘤RC1，短期間に増大している，F2~3の緊満しているもの，食道静脈瘤治療後に胃静脈瘤が残存・新生したもの，といった場合は治療適応である
②肝移植
非代償性肝硬変の根本的治療となる
肝移植後の５年生存率は，HBV78.8%，自己免疫性肝炎75.9%，アルコール性75.7%，NASH73.3%，HCV68.0%

表24-2　食道・胃内視鏡所見基準

	食道静脈瘤（EV）	胃静脈瘤（GV）
占拠部位 （location） ［L］	Ls：上部食道にまで認められる Lm：中部食道にまで及ぶ Li：下部食道のみに限局	Lg-c：噴門部に限局 Lg-cf：噴門部から穹窿部に連なる Lg-f：穹窿部に限局 （注）胃体部にみられるものはLg-b，幽門部にみられるものはLg-aと記載する
形態 （form） ［F］	F0：治療後に静脈瘤が認められなくなったもの F1：直線的な比較的細い静脈瘤 F2：連珠状の中等度の静脈層 F3：結節状あるいは腫瘤状の静脈瘤	食道静脈瘤の記載法に準じる
色調 （color） ［C］	Cw：白色静脈瘤 Cb：青色静脈瘤	食道静脈瘤の記載法に準じる
	（注）1．紫色・赤紫色に見える場合はviolet（v）を付記してCbvと記載してもよい 2．血栓化された静脈瘤はCw-Th，Cb-Thと付記する	
発赤所見 （red color sign） ［RC］	RCにはミミズ腫れ（red wale marking；RWM），チェリーレッドスポット（cherry red spot；CRS），血マメ（hematocystic spot；HCS）の３つがある	
	RC0：発赤所見を全く認めない RC1：限局性に少数認めるもの RC2：RC1とRC3の間 RC3：全周性に多数認めるもの	RC0：発赤所見を全く認めない RC1：RWM，CRS，HCSのいずれかを認める
	（注）1．telangiectasiaがある場合はTeを付記する 2．RCの内容RWM，CRS，HCSはRCの後に付記する 3．F0でもRCが認められるものはRC1～3で表現する	（注）胃静脈瘤ではRCの程度を分類しない
出血所見 （bleeding sign）	出血中所見 ●湧出性出血：gushing bleeding ●噴出性出血：spurting bleeding ●滲出性出血（にじみ出る）：oozing bleeding 止血後間もない時期の所見 ●赤色栓（red plug），白色栓（white plug）	食道静脈瘤の記載法に準じる
粘膜所見 （mucosal finding）	びらん（erosion）［E］：認めればEを付記する 潰瘍（ulcer）［Ul］：認めればUlを付記する 瘢痕（scar）［S］：認めればSを付記する	

日本門脈圧亢進症学会編：門脈圧亢進症取扱い規約．第３版，金原出版，2013.

6）予後

肝がんを合併していない代償性肝硬変（Child-Pugh分類A）の５年生存率は80%，非代償性肝硬変（Child-Pugh分類B～C）の５年生存率は40%といわれている．肝硬変による死因は，消化管出血や肝不全，肝がんよるものが多くを占めており，とくに肝がんによるものが近年増加している．また，予後を決定づける因子としては，腹水貯留，血漿アルブミン低値，血清ビリルビン低値や肥満も予後に影響するとの報告がある．

2. 看護過程の展開

● アセスメント～ゴードンの機能的健康パターンを用いて

パターン	アセスメントの視点	根拠	収集する情報
(1) 健康知覚-健康管理 患者背景 健康知覚-健康管理 価値-信念	●自己の病状・疾患・治療に関する認識はどうか ●疾患の自己管理能力はどうか	●肝硬変は，慢性肝炎などによって徐々に進展していくため，今までの生活習慣や治療に対する認識によって自己管理の状況は異なる．長期にわたる療養の自己管理が必要となるため，正しい認識とセルフケア能力が必要とされる．	●既往歴 ●現病歴 ・肝炎の発症時期，肝硬変の診断に至る経過，診断後の治療経過
(2) 栄養-代謝 全身状態 栄養-代謝 排泄	●症状に伴い栄養の摂取不足はないか ●低栄養状態をきたしていないか	●肝硬変では，消化管の運動障害，粘膜障害によって食欲不振となり，十分な食事摂取ができなくなるため，栄養バランスのとれた食事が必要となる．代償期では良質なタンパクとエネルギーを必要とするが，非代償期で腹水や浮腫の症状がある場合は，経口でのタンパク制限や分岐鎖アミノ酸製剤での補給を行う．肝機能低下のためにエネルギーを貯蔵することができなくなり，急激な血糖値の上昇と枯渇によってインスリンの分泌能が低下し，血糖値のコントロールも次第に困難となる． ●肝硬変による消化管の運動障害で悪心・嘔吐や食欲不振が生じ，食道静脈瘤破裂の不安から十分な食事がとれないなどから低栄養状態となる．	●栄養状態 ・食欲，悪心，嘔吐，腹痛，腹部膨満感，体重，BMI ・摂取カロリー（経口・輸液），血液データ（Alb，TP，血糖値，Hb，Ht），食事摂取に影響する因子（発熱，腹痛，嗜好，腹部膨満感） ●感染徴候 ・発熱の有無，悪寒，戦慄，冷汗，頭痛，悪心，咳嗽，喀痰，喘鳴，肺雑音，尿の混濁，頻尿，検査データ（白血球，CRP，細菌検査，胸部X線）
	●肝機能低下による出血傾向はどうか	●肝硬変による肝機能低下で血液凝固因子の合成能が低下し，また門脈圧亢進による血行動態の変化により，脾腫で汎血球減少が生じ（血小板数が減少），出血傾向となる．出血傾向は，タール便，直腸出血，歯肉出血，鼻出血，皮下出血など，全身に現れる．食道・胃静脈瘤や直腸静脈瘤などを合併している場合，多量の吐血，下血をきたし，出血性ショックを起こして生命危機につながる．	●出血傾向 ・バイタルサイン，便・尿の潜血反応，食道・胃静脈瘤の有無・程度，血液データ（プロトロンビン時間，血小板数，Hb）

パターン	アセスメントの視点	根拠	収集する情報
(2) 栄養-代謝 全身状態 栄養-代謝 排泄	●門脈圧亢進と低栄養状態による腹水はどうか	●腹水が1,000～1,500mL/日以上貯留すると腹部膨満がみられ，腹部の臓器を圧迫して消化吸収に支障をきたし，消化管の蠕動運動を低下させ，消化器症状がみられる．	●腹水貯留の程度 ・腹囲，腹部の皮膚状態（静脈怒張・張り） ●呼吸状態 ・腹水・胸水貯留の有無，圧迫感，呼吸困難感，息苦しさ，SpO_2，呼吸音，胸部X線，水分摂取量，尿量
	●肝障害による皮膚症状はあるか	●肝硬変の初期症状として表れやすいクモ状血管腫，手掌紅斑，全身の瘙痒感の皮膚症状のうち，とくに不快症状である瘙痒感は，症状が進行するにつれて強くなる．瘙痒感は，胆汁酸が血中に増加し，皮膚の終末神経を刺激して生じる．黄疸の前駆症状であるともいわれ，瘙痒感によって焦燥感，集中力の低下，不眠やQOLの低下をきたす．	●皮膚状態 ・皮膚の瘙痒感，黄疸の有無，皮膚色，皮膚の乾燥，血液データ（AST，ALT，ALP，直接ビリルビン），クモ状血管腫，手掌紅斑
(3) 排泄 全身状態 栄養-代謝 排泄	●便秘になっていないか肝性脳症への影響はどうか ●泌尿器系の機能はどうか ●腎機能の低下はないか	●腹水による消化管の圧迫や消化管の蠕動運動の低下により，便秘になりやすい．肝硬変では，腸管の細菌によって発生したアンモニアを，肝機能の低下があるために解毒できず，血中アンモニア濃度が上昇し，中枢神経に至る．これによって肝性脳症が引き起こされる．便秘で排便が腸内に停滞することで助長される． ●肝細胞が障害され，生成した胆汁を胆管へ運搬する機能が低下すると，血中に直接ビリルビンが増加し，腸管に運搬されないため，灰白便となる．また，腸管はビリルビンの排出と再吸収など，代謝に深く関わる． ●B型慢性肝炎の治療薬，核酸アナログ製剤（アデホビル）の副作用には腎機能低下がみられる．	●便秘の有無 ・排便状況（回数・性状・色） ・腹水，腹部膨満，腸蠕動音 ・緩下剤使用の有無 ●肝性脳症の症状（意識障害，羽ばたき振戦，肝性口臭），血中アンモニア値 ●排尿状況（回数・量・色調） ●腎機能状態（BUN，Cr，Crr）
(4) 活動-運動 活動・休息 活動-運動 睡眠-休息	●肝機能に負担のない適切な運動を行い，筋肉量を維持しているか	●代償期では定期的な運動をすることで筋肉量を保ち，肝硬変によるサルコペニアを防止し，糖やアミノ酸の代謝や血中アンモニアの解毒する筋肉量を維持することが重要である．肥満は脂肪肝の原因となり，非代償期肝硬変へ移行しやすく，予後に影響を与える因子となる．非代償期では，AST，ALTが200未満，肝炎増悪や黄疸，腹水，肝性脳症の症状がない場合は体調をみながら身体を動かす必要がある．	●ADLの状況（食物摂取の動作，更衣，家事，入浴，身づくろい，排泄） ●日常生活の活動状況（仕事内容，通勤通学の手段や状況） ●余暇活動の障害 ●バイタルサイン（血圧，脈拍，呼吸，体温）
	●体調の変化によってADLや日常生活に影響を及ぼしていないか ●ADLの状況はどうか（制限はあるか） ●余暇活動の状況はどうか（制限はあるか）	●代償期の倦怠感，悪心，発熱などの症状や，非代償期での強い自覚症状で日常生活活動に影響が生じる．	
	●腹水や胸水に伴う呼吸・循環への影響はないか	●腹水が貯留することで横隔膜が挙上されて呼吸運動が妨げられるうえ，門脈圧の上昇により，右心系の循環不全となり，肺うっ血によって呼吸困難を生じる．	

パターン	アセスメントの視点	根拠	収集する情報
(5) **睡眠-休息** 活動・休息 活動-運動 睡眠-休息	●症状により睡眠状況に影響はないか ●肝機能の改善に向けて休息はとれているか	●肝硬変による全身倦怠感，腓腹筋の痙攣（こむら返り），腹部膨満感，皮膚の瘙痒感などの不快症状は，不眠の原因になりやすい．また，病気への不安感から不眠となることがある． ●臥床安静は肝血流量を増やし（坐位と比較して50%増），治癒速度を速め，重症化を予防するために大切であるが，肝臓は沈黙の臓器といわれるほどに自覚症状の少ない臓器である．とくに食後１～２時間の安静が必要である．	●睡眠の状況（睡眠時間，中途覚醒，熟眠感） ・不眠となる症状の有無 ●食後の安静状況．安静時の体位
(6) **認知-知覚** 知覚・認知 認知-知覚 自己知覚-自己概念 コーピング-ストレス耐性	●感覚・知覚機能は正常か ●症状に伴う疼痛はないか ●肝性脳症に伴う症状はあるか ●認知機能はどうか ●疾患・治療に関する知識はあるか	●異常を早期に対処するためには肝硬変による症状を伝達できる感覚機能が必要である． ●肝硬変による腹痛は，肝腫大による肝皮膜の緊張や，腹水による皮膚の急激な伸展によって生じる．腹痛の訴えは心理的な要因や社会的背景によって影響を受ける． ●肝性脳症の症状は，軽度なものから昏睡まで多彩である．初期には気分や行動の変化，睡眠-覚醒リズムの異常（昼夜逆転）がみられ，進行とともに見当識障害や異常行動などの著明な精神・神経症状がみられ，昏睡へと移行する． ●肝硬変の治療のセルフケアをするには，ある程度の認知機能が必要とされる． ●疾患の管理や症状のコントロールのためには，それらに関する知識が必要である．	●視力・聴力・視覚・味覚，触覚の状況 ●肝硬変の症状による苦痛，腹痛の有無 ●肝性脳症の症状の有無（意識障害，羽ばたき振戦，肝性口臭，血中アンモニア） ●治療やセルフケアを行ううえで障害となる認知機能の状況 ●病気・治療に関する知識．内服薬に関する知識．副作用に関する知識．副作用症状の対処方法に関する知識
(7) **自己知覚-自己概念** 知覚・認知 認知-知覚 自己知覚-自己概念 コーピング-ストレス耐性	●どのような自己知覚であるか ●自己概念が脅かされていないか	●肝硬変は肝機能障害の終末像であり，腹水や浮腫，黄疸などによって，視覚的にも病状の悪化がみてとれる．肝がんを合併すれば死を意識し，将来を悲観して不安を感じるため，それまでの自己のアイデンティティを覆しかねない． ●病気の進行に伴い，できることの変化などの内面の変化や，腹水，浮腫，黄疸による皮膚の色調など，外見上の変化などによりボディイメージの変化を迫られる．	●自分自身のアイデンティティの変化 ●病気に対する受け止め方 ●将来の自分についてどのように感じているか ●肝硬変にかかったことで生じる身体・精神・社会的変化と，それをどのように受け止めているか
(8) **役割-関係** 周囲の認識・支援体制 役割-関係 セクシュアリティ-生殖	●家族の役割や責任はどうか ●職業上の役割や責任はどうか ●社会的役割や責任はどうか ●経済的な問題を生じることはあるのか ●家族や周囲の人は，疾患や治療に対してどのように受け止めているのか．	●肝硬変が進行すれば症状も重篤になり，それまでの家族の役割が果たせなくなる可能性がある．家族内での役割が病気によって障害されると家族のサポートが必要になる． ●保険適用範囲は拡大し，公的な補助が受けられる場合も増えているが，療養に伴って患者本人が休職や退職し，収入が減少することも考えられる． ●代償期であれば治療をしながら社会生活を送ることも可能であるが，病気への理解不足や偏見から，社会生活を送りながら療養を続けることに困難感を抱くことも多い．	●家族内での役割，家事分担．家族の状況，家族の疾患の認識や治療の理解状況，キーパーソンは誰か．経済的な問題の有無，活用可能な社会資源の知識 ●疾患や治療に対する家族や周囲の反応や受け止め． ●職業，職種，業務内容，業務上の立場，業務と治療の調整状況（休職・退職）

パターン	アセスメントの視点	根拠	収集する情報
(9) セクシュアリティ-生殖 周囲の認識・支援体制 役割-関係 セクシュアリティ-生殖	●性行為への影響はあるか	●B型肝炎による肝硬変の場合は，パートナーとなる相手にも病気や感染リスク，感染防止対策（HBVワクチン接種）についての知識が必要となる．	●生殖歴，生殖段階 ●性的パートナー ●初潮，最終月経，経産回数，経妊回数，閉経の有無，性的関係における変化や問題 ●性的パートナーの有無，避妊具，避妊薬の使用の有無，性行為での感染の知識と感染防止対策
(10) コーピング-ストレス耐性 知覚・認知 認知-知覚 自己知覚-自己概念 コーピング-ストレス耐性	●コーピングパターンはどうなっているか ●ストレス耐性はあるのか	●肝硬変は，不可逆的な症状，肝がん，腹水貯留などの合併症の状況により，自分の病状を受け入れることが難しく，対処行動をとることが困難となりやすい．ストレス耐性の強さによって，現状の受け入れには時間がかかる場合がある．	●病状についての気持ち，イライラ感，不安感，落ち込み，表情 ●今までで大きな問題に直面したときどのように対処したのか ●精神的サポートとなる人や物や行動 ●自分が行った対処方法は有効であったか
(11) 価値-信念 患者背景 健康知覚-健康管理 価値-信念	●治療の選択や継続に影響する価値観や信念や欲望はどうなっているか	●肝硬変の根治的な治療は肝移植のみであり，対症療法である治療法の選択を，患者自身が決定する機会に迷うことも多くある．重篤な症状出現などで治療に迷いが生じることや，肝性脳症で理解力の低下がみられることもある．	●生きるうえで大切にしていること，優先順位，夢，希望 ●治療方針や看護方針は患者の価値観とあっているか

3. 全体像の把握から看護問題を抽出

1）病態関連図

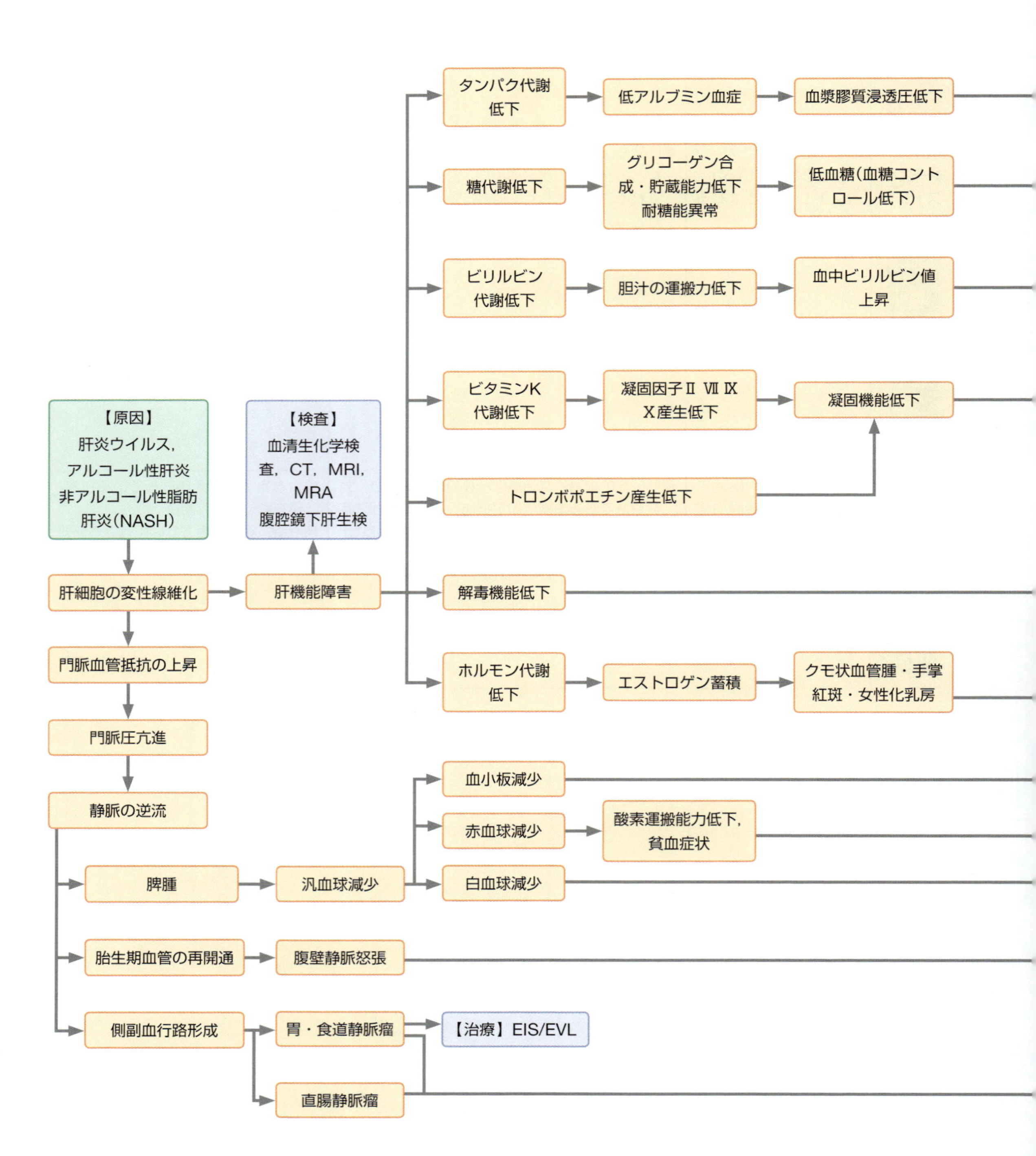

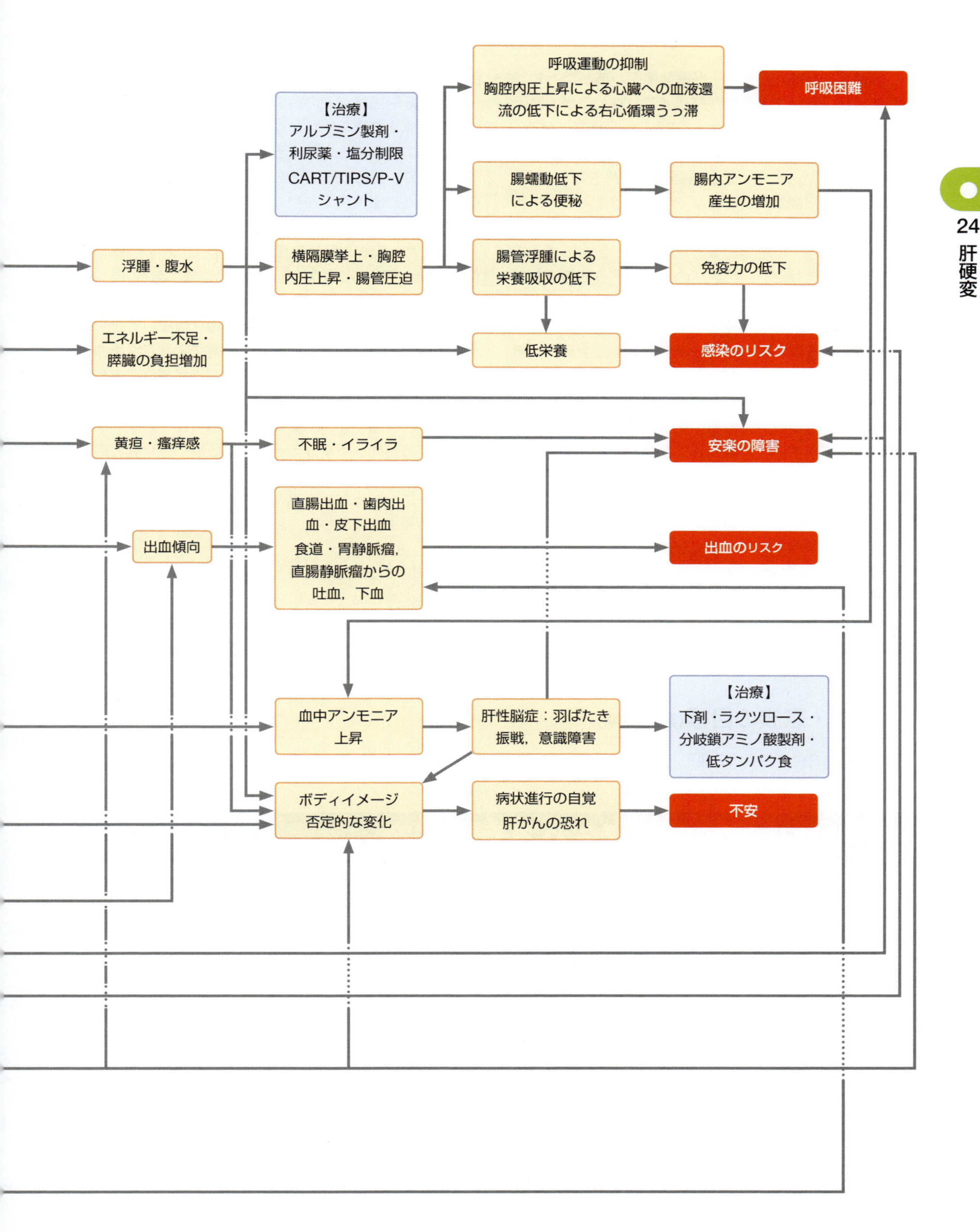
呼吸運動の抑制
胸腔内圧上昇による心臓への血液還流の低下による右心循環うっ滞
呼吸困難
【治療】
アルブミン製剤・利尿薬・塩分制限
CART/TIPS/P-Vシャント
腸蠕動低下による便秘
腸内アンモニア産生の増加
浮腫・腹水
横隔膜挙上・胸腔内圧上昇・腸管圧迫
腸管浮腫による栄養吸収の低下
免疫力の低下
エネルギー不足・膵臓の負担増加
低栄養
感染のリスク
黄疸・瘙痒感
不眠・イライラ
安楽の障害
出血傾向
直腸出血・歯肉出血・皮下出血
食道・胃静脈瘤，直腸静脈瘤からの吐血，下血
出血のリスク
血中アンモニア上昇
肝性脳症：羽ばたき振戦，意識障害
【治療】
下剤・ラクツロース・分岐鎖アミノ酸製剤・低タンパク食
ボディイメージ否定的な変化
病状進行の自覚
肝がんの恐れ
不安

2）看護の方向性

肝臓は予備能力が高く，肝機能障害があったとしても症状が少ないまま病状が経過する．なんらかの原因で肝機能障害を起こして徐々に悪化し，肝硬変に至る．

代償期であれば定期的な受診行動や治療行動，禁酒を含む食生活の改善，適度な運動と安静を取り入れ，効果的な自己健康管理を行って生活することで，症状の進行を緩めることは可能である．しかし，非代償期に移行すると，肝細胞の線維化と硬化・萎縮によって肝臓への血流が滞り，門脈圧の亢進に伴う細静脈への側副路形成と，脾腫，食道・胃静脈瘤や汎血球減少に伴う血小板・赤血球・白血球減少がみられる．

肝細胞は萎縮によって機能不全となり，全身の代謝機能が低下する．タンパク代謝の低下では，アルブミン低下によって血中の膠質浸透圧が低下し，腹水・胸水・浮腫・循環血液量の増加を生じる．糖代謝の低下では，エネルギーを貯蔵することができず，耐糖能低下，低血糖を生じ，それによる膵臓の機能低下が生じる．また，トロンボポエチンの産生低下によって凝固機能の低下が生じて出血傾向もみられる．ビリルビン代謝の低下では，胆汁の生成と運搬に障害が出て血中に直接ビリルビンが流入し，黄疸や皮膚の瘙痒感が生じる．解毒機能の低下によって薬物，毒物，ホルモンの排泄ができず，エストロゲン過剰による手掌紅斑，クモ状血管腫，女性化乳房や，アンモニアによる肝性脳症を生じることとなる．

腹水や呼吸困難などの合併症で苦痛を伴う症状が増強し，外見上の変化やなかなか改善しない症状に，患者・家族の不安感も増強する．悪化による肝機能の低下に伴って，生命に関わる重篤な症状が出現するため，症状緩和と治療検査のわかりやすい説明，異常の早期発見と患者の身体・精神面の支援を行う必要がある．

そのため，腹水や黄疸の程度を観察し，腹痛，悪心，食欲不振，不眠などの症状を改善する必要がある．

さらに，全身の浮腫によって皮膚の脆弱性があること，皮膚瘙痒感によって無意識に皮膚を掻破してしまう可能性があること，肝性脳症の進度によっては出血リスクについての認識が低下する可能性があり，十分に観察する必要がある．

また，思い描いていた療養生活であるか，治療や病状に関する疑問や不安はあるのか，仕事や学業などの社会生活に支障はないのか，経済状態は問題ないのか，といったことを想定し，患者・家族の気持ちを表出してもらえるように関わり，患者家族へ知識や情報を提供する．

疾患に関する知識，治療，療養方法などについての不安がうまく表出できない場合もあり，新たな治療法や生活上の注意などの知識を含め，今後の見通しが立てられるように支援していく必要がある．

3）患者・家族の目標（非代償期）

腹水などの合併症の症状の緩和と，静脈瘤破裂，肝性脳症などといった生命に関わる症状の進行を予防する．

4. しばしば取り上げられる看護問題

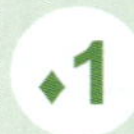

肝機能障害に関連した腹水，浮腫，黄疸に伴う安楽の障害

なぜ？

肝機能障害による循環動態の変化によって門脈圧亢進が生じ，血流のうっ滞が起こる．また，肝機能障害においてタンパク質合成が障害され，低アルブミン血症となることで膠質浸透圧が低下し，血管外に水分が流出して腹水や浮腫が生じる．あるいは，ビリルビン代謝異常では皮膚の黄染や瘙痒感が生じる．

肝機能障害が進行して腹水が出現すると，易疲労感や全身倦怠感や腹水による腹部膨満感が出現し，身の置き所のない苦痛が生じる．膠質浸透圧の低下により，腸管や周囲の臓器にも浮腫が生じる．下肢などの末梢では，血液の還流が不十分となって下肢の浮腫を生じ，下肢の重量感や歩行感覚が低下して転倒のリスクも生じる．また，黄疸に先行，関連した皮膚の瘙痒感は独特の感覚で，焦燥感や集中力の低下，不眠などの耐えがたい苦痛を受ける．

➡期待される結果

腹水，浮腫，黄疸が軽減する．瘙痒感が軽減する．良質な睡眠がとれる．

◆2 肝機能障害に関連した凝固因子の産生低下と，門脈圧亢進に伴う汎血球減少による出血のリスク

なぜ？

肝機能障害によって凝固因子のトロンボポエチンの産生が低下し，凝固機能が低下する．また，門脈圧亢進による脾腫で脾機能亢進症状を生じ，血小板をはじめとした血球を破壊する汎血球減少症を生じ，出血傾向となる．門脈圧亢進では，肝臓に流入する血液が側副路に流入して食道・胃静脈瘤や直腸静脈瘤を形成する．肝機能障害による凝固機能の低下や血小板の減少で出血傾向が強いことから，生じた静脈瘤が破裂すれば大出血を起こし，命に関わる状態になる．

➡期待される結果

出血傾向がみられない．食道・胃静脈瘤からの出血がない．痔出血がない．皮下出血がない．

◆3 腹水貯留に伴う横隔膜圧迫と門脈圧亢進による右心機能不全に伴う呼吸困難

なぜ？

肝硬変による腹水は，肝機能低下によるタンパク質合成能の低下で低アルブミン血症となり，膠質浸透圧が低下して生じる．腹腔内に貯留した腹水は横隔膜を挙上させ，呼吸運動が抑制される．横隔膜挙上による胸腔内圧の上昇により，心臓への血流のうっ滞が起こり，静脈還流量が減少して心機能の低下をきたす．病状が進むと静脈うっ滞による腎血液量の低下が起こり，二次性アルドステロン症によるナトリウム貯留をきたし，より難治性の腹水となる．これらのことから，さらに呼吸困難が増強する．

呼吸困難は，軽症の場合は坂道や階段でのみ息切れ（労作時呼吸困難）を自覚する程度であるが，重症になると身の回りのことをするだけで息切れを感じ，日常生活に支障をきたす．

➡期待される結果

腹水が軽減し，呼吸困難が緩和される．

◆4 代謝異常や十分に栄養がとれないこと，汎血球減少に伴う白血球減少による感染のリスク

なぜ？

肝硬変によるタンパク代謝・糖代謝・脂質代謝の低下によって，経口摂取した食事を効率よく合成分解吸収することができない．食欲不振，腹部膨満感，全身倦怠感の症状や腹水貯留によって腸管の蠕動運動が低下し，十分な食事量がとれない．そのため，低栄養状態となって細胞性免疫能が低下し，易感染状態となる．また，門脈圧亢進によって脾腫となり，脾機能亢進症状から汎血球減少に伴って，多少の白血球減少を生じる場合もある．とくに腹水の貯留時には特発性細菌性腹膜炎が起こりやすく，低アルブミン血症に伴う腸管浮腫や，細菌に対する粘膜防御機構の低下によって大腸菌などに感染し，特発性細菌性腹膜炎を起こす可能性がある．

また，皮膚の脆弱性に伴う創傷からの感染に注意が必要となる．

➡期待される結果

経口摂取ができ，栄養状態が改善する．感染徴候がみられない．

◆5 疾患の性質上，先行きのみえないことへの不安

なぜ？

慢性肝炎から次第に肝硬変へと症状が進行して，徐々に症状が著明となり，腹水による腹部の大きさや皮膚，眼球の黄染などから，外見上の変化も明らかになると，この先どのような変化が起きるのかと不安感が強くなる．

肝硬変に罹患している患者は，すでに長期間の闘病生活を経験してきていると思われるが，肝臓の予備能力の強さから，それほど重篤な症状もなく経過していることも多い．肝臓の予備能力の範囲を超えて，いったん症状が出現すると，徐々に症状が著明となって苦痛が強まっていく．

➡期待される結果

自分の考えや感情を表現し，表出できる．現在の病状や治療について理解できる．

5. 看護計画の立案

• O-P：Observation Plan（観察計画）　• T-P：Treatment Plan（治療計画）
• E-P：Education Plan（教育・指導計画）

1 肝機能障害に関連した腹水，浮腫，黄疸に伴う安楽の障害

	具体策	根拠と注意点
O-P	**(1)身体状況** ①苦痛の状況 ・バイタルサイン ・瘙痒感の有無 ・疼痛や苦痛に関する言動 ②腹水・浮腫・黄疸の状態 ・腹水の状態，腹囲，腹部膨満感，排便状態 ・浮腫の部位，程度 ・黄疸の状況 ・皮膚の色調 ③苦痛により生じていること ・食欲，経口摂取量，分岐鎖アミノ酸製剤の摂取状況 ・精神状態：焦燥感，集中力，表情，言動 ・休息状況：睡眠時間，熟眠感，安静時間，安静状況	●腹水の状況観察 ・腹水の原因である血中アルブミンの数値によって腹水や浮腫が増強するため，実際の観察した状況と比較する．腹水による苦痛は個々に異なるため，どんな苦痛症状があるかを確認する． ・栄養補給として，経口摂取量と分岐鎖アミノ酸製剤を服用している場合は服用量を知る．分岐鎖アミノ酸は水に溶いて服用するが飲みにくい場合があり，服用状況を観察する．
	(2)ADLのセルフケア ・食事，排泄，清潔，移動など，苦痛によって障害されている具体的な内容	●苦痛は個々に異なるため，できない日常生活動作ついて情報を得る．
	(3)検査データ ①肝機能（AST，ALT，A/G比，直接ビリルビン） ②栄養状態（TP，Alb，Hb，Ht，BMI） ③水分出納，塩分摂取量，体重	●水分出納量の把握 ・浮腫や腹水がある場合は，飲水量を1L以内に制限し，食事の塩分量を1日7g以内（状態によっては5g）にして，体重増加量を観察する．
T-P	**(1)安楽な体位，体位変換**	●腹水がある場合は，ファウラー位やシムス位などで腹部の緊張をとり，腹部の圧迫や張り感を軽減する．腹水が多量に貯留すると，皮膚の伸展が間にあわず，腹壁が緊満して苦痛を生じる．浮腫が末梢の場合は挙上し，静脈環流を促進する．患者に応じた安楽な体位を，患者とともに考える．
	(2)瘙痒感に対するケア ①皮膚ケア（清拭，足浴，保湿薬の使用） ②冷罨法	●瘙痒感は簡単に治まらず，苦痛症状の1つである．乾燥するとより増強するため，スキンケアの後は十分に保湿する． ●腹水が多量になると，腹部の圧迫で患者自身の手では足部に届かず，触れることができにくくなり，足部のケアが不十分になるため，足浴を実施する．また，リラックス効果をはかる効果もある． ●瘙痒感が治まらない場合は，薬剤（ナルフラフィン塩酸塩）の使用も考慮する．
	(3)腹部温罨法 **(4)不足のあるADLのセルフケアを支援する**	●腹部を温めると腸管の蠕動運動が促進され，排ガスや便秘の改善になる．皮膚が薄く，脆弱になっているため，温度に留意し，低温やけどを起こさないように実施する．
E-P	**(1)食事指導**	●肝機能が低下しているため，エネルギーを肝臓で貯蔵できずに枯渇することと，腹水のために1度に摂取できる分量が少なくなっているので，4～5回に分食して食事を摂るなどの栄養指導を行う． ●塩分は浮腫や腹水を助長するため，食欲がない場合でも減塩の指示は守る必要がある．塩分制限についての必要性を説明し，塩分以外の香辛料を使用するなど，おいしく食べる工夫についての指導を行う．

	具体策	根拠と注意点
E-P	(2)安静指導	●安静は肝臓の負担を軽減し，肝細胞の再生修復を助け，十分な酸素と栄養を供給するため，食後１～２時間は血流量を保つように床上安静が望ましい．
	(3)運動指導	●筋肉を動かすことで血液循環がよくなり，浮腫の軽減がはかれる場合もある．また糖やアミノ酸の代謝を補助し，アンモニアを無毒化する働きがある．病状や体調によって，ストレッチや筋等尺性運動（関節運動を伴わない静的な筋収縮の運動）などの，負担の少ない運動について指導する．

♦2 肝機能障害に関連した凝固因子の産生低下と，門脈圧亢進に伴う汎血球減少による出血のリスク

	具体策	根拠と注意点
O-P	(1)出血の徴候 ・バイタルサイン ・尿や便からの潜血反応の有無，便秘の有無，痔核の有無，吐血の有無 ・出血を起こす条件：食道・胃静脈瘤の有無・程度，食事摂取状態，皮膚瘙痒感	●肝硬変では食道・胃静脈瘤による出血リスクが高く，静脈瘤は50％の肝硬変患者にみられる．門脈圧亢進の程度や，内視鏡での静脈瘤の形態（連珠状，結節状・腫瘤状），色調（白色，青色），発赤所見（みみず腫れ，チェリーレッドスポット，血マメ）の有無で，破裂のリスクを判断する． ●肝機能が低下して腹水があると，腹部の膨満感や皮膚の緊満感で皮膚が伸展し，皮膚の損傷をしやすい．黄疸の程度によっては瘙痒感を生じる．
	(2)肝機能（AST，ALT，A/G比，直接ビリルビン），肝性脳症の有無 (3)検査データ ・血液データ（プロトロンビン時間，血小板，Hb） ・腹部X線・腹部エコー・腹部CT ・内視鏡検査	●肝性脳症があると，出血リスクについて理解力が低下する．
T-P	(1)転倒防止のための環境調整 ①ベッド周囲の環境 ②履物の調整 ③肝性脳症がある場合の観察強化	●腹水や浮腫があれば，下肢の感覚低下や重さで転倒のリスクが高くなり，さらに転倒などにより出血のリスクも高くなるため，ベッド周囲の整理整頓や，ベッドの高さ，踵のある低い履物，押しやすいナースコールの位置などを調整し，夜間のトイレ歩行につき添うなどの支援を行う．肝性脳症が生じている場合は，点滴抜去やベット転落などの危険行動を起こしやすいため，24時間監視を行う．
	(2)食事形態の工夫	●食道・胃静脈瘤の症状が強い場合は，嚥下時に傷をつけて出血してしまう恐れがあるため，食形態を小さく軟らかくする．
	(3)排便コントロールの支援	●必要以上の努責は血圧上昇をまねき，出血リスクを伴う．下痢が続くと，消化液による刺激で肛門部に皮膚症状が出現する．
E-P	(1)生活指導	●食事は硬いものを避け，大きいままで飲み込まないように説明する．刺激の強いもの，極端に熱いものは避ける． ●歯肉出血の恐れがあるため，歯みがきは柔らかいブラシで優しくみがく． ●ひげ剃りはかみそりを使わず，シェーバーを使用する． ●便秘予防について指導する．痔核出血や血圧上昇による出血リスクもあるが，肝硬変では便秘になると腸管のアンモニアが吸収され，肝性脳症が悪化する．
	(2)治療に関する指導 ①内視鏡的硬化療法（EIS） ②内視鏡的静脈瘤結紮術（EVL）	●EISはEVLに比較して再発率，出血率は少なく，再発防止に有用であるが，胸痛，発熱の合併症が多くみられ，食道裂孔，門脈血栓，肝障害，腎不全が起こる恐れもあるため，静脈瘤の治療について不安のないように説明を行う．

引用・参考文献

1）医療情報科学研究所編：病気が見えるvol.1 消化器．第５版，メディックメディア，2016.
2）南川雅子ほか：消化器：成人看護学５．系統看護学講座 専門分野Ⅱ，第15版，医学書院，2019.
3）泉並木監：肝炎のすべてがわかる本―C型肝炎・B型肝炎・NASHの最新治療．講談社，2017.
4）土本寛二監：肝炎・肝硬変・肝がん―患者のための最新医学．高橋書店，2018.
5）日本消化器病学会編：肝硬変診療ガイドライン2015．改訂第２版，南江堂，2015.
6）三田英治ほか編著：必ず役立つ！肝炎診療バイブル 研修医・レジデント必携 各種ガイドライン準拠．改訂第４版，メディカ出版，2018.
7）国立研究開発法人国立国際医療研究センター：肝炎情報センター． http://www.kanen.ncgm.go.jp/index.html より2020年８月18日検索
8）日本肝臓学会，肝炎診療ガイドライン作成委員会編：B型肝炎治療ガイドライン（第３版）．2017． https://www.jsh.or.jp/files/uploads/HBV_GL_ver3__Sep13.pdf より2020年８月18日検索
9）日本肝臓学会，肝炎診療ガイドライン作成委員会編：B型肝炎治療ガイドライン（第３版・簡易版）．2017． https://www.jsh.or.jp/files/uploads/Brief_B_v3_2017Sept13.pdf より2020年８月18日検索
10）日本肝臓学会，肝炎診療ガイドライン作成委員会編：C型肝炎治療ガイドライン（第6.1版・簡易版）．2018． http://www.jsh.or.jp/files/uploads/Brief_C_v6.1_Mar29.pdf より2020年８月18日検索
11）日本肝臓学会，肝炎診療ガイドライン作成委員会編：C型肝炎治療ガイドライン（第７版）．2019． https://www.jsh.or.jp/files/uploads/HCV_GL_ver7_June11_final__2.pdf より2020年８月18日検索

第４章　消化器疾患患者の看護過程

25 胆石症

1. 疾患の基礎的知識

1）疾患の概念

胆道系（胆嚢，総胆管，肝内胆管）において，胆汁成分であるコレステロール（胆汁脂質）やビリルビン（胆汁色素）から形成された結石を，胆石という．胆石症とは，この胆石に起因する種々の疾患を指す．胆石の存在部位によって，胆嚢胆石，総胆管胆石，肝内胆石に分類される（**図25-1**）．以前は，胆汁に細菌感染が起こって生じるビリルビンカルシウム結石が多かったが，近年ではコレステロールの過剰摂取などによって生じるコレステロール結石が大半を占めている．

わが国の胆石保有率は，食事や生活習慣の変化に伴って，増加傾向にあり，人口の約５％といわれている．男女比では男性に多く，加齢とともに増加する．

2）原因

胆石は次の３つに大別される（**図25-2**）．

(1)コレステロール胆石

通常は，胆汁中に存在する水に溶けないコレステロールを，水も油も溶かす性質（両溶媒性）をもつ胆汁酸とレシチン（リン脂質）が溶解している．しかし，コレステロールが過飽和状態となったり，胆汁酸が減少したりするなど，溶解のバランスが破綻することにより，コレステロールは胆嚢内で結石となって析出し，核形成，肉眼的胆石の成長を経て形成される．純コレステロール石，混成石，混合石が含まれる．

(2)色素胆石

ビリルビンカルシウム石と黒色石に分けられる．

①ビリルビンカルシウム石

腸管からの上行感染が深く関係している．胆道感染（主に大腸菌）が起こると，胆汁中の抱合型ビリルビン（水溶性）が細菌の有するβグルクロニダーゼに

図25-1　胆道系と胆石症

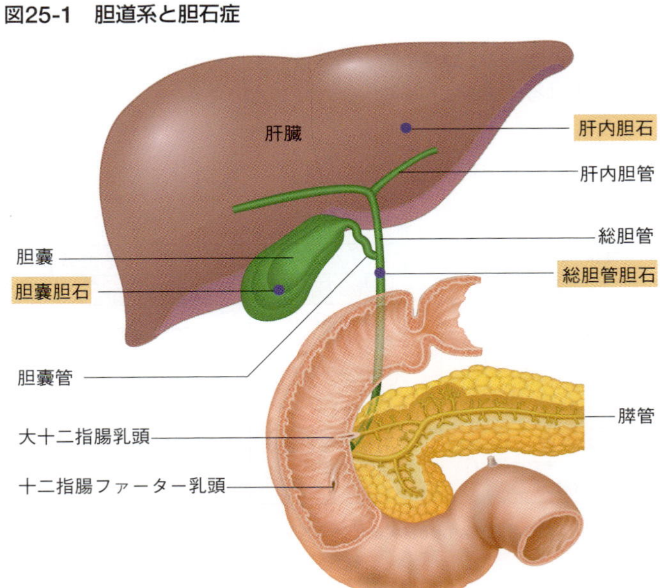

よって加水分解され，非抱合型ビリルビン（不溶性）となる．これが胆汁中のカルシウムと結合し，ビリルビンカルシウムが析出する．胆嚢だけではなく，胆管系のあらゆるところで生成される．

②黒色石

近年は増加傾向にあり，溶出性貧血，肝硬変，心臓弁置換術後の患者によくみられる．ビリルビンの重合体である黒色色素が主成分であり，炭酸カルシウムやリン酸カルシウムを多く含んでいる．ビリルビンカルシウム石と異なる点は，細菌性βグルクロニダーゼの作用を受けないことである．

(3)まれな胆石

コレステロール胆石や色素胆石以外の胆石で，炭酸カルシウム石や脂肪酸カルシウム石などがある．

3）病態と臨床症状

病態

胆汁は肝臓から分泌され，胆嚢内に貯蔵される．脂質を含む食事などの刺激によって胆嚢が収縮し，胆汁が十二指腸のファーター乳頭から排泄され，脂質の消化・吸収を促進する．

胆石が胆嚢内に存在するときは，自覚症状を伴わない場合が多い（無症候性胆石）．しかし，胆嚢が収縮することで胆石が移動し，胆嚢頸部，胆嚢管，総胆管などに嵌頓（かんとん）することで，疝痛（せんつう）発作や黄疸，感染症状などを呈する．

主な合併症としては，急性胆嚢炎，胆嚢穿孔，胆汁性腹膜炎，化膿性胆管炎などがある．なかでもとくに重要なのは感染であり，その炎症が肝臓へ影響を及ぼすかどうかが，胆石症の予後に大きく関わる．

臨床症状

胆石症の3主徴は，疼痛（右季肋部痛），黄疸，発熱である．ほかにも心窩部痛や背部痛，悪心・嘔吐などがある．

(1)疼痛

胆石症における疼痛は，胆嚢管や総胆管での胆石による閉塞に伴う痙攣性の疼痛で，胆道内圧上昇や胆管壁の拡張によって引き起こされる．炎症を合併すると，痛みはさらに強くなる．

初期には悪心・嘔吐などを伴い，心窩部の圧迫感や鈍痛で始まり，激化すると疝痛発作となる．疼痛は右季肋部に限局することが多いが，ときに右肩から右背部に放散することもあり，1～2時間ほど続く．脂質に富んだ食事摂取の約2～3時間後，過労時，精神的緊張の強いとき，就寝後などに起こりやすいが，突発的に起こることもある．

(2)黄疸

胆石による胆管の狭窄や閉塞，炎症性の胆管粘膜腫脹による狭窄や閉塞，オッディ括約筋の攣縮などによって起こる．代表的なものにミリッツィ症候群がある．これは，胆嚢頸部あるいは胆嚢管に嵌頓した胆石によって炎症が肝外胆管に及び，胆管の狭窄をきたして上部胆管の拡張と黄疸がみられる状態である．

黄疸は胆嚢胆石ではあまりみられないが，総胆管胆石や肝内胆石では起こりやすい．黄疸の種類は主として閉塞性黄疸であり，ほかの原因との鑑別が重要である．

(3)発熱

胆石による発熱で悪寒・戦慄を伴う症状は，胆汁うっ滞に細菌感染が合併した場合に起こる．これは胆嚢炎や胆管炎が起こっていることを示す．とくに急性閉塞性化膿性胆管炎（AOSC：acute obstructive suppurative cholangitis）では，敗血症性ショックや播種性血管内凝固症候群（DIC：disseminated intravascular coagulation）などを起こすため，最も重篤な合併症の1つといえる．

図25-2　胆石の分類

コレステロール胆石			色素胆石	
純コレステロール石	混成石	混合石	黒色石	ビリルビンカルシウム石
・放射状構造	・内層の主成分はコレステロール，または混合石 ・外層は層状	・放射状構造と層状構造が混在	・無構造，硬い	・同心円状ときに無構造

落合慈之監：消化器疾患ビジュアルブック．第2版，p.321，学研メディカル秀潤社，2014．

4）検査・診断

疼痛の部位，発症時期を問診することで胆石症を疑うことは可能であるが，確定診断には画像検査が必要である．また，無症候性胆石も多く，健康診断やほかの疾患の検査によって発見されることもある．

(1)超音波検査

超音波検査は，胆石が疑われる場合の第１選択である．非侵襲的で容易に実施が可能だが，術者の習熟度によって診断の的確さに影響が出る．胆嚢胆石の検出率は90%以上で，音響陰影を伴う強エコーとして描出される．胆嚢炎や総胆管胆石では検出率が低下するが，胆管の拡張は描出される．

また，最近では胆道内の超音波内視鏡検査（EUS：endoscopic ultrasonography）も行われている．これは，内視鏡装置の先端部分が超音波プローブになっている機械を用いて，消化管や周辺臓器の断面像を描出する検査である．通常の超音波検査でも診断は可能だが，胆嚢をすぐ近くの十二指腸から観察をするとよくみえるため，詳しく検査したい場合に用いられる．この超音波内視鏡検査では，従来は発見が難しかったごく小さな胆石も診断可能となっている．

(2)造影検査

①排泄性胆嚢造影

通常は，肝臓から胆汁中に排出されやすい造影剤を内服して描出する方法がとられているが，現在はヨード剤を点滴する点滴静注胆道造影法が主流である．この方法のメリットは，短時間で胆嚢と胆管の両方が造影できるという点にある．しかし，肝機能低下がみられたり，胆汁の通過が悪くなったりするため，黄疸を起こしている場合には適さない．また，ヨードアレルギーがある場合には実施できない．

②直接胆道造影

胆道に直接造影剤を注入する方法である．肝内の胆管に針を刺して造影剤を注入し，X線撮影をする経皮経肝胆道造影法（PTC：percutaneous transhepatic cholangiography）と，内視鏡を用いてファーター乳頭から造影剤を逆行性に注入し，X線撮影をする内視鏡的逆行性胆管膵管造影法（ERCP：endoscopic retrograde cholangiopancreatography）がある．超音波検査での胆管拡張を認めるなど，胆管病変の存在が疑われる場合は，このような検査で明らかにする．

(3)その他の画像検査

①腹部X線検査：石灰化した胆石像や，内胆瘻によるガス像の発見に用いられる．

②CT検査：カルシウムを多く含む胆石の場合に有用である．また，下部総胆管の胆石は，腸管ガスによって超音波検査では描出されにくいが，CTによって診断が可能である．

③MR胆管膵管造影（MRCP：magnetic resonance cholangiopancreatography）：PTCやERCPと比べて侵襲が少なく，胆汁の通り道全体を造影できる．

(4)尿・便検査

①黄疸：尿中ビリルビン陽性

②総胆管の完全閉塞：尿中ウロビリノーゲン陰性，灰白色便

(5)血液検査

①黄疸：血清ビリルビン，胆道系酵素（γ-GTPなど），肝酵素（AST，ALT），LDHの上昇

②炎症の合併：白血球数増加，CRP上昇

5）治療

治療には，保存的治療（内科的治療，胆石除去法）と，外科的治療（手術療法）がある．胆嚢胆石は症状が出ないものが多く，すべてが治療を対象とはなり得ないのに対し，肝内胆石や総胆管胆石は黄疸や炎症を起こし得るため，早期に治療を行う．

(1)内科的治療

①食事療法

発作時には絶飲食とし，症状が消失したら流動食から開始する．再度発作を誘発しないように，脂肪を制限し，卵黄や刺激物などの発作を誘発しやすい食品は避けるように指導する．規則正しい食事摂取が原則である．

②疼痛除去

疝痛発作は激しい痛みであり，できる限り早急に除去する必要があるため，薬物療法が中心となる．疼痛が軽い場合は，ブチルスコポラミン臭化物（ブスコパン®）やチキジウム臭化物（チアトン®），ブトロピウム臭化物（コリオパン®）などの鎮痙作用をもつ抗コリン薬で軽快するが，疼痛が強い場合にはペンタゾシン（ソセゴン®）などの非麻薬性鎮痛薬や，モルヒネ塩酸塩水和物（モルヒネ塩酸塩®）などの麻薬性鎮痛薬を用いる．麻薬性鎮痛薬の場合，胆道内圧を上昇させる恐れがあるため，アトロピン硫酸塩水和物（アトロピン硫酸塩®）を併用する．薬物療法以外にも，体位の工夫によって疼痛の緩和をはかる．

③感染症対策

炎症症状が出現した場合は，起因菌を検索し，有効な抗菌薬を投与する．大腸菌やクレブシエラなどに

よる感染が多いため，胆汁への移行がよく，毒性の少ないペニシリン系，セフェム系が選択されることが多い．

(2)胆石除去法

①胆石溶解療法

胆石溶解薬のウルソデオキシコール酸（ウルソ®），ケノデオキシコール酸（チノ®）を経口投与し，胆石を溶解する．胆石の直径が大きかったり，周囲が石灰化していると効果はないが，直径15mm以下で症状が軽度のものであれば効果が期待できる．

②体外衝撃波結石粉砕術（ESWL：extra-corporeal shock wave lithotripsy）

体外から体内の胆石に衝撃波を当てて粉砕する．大きさが直径30mm以下の，石灰化のないコレステロール胆石が適応となる．しかし，胆嚢機能が保たれていることが条件で，炎症を併発している場合には行われない．治療後の粉砕片に対して，胆石溶解療法を併用する場合がある．再発することもある．

③内視鏡的乳頭括約筋切開術（EST：endoscopic sphincterotomy）

総胆管胆石が適応である．内視鏡を用いて十二指腸までチューブを挿入し，胆管の出口にあたるファーター乳頭部にEST用ナイフを挿入，高周波を用いて切開し，切開部から鉗子を挿入して胆石を摘出する．侵襲を伴うため，出血や十二指腸穿孔，胆管炎などを合併するリスクがある．乳頭部を切開しない非観血的方法としては，内視鏡的乳頭バルーン拡張術（EPBD：endoscopic papillary balloon dilation）がある．これは乳頭部にバルーンを挿入し，バルーンに生理食塩液などを注入して膨張させることで乳頭を拡張させ，胆石を摘出する方法である．

(3)外科的治療（手術療法）

疝痛発作を繰り返す場合や，発熱，黄疸などの症状を呈した場合，また無症状であっても石の直径が大きい場合や，胆嚢の変形や壁の肥厚を伴うような場合には，手術療法の適応となる．術式には，低侵襲で行える腹腔鏡下手術と，通常の開腹術がある．現在では腹腔鏡下胆嚢摘出術が標準治療で，困難な場合には開腹胆嚢摘出術が行われる．

①腹腔鏡下手術

腹部に小さな穴を４～５か所あけ，そこから腹腔鏡を挿入して腹腔内を確認しながら，鉗子や電気メスを使って行う手術で，胆嚢摘出や総胆管胆石摘出に用いられる．全身麻酔で行われるが，術後の痛みも少なく，入院期間も短いことから，早期に日常生活に戻ることができる．

②開腹術

腹部手術の既往や，高度な炎症・線維化がみられるなど，内視鏡的治療が困難である患者に対しては，原則的に開腹術が行われる．可能であれば，皮膚切開を５cm程度にとどめる小切開法が用いられる．

胆嚢胆石では胆嚢摘出術が行われ，後出血や胆汁漏の観察のため，ウィンスロー孔にドレーンが留置される．総胆管胆石では総胆管切開切石術や胆嚢摘出術が行われる．遺残結石の疑いがある場合には，後日，胆管を検査できるようにTチューブを胆管切開部に挿入するが，遺残結石の可能性がない場合は，胆管にチューブを入れない一期癒合（手術創などで細菌感染なく治癒する）も可能である．

6）予後

胆石症は良性疾患であり，化膿性胆管炎の合併および胆石症を合併していることの多い胆嚢がんでなければ，基本的に予後は良好である．

2. 看護過程の展開

アセスメント～ゴードンの機能的健康パターンを用いて

パターン	アセスメントの視点	根拠	収集する情報
(1) 健康知覚-健康管理 患者背景 健康知覚-健康管理 価値-信念	●現在の健康状態をどのように知覚しているか，治療の必要性や合併症とその管理方法について理解しているか	●病状や治療の必要性，治療方法や合併症に関する理解が不十分であると，治療に支障をきたす恐れがある． ●胆石症は無症候性であることが多く，患者が病識をもてないことがある．	●疾患と治療の合併症に関する理解状況，治療に積極的に臨もうとしているかなど
	●これまでの健康管理に対する取り組みはどうか	●再発予防を目的とし，食生活など発作の誘因を除去し，セルフケア能力の向上をはかる．	●これまでの健康管理行動や疾病の予防行動，既往歴や食生活をはじめとした生活習慣，職業など
(2) 栄養-代謝 全身状態 栄養-代謝 排泄	●食生活で脂質の過剰摂取はみられないか	●胆石形成の原因はさまざまであるが，食生活の欧米化や高齢化に伴って増加傾向にある．また，生活習慣との関連も深く，とくに食生活について情報収集をする．	●身長・体重(BMI)，血液検査データ(TP，Alb，中性脂肪，コレステロール値など)，食事に関する嗜好，生活習慣全般など
(3) 排泄 全身状態 栄養-代謝 排泄	●排便パターン	●下痢や軟便がみられる場合，胆石による症状の可能性がある．胆嚢摘出術を施行した場合，胆汁の脂肪分解作用が減弱し，下痢を起こすことがある．	●排便の性状，量，消化器症状(腹部膨満感，腸蠕動，排ガスの有無)など
(4) 活動-運動 活動・休息 活動-運動 睡眠-休息	●症状に伴うADLの支障はないか	●疼痛による活動制限や，胆管炎の合併などによる臥床安静が必要となることがあるため，患者の日常生活のセルフケア状況を把握する．	●症状出現前のADL状況，運動習慣の有無，離床状況など
(5) 睡眠-休息 活動・休息 活動-運動 睡眠-休息	●睡眠・休息への影響はないか	●疝痛発作は，夕方から夜間にかけて起こることが多いため，不眠や食欲低下が起こりやすい．	●睡眠時間・満足度，睡眠に関する薬剤の使用の有無，症状の有無，疼痛の程度など

パターン	アセスメントの視点	根拠	収集する情報
(6) 認知-知覚 知覚・認知 認知-知覚 自己知覚-自己概念 コーピング-ストレス耐性	●疼痛のコントロールはできているか ●感染症の徴候はないか ●不安を表出しやすい環境にあるか	●疝痛発作は，胆嚢管や総胆管に，胆石が嵌頓したことによって生じる．痛み刺激は自律神経を介して伝達されるため，自律神経反応として冷汗や悪心・嘔吐などの随伴症状を呈することもある． ●痛みは心窩部から右下肋部，上腹部などに広がり，右肩甲部，右背部に放散することもある．持続時間は数分のものから2時間ほど続くこともある．疼痛が自制不可能な場合には積極的に鎮痙薬や鎮痛薬を使用する． ●合併症のなかでもとくに重要なものは，感染による炎症である．一般状態の観察を行い，早期に対応する．炎症を合併することにより，さらに胆石が生成されやすい状態となり，悪循環となる．また，炎症が進行することで敗血症性ショックにつながる恐れがある． ●疼痛発作の程度はさまざまであるが，激しい痛みを伴えば大きな苦痛となり，精神的にも不安定になる．また，黄疸に伴う瘙痒感，発熱に伴う悪寒などの自覚症状が出現する場合もある．	●疼痛の有無と程度(NRS，VASスケールなど)，出現状況，随伴症状の有無，心身に及ぼす影響，疼痛時の治療内容など ●バイタルサイン，血液検査データ(WBC，CRP，赤沈など) ●疼痛，治療，検査に対する不安の有無，活動状況，睡眠時間，意識レベルなど
(7) 自己知覚-自己概念 知覚・認知 認知-知覚 自己知覚-自己概念 コーピング-ストレス耐性	●疾患，治療に対する患者および家族の受け止めはどうか	●生活習慣が発症に寄与している場合があるため，疾患の軽快および再発の予防のためにもこれまでの生活習慣についてどのように認識しているかを確認することは大切である．	●病状や今後の治療，再発防止のための取り組みについて患者本人とその家族がどのように受け止めているか
(8) 役割-関係 周囲の認識・支援体制 役割-関係 セクシュアリティ-生殖	●疾患・治療による現在の役割や責任への影響はどうか．また，それらをどのように受け止めているか ●家族や周囲のサポートは得られるか	●入院加療期間のみならず，退院後も再発の予防などで健康管理が必要となる．種々のストレスを抱える可能性もあり，それらが家庭内外の社会的な役割に影響を及ぼす可能性がある． ●日常生活を行ううえで，食生活をはじめとしたサポートが必要となることがある．	●家庭内外における役割と活動状況，役割の変化，変化に対する受け止めなど ●家族や周囲の人々の疾患・治療に関する理解，サポートは得られるかどうか

パターン	アセスメントの視点	根拠	収集する情報
(9) セクシュアリティ-生殖 周囲の認識・支援体制 役割-関係 セクシュアリティ-生殖	●性に関する問題は無いか	●疾患によって直接的に性機能に障害を生じることはほとんどないが，症状や治療に伴うストレスなどが影響を及ぼす可能性がある．	●性機能に関する変化や問題の有無
(10) コーピング-ストレス耐性 知覚・認知 認知-知覚 自己知覚-自己概念 コーピング-ストレス耐性	●疾患に対する理解や症状・治療に伴う身体的・心理的苦痛はどうか	●自覚症状を呈している場合には身体的・心理的苦痛を伴う可能性がある．効果的なコーピングをはかることが身体機能の回復にも影響を及ぼす．	●表情，不安の表出，自覚症状の有無，治療内容，コーピング方法など
(11) 価値-信念 患者背景 健康知覚-健康管理 価値-信念	●どのような価値観をもっているか，もともとの価値観と現在の状態に葛藤を生じていないか	●治療に伴う心身の状態の変化やそれに伴う社会的な役割の変化に対して，もともとの価値観との間に葛藤を生じる可能性がある．	●人生で大切にしていることは何か，発病前後の状態に対して葛藤は生じていないか

3. 全体像の把握から看護問題を抽出

1）病態関連図

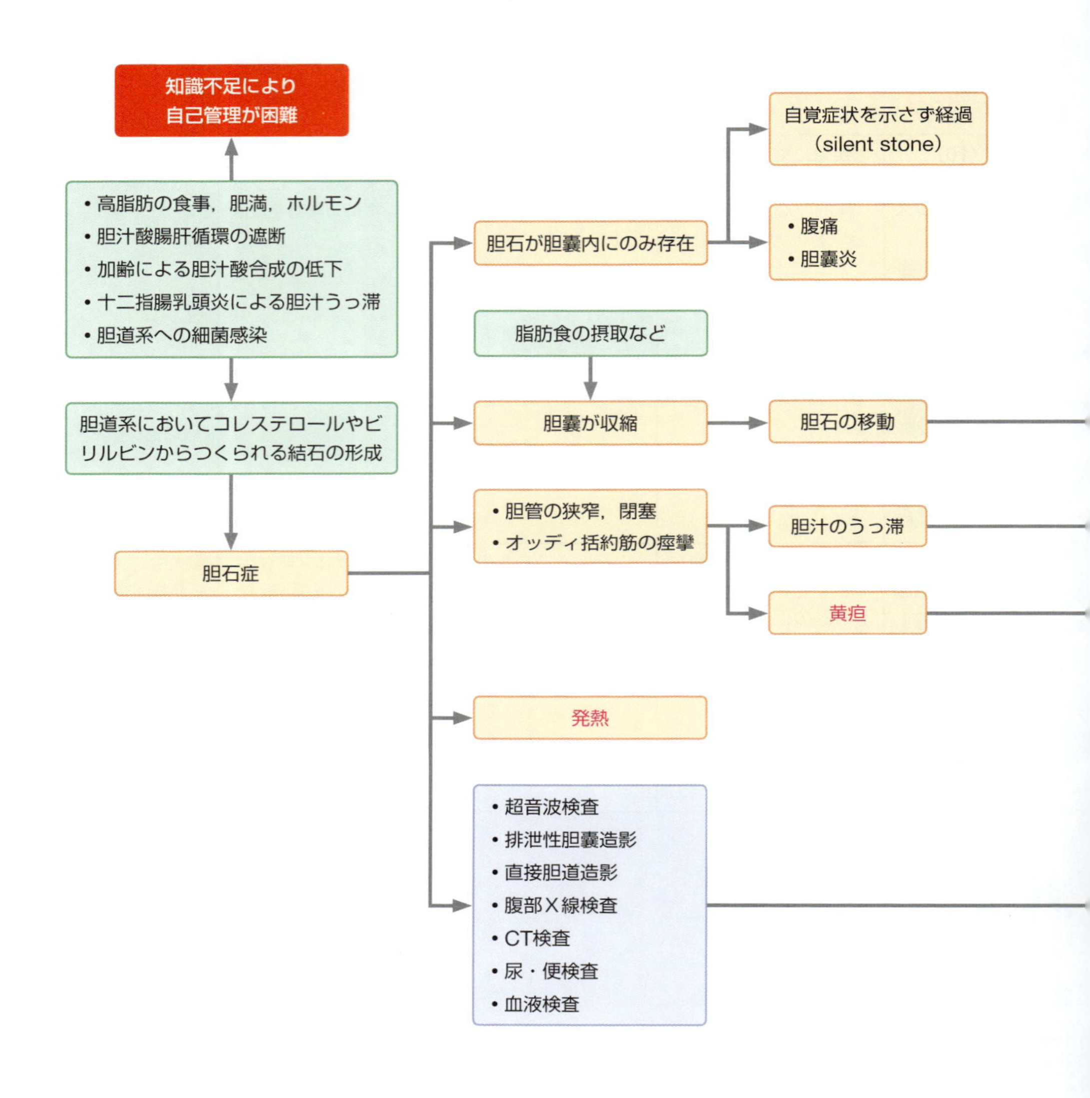

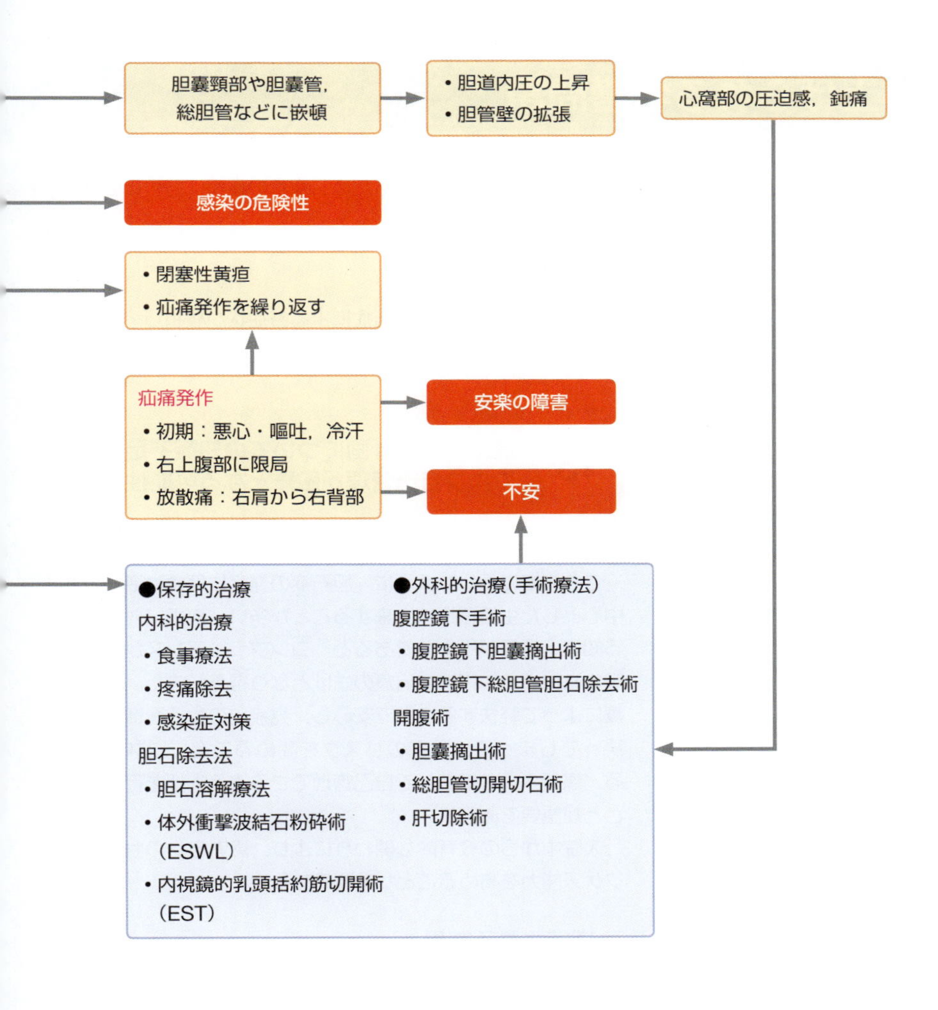
胆嚢頸部や胆嚢管，
総胆管などに嵌頓
・胆道内圧の上昇
・胆管壁の拡張
心窩部の圧迫感，鈍痛
感染の危険性
・閉塞性黄疸
・疝痛発作を繰り返す
疝痛発作
・初期：悪心・嘔吐，冷汗
・右上腹部に限局
・放散痛：右肩から右背部
安楽の障害
不安
●保存的治療
内科的治療
・食事療法
・疼痛除去
・感染症対策
胆石除去法
・胆石溶解療法
・体外衝撃波結石粉砕術
（ESWL）
・内視鏡的乳頭括約筋切開術
（EST）
●外科的治療（手術療法）
腹腔鏡下手術
・腹腔鏡下胆嚢摘出術
・腹腔鏡下総胆管胆石除去術
開腹術
・胆嚢摘出術
・総胆管切開切石術
・肝切除術

2）統合アセスメント

胆石症患者は，脂質が多く食物繊維の少ない欧米化した食生活が習慣となっている場合が多い．そのため，治療後も再発予防のために生活習慣の見直しが必要となることがある．症状悪化に関するこれまでの食習慣や肥満につながる生活習慣の把握が重要である．退院後も継続して健康管理を行うために，患者本人のみならず家族のサポートが得られるかどうかも重要なファクターである．

胆石のできる部位や胆石の大きさによって症状の程度が異なるため，無症状あるいは軽度の場合には病気が見逃されやすい．代表的な症状は疝痛発作であり，出現時には部位や程度を把握し，症状緩和のための援助を行う．

疝痛発作は短時間のものから数時間に及ぶ場合もあり，痛みの程度や持続時間によっては恐怖や不安などの心理的苦痛を伴うことを理解する．疝痛発作は過労やストレスが誘発因子であり，入院中は可能な限り安静を維持して安楽な環境を提供する必要がある．また，疾患の特徴や治療内容が十分に理解できているかを確認し，安心して治療に臨むことができるように配慮する．

3）患者・家族の目標

自分の体調や治療計画を理解する．また，再発予防のためのセルフケア能力が向上する．

4. しばしば取り上げられる看護問題

◆1 胆石症に関連した感染の危険性がある

合併症で重要なものは感染による炎症である．胆嚢，胆管の炎症や，胆嚢穿孔による胆汁性腹膜炎などがある．炎症が進行すると穿孔や腹膜炎を併発し，敗血症性ショックにつながる恐れがあるため，循環動態や意識レベルの変化を観察する．ショック状態まで至らなかったとしても，炎症によって胆石が生成されやすくなることや，疼痛の激化など，患者にとって苦痛が増す恐れがある．

➡期待される結果

胆嚢炎などの感染症の徴候がみられない．

◆2 疼痛，黄疸，発熱症状による安楽の障害

胆石症の3主徴は疼痛，黄疸，発熱である．

疼痛は心窩部から右下肋部，右肩甲部，右背部に放散することがある．持続時間は数分から数時間に及ぶことがあり，程度と持続時間によって患者の安楽は著しく阻害される．同じく黄疸による瘙痒感や発熱による悪寒も安楽を障害する要因となるため，症状の緩和に努める必要がある．

➡期待される結果

疼痛をはじめとした胆石症による各症状が緩和し，安楽を保つことができる．

◆3 疾患や治療計画についての知識不足により自己管理が困難となる可能性

これまでに示したように，胆石症の発症には食生活を中心とした生活習慣に由来することが多い．疾患に対する知識・理解が不十分であると，コンプライアンスが順守されにくく，円滑な治療の妨げとなり得る．また，治療によって軽快することで安心し，発症前の生活習慣に戻ってしまっては再発のリスクを高めることにつながる．患者本人が継続して自己管理できるよう支援を行うことが重要である．

入院中からの教育的な関わりにより，患者自身のセルフケア能力を高めることが重要である．

➡期待される結果

胆石症の危険因子とその予防策を理解し，実践できる．再発しない．

症状や治療に関連した不安

なぜ？

疼痛は身体的のみならず心理的にも苦痛を伴う．疼痛だけでなく，その他の自覚症状が持続することで心理的に動揺しやすい状態となり得る．

また，症状が軽度であったとしても，内視鏡や手術などの侵襲的な治療が選択される可能性がある．患者のみならず，家族にも治療に関する説明を十分に行い，理解と協力を求める必要がある．

また，不安を表出しやすいような人的・物理的環境をつくることも重要である．

➡期待される結果

症状の経過や治療について不安が軽減する．

5. 看護計画の立案

• O-P：Observation Plan（観察計画）　• T-P：Treatment Plan（治療計画）
• E-P：Education Plan（教育・指導計画）

1 胆石症に関連した感染の危険性がある

	具体策	根拠と注意点
O-P	**(1)全身状態の観察** ①発熱の有無 ②疼痛の有無と程度 ③悪心・嘔吐の有無 ④黄疸の有無 ⑤ショック状態の有無 ⑥水分出納バランス	●合併症の併発は急激に状態が悪化することがある．十分な観察を行い，病態の変化を早期に把握する．とくに感染症による炎症や，胆汁漏からの腹膜炎を起こすと，ショック状態に陥る危険性があるので，早期発見と対応に努める．また，疼痛の程度を観察し，合併症に関するアセスメントを行う．
	(2)精神的苦痛の有無と程度	●過剰な心理的ストレスは治療の妨げになり得る．
	(3)検査データ ①血液検査データ ・白血球数，CRP，赤沈，血清ビリルビン，AST，ALT，γ-GTPなど ②画像検査 ・超音波検査，腹部X線検査，CT検査	●発作後には白血球数増加，CRP・赤沈の亢進などの炎症反応がみられる．胆石が胆嚢頸部に嵌頓すると，黄疸や肝機能障害が出現する． ●画像検査によって胆石の位置，炎症の有無や程度などを確認できる．状況に応じて患者への説明や検査の介助を行う．
T-P	**(1)安静保持** ①安楽な体位の工夫 ②安静に伴うADL低下に対する援助 ③環境整備	●体力が消耗することで症状が悪化する恐れがあるため，患者の安楽が保てるように努める．
	(2)発熱による苦痛の緩和 ①必要時，冷罨法を行う ②医師の指示による解熱薬の適切な与薬 ③口腔内の清潔保持 ④悪寒を伴うときには保温に努める	●発熱や絶飲食により，口腔内は乾燥しやすく，二次感染を起こしやすい．
	(3)薬物療法の管理 ①輸液管理 ・水分出納バランス ②薬物管理	●絶飲食時には輸液の管理は重要である．また，症状を悪化させないためにも，確実な与薬を行う．
	(4)ドレーン管理 ①ドレーンの誤抜去，屈曲の予防 ②刺入部の清潔保持	●症状の改善を促進させるために胆嚢ドレナージを行う場合，管理を的確に行い，感染をはじめとした合併症の予防や症状の改善を促す．
E-P	**(1)安静の必要性についての説明** **(2)絶飲食時，食事内容の制限についての説明** **(3)ドレーン管理についての説明**	●胆石症のみの場合，症状が出ない場合も多い．しかし，合併症を予防する観点から，安静を保つ必要がある．患者に説明して協力を求める．

◆2 疼痛，黄疸，発熱による安楽の障害

	具体策	根拠と注意点
O-P	**(1)疼痛の出現状況** **(2)疼痛時の随伴症状の有無と程度** **(3)疼痛の誘因の有無と程度** **(4)疼痛が心身に及ぼす影響**	●疼痛に関する情報は診断・治療の手掛かりになるので正確に観察する．疼痛の程度や性質は個人差があるため，なるべく患者の訴える言葉で記録するとともに，各種ペインスケールを活用し，スタッフ内で共通理解できるようにする．
	(5)検査データ ①血液検査データ ・白血球数，CRP，赤沈，血清ビリルビン，AST，ALT，γ-GTPなど ②画像検査 ・超音波検査，腹部X線検査，CT検査	●発作後には白血球数増加，CRP・赤沈の亢進などの炎症反応がみられる．胆石が胆囊頸部に嵌頓すると，黄疸や肝機能障害が出現する． ●画像検査によって胆石の位置，炎症の有無や程度などを確認できる．状況に応じて患者への説明や検査の介助を行う．
	(6)疼痛に対する治療内容 **(7)胆石に対する治療内容** **(8)バイタルサイン** **(9)黄疸の有無と程度**	●疼痛による苦痛は安静を保つうえで障害になる．そのため，医師の指示のもとで鎮痛薬を確実に与薬し，環境調整を行って疼痛コントロールをはかる． ●侵襲を伴う治療を行う場合には疼痛が増強する恐れがある．
T-P	**(1)安楽な体位の工夫** ①患者にとって最も安楽な体位にする ②衣服を緩める ③安楽枕で体位を支持する	●安楽な体位を保つことで，疼痛の軽減をはかる．シムス位や膝を屈曲させたセミファウラー位は，腹壁の緊張をほぐすことができる． ●衣類や掛物による締めつけを除き，必要時には安楽枕を使用することで安楽な体位を保持する．
	(2)医師の指示による鎮痛薬の適切な与薬	●疼痛は一定時間持続し，間隔をおいて繰り返し起こることが多い．鎮痛のための指示薬を適切に与薬する．疼痛のアセスメントを十分に行い，効果的なタイミングで使用する．
	(3)発熱による苦痛の緩和 ①必要時，冷罨法を行う ②医師の指示による解熱薬の適切な与薬 ③口腔内の清潔保持 ④悪寒を伴うときには保温に努める	●冷罨法や薬剤療法などにより，発熱による苦痛を緩和する．
	(4)黄疸による苦痛の緩和 ①瘙痒感の緩和 ②皮膚の清潔予防 ③掻き傷の予防 ④室温や湿度などの環境調整	●黄疸による瘙痒感がある場合，かゆみを軽減させる薬剤が処方されることもある． ●爪が長い場合には爪を切り，皮膚が傷つかないようにする． ●病室内の過剰な乾燥は瘙痒感を助長させる．
	(5)精神的支援 **(6)安静を保てるような環境調整**	●痛みに対する不安はストレスとなり，精神的な安楽を障害する．心身の疲労が蓄積しないよう，静かで落ち着ける環境を提供する．
	(7)食事への支援 ①発作時は絶飲食 ②脂質を制限した食事	●発作時は絶飲食であるが，経過をみて流動食を開始する．ただし，脂肪を多く含む食事を摂取してしまうと胆囊が強く収縮し，発作を誘発する恐れがあるため，脂肪分を控えめにしたものが望ましい．
E-P	**・医師による検査・治療に関する説明の補足**	●検査・治療には侵襲を伴うものがある．そのため，患者の理解が必要で，不十分であれば理解できるようにわかりやすく説明する．

引用・参考文献

1）落合慈之監：消化器疾患ビジュアルブック.第２版，学研メディカル秀潤社，2014.
2）山口瑞穂子ほか監：疾患別看護過程の展開．第５版，学研メディカル秀潤社，2016.
3）貝瀬友子ほか編：看護学生のための疾患別看護過程２．第２版，メヂカルフレンド社，2017.
4）松田明子ほか：消化器—成人看護学５．系統看護学講座 専門分野Ⅱ，第14版，医学書院，2015.

Memo

第４章　消化器疾患患者の看護過程

26 膵がん

1. 疾患の基礎的知識

1）疾患の概念

膵がんとは，原発性膵腫瘍のうち，外分泌系における上皮性悪性腫瘍のことをいう．膵がんを分類すると，膵管上皮に由来する浸潤性膵管がん，膵管内乳頭粘液腺がん，粘液性嚢胞がん，腺房細胞がん，内分泌細胞がんに分けられるが，浸潤性膵管がんが多くを占めていることから，膵がんといえば一般的には浸潤性膵管がんを指す．

膵がんは，悪性度や浸潤性が高いうえに，血行性転移，リンパ行性転移をきたしやすい．早期発見が困難であり，発見時にはすでに根治的な切除が困難な症例が半数以上を占める．

2）原因

膵がんの危険因子は，糖尿病，肥満，慢性膵炎，喫煙などである．また，膵がん患者の４～８％は家族歴に膵がんがあり，ない患者に比べて13倍の発症リスクがある．

3）病態と臨床症状

病態

膵がんは，腫瘍の部位によって，膵頭部がんと膵体尾部がんに分類される（**図26-1**）．膵頭部がんが60～70％と多い．

膵臓の周辺には，大血管や神経叢，総胆管，十二指腸などが存在するため，周辺臓器に浸潤・転移しやすい．なかでもリンパ節転移が多く，遠隔転移としては門脈を介した肝転移が多い．

臨床症状

一般的に膵がんの初期は無症状で，症状が出始める頃にはすでに進行がんであることが多い．初発症状は，腹痛，黄疸，腰背部痛が多く，次いで体重減少，消化不良症状が出現する．また，急激な糖尿病（糖代謝障害）の発症や悪化は，膵がんが疑われる．とくに糖尿病の発症後３年は注意する．

(1)黄疸

がんが膵内胆管に浸潤し，胆道閉塞によって生じる．膵頭部がんで多くみられる．

(2)腹痛

腫瘍による主膵管の閉塞と，末梢膵管の拡張による随

図26-1　膵臓の区分

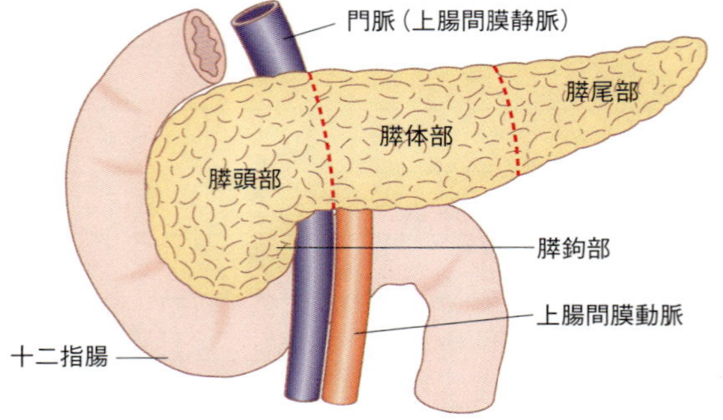

門脈より右側を膵頭部といい，門脈より左側を２等分して，膵体部，膵尾部という

伴性膵炎によって生じる．腫瘍が小さいうちから認められる．

(3)腰背部痛

神経叢浸潤によって生じる．膵頭部がんで多くみられ，夜間に起こりやすい．

(4)体重減少

膵外分泌の減少，耐糖能低下によって生じる．

(5)下痢・白色便(消化不良)

膵外分泌の減少，胆道閉塞によって生じる．

4）検査・診断

血中膵酵素，腫瘍マーカー，超音波検査の結果によって膵がんが疑われた場合，CT(造影が望ましい)および超音波検査によって質的診断を行い，治療方針を決定する．必要に応じて，MRCP(MR胆管膵管撮影)，超音波内視鏡，PETなどの検査を組み合わせて，総合的に診断する．その病期に応じて治療法を検討する．膵がんの病期分類には『膵癌取扱い規約(第７版)』の病期分類と，UICC(国際対がん連合)のTMN分類の２種類がある．

(1)血液検査

血中膵酵素(アミラーゼ，リパーゼ，エラスターゼ１など)は，いずれも膵臓疾患の診断には重要だが，膵がんに特異的ではない．

(2)超音波検査

簡便で非侵襲的な検査として，外来診療や検診において有用であるが，腫瘍径の小さい膵がんや膵尾側の病変は検出しにくい．主膵管の２mm以上の拡張や嚢胞など，膵がんの間接所見を得る方法として重要である．

(3)CT検査

CTでは，病変の大きさ，位置や広がりがわかり，造影剤の使用によって病変の血行動態が把握できるため，欠かすことのできない検査である．ただし，造影剤を使用しない単純CTの単独使用は，膵がんの診断には適さない．その他，肺や肝臓への遠隔転移病変や，腹腔動脈・総肝動脈・上腸間膜動脈や門脈への浸潤の有無，膵前後被膜への浸潤，十二指腸・胆管への浸潤の有無を検討することができ，臨床病期を決定するうえで重要である．

(4)MRCP(MR胆管膵管造影)

MRIを用いて胆嚢，胆管，膵管を描出する方法で，造影剤を使用することなく鮮明な画像を得ることができる．低侵襲でできるため，推奨されている検査である．

(5)超音波内視鏡検査

超音波プローブが付属した内視鏡を，胃または十二指腸内に挿入し，膵臓をスキャンする．体外式超音波検査に比べて，詳細な構造の評価が可能である．

(6)内視鏡的逆行性胆管膵管造影(ERCP：endoscopic retrograde cholangiopancreatography)

十二指腸へ内視鏡を入れて，乳頭部から細い管を挿入し，造影剤を注入して膵管あるいは胆道を造影する方法である．腫瘍が非常に小さい場合や，腫瘍の良性・悪性診断が明らかでない場合に行う．また，膵頭部がんによって閉塞性黄疸をきたしている場合，減黄処置として内視鏡的胆道ドレナージ(ENBD：endoscopic nasobiliary drainageまたはERBD：endoscopic retrograde biliary drainage)を行うことがある．

(7)PET，PET-CT検査

がん細胞では，正常細胞に比べてブドウ糖の取り込みが増加することを利用して，放射性同位元素でラベルされたブドウ糖(フルデオキシグルコース)を注射し，病巣を描出する検査である．

5）治療

治療は原則として『膵癌診療ガイドライン2019年版』に沿って施行され，膵がん治療アルゴリズムに基づき，病期・全身状態を考慮して行う．

(1)外科的治療(手術療法)

①膵頭部がんの場合

膵頭十二指腸切除が適応となる．術式は，膵頭十二指腸切除術(PD：pancreatoduodenectomy)，胃を温存する幽門輪温存膵頭十二指腸切除術(PPPD：pylorus preserving pancreatoduodenectomy)，幽門輪を切除する亜全胃温存膵頭十二指腸切除術(SSPPD：subtotal stomach-preserving pancreatoduodenectomy)が選択される．切除後は，胃・胆管・膵臓が切離されるため，再建術が施行される(**図26-2**)．

- 膵頭十二指腸切除術：胃切除＋胆嚢摘出＋総胆管切除＋膵頭部切除＋十二指腸全摘が行われる．術後は膵消化管縫合不全を生じることがある．
- 幽門輪温存膵頭十二指腸切除術：幽門輪と胃を温存するため，術後の栄養代謝が良好である．
- 亜全胃温存膵頭十二指腸切除術：胃を一部切除するが，その範囲をできるだけ少なくする術式である．

②膵体尾部がんの場合

膵体尾部および脾臓切除術が適応となる．切除後は消化管再建を必要としない．腫瘍の後腹膜浸潤がある場合，膵体尾部の後方臓器である左副腎，左腎周囲脂肪組織，左腎も合併切除することがある．

③がんが全体に広がっている場合

膵全摘出術が適応となる．膵全摘を施行すると，膵の外分泌・内分泌機能が消失するため，インスリンや消化酵素の補充療法が必要となる．

(2)外科的治療(手術療法)の術後合併症

術後合併症には，膵液漏，胃内容物排泄遅延，胆汁漏がある．とくに注意すべき合併症は，膵液漏である．

①膵液漏

膵液に含まれるアミラーゼやリパーゼによって，周囲組織が浸食されて，腹腔内膿瘍を形成したり，周囲の動脈壁が浸食されると仮性動脈瘤が形成され，出血を起こす可能性がある．

②胃内容物排泄遅延

膵頭十二指腸切除術や，幽門輪温存膵頭十二指腸切除術に起こりやすい．術後２週間前後でも，食事を継続的に摂取できない状態を指す．胃内容物排泄遅延になると，胃管から500mL/日程度の排液がみられ，食事が摂取できなかったり，少量の摂取で満腹感を感じやすくなる．あるいは，食事再開当初は問題なく摂取していたが，術後２週間目に満腹感や悪心・嘔吐を主訴として発症することもある．

③胆汁漏，胆管炎

病変が肝臓側に及んでおり，胆管の切除や再建が複雑になった場合では，胆管空腸吻合部の縫合不全によって胆汁漏が発生しやすい．胆管炎は，挙上空腸の腸内細菌が，胆管内に侵入することをきっかけに発症する．

(3)化学療法

膵がんは，抗がん薬に対する感受性が低く，化学療法のみで治癒を期待することはできない．化学療法の適応は，術後補助化学療法と，切除不能例または再発例に対する治療に分かれる．

①術後補助化学療法

膵がんは，根治手術が行えた場合でも再発率が高いため，再発予防を目的に行われる．ゲムシタビン塩酸塩(ジェムザール®：GEM)を用いての治療が推奨されている．

②切除不能例または再発例に対する治療

切除不能例には，局所進行例と遠隔転移症例がある．局所進行例に対しては，全身化学療法と化学放射線療法が推奨されている．全身化学療法で使用される薬剤は，ゲムシタビン塩酸塩，テガフール・ギメラシル・オテラシルカリウム配合薬(ティーエスワン®[TS-1])があり，化学放射線療法の場合はフルオロウラシル(5-FU®)が用いられる．一方，遠隔転移症例と再発例は，全身化学療法が推奨され，一次化学療法としてゲムシタビン塩酸塩を用いての治療が推奨されている．

(4)放射線治療

局所進行性膵がんの標準的治療の１つである．この治療も治癒を期待することはできないため，治療の目的は症状緩和によるQOLの向上と延命である．

6）予後

膵がんの予後は極めて不良である．膵がんの切除率は20〜40%であり，切除後の５年生存率は10〜20%である．切除不能例の場合，化学療法あるいは化学放射線療法が行われるが，生存期間の中央値は約７〜12か月である．

図26-2　膵頭十二指腸切除後の再建術式

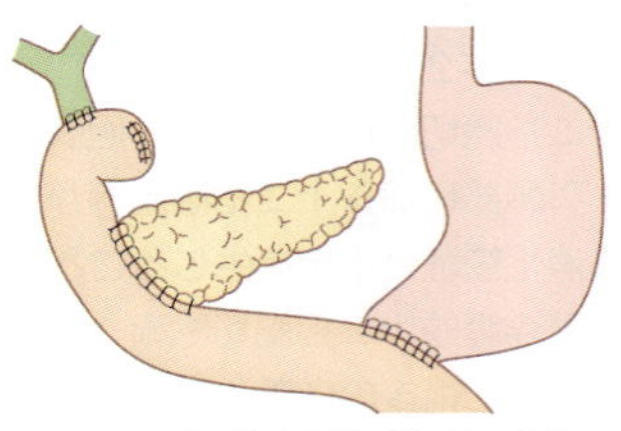
ウィップル法(胆管-膵-胃の順)

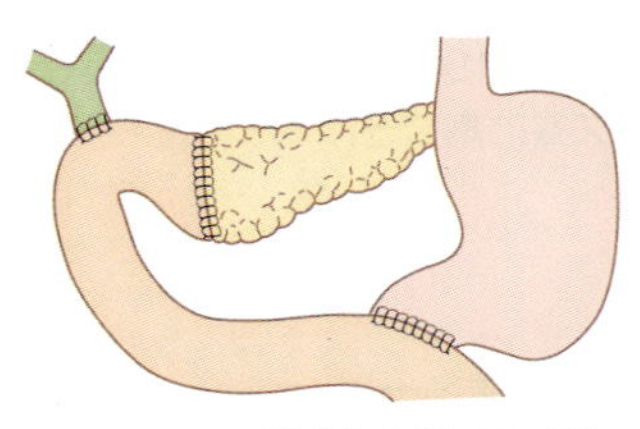
チャイルド法(膵-胆管-胃の順)

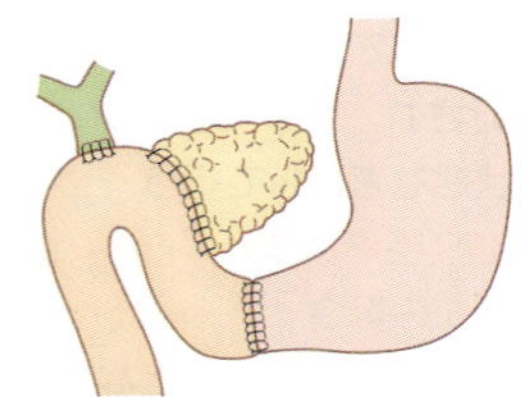
今永法(胃-膵-胆管の順)

2. 看護過程の展開

アセスメント～ゴードンの機能的健康パターンを用いて

パターン	アセスメントの視点	根拠	収集する情報
(1) 健康知覚-健康管理 患者背景 健康知覚-健康管理 価値-信念	●現在の健康状態をどのように知覚しているか，治療の必要性や合併症とその管理方法について理解しているか ●これまでの健康管理に対する取り組みはどうか	●病状や治療の必要性，治療方法や合併症に関する理解が不十分であると，治療に支障をきたす恐れがある．膵がんは初期症状が少なく，症状発現時には進行がんであることが多い．症状に対する苦痛だけではなく，次々に行われる治療や検査に対する苦痛や，予後に対する予期的悲嘆が生じやすい． ●膵がんの危険因子は，糖尿病，肥満，慢性膵炎，喫煙などである．軽快がみられたとしても，生活習慣を整え，合併症予防や再発予防のための健康管理が必要となる．	●疾患と治療の合併症に関する理解状況，治療に積極的に臨もうとしているかなど ●これまでの健康管理行動や疾病の予防行動，既往歴や食生活をはじめとした生活習慣，職業など．また，家族歴がある場合，発症率が高くなるため，既往歴だけではなく，家族歴も聴取する
(2) 栄養-代謝 全身状態 栄養-代謝 排泄	●栄養状態に影響する症状はないか	●膵がんが膵内胆管に浸潤し，胆道が閉塞することによって黄疸が生じる．また，膵外分泌の減少や耐糖能低下によって高血糖をきたし，体重減少を生じる．膵外分泌の減少，胆道閉塞によって下痢や白色便(消化不良)を生じることもある．さらに十二指腸や胃へがんが浸潤した場合，通過障害によって嘔吐を起こしやすくなり，低栄養状態となる． ●術式によっては，食事開始後に胃内容排泄遅延を生じやすい．食事摂取ができなかったり，満腹感を感じやすくなる．また，術後2週間頃から満腹感や悪心・嘔吐が出現することもある．	●身長・体重(BMI)，血液検査データ(TP，Alb，Hb，Ht，総ビリルビン，直接ビリルビン，血糖値，AMYなど)，食事に関する嗜好，生活習慣全般など ●外科的治療後の場合には，栄養投与方法や投与量，各種カテーテルの有無，排液の性状や量など ●食事摂取量，内容，食欲の有無，消化器症状の有無など
(3) 排泄 全身状態 栄養-代謝 排泄	●排泄に影響する症状はないか	●生体侵襲(外科的治療)に伴う体液量の変化に，生体の反応が追いつかず，腎機能障害を生じるリスクがある． ●全身麻酔や消化管操作によって腸蠕動運動が低下する． ●膵外分泌の減少，胆道閉塞によって，下痢や白色便(消化不良)を生じることもある．	●排便の性状，量，消化器症状(腹部膨満感，腸蠕動，排ガスの有無)など ●尿量，腎機能データ(BUN，Cre)
(4) 活動-運動 活動・休息 活動-運動 睡眠-休息	●膵がんが日常生活にどのような影響を及ぼしているか ●合併症はないか	●一般的に膵がんの初期は無症状で，症状が出始める頃にはすでに進行がんであることが多い．初発症状は腹痛，黄疸，腰背部痛が多く，次いで体重減少，消化不良症状が出現する．疼痛が強いとADLに支障をきたす． ●膵がんの症状のみならず，外科的治療に伴う合併症は，身体的・精神的苦痛によってADLに影響を及ぼす．また，治療に伴うドレーンやラインの留置は，体動制限をきたす．	●ADLの程度，発症前の活動状況，活動を抑制する因子の有無，自覚症状の有無と程度など ●治療内容，合併症の有無，各種ドレーンの留置の有無など，精神的苦痛の有無と程度など

パターン	アセスメントの視点	根拠	収集する情報
(5) **睡眠-休息** 活動・休息 活動-運動 睡眠-休息	●睡眠，休息は十分にとれているか	●膵がんの各種症状や術後疼痛，ドレーン類などによる苦痛によって睡眠が阻害されやすい．夜間に十分な睡眠がとれないと，せん妄や回復遅延の要因となる．	●症状の有無と程度，緩和のための薬剤使用の有無，睡眠時間，満足度など
(6) **認知-知覚** 知覚・認知 認知-知覚 自己知覚-自己概念 コーピング-ストレス耐性	●疼痛コントロールはできているか ●認知機能は正常か	●膵がんに対する外科的治療は侵襲が大きく，内科的治療であってもドレーン類が挿入されることがあるため，疼痛を生じやすい． ●術直後はICU管理となるため，身体的・精神的苦痛が増強しやすい．術後せん妄を発症するリスクが高まる．	●疼痛の有無・部位・程度(NRS，VASなど)・緩和方法 ●意識レベル(JCS，GCS)，せん妄症状の有無とリスク因子(CAM-ICU，ICDSC)，異常感覚の有無，コミュニケーション能力，記憶・判断の支障の有無
(7) **自己知覚-自己概念** 知覚・認知 認知-知覚 自己知覚-自己概念 コーピング-ストレス耐性	●疾患・治療についての知識と受け入れはどうか	●症状に対する苦痛だけではなく，治療や検査に対する苦痛や，予後が不良であることに対し，不安が生じやすい． ●膵がん患者はうつ症状が出現する傾向があるため，治療や症状コントロールが十分行えるように心理状態を理解する．	●心理状態(疾患に対する受容，不安やストレスの有無，ストレスコーピング)，自分自身の身体についての感じ方，受け止め方
(8) **役割-関係** 周囲の認識・支援体制 役割-関係 セクシュアリティ-生殖	●疾患・治療による現在の役割や責任への影響はどうか．また，それらをどのように受け止めているか ●家族や周囲のサポートは得られるか	●入院加療期間のみならず，退院後もがんの転移の不安など，種々のストレスを抱える可能性もあり，それらが家庭内外の社会的な役割に影響を及ぼす可能性がある． ●日常生活を行ううえで，食生活をはじめとしたサポートが必要となることがある．	●家庭内外における役割と活動状況，役割の変化，変化に対する受け止めなど ●家族や周囲の人々の疾患・治療に関する理解，サポートは得られるかどうか

パターン	アセスメントの視点	根拠	収集する情報
(9) セクシュアリティ-生殖 周囲の認識・支援体制 役割-関係 セクシュアリティ-生殖	●性に関する問題はないか	●疾患によって直接的に性機能に障害を生じることはほとんどないが，症状や治療に伴うストレスなどが影響を及ぼす可能性がある．	●性機能に関する変化や問題の有無
(10) コーピング-ストレス耐性 知覚・認知 認知-知覚 自己知覚-自己概念 コーピング-ストレス耐性	●疾患に対する理解や症状・治療に伴う身体的・心理的苦痛はどうか	●症状が強く出現している場合には，身体的・精神的苦痛を伴う．また，予後が悪いため，不安を生じやすい．効果的なコーピングをはかることが身体機能の回復にも影響を及ぼす．	●表情，不安の表出，自覚症状の有無，治療内容，コーピング方法など
(11) 価値-信念 患者背景 健康知覚-健康管理 価値-信念	●どのような価値観をもっているか，もともとの価値観と現在の状態に葛藤を生じていないか	●治療に伴う心身の状態の変化やそれに伴う社会的な役割の変化に対して，もともとの価値観との間に葛藤を生じる可能性がある．	●人生で大切にしていることは何か，発病前後の状態に対して葛藤は生じていないか

3. 全体像の把握から看護問題を抽出

1）病態関連図

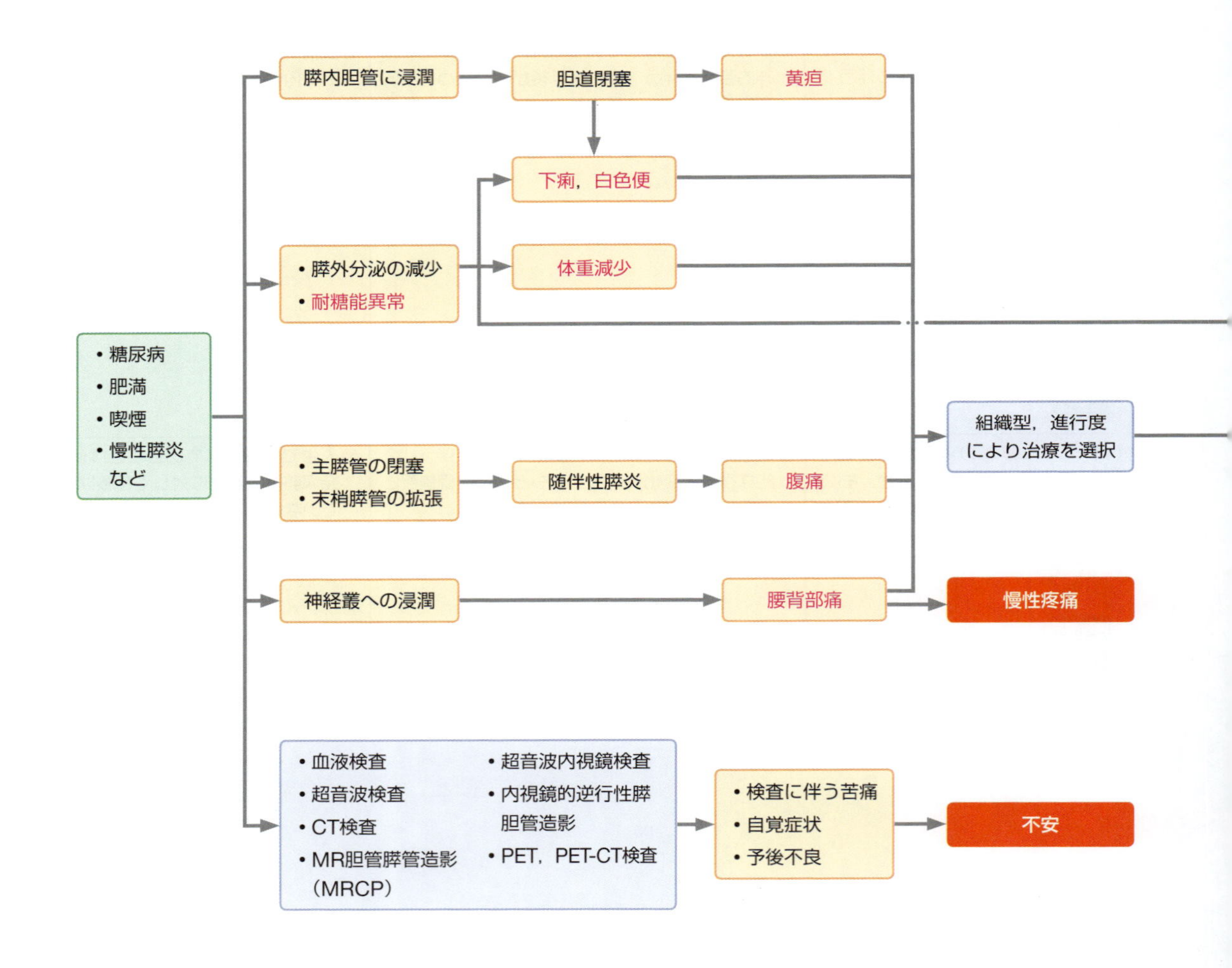

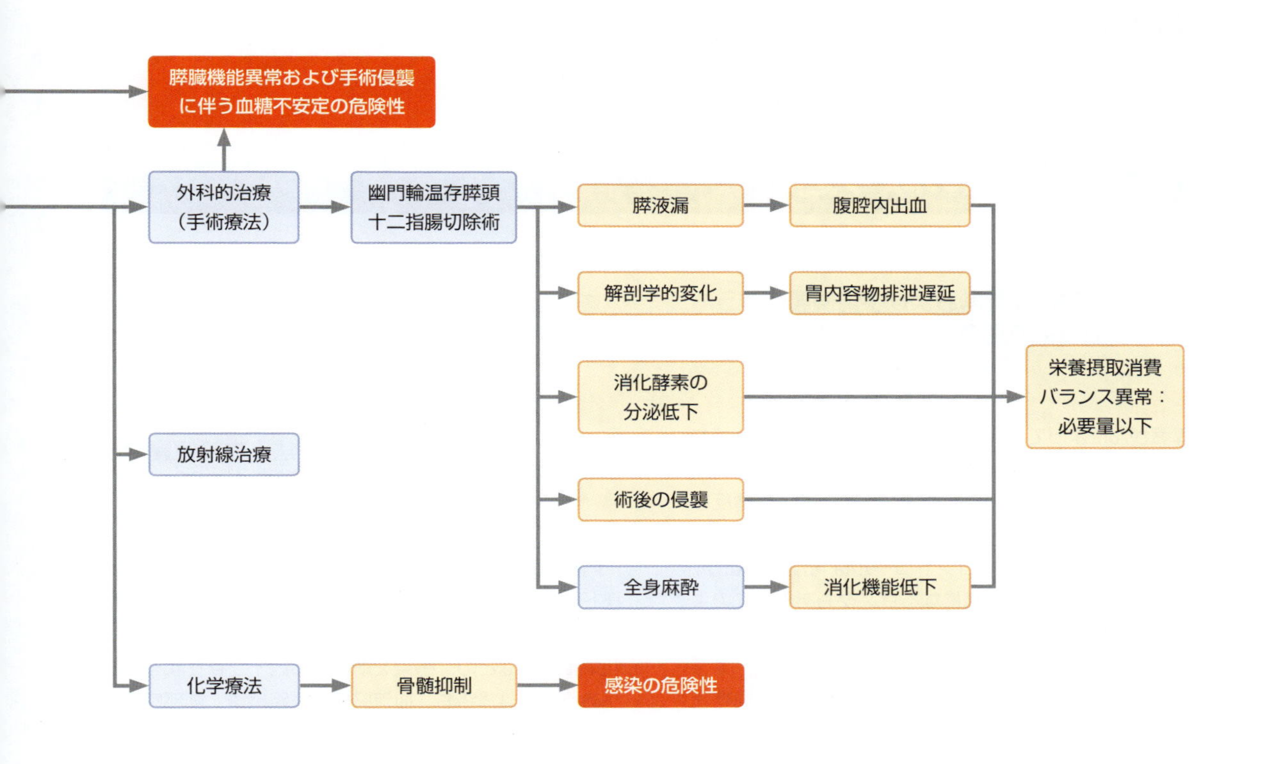
膵臓機能異常および手術侵襲
に伴う血糖不安定の危険性
外科的治療
（手術療法）
幽門輪温存膵頭
十二指腸切除術
膵液漏
腹腔内出血
解剖学的変化
胃内容物排泄遅延
消化酵素の
分泌低下
栄養摂取消費
バランス異常：
必要量以下
放射線治療
術後の侵襲
全身麻酔
消化機能低下
化学療法
骨髄抑制
感染の危険性

2）統合アセスメント

膵がんは，悪性度や浸潤性が高いうえに，血行性転移，リンパ行性転移をきたしやすい．早期発見が困難であり，発見時にはすでに根治的な切除を行うことが困難な症例が半数以上を占める．そのため，予後が不良であり，生存率もほかの悪性腫瘍に比して低い．

外科的治療は侵襲が大きく，術後早期は出血や膵液漏などの合併症に注意が必要である．膵切除に伴い，膵内分泌機能が低下することなどにより，高血糖に陥りやすい．高血糖状態では創傷治癒が遷延し，免疫能の低下をまねくため，感染症のリスクが高まる．ドレーンも挿入されるために，術後感染には注意が必要となる．

侵襲が大きいために疼痛を生じやすい．適切な疼痛コントロールを行い，術後経過への影響を最小限にとどめる必要がある．

内科的治療は，主に化学療法が行われる．しかしながら膵がんは抗がん薬に対する感受性が低く，化学療法のみで治癒を期待することはできない．化学療法の適応は，術後補助化学療法と，切除不能例または再発例に対する治療に分かれる．

ほかにも放射線治療が行われることもあり，局所進行性膵がんの標準的治療の1つである．この治療も治癒を期待することはできないため，治療の目的は症状緩和によるQOLの向上と延命である．

切除不能例における生存期間の中央値は約7～12か月である．予後が極めて悪いため，患者および家族への精神的なケアも非常に重要である．

3）患者・家族の目標

生命の危機的状況が回避され，症状の緩和と精神的危機状況に陥らない．

4. 看護問題の絞り込み

膵臓機能異常および手術侵襲に伴う血糖不安定の危険性がある

なぜ？

膵臓がんによって，膵内分泌機能が低下することがある．加えて手術療法が行われた場合には，さらに膵内分泌機能が低下する．また，手術侵襲によって，生体反応として異化ホルモンが亢進することで高血糖になりやすい．インスリン投与にてコントロールは可能であるが，感受性が変化すると低血糖になるリスクもある．このように，血糖値が正常範囲から逸脱するリスクがある．

そのため，高血糖状態では，創傷治癒の遷延化，易感染状態，縫合不全などの危険性が増す．反対に低血糖状態では，中枢神経系の機能低下をまねく．糖は，細胞のエネルギー代謝には必要不可欠であり，脳や神経系，酸素運搬などに重要な働きをしている．赤血球の主なエネルギー源は糖である．つまり，生命維持には欠かせない物質であるといえる．

以上より，膵がん患者の看護において，血糖コントロールの優先度は高い．

➡ 期待される結果

適切な血糖コントロールがなされ，血糖値異常に伴う症状が出現しない．

ドレーンやルート類の留置，外科的治療や化学療法，血糖値異常に関連した感染の危険性がある

なぜ？

内科的治療，外科的治療のどちらが選択されても，各種ドレーン・ルートが留置される．それらは感染の危険性を伴うものであるが，身体的要因として血糖値異常や低栄養状態などの，感染を助長する因子が存在することがある．感染経路も，血流感染，尿路感染，創部感染など，さまざまである．

このように，膵がん患者には多くの感染危険因子が存在することを忘れてはならない．感染の合併はさらなる生体侵襲となり（セカンドアタック），生命危機に直結する可能性がある．患者に関わる医療者は，標準予防策を徹底し，感染徴候の早期発見・対応に努めることが重要である．

➡期待される結果

適切な感染管理，患者自身のセルフケア能力の向上によって，感染症が発症しない．

♦3 がん性，術創，ドレーン留置などに伴う疼痛

なぜ？

腫瘍の浸潤によるがん性疼痛，治療に伴う創部痛や各種ドレーン留置に伴う疼痛など，疼痛発生および増強因子が複数存在する．疼痛は交感神経に影響を及ぼし，血圧の上昇や酸素消費量の増大などを引き起こす．身体面のみならず精神的にもせん妄の危険因子となるため，適切な疼痛コントロールが必要である．

安楽が阻害された状態は，闘病意欲が失われやすく，治療に対する前向きさが損なわれている．早期離床を含めたリハビリテーションの遅れは，順調な健康回復過程を遷延させる要因となる．疼痛は主観的な訴えであり，評価することは簡単ではないが，スケールを活用するなど，適切な方法で管理・評価を行い，できる限り安楽に過ごせるよう援助する必要がある．

➡期待される結果

適切な疼痛コントロールがなされ，安楽に過ごすことができる．

治療や予後に対する不安

なぜ？

膵臓切除術は侵襲が大きく，術後経過に対する不安が生じやすい．化学療法においても同様に，合併症や経過に対する不安が生じやすい．また，なんといっても膵臓がんは早期の発見が困難であり，発見時には進行がんとなっているケースが非常に多く，生存率も高くはない疾患である．

すなわち，化学療法に伴うボディイメージの変容に対する不安，外科的治療に対する合併症の併発や，食生活や社会的役割などのライフスタイルの変更に対する不安，進行がんであれば再発や転移，余命に対する不安など，患者が抱える精神的苦痛は多岐にわたるため，その心情を理解する必要がある．

できる限り訴えを表出しやすい人的・物的環境を構築し，患者の訴えを傾聴・共感する．患者本人のみならず，家族にも同様である．

➡期待される結果

疾患・治療について受け入れ，治療に対して前向きに取り組むことができる．

5. 看護計画の立案

• O-P：Observation Plan（観察計画）　• T-P：Treatment Plan（治療計画）
• E-P：Education Plan（教育・指導計画）

◆1 膵臓機能異常および手術侵襲に伴う血糖不安定の危険性がある

	具体策	根拠と注意点
O-P	●血糖値（インスリン投与時は投与量） ●高血糖症状の有無（口渇，脱水，倦怠感，頭痛，吐き気・嘔吐など） ●低血糖症状（意識障害，脱力感，冷汗，動悸など） ●食事摂取状況 ●検査データ（尿糖，尿ケトン，HbA1c，WBC，CRPなど） ●感染徴候の有無 ●創部の状態	●高血糖または低血糖状態になる可能性があるため，症状の観察を行い，早期発見・対応に努める． ●血糖値の変動に関連する食事摂取状況を知ることで，厳密な血糖コントロールが可能となる． ●高血糖によって，感染のリスクが高まる．また，術後の場合には創傷治癒の遷延が起こる可能性がある．
T-P	●血糖コントロールにはスライディングスケールを活用する ●適切な血糖測定および医師の指示によるインスリンの確実な投与を行う ●インスリン投与時は事前に投与量のダブルチェックを行う ●血糖値異常の症状出現時には，速やかに医師に報告し，指示された対応策を速やかに実施する ●食事内容および摂取量は確実に記録に残す（経管栄養の場合には投与量や時間を記載する）	●適切な血糖コントロールを実践するために，スタッフ間で確実な情報共有を行う必要がある．異常がみられた場合には早期に対応する必要があり，常に血糖値が変動する危険性があるという意識をもっておく． ●インスリンはハイリスク薬であり，誤投与は健康被害をまねく．投与に際しては細心の注意を払う必要がある． ●患者本人が自身でインスリン投与を行っている場合には，投与量・時間・方法などに誤りがないか，確認を行う．
E-P	●低血糖および高血糖症状について説明し，異常出現時には速やかに伝えるように指導する ●必要時，インスリン自己注射に関する指導を行う（家族への説明も同時に行う） ●栄養士と連携し，栄養指導を行う	●血糖値異常に伴う各種症状は，客観的に判断ができるものもあるが，自覚症状として出現するものが多い．そのため，患者本人が症状について理解することで，より早期に発見することが可能となる． ●インスリン投与については，長期間または永続的に必要となる可能性がある．社会復帰に向けて，自己管理ができるように支援する．

♦2 ドレーンやルート類の留置，外科的治療や化学療法，血糖値異常に関連した感染の危険性がある

	具体策	根拠と注意点
O-P	●バイタルサイン ●感染徴候の有無 ・創部の状況（発赤，熱感，腫脹，疼痛，滲出液の量・性状など） ・ドレーン，ルート刺入部の観察 ●化学療法に伴う副作用の有無と程度 ・骨髄抑制の有無 ・口腔内や陰部などの粘膜の状態 ●検査データ（WBC，CRP，血糖値，TP，Alb，各種培養・細菌検査結果など） ●ドレーン排液の量，性状，臭気 ●ショック症状の有無 ●各種抗菌薬の使用状況	●創部やドレーン刺入部など，感染症が起こり得る部位を理解し，継続的に観察を行う． ●化学療法時には白血球や好中球の減少に伴い，生体防御機能が低下して易感染状態となる．このような状態下で感染症を合併した場合は重篤化し，敗血症となって生命危機につながる．
T-P	●確実な感染予防策の実施 ・手指消毒を確実に行う ・スタンダードプリコーション（標準予防策）を遵守する ・病室内の環境整備 ・必要時，クリーンルームへの隔離 ・患者本人の感染予防行動に関するセルフケア能力の向上をはかる ●ドレーン，ルートの管理 ・排液管理は清潔操作で行う ・排液管理や創傷処置時は，PPE（個人防護具）を適切に使用する ・ドレーンバッグはドレナージ部位よりも低い位置で固定する ・ドレーンおよびルート刺入部はフィルムドレッシング材などで保護し，汚染時には速やかに交換する ●医師の指示による抗菌剤の確実な投与 ●感染が疑われる場合には速やかに医師に報告する	●感染予防には，手指消毒と標準予防策の徹底が重要である． ●感染症の引き金となり得るドレーンやルートなどの各種デバイスには，清潔操作を徹底する． ●医療スタッフのみならず，患者自身でも手洗いや口腔内の清潔保持など，感染予防行動を励行する．
E-P	●感染予防対策に関する指導 ・化学療法に伴う副作用と対処方法について説明する ・ドレーンやルートの管理方法について説明する ・患者本人だけではなく，家族にも説明する ●感染徴候出現時は速やかに知らせるよう指導する	●化学療法時には易感染状態となる．そのため，患者自身の感染予防行動に関するセルフケア能力の向上をはかる． ●外科的治療時にはドレーン類が留置される．術後日数が経過し，離床が進むにつれて患者本人の自己管理が重要となる．

引用・参考文献

1）日本膵臓学会，膵癌診療ガイドライン改訂委員会編：膵癌診療ガイドライン2019年版．第５版，金原出版，2019．
2）菅原美樹ほか監：基礎と臨床がつながる疾患別看護過程PART2．学研メディカル秀潤社，2017．
3）貝瀬友子ほか編：看護学生のための疾患別看護過程２．第２版，メヂカルフレンド社，2017．
4）医療情報科学研究所編：病気がみえる vol.1 消化器．第６版，メディックメディア，2020．

Memo

第４章　消化器疾患患者の看護過程

27 大腸がん

1. 疾患の基礎的知識

1）疾患の概念

大腸がんとは，長さ約1.5～２mの大腸（結腸・直腸・肛門）の粘膜から生じる悪性腫瘍の総称である．腫瘍の発生した場所により，盲腸がん，結腸がん，直腸がんとよばれる（**図27-1**）．

日本の大腸がんの罹患率は，S状結腸がんと直腸がんの頻度が高い．年齢別にみた罹患率は，40歳代から増加し始め，50歳代で加速され，高齢になるほど高くなる．罹患率の男女比は，やや男性に多い傾向であり，男性では胃がん，肺がんに次いで３番目，女性では乳がんに次いで２番目に多いがんである．転移しやすい部位は，肝臓や肺，腹膜，脳，骨などである．

2）原因

遺伝的因子として，直系の親族に大腸がん，とくに家族性大腸腺腫症と遺伝性非ポリポーシス性大腸がん家系は，確立した大腸がんのリスク因子とされている．

環境的因子として，生活習慣では，過体重と肥満で結腸がんのリスクが高くなることが確実とされ，飲酒や加工肉（ベーコン，ハム，ソーセージなど）は，おそらく確実な大腸がんのリスクとされている．

3）病態と臨床症状

病態

大腸がんは，大腸粘膜の細胞から発生し，良性腫瘍の一部ががん化して発生した腺腫-がん連関（adenoma-carcinoma sequence）と，正常粘膜から直接発生するデノボがん（de novo carcinoma）がある．大腸がんは，粘膜の表面から発生し，進行するにつれてリンパ節や肝

図27-1　大腸の区分

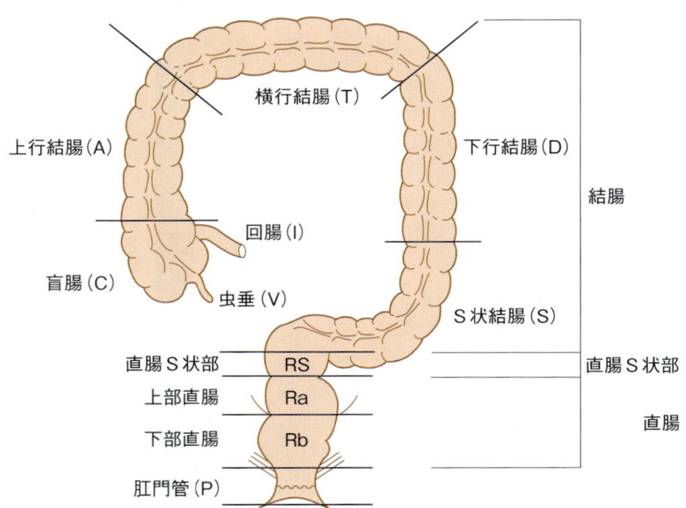

臓や肺などの臓器に転移する．

大腸がんでは，壁深達度（大腸の壁の内にがんがどの程度深く入り込んでいるか）に加え，リンパ節への転移や，肝臓・肺などの遠隔臓器への転移の有無によって病期（ステージ0期，Ⅰ期，Ⅱ期，Ⅲ期，Ⅳ期）が分類される（**図27-2**）．

臨床症状

早期の大腸がんでは，部位によらず無症状であることが多いが，進行すると部位によって出現する症状が異なる．

(1)盲腸・上行結腸・横行結腸がん

通過障害が起きにくいため，症状が出にくい．腫瘍が大きくなってから，貧血症状や腸閉塞症状，肺や肝臓の腫瘤として発見されることが多い．

(2)下行結腸・S状結腸・直腸がん

早い時期から症状が出やすい．血便，下血，下痢と便秘の繰り返し，便が細い，残便感，腹部膨満，腹痛などが多い症状である．

4）検査・診断

(1)直腸診

医師が指を肛門から直腸内に挿入し，しこりや異常の有無を指の感触で調べる．

(2)注腸造影検査

肛門からバリウムと空気を注入し，X線写真を撮影して，腫瘍の正確な位置や大きさ，腸の狭さの程度を調べ

図27-2　大腸がんステージ分類

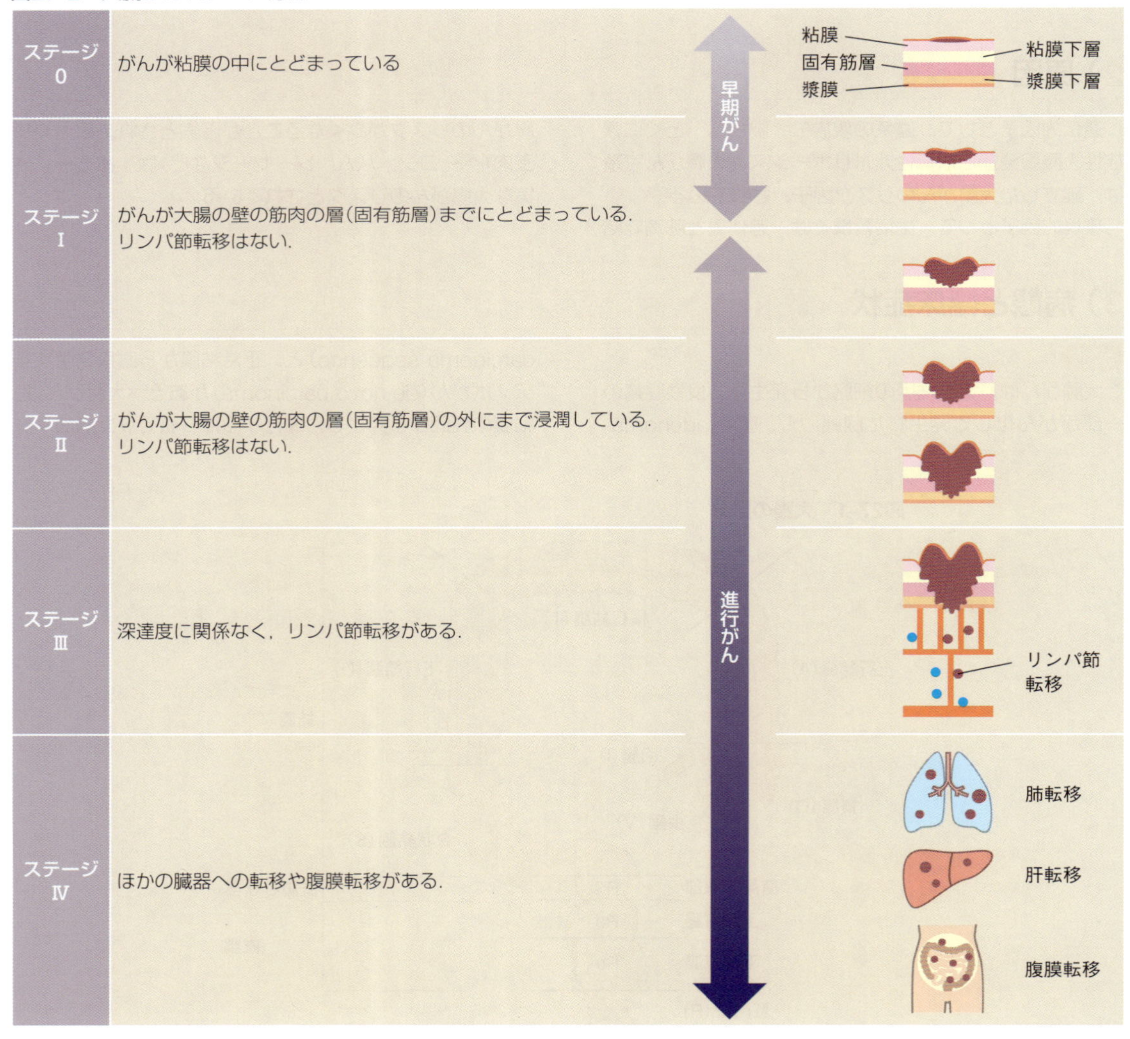

る．とくに進行がんでは，丸かじりしたリンゴの芯のような像（apple core sign）がみられる（**図27-3**）．

(3)大腸内視鏡検査

内視鏡を肛門から挿入して，直腸から盲腸までの大腸全体を詳細に調べる．異常病変がみられた場合は一部組織を採取して，悪性か良性か鑑別を行う．大腸粘膜が十分に観察できるように，腸内容物を排除する経口洗腸法や高圧浣腸法を，検査前の事前準備として行う．

(4)超音波検査，CT検査，MRI検査

大腸がんと周囲の臓器の位置関係，がんの転移の有無を調べる．

(5)PET検査

放射性ブドウ糖液を注射し，その取り込みの分布を撮影することで全身のがん細胞を検出する．転移や再発が疑われる場合などに超音波検査，CT，MRI検査と組み合わせて行う．

(6)腫瘍マーカー

腫瘍マーカーは，転移・再発の評価指標や治療の効果判定のためにも用いられる．大腸がんではCEAとCA19-9，p53抗体とよばれるマーカーが一般的であるが，これらの腫瘍マーカーで大腸がんを早期に発見することはできず，進行大腸がんでも異常値が認められない場合もある．

5）治療

大腸がんの治療法は病期（ステージ）に基づいて決定する（**図27-4**）．

(1)内視鏡治療

内視鏡を使って大腸の内側から，腫瘍を切除する方法であり，病変の状態によって，内視鏡的ポリペクトミー，内視鏡的粘膜切除術（EMR：endoscopic mucosal resection），内視鏡的粘膜下層剝離術（ESD：endoscopic submucosal dissection）が選択される（**図27-5**）．リンパ節転移の可能性がなく，腫瘍が一括で切除できる早期がんが対象となる．

(2)手術（外科治療）

内視鏡治療の適応外である大腸がんに対しては，腫瘍のある腸管の切除とリンパ節郭清を基本として行い，腸管を切除した後には残った腸管をつなぎあわせる（**図27-6**）．がんが周辺臓器に及んでいる場合には，それらの臓器も一緒に切除する．手術は全身麻酔で行われ，手術時間は通常3～4時間程度である．手術の方法として，開腹手術や腹腔鏡下手術に加えて，最近では手術ロボットを用いた腹腔鏡下手術が一部の施設で行われている．

①結腸がんの手術

がん周囲にあるリンパ節を同時に切除するため，がんから口側・肛門側にそれぞれ約10㎝離して大腸を切除する．一方，がんを切除できない場合には，食物や便が通過できるように迂回路をつくるバイパス手術を行うことがある．

②直腸がんの手術

直腸がんの手術は，肛門を残す「括約筋温存手術（前方切除術）」と，肛門を残さない「直腸切断術（マイルズ手術）」の2つに大きく分けられる（**図27-7**）．

(3)薬物治療

薬物療法には，手術後の再発予防のために行う術後補助化学療法と，転移・再発を起こした大腸がんに対して

図27-3　横行結腸がんの注腸造影像

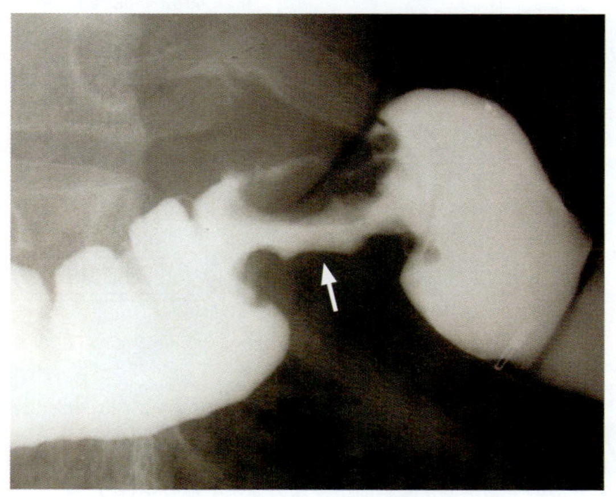

アップルコアサイン

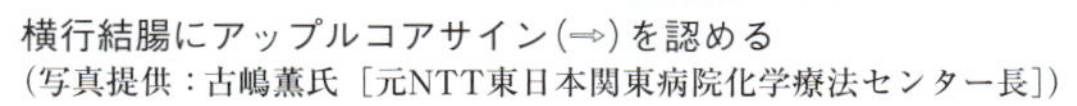

横行結腸にアップルコアサイン（⇨）を認める
（写真提供：古嶋薫氏［元NTT東日本関東病院化学療法センター長］）

の薬物療法の2つがある．副作用の対策が進歩したことから，日常生活を送りながら外来通院での治療が多くなっている．

①術後補助化学療法

手術によってがんを切除できた場合でも，リンパ節転移があった場合に再発率が高くなるため，再発予防や再発までの期間を延長する目的で，ステージⅢ，およびステージⅡのうちの再発する危険性が高い患者に対して，術後1～2か月を目安に開始し，原則6か月，化学療法を行う．

②転移・再発を起こした大腸がんの薬物療法

根治的な手術が不可能な場合には，薬物療法が適応になる（**表27-1**）．使用する薬剤の組み合わせは複数あり，全身状態，合併症の有無，腫瘍の状態から，治療方針を決定する．大腸がんの場合，薬物療法のみで完治することはまれだが，がんを小さくして手術療法で切除することが可能となる場合もある．なお，分子標的薬と併用される場合もある．

(4)放射線療法

直腸がんでは，手術前後の補助治療として，術後の再発抑制，術前の腫瘍量減少・肛門機能温存を目的に，放射線治療を行う場合がある．また，骨盤内の再発したがん，骨転移による疼痛，脳転移による神経症状などの症状を緩和するためにも行われている．

6）予後

日本において大腸がんは年々増加しており，2018(平成30)年の「がん統計」において死亡数の多い部位では，女性で1位，男性で3位となっている．しかし発生頻度の高いほかのがん（胃がん，肺がん，肝臓がんなど）と比べると，大腸がんの5年生存率は高い．その理由として，大腸がんは症状が出る前に検診などで早期発見が可能であり，早期に発見できれば完全に治る可能性が高くなる．一方で，再発した患者のおよそ80%が，手術から3年以内に再発・転移していることから，術後の経過を観察していくことが重要となる．

図27-4　大腸がんの治療の選択

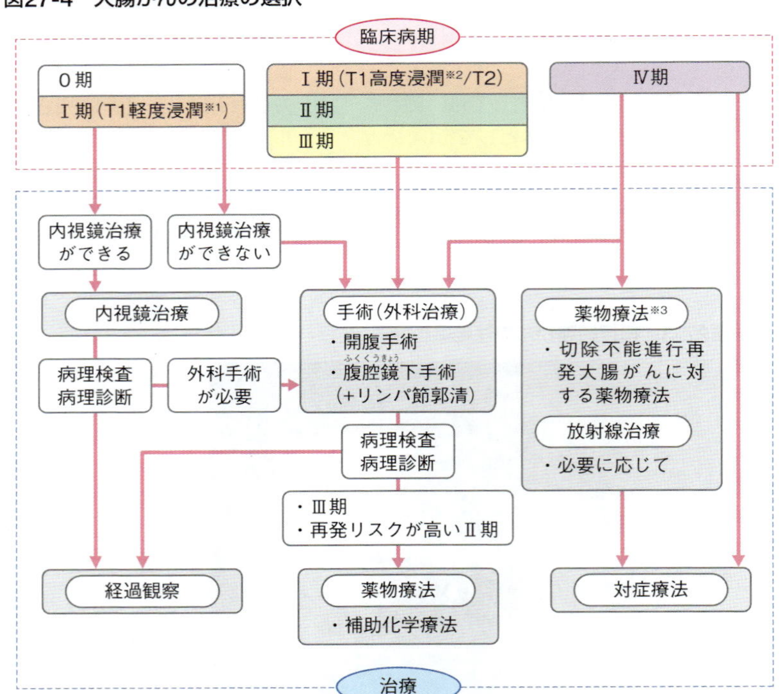

※1 軽度浸潤：粘膜下層に1mm未満で広がっていること
※2 高度浸潤：粘膜下層に1mm以上広がっていること
※3 使用する薬を決めるために，薬物療法開始前にがんの遺伝子検査を行う

国立がん研究センターがん対策情報センター編：大腸がん 受診から診断，治療，経過観察への流れ，第4版，p.14，2020．

図27-5　大腸がんの内視鏡治療

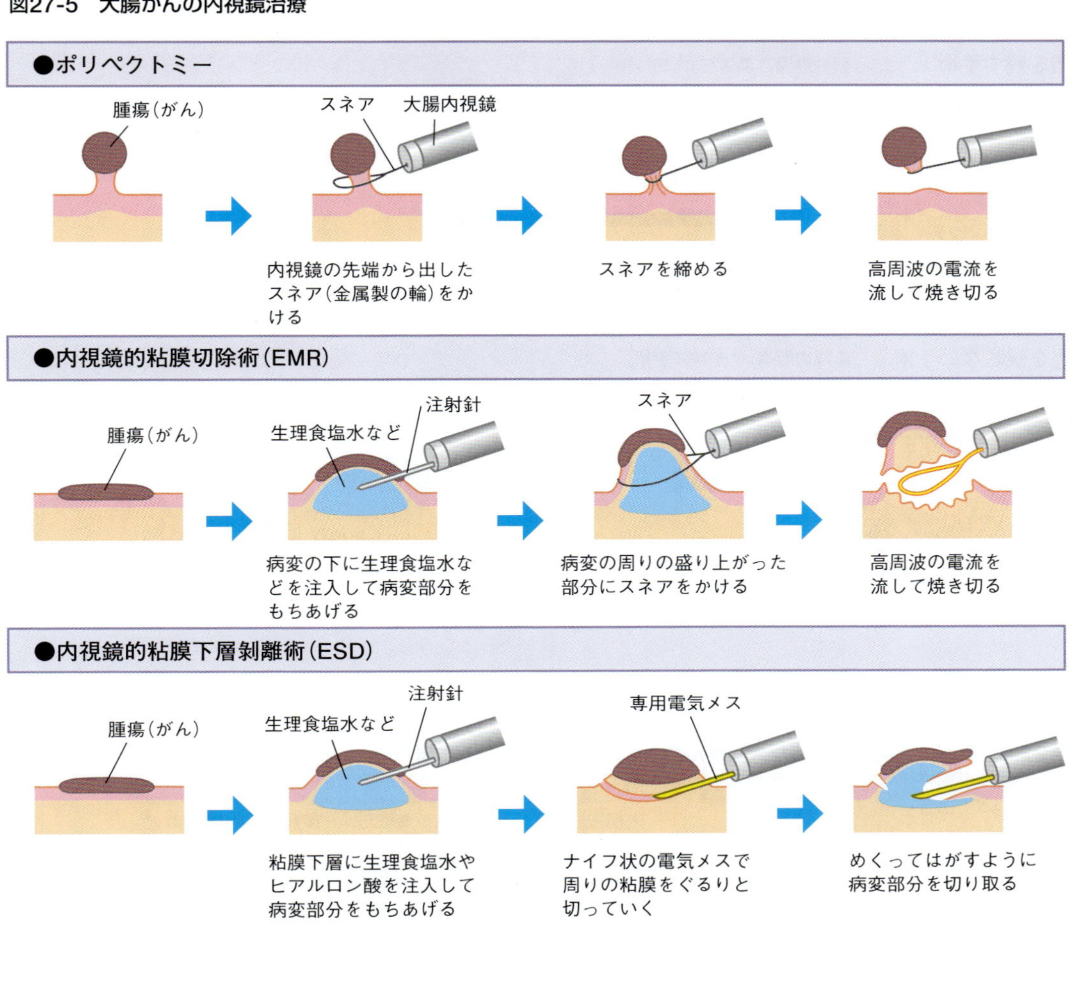

図27-6　大腸がんの手術の基本

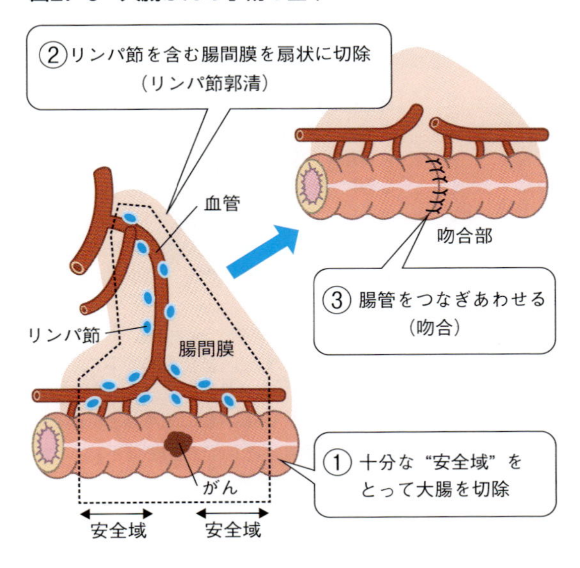

図27-7　直腸がんの手術

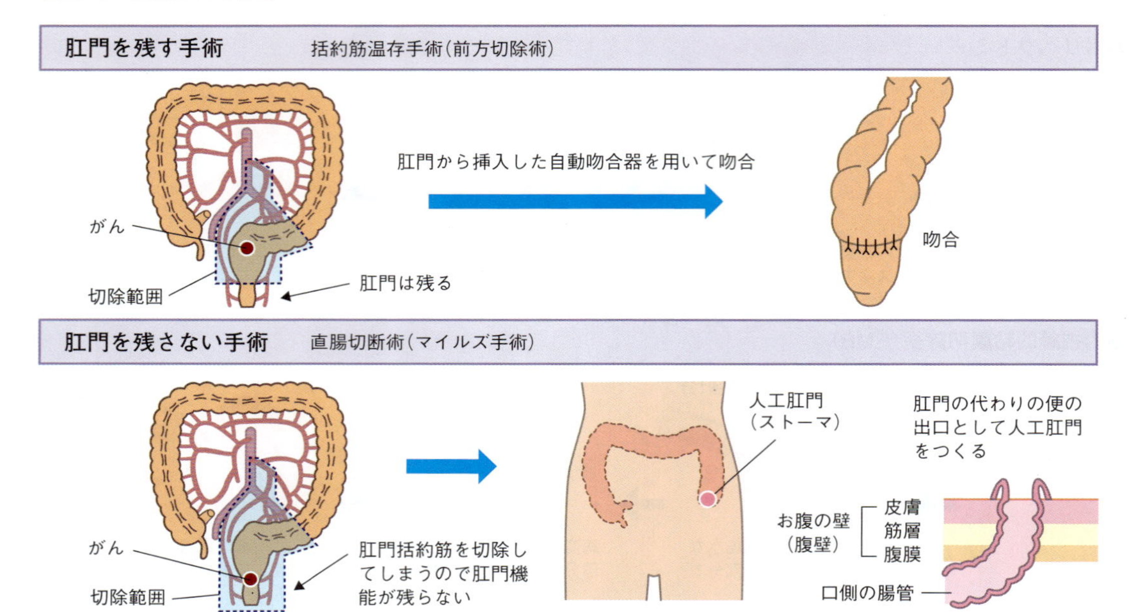

表27-1　転移・再発を起こした大腸がんの主な薬物療法とその副作用

	レジメン名	使用する抗がん薬	起こりやすい副作用
オキサリプラチンベース	FOLFOX療法	・5-FU® ・ロイコボリン® ・オキサリプラチン	・末梢神経症状(手・足・口・喉のまわりのしびれ，痛みなど) ・白血球・好中球減少(抵抗力の低下) ・貧血(めまい，倦怠など)　・血小板減少(出血しやすい) ・悪心・嘔吐，食欲不振　・アレルギー反応
	CAPOX療法	・カペシタビン ・オキサリプラチン	・手足症候群(手のひらや足の裏の痛み，腫れなど) ・末梢神経症状(手・足・口・喉のまわりのしびれ，痛みなど) ・白血球・好中球減少(抵抗力の低下) ・貧血(めまい，倦怠など)　・血小板減少(出血しやすい) ・アレルギー反応　・血管痛※
	SOX療法	・S-1 ・オキサリプラチン	・末梢神経障害(手・足・口・喉のまわりのしびれ，痛みなど) ・白血球・好中球減少(抵抗力の低下) ・貧血(めまい，倦怠など)　・血小板減少(出血しやすい) ・下痢　・悪心・嘔吐，食欲不振 ・アレルギー反応　・血管痛※ ・なみだ目(涙管の閉塞などによる)
イリノテカンベース	FOLFIRI療法	・5-FU® ・ロイコボリン® ・イリノテカン塩酸塩水和物	・下痢　・悪心・嘔吐，食欲不振 ・白血球・好中球減少(抵抗力の低下) ・貧血(めまい，倦怠など)　・血小板減少(出血しやすい) ・脱毛
	IRIS療法	・S-1 ・イリノテカン塩酸塩水和物	・下痢　・悪心・嘔吐，食欲不振 ・白血球・好中球減少(抵抗力の低下) ・貧血(めまい，倦怠など)　・血小板減少(出血しやすい) ・脱毛　・なみだ目(涙管の閉塞などによる)
その他	FTD/TPI療法	・FTD/TPI	・白血球・好中球減少(抵抗力の低下) ・貧血(めまい，倦怠など) ・血小板減少(出血しやすい) ・下痢　・悪心・嘔吐，食欲不振　・だるさ

※リザーバー(ポート)を用いない，腕の静脈からの点滴の場合

2. 看護過程の展開

● アセスメント～ゴードンの機能的健康パターンを用いて

パターン	アセスメントの視点	根拠	収集する情報
(1) 健康知覚-健康管理 患者背景 健康知覚-健康管理 価値-信念	●治療に影響する要因はないか ●大腸がんで治療が必要な状態であることを正しく認識できているか ●治療方法や合併症，副作用について理解し，管理できているか	●大腸がんの罹患率は，高齢になるほど高くなる．高齢者は，高血圧や糖尿病，心疾患などの既往歴があることが多く，治療に影響することがある．既往や治療が手術による合併症のリスク因子となることがある．	・対象者の背景 ・既往歴（治療内容・内服薬） ・生活環境，職場環境 ・生活習慣 ・現病歴 ・受診状況，治療状況 ・症状・治療に対する認識 ・管理状況
(2) 栄養-代謝 全身状態 栄養-代謝 排泄	●疾患による二次的症状はないか ●術後合併症のリスクはあるか／術後合併症を生じていないか ●放射線療法，化学療法による副作用はどうか	●がんの進行が進むと，下血の持続による貧血症状，通過障害による腹部症状や低栄養状態，肝転移による肝機能障害が出現する．貧血や低栄養状態であることは治療による合併症につながる．	・食事摂取量，食欲 ・身長，体重，BMI，体重減少の有無 ・口腔・皮膚・粘膜の状態 ・血液データ（TP，Albなど） ・浮腫・腹水の有無 ・白血球・好中球・血小板減少・貧血などの骨髄抑制，アナフィラキシーショック ・下痢 ・白血球・好中球が減少
(3) 排泄 全身状態 栄養-代謝 排泄	●疾患による身体症状はないか ●排便機能障害による症状と生活の変化はどうか ●ストーマからの排泄の状態はどうか ●放射線療法，化学療法の副作用はどうか	●早期の大腸がんでは部位によらず無症状であることが多いが，初期の症状として，下痢や便秘など，排便に関する症状が出現する． ●手術療法が行われると，大腸の機能である水分吸収機能が低下することにより，下痢や頻便，便失禁が生じやすくなる．さらに，直腸を切除した場合には，便の貯留機能と肛門括約筋機能が低下するため，頻便，残便感などの排便機能障害が出現し，排泄に関する生活習慣を大きく変更することとなる． ●ストーマとは，腸の一部を腹部から出して人工的につくられた肛門である．ストーマは，結腸で造設する場合（結腸ストーマ，コロストミー）と，小腸で造設する場合（回腸ストーマ，イレオストミー）がある．ストーマが造設されると，排泄物の排泄・貯留をコントロールする機能がないため，排泄物は意思とは関係なくストーマから排泄される．	・排便回数，性状，色，便柱（太さ），１回量 ・下痢，便秘の有無 ・血液混入（潜血，下血，粘血便） ・便通異常の有無 ・腸蠕動音 ・腹部膨満感，腹痛，腫瘤触知，悪心・嘔吐，残便感の有無 ・肛門周囲の皮膚状態 ・水分出納バランス ・血液データ（Na，K，Clなど） ・腹部X線検査結果 ・ストーマの色，大きさ，浮腫，出血の有無 ・縫合部，周囲の皮膚状態 ・排泄物の性状，量
(4) 活動-運動 活動・休息 活動-運動 睡眠-休息	●手術療法による術後合併症の出現リスクの程度はどうか	●手術療法により，肝・腎・呼吸器・循環器・糖代謝機能に影響が生じる．検査を行い，手術や麻酔の侵襲に身体状態が耐えられるかの判断が行われる． ●手術療法による術後合併症として，術後出血，肺合併症，深部静脈血栓症がある．	・ADL ・活動状況 ・貧血症状 ・顔色，眼瞼結膜 ・めまい，活動時の動悸・息切れ，倦怠感の有無 ・血液データ（Hb，RBC，Htなど） ・心電図検査データ ・胸部X線検査データ

パターン	アセスメントの視点	根拠	収集する情報
(5) **睡眠-休息** 活動・休息 活動-運動 睡眠-休息	●排便機能障害が睡眠や休息に影響を及ぼしていないか	●手術療法が行われると，大腸の機能である水分吸収機能が低下することにより，下痢や頻便，便失禁が生じやすくなる．頻便や下痢は，疲労感や睡眠不足につながる．	・活動・睡眠/休息のパターン ・疲労感，全身倦怠感の有無 ・睡眠状態
(6) **認知-知覚** 知覚・認知 認知-知覚 自己知覚-自己概念 コーピング-ストレス耐性	●薬物療法による副作用はどうか	●薬物療法の副作用として，FOLFOX療法では，四肢・口腔咽頭周囲のしびれ・痛みなどの知覚神経症状がみられる．FOLFIRI療法では下痢をしやすい．これらの身体的な副作用は，精神的苦痛となる．	・味覚についての知覚と変化 ・触覚についての知覚と変化 ・嗅覚についての知覚と変化 ・感覚・知覚について自覚している徴候と対処方法 ・家族からみた対象者の知覚に関する状況
(7) **自己知覚-自己概念** 知覚・認知 認知-知覚 自己知覚-自己概念 コーピング-ストレス耐性	●ストーマ造設や排便機能障害を生じている自身をどのように知覚しているか ●自己概念が脅かされていないか	●ストーマ造設術では，腸の一部を腹部から出して人工的に肛門が造設され，排泄物は意思とは関係なくストーマから排泄される．そのため，身体の構造や機能の変化を受容できないことがある．また，直腸がんの術後には，ガスとの識別困難，下着の便汚染，便意の我慢困難の症状が起こり，自己評価が低下することがある．	・ストーマの自己管理の状況 ・自分の容姿，外見の変化をどう思っているか ・病気による自分の容姿，外見についての認識の変化 ・病気になる前の思い，感情 ・疾病，治療による現在の思いや感情 ・今後に対する思い ・怒り，絶望感 ・自分についての満足感
(8) **役割-関係** 周囲の認識・支援体制 役割-関係 セクシュアリティ-生殖	●家族や職場の人々の疾患や排泄方法に対する理解はどうか ●役割遂行への影響はないか	●ストーマが造設されるとストーマケアとして，パウチをストーマのある下腹部につけ，たまった便を処理する方法(自然排便法)を習得する必要がある．高齢者にストーマが造設されると，ストーマのセルフケアが困難である場合もある．家族や周囲の人たちの支援が必要になる．	・家族構成 ・家族的役割 ・キーパーソン ・職業 ・社会的役割 ・経済状態

パターン	アセスメントの視点	根拠	収集する情報
(9) セクシュアリティ-生殖 周囲の認識・支援体制 役割-関係 セクシュアリティ-生殖	●性機能障害による症状と生活の変化はどうか	●直腸がんの手術では，骨盤内の直腸の周りにある泌尿器・生殖器の機能をつかさどる自律神経が手術でダメージを受けることがあり，それにより排尿や性機能が障害される．	・生殖機能 ・自分自身の男らしさ・女らしさへの満足感 ・性交や性行動の有無 ・性関係に対する問題の有無とその内容
(10) コーピング-ストレス耐性 知覚・認知 認知-知覚 自己知覚-自己概念 コーピング-ストレス耐性	●疾患や治療によるストレスはどうか対処法は適切か	●がんと診断されることは，命や人生を脅かす大きなストレスとなる．さらに，侵襲的な治療や合併症・副作用の出現など，通常では対処（コーピング）が困難な状況になる可能性がある．	・現在の自分の状況（病気）に及ぼすストレスの有無と程度 ・普段，問題に直面したときの思いとその問題の対処方法 ・ストレスや緊張を和らげる方法 ・どんなサポートを周囲の人に望んでいるのか ・自分をサポートしてくれる人はいるか，それは誰か
(11) 価値-信念 患者背景 健康知覚-健康管理 価値-信念	●疾患や治療が対象者の価値観や信念へどのように影響するか ●治療の選択や継続に影響を及ぼす価値観や信念はあるか	●がんと診断されて治療を受けるなか，対象者の価値観や信念が影響を及ぼしたり影響を受けたりすることがある．	・宗教習慣 ・病気の間（入院中）必ず行う生活習慣や規律の有無とその内容 ・望むような生き方ができているか ・人生で一番大切なもの ・人生で達成したいこと ・自分自身の意思決定に最も影響を与えるもの ・人生における希望や生きる源になっているもの

3. 全体像の把握から看護問題を抽出

1）病態関連図

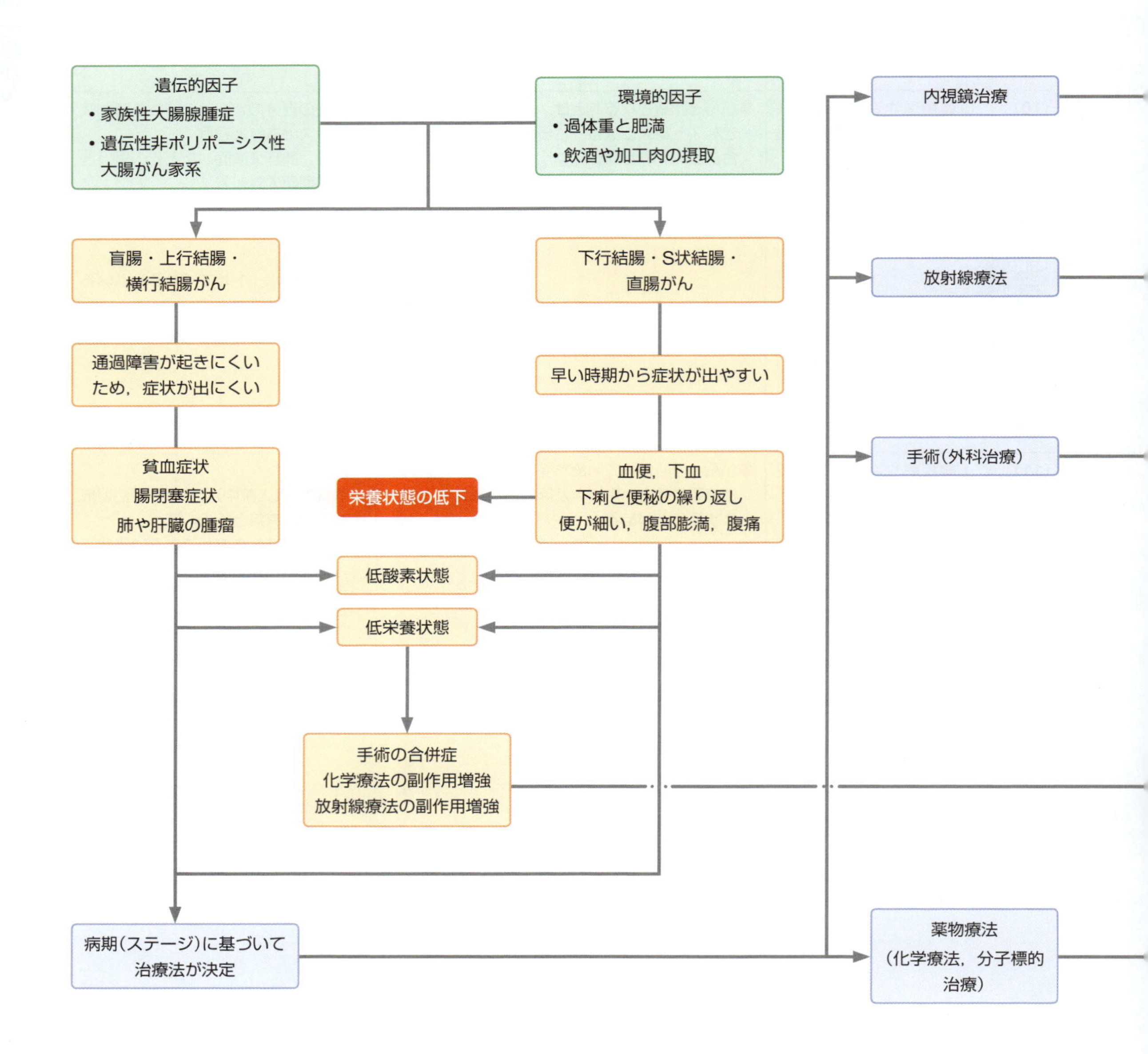

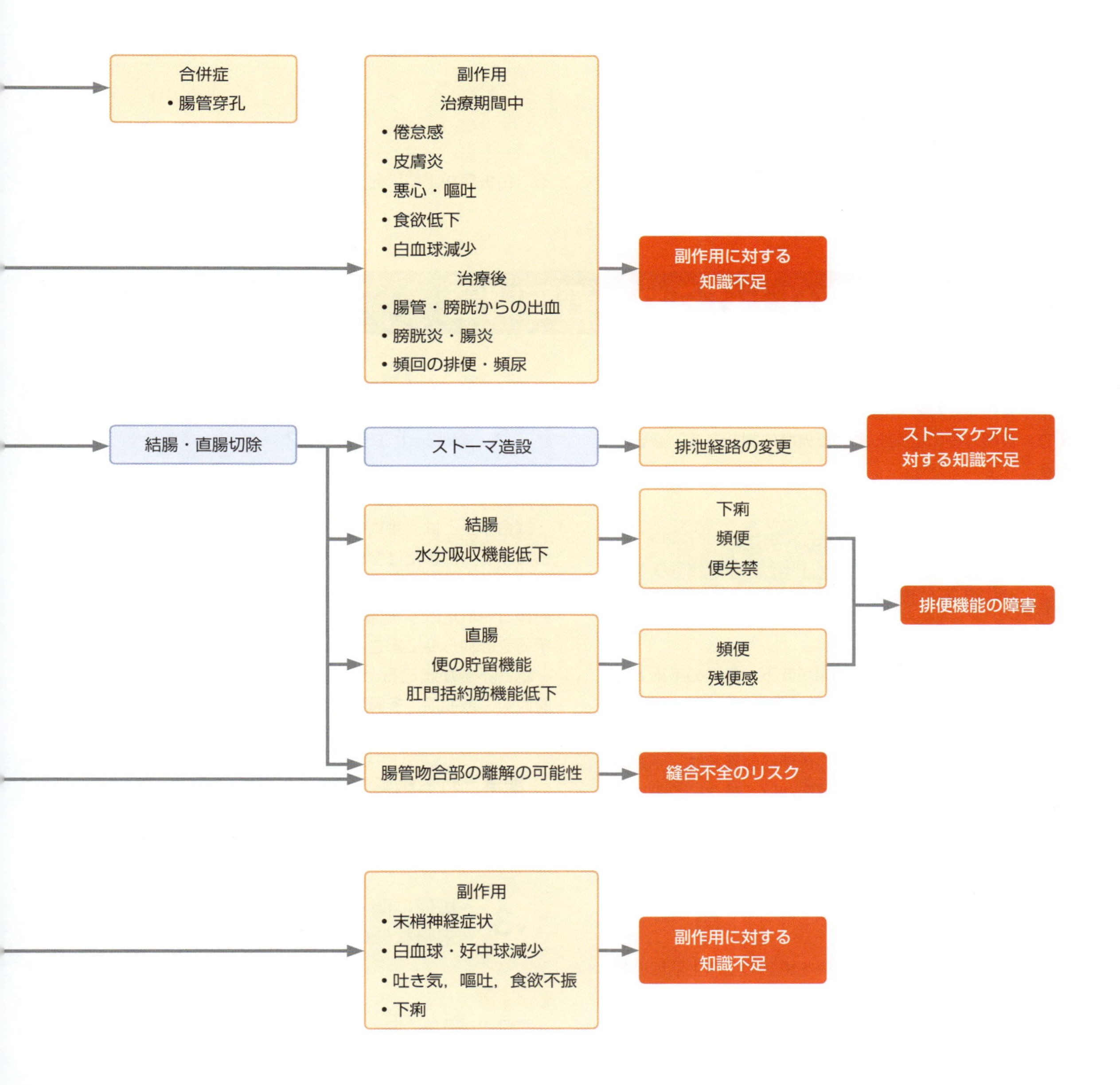
合併症
• 腸管穿孔
副作用
治療期間中
• 倦怠感
• 皮膚炎
• 悪心・嘔吐
• 食欲低下
• 白血球減少
治療後
• 腸管・膀胱からの出血
• 膀胱炎・腸炎
• 頻回の排便・頻尿
副作用に対する知識不足
結腸・直腸切除
ストーマ造設
排泄経路の変更
ストーマケアに対する知識不足
結腸
水分吸収機能低下
下痢
頻便
便失禁
排便機能の障害
直腸
便の貯留機能
肛門括約筋機能低下
頻便
残便感
腸管吻合部の離解の可能性
縫合不全のリスク
副作用
• 末梢神経症状
• 白血球・好中球減少
• 吐き気，嘔吐，食欲不振
• 下痢
副作用に対する知識不足

2）看護の方向性

大腸癌の診断直後は，腫瘍の部位や大きさに応じ，大腸の機能となる排泄物の通過と水分吸収に影響が及んでいないかのアセスメントをもとにし，看護問題を立案する．

治療法が手術療法となる場合，どの術式でも共通して出現する可能性がある看護問題は，縫合不全および排便機能障害となる．また，ストーマを造設する場合は，ストーマの受容やストーマ管理に関する問題が出現する可能性がある．ストーマに関する知識を得られ，自己管理ができるよう，援助する必要がある．

一方で，治療法が薬物療法となる場合，副作用が出現する可能性があり，治療期間が長期となるが，患者が正しい知識をもったうえで，副作用への対策を十分に行い，日常生活への影響が最小限となるようなケアが必要である．

3）患者・家族の目標

患者・家族が十分な説明のもとで選択した治療法を受けることができる．合併症（副作用）を起こさずに経過する．合併症が早期に発見・対処される．

4. しばしば取り上げられる看護問題

大腸がんでは，治療法や術式によって立案される看護問題が大きく異なるため，患者の治療計画を確認したうえで，看護計画の立案および優先度の判断をする必要がある．

水分吸収機能の低下または便の貯留機能や肛門括約筋機能の低下に関連した排便機能の障害

なぜ？

結腸の手術では水分吸収機能が低下，直腸の手術では便の貯留機能と肛門括約筋機能が低下するため，頻便，残便感，便失禁などの排便機能障害が出現する．

頻便，残便感，便失禁などの排便機能障害は，手術直後に強く半年～２年ほどの年月をかけて徐々に改善がみられるが，手術直後から出現の頻度が高い．これらの症状は身体への影響だけではなく，日常生活活動の低下や自尊感情の低下などへも影響を及ぼす．

➡ 期待される結果

排便機能障害に対する対応策を患者の日常生活にあわせて自ら実施できる．

低栄養や術式による縫合不全のリスク

なぜ？

縫合不全とは，手術によって腸管を吻合した部分が癒合せず，一部または全体が解離する合併症である．低栄養や貧血などの影響により，縫合不全のリスクは高まる．術後３～10日に，結腸がん手術では約1.5%，直腸がん手術では約５%に起こる可能性がある．

縫合不全が起こると，消化管内容物が腹腔に漏出し，腹膜炎，敗血症，多臓器不全を併発し，致命的な状況に至ることもあるため，早期発見・早期治療が重要となる．

➡ 期待される結果

縫合不全の徴候がみられない．早期に発見される．

◆3 排便に関する症状出現による栄養状態の低下

なぜ？

腸管内が腫瘍の増大によって狭窄すると，食物残渣の通過障害が起こり，便秘や下痢などの便通異常や腹痛などの症状が出現する可能性がある．腫瘍への治療前までは，患者の狭窄の程度にあわせた食事形態にし，栄養状態を保つことが求められる．

栄養状態が低下していると，創傷治癒が遅延し，創感染や縫合不全のリスクを高めることとなる．低栄養状態の場合には，術前から栄養管理が行われ，患者の状態にあわせて経口摂取，静脈栄養，経腸栄養の検討が必要となる．

➡期待される結果

栄養や電解質の血液検査データの低下がみられない．

薬物療法の副作用に対する知識不足

放射線療法の副作用に対する知識不足

なぜ？

薬物療法では，使用する薬剤によって副作用の種類と出現時期を予測することができる．

副作用症状が生じてしまうと，治療に対するイメージの悪化や，闘病意欲の低下だけではなく，重症化による治療の中断に至ることもある．副作用を予測し，患者とともに副作用対策に積極的に取り組むことは，治療効果を高めることにつながる．

手術で摘出した臓器の病理診断の結果により，術後補助療法として薬物療法や放射線療法を行う可能性がある．副作用について理解し，自己管理していくことが必要である．

➡期待される結果

薬物治療に対する正しい知識に基づき副作用への予防行動がとれる．副作用が早期に対処される．

放射線治療に対する正しい知識に基づき副作用への予防行動がとれる．副作用が早期に対処される．

♦6 ストーマケアに対する知識不足

なぜ？

大腸がんでの手術では，手術前検査の想定以上に腫瘍の浸潤や転移があった場合，手術中に術式が変更となり，ストーマ造設となる可能性もある．

ストーマ造設術では，腸の一部を腹部から出して人工的に肛門が造設される．また排泄物は意思とは関係なくストーマから排泄される．そのため，ストーマケアとして，ストーマや周囲の皮膚状態を観察する方法，たまった便を処理する方法（自然排便法），ストーマのある下腹部にパウチを装着する方法を，患者もしくは家族が習得していく必要がある．

ストーマに関する知識を得て自己管理に努める必要がある．

➡期待される結果

患者自身もしくは家族などの援助を受けながら排泄物の処理が行え，パウチ交換が実施できる．

27 大腸がん

5. 看護計画の立案

• O-P：Observation Plan（観察計画）　• T-P：Treatment Plan（治療計画）
• E-P：Education Plan（教育・指導計画）

♦1 水分吸収機能の低下または便の貯留機能や肛門括約筋機能の低下に関連した排便機能の障害

	具体策	根拠と注意点
O-P	**(1)下痢，頻便，便失禁の有無と程度** ①排便状態 ・排便回数，性状，色，便柱（太さ），１回量 ・下痢，便秘，便失禁の有無 ・便通異常の有無 ②腹部症状 ・腸蠕動音 ・腹部膨満感，残便感の有無 ・腹痛の有無	●手術直後は，全身麻酔によって腸管の蠕動運動が消失するため，排便・排ガスがみられなくなる．通常48～72時間以内に回復するため，蠕動運動の再開についても観察が必要である． ●下痢が出現している際は，腸蠕動が亢進しているため，腹痛を訴える場合がある． ●術後の創部痛や縫合不全による疼痛などとの識別が重要である．

	具体策	根拠と注意点
O-P	**(2)排便機能障害により生じる弊害** ①栄養状態 ・食事摂取量，食欲 ・身長，体重，BMI ・血液データ(TP，Albなど) ・飲水量 ②脱水症状 ・血液データ(Na，K，Clなど) ・口腔・皮膚・粘膜の状態 ・水分出納バランス ③肛門周囲の皮膚状態 ・発赤，発疹，かぶれの有無	●下痢の持続は，栄養状態の低下や脱水症状を引き起こす．とくに高齢者の場合は，脱水を起こしやすいため，注意が必要である． ●便失禁や下痢により，肛門周囲の皮膚に便が付着した状態が続くと，発赤・湿疹・かぶれなどの皮膚障害を起こす可能性がある．おむつを使用している場合は，多湿の状態が持続することになり，さらに注意が必要である．
T-P	**(1)排便コントロール** ①食事摂取方法 ・水分摂取を促す ・十分に咀嚼し，ゆっくり摂取する ・下痢の場合は消化のよい食事に変更する ②薬物療法 ・整腸薬，止瀉薬の内服 ③腹痛の緩和 ・温罨法 ④症状が強い場合，医師へ報告する **(2)肛門周囲の皮膚の清潔** ①陰部洗浄 ②排便時，温水洗浄便座を使用し，洗浄・乾燥をする ③皮膚障害がある場合は軟膏塗布 **(3)脱水の予防**	●大腸がんの手術後は，とくに食事制限はない．消化吸収のよい食事をバランスよく摂取することが大切である． ●薬物療法が開始された場合には，服薬の確認とともに，排便状態の変化を観察する． ●腸管の蠕動運動亢進による腹痛がある場合，温罨法を行うことにより，苦痛の緩和やリラックス効果を得ることができる． ●活動性の炎症や出血傾向にある対象者に対して温罨法は禁忌であるため，注意する． ●下痢や便失禁があった場合，便による皮膚刺激を避けるため，すみやかに汚染を除去する． ●頻回な下痢や頻便では，トイレットペーパーの使用も皮膚への刺激となるため，温水洗浄便座の洗浄・乾燥機能の使用を促す．
E-P	**(1)下痢，頻便，便秘への対応策の指導** ①下痢時，便秘時の食品の選び方 ・食物繊維を多く含む食品を避ける ・消化のよい食品を摂取する ②食事摂取から排便までの時間管理 ③外出時にはトイレの場所をあらかじめ確認する **(2)排便障害により生じる弊害への対応についての指導** ①肛門周囲皮膚障害を起こさないための予防策 ・温水洗浄便座の使用方法 ②水分を多めにとる．	●不溶性食物繊維は人間が消化できないため，腸内に長時間停滞し，腸管粘膜を刺激する恐れがある． ●繊維を切断するように調理し，十分に咀嚼をすれば摂取可能である． ●入院期間中から，食事摂取してから排便するまでの時間を把握することにより，日常生活でのスケジュールが組みやすくなる．

◆2 低栄養や術式による縫合不全のリスク

	具体策	根拠と注意点
O-P	**(1)縫合不全の徴候** ①手術に関する情報 ・切除部位 ・肛門から吻合部までの距離 ②バイタルサイン ・体温 ・脈拍 ・血圧 ・呼吸数 ③腹部症状 ・腹痛の有無 ・腹部膨満感の有無 ④炎症所見 ・血液データ(WBC，CRPなど) ⑤ドレーン排液 ・ドレーン排液の色，性状，におい，量 **(2)吻合部の癒合を遅らせる因子の有無** ・低栄養状態 ・低酸素状態 ・血行障害(糖尿病の既往など)	●縫合不全とは，手術によって腸管を吻合した部分が癒合せず，一部または全体が解離する合併症である． ●縫合不全が起き，吻合部から腸内容物が腹腔内に漏れ出すと，白血球数やCRP上昇などの炎症反応が出現し，それに伴って38.0℃以上の発熱，腹痛，頻脈などの身体症状が出現する． ●術後の発熱は，創感染や肺合併症，カテーテル感染でも認めるため，識別が重要である． ●縫合不全が起こると，吻合部から腸内容物が腹腔内に漏れ出し，腹腔内に挿入された吻合部周辺のドレーンから悪臭を伴う膿性もしくは便汁の排液が認められる． ●吻合部の癒合には，酸素や栄養素が不可欠であり，低栄養や低酸素状態，血行障害などは，縫合不全の因子となる．術前から因子がないかをアセスメントし，栄養状態・貧血の改善や，血糖コントロールを行っていく必要がある．
T-P	**(1)ドレーンおよび創傷管理** ①ドレーン刺入部および腹壁の固定確認 ②ドレーンの閉塞の有無 ③ドレーン計測時の清潔操作 ④創部の清潔保持 **(2)リスク因子の改善** **(3)縫合不全出現時の対応** ①栄養・輸液管理 ②手術準備 ③不安の緩和	●縫合不全の早期発見には，ドレーン排液が重要な情報となる．そのため，確実に吻合部周辺のドレナージが行われている必要があり，ドレーンからの流出状態を観察し，対象者のADLにあわせて圧迫や閉塞がないように固定していく． ●縫合不全が疑われると，瘻孔造影検査や腹部CT検査を行い，瘻孔の大きさ，炎症の範囲を確認し，治療方針を決定する．範囲が限局している場合は，絶食となり，保存的療法で経過をみる．また，範囲が大きい場合，吻合部の安静をはかる目的で，吻合部上流の腸管を使用し，ストーマを造設する場合もある． ●縫合不全の治療目的によって造設されるストーマは，吻合部の癒合が確認されれば，約３～４か月後に閉鎖する一時的ストーマである．
E-P	**・縫合不全の症状について説明する** ①我慢せずに看護師に伝えるように指導する	●術前の手術説明後から，合併症についてどの程度理解しているかを把握し，追加説明する．

引用・参考文献

1) 大腸癌研究会編：大腸癌取扱い規約．第9版，p.6～24，金原出版，2018.
2) 大腸癌研究会編：大腸癌治療ガイドライン医師用 2019年度版，p.12～46，金原出版，2019.
3) 杉原健一監：もっと知ってほしい大腸がんのこと．2019.
https://www.cancernet.jp/wp-content/uploads/2014/03/w_daicyo190315nome.pdf より2020年８月18日検索
4) 国立がん研究センターがん対策情報センター編：大腸がん 受診から診断，治療，経過観察への流れ．第４版，2020.
https://ganjoho.jp/data/public/qa_links/brochure/103.pdf より2020年８月18日検索
5) 国立がん研究センターがん対策情報センター：最新がん統計．2019.
https://ganjoho.jp/reg_stat/statistics/stat/summary.html より2020年８月18日検索
6) 小松浩子ほか：がん看護学：別巻．系統看護学講座．p.62～79，110～156，184～213，医学書院，2013.
7) 雄西智恵美ほか編：成人看護学：周手術期看護論．第３版，p.92～93，ヌーヴェルヒロカワ，2014.
8) 渡邊トシ子編：ヘンダーソン・ゴードンの考えに基づく実践看護アセスメント．第３版，p.91～102，ヌーヴェルヒロカワ，2011.

28 イレウス・腸閉塞

1. 疾患の基礎的知識

1）疾患の概念

わが国では，腸閉塞を機械性イレウス，腸管麻痺を機能性イレウスと，どちらもイレウスとよんできたが，海外ではイレウスとは腸管麻痺を指していることから，『急性腹症診療ガイドライン2015』では海外と同じ定義をしている．本稿でもそれに基づき解説する．腸閉塞は腸内腔が機械的に閉塞されて腸管内容の通過が障害された状態をいう．一方，イレウス（腸管麻痺）は腸管の運動の障害によって腸内容が停滞した状態である．

腸閉塞は，腸管の血行障害がない単純性（閉塞性）腸閉塞と，腸管の血行障害を伴う複雑性（絞扼性）腸閉塞に分類される（**図28-1**）．イレウスは，腸管の運動麻痺によって起こる麻痺性イレウスと，腸管が痙攣性に収縮して起こる痙攣性イレウスに分類される（**図28-2**）．

2）原因

単純性腸閉塞の原因は，術後の癒着によるものが大部分を占める．その他，先天的疾患，腸管内異物，腫瘍性

図28-1　腸閉塞の原因

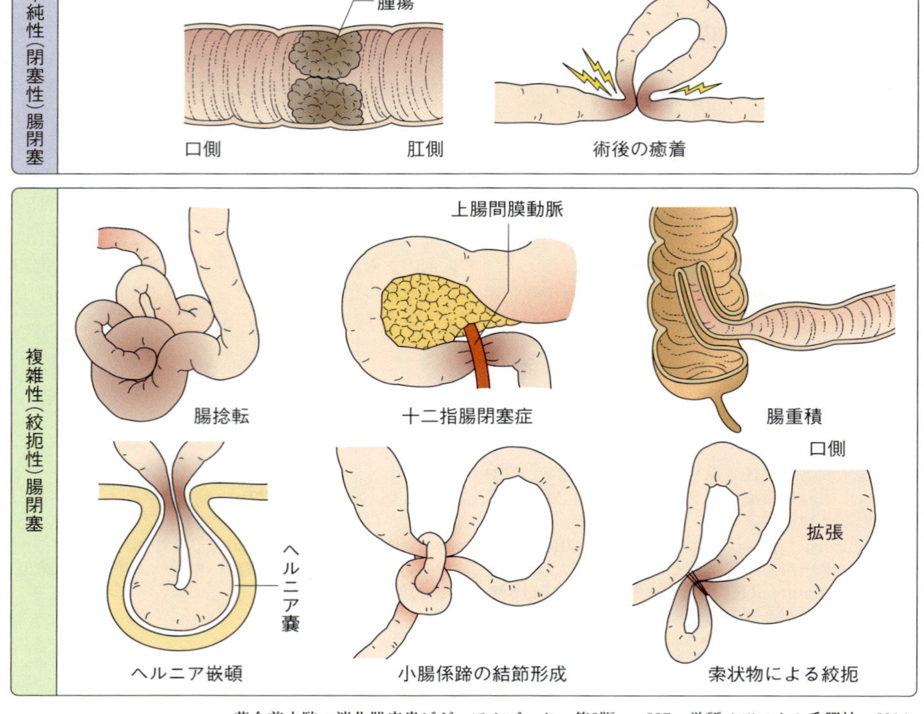

落合慈之監：消化器疾患ビジュアルブック．第2版，p.237，学研メディカル秀潤社，2014.

病変などがある．複雑性腸閉塞の原因には，腸重積，ヘルニア嵌頓，腸軸捻転，癒着などがある．麻痺性イレウスの原因には，汎発性化膿性腹膜炎，子宮外妊娠，外傷などによる腹腔内出血などがある．

3）病態と臨床症状

病態

(1)腸閉塞

①単純性(閉塞性)腸閉塞

血行障害を伴わずに閉塞が起こる．そのため，閉塞部位から上部(口側)に，食物・腸液・空気の嚥下によるガスなどが蓄積する．腸管内に充満した内容物は，上部に逆流して嘔吐物となる．閉塞部位から下部(肛門側)の大腸では，消化液の流入がないため，水分の再吸収が行われず，脱水状態となって循環血液量が減少する．

②複雑性(絞扼性)腸閉塞

腸管壁および腸間膜の血管が絞扼のために血行障害を起こし，腸管壁は壊死に陥る．そのため，腸管壁の透過性が亢進し，腸内細菌や細菌性毒素が腹腔内に漏出する．腸管内圧亢進によって壊死部分から穿孔し，腸管内容物が腹腔内に流出して腹膜炎となり，進行すればショックに至る．

(2)イレウス(腸管麻痺)

器質的な原因がなく，腸管の運動障害によって腸管内容が停滞するものである．腹膜炎の炎症，開腹術後による腸管麻痺，薬物中毒などの神経因子によるものなどがある(**図28-1**参照)

臨床症状

イレウス，腸閉塞の症状には，腹痛，悪心・嘔吐，腹部膨満，排便・排ガスの停止などがあり，成因によって異なる症候を示す．

(1)単純性(閉塞性)腸閉塞

腹痛は，緩徐に始まる周期的な疝痛(せんつう)発作であるが，非疝痛期にも腹痛がある．高位の腸管閉塞では，早期に悪心・嘔吐が出現し，脱水症状を起こしやすい．排ガス・排便が停止し，閉塞部から上部の腸管に鼓腸(こちょう)をきたし，腹部膨満感が出現する．腸管蠕動運動の亢進によって，メタリック・サウンド(金属音)を聴取する．また，蠕動波亢進による蠕動不穏(激しく腹部が波打つ)がみられる．

(2)複雑性(絞扼性)腸閉塞

腸間膜血行の停止によって腸管が壊死するため，急激に全身状態が悪化する．腹痛は，突然の激烈な腹痛として出現し，嘔吐を伴う持続痛である．また，腹膜刺激症状として，腹壁緊張(筋性防御)，ブルンベルグ徴候などがみられ，絞扼部位に圧痛がある．腸雑音は早期に減弱あるいは消失する．

(3)麻痺性イレウス

腸管壁の神経や筋が影響を受けて腸管が麻痺するため，腸蠕動運動，腸雑音が消失する．腹部膨満感や悪心・嘔吐が出現するが，腹痛は軽度である．

(4)痙攣性イレウス

腸壁筋の緊張亢進によって腸が痙攣性に収縮するた

図28-2　イレウス(腸管麻痺)の病態

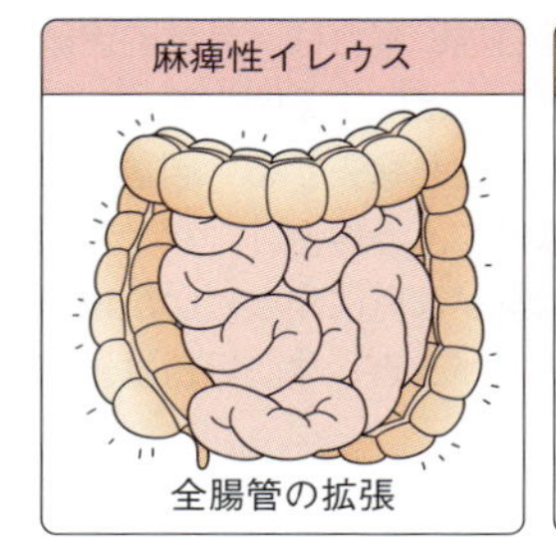

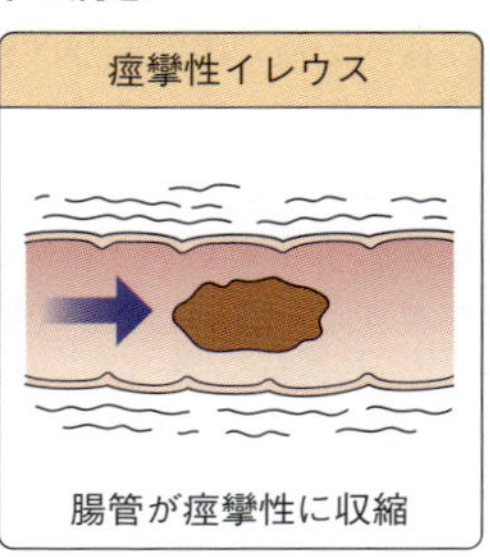

図28-3　腹部X線像における鏡面像形成

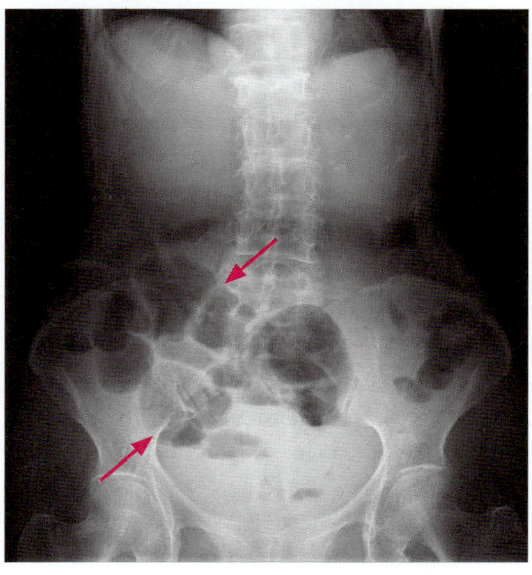

小腸内の複数の鏡面像(→)を伴うガス像を認めるが，大腸ガス像をほとんど認めない
(写真提供：大塚裕一氏［港南台病院総合診療科］)

め，内容物が停滞し，腹部膨満，便秘，嘔吐が起こる．進行すると腸雑音は減弱する．腹痛は，腸蠕動に伴う周期的な疝痛である．

4）検査・診断

(1) X線検査

①腹部X線検査

腹部X線検査で鏡面像（ニボー）形成が認められれば，腸閉塞の確定診断となる．鏡面像は，立位において腔内の液体と気体がつくる水平線が，X線検査の正面像で横線として認められる像のことで，腸閉塞が起こると形成される．空腸の閉塞では，ケルクリングヒダを伴った鏡面像（**図28-3**）が，上腹部から腹部中央にみられる．回腸では下腹部，中央部にみられるが，ケルクリングヒダは明瞭ではない．イレウスでは，鏡面像を形成しない著明な腸管ガス像がみられる．複雑性（絞扼性）腸閉塞の場合は，ケルクリングヒダが消失した腫瘤様陰影やコーヒー豆様陰影を示すものがあり，また，絞扼が強く急速に進んだ場合は無ガス像であることもある．

②注腸造影検査

結腸の閉塞が疑われるときに，閉塞部位や原因疾患の診断のために施行される．大腸腫瘍では鼠咬（そこう）像，腸重積ではカニの爪様の陰影欠損像，または鋏状の陰影欠損像を示す．

(2) 血液検査，尿検査

脱水症状があれば，白血球数，赤血球数，Hb値が増加する．尿量は減少し，尿比重の増加，BUNの上昇がみられる．また，血清中のNa，Clが減少し，代謝性アルカローシスとなる．絞扼性腸閉塞では，腸管壊死を示すLDH，CKの上昇がみられる．

(3) 超音波検査

拡張した腸管，充満した腸内容物，ケルクリングヒダなどが描出される．腹水を伴う場合はがん性の腸閉塞や複雑性（絞扼性）腸閉塞を考慮に入れる．

(4) CT検査

単純性（閉塞性）腸閉塞と複雑性（絞扼性）腸閉塞の鑑別に有効である．

5）治療

腸閉塞の発症原因に応じて治療法が選択される．単純性（閉塞性）腸閉塞の約90%は保存的治療が行われる．複雑性（絞扼性）腸閉塞の大半は緊急手術の適応となる．イレウスは，単純性（閉塞性）腸閉塞に準じ，保存的治療を主体とする．腸閉塞では，薬剤の経口投与は行わない．

(1) 保存的治療

①イレウス管による吸引

絶飲食とし，イレウス管を挿入して，持続的に腸管内容物の吸引・減圧を行う．イレウス管は，十二指腸を経てトライツ靱帯を越えたところまで誘導し，その後は腸蠕動運動によって閉塞部位まで進ませる．

②輸液療法

脱水および電解質不均衡に対しては，輸液によって補正を行う．栄養の補給とあわせて全身管理をはかるため，中心静脈栄養法が行われる場合もある．

③薬物療法

閉塞した腸管内の腸内細菌の増殖を抑制するために，抗菌薬が投与される．麻痺性腸閉塞に対しては，腸管運動の促進目的で，パンテノール，メトクロプラミド，ジノプロストなどが投与される．

(2) 外科的治療（手術療法）

保存的治療で腸閉塞が改善しない場合は，外科的治療を行う．開腹して，癒着や嵌入などによる閉塞部位を切離，剥離または解除し，腸管内容を除去する．剥離困難な癒着による閉塞や，腫瘍などによる場合は，バイパスを作製する．絞扼していた腸管が壊死に陥っていた場合や，絞扼を解除しても血流状態が改善しない場合は，腸切除を行う．

6）予後

腸閉塞の初期治療において，保存的治療か緊急手術または待機的手術かの判断が予後を左右する．単純性（閉塞性）腸閉塞の約90%は保存的治療で治癒する．癒着性腸閉塞の術後再発率は20～30%である．複雑性（絞扼性）腸閉塞の大半は緊急手術の適応となるが，発症早期の腸重積やS状結腸軸捻転症では，注腸造影で整復されることもある．

2. 看護過程の展開

● アセスメント～ゴードンの機能的健康パターンを用いて

パターン	アセスメントの視点	根拠	収集する情報
(1) 健康知覚-健康管理 患者背景 健康知覚-健康管理 価値-信念	●疾患・治療に対してどの程度理解しているか ●イレウス・腸閉塞の発生源となる要因を理解し，予防・早期発見に努めているか	●単純性(閉塞性)腸閉塞では保存的治療が行われる．しかし，胃管やイレウス管からの吸引量が増加した場合，発熱や白血球数増加，腹膜刺激症状の出現など，時間経過に伴って病状が悪化することもある．保存的治療で改善がみられない場合は，外科的治療となる．また，複雑性(絞扼性)腸閉塞と診断された場合には，大半が手術となる．手術は緊急に行われることが多く，患者は状況を理解できていないこともある． ●腸閉塞は，発生原因によっては病状が急激に悪化し，緊急手術の適応となる．単純性(閉塞性)腸閉塞は，腸管癒着によるものが最も多い．とくに，術後(腹膜炎，虫垂炎，婦人科手術など)の癒着による術後癒着性腸閉塞が大部分を占める．複雑性(絞扼性)腸閉塞は，腸管壊死を伴ってショック状態に陥ることもある．また，乳児の腸閉塞の原因では，腸重積症や先天性疾患が多い．再発のリスクがある場合，患者は予防法や症状を理解し，治療に参加することを求められる．	●現病歴 ・年齢 ・腹部所見 ・病状の経過 ・治療の経過 ●既往歴 ・腫瘍，腹膜炎，外傷，先天性疾患(鎖肛，十二指腸閉鎖など)，ヘルニアなどの既往 ・開腹手術の有無 ●疾患・治療についての理解の程度 ●自己管理状況
(2) 栄養-代謝 全身状態 栄養-代謝 排泄	●脱水，電解質バランスの不均衡は生じていないか	●腸閉塞によって腸管内圧が亢進すると，閉塞部以下の腸管からの消化液の吸収は抑制される．また，頻回の嘔吐によって脱水と電解質バランスの不均衡が起こる． ●腸管高位の閉塞では，発現が比較的早く，胃液に黄褐色の胆汁が混じったものを嘔吐する．腸管下部の閉塞では，症状が出るのが比較的遅く，最初胃液と胆汁が混じったものを嘔吐するが，次第に糞臭を帯びてくる．大腸閉塞では，大腸の内圧が亢進するにつれて糞便が混じったものを嘔吐する． ●腸管内への腸内容物の貯留や嘔吐などによる体液の喪失から，低カリウム血症や低クロール血症を伴う脱水となる．脱水が著しくなると倦怠感や疲労感が出現し，頻脈となる．また，電解質の喪失によって代謝性アルカローシスが起こる．	●栄養状態 ・身長，体重，体重の変化 ・皮膚・口腔粘膜の状態 ・悪心・嘔吐の有無と程度，吐物の性状 ・検査データ(電解質，白血球数，TP，Alb，Hbなど) ●代謝状態 ・代謝性アルカローシス
(3) 排泄 全身状態 栄養-代謝 排泄	●排泄状況はどうか	●疾患によって，排ガス・排便が停止し，腹部膨満となる．イレウスの場合は腸蠕動音の減弱・消失がみられる．腸閉塞の場合は腸蠕動音の亢進，金属音が聴取されるが，絞扼性腸閉塞の場合は間もなく減弱・消失する． ●脱水によって循環血液量が減少し，腎機能障害を引き起こすことがある．	●排泄状態 ・排便・排尿の回数，量，性状 ・排ガスの有無，腹部膨満の有無・程度 ・腹部症状(圧痛，筋性防御) ・水分出納 ・イレウス管からの排液量 ・尿比重，一般尿検査，腎機能

パターン	アセスメントの視点	根拠	収集する情報
(4) 活動-運動 活動・休息 活動-運動 睡眠-休息	●疾患による症状は，日常生活にどの程度の影響を与えているか ●敗血症やショック状態をきたしていないか	●頻回の悪心・嘔吐による不快感があり，ADLに支障をきたす．腹部膨満は，横隔膜を押し上げ，息苦しさとともに腹部の皮膚の緊張による苦痛を生じさせ，ADLの阻害要因となる．腹部膨満が顕著になると呼吸運動が妨げられ，呼吸数が増加する．身体を動かすことが負担となり，動作が緩慢となる． ●保存的治療では，腸内容物を持続的に吸引するためにイレウス管が挿入され，腸蠕動運動が回復するまで継続される．その間，ADLの制限が生じる． ●腸管の通過が障害され，腸管内圧が上昇すると，毛細血管の血流が障害される．これによって血管壁の透過性が亢進し，腸内細菌や細菌性毒素が腹腔内に漏出する．また，腸管内圧亢進によって壊死部分が穿孔し，腸内容物が腹腔内に流出して腹膜炎となる．これらにより，敗血症や敗血症性ショックに至ることがある．	●ADLの自立度 ・食事，排泄，入浴，更衣，移動 ●呼吸困難・胸部症状の有無 ●血圧(ショックの有無) ●敗血症の徴候の有無
(5) 睡眠-休息 活動・休息 活動-運動 睡眠-休息	●睡眠状況はどうか	●腹部膨満や腹痛，悪心・嘔吐などの症状，イレウス管による苦痛によって，睡眠が妨げられる．	●夜間の睡眠状態
(6) 認知-知覚 知覚・認知 認知-知覚 自己知覚-自己概念 コーピング-ストレス耐性	●症状に伴う苦痛はどうか ●認知機能は正常か	●単純性(閉塞性)腸閉塞では，腸蠕動運動の亢進や腸管拡張による過伸展によって，間欠的な疝痛発作がみられる．複雑性(絞扼性)腸閉塞では，突然の激烈な腹痛が発現し，持続痛となることが多い．また，閉塞部よりも口側腸管にガスと腸内容物が貯留するため，腹部膨満になる．閉塞部位が腸管下部になるほど著明に出現する．充満した腸内容物は上部に逆流するため，悪心・嘔吐をきたす．持続する悪心・嘔吐，腹痛，腹部膨満は，患者に激しい苦痛を強いることになる．高齢者の場合，症状による苦痛，夜間不眠，電解質バランスの不均衡などによって，せん妄を生じることもある．	●苦痛の有無 ・腹痛の部位・程度・持続時間・間隔 ・圧痛 ・悪心・嘔吐腹部膨満による苦痛 ●認知の状態
(7) 自己知覚-自己概念 知覚・認知 認知-知覚 自己知覚-自己概念 コーピング-ストレス耐性	●自己肯定感の低下などはないか	●疾患に伴う苦痛や治療などによって，自己の存在価値や自己能力を過小評価することがある．	●心理・精神状態 ・疾患・治療に対する不安，期待 ・自身の外観に対する思い

パターン	アセスメントの視点	根拠	収集する情報
(8) 役割-関係 周囲の認識・支援体制 役割-関係 セクシュアリティ-生殖	●疾患に対する家族の認識と不安の程度はどうか ●社会活動への影響はどの程度か	●腸閉塞は，腸管が壊死に陥ると急激に病状が悪化するなど，経過が早いことから，現状を認識できない場合がある．また，病状の悪化に伴って患者の苦痛も増強するので，家族は動揺する．家族の動揺は患者に影響を及ぼす． ●複雑性（絞扼性）腸閉塞の場合には緊急手術となることがあるため，一時的に社会的役割が果たせなくなる．	●家族構成 ●キーパーソンの有無と疾患の認識 ●家庭的役割 ●社会的役割 ・社会生活での活動状況 ・仕事の種類と内容
(9) セクシュアリティ-生殖 周囲の認識・支援体制 役割-関係 セクシュアリティ-生殖	●セクシュアリティ・生殖の問題を知覚しているか	●疾患によって性行動ができなくなったり，困難を感じたりする．	●生殖歴，生殖段階 ・子どもの有無 ・本人とパートナーの希望
(10) コーピング-ストレス耐性 知覚・認知 認知-知覚 自己知覚-自己概念 コーピング-ストレス耐性	●治療に伴うストレスはないか ●ストレスへの対処は効果的にされているか	●身体状態が変化して苦痛が増強するなかで，早急に治療への意思決定を迫られる状況は，患者にストレスを抱かせる可能性がある．効果的な対処がはかれないと身体症状の悪化につながる．	●心理状態 ・治療への不安 ・ストレスに対する対処方法
(11) 価値-信念 患者背景 健康知覚-健康管理 価値-信念	●治療方法の選択で迷っていることはないか	●患者が納得して治療を選択することが望ましい．	●健康に関する価値や信念，大事にしていること

3. 全体像の把握から看護問題を抽出

1）病態関連図

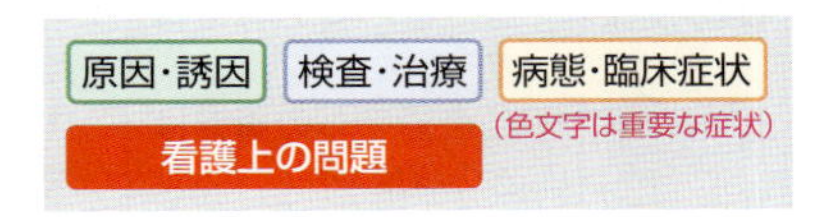

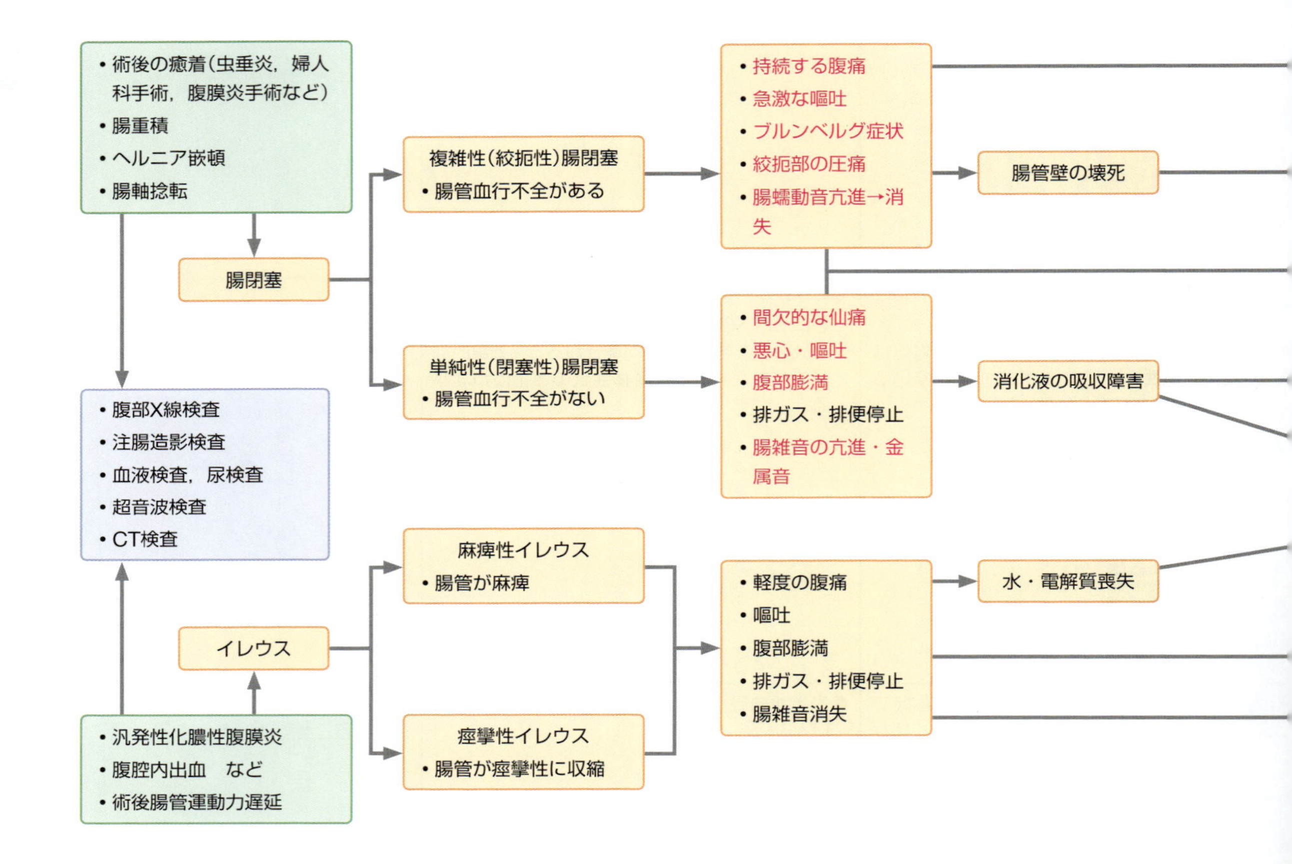

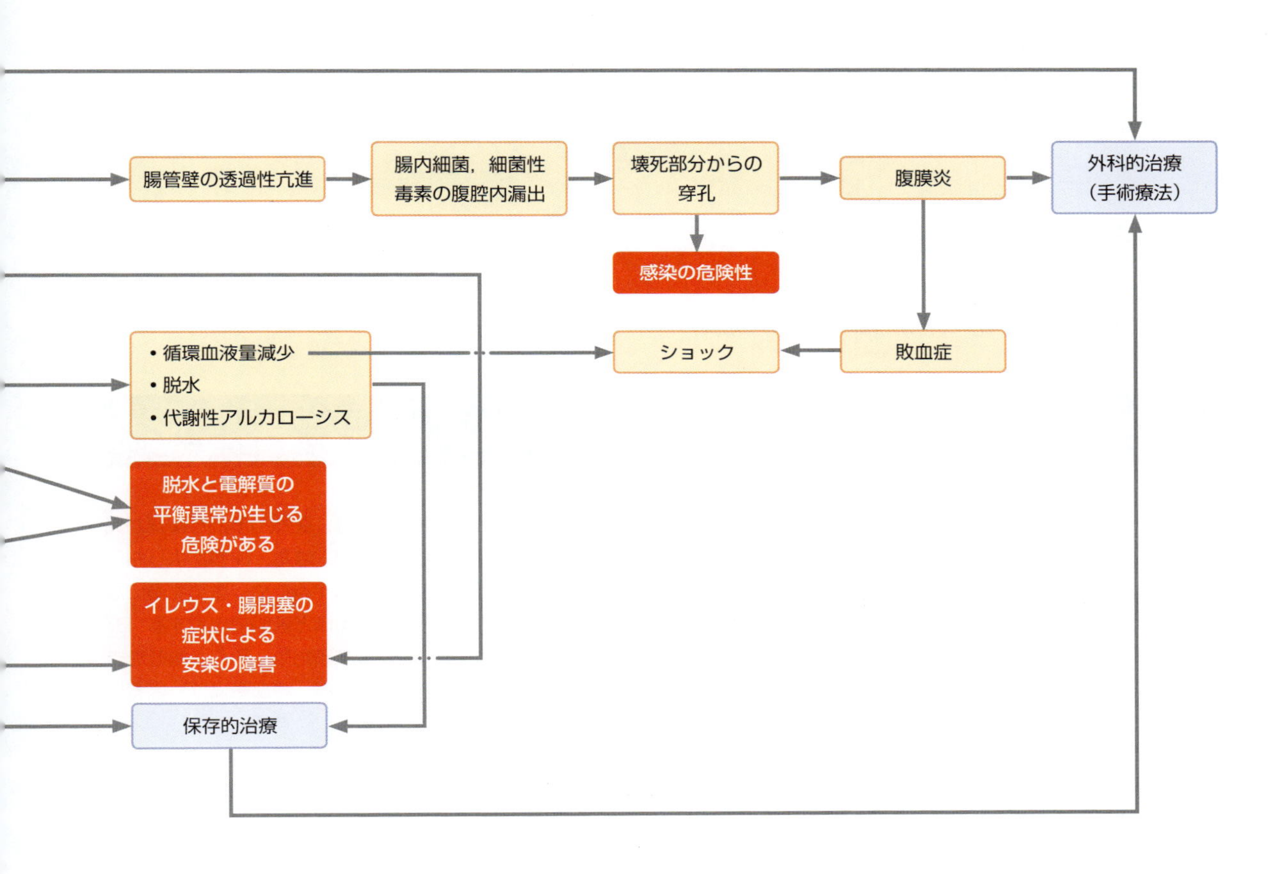

腸管壁の透過性亢進
腸内細菌，細菌性毒素の腹腔内漏出
壊死部分からの穿孔
腹膜炎
外科的治療（手術療法）
感染の危険性
・循環血液量減少
・脱水
・代謝性アルカローシス
ショック
敗血症
脱水と電解質の平衡異常が生じる危険がある
イレウス・腸閉塞の症状による安楽の障害
保存的治療

2）看護の方向性

腸閉塞によって腸管内圧が亢進すると，閉塞部以下の腸管では消化液の吸収が抑制され，脱水が起こる．腸管内への腸内容物の貯留や嘔吐などによる体液の喪失から，低カリウム血症や低クロール血症を伴う脱水となる．脱水が著しくなると循環血液量が減少し，倦怠感や疲労感，頻脈が出現する．また，電解質の喪失によって代謝性アルカローシスが起こる．このため，異常を早期発見するとともに，状態の悪化防止のための治療を確実に実施できるようにすることが必要である．

単純性（閉塞性）腸閉塞では，腸蠕動運動の亢進や腸管拡張による過伸展によって，間欠的な疝痛発作がみられる．複雑性（絞扼性）腸閉塞では，突然の激烈な腹痛が発現し，持続痛となることが多い．また，閉塞部よりも口側腸管にガスと腸内容物が貯留するため，腹部膨満になる．閉塞部位が腸管下部になるほど著明に出現する．充満した腸内容物は上部に逆流するため，悪心・嘔吐をきたす．持続する悪心・嘔吐，腹痛，腹部膨満は，患者に激しい苦痛を強いることになる．これらの苦痛を少しでも軽減できるように援助する．

なお，腸管の通過が障害され，腸管内圧が上昇すると，毛細血管の血流が障害される．これによって血管壁の透過性が亢進し，腸内細菌や細菌性毒素が腹腔内に漏出する．また，腸管内圧亢進によって壊死部分が穿孔し，腸内容物が腹腔内に流出して腹膜炎となり，敗血症や敗血症性ショックに至ることがあるため，状態をよく観察する．

3）患者・家族の目標

・重篤な状態に陥らず，回復する．
・腸閉塞の予防と，異常の早期発見に努めながら生活することができる．

4. しばしば取り上げられる看護問題

◆1 腸管内容貯留と頻回の嘔吐によって脱水と電解質平衡異常が生じる危険がある

腸閉塞によって腸管内圧が亢進すると，消化液の吸収が抑制される．腸管内への腸内容物の貯留や嘔吐などによる体液の喪失から，低カリウム血症や低クロール血症を伴う脱水となる．脱水が著しくなると循環血液量が減少し，倦怠感や疲労感，頻脈が出現する．また，電解質の喪失によって代謝性アルカローシスが起こる．

➡期待される結果

・電解質が基準値を保つ．
・必要な水分が補給され，脱水症状がみられない．

◆2 イレウス・腸閉塞の症状に関連した安楽の障害

単純性（閉塞性）腸閉塞では，腸蠕動運動の亢進や腸管拡張による過伸展によって，間欠的な疝痛発作がみられる．複雑性（絞扼性）腸閉塞では，突然の激烈な腹痛が発現し，持続痛となることが多い．また，閉塞部よりも口側腸管にガスと腸内容物が貯留するため，腹部膨満になる．閉塞部位が腸管下部になるほど著明に出現する．充満した腸内容物は上部に逆流するため，悪心・嘔吐をきたす．持続する悪心・嘔吐，腹痛，腹部膨満は，患者に激しい苦痛を強いることになる．

➡期待される結果

・腹部膨満が減少し，腹痛が緩和する．

◆3 敗血症を生じる危険性がある

◆腹膜炎に注意する

腸管の通過が障害され，腸管内圧が上昇すると，毛細血管の血流が障害される．これによって血管壁の透過性が亢進し，腸内細菌や細菌性毒素が腹腔内に漏出する．また，腸管内圧亢進によって壊死部分が穿孔し，腸内容物が腹腔内に流出して腹膜炎となり，敗血症や敗血症性ショックに至ることがある．

➡期待される結果

・敗血症や敗血症性ショックの徴候がみられない．

5. 看護計画の立案

• O-P：Observation Plan（観察計画）　• T-P：Treatment Plan（治療計画）
• E-P：Education Plan（教育・指導計画）

◆1 腸管内容貯留と頻回の嘔吐によって脱水と電解質平衡異常が生じる危険がある

	具体策	根拠と注意点
O-P	**(1)電解質バランス不均衡による症状の有無** **(2)脱水症状，随伴症状の有無と程度** ①口唇，粘膜，皮膚の乾燥 ②体重の変化 ③尿の性状，排尿回数，尿量 ④バイタルサイン(血圧↑，脈拍↓) ⑤意識レベルの変化 ⑥患者の訴え ・全身倦怠感，脱力感 ⑦赤血球数，白血球数，Ht，BUN，Cr，TP，尿比重など	●脱水の程度によって症状が変化していく．軽度では口渇などの自覚症状を訴える．脱水が進行するとさまざまな症状が出現し，高度になると精神症状や意識障害がみられる． ●脱水によって循環血液量が減少すると，組織に酸素を供給するために心拍数が増加する．また，循環血液量の減少は，粘膜や皮膚などの乾燥を生じさせる． ●尿比重やBUN，Crの上昇は，脱水の程度を反映する．血管透過性亢進，腸管内滲出の増加によって，Na・K・Cl値が低下する．
	(3)水分出納 ①悪心・嘔吐 ・吐物の性状・量・頻度 ②イレウス管からの排液量・性状 ③輸液量と内容	●腸閉塞によって，閉塞部位よりも口側に腸内容物が貯留し，充満した内容物は口へ運ばれて悪心・嘔吐となる．閉塞部よりも下部の大腸では消化液の流入がないため，水分の再吸収が行われず，全身的には脱水症状となる． ●消化液のなかには多量の電解質が含まれているため，嘔吐の繰り返しやイレウス管による腸内容物の吸引などによって，大量の水分と電解質が失われる．
T-P	**(1)輸液管理** ・注入速度，量，内容	●輸液量は，尿量および検査データを参考に補正される．最初は急速輸液が行われる場合があるので，心臓および腎臓への負担を考慮して，患者の状態を観察しながら，指示のもとに輸液の管理を行う． ●輸液によって，水分の補給と電解質の補正を行う．
	(2)水分喪失の予防 ①室温・湿度の調整 ②寝衣・寝具類の調整	●不感蒸泄や発汗は，水分と電解質の喪失を促進するため，室内・就床環境を整える． ●運動や精神的な緊張によっても発汗や不感蒸泄が増加するため，心身の安静をはかる．
	(3)イレウス管の管理	
E-P	**(1)絶飲食や輸液の必要性についての説明**	●絶飲食の必要性や輸液の目的・方法を，具体的に説明する． ●腸閉塞の場合は経口摂取が許可されないため，消化管ではなく，血液中に直接水分を注入する点滴静脈内注射による輸液が行われる．
	(2)イレウス管についての説明	

◆2 イレウス・腸閉塞の症状に関連した安楽の障害

	具体策	根拠と注意点
O-P	**(1)全身状態** ①バイタルサイン ②意識レベル ③表情，顔色	●腹痛が強度になれば，苦悶様表情を呈することがある． ●疼痛が強いと血圧が上昇することがある．
	(2)腹部症状の有無と程度 ①腹痛 ・疼痛部位・程度・間隔 ・患者の訴え，表情	●腸閉塞の発症原因によって，腹痛の程度が異なる． ●単純性（閉塞性）腸閉塞の腹痛は，緩徐に始まる周期的な疝痛である．疝痛は腸蠕動音の亢進とともに起こるが，非疝痛期にも腹痛がある．複雑性（絞扼性）腸閉塞の腹痛は，嘔吐を伴って急激に出現する持続痛である．また，絞扼部位に圧痛がある．麻痺性腸閉塞の腹痛は軽度である．
	②悪心・嘔吐 ・吐物の性状・量・頻度 ・イレウス管からの排液量・性状	●経鼻胃管やイレウス管を挿入して，腸内容物を排出することにより，閉塞状態の改善をはかる．イレウス管から腸内容物が排出されることによって，嘔吐が緩和されるが，イレウス管が入っていることでの苦痛もある． ●腸管内が減圧されることによって腹部膨満，腹痛が緩和する．
	③腹部膨満の程度 ・排便・排ガスの有無 ・腹囲，体重 ・腸雑音	●腸閉塞には，腸管が完全に閉塞している場合と，閉塞が不完全な場合がある．不完全な場合には，腸管が開通していること示す排便や排ガスがみられる．
	④呼吸状態	●強度の腹部膨満は，横隔膜を圧迫して呼吸運動を抑制し，換気障害を引き起こす．
	⑤腹膜刺激症状の有無	●腸管が壊死に陥り，腹膜炎を併発すると，筋性防御やブルンベルグ徴候などの腹膜刺激症状がみられる．
T-P	**(1)安楽な体位の工夫** ①セミファウラー位 ②ファウラー位	●腹痛を緩和し，嘔吐による誤嚥を防ぎ，腹部膨満による呼吸運動の制限を緩和するために，上体を挙上して膝を屈曲した姿勢とする．
	(2)衣類・寝具類の調整 ・圧迫や緊縛の除去	●衣類や寝具による身体の圧迫は，腹痛や腹部膨満などの苦痛を増強させる．
	(3)環境の調整 ①騒音，室温，照明，寝具の調整 ②面会人の調整	●静かで落ち着いた環境をつくる． ●物理的・人的環境の調整によって，精神的・身体的な安静をはかることができる．
	(4)腸蠕動運動の亢進 ①腹部の温罨法	●イレウスの場合，温熱刺激は，血管を拡張することで血行を促し，腸蠕動運動を亢進させる．
	②腹部のマッサージ	●イレウスの場合，腸の走行に沿って腹部のマッサージを行うことで，ガスの排出を促す．
	③体位変換	●腹痛や腹部膨満，悪心・嘔吐などのために，身体を動かすことに対して消極的になりやすい．腸蠕動運動を亢進させるためには積極的に身体を動かし，腸管の運動を活発にする．痛みが強度の場合は，体位変換の援助を行う．
	④指示による高圧浣腸	●閉塞部よりも下部の腸管に対しては，医師の指示によって生理食塩液を用いた高圧浣腸を行う．腸管が壊死に陥った場合の浣腸は禁忌となる． ●早期の場合は，腸閉塞が整復される場合がある．
	(5)薬物療法の確実な施行 ①輸液，抗菌薬 ②鎮痛薬，腸蠕動亢進薬	●医師の指示のもとに確実に与薬する．効果や副作用を確認する．

	具体策	根拠と注意点
E-P	**(1)腹痛，悪心・嘔吐についての説明** ①痛みは我慢しないように説明する ②腹痛，腹部膨満，悪心・嘔吐などの症状が増強したときには，伝えるように説明する	●症状の変化を早期に発見し，安楽障害の悪化を防止する．
	(2)イレウス管についての説明 ・必要性，取り扱いについて説明する	●目的および留置中のADLについて説明する． ●腸内容物の排泄によって腸管内が減圧することで，腹部膨満が緩和し，痛みの軽減につながる．

引用・参考文献

1) 落合慈之監：消化器疾患ビジュアルブック．第２版，学研メディカル秀潤社，2014.
2) 関口恵子編：根拠がわかる症状別看護過程――こころとからだの61症状・事例展開と関連図．改訂版第２版，南江堂，2010.
3) 新見明子編：根拠がわかる疾患別看護過程――病態生理と実践がみえる関連図と事例展開．南江堂，2010.
4) 高木永子監：看護過程に沿った対症看護――病態生理と看護のポイント．第５版，学研メディカル秀潤社，2018.
5) 大西和子：消化器系疾患をもつ人への看護．ナーシングレクチャー，中央法規出版，2004.

第４章　消化器疾患患者の看護過程

29 腸重積症

1. 疾患の基礎的知識

1）疾患の概念

腸重積症とは，腸管の一部が先進部となり，腸蠕動によって口側腸管が肛門側腸管に嵌入して腸管壁の重積が起こり，重積によって腸閉塞を生じた状態をいう．小児の急性腹症の代表的な疾患であり，絞扼性腸閉塞の一疾患である．進行すれば腸管壊死や穿孔をきたす．病型は，回腸末端が結腸に重積する回腸結腸型が最も多い．発症の男女比は２：１で男児に多く，好発年齢は生後３か月から２歳の乳幼児であり，なかでも４か月から１歳に好発する．３か月未満，６歳以上は少ない．

2）原因

ほとんどが原因を特定できない特発性の腸重積症であり，その要因として先行感染（アデノウイルスやロタウイルス，細菌性腸炎など）の関与が報告されている．近年，ロタウイルスワクチンが発症に影響しているという見解がある一方，関連性は低いとしている報告もある．また，好発年齢外の年長児や再発を繰り返す場合は，先進部となる腸管での器質的な疾患（メッケル憩室，ポリープ，悪性リンパ腫，腸管重複症など）が要因となることが多い．そのため，年長児や再発例は，器質的な疾患を念頭におく必要がある．なお，開腹手術後の腸蠕動亢進によって起こる腸重積症は，術後腸重積症という．

3）病態と臨床症状

病態

腸重積症は，口側腸管が肛門側腸管に入り込み，腸管壁が重なりあった状態となって，腸管とともに腸管膜の動静脈も入り込むことで，腸管の循環障害を伴う絞扼性腸閉塞の状態となる．入り込んだ腸管の先進部に器質的病変を認める病的先進部と，先行感染によって回腸リンパ濾胞（パイエル板）の肥厚や腸間膜リンパ節腫脹が先進部となるものがある．

病型は以下に分類される．

- 回腸結腸型：回腸末端が結腸に重積．最も頻度が高いタイプ．先行感染によって回腸リンパ濾胞が肥厚し，回腸末端壁が先進部となる
- 回腸回腸結腸型：回腸回腸の重積が先進部となり，さらに結腸に重積する回盲部重積の特殊型
- 小腸小腸型：小腸同士が重積する
- 結腸結腸型：結腸同士が重積する．極めてまれである

臨床症状

特徴的な３大主徴として，腹痛，嘔吐，粘血便があげられるが，初診時に３つ同時にそろうことはほとんどない．腹痛→嘔吐→血便の順に出現するという報告が多い．

数日前に上気道感染や消化器感染の先行感染がみられた後，腹痛による突然の不機嫌・啼泣が起こり始めることが典型的な症状である．啼泣について，保護者はよく「火がついたように泣く，泣きおさまらない」のような訴えをする．足をくの字に曲げ，ときに顔面蒼白になり，ぐったりすることもある．

この腹痛による不機嫌と啼泣は，間欠的であることが特徴的である．数分間続いた後，15～20分程度の間欠期があり，その間はケロリとして遊び始めることもある．腸管の嵌入によって腸管が蠕動すると痛みが出現し，蠕動が一時停止すると痛みもいったん緩和するが，病態が進行するにつれて間欠期が短くなっていく．

嘔吐も初期段階に出現する症状である．腸管の嵌入による迷走神経反射に起因すると考えられており，吐物も多くは食物残渣である．腸閉塞状態の進行により，吐物は胆汁性へと変化する．

血便は自然排泄ではほとんどみられず，受診時に浣腸をすることで反応便のなかにイチゴゼリー状や潜血などの血便が認められることが特徴的である．血便は絞扼性

腸閉塞に伴う血液還流の障害の結果であるため，初期症状としてみられることは少なく，腸閉塞症状の進行に伴って血便の頻度は高くなる．

なお，触診上，鎮静時であれば季肋下において，重複部がソーセージ様の腫瘤として触知されることもある．それとは逆に，右下腹部は空虚となるダンス徴候がみられることもある．

4）検査・診断

好発年齢と特徴的な症状（間欠的な啼泣・不機嫌，嘔吐，上腹部のソーセージ様の腫瘤，下腹部のダンス徴候）が診断の根拠となり，次のステップとして，確定診断のための検査を実施するが，検査（浣腸）が同時に治療として成立することもある．

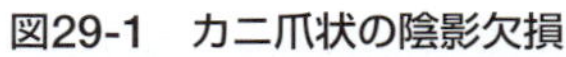

検査

(1)超音波検査

腸重積の確定診断として，最も優先度の高い検査である．超音波は感度がよく，特異的で，放射線被曝もないため，スクリーニングとして多く用いられる．所見では，target signやpseudokidney signが特徴的である．

(2)注腸造影検査

超音波検査が優先されるが，施設や技術に制限がある場合は，注腸造影検査も確定診断に用いられる．注腸造影は，確定診断と同時にそのまま治療へと進められる．造影所見として，カニ爪様陰影欠損が認められれば確定診断となる（**図29-1**）．留意点として，注入速度が速いとどんどん整復され，カニ爪様欠損が明らかにならないことがあるため，注入速度はゆっくり行う．また，腹膜炎症状がないことを確認後に実施する．

(3)腹部単純X線検査

確定診断としての有用性は低い．所見として，大腸ガスが欠如している場合が多く，遊離ガス像は非観血的整復が禁忌となる指標になる．

(4)CT検査

放射線被曝による発がん性リスクが考慮されるため，優先度は低いが，超音波検査で判断がつきにくい場合や，年長児の腸重積で病的先進部が疑われる場合に実施される．

(5)臨床検査

血液生化学では腸重積症に特異的な所見はないが，白血球数増多やCRPの高値は，腸重積症の症状が中等症

図29-1　カニ爪状の陰影欠損

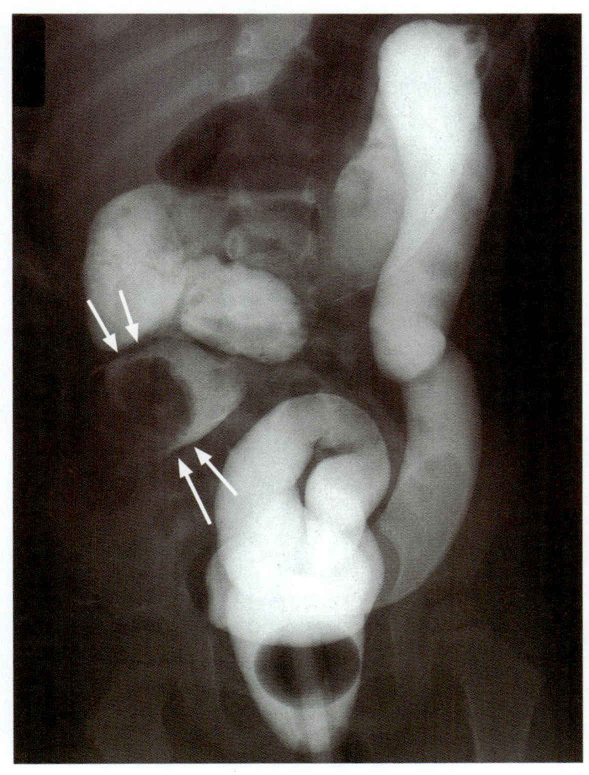

横行結腸にカニ爪状の陰影欠損（矢印）を認める．ここが内筒の先進部に相当する

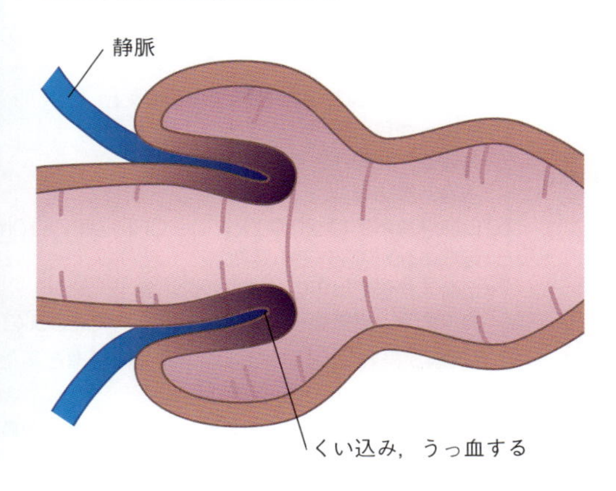

29 腸重積症

〜重度の場合にみられる．

診断

腸重積症の重症度評価基準と診断基準を**表29-1，2**に示す．

5）治療（図29-2）

重症の場合，集中治療を含め，蘇生後に手術（観血的整復術）を第１選択とし，非観血的治療は禁忌である．検査も超音波検査にとどめる．

中等症の場合，観血的整復術は禁忌ではないが，腸管穿孔や整復不成功の可能性も否定できないため，造影剤の選択や整復にかかる時間，回数などに留意が必要である．

軽症の場合，非観血的整復術が第１選択である．

(1)非観血的整復術

X線透視下あるいは超音波下により，整復が行われる．腸管の肛門側から圧をかけ，重積腸管の先進部を徐々に押し戻す方法である．施行中，腸穿孔を起こす危険性もあるため，ショック症状や出血に留意する．また，造影剤にバリウムを用いることは推奨されていない．理由として，整復時に腸穿孔を起こした場合，バリウム性腹膜炎を起こす可能性があげられている．また，整復率は80〜90%であるが，整復当日は再重積を起こす可能性があるため，基本的に入院管理とする．ただし，医療機関へのアクセスがよく，全身状態も良好な場合は，自宅療養で観察することも可能である．

①高圧浣腸整復

確定診断と同時に治療としての施術となる．方法は，造影剤として温めた蒸留水や生理食塩水で６倍希釈したガストログラフィン®（血漿と等張）を，100cm（最大120cmまで）の高さから注腸用イリゲーターを用いて，自然落下で注腸を開始する．施行中，原則として腹部に用手圧はかけない．

②空気整復法

手技は高圧浣腸とほぼ同様であり，ガストログラフィン®ではなく空気を注入する．空気圧は80〜120mmHgで行う．

③整復の判定基準

・大腸の陰影欠損の消失（重積の消失）と，回腸末端部への十分な造影剤の逆流
・全身状態の改善
・排ガスの確認

④非観血的整復術の禁忌例

・発症から48時間以上経過した場合
・腹膜炎症状やイレウス，ショック症状のある場合
・腹部単純X線写真で遊離ガス像が認められた場合
・全身状態が不良の場合

(2)観血的整復術

非観血的整復術にて整復できなかった場合や，再発を繰り返す症例，発症から48時間以上経過した場合，重症の場合（ショック，腸管の壊死・穿孔），腹膜炎や遊離ガスが認められる場合は緊急手術となり，腸管切除や観血的整復術が行われる．また，器質的疾患が明らかな場合も手術の適応となる．多くはHutchinson手技（外筒腸

表29-1　小児腸重積症の重症度評価基準

重症	全身状態が不良，または腸管壊死が疑われる以下のいずれかの状態を有する 1）ショック症状 2）腹膜炎症状 3）腹部単純X線写真で遊離ガス像
中等症	全身状態が良好で，腸管虚血の可能性を示す以下のいずれかの条件を有する 1）初発症状からの経過時間が48時間以上 2）生後３か月以下 3）先進部が脾彎曲より肛門側 4）回腸回腸結腸型 5）白血球数増多（>20,000/μL），CRP高値（>10mg/dL） 6）腹部単純X線写真で小腸閉塞 7）超音波検査で以下のいずれかの所見 　血流低下，腸管重積部の液体貯留，病的先進部の存在
軽症	全身状態が良好で，「重症」「中等症」の基準を満たさないもの

日本小児救急医学会監：エビデンスに基づいた 小児腸重積症の診療ガイドライン．へるす出版，p.28，2012．

表29-2　小児腸重積症の診断基準

A項目	腹痛ないし不機嫌 血便（浣腸を含む） 腹部腫瘤ないし膨満
B項目	嘔吐 顔面蒼白 ぐったりして不活発 ショック状態 腹部単純X線写真で腸管ガス分布の異常
C項目	注腸造影，超音波，CT，MRIなどの画像検査で特徴的所見
疑診：A2つ，A1つとB1つ，ないしB3つ以上で疑診 ただし腹痛ないし不機嫌が間欠的な場合は，それだけで疑診	
確診：疑診に加え，さらにCを確認したもの	

日本小児救急医学会監：エビデンスに基づいた 小児腸重積症の診療ガイドライン．へるす出版，p.18，2012．

管の上から，内筒腸管を口側に向かって徐々に押し戻す）を行う．それでも困難な場合は，病変部位の切除，腸管の吻合を行う．

そのほかに，腹腔鏡下整復術を，非観血的整復術と観血的整復術の間に位置づけた治療として施行することもある．

術後合併症はどの施術においても差異はなく，癒着性腸閉塞や全身麻酔による呼吸器合併症，縫合不全や創部感染症に留意する．

6）予後

- 非観血的整腹後の再発率は３～16%と幅広い．
- 観血的整復の再発率は４%である．
- 好発年齢以降の再発率はごくまれである．
- 再発を繰り返すケースや，好発年齢以外の年長児の場合は，病的先進部（器質的な疾患）を認めるケースが多く，原因の解明と対処が必要となる．

図29-2　小児腸重積症診療ガイドラインのフローチャート

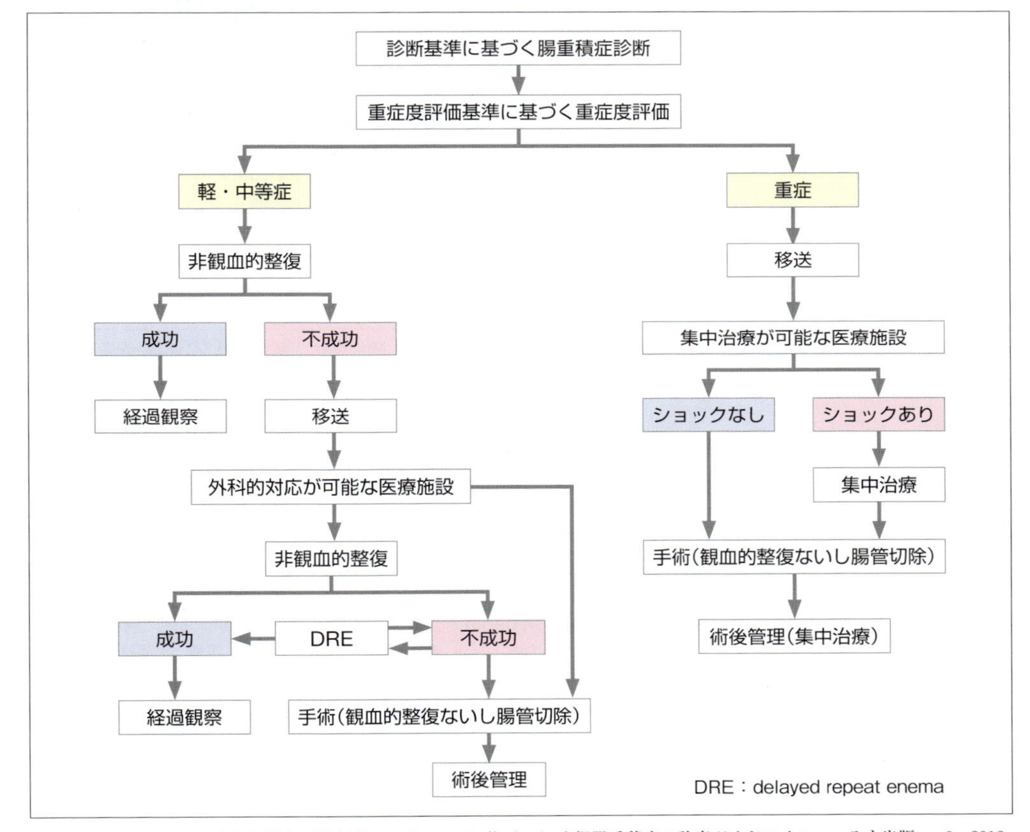

日本小児救急医学会監：エビデンスに基づいた 小児腸重積症の診療ガイドライン．へるす出版，p.9，2012.

2. 看護過程の展開

アセスメント～ゴードンの機能的健康パターンを用いて

パターン	アセスメントの視点	根拠	収集する情報
(1) 健康知覚-健康管理 患者背景 健康知覚-健康管理 価値-信念	●患児と家族の病状についての認識および理解度はどうか ●家族の管理はどうか	●腸重積症は，器質的なものと特発性のものがあり突然の発症から時間の経過に伴って症状が急激に変化し，重症化するため，早期発見と早期治療へつなげることが重要となる．好発年齢が乳幼児期であり，患児は症状を適切に表現することが困難で，再発の可能性も考えられるため，家族の認識が重要である．さらに，腸重積症は発症から検査，治療に至るまでの展開が早く，症状の変化も間欠的な激しい啼泣と軽快を繰り返す．そのため，患児の年齢に応じた理解に加え，家族の理解も必要である． ●治療は基本的に入院管理となるが，軽症で自宅が医療機関から近い場合，自宅療養となることもあるため，家族の管理能力や育児環境が整っていることが必要である． ●嘔吐や血便による苦痛や，検査・治療による痛みも伴い，それらの苦痛や恐怖から激しく啼泣して暴れることもあり，身体損傷の危険性もある．	●現病歴 ・発症の日時 ・発症からの現在に至るまでの症状と経過 ・検査結果と治療方針 ●既往歴 ・腸重積症の既往の有無 ・器質的病変の既往の有無 ・発症に先行する感染症の有無 ・手術，入院，検査の経験の有無と経過 ●年齢，性別，発達段階 ●予防接種 ●アレルギーの有無 ●出生時の状況および今までの健康状態 ●患児と家族の生活習慣 ●家族の病気や症状に対する認識・理解 ●家族の育児サポート体制
(2) 栄養-代謝 全身状態 栄養-代謝 排泄	●腸重積症の随伴症状に伴う脱水は生じていないか ●乳幼児期の発育に必要な栄養の不足はないか ●症状の進行はないか	●腸重積症では絞扼性の腸閉塞が生じ，随伴症状である腹痛，嘔吐，粘血便などの消化器症状の出現により，経口摂取ができなくなる．異常発汗も伴い，嘔吐や血便が続くと水分バランスはマイナスとなって脱水リスクが生じる．乳幼児期は成人と比較して腎機能が未熟であり，水分代謝率が高く，容易に脱水に陥りやすい．脱水に陥ると，循環不全を起こす危険性がある．また，経口摂取ができないことから栄養状態が悪化する可能性もある． ●乳幼児期に必要な栄養が摂取できない状態が続くと成長発達に弊害が生じる．また，嘔吐物は，初期では食物やミルクなどの胃内内容物だが，進行するにつれて黄色の胆汁を伴った内容に変化する．	●栄養状態(体重，身長，成長発達曲線，BMI，カウプ指数などの判定，皮膚，爪，歯の状態) ●食生活の状態(哺乳量・回数，食事内容と時間，哺乳力・食行動の自立度) ●食事・水分摂取量(食事再開時の量・内容，水分摂取内容・量，輸液管理) ●脱水症状の有無と程度(in take out putバランス，悪心・嘔吐，吐物の内容，皮膚や口腔粘膜の乾燥，下痢・粘血便，活気，全身の倦怠感) ●検査データ(血液一般，白血球，CRP，電解質)

パターン	アセスメントの視点	根拠	収集する情報
(3) 排泄 全身状態 栄養-代謝 排泄	●腸重積症の進行により，腹部症状および下痢（粘血便）の出現が増強していないか ●症状や治療が排泄行為の自立へ影響を及ぼすことはないか ●経口摂取開始後も排泄に問題はないか	●腸重積症は時間が経過するにつれ，絞扼性腸閉塞が進行して腹膜炎や腸管壊死に至る場合がある．とくに発症から24時間経過すると観血的治療による整復が行われ，整復も不可能な場合は腸管切除が行われる．時間が経過した後に粘血便が認められることが多い．さらに腸閉塞状態が進行すると，腹部の緊張感が高まり，腹部膨満が増強して，腸管の壊死に至ると下血を併発する． ●乳幼児期は排泄のコントロールがつき始め，トイレットトレーニングが開始される時期でもある．そのため，腹部の激痛や下痢など，および腸管切除に至る治療は，トイレットトレーニングに影響を及ぼす可能性がある． ●観血的治療による整復や腸管切除を行った場合，食事の経口摂取の開始後も腸管の動きや排泄物（内容，性状，量）に異常を生じることがある．	●通常の排泄パターン（排尿の回数，性状，排便の回数，性状，自立度） ●排泄習慣の自立度（排泄のコントロールの状態，程度・トイレットトレーニングの段階） ●イレウスの随伴症状の有無と程度（顔面蒼白，異常発汗，嘔吐，間欠的な腹痛） ●血便の有無と性状，程度（潜血やイチゴゼリー状の粘血便） ●右腹部のソーセージ様の腫瘤の有無 ●腹部膨満の有無と程度 ●腸蠕動の有無と程度 ●腹部エコー，腹部単純X線検査所見 ●整復治療後の経口摂取開始に伴う腹部症状
(4) 活動-運動 活動・休息 活動-運動 睡眠-休息	●腸閉塞症状の進行に伴い，ショックに至る危険性はないか ●治療に伴う活動制限が成長発達に影響を及ぼすことはないか	●腸重積症は急激に進行する．間欠的な腹痛を繰り返し，嘔吐や血便なども伴って，活動に必要なエネルギーが消費されていく．発症してからの時間経過が長くなると，絞扼性腸閉塞の持続によって腸管壊死が起こり，穿孔，出血，腹膜炎を併発してショック状態に至る．頻回の嘔吐による脱水からもショック状態に陥る．また，治療中の整復が困難な場合も，穿孔からショック状態に至る可能性がある．この状態は発症から24時間程度で起こる． ●観血的治療を行った場合は侵襲も大きくなり，術後出血や呼吸器合併症などの術後合併症を生じることがある．また，術後管理や安静度によって活動がより一層制限される．好発年齢である乳幼児期は，親との愛着形成や日常生活動作の自立や日常生活の習慣化が形成される時期であり，患児にとって，身体的苦痛とともに活動の制限は成長発達に影響を及ぼす．	●バイタルサイン ●顔面の蒼白，異常発汗 ●表情，活気，機嫌，言動， ●体位，姿勢 ●腹部症状 ●輸液管理の状況 ●安静度 ●日常生活動作の自立度 ●日常生活習慣の状況 ●活動と休息のバランス
(5) 睡眠-休息 活動・休息 活動-運動 睡眠-休息	●症状や治療，入院環境により，睡眠および休息，安楽が阻害されていないか	●腸重積症の急激な症状の変化や，腹痛，嘔吐，粘血便は，激しい苦痛や不安，不快を伴って，快適な睡眠やリラクゼーションをとることが困難となる．乳幼児期は睡眠機能の確立に向かう時期であり，とくに乳児期から幼児期は，睡眠ホルモンが変化することや，環境からの影響も受けやすい．	●睡眠状況 ・発症前の睡眠時間，睡眠覚醒パターン，睡眠儀式の有無 ・入院中の睡眠時間，途中覚醒，夜泣き，夜尿 ●患児の好む環境 ●患児の表情，体位 ●患児の日常生活パターン ●家族の睡眠，休息パターン

パターン	アセスメントの視点	根拠	収集する情報
(6) **認知-知覚** 知覚・認知 認知-知覚 自己知覚-自己概念 コーピング-ストレス耐性	●症状や治療に対する苦痛はどうか	●発症から時間の経過とともに，腸管の嵌入から絞扼性腸閉塞が進行し，腸管壊死や穿孔に至る危険性がある．腸蠕動の動きに伴い，激しい腹痛が周期的に出現する．乳幼児期は，痛みや苦痛に対するコントロールが未熟であり，それらの痛みや苦痛が起こる理由や病気の原因を，完全に理解することが困難である．	●認知発達の状況（年齢と認知発達，認知レベル） ●表情・言動・機嫌・啼泣 ●検査・治療に対する反応 ●病気や症状，検査・治療についての認知・理解度 ●家族の病気や症状，検査・治療についての理解度 ●家族の支援体制
(7) **自己知覚-自己概念** 知覚・認知 認知-知覚 自己知覚-自己概念 コーピング-ストレス耐性	●自分のことをどのように捉えているか，不安や恐怖はないか ●自尊心は保たれているか	●突然の発症に続き，検査・治療の苦痛や入院などによる環境の変化，家族からの分離など，患児の身体の変化（突然の腹痛・嘔吐などの苦痛）とともに，患児を取り巻く環境が大きく一変する．認知機能や身体的発達が未熟な乳幼児にとって，このような体験は理解や予測も困難なことから，心理的混乱をまねき，不安や恐怖が増強する可能性がある．治療が観血的治療の場合は身体的な侵襲も大きいことから，さらに混乱や恐怖・不安も増大する．とくに，幼児期に至る年齢の患児は，正しい理解ができにくいことから，病気を自分への「罰」として捉えて自尊心が低下する可能性もある．	●表情・言動・機嫌・啼泣 ●病気に関連する症状や環境の変化に対する言動や反応 ●医療者からの説明や関わりに対する不安や恐怖の言動や反応 ●検査や治療に対しての協力，もしくは反発の状況 ●家族との分離不安の有無や程度 ●入院環境への適応状態 ●今までの病歴における患児の反応
(8) **役割-関係** 周囲の認識・支援体制 役割-関係 セクシュアリティ-生殖	●急激な発症や症状の変化，治療展開についての家族の動揺や不安あるか ●急な患児の発症と治療に，家族内の役割に変化はきたしていないか	●急な発症から受診，検査，治療，場合によって緊急な観血的治療と，入院に至る経緯が非常に早く，家族は心理的な混乱をきたすことが多い．また，理解が追いつかず現状の認識も困難であり，受容がしにくい．急な出来事から家族内のそれぞれの役割も果たしにくい状況となり，家族機能に影響を及ぼす．また，家族構成によっても，家族の役割や機能に及ぼす影響に相違がある．さらに，親は発症の早期段階で子どもの異変に気づけず重症化してしまったと感じ，自責の念や罪悪感に心を痛めることも多い． ●きょうだいがいると親役割の遂行が困難となり，葛藤を感じることもある．	●家族構成（きょうだいの有無，祖父母の同居の有無，夫婦単位） ●家族の関係性 ●親子関係 ●家族内役割 ●患児の疾患・検査・治療への家族の受容や受け止め方 ●患児の入院による家族の生活や役割の変化 ●家族の表情，言動 ●家族の混乱，疲労の状態 ●親としての罪悪感や自尊心の低下の有無・程度 ●家族のサポート体制
(9) **セクシュアリティ-生殖** 周囲の認識・支援体制 役割-関係 セクシュアリティ-生殖	●親の患児へのセクシュアリティについての意識はどのようなものか	●乳幼児にある患児のセクシュアリティについての自我や生殖機能の発達はまだ未成熟であるが，親が継続できるようにすることが必要である．	●生殖機能についての問題の有無 ●男児や女児であることを親が意識して意図的に患児と関わっているか

パターン	アセスメントの視点	根拠	収集する情報
(10) コーピング-ストレス耐性 知覚・認知 認知-知覚 自己知覚-自己概念 コーピング-ストレス耐性	●ストレスに対するコーピング能力，獲得状況はどうか ●患児にとってどのようなことが慰めや安楽になるのか ●家族への支援体制は整っているか	●突然の発症から治療に至るまでの早い展開や急激な環境の変化，家族・日常からの分離，症状による身体の苦痛などは，患児にとってストレスが大きいことが予測される．成人と異なり，経験知が少なく，ストレス耐性も低いことが予測できる．また，家族も同様にストレスを感じている．家族のストレスは患児にも影響するため，家族への支援体制も必要である．	●検査，治療，入院環境に対するストレスの有無と程度 ●ストレスへの反応およびコントロールの状況（啼泣，言動，表情，態度） ●ストレスに対処の方法 ●家族の支援体制の状況 ●家族のストレス内容
(11) 価値-信念 患者背景 健康知覚-健康管理 価値-信念	●患児が大切にしていることは何か ●治療に対する親の信念や価値観はどうか ●親の育児観はどうか	●乳幼児時期の価値や信念の発達は未成熟であるが，幼児期の子どもが大事にしている（こだわりをもつ）方法や習慣などは，価値や信念へと結びついていく要素である． ●親の育児観も治療に影響を及ぼすこともあり，尊重がなされないと親としての自尊心に影響することもある．	●患児がみせているこだわりや好み ●患児の主張 ●家族の価値・信念・宗教 ●親の育児観

3. 全体像の把握から看護問題を抽出

1）病態関連図

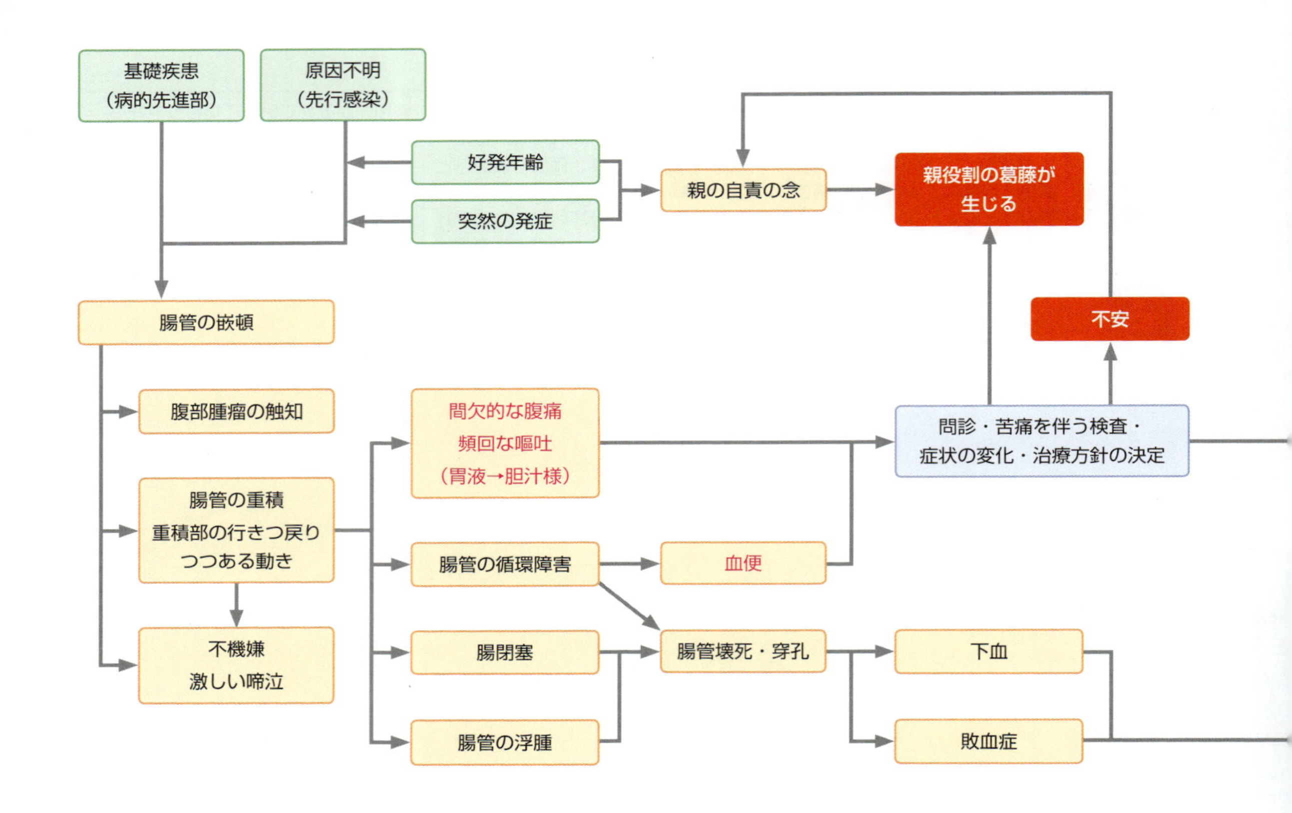

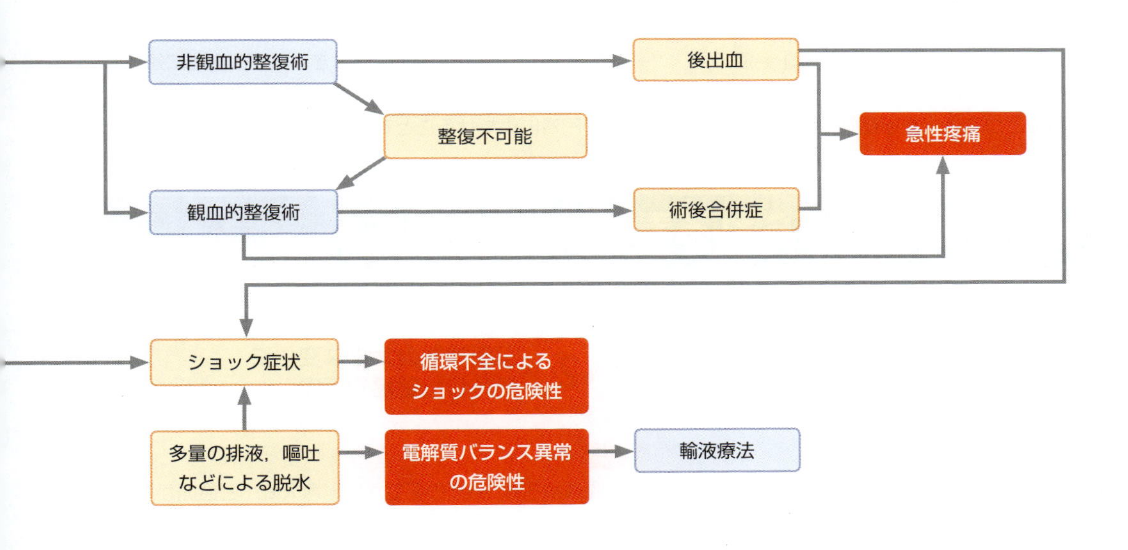
非観血的整復術
後出血
整復不可能
急性疼痛
観血的整復術
術後合併症
ショック症状
循環不全による
ショックの危険性
多量の排液，嘔吐
などによる脱水
電解質バランス異常
の危険性
輸液療法

2）看護の方向性

腸重積症は，発症後の時間経過に伴い，急激に症状が進行して重症化するため，異常の早期発見に努め，治療へとつなげていくことが大切である．同時に，急激な症状と環境の変化は，認知が未成熟な子どもにとって大きな苦痛や不安を伴う．家族にとっても，急な子どもの症状や治療に戸惑い，親としての罪悪感を抱くことになる．

(1)的確な情報を得て異常の早期発見をし，迅速に治療につなげて重症化を防ぐ

発症の経緯や随伴症状から身体的な情報を得る．いつからどのような症状が，どの程度出現しているのかを観察し，同時に家族からの情報も得る．好発年齢にある乳幼児期の子どもは，言語的コミュニケーションや認知が未成熟であるため，本人からの情報だけではなく，家族からの情報も必要である．病状の進行度がわかると治療・看護の計画立案が有効に行える．

(2)治療，環境の変化に子どもと家族が適応でき，順調に回復できるよう支援する

腸重積症は発症から治療に至る経緯が早く，緊急入院となることが多い．急激な環境の変化は，子どもにとって苦痛や不安を覚えるため，治療や入院に適応することが困難である．また，家族の動揺も大きい．子どもがどのように受け止め，捉えているのか発達段階を考慮したうえでアセスメントし，子どもの苦痛や不安を軽減して治療がスムーズに受けられるよう支援する．また，親の反応や態度も子どもに影響するため，親への心理的アセスメントと支援も必要である．

(3)家族の役割調整が円滑にできるよう支援する

急な発症と病状に，親は早期に気づかなかったことに罪悪感をもちやすく，また検査・治療，緊急入院に至る展開が早く，家族は戸惑い，心理的にも動揺して親役割を果たすことが困難となる．家族が病気や治療をどのように理解して受け止めているのかを確認し，親役割が果たせるよう支援する．

3）患児・家族の目標

腸重積症を発症した患児・家族の目標は，①発症の早期に必要となる検査・治療について患児と家族が正しく理解して受容することができ，重症化せず順調に回復できること，②緊急入院という大きな環境の変化に患児も家族も適応できること，③家族の役割調整により，親役割が円滑に果たせることである．

4. しばしば取り上げられる看護問題

◆1 症状の進行に伴う体液量の喪失により脱水の危険性がある

なぜ？

腸重積症の進行に伴う頻回な嘔吐や下痢から脱水に陥り，循環不全に至る危険性がある．本症の好発年齢である乳幼児期は，腎機能の未熟性から容易に脱水傾向となること，言語的コミュにケーションも未成熟であるために症状を正確に伝えられないことから，重症化しやすい．

➡期待される結果

脱水の徴候がみられない．

◆2 健康状態の大きな変化に関連した動揺や不安

なぜ？

腸重積症は，突然の発症から緊急入院へと展開が早く，患児と家族は十分な理解や受容ができず，動揺や不安が生じ，変化する病状や環境に適応することが困難となる．

➡期待される結果

患児と家族が動揺や不安を表出できる．

◆3 循環血液量の不足によるショックの危険性がある

なぜ？

絞扼性腸閉塞による長時間の腸管の嵌頓は，腸管の壊死や穿孔を起こし，ショック状態に陥る．発症から24時間経過するとその危険性は増す．また，整復術における穿孔も合併症としてショック状態が起こる可能性がある．

一方，頻回の嘔吐による脱水から循環血液量が不足し，ショック状態に陥る．

➡期待される結果

ショックの徴候がみられない．

◆4 症状や検査・治療に関連した急性疼痛

なぜ？

発症から時間経過に伴って腸管の損傷や激しい初期症状（間欠的な腹痛や嘔吐）による苦痛が生じ，同時に検査や治療（観血的・非観血的）にも急性的な苦痛が伴う．苦痛から，不安や恐怖が伴って不用意に暴れてしまうなど治療に協力的になれない危険性がある．

➡期待される結果

苦痛が緩和されて安全に治療が受けられる．

◆5 危機的状況を伴う症状と侵襲的治療への動揺に関連する親役割の葛藤の可能性がある

なぜ？

突然の発症からの緊急入院は，家族内の役割に影響を及ぼし，通常行っていた親役割を変更しなければならないことが予測される．また，急な発症と病状の変化から，親は不安を抱き，同時に，早期に気づけなかったことを親としての責任だとして罪悪感を抱く場合もある．そのため，親としての役割を果たすことが困難となる場合もある．

➡期待される結果

親の負担が軽減し，家族内役割の調整が円滑に行える．

5. 看護計画の立案

• O-P：Observation Plan（観察計画）　• T-P：Treatment Plan（治療計画）
• E-P：Education Plan（教育・指導計画）

1 症状の進行に伴う体液量の喪失に関連した脱水の危険性がある

	具体策	根拠と注意点
O-P	**(1)脱水の徴候** ①バイタルサイン ・発熱 ・頻脈の有無・程度 ・血圧低下の有無．程度 ②顔色・口唇色 ③皮膚および口腔粘膜の乾燥，皮膚のツルゴール反応（皮膚の張り） ④in take /out putバランス **(2)体液量の喪失状況** ①排泄状況 ・尿量 ・便の性状（量，下痢，粘血便，下血の程度） ②水分摂取量 ③悪心・嘔吐の有無，嘔吐内容，量，回数 ④発汗の状態 **(3)症状の進行状況** ①腹部膨満 ②腸蠕動の有無・程度 ③排ガスの有無 ①活気 ②不機嫌，啼泣の程度 ③倦怠感（ぐったりしている） **(4)検査データ** ①血液（Hb，Ht，血小板，プロトロンビン時間） ②電解質 ③腹部エコー，腹部単純X線検査所見	●発症初期より嘔吐がみられるため，受診前から現在の情報は得ること． ●全身所見は，脱水症状の観察項目となる．乳幼児は成人と異なり，腎機能も未熟なため，すぐ脱水傾向に陥るので，脱水症状の程度を把握することは重要である．とくに高熱は，脱水が著しい可能性が高い．脱水が進行するとショック状態に至る．同時に，ショック状態はイレウスの進行のサインでもあるため，特異的な腹部症状（腹部膨満，腸蠕動の微弱・消失，ダンス徴候など）も要観察である． ●脱水に陥ると水分のマイナスバランスや血液データに電解質バランスの不均衡がみられる． ●手術後の経口摂取開始が順調に進んでいくかを継続して観察し，合併症や再発などにも留意する必要がある．
T-P	**(1)輸液管理** ①輸液指示内容の確認・管理 ②輸液刺入部の管理 ③自己抜去防止の工夫 ④安全・安楽な体位の工夫 **(2)異常時の医師への報告**	●症状の変化と治療の展開が早いため，異常の早期発見は常に念頭においておく必要がある． ●治療（輸液管理）は，患児にとって侵襲的な医療行為であることからストレスとなり，理解や認知の未熟さもあるため，自己抜去してしまう危険性に配慮する必要がある．
E-P	**(1)家族への脱水徴候についての説明** ①脱水の徴候について家族に説明し，異常を感じたらすぐに連絡してもらう	●家族ができるケアや観察項目，注意点などを具体的に説明する．

2 健康状態の大きな変化に関連した動揺や不安

	具体策	根拠と注意点
O-P	**(1)患児の苦痛・不安の状況** ①表情 ②言動 ③不機嫌，啼泣の状態 ④説明や治療行為に対する反応 **(2)患児の病気・治療・入院における理解や受け止め方** ①認知発達の状況 ②言語的コミュニケーション能力の程度 ③説明や治療行為に対する反応（発達段階に応じた理解・認知，指示に対する厳守の程度） ④ベッド上で安静に過ごせているか	●どの程度，どのように苦痛や不安を抱いているのかを把握するために，言語のみでなく，表情や態度などを現象の文脈上から読み取って把握することが必要となる．
	(3)親の，患児の病気や治療などへの理解や認知の状況 ①表情 ②言動 ③患児への態度，関わり方 ④医療者への質問の内容	●発症前の自宅での日常生活習慣や活動について，親から情報を得て入院生活に活用し，患児が普段の日常に近づけ安心を得られる環境をつくることに役立てる． ●治療や入院生活の苦痛や不安の軽減に，普段の患児のストレス・コーピングや好む遊びを活用することもできる． ●親の不安は子どもへ伝播し，子どもも不安になるため，親の不安や疑問を知ることも必要となる．
T-P	**(1)不安やストレスの軽減・除去** ①遊びや会話で感情の表出を促す ②頑張ったことについてほめる，ねぎらう ③ケアの前・中・後には声かけをし，反応を確認しながら関わる ④できるだけ患児１人にならないようにする ⑤患児の好きな玩具や絵本などを身近に置く ⑥患児の好きな音楽を流す（苦痛を伴う処置や，ケアの場面など） ⑦治療の妨げにならず，かつ安全な範囲で，好みの遊びを取り入れる	●できるだけ患児の普段の日常生活の環境に近づけ，安心を得ることで，入院に適応できるようにしていくことが基本である． ●乳幼児期の分離不安が増強しないよう，親もしくはできれば一定した医療者がそばにつき添えるようにする．
	(2)患児の検査，治療処置への不安の軽減 ①検査・治療・処置などを行うタイミングを見計らう ②検査・治療・処置などはなるべく短時間で済むよう工夫する ③医療行為を行う際は患児に必ず声をかけ，身体の拘束がやむを得ず必要な場合は恐怖を与えないよう工夫する	●苦痛を伴う医療行為は，患児にとって恐怖や不安が増大するため，なるべく短時間で済むような工夫と，患児なりに心構えができるよう声かけすることは必要である． ●苦痛を伴う医療行為は，患児の機嫌がよく，状態が比較的安定しているなど，患児がなるべく受け入れやすいタイミングを見計らう必要がある．
	(3)親の不安の軽減 ①親の不安や感情を表出できるようタイミングをみながら声かけをする ②親が納得するまで質問に応える ③親への共感を示す	●親は理解していても，不安が大きいときや受容ができていないと，同じ質問を何度でも繰り返すことがあるため，医療者はそのことを念頭において応じることが大切となる．
E-P	**・患児と家族を尊重した検査・治療の説明** ①患児の発達段階に応じた説明をし，納得を得る（幼児期にプレパレーションを活用する） ②親と協働して説明を行う ③説明の終わりや，検査・治療の際に，患児のディストラクションも取り入れる ④親へのリラクゼーションを提案する	●患児の理解や納得がなるべく得られるように，発達段階に応じた説明を基盤とし，そこに患児の好みを取り入れることが大切である． ●説明の際は，患児の機嫌や状態の安定など，できるだけタイミングを見計らう． ●親と協働で説明すると患児は安心して受け入れやすく，患児の様子や状況を，医療者が親と共有できる． ●患児と家族が尊重され，患児が主体的に治療に取り組めるようにするために行う．

引用・参考文献

1）日本小児救急医学会監：エビデンスに基づいた 小児腸重積症の診療ガイドライン．へるす出版，2012.
2）文野誠久ほか：ここが危ない小児診療のピットフォール：日常診療編―腸重積症：診断と非観血的整復．小児外科，50（8）：789～791，2018.
3）世川修：研修医が知っておくべき境界領域疾患―乳児期の小児外科疾患．小児科診療，80（5）：583～587，2017.
4）寺脇幹：小児の治療指針―腸重積症．小児科診療，suppl：699～702，2018.
5）白木和夫ほか編：ナースとコメディカルのための小児科学．第6版，日本小児医事出版社，2018.
6）桑野タイ子監：疾患別小児看護―基礎知識・関連図と実践事例．シリーズ ナーシング・ロードマップ，中央法規出版，2011.
7）中村友彦編：小児の疾患と看護―ナーシング・グラフィカ 小児看護学（3），第2版，メディカ出版，2017.
8）中野綾美編：小児の発達と看護―ナーシング・グラフィカ 小児看護学（1）．第5版，メディカ出版，2015.
9）中野綾美編：小児看護技術―ナーシング・グラフィカ 小児看護学（2）．第3版，メディカ出版，2015.
10）浅野みどりほか編：発達段階からみた小児看護過程＋病態関連図．第3版，医学書院2017.
11）江川隆子編：ゴードンの機能的健康パターンに基づく看護過程と看護診断．第6版，ヌーヴェルヒロカワ，2019.

Memo

第５章　内分泌・代謝疾患患者の看護過程

30 １型糖尿病

1. 疾患の基礎的知識

1）疾患の概念

糖尿病とは，インスリン作用不足による慢性の高血糖症状を主徴とする代謝疾患群である．糖尿病・糖代謝異常を成因（発症機序）によって分類すると，①１型糖尿病，②２型糖尿病，③その他特定の機序・疾患によるもの，④妊娠糖尿病の４つに大別される（**表30-1**）．本稿では１型糖尿病について述べる．

個々の症例の分類は，１型（インスリン依存状態），２型（インスリン非依存状態）のように成因と病態の両面から捉える（**表30-2，3**）．その場合，１型糖尿病であっても，発症初期には食事療法と運動療法で良好な血糖値が得られる場合（インスリン非依存状態）がある．

2）原因

１型糖尿病では，インスリンを産生・分泌する膵臓のβ細胞の不可逆的な破壊が原因となり，インスリンが絶対的に欠乏することが病態の中心である．この際，環境因子（ウイルス・ストレス・過食・運動不足など）や，遺伝因子（HLA，INSなど）が発症に関わるとされている．原則としてインスリン治療が必要とされている．自己免疫機序の有無，進むスピードによってさらに細かく分類される．

（1）自己免疫機序の有無による分類

膵臓のβ細胞の破壊が，自己免疫機序によるかどうかで分類する．具体的には膵島関連自己抗体が陽性となる場合を「自己免疫性（1A型）」，膵島関連抗体が証明されない場合を「特発性（1B型）」と分類している．

（2）進行の様式による分類

口渇，多飲，多尿などの糖尿病（高血糖）症状の出現から，インスリン欠乏の症状であるケトーシスやケトアシドーシスに至るまでの期間によって，①劇症１型糖尿病，②急性発症１型糖尿病，③緩徐進行１型糖尿病に分類される．

①劇症１型糖尿病

高血糖症状の出現から，ケトーシス，ケトアシドーシスの発症までが１週間前後と，極めて進行が早い病型で，膵島関連自己抗体は原則として陰性である．それまで血糖値が正常だった人が１週間前後で急に高血糖になるため，多くの場合HbA1cは正常範囲ないし軽度上昇にとどまっている．発症に際して，約７割の患者で，先行する上気道炎や消化器症状（上腹部痛，悪心，嘔吐）を認める．

②急性発症１型糖尿病

表30-1　糖尿病と糖代謝異常[注1)]の成因分類[注2)]

Ⅰ．１型	膵β細胞の破壊，通常は絶対的インスリン欠乏に至る A．自己免疫性 B．特発性
Ⅱ．２型	インスリン分泌低下を主体とするものと，インスリン抵抗性が主体で，それにインスリンの相対的不足を伴うものなどがある
Ⅲ．その他の特定の機序，疾患によるもの	A．遺伝因子として遺伝子異常が同定されたもの ①膵β細胞機能にかかわる遺伝子異常 ②インスリン作用の伝達機構にかかわる遺伝子異常 B．他の疾患，条件に伴うもの ①膵外分泌疾患 ②内分泌疾患 ③肝疾患 ④薬剤や化学物質によるもの ⑤感染症 ⑥免疫機序によるまれな病態 ⑦その他の遺伝的症候群で糖尿病を伴うことの多いもの
Ⅳ．妊娠糖尿病	

注１）一部には，糖尿病特有の合併症をきたすかどうかが確認されていないものも含まれる．
注２）現時点ではいずれにも分類できないものは，分類不能とする．

日本糖尿病学会編・著：糖尿病治療ガイド2020-2021．p.18，文光堂，2020．

糖尿病症状出現から，ケトーシス，ケトアシドーシス発症までが約３か月以内となる．原則として，診断時からインスリン製剤投与が必要となる．膵島関連自己抗体は陽性となることがほとんどである．

③緩徐進行１型糖尿病

最もゆっくり進行するタイプで，糖尿病の発症・診断からインスリン治療が必要となるまでに３か月以上かかる．①劇症１型糖尿病，②急性発症１型糖尿病と違って，当初はインスリン治療を必要としないので，２型糖尿病と診断されることがある．２型糖尿病との違いは，膵島関連自己抗体が陽性となることである．

3）病態と臨床症状

病態

(1)糖尿病の病態

インスリンの分泌が障害されると，糖，タンパク質，脂質の代謝異常が生じ，血中にとどまるブドウ糖が増加して，血糖値が上昇する．長期にわたる高血糖状態は，血管の障害を促進し，視覚障害，腎機能低下，神経障害などの合併症を引き起こす．

もし，インスリンが不足すると，主に下記の状態に陥る．

・肝臓：グリコーゲン合成低下，糖新生の亢進→高血糖
・脂肪：脂肪分解により多量の遊離脂肪酸が血中内に放出される→ケトアシドーシス
・骨格筋：糖が取り込めない→高血糖

臨床症状

(1)インスリン作用不足により高血糖状態が持続する

①症状の代表的なものとして，喉の渇き(口渇)，多尿，多飲が起こる．この状態を放置すると，多尿によって脱水が進み，急性合併症を引き起こすことがある．

②インスリン作用が著しく低下すると，血液中のブドウ糖を脂肪組織や筋肉などに送り込めなくなるため，ブドウ糖をエネルギーとして利用できなくなり，高血糖となる(**図30-1**)．身体は，脂肪組織の中

表30-2　糖尿病における成因(発症機序)と病態(病期)の概念

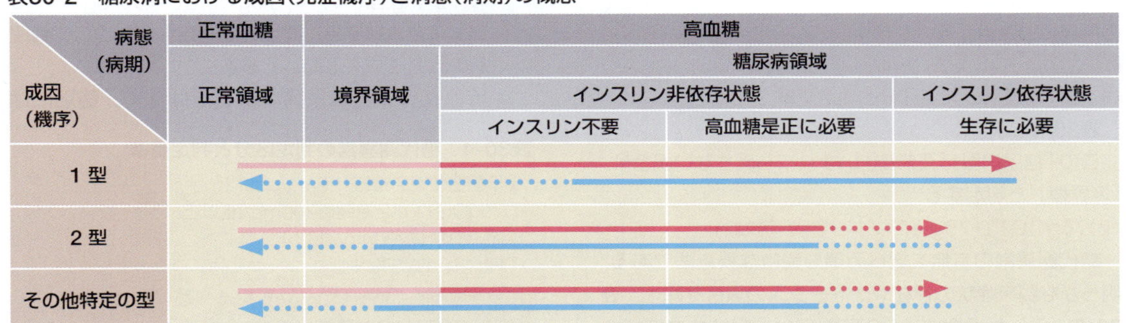

病態
(病期)
成因
(機序)
正常血糖
高血糖
正常領域
境界領域
糖尿病領域
インスリン非依存状態
インスリン依存状態
インスリン不要
高血糖是正に必要
生存に必要
1 型
2 型
その他特定の型

図右への移動 ━━▶ は糖代謝異常の悪化(糖尿病の発症を含む)，図左への移動 ◀━━ は糖代謝異常の改善を示す．━━，━━ の部分は「糖尿病」と呼ぶ状態を示し，頻度が少ない病態(病期)は破線 ••••••，•••••• で示している．

日本糖尿病学会編・著：糖尿病治療ガイド2020-2021．p.19，文光堂，2020．

表30-3　糖尿病の成因による分類と特徴

糖尿病の分類	1型	2型
発症機構	主に自己免疫を基礎にした膵β細胞破壊．HLAなどの遺伝因子に何らかの誘因・環境因子が加わって起こる．他の自己免疫疾患(甲状腺疾患など)の合併が少なくない	インスリン分泌の低下やインスリン抵抗性をきたす複数の遺伝因子に過食(とくに高脂肪食)，運動不足などの環境因子が加わってインスリン作用不足を生じて発症する
家族歴	家系内の糖尿病は２型の場合より少ない	家系内血縁者にしばしば糖尿病がある
発症年齢	小児～思春期に多い．中高年でも認められる	40歳以上に多い．若年発症も増加している
肥満度	肥満とは関係がない	肥満または肥満の既往が多い
自己抗体	GAD抗体，IAA，ICA，IA-2抗体，ZnT8抗体などの陽性率が高い	陰性

HLA：human leukocyte antigen　GAD：glutamic acid decarboxylase　IAA：insulin autoantibody　ICA：islet cell antibody
IA-2：insulinoma-associated antigen-2　ZnT8：zinc transporter 8

日本糖尿病学会編・著：糖尿病治療ガイド2020-2021．p.19，文光堂，2020．

性脂肪や筋肉のタンパク質を分解して，エネルギーとして利用しようとするため，体重減少が起こる．

③多尿は，幼児期では夜尿，学童期以降では夜間排尿として現れることが多い．

(2)急性合併症

急激かつ高度のインスリン作用不足は，脱水が進み，消化器症状（悪心・嘔吐・腹痛）や意識障害が生じ，高血糖性の昏睡（ケトアシドーシス昏睡，高浸透圧高血糖状態，乳酸アシドーシス）に陥る．

インスリン分泌が足りない，糖質の摂取量が少ないとき，すなわち，細胞にとってエネルギーが不足するという緊急事態では，糖質の代わりに脂質を分解してケトン体をつくりだし，エネルギーとして利用するようになる．

ケトン体が血中に増加することをケトーシスといい，ケトーシス状態がさらに進行し，血液のpHが7.3を下回ってしまう状態のことをケトアシドーシスという．

(3)慢性合併症

①慢性的に続く高血糖や代謝異常は，網膜・腎の細小血管症，および全身の動脈硬化症を起こし，進展させる．

②さらに神経障害，白内障などの合併症も起こし，患者のQOL（生活の質）を著しく低下させる．

4）検査・診断

診断前の病歴聴取

まず，①現病歴（主訴，受診の動機），②既往歴（体重歴，妊娠・出産歴），③家族歴，④治療歴，⑤病気に関する知識と生活歴を中心に聴取する．

身体所見のポイント

身長・体重・腹囲の計測，血圧測定．通常の内科診療で行う視診，聴診，打診，触診，その際に循環器系，消化器系，呼吸器系の異常所見をチェックする．また，糖尿病合併症に関連した，皮膚，眼，口腔，下肢，神経系の所見にも注目する．

診断のための検査

(1)糖代謝異常の判定区分と判定基準

表30-4に示す．

この「糖尿病型」「正常型」いずれにも属さない場合は，「境界型」と判定する．

(2)75gOGTT（75g経口ブドウ糖負荷試験）

糖代謝異常の有無を調べる最も鋭敏な検査法である．明らかな臨床症状の存在やケトーシスの場合を除き，**表30-5**に示した場合にはOGTTを行い，耐糖能を確認することが推奨されている．

糖尿病の診断

・糖尿病の診断は，高血糖が慢性に持続していることを確認し，臨床検査所見，家族歴，体重歴などを参考に総合判断する（**図30-2**）．

小児・思春期における糖尿病診断の注意点

①学校検尿の尿糖陽性者については，尿糖の再検よりも，血糖，HbA1cおよび尿ケトン体検査を優先する

②可能であれば空腹時採血で血清脂質，肝機能もあわせて検査する

③糖尿病の診断のためにOGTTが必要な場合は，実際の体重（kg当たり）×1.75g（ただし最大75g）のグルコースを負荷する．高血糖の判定区分ならびに糖尿病の診断は成人と同じである

④緩徐進行１型糖尿病はまれではなく，鑑別には

表30-4　糖代謝異常の判定区分と判定基準

①早朝空腹時血糖値126mg/dL以上 ②75gOGTTで２時間値200mg/dL以上 ③随時血糖値200mg/dL以上 ④HbA1cが6.5%以上
⑤早朝空腹時血糖値110mg/dL未満 ⑥75gOGTTで２時間値140mg/dL未満

①〜④のいずれかが確認された場合は「糖尿病型」と判定する
⑤および⑥の血糖値が確認された場合には「正常型」と判定する
日本糖尿病学会編・著：糖尿病治療ガイド2020-2021．p.24，文光堂，2020．

図30-1　高血糖による症状

GAD抗体やIA-2抗体などの自己抗体の測定や，Cペプチドの経過観察などが役立つ

⑤思春期では，成長ホルモンや性ホルモンの影響によって「生理的インスリン抵抗性」が増大するほか，思春期特有の精神的葛藤も血糖コントロールに強く影響し，女子では月経周期の影響も加わる

5）治療

(1)治療の目標

糖尿病治療の目標は，血糖，体重，血圧，血清脂質の良好なコントロール状態を維持し，糖尿病細小血管合併症（網膜症，腎症，神経障害）および動脈硬化性疾患（冠動脈疾患，脳血管障害，末梢動脈疾患）の発症，進展の阻止をし，健康な人と変わらない寿命の確保をすること

表30-5　75gOGTTが推奨される場合

1．強く推奨される場合（現在糖尿病の疑いが否定できないグループ） ・空腹時血糖値が110～125mg/dLのもの ・随時血糖値が140～199mg/dLのもの ・HbA1cが6.0～6.4%のもの（ただし明らかな糖尿病の症状が存在するものを除く）
2．行うことが望ましい場合（将来糖尿病を発症するリスクが高いグループ，高血圧，脂質異常症，肥満など動脈硬化のリスクを持つものは，とくに施行が望ましい） ・空腹時血糖値が100～109mg/dLのもの ・HbA1cが5.6～5.9%のもの ・上記を満たさなくても，濃厚な糖尿病の家族歴や肥満が存在するもの

日本糖尿病学会編・著：糖尿病治療ガイド2020-2021．p.25，文光堂，2020．

図30-2　糖尿病の臨床診断のフローチャート

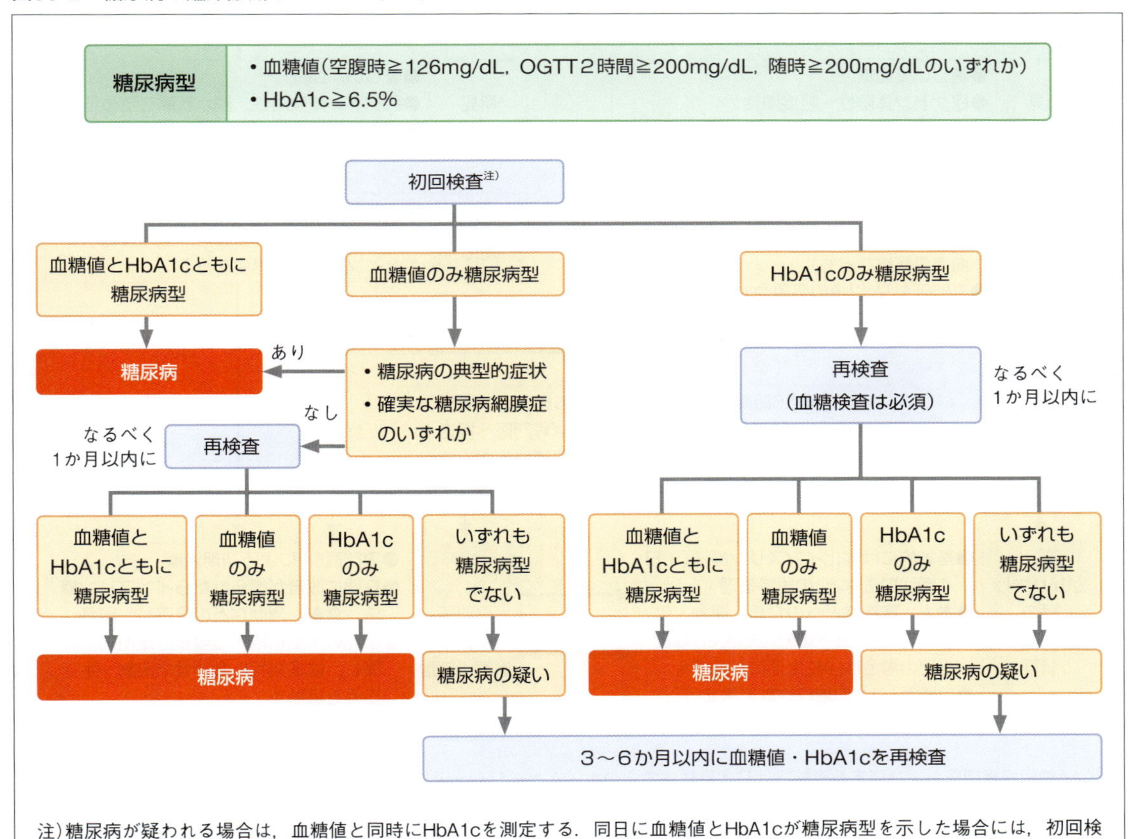

注）糖尿病が疑われる場合は，血糖値と同時にHbA1cを測定する．同日に血糖値とHbA1cが糖尿病型を示した場合には，初回検査だけで糖尿病と診断する

日本糖尿病学会編・著：糖尿病治療ガイド2020-2021．p.26，文光堂，2020．

である．

小児糖尿病の治療目標は，非糖尿病児と同等の発育とQOLの確保である．

(2)インスリン依存状態の治療(図30-3)

①初診時の対応

・1型糖尿病が疑われる場合には，直ちにインスリン治療を開始する．

・ケトーシスの場合，またはケトアシドーシスの可能性が高い場合で，とくに患者の反応が少し鈍いときや朦朧とし始めているときは，躊躇することなく，専門医に紹介，迅速に搬送する．

②継続治療

・強化インスリン療法による治療を基本とし，中断不可である．

(3)インスリン療法の実際

①強化インスリン療法

・インスリンの頻回注射，または持続皮下インスリン注入(CSII：continuous subcutaneous insulin infusion)療法に，自己血糖測定を併用し，医師の指示に従って，患者自身がインスリン注射量を決められた範囲内で調節しながら，血糖コントロールを行う．

・インスリンの頻回注射の場合，基礎インスリン分泌を中間型または持効型溶解インスリンで補い，追加インスリン分泌を速効型または超速効型インスリンで補う(**図30-4**)．

図30-3 インスリン依存状態の治療

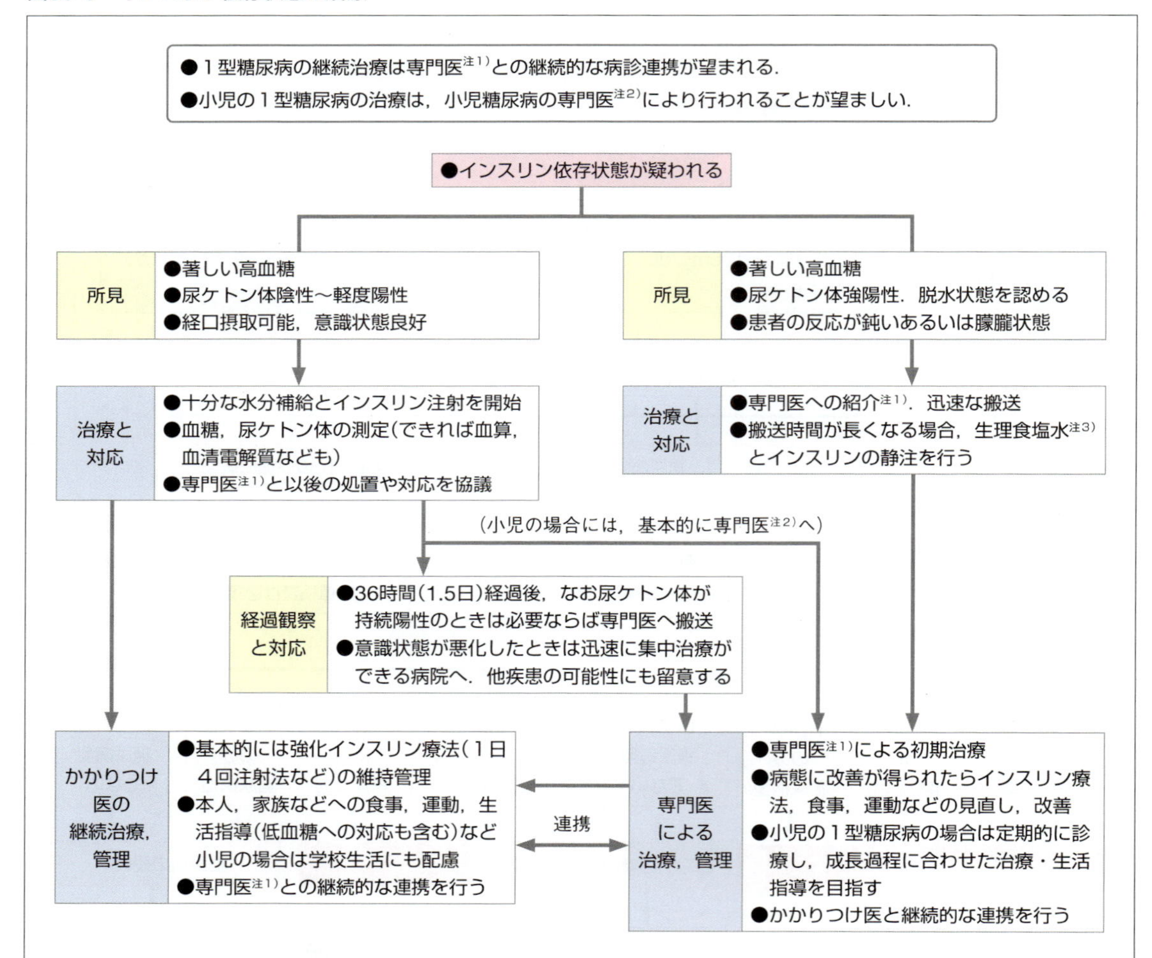

注1)糖尿病専門医および認定教育施設は日本糖尿病学会のホームページ(www.jds.or.jp/)上で都道府県別に検索できる．地域ごとの情報については地域医師会や糖尿病専門外来をもつ病院などに問い合わせるとよい．
注2)日本小児内分泌学会ホームページ(http://jspe.umin.jp/)を参照．
注3)生理食塩水1～2Lの点滴をし，尿量を少なくとも1L/日に維持する．高齢者については，心予備能などに注意しつつ行う．

日本糖尿病学会編・著：糖尿病治療ガイド2020-2021．p.41，文光堂，2020．

図30-4　生理的インスリン分泌とインスリン注射の例

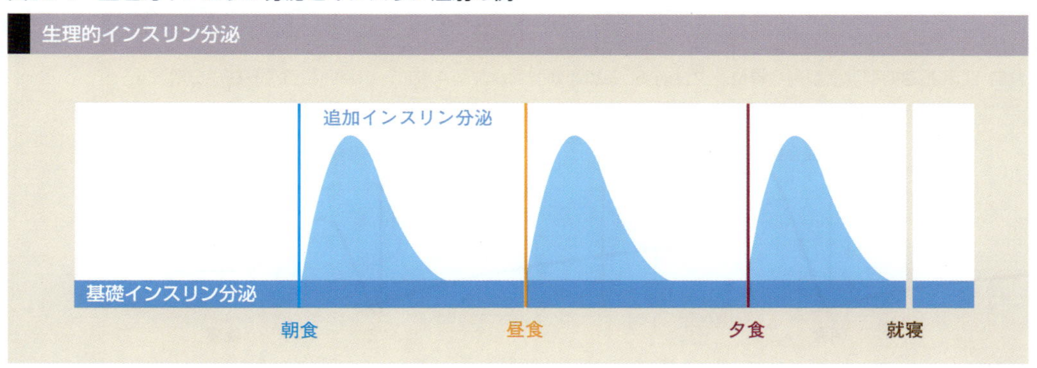
生理的インスリン分泌
追加インスリン分泌
基礎インスリン分泌
朝食
昼食
夕食
就寝

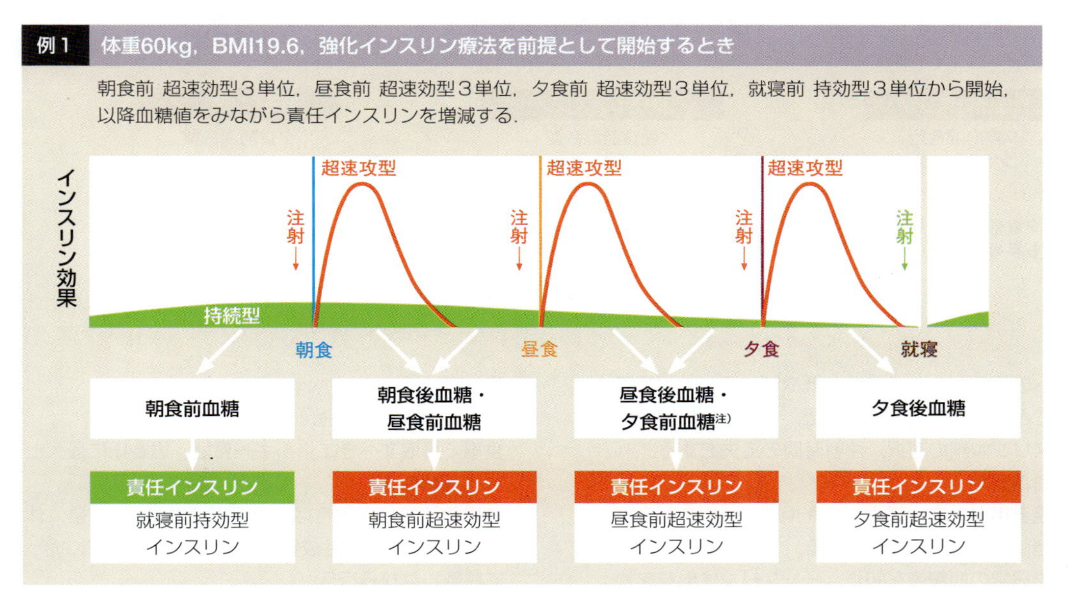
例１　体重60kg，BMI19.6，強化インスリン療法を前提として開始するとき
朝食前 超速効型３単位，昼食前 超速効型３単位，夕食前 超速効型３単位，就寝前 持効型３単位から開始，以降血糖値をみながら責任インスリンを増減する．
インスリン効果
超速攻型
注射
持続型
朝食
昼食
夕食
就寝
朝食前血糖
朝食後血糖・昼食前血糖
昼食後血糖・夕食前血糖注)
夕食後血糖
責任インスリン
就寝前持効型インスリン
朝食前超速効型インスリン
昼食前超速効型インスリン
夕食前超速効型インスリン

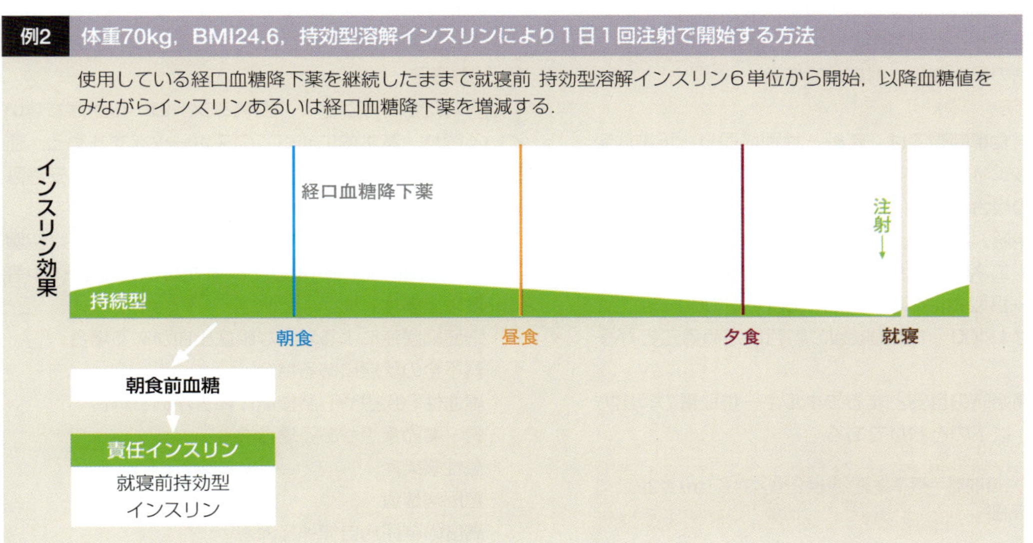
例2　体重70kg，BMI24.6，持効型溶解インスリンにより１日１回注射で開始する方法
使用している経口血糖降下薬を継続したままで就寝前 持効型溶解インスリン６単位から開始，以降血糖値をみながらインスリンあるいは経口血糖降下薬を増減する．
インスリン効果
経口血糖降下薬
注射
持続型
朝食
昼食
夕食
就寝
朝食前血糖
責任インスリン
就寝前持効型インスリン

図30-4(続き)

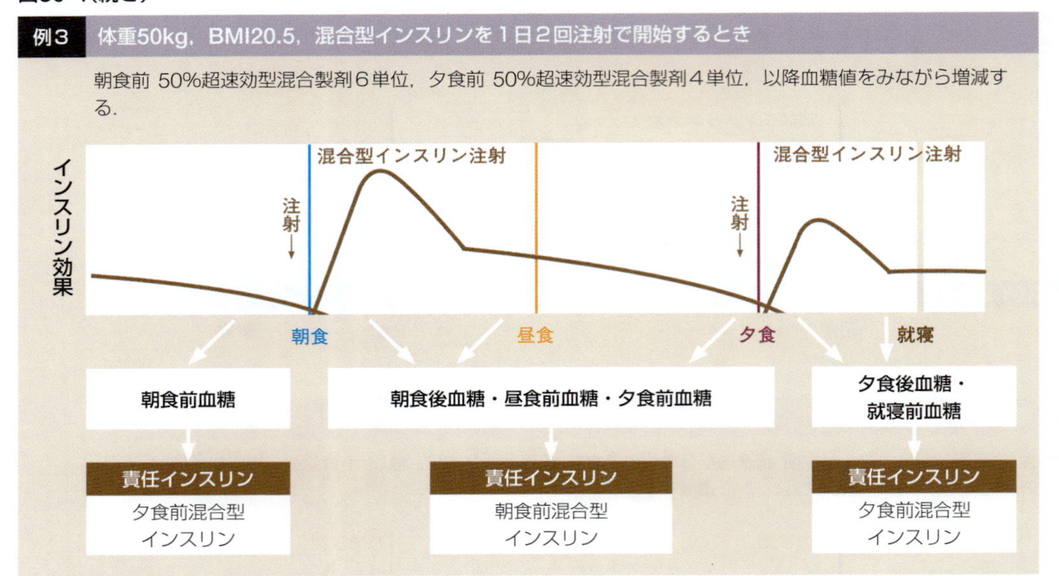

注)例１の夕食前血糖は昼食前超速効型インスリンと持効型溶解インスリンの両方の影響を受けるので，他の時間帯の血糖値も参考にして，どちらのインスリンを調節するかを判断する．

日本糖尿病学会編・著：糖尿病治療ガイド2020-2021．p.70～71，文光堂，2020．

・治療への理解が十分であり，低血糖に正しく対処できることが不可欠である．また，生活様式に応じてインスリン製剤の選択，注射時間の工夫をする．

②自己血糖測定

・自己検査用グルコース測定器を用いて，患者が自己の血糖値を測定することである．

・家庭で日常の血糖値を知り，インスリン注射量を決められた範囲で調整し，より厳格な血糖コントロールを目指すことができる．

・低血糖の早期発見，対応ができる．

(4)食事療法

基本は，食事制限では，年齢，性別に即し，正常な発育に必要なエネルギーを摂取する．

①成人の場合

・性，年齢，肥満度，身体活動量，合併症の有無を考慮し，エネルギー摂取量を決定する．初期設定エネルギー摂取量は，男性では1,600～2,000kcal，女性では1,400～1,800kcalの範囲に定めることが多い．

・治療開始時の目安とするエネルギー摂取量の算出方法は，以下のとおりである．

エネルギー摂取量＝標準体重(身長(m)×身長(m)×22)×身体活動量

・エネルギーのバランスは，体重の変化に現れる．体重の増減，血糖コントロールを考えながら設定を見直していく．

②小児，思春期の場合

・食事で摂取すべきエネルギー量は，思春期に最大となる(**表30-6**)．

・食事療法を行う場合は，発育を身体計測(身長，体重，腹囲，血圧，性成熟度)の性・年齢の基準に従って評価しながら行う．

・成長に必要な栄養素やエネルギー量が不足しないように注意する．

(5)運動療法

進行した合併症がなく，血糖コントロールが落ち着いている限り，基本的にすべてのスポーツをすすめる．運動療法を禁止あるいは制限したほうがよい場合(安静臥床を必要とはしない)は，以下の通りである．

・糖尿病の代謝コントロールが極端に悪い場合(空腹時血糖値250mg/dL以上，または尿ケトン体中等度以上陽性)

・増殖網膜症による新鮮な眼底出血がある場合

・腎不全の状態にある場合

・虚血性心疾患や心肺機能に障害がある場合

・骨・関節疾患がある場合

・急性感染症

・糖尿病壊疽

・高度の糖尿病自律神経障害

(6)低血糖への対応

ブドウ糖あるいはそれに代わるもの(ブドウ糖を多く

含む飲料など）を必ず携帯し，低血糖と感じたら直ちに摂取する．

①低血糖の症状

・交感神経刺激症状：血糖値が正常の範囲を超えて急速に降下した結果生じる症状．発汗，不安，動悸，頻脈，手指振戦，顔面蒼白など．

・中枢神経症状：血糖値が50mg/dL程度に低下したことによって生じる症状．頭痛，眼のかすみ，空腹感，眠気（生あくび）などがある．50mg/dL以下ではさらに意識レベルの低下，異常行動，痙攣などが出現して昏睡に陥る．

・小児の場合，成人のように症状を訴えることが難しい．眠気，表情，顔面蒼白，何回も同じことを話すなどの変化が，低血糖を知る手がかりとなる．

②低血糖の誘因

・薬物の種類や投与量の誤り

・食事量または炭水化物の摂取が少ない場合

・いつもより強く長い身体活動の最中，または運動後

・長時間運動した日の夜間および翌日の早朝

・過度の飲酒

・入浴など

③低血糖時の対応

・可能な限り，自己血糖測定を行い，低血糖であることを確認する．

・経口摂取が可能な場合は，ブドウ糖（10g）またはブドウ糖を含む飲料（150～200mL）を摂取させる．

・経口摂取が不可能な場合，グルカゴン1バイアル（1mg）を家族が注射することもある．基本的には医療機関へ連絡して搬送することが望ましい．

(7)シックデイ時の対応

糖尿病が治療中に発熱，下痢，嘔吐をきたし，または食欲不振のために食事ができないときをシックデイとよぶ．このような状態では，著しい高血糖が起こったり，ケトアシドーシスに陥ることがある．

①シックデイ対応と原則

・インスリン治療中の患者は，食事がとれなくても自己判断でインスリンを中断してはならない．

・発熱，消化器症状が強いときは必ず医療機関を受診するよう指導する．

・十分な水分の摂取によって脱水を防ぐようにする．

・食欲のないときは，口当たりがよく，消化のよい食物（ジュース，スープ，おかゆなど）を選び，できるだけ摂取するようにする．

②入院加療が早急に必要な場合

・嘔吐，下痢が止まらず，食物摂取不能のとき．

・高熱が続き，尿ケトン体強陽性または血中ケトン体高値（3mM以上），血糖値が350mg/dL以上のとき．

6）予後

生涯にわたり，インスリン療法，食事療法，運動療法の継続が必要となる．血糖コントロールの悪い状態が長期間続くと，糖尿病細小血管合併症（網膜症，腎症，神経障害）および動脈硬化性疾患（冠動脈疾患，脳血管障害，末梢動脈疾患）を発症することもある．

表30-6　エネルギーの食事摂取基準：推定エネルギー必要量（kcal/日）

性別	男性			女性		
身体活動レベル	Ⅰ（低い）	Ⅱ（ふつう）	Ⅲ（高い）	Ⅰ（低い）	Ⅱ（ふつう）	Ⅲ（高い）
0～5（月）	―	550	―	―	500	―
6～8（月）	―	650	―	―	600	―
9～11（月）	―	700	―	―	650	―
1～2（歳）	―	950	―	―	900	―
3～5（歳）	―	1,300	―	―	1,250	―
6～7（歳）	1,350	1,550	1,750	1,250	1,450	1,650
8～9（歳）	1,600	1,850	2,100	1,500	1,700	1,900
10～11（歳）	1,950	2,250	2,500	1,850	2,100	2,350
12～14（歳）	2,300	2,600	2,900	2,150	2,400	2,700
15～17（歳）	2,500	2,800	3,150	2,050	2,300	2,550

厚生労働省：日本人の食事摂取基準（2020年版）．p.84，2020.

2. 看護過程の展開

● アセスメント～ゴードンの機能的健康パターンを用いて

パターン	アセスメントの視点	根拠	収集する情報
(1) **健康知覚-健康管理** 患者背景 健康知覚-健康管理 価値-信念	●現在の健康状態をどのように知覚しているか ●血糖コントロールは適切か，低血糖の頻度は多くなっていないか ●家族，重要他者のサポートは適切か ●感染の危険性はないか ●糖尿病および合併症に関する健康管理行動は適切か	●高血糖の持続は，インスリン作用不足があることを示しており，口渇，多飲，多尿，体重減少，易疲労感などの症状が生じる． ●１型糖尿病の発症時，インスリンの中断などでインスリンの分泌が急激かつ高度に不足すると，血糖値が著しく上昇し，糖質の代わりに脂質を利用し，エネルギー代謝を補うため，ケトン体が産生される．そのケトン体が血中に増加し，ケトーシスを起こす．さらに状態が進行するとケトアシドーシスを起こし，昏睡に至る場合もある． ●インスリン投与量がインスリン必要量を超えると低血糖を生じる． ●高血糖の持続により，細小血管の障害（細胞の低酸素状態），貪食細胞機能障害（好中球・単球・マクロファージの機能低下），免疫機能障害を生じ，易感染状態となる． ●糖尿病全期にわたり，血糖値，血圧，体重，血清脂質のコントロールが必要である． ●長期間，糖尿病によって高血糖が持続すると，血管組織あるいはその構成細胞において，酸化ストレスが増加し，網膜症や腎症，神経障害といった細小血管症や，心筋梗塞や脳梗塞といった大血管症などの合併症が生じる． ●目標HbA1cは7.5％未満であるが，目標HbA1c値は個人によって異なり，重症低血糖の発生を最小限にするように設定する．	●症状 ・口渇，多飲，多尿，著しい体重減少，易疲労感 ・悪心，嘔吐，腹部症状 ●検査データ ・血糖値，HbA1c，GA ・ケトン体，血中CPR ・抗GAD抗体 ・尿糖，尿中ケトン体，尿タンパク ・pH ・血圧，脈拍 ・血糖自己測定（SMBG），HbA1cの推移 ●その他の情報 ・年齢（発症時の年齢） ・糖尿病の罹患歴 ・糖尿病の家族歴 ・発達課題 ・家族構成 ・サポートパーソンの有無 ・合併症の有無
(2) **栄養-代謝** 全身状態 栄養-代謝 排泄	●水分・栄養摂取に問題はないか ●血糖コントロールは適切か ●電解質のバランスの異常はないか ●発育に問題はないか ●低血糖を起こしていないか	●著しい高血糖は，原尿に過剰なブドウ糖が流出し，ブドウ糖を薄めるために水分も一緒に尿となって排出される．そのため，多尿となり，脱水を引き起こす． ●高血糖と脱水が進むと，ケトーシス，ケトアシドーシスなどの重篤な急性合併症を引き起こす．	●症状 ・口渇，多飲，多尿，著しい体重減少，易疲労感 ・悪心，嘔吐，腹部症状 ・頭痛 ・空腹感 ●検査データ ・血糖値，HbA1c，GA ・血中ケトン体 ・TP，Alb ・pH ・尿糖，尿中ケトン体，尿タンパク ・SMBG

パターン	アセスメントの視点	根拠	収集する情報
(2) 栄養-代謝 全身状態 栄養-代謝 排泄		●食事療法は糖尿病治療の基本となるため，適正なエネルギー摂取量が示される． ●小児の場合は，正常な発育を遂げるために年齢と性に合致した必要エネルギーを摂取する必要があり，食品構成を適正にする．	●身体面データ ・意識レベル ・身長，体重，腹囲 ・BMI ・血圧 ・性成熟度 ・粘膜の乾燥 ・発汗の有無 ・皮膚の緊張度 ●その他の情報 ・年齢（発症時の年齢） ・発達課題 ・家族構成 ・サポートパーソンの有無 ・合併症の有無 ・食生活 ・調理者 ・嗜好
(3) 排泄 全身状態 栄養-代謝 排泄	●尿量・尿の性状はどうか ●夜尿はないか ●排泄障害はないか ●腎機能は正常か ●便の排泄に異常はないか ●発汗の異常はないか	●著しい高血糖は，原尿に過剰なブドウ糖が流出し，ブドウ糖を薄めるために水分も一緒に尿となって排出される．そのため，多尿となる． ●小児の場合，夜尿が起こることもある． ●長期間，高血糖が持続することで，腎糸球体血管にメサンギウムが増生し，糸球体構造の破壊，硬化が起こることで腎症を引き起こす． ●糖尿病による自律神経障害により，排尿障害（溢流性尿失禁），便秘または下痢を生じることがある． ●自律神経障害により，四肢（とくに足）の発汗減少，顔面・体幹部の発汗過多などの発汗障害が起こる．	●症状 ・多尿，多飲 ・尿量の増加 ・夜尿 ・尿失禁 ・便秘，下痢 ●検査データ ・TP，ALB ・eGFR ・尿タンパク，尿中アルブミン
(4) 活動-運動 活動・休息 活動-運動 睡眠-休息	●活動・運動は適切に行われているか ●エネルギーの需要・供給のバランスは保たれているか ●呼吸・循環の機能は正常か ●日常生活はどの程度自立しているか ●体温調整は保たれているか	●運動療法は，ブドウ糖，脂肪酸の利用が促進され，血糖値が低下することや，インスリン抵抗性の改善に効果的である． ●糖尿病の代謝コントロールが極端に悪い場合（空腹時血糖値250mg/dL以上，尿ケトン体中等度以上）は，運動によって悪化するため，運動療法を制限する． ●糖尿病患者での高血圧の頻度は40〜60％といわれ，非糖尿病患者の約２倍と高率である． ●インスリン抵抗性，高インスリン血症による血管壁細胞の肥大，硬化，腎臓でのナトリウム排泄の低下，糖尿病腎症の進展が，高血圧の要因となる． ●糖尿病によって自律神経障害を生じると，頻脈，起立性低血圧が起こることがある． ●網膜症が進行している場合，激しい運動によって眼底出血を引き起こすことがある．	●身体面データ ・身長，体重，腹囲 ・BMI ・血圧，脈拍 ・合併症の有無，程度 ・ADL ●検査データ ・血糖値，HbA1c ・尿タンパク，尿中アルブミン ●その他の情報 ・年齢 ・職業 ・生活リズム ・活動量，運動習慣の有無

パターン	アセスメントの視点	根拠	収集する情報
(5) **睡眠-休息** 活動・休息 活動-運動 睡眠-休息	●睡眠・休息の障害はないか ●夜間低血糖，高血糖はないか	●高血糖による浸透圧利尿は，夜間頻尿となり，睡眠が障害される． ●夜間の低血糖は，不快感，発汗などで気がつく場合があり，患者は不安を生じる． ●小児の場合，啼泣，ぐずり，顔面蒼白などの症状で低血糖に気がつく場合がある．	●必要な情報 ・生活リズム ・血糖パターン ・日中の活動強度 ・睡眠時間，午睡の有無 ・活気，機嫌 ・尿回数・尿量
(6) **認知-知覚** 知覚・認知 認知-知覚 自己知覚-自己概念 コーピング-ストレス耐性	●認知機能は正常か ●感覚機能は正常か（とくに視機能，知覚） ●網膜症の進行はあるか	●反復する重症低血糖は，認知症発症のリスクを高める． ●低血糖の中枢神経症状では，異常行動（同じ話を繰り返す，脱衣，多動など）が出現することがあり，とくに高齢者の場合は認知症と間違われやすい． ●糖尿病網膜症の初期でも，黄斑部の変性が起こると視力低下が認められる． ●糖尿病患者の視力障害には白内障によるものもある． ●糖尿病による末梢神経障害は，手，足にしびれや知覚異常，感覚異常を起こすことがあるため，傷などに気がつきにくく，発見が遅くなることがある．	●必要な情報 ・年齢 ・血糖パターン ・網膜症の有無，程度 ・白内障の有無 ・神経障害の症状の出現 ・足の傷，潰瘍などの有無 ・認知機能低下の有無
(7) **自己知覚-自己概念** 知覚・認知 認知-知覚 自己知覚-自己概念 コーピング-ストレス耐性	●自分の状態をどのように捉えているか ●小児の場合，両親は児が1型糖尿病であることをどのように捉えているか ●自己概念・自尊感情の脅威はないか ●小児の場合，母親の自己概念・自尊感情の脅威はないか	●1型糖尿病は，食生活や家族歴などと関係なく突然発症する．そのため，患者（患児）およびその家族は心理的混乱が大きい．最初は驚き，否定し，悲しみや怒りを感じ，諦め，受け入れ，平静となる，というプロセスをたどる． ●発症時に体重減少，やせという身体変化が生じボディイメージの変化を余儀なくされる． ●インスリン効果が発揮されれば，体重はもとに戻る． ●母親は児を同一視し，自己概念や自尊感情が脅かされることもある．	●必要な情報 ・患者の言動 ・小児の場合，小児の発育状況や表情，自己管理の程度 ・両親，家族の反応，言動 ・身体的な変化の有無 ・体重の増減
(8) **役割-関係** 周囲の認識・支援体制 役割-関係 セクシュアリティ-生殖	●家族関係に問題はないか ●役割遂行に問題はないか ●小児の場合，両親の関係に問題はないか ●小児の場合，患児以外のきょうだいへの影響はないか ●小児の場合，母親あるいは両親がコミュニケーションをとることができるか	●インスリン治療，生活調整を行っていくうえで，家族や重要他者のサポートは重要である． ●小児の場合，母親あるいは両親が児の世話に時間を費やすことによって，ほかのきょうだいに対する親役割が十分に果たせなくなることがある． ●母親あるいは両親が他者とコミュニケーションをとることができれば，児の受け入れや対応などのプラス要因となる．	●必要な情報 ・職業，役割 ・保育園（幼稚園）や学校への登園，登校状況 ・家族構成 ・周囲の認識，サポート体制

パターン	アセスメントの視点	根拠	収集する情報
(9) セクシュアリティ-生殖 周囲の認識・支援体制 役割-関係 セクシュアリティ-生殖	●性に関する問題はないか ●生殖に関する問題はないか	●思春期では，成長ホルモンや性ホルモンの影響などにより，生理的インスリン抵抗性が増大するほか，思春期特有の精神的葛藤も血糖コントロールに強く影響する． ●女子では，月経周期の影響も加わる． ●思春期や若い女性では，過度な食事制限やインスリン治療をすることにより，体重が増加するというボディイメージから，摂食障害を生じてしまう場合もある． ●男性の場合，高血糖による自律神経障害によって勃起障害（ED）となることがある．	●必要な情報 ・発達課題 ・性成熟度 ・学校への登校状況 ・食生活の変化の有無 ・家族構成 ・自律神経障害の有無
(10) コーピング-ストレス耐性 知覚・認知 認知-知覚 自己知覚-自己概念 コーピング-ストレス耐性	●ストレス障害が生じていないか ●ストレスと対処方法はどうか ●小児の場合，両親のストレス認知と対処方法はどうか	●身体的なストレスだけではなく，精神的なストレスによっても血糖値は上昇する． ●ストレスにより，生活リズムが乱れ，治療意欲が低下することで，自己管理に悪影響を及ぼす． ●これまでのストレスコーピングは，治療や自己管理に影響する．	●必要な情報 ・血糖値，体重の推移 ・これまでのコーピング行動の有無 ・生活の変化 ・ライフイベント ・ライフステージの変化
(11) 価値-信念 患者背景 健康知覚-健康管理 価値-信念	●価値・信念とヘルスケアシステムのあいだには対立はないか ●両親の価値・信念とヘルスケアシステムのあいだには対立はないか	●長期にわたる治療や療養生活には，価値・信念が影響する． ●長期にわたる治療や，児の成長に伴う変化には，両親の価値・信念が影響する．	●必要な情報 ・健康に関する価値観 ・糖尿病への思い ・長期にわたる療養生活に関する心理的な変化 ・児の成長 ・ライフステージの変化

3. 全体像の把握から看護問題を抽出

1）病態関連図

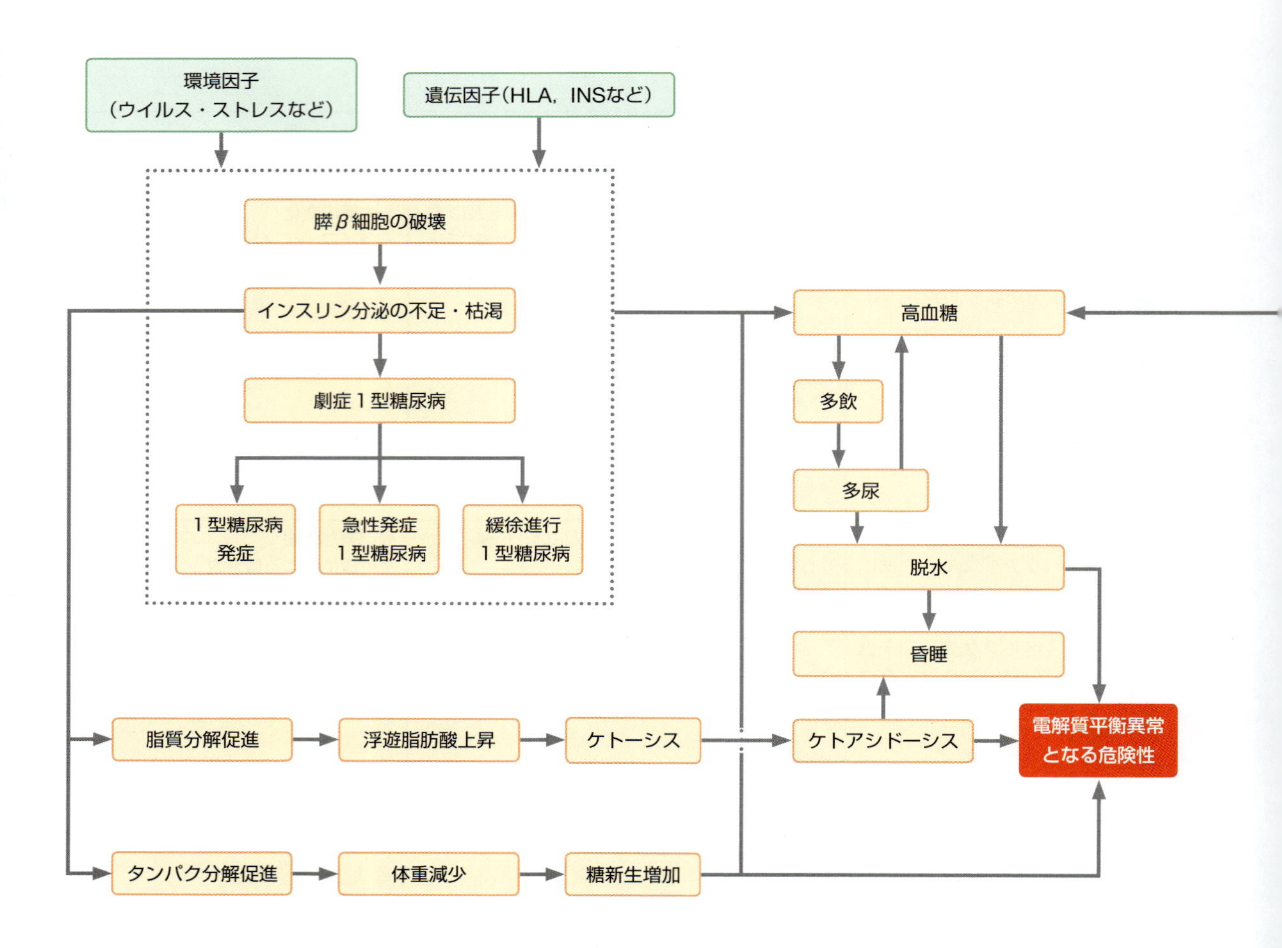

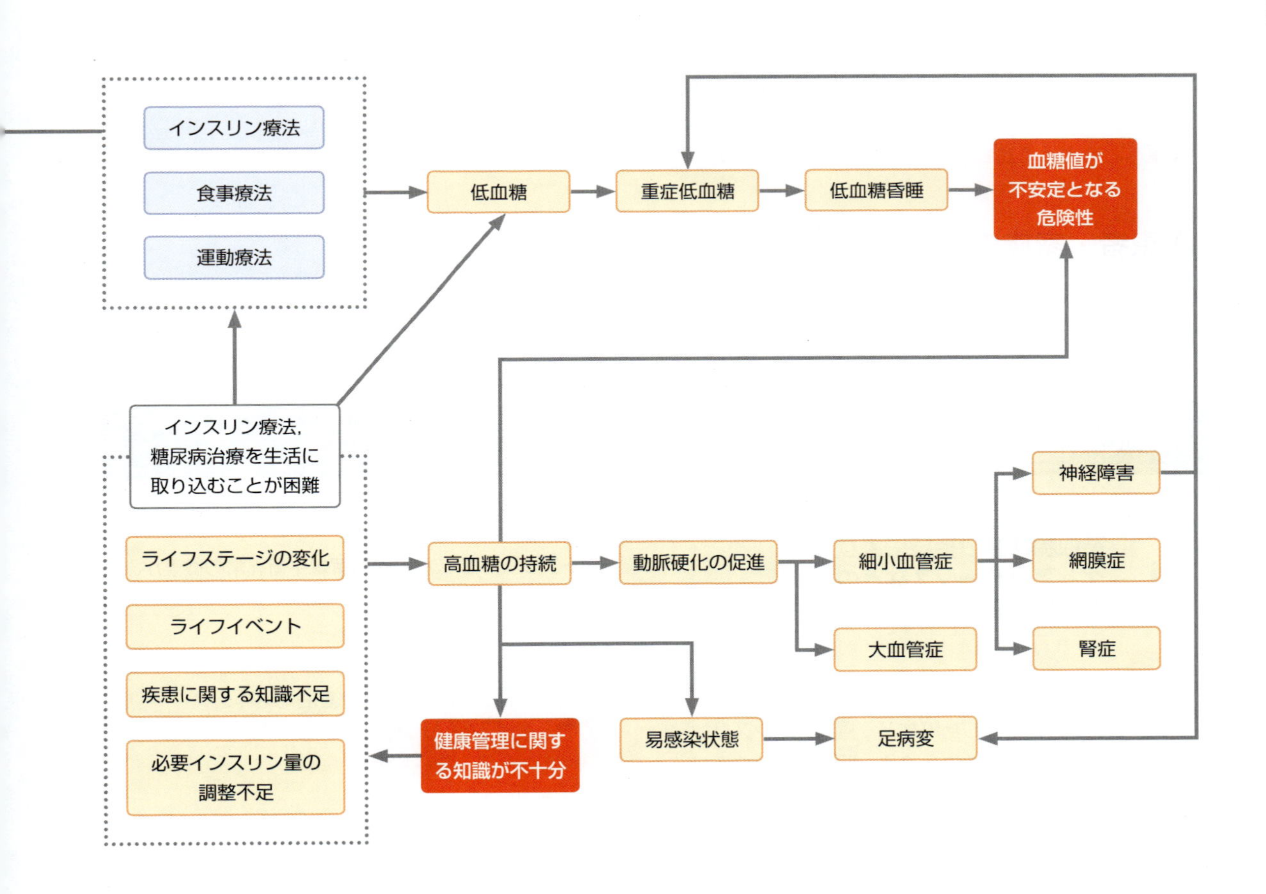
インスリン療法
食事療法
運動療法
低血糖
重症低血糖
低血糖昏睡
血糖値が
不安定となる
危険性
インスリン療法，
糖尿病治療を生活に
取り込むことが困難
神経障害
ライフステージの変化
高血糖の持続
動脈硬化の促進
細小血管症
網膜症
ライフイベント
大血管症
腎症
疾患に関する知識不足
必要インスリン量の
調整不足
健康管理に関す
る知識が不十分
易感染状態
足病変

2）看護の方向性

1型糖尿病は，膵β細胞の破壊からインスリン欠乏に至る．突然発症することが多く，口渇，多飲，多尿などの自覚症状に乏しいまま，インスリン作用不足の状態となり，ケトーシス，ケトアシドーシスを引き起こす可能性が高い．発症の急性期は，直ちに外因性インスリンと補液による電解質の補填が必要となる．また，高血糖持続による脱水は，症状を悪化させるため，ケトアシドーシスに陥らないよう注意が必要である．

次に，1型糖尿病は生涯にわたり，外因性インスリンを補填することが必要となるため，急性期治療を入院期間で脱した後は，インスリン治療を中心とする糖尿病治療を自己の生活のなかに取り込み，血糖コントロールを行わなければならない．インスリン治療は，内服薬で代用ができないため，患者（患児）もしくは家族が指示量のインスリンを皮下注射する治療である．血糖コントロールは，インスリン投与量，食事量，活動量などによって左右される．インスリン分泌の枯渇や欠乏となる1型糖尿病患者（患児）は，外因性インスリンの調整不足により，容易に高血糖や低血糖を起こしやすい．生活に沿ったインスリン調整は，セルフマネジメントに関わる問題であるため，知識の習得状況にあわせた支援を行う必要がある．

さらに，血糖不安定リスク状態にも関連し，糖尿病治療を生活になかに取り込むことが困難になり，血糖コントロールが悪化する状態が長期にわたると，合併症の発現・進展が起こる可能性がある．よりよい血糖コントロールを保ち，合併症の発現・進展を予防するためにも，インスリン自己注射や食事療法，活動への注意点などのセルフケアが必要となる．罹患期間だけではなく，血糖コントロール不良の期間にもよるが，発症から10年以上経過すると，合併症の進行は急速で重症化しやすいため，セルフケア不足を補うような支援を継続していく必要がある．

3）患者・家族の目標

患者（患児）の成長発達に沿ったインスリン療法を中心とするセルフケアを習得し，個々の生活のなかに治療を取り込むことで，急性・慢性的な合併症を予防することができる．

4. しばしば取り上げられる看護問題

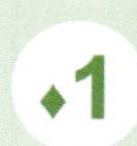

高血糖状態の持続により ケトアシドーシスなどの 電解質平衡異常となる危険性がある

なぜ？

糖尿病ケトアシドーシスは，1型糖尿病の発症時やインスリン治療を自己中断した際など，極度のインスリン欠乏状態に陥ったときに認められる．肝臓での解糖系がうまく働かなくなり，血液中のグルコース（ブドウ糖）がエネルギー源として利用できなくなる．その結果，身体のエネルギー不足を補うために脂肪を分解し，ケトン体を合成する．ケトン体が蓄積すると血液が酸性に傾き，アシドーシスの状態となる．ケトアシドーシスは直ちに治療を行う必要があり，適切な治療が行われないと，昏睡または生命の危機に陥る可能性がある．

1番目に優先する．また，初期対応が適切でないと，今後の血糖コントロールに影響がある．

➡期待される結果

ケトアシドーシスなどの電解質平衡異常の徴候がみられない．

◆2 知識が不十分で生活の中に インスリン療法が定着していない

なぜ？

1型糖尿病は生涯にわたり，外因性インスリンを補填することが必要となるため，インスリン治療を中心とする糖尿病治療を自己の生活のなかに取り込み，血糖コントロールを行わなければならない．インスリン治療は，内服薬で代用ができないため，患者（患児）もしくは家族が指示量のインスリンを皮下注射する治療である．血糖コントロールは，インスリン投与量，食事量，活動量などによって左右される．そのため，成長発達に沿った必要インスリン量や，食事量の増減，活動量の増減などにあわせたインスリン調整が必要となる．適切な調整ができないと，高血糖の持続による血糖コントロールの増悪や，頻発する低血糖などが生じる．

➡期待される結果

必要な知識を習得しつつ，生活のなかにインスリン療法を取り込むことができる．

◆3 健康管理（血糖コントロール，セルフケアなど）の知識が十分でない

なぜ？

生活のなかでの糖尿病治療を習得できないと，高血糖の持続による血糖コントロールの増悪や，頻発する低血糖などが生じる．長期にわたる血糖コントロール不良は，糖尿病の慢性的な合併症を引き起こす可能性がある．とくに動脈硬化などといった血管へのダメージは大きく，細小血管症，大血管症などの合併症は，ADLの低下や社会的疎外などのQOLの低下につながる．

１型糖尿病は若年層の発症が多い．糖尿病合併症の出現は，罹患期間が長期になるほど出現しやすい．

➡期待される結果

セルフケア不足が改善し，よりよい血糖コントロールが得られる．

5. 看護計画の立案

• O-P：Observation Plan（観察計画）　• T-P：Treatment Plan（治療計画）
• E-P：Education Plan（教育・指導計画）

◆1 高血糖状態の持続によりケトアシドーシスなどの電解質平衡異常となる危険性がある

	具体策	根拠と注意点
O-P	**（1）口渇，多飲，多尿の有無** **（2）悪心，嘔吐，腹部症状の有無** **（3）皮膚の状態** ・皮膚の緊張度，粘膜の乾燥，発汗の有無 **（4）水分出納** ・飲水量，尿量のチェック **（5）活気，機嫌，全身倦怠感** **（6）検査所見** ①血液データ ・血糖値，HbA1c，GA，血液ガス，血中ケトン体，血中CPR，血清電解質，抗GAD抗体，血清脂質	●１型糖尿病の初期症状や糖尿病ケトアシドーシスの症状を適切に捉えて対処する． ●小児の場合，症状を的確に伝えることができないこともあるため，皮膚の状態や活気や機嫌の観察，水分出納，検査データの観察は重要となる．
	②尿の性状 ・尿量，尿回数，尿中ケトン体，尿糖，尿臭 ③心電図 **（7）昏睡時所見** ・バイタルサイン：意識レベル，頻脈，徐脈，クスマウル大呼吸 **（8）血糖値の変動** ・簡易的血糖測定値の変化	●小児の場合，失禁する場合もあるため，オムツカウントして尿量の把握を行う．
	（9）食事摂取量	●患児の年齢によっては，食事の好き嫌いで必要量を摂取できなかったり，空腹感に耐えられず，嗜好品を必要以上に摂取してしまう場合がある． ●厳しい食事制限の印象を与えてしまうと，今後の食事療法継続に影響が出てしまう可能性があるので，注意しながら観察する．
	（10）低血糖症状の有無 ・空腹感，冷や汗，発汗，傾眠，痙攣，顔面蒼白，脱力感，動悸	●インスリン療法によって低血糖が生じる可能性もあるため，血糖変動，症状の有無に注意して観察する．小児の場合は，自覚症状を伝えることが難しいため，顔面蒼白や傾眠などの症状に注意する．

	具体策	根拠と注意点
T-P	(1)輸液の管理 (2)インスリン持続静脈注射の管理 (3)血糖測定 (4)体重測定 (5)日常生活の援助	●糖尿病ケトアシドーシスなどの急性期治療では，脱水，アシドーシスの改善，血糖コントロールのために，多量の補液やインスリンの持続静脈注射が必要となる． ●時間ごとの血糖測定や尿量の観察によって，インスリン投与量などが細かく変化する． ●脱水改善の判定や，インスリン効果を決定する目的のため，毎日一定の時間に体重を測定する． ●全身状態の安定や治療による活動制限が生じるため，発達段階にあわせた日常生活援助を行う．
E-P	(1)現在の病態と実施されている治療の必要性 ・1型糖尿病の発症，糖尿病ケトアシドーシスの病態と治療の理解度を把握する (2)発症時に必要な糖尿病に関する学習内容 ①1型糖尿病の原因，病態，治療方法 ②インスリンの種類，自己注射方法 ③自己血糖測定，モニタリング ④低血糖の予防，対処方法 ⑤シックデイの対応 ⑥食事療法の基本 (3)発達段階ごとの患児に対する家族の役割	●急性期症状が落ち着けば，今後の自己管理についての教育が必要となる．突然の発症で，現状を受け入れられない状態での教育は効果的ではないため，段階的に時間をかけて行うようにする． ●退院後，インスリン療法が絶対的に必要となるため，患者や患者家族が，インスリン自己注射や自己血糖測定方法を習得できるように支援する．患児の場合は，発症年齢，発達段階に応じて指導する． ●急性期を脱し，インスリン療法を生活のなかに取り込むことができるようになれば，糖尿病でない児と同じように生活することができることを伝える．また極度な食事，活動制限は必要ないことを伝える．

2 知識が不十分で生活の中にインスリン療法が定着していない

	具体策	根拠と注意点
O-P	(1)血糖コントロール状態 ①血糖値，自己血糖測定値(食前，食後2時間値) ②HbA1c，GA ③尿糖，アルブミン尿 ④尿ケトン体 (2)高血糖の自覚症状と程度 ・倦怠感，口渇，体重減少 (3)低血糖の自覚症状と程度 ・空腹感，冷や汗，発汗，傾眠，痙攣，顔面蒼白，脱力感，動悸 (4)治療内容とその効果 ①インスリン療法 ②食事療法(摂取量，カーボカウント) ③運動療法との関係 (5)血糖コントロール不良の場合，その原因 ①シックデイ ②感染の有無，程度 ③食事摂取量の不安定 ④治療内容(インスリンの使用状況) (6)日常生活状況 (7)血糖コントロールに対する患者(患児)・家族の反応	●発症直後の1型糖尿病患者では，強力な初期インスリン治療による血糖正常化が，寛解期(ハネムーン期)をもたらすことがある． ●最終的には，インスリン必要量は増加していくため，インスリン注射を中断せず，治療を続けることが必要となる． ●HbA1c，GAは過去2週間～2か月の血糖推移となる．また，自己血糖測定値は，自宅での血糖コントロールの指標となる． ●自己血糖測定値と，HbA1cが乖離している場合は，その要因を確認する必要がある． ●高血糖状態の持続は，急性合併症，慢性合併症のリスクとなるため，注意して観察していく． ●尿ケトン体が陽性の場合は，インスリン作用が著しく低下している可能性がある． ●日常生活のなかで，適切にインスリン療法が行われていないシックデイや脱水などにより，急性合併症のリスクは高まる． ●日常生活状況や，インスリン療法や食事療法に対する思い，実施状況を確認する．

	具体策	根拠と注意点
T-P	**(1)自己管理方法習得への援助** ①病態，血糖変動，インスリン効果などを説明する際，わかりやすいパンフレットや，本，教材を活用する ②血糖値や体重，食事内容などをモニタリングすることをすすめる	●患者（患児），家族の理解力に応じた方法を選択する．とくに口頭での指導と，視聴覚教材を併用すると，イメージ化しやすく理解しやすくなる． ●血糖や体重，食事のセルフモニタリングは，生活のなかでの自己管理への動機づけとなる．
	(2)インスリン療法実施，方法変更時への援助 ①生活状況にあわせたインスリン療法への援助を行う ②インスリンの頻回注射が必要な場合など，持続皮下インスリン療法（CSII）へ切り替える場合もあるため，変更時に必要な指導を行う	●乳幼児，幼児の場合は，食事量が一定とならず，血糖値をみながらの頻回注射となる． ●保育園や幼稚園に通う患児の場合，インスリンの頻回注射が難しい場合もあるため，注射回数の調整を行う場合もある． ●血糖コントロールの安定，頻回注射が必要な場合，妊娠中などの目的で，持続皮下インスリン療法を選択することもある．
	(3)自己血糖測定への援助 ①簡易的自己血糖測定器の選択を行い，手技が習得できるように指導する ②測定した血糖値を記録することを伝える	●さまざまな簡易的自己血糖測定器があるため，患者にあった測定器を選択することで，自己管理が継続しやすくなる．
	(4)食事療法実施への援助 ①食事療法の指導は，管理栄養士・栄養士と協力して行う ②患者（患児）の食生活や発達段階に沿った食事療法を選択する	●極度の食事制限，糖質制限は，急性合併症や血糖コントロール不良を引き起こすため，注意して観察する． ●栄養士と連携することで，患者，患者家族のニーズにあわせた，より具体的な食事内容を指導でき，理解が深まる．
	(5)糖尿病患者会，サマーキャンプなどの紹介	●同じ疾患をもつ患者（患児），患者家族の交流やモデリングの存在は，治療意欲が高まる．
	(6)保育園や幼稚園，学校との連携 ①インスリン自己注射方法，注射を打つ場所の確保やインスリンの管理方法 ②急変時の対応（急性合併症の発症時）	●地域，施設によって，患児の受け入れ体制が違う．施設側と家族への調整が必要となる．場合によっては，担任や養護教諭への直接的な指導を行う場合もある． ●緊急時の対応を，保育園や幼稚園，学校，会社などの施設に伝えておくようにする．
E-P	**(1)１型糖尿病についての説明** ①１型糖尿病の病態 ②検査（目的，方法） ③治療 ④合併症（急性，慢性）	●生涯にわたり治療が必要となるため，１型糖尿病に対する正しい知識を得ることは，自己管理への動機づけとなる．
	(2)インスリン療法についての説明 ①インスリン注射の種類と効果 ②インスリン自己注射の指導 ③インスリン指示量と注射のタイミング ④注射部位 ⑤低血糖時の対処方法 ⑥糖尿病手帳の携帯	●１型糖尿病患者の場合，インスリン療法が絶対的に必要となり，中断した場合は，重篤な合併症を生じる可能性がある． ●インスリンの種類も多く，効用もさまざまである．患者（患児），家族が種類や効果を充分に理解したうえで，インスリン療法が継続していけるような支援が必要である． ●注射部位は，同じところに打たないよう，数cmずつずらして打つことをすすめる． ●低血糖は昏睡に至ることもあるため，早期対処のために糖尿病手帳を携帯し，周囲の人々への協力を依頼する．
	(3)自己血糖測定についての説明 ①自己血糖測定の意義・必要性 ②自己血糖測定方法の指導	●インスリン療法を行う場合，低血糖の早期発見と，血糖コントロール状態の把握のため，自己血糖測定を日常的に行うことがすすめられている．副次効果として，自己の血糖値をモニタリングすることで，自己管理への意欲が高まる．
	(4)シックデイについての説明	●発熱，下痢や嘔吐，食欲不振で食事がとれない場合，糖尿病以外の病気のときをシックデイという．炎症に対する生体反応や脱水により，高血糖になりやすい． ●インスリン療法を自己中断しないように，あらかじめ食事がとれない場合のインスリン指示量を医師に確認しておく．

	具体策	根拠と注意点
E-P	**(5)食事療法についての説明** ①食事療法の意義・目的 ②摂取エネルギー量，栄養バランス ③食品交換表の使い方 ④カーボカウント(必要時) ⑤嗜好品の取り入れ方 ⑥外食時の工夫	●極度の食事制限，糖質制限は，急性合併症や血糖コントロール不良を引き起こすため，注意して観察する． ●インスリン療法にあわせた，カーボカウントを行う場合がある ●清涼飲料水やお酒，お菓子などの嗜好品は，摂りすぎると摂取カロリーが増え，血糖コントロール不良の原因になる．
	(6)運動療法についての説明 ①活動制限はないことを伝える ②禁止，および制限したほうがよいとき ・空腹時高血糖250mg/dL以上，尿ケトン体陽性 ・糖尿病網膜症による新鮮な眼底出血がある場合 ・腎不全の状態にある場合 ・虚血性心疾患や心肺機能に障害がある場合 ・急性感染症 ・糖尿病壊疽 ・高度の糖尿病自律神経障害	●運動療法は，筋肉でのブドウ糖の利用を促進し，脂質代謝を改善し，体重コントロールにつながる．さらに血液循環を促す． ●運動負荷が禁忌の疾患，合併症の進行がある場合には，積極的にはすすめないようにする．
	(7)日常生活での注意点 ①感染予防 ②フットケア ③ストレスへの対応 ④旅行時(飛行機や新幹線などの移動を含む) ⑤災害時の対応	●高血糖状態にあると，感染防御機構の低下によって感染しやすい．とくに足は，知覚異常があると感染や外傷に気づきにくい． ●旅行は，食事内容や時間の乱れなどがあって血糖コントロールが乱れやすい．また，時差のある場合は，事前にインスリン注射を打つタイミングなどの指示を得ておく． ●災害時でもインスリン注射を中断しないような準備をしておく．
	(8)定期受診，緊急時の連絡方法	●定期受診を欠かさず，血糖コントロール状態を良好に維持し，合併症を予防することが重要である．とくにライフステージの変化やライフイベントなどを迎えた生活の変化時は，悪化しやすいので注意する． ●緊急時の対応を，保育園や幼稚園，学校，会社などの施設に伝えておくようにする．

引用・参考文献

1) 日本糖尿病学会編・著：糖尿病治療ガイド2020-2021．文光堂，2020.
2) 細井雅之編：病気のしくみ・合併症・治療による変化がわかる―糖尿病の病態生理イラスト図鑑．糖尿病ケア，2019年春季増刊，2019.
3) 岩岡秀明ほか編著：ここが知りたい！糖尿病診療ハンドブックVer.4．中外医学社，2019.
4) 森加苗愛監：糖尿病ケアと指導の「悩み解消」ポイント．エキスパートナース，23(9)：24～82，2007.
5) 江川隆子編：ゴードンの機能的健康パターンに基づく看護過程と看護診断．第6版，ヌーヴェルヒロカワ，2019.
6) 石川ふみよ監：アセスメント力がつく！ 臨床実践に役立つ看護過程．学研メディカル秀潤社，2014.
7) 山口瑞穂子，関口恵子監：疾患別看護過程の展開．第5版，学研メディカル秀潤社，2016.
8) 日本糖尿病教育・看護学会編：糖尿病看護ベストプラクティス インスリン療法．日本看護協会出版会，2014.

Memo

２型糖尿病

1. 疾患の基礎的知識

1）疾患の概念

糖尿病とは，インスリン作用不足による慢性の高血糖症状を主徴とする代謝疾患群である．糖尿病・糖代謝異常を成因（発症機序）によって分類すると，①１型糖尿病，②２型糖尿病，③その他特定の機序・疾患によるもの，④妊娠糖尿病の４つに大別される（**表30-1**，p.478参照）．本稿では２型糖尿病について述べる．

２型糖尿病患者の治療，看護では，合併症を予防して永続的に自己管理を行っていくための生活調整，指導が重要である．

2）原因

２型糖尿病は，インスリン分泌低下やインスリン抵抗性をきたす素因を含む複数の遺伝因子に，過食（とくに高脂肪食），運動不足，肥満，ストレスなどの環境要因および加齢が加わって発症する（**図31-1**）．遺伝因子としては，インスリン分泌低下がある場合もある．

なお，インスリン抵抗性とは，血中のインスリン濃度に見合ったインスリン作用が得られない状態をいう．インスリンの働きが十分に発揮できず，血糖を正常の値に下げられない，下げるのが遅くなるといったことが起こる．その結果，高血糖の状態が長く持続する．肥満や炎症などがあるとインスリン作用を妨げることがわかっており，インスリン抵抗性は増大する．

3）病態と臨床症状

２型糖尿病は，日本人糖尿病患者の９割以上を占める．１型糖尿病の主な病態がインスリン分泌低下だったのに対して，２型糖尿病はインスリン分泌低下とインスリン

図31-1　２型糖尿病の発症機序

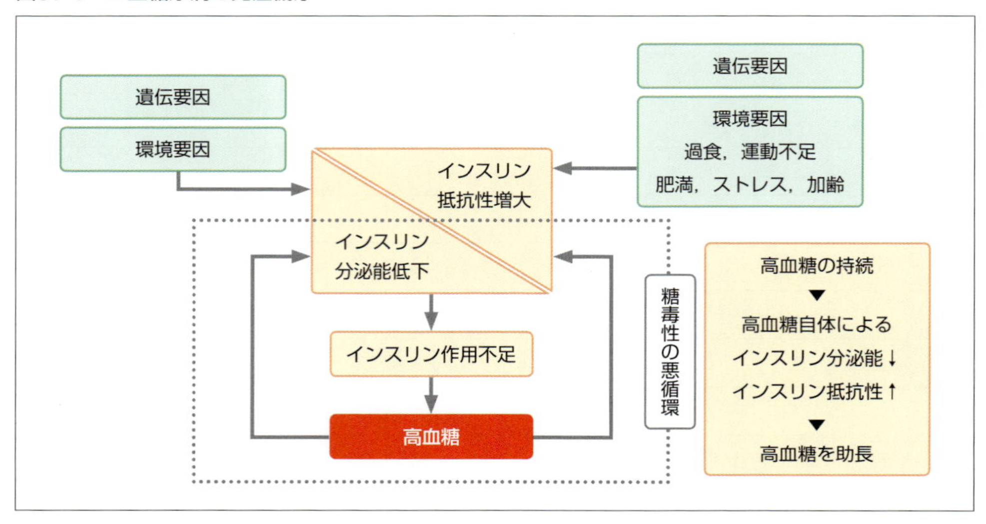

抵抗性という２つの病態がある．

(1)糖尿病の病態

インスリンの分泌が障害されると，糖，タンパク質，脂質の代謝異常が生じ，血中にとどまるブドウ糖が増加し，血糖値が上昇する(**図31-2**)．長期にわたる高血糖状態は血管の障害を促進し，視覚障害，腎機能低下，神経障害などの合併症を引き起こす．

(2)細小血管症

糖尿病による慢性的な高血糖によって，さまざまな合併症を引き起こす．最も多いとされるのが三大合併症といわれる細小血管症(神経障害，網膜症，腎症)で，過剰に細胞内に取り込まれたブドウ糖による細胞内代謝異常と，末梢の微小循環障害によって生じることが考えられている．

①糖尿病神経障害

三大合併症のなかでは，糖尿病神経障害が最も早く発症する．末梢神経の代謝異常，神経組織の慢性血流低下と低酸素状態が，発症に関与すると考えられている．起立性低血圧，膀胱機能障害，便秘，勃起障害(ED：erectile dysfunction)などの自律神経障害も，糖尿病神経障害の一部と考えられている．

②糖尿病網膜症

糖尿病網膜症は，高血糖によって網膜の細小血管が障害されることで起こる．網膜での微小な出血から始まり，血管の障害が進んで血管閉塞が多発すると，網膜の虚血が発生する．網膜の虚血によって新生血管が形成されるが，新生血管は脆弱なため，容易に破綻し，最終的には眼底出血から網膜剝離に至る．

③糖尿病腎症

糖尿病腎症は，高血糖による糸球体構成細胞の代謝異常や，腎臓内の血行動態異常による糸球体高血圧などによって発生する．最初に微量アルブミン尿がみられ，顕性アルブミン尿から持続性タンパク尿へ進行し，その後，腎機能は悪化していき，最終的には腎不全に至る．糖尿病腎症の進行は，身体的な苦痛としては現れにくく，腎不全となるころに悪心・嘔吐・瘙痒感・浮腫などの症状が現れる．

4）検査・診断

検査

診断のための検査である75gOGTTについては，p.480の１型糖尿病の項を参照のこと．

(1)基本となる検査

基本となる検査は以下のとおりである(**図31-4**)．

①血糖値

血糖値として測定できるのは，あくまでその時点での瞬間的な血糖の濃度である．測定時間によって，以下のようなものがある．

(3)大血管症

大血管にも高血糖の影響が及ぶ．とくに食後高血糖は，血管内皮細胞に対して酸化ストレスを起こし，血管内皮細胞の機能を障害する．血管内皮細胞が障害されることで動脈硬化が起こり，脳梗塞や心筋梗塞，閉塞性動脈硬化症の原因となる．そのほかにも，高血糖は免疫の低下による易感染性を起こし，悪性腫瘍の発生の増加，認知症や骨粗鬆症，白内障，歯周病などにも関与する．

臨床症状

(1)インスリン作用不足によって高血糖状態が持続する

①症状の代表的なものとして，喉の渇き(口渇)，多尿，多飲が起こる．この状態を放置すると，多尿によって脱水が進み，急性合併症を引き起こすことがある．

②インスリン作用が著しく低下すると，血液中のブドウ糖を脂肪組織や筋肉などに送り込めなくなるため，ブドウ糖をエネルギーとして利用できなくなり，高血糖となる(**図31-3**)．身体は，脂肪組織の中性脂肪や筋肉のタンパク質を分解して，エネルギーとして利用しようとするため，体重減少が起こる．

(2)急性合併症

①２型糖尿病の場合，著しい高血糖(≧600mg/dL)と，高度な脱水に基づく高浸透圧高血糖状態による昏睡が起こることがある．

②高齢の２型糖尿病患者は，感染症，脳血管障害，手術，高カロリー輸液，利尿薬やグルココルチコイド投与によって高血糖をきたした場合に発症しやすい．

(3)慢性合併症

①慢性的に続く高血糖や代謝異常は，網膜・腎の細小血管症，および全身の動脈硬化症を起こし，進展させる．

②合併症の進行に比べると，身体的な症状は乏しい．

図31-2　インスリンが不足すると……

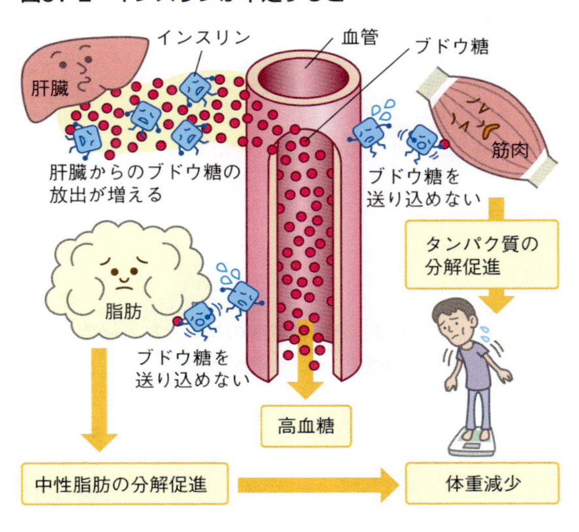

・空腹時血糖値（FPG：fasting plasma glucose）：朝まで10時間以上絶食の後の血糖値
・食後〇〇時間血糖値
・随時血糖値：食事と採血時間の関係を問わないで測定した血糖値

②平均血糖値
・HbA1c（ヘモグロビンA1c；グリコヘモグロビン）：全ヘモグロビンのうち，糖化したヘモグロビンの割合を示すことで，過去から現在まで一定期間の平均的な血糖値を推定するものである．赤血球寿命が約120日であることから過去１～２か月間の平均血糖値を反映する．正常値は4.6～6.2％（NGSP値）
・GA（グリコアルブミン）：ブドウ糖が非酵素的に結合した血清アルブミンと総アルブミンの比率を示すもので，過去２週間の平均血糖値を反映する．正常値は11～16％

③尿検査
・尿糖：通常，血糖値が160～170mg/dLを超えると尿糖が陽性となる．スクリーニングテストとして有用である
・ケトン体：インスリンの欠乏により，肝臓では脂肪の分解によって浮遊脂肪酸が産生され，ケトン体の産生が増える
・尿中CPR（尿中C-ペプチド）：インスリンの基準値は空腹時で約２～10μU/mL．Cペプチドはインスリンがつくられる際に同時に生じるもので，内因性インスリン分泌の評価に用いられる．臨床検査では，１日蓄尿して計測する

④体格
血糖管理に次いで重要なものは体重管理である．目標とする体重としては標準体重（身長m^2×22）や20歳頃の体重，体組成を理想とした場合の体重を参考に決定する．できるだけ肥満を是正する．

⑤血圧
血圧管理も重要となる．血圧は合併症の進行に大きく影響する．糖尿病がある場合，血圧は130/80mmHg未満を目指す．

⑥血清脂質
脂質異常症はインスリン抵抗性を増大させる原因となるため，脂質の管理も重要となる．TG（中性脂肪）150mg/dL未満，LDLコレステロール120mg/dL未満，HDLコレステロール40mg/dL以上を目標とする．

(2)合併症を評価する検査

①細小血管症
・神経障害：アキレス腱反射，振動覚検査，足のチェック，神経学的検査
・網膜症：眼底検査
・腎症：尿中アルブミン測定，eGFR

②大血管症
・心電図，胸部X線，脳波，ABI，頸動脈超音波など

診断

２型糖尿病の診断については，p.481の１型糖尿病の項（**図30-2　糖尿病の臨床診断のフローチャート**）を参照のこと．

図31-3　高血糖による症状

図31-4　２型糖尿病の基本となる検査

血糖値	平均血糖値	尿検査	体格	血圧	脂質
空腹時血糖	HbA1c	糖	身長	外来血圧	TG
随時血糖	GA	タンパク	体重	家庭血圧	HDL-C
		ケトン	BMI		LDL-C
		尿中CPR	体脂肪		

5）治療

治療の目標

糖尿病治療の目標は，血糖，体重，血圧，血清脂質の良好なコントロール状態を維持し，糖尿病細小血管合併症（網膜症，腎症，神経障害）および動脈硬化性疾患（冠動脈疾患，脳血管障害，末梢動脈疾患）の発症，進展の阻止をし，健康な人と変わらない寿命の確保をする．

さらに，高齢化などによって増加するサルコペニアやフレイルなどの併存症の予防・管理も重要となる．サルコペニアとは，ギリシャ語のSarx（筋肉）とPenia（喪失）をあわせた造語であり，加齢を伴う筋肉量の低下によって，身体活動能力が減弱した状態と定義される．サルコペニアの発症には，栄養不足や身体活動能力の低下に加え，内分泌変化や神経系の機能低下など，加齢に伴うさまざまな要因が関与すると考えられる．一方，フレイルとは，「健常と要介護の中間」の状態をいい，筋力低下，活動量の低下，歩行速度の低下，易疲労，体重減少などが臨床的診断の基準となる．

(1)食事療法

食事を適切にすると体重が管理され，インスリン作用不足が解消されて体内のインスリン必要量が減り，血糖プロファイルをよくすることができる．

①適正エネルギー摂取量の指示

・性，年齢，肥満度，身体活動量，合併症の有無を考慮し，エネルギー摂取量を決定する．初期設定エネルギー摂取量は，男性では1,600～2,000kcal，女性では1,400～1,800kcalの範囲に定めることが多い．

・治療開始時の目安とするエネルギー摂取量の算出方法は，以下のとおりである．

> エネルギー摂取量＝標準体重（身長(m)×身長(m)×22）×身体活動量

・身体活動量の目安は以下のとおりである．

> 軽労作（デスクワークが多い職業など）
> 　25～30kcal/kg　標準体重
> 普通の労作（立ち仕事が多い職業など）
> 　30～35kcal/kg　標準体重
> 重い労作（力仕事が多い職業など）
> 　35～kcal/kg　　標準体重

・エネルギーのバランスは体重の変化に表れる．体重の増減，血糖コントロールを考えながら設定を見直していく．

②バランスのとれた食品構成

・指示されたエネルギー量内で，炭水化物，タンパク質，脂質のバランスをとり，適量のビタミン，ミネラルも摂取できるようにし，いずれの栄養素も過不足ない状態が望ましい．

・一般的には指示エネルギー量の50～60％を炭水化物から摂取し，さらに食物繊維が豊富な食品を選択する．タンパク質は20％までとし，残りを脂質とする．

③食事療法の実際

・食事交換表を使う方法：食事交換表は主に含まれている栄養素によって食品を４群６表に分類し，食品の含むエネルギーについて80kcalを１単位と定め，同一表内の食品を同一単位で交換摂取できるようにつくられている．

・手ばかり栄養法：タンパク質は両手のひら１杯/１日，野菜は生で手のひら１杯/１食，ご飯は両手のひらで包めるくらいの茶碗１膳/１食などと示す方法．

・最も簡単な方法：主食，主菜，副菜を区別し，それらを毎食必ずそろえるように促す方法．

・食べ方の工夫を伝える：よく噛んで時間をかけてゆっくり食べる，食べる順番を食物繊維の多い野菜やタンパク質から食べ始めるなど．

(2)運動療法

急性効果として，ブドウ糖，脂肪酸の利用が促進され，血糖値が低下する．また，慢性効果として，インスリン抵抗性が改善する．

①運動の種類

・有酸素運動：酸素の配給に見合った強度の運動で，歩行，ジョギング，水泳などの全身運動．

・レジスタンス運動：重りや抵抗負荷に対して動作を行う運動で，腹筋，ダンベル，腕立て伏せ，スクワットなど，筋肉量・筋力を増加させる効果が期待できる．

・水中歩行は，有酸素運動とレジスタンス運動がミックスされた運動であり，膝にかかる負担が少なく，肥満糖尿病患者に安全かつ有効である．

②運動の強度

・一般的に，中等度の強度の有酸素運動を行うことがすすめられている．中等度の運動とは，最大酸素摂取量（$\dot{V}O_2max$）の50％前後のものを指し，運動時の心拍数によってその程度を判定する．

・運動時の心拍数を，50歳未満では１分間100～120拍，50歳以降は１分間100拍以内にとどめる．

・心拍数を指標にできないときは，患者自身の「楽である」または「ややきつい」といった体感を目安にする．「きつい」と感じるときは強すぎる運動である．

③運動の頻度と負荷量

・一般的にはできれば毎日，少なくとも週に３～５回，強度が中等度の有酸素運動を20～60分間行い，計150分以上運動することが，すすめられる．週に2

〜３回のレジスタンス運動を同時に行うことがすすめられる．
- 歩行運動では１回15〜30分間，１日２回．１日の運動量として歩行は約１万歩，消費エネルギーとしてはほぼ160〜240kcal程度が適当とされる．

(3)薬物療法

代謝改善を目的とした薬物療法には，経口薬物法と注射薬療法がある．ここでは非インスリン依存状態の薬物療法について述べる．

①経口薬物法
- 食事療法，運動療法を行っているが，代謝コントロールがなお不十分であるときに，経口薬物法を開始する（**図31-5**）．

②インスリン以外の注射薬
- GLP-1受容体作動薬：膵β細胞膜上のGLP-1受容体に結合し，血糖依存的にインスリン分泌促進作用を発揮する．さらにグルカゴン分泌抑制作用も有する．
- 胃内容物排出抑制作用があり，空腹時血糖値と食後血糖値の両方を低下させる．
- １日１〜２回注射，週１回注射など，いくつかの種類があり，患者の生活パターンや年齢などにあわせた選択が行える．

6）予後

生涯にわたり，食事療法，運動療法，薬物療法の継続が必要となる．血糖コントロールの悪い状態が長期間続くと，糖尿病細小血管合併症（網膜症，腎症，神経障害）および動脈硬化性疾患（冠動脈疾患，脳血管障害，末梢動脈疾患）を発症することもある．

図31-5　病態にあわせた経口血糖降下薬の選択

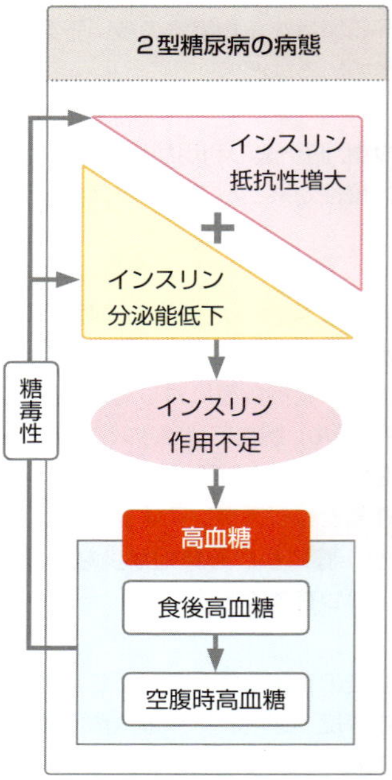

２型糖尿病の病態

インスリン抵抗性増大
＋
インスリン分泌能低下
↓
インスリン作用不足
↓
高血糖
食後高血糖
↓
空腹時高血糖

糖毒性

機序		種類	主な作用
インスリン非分泌促進系		ビグアナイド薬	肝臓での糖産生抑制
		チアゾリジン薬	骨格筋・肝臓でのインスリン抵抗性改善
		α-グルコシダーゼ阻害薬（α-GI）	腸管での炭水化物の吸収分解遅延による食後血糖上昇の抑制
		SGLT2阻害薬	腎臓でのブドウ糖再吸収阻害による尿中ブドウ糖排泄促進
インスリン分泌促進系	血糖依存性	DPP-4阻害薬	GLP-1とGIPの分解抑制による血糖依存性のインスリン分泌促進とグルカゴン分泌抑制
		GLP-1受容体作動薬	DPP-4阻害薬による分解を受けずにGLP-1作用増強により血糖依存性のインスリン分泌促進とグルカゴン分泌抑制
	血糖非依存性	スルホニル尿素（SU）薬	インスリン分泌の促進
		速効型インスリン分泌促進薬（グリニド薬）	より速やかなインスリン分泌の促進・食後高血糖の改善
インスリン製剤		①基礎インスリン製剤（持効型溶解インスリン製剤，中間型インスリン製剤） ②追加インスリン製剤（超速効型インスリン製剤，速効型インスリン製剤） ③超速効型あるいは速効型と中間型を混合した混合型インスリン製剤 ④超速効型と持効型溶解の配合溶解インスリン製剤	超速効型や速効型インスリン製剤は，食後高血糖を改善し，持効型溶解や中間型インスリン製剤は空腹時高血糖を改善する．

食事，運動などの生活習慣改善と１種類の薬剤の組み合わせで効果が得られない場合，２種類以上の薬剤の併用を考慮する．
作用機序の異なる薬剤の組み合わせは有効と考えられるが，一部の薬剤では有効性および安全性が確立していない組み合わせもある．詳細は各薬剤の添付文書を参照のこと．

日本糖尿病学会編・著：糖尿病治療ガイド2020-2021．p.37〜38，文光堂，2020．より一部抜粋

2. 看護過程の展開

● アセスメント～ゴードンの機能的健康パターンを用いて

パターン	アセスメントの視点	根拠	収集する情報
(1) 健康知覚-健康管理 患者背景 健康知覚-健康管理 価値-信念	●現在の健康状態をどのように知覚しているか ●血糖コントロールは適切か ●家族，重要他者のサポートは適切か ●感染の危険性はないか ●糖尿病および合併症に関する健康管理行動は適切か ●身体損傷の危険性はないか	●高血糖の持続は，インスリン作用不足があることを示しており，口渇，多飲，多尿，体重減少，易疲労感などの症状が生じる． ●インスリン投与量がインスリン必要量を超えると低血糖を生じる． ●高血糖の持続により，細小血管の障害（細胞の低酸素状態），貪食細胞機能障害（好中球・単球・マクロファージの機能低下），免疫機能障害を生じ，易感染状態となる． ●糖尿病全期にわたり，血糖値，血圧，体重，血清脂質のコントロールが必要である． ●長期間，糖尿病によって高血糖が持続すると，血管組織あるいはその構成細胞において，酸化ストレスが増加し，網膜症や腎症，神経障害といった細小血管症や，心筋梗塞や脳梗塞といった大血管症などの合併症が生じる． ●糖尿病神経障害による膀胱機能低下（残尿，無力性膀胱など）を合併すると，尿路感染が多くなる． ●高血糖によるインスリン抵抗性や慢性炎症は，筋量を低下させる．また，末梢神経障害によって足の防御感覚が喪失してしまう場合もあり，糖尿病足病変（下肢に生じる感染，難治性潰瘍，足組織の破壊的病変）を生じやすい． ●歯周病は，歯周病原菌の感染による歯周組織の慢性炎症であり，糖尿病患者では歯周病が重症化する．血糖コントロール不良が歯周病を増悪させ，とくに高齢者，喫煙者，肥満者，免疫不全者では罹患率が高い．	●症状 ・口渇，多飲，多尿，著しい体重減少，易疲労感 ・悪心，嘔吐，腹部症状 ●検査データ ・血糖値，HbA1c，GA ・尿糖，尿中ケトン体，尿タンパク ・CRP ・血圧，脈拍 ・SMBG，HbA1cの推移 ●その他の情報 ・年齢（発症時の年齢） ・糖尿病の罹患歴 ・糖尿病の家族歴 ・家族構成 ・サポートパーソンの有無 ・合併症の有無 ・尿路感染の有無 ・足病変の有無

パターン	アセスメントの視点	根拠	収集する情報
(2) **栄養-代謝** 全身状態 栄養-代謝 排泄	●水分・栄養摂取に問題はないか ●血糖コントロールは適切か ●電解質のバランスの異常はないか ●糖尿病足病変はあるか	●著しい高血糖は，原尿に過剰なブドウ糖が流出し，ブドウ糖を薄めるために水分も一緒に尿となって排出される．そのため，多尿となり，脱水を引き起こす． ●高血糖と脱水が進むと，ケトーシス，ケトアシドーシスなどの重篤な急性合併症を引き起こす．２型糖尿病で高齢者の場合は，脱水による高浸透圧高血糖状態を引き起こしやすい． ●食事療法は糖尿病治療の基本となるため，適正なエネルギー摂取量の指示が決められる．	●症状 ・口渇，多飲，多尿，著しい体重減少，易疲労感 ・悪心，嘔吐，腹部症状 ・頭痛 ・空腹感 ●検査データ ・血糖値，HbA1c，GA ・血中ケトン体 ・TP，Alb ・pH ・尿糖，尿中ケトン体，尿タンパク ・SMBG ●身体面データ ・意識レベル ・身長，体重，腹囲 ・BMI ・血圧 ●その他の情報 ・年齢(発症時の年齢) ・家族構成 ・サポートパーソンの有無 ・合併症の有無 ・食生活 ・調理者 ・嗜好品(アルコール，喫煙)
(3) **排泄** 全身状態 栄養-代謝 排泄	●尿量・尿の性状はどうか ●夜間尿はないか ●排泄障害はないか ●腎機能は正常か ●便の排泄に異常はないか ●発汗の異常はないか	●著しい高血糖は，原尿に過剰なブドウ糖が流出し，ブドウ糖を薄めるために水分も一緒に尿となって排出される．そのため，多尿となる． ●長期間，高血糖が持続することで，腎糸球体血管に，メサンギウムが増生し，糸球体構造の破壊，硬化が起こることで腎症を引き起こす． ●糖尿病による自律神経障害により，排尿障害(溢流性尿失禁)，便秘または下痢を生じることがある． ●自律神経障害により，四肢(とくに足)の発汗減少，顔面・体幹部の発汗過多などの発汗障害が起こる．	●症状 ・多尿，多飲 ・尿量の増加 ・夜間尿 ・尿失禁 ・便秘，下痢 ●検査データ ・TP，ALB ・eGFR ・尿タンパク，尿中アルブミン

パターン	アセスメントの視点	根拠	収集する情報
(4) 活動-運動 活動・休息 活動-運動 睡眠-休息	●活動・運動は適切に行われているか ●エネルギーの需要・供給のバランスは保たれているか ●呼吸・循環の機能は正常か ●日常生活はどの程度自立しているか	●運動療法は，ブドウ糖，脂肪酸の利用が促進され，血糖値が低下することや，インスリン抵抗性の改善に効果的である． ●糖尿病の代謝コントロールが極端に悪い場合(空腹時血糖値250mg/dL以上，尿ケトン体中等度以上)は，運動によって悪化するため，運動療法を制限する． ●糖尿病患者での高血圧の頻度は40～60%といわれ，非糖尿病患者の約2倍と高率である． ●インスリン抵抗性，高インスリン血症による血管壁細胞の肥大，硬化，腎臓でのナトリウム排泄の低下，糖尿病腎症の進展が，高血圧の要因となる． ●糖尿病によって自律神経障害を生じると，頻脈，起立性低血圧が起こることがある． ●網膜症が進行している場合，激しい運動によって眼底出血を引き起こすことがあるため，運動前のメディカルチェックが必要である． ●高血糖によるインスリン抵抗性や慢性炎症により，筋量が低下する．また，足の変形などが生じて運動機能が低下する．	●身体面データ ・身長，体重，腹囲 ・BMI ・血圧，脈拍 ・合併症の有無，程度 ・ADL ●検査データ ・血糖値，HbA1c ・尿タンパク，尿中アルブミン ●その他の情報 ・年齢 ・職業 ・生活リズム ・活動量，運動習慣の有無
(5) 睡眠-休息 活動・休息 活動-運動 睡眠-休息	●睡眠・休息の障害はないか ●夜間低血糖，高血糖はないか	●高血糖による浸透圧利尿は，夜間頻尿となり，睡眠が障害される． ●夜間の低血糖は，不快感，発汗などで気がつく場合があり，患者は不安を生じる．	●必要な情報 ・生活リズム ・血糖パターン ・日中の活動強度 ・睡眠時間，午睡の有無 ・尿回数・尿量
(6) 認知-知覚 知覚・認知 認知-知覚 自己知覚-自己概念 コーピング-ストレス耐性	●認知機能は正常か ●感覚機能は正常か(とくに視機能，知覚) ●網膜症の進行はあるか	●反復する重症低血糖は，認知症発症のリスクを高める． ●低血糖の中枢神経症状には，異常行動(同じ話を繰り返す，脱衣，多動など)が出現することがあり，とくに高齢者の場合は認知症と間違われやすい． ●糖尿病網膜症の初期でも，黄斑部の変性が起こると視力低下が認められる． ●糖尿病患者の視力障害には，白内障によるものもある． ●糖尿病による末梢神経障害は，手，足にしびれや知覚異常，感覚異常を起こすことがあるため，傷などに気がつきにくく発見が遅くなることがある． ●高齢糖尿病患者の認知症リスクは，アルツハイマー型認知症および脳血管性認知症ともに，非糖尿病患者の2～4倍である．	●必要な情報 ・年齢 ・血糖パターン ・網膜症の有無，程度 ・白内障の有無 ・神経障害の症状の出現 ・足の傷，潰瘍などの有無 ・認知機能低下の有無 ・脳CT，MRI

パターン	アセスメントの視点	根拠	収集する情報
(7) 自己知覚-自己概念 知覚・認知 認知-知覚 自己知覚-自己概念 コーピング-ストレス耐性	●自分の状態をどのように捉えているか ●自己概念・自尊感情の脅威はないか	●高血糖症状は，自覚症状に乏しい場合がある．また，治療中となると自覚症状の改善や外見上の変化に気がつきにくいため，治療意欲の低下につながりやすい． ●発生時に体重減少，やせという，身体変化によりボディイメージは否定的に変化することがある． ●インスリン効果が発揮されれば，体重はもとに戻る． ●糖尿病発症やインスリン治療の開始には，マイナスイメージやスティグマを感じることが多く，治療継続が困難となる場合がある．	●必要な情報 ・患者の言動 ・身体的な変化の有無 ・体重の増減
(8) 役割-関係 周囲の認識・支援体制 役割-関係 セクシュアリティ-生殖	●家族関係に問題はないか ●役割遂行に問題はないか	●インスリン治療，生活調整を行っていくうえで，家族や重要他者のサポートは重要である． ●自分が糖尿病患者であると公言していない場合も多く，周囲（職場，学校など）のサポートを得られない場合は治療継続にも影響する．	●必要な情報 ・職業，役割 ・家族構成 ・周囲の認識，サポート体制
(9) セクシュアリティ-生殖 周囲の認識・支援体制 役割-関係 セクシュアリティ-生殖	●性に関する問題はないか ●生殖に関する問題はないか	●思春期では，成長ホルモンや性ホルモンの影響などにより，生理的インスリン抵抗性が増大するほか，思春期特有の精神的葛藤も血糖コントロールに強く影響する． ●女子では，月経周期の影響も加わる． ●思春期や若い女性では，過度な食事制限やインスリン治療をすることにより，体重が増加するというボディイメージから，摂食障害を生じてしまう場合もあるため，注意する． ●男性の場合，高血糖による自律神経障害によって勃起障害（ED）となることがある．	●必要な情報 ・発達課題 ・性成熟度 ・食生活の変化の有無 ・家族構成 ・自律神経障害の有無
(10) コーピング-ストレス耐性 知覚・認知 認知-知覚 自己知覚-自己概念 コーピング-ストレス耐性	●ストレス障害が生じていないか ●ストレスと対処方法はどうか	●身体的なストレスだけではなく，精神的なストレスによっても血糖値は上昇する． ●ストレスにより，生活リズムが乱れ，治療意欲が低下することで，自己管理に悪影響を及ぼす． ●これまでのストレスコーピングは，治療や自己管理に影響する．	●必要な情報 ・血糖値，体重の推移 ・これまでのコーピング行動の有無 ・生活の変化 ・ライフイベント ・ライフステージの変化

パターン	アセスメントの視点	根拠	収集する情報
(11) 価値-信念 患者背景 健康知覚-健康管理 価値-信念	●価値・信念とヘルスケアシステムのあいだには対立はないか	●長期にわたる治療や療養生活には，価値・信念が影響する．	●必要な情報 ・健康に関する価値観 ・糖尿病への思い ・長期にわたる療養生活に関する心理的な変化 ・ライフステージの変化

3. 全体像の把握から看護問題を抽出

1）病態関連図

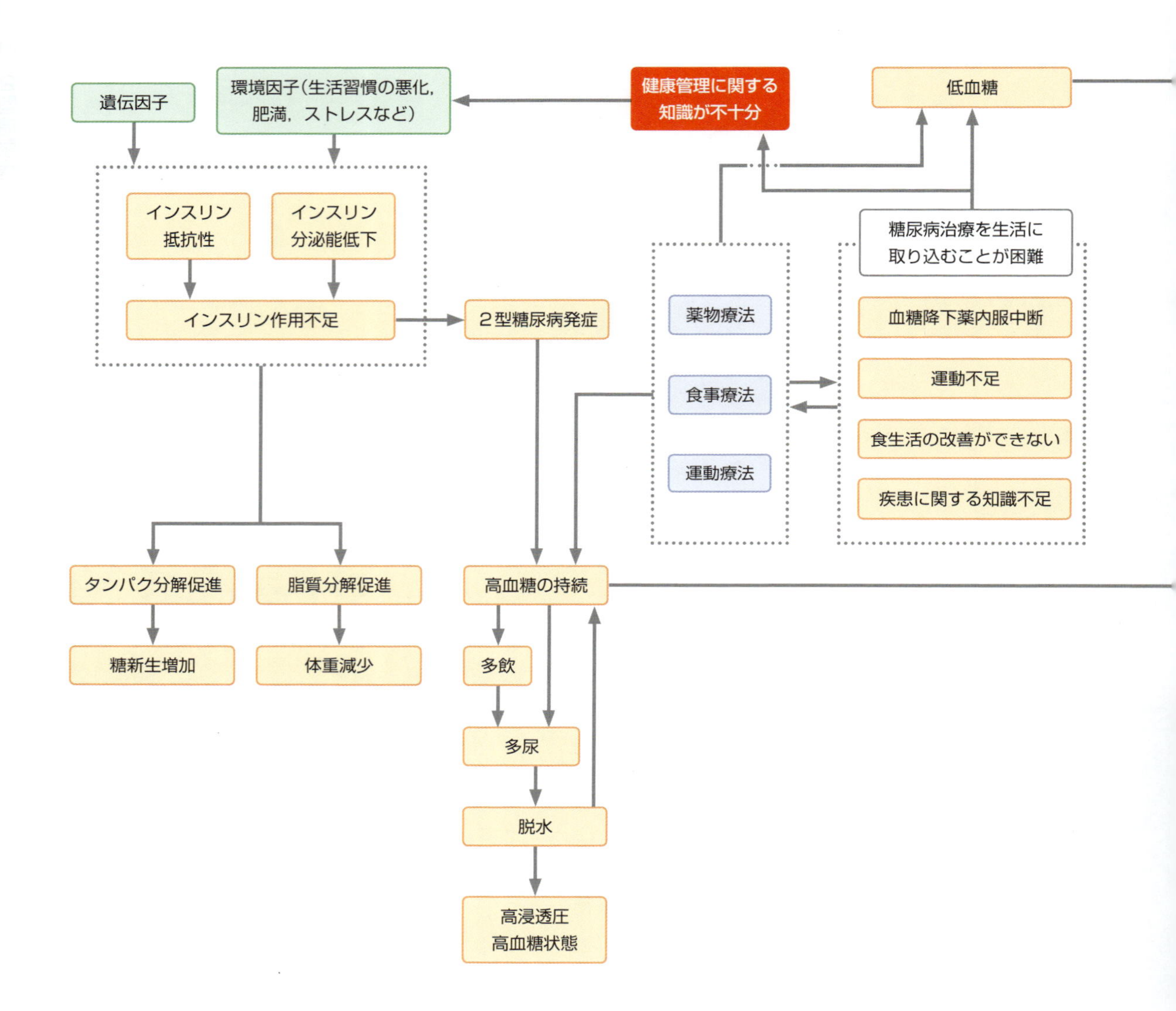

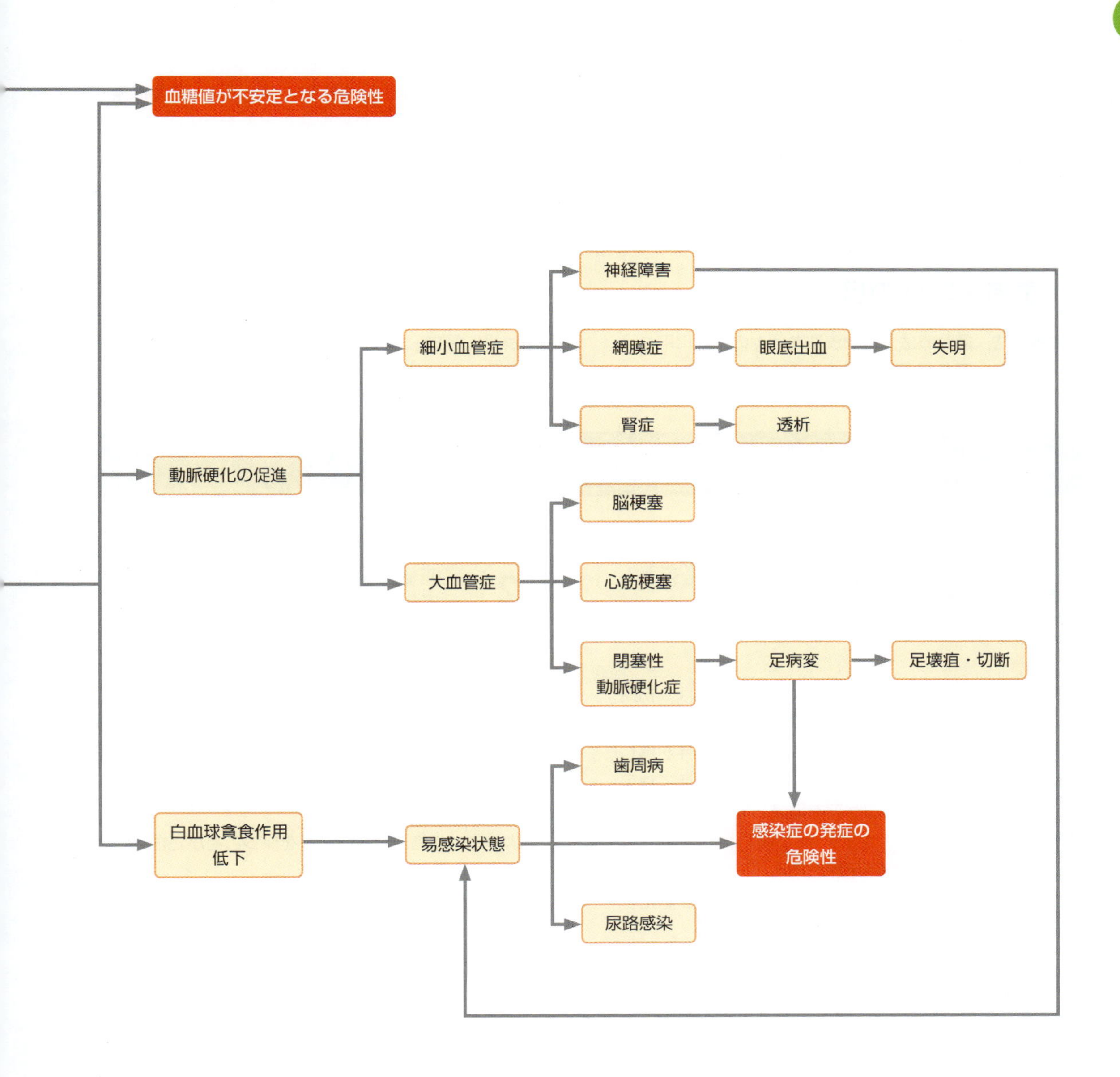
血糖値が不安定となる危険性
神経障害
細小血管症
網膜症
眼底出血
失明
腎症
透析
動脈硬化の促進
脳梗塞
大血管症
心筋梗塞
閉塞性
動脈硬化症
足病変
足壊疽・切断
歯周病
白血球貪食作用
低下
易感染状態
感染症の発症の
危険性
尿路感染

2）看護の方向性

２型糖尿病の発症には，遺伝的な背景に加え，食生活の乱れ，肥満，運動不足，ストレスの増加といった，生活習慣に基づいた後天的な環境因子が大きく影響している．遺伝因子，環境因子の影響が，インスリン抵抗性の増大，インスリン分泌低下につながり，高血糖が持続する．高血糖の持続による口渇，多飲，多尿の出現は，初期症状としては出にくく，自覚症状に乏しい．さらに患者自身が高血糖症状を感じるときには，血糖コントロールが悪化していることが多い．また，糖尿病治療の基本となる食事療法，運動療法は，生活に関連することであり，永続的に生活習慣の改善が必要となる．自覚症状に乏しいことは，治療意欲にもつながりにくく，生活習慣の変容が実行しにくい．

糖尿病治療のポイントは，セルフケアを継続し，血糖コントロールを行い，合併症の発現・進展を予防することである．食事療法，運動療法を生活に取り込み，継続できなければ治療効果が期待できない可能性がある．生活習慣の行動変容につなげるため，患者の行動変容と治療継続への動機づけを行い，見守る支援が必要となる．治療に薬物療法が加わると，内服が適切に行われないことで，低血糖の出現や高血糖が持続するといった，血糖コントロールの悪化が生じる．血糖値が不安定となるリスクも考えられる．また，高血糖の持続は，白血球貪食作用の低下を引き起こして易感染状態となる．尿路感染や歯周病などを発症しやすく，足壊疽などの合併症が重症化しやすい．そのため，血糖コントロールは重要であり，感染予防への支援が必要となる．

3）患者・家族の目標

食事療法，運動療法，薬物療法を個々の生活に取り込み，セルフケアを習得，継続することで血糖コントロールを良好に保ち，急性・慢性的な合併症の発現・進展を予防することができる．

4. しばしば取り上げられる看護問題

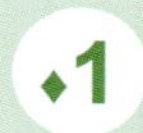

健康管理（糖尿病治療計画）に関する認識・知識が十分でない

なぜ？

高血糖の持続による口渇，多飲，多尿の出現は，初期症状としては出にくく，自覚症状に乏しい．そのため，糖尿病であることを認識しづらく，治療の必要性を感じない可能性がある．治療意欲が低下すると，生活に糖尿病治療を取り込み，セルフケアを継続していくことは困難である．

治療計画の認識・知識不足があると，日常生活においてセルフケアが継続できず，血糖コントロールが悪化する原因となる．

➡期待される結果

・疾患，治療，自己管理に関する正しい知識がもてる．
・セルフケア行動を日常生活に取り込むことができ，継続できる．

高血糖の持続により感染症の発症，重症化の危険がある

なぜ？

高血糖の持続は，白血球貪食作用の低下を引き起こして易感染状態となる．尿路感染や歯周病などを発症しやすく，足壊疽など合併症が重症化しやすい．

➡期待される結果

・よりよい血糖コントロールを保つことができる．
・感染症の徴候がみられない．
・感染予防行動をとることができる．

◆3 糖尿病管理が不十分であることにより血糖が不安定となる危険性

なぜ？

糖尿病治療のポイントは，セルフケアを継続し，血糖コントロールを行い，合併症の発現・進展を予防することである．

糖尿病治療の基本となる食事療法，運動療法を生活に取り込み，継続できなければ，治療効果が期待できない可能性がある．治療に薬物療法が加わると，内服が適切に行われないことで，低血糖の出現や高血糖が持続するといった血糖コントロールの悪化が生じる．

➡期待される結果

・セルフケア行動を日常生活に取り込むことができ，継続できる．

・血糖値が適正値で安定するor血糖値が不安定とならない．

5. 看護計画の立案

• O-P：Observation Plan（観察計画）　• T-P：Treatment Plan（治療計画）
• E-P：Education Plan（教育・指導計画）

◆1 健康管理（糖尿病治療計画）に関する認識・知識が十分でない

	具体策	根拠と注意点
O-P	**(1)自己管理の状況**	
	(2)２型糖尿病の知識 ①疾患の原因 ②症状（高血糖症状，低血糖症状） ③自身の疾患をどのように捉えているか	●２型糖尿病は，初期症状に乏しく，高血糖症状に気がつかない場合も多い．疾患への理解は，今後の治療継続につながるため，自己管理の動機づけとなるよう支援する．
	(3)治療の理解（指示された治療の理解） ①食事療法 ②運動療法 ③薬物療法	●糖尿病治療は，患者の生活に密着しているため，指示された治療をどの程度理解し，実施しているかを確認する必要がある． ●指示された治療内容の把握とともに，患者の生活背景や生活習慣などを聞き取りながら，患者に沿った支援をする．
	(4)合併症の有無 ①急性合併症 ②慢性合併症 ・糖尿病網膜症 ・糖尿病神経障害 ・糖尿病腎症 ③合併症の症状の出現，自覚症状	●初期症状に乏しいため，眼のみえにくさや神経障害などの症状が出現してから受診する患者も多い． ●高血糖症状だけではなく，合併症の出現や程度を観察することは重要である．
	(5)検査所見 ①血液データ ・血糖値，HbA1c，GA，血清脂質 ②尿の性状 ・尿量，尿回数，尿糖，尿臭 ③心電図	●個人差はあるが，外来受診間隔は１～２か月であり，検査データは患者自身の状態を可視化できる唯一のツールとなる．患者とともに確認することで，患者自身が自己の状態に関心がもて，今後の治療継続の意欲につながるように支援する．
	(6)自己管理への意欲 **(7)指導に対する反応**	●糖尿病になる前の生活習慣を知ることで，今後の改善点などを考えることができる． ●糖尿病の治療では継続した自己管理が必要となるため，指導を焦らず，患者自身が治療意欲をもてるように支援していく．また，患者の「行動への準備状態」がどこにあるのかを確認しながら，患者に沿った支援をしていく必要がある．

	具体策	根拠と注意点
T-P	**(1)自己管理方法習得への援助** ①病態，血糖変動，インスリン効果などを説明する際，わかりやすいパンフレットや，本，教材を活用する ②血糖値や体重，食事内容などをモニタリングすることをすすめる ③糖尿病教室などの集団指導への参加を促す	●理解力に応じた方法を選択する．とくに，口頭での指導と視聴覚教材を併用するとイメージ化しやすく，理解しやすくなる． ●体重や食事，血糖値のモニタリングは，患者自身が可視化できるため，効果を感じやすく，治療意欲が高まる． ●糖尿病教室などの集団指導は，患者同士の情報交換の場にもなる．
	(2)食事療法実施への援助 ①食事療法に指導は，管理栄養士・栄養士と協力して行う ②患者の沿った食事療法を選択する	●管理栄養士・栄養士と連携することで，患者のニーズにあわせた，より具体的な食事内容を指導でき，理解が深まる． ●栄養指導を受けたあと，受ける前などに，栄養士や医師と患者の情報を交換し，患者に沿った栄養指導が受けられるように準備する．
	(3)運動療法実施への援助 ①日常のなかに身体を動かす時間をみつけられるように促す ②日常活動記録をつけてもらう ③少しずつ活動量を増やすようにする ④運動療法士がいる場合は，協力して行う	●運動療法はブドウ糖，脂肪酸の利用を促進し，とくにインスリン抵抗性を大きく改善する． ●運動習慣を維持するコツは，運動の成果を患者に実感してもらうことにあるため，日常のなかの空き時間を利用し，少しずつからできる方法をすすめる．
	(4)薬物療法実施への援助 ①服薬する薬の効果，副作用を伝える ②服薬する時間，回数などを伝える ③お薬手帳の活用をすすめる ④インスリン注射の場合は，自己注射方法を指導する	●経口糖尿病薬は，食事療法や運動療法を行っていても血糖コントロールが得られない2型糖尿病患者に適する． ●経口糖尿病薬はたくさんの種類があるため，医師の指示に従い，安全で正しい飲み方を指導する必要がある． ●インスリン療法が開始となる場合，インスリン注射はしたくないという患者も多く，患者の反応には配慮する必要がある．
	(5)自己血糖測定時の援助(インスリン導入時) ・インスリン療法が開始の場合，自己血糖測定指導が必要となるため，使用方法，データの活用方法を指導する	●インスリン自己注射指導，自己血糖測定指導は患者の状況を把握し，無理のない範囲で指導をする．
	(6)患者会の紹介	●同じ経験をもつ患者の励ましや助言により，自己管理継続への意欲が高まる．
E-P	**(1)2型糖尿病についての説明** ①2型糖尿病の病態 ②検査(目的，方法) ③治療 ・治療の基本，患者の治療目標 ④合併症の徴候，症状，予防 ・慢性合併症 ・急性合併症	●糖尿病に対する正しい知識を得ることは，自己管理への動機づけとなる．
	(2)食事療法についての説明 ①食事療法の意義・目的 ②摂取エネルギー量，栄養バランス ・低エネルギーで食物繊維 ③エネルギー計算方法(標準体重，BMI)	●食事療法は，インスリン需要を減らす基本の治療法である． ●初めの指導では，簡単な食べ方のコツをアドバイスすることが，食事療法を成功させるためのカギとなるため，患者の食生活などは十分に聞くようにする．
	④食品交換表の使用方法 ⑤献立表のつくり方 ⑥調理方法の工夫 ・調味料，油の使い方 ・食材の選び方 ・調味料の計量	●食品交換表を理解することで，栄養バランスを考えた食事を考えることができる．
	⑦嗜好品の取り入れ方 ・食事と一緒に摂取する ・間食を減らす ・アルコールの摂取を控える ⑧外食時の工夫 ・注文する量，残し方など	●患者の食事上の問題点ベスト3は「アルコール」「菓子と果物」「外食」であるため，摂取方法の工夫を伝えることは重要である．

	具体策	根拠と注意点
E-P	⑨食事時の工夫 ・ゆっくり，時間をかけて摂取する ・食事の初めに野菜・海藻・きのこなどの低エネルギーで食物繊維の多い食品を食べること	●「たっぷり」「控えめに」などの曖昧な言葉ではなく，野菜なら両手いっぱい，温野菜なら片手いっぱいなどのわかりやすい表現で伝える．
	(3) 運動療法についての説明 ①運動療法の意義・目的 ②運動の種類・時間・運動量の目安 ・活動できる時間を探す ・初めは5分，10分といった短い時間から運動を取り入れる ・できれば食後に活動するのがよい ・日常のなかで取り入れやすいもの，たとえば通勤の駅まで歩くなどといった工夫をする ・慣れてきたら，徐々に活動する時間を増やす	●運動療法は，筋肉でのブドウ糖の利用を促進し，脂質代謝を改善し，体重コントロールする．さらに血液循環を促す． ●少しずつできる運動からすすめてみることは，運動療法が継続するコツである．また，運動の成果を実感できるように，受診時などに運動療法の成果を患者にフィードバックする．
	③禁止，および制限したほうがよいとき ・体調不良時は運動を控える ・空腹時に無理に運動しない ・重篤な合併症があるとき ・糖尿病網膜症による新鮮な眼底出血がある場合 ・腎不全の状態にある場合 ・虚血性心疾患や心肺機能に障害がある場合 ・急性感染症 ・糖尿病壊疽 ・高度の糖尿病自律神経障害	●運動負荷が禁忌の疾患，合併症の進行がある場合には，積極的にはすすめないようにする．
	(4)薬物療法についての説明 ①薬物療法の意義・目的 ②経口糖尿病薬，GLP-1製剤，インスリン療法の作用，副作用 ③種類，効果，投与方法 ④GLP-1製剤，インスリン療法の場合は，自己注射指導が必要 ⑤注射の場合は，注射をする時間，部位，針の扱い方，破棄方法を伝える ⑥副作用➡低血糖時の対処方法 ⑦糖尿病手帳，お薬手帳の携帯をすすめる	●経口糖尿病薬は，食事療法や運動療法を行っていても血糖コントロールが得られない2型糖尿病患者に適する． ●最近では，インスリン以外でもGLP-1製剤で自己注射が必要な薬がある．使用方法は，患者の理解をみながら自己注射指導をする． ●インスリン療法導入時は，インスリンに対する否定的な感情をもっている患者も多いため，心理的反応を確認しながら，患者にあわせた指導をする．
	(5)自己血糖測定についての説明 ①自己血糖測定の必要性・意義 ②自己血糖測定の方法を指導する	●インスリン自己注射の開始に伴い，低血糖の早期発見，インスリン指示量の調整のために，自己血糖測定が指示される． ●患者の負担にならない程度に，血糖測定値のモニタリングをすすめる．
	(6)シックデイの対応についての説明 ①かぜやインフルエンザ，下痢や嘔吐など，糖尿病以外の病気にかかったときをシックデイという ②シックデイ時の対応を日ごろ主治医などと相談する	●シックデイの病態は，全体として，血糖上昇に働く．そのため，急性合併症を引き起こす可能性がある． ●食欲がなく食べられなくなったときに，内服やインスリンを自己中断してしまわないように注意する．
	(7)日常生活での注意点 ①感染予防 ②フットケア ③ストレスへの対応	●高血糖状態にあると，感染防御機構の低下によって感染しやすい．とくに足は知覚異常があると，感染や外傷に気づきにくい．
	④旅行時(飛行機や新幹線などの移動を含む)	●旅行は，食事内容や時間の乱れなどがあって，血糖コントロールが乱れやすい．また，時差のある場合は，事前にインスリン注射を打つタイミングなどの指示を得ておく．
	⑤災害時の対応	●災害時でもインスリン注射を中断しないような準備をしておく．

	具体策	根拠と注意点
	(8)定期受診，緊急時の連絡方法	●定期受診を欠かさず血糖コントロール状態を良好に維持し，合併症を予防することが重要である．とくにライフステージの変化やライフイベントなど，生活の変化時は悪化しやすいので，注意する．

◆2 高血糖の持続により感染症の発症，重症化の危険がある

	具体策	根拠と注意点
O-P	**(1)感染徴候の有無** ①CRP，白血球の増加 ②感冒症状の有無 ③尿量，尿の性状 ④創傷，発赤，腫脹の有無 ・下腿や足底などに現れていないか確認する ⑤歯周病の有無	●高血糖状態にあると，感染防御機構(とくに白血球貪食作用)の低下によって感染しやすい．とくに足部は知覚異常があると感染や外傷に気づきにくい．
	(2)重症化の症状，程度 ①糖尿病網膜症 ・視力，眼のかすみ，視野 ②糖尿病神経障害 ・感覚，知覚鈍磨 ・便秘・下痢を繰り返す ・勃起障害の有無 ・起立性低血圧 ③糖尿病腎症 ・浮腫 ・急激な体重増加 ・タンパク尿の有無	●糖尿病は初期症状が出にくく，気づきにくい場合が多い．合併症症状を主訴に受診する患者も多くおり，初診で合併症が出現していることもあるため，症状の観察とともに，速やかに必要な診療科への受診をすすめることが必要である．
	④糖尿病足潰瘍，足壊疽 ・皮膚の損傷(圧迫，ずれ，外傷，熱傷など) ・皮膚の色 ・皮膚の乾燥状態 ・胼胝(タコ)や鶏眼(うおのめ)の有無	●合併症が出現しているということは，長期間の高血糖状態にあることが考えられるため，感染へのリスクも高い．
	(3)血糖コントロール状態 ①血糖値，自己血糖測定値(食前，食後2時間値) ②HbA1c，GAの推移 ③尿糖，アルブミン尿	●長期にわたる血糖コントロール不良は，合併症の発現，進展する可能性が高い．
	(4)治療内容とその効果 ①食事療法 ②運動療法 ③薬物療法	●生活背景や治療内容，効果をアセスメントし，血糖コントロール不良の原因を観察する．
	(5)日常生活状況 ①感染予防の実施 ②清潔への関心 ③食生活の乱れ ④過度な活動 ⑤ストレスの増大	●高血糖状態が，感染のリスクを高めることを知らない患者もいるため，感染予防や清潔への意識を確認する．

	具体策	根拠と注意点
T-P	**(1)自己管理方法習得への援助** ①病態，血糖変動，インスリン効果などを説明する際，わかりやすいパンフレットや，本，教材を活用する ②血糖値や体重，食事内容などをモニタリングすることをすすめる ③合併症の発現の場合は，治療内容の変更などがあるため，変更点をわかりやすく説明する ④フットケア，感染予防をすすめる	●合併症の出現や進展の程度により，状況にあわせた支援が必要となる．たとえば，視覚障害が出ている場合には，聴覚や実践でわかりやすく伝えるなどの工夫や，他者によるサポートを調整する．
	(2)症状改善のための治療・処置の援助 ①かぜ，インフルエンザ，尿路感染などの感染症への治療 ②足潰瘍，足壊疽などへの処置方法への支援	●感染症を引き起こしている場合は，感染症の治療を優先し，同時に血糖コントロールを改善する方向に支援する．
	(3)日常生活の援助 ①清潔を保つための援助 ②感染予防	●入浴や整容など，個人により，清潔を保つ方法には個人差がある．しかし，感染リスクが高い糖尿病患者には，清潔に保つ必要性をしっかりと説明する必要がある．
E-P	**(1)感染予防** ①手洗い，含嗽の実施 ②歯みがき，歯周病ケアの実施 ③膀胱炎予防のために，身体の清潔と飲水を励行する	●感染によって血糖コントロールは乱れ，治癒しにくくなるため，日常生活での感染予防は重要になる． ●感染予防とフットケアは，早期から意識的に行うように伝える． ●尿糖が排泄されると，尿路感染の原因にもなりやすいので，清潔を保つなどの予防をすることが必要である．
	(2)フットケア ①足の観察 ②足の清潔 ③足の皮膚の乾燥を防ぐ ④足白癬，爪白癬の発見とケアを行う ⑤胼胝，鶏眼の処置 ⑥爪切りの方法について ⑦履物について ⑧火傷や傷をつくらないようにする ※血糖管理については◆1参照	●フットケアは，シャワーや入浴時に習慣として行うようにすすめる． ●潰瘍や壊疽など，創傷を伴う場合は，創傷への処置方法も指導する必要がある．

引用・参考文献

1）日本糖尿病学会編・著：糖尿病治療ガイド2020-2021．文光堂，2020．
2）細井雅之編：病気のしくみ・合併症・治療による変化がわかる―糖尿病の病態生理イラスト図鑑．糖尿病ケア，2019年春季増刊，2019．
3）岩岡秀明ほか編著：ここが知りたい！糖尿病診療ハンドブックVer.4．中外医学社，2019．
4）森加苗愛監：糖尿病ケアと指導の「悩み解消」ポイント．エキスパートナース，23(9)：24～82，2007．
5）江川隆子編：ゴードンの機能的健康パターンに基づく看護過程と看護診断．第６版，ヌーヴェルヒロカワ，2019．
6）石川ふみよ監：アセスメント力がつく！ 臨床実践に役立つ看護過程．学研メディカル秀潤社，2014．
7）山口瑞穂子，関口恵子監：疾患別看護過程の展開．第５版，学研メディカル秀潤社，2016．
8）武井泉ほか編：糖尿病合併症ケアガイド 予防＆早期発見・治療と患者支援―Nursing MOOK54．学研メディカル秀潤社，2009．
9）西田壽代ほか：ナースだから気づく足病変 フットケアをはじめよう！．ナーシング，30(9)：5～65，2010．

32 甲状腺機能亢進症(バセドウ病)

1. 疾患の基礎的知識

1）疾患の概念

甲状腺ホルモンは，サイロキシン(T_4)とトリヨードサイロニン(T_3)からなるが，この甲状腺ホルモンが過剰に合成，分泌され，甲状腺機能が亢進した状態を甲状腺機能亢進症という．バセドウ病は，甲状腺機能亢進症の１つであり，グレーヴス病ともいう．20～40歳代の女性に多い．

2）原因

バセドウ病は，甲状腺刺激ホルモン（TSH）の受容体に対する自己抗体が産生されることによる自己免疫疾患である．この自己抗体〔TSH受容体抗体（TRAb）〕が甲状腺刺激性をもち，甲状腺機能を亢進させるといわれているが，TRAbの産生および甲状腺刺激性の機序については不明である．

3）病態と臨床症状

病態

甲状腺ホルモンやカテコールアミンが過剰状態となり，心臓，中枢・自律神経，肝臓，筋肉などの細胞の機能が高まり，エネルギー代謝の促進，酸素消費量の増加をまねく．

臨床症状

自覚的には，疲労感，全身倦怠感，暑がり，食欲増進，息切れ，動悸，不眠，情緒不安定などがある．他覚的には，発汗，手指振戦，無月経，体重減少，皮下脂肪の減少，筋肉の萎縮，甲状腺腫部の血管雑音，不整脈，心雑音，軟便，下痢などがある．

特徴的な症状として，メルゼブルクの３徴候（甲状腺腫，眼球突出，頻脈）(**図32-1**)がある．

また，合併症には，心不全や不整脈，甲状腺クリーゼ，高血糖，甲状腺中毒性周期性四肢麻痺がある．甲状腺クリーゼとは，感染，手術，妊娠，感染症などを誘因として，極度の甲状腺機能亢進が見られる状態である．抗甲状腺薬の大量投与，副腎皮質ステロイドの投与，酸素吸入や気管挿管，解熱薬の投与，β遮断薬や利尿薬の投与など，緊急処置を必要とする．甲状腺中毒性周期性四肢麻痺とは，運動やストレス，炭水化物含有食などによって誘発され，甲状腺ホルモンが過剰に分泌されることによる症状とともに，麻痺発作が出現する．

図32-1　甲状腺機能亢進症の症状

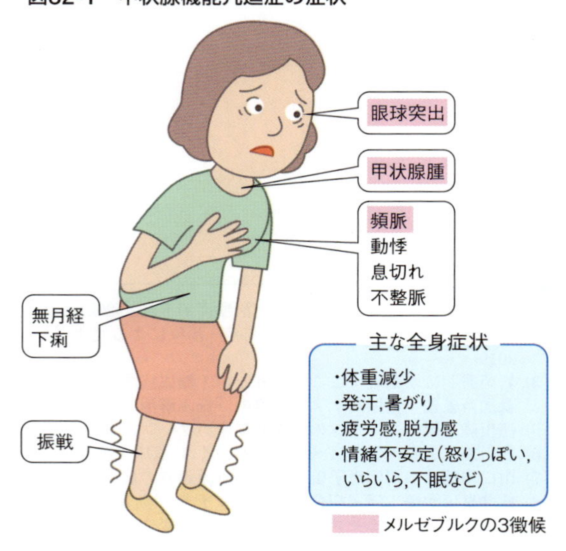

4）検査・診断

バセドウ病の診断ガイドラインを**表32-1**に示す．

(1)血中甲状腺ホルモン検査

血中に存在するT_4とT_3は，その大部分がタンパク質と結合している．結合していない遊離T_4と遊離T_3は，血中タンパク質量の影響を受けにくいので，遊離T_4と遊離T_3の値を測定する．

(2)血中甲状腺刺激ホルモン濃度測定検査

視床下部から甲状腺刺激ホルモン放出ホルモンが分泌し，下垂体のTSH分泌を刺激し，TSHは甲状腺からのT_4やT_3分泌を亢進させる．そこで，TSH分泌の抑制の有無を検査する．

(3)甲状腺刺激ホルモン受容体に対する自己抗体検査

抗TSH抗体にはTRAbとTBII，TSAbがある．

(4)放射線ヨード甲状腺摂取率(シンチグラフィ)

放射線ヨード同位元素を投与し，その放射能がどれだけ甲状腺に摂取されたかを，ある一定の時間で測定する．食品や薬剤などに含まれるヨードによって影響を受けるので，十分に注意するとともに，検査前７～10日間はヨード摂取を制限する．

(5)画像検査

頸部X線検査，超音波検査，CT・MRI検査などによって，甲状腺の重量や内部の構造などを知ることができる．

5）治療

一般的には抗甲状腺薬の投与を行う．長期の抗甲状腺薬の服用が困難な場合や，副作用が強い場合などは，放射線ヨード療法や手術療法を行う．

(1)薬物療法

甲状腺ホルモンの産生を抑制する抗甲状腺薬を投与する．

(2)放射線ヨード療法

放射線ヨードを内服して内部照射することで，放射線ヨードを甲状腺に集積し，甲状腺の濾胞細胞を破壊し，機能を正常化するものである．妊婦や授乳中は禁忌である．

(3)外科的治療(手術療法)

外科的に甲状腺を切除する方法である．

6）予後

バセドウ病は，軽症のまま経過するものもあるが，ほとんどは治療を必要とする．治療は根治的なものではないため，再燃や機能低下症の可能性がある．感染症，外傷，手術，出産などが誘因となり，甲状腺クリーゼをきたすことがある．

表32-1　バセドウ病の診断ガイドライン

a)臨床所見
1．頻脈，体重減少，手指振戦，発汗増加等の甲状腺中毒症所見
2．びまん性甲状腺腫大
3．眼球突出または特有の眼症状

b)検査所見
1．遊離T_4，遊離T_3のいずれか一方または両方高値
2．TSH低値(0.1μU/mL以下)
3．抗TSH受容体抗体(TRAb, TBII)陽性，または刺激抗体(TSAb)陽性
4．放射性ヨード(またはテクネシウム)甲状腺摂取率高値，シンチグラフィでびまん性

1)バセドウ病
a)の１つ以上に加えて，b)の４つを有するもの
2)確からしいバセドウ病
a)の１つ以上に加えて，b)の１，２，３を有するもの
3)バセドウ病の疑い
a)の１つ以上に加えて，b)の１と２を有し，遊離T_4，遊離T_3高値が３ヶ月以上続くもの

【付記】
1．コレステロール低値，アルカリフォスターゼ高値を示すことが多い．
2．遊離T_4正常で遊離T_3のみが高値の場合が稀にある．
3．眼症状がありTRAbまたはTSAb陽性であるが，遊離T_4およびTSHが正常の例はeuthyroid Graves' diseaseまたはeuthyroid ophthalmopathyといわれる．
4．高齢者の場合，臨床症状が乏しく，甲状腺腫が明らかでないことが多いので注意をする．
5．小児では学力低下，身長促進，落ち着きの無さ等を認める．
6．遊離T_3(pg/mL)/遊離T_4(ng/dL)比は無痛性甲状腺炎の除外に参考となる．
7．甲状腺血流測定・尿中ヨウ素の測定が無痛性甲状腺炎との鑑別に有用である

日本甲状腺学会：甲状腺疾患診断ガイドライン2013．http://www.japanthyroid.jp/doctor/guideline/japanese.html より2020年９月７日検索

2. 看護過程の展開

● アセスメント～ゴードンの機能的健康パターンを用いて

パターン	アセスメントの視点	根拠	収集する情報
(1) 健康知覚-健康管理 患者背景 健康知覚-健康管理 価値-信念	●疾患・治療の必要性について正しく認識できているか ●自己管理は適正にできているか	●長期に及ぶ治療を継続し，自己管理していくためには，疾患・治療について正しく認識する必要がある．薬物療法によって寛解するまでの期間に個人差はあるが，長期服用が必要となるため，飲み忘れたり，自覚症状が消失した時点で服薬を中断しやすい． ●放射線ヨード療法は，治療効果が出るのに時間を要し，治療後，十数年後に続発性甲状腺機能低下症を発症する恐れがある．手術療法は，入院が必要で術後に傷跡が残り，反回神経麻痺などの後遺症を残すこともある．しかし，治療によってコントロールできることを認識し，希望をもつことは闘病意欲にもつながる． ●未治療あるいはコントロールが不十分な場合，感染症，外傷，手術などが誘因となって，甲状腺機能亢進症状が急速に悪化することがあり(甲状腺クリーゼ)，生命に関わる危険性がある．	●現病歴 ●既往歴 ●疾患・治療に対する認識 ・バセドウ病の病態生理，症状出現時の対処および悪化防止のための方法，薬物療法の必要性，内服薬の量・時間，副作用と対処方法 ●自己管理状況
(2) 栄養-代謝 全身状態 栄養-代謝 排泄	●エネルギー消耗に伴う症状はないか ●水分出納はどうか	●甲状腺機能亢進によって基礎代謝量が上昇し，消費エネルギーが摂取エネルギーを上回っていることが多い． ●消費エネルギーが多いため，食べているにもかかわらず体重減少をきたしやすく，栄養状態が低下しやすい．細胞の糖の利用が増加しているため，消化管での吸収は増加し，血糖の上昇や高インスリン血症をきたすことがある． ●熱の産生が促進されて，発汗が著明となり，脱水や電解質異常をきたしやすくなる．	●栄養状態 ・体重の変動 ●水分出納 ・食事の内容と量，食欲，水分摂取量，口渇の有無と程度，発汗の有無と程度，尿量 ●検査データ ・総タンパク，Alb，Na，K，Cl，Ca，総コレステロール，中性脂肪，Hb，Ht，赤血球数，血糖値
(3) 排泄 全身状態 栄養-代謝 排泄	●排泄状態はどうか	●食生活の変化などによって排泄状況に支障が生じることがある．	●排泄状態 ・排尿回数・性状・異常 ・排便回数・性状・異常 ・水分出納
(4) 活動-運動 活動・休息 活動-運動 睡眠-休息	●エネルギーの消耗をきたす因子はないか	●家事は，内容や程度によってはエネルギーの消耗が大きい．職業によっては，身体的な疲労や精神的なストレスを生じやすく，エネルギーの消耗が大きいものがある． ●熱産生の増加とエネルギーの消耗に伴い，交感神経の感受性は亢進し，交感神経亢進症状が出現する．循環血液量は増加し，心拍出量が増えることで，頻脈，動悸，血圧上昇をきたす．また，酸素の消費量が増加するため，呼吸数増加や息切れ，全身倦怠感，疲労感も出現する．	●エネルギー消耗の原因・誘因 ・ADL，疲労，家事 ・スポーツ，旅行 ・職業 ●エネルギー消耗の随伴症状 ・バイタルサイン(頻脈，発熱，呼吸数の増加，血圧上昇，全身倦怠感，疲労感，動悸，息切れ)

パターン	アセスメントの視点	根拠	収集する情報
(5) 睡眠-休息 活動・休息 活動-運動 睡眠-休息	●睡眠・休息は十分にとれているか	●睡眠・休息が十分にとれないと，体力の維持・回復が阻害される．	●夜間の睡眠状態
(6) 認知-知覚 知覚・認知 認知-知覚 自己知覚-自己概念 コーピング-ストレス耐性	●疾患，治療，副作用についての知識をもっているか ●認知・知覚に異常はないか	●疾患・薬物療法による副作用について知識が不足すると，不安や服薬の中断につながるおそれがある．	●疾患についての知識 ・原因，病態，現在の検査データ，合併症 ●認知機能 ●感覚 ●思考過程
(7) 自己知覚-自己概念 知覚・認知 認知-知覚 自己知覚-自己概念 コーピング-ストレス耐性	●外観上の変化に対する患者の反応はどうか	●甲状腺の機能亢進によって，眼球突出や甲状腺腫，発汗，るいそうなど，外観上の変化がみられる．眼球突出は，眼筋の肥厚，結合組織の増加によって生じる．バセドウ病は若い女性の発症が多く，外観上の変化は，自分の身体に対する考えや感情の障害をきたしやすい．ボディイメージの障害は，自尊心を低下させ，うつ状態につながる可能性がある． ●ボディイメージは，患者のまわりにいる人の反応によっても影響を受ける．とくに，患者にとって重要と思われる人物の理解と協力は，ボディイメージの受容に影響する．	●外観上の変化と患者の反応 ・眼球突出，甲状腺腫，発汗 ●ボディイメージをどのように知覚しているか(表情，言動) ●心理状態 ・抑うつ状態 ・不安
(8) 役割-関係 周囲の認識・支援体制 役割-関係 セクシュアリティ-生殖	●自己管理への支援体制はどうか	●家庭内，職場，地域での役割を達成するために，エネルギーの消耗が増えたり，人間関係で精神的ストレスが生じることがある． ●眼球突出や甲状腺腫などの，外観上の変化に対する家族や友人の理解．ボディイメージの障害に影響する． ●長期の自己管理のために，周囲の人の身体的・社会的・精神的支援を得られることが必要である． ●肉体労働の場合，身体的な疲労はエネルギーを消耗させることになり，病状の悪化につながりやすい．	●家族，友人の理解と協力の程度 ●職業，職場環境 ●地域での役割，関係

パターン	アセスメントの視点	根拠	収集する情報
(9) セクシュアリティ-生殖 周囲の認識・支援体制 役割-関係 セクシュアリティ-生殖	●セクシュアリティ・生殖の問題を知覚しているか	●バセドウ病は若い女性に多く発症する．内服薬による胎児や新生児への影響を考慮しなければならない．また，出産により症状の悪化が生じることがある．	●妊娠，出産の可能性 ●生殖歴，生殖段階 ・子どもの有無 ・本人とパートナーの希望
(10) コーピング-ストレス耐性 知覚・認知 認知-知覚 自己知覚-自己概念 コーピング-ストレス耐性	●発症や病状の悪化の要因となるストレスはないか ●効果的な管理を妨げる因子はないか	●バセドウ病は，心身のストレスや過労がきっかけとなり，症状が出現することがある． ●甲状腺機能亢進のため，いらいらしたり，怒りっぽくなったりする．これら情緒不安定な状況がストレスとなり，効果的な治療の継続が困難になることが考えられる．	●長期治療によるストレスの有無 ●ストレスへの対処
(11) 価値-信念 患者背景 健康知覚-健康管理 価値-信念	●治療方法の選択で迷っていることはないか	●長期的管理には患者が納得して治療を選択することが重要．	●健康に関する価値や信念，大事にしていること

3. 全体像の把握から看護問題を抽出

1）病態関連図

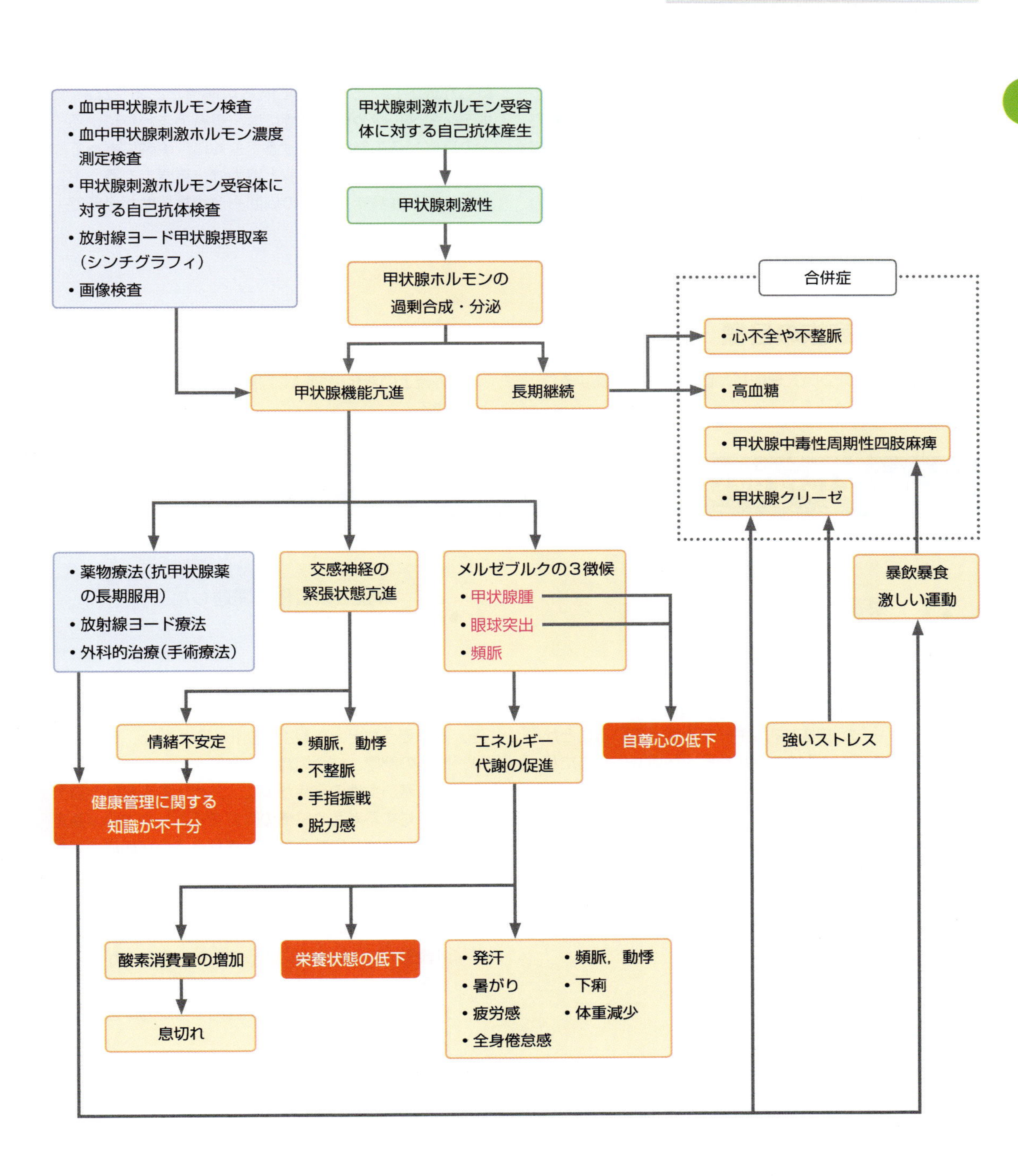

2）看護の方向性

甲状腺機能亢進症の患者の場合，基礎代謝量が上昇し，消費エネルギーが摂取エネルギーを上回っていることが多いため食べているにもかかわらず体重減少をきたしやすく，栄養状態が低下しやすい．また，熱の産生が促進されて，発汗が著明となり，脱水や電解質異常をきたしやすくなる．消費エネルギーに見合った栄養摂取を行えるようにすること，脱水・電解質バランスの不均衡とならないように注意することが必要である．細胞の糖の利用が増加しているため，消化管での吸収は増加し，血糖の上昇や高インスリン血症をきたすことがある．また，熱産生の増加とエネルギーの消耗に伴い，交感神経の感受性は亢進し，交感神経亢進症状が出現する．症状の出現を生じないよう援助する必要がある．

また，甲状腺の機能亢進によって，眼球突出や甲状腺腫，発汗，るいそうなど，外観上の変化がみられる．バセドウ病は若い女性の発症が多く，外観上の変化は，自分の身体に対する考えや感情の障害をきたしやすい．外観上の変化に対し，否定的な自己評価をすると，自尊心が低下し，うつ状態に陥る可能性がある．なお，ボディイメージや自己評価には，患者のまわりにいる人の反応からの影響を受ける．とくに，患者にとって重要と思われる人物の理解と協力は，重要である．患者本人のみならず，患者の周囲も含めた援助が必要である．

3）患者・家族の目標

・疾患と治療について理解し，自己管理を継続することができる．

・外観上の変化について理解し，受け入れることができる．

4. しばしば取り上げられる看護問題

1 栄養状態の低下

なぜ？

甲状腺機能亢進症においては，基礎代謝量が上昇し，消費エネルギーが摂取エネルギーを上回っていることが多いため，食べているにもかかわらず体重減少をきたしやすく，栄養状態が低下しやすい．また，熱の産生が促進されて，発汗が著明となり，脱水や電解質異常をきたしやすくなる．細胞の糖の利用が増加しているため，消化管での吸収は増加し，血糖の上昇や高インスリン血症をきたすことがある．また，熱産生の増加とエネルギーの消耗に伴い，交感神経の感受性は亢進し，交感神経亢進症状が出現する．

➡期待される結果

・栄養状態が低下しない．

・体重減少が進行しない．

2 外観上の変化に関連した自尊心の低下

なぜ？

甲状腺の機能亢進によって，眼球突出や甲状腺腫，発汗，るいそうなど，外観上の変化がみられる．眼球突出は，眼筋の肥厚，結合組織の増加によって生じる．バセドウ病は若い女性の発症が多く，外観上の変化は，自分の身体に対する考えや感情の障害をきたしやすい．否定的な自己評価は，自尊心を低下させ，うつ状態につながる可能性がある．

➡期待される結果

・外観上の変化は治療によって改善することが，理解できる．

・外観上の変化に対して，悲観的・否定的な言動がない．

健康管理(疾患・治療)に関する知識が十分でない

なぜ？

長期に及ぶ治療を継続し，自己管理していくためには，疾患・治療について正しく認識する必要がある．薬物療法によって寛解するまでの期間に個人差はあるが，長期服用が必要となるため，飲み忘れたり，自覚症状が消失した時点で服薬を中断することが考えられる．そういった状態に陥り，未治療あるいはコントロールが不十分な場合には，感染症，外傷，手術などが誘因となって，甲状腺クリーゼを起こす危険性がある．

➡期待される結果

・疾患・症状について説明できる．
・内服継続の必要性を理解し，継続することができる．
・内服薬の副作用について理解し，感染予防のための行動がとれる．

5. 看護計画の立案

• O-P：Observation Plan(観察計画)　• T-P：Treatment Plan(治療計画)
• E-P：Education Plan(教育・指導計画)

◆1 栄養状態の低下

	具体策	根拠と注意点
O-P	**(1)食事摂取状況** **(2)栄養状態**	●代謝亢進によって栄養状態は低下していないか，必要な栄養摂取ができているか観察する．
	(3)エネルギー消耗の随伴症状 ①頻脈，発熱，呼吸数の増加，血圧上昇 ②全身倦怠感，疲労感 ③動悸，息切れ ④体重の変動	
	(4)エネルギー消耗の原因・誘因 ①ADL，疲労，家事 ②スポーツ，旅行 ③職業，職場環境，家族関係 ④地域での役割，関係	●エネルギーの消耗をきたす因子について観察し，消耗を最小限とするような援助につなげる． ●代謝亢進によって栄養状態の低下をきたす．摂取エネルギー量と消費エネルギー量のバランスを考慮する．
T-P	**(1)食事の援助** ①高エネルギー，高タンパクで栄養バランスのとれた食事とする	●甲状腺機能が正常化しても過食状態が続いている場合は，逆に肥満となる恐れがあるため減食とする．
	②ビタミン(B_1，B_2，B_{12}，C)を，積極的に摂取する	●ビタミンは，甲状腺ホルモン機能亢進症状を緩和するともいわれている．
	③ヨードを含む食品の摂取はできるだけ控える ・海藻類(海苔，昆布，ワカメ，ヒジキ，モズク) ・昆布加工品(昆布だし入り食品，昆布茶，昆布佃煮) ・魚(サバ，イワシ，カツオ，ブリ，タイ，マス，サケ，マグロ，タラ)，これらの魚を使用した加工品(練り製品，缶詰) ・肉(レバー，モツ，ホルモン) ・ヨード卵	●甲状腺ホルモンはヨードが多く含まれているため，食品からのヨード摂取は控えたほうがよい．
	(2)水分の補給	●水分出納バランスをチェックし，水分摂取を促す．電解質を補うことができるスポーツドリンクがよい． ●発汗によって脱水を引き起こす危険性がある．

	具体策	根拠と注意点
T-P	**(3)エネルギーの消耗を最小限とする** ①頻脈，動悸，息切れ，呼吸促迫などの症状出現時は安静臥床を促し，状態が落ち着くまでそばにいる ②発汗時は速やかにシャワー浴または清拭を行い，寝衣の交換やシーツ交換を行う ③発汗が多いときは身体の下にバスタオルを敷き，適宜交換する ④氷枕を貼用する ⑤不眠時，医師の指示で睡眠薬を与薬する ⑥環境調整(室温，湿度) ⑦傾聴的に接し，精神的安定をはかる ⑧症状出現時，検査などは車椅子移動とする	●交感神経亢進症状の出現時は安静とし，エネルギーの消耗を防ぐ. ●不快感を除去する. ●頻回のシャワー浴や入浴は体力の消耗をきたすため，症状に注意しながら実施する. ●発汗をできるだけ抑える. ●心身の安静が保てるように，騒音の少ない病室を選ぶ．カーテンを閉め，落ち着いた環境をつくる. ●精神的因子もエネルギーの消耗をまねく.
E-P	**(1)食事療法の必要性と内容を，代謝亢進によるエネルギー消耗と関連づけて説明** **(2)水分摂取の必要性についての説明** **(3)心身の安静の必要性，セルフケアの制限についての説明**	●自己管理を継続していくためにも，患者自身がそれぞれの必要性について理解しておく. ●エネルギー消耗を最小限にするためである.

2 外観上の変化に関連した自尊心の低下

	具体策	根拠と注意点
O-P	**(1)甲状腺機能亢進に伴う外観上の変化** ①甲状腺腫，眼球突出，るいそう ②発汗，手指振戦 **(2)外観上の変化に対する患者の否定的な反応** ①身体をみない，触らない ②身体を隠す，過度に露出する ③身体に対する否定的な感情の表出，身体の非人格化 ④自傷行為 **(3)家族や友人の理解や協力の程度** **(4)周囲の人々からの支援に対する反応**	●甲状腺腫は，前頸部に両拇指を軽く当て，患者に嚥下してもらって触診する．嚥下時に甲状腺が上下することで確認できる．びまん性にやわらかく触知する. ●体重減少，皮下脂肪の減少，筋肉の萎縮によって，るいそうとなる. ●自分の身体に対する否定的な評価を修正できるように援助するために，患者の感情表出を促す. ●自分の身体に対して否定的感情が募ると，自傷行為を起こすことがある. ●常に自分を認め，支援してくれる人が身近にいることは大きな支えとなる．家族や友人などの周囲の人が疾患を正しく認識し，受容することによって，患者を支援できるように関わる.

	具体策	根拠と注意点
T-P	**(1)外観上の変化を認識するための援助** ①鏡などを使って自分の身体を直視できる機会をつくる ②看護師は外観上の変化を受け入れているという態度を示す ③傾聴的に接し，思っていることや考えを抑制せずに表現できる機会をつくる．とくに，自分自身をどう感じているかを表現できるようにする **(2)社会的相互作用の促進** ①家族や友人にできるだけ面会に来てもらい，患者が孤立しないように配慮する ②同疾患で同じような体験をしている人と話をする機会をつくる	●看護師と患者の信頼関係を築くことが大切である．否定的な表現は避け，プライバシーを保持し，安全な環境を提供する． ●身体，とくに外観上変化している部位に触れ，スキンシップをはかり，汚いものではないという態度を示す． ●他者が身体に触れることによって，身体の感覚をもつことができ，身体を受け入れることにつながる． ●自由に遠慮なく素直に表出できるような雰囲気をつくり，決して患者の言うことを否定しない．感情を表出することが回復につながるので，感情を抑えたりしないように必要性を説明し，理解してもらう． ●患者が孤立しないように配慮するとともに，家族や友人に対しても支援していく． ●患者が自分の身体の変化を正しく認識し，受け止めることができないと，社会的な関わりに変化をきたすことがある．
E-P	**(1)現在の病状と治療についての説明** **(2)治療の効果や傷跡のカバー方法についての指導** ①外観上の変化は治療によって改善されることを説明し，前向きに考え，治療に取り組めるように働きかける ②サングラスの使用，またはスカーフや服装の工夫によって傷跡をカバーできることを説明する **(3)感情の対処方法についての指導** **(4)家族や友人に，現在の病状と治療についての説明** ・改善することを説明し，理解をもって接してもらうように働きかける	●患者がもっている情報や認識に誤りがないかを確認し，誤っている考えは払拭できるようにする． ●確かな情報を提供し，誤っている考えを払拭できるように働きかける． ●重要他者が面会に来られるように調整する．

引用・参考文献

1）小川聡総編：内分泌疾患──代謝・栄養疾患．内科学書５，改訂第８版，中山書店，2013.
2）寺野彰総編：シンプル内科学．南江堂，2008.
3）小西俊彰ほか：一般医家が出会うことの多い内分泌疾患のやさしい診かた──甲状腺疾患．診断と治療，95（2）：267～273，2007.
4）日本甲状腺学会：甲状腺疾患診断ガイドライン2013．　http://www.japanthyroid.jp/doctor/guideline/japanese.html より2020年９月７日検索

33 くも膜下出血

1. 疾患の基礎的知識

1）疾患の概念

くも膜下出血（SAH：Subarachnoid hemorrhage）とは，なんらかの原因によってくも膜と軟膜の間にあるくも膜下腔へ出血が生じ，脳脊髄液に血液の混入した状態をいう．くも膜下出血は，脳血管障害全体の約５％で，人口10万人あたり約20人/年で発症し，女性に多い傾向（男女比１：２）にある．急速に重篤な状態となることが多く，死亡や重篤な障害を残すことがある．

2）原因

脳動脈瘤の破裂が最も多く70～80%，次に多いのは，脳動静脈奇形で５～10%である．その他，脳出血がくも膜下腔に破れたもの，脳腫瘍・血液疾患・出血性素因に伴う出血などがある．危険因子としては，過度の飲酒や喫煙習慣，高血圧，動脈硬化などがある．

脳動脈瘤は，太い血管の分岐部，血流が激しく衝突する動脈壁に好発しやすい．３大好発部位は，①前交通動脈（32.9%），②内頸動脈と後交通動脈瘤の分岐部（29%），③中大脳動脈（21.4%）である（**図33-1**）．

3）病態と臨床症状

突然の激しい頭痛で発症することが特徴で，悪心・嘔吐を伴うことが多い．患者は頭痛を「バットで殴られたような」「頭が割れるような」などと表現することが多い．しかし，軽症例では，頭痛が比較的軽度なこともあるため，注意が必要である．意識障害は約半数で，頭痛に引き続いて認められる．項部硬直，ケルニッヒ徴候などの髄膜刺激症状（**図33-2**）もほとんどの患者に認められる．重症度分類を**表33-1**，**2**，**3**に示す．

合併症

(1)再出血

くも膜下出血発症後，血圧上昇などで再出血する危険性がある．再出血は24時間以内に最も起こりやすく，再出血すると損傷を受けていた脳にさらに侵襲を加えることになり，予後不良となる確率が高いため，急性期の全身管理において再出血の予防は極めて重要である．

(2)水頭症

くも膜下出血になると，くも膜下腔に癒着や閉塞が起こるため，髄液が貯留して循環障害が発生する．急性に起こると意識障害や頭蓋内圧亢進症状をきたす．慢性に起こると正常圧水頭症とよばれ，尿失禁，歩行障害，失見当識などの症状が出現する．

(3)遅発性脳血管攣縮

くも膜下出血発症後４～14日後に発症する脳主幹動脈（内頸動脈，中大脳動脈，前大脳動脈，椎骨動脈，脳底動脈などの太い血管）の一時的な収縮・狭窄であり，

図33-1　脳動脈瘤の好発部位

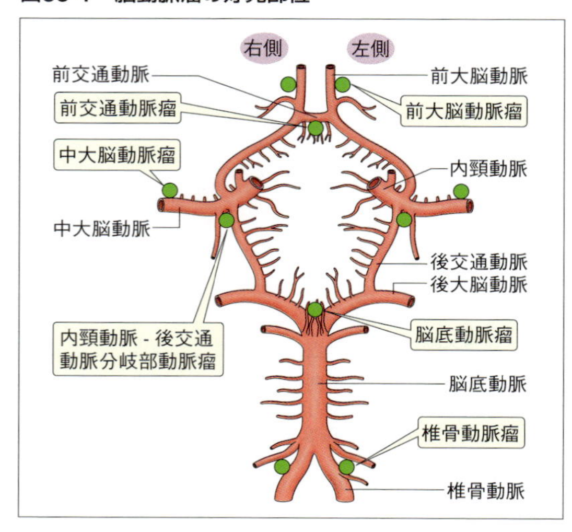

２週間ほど持続する．脳血管攣縮が起こると，脳虚血が生じる．症候を呈するのは約３割といわれ，その約半数では脳梗塞が出現し，片麻痺や失語症などの局所症状が出現する．

4）検査・診断

（1）CT

くも膜下出血が疑われる場合には，直ちに実施するべき検査である．脳動脈瘤の破裂による場合は，脳底部の脳槽，シルビウス裂あるいは脳溝のくも膜下腔に血液が貯留し，高吸収域を認める．軽いくも膜下出血では，CT上で異常所見が認められないこともあるため，注意する．

（2）MRI

症状とCTからくも膜下出血と診断された場合，原因となる脳動脈瘤や脳動静脈奇形の有無を確認するために実施する．

（3）腰椎穿刺

症状からくも膜下出血が疑われるが，CTでくも膜下腔に出血が確認できない場合には，腰椎穿刺を実施する．採液は，血性やキサントクロミー（黄色調）を呈する．頭蓋内圧亢進が疑われる場合には，さらなる出血を引き起こす可能性があるため，禁忌である．

（4）脳血管撮影

動脈にカテーテルから造影剤を注入し，X線撮影を行うことで，出血源となる脳動脈瘤や脳動静脈奇形の位置

図33-2　髄膜刺激症状

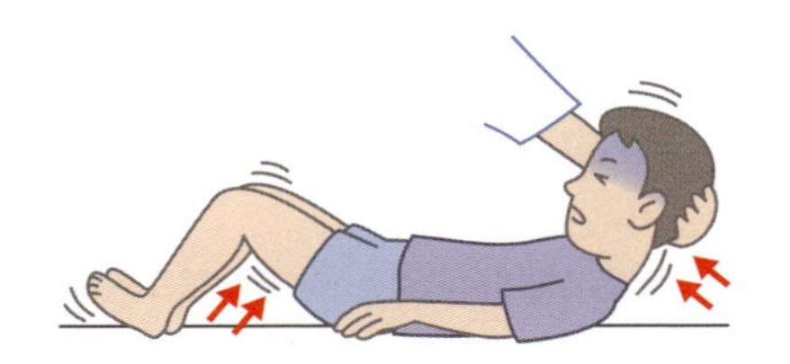

ブルジンスキー徴候
項部硬直をみるときと同様に頭部を挙上すると，膝関節・股関節が同時に屈曲する

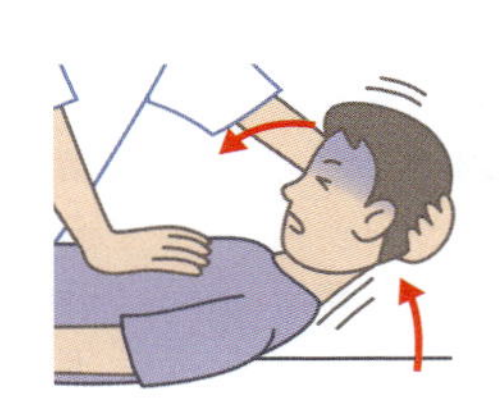

項部硬直
仰臥位で頭部を挙上すると抵抗があり，頤部が胸部につかない

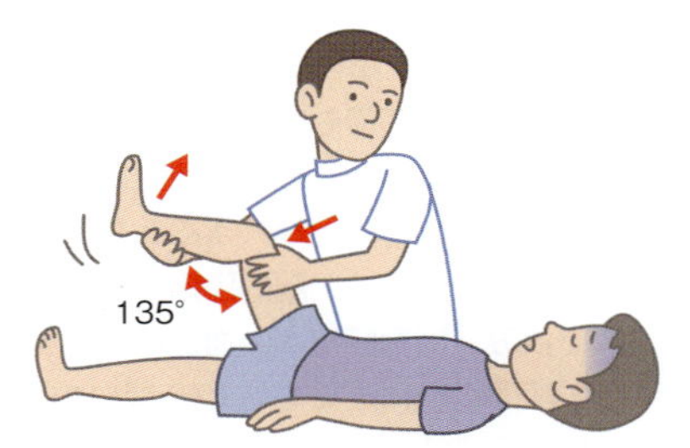

ケルニッヒ徴候
抵抗があり，伸展できない

表33-1　Hunt and Hess 分類（1968）

Grade Ⅰ	無症状か最小限の頭痛および軽度の項部硬直をみる
Grade Ⅱ	中等度から強度の頭痛，項部硬直をみるが，脳神経麻痺以外の神経学的失調はみられない
Grade Ⅲ	傾眠状態，錯乱状態，または軽度の巣症状を示すもの
Grade Ⅳ	昏迷状態で，中等度から重篤な片麻痺があり，早期除脳硬直および自律神経障害を伴うこともある
Grade Ⅴ	深昏睡状態で除脳硬直を示し，瀕死の様相を示すもの

表33-2　Hunt and Kosnik分類（1974）

Grade 0	未破裂の動脈瘤
Grade Ⅰ	無症状か，最小限の頭痛および軽度の項部硬直をみる
Grade Ⅰa	急性の髄膜あるいは脳症状をみないが，固定した神経学的失調のあるもの
Grade Ⅱ	中等度から強度の頭痛，項部硬直をみるが，脳神経麻痺以外の神経学的失調はみられない
Grade Ⅲ	傾眠状態，錯乱状態，または軽度の巣症状を示すもの
Grade Ⅳ	昏迷状態で，中等度から重篤な片麻痺があり，早期除脳硬直および自律神経障害を伴うこともある
Grade Ⅴ	深昏睡状態で除脳硬直を示し，瀕死の様相を示すもの

表33-3　WFNS分類（1983）

Grade	GCS score	主要な局所神経症状（失語あるいは片麻痺）
Ⅰ	15	なし
Ⅱ	14-13	なし
Ⅲ	14-13	あり
Ⅳ	12-7	有無は不問
Ⅴ	6-3	有無は不問

や大きさなどを特定する．通常，左右の内頸動脈と椎骨動脈の４本を撮影する必要があり，セルディンガー(Seldinger)法にて行われる．

(5)MRA（磁気共鳴血管撮影法），3D-CTA（三次元脳血管造影）

MRAは，出血源となる脳動脈瘤や脳動静脈奇形の検索と確定診断のために行われ，脳血管撮影に比べると無侵襲であるため，未破裂動脈瘤の検出にも有用である．

3D-CTAは，末梢の静脈から造影剤を注入し，CTで脳の血管を立体構造として三次元に描き出す検査である．脳血管造影のように血管の内腔を描き出すことが可能である．

5）治療

(1)再出血予防

①鎮痛・鎮静・降圧

頭痛や悪心がある場合は，鎮痛薬や制吐薬を使用して安静が保てるようにする．また，周囲の環境と遮断して静かな環境を提供する．血圧は140/90mmHgを目安に降圧薬や高浸透圧利尿薬（マンニトール，グリセオールなど）を投与して管理するが，降圧し過ぎると脳血流量が低下するため，慎重に行う．患者の体位はセミファウラー位（30°程度）とする．

②外科的治療

開頭手術として最も一般的に行われるのは，クリッピング術である．瘤の形状により，トラッピング術，コーティング術が行われることもある（**図33-3**）．

クリッピング術は，脳動脈瘤の頸部を専用のクリップで挟み，脳動脈瘤への血流を遮断する治療で，発症24時間以内（遅くても72時間以内）に行う．複雑な血管の形状，３mm以下の脳動脈瘤，大型の脳動脈瘤，動脈硬化などでカテーテルの留置が困難，巨大な血腫を伴うなどの場合に実施される．トラッピング術は，動脈瘤がある前後の血管をクリッピングし，脳動脈瘤への血流を遮断する治療で，非常に大型の脳動脈瘤や，クリッピング術を行うことが困難な場合に実施される．コーティング術は，筋膜やフィブリン糊などで動脈瘤壁を補強する治療で，クリッピング術，トラッピング術のいずれも困難な場合に実施される．

急性期水頭症は脳室ドレナージ術，慢性期水頭症は脳室腹腔シャント術または腰椎腹腔シャント術を行う．

③血管内治療

動脈瘤コイル塞栓術は，鼠径部より挿入したカテーテルからプラチナコイルを脳動脈瘤に詰めて塞栓させる治療である（**図33-3**）．椎骨脳底動脈系の動脈瘤，全身麻酔のリスクが高い，高齢者などの場合に適応される．

(2)遅発性脳血管攣縮予防

①薬物療法

Rhoキナーゼ阻害薬のファスジル塩酸塩水和物や，トロンボキサンA_2合成酵素阻害薬のオザグレルナトリウム投与が行われる．いずれも再出血の予防処置後に開始し，２週間継続される．

②脳槽・腰椎ドレナージ

術中や術後に，脳槽や腰椎へドレーンを留置し，髄液や血腫を持続的に体外へ排出させる．さらに薬液によって血腫を溶解させる脳灌流法を用いることがある．

(3)痙攣予防

脳損傷による痙攣を予防するために，抗痙攣薬を投与する．

(4)リハビリテーション

廃用症候群を予防し，日常生活活動を拡大・向上させるため，十分なリスク管理のもとに，できるだけ早期から理学療法士・作業療法士・言語聴覚士と連携して積極的にリハビリテーションを行う．

6）予後

くも膜下出血発症後の予後は重症度分類に関連しており，再出血や遅発性脳血管攣縮の有無によって予後が左右される．脳卒中データバンク2018によると，日本版modified Rankin Scale（日本版mRS）が６の死亡は23.7%，日本版mRSが４（中等度～重度障害：歩行や身体的要求には介助が必要）と５（重度障害：寝たきり，失禁，常に介護と見守りが必要）をあわせると22.6%となっている．

図33-3　クリッピング，トラッピング，コーティング，コイル塞栓術

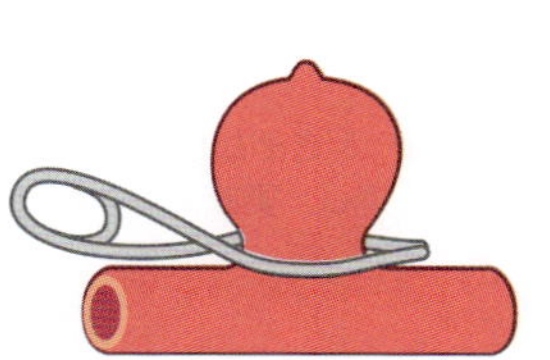

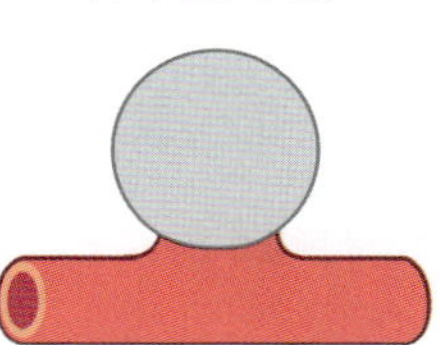

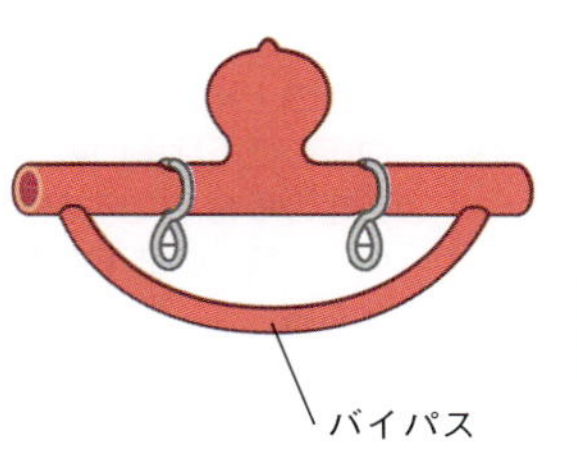

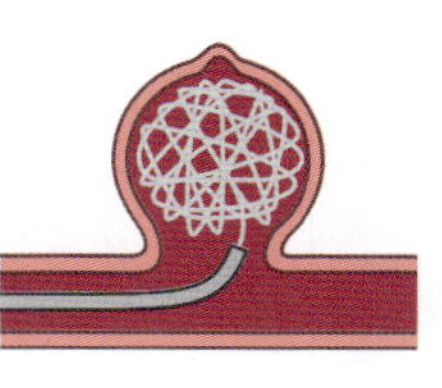

2. 看護過程の展開

● アセスメント～ゴードンの機能的健康パターンを用いて

パターン	アセスメントの視点	根拠	収集する情報
(1) 健康知覚-健康管理 患者背景 健康知覚-健康管理 価値-信念	●現在の状態をどのように認識しているか ●改善が必要な健康管理状況はないか	●くも膜下出血は，突然の激しい頭痛と意識障害で発症することが多く，本人は自分の状況を認識できないことが多い． ●くも膜下出血は，過度の飲酒や喫煙などの生活習慣が危険因子となっているため，再発の予防に向け，健康管理が必要となる．	●発症の原因，経過，危険因子 ●今後の疾患管理 ●現病歴：いつ，どこで，どのような状態で発症したか，前駆症状 ●既往歴：年齢，病名，治療経過，内服薬，かかりつけ医 ●健康管理：飲酒，喫煙，運動，健康診断
(2) 栄養-代謝 全身状態 栄養-代謝 排泄	●生命の危機的状態にないか ●水分の過不足はないか ●嚥下に関する問題はないか ●改善が必要な食習慣はないか	●発症直後は，再出血のリスクが高い．術後２週間程度は遅発性脳血管攣縮のリスクがある． ●脱水を生じるとリスクが高まる．水分の過剰は脳浮腫を助長し，中枢性肺水腫の要因となる． ●くも膜下出血や意識障害による嚥下に関する障害が生じる場合がある． ●くも膜下出血は生活習慣が大きく関与する疾患である．	●血液検査データ：TP，Alb，Hb，Ht，血糖値など ●輸液投与量・内容 ●食事摂取状況：嚥下状態，食形態，食事内容，むせこみの有無 ●食習慣：食事摂取回数，内容，時間，場所 ●身長，体重 ●皮膚の状態：褥瘡の有無 ●歯の状態：う歯の有無，義歯の有無
(3) 排泄 全身状態 栄養-代謝 排泄	●排泄に関する問題はないか ●水分バランスや電解質バランスはどうか ●改善が必要な排泄習慣はないか	●発症直後には，脳浮腫や意識障害により，尿閉となることが多い．また，神経因性膀胱によって頻尿や失禁なども起こりやすい． ●くも膜下出血の発症直後には，高浸透圧利尿薬を投与される． ●抗利尿ホルモン分泌異常症候群を起こすことがある．中枢性塩類症候群，ADH不適合分泌症候群によって低ナトリウム血症となることがある． ●くも膜下出血は高血圧を危険因子としている．便秘による努責を避ける必要がある．	●排尿：尿意，回数，量，性状，失禁，方法（カテーテル留置，導尿，おむつ，トイレ），薬剤使用の有無 ●排便：便意，回数，量，性状，失禁，方法（おむつ，トイレ），薬剤使用の有無 ●血液検査データ：BUN, Cr, Na, K, Clなど ●輸液投与量・内容

パターン	アセスメントの視点	根拠	収集する情報
(4) **活動-運動** 活動・休息 活動-運動 睡眠-休息	●日常生活活動はどの程度実施可能か ●血圧のコントロールは適正にされているか ●呼吸・循環の障害はないか	●運動麻痺などの身体に関する障害を生じることがある. ●血圧の上昇は，術前は再出血・術後は脳圧亢進，血圧の低下は脳の循環障害のリスクになる. ●重症の場合，交感神経の緊張によって，心筋虚血，心機能の低下，中枢性肺水腫を生じることがある.	●運動機能障害 ●身体機能：麻痺の有無，部位，程度，関節可動域 ●日常生活活動：起きあがり，寝返り，食事，整容，清拭，更衣，トイレ動作，移乗，歩行
(5) **睡眠-休息** 活動・休息 活動-運動 睡眠-休息	●治療による睡眠，覚醒への影響はないか ●改善が必要な生活習慣はないか	●くも膜下出血は意識障害を生じることが多く，それによる睡眠や覚醒への影響もある. ●くも膜下出血は生活習慣が大きく関与するため，睡眠時間の不足は高血圧のリスクにもつながる.	●1日の生活リズム ●日中の活動状況，仕事の内容 ●睡眠状態：就寝時間，睡眠時間，睡眠導入薬使用の有無
(6) **認知-知覚** 知覚・認知 認知-知覚 自己知覚-自己概念 コーピング-ストレス耐性	●意識状態 ●認知機能の状態 ●見当識の状態 ●視覚，聴覚，嗅覚，感覚障害の有無	●頭蓋内圧亢進症状はないか：頭蓋内圧亢進による意識障害や頭痛などについて，経時的な変化を確認する．また，同名半盲などの視覚障害が生じることもある. ●くも膜下出血によって言語に関する障害や，記憶，注意，精神機能などにも障害が生じることがある.	●意識障害：JCS，GCS，せん妄 ●視覚障害：同名半盲 ●感覚障害：部位，程度 ●言語障害：発話，理解 ●言語障害，高次脳機能障害 ●高次脳機能障害：記憶，注意，性格の変化 ●痛み：有無，部位，程度
(7) **自己知覚-自己概念** 知覚・認知 認知-知覚 自己知覚-自己概念 コーピング-ストレス耐性	●病状や障害をもつ自身の受け止めはどうか	●くも膜下出血は突然発症することが多く，死亡率の高い疾患である．また，なんらかの障害が残存することが多いため，受け入れは容易でない.	●疾患・障害・入院に対する思い ●不安の有無・内容 ●医師からの説明内容，治療方針，予後 ●患者の性格
(8) **役割-関係** 周囲の認識・支援体制 役割-関係 セクシュアリティ-生殖	●コミュニケーションに関する障害はないか ●家族内での役割変更は可能かどうか ●在宅療養で家族の協力が得られるか	●生活再構築に向けて家族の介護力が必要. ●くも膜下出血は，急性期・回復期・維持期と，日常生活や社会生活の自立までに長い経過を要するため，介護者が本人の役割を担うことがある. ●長期に及ぶ療養生活となるため，家族の協力は不可欠.	●発症に関連する家族歴 ●家族内，社会での役割 ●社会的支援 ●家族歴 ●家族構成，支援者の有無 ●家庭内での役割 ●社会での役割 ●経済的状態 ●住環境：居室，寝室，浴室，トイレ，玄関など ●社会的資源活用状況

パターン	アセスメントの視点	根拠	収集する情報
(9) セクシュアリティ-生殖 周囲の認識・支援体制 役割-関係 セクシュアリティ-生殖	●性，生殖に関する問題はあるか	●くも膜下出血は高血圧やストレスが危険因子であるため，結婚や出産など，性に関する諸問題が生じる可能性がある．	●性，生殖に関する課題 ●最終月経，閉経 ●婚姻の有無
(10) コーピング-ストレス耐性 知覚・認知 認知-知覚 自己知覚-自己概念 コーピング-ストレス耐性	●ストレス対処能力はあるか	●突然の発症，入院，手術という生命の危機的状況や，今後の療養先や療養方法の選択など，家族には意思決定しなければならない場面が多々ある． ●ストレスが軽減されないと消化管潰瘍を生じる危険性が高くなる．	●ストレス ●問題解決能力 ●不安の有無，内容 ●ストレス対処法 ●過去の出来事における対処
(11) 価値-信念 患者背景 健康知覚-健康管理 価値-信念	●価値観，目標，信念は療養生活にどのような影響を及ぼすか	●くも膜下出血は長い療養が必要になることもある．患者が人生において大事にしていることがリハビリテーションや療養生活の強みとなる．	●ライフヒストリー ●趣味 ●生きがい，目標 ●大切にしている習慣，価値観

3. 全体像の把握から看護問題を抽出

1）病態関連図

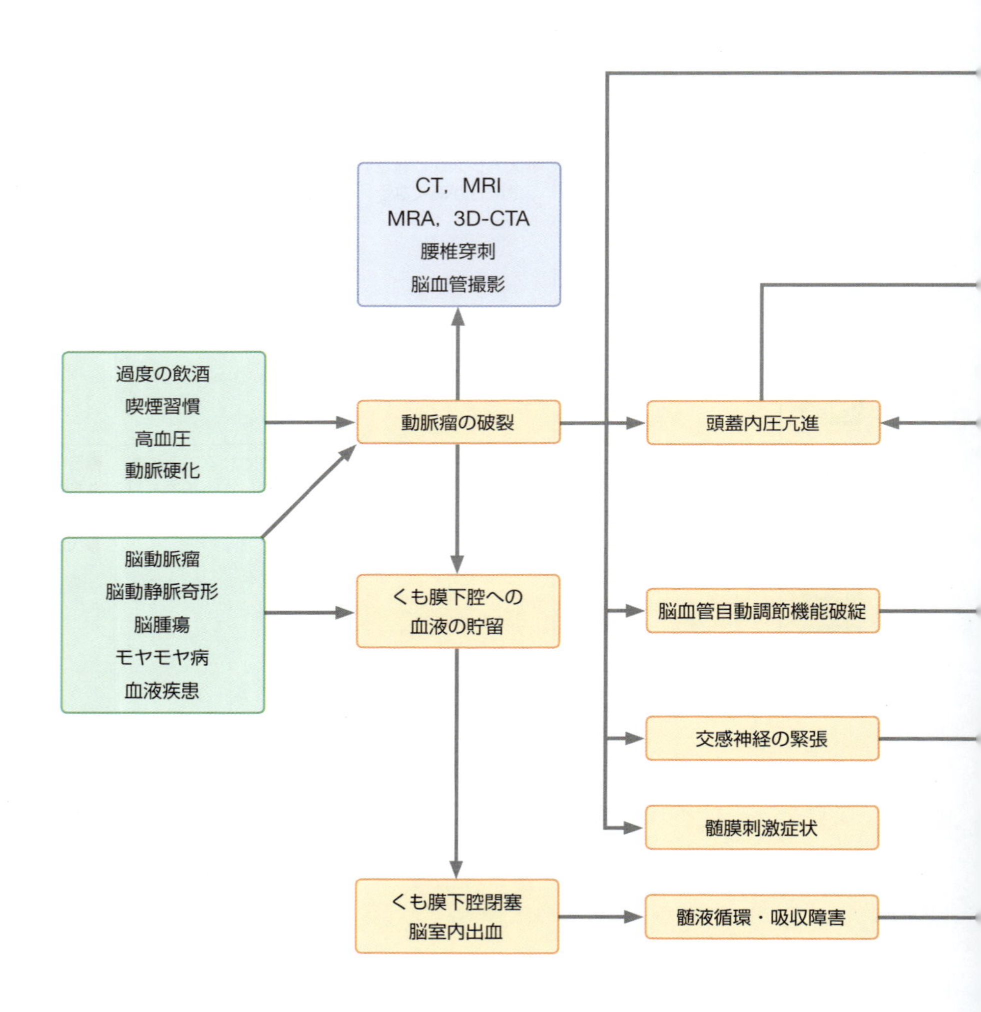

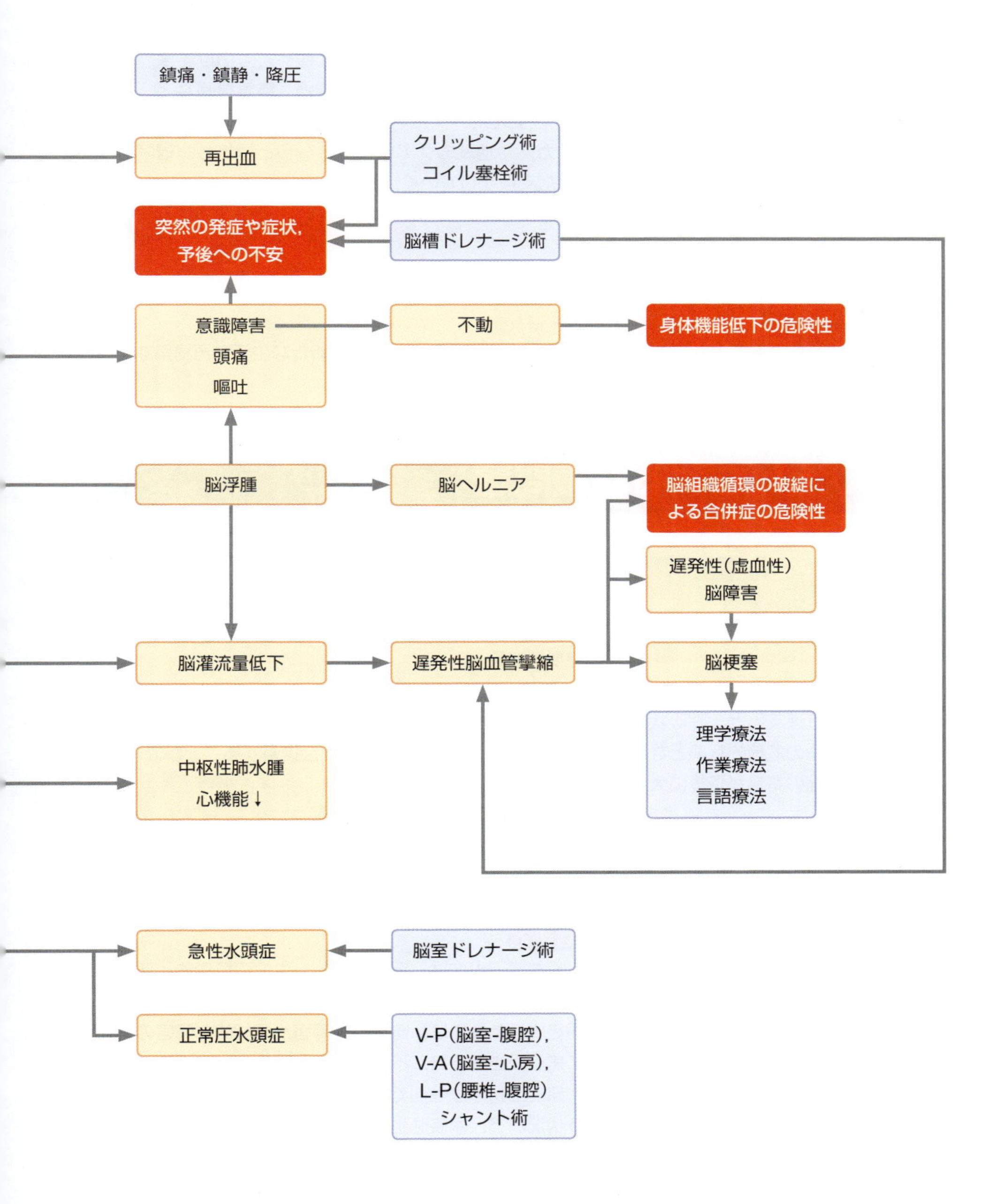
鎮痛・鎮静・降圧
再出血
クリッピング術
コイル塞栓術
突然の発症や症状，
予後への不安
脳槽ドレナージ術
意識障害
頭痛
嘔吐
不動
身体機能低下の危険性
脳浮腫
脳ヘルニア
脳組織循環の破綻に
よる合併症の危険性
遅発性（虚血性）
脳障害
脳灌流量低下
遅発性脳血管攣縮
脳梗塞
理学療法
作業療法
言語療法
中枢性肺水腫
心機能↓
急性水頭症
脳室ドレナージ術
正常圧水頭症
V-P（脳室-腹腔），
V-A（脳室-心房），
L-P（腰椎-腹腔）
シャント術

2）看護の方向性

くも膜下出血は，くも膜下腔に血液が貯留している状態であり，原因の多くは脳動脈瘤の破裂によるものである．そして，過度な飲酒や喫煙，高血圧などの生活習慣が関与している．発症直後は，頭蓋内圧の亢進による生命の危機的状態にあるため，再出血予防として，開頭クリッピング術，もしくはコイル塞栓術が行われる．患者や家族は，突然の発症で生命の危機的状態にあり，不安を抱いているため，不安を軽減して治療に取り組めるように支援する．

くも膜下出血によって髄液の循環・吸収障害が発生し，急性水頭症を起こすことがある．急性水頭となって頭蓋内圧が亢進した場合には，脳室ドレナージ術が実施される．また，脳灌流量の低下によって遅発性脳血管攣縮を起こす危険性がある．遅発性（虚血性）脳障害による脳梗塞を発症すると，予後に大きく関わるため，薬剤・栄養・血圧などの管理を行うとともにモニタリングを行う．

急性期を脱した後は，安静や残存した障害によって日常生活活動が低下している可能性があるため，十分なリスク管理のもと，理学療法士や作業療法士，言語聴覚士らと連携し，離床時間を増やしていけるよう早期から介入する．また，在宅復帰，職場復帰など，社会生活がスムーズに再開できるよう医療ソーシャルワーカーや地域のケアマネジャーらと連携し，退院に向けた支援をしていく．

3）患者・家族の目標

再出血や脳血管攣縮を起こさず経過することができる．

残存する障害と向き合い，新たな生活を再構築することができる．

4. しばしば取り上げられる看護問題

◆1 くも膜下出血に関連した脳組織循環の破綻による合併症の危険性がある

なぜ？

くも膜下出血によって頭蓋内圧が亢進すると，呼吸状態や循環状態にも影響を及ぼし，生命の危機的状態となる．また，再出血や遅発性脳血管攣縮の有無が予後に大きく関与する．

➡ 期待される結果

再出血，遅発性脳血管攣縮の徴候がみられない．

◆2 意識障害による不動に関連した身体機能低下の危険性がある

なぜ？

くも膜下出血では，脳内に貯留した血液や髄液を体外へ排出するため，手術によってドレーンが挿入され，高さや体位などの厳密な管理が必要となる．また，遅発性脳血管攣縮の発生予防のため血圧を管理することも重要な治療であるが，それによって身体機能が低下する可能性がある．

ベッド上安静の状態でも身体機能が低下しないよう，十分なリスク管理のもとに早期離床を目標にすることが重要である．

➡ 期待される結果

日常生活活動が拡大する．社会復帰することができる．

◆3 突然の発症，予後の身体的・認知的な障害の残存があることへの不安

なぜ？

くも膜下出血は，突然発症し，生命の危機的状態にさらされるため，家族の不安や混乱が大きい．また，急性期を脱した後には，身体的な障害や認知的な障害の残存に焦点が当てられ，不安の内容も具体化してくる．

発症当初の急性期では，突然の発症，入院，手術という状況から，家族は生命の危機的状態に対する不安が大きい．また，急性期を脱した後には，身体的な障害や認知的な障害の残存に焦点が当てられ，不安の内容も具体化してくる．

➡期待される結果

突然の発症や症状，予後に対する不安を表出することができる．

5. 看護計画の立案

• O-P：Observation Plan（観察計画）　• T-P：Treatment Plan（治療計画）
• E-P：Education Plan（教育・指導計画）

#1 くも膜下出血に関連した脳組織循環の破綻による合併症の危険性がある

	具体策	根拠と注意点
O-P	●意識レベル ●瞳孔所見 ●体温，脈拍，血圧，酸素飽和度 ●頭痛の有無，程度，部位 ●悪心，嘔吐の有無	●頭蓋内圧亢進症状を早期に発見できるよう左記項目について観察し，異常時は速やかに医師へ報告する．
T-P	●指示の安静度を保持 ・移動時は衝撃を最小限に ●病室の環境調整（術前） ・個室，暗室 ●血圧のコントロール ・定期的な血圧測定，指示薬剤の投与 ●排便のコントロール ・努責しない性状になるよう指示薬剤の投与 ●苦痛症状の緩和 ・安楽な体位，指示薬剤の投与 ●体位の工夫 ・頸部の屈曲を避ける，セミファウラー位 ●不安の軽減 ・可能な範囲で家族との面会	●血圧の上昇を防ぐために，刺激の少ない，静かな環境を提供する．頭痛や悪心などの苦痛症状を緩和する．排便時に努責せず，定期的に排便があるよう薬剤などを用いてコントロールする． ●不安や混乱を最小限にし，安心して治療に取り組めるようにする．

#2 意識障害による不動に関連した身体機能低下の危険性がある

	具体策	根拠と注意点
O-P	●体温，脈拍，血圧，酸素飽和度 ●尿量，尿の性状，水分摂取量 ●痰の有無，性状 ●麻痺の有無，部位，程度 ●疼痛の有無，部位，程度 ●褥瘡の有無，部位，程度 ●関節拘縮の有無，部位，程度 ●日常生活活動の状態 ・移乗，排泄，整容，食事，更衣 ●リハビリテーションの内容	●麻痺によって活動性が低下することで，肺炎や尿路感染，褥瘡などの廃用症候群を引き起こす可能性がある． ●麻痺によって関節拘縮や筋萎縮，骨萎縮を引き起こす可能性がある． ●麻痺によって日常生活活動に介助が必要な状態となる．患者が自身で実施可能なこと，介助が必要なことを把握する．

	具体策	根拠と注意点
T-P	●良肢位の保持 ●2～3時間ごとの体位変換 ●体圧分散用具の選択 ・ベッドマット，車椅子クッション ●他動運動の実施 ●日常生活活動の援助 ・移乗，排泄，整容，食事，更衣 ●リハビリテーションスタッフとの情報共有	●麻痺による廃用症候群を予防するために，良肢位の保持，体位変換，他動運動などを実施する． ●リハビリテーションスタッフと連携し，日常ケアのなかで実施可能な他動運動を実施，残存機能を生かし，障害の程度を最小限となるよう日常生活活動の援助を行う．
E-P	●良肢位の保持，体位変換の必要性について説明 ●実施可能な範囲で日常生活活動を実施するよう説明	●リハビリテーションの実施には，患者の心構えが重要である．

引用・参考文献

1）児玉南海雄ほか監：標準脳神経外科学．第14版，医学書院，2017.
2）日本脳卒中学会 脳卒中ガイドライン委員会編：脳卒中治療ガイドライン2015．第２版，協和企画，2017.
3）荒木信夫ほか：脳卒中ビジュアルテキスト．第３版，p.133～140，医学書院，2008.
4）医療情報科学研究所編：病気がみえる vol.7脳・神経，第２版，p.124～141，メディックメディア，2017.
5）百田武司ほか編：エビデンスに基づく脳神経看護ケア関連図．p.84～96，p.100～109，中央法規出版，2014.
6）日本脳卒中データバンク：「脳卒中レジストリを用いた我が国の脳卒中診療実態の把握」報告書．2018． http://strokedatabank.ncvc.go.jp/f12kQnRl/wp-content/uploads/95679f694678ea62e59a029372297e88.pdf より2020年８月20日検索
7）江川隆子編：ゴードンの機能的健康パターンに基づく看護過程と看護診断．第５版，ヌーヴェルヒロカワ，2016.

第６章　脳・神経疾患患者の看護過程

34 脳梗塞

1. 疾患の基礎的知識

1）疾患の概念

脳梗塞とは，閉塞性脳血管障害の１つである．なんらかの原因で脳血管に狭窄や閉塞が生じ，脳の血流が途絶えることによって，その灌流領域の脳組織が不可逆的変化（細胞死）をきたした状態をいう．発症機序により，血栓性（thrombotic），塞栓性（embolic），血行力学性（hemodynamic）に大別される．

2）原因

脳梗塞の原因は，発症機序によって異なる．

血栓性は，動脈硬化による血管の狭窄部位に生じた血栓によって血管が閉塞する．また，狭窄が進行して血管が閉塞する場合もある．

塞栓性は，心臓や離れた動脈から流出した血栓，アテローム（粥腫），脂肪，空気などの塞栓物質が，血管を閉塞する．

血行力学性は，急激な血圧低下や脱水などで血流量が減少し，狭窄をきたした血管が閉塞する．

これらの危険因子として，高血圧，糖尿病，脂質異常症，心疾患，肥満，喫煙，大量の飲酒などがある．

3）病態と臨床症状

病態

脳梗塞は，臨床病型によって，アテローム血栓性脳梗塞，心原性脳塞栓症，ラクナ梗塞，その他に分類される．アメリカの国立神経疾患・脳卒中研究所（NINDS：National Institute of Neurological Disorders and Stroke）による分類を**表34-1**に示す．主要症状は，意識障害，感覚障害，言語障害，嚥下障害などの神経脱落症状である．症状は，脳梗塞の生じた部位によって異なる（**図34-1**）．梗塞巣に一致して出血をきたす場合を出血性脳梗塞といい，大梗塞の場合に発症することがある．

また，脳血管障害によって脳血流が阻害され，脳の一部の細胞が損傷を受けたり壊死することによっておこる巣症状がある．巣症状は，障害された部位によってさまざまな障害が引き起こされる．

(1)アテローム血栓性脳梗塞

壮年から高年齢の男性に多く，血栓性，塞栓性，血行力学性の３つの発症機序が関与するといわれる．血栓性機序は，比較的太い脳血管が，動脈硬化の１つであるアテロームによって閉塞する．主幹動脈にできた血栓が，末梢に飛来して閉塞することもある（artery to artery塞栓）．動脈硬化の基礎疾患には，高血圧，糖尿病，脂質異常症などを有する場合が多い．一過性脳虚血発作（TIA：transient ischemic attack）が先行し，安静時に発症することが多い．発症は緩徐だが，いったん発症すれば段階的に増悪することもある．意識障害は比較的軽度である．

(2)心原性脳塞栓症

若年から高年齢層まで男女を問わず，塞栓性機序によって発症する．心臓内で形成された血栓の一部が血流で運ばれ，脳動脈を閉塞することで梗塞が生じる．塞栓源としての心疾患（心房細動，心臓弁膜症，心筋梗塞など）の存在があり，最も多いのは心房細動である．前駆症状

表34-1　NINDS-Ⅲによる脳梗塞の分類（1990）

機序による分類
(1)血栓性（thrombotic）
(2)塞栓性（embolic）
(3)血行力学性（hemodynamic）
臨床的カテゴリーによる分類
(1)アテローム血栓性脳梗塞（atherothrombotic）
(2)心原性脳塞栓症（cardioembolic）
(3)ラクナ梗塞（lacunar）
(4)その他（others）

は少なく，起床直後や日中の活動時に突然に発症し，数分以内に症状が完成する（突発完成型）．意識障害が高度である．

(3)ラクナ梗塞

壮年から高年齢の男性に多く，血栓性機序によって発症する．穿通枝動脈が血栓によって閉塞し，小さな範囲（直径1.5cm以下）の脳梗塞を生じる．微小出血を生じることもある．基礎疾患に，高血圧や糖尿病を有する場合が多い．多発すると認知症を呈することがある（多発性ラクナ梗塞性認知症）．意識障害はない．

(4)その他の脳梗塞

大動脈解離や大動脈弓部の潰瘍性プラークなどの大動脈病変，全身性エリテマトーデス（SLE：systemic lupus erythematosus）や髄膜炎などの血管の病変，血液凝固異常，免疫異常など，特殊な原因によって発症する．

4）検査・診断

病歴聴取，神経学的検査，血液検査，CT・MRI検査などを総合して診断する．

(1)CT検査（図34-2）

①発症後12時間前後まではCT画像上に異常を示さないことが多いので，発症直後のCTに出血を確認しなければ脳梗塞を疑う．

②梗塞後，12時間～24時間以降に低吸収域（黒）が出現する．

③小さな梗塞巣では低吸収域が不明確な場合がある．

(2)MRI検査

①CT検査では描写不可能な超急性期や小さな梗塞巣でも検出が可能である．

②Diffusion MRIによる拡散強調画像では，早期に脳虚血病変を検出できる．

(3)脳血管造影検査

①血管内腔の最終的な評価や，血管内の検査や治療に用いられる．

②現在は，従来のフィルム撮影から，X線信号をデジタル化したデジタル減算処理血管造影法（DSA：digital subtraction angiography）が主流となっている．

(4)超音波検査

身体に侵襲を与えないで，頸部の血管狭窄や心臓内の血栓などを検査する．

(5)定性的脳血流測定（SPECT：single photon emission computed tomography）

放射性同位元素を用いて脳血流を測定する．

(6)その他

心電図による心房細動の検査，磁気共鳴血管造影法

図34-1　脳梗塞の病型別臨床症状

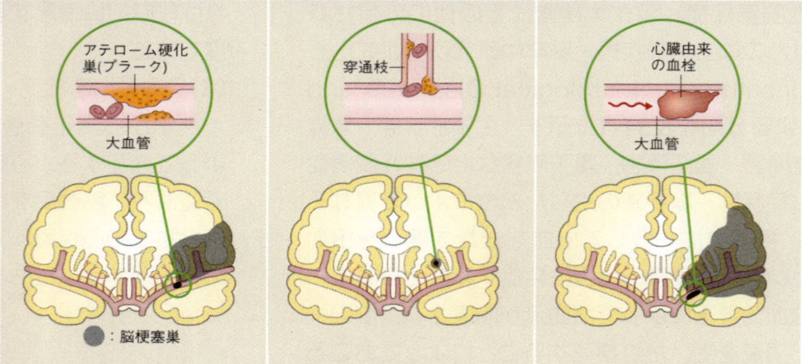

	アテローム血栓性脳梗塞	ラクナ梗塞	心原性脳塞栓症
	アテローム硬化巣（プラーク）／大血管	穿通枝	心臓由来の血栓／大血管
性差	男性に多い	男性に多い	性差なし
好発年齢	壮年～高年	壮年～高年	若年～高年
基礎疾患	脂質異常症，糖尿病，高血圧	高血圧，糖尿病，多血症	心房細動
一過性虚血発作の前駆	高頻度	低頻度	低頻度
発作時の状況	睡眠中，安静	睡眠中，安静	日中活動時，起床直後
発症様式	緩徐，階段状増悪	階段状増悪もある	突発完成型が多い
意識障害	さほど強くない	ほとんどなし	高度のものが多い
皮質症状	さまざま	なし	多い
その他	—	—	再開通（＋）

●：脳梗塞巣

（MRA：magnetic resonance angiography）による脳の主幹動脈の閉塞・狭小化の検査などがある．

5）治療

原則的に『脳卒中治療ガイドライン2015〔追補2017〕』に基づいた治療方針が推奨されている．病期・病態によって治療方法が異なるが，急性期の基本は，虚血脳に対する血行の改善と，脳浮腫に対する頭蓋内圧亢進の治療である．慢性期の治療の基本は，再発作を予防することである．

（1）血栓溶解療法

発症から4.5時間以内に，組織プラスミノゲン·アクチベータ（rt-PA，アルテプラーゼ）を静脈内に投与して，血栓の融解をはかる方法がペナンブラに対して推奨されている．ペナンブラとは，可逆的虚血領域という．脳が機能的に変化を受ける閾値と，不可逆的なダメージを受ける閾値との間の，可逆的な活動停止状態を指す．

日本脳卒中学会は，発症後4.5時間以内でも治療開始が早いほど効果が期待できるため，できるだけ早くアルテプラーゼ静脈療法の開始をすすめている．また，血栓溶解療法を含む内科治療に追加して，発症６時間以内にステントリトリーバーを用いた血管内治療が主幹脳動脈閉塞に適応される場合もある．

（2）抗凝固療法

発症48時間以内で，1.5cmを超えるアテローム血栓性脳梗塞の場合に，血栓の増大を防ぐ目的で抗トロンビン薬のアルガトロバンの点滴静脈内注射を行う．心原性脳梗塞の場合はヘパリンが使用されるが，高血圧や広範囲の梗塞には用いられない．

非弁膜症性の心房細動がある脳梗塞の発症予防には，ワルファリンを用いる．

（3）抗血小板療法

脳の血液循環の改善目的で，アスピリンやオザグレルナトリウムを用いる．発症後48時間から５日以内程度の場合に行われる．

非心原性脳梗塞の再発予防にはアスピリン，クロピドグレル，シロスタゾールを用いる．

（4）脳保護療法

脳の神経細胞を保護する目的で，エダラボンの投与を行う．脳血栓と脳梗塞の両方に用いることができる．

（5）抗脳浮腫療法

心原性脳梗塞，アテローム血栓性脳梗塞などの脳浮腫治療に，高張グリセロールの投与を行い，頭蓋内圧亢進，脳ヘルニアを防止する．

（6）外科的療法（手術療法）

手術療法として，頸部内頸動脈分岐部のアテローム硬化巣に対する頸動脈内膜剝離術や，内頸動脈，中大脳動脈の狭窄に対する血行再建術が行われる場合がある．

6）予後

わが国における脳卒中（脳出血，脳梗塞）の死亡率は，1981（昭和56）年以降低下傾向にあり，現在は悪性腫瘍，心疾患，老衰に次いで第４位である．ラクナ梗塞の割合が減少し，アテローム血栓性梗塞と心原性脳塞栓症の割合が増加している．心原性脳塞栓症が最も重症で，次いでアテローム血栓性脳梗塞の順である．ラクナ梗塞は軽症であるが，多発することで認知症を生じる．また，最近の画像診断法の進歩により，病巣に対応する神経学的症候を認めない無症候性脳梗塞も出現している．

脳梗塞では，退院後も後遺障害をもって生活することになり，要介護の対象となる人も多い．

図34-2　脳梗塞のCT像（→は低吸収域）

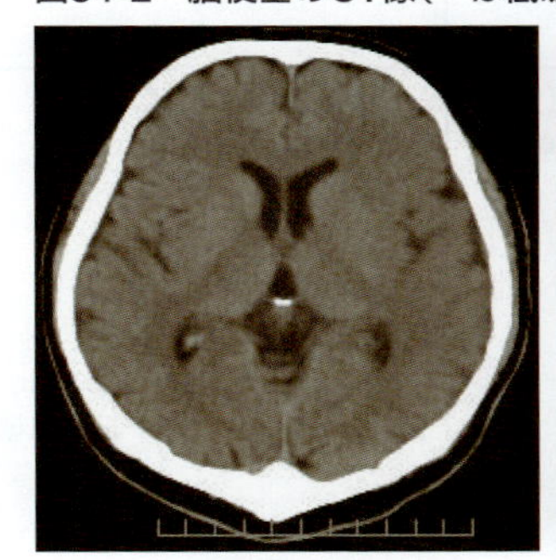

a. 脳梗塞発症直後

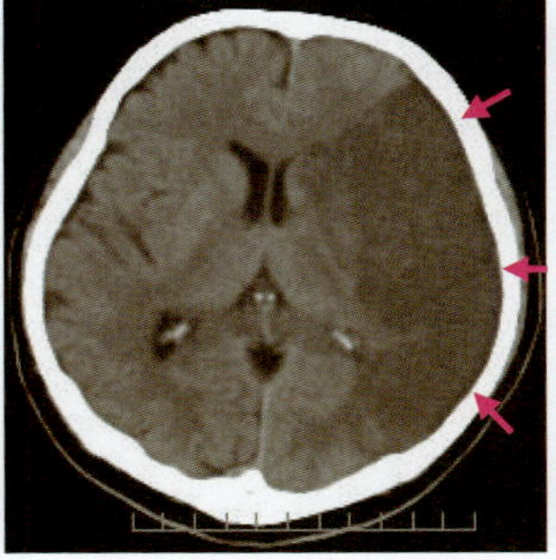

b. 脳梗塞発症12時間後

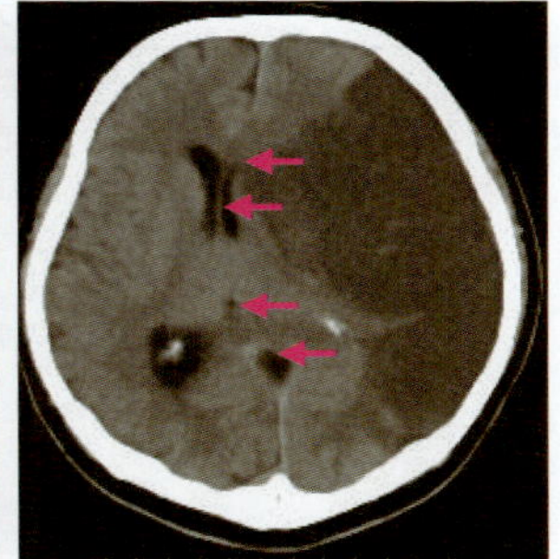

c. 脳梗塞発症3日後

（写真提供：木村仁［元東邦大学医療センター大橋病院脳神経外科］）

34 脳梗塞

2. 看護過程の展開

● アセスメント～ゴードンの機能的健康パターンを用いて

パターン	アセスメントの視点	根拠	収集する情報
(1) 健康知覚-健康管理 患者背景 健康知覚-健康管理 価値-信念	●現在の健康状態をどのように知覚しているか ●後遺症の有無と程度はどうか ●危険回避行動はとれるか ●脳梗塞の危険因子はどうか ●再発予防のための管理方法を理解しているか ●サポート体制は整っているか	●脳梗塞は発症機序により脳血栓，脳塞栓，血行力学性に分類される．また，しびれ感や運動麻痺，視覚障害，言語障害などの，一過性の脳虚血発作(TIA)が先行することがある． ●脳梗塞の病期は，超急性期，急性期，慢性期に分けられる．発症後4.5時間以内の超急性期(虚血期)に，組織プラスミノゲン・アクチベータ(rt-PA)を静脈内投与することで，血栓や塞栓の融解をはかり，血流の再開通が期待できる．また，血流再開通をはかるために，血管内治療による超選択的血行再建術が行われる場合があり，病状の認識が必要となる． ●虚血に陥った脳動脈の部位と程度により，意識障害や言語障害，感覚障害，運動麻痺，嚥下障害などの症状が出現する．意識障害は，自己のおかれた状況を認識して治療に参加することを困難にさせる．また，これらの症状は後遺症として残る場合が多く，知覚障害や運動麻痺によるバランス保持困難や，危険回避行動がとれないことで日常生活活動時に転倒・転落や身体外傷を生じやすい． ●脳梗塞の危険因子には，高血圧，糖尿病，脂質代謝異常，心疾患，肥満，喫煙，飲酒などがある．脳血栓は，動脈硬化によるアテローム病変が原因といわれ，糖尿病，高血圧，脂質異常症などを有する場合が多い．脳塞栓は，心房細動や心筋梗塞などの心疾患を有する場合が多い．これら危険因子の存在は，再梗塞につながる可能性がある． ●禁煙や塩分制限など，基礎疾患をコントロールするために必要な生活習慣の改善や，糖尿病や心疾患などに対する主体的な治療への参加がなければ，再梗塞の危険性が高まる． ●残存機能を活用しながら安全に日常生活を送るためには，地域スタッフとの連携をはかりながら家族の介護能力に応じて支援体制を整える必要が生じる．	●現病歴 ・発症の時期 ・TIAの前駆 ・発症時の状況 ・病状・治療の経過 ・後遺症の有無 ・現在の病気についての捉え方 ●既往歴 ・これまでの健康状態 ・糖尿病，高血圧，脂質異常症，心疾患の既往と服薬状況 ●生活習慣 ・喫煙歴 ・飲酒歴 ・食習慣 ●支援体制 ・家族の協力体制 ・社会資源の活用状況
(2) 栄養-代謝 全身状態 栄養-代謝 排泄	●水分出納・電解質に異常はないか ●栄養状態に問題はないか	●側副血行の改善や脳浮腫の軽減を目的とした高浸透圧利尿薬の副作用として，電解質異常や脱水症状を生じることがある． ●塩分・血糖値をコントロールし，高血圧，糖尿病，心疾患などの基礎疾患を改善しなければ，再梗塞の危険性が高まる．	・体温，身長，体重 ・食事摂取内容と量 ・嗜好品 ・口腔，皮膚の状態 ・輸液内容と量 ・嚥下障害の有無と程度 ・検査データ(TP，Alb，Hb，RBC，Ht，Na，K，Cl，INR，血糖値など)

パターン	アセスメントの視点	根拠	収集する情報
(2) 栄養-代謝 全身状態 栄養-代謝 排泄	●出血傾向はないか ●嚥下障害はないか	●再発予防の抗凝固薬ワルファリンカリウムは出血傾向をきたし，抗血小板薬のチクロピジン塩酸塩やアスピリン（バイアスピリン®）は白血球減少をきたす．ビタミンKを多く含む食品（納豆やホウレン草など）は，ワルファリンカリウムとの拮抗作用があるとされる． ●嚥下障害は栄養状態を悪化させる．また，誤嚥のリスクを高め，誤嚥性肺炎を生じやすい．	・抗凝固薬や抗血小板薬の使用 ・嚥下障害の有無と程度
(3) 排泄 全身状態 栄養-代謝 排泄	●排便・排尿の調節ができるか ●排泄時間のパターンはどうか	●急性期の排尿管理には，カテーテルが留置される場合が多い．カテーテルの留置は尿路感染症の誘因となる． ●脳神経障害による排尿機能障害（神経因性膀胱）や，認知機能低下による機能性尿失禁を生じることがある． ●脳神経障害や麻痺などによる活動性の低下や腹圧の減弱などで，便秘を生じやすい．	・排便，排尿習慣 ・排泄方法 ・排便・排尿の回数・量・性状 ・腹部膨満，腸蠕動音 ・検査データ（BUN，Cr，Na，K，CL）
(4) 活動-運動 活動・休息 活動-運動 睡眠-休息	●活動状況に影響する運動麻痺はどの程度か ●合併症が生じていないか ●ADLはどの程度できるか ●訓練は身体面・精神面にどのような影響を与えているか	●後遺症として運動麻痺が残存すると，ADLが阻害され，セルフケアが困難になる．また，片麻痺によって身体のバランス保持が困難になると，転倒・転落の危険性が生じる． ●運動麻痺は，身体の可動性を低下させ，関節の拘縮や変形，廃用性の筋萎縮，褥瘡などの合併症を引き起こすことがある． ●機能回復とADLの拡大を目的としたリハビリテーションは，ベッドサイドから離床，歩行へと進み，社会復帰に向けて積極的な訓練が行われる．訓練によって活動性が高まると，自己の運動能力の過信が転倒・転落の危険性を高める．また，訓練の結果は，身体的・精神的に影響を与える．転倒は恐怖をまねき，訓練の進行を妨げることもある．	・運動麻痺の有無と程度 ・合併症の有無と程度（褥瘡，関節の拘縮・変形） ・ADLの状況（移動，食事，排泄，清潔，更衣） ・リハビリテーションの進行状態
(5) 睡眠-休息 活動・休息 活動-運動 睡眠-休息	●睡眠・休息のパターンに問題はないか	●認知機能の低下により，不眠や昼夜逆転などが生じることがある．	・日中の活動状況 ・夜間の覚醒状態
(6) 認知-知覚 知覚・認知 認知-知覚 自己知覚-自己概念 コーピング-ストレス耐性	●外界の刺激に対する反応はあるか	●脳幹部の梗塞や梗塞巣が大きい場合は，頭蓋内圧亢進によって意識障害を引き起こす．意識レベルの客観的な評価方法に，３・３・９度方式（JCS：Japan Coma Scale）と，グラスゴー・コーマ・スケール（GCS：Glasgow Coma Scale）がある．これらのスケールを用いて，意識の有無，意識レベルとその変化を経時的に観察することにより，阻害されている日常生活活動がよりよい状態に維持できる．	・意識レベル

パターン	アセスメントの視点	根拠	収集する情報
(6) 認知-知覚 知覚・認知 認知-知覚 自己知覚-自己概念 コーピング-ストレス耐性	●感覚機能障害はあるか，どの程度か	●視覚野および視神経(第Ⅱ脳神経)が障害されると，両耳側半盲，鼻側半盲，同名半盲などの視野欠損や視力障害が生じる．視覚障害は危険回避行動を妨げる．感覚障害によって麻痺側上肢の認識がない場合や，身体失認がある場合は，肩関節の脱臼を生じやすい．また，感覚障害は熱傷や打撲などの外傷をまねきやすい．	・記憶障害・視覚障害・感覚障害の有無と程度
	●言語障害はあるか，どの程度か	●言語障害は，構音障害と失語に大別される．運動性失語や構音障害は，言葉の理解はできるが発語が障害される．感覚性失語は言語了解が障害され，全失語は理解も発語も障害される．これらの言語障害はコミュニケーションの障害を引き起こすことが多い．	・言語障害の有無と程度
(7) 自己知覚-自己概念 知覚・認知 認知-知覚 自己知覚-自己概念 コーピング-ストレス耐性	●疾病・障害をもつ自分をどのように受け止めているか	●身体機能の喪失は，人間としての価値の喪失感をまねき，自己概念の混乱を生じやすい．自己に対する評価は，他者から受ける評価に影響を受け，他者から認められることで自己を認められる．障害を受容することは，自分自身を価値ある人間と認めること，つまり価値の転換がはかれることである．価値の転換がはかれない場合には，機能障害による自己像の変化が進まないことがある．または否定的なイメージをもつようになる．	・病態・疾患についての知識 ・障害受容の程度 ・再発と将来への不安
	●現在の自己をどのように知覚しているか	●注意障害，記憶障害，失行，失認などの高次脳機能障害による，理解力，記憶力，判断力などの障害がある場合は，患者自身が障害に気づいていないことが多く，現在の自己を知覚することが困難になる．	
(8) 役割-関係 周囲の認識・支援体制 役割-関係 セクシュアリティ-生殖	●役割変更の必要性があるか	●運動障害や言語障害などの後遺症が残ると，これまでの役割を果たすことが困難になり，役割変更の必要が生じる．	・家族構成 ・家庭内役割 ・社会的役割(職業・経済状況・社会活動) ・主たる介護者 ・家族の介護能力 ・療養環境
	●社会復帰に伴う困難はないか	●社会復帰に向けては，退院後の生活に対する患者・家族の意向と，家族の介護能力のバランスがとれることが必要である．介護負担が介護能力を超えてしまうと，介護役割の遂行が困難になる．また，浴室やトイレの構造などの家屋状況は，患者のADLに影響を及ぼし，家族の介護負担を高める要因となることがある．	
	●家族の障害への理解はあるか ●サポート体制に問題はないか	●在宅への退院には，障害に対する家族の理解と介護能力に加えて，家族関係が重要となる．介護負担が増大すると，家族関係に不調和を生じさせることがある．	
	●コミュニケーションの障害はあるか	●言語障害に伴う家族間のコミュニケーション障害は，患者・家族の双方へのストレスや葛藤を生じさせる要因となる．	

パターン	アセスメントの視点	根拠	収集する情報
(9) セクシュアリティ-生殖 周囲の認識・支援体制 役割-関係 セクシュアリティ-生殖	●性役割や性行動に問題はあるか	●麻痺や認知機能の低下により，性行動や生殖機能に影響を及ぼす可能性がある．	・パートナーの有無 ・ライフステージ上の性役割
(10) コーピング-ストレス耐性 知覚・認知 認知-知覚 自己知覚-自己概念 コーピング-ストレス耐性	●現在の状況をストレスと感じているか ●ストレスに対する対処行動ができるか	●失語症や構音障害などによるコミュニケーション障害は，ストレスを高める． ●後遺症としての運動麻痺によるセルフケアの困難は，ストレスを生じさせる要因となることがある．	・失語症，構音障害の有無と程度 ・これまでのコーピングパターン
(11) 価値-信念 患者背景 健康知覚-健康管理 価値-信念	●どのような価値観や信念をもっているか	●障害を受容するには，価値観や信念が影響する．	・生活信条 ・信仰している宗教の有無

3. 全体像の把握から看護問題を抽出

1）病態関連図

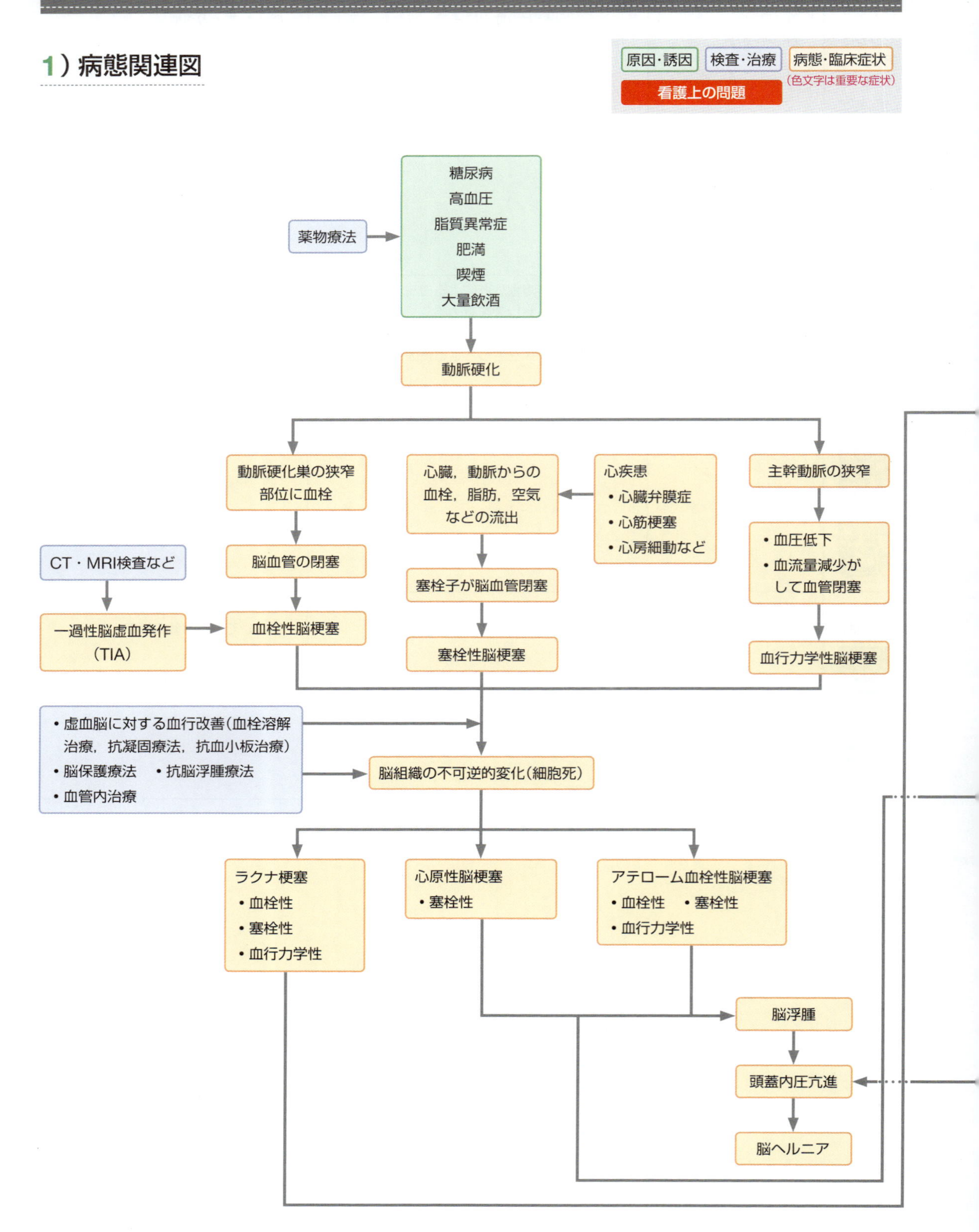

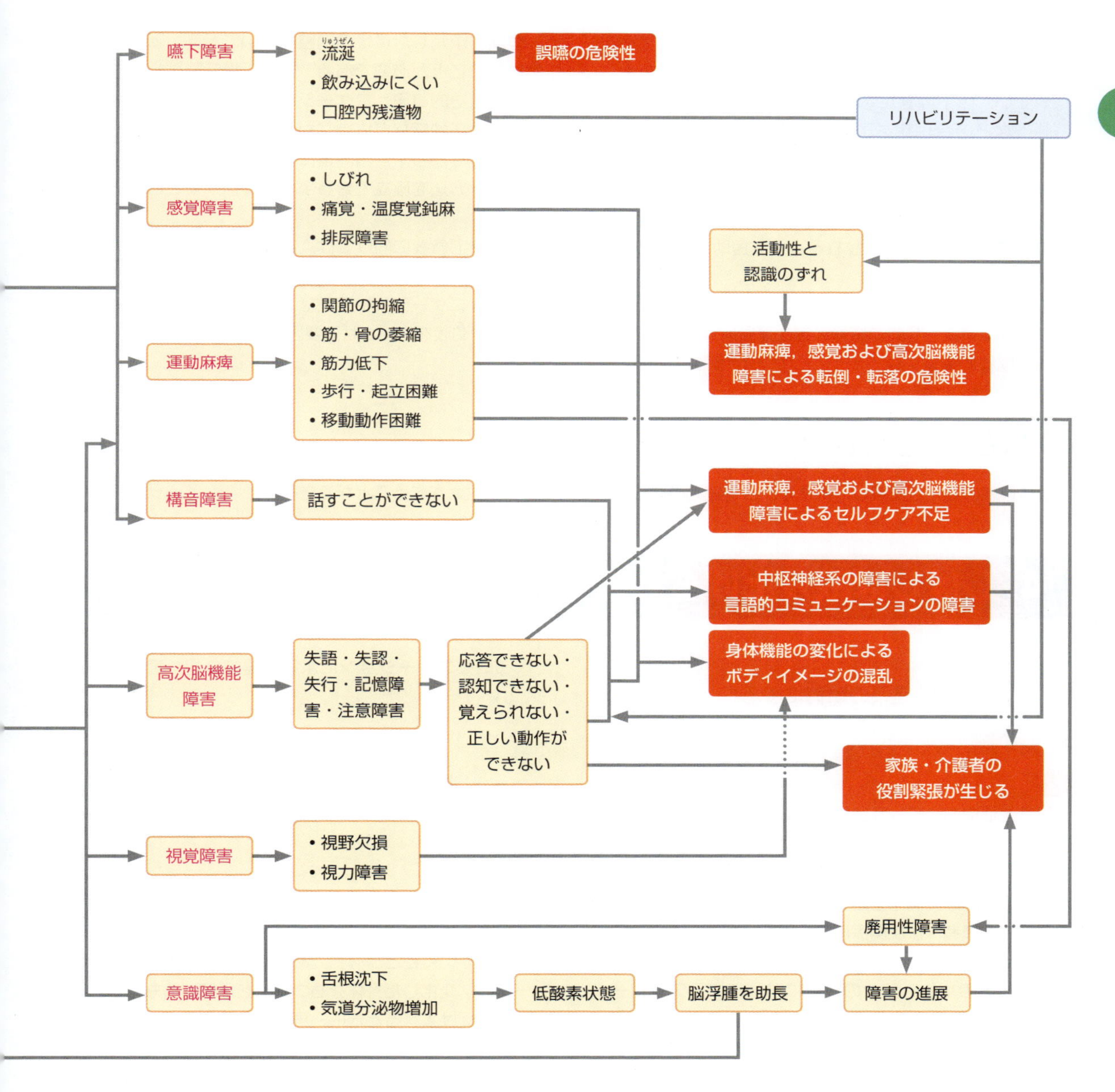
嚥下障害
・流涎
・飲み込みにくい
・口腔内残渣物
誤嚥の危険性
リハビリテーション
感覚障害
・しびれ
・痛覚・温度覚鈍麻
・排尿障害
活動性と
認識のずれ
運動麻痺
・関節の拘縮
・筋・骨の萎縮
・筋力低下
・歩行・起立困難
・移動動作困難
運動麻痺，感覚および高次脳機能
障害による転倒・転落の危険性
構音障害
話すことができない
運動麻痺，感覚および高次脳機能
障害によるセルフケア不足
中枢神経系の障害による
言語的コミュニケーションの障害
高次脳機能
障害
失語・失認・
失行・記憶障
害・注意障害
応答できない・
認知できない・
覚えられない・
正しい動作が
できない
身体機能の変化による
ボディイメージの混乱
家族・介護者の
役割緊張が生じる
視覚障害
・視野欠損
・視力障害
廃用性障害
意識障害
・舌根沈下
・気道分泌物増加
低酸素状態
脳浮腫を助長
障害の進展

2）看護の方向性

脳血栓や脳塞栓などによって，脳の血流が途絶えて脳梗塞を発症する．発症は突然で急速に進行し，脳幹部の梗塞や梗塞巣が大きい場合は意識障害を引き起こす．急性期は50%～70%に嚥下障害が起こるといわれ，舌因神経･迷走神経・舌下神経などが障害されると，長期にわたり経口摂取が困難になることがある．そのため，嚥下障害は栄養状態を悪化させて感染症の要因となり，誤嚥性肺炎を生じやすい．嚥下障害に起因する易感染性状態や誤嚥性肺炎などの合併症を予防することが必要である．また，突然の発症による運動麻痺や視覚障害などの身体機能の喪失は，自己像の変化を迫られ，自己概念の混乱をきたしやすい．身体機能の変化を受け入れ，自己概念の再構築がはかれるように援助することが必要である．

脳梗塞の部位と程度によって，後遺症を残すことが多い．後遺症としての感覚障害や運動麻痺，視覚障害，高次脳機能障害によってセルフケアが困難となり，日常生活活動（ADL）に援助を要する．そのため残存機能を活用しながらセルフケア能力の向上をはかることが必要である．また，運動麻痺によるバランス保持困難や感覚障害，身体失認，視覚障害などによって危険回避行動がとれず，転倒・転落のリスクが高い．さらに，自己の運動能力の過信が，転倒・転落の危険性を高める．危険を予測した環境の調整を行い，転倒・転落を未然に防ぐことが必要である．また，構音障害や失語によって言語的コミュニケーション障害が生じる．それが不安や孤独感などにつながらないよう患者の心理面を把握しながら，言語障害に応じた適切なコミュニケーション方法を確立できるように支援することが必要である．

今後，在宅療養に向けては，家族の介護能力と家族関係が重要となる．後遺症に伴うセルフケア不足や言語的コミュニケーション障害は，患者・家族の双方にストレスや葛藤を生じさせる要因となる．

3）患者・家族の目標

身体機能の変化を認識し，再梗塞や合併症を予防しながら安全に日常生活を送ることができる．

4. しばしば取り上げられる看護問題

◆1 中枢神経系の障害による言語的コミュニケーションの障害

なぜ？

日常生活において，互いに自分の意思や気持ちを伝えて理解しあうためには，コミュニケーションが不可欠である．言語が障害されると，他者との意思疎通が困難になり，心理的な苦痛を生じる．それは社会生活にも影響を及ぼし，患者・家族関係にも支障をきたす．このようなコミュニケーション障害は，直ちに改善されるものではない．そのため，日々の生活においてフラストレーションを生じる．

実用的なコミュニケーション方法を確立できるように，早期から関わる必要がある．

➡ 期待される結果

・効果的なコミュニケーション手段を活用して意思の疎通がはかれる．

・コミュニケーションによる心理的負担が増強しない．

◆2 身体機能の変化を認識できないことによるボディイメージの混乱

なぜ？

身体は，身体機能を失うことによって変化する．その身体の変化にあわせて，自分の身体に対するイメージを変化させていくことが必要である．自分自身のボディイメージは，変化した身体をもつ自己を価値あるものとして認め，受け入れるときに，再構築をはかることができる．また，自己に対する考え方は，他者から受ける評価によっても影響を受け，障害をもつ自分を他者から認められることにより，自分自身を認めることができるようになる．そのため，患者が自分の身体の変化を認識し，新たなボディイメージを再構築できるように促す必要がある．現在の身体状況に適応することが困難になると，現実の変化した身体状況とボディイメージに差異が生じ，心身両面に悪影響を及ぼすことになる．

急激な発症とそれに伴う身体機能の障害は，患者・家族に精神的な混乱を与える．また，後遺症として残存する障害もあり，患者が自己の身体の変化を認識できるように促す必要がある．

➡期待される結果

・身体機能の変化を認識できる．
・自分自身に対して肯定的な見方ができる．

♦3　運動麻痺，感覚および高次脳機能障害によるセルフケア不足

なぜ？

全身状態が不安定であり，日常生活活動が阻害されている時期は，よりよい状態が維持できるように，清潔行動や排泄行動などの日常生活活動の全般を援助する必要がある．状態が改善するに伴って，自立を阻害しないように，目標を課題達成型に切り替えていき，社会復帰に向けてセルフケアを支援する必要がある．

日常生活活動の全てに対して援助を必要とする問題であり，社会復帰に向けてセルフケア能力の向上がはかれるように援助する必要がある．

➡期待される結果

・日常生活活動を少ない援助で安全に行うことができる．

　嚥下障害により誤嚥を生じる危険性がある

なぜ？

脳神経の障害によって球麻痺症状が生じると，嚥下障害を引き起こす．とくに経口摂取開始時は，誤嚥の可能性が高いため，誤嚥に対処できるような準備を整えておくことが必要である．また，嚥下障害によって栄養状態が低下すると，免疫機能が不十分になり，易感染性状態を生じさせる．そのため，誤嚥性肺炎を生じるリスクが高まる．

合併症の発症に関わる問題であり，嚥下障害に起因する誤嚥性肺炎を予防する必要がある．

➡期待される結果

・誤嚥を起こさない．
・栄養状態が保たれる．

♦5　運動麻痺，感覚および高次脳機能障害による転倒・転落の危険性がある

なぜ？

一般状態が安定すると，患者の日常生活活動が自立できるように，機能訓練などのリハビリテーションが行われる．これら日常生活活動の拡大をはかるプロセスにおいて，運動麻痺は全身のバランス維持能力を低下させるため，転倒のリスクを高める．さらに，高次脳機能障害などによる危険行動に対する不十分な認識や，自己の運動能力の過信によって，転倒・転落に対して危険回避行動をとることができない可能性がある．

➡期待される結果

・転倒・転落を起こさずに生活することができる．

　被介護者の後遺症により家族・介護者の役割緊張が生じる

なぜ？

退院後の患者・家族に関わる問題である．患者が後遺症を抱えたまま在宅や社会に復帰するためには，障害に対する家族の理解と協力が不可欠である．介護負担が家族の介護能力を超えてしまった場合には，患者・家族関係にも不調和をきたす可能性がある．そのため，退院後の生活に対する患者・家族の意向と家族の介護能力を正しく把握し，社会的資源を適切に活用することによって，家族が無理をしないで介護役割を遂行できるようにすることが必要である．

後遺症が重いほど家族の負担が増強し，患者・家族関係に不調和をきたす可能性がある．

➡期待される結果

・家族が介護の負担を他者に相談でき，介護疲れでダウンすることなく生活が送れる．

5. 看護計画の立案

• O-P：Observation Plan（観察計画）　• T-P：Treatment Plan（治療計画）
• E-P：Education Plan（教育・指導計画）

◆1 中枢神経系の障害による言語的コミュニケーションの障害

	具体策	根拠と注意点
O-P	**(1)言語障害の程度の確認** ①話す能力 ・発音の状態 ・話す速さ ・言葉の使い方 ・口唇や舌の動き ②文字や絵を書く能力 ③聞いて理解する能力 ④読んで理解する能力	●運動性失語では，優位半球前頭葉のブローカ野の障害によって自発言語が障害される．発音が困難で，途切れ途切れの話し方になる．感覚性失語では，優位半球側頭葉のウェルニッケ野の障害によって言語理解が障害される．流暢に話すことができるが，会話の内容は意味不明でジャルゴン(jargon)とよばれる理解できない音の羅列が多い．シルビウス裂周囲の広範囲な損傷により，全ての言語が障害される．構音障害は，構音器官の支配神経の障害によって，発声，発語が障害される． ●言語は，コミュニケーションの重要な手段の1つである．言語障害の種類によって症状が異なるため，言語障害の種類と程度を把握する．
	(2)他者と関わるときの表情，態度 ①いらつき，もどかしさ，話そうとする意欲，緊張の程度，疲労感 ②家族，同室者，医療従事者などとの関わり方	●意図する内容が伝わらない，誤解されるなどのコミュニケーションの困難によって，身体的・精神的なストレスを生じさせる可能性がある．意思を伝えられない心理状況を理解する態度が重要となる． ●日常生活のなかで，関わり方を通して反応を観察する．
	(3)会話以外のコミュニケーション手段の活用状況 ①文字，ジェスチャー，実物の提示，絵，意思伝達装置など ②多く用いる非言語的手段	●残存する言語機能とともに，言語以外の認知能力を把握して活用することで，患者のコミュニケーション能力を高めることができる．
	(4)家族の理解度の確認 ①患者への接し方 ②患者への心理的支持	●言語障害の回復は長期間を要し，完全には回復しないことも多い．家族の不安や過大な欲求は，患者の負担を増強させる．家族が患者を理解し，支持できているかを把握する．
	(5)言語療法の状況 ①言語療法の内容 ②訓練の進捗状況と患者の反応	●意思疎通を促進するために，言語療法の内容と訓練の進捗状況を把握する．
T-P	**(1)コミュニケーション環境への援助** ①話しやすい雰囲気をつくる ②急がせない，注意深く聴く ③ゆったりとした時間をつくる ④何げない会話をする ⑤ほめたり，励ましたりする	●成人・老年期において，突然の言語障害によってコミュニケーション手段を喪失することは，日常生活や社会活動に影響を及ぼし，患者を不安や恐怖など，精神的な混乱に陥らせる． ●患者が言葉のゆがみを恥ずかしがらないで，自ら積極的に話すことができるように環境を整える． ●互いの意思疎通に時間がかかり，意図する内容が伝わらない場合には，患者は疲労し，孤独感を生じやすい． ●患者の反応に注意を払い，焦らせないよう共感的態度で接する．
	(2)コミュニケーション方法の工夫 ①「はい」「いいえ」で答えられる質問をする ②絵，文字，身振りなどを使う ③実物を用いて確認する ④意思伝達装置を活用する	●言語を介したコミュニケーションが不十分な場合には，言語能力に応じて，身振りや，書字，絵，意思伝達装置などを活用することで，意思の疎通をはかる．また，言葉の理解力や表出力の程度に応じた関わり方を心がける．
	(3)言葉による刺激を与える． ①一緒にゆっくりと話すようにする(あいさつ言葉，名前など) ②歌を一緒に歌う	●適切な言語刺激を反復して与えることで，コミュニケーション手段の獲得につながる． ●日常の生活場面を捉えて，積極的に言葉の刺激を与えるように関わっていく．

	具体策	根拠と注意点
E-P	(1)会話能力の改善方法についての指導 (2)短い言葉で，ゆっくり話すように指導 (3)家族の日常的な関わり方についての指導	●患者のコミュニケーション障害は，家族にも不安と動揺を与える． ●家族に，言語障害と具体的な関わり方について説明し，家族の不安軽減に努めるとともに，理解と協力を求める． ●言語聴覚士（ST）と情報交換をしながら，言語療法訓練を日常の生活場面に活用できるように患者・家族へ説明し，日常生活のなかでのコミュニケーション能力の向上に努める．

◆2　身体機能の変化を認識できないことによるボディイメージの混乱

	具体策	根拠と注意点
O-P	(1)自分の身体や能力についてどのようなイメージをもっているか行動や反応 (2)運動麻痺・言語障害の観察 ①単麻痺，片麻痺，交代制麻痺 ②完全麻痺，不全麻痺 ③失語，構音障害	●運動麻痺や言語障害は，外形の変化や活動・運動の制限をもたらし，ライフスタイルの変更を余儀なくさせる．ライフスタイルの変更は，外見上の身体の変化とともに，自尊感情を低下させることが多い． ●運動麻痺や言語障害の事実に直面し，それを現実の出来事として受け入れることには困難が生じる．外見上の身体の変化と機能の変化を，どのように理解しているかを把握する．
	(3)自己の身体に対する認識と価値観の確認 ①自己についての患者の表現 ②表情・態度 ③会話時の状況 ・視線，声，話し方 ④情動状態	●喪失したものの価値が大きければ大きいほど，心的葛藤の程度は大きくなる． ●障害以前の身体に対してもっている価値観を理解することで，喪失した価値を把握する．
	(4)患者の障害に対する家族の反応 ・肯定的反応，否定的反応	●障害に対する家族の否定的反応は，患者の心的葛藤に影響を及ぼす．
T-P	(1)残存機能を活用したセルフケア拡大への援助 ①移動動作 ②排泄動作 ③入浴動作 ④食事動作 ⑤更衣動作	●ADLが自分で行えない現実は，嘆きやいらだちなどのさまざまな感情を引き起こす．気持ちを表出できるように環境を整え，自分でできる方法を指導しながらADLの拡大をはかることで，心的葛藤を軽減することができる． ●患者自身ができることを認識できるように，意欲や自信につながるように援助する．
	(2)自己認識への援助 ①本質的価値は変化しないことを伝える ②できることを認め，ともに喜ぶ	●自分自身に対する感じ方や考え方は，他者からの自己に対する見方に影響を受ける．他者に認められることで自分自身を認めることができる． ●コミュニケーションや身体援助の機会を通して自らボディイメージを変化させ，新たな価値観を構築できるように支援する．
	(3)他者や健常時の状態など，外在的な基準と比較しない態度で接する ①スキンシップをはかりながら，焦らせずに忍耐強く関わる ②援助をする際には尊重した態度で接する	●障害を受容することは，価値観の変容を迫られることでもある．ライト（Wright，B. A.）は，「価値の範囲の拡大」「障害が与える影響を制限する」「身体の外観を従属的なものとして考える」「資産的価値を重視する」という４つの側面を，価値転換の内容とした． ●絶望と希望とで揺れ動く気持ちを内在させながら入院生活を送る患者は，ささいな事柄でも自尊心が傷つきやすい．援助をする際は，患者自身の資産価値（絶対的価値）を重視した態度が重要となる．
	(4)患者・家族関係の調整	●家族が患者の身体的変化を受容して，患者を支援することができるように援助する．同時に，患者が家族との絆を強められるように患者・家族関係の調整に努める．

	具体策	根拠と注意点
E-P	**(1)患者にセルフケアの方法についての指導**	●残存機能を活用し，ADLが自立できるように指導することで，自尊心を取り戻して社会復帰への希望がもてる． ●自分の身体に対する無関心・無頓着や依存心をなくし，日常生活が拡大できるようにセルフケアの方法について具体的に指導する．
	(2)家族に患者を支えることの必要性についての説明	●患者に対する家族の援助は，患者の障害受容のための重要な要素となる．
	(3)患者・家族に社会資源の活用方法についての説明	●患者の障害に対する対処方法は，患者と家族が利用できる社会資源に左右される．

引用・参考文献

1）日本脳卒中学会 脳卒中ガイドライン委員会編：脳卒中治療ガイドライン2015［追補2017］．2017． https://www.jsts.gr.jp/img/guideline2015_tuiho2017.pdf より2020年８月20日検索
2）小林繁樹編：脳神経外科─新看護観察のキーポイントシリーズ．中央法規出版，2011．
3）鈴木倫保ほか編：脳・神経疾患ベストナーシング．学研メディカル秀潤社，2009．
4）関口恵子編：根拠がわかる症状別看護過程 こころとからだの61症状・事例展開と関連図．改訂第２版，南江堂，2010．
5）関野宏明ほか監：脳・神経疾患─Nursing Selection6．学研メディカル秀潤社，2002．
6）関口恵子監：経過別看護過程の展開．学研メディカル秀潤社，2007．
7）橋本信夫編：ナースのための脳神経外科．改訂３版，メディカ出版，2010．
8）永田和哉監：脳神経外科ナースの疾患別ケアハンドブック．メディカ出版，2003．
9）垣田清人ほか編：新・脳神経外科エキスパートナーシング．南江堂，2005．
10）眞野行生監：急性期からのリハビリテーション看護．BRAIN NURSING，1999年春季増刊，1999．
11）中西純子ほか編：リハビリテーション看護論─成人看護学．第２版，ヌーヴェルヒロカワ，2008．
12）横山美樹ほか編：ヘルスアセスメント─成人看護学．ヌーヴェルヒロカワ，2005．
13）馬場元毅：絵でみる脳と神経 しくみと障害のメカニズム．第３版，医学書院，2009．
14）石川ふみよ監：アセスメント力がつく！臨床実践に役立つ看護過程．学研メディカル秀潤社，2014．
15）医療情報科学研究所編：病気がみえる vol.7脳・神経．メディックメディア，2011．
16）T．ヘザー・ハードマン，上鶴重美原書編集，上鶴重美訳：NANDA-I看護診断─定義と分類2018-2020．原著第11版，医学書院，2018．

Memo

35 脳出血

1. 疾患の基礎的知識

1）疾患の概念

脳出血（cerebral hemorrhage）とは，脳血管が破綻して脳実質内に血腫が形成される状態をいう．脳血管疾患は，出血性疾患である脳出血やくも膜下出血と，閉塞性疾患である脳梗塞や一過性脳虚血発作（TIA：transient ischemic attack）に大別され，脳出血は，脳血管疾患全体の約20%である．

2）原因

脳出血の原因は，高血圧や脳動静脈奇形などの血管異常，脳腫瘍，血液疾患，外傷などがある．そのなかでも最も多いのは高血圧である．高血圧が長期間持続することで動脈硬化が生じ，脳動脈の線維素変性や血管壊死，それらに続発した微小動脈瘤が破綻することで起こる．

3）病態と臨床症状

脳出血はさまざまな部位で起こるが，最も多いのは被殻出血で29%，視床出血26%，大脳皮質下出血19%，脳幹出血９%，小脳出血８%，その他９%である（**図35-1**，**表35-1**）．

血腫の部位や大きさによって異なるが，意識障害や頭痛，嘔吐，片麻痺や言語障害などの神経症状，痙攣発作などの症状で発症する．

(1)被殻出血

レンズ核線条体動脈の破綻による出血である．血腫が優位側（通常は左半球）にある場合は，右片麻痺と失語症，非優位側の場合は，左片麻痺と失行や失認などの高次脳機能障害が生じる．さらに血腫が大きな場合は，病巣側への共同偏視，瞳孔異常，意識障害がみられる．

(2)視床出血

後視床穿通動脈および視床膝状体動脈の破綻による出血である．出血量が多く，しばしば脳室内への穿破を起こし，急性水頭症を併発しやすい．視床は知覚に関する神経線維が集まっているため，病巣の対側にしびれや痛みなどの感覚障害が生じ，内包に影響し，病巣の対側に軽度の麻痺が生じる．眼球は，内下方偏位（鼻先凝視）し，病巣側への共同偏視，垂直方向の注視麻痺，縮瞳，対光反射の消失などがみられる．

(3)大脳皮質下出血

出血部位は，頭頂葉，側頭葉，前頭葉，後頭葉の順に

図35-1　脳出血の部位

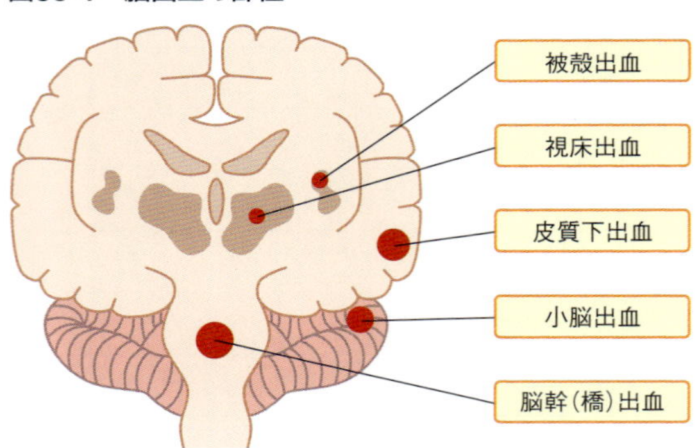

多い．頭痛やてんかん発作などで発症し，出血部位によってさまざまな限局した大脳巣症状を呈する．意識障害は軽度なことが多い．非高血圧性のものが多く，若年者の場合は脳動静脈奇形，高齢者の場合は脳アミロイドアンギオパチーによるものが多い．

(4)脳幹(橋)出血

脳底動脈の正中穿通動脈の破綻による出血である．発症後，急速に意識障害が進行し，呼吸障害，四肢麻痺，両側の縮瞳および下方への沈下運動，除脳硬直などが生じる．脳幹出血は脳出血のなかで最も重篤とされるが，片側の橋出血の場合は比較的予後が良好である．

(5)小脳出血

上小脳動脈分岐部の破綻による出血が多い．激しい頭痛，悪心，嘔吐，回転性のめまい，起立や歩行の障害で発症し，四肢麻痺を認めないのが特徴である．病巣側の失調，病巣と反対側への共同偏視，外転神経麻痺などがみられる．比較的意識が保たれている軽症型と，意識障害が急速に進行して短時間で昏睡状態となる劇症型がある．

4）検査・診断

(1)意識障害，神経学的評価

意識は，覚醒度と意識内容(認識，思考，判断など)という２つの要素があり，意識障害は，覚醒度と内容の両方または一方が障害された状態である．意識は，上行性網様体賦活系と大脳皮質によって維持されていると考えられている．脳幹網様体賦活系は，脳幹網様体や視床，視床下部までを含む経路であり，末梢からの感覚刺激などの入力を受け，大脳皮質を覚醒状態にする．

意識障害の評価，判定には，３・３・９度方式(JCS：Japan Coma Scale)，グラスゴー・コーマ・スケール(GCS：Glasgow Coma Scale)などのツールが用いられている(**表35-2，3**)．短時間で，誰でも判定でき，経時的変化を観察しやすい．

神経学的評価は，意識レベル，瞳孔の大きさや対光反射の有無，運動麻痺の有無や程度，感覚異常の有無や程度，眼球運動，姿勢異常などについて調べる．

(2)CT

脳出血が疑われる場合には，直ちに実施するべき検査である．血腫は高吸収域として，血腫の周囲の生じた浮腫は低吸収域として認められる．出血の部位や大きさは容易に診断できる．

(3)MRI

症状とCTから脳出血と診断された場合，脳出血の原因となる血管異常の有無を確認するために実施する．

(4)脳血管撮影

動脈にカテーテルから造影剤を注入し，X線撮影を行うことで，出血源となる脳動脈瘤や，脳動静脈奇形の位置や大きさなどを特定する．通常，左右の内頸動脈と椎骨動脈の４本を撮影する必要があり，セルディンガー(Seldinger)法にて行われる．

表35-1　出血部位と症状

	被殻出血	視床出血	脳幹(橋)出血	小脳出血
意識障害	(＋)	(＋)	(卄)	(±)
運動障害	片麻痺 (病巣の対側)	片麻痺 (病巣の対側)	四肢麻痺	失調
感覚障害	病巣の対側	病巣の対側	両側～病巣の対側	(－)
眼症状	右被殻出血の場合			右小脳出血の場合
眼位	病巣側共同偏視	下方共同偏視	正中位固定	健側への共同偏視
瞳孔大きさ	正常	小	縮瞳	縮瞳
対光反射	(＋)	(－)	(＋) pinpoint pupil	(＋)
嘔吐	ときどき	ときどき	(＋)	激烈，反復性
痙攣	(＋)	(－)	(－)	(－)
急速悪化	(－)	(－)	(＋)	(－)
その他	対側同名半盲 失語・失行・失認		呼吸障害	めまい 激しい頭痛

5）治療

(1)外科的治療

血腫が一定の大きさを有し，頭蓋内圧亢進をきたしている場合に，外科的治療を実施する．部位や大きさによって手術適応は異なるが，脳幹出血に対しては一般的に血腫除去術は行わず，部位に関係なく血腫量10mL未満または神経学的所見が軽度の場合は，手術適応にはならない．被殻出血では血腫量31mL以上，小脳出血では最大径3cm以上の血腫，皮質下出血では脳表から深さ1cm以下の場合に，手術の適応が考慮される．

開頭血腫除去術は，開頭によって顕微鏡下に血腫を除去する方法である．血腫が脳室内に穿破し，急性水頭症によって頭蓋内圧亢進をきたしている場合は，脳室ドレナージ術を実施する．高齢者や循環器疾患，糖尿病などの合併症を有している場合には，手術による侵襲が少ない定位的脳内血腫除去術が考慮される．定位的脳内血腫除去術は，CTで血腫の位置を確認して頭蓋骨に穴を開け，細い管を刺入し，血腫を洗浄吸引する方法である．

(2)内科的治療

血腫の部位や大きさにかかわらず，鎮静，降圧による再出血を防ぐことが重要である．脳出血急性期の血圧は，収縮期血圧が180mmHg未満または平均血圧が130mmHg未満の維持を目標に管理する．また，頭蓋内圧管理のため，高浸透圧利尿薬（マンニトール，グリセオールなど）が投与される．発症直後は意識障害を伴っていることが多いため，必要に応じて挿管や人工呼吸器での呼吸管理が行われる．そして，嘔吐や痙攣などの症状に対する対処療法が行われる．

(3)リハビリテーション

廃用症候群を予防し，日常生活活動を再獲得・拡大させるため，十分なリスク管理のもとに，できるだけ早期から理学療法士・作業療法士・言語聴覚士と連携し，積極的にリハビリテーションを行う．

6）予後

脳出血発症後の予後は，血腫の部位や大きさに左右される．脳卒中データバンク2018によると，日本版modified Rankin Scale（日本版mRS）が6の死亡は14.0%，日本版mRSが4（中等度～重度障害：歩行や身体的要求には介助が必要）と5（重度障害：寝たきり，失禁，常に介護と見守りが必要）をあわせると47.8%となっており，半数が日常生活に介助が必要な障害を残存している．そして，54.4%の患者が，急性期治療終了後，リハビリ目的の病院もしくは診療科に転科している．

表35-2　JCS（Japan Coma Scale）

Ⅲ．刺激をしても覚醒しない状態（3桁の点数で表現）
- 300：痛み刺激に全く反応しない
- 200：痛み刺激で少し手足を動かしたり顔をしかめる
- 100：痛み刺激に対し，払いのけるような動作をする

Ⅱ．刺激すると覚醒する状態（2桁の点数で表現）
- 30：痛み刺激を加えつつよびかけを繰り返すと辛うじて開眼する
- 20：大きな声または身体を揺さぶることにより開眼する
- 10：普通のよびかけで容易に開眼する

Ⅰ．刺激しないでも覚醒している状態（1桁の点数で表現）
- 3：自分の名前，生年月日がいえない
- 2：見当識障害がある
- 1：意識清明とはいえない

表35-3　GCS（Glasgow Coma Scale）

開眼（eye opening，E）	4：自発的に開眼 3：呼びかけにより開眼 2：痛み刺激により開眼 1：開眼なし
最良言語反応（best verbal response，V）	5：見当識あり 4：混乱した会話 3：不適当な発語 2：理解不明の音声 1：発語なし
最良運動反応（best motor response，M）	6：命令に従う 5：疼痛部位認識可能 4：四肢屈曲，逃避反応 3：四肢異常屈曲（除皮質硬直） 2：四肢伸展（除脳姿勢） 1：全く動かず

E，V，Mの合計が15点．3ないし4点で昏睡を示す

2. 看護過程の展開

● アセスメント～ゴードンの機能的健康パターンを用いて

パターン	アセスメントの視点	根拠	収集する情報
(1) 健康知覚-健康管理 患者背景 健康知覚-健康管理 価値-信念	●自分の身体状況を認識できているか ●改善が必要な健康管理状況はないか ●リハビリテーションの必要性を理解し，積極的に取り組むことができているか ●自身で転倒・転落の危険性を理解し，予防に努めているか	●脳出血は，意識障害で発症することが多く，本人は自分の状況を認識できないことが多い． ●脳出血は，過度の飲酒や喫煙などの生活習慣が危険因子となっているため，再発の予防に向け，健康管理が必要となる．	●現病歴：いつ，どこで，どのような状態で発症したか，前駆症状 ●既往歴：年齢，病名，治療経過，内服薬，かかりつけ医 ●健康管理：飲酒，喫煙，運動，健康診断
(2) 栄養-代謝 全身状態 栄養-代謝 排泄	●生命の危機的状態にないか ●嚥下に関する問題はないか ●改善が必要な食習慣はないか	●発症直後は，再出血のリスクが高い． ●意識障害による嚥下に関する障害が生じる場合があるため，摂食状況を確認する． ●高血圧性の場合，生活習慣が大きく関与する．	●血液検査データ：TP，Alb，Hb，Ht，血糖値など ●輸液投与量・内容 ●食事摂取状況：嚥下状態，食形態，食事内容，むせこみの有無 ●食習慣：食事摂取回数，内容，時間，場所 ●身長，体重 ●皮膚の状態：褥瘡の有無 ●歯の状態：う歯の有無，義歯の有無
(3) 排泄 全身状態 栄養-代謝 排泄	●排泄に関する問題はないか ●電解質バランスの異常はないか ●改善が必要な排泄習慣はないか	●発症直後には，脳浮腫や意識障害により，尿閉となることが多い．また，神経因性膀胱により頻尿や失禁なども起こりやすい． ●脳出血の発症直後には，高浸透圧利尿薬を投与されるため，水分バランスや電解質異常を生じることがある． ●脳出血は高血圧を危険因子としているため，便秘による努責を避ける必要がある．片麻痺によって活動性が低下，腹圧がかけられないことで便秘になりやすい．	●排尿：尿意，回数，量，性状，失禁，方法（カテーテル留置，導尿，おむつ，トイレ），薬剤使用の有無 ●排便：便意，回数，量，性状，失禁，方法（おむつ，トイレ），薬剤使用の有無 ●血液検査データ：BUN，Cr，Na，K，Clなど ●輸液投与量・内容
(4) 活動-運動 活動・休息 活動-運動 睡眠-休息	●日常生活活動はどの程度実施可能か ●運動障害が活動に及ぼす影響はどうか ●可動性障害による廃用の危険はないか ●誤嚥性肺炎の徴候はないか ●血圧はコントロールされているか	●運動麻痺や感覚障害，高次脳機能障害などの身体に関する障害を生じることがある．	●身体機能：麻痺の有無，部位，程度，関節可動域 ●日常生活活動：起きあがり，寝返り，食事，整容，清拭，更衣，トイレ動作，移乗，歩行

パターン	アセスメントの視点	根拠	収集する情報
(5) 睡眠-休息 活動・休息 活動-運動 睡眠-休息	●睡眠への影響はないか ●改善が必要な生活習慣はないか	●脳出血は意識障害を生じることが多く，それによる睡眠・覚醒リズムが乱れることがある． ●睡眠や休息の不足は血圧コントロールに関与する．	●１日の生活リズム ●日中の活動状況，仕事の内容 ●睡眠状態：就寝時間，睡眠時間，睡眠導入薬使用の有無
(6) 認知-知覚 知覚・認知 認知-知覚 自己知覚-自己概念 コーピング-ストレス耐性	●頭蓋内圧亢進症状はないか	●頭蓋内圧亢進により意識障害や頭痛などを生じる．悪化すると脳ヘルニアが生じることもある．	●意識障害：JCS，GCS，せん妄 ●視覚障害：同名半盲 ●感覚障害：部位，程度 ●言語障害：発話，理解 ●高次脳機能障害：記憶，注意，性格の変化， ●痛み：有無，部位，程度
(7) 自己知覚-自己概念 知覚・認知 認知-知覚 自己知覚-自己概念 コーピング-ストレス耐性	●病状や障害をもつ自分に対する受け止めはどうか ●自尊心の低下はないか	●脳出血は突然発症することが多く，生命の危機的状態に直面する．また，なんらかの障害が残存することが多いため，障害をもつ自己像の構築が必要となる．	●疾患・障害・入院に対する思い ●不安の有無・内容 ●医師からの説明内容，治療方針，予後， ●患者の性格
(8) 役割-関係 周囲の認識・支援体制 役割-関係 セクシュアリティ-生殖	●コミュニケーションに関する障害はないか ●家族のサポートは受けられるか ●家族内での役割変更は可能かどうか ●本人の役割遂行への影響はどうか	●脳出血によって，言語に関する障害や，記憶，注意，精神機能などにも障害が生じることがある．発症当初はコミュニケーションの障害を生じる． ●今後の生活再構築について支援していくため，家族のサポートが必要となる． ●脳出血は，急性期・回復期・維持期と，日常生活や社会生活の自立までに長い経過を要するため，介護者が本人の役割を担うことがある．	●家族歴 ●家族構成，支援者の有無 ●家庭内での役割 ●社会での役割 ●経済的状態 ●住環境：居室，寝室，浴室，トイレ，玄関など ●社会資源活用状況

パターン	アセスメントの視点	根拠	収集する情報
(9) セクシュアリティ-生殖 周囲の認識・支援体制 役割-関係 セクシュアリティ-生殖	●性，生殖に関する問題はあるか	●脳出血は，高血圧やストレスが危険因子であるため，性に関する諸問題を生じることがある．	●最終月経，閉経 ●婚姻の有無
(10) コーピング-ストレス耐性 知覚・認知 認知-知覚 自己知覚-自己概念 コーピング-ストレス耐性	●ストレス対処能力はあるか	●突然の発症，入院，手術という生命の危機的状況や，今後の療養先や療養方法の選択など，家族には意思決定しなければならない場面が多々あり，ストレスフルな状況におかれる．	●不安の有無，内容 ●ストレス対処法 ●過去の出来事における対処
(11) 価値-信念 患者背景 健康知覚-健康管理 価値-信念	●価値観，目標，信念が障害の受け入れ，リハビリテーションに影響していないか	●脳出血は長い療養が必要になることもあるため，患者が人生において大事にしていることが強みとなる．	●趣味 ●生きがい，目標 ●大切にしている習慣，価値観

3. 全体像の把握から看護問題を抽出

1）病態関連図

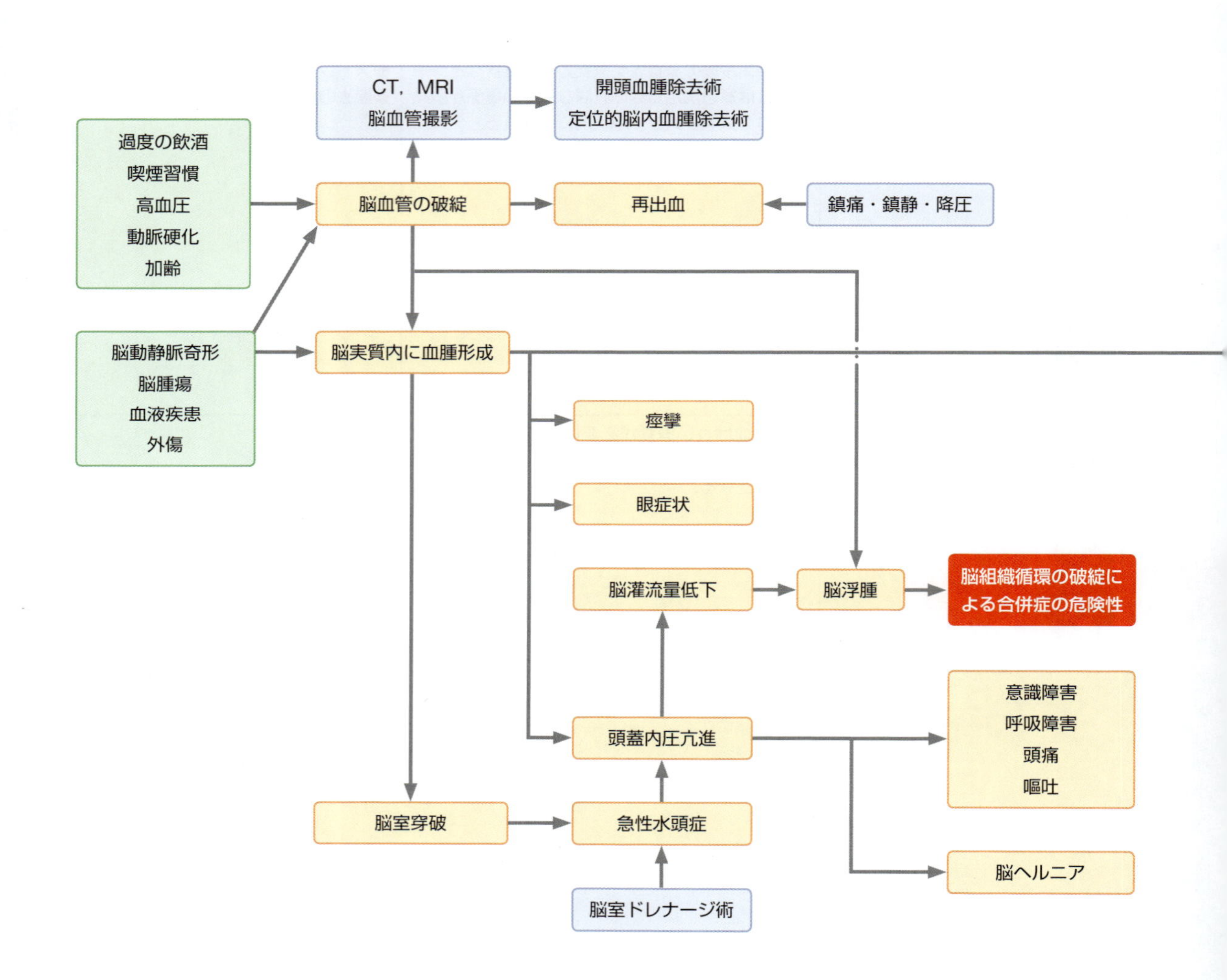

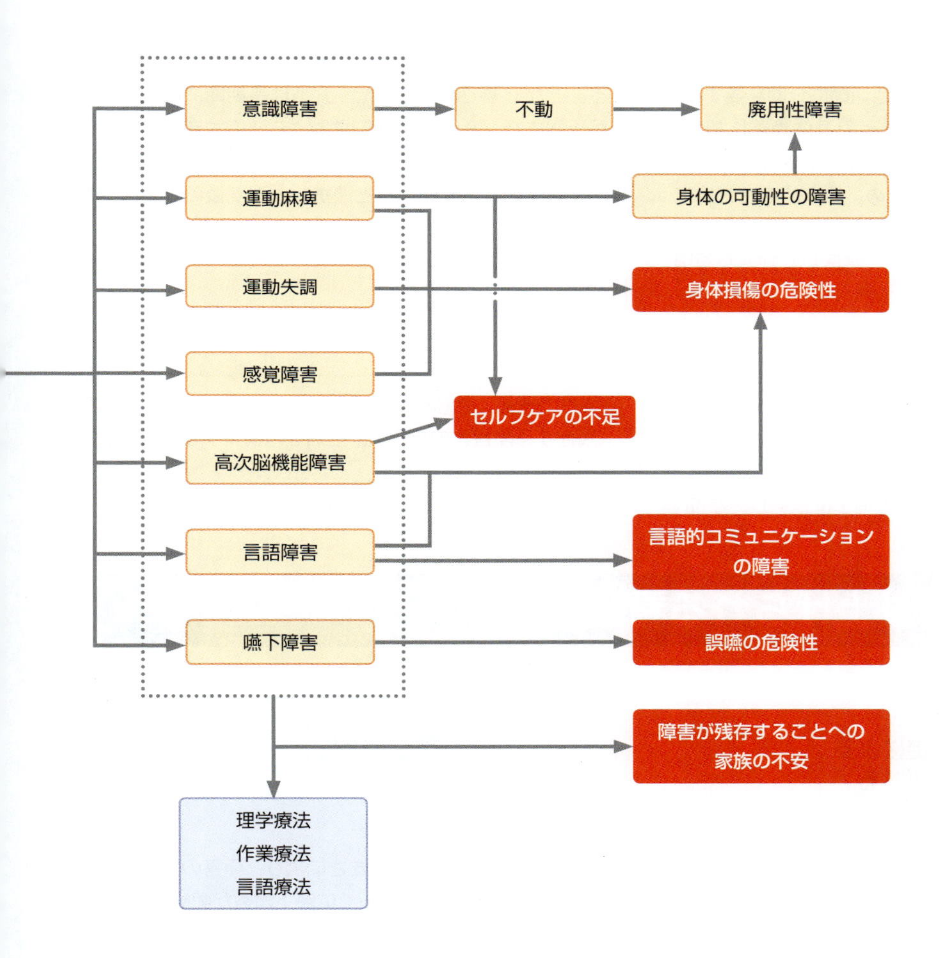
意識障害
不動
廃用性障害
運動麻痺
身体の可動性の障害
運動失調
身体損傷の危険性
感覚障害
セルフケアの不足
高次脳機能障害
言語障害
言語的コミュニケーションの障害
嚥下障害
誤嚥の危険性
障害が残存することへの家族の不安
理学療法
作業療法
言語療法

2）看護の方向性

脳出血は，脳血管が破綻し，脳内に血液が貯留した状態である．過度の飲酒や喫煙などの生活習慣，動脈硬化，加齢などによる高血圧が主な原因とされている．

発症直後は，脳動脈の破綻による循環障害が生じているため，意識レベルの変化や血圧の変動，頭蓋内圧亢進症状の観察を行い，生命を維持することができるよう呼吸状態や循環状態など，全身状態の観察をすることが重要である．術後はドレーン管理も重要となる．

急性期を脱すると，血腫の部位や大きさに応じた症状や障害に着目される．片麻痺や四肢麻痺などがあると，自己で思うように身体を動かすことができず，寝返りや移乗，排泄などの日常生活活動に介助を要する．また，麻痺や感覚障害，失調などの身体障害に加え，高次脳機能障害によって適切な判断ができないことでの転倒・転落のリスクが高いため，二次的な合併症を予防し，安全な環境を確保して，残存機能を活用できるよう理学療法士や作業療法士と連携して介入していく．嚥下障害のある患者には，誤嚥性肺炎のリスクを管理しながら嚥下訓練を実施し，食形態や摂取方法などの工夫を行い，QOLの改善を支援する．失語や構音障害のある患者には，言語聴覚士と連携し，コミュニケーション方法を検討していく．患者や家族は，これらの障害の残存に不安を抱いているため，心理面に配慮し，不安の軽減に努める．

家族は，患者に障害が残存することで，介護という新たな役割が発生し，患者が家庭内や社会で担ってきた役割を代わりに担うことになる．家族が介護役割を受け入れ，心身共に健康な状態を維持できるよう支援することが必要である．また，介護は長期間になることが予測され，今後の療養先や生活方法に大きな不安を抱くことが多い．そのため，医療ソーシャルワーカーや地域のケアマネジャーらと連携し，退院後の生活に向けた支援をしていく．

3）患者・家族の目標

再出血を起こさずに全身状態が安定して経過する．

また，臥床生活が続くことにより，筋力の廃用性低下をきたしていることも考えられ，日常生活動作に必要な運動機能を保持するよう，自力で車椅子に移乗し，座位保持ができる，さらに関節拘縮を生じない．

残存する障害と向き合い，生活を再構築することができる．

4. しばしば取り上げられる看護問題

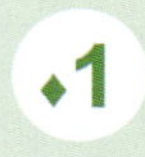

#1 脳出血に関連した脳組織循環の破綻による合併症の危険性がある

なぜ？

脳出血によって頭蓋内圧が亢進すると，意識レベルが低下し，呼吸状態や循環状態にも影響を及ぼす．

➡期待される結果

再出血などの合併症を起こさずに生命を維持することができる．

#2 嚥下障害，意識レベルの低下による誤嚥の危険性がある

なぜ？

脳出血の部位や血腫の大きさにより，障害の程度はさまざまだが，脳出血患者の多くに嚥下障害が認められる．また，脳出血によって意識レベルが低下している患者も多く，誤嚥性肺炎を起こす危険性が高い．

➡期待される結果

食事や水分を経口から摂取することができる．

誤嚥性肺炎の徴候がみられない．

♦3 身体可動性の障害による セルフケア不足

なぜ？

脳出血患者の主な後遺症として，片麻痺や四肢麻痺がある．麻痺があると，思うように身体を動かすことができず，寝返り，起きあがり，食事，入浴，排泄などの日常生活活動に介助が必要となる．

➡期待される結果

関節拘縮，褥瘡の徴候がみられない．

自己で実施できる日常生活活動が増える．

♦4 失語症，構音障害による 言語的コミュニケーションの障害

なぜ？

出血の部位や血腫の大きさにより，失語症や構音障害といった言語機能に障害を認めることがある．「読む・聞く・話す・書く」という機能が障害されると，他者とのコミュニケーションがスムーズにとれず，日常生活に影響を及ぼすだけでなく，精神的なストレスとなる可能性もある．

➡期待される結果

言語的・非言語的コミュニケーション手段を獲得することができる．

♦5 身体損傷の危険性がある

なぜ？

麻痺や感覚障害，失調などの身体障害に加え，高次脳機能障害によって適切な判断ができないことで，移乗時の転倒やベッドから転落するリスクが高い．

➡期待される結果

移乗や歩行時の転倒，ベッドからの転落がない．

♦6 障害が残存することへの家族の不安

なぜ？

脳出血による生命の危機的状態を脱すると，障害の残存に着目される．患者に障害が残存することで，家族には介護という新たな役割が発生し，患者が家庭内で担ってきた役割を代わりに担うことになる．それにより，今後の療養先や生活方法に大きな不安を抱くことが多い．

➡期待される結果

家族内で役割を変更し，新たな生活を確立することができる．

5. 看護計画の立案

• O-P：Observation Plan（観察計画）　• T-P：Treatment Plan（治療計画）
• E-P：Education Plan（教育・指導計画）

♦1 脳出血に関連した脳組織循環の破綻による合併症の危険性がある

くも膜下出血の項目（p.535）を参照のこと．

♦2 嚥下障害，意識レベルの低下による誤嚥の危険性がある

	具体策	根拠と注意点
O-P	**(1)誤嚥の有無** ・肺雑音，呼吸状態 ・痰の有無，性状，量 ・むせこみ，咳の有無 ・胸部X線検査 ・血液検査データ **(2)嚥下機能** ・咀嚼，嚥下の状態 ・食事動作 ・食事中の姿勢 ・食事，水分摂取量 ・口腔の状態 ・身体機能の状態 ・体温，脈拍，血圧，酸素飽和度 **(3)意識レベル** ・意識レベル，覚醒状態 ・認知機能の状態	●意識障害や嚥下障害により，嚥下反射の遅延から誤嚥を引き起こす可能性がある． ●認知機能の低下により，適切な食事動作について十分理解することができず，誤嚥する可能性もある．
T-P	**(1)誤嚥の防止** ・食事形態の工夫 ・体位，姿勢の工夫 ・食事環境の調整 ・食事中の見守り ・吸引 ・他職種との連携 **(2)嚥下機能の改善** ・口腔ケア ・嚥下訓練 **(3)意識レベルの改善**	●口腔内を清潔に保つことができるよう，食事前・後で口腔ケアを実施する． ●自己喀痰ができない場合は，吸引を行い，痰が貯留しないようにする． ●十分に咀嚼できるよう義歯の調整が必要な際は，歯科医や歯科衛生士とも連携する． ●嚥下障害に対して医師や言語聴覚士，栄養士と連携し，段階的に訓練を実施，安全な食形態について検討する．理学療法士と連携し，食事の際の姿勢について検討する．作業療法士と食事の際の環境や道具について検討する． ●正しい姿勢で摂取できるよう，なるべく坐位で摂取する．食後は逆流による誤嚥を防止するため，30分程度，坐位またはセミファウラー位とする．
E-P	●口腔内の清潔を保つよう説明 ●食事摂取時の注意事項について説明 ●患者，家族へ誤嚥した場合の対応について説明	●誤嚥を防止する，安全な食事摂取方法について，患者自身が理解できるようにする．

引用・参考文献

1）児玉南海雄ほか監：標準脳神経外科学．第14版，医学書院，2017.
2）日本脳卒中学会 脳卒中ガイドライン委員会編：脳卒中治療ガイドライン2015．第２版，協和企画，2017.
3）荒木信夫ほか：脳卒中ビジュアルテキスト．第３版，p.133～140，医学書院，2008.
4）医療情報科学研究所編：病気がみえる vol.7脳・神経，第２版，p.124～141，メディックメディア，2017.
5）百田武司ほか編：エビデンスに基づく脳神経看護ケア関連図．p.84～96，p.100～109，中央法規出版，2014.
6）日本脳卒中データバンク：「脳卒中レジストリを用いた我が国の脳卒中診療実態の把握」報告書．2018． http://strokedatabank.ncvc.go.jp/f12kQnRl/wp-content/uploads/95679f694678ea62e59a029372297e88.pdf より2020年８月20日検索
7）江川隆子編：ゴードンの機能的健康パターンに基づく看護過程と看護診断．第５版，ヌーヴェルヒロカワ，2016.

第６章　脳・神経疾患患者の看護過程

36 脳腫瘍

1. 疾患の基礎的知識

1）疾患の概念

脳腫瘍とは，頭蓋内に発生する腫瘍の総称である．原発性脳腫瘍と転移性脳腫瘍に大別される．原発性脳腫瘍は，「脳実質内腫瘍」と「脳実質外腫瘍」に分けられ，良性腫瘍と悪性腫瘍とがある．発生頻度は，人口10万人あたり16人程度である．転移性脳腫瘍は，脳以外の臓器に発生した悪性腫瘍が，脳に転移して発生したものである．

2）原因

原発性脳腫瘍の発生原因には多くの説がある．胎生期の細胞の遺残，遺伝的因子，染色体異常，外傷，放射線，ウイルス感染などの関与説がある．しかし，決定的な説はなく，大部分の脳腫瘍の発生原因は不明である．転移性脳腫瘍は，肺がんからの転移が最も多く，次いで乳がんや消化器がんからの転移が多い．

3）病態と臨床症状

病態

原発性脳腫瘍は，由来する組織により，①中枢神経実質由来，②中枢神経実質外由来，③胎生遺残物由来に分類される．組織学的に多くの種類があり，組織学的相違や発生部位によって治療法や予後が異なる．脳腫瘍の好発部位（**図36-1**）と高頻度年齢を**表36-1**に示す．加えて，脳腫瘍の分類と発生頻度を**図36-2**に示す．また，世界保健機構（WHO：World Health Organization）は，脳腫瘍を組織学的に７つに大分類し，さらに130種類以上の組織に細分類している．それぞれの腫瘍の悪性度をグ

図36-1　脳腫瘍の好発部位

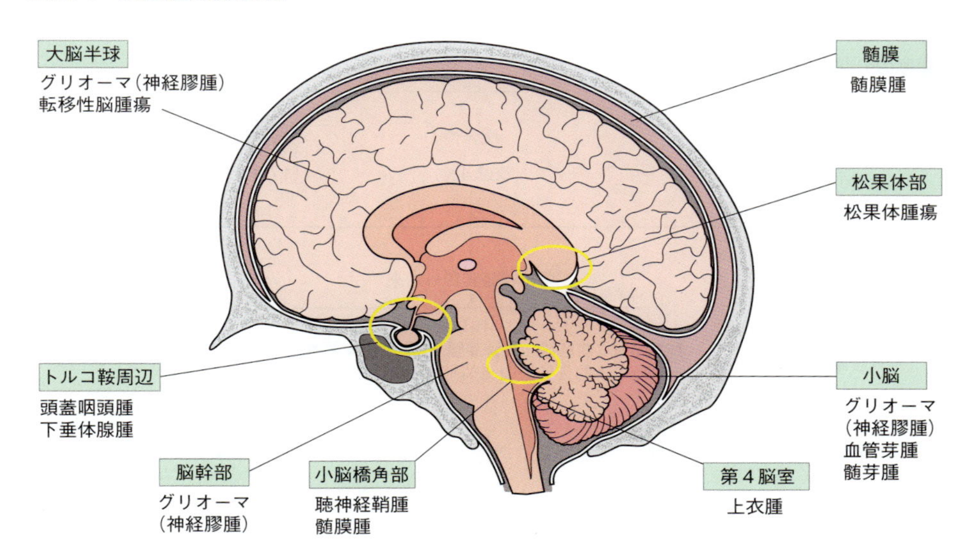

レード1からグレード4とし，グレード4が最も悪性度が高いとされる．

臨床症状

脳腫瘍の症状は，頭蓋内圧亢進症状と脳局所症状（巣症状）に大別される．

(1)頭蓋内圧亢進症状

急性頭蓋内圧亢進症状は，脳ヘルニアをきたした場合などにみられ，徐脈，血圧上昇，脈圧増加，深大性の呼吸，意識障害などがある．慢性頭蓋内圧亢進症状は，脳腫瘍が増大するにつれて徐々に頭蓋内圧が亢進した場合に生じる症状で，頭痛，噴射性嘔吐，うっ血乳頭の3徴候を呈することが多い．

(2)脳局所症状（巣症状）

腫瘍によって圧迫あるいは浸潤された脳局所の脱落，刺激症状，腫瘍の局在によって，多彩な症状が現れる．大脳半球では，片麻痺，言語障害，視野障害，感覚障害，てんかん発作などが出現する．小脳では運動失調などが生じ，トルコ鞍部では内分泌症状，視力・視野障害などが出現する．

(3)てんかん発作

脳腫瘍の経過中に，しばしば各種のてんかん発作が生じる．正常な神経細胞が，腫瘍によって圧迫や障害を受けることで神経興奮物質が放出され，その結果，正常な神経細胞が異常に興奮し，てんかん発作が出現する．発作は，全身痙攣や身体の一部の痙攣などとさまざまであり，脳腫瘍の初発症状として出現することがある．主として，前頭・側頭・頭頂部腫瘍で多発するとされる．

(4)水頭症

脳室系近傍に生じた腫瘍によって髄液循環が障害され，水頭症をきたすことがある．症状には頭痛，嘔吐，尿失禁，歩行障害などがある．

(5)脳嵌入（脳ヘルニア）

脳腫瘍や脳浮腫など，頭蓋内を占める内容物が著しく増加すると頭蓋内圧が亢進し，脳実質や血管系が圧迫されて神経症状をきたす．脳が隙間に押し出されるような状態を脳嵌入という．脳嵌入が起こると，静脈うっ血，浮腫，出血，髄液循環不全などを生じ，頭蓋内圧がさらに上昇し，脳嵌入も高度となり，致命的になることが多い．

4）検査・診断

脳腫瘍の診断には，造影剤を用いた頭部CTや頭部MRIなどの画像診断が有用である．確定診断には，手術や生検による病理組織診断が必要となる．

(1)頭部単純X線検査

腫瘍内の石灰化，頭蓋骨（トルコ鞍など）の変化などによって，腫瘍の存在と位置を推測することができる．

(2)頭部CT・頭部MRI

腫瘍の部位・形態，性状を判断する．造影剤を用いた

表36-1　脳腫瘍の好発部位と高頻度年齢

部位		小児	成人
大脳半球			神経膠腫，髄膜腫
トルコ鞍上部 鞍内部		頭蓋咽頭腫 視神経膠腫 胚細胞腫瘍	下垂体腺腫 髄膜腫
松果体部		胚細胞腫瘍	
小脳	半球	星細胞腫	血管芽腫
	虫部	髄芽腫	
第4脳室		上衣腫，髄芽腫	
脳幹部		神経膠腫	
小脳橋角部			聴神経鞘腫

＊赤字はとくに特徴的なものを示した

図36-2　脳腫瘍の分類と発生頻度

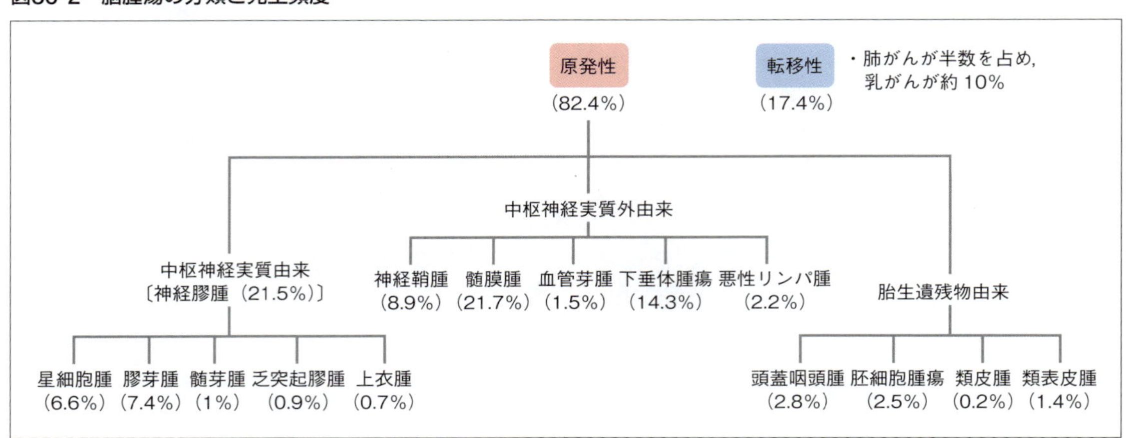

落合慈之監：脳神経疾患ビジュアルブック．p.129，学研メディカル秀潤社，2009．

場合は，とくに術前診断に有用である．

(3)脳血管撮影

大腿動脈，上腕動脈からカテーテルを挿入し，あるいは頸動脈を直接穿刺して脳血管撮影を行い，血管偏位，異常血管，腫瘍濃染像などによって，病変の状況，局在を知る．

(4)核医学的検査(SPECT，PET)

放射性同位元素を用いて循環や代謝量を測定し，腫瘍の悪性度や治療効果の判定に使用する．放射線治療後の壊死と再発腫瘍との鑑別にも用いる．

(5)髄液検査

髄液圧の測定，髄液タンパク定量のほかに，CEA，HCG，AFPなどの腫瘍マーカーが診断の助けとなる．

5）治療

脳腫瘍の治療は，腫瘍の発生部位や程度，悪性度などを考慮し，総合的に決定される．腫瘍に対する直接的治療の基本は，手術療法である．腫瘍の組織型や進行度に応じて，手術と併用または単独で放射線療法や化学療法などを行う．良性で発育が緩徐であれば経過観察もある．

(1)手術療法

開頭して腫瘍を摘出する．根治的治療法は完全摘出であるが，腫瘍の局在，広がり，性質などによって，完全摘出は必ずしも可能ではなく，亜全摘出あるいは部分摘出に終わることもある．

(2)放射線療法

放射線感受性の高い胚細胞腫や悪性リンパ腫，手術が困難な腫瘍，手術療法後の残存腫瘍などに対して行う．転移性脳腫瘍は，多発性に発生する場合が多いことから，放射線療法が適応となる．従来の，低線量を局所および広範囲に分割照射するリニアック(線形加速器)に加えて，近年，正常脳組織への副作用を最小限に抑えて局所に集中的に照射する定位的放射線治療装置としてガンマ・ナイフが最も普及している．また，小型リニアックをロボットアームに装着して分割照射するサイバーナイフが行われる．

(3)化学療法

血液脳関門を通る薬剤が有効である．化学療法の代表的薬剤には，テモゾロミド(テモダール®)，ニムスチン塩酸塩(ニドラン®)，メトトレキサート，フルオロウラシル(5-FU®)，ビンクリスチン硫酸塩(オンコビン®)，白金製剤(シスプラチン，カルボプラチン)，インターフェロンBなどがある．

(4)対症療法

①急性頭蓋内圧亢進

大量の副腎皮質ステロイド薬の静脈注射，浸透圧利尿薬(D-マンニトール，濃グリセリン)などの使用により，頭蓋内圧の下降をはかる．

②痙攣発作

手術前後にわたり，抗痙攣薬が投与される．

③頭痛，嘔吐

軽度の場合は，鎮痛薬や安静で緩和をはかる．強度の場合は，D-マンニトールや高張液静脈注射により，頭蓋内圧の下降をはかることで，一時的に軽快できる．

6）予後

脳腫瘍の予後は，組織学的な悪性度によって異なるが，同じ組織型でも腫瘍の広がりや発生部位が予後に大きく影響する．脳腫瘍が不完全摘出であると術後に再発するが，良性の場合は，10年以上経ってから再発する例もある．悪性腫瘍は浸潤性発育のため，肉眼的に全摘出ができても，再発から死への転帰は避けられない．最も悪性度の高い神経膠芽腫(グリオブラストーマ)の５年生存率は10%未満，１年生存率は60%未満である．

2. 看護過程の展開

● アセスメント～ゴードンの機能的健康パターンを用いて

パターン	アセスメントの視点	根拠	収集する情報
(1) 健康知覚-健康管理 患者背景 健康知覚-健康管理 価値-信念	●現在の健康状態をどのように知覚しているか ●脳腫瘍について告知され，治療(手術・化学療法・放射線療法)や成り行きを理解しているか	●脳腫瘍はその種類によって症状や臨床経過が多岐にわたり，予後もさまざまなので，疾患や治療に対する理解が必要となる． ●悪性度が高い脳腫瘍の場合は，「再発」の可能性が高く，脳に局在することから意識障害を呈することもあり，疾患の成り行きや病状悪化が不安や脅威となる．	●現病歴 ・発病の年齢，性別 ・病状の経過 ・選択された治療とその経過 ・疾患の悪性度 ●既往歴 ・悪性新生物の既往の有無 ・遺伝的要因(家族歴) ・両親や兄弟の脳腫瘍の既往歴 ●支援体制 ・キーパーソンの有無
	●感染の危険性はないか	●脳腫瘍の種類，悪性度，大きさ，局在部位，年齢などによって治療が選択される．基本は，開頭術で腫瘍を可能な限り摘出する手術療法である．全摘出が困難な場合は，補助療法として放射線治療，化学療法などが行われる．放射線治療では，ガンマ・ナイフなどを用いた定位的放射線療法などが行われる．これらの合併症として感染の危険性が生じる．	
	●脳局所症状に伴う転倒などによる身体外傷の危険性はないか	●腫瘍による神経の圧迫や血流の障害があると，運動麻痺，視力障害，てんかん発作などの機能局在に応じた神経症状を生じ，転倒などによる身体外傷の危険性が生じる． ●認知機能が障害されると，予防に努めることが困難となる．	
	●家族のサポートは適切か	●自らの意思や苦痛を表現できない可能性が生じるので，治療管理に家族のサポートが不可欠となる．	
(2) 栄養-代謝 全身状態 栄養-代謝 排泄	●栄養状態に影響する放射線療法の副作用はないか	●放射線治療による副作用では，脳浮腫，頭皮の皮膚障害，脱毛，放射線宿酔(悪心・嘔吐・食欲不振・倦怠感など)が出現する．脱毛や照射部位の皮膚炎は，精神的負担ともなり，食欲低下につながる可能性もある．	●栄養状態 ・身長・体重 ・食事摂取の内容・量 ・皮膚・口腔粘膜の状態 ・咀嚼・嚥下運動の状態 ・悪心・嘔吐の有無と程度 ●輸液内容と量 ●検査データ ・TP，Alb，Hb，RBC，Ht，Na，K，Clなど
	●栄養状態に影響する化学療法の副作用はないか ●味覚障害や口腔内の痛みはないか ●水分出納・電解質に異常はないか	●化学療法によって，強度の食欲低下，嘔吐，倦怠感，脱毛，骨髄抑制，腎機能障害，電解質平衡異常など，種々の副作用が出現する．白血球数が減少すれば，免疫機能が低下して易感染状態となる．血小板が減少すれば，出血傾向が出現する．メトトレキサート投与後3～5日程度には口内炎が出現しやすい． ●頻回の嘔吐や口内炎によって食事摂取が困難になると栄養状態が低下する．	
(3) 排泄 全身状態 栄養-代謝 排泄	●排便・排尿の調節ができるか	●膀胱に尿をためる蓄尿と排尿の機能は，末梢神経と上位中枢神経の支配を受ける．大脳から橋より上部の障害では，頻尿や尿意切迫などの蓄尿障害を生じる．	●排泄状態 ・排便・排尿の回数・量・性状 ●検査データ ・BUN，Cr，Na，K，Clなど
	●排尿障害はないか	●脳腫瘍によって視床下部が圧迫されると，尿崩症を呈し，多尿を生じる．	
	●腎機能障害はないか	●化学療法の副作用によって，腎臓の機能障害が生じる可能性がある．	

パターン	アセスメントの視点	根拠	収集する情報
(4) 活動-運動 活動・休息 活動-運動 睡眠-休息	●呼吸・循環の機能に問題はないか ●ADLはどの程度自立しているか	●閉鎖腔である頭蓋腔のなかで，腫瘍や脳浮腫によって容積が増大すると，頭蓋内圧が上昇して血流が障害される．脳腫瘍における頭蓋内圧亢進の機序は，①脳室系の閉塞による髄液の流れの遮断，②頭蓋内腔での腫瘍増殖，③髄液の吸収阻害，④静脈系の閉塞による静脈灌流障害，⑤腫瘍からの髄液過剰分泌である．進行すれば脳虚血や脳ヘルニアをきたし，致命的となる． ●頭蓋内圧が上昇すると，意識障害，除脳硬直姿勢，瞳孔不同や対光反射の消失，チェーン-ストークス呼吸などを生じる．また，血圧は上昇して徐脈となる． ●腫瘍の増大あるいは摘出術の後遺症により，運動障害，感覚障害，視力障害などが出現すると，ADLに影響を及ぼす可能性が生じる．	●頭蓋内圧亢進症状 ・頭痛，悪心，嘔吐， ・視力障害（うっ血乳頭による） ・意識障害 ・瞳孔異常 ・異常肢位 ●バイタルサイン ●ADLの状態 ・食事 ・排泄 ・入浴 ・更衣 ・移動 ●リハビリテーションの進行状態
(5) 睡眠-休息 活動・休息 活動-運動 睡眠-休息	●睡眠，休息に問題はないか	●疾患や治療，成り行きに対する不安や恐怖により，睡眠が障害される可能性がある． ●頭蓋内圧が亢進すると頭痛を生じ，睡眠障害の要因となり得る．	・夜間の覚醒状態 ・頭痛の有無
(6) 認知-知覚 知覚・認知 認知-知覚 自己知覚-自己概念 コーピング-ストレス耐性	●認知機能に問題はないか ●感覚機能障害はあるか，どの程度か ●てんかん発作はないか ●言語障害はあるか，どの程度か ●症状に伴う苦痛はないか	●原発性脳腫瘍の25～30％を占める神経膠腫は，浸潤性に発育し，てんかん発作（症候性てんかん），頭痛，麻痺，失語，意識障害などを生じる．下垂体腺腫や頭蓋咽頭腫は視力・視野障害，神経鞘腫は聴力が低下する．これらの障害によって，現状の理解や危険回避行動が困難になる． ●頭蓋内圧亢進症状をきたした患者は，強い頭痛と悪心・嘔吐に苦しむ．頭痛，嘔吐は，軽度の場合は鎮痛薬や安静で軽減することが多い．また，腫瘍の増大に伴うさまざまな局所症状，痙攣発作などにより，患者は精神的，身体的苦痛を生じる．	●局所神経症状の有無と程度 ・てんかん発作 ・感覚障害 ・運動麻痺 ・同名半盲 ・視覚・視野障害 ・聴覚障害 ・失語，構音障害 ・意識障害 ・高次脳機能障害 ●苦痛の有無と程度 ・頭痛・悪心・嘔吐 ・痙攣
(7) 自己知覚-自己概念 知覚・認知 認知-知覚 自己知覚-自己概念 コーピング-ストレス耐性	●疾患や障害のある自分をどのように受け止めているか ●現在の自己をどのように知覚しているか ●不安はないか	●全ての身体機能をコントロールしている脳の障害は，不安が生じやすい．ペプロー（Peplau, H. E）は，不安を「軽度」「中等度」「強度」「重度」の４段階に分類した．病状の変化に伴って，患者が自分のおかれている状態を脅威と感じれば，不安は強度から重度に陥る危険性が生じる． ●悪性脳腫瘍の告知がされている場合は，「再発」の不安に脅かされる．また，意識障害に陥ることに対する恐怖もある．疾患や障害に対する否定的な受け止め方は，無力感や絶望感を抱く要因となる．また，意識障害に陥れば自己を知覚するのが困難になる．	・疾患・治療についての知識 ・告知の有無 ・疾患・治療の受容の程度 ・再発の可能性

パターン	アセスメントの視点	根拠	収集する情報
(8) 役割-関係 周囲の認識・支援体制 役割-関係 セクシュアリティ-生殖	●役割変更の必要性があるか ●家族の疾患への理解と受け止め方はどうか ●コミュニケーションの障害はあるか ●サポート体制に問題はないか	●治療の内容，病状の悪化などに伴って，家庭内役割や社会的役割の遂行が困難になり，役割の変更を余議なくされる． ●脳腫瘍の手術には，悪性腫瘍や腫瘍部位による全摘出の限界，術後の神経障害のリスクなどがある．これら脳腫瘍特有の手術療法は，家族に不安や動揺を生じさせる．また，放射線療法・化学療法に伴って生じる嘔吐や脱毛などの副作用や，治療の経過に対する家族の不安は，患者の心理面と家族関係に影響を及ぼす． ●優位大脳半球に腫瘍が存在すれば失語，脳幹部では構音障害を生じる．これら言語障害によって意思疎通が困難になれば，家族関係に影響を及ぼす． ●意識障害や運動麻痺などが現存することや，あるいは徐々に症状が進行すれば，家族も社会生活上の制限を受けざるを得ない．死に至るまで運動麻痺や失語などの症状を呈し，末期には意識障害に陥り，意思を表現することが困難な状況になる．意思の疎通がはかれる間に，患者・家族の意向を尊重しつつ社会資源の活用と地域スタッフとの連携をはかる必要性が生じる．支援体制を整えることで在宅療養や社会復帰が容易になる．	・家族構成 ・家庭内役割 ・社会的役割（職業・経済状況・社会活動） ・キーパーソンの有無 ・家族の介護能力 ・療養環境 ・社会資源の活用状況
(9) セクシュアリティ-生殖 周囲の認識・支援体制 役割-関係 セクシュアリティ-生殖	●性役割や性行動に問題はあるか	●手術後の後遺症，化学療法，脳局所症状によって，性生活に影響を及ぼす．	・パートナーの有無 ・ライフステージにおける性役割
(10) コーピング-ストレス耐性 知覚・認知 認知-知覚 自己知覚-自己概念 コーピング-ストレス耐性	●現在の状況をストレスと感じているか ●ストレスに対する対処行動ができるか	●手術は，中枢神経・頭蓋内という手術部位の特徴から，出血や脳浮腫が，直接的に意識や呼吸，循環，体温などの生命の中枢に重大な影響を及ぼすため，強いストレスとなる． ●ラザルス（Lazarus, R. S）は，ストレスの対処方法には，ストレスの対象に直接働きかける「問題中心型」と，ストレスに対して自分の考え方を変える「情動中心型」の2つの方法があるとした．適切な対処行動がとれなければ，ストレスが増強して治療に影響する．	・不安を示す行動の変化 ・身体症状 ・夜間の睡眠状態 ・ストレスに対する対処方法

パターン	アセスメントの視点	根拠	収集する情報
（11） 価値-信念 患者背景 健康知覚-健康管理 価値-信念	●どのような価値観や信念をもっているか	●価値観や信念は，治療の意思決定に影響を及ぼし，生きることの指針となる．	・生活信条 ・信仰している宗教の有無

3. 全体像の把握から看護問題を抽出

1）病態関連図

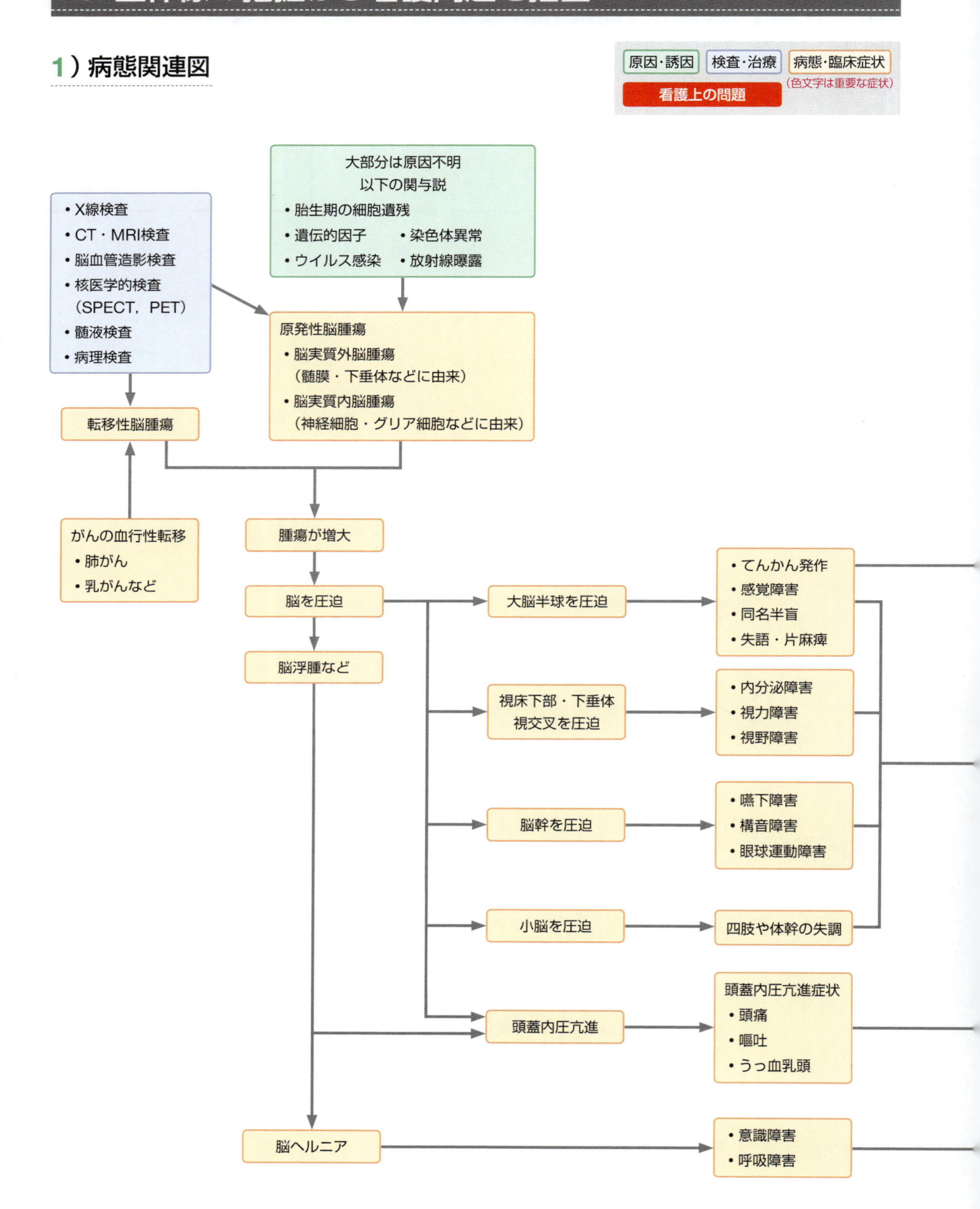

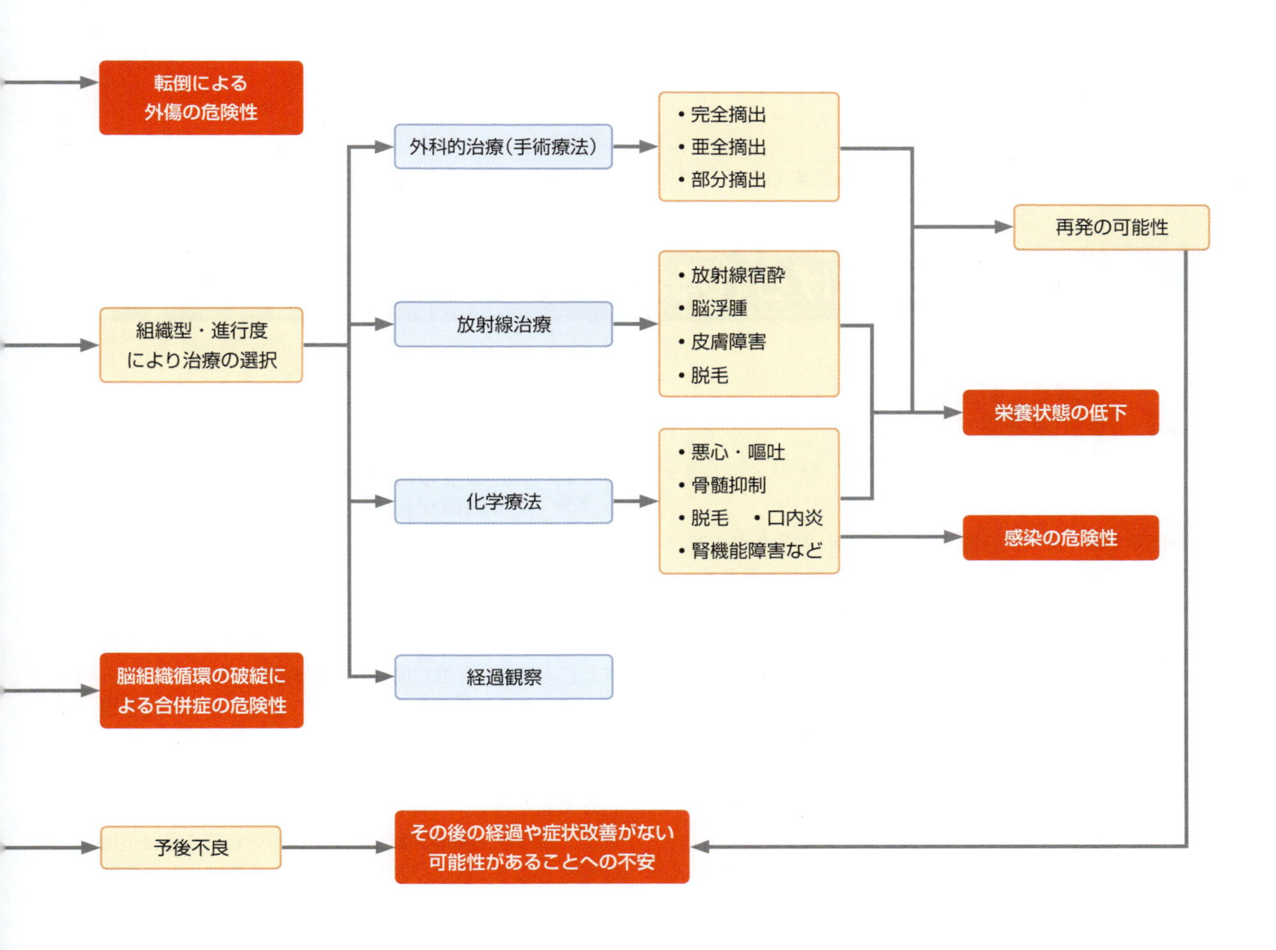
転倒による
外傷の危険性
外科的治療（手術療法）
・完全摘出
・亜全摘出
・部分摘出
再発の可能性
組織型・進行度
により治療の選択
放射線治療
・放射線宿酔
・脳浮腫
・皮膚障害
・脱毛
栄養状態の低下
化学療法
・悪心・嘔吐
・骨髄抑制
・脱毛　・口内炎
・腎機能障害など
感染の危険性
脳組織循環の破綻に
よる合併症の危険性
経過観察
予後不良
その後の経過や症状改善がない
可能性があることへの不安

2）看護の方向性

なんらかの原因によって脳腫瘍を発症すると，腫瘍による直接圧迫や循環障害によって，発生部位の機能局在に応じた感覚障害，片麻痺，視力障害，てんかん発作などが生じる．これらにより，身体外傷を生じる危険性がある．そのため，身体外傷の予防方法について，患者・家族に理解してもらうことが必要である．また，環境の調整と外傷を起こさないために，身体を保護することも必要である．また，腫瘍の増大に伴って，慢性的な頭蓋内圧亢進症状を呈し，頭痛，嘔吐，うっ血乳頭が生じる．急激に頭蓋内圧が亢進すればクッシング現象（徐脈・血圧上昇）を生じ，さらに進行すれば意識障害が重度となり，脳虚血や脳ヘルニアをきたし，致命的となる．早期に発見して，脳虚血や脳ヘルニアを予防することが重要である．

脳腫瘍の種類，悪性度，大きさ，局在部位，年齢などによって治療方法が選択され，手術療法や放射線治療，化学療法などが行われる．手術療法は，中枢神経・頭蓋内という手術部位の特徴から，出血や脳浮腫が，直接的に意識や呼吸・循環などの生命の中枢に重大な影響を及ぼすため，不安が生じやすい．

さらに，病状の悪化に伴い，再発や意識障害に陥ることへの不安や恐怖などに脅かされる．患者が自分のおかれている状態を脅威と感じれば心理的葛藤が増し，不安は強度から重度に陥る可能性も生じる．不安は，全てが解消できるとは限らないが，今以上に不安が増大して重度の不安に陥らないように援助することが大切である．

放射線療法や化学療法の副作用として，食欲不振，悪心・嘔吐，口内炎などが生じ，必要な栄養摂取が困難になり，栄養状態が低下する．また，免疫機能の低下や骨髄抑制などで感染の危険性が高まる．

悪心や嘔吐は，疾患への不安による精神的要因が関与する可能性もあるため，悪心が誘発されないように関わることも大切である．そのため，合併症としての感染を予防することが重要になる．患者自らが手洗い，含嗽，マスクの着用や環境調整などの適切な知識を身につけて，感染予防を行うことが必要である．また，患者が予防対策をとれない場合は，感染の徴候を早期に発見して対応することも必要である．

3）患者・家族の目標

不安が表出でき，治療を継続することで苦痛が抑えられ，安全・安楽に日常生活が送れる．

4. しばしば取り上げられる看護問題

脳腫瘍に関連した脳組織循環の破綻による合併症の危険性がある

なぜ？

脳腫瘍では，閉鎖的空間である頭蓋内に腫瘍が発生するため，頭蓋内圧亢進症状に対する援助が重要である．患者の生命や予後を左右するのは，頭蓋内圧亢進とされている．腫瘍の増大や脳浮腫に伴って頭蓋内圧が亢進すると，頭痛，嘔吐，うっ血乳頭などの症状が出現し，患者の苦痛が高まる．さらに，進行して頭蓋内圧の上昇が続けば，やがて脳は虚血やヘルニアを生じて致命的な状態になる．

➡期待される結果

- 頭蓋内圧亢進に起因する頭痛や嘔吐が緩和または消失する．
- 脳ヘルニアの徴候がみられない．

その後の経過や症状が改善しない可能性があることへの不安

なぜ？

頭痛や脳局所症状など，なんらかの症状が出現して受診する場合が多くみられる．また，てんかん発作が初発することもあり，発症時から不安や恐怖が生じる．さらに，手術療法が選択された場合は，脳を手術すること自体への不安も生じる．疾患の特徴から，発生部位や大きさによって全摘出が困難な場合は，再発や再増大の可能性があるとともに，術後に神経症状が残る場合もある．また，転移性脳腫瘍や難治性で，治療をしても予後不良の場合もある．症状が徐々に進行し，治療によっても改善しない状況になると不安が大きくなり，不眠や食欲不振などのさまざまな身体症状が生じる.

➡期待される結果

・気持ちを他者に伝えることができる.
・夜間に十分な睡眠が得られる.
・今後の生活について話し合える.

口内炎，悪心・嘔吐に関連した栄養状態の低下

なぜ？

健康状態を回復するためには，適切な栄養状態を維持しながら治療を継続することが重要である．そのためには，出現した症状を緩和させることが必要となる．放射線療法や化学療法の副作用では，食欲不振，悪心・嘔吐などの症状が出現し，それに伴い，不快感や苦痛も生じる．とくに，化学療法においては口腔内に炎症を生じることが多く，その痛みによって食事を摂取することが困難になる．口腔内に生じた小さな潰瘍でも痛みが大きいので，早期から適切な援助をすることが必要である．食事摂取が困難になると，栄養状態が低下して免疫機能の低下も引き起こす.

➡期待される結果

・悪心・嘔吐の回数が今より少なくなる.
・口腔内の痛みが緩和し，必要量の食事が摂取できる.

骨髄抑制・栄養状態の低下に関連した感染の危険性がある

なぜ？

化学療法の副作用では，多くの抗がん薬に共通して生じるのが白血球減少や血小板減少などの骨髄抑制である．骨髄抑制に栄養状態の低下が加わると，間質性肺炎などの感染症が生じる危険性が高まる.

➡期待される結果

・感染予防のための適切な行動がとれる.
・感染徴候がみられない.

脳局所症状に関連した転倒による外傷の危険性がある

なぜ？

脳腫瘍では，発生部位の機能局在に応じた神経症状が出現するため，自ら危険を予測して回避することが困難になる．また，認知機能の低下や突然のてんかん発作などにより，転倒が避けられない事態も生じるので，転倒時の外傷を予防することが重要になる.

➡期待される結果

・身体外傷を予防する方法が理解できる.
・転倒による身体外傷を起こさない.

5. 看護計画の立案

• O-P：Observation Plan（観察計画）　• T-P：Treatment Plan（治療計画）
• E-P：Education Plan（教育・指導計画）

脳腫瘍に関連した脳組織循環の破綻による合併症の危険性がある

	具体策	根拠と注意点
O-P	**(1)頭蓋内圧亢進症状の観察** ①バイタルサイン ・体温・脈拍・呼吸・血圧 ・意識レベル（JCS・GCS） ②瞳孔 ・瞳孔不同 ・対光反射 ・瞳孔の形	●腫瘍の増大による脳実質の圧迫，腫瘍による血液脳関門の破壊などに伴う脳浮腫，脳室閉塞による水頭症などにより，慢性的な頭蓋内圧亢進症状をきたす．代表的な症状は，頭痛，嘔吐，うっ血乳頭である．急激な頭蓋内圧亢進ではクッシング現象（徐脈，血圧上昇），意識障害，チェーン-ストークス呼吸，瞳孔不同，対光反射の消失をきたす. ●頭蓋内圧亢進が進行すれば，脳ヘルニアや脳虚血を起こし，致命的となる．バイタルサインや瞳孔の変化などを見逃さずに，迅速に対処することで悪化を防止する.

	具体策	根拠と注意点
O-P	③頭痛の有無と程度 ・部位，持続時間，出現状況 ・表情，言動 ④嘔吐の有無と出現状況 ⑤視力障害や複視の有無 ⑥痙攣の有無と程度，出現状況 ⑦うっ血乳頭を示す検査データの確認 ・眼底検査 ・視力・視野検査	●慢性期の頭痛は，睡眠後に起こることが多いため，早朝に多く出現する．嘔吐は，消化器症状を伴わない．視力障害は，うっ血乳頭の症状として出現し，進行すれば視神経萎縮によって失明に至る．複視は，外転神経・滑車神経麻痺あるいは局所症状として出現する． ●頭痛の持続は日常生活に影響を及ぼし，不安を抱かせる． ●頭痛が心理面に及ぼす影響についても把握する．表情や態度から患者の心理面の把握に努める．
	(2)治療内容と副作用の観察 ①薬物療法 ・利尿薬，副腎皮質ステロイドなど ・水分出納	●抗浮腫薬は，利尿作用が著しいため，水分出納バランスを崩しやすい．脳血液関門の破綻を防衛・修復する作用をもつ副腎皮質ステロイドは，副作用が出現する可能性がある．
	②手術療法 ・腫瘍摘出術 ・減圧開頭術	●頭蓋内占拠性病変によって亢進した頭蓋内圧を低下させる目的で行われる腫瘍摘出術後や減圧開頭術後は，感染の可能性が生じる．
T-P	**(1)治療への援助** ①呼吸管理 ・気道確保 ・舌根沈下の予防 ・分泌物の吸引 ・エアウェイの使用 ・気管内挿管の準備 ②酸素投与	●反射機能が抑制されているため，舌根沈下，吐物の誤嚥，分泌物の貯留，痰喀出困難などにより，気道閉塞を起こしやすい．また，脳組織の酸素必要量はほかの臓器に比べて多く，脳浮腫は酸素欠乏によって増強するため，呼吸管理を行う． ●炭酸ガス分圧（$PaCO_2$）が上昇すると，脳血管が拡張して頭蓋内圧が亢進するので，低換気を予防する．
	③輸液の管理 ・支持された輸液・薬剤の確実な投与 ・輸液量，尿量，吐物量の測定	●輸液による循環血液量の増加は，脳浮腫を助長する要因となる． ●頭蓋内圧亢進を軽減する薬剤は，投与速度によって薬剤の効果が異なる． ●頭蓋内圧を下げる薬剤は，急激な循環動態の変化や電解質異常をきたす場合がある．水分出納を把握し，確実な薬剤の与薬を行う．
	(2)頭痛緩和への援助 ①安静の保持 ・穏やかで静かな環境	●頭痛は，頭蓋内圧亢進に伴う感覚神経を含む痛覚感受性組織の牽引や偏位などによって生じる，深部痛や鈍痛である．臥床によって静脈灌流量が減少し，頭蓋内に貯留する血液量が増加するなどの原因で，早朝起床時の頭痛を訴えることが多い．
	②体位の工夫 ・臥床時は，頭部を15〜30°挙上する ・頭部や頸部の過伸展を避ける	●静脈灌流を促すように，頭部を高くするなどの体位の工夫や，光や騒音などによる刺激を少なくする．
	③冷罨法	●冷罨法は頭痛による苦痛を和らげる効果がある．
	④ADLへの援助	●持続する頭痛は，活動耐性を低下させ，ADLに影響を及ぼすため，状態に応じてADLを援助する．
	(3)嘔吐時の援助 ①環境整備 ・吐物の速やかな処理 ・換気，臭気の除去 ・汚染されたリネン類の交換	●放置された嘔吐物は，吐き気を誘発して嘔吐につながるため，速やかに環境を整える．
	②冷水で含嗽を行う	●嘔吐後の冷水での含嗽は，口腔内を清潔にし，爽快感をもたらす．
	③深呼吸を促す	●深呼吸は，リラックス効果をもたらし，気分を落ち着かせる．
	(4)排泄への援助（排便コントロール） ・可能ならば腰部温罨法や腹部マッサージを行う ・可能ならば水分摂取を促す ・指示による緩下薬の与薬	●便秘による腹腔内圧上昇および排便時の怒責は，頭蓋内圧を亢進させる． ●便秘傾向に注意し，自然な排便を促す援助を行う．また，指示によって緩下薬を与薬して，排便のコントロールをはかる．

	具体策	根拠と注意点
E-P	**(1)頭蓋内圧亢進憎悪の予防対策への指導** ①頭蓋内圧亢進症状について説明する ②使用する薬物の副作用について説明する ③症状出現時は，我慢しないで伝えるように説明する **(2)処方された薬剤の内服管理についての指導**	●頭蓋内圧亢進に伴う症状を早期に発見し，対処することで増悪を防げる． ●患者・家族に対して，症状や治療について十分に説明を行い，不安の除去に努めるとともに，治療に対しての理解と協力を求める． ●脳浮腫を予防するために処方される副腎皮質ステロイドは，急に内服を中止すると随伴症状が出現する． ●抗痙攣薬は血中濃度を一定に保つ必要がある．正しい服用が症状の軽減につながることを認識してもらい，飲み忘れや自己判断による減量や中断をしないよう指導する．

2 その後の経過や症状が改善しない可能性があることへの不安

	具体策	根拠と注意点
O-P	**(1)不安を示す徴候の観察** ①情動的変化 ・いらいら・怒り・悲しみなどの表情 ・落ち着きのなさ，引きこもり，おびえるなどの行動の変化 ・泣く，怒る，興奮するなどの感情表出 ・集中力の欠如 ②表現とその内容 ・患者からの質問内容 ・悲しみ，諦め，絶望感などの言葉	●ペプローやウィルソンは，不安を「軽度」「中等度」「強度」「重度（パニック）」の４つのレベルに分けている．軽度から中等度の不安は，有益で人間の能力を高めるが，強度や重度の不安は，身体症状や精神症状などの病的な反応を引き起こす． ●現時点では，一部の良性腫瘍を除いて完全治癒は困難な状況にあり，再発の可能性がある．患者・家族は，長期間にわたる経過観察と「再発」の不安に脅かされている． ●不安は，すべて解消されるものではないが，病的な状態に陥らないように，不安状態を把握することで援助方法を考える．
	(2)身体症状の観察 ①入眠状況と睡眠の程度 ②食欲の有無と食事の摂取状況 ③血圧の上昇，頻脈 ④悪心・嘔吐 ⑤四肢の震え ⑥排泄回数の増加	●不安が増強すれば，悪心・嘔吐，食欲低下，うつ状態などの身体症状が出現し，日常生活に影響を及ぼす．強度の不安では血圧が上昇し，心拍数が増加する．
	(3)医師の説明と内容の理解度	●説明不足，理解不足は不安を増強させるので，患者・家族が現在の状況をどのように理解しているのかを把握する．
	(4)問題に対する過去の対処行動	●問題に対する過去の対処行動を把握することで，不安緩和への手がかりを得る．
T-P	**(1)患者の訴えに対して真摯に傾聴** ①批判や否定をしない ②言葉よりも感情に焦点を当てる ③返答を強要しない ④患者の反応を待つ	●傾聴は，カウンセリング技法の１つである．不安への援助は，患者との信頼関係を築くことが重要となる．ロジャーズ（Rogers，M．E）が提示した受容・傾聴・共感的理解を示すことで，患者との信頼関係を構築する． ●「今後どうなるのか」「痛みに苦しむのではないか」などの不安に対しては，その場限りの対応をせず，正しい医学的知識の提供と患者の苦痛を理解しようとする態度で接する．悲しみや怒り，恐れ，無力感など，さまざまな感情を批判や否定せずに十分に聴き，理解に努める．
	(2)家族や同じ疾患の患者と思いを共有できるような時間の提供 ①話しやすい雰囲気をつくる ②同室者を交えた会話の提供 ③同室者との人間関係の調整 ④家族への面会の要請	●同じ疾患をもつ患者とのコミュニケーションをはかることで，情報の共有ができる．他者の病気体験の情報は，将来の自己のあり方を考える機会となり，不安の緩和につながる．

	具体策	根拠と注意点
T-P	**(3)夜間の睡眠への援助** ①環境整備 ・温度，湿度，騒音，照明 ・プライバシーの保持 ・寝具の重さや肌触りなどの調整 ・寝衣をゆったりしたものにする ②リラクゼーション ・好みの音楽をかける ・自律訓練法 **(4)身体的ケア** ①アロマバス ②マッサージ ③タッチング	●疾患に伴う不安は，交感神経の支配を優位にし，不眠の原因となる．不眠が持続すると疲労感や焦燥感，抑うつなどの精神的症状が増大し，それがさらに不安を増強させて生活に支障をきたすようになる． ●不眠は自覚的な症状であるため，患者の訴えを傾聴して苦痛の軽減をはかるとともに，睡眠に適した環境を整える． ●室内の温度や湿度が高いと，深部体温の下降を阻害し，入眠を妨げる． ●全身の筋肉の過度な緊張をとるリラクゼーションは，気持ちを楽にすることで，不安の軽減につながる． ●不安や緊張に由来する身体症状を緩和するために，自律訓練法などを適応させる． ●足浴には，末梢血管の拡張や副交感神経を優位にするなどの効果がある． ●足浴や清拭など，日々の身体的援助を行うことを通して，心身の緊張を和らげるように援助する．
E-P	**(1)医師からの説明で，理解不足の部分をわかりやすく説明** **(2)患者・家族に不安を表出することの重要性を説明** **(3)患者・家族に退院後の生活について指導** ①環境整備について具体的に説明する ②頭部の保護について説明する ③痙攣発作の予防と対処方法 ・規則的な生活，単独行動を避けるなど **(4)再発の徴候について家族に具体的に説明** ①意識や呼吸状態の変化 ②運動麻痺，視力障害などの出現と悪化 **(5) 家族に社会資源についての説明**	●患者の認識不足から，不安が増強しないようにする． ●気持ちを表出することで，楽になるとともに，気持ちに整理がつき，不安の軽減につながる可能性がある． ●術後に，運動機能障害や知覚障害をもって退院する場合は，転倒による頭部打撲を予防するため，帽子などを着用して頭部を保護するとともに，転倒ややけどなどの身体損傷に注意するよう指導する．退院後の生活について指導することで，不安を緩和することができる． ●腫瘍が増大すれば，激しい頭痛，視力障害，麻痺などの神経症状が出現することがある．意識低下，失禁，いびきをかくような呼吸などがみられた場合は，直ちに受診するように説明する． ●福祉サービスを活用することで，日常生活への不安を軽減することができる．

引用・参考文献

1) 竹内登美子編著：脳神経疾患で手術を受ける患者の看護―講義から実習へ 高齢者と成人の周手術期看護4．第2版，医歯薬出版，2015.
2) 関野宏明ほか監：脳・神経疾患―Nursing Selection6．学研メディカル秀潤社，2002.
3) 関口恵子監：経過別看護過程の展開．学研メディカル秀潤社，2007.
4) 小林繁樹編：脳神経外科―新看護観察のキーポイントシリーズ．中央法規出版，2011.
5) 橋本信夫編：ナースのための脳神経外科．改訂3版，メディカ出版，2010.
6) 永田和哉監：脳神経外科ナースの疾患別ケアハンドブック．メディカ出版，2003.
7) 垣田清人ほか編：新・脳神経外科エキスパートナーシング．南江堂，2005.
8) 医療情報科学研究所編：病気がみえる vol.7脳・神経．メディックメディア，2011.
9) 新見明子編：根拠がわかる疾患別看護過程 病態生理と実践がみえる関連図と事例展開．南江堂，2010.
10) 落合慈之監：脳神経疾患ビジュアルブック．学研メディカル秀潤社，2009.
11) 関口恵子編：根拠がわかる症状別看護過程 こころとからだの61症状・事例展開と関連図．改訂第2版，南江堂，2010.
12) 石川ふみよ監：アセスメント力がつく！臨床実践に役立つ看護過程．学研メディカル秀潤社，2014.
13) 廣瀬隆則著：2016WHO脳腫瘍分類と細胞診．第25回愛媛県臨床細胞学会学術集会．2017．https://cyehime.webnode.jp/_files/200000074-2486a2581f/hirose.pdf より2020年8月20日検索
14) T．ヘザー・ハードマン，上鶴重美原書編集，上鶴重美訳：NANDA-I看護診断―定義と分類2018-2020．原著第11版，医学書院，2018.

第６章　脳・神経疾患患者の看護過程

37 重症筋無力症

1. 疾患の基礎的知識

1）疾患の概念

重症筋無力症（MG：myasthenia gravis）は，運動によって骨格筋が著しく疲労しやすく，そのために麻痺様状態を呈する．主症状には，複視，眼瞼下垂，四肢の脱力，球麻痺症状がある．症状の経過は，眼筋だけに限られるものから，次第に全身の筋肉，球麻痺症状に及ぶ重篤なものまである．厚生労働省の指定難病の１つである．

2）原因

神経筋接合部のシナプス後膜上にあるアセチルコリン受容体（AChR）や，筋特異的チロシンキナーゼ（MuSK）などの自己抗体が原因となり，神経筋接合部の刺激伝達が障害されて起こる自己免疫疾患である（**図37-1**）．近年，LDL受容体関連タンパク質４の細胞外領域に対する自己抗体の発見が報告されている[1]．

3）病態と臨床症状

病態

MGの有病率は，人口10万人あたり11.8人である[2]．男女比は約１：1.7であり，20～40歳代の女性に好発する．近年，高齢男性の発症が増加傾向にある．また，15歳以下の小児期発症MGがあり，５歳未満にピークがある．MG症状は，易疲労性と筋力低下をきたし，夕方になると症状が強くなるという日内変動を特徴とする．

抗AChR抗体による病態機序には，遊離したAChのAChRへの結合阻害，AChR崩壊促進，補体介在性後シナプス膜の破壊が考えられる．

抗AChR抗体が陰性（seronegative）で，筋特異的チロシンキナーゼ（MuSK）に対する自己抗体が検出される場合がある．抗MuSK抗体陽性例では，顔面筋や球麻痺症状を伴いやすい．また，抗AChR抗体，抗MuSK抗体ともに陰性の場合もある．

胸腺腫の合併は高頻度で認められる．また，複数の自

図37-1　重症筋無力症の病態生理

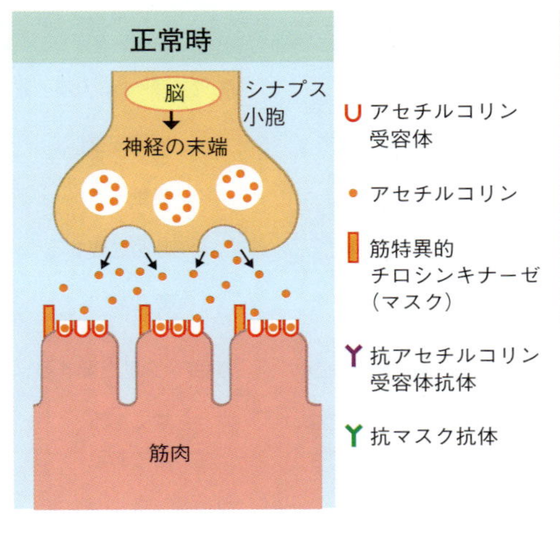

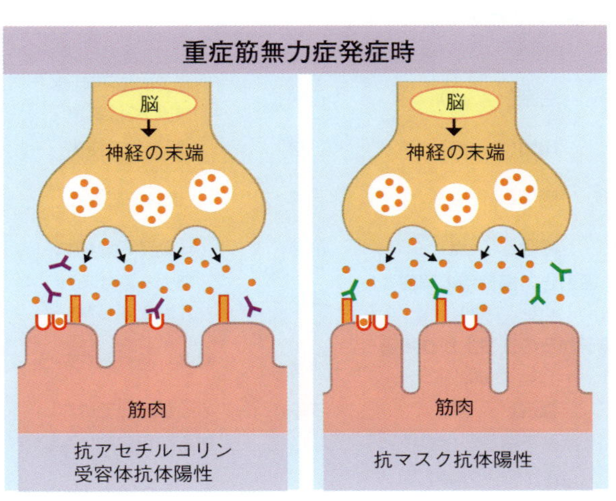

己免疫疾患の合併が指摘されており，とくに甲状腺疾患の頻度が高いが，そのほかに，全身性エリテマトーデス，関節リウマチ，シェーグレン症候群，多発性筋炎などがあげられる．感染症，心身の疲労，月経，妊娠，出産，ある種の薬物（抗不整脈薬，抗菌薬，睡眠薬，抗不安薬，排尿障害治療薬など）が誘因となって急性増悪する場合がある．一部の眼筋型や全身型に完全寛解があるものの，多くの例で寛解と増悪を繰り返す．

分類

病型分類には，MGFA（Myasthenia Gravis Foundation of America）分類を用いる（**表37-1**）．またMGの重症度は，MG-ADLスケールなどで評価する（**表37-2**）．

臨床症状

(1)眼筋の障害

最も発症しやすいのが外眼筋麻痺であり，物が二重に見える複視，一側性あるいは両側性の眼瞼下垂（**図37-2**），閉眼不全を訴える．眼筋型で数年経過したのちに全身型へ進行するものと，眼筋型と全身型症状が同時に出現するものがある．

(2)顔面・四肢筋の脱力と麻痺

表情筋の筋力低下のため，特有の筋無力症様顔貌を呈する．上下肢の近位筋がおかされ，脱力とともに上肢の挙上困難，起立困難が出現する．

(3)球麻痺症状

咽頭筋麻痺によって，嚥下・咀嚼・構音障害をきたす．症状が急速に悪化する筋無力性クリーゼのときには，呼吸筋も麻痺することが多く，気管切開，人工呼吸器の装着を必要とする．

表37-1　MGFA分類

Class Ⅰ		眼筋筋力低下．閉眼の筋力低下があってもよい / 他のすべての筋力は正常
Class Ⅱ		眼筋以外の軽度の筋力低下 / 眼筋筋力低下があってもよく，その程度は問わない
	Ⅱa	主に四肢筋，体幹筋，もしくはその両者をおかす / それよりも軽い口咽頭筋の障害はあってもよい
	Ⅱb	主に口咽頭筋，呼吸筋，もしくはその両者をおかす / それよりも軽いか同程度の四肢筋，体幹筋の筋力低下はあってもよい
Class Ⅲ		眼筋以外の中等度の筋力低下 / 眼筋筋力低下があってもよく，その程度は問わない
	Ⅲa	主に四肢筋，体幹筋，もしくはその両者をおかす / それよりも軽い口咽頭筋の障害はあってもよい
	Ⅲb	主に口咽頭筋，呼吸筋，もしくはその両者をおかす / それよりも軽いか同程度の四肢筋，体幹筋の筋力低下はあってもよい
Class Ⅳ		眼以外の筋の高度の筋力低下．眼症状の程度は問わない
	Ⅳa	主に四肢筋，体幹筋，もしくはその両者をおかす / それよりも軽い口咽頭筋の障害はあってもよい
	Ⅳb	主に口咽頭筋，呼吸筋，もしくはその両者をおかす / それよりも軽いか同程度の四肢筋，体幹筋の筋力低下はあってもよい
Class Ⅴ		気管内挿管された状態．人工呼吸器の有無は問わない / 通常の術後管理における挿管は除く 挿管がなく経管栄養のみの場合はⅣbとする

表37-2　MG-ADLスケール

	0点	1点	2点	3点
会話（　点）	正常	間欠的に不明瞭もしくは鼻声	常に不明瞭 もしくは鼻声，しかし 聞いて理解可能	聞いて理解するのが困難
咀嚼（　点）	正常	固形物で疲労	柔らかい食物で疲労	経管栄養
嚥下（　点）	正常	まれにむせる	頻回にむせるため，食事の変更が必要	経管栄養
呼吸（　点）	正常	体動時の息切れ	安静時の息切れ	人工呼吸を要する
歯磨き・櫛使用の障害（　点）	なし	努力を要するが休息を要しない	休息を要する	できない
椅子からの立ち上がり障害（　点）	なし	軽度，時々腕を使う	中等度，常に腕を使う	高度，介助を要する
複視（　点）	なし	あるが毎日ではない	毎日起こるが持続的でない	常にある
眼瞼下垂（　点）	なし	あるが毎日ではない	毎日起こるが持続的でない	常にある
合計（0～24点）				

4）検査・診断

(1)テンシロン試験

速効性の抗コリンエステラーゼ（ChE）薬であるエドロホニウム塩化物（アンチレクス®）の静脈内注射による，症状の劇的な改善が，MGの診断基準の１つになる．アンチレクス®10mgを皮下用注射器に入れ，２mgを静注してムスカリン症状（発汗，流涎，下痢，腹痛，嘔吐，喘息発作など）がないことを確認し，残りを2mgずつ１分ごとに静注する．反応陽性者は，静脈注射後30秒～５分間，改善状態が続く[4)]．

(2)筋電図

末梢神経に連続刺激を行うと，振幅は急速に減少し，ウェイニング現象（減衰波）が観察される（**図37-3**）．この現象では，４～５発目の振幅が１発目に対して10%以上減衰した場合に陽性とする．

(3)血中抗AChR抗体，抗MuSK抗体の測定

抗AChR抗体は約80～90%の患者で陽性である．正常は0.2nM以下．MGの重症度や病勢に必ずしも一致しない．また，抗AChR抗体陰性のMGが15～20%あり，そのなかの10～60%は抗MuSK抗体が陽性である[4)]．

(4)画像診断

胸部CT・MRI検査で，胸腺腫の有無を確認する．

5）治療

早期に免疫療法を開始することで，良好な予後をもたらす早期強力治療戦略が提唱された（『重症筋無力症診療ガイドライン2014』）．全身型MGでは，早期から積極的に免疫療法を行い，症状の改善を目的に，血液浄化療法やステロイドパルスとの併用，経口ステロイド薬を５mg/日以下で使用することが推奨されている．病型（眼筋型，全身型），胸腺腫の有無，抗MuSK抗体の有無，年齢，難治例かによって，治療を適宜組み合わせる．

(1)抗ChE薬とナファゾリン硝酸塩点眼

ピリドスチグミン臭化物（メスチノン®）が最も多く用いられる．メスチノン®は，ムスカリン作用が弱く，30分以内に効果が発現し，３～４時間持続する．メスチノン®で反応が悪い場合や消化器症状が強い場合，アンベノニウム塩化物（マイテラーゼ®）に変更する．マイテラーゼ®は作用時間が長く，３～８時間持続するが，メスチノン®よりもコリン作動性クリーゼ（急激な症状の変化）を起こす恐れがある．抗ChE薬には，ほかにジスチグミン臭化物（ウブレチド®），ネオスチグミン臭化物（ワゴスチグミン®）などがある．各薬物の効果発現までの時間，有効持続時間，副作用の種類と程度など，薬理作用が異なる．いずれの薬物も副作用であるムスカリン作用の出現を見逃さないように注意し，出現した場合は減量する．抗ChE薬は，対症療法として用いるようになった．

眼筋型では，ミュラー筋の収縮を増強するナファゾリン硝酸塩（プリビナ®点眼液）が，軽中等度眼瞼下垂に有効である．

(2)免疫療法

①カルシニューリン阻害薬：タクロリムス水和物（プログラフ®）やシクロスポリン（ネオーラル®）が用いられる．眼筋型，胸腺腫瘍の未摘出，ステロイドの未使用例でも保険適用が拡大した．

②ステロイドパルス療法：迅速な効果を期待して，パルス療法（メチルプレドニゾロン®1,000mg/日，３日点滴投与を１クールとし，１～３クール）を行う．使用時の副作用には，不眠，頭痛，苦味，多幸，うつ，一過性急性関節炎，心不全，凝固亢進による血栓が

図37-2　眼瞼下垂

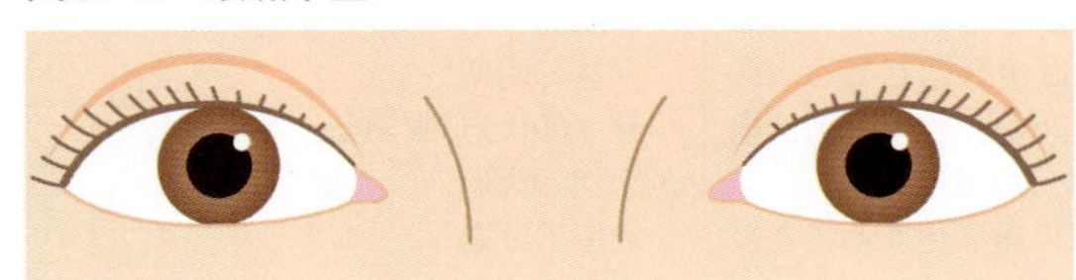

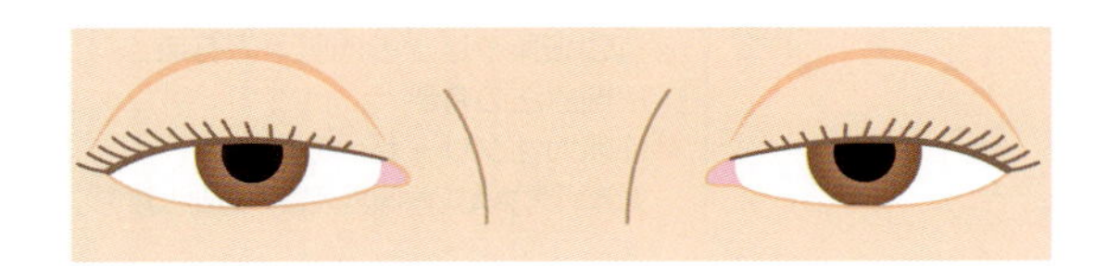

図37-3　MG患者の筋電図波形

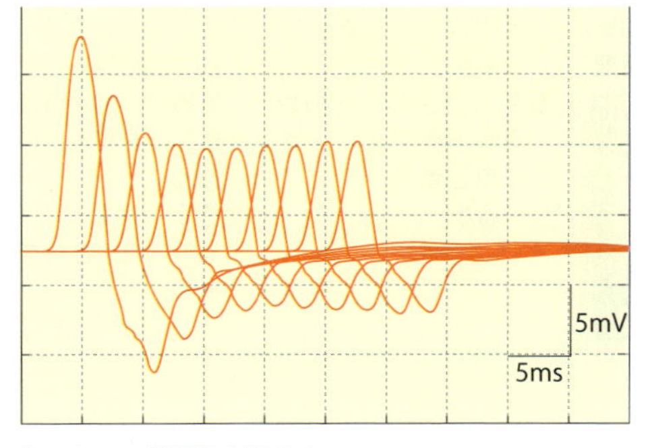

ウェイニング現象を認める

鈴木則宏ほか編：講義録 神経学．p.105，メジカルビュー社，2007.

あるため，注意が必要である．また，治療後，２～４週間はとくに免疫機能が低下するため，感染に注意する．

③ステロイド薬内服療法

・全身型で胸腺摘出術を行わない場合：ステロイドの初期増悪に注意して，５～10mg/日から開始する．

・胸腺摘除術後カルシニューリン阻害薬単独使用で寛解しない場合：ステロイド薬を併用する．

・術前術後ともにカルシニューリン阻害薬の副作用がある場合：初期増悪（１週間以内）を避けるため，漸増法が基本である．プレドニゾロン®10～20mgから朝１回隔日で開始し，初期増悪がなければ２週間で100mgまで漸増する．初期増悪の場合には，改善するまで投与量を維持する．

④生物学的製剤：リツキシマブ（リツキサン®）早期効果として２週間前後，長期効果として月単位での効果が期待される．

(3)血漿浄化療法

主に抗AChR抗体や抗MuSK抗体を減少させる目的で行う．最近，免疫吸着療法（TR-350）が用いられており，１日おきに３～５回を１クールとして施行する．クリーゼからの早期離脱，胸腺摘出術前後のMG症状の改善，ステロイド薬やカルシニューリン阻害薬に抵抗する患者や症状が不安定な患者に適応とされている．

(4)免疫グロブリン大量療法

急性増悪した全身型MG患者およびクリーゼに対して有効であり，0.4/kg/日を３～５日間，静脈内点滴投与する．投与速度は，４時間以上とすることで頭痛，発熱，悪寒などの副作用を少なくできる．副腎皮質ステロイド薬や免疫抑制薬を行ったうえで，この投与が行われる．

(5)拡大胸腺摘除術

手術療法は，画像上，胸腺腫を認める場合には手術が適応するが，全身型で抗MuSK抗体が陽性例では不適応である．発症からの期間が短いほど効果が期待できる．効果の発現は６か月～３年を要する．浸潤性胸腺腫では放射線療法が追加される．手術として，胸腔鏡による低侵襲手術が増えている．

6）予後

近年，MG患者の予後は改善し，QOLとADLは上昇し，クリーゼによる死亡や長期人工呼吸器装着の患者は激減した．寛解率は20%だが，生活や仕事に支障がない症状軽微（MM：minimal manifestation）の達成は50%である[1]．しかし，感染症を契機にMG症状が増悪し，呼吸困難や嚥下困難を引き起こす場合がある．胸腺腫のあるⅢ期以上の患者に，放射線療法や化学療法を併用しても約30%の再発率を認めた[5]．一方，胸腺腫のないMGで，抗MuSK抗体陽性の場合，クリーゼになりやすく，副腎皮質ステロイド薬や免疫抑制薬などでも症状コントロールが難しい例がある．

2. 看護過程の展開

● アセスメント～ゴードンの機能的健康パターンを用いて

パターン	アセスメントの視点	根拠	収集する情報
(1) 健康知覚-健康管理 患者背景 健康知覚-健康管理 価値-信念	●患者は自分の状態をどのように認識しているか ●症状コントロールや病状悪化防止に関する自己管理ができているか	●全体の7割が眼瞼下垂で発症する．MGFA分類で，Ⅰが眼筋型，Ⅱa～Ⅴは全身型である．最初は眼筋型でも全身型に進行し，嚥下障害，構音障害，咀嚼困難となる場合がある． ●感染症を契機として，一気に重症化することがある． ●症状は活動に応じて変化したり日内変動がある．自身で症状をコントロールしていく必要がある．	●現病歴 ・発症の時期 ・発症の仕方（眼筋型，全身型） ・病状の経過 ・治療の経過 ・病気の捉え方 ・既往歴 ●治療の理解と認識 ・抗ChE薬やほかの内服薬の有無 ・民間療法の有無 ●筋無力性クリーゼへの対処 ・気管切開や人工呼吸器装着の必要と離脱

パターン	アセスメントの視点	根拠	収集する情報
(1) 健康知覚-健康管理 患者背景 健康知覚-健康管理 価値-信念	●家族の協力が得られるのか ●治療が奏効しないことへの焦りはないか	●筋肉疲労を起こさないように，家族が活動の一部を手伝うことで，症状コントロールする必要がある． ●ADLが低下してこのまま動けなくなるのではないかという精神的苦痛と焦りから，内服薬の勝手な増量や自己中断は，病状悪化につながるため，規則正しく確実な内服を習慣化できるように，教育的関わりが必要である．	●家族の協力と介護力 ・家族構成と主介護者 ・クリーゼへの対処方法
(2) 栄養-代謝 全身状態 栄養-代謝 排泄	●MGの悪化による嚥下障害はないか ●眼型から全身型への移行による体重減少はないか	●咽頭筋の麻痺によって嚥下障害を生じる．会話時の鼻声，唾液が飲み込みにくい訴えは，球麻痺症状と捉えられる． ●筋萎縮は，MGFA分類で末期の段階まで目立たないが，眼型から全身型に移行すると四肢筋力の低下，筋量の減少，体重減少が生じる．	●嚥下機能障害 ・自覚症状：喉のつっかえ感，むせ込み ・食欲の有無 ・食事の摂取状況：咀嚼力，嚥下の仕方 ・飲み込みにくい食べ物の有無 ・食事中の体位 ●栄養状態 ・体重減少 ・筋緊張，筋肉のつき方 ・皮膚の乾燥 ・検査データ（TP，Alb，電解質）
(3) 排泄 全身状態 栄養-代謝 排泄	●抗ChE薬の副作用による下痢はないか	●抗ChE薬の投与量が多いことで体内に蓄積すると，コリン作動性クリーゼを起こす恐れがある．クリーゼの前兆には，食事の飲み込みにくさ，会話時の疲労感とともに，顔面蒼白，胸内苦悶，下痢などの症状がある．	●排泄状態 ・排便回数，性状，排便異常 ・腹部症状（悪心，嘔吐，下痢） ・排尿回数（頻尿の有無） ・発汗の有無 ・流涎（よだれ）の有無
(4) 活動-運動 活動・休息 活動-運動 睡眠-休息	●脱力や疲労感の日内変動はあるか ●脱力や疲労感が活動によって影響を受けているか ●ADLの自立度はどうか ●クリーゼの徴候はないか ●クリーゼの誘因はないか	●疾患の初期では，起床時の脱力は比較的軽度であるが，夕方には増強する．脱力は動作前後で変化することがある．脱力や疲労感はADLにも影響する． ●呼吸筋の筋無力症状によって呼吸困難に至ることがある． ●クリーゼの誘因には，抗ChE薬の過量服用のほか，感染症，過労，月経，妊娠，出産，手術や外傷，禁忌薬物の服用などがある．	●MGの自覚的症状 ・脱力感，疲労感 ・眼瞼の重い感じ，複視 ●MGの他覚的症状 ・上肢：握力，垂直挙上の時間 ・下肢：歩行状態，起立，しゃがみ立ちの姿勢，下肢挙上の時間，階段昇降 ・頭部：仰臥位における頭部挙上 ・体幹：寝返り，仰臥位における腰部挙上 ・顔面：眼瞼下垂，筋無力症様表情，会話の仕方 ●ADLの自立度 ・食事，排泄，清潔，更衣，移動 ・日課，１週間のスケジュール ●クリーゼの徴候 ・急激な筋力低下 ・呼吸障害の有無 ・嚥下障害の有無 ・構音障害の有無

パターン	アセスメントの視点	根拠	収集する情報
(5) **睡眠-休息** 活動・休息 活動-運動 睡眠-休息	●病気への不安から睡眠障害はないか ●指示された睡眠薬以外の薬を内服していないか	●治療効果が現れない不安から，夜間の不眠を引き起こす可能性がある．また筋力低下によって，姿勢の保持ができず，安楽な姿勢が保てないことがある． ●睡眠薬の種類によっては，MG症状の増悪をきたすものがある．	●睡眠状態 ・不眠の訴え ・睡眠時間と中途覚醒の有無 ・睡眠薬の内服 ●安楽な姿勢と体位 ・ベッドの挙上 ・枕の使用
(6) **認知-知覚** 知覚・認知 認知-知覚 自己知覚-自己概念 コーピング-ストレス耐性	●MG症状による筋力低下や疲労感が及ぼす強い不安はないか	●全身型では，四肢筋の疲労感，嚥下障害，構音障害など，球麻痺症状で始まる場合もある．症状により不安を生じることがある．	●易疲労感による苦痛 ・眼瞼 ・四肢 ●球麻痺症状による苦痛 ・嚥下困難 ・呼吸困難 ・鼻に抜ける会話 ●MG症状に伴う不安 ・易疲労感の自覚と不安の程度 ・休息による疲労感の回復 ・薬物の効果と持続時間
(7) **自己知覚-自己概念** 知覚・認知 認知-知覚 自己知覚-自己概念 コーピング-ストレス耐性	●疾患をもつ自分をどのように受け止めているか ●MG症状に関連したボディイメージの混乱はないか ●胸腺腫の合併をどのように捉えているか	●症状をコントロールしていくうえで，疾患を理解し，自分の生活にあった活動と健康維持は欠かせない．活動が思うようにできないと，気分が落ち込み，症状コントロールへの意欲が低下する可能性がある． ●筋無力様の顔貌，嚥下障害，構音障害による機能的変化，外観の変化から，ボディイメージの混乱を引き起こす． ●画像上，胸腺腫を認めるときは胸腺摘出術が行われる．術後から効果発現まで最低半年かかるため，焦りは不要である．	●疾患，治療についての知識と受け止め方 ・抗体価 ・抗ChE薬などの内服薬 ・血漿交換 ・免疫グロブリン大量療法 ・胸腺摘出術など ●ボディイメージの変化と捉え方 ・症状に関連したボディイメージ ・症状コントロールへの意欲 ・情緒的変化 ●手術療法への捉え方 ・胸腺腫合併の有無 ・抗MuSK陽性の有無 ●ほかの自己免疫疾患合併の有無 ・甲状腺疾患 ・全身性エリテマトーデス ・関節リウマチ ・多発筋炎など

パターン	アセスメントの視点	根拠	収集する情報
(8) 役割-関係 周囲の認識・支援体制 役割-関係 セクシュアリティ-生殖	●日常生活や仕事を他者にどれだけ委譲できるか ●患者が周囲へ疾患をどのように公表しているのか	●易疲労性の疾患であるため，過度な疲労を生じないよう，仕事を他者に委譲することも必要である． ●職場へ疾患を公表しないことで，疲労度の高い仕事を継続し，症状コントロールを困難にしている場合がある．活動量を調整して社会参加を円滑に営むためには，周囲の理解とサポートを得る必要がある．	●家庭での役割遂行状況 ・家庭内での役割変更 ・家族の関係性 ●職場での役割遂行状況 ・職種と役割 ・役割変更の有無 ・仕事継続の有無 ・対人関係
(9) セクシュアリティ-生殖 周囲の認識・支援体制 役割-関係 セクシュアリティ-生殖	●生殖の発達段階をどのようにたどっているか ●妊娠や出産によるMG症状の悪化はないか	●MGは女性に多く，発症年齢が妊娠出産が可能な年代である． ●妊娠と出産は，病気の増悪因子である．	●セクシャリティパターン ・生理の周期 ・妊娠と出産 ・更年期障害の有無 ・子どもの人数 ●MG症状 ・生理に伴う心身の変化 ・妊娠と出産後の変化
(10) コーピング-ストレス耐性 知覚・認知 認知-知覚 自己知覚-自己概念 コーピング-ストレス耐性	●病気の進行が及ぼすストレスに対処する方法をもっているか	●ストレスのあるときに用いてきた対処方法が毎回有効であるとは限らない．ストレスが軽減しないとクリーゼの要因となることもある．	●問題解決の方法 ・ストレスの度合いと対処 ・相談できる人の有無 ・リラックス方法の有無 ●ソーシャルサポートの状況 ・友人や親戚のサポート ・社会資源の活用状況
(11) 価値-信念 患者背景 健康知覚-健康管理 価値-信念	●患者と家族は疾患に対して偏見はないか	●難病への社会的偏見に悩む家族もいる．MGについて家族が誤った偏見をもっていることもある．	●患者と家族の病気の捉え方 ・療養生活への不安 ・病気への偏見 ・治療や予後

3. 全体像の把握から看護問題を抽出

1）病態関連図

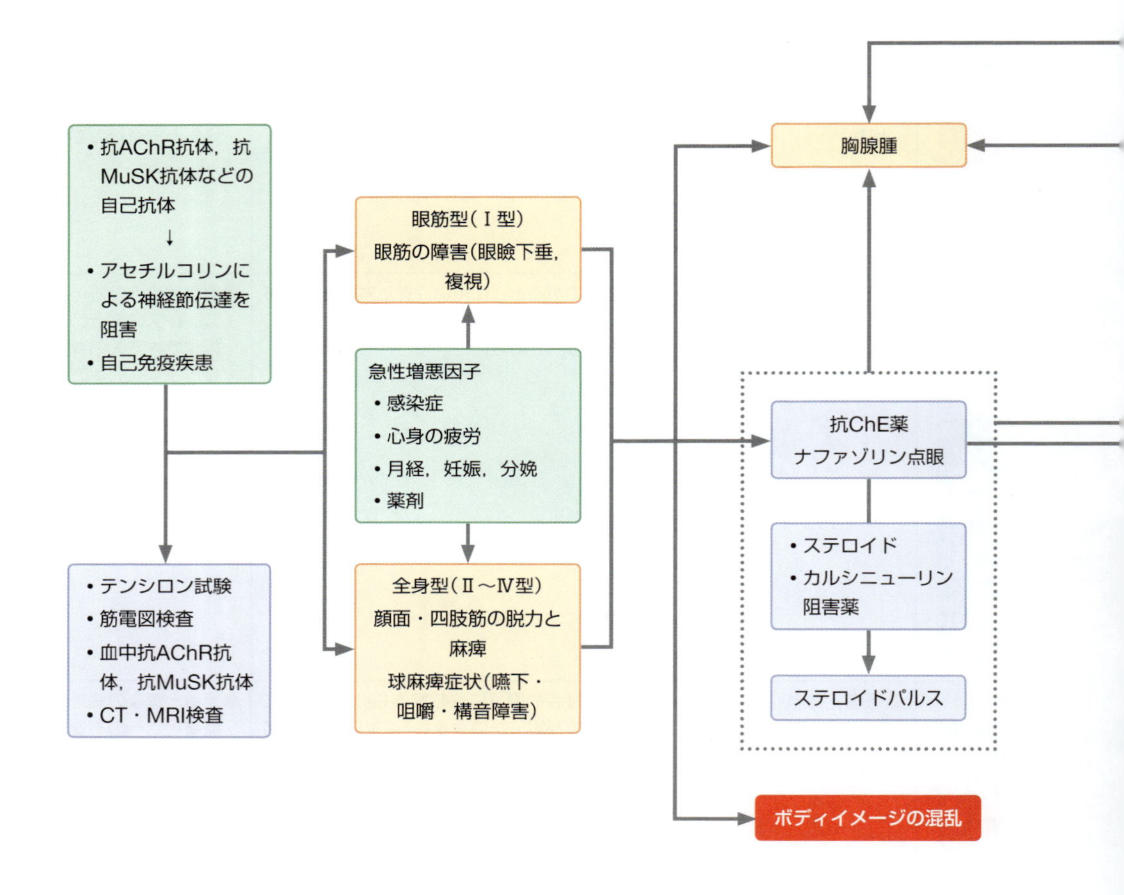

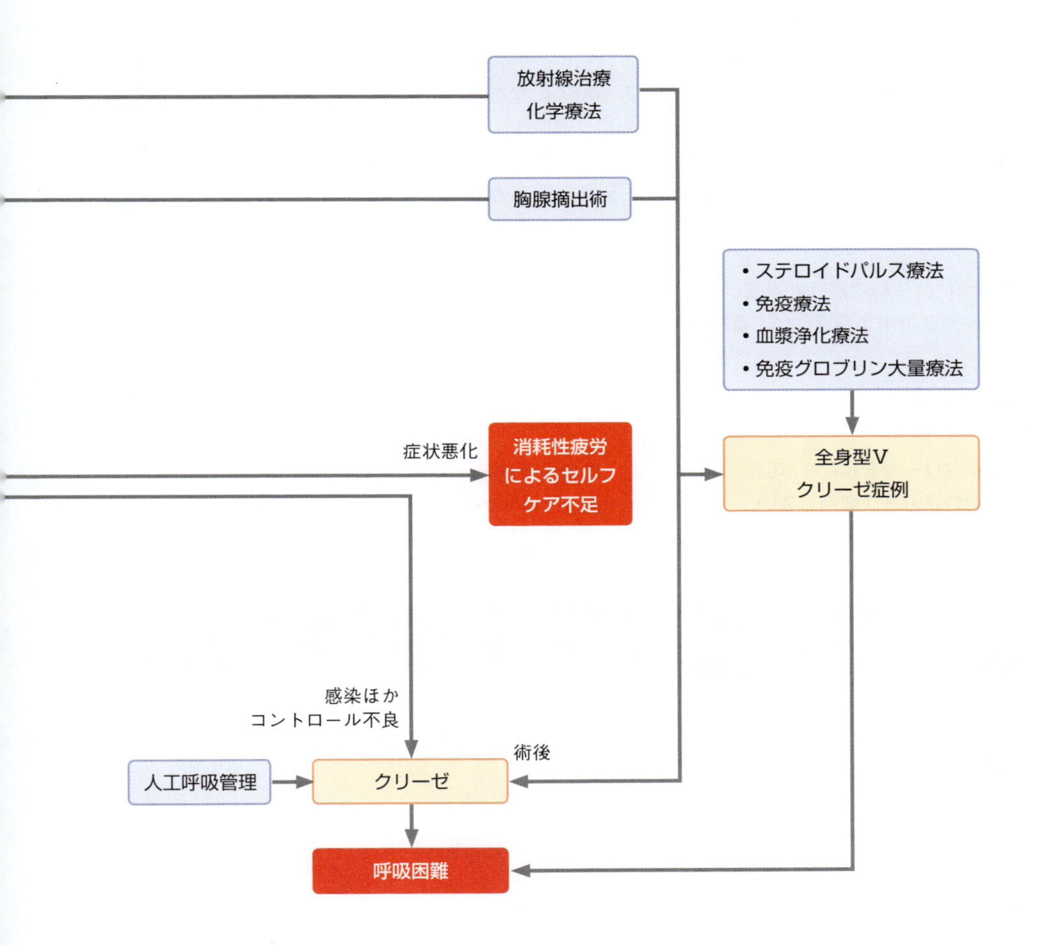
放射線治療
化学療法
胸腺摘出術
・ステロイドパルス療法
・免疫療法
・血漿浄化療法
・免疫グロブリン大量療法
症状悪化
消耗性疲労によるセルフケア不足
全身型Ⅴ
クリーゼ症例
感染ほか
コントロール不良
術後
人工呼吸管理
クリーゼ
呼吸困難

2）看護の方向性

重症筋無力症（MG）は，易疲労性を最大の特徴とする難病である．MGの治療が確立し，予後は著しく改善したが，病型，胸腺腫の有無，抗MuSK抗体の有無，年齢，難治例かによって，治療を適宜組み合わせ，治療は長期間にわたる．そのため，QOLやメンタルヘルスを良好に保つ必要がある．治療戦略によって大きく変化した点は，経口ステロイド薬はあくまでも少量とし，カルシニューリン阻害薬を早期から積極的に用いる．また，速効性の血液浄化療法とステロイドパルスの併用療法により，短期的に改善することが推奨されている．しかし，ステロイドパルス療法には，初期増悪が伴うため，十分注意して観察する必要がある．また，感染症を契機にして，嚥下障害，咀嚼の障害，構音障害を引き起こし，一気に重症化する場合があるため，セルフマネジメントの重要性について認識してもらい，また家族にも感染防止とクリーゼへの対処を指導する．

胸腺腫を合併する場合には，胸腺摘除術を行い，さらに放射線療法や化学療法を併用する場合があるため，治療法選択において意思決定支援が重要になる．抗MuSK抗体陽性では，クリーゼになりやすく，一部にステロイド薬やカルシニューリン阻害薬などの治療効果が期待できない難治性のものもあるため，心理的支援が重要になる．

また，休息によって疲労感が回復するのか，しないのか，自己確認する必要がある．日課，労働時間，余暇の過ごし方など，日常生活の活動量について自己分析できるように，その重要性について指導し，疾患の悪化を防止することが重要である．

さらに，外観変化により他者から自分がどのようにみられるのかを気にしたり，引きこもったりしないために，退院後に抱える心理社会的問題について，共感的に聴き，患者に応じた指導をする必要がある．

近年，高齢者の発症が増加しており，在宅療養を継続するための介護力についてもアセスメントすることが大切である．多くの場合，病気の寛解と増悪を繰り返すため，長期的な療養において，家族指導をはじめ，利用できる社会資源についても情報提供する．

3）患者・家族の目標

・急激な病気の悪化によるクリーゼを起こさない．
・過度な活動によって脱力や疲労感が増強しない．
・咀嚼障害に起因した栄養バランス不足が改善される．
・構音障害があっても，円滑に他者とのコミュニケーションがはかれる．
・社会資源を活用して家族の介護負担が軽減される．

4. しばしば取り上げられる看護問題

#1 感染や症状コントロール不良に関連したクリーゼによる呼吸困難の危険性

なぜ？

病状の悪化によって，クリーゼを起こし呼吸困難になる．クリーゼは，ステロイドパルス療法の初期増悪，抗ChE薬の効果が低下する場合にも起こる．抗ChE薬の効果が低下すると，嚥下障害や構音障害が著しくなり，訴えることができない．また，抗ChE薬の服用効果を自覚できず，自己判断で服薬を増量すると，クリーゼの原因になる．その他の原因として，感染，過労，生理，妊娠・分娩，手術，禁忌薬物の服用がある．

➡期待される結果

体調の自己管理を行うことができる．

病気の悪化徴候がみられない．

#2 消耗性疲労によるセルフケア不足

なぜ？

脱力や疲労感は，活動に応じて変化する可能性がある．起床時は比較的軽度だが，夕方になると増強する．

病気の特徴である疲労を理解しない家族や職場の人々は，調子の悪さを「怠けている」と勘違いして捉えてしまう場合がある．患者本人も病気を正しく理解し，増悪因子を予防する必要がある．

➡期待される結果

筋力や疲労度に応じた活動ができる．

◆3 疾患による症状や障害，薬物の副作用によるボディイメージの混乱

なぜ？

筋無力様症状，嚥下障害，構音障害，薬物の副作用によるムーンフェイス（満月様顔貌）などによる外観の変化によって，ボディイメージの変容を余儀なくされる．

➡期待される結果

身体機能を受け入れ，自己のイメージを変化させることができる．

5. 看護計画の立案

• O-P：Observation Plan（観察計画）　• T-P：Treatment Plan（治療計画）
• E-P：Education Plan（教育・指導計画）

◆1 感染や症状コントロール不良によるクリーゼによる呼吸困難の危険性

	具体策	根拠と注意点
O-P	**(1)呼吸状態**	
	(2)クリーゼの前駆症状 ①自覚症状：息苦しさ，痰喀出困難，唾液の嚥下困難 ②息苦しさに伴う不眠 ③ムスカリン症状：唾液・涙・気管分泌物の分泌亢進，悪心・嘔吐，下痢，腹痛 ④発熱の有無 ⑤その他：不眠，頭痛，苦味，多幸，うつ，一過性急性関節炎，心不全，凝固亢進による血栓	●ステロイドパルス療法の初期増悪は1週間以内であるため，クリーゼには注意が必要である． ●抗ChE薬の効果が低下すると，構音障害が著しくなり，訴えることができない．変化を見逃さないように十分注意する． ●発熱の有無や細菌学的検査データにも注目する．
	(3)薬理学的検査による判断 ①筋無力性クリーゼ：薬理学的検査陽性 ②コリン作動性クリーゼ：薬理学的検査陰性，抗ChE薬の過剰投与，副腎皮質ステロイド薬の大量療法	●薬理学的検査によって，クリーゼを見分ける方法はあるが，緊急時には呼吸困難への対処を優先させる．
	(4)増悪因子	
	(5)抗ChE薬や副腎皮質ステロイドの内服状況	●抗ChE薬のメスチノン®では，服用から30分以内に効果が現れるが，効果を自覚できずに増量すると，クリーゼを引き起こす．服用量と時間は正確に守って内服する必要がある．
	(6)ほかの薬物についての内服状況	●胸腺摘出術後，ステロイド薬を開始する場合がある．ステロイド薬の与薬開始初期の症状増悪でクリーゼの危険性に注意する．
T-P	**(1)増悪因子の軽減**	
	(2)クリーゼ発症前の準備	●クリーゼが起こったらすぐに対応できるように気道確保の準備は万全に行う．
	①気道確保	●気管挿管・気管切開セット，バッグバルブマスク，吸引器，人工呼吸器をいつでも使用できるように用意しておく．
	②血管確保	●緊急時の注射薬がすぐ使用できるように救急カートを確認しておく．
	(3)クリーゼ発症後の対処 ①呼吸管理	●呼吸困難が強いときは，気管内挿管あるいは気管切開して人工呼吸器が装着される．薬物療法によって呼吸筋が回復してきたら人工呼吸器を離脱し，気管切開を閉じる．気管切開と人工呼吸器の装着時の援助については，「40 筋萎縮性側索硬化症患者」の「看護計画の立案」参照（p.632～633）
	②正確な抗ChE薬の与薬	●医師の指示で，ステロイド薬，抗ChE薬が中止される場合があるため，指示量に注意する．
	③輸液管理	●脱水を伴っていることがあるため，血清電解質のみならず，尿中の電解質データも把握する．尿量とともに，嘔吐や下痢の有無，発熱などの情報にも留意し，適切に輸液管理する．

	具体策	根拠と注意点
E-P	**・増悪因子の軽減についての説明** ①過労やストレス	●症状の急性増悪やクリーゼを予防するための知識について指導する．
	②風邪や感染	●風邪や上気道の感染症を引き起こさないように，風邪を引いた人の面会を制限し，感染症を予防する．
	③禁忌薬物の使用	●薬物のなかには症状を悪化させるものがあるため，服用に際して，専門医の診察とアドバイスを受ける必要性を説明する．
	④抗ChE薬の中断や過剰内服	●患者は，薬剤の効果発現時間と持続時間を体験的にわかっていることが多いが，服用と症状の変化を医師に報告し，勝手に服薬方法を変更しないように指導する．
	⑤妊娠・分娩・手術など	●女性では，生理時や妊娠，出産で増悪することがある．家族計画とともに，妊娠したら，救急対応のある病院で出産するようにすすめる．

2 消耗性疲労によるセルフケア不足

	具体策	根拠と注意点
O-P	**(1)セルフケアの状況(ADL)**	
	(2)筋力と易疲労性の程度 ①自覚症状：脱力感，疲労感，眼瞼の重い感じ，複視 ②上肢：歩行状態，起立・しゃがみ・立ち上がりの姿勢，下肢挙上の持続時間，階段昇降 ③頭部：仰臥位における頭部挙上 ④体幹：寝返り，仰臥位における腰部挙上 ⑤顔面：眼瞼下垂，筋無力様表情，会話の仕方	●易疲労性は，日常的に用いる「疲れた」状態ではなく，筋肉の機能低下として観察する．水の入ったカップがもてるか，段差のあるところでつまずかないか，動作は午前と午後で変化があるのか，具体的な動作について尋ねる． ●症状の悪化時は，鼻に抜けるような話し方になる．
	(3)抗ChE薬の効果	●抗ChE薬でも，メスチノン®は30分以内に効果が発現し，作用時間が2～4時間であり，マイテラーゼ®は4～8時間と長い．前者を用いて，反応が悪い場合や消化器症状が強い場合にマイテラーゼ®に変更することがある．
	(4)胸腺腫摘出術後の有無	●画像上，胸腺腫ではないが，過形成が明らかな場合や，内服に対する反応が悪い場合にも，胸腺摘除術を行う．効果発現まで，最低半年以上かかる．
T-P	**(1)脱力と疲労感の程度によって，ADLを部分介助または全面介助**	●筋力低下によってADLが不自由になるとともに，転倒による事故を引き起こす危険性がある．セルフケア能力が低下しないように，自力でできる部分はできるだけ行ってもらうが，過労につながる動作，危険を伴う動作は介助する．
	①更衣への援助	●衣類は前開きのものにし，大きいボタンやファスナーなどで工夫する．
	②食事への援助	●疲労しないように，食器は軽量のものを用い，ギャッチアップし，肘の高さにサイドテーブルを調整する．咀嚼や嚥下機能が低下している場合は，飲み込みやすい食事を提供する．
	③排泄への援助	●トイレまで歩行ができるのかを判断し，必要に応じて，ポータブルトイレやベッド上排泄を選択する．
	④清潔への援助	●入浴・シャワー浴，清拭を，状態に応じて適宜援助する．
	⑤移動への援助	●自力で起き上がれない場合があるため，転倒しないように介助し，車椅子を用いる．
	(2)自分にあった方法でニーズが表現でき，意思疎通ができるように援助 ①筆談や文字盤を使用する ②主な訴えをカードにする ③簡単な合図を工夫する	●球麻痺症状は，初期にもあるため，急性増悪の徴候を見逃さないように観察し，鼻に抜けるような話し方をする場合には，疲労させないように会話は最小限にとどめる．また，発話困難は，筋力が回復すれば問題なくできる点について説明し，安心させる．

	具体策	根拠と注意点
E-P	**(1)疾患の特徴と介助の必要性を家族に説明する**	●疾患の特徴を理解できない家族が，調子の悪さを「怠けている」と勘違いしていることがある．疲労は疾患の特徴であることを家族に説明し，介助の協力を得る．
	(2)身のまわりの環境を整理することで，活動量を調整できるように指導する	●頻繁に使用するものは，身近で取り出しやすいところに置くように指導する．
	(3)服薬管理について説明する	●MGでは，服薬管理は症状をコントロールするために重要であり，飲み忘れや自己中断のないように指導する．また，患者・家族が，直接主治医から治療方針を聞き，薬物名，作用や副作用が理解できるように指導する．

引用・参考文献

1) 日本神経学会監：重症筋無力症診療ガイドライン2014．南江堂，2014．
2) 村井弘之ほか：重症筋無力症の疫学―厚生労働省免疫性神経疾患に関する調査研究班臨床疫学調査結果から．脳21，11（２）：227～231，2008．
3) Murai H,et al.: Characteristics of myasthenia gravis according to onset-age: Japanese nationwide survey. J Neurol Sci, 305, 97-102, 2011.
4) 水野美邦編：神経内科ハンドブック―鑑別診断と治療．第５版，p.1066～1079，医学書院，2016．
5) Strobel P, et al.: Tumor recurrence and survival in patients treated for thymomas and thymic squamous cell carcimomas: a retrospective analysis. J Clin Oncol, 22（８）, 1501-1509, 2004.
6) 水澤英洋ほか編：神経疾患最新の治療2018-2020．南江堂，2018．
7) 鈴木則宏ほか編：講義録 神経学．p.402 ～ 405，メジカルビュー社，2007．
8) 鈴木則宏編：神経内科ゴールデンハンドブック．改訂第２版増補，南江堂，2018．
9) マージョリー・ゴードン：アセスメント覚え書―ゴードン機能的健康パターンと看護診断．医学書院，2009．

Memo

第６章　脳・神経疾患患者の看護過程

38 多発性硬化症

1. 疾患の基礎的知識

1）疾患の概念

多発性硬化症（MS：multiple sclerosis）は，中枢神経系（脳・脊髄）の白質に炎症性脱髄性病変が発生する原因不明の疾患である．脱髄とは，神経線維の軸索を取り巻く髄鞘（ミエリン）が変性・脱落する病的状態である．中枢神経系に散在する脱髄巣（空間的多発性）が，時を変えて発生する（時間的多発性）ため，さまざまな神経症状が寛解と再発を繰り返す．

疫学的には，白色人種に多く，有色人種には少ないといわれ，高緯度地域に居住する人に多く発生している．わが国における有病率は，人口10万人あたり８～９人であり，北欧や北米の1/10程度である．15～50歳の若年から中年の成人発症が多く，平均発症年齢は30歳前後である．男女比は１：２～３程度で女性に多い．

2）原因

原因は不明であるが，病巣にリンパ球やマクロファージの浸潤があり，自己免疫性機序による炎症が脱髄の発生に関わるといわれている．また，人種差があることから，遺伝的要因や環境要因の可能性も考えられている．過労，ストレス，感染などが誘因となって発症や再発が起こりやすい．

3）病態と臨床症状

病態（図38-1）

自己免疫性T細胞が出現し，炎症細胞が活性化されることにより，中枢神経の髄鞘を構成する細胞であるオリゴデンドログリアが傷害されて脱髄が起こる．炎症が治まると，脱髄した病変が再生（再髄鞘化）し，神経伝達も回復する．その際，グリア線維の増殖が起こる（グリオーシス）ため，慢性期になると硬く瘢痕化したグリオーシスによる病巣が多発する．再発と寛解を繰り返すうちに，不完全な再髄鞘化や二次的な軸索障害が起こり，寛解後にも障害が残ったり，徐々に障害の程度が重くなることもある．

数日～数週の経過で，病変部位に伴ったさまざまな症状が出現する．前駆症状として，発症の数週～数か月前に，全身倦怠感や頭痛，胃腸症状，感冒症状などが出現する症例もある．

臨床経過による病型分類として，再発寛解型（RRMS：relapsing-remitting MS），二次性進行型（SPMS：secondary progressive MS），一次性進行型（PPMS：primary progressive MS）がある（**図38-2**）．

- 再発寛解型：再発（急性増悪）と寛解を繰り返す．神経症状が，消失あるいは軽度の症候を残して寛解する．時間的多発が顕著で，多発性硬化症の約90%を占める．
- 二次性進行型：初期は再発寛解型で経過するが，寛

図38-1　多発性硬化症の病態生理

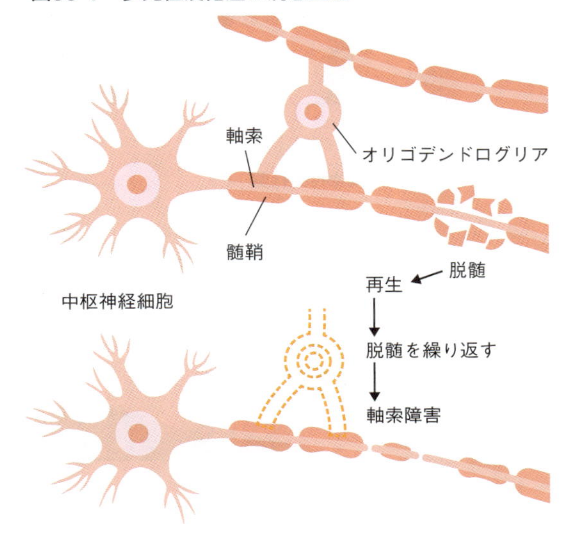

解期にも神経症候が徐々に進行し，その後，再発の有無にかかわらず症状が慢性的に増悪する．発症後15～20年の経過で30～60%が二次性進行型に移行する．

・一次性進行型：はっきりとした再発や寛解がみられず，発症時から神経症候が進行的に増悪する．日本人では多発性硬化症の約５%程度である．

症状

視力障害，眼球運動障害，運動障害，感覚障害，小脳症状，膀胱直腸障害，痙攣，精神症状など，病変部位によってさまざまな症状がみられる（**図38-3**，**表38-1**）．

4）検査・診断

検査

(1)MRI検査

脳や脊髄のMRIは脱髄斑の描出に優れ，多発性硬化症の診断に最も有用な検査である．脳・脊髄の白質に，T_2強調像，FLAIR像では高信号，T_1強調像では低信号(black hole)を呈する病巣がみられる．

(2)髄液検査

増悪期には，中枢神経の髄鞘崩壊を反映する髄鞘塩基タンパク（MBP）の上昇や，自己免疫疾患に特異的なIgGの増加がみられる．髄液を電気泳動するとみられる免疫グロブリン，オリゴクローナルバンドが陽性となるが，他疾患でも陽性になるため，これだけで確定診断には至らない．

(3)血液検査

一般の血液検査などでは異常はみられないが，視神経脊髄炎（NMO：neuromyelitis optica）や，ほかの類似した疾患との鑑別目的で実施される．

なお，視神経脊髄炎とは，視神経と脊髄に病変が起こり，高度な視力低下や脊髄症状がみられる．以前は日本に多い視神経脊髄炎型の多発性硬化症と考えられていたが，視神経脊髄炎では抗アクアポリンチ抗体の存在が証明され，多発性硬化症とは異なる特徴も多いことから，別の疾患として考えられるようになった．

(4)脳波検査(誘発電位)

視覚誘発電位（VEP），聴覚誘発電位（ABR），体性感覚誘発電位(SEP)などの検査によって，視神経，大脳白質，脳幹などの視覚伝導路，聴覚伝導路，体性感覚伝導路などの機能障害を検出する．

診断

多発性硬化症診断基準2015（厚生労働省）に沿って考える．

(1)再発寛解型MSの診断

下記の①あるいは②を満たすこととする．ただし，診断には，ほかの疾患の除外が重要である．とくに小児の急性散在性脳脊髄炎（ADEM：acute disseminated encephalomyelitis）が疑われる場合には，下記②は適用しない．

①中枢神経内の炎症性脱髄に起因すると考えられる臨床的発作が２回以上あり，かつ客観的臨床的証拠がある２個以上の病変を有する．ただし，客観的臨床

図38-2　臨床経過による病型分類

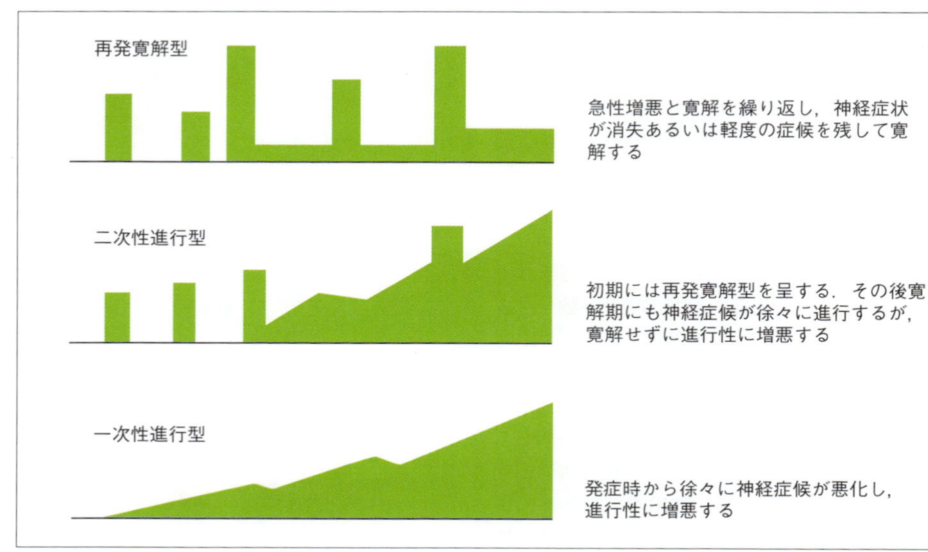

落合慈之監：脳神経疾患ビジュアルブック．p.248，学研メディカル秀潤社，2010.

的証拠とは，医師の神経学的診察による確認，過去の視力障害の訴えのある患者における視覚誘発電位（VEP）による確認，あるいは過去の神経症状を訴える患者における対応部位でのMRIによる脱髄所見の確認である．

②中枢神経内の炎症性脱髄に起因すると考えられ，客観的臨床的証拠のある臨床的発作が少なくとも１回あり，さらに中枢神経病変の時間的空間的な多発が臨床症候，あるいは以下に定義されるMRI所見によって証明される．

・MRIによる空間的多発性（DIS：dissemination in space）の証明

MSに典型的な４つの中枢神経領域（脳室周囲，皮質直下，テント下，脊髄）のうち，少なくとも２つの領域にT_2病変が１個以上ある（造影病変である必要はない．脳幹あるいは脊髄症候を呈する患者では，それらの症候の責任病巣は除外する）．

・MRIによる時間的多発性（DIT：dissemination in time）

無症候性のガドリニウム造影病変と，無症候性の非造影病変が，同時に存在する（いつの時点でもよい）．あるいは，基準となる時点のMRIに比べて，その後（いつの時点でもよい）に新たに出現した症候性または無症候性のT_2病変および/あるいはガドリニウム造影病変がある．

・発作（再発，増悪）の定義

発作（再発，増悪）とは，中枢神経の急性炎症性脱髄イベントに典型的な患者の症候（現在の症候あるいは１回は病歴上の症候でもよい）であり，24時間以上持続し，発熱や感染症がない時期にもみられることが必要である．突発性症候は，24時間以上にわたって繰り返すものでなければならない．独立した再発と認定するには，１か月の間隔があることが必要である．

(2)一次性進行型MSの診断

１年間の病状の進行（過去あるいは前向きの観察で判断する），および以下の３つの基準のうち２つ以上を満たすこととする．①と②のMRI所見は造影病変である必要はない．脳幹あるいは脊髄症候を呈する患者では，それらの症候の責任病変は除外する．

①脳に空間的多発の証拠がある（MSに特徴的な脳室周囲，皮質直下，あるいはテント下に１個以上のT_2病変がある）

②脊髄に空間的多発の証拠がある（脊髄に２個以上の

図38-3　病変部位と主な症状

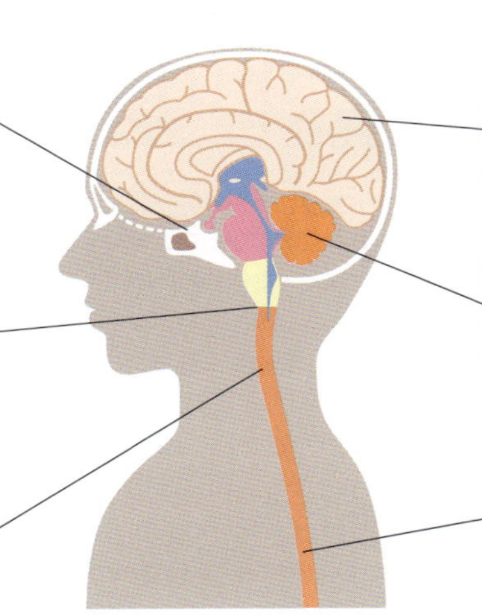

表38-1　多発性硬化症の特徴的な症状

球後視神経炎（retrobulbar optic neuritis）	視神経が障害され，視力低下や視野狭窄が生じる． 視野の中心部がみえにくくなる中心暗点が特徴的である．
内側縦束（MLF：medial longitudinal fasciculus）症候群	眼球の水平運動をつかさどる内側縦束の障害によって生じる． 側方注視時に病側の眼球の内転ができなくなり，健側の眼球は外転時に眼振を伴う．
レルミット（Lhermitte）徴候	頸部の前屈により，後頭部から背中，下肢へと電撃様のしびれ感が放散する．
有痛性強直性痙攣	自動的あるいは他動的に身体を動かすことが刺激となって疼痛やしびれが起こり，その部分に強直性の痙攣が数十秒間起こる．
ウートフ（Uhthoff）徴候	運動や入浴，夏季の炎天下などでの体温上昇に伴って発作性に神経症状が悪化する． 体温の低下によって症状は改善する．

T2病変がある）
③髄液の異常所見（等電点電気泳動法によるオリゴクローナルバンドおよび/あるいはIgGインデックスの上昇）．ただし，ほかの疾患の厳格な鑑別が必要である．

(3)二次性進行型MSの診断

再発寛解型としてある期間経過した後に，明らかな再発がないにもかかわらず，病状が徐々に進行する．

5）治療

多発性硬化症の治療は，急性増悪期の症状改善，寛解期の再発予防，後遺症に対する対症療法に分けられる（**表38-2**）．

治療に伴う副作用

多発性硬化症は，病期や症状に応じた治療が行われるが，治療によっては副作用症状に注意が必要なものもある．

(1)副腎皮質ステロイド薬

副腎皮質ステロイド薬の副作用は多岐にわたり，十分な注意，観察が必要である．主な副作用を**表38-3**に示す．

(2)インターフェロンβ製剤

インターフェロン製剤は，隔日または毎週の注射を必要とする治療であり，インフルエンザ様症状や注射部位反応などが注意すべき副作用である．また，妊婦や妊娠している可能性のある女性への投与は禁忌となっているため，患者にも注意喚起が必要である．

・インフルエンザ様症状：注射２～６時間後に発熱などのインフルエンザ様症状が出現し，多くは24時間以内に消失する．予防によって回避が可能である．
・注射部位反応：ベタフェロン®では，注射部位の壊死が副作用でみられている．長期間にわたり注射を継続する治療であるため，治療中断を防ぐためにも，注射部位の紅斑や硬結，疼痛に対しては冷却や軟膏治療など，早期に対処をする必要がある．
・血液検査異常：白血球の低下や肝機能障害などの副作用がみられることもあるため，定期的な血液検査が必要である．
・うつ状態：多発性硬化症患者は，うつ病を合併する頻度が高いことが知られている．インターフェロン療法導入後は，うつ病や自殺企図への注意が必要である．

(3)グラチラマー酢酸塩

毎日の皮下注射が必要な治療であるため，注射部位反応として発赤や疼痛，浮腫，瘙痒などの発生頻度が高い．

表38-2　多発性硬化症の治療の分類

	治療目的	治療方法
急性増悪期	症状を速やかに抑える	副腎皮質ステロイド治療 パルス療法：メチルプレドニゾロン（ソル・メドロール®）を速やかに大量点滴静注 後療法：パルス療法後，症状をみながらプレドニゾロン内服療法を続け，２～３週間で漸減中止する
		血漿浄化療法：重症者，ステロイド治療無効時，ステロイド使用に制限のある患者に適応
寛解期	再発を予防する 進行を抑制する	インターフェロン療法 IFNβ-1a（アボネックス®）週１回筋肉注射，またはIFNβ-1b（ベタフェロン®）隔日皮下注射
		グラチラマー酢酸塩（コパキソン®）１日１回皮下注射
		フマル酸ジメチル（テクフィデラ®）１日２回カプセル内服
		フィンゴリモド塩酸塩（イムセラ®，ジレニア®）１日１回カプセル内服
		免疫抑制薬　アザチオプリン（イムラン®）など．保険適用外
		ナタリズマブ（タイサブリ®）４週に１回１時間かけて点滴静注
	後遺症に対する対症療法	薬物療法 痙性麻痺（痙縮），有痛性強直性痙攣，膀胱直腸障害，精神症状などに対する治療
		リハビリテーション 廃用性障害予防のため，早期から理学療法，作業療法などを行う

表38-3　副腎皮質ステロイドの主な副作用

治療中に起こるもの	不眠，多幸症，不安，精神病，異常味覚（金属味），食欲増進および体重増加，発汗と顔面紅潮，頭痛，筋肉痛，短期記憶の障害，胃部不快感あるいは胃痛
副作用のリスクファクターのある患者で早期に起こるもの	消化性潰瘍，糖尿病，高血圧，座瘡，うつ状態
長期あるいは反復投与で起こるもの	骨粗鬆症，骨壊死，白内障，脂肪肝，クッシング症候群，易感染性，創傷治癒遅延

また，注射直後反応として，注射後数分以内に起こる顔面紅潮や胸痛，動悸，呼吸困難，蕁麻疹などがある．

(4)フィンゴリモド塩酸塩

フィンゴリモド塩酸塩は，初回投与時に一過性の心拍数低下や房室ブロックを生じることがあるため，初回投与後24時間は心拍状態の確認が必要である．また，妊婦への安全性が確立されていないため，妊婦や妊娠している可能性のある女性への投与は避け，投与中止２か月後までは避妊が必要である．投与中の授乳も避けるべきとされている．

(5)ナタリズマブ

ナタリズマブは副作用は多くないが，長期使用によってヘルペス脳炎や進行性多巣性白質脳症（PML：progressive multifocal leukoencephalopathy）の発生報告があり，注意が必要である．

6）予後

多発性硬化症の進行は個人差が大きく，経過を予測することは難しい．生命予後は悪くないが，再発と寛解を繰り返しながら進行するため，経過が長期にわたる．進行が緩徐で，再発を繰り返しながらもよい状態を保つ場合もあれば，視神経や脊髄，小脳に強い障害が残り，ADLが著しく低下する場合もある．

2. 看護過程の展開

● アセスメント〜ゴードンの機能的健康パターンを用いて

パターン	アセスメントの視点	根拠	収集する情報
(1) 健康知覚-健康管理 患者背景 健康知覚-健康管理 価値-信念	●患者が自身の健康状態をどのように認識しているか．多発性硬化症という疾患や治療をどのように理解し，受け止めているか ●患者の自己管理能力はどの程度か	●多発性硬化症は，寛解と再発を繰り返す疾患であり，患者は長期にわたって病気とともに生きていかなくてはならない．再発を予防するために日常生活を調整したり，症状にあわせて生活行動を工夫したり，治療法によっては自己注射が必要になったりと，さまざまな場面でセルフマネジメント能力が必要となる．	●現病歴 ・初めて症状を自覚したときからの経過 ・現在の症状の発症時期，経過 ●既往歴の有無と治療経過 ●生活習慣 ・喫煙，飲酒の有無 ・服薬の有無と自己管理の状況 ・健康維持のために行っている行動の有無と内容 ●疾患，治療に対する理解 ・疾患，症状をどのように受け止めているか ・治療に関する理解 ・症状悪化誘因の理解 ・日常生活上の注意点の理解
(2) 栄養-代謝 全身状態 栄養-代謝 排泄	●患者の栄養状態に問題はないか ●ステロイドや免疫抑制薬副作用は生じていないか	●多発性硬化症は，再発と寛解を繰り返すうちに，障害が残ったり，障害の程度が重くなっていく疾患である．障害が重度になると，合併症を起こすリスクが高くなり，栄養状態低下による褥瘡発生や感染のリスクが生じる．また，ステロイドや免疫抑制薬を使用した治療では，ステロイド性糖尿病発症や，免疫力低下による易感染状態となるリスクもある．	●栄養状態 ・身長，体重，BMI，体重の増減 ・検査データ（TP，Alb，Hbなど） ●皮膚の状態（褥瘡の有無，皮膚・粘膜の状態） ●患者の食習慣，食事に対する認識，食欲の有無 ●代謝状態 ・バイタルサイン ・検査データ（血糖値，HbA1c，肝機能など） ●感染徴候の有無

パターン	アセスメントの視点	根拠	収集する情報
(3) 排泄 全身状態 栄養-代謝 排泄	●膀胱-直腸障害が出現していないか ●尿路感染の徴候はないか	●多発性硬化症によって脊髄が障害されると，尿閉，残尿，頻尿，尿失禁，便秘などの膀胱直腸障害が出現しやすい．排尿障害によって尿路感染を起こすリスクも高まる．全身の障害による排泄行動のセルフケア不足や，膀胱留置カテーテルの使用により，尿路感染のリスクはさらに高まる．	●排泄状態 ・排尿習慣，排便習慣 ・排尿障害，便秘の有無 ・尿の性状 ・下剤の使用の有無 ●膀胱留置カテーテル使用の有無 ・カテーテルの管理状態 ●感染徴候や腎機能に関する検査データ ●排泄行動に関わるセルフケア能力
(4) 活動-運動 活動・休息 活動-運動 睡眠-休息	●症状・治療が日常生活に及ぼす影響はないか ●障害の程度が重くなるに従い，患者がどのように工夫して日常生活を送ってきたか	●多発性硬化症の病変部位により，麻痺や脱力，視力障害，運動失調など，日常生活の支障となる症状が出現する．治療後も障害が残る状況では，日常生活上の工夫など，患者の強みを活用することが必要である．	●症状の有無と程度 ・全身倦怠感，脱力，運動麻痺の有無 ・視力障害，構音障害，嚥下障害の有無 ・歩行障害，感覚障害の有無 ●ADL状況 ・症状がADLにどう影響しているか ・患者がどのように工夫しているか
(5) 睡眠-休息 活動・休息 活動-運動 睡眠-休息	●症状によって夜間の睡眠が妨げられていないか	●頻尿や有痛性強直性痙攣などの症状は，夜間の睡眠を妨げる．また，病気や将来への不安も睡眠障害の原因となり得る．患者が病気とともに長く生活していくためには，活動と休息のバランスを上手にとり，患者にとっての健康的な生活習慣を獲得する必要がある．	●睡眠状態 ・睡眠時間 ・寝つきはよいか，熟睡感は得られているか ・睡眠薬の使用の有無
(6) 認知-知覚 知覚・認知 認知-知覚 自己知覚-自己概念 コーピング-ストレス耐性	●どのような症状が生じているのか	●多発性硬化症は，病巣の部位によって多種多様な症状が出現する．出現頻度の高い視力障害や運動障害は，日常生活に大きく影響する．また，感覚障害や有痛性硬直性痙攣などの症状は，しびれや疼痛といった苦痛を伴う症状である．	●症状の種類と程度 ・視力障害，運動障害，感覚障害，膀胱直腸障害，精神症状の有無と程度 ・痛みや不快感の有無
(7) 自己知覚-自己概念 知覚・認知 認知-知覚 自己知覚-自己概念 コーピング-ストレス耐性	●病気になった自分をどう思っているか．病気になったことで自分に対する思いが変化したか ●さまざまな感情を自分でコントロールできているか	●多発性硬化症は原因不明の難病であり，診断された患者の不安は大きい．視力障害や運動障害，膀胱直腸障害といった症状は，患者の自尊感情を低下させる要因にもなり得る．患者が病気になった自分をどう捉えているか，それが感情に影響しているか，どのような不安を抱えているのかを把握して関わることは，患者が病気とともに生きていくためのサポートにつながる．	●患者の精神状態 ・表情，注意力，集中力 ・視線をあわせるか ・イライラした様子はあるか ・病気や将来に対する不安はあるか ●患者の自己概念 ・病気になる前となった後で自分に対する思いに変化はあるか

パターン	アセスメントの視点	根拠	収集する情報
(8) 役割-関係 周囲の認識・支援体制 役割-関係 セクシュアリティ-生殖	●病気になったことで家庭や職場，社会での役割や関係に問題が生じていないか ●周囲の支援体制はできているか	●多発性硬化症は15～50歳の若年から中年の成人発症が多く，家庭や職場，社会で大きな役割を担っている世代の患者が多い．病気になったことで，それらの役割や人間関係に問題が生じることもある．障害の程度によっては，日常生活にもサポートが必要となったり，生活環境調整や社会的役割の変更が必要となることもある．また，入院となれば経済的な負担も生じる．	●家族情報 ・家族構成，家族との関係 ・家族内での役割（意思決定，収入減，家事，育児，高齢者の介護など） ・患者の病気や入院を家族がどのように感じているか ●職業の情報 ・仕事の内容，職場での役割 ●社会（地域）の情報 ・地域社会での役割 ・地域社会での人間関係 ●面会状況（面会人，時間，面会時のやりとり） ●経済状態
(9) セクシュアリティ-生殖 周囲の認識・支援体制 役割-関係 セクシュアリティ-生殖	●妊娠，出産の予定はあるか ●病気とつきあいながら，妊娠や出産などの人生設計をしていくことについて，家族やパートナーと話し合うことができているか	●多発性硬化症だからといって，妊娠や出産を諦める必要はない．しかし，使用している薬剤によっては妊娠中に調整が必要となったり，出産後の過労が再発のリスクを高める可能性もある．多発性硬化症は，若年から中年の女性の成人発症が多く，妊娠，出産，育児に関わる時期にあたる．治療と両立が必要である．	●妊娠，出産に関する情報 ・妊娠の希望があるか ・出産の予定はあるか ・パートナーが妊娠，出産についてどう考えているか
(10) コーピング-ストレス耐性 知覚・認知 認知-知覚 自己知覚-自己概念 コーピング-ストレス耐性	●不安やストレスを抱えていないか ●ストレスに対してどのように対処してきたか，現在どのように対処しているか ●十分なサポート体制が整っているか	●多発性硬化症は原因不明の難病であり，患者や家族が抱える不安は大きい．社会的役割が大きい年代での発症が多いため，役割の変調や身体機能の喪失感は大きなストレスにもなり得る．再発を繰り返し，障害が強く残るたびに患者はストレスや不安にさらされ，ストレスが悪化要因になることもある．	●患者の表情，言動 ・病気に伴い，仕事や将来に不安を抱いていないか ・苦痛症状から過度な緊張が続いていないか ●ストレスの内容と緩和方法 ・ストレッサーになり得るものの存在の有無 ・これまでどのような方法でストレスに対処してきたか．その方法は現在も有効か ●コーピングのために利用できるサポートはあるか
(11) 価値-信念 患者背景 健康知覚-健康管理 価値-信念	●病気になったことにより，患者が人生で大事にしてきた価値や目標，信念に葛藤が生じていないか	●多発性硬化症は，病変部位によってさまざまな症状が出現する．再発を繰り返すたびに障害が残り，日常生活にも大きく影響する．これまで当たり前に行ってきた日常生活活動ができなくなることもあり，その喪失感は患者の価値観や信念をゆるがすものにもなり得る．患者が何に価値を置いて生きてきたのか，病気が患者の価値観にどう影響しているのかを推し量りながら，患者が大切にしているものを尊重し，寄り添うことが，病気とともに生きていこうとする患者に必要な支援となる．	●患者の人生観，価値観 ・人生や生活のなかで大切なこと，絶対的なこと ・将来の計画 ●信仰宗教の有無

3. 全体像の把握から看護問題を抽出

1）病態関連図

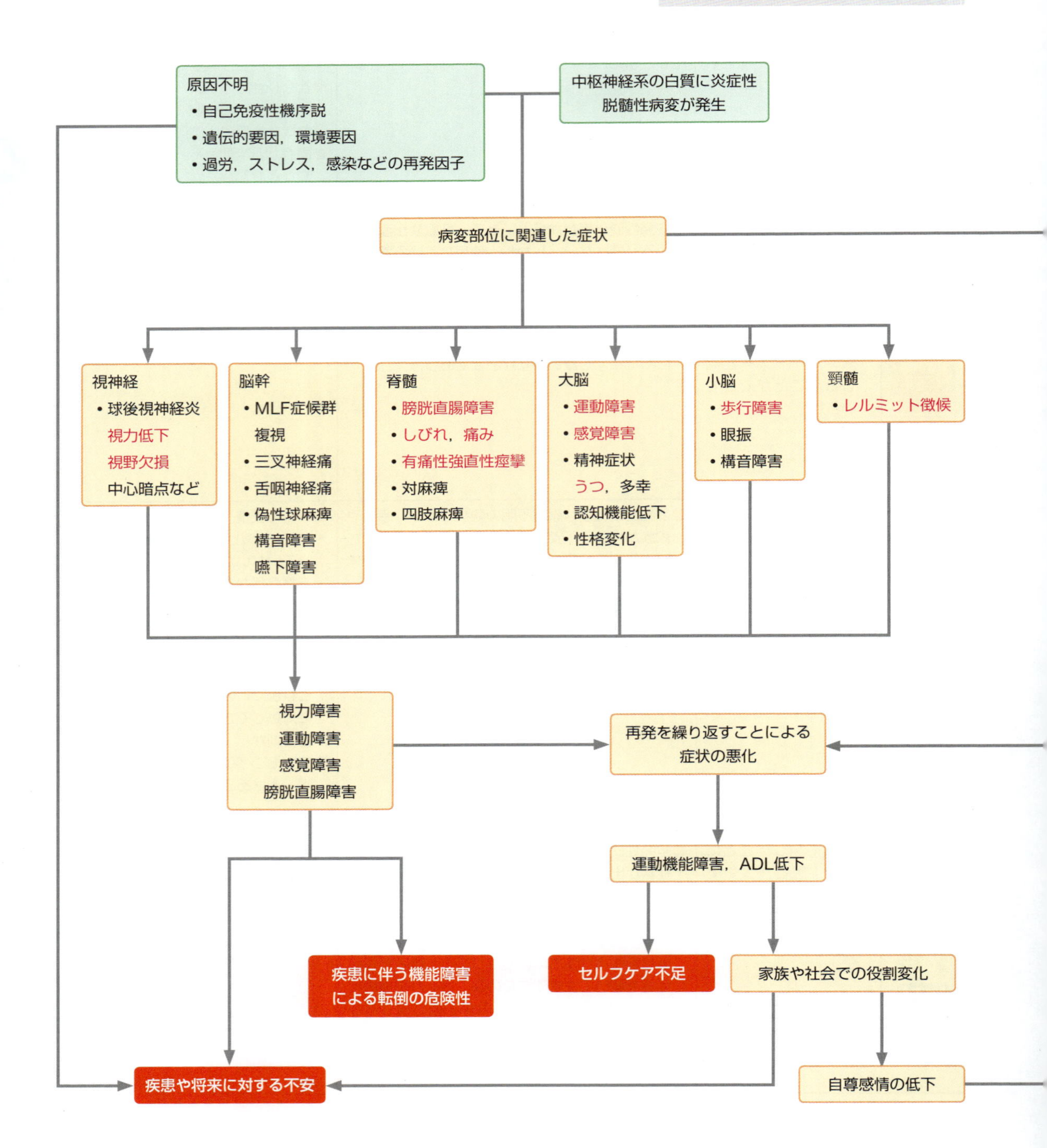

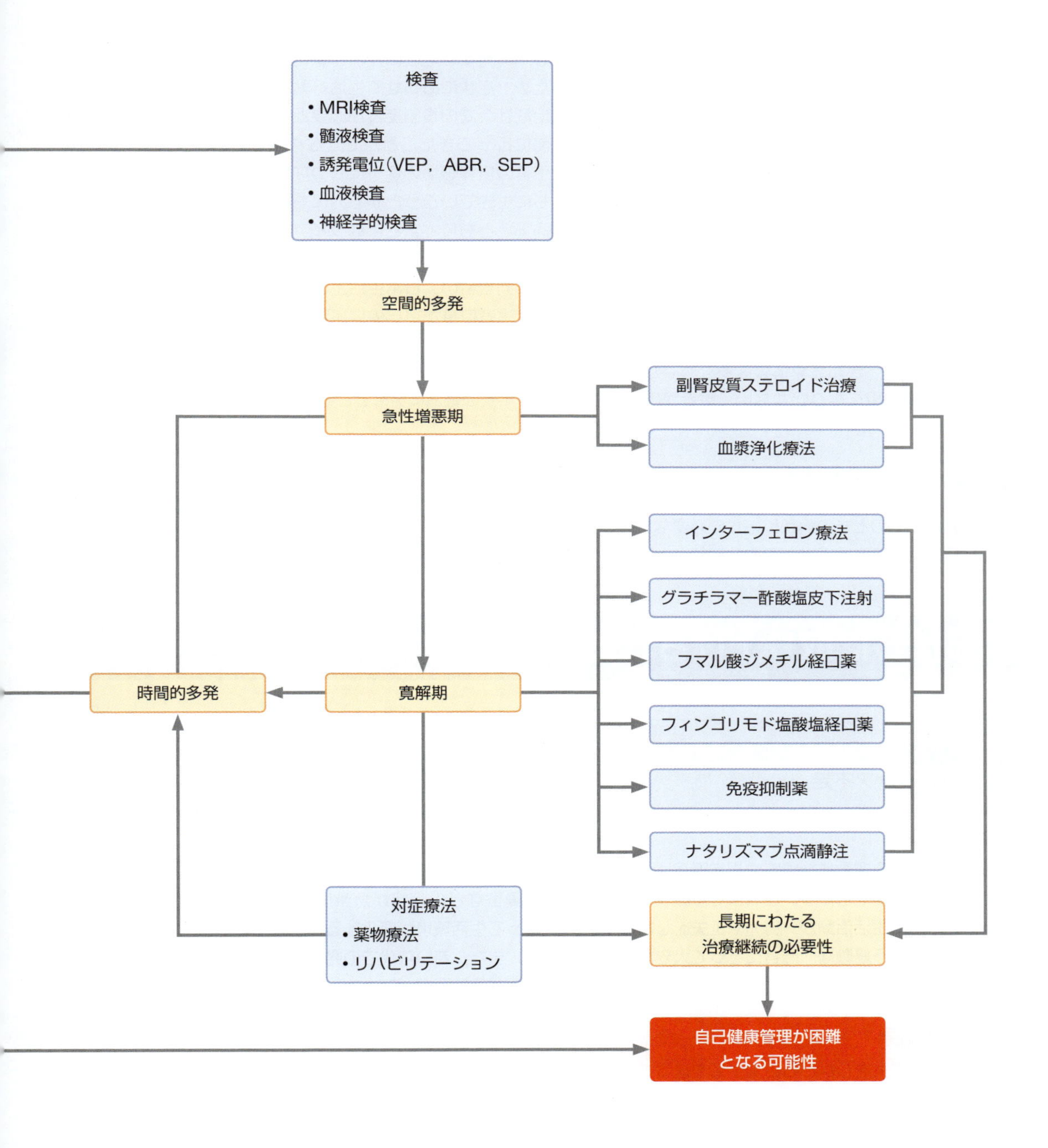
検査
• MRI検査
• 髄液検査
• 誘発電位(VEP，ABR，SEP)
• 血液検査
• 神経学的検査
空間的多発
急性増悪期
副腎皮質ステロイド治療
血漿浄化療法
インターフェロン療法
グラチラマー酢酸塩皮下注射
フマル酸ジメチル経口薬
フィンゴリモド塩酸塩経口薬
免疫抑制薬
ナタリズマブ点滴静注
時間的多発
寛解期
対症療法
• 薬物療法
• リハビリテーション
長期にわたる
治療継続の必要性
自己健康管理が困難
となる可能性

2）看護の方向性

多発性硬化症は，病変部位に関連したさまざまな症状が出現するが，視力障害や運動障害，感覚障害など，日常生活に影響を及ぼす症状が多くみられる．急性増悪期は，数日から数週の経過で急激に症状が出現するため，患者は強い不安を抱きやすい．また，若年から中年の成人発症が多く，自立心から必要な援助要請行動がとりにくいこともあり，転倒・転落や外傷のリスクが高い．患者が自分の症状を自覚し，症状にあわせて日常生活行動を工夫したり，必要なときには無理をしないで周囲のサポートを得られるように支援する必要がある．患者の思いに寄り添いながら，援助を受け入れやすいように配慮する必要がある．

治療によって寛解期を迎えても，再発予防や進行抑制のために長期にわたる継続治療が必要となる．治療によっては副作用症状に注意が必要であったり，妊娠や出産に影響する薬もあることから，患者は自己の健康に向き合い，治療を理解して自己管理をしていく必要がある．

患者が病気や治療を理解したうえで自己管理ができるように，伝えるべき知識や情報は多くあるが，一方的な伝達では逆効果になりかねない．患者が直面している困難や迫る危険を回避し，病気と向き合うことのできる環境を整えてから，セルフマネジメント力を高めるための支援を行う必要がある．これは後に患者が病気を受け入れ，病気とともに生きる力を身につけるための重要な支援となる．患者が主体となり，長期にわたって治療を継続しながら病気とともに生きていく力をサポートする必要がある．

患者が努力して治療を続けていても，再発を繰り返し，再発するたびに症状が悪化することが多い．そのため，症状にあわせて生活行動を工夫したり，家族や地域社会での役割変容が必要となる．これまで当たり前に行ってきたことができなくなるという喪失感は，患者の自尊感情の低下にもつながりやすく，病気とともに生きていこうとする力にも影響を与える．患者が病気とともにさまざまなライフイベントを迎え，乗り越えていくためには，そのときどきに抱える不安や悲嘆に向き合い，日常生活上の困難を一緒に解決しながら，患者自身が自己の健康管理や人生における目標を見いだせるように関わる必要がある．

患者に寄り添いながら思いを表出できるように関わり，不安の軽減に努めることが必要である．

3）患者・家族の目標

患者・家族が，そのときの病状に応じて必要な支援を受けながら日常生活を送ることができ，病気とともに生きていくためのセルフマネジメント力をもつことができる．

4. しばしば取り上げられる看護問題

♦1 運動機能障害，視覚障害によるセルフケア不足

なぜ？

多発性硬化症による運動機能障害や視覚障害は，日常生活行動に大きな支障をきたす．これまで意識することなく行ってきた日常生活活動が，努力や工夫をしなくては行えなくなるという経験は，患者にとって大きな苦痛となる．

➡期待される結果

症状にあわせて工夫をしながら日常生活を送ることができる．

♦2 疾患に伴う機能障害による転倒の危険性がある

なぜ？

多発性硬化症は短期間で視覚障害や運動機能障害，感覚障害などの症状が急激に出現する．さらに，入院によって生活環境が変化することで，転倒リスクが高くなる．また，若い年代での発症が多いことで，自立心から必要な援助要請ができず，思わぬ転倒事故を生じやすくなる．焦りや不安，自立心といった患者のさまざまな思いが行動につながっていることがある．

➡期待される結果

転倒・転落，外傷を起こすことなく過ごせる．

♦3 疾患や将来に対する不安

なぜ？

多発性硬化症は，原因不明の難病で再発と寛解を繰り返す疾患である．仕事や家庭で大きな役割を担う世代の発症が多く，病気や将来に対する不安は計り知れない．再発を繰り返すたびに症状が悪化し，これまでと同じような生活が困難になったり，家庭や社会での役割が果たせなくなることで，将来への見通しも立ちにくく，不安を増強させることになる．また，副腎皮質ステロイドやインターフェロンによる治療の副作用症状として，抑うつなどの精神症状も報告されている．

➡期待される結果

不安な思いを表出することで気持ちの整理ができる．

♦4 長期にわたる治療や繰り返す再発により自己健康管理が困難となる可能性

なぜ？

多発性硬化症は，症状が寛解しても，再発を予防したり進行を抑制するために，内服や注射の治療を継続して行う．寛解期の治療は自己管理が中心となるため，患者が病気や治療を理解して行う必要がある．努力をして治療を継続していても再発することがあり，再発を繰り返すなかで治療への意欲を維持することは簡単ではない．

再発を予防し，長期にわたって治療を継続していくためには，患者のセルフマネジメント能力が必要となる．

➡期待される結果

自己管理の必要性が認識でき，実践できる．

5. 看護計画の立案

• O-P：Observation Plan（観察計画）　• T-P：Treatment Plan（治療計画）
• E-P：Education Plan（教育・指導計画）

♦1 運動機能障害，視覚障害によるセルフケア不足

	具体策	根拠と注意点
O-P	**(1)ADLの状態** ①食事 ②入浴，清潔 ③更衣，整容 ④排泄 ⑤できるADL，しているADL	●ADLの状態については，どの動作に関してどのように障害が生じているのかを観察する．患者が症状にあわせた工夫をしていることもあるので，患者の行動を注意深く観察する．初発症状なのか，再発なのかによっても日常生活への影響の仕方が変わってくるため，患者が症状をどのように受け止め，日常生活を送っているのかを意識して観察する．
	(2)症状の出現状況と部位，程度 ①発症からの経過 ②運動麻痺の部位，程度 ③視覚障害の有無，程度 ④膀胱直腸障害の有無 ⑤疼痛，倦怠感，脱力の有無 **(3)患者の表情，言動**	●症状の部位や程度によって，日常生活への障害はさまざまである．症状の観察はもちろんのこと，症状によって患者が日常生活にどのような困難さを感じているのかを知る必要がある．また，疼痛や倦怠感といった苦痛症状は，ADLに影響を与えるだけでなく，不安やうつなどの精神症状にもつながるため，患者が体験している症状について注意深く観察する．
	(4)運動制限による二次障害の有無	●運動麻痺によって自動運動が制限されることで，筋肉の廃用性萎縮や関節の亜脱臼，拘縮・変形といった二次障害を起こすこともあるため，症状が患者に及ぼす影響について広く観察する必要がある．
	(5)リハビリテーションの内容	●リハビリテーション室で行っている訓練が日常生活に生かせるよう，訓練の内容を把握し，日常生活の工夫につなげることが大切である．

	具体策	根拠と注意点
T-P	**(1)患者のADLにあわせた日常生活援助を行う**	●どこまで自立して行えるのか，どの部分が自立して行えないのかを細かくアセスメントし，患者の自尊感情を損なわないよう，相手を尊重しながら必要な部分のみ援助を行う．患者を焦らせることなく，急がず丁寧に，ゆとりをもって援助を行う．
	(2)自助具，装具の使用を検討する	●方法や道具を使用することで，動作や作業が楽になることもある．工夫によってできるADLが増えることは，患者の回復意欲にもつながるため，理学療法士や作業療法士とも連携しながら，患者にとって最善の方法を検討することが必要である．
	(3)ベッド周囲の環境整備を行い，安全を確認する	●多発性硬化症の70%に，球後視神経炎による視力障害が出現するといわれている．居住スペースの環境整備を行い，物の配置を工夫したり，安全に行動できるスペースを確保することで，患者が自分でできることを増やすことにもつながる．
	(4)リハビリテーションの内容を日常生活に取り入れる	
	(5)努力していることや達成したことに対して，励ましや称賛を行う	●これまで当たり前にできていたことができなくなるという経験は，患者の自尊感情を低下させるため，患者の努力を認め，達成感が感じられるような関わりが大切である．患者の自己効力感を高める関わりは，患者の回復意欲だけでなく，病気に向き合い，病気とともに生きていくための力にもつながる重要なケアとなる．
E-P	**(1)必要なときには無理をしないで援助を求めるよう説明する**	●再発の誘因として，疲労やストレスがある．患者の能力を最大限に生かしてADLの拡大をはかることは大切であるが，無理をすることで症状を悪化させることもある．疲労感のあるときには無理をせずに，周囲の援助を受けることの必要性を説明する．
	(2)利用できる社会資源について説明する	●障害の程度によっては，日常的な生活援助が必要となることもある．若年発症が多い多発性硬化症患者は，介護保険サービスの適用外となることも多いが，障害者総合支援法によって自立支援給付を受けることができる．また，自分の不安や悩みを相談する場として患者会があり，患者同士の交流によって日常生活の工夫やヒントを得ることもできる．

2 疾患に伴う機能障害による転倒の危険性がある

	具体策	根拠と注意点
O-P	**(1)身体症状** ①発症からの経過	●多発性硬化症の症状は数日から数週の間に急激に出現する．症状が変化している間は，急激な変化に行動が伴わず，思わぬ事故につながりやすい．いつから，どのような経過をたどって現在の症状に至ったのかを，患者とともに整理し，起こり得るリスクを予測することが必要となる．また，副腎皮質ステロイドによる治療は，感染や骨折などのリスクを高めるため，患者自身が治療内容を把握し，外傷を防ぐことも重要である．
	②視力障害の有無と程度	●多発性硬化症患者の７割に視力障害が出現するといわれている．視力低下や視野障害によって危険物の感知が困難となり，転倒転落のリスクが高くなる．患者に出現している症状を正しく把握し，危険回避行動につなげることが必要である．
	③運動障害の有無と程度，歩行状態	●運動麻痺や運動失調，しびれなどの症状は，歩行障害を引き起こし，転倒リスクを高める．
	④感覚障害の有無と程度	●温痛知覚の過敏や鈍麻，触覚障害は，危険回避困難による転倒リスクを高める．また，頸部の前屈によって電撃痛が出現するレルミット徴候や，身体を動かすことで誘発される有痛性強直性痙攣により，突然の発作に伴う外傷や転倒のリスクも生じる．

	具体策	根拠と注意点
O-P	⑤膀胱直腸障害の有無と程度	●膀胱直腸障害による頻尿や失禁，便秘といった排泄障害は，羞恥心を伴うものであることから，積極的な援助要請行動をとれず，転倒リスクを高める．また，切迫した尿意，便意から転倒予防行動がとれない可能性がある．
	⑥身体症状に伴うADL状況	●患者がどのような日常生活行動をしているのかを知ることにより，起こり得るリスクの予測やリスク回避のための予防行動につなげることができる．
	(2)患者の精神状態 ①表情，言動 ②夜間の睡眠状況	●再発や症状の進行に伴う焦りや不安から，無理な動作や危険を伴う行動をとることもあるため，注意が必要である．また，苦痛症状や不安から十分な睡眠や休息が得られないことも，ふらつきや転倒につながるため，身体所見だけでなく，精神状態も注意深く観察する必要がある．
	(3)検査所見 ①MRI画像 ②髄液検査 ③誘発電位検査	●病巣の部位により，どのような症状が出現する可能性があるかを予測することも可能となるため，検査結果についても情報収集することが大切である．
	(4)転倒・打撲の有無	
	(5)ベッド周囲の環境 ①ベッドの位置と高さ ②ベッド周囲の物の配置 ③ベッド周辺や廊下の危険物	●視力障害，運動障害，感覚障害の出現により，患者は日常生活行動の変更や工夫が必要となる．慣れない環境での慣れない行動は思わぬ事故につながりやすいため，患者が少しでも安心して行動できるような環境を整えることは重要である．
T-P	**(1)ベッド周囲の環境調整をする** ①ベッド周囲の危険物は除去する（ゴミ，コード類，水分など） ②ベッド柵は患者の状態に応じて安全で使いやすい位置に調整し，必要に応じて外傷予防のためのマットを使用する ③ベッドの高さは，ベッド柵に座り，床に足底が着く高さにする ④床頭台やオーバーテーブル，患者の身の回りの物品は，患者が使いやすいように配置する	●視力障害，運動障害，感覚障害などの症状が出現している場合の環境調整は，患者が使用しやすいかどうか，安全に使用できるかどうかの確認が必要となる．患者のベッドサイドを離れる前には，安全な環境が整っているかを最終確認することが重要である．転倒転落を起こさないようにすることは大切であるが，起こってしまったとしても軽症で済むような対策を，患者と一緒に考えることが重要である．
	(2)滑りにくく，つまずきにくい運動靴や，活動しやすい衣服をすすめる	●脱げやすい履き物や，長すぎるズボンは転倒リスクを高めるため，安全に活動できる衣服や履き物を使用する．
	(3)歩行が不安定なときはつき添い，必要時は車椅子で移動する	●多発性硬化症は，再発と寛解を繰り返す疾患であるが，予後は悪くない．患者自身が自分の症状にあわせて危険を予測し，回避できるように配慮する必要がある．自尊心を損なわず，ゆとりをもって行動できるように援助することが大切である．ナースコールを押さないで１人で移動するなど，指示が守られない場合でも，一方的に患者を責めるのではなく，患者の行動の背景を探り，対策を考える必要がある．
	(4)入浴，シャワー時，湯の温度を調節し，浴槽には滑り止めや手すりを使用する	●入浴や運動などによって体温が上昇すると，視力や筋力などの神経症状が一過性に悪化するウートフ徴候がみられることがある．急激な体温上昇を避けるよう，入浴やシャワー浴時は温度設定に注意する．
	(5)排泄行動への援助をする	●排泄行動に関わる援助は，羞恥心から患者が援助要請をしにくく，切迫した状態が転倒につながることが多い．症状にあわせてポータブルトイレや尿器を使用したり，トイレの近くにベッドを配置するなど，患者が余裕をもって行動できるように配慮する．患者の排泄パターンにあわせて，さりげなく援助ができるようにすることも重要である．

	具体策	根拠と注意点
E-P	**(1)転倒を起こしやすい要因とその予防方法について説明する**	●危険回避をするためには，患者の理解が不可欠である．しかし，視力障害や運動障害，感覚障害の程度によって，理解に時間を要する可能性がある．患者が自分の状況をどう受け止めているのかを把握したうえで，必要な予防行動について一緒に考えられるように働きかける必要がある．
	(2)必要なときには無理をしないで援助を求めるよう説明する	●話しやすい環境をつくり，信頼関係を築き，気になること，心配なこと，不明なことなど，なんでも話すように伝える．無理をすることで疲労やストレスを強め，症状を悪化させることにもつながりかねないため，患者が安心して支援を求められる関係を築けるように関わる．

引用・参考文献

1) 日本神経学会監：多発性硬化症・視神経脊髄炎診療ガイドライン2017．医学書院，2017．
2) 水野美邦編：神経内科ハンドブック―鑑別診断と治療．第５版，医学書院，2016．
3) 落合慈之監：脳神経疾患ビジュアルブック．学研メディカル秀潤社，2010．
4) 甲田英一ほか監：脳・神経疾患 疾患の理解と看護計画―Super Select Nursing．学研メディカル秀潤社，2011．
5) 医療情報科学研究所編：病気がみえる vol.7脳・神経．メディックメディア，2011．
6) 服部光男監：全部見える 脳・神経疾患―スーパービジュアル．成美堂出版，2014．
7) 江川隆子編：ゴードンの機能的健康パターンに基づく看護過程と看護診断．第５版，ヌーヴェルヒロカワ，2016．
8) 武井テル監：脳神経 経過別ポケット看護過程―ぱっと手にとるシリーズ．メディカルレビュー社，2013．
9) 公益財団法人難病医学研究財団(厚生労働省補助事業)：難病情報センターホームページ https://www.nanbyou.or.jp/ より2020年８月21日検索

第６章　脳・神経疾患患者の看護過程

39 パーキンソン病

1. 疾患の基礎的知識

1）疾患の概念

パーキンソン病とは，1817年，James Parkinsonによって初めて報告された神経疾患であり，多くは中年以降に発症する錐体外路系（大脳基底核）の変性疾患である．55～65歳頃での発症が多い．進行性の疾患であり，国の指定難病である．

2）原因

原因は不明であるが，中脳の黒質にあるメラニン細胞に変性が生じ，そのため，黒質線条体線維を経て，線条体（尾状核＋被殻），淡蒼球，視床へ送られるドパミンが減少し，アセチルコリンの作用が優位となるために，神経症状が起こるとされている．黒質は褪色し，黒質神経細胞の減少とレヴィー小体が出現する．

3）病態と臨床症状

病態

随意運動は，運動神経から筋肉に刺激が伝達されるだけではなく，円滑な運動を行うために錐体外路による調節が行われている．錐体外路の主要部分である黒質・線条体ドパミンが連絡して，筋肉の緊張度や姿勢が調節される．この黒質・線条体ドパミンが，なんらかの原因で減少し，アセチルコリンの作用が優位となることによって起こる病態である．

臨床症状

主な症状として，振戦，筋固縮，寡動・無動，姿勢反射障害の４大徴候が特徴的で，言語障害，小刻み歩行・すくみ足などの歩行障害，仮面様顔貌，嚥下障害などがみられる．初発症状は振戦が最も多く（60～70%），歩行障害（12%），動作緩慢（10%）などがこれに次いでいる．

(1)運動器系の症状

①振戦

日常生活のなかで，患者・家族が初めに気づく症状である．一側上肢または下肢に始まり，同側のほかの一肢に広がる．振戦は出現したり止まったりするが，進行すると常時震えるようになり，緊張すると目立って増強する．第１指と他指との間に生じる振戦は，丸薬を丸めるような動作にみえることもある．振戦は四肢に限らず，下顎，舌，口唇，頭頸部にも現れ，ときに全身にみられる．

②筋固縮

四肢または頸部の関節を他動的に屈伸するときに，ガクガクと断続的に抵抗があり，あたかも水道の鉛管を曲げ伸ばしするときと同じように感じる抵抗がある．この症状は，他動的に関節を動かしたときに判明するので，患者自身が訴えることはない．

③寡動・無動

床からの起き上がり，寝返り，歩行，方向転換など，ある動作から次の動作に移るのに時間がかかり，運動する速度，動作全般が遅くなる．症状は，進行すれば寡動から無動となり，寝たきりの状態になることが多い．歩き始めの一歩が出にくいすくみ現象，小刻み歩行，歩き始めると次第に足早となり，急に止まれなくなる加速現象などが注目される．顔の表情もなくなり，仮面様顔貌となる．

④姿勢反射障害

身体が徐々に前屈みの姿勢になる．背中が丸くなり，膝関節は屈曲し，肘関節も軽度に屈曲してくる．初めは指摘されると自分で矯正できるが，進行すると脊椎や関節の拘縮をきたし，矯正できなくなる．前，後，側方から押されると，押された方向へ突進していき，倒れてしまう（突進現象）．

(2)自律神経の症状

起立性低血圧，便秘，排尿障害・過活動膀胱，発汗過多などがある．

(3)精神症状

幻覚・妄想，抑うつ，睡眠障害，認知障害などがある．

4）検査・診断

一般的には振戦，筋固縮，寡動・無動，姿勢反射障害などの4大徴候のうち，2つ以上あれば診断は容易になる．しかし，脳炎後やCO中毒，脳血管障害，向精神薬によっても同様の症状が出現する（パーキンソン症候群）ので，その鑑別のためにも，現病歴での発症年齢，発症様式は重要であり，既往疾患（中毒の既往歴），服用薬（降圧薬，向精神薬）などを注意深く聴取する．血液，尿の一般検査，画像検査（CT・MRI検査）では，原則的に異常は認められない．

症状の重症度の評価については，ADLを指標としたホーン-ヤール（Hoehn & Yahr）の重症度分類がよく用いられている（**図39-1**）．

5）治療

薬物療法を主体とし，運動療法を並行して行う．

(1)薬物療法

脳内で減少したドパミンを補充する必要があるが，ドパミン自体は経口的に服用しても脳へは移行しないので，ドパミンの前駆物質であるL-ドパ（レボドパ）が用いられる．また，ドパミンの減少に伴ってアセチルコリンの作用が優位となるため，アセチルコリン神経路の活動を抑える抗コリン薬が用いられる．このほかにアマンタジン塩酸塩（シンメトレル®）も併用される．L-ドパの副作用として，悪心・嘔吐，食欲不振をきたすことがある．また，長期間服用すると，四肢や口周囲の不随意運動（ジスキネジア）や，幻覚などの精神症状が出現するので注意する．ときにはon-off現象やwearing-off現象（**図39-2**）が生じることもある．

図39-1　ホーン-ヤールの重症度分類

ホーン-ヤールの重症度分類		生活機能障害度
Stage I ・一側の障害のみ ・機能障害は軽微またはなし 	Stage II ・両側の障害のみ ・機能障害は軽微またはなし 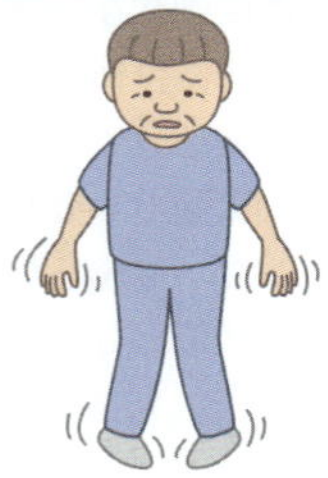	I度 日常生活，通院にほとんど介助を必要としない
Stage III ・姿勢反射の障害があり，活動は制限されるが，独立した生活が可能 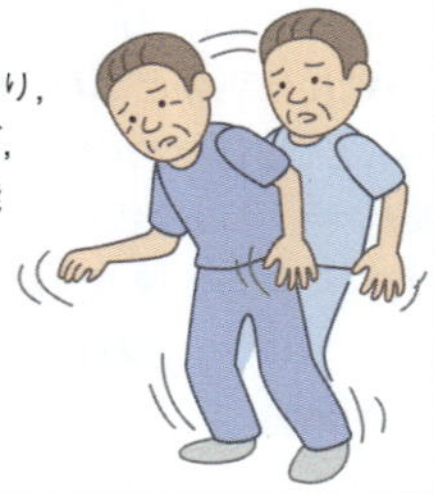	Stage IV ・歩行は介助なしでどうにか可能であるが，日常生活には部分介助を必要とする 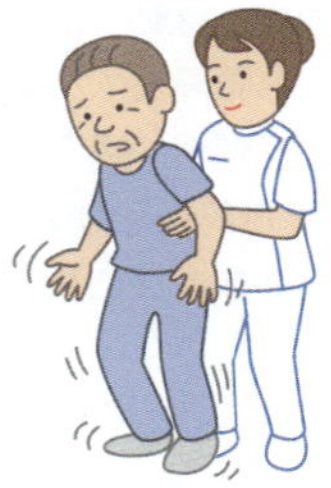	II度 日常生活，通院に部分介助を必要とする
Stage V ・日常動作に全面介助が必要 ・介助なしには車椅子 ・ベッドから移動できない  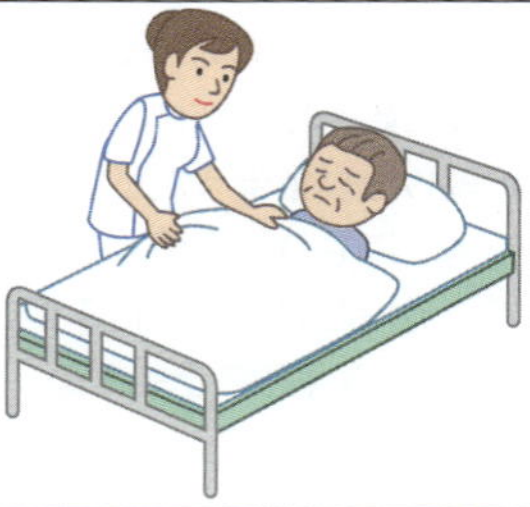		III度 日常生活に全面的な介助を必要とし，単独では起立・歩行不能

・薬物療法に伴う合併症：
①on-off現象：薬剤の血中濃度と無関係に，有効状態（on）と無効状態（off）とが急速に交代して起こり，これを１日のうちに繰り返す状態をいう．
②wearing-off現象：薬剤の有効期間が短縮し，服用２～３時間後に効果が失われ，服薬すると改善する．これを１日のうちに繰り返す状態をいう．
③ジスキネジア：L-ドパ内服中に出現する不規則な運動をいう．口舌，四肢，体幹にみられる．

(2)運動療法

薬物療法には限界があり，並行して運動療法を，筋力，関節可動域，ADLの維持を目的として行う．動作が小さくなっているので，首，体幹，四肢の回転運動を大きな動作で行い，階段の昇降，臥位から坐位へ，坐位から立位へと姿勢の変換運動をする．歩行時は，歩幅，腕の振りを大きくし，前後左右への方向転換の練習をする．言語障害に対しては，できるだけ大きな声を出し，舌も唇も意識して動かすように指導する．

(3)外科的治療（手術療法）

視床の一部に細い電極を刺入し，高周波電流を流して患部を破壊する方法（定位固定術）がある．手術の適応は基本的には60歳以下で，一側の振戦が著明で薬物療法でも十分に効果がないときに行われる．

(4)デバイス補助療法

新しい治療として，専用の装置を用いて持続的に小腸にL-ドパを投与する経腸的L-ドパ持続投与療法と，脳深部刺激療法（DBS：Deep Brain Stimulation）がある．

6）予後

パーキンソン病は，10～15年の経過をとるが，治療法の進歩により，さらに経過が延長する傾向にある．進行には個人差があるが，10年を経過すると，日常生活に全面介助を要するようになる．とくに，高齢者や重症度の高い患者は，脱水，栄養障害，悪性症候群などに陥り，その結果，気管支肺炎，尿路感染などの感染症を合併して死に至る．

図39-2　on-off現象とwearing-off現象

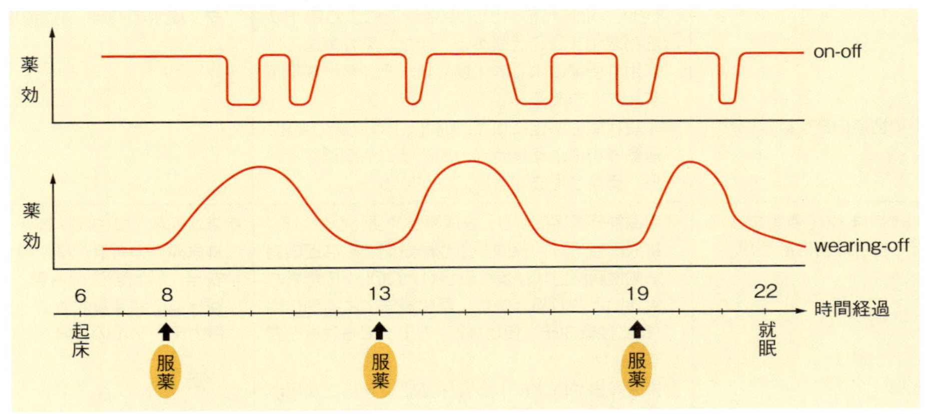

on-offでは服用に関係なく薬効がなくなる．wearing-offでは薬効期間が短くなる

2. 看護過程の展開

● アセスメント～ゴードンの機能的健康パターンを用いて

パターン	アセスメントの視点	根拠	収集する情報
(1) 健康知覚-健康管理 患者背景 健康知覚-健康管理 価値-信念	●疾患・障害・治療法を理解し，自己管理できているか ●症状の状況や日内変動をどのように認識しているか	●長期に及ぶ薬物療法を継続していくには，疾患・治療に対して正しく理解する必要がある．パーキンソン病症状や，薬剤の効果・副作用(不随意運動，on-off現象，wearing-off現象など)について知識を得て，定期的受診や内服管理を行うことが大切である．また，症状が出現した場合の対処法を患者・家族が理解し，疾患をコントロールしていくことを求められる．疾患の影響によって生活習慣の変更を余儀なくされる場合がある． ●症状は薬剤によってかなり改善されるが，不安，興奮，不眠，疲労，ストレスや臥床時間が長いことなどにより，増悪する傾向がある．内服と薬剤の副作用(日内変動，不随意運動など)や症状の出現状況の関係を，患者が客観的に把握することで，セルフケアにつなげることができる．	●現病歴(発症の時期と症状の経過，治療の経過)，既往歴，疾患・治療についての理解と認識，受診状況，服薬状況，セルフモニタリング状況，疾患や障害に対する思い，日常生活変更の必要性に関する認識，日常生活習慣，趣味
(2) 栄養-代謝 全身状態 栄養-代謝 排泄	●食事・水分の摂取は適正に行われているか ●褥瘡の発生はないか	●パーキンソン病の嚥下障害は，咽頭期だけでなく，摂食嚥下の全期で起こり得る．摂食動作が困難なことによって飲食が十分に摂れない可能性や，off時間帯やジスキネジアにより嚥下状態が悪化することもある．また，薬物療法の副作用や便秘による消化器症状から，食欲が低下することもある． ●栄養状態の悪化に加え，加齢による皮膚の変化，運動障害による長時間の局所圧迫や摩擦などから，褥瘡を形成するリスクがある．	●食事内容，身長，体重，BMI，食欲，食事摂取量，飲水量，摂食動作，嚥下状態，栄養状態に関する血液データ，脱水の有無，褥瘡の有無
(3) 排泄 全身状態 栄養-代謝 排泄	●自律神経障害による排泄障害はあるか ●尿路感染の徴候はないか	●自律神経障害により，排尿障害や便秘が生じる．排尿障害では，夜間頻尿や尿意切迫感などの過活動性膀胱症状が多くみられ，QOLへの影響も大きいとされる．また，薬物療法による副作用(起立性低血圧・便秘など)の出現にも注意を要する． ●排尿障害や脱水によって尿路感染を起こす可能性がある． ●飲水量の減少や失禁によって陰部の清潔が保ちにくくなると，尿路感染を起こす可能性がある．	●排泄回数・量(排泄パターン)・性状，排尿障害の有無，排便障害(便秘)の有無，薬物療法の有無，排泄行動，腎機能に関する血液データ，膀胱留置カテーテルの有無

パターン	アセスメントの視点	根拠	収集する情報
(4) 活動-運動 活動・休息 活動-運動 睡眠-休息	●ADLの障害はどの範囲か，自力でできるのはどの範囲か ●症状の日内変動にはどのような傾向があるか ●リハビリテーションの目標や内容，実施状況はどうなっているか ●排泄動作はどの程度自力で行えるか（日内変動を踏まえる）	●筋固縮，寡動・無動，姿勢反射障害の症状は，患者の動きを制限し，徐々に日常生活を困難にさせる．歩行障害や姿勢反射障害は転倒の危険因子である．症状の種類（姿勢反射障害，小刻み歩行，突進歩行，すくみ足）によって，転倒しやすい状態にある． ●治療の基本は薬物療法である．on-off現象，wearing-off現象などの薬剤の副作用がみられるときは，同じ動作もできるときとできないときがあり，介助の必要性も変わる．症状の状態や程度によって薬剤の量や服薬時間が決まり，それは退院後の生活や社会復帰に影響してくる． ●リハビリテーションでは，歩行練習，姿勢の保持，筋力・関節可動域訓練，発声練習などが行われる．生活自立に向けてOT，PTと連携し，患者情報を共有して援助することが不可欠である． ●on-off現象，wearing-off現象などの薬剤の副作用がみられるときは，同じ動作もできるときとできないときがある．	●日常生活での活動状況，パーキンソン病症状，ADLの障害（症状によって障害を受けている部位と程度，症状の日内変動），安静度，筋力，姿勢障害，疼痛の有無，疲労の有無と程度，歩行補助具の使用状況，食事動作・服薬動作・排泄動作・清潔動作・移動動作・更衣動作・コミュニケーション（構音障害の有無），自宅の居住環境，バイタルサイン ●リハビリテーション実施の有無と目標，訓練内容，評価（理学療法，作業療法，言語療法）
(5) 睡眠-休息 活動・休息 活動-運動 睡眠-休息	●睡眠障害は生じているか ●睡眠障害が日常生活に及ぼす影響はどうか	●パーキンソン病では，入眠困難や，熟眠感の不足，早朝覚醒が問題となる．夜間の不眠には不安や抑うつなどの精神的要因，むずむず足症候群，頻尿などが原因となる場合がある．睡眠薬の投与により，下肢脱力，日中の眠気，注意力の低下を引き起こす可能性があり，転倒のリスクがある．日中の過度な眠気には，薬物の副作用の影響も考えられる．	●夜間睡眠時間（睡眠パターン），不眠の有無と原因，午睡，昼夜逆転の有無，熟眠感，睡眠導入薬使用の有無，日中の眠気の有無，眠気を引き起こす薬剤の有無，疲労の有無と程度
(6) 認知-知覚 知覚・認知 認知-知覚 自己知覚-自己概念 コーピング-ストレス耐性	●疾患や老化による認知機能・知覚障害はどの程度か ●認知機能・知覚障害が日常生活に及ぼす影響はどうか ●症状の出現や日内変動に関する知識をもっているか	●パーキンソン病は初老期の発症が多く，レヴィー小体型認知症を合併する場合がある．老化の影響も受ける．加齢により視力・聴力の低下が生じる．パーキンソン病では，臭覚障害から食欲不振となる場合もある．また，薬物療法の副作用では，幻覚・幻聴がみられることや，慣れない入院環境，発熱などが促進因子となり，せん妄を起こすことがある．	●意識レベル，見当識，認知機能，視力・聴力・臭覚，不安言動，抑うつ，幻覚・妄想，発熱，脱水，環境の変化，表情

パターン	アセスメントの視点	根拠	収集する情報
(7) **自己知覚-自己概念** 知覚・認知 認知-知覚 自己知覚-自己概念 コーピング-ストレス耐性	●疾患をもつ自身の受け止めはどうか	●薬物療法は一生継続が必要になるため，L-ドパ(レボドパ)の長期服用による日内変動や不随意運動などの，さまざまな副作用に対応した薬剤の調整が課題となる．抑うつ状態になりやすく，妄想・幻覚が出現する場合もあるが，その原因が疾患そのものによるかは明確ではなく，薬剤の副作用の可能性もある．薬剤の長期服用による薬効の日内変動（wearing-off現象，on-off現象）や不随意運動などが出現し，日常生活に支障をきたす可能性が大きい．患者は，疾患特有の症状に対して，他人が不審に思っているのではないかと考えたり，動作に時間がかかることなどから，自分を否定的・悲観的にみるようになり，否定的な自己概念をもつようになる．	●性格，セルフモニタリング（症状日誌など）の状況，症状の自己認識
(8) **役割-関係** 周囲の認識・支援体制 役割-関係 セクシュアリティ-生殖	●疾患による患者の社会的役割への影響はどうか ●患者を支える支援体制はどうか ●社会資源の活用状況はどの程度か	●職場復帰が可能であれば，入院中から退院後の薬物療法をイメージできるようにしておく必要がある．また，ADLの状況によっては，家族が援助方法を習得する必要がある． ●家族や周囲の人が疾患をどのように理解し，障害をどのように受容しているかが，患者の療養生活に大きな影響を与える．患者の支えになる人，介護をしてくれる人の存在は精神的安定につながる．ADLに介助が必要な場合は，家族構成や介護力について査定し，必要なサポートを検討することが大切である． ●患者は初老期が多いことから，療養生活が長期になると家族の経済的・精神的・身体的負担も大きくなる．パーキンソン病は，厚生労働省の特定疾患・特定疾病の対象である．40歳以上で介護が必要な状態であれば，介護保険サービスを受けることができる．	●職業，社会的役割，家庭役割の状況，ADL，家族構成，キーパーソン，家族の介護力，経済力，社会資源の活用状況 ，リハビリテーションの内容
(9) **セクシュアリティ-生殖** 周囲の認識・支援体制 役割-関係 セクシュアリティ-生殖	●疾患によるセクシュアリティへの影響はどうか	●パーキンソン病は薬物の影響により，性欲過多となる場合がある．頻度は高くないが，若年発症，男子，新奇性追求性格が危険因子であり，患者の社会・家庭生活に影響を及ぼす．	●年齢，発症年齢，内服薬，家族構成，性欲亢進

パターン	アセスメントの視点	根拠	収集する情報
(10) コーピング-ストレス耐性 知覚・認知 認知-知覚 自己知覚-自己概念 コーピング-ストレス耐性	●これまでの日常生活においてどのようなストレスを感じ，対処してきたか	●ストレスに対してこれまでの対処方法では対処できないこともある． ●ストレスにより，心身の変調やせん妄などを起こす可能性がある．ストレスの原因や，コーピング行動を把握して対応する必要がある．	●入院環境，仕事や生活上のストレスの有無，周囲のサポート環境，生きがい
(11) 価値-信念 患者背景 健康知覚-健康管理 価値-信念	●どのような価値観をもち，何を目標としているか	●価値や信念は，治療の指針や生きることへの支えにつながる． ●これまでの人生で培われてきた価値観は，治療や療養行動に影響する．個々の価値観を理解した関わりが必要である．	●信仰，目標，価値観

3. 全体像の把握から看護問題を抽出

1）病態関連図

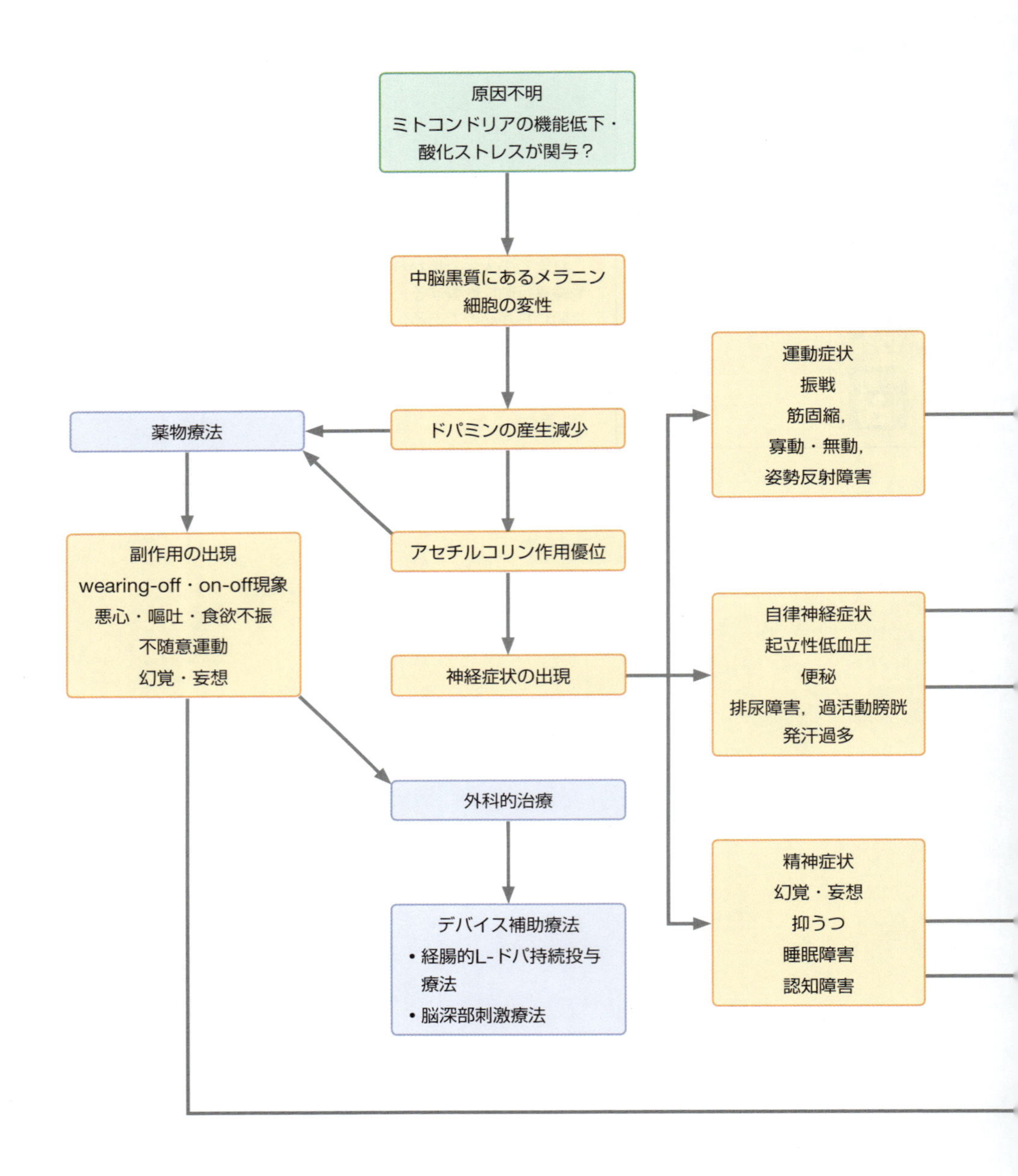

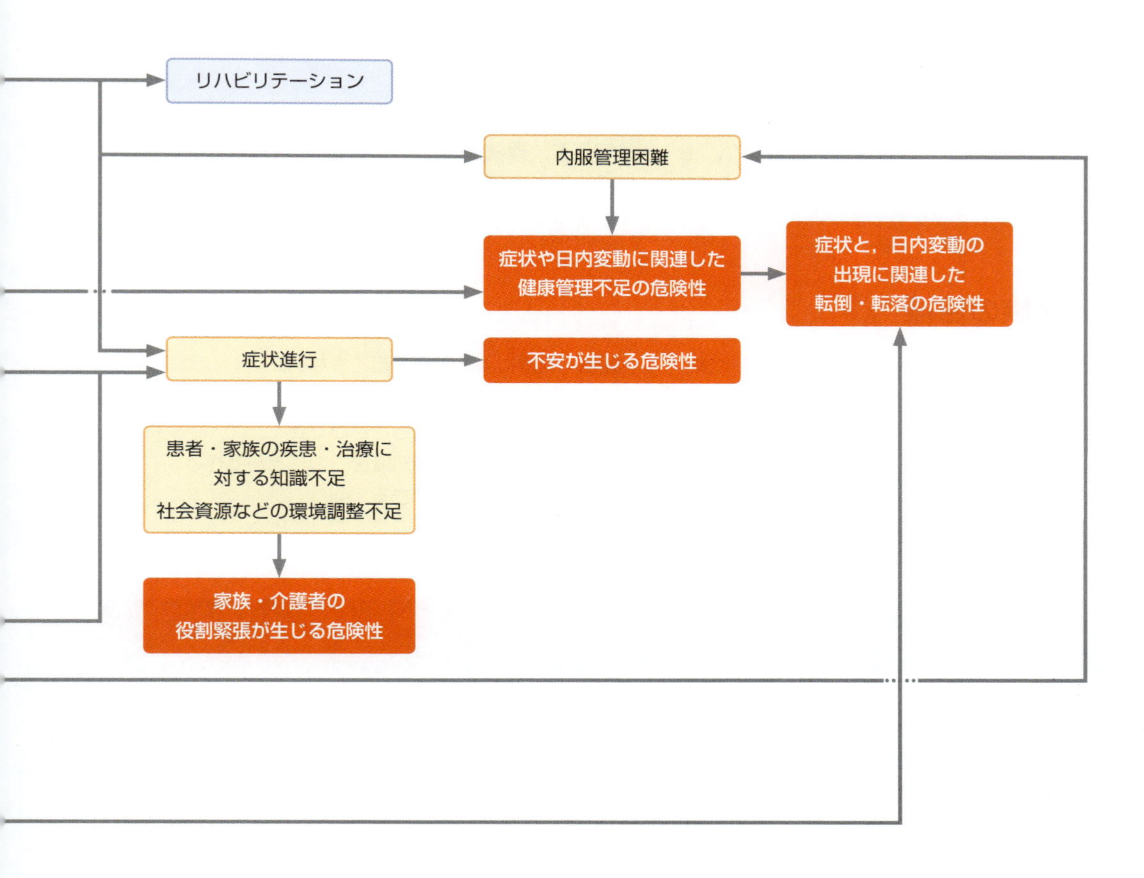
リハビリテーション
内服管理困難
症状や日内変動に関連した
健康管理不足の危険性
症状と，日内変動の
出現に関連した
転倒・転落の危険性
症状進行
不安が生じる危険性
患者・家族の疾患・治療に
対する知識不足
社会資源などの環境調整不足
家族・介護者の
役割緊張が生じる危険性

2）看護の方向性

パーキンソン病は，脳内の神経伝達物質であるドパミンの産生不足により，運動障害，自律神経障害，精神障害といった多様な神経症状が出現する．ホーン-ヤールの分類におけるステージⅠ～Ⅱでは，症状が比較的軽度で，日常生活は自立しており，就労している患者もみられる．この時期には，活動性を低下させずに安全に日常生活を送ることが目標となる．ステージⅢ以降になると姿勢反射障害が出現し，さらに転倒リスクが増す．姿勢反射障害，歩行障害，起立性低血圧，認知機能障害は転倒危険因子であり，運動療法，環境整備，血圧管理などを行い，患者へも転倒予防について指導する．ステージⅢ～Ⅳでは，日常生活や通院に介助が必要となるため，入院中から退院後の生活をイメージして関わることが必要となる．

また，薬物療法の副作用として，wearing-offやon-off現象といった日内変動が出現する．日内変動も個人差があるため，患者・家族が生じている症状や日内変動を把握し，医師と共有しながら薬剤調整を進める．これらの症状によって日常生活にどのような支障が生じているかアセスメントし，看護の具体策につなげる．さらに本人・家族に対し，疾患，治療，介護方法，社会資源などを情報提供し，状況にあわせて社会資源を活用していけるように支援する必要がある．認知機能障害による内服忘れや嚥下障害から，内服が適切に行えない場合もあり，服薬管理状況を把握して在宅での管理方法を調整することも重要である．

ステージⅤになると，立位や歩行ができなくなり，日常生活全体的に介助が必要となる．そのため，家族の介護負担も大きくなることが予測される．社会資源の活用状況や家族の支援体制を把握し，在宅療養環境を整えることが大切である．身体可動性低下による関節拘縮・褥瘡・尿路感染症，嚥下障害による誤嚥性肺炎などの廃用症候群の予防に努める．また，転倒·転落やそれらに伴う外傷を予防する必要がある．患者自身が転倒リスクを理解するとともに，医療者が日内変動を把握し，患者がon-offにあわせて活動できるよう支援することも大切である．

精神面では，意欲低下・疲労感・不安・興味の減退などがみられる．wearing-off現象があると，運動機能の良し悪しに比例して不安が強まるとされる．慢性的に症状が進行していくため，身体的援助とともに患者の精神的支援が重要である．

転倒，内服管理，症状と日内変動による日常生活動作の困難，退院後の介護負担，不安が主なポイントとなる．患者の言動や表情を注意深く観察し，患者とじっくり関わることが大切である．

3）患者・家族の目標

ここではホーン-ヤールの分類のステージⅢ・Ⅳに焦点をあてる．

症状や日内変動を理解し，確実に内服できて症状が改善する．

症状や日内変動にあわせて活動できる．

必要な介助を受けながら日常生活を送ることができ，転倒・転落による外傷を起こさない．

社会資源を活用し，医療・介護職の支援を受けながら安心して療養生活を送ることができる．

疾患について正しい知識をもつことができる．

不安な思いを軽減できる．

4. しばしば取り上げられる看護問題

♦1 症状や日内変動に関連した健康管理不足の危険性がある

なぜ？

パーキンソン病では，出現する症状が個人によって異なる．内服時間や薬効，日内変動も個人差があるため，患者・家族が生じている症状や日内変動を把握し，医師と共有しながら薬剤調整を進める．

パーキンソン病は，L-ドパの内服を生涯継続していかなければならず，退院後の生活を見据えた薬物管理の継続や合併症予防について理解する必要がある．

➡ 期待される結果

症状や日内変動を理解し，適切な薬剤調整と内服管理が継続できる．

♦2　症状と，日内変動の出現に関連した転倒・転落の危険性がある

なぜ？

パーキンソン病は，運動障害，自律神経障害，精神障害などの多彩な症状やL-ドパの副作用によって転倒リスクが高い状態にある．転倒による外傷から可動性が低下したり，廃用症候群を引き起こすなど，生活の質に影響を与える．転倒しやすい疾患である．転倒により，骨折や外傷を被ると，身体可動性が低下し，廃用化が進む．

➡期待される結果

症状や日内変動にあわせて活動でき，転倒を防ぐことができる．

必要な介助を受けながら転倒・転落による外傷を起こさず，安全に日常生活を送ることができる．

♦3　患者・家族の疾患や治療に関する知識不足，社会資源などの環境調整不足により，家族・介護者の役割緊張が生じる

なぜ？

パーキンソン病は進行性の難病であり，疾患の進行に伴い，自宅での療養生活に介助が必要となる．患者が症状をコントロールしながら，安定した療養生活を維持するためには，家族も疾患や介護方法について正しい知識をもつことが必要になる．

➡期待される結果

社会資源を活用し，医療・介護職の支援を受けながら安心して療養生活を送ることができる．

疾患の進行により不安が生じる危険性がある

なぜ？

精神症状は，パーキンソン病の疾患そのものとして出現する場合や，薬物療法の副作用として生じる場合もあるが，療養生活が長期に及び，疾患が進行する経過のなかで，心理的影響として不安が生じる場合がある．不安から不眠や，抑うつを引き起こす可能性もある．

➡期待される結果

不安が軽減し，治療が継続しながら活動性を保つことができる．

5. 看護計画の立案

• O-P：Observation Plan（観察計画）　• T-P：Treatment Plan（治療計画）
• E-P：Education Plan（教育・指導計画）

♦1　症状や日内変動に関連した健康管理不足の危険性がある

	具体策	根拠と注意点
O-P	**(1)健康管理状況** **(2)パーキンソン病症状についての知識** ①静止時振戦 ②筋強剛（筋固縮） ③無動 ④姿勢反射障害（姿勢保持障害） ⑤すくみ足・小刻み歩行・突進現象 ⑥低血圧・起立性低血圧 ⑦発汗過多・減少 ⑧膏顔 ⑨睡眠障害 ⑩抑うつ ⑪認知機能障害 **(3)症状の日内変動に関する知識** ①wearing-off：内服時間との関係 ②on-off現象：出現時間の傾向 ③L-ドパの副作用：ジスキネジア・幻覚・妄想など ④日内変動による生活の支障	●L-ドパの血中濃度の変化によって症状が変動したり，副作用が出現することで，日常生活に影響を及ぼす．また，初期に比べ，薬効が減弱していくため，これらの変化を把握する必要がある． ●症状日誌などを用いて，経時的にモニタリングするとよい．観察とともに，症状の変化を医師と共有することが重要である．

	具体策	根拠と注意点
O-P	**(4)服薬状況** ①内服薬の種類，量，内服時間 ②服薬動作(巧緻性，視力，介助が必要か) ③飲み忘れ ④疾患・薬物療法に対する理解度(内服時間・量・回数・効果・副作用) **(5)認知機能** **(6)嚥下状況**	●パーキンソン病の主要な治療は薬物療法である．内服により，症状を良好に保つことが可能である．突然の内服中断によって悪性症候群を引き起こすこともあり，服薬状況の把握が重要である． ●服薬が適切に行えていない場合，その理由も把握して対処につなげる． ●記憶力の低下により，内服時間や内服した事実を忘れてしまうことで，過小・過剰内服の可能性がある． ●嚥下障害があると，内服薬が口腔内に残ったり，誤嚥する可能性がある． ●内服薬が口腔内に残っていないか確認する．必要に応じて，水分にとろみをつけたり，内服用ゼリーを使用する．
T-P	**(1)患者・家族に，疾患・治療について説明する** **(2)内服を援助する** ・服薬行動の介助 ・とろみ水での内服 ・内服時間の想起(アラーム・ポスターなど) **(3)社会資源の調整**	●生涯，薬物療法を続けていかなければならず，長期内服によって日常生活にさまざまな問題が生じる．日常生活に介助が必要となるため，家族にも治療について理解してもらい，サポートを得ることが必要となる． ●パーキンソン病症状により，巧緻性の低下がある場合は，錠剤の取り出しに介助が必要となる．記憶力の低下がみられる場合は，服薬時間を想起できる工夫があるとよい． ●自宅での生活をイメージし，可能な限り患者が自己管理できる工夫を考えることが重要である． ●介護保険利用者は，退院後の生活において必要となるサービスをケアマネジャーと調整することで，切れ目のない支援が可能となる．
E-P	**(1)患者・家族に対し，内服薬の作用・副作用，内服時間・容量・回数について説明する** **(2)飲み忘れたときの対処法について説明する** **(3)自宅での生活を想定し，入院中から内服自己管理に向けた練習を行う**	●薬の過剰内服や，L-ドパ内服の中断は，副作用や合併症を引き起こす． ●薬剤師と連携し，患者の理解を促す． ●内服間隔が短すぎると，幻覚やジスキネジアなどの副作用が顕著に現れる可能性があるため，あらかじめ対処法を説明する必要がある． ●医師に指示内容を確認し，患者に説明する． ●入院中から患者の自己管理を促すことで，退院後のイメージができ，問題点や改善点が発見できる． ●患者に一任せず，見守りや声かけを行い，正しく内服できるように関わる．

2 症状と，日内変動の出現に関連した転倒・転落の危険性がある

	具体策	根拠と注意点
O-P	**(1)転倒・転落の有無** **(2)運動症状の種類と出現状況・部位・程度** **(3)症状の日内変動と与薬との関連** ①薬剤の種類・量・内服時間 ②与薬状況の確認 ③薬剤の効果(動きの良し悪し・パーキンソン病症状の変化) ④L-ドパの副作用の有無(ジスキネジア・幻覚・妄想など)	●運動障害によって転倒リスクが高まるため，どの症状がどの程度生じているのか観察する必要がある． ●薬物療法コントロールに伴い，どの程度症状が改善しているのかも観察する． ●パーキンソン治療薬の長期および多量の服薬は，不随意運動，on-off現象，wearing-off現象などの副作用の原因となり，転倒の原因となる． ●患者とともに把握できるよう症状日誌などを用いるとよい．

	具体策	根拠と注意点
O-P	**(4)起立性低血圧の有無** ①体位による血圧の変化(臥位・坐位・立位) ②低血圧症状(めまい・ふらつき・生あくび・顔面蒼白・気分不快など)	●自律神経障害によって起立性低血圧が起こると，立ち上がり時や坐位・歩行時に血圧が下がり，ふらつきや意識障害が生じる．また，床上安静が長期に及ぶことに起因する起立性低血圧もある． ●臥床時間が長期に及んでいる場合は，離床時の起立性低血圧に注意し，体位ごとに血圧を確認する．
	(5)精神症状 ①幻覚・妄想の有無・状況(言動・行動・視線) ②夜間の睡眠状況(昼夜逆転) ③せん妄の有無・状況(見当識・易怒性・話のつじつまがあわない・無意欲など) ④認知機能障害の有無・状況	●精神症状により，興奮したり混乱が生じ，転倒・転落のリスクが高まる．昼夜逆転は精神症状を増悪させる．認知機能障害によって必要時に援助を求められず，自力でなんとかしようとして転倒・転落を起こす状況も想定される．
	(6)移動動作の状況 ①立位・坐位バランス ② 歩行状態：小刻み歩行，突進歩行，すくみ足の有無と程度 ③歩行介助の必要性の有無 ④歩行補助具の使用状況	●立位・坐位でのバランスが崩れると転倒・転落のリスクがある．歩行障害の種類によって援助方法が異なるため，観察が必要である．また，on-offによって動きが変動するため，患者の状態にあわせて歩行補助具を変更する場合もある． ●症状の日内変動にあわせて異なる歩行補助具を使用する場合があるため，患者の状態を確認して援助につなげる．
	(7)薬剤の影響 ①睡眠薬内服の有無，内服時間 ②降圧薬内服の有無，内服時間 ③ 向精神薬内服の有無，内服時間 ④下剤内服の有無，内服時間	●薬物の作用・副作用により，転倒を誘発する症状が出現する可能性がある． ●患者が服用している薬物を把握し，作用・副作用(眠気・筋弛緩・血圧変動)を理解して，薬効に応じた援助につなげる．
	(8)環境 ①ナースコール，ゴミ箱，飲み物など，使用頻度の高いものが手の届く位置にあるか ②ベッドの高さは適切か ③ベッド柵の種類は適切か ④ベッド周囲の床，廊下にコードなどの障害物はないか	●日内変動によって可動性が低下している状態では，動きのよい時間帯のように動けず，物を取ろうとして転倒・転落するリスクがある．また，歩行障害により，些細な段差や障害物につまずく可能性がある． ●患者にとって適切な環境かどうか観察する．
T-P	**(1)移動の援助** ①すくみ足がある場合は，歩き始めに「せーの」など，合図を出し，大股で歩くよう声をかける ②歩行途中ですくんでしまった場合は，一度止まって姿勢を安定させる ③室内に，歩幅の目安になるようにテープで歩幅間隔に線を引く ④方向転換をする場合は，大きくターンする ⑤歩行介助は，基本的に患者の不安定な側に立ち，支えながら歩く．前傾姿勢が強い場合は，前方に立ち，患者の両腕を支えながら歩くこともよい ⑥歩行が安定していない場合は，車椅子，歩行器，杖などを使用した歩行練習や移動を行う ⑦移乗時は，ベッド柵や車椅子のアームレストなどに捕まりながら移動する	●すくみ足では，指標があると歩行しやすくなることが特徴である．視覚や聴覚に合図を送ることで，スムーズに動くことができる．狭い場所や方向転換が難しいため，なるべく広いスペースで活動し，方向転換は大きく行うことが大切である． ●歩行障害がある場合でも，動きのいい時間帯に歩行練習を行うなど，活動性が低下しないような配慮が必要である．
	(2)日内変動の援助 ①症状ダイアリーなどを用いて，内服と症状・副作用の関係をモニタリングする ②動きのいい時間帯に活動できるようスケジュールを調整する(入浴やリハビリテーションの時間調整など)	●患者によって生じる症状も程度もさまざまであるため，個々の症状や日内変動を把握し，適切な介助方法を選択する． ●患者の残存能力を生かせるよう，過度な介助とならないように注意する．

	具体策	根拠と注意点
T-P	**(3)日常生活活動の援助** ①患者の日内変動と症状にあわせ，日常生活動作の介助方法を検討し，チームで共有する ②患者の生活習慣を把握し，活動を見守る	●清潔・排泄・洗面など，場面ごとに援助方法を考える．検討した方法で統一したケアが行えるよう共有することが大切である．
	(4)起立性低血圧の援助 ①臥位から立位になる際には，段階的にゆっくり離床する ②歩行前に足踏み運動を行う ③立ちくらみやめまいがしたら，すぐに座ってもらう ④医師・リハビリテーション職など，他職種に情報提供する	●急激な血行動態の変化により，起立性低血圧が生じる． ●起立性低血圧の予防と，出現時の二次障害に注意する．
	(5)環境整備 ①ナースコールや飲み物，ゴミ箱など，必要なものを手の届く位置に配置する ②ベッドの高さを個人にあわせて調整する ③ベッド柵を個人にあわせて選択する（柵の位置・L字柵の使用など） ④ベッド周囲の環境整備（床・廊下の障害物の除去，オーバーテーブル・床頭台のストッパーをかけるなど）	●患者の状態に応じたベッドの高さ・柵にすることで，立ち上がりや坐位保持が容易になったり，転落時の衝撃を抑えることができる． ●患者とともに環境を整えるとよい．
E-P	**(1)履物と履物の着脱についての説明** ①かかとがあり，すべりにくい靴を履くように説明する ②座った状態で靴の着脱を行う．前方に倒れやすいため，靴ベラを使用するとよい	●履きなれた歩きやすい履物を使用することで，転倒を防ぐ．姿勢障害の影響で着脱時に転倒する場合がある． ●日常生活のなかで習慣化できるように関わる．
	(2)歩行時の注意事項についての説明 ① 前をみて足先をしっかり上げて，大きな歩幅で歩くように説明する ②方向転換時は，大きく曲がるよう説明する ③手すりを使用するよう説明する	●転倒危険因子を患者が認識し，それらを踏まえて歩行することが転倒の予防につながる．
	(3)ナースコールについての説明 ・介助が必要な時間帯（患者の状態によって異なる）には，ナースコールを押し，介助・見守りのもとで歩行してもらう	●一般的にオン状態のときに転倒しやすいとされるが，患者によって高リスクの時間帯は異なる．患者にあわせて見守り・介助の必要な時間帯を検討する． ●見守り・介助が必要な理由を患者にわかりやすく説明する．

引用・参考文献

1）井手隆文ほか：脳・神経：成人看護学７．系統看護学講座 専門分野Ⅱ，第15版，医学書院，2019.
2）日本神経学会監：パーキンソン病診療ガイドライン2018．医学書院，2018.
3）辻省次編：パーキンソン病と運動異常―アクチュアル 脳・神経疾患の臨床．中山書店，2013.
4）山口瑞穂子ほか監修：疾患別看護過程の展開．第５版，学研メディカル秀潤社，2016.
5）平山惠造監：臨床神経内科学．第６版，南山堂，2016.
6）高久史麿ほか監：新臨床内科学．第９版，医学書院，2009.
7）佐藤猛ほか編：パーキンソン病・パーキンソン症候群の在宅ケア 合併症・認知症の対応，看護ケア．中央法規出版，2016.

Memo

40 筋萎縮性側索硬化症

1. 疾患の基礎的知識

1）疾患の概念

筋萎縮性側索硬化症（ALS：amyotrophic lateral sclerosis）とは，上位と下位の運動ニューロンが選択的かつ系統的におかされ，進行性に全身の筋萎縮や筋力低下をきたす（**図40-1**）．また，近年，行動異常，性格変化や意欲低下，言語機能低下を特徴とする認知症がみられ，重症化するALSが報告されている[1]．厚生労働省の指定難病の１つである．

2）原因

長い間，手がかりになる原因は不明だった．しかし，近年，フリーラジカルの関与やグルタミン酸毒性，中でもグルタミン酸受容体のサブタイプであるAMPAを介したグルタミン酸仮説が有力である[2]．ALSのほとんどは孤発性で，５～10%が遺伝性である．家族性ALSの20％に，SOD1遺伝子変異が認められた．その他の原因遺伝子としてFUS/TLS，TARDBP（TDP-43），C9ORF72などが報告され，次第に解明されつつある[3][4][5]．

3）病態と臨床症状

身体の領域の分け方と上位・下位ニューロン徴候表を**表40-1**に示す．

病態

ALSの有病率は，人口10万人あたり1.6～8.5名であり，頻度は全世界を通じてほぼ一定している．ALSは，60歳代後半に発症のピークがあるが，80歳以降の発症も報告されている．男女比は，約３：２でやや男性に多い[6][7]．

図40-1　筋萎縮性側索硬化症の運動ニューロンと筋肉

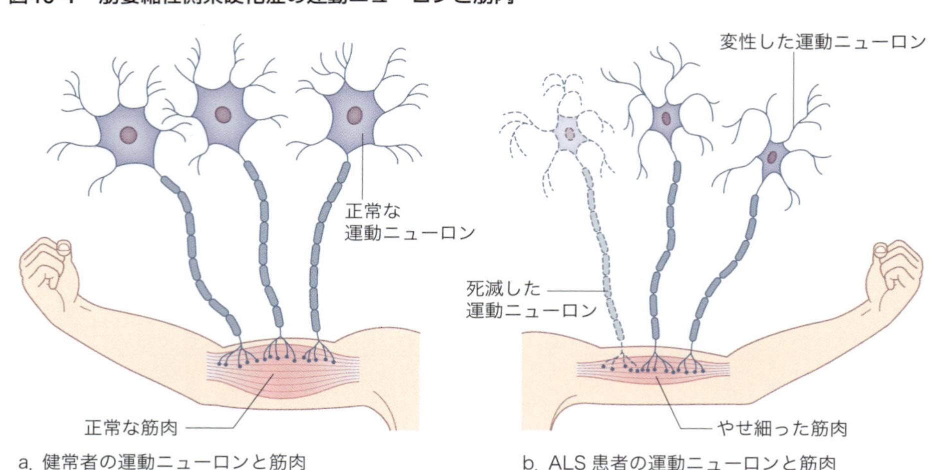

臨床症状

(1)筋萎縮と筋力低下の進行様式

発症初期は，上肢または下肢の一側から始まり，次いで両側性に進行する．小手筋である母指球・小指球に萎縮が起こり，その萎縮は次第に前腕，上腕，肩甲骨，体幹筋へ広がる．その際，筋の脱力が並行して現れる．上肢の運動障害は痙性麻痺として現れるが，下肢が初発の場合には，弛緩性麻痺となる．

筋萎縮と筋力低下が舌筋や咽頭筋に及ぶと，構音障害，嚥下障害が起こる．肋間筋がおかされると呼吸障害が出現し，頸筋がおかされると頸部の下垂がみられる．錐体路徴候深部反射は，一般に亢進する．バビンスキー徴候などの病的反射がみられることが多い．しかし，筋萎縮が高度になると反射は誘発されなくなる．

(2)陰性徴候

４大陰性徴候とよばれる感覚障害，眼球運動障害，膀胱直腸障害，褥瘡は，きたしにくいとされてきたが，長期的な人工呼吸器装着者に現れることがある．また，感覚異常として，下肢の冷感，しびれ感，重い感じなどを訴える場合がある．

4）検査・診断

わが国ではEL Escorial診断基準の考え方を基準に，独自のALS診断基準（**表40-2**）が作成され，改訂が行われてきた．また，筋電図の異常を重視したAwaji基準（**表40-3**）が提唱されている．しかし診断基準を用いても，発症早期には，身体１領域に症状や所見がとどまり，診断グレードは可能性（possible）にとどまることが多い．

(1)筋電図

高振幅電位，多相性電位などの神経原性変化がみられる．

(2)筋生検

筋線維の群集萎縮がみられる．

(3)MRI

頭部MRIのT_2強調画像で，内包後脚，大脳脚などの錐体路に限局性高信号が認められることがある．診断に用いる所見は確立されていないが，鑑別診断のために頭部・脊椎MRIを施行する．

(4)その他の検査

血清クレアチンキナーゼ（CK）や髄液タンパクが上昇することがある．診断にあたって，各種血液生化学，末梢神経伝導速度，髄液検査，血清・尿免疫電気泳動，必要に応じて遺伝子検査などを実施し，ほかの疾患（頸椎症，多巣性運動ニューロパチー，多発筋炎，糖尿病性筋萎縮症，脊髄腫瘍，脊髄空洞症，甲状腺機能亢進症など多数）との鑑別がなされる．

5）治療

(1)ALSの治療方針

有効な治療はないが，病名を伝えるだけではなく，将来出現する症状について具体的に説明する．患者がどのように病気を受け止めているのかを把握し，必要に応じて段階的に伝える．

とくに，予後を左右する嚥下障害や呼吸障害に対し，医療的処置の可能性と，その後の身体的・心理社会的問題についても情報提供する．生きがいのある生活は重要であり，構音障害になっても，文字盤や意思伝達装置の活用によってコミュニケーションが円滑にとれることも説明する．また，急速に進行する筋萎縮と筋の脱力へマッサージや他動運動，可能な範囲で軽い運動の継続は，関節拘縮の予防やADLの保持だけではなく，心理的ストレスの軽減になる．

(2)薬物療法

1999（平成11）年に保険薬に認められたリルゾール（リルテック®）は，グルタミン酸の血中濃度を抑制する中枢神経薬である．約３か月の延命効果が報告されている．しかし，努力性肺活量が60％以下の患者では，効果が期待できない．ほかに保険適用になっている薬物

表40-1　身体の領域の分け方と上位・下位ニューロン徴候

	a. 脳神経領域	b. 頸部・上肢領域	c. 体幹領域（胸髄領域）	d. 腰部・下肢領域
上位運動ニューロン徴候	下顎反射亢進 口尖らし反射亢進 偽性球麻痺 強制泣き・笑い	上肢腱反射亢進 ホフマン反射亢進 上肢痙縮 萎縮筋の腱反射残存	腹壁皮膚反射消失 体幹部腱反射亢進	下肢腱反射亢進 下肢痙縮 バビンスキー徴候 萎縮筋の腱反射残存
下位運動ニューロン徴候	顎，顔面 舌，咽・喉頭	頸部，上肢帯，上腕	胸腹部，背部	腰帯，大腿，下腿，足

が，エダラボン（ラジカット®）である．2015（平成27）年，ALSにおける機能障害の進行抑制があるとして認められた．ただし，重症度分類Ⅰ度またはⅡ度で，努力性肺活量が80%以上，罹患期間が2年以内の患者に対して初期投与を推奨している．治療の主体は対症療法であり，流涎（りゅうぜん）に対して，アトロピン硫酸塩水和物，ブチルスコポラミン臭化物，β遮断薬が用いられる．筋硬直には筋弛緩薬，抑うつ傾向には抗うつ薬，四肢の痛みには非麻薬性鎮痛薬が投与される．しかし，非麻薬性鎮痛薬で痛みが軽減しない場合，WHOの指針に沿って，オピオイドを適宜使用することが推奨されている．

(3)栄養管理

ALSの進行に伴う嚥下障害によって，食事の摂取量，飲水量の減少から，脱水や栄養不良が起こる．水分が最もむせ込みやすいため，とろみ剤を用いて飲み込みやすくするとともに，少量でもタンパク質が豊富な食品の考慮，バランスのとれた栄養摂取をすすめる．誤嚥の予防には，食事摂取時の体位の工夫も重要である．誤嚥は肺

表40-2　筋萎縮性側索硬化症の診断基準

1．主要項目
(1)以下の①～④の全てを満たすものを，筋萎縮性側索硬化症と診断する．
　①成人発症である（生年月日から判断する）．
　②経過は進行性である．
　③神経所見・検査所見で，下記の1か2のいずれかを満たす．
　　身体を，a．脳神経領域，b．頸部・上肢領域，c．体幹領域（胸髄領域），d．腰部・下肢領域の4領域に分ける（領域の分け方は，2．参考事項を参照）．
　　下位運動ニューロン徴候は，（2）針筋電図所見（①または②）でも代用できる．
　　1．1つ以上の領域に上位運動ニューロン徴候を認め，かつ2つ以上の領域に下位運動ニューロン症候がある．
　　2．SOD1遺伝子変異など既知の家族性筋萎縮性側索硬化症に関与する遺伝子異常があり，身体の1領域以上に上位及び下位運動ニューロン徴候がある．
　④鑑別診断で挙げられた疾患のいずれでもない．
(2)針筋電図所見
　①進行性脱神経所見：線維束性収縮電位，陽性鋭波，線維自発電位．
　②慢性脱神経所見：運動単位電位の減少・動員遅延，高振幅・長持続時間，多相性電位．
(3)鑑別診断
　①脳幹・脊髄疾患：腫瘍，多発性硬化症，頸椎症，後縦靱帯骨化症など．
　②末梢神経疾患：多巣性運動ニューロパチー，遺伝性ニューロパチーなど．
　③筋疾患：筋ジストロフィー，多発性筋炎，封入体筋炎など．
　④下位運動ニューロン障害のみを示す変性疾患：脊髄性進行性筋萎縮症など．
　⑤上位運動ニューロン障害のみを示す変性疾患：原発性側索硬化症など．

2．参考事項
(1)SOD1遺伝子異常例以外にも遺伝性を示す例がある．
(2)まれに初期から認知症を伴うことがある．
(3)感覚障害，膀胱直腸障害，小脳症状を欠く．ただし，一部の例でこれらが認められることがある．
(4)下肢から発症する場合は早期から下肢の腱反射が低下，消失することがある．
(5)身体の領域の分け方と上位及び下位運動ニューロン徴候は表40-1のとおりである．

公益財団法人難病医学研究財団（厚生労働省補助事業）：難病情報センター．筋萎縮性側索硬化症，概要・診断基準等．https://www.nanbyou.or.jp/wp-content/uploads/upload_files/File/002-201704-kijyun.pdf

表40-3　Awaji基準（Awaji提言を取り入れた改訂El Escorial診断基準）

診断グレード
Definite
・脳幹と脊髄2領域における上位・下位運動ニューロン障害の臨床徴候あるいは電気生理学的異常 ・または，脊髄3領域における上位・下位運動ニューロン障害の臨床徴候あるいは電気生理学的異常
Probable
・2領域における上位・下位運動ニューロン障害の臨床徴候あるいは電気生理学的異常，かつ下位運動ニューロン徴候より頭側の領域に上位運動ニューロン徴候
Possible
・1領域における上位・下位運動ニューロン障害の臨床徴候あるいは電気生理学的異常 ・または，2領域以上の上位運動ニューロン徴候のみ ・または，1領域の上位運動ニューロン徴候とそれより頭側の下位運動ニューロン徴候

炎の原因になるため，十分な栄養摂取が難しい場合，経管栄養や胃瘻造設（PEG）をすすめる（**図40-2**）．急激な体重減少は，生命予後を規定する因子であるため，早期から栄養不良にならないようにする．

(4)呼吸管理

ALSの呼吸障害の最初には，熟睡できない感じ，早朝の頭痛，易疲労感を訴える場合が多い．呼吸困難に対して，鼻マスクを用いた非侵襲的陽圧換気療法（NPPV），気管切開後の侵襲的陽圧換気療法（TPPV）による呼吸補助がある（**表40-4**）．TPPVである人工呼吸器がいったん装着されると，日本の法律では外せないため，慎重な対応が求められる．TPPVの欠点は，気管切開後，発声ができないことである．もし，球筋の働きが残っていれば，スピーキングカニューレを一時的に用いてコミュニケーションをはかることはできる．気管切開を希望しない患者の呼吸困難へは，オピオイドと酸素療法を組み合わせる場合がある．治療について，患者と家族が十分納得して意思決定ができるように援助する．

6）予後

発症から６～７年経過しても，自立して生活を営める患者はいるが，一般に，呼吸器を装着しないと，発症から平均３年程度で死に至る．呼吸器を装着した患者では，10～20年生存する者もいる．病気が進行すると，全身のどこでもサインが送れない閉じ込め症候群（totally locked-in syndrome）になる場合がある．しかし，長期的に意思伝達装置を用いて，他者との交流を保ち続ける患者もおり，病気の進行や進展様式にばらつきがみられる．

図40-2　ALSの呼吸不全の進行と胃瘻造設とNPPVのタイミング

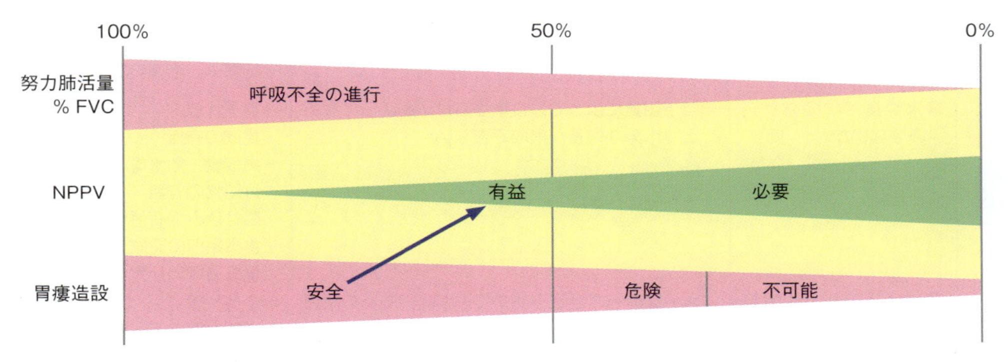

厚生労働省難治性疾患克服研究事業 平成17～19年度「特定疾患患者の生活の質（QOL）の向上に関する研究」班　ALSにおける呼吸管理ガイドライン作成小委員会編：『筋萎縮性側索硬化症の包括的呼吸ケア指針―呼吸理学療法と非侵襲陽圧換気療法（NPPV）』．p.11，2008.

表40-4　NPPVとTPPVの適応，利点，および欠点

	適応	利点	欠点
NPPV	・球麻痺が軽度で，分泌物が少ない ・軽度の呼吸不全	・非侵襲的である ・会話は可能 ・食事可能	・TPPVより換気効率が悪い ・喀痰吸引は鼻腔あるいは口腔からのため，効率が悪い ・送気による鼻腔，口腔の乾燥など ・送気リークによる眼球の乾燥など ・呑気による胃部膨満 ・マスク装着による違和感 ・マスクと皮膚の密着部分に皮膚トラブル
TPPV	・TPPVを希望する場合で，NPPVをほぼ終日使用するなど，TPPV以外の呼吸療法が限界と判断された場合	・換気効率に優れる ・喀痰吸引が用意	・気管切開術が必要 ・定期的な気管カニューレ交換 ・気管切開部の感染，肉芽形成，出血などの危険性 ・定期的な気管カニューレのカフエアの調整 ・清潔操作による喀痰吸引 ・喀痰分泌の増加

2. 看護過程の展開

● アセスメント～ゴードンの機能的健康パターンを用いて

パターン	アセスメントの視点	根拠	収集する情報
(1) 健康知覚-健康管理 患者背景 健康知覚-健康管理 価値-信念	●疾患の進行をどのように理解し，捉えているか	●ALSの典型例では，発症初期に筋力低下や筋萎縮によって，細かい手指の動きができなくなる．その後，反対側が同じようにおかされ，上腕や肩甲帯筋，頸部，舌，咽頭，体幹，下肢へと絶えず進行する．	●現病歴 ・発症の時期 ・病状の経過 ・発症の仕方（上肢か下肢か，球麻痺からか） ・治療の経過 ・病気の捉え方 ・既往歴
	●治療方法を理解し，健康管理行動がとれるか	●健康管理のためにリハビリテーションの意味，胃瘻造設，気管切開や人工呼吸器装着の必要性とタイミングについて，十分な情報が得ていること．介護者の存在，介護力が必要である．	●治療の理解と認識 ・リルゾールやほかの内服薬の有無 ・リハビリテーション療法の有無 ・気管切開や呼吸器装着の必要性 ・胃瘻造設の必要性 ・民間療法の有無 ●介護力 ・家族構成と主介護者
(2) 栄養-代謝 全身状態 栄養-代謝 排泄	●急激な体重減少はないか	●急激な体重減少は，生命予後の悪化につながる．	●栄養状態 ・体重減少 ・筋緊張，筋肉のつき方
	●水や食べ物のむせ込みはないか	●嚥下困難によって，食事がむせ込むようになると，十分な栄養が摂取できない．	●嚥下状態 ・食欲の有無 ・摂取量，飲水量 ・分泌物の有無 ・むせ込みの有無や回数 ・食事摂取の時間 ・食事摂取の仕方
	●むせ込みから，誤嚥性肺炎が合併しないか	●水分は最もむせ込みやすく，誤嚥性肺炎の原因になる．	●全身状態 ・栄養状態のデータ ・脱水状態 ・肺炎の所見（胸部X線）
(3) 排泄 全身状態 栄養-代謝 排泄	●便秘傾向になっていないか	●嚥下機能の低下によって，繊維のある食物がとれず，水分摂取が減少することで，便秘傾向になる．	●排泄状態 ・排尿量と回数 ・排尿困難の有無 ・下痢や便秘の有無
	●尿路感染はないか	●十分な水分摂取ができないことから，脱水や尿路感染などを引き起こすことがある．	●全身状態 ・発熱の有無 ・皮膚の状態

パターン	アセスメントの視点	根拠	収集する情報
(4) 活動-運動 活動・休息 活動-運動 睡眠-休息	●筋萎縮と筋力低下によって，どのような日常生活活動が困難か	●数週間～数か月で一側から反対側へ進行する．ペンやハサミの使用，パソコンの作業ができない．下肢では，スリッパが脱げる，つまずくなどがみられる．	●日常生活での活動状況（ADLの障害部位と程度） ・食事動作 ・排泄動作 ・清潔動作 ・移動動作 ・更衣動作 ・理学療法や作業療法の訓練内容
	●筋萎縮に伴う呼吸困難はないか	●胸筋，腹筋，肋間筋の低下から，胸郭の動きが小さくなると，空気を吸い込む量が低下し，拘束性障害になる．	●呼吸状態 ・呼吸回数 ・分泌物の増加 ・声の変化（声のかすれ） ・咳が出しにくい ・pCO_2とpO_2のデータ
(5) 睡眠-休息 活動・休息 活動-運動 睡眠-休息	●呼吸困難徴候に関連した睡眠障害はないか	●初期症状には，不眠，早朝の頭重感，日中の眠気などがある．	●睡眠状態 ・呼吸困難の初期症状：夜間の不眠，早朝の頭重感，日中の眠気 ・睡眠時間と中途覚醒の有無 ・睡眠薬の内服
	●家族の睡眠と休息に及ぼす影響はないか	●介護量が多いと病気の療養を支える家族介護者が，休息できなくなる．	●家族の休息状態 ・日中と夜の休息とリラクゼーション ・家族の夜の日課 ・家族介護者の睡眠の質と量
(6) 認知-知覚 知覚・認知 認知-知覚 自己知覚-自己概念 コーピング-ストレス耐性	●必要な医療処置を理解し，意思決定する力があるのか	●病気の進行によって，運動障害，嚥下障害，構音障害，呼吸障害へと進展するため，段階的なインフォームド・コンセントによって，タイムリーに，治療薬，胃瘻造設や人工呼吸器装着を意思決定できるようにしていく必要がある．そのために，情報収集力，学習能力，認知機能が必要である	●意思決定力 ・新しい境遇について情報収集する能力 ・学習能力 ・タイムリーな判断力 ●認知機能 ・他者との対話の仕方 ・物事へのこだわり ・集中力

パターン	アセスメントの視点	根拠	収集する情報
(7) 自己知覚-自己概念 知覚・認知 認知-知覚 自己知覚-自己概念 コーピング-ストレス耐性	●極度の抑うつ傾向が，患者および家族にないか ●病気である自分をどのように受け止めているか ●自己概念や自尊心が脅かされていないか	●病気の進行への恐怖や不安から，抑うつ傾向になる場合がある．それが，家族成員にも移るといわれている． ●疾患特有の症状に対して，他人が不審に思うのではないかという不安がある． ●動作に時間がかかることなどから，自身を否定的，悲観的に思うようになり，否定的な自己概念をもつようになる．	●心理状態 ・罪悪感や自責の念 ・無関心 ・引きこもり ・自尊心の低下 ・落ち込み ●家族の身体的症候群と行動の変化 ・頭痛，腰痛，吐気の有無 ・アルコールや薬物依存
(8) 役割-関係 周囲の認識・支援体制 役割-関係 セクシュアリティ-生殖	●家庭や職場での役割の変更を余儀なくされていないか	●家族が介護者となること，患者からの役割の委譲により，ほかの家族成員にストレスが生じることがある． ●病状の進行により職場での役割変更，退職を余儀なくされる．	●家庭での役割遂行状況 ・家庭内での役割変更 ・家族構成 ・介護者のニーズ ●職場での役割遂行状況 ・役割変更の有無 ・仕事継続の有無
(9) セクシュアリティ-生殖 周囲の認識・支援体制 役割-関係 セクシュアリティ-生殖	●生殖の発達段階をどのようにたどっているか	●妊娠・出産が可能な時期で発症する場合もあり，調整が必要である．	●セクシャリティパターン ・妊娠と出産 ・更年期障害の有無 ・子どもの人数
(10) コーピング-ストレス耐性 知覚・認知 認知-知覚 自己知覚-自己概念 コーピング-ストレス耐性	●病気の進行が及ぼすストレスに対処する方法をもっているか	●病気の進行によりこれまで問題が起こったときに，対処方法が有効でないこともある．	●問題解決の方法 ・ストレスの度合いと対処 ・相談できる人の有無 ・リラックス方法の有無 ●ソーシャルサポートの状況 ・友人や親戚のサポート ・社会資源の活用状況

パターン	アセスメントの視点	根拠	収集する情報
（11） 価値-信念 患者背景 健康知覚-健康管理 価値-信念	●治療の選択で，何に価値をおいて意思決定しているか	●病気の進行に伴って必要な医療処置を意思決定することになる． ●人生で重要だと認識していること，健康の維持増進で大事にしていること，何に希望をおいて将来計画を立てるのかが医療処置の選択がよりどころとなる．	●将来の計画 ・療養する場所 ・病気の原因と捉え方 ・治療の選択肢への理解 ●人生で大事にしていること ・健康観 ・生きがい（職業や社会活動） ・家族の存在 ・宗教観

3. 全体像の把握から看護問題を抽出

1）病態関連図

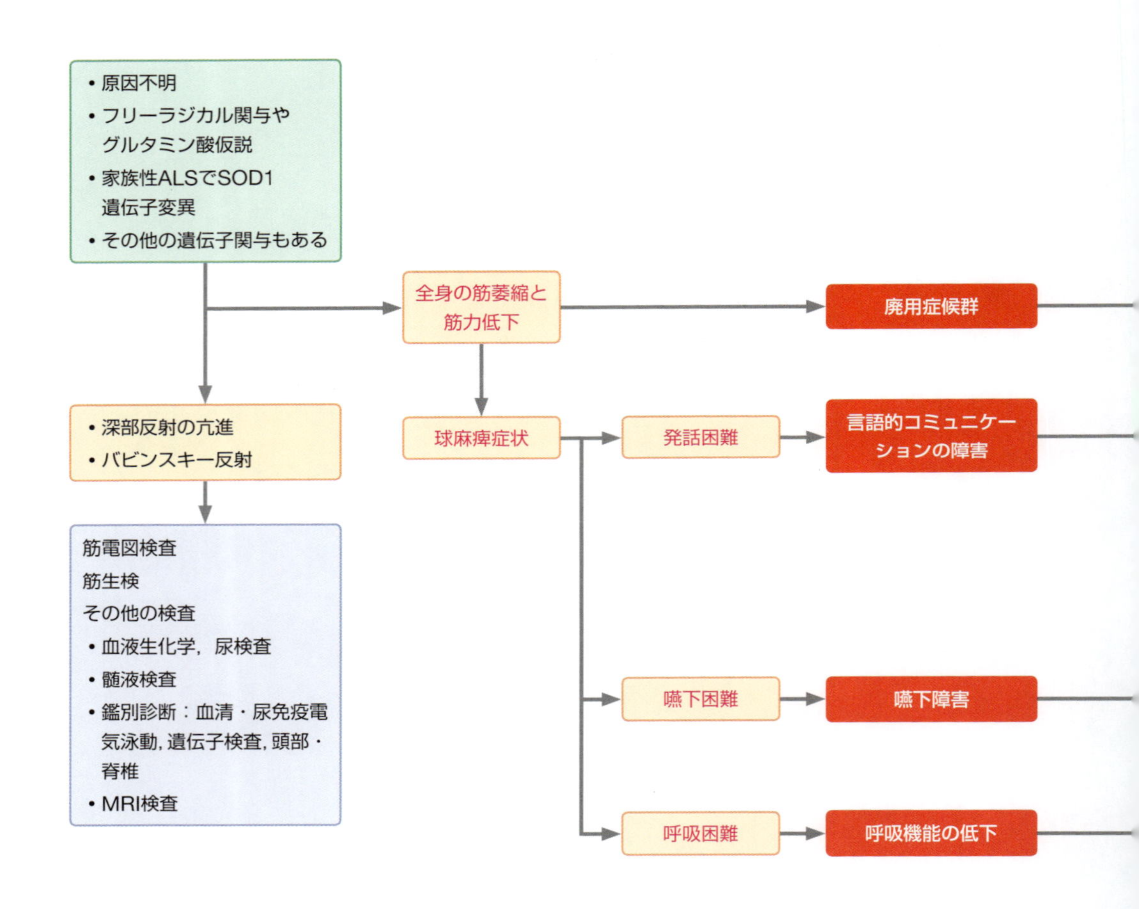

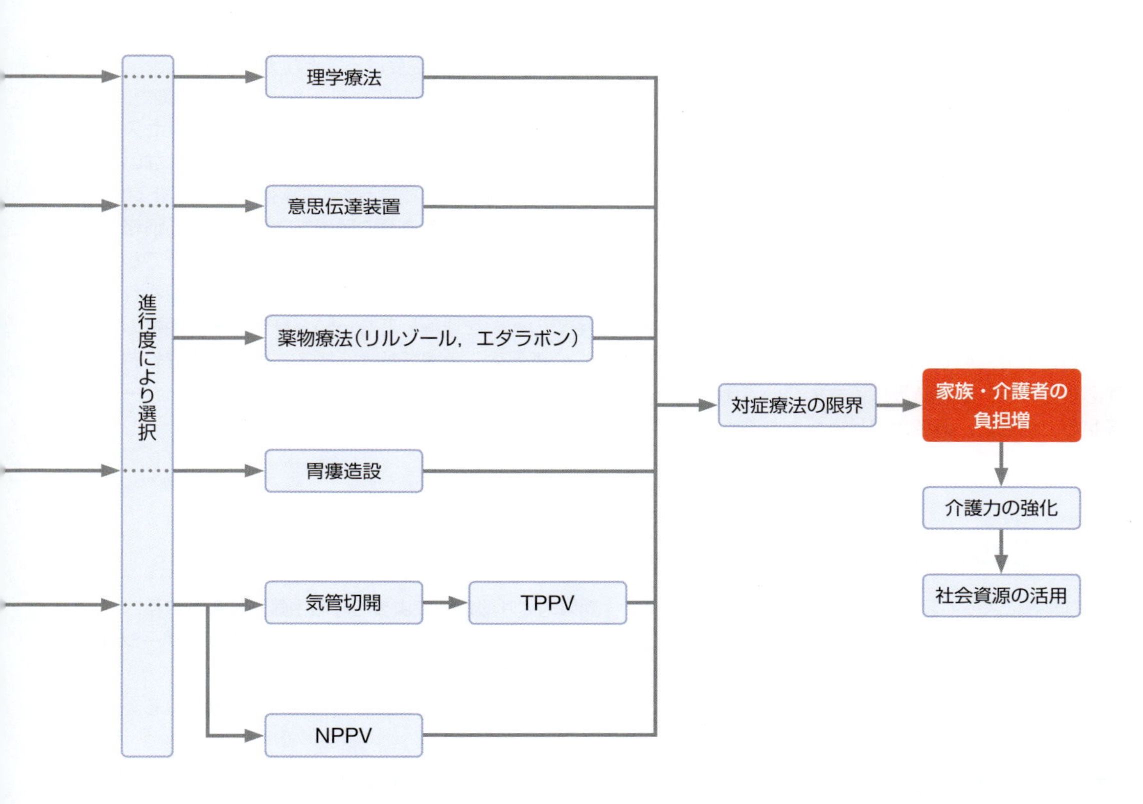
進行度により選択
理学療法
意思伝達装置
薬物療法（リルゾール，エダラボン）
胃瘻造設
気管切開
TPPV
NPPV
対症療法の限界
家族・介護者の負担増
介護力の強化
社会資源の活用

2）看護の方向性

進行性の難病で，治療法がない病気を知らされた患者と家族は，心理的衝撃を受ける．病気の初期には，筋萎縮や筋力低下は一側だが，全身へ進展していくと，徐々に日常生活活動に支障をきたすようになる．可能な範囲で，他動的・自動的な運動の実施，深呼吸による胸郭を動かす呼吸リハビリテーションについてセルフマネジメントできるように，認識してもらう必要がある．さらに，舌筋や咽頭筋がおかされると発話困難になり，他者とのコミュニケーションがとれなくなるため，さまざまなコミュニケーションをとるための工夫や，タイムリーに意思伝達装置を導入する必要がある．たとえば，単語や「はい」「いいえ」など，短文での会話，必要な単語をカードにする方法，五十音表などを用いる方法を提案する．重度障害者用意思伝達装置の手続きの必要，メール機能の使用によって他者とのコミュニケーションを維持するように指導する．

また，運動機能によるスイッチが困難な場合には，センサースイッチ，脳波利用（マクトス），脳血流利用（新心語り）の検討ができることを説明し，希望を失わせないことが重要である．

嚥下障害で食事がむせ込むようになると，適切な栄養摂取ができないことで，急激に体重が減少するだけではなく，全身状態の悪化へ影響する．そのため，誤嚥性肺炎を考えると，飲水時のむせ込みが，最も注意が必要である．とろみ剤を利用したり，食事形態を見直したりすることで，むせ込みをできるだけ少なくする配慮が必要である．飲み込みにくさについて患者の認識を尋ねるとともに，必要カロリーがとれなくなって体力を弱めないように，胃瘻造設の必要性についてタイムリーに指導することが重要である．嚥下障害に対する胃瘻造設は，呼吸障害前に意思決定して医療処置を受けることが推奨されている．また，嚥下障害に平行して，呼吸障害が起こる場合があり，感染症が要因になって，一気に呼吸状態が悪化し，生命の危機的状況に陥る．すなわち，ALSの呼吸困難が起こってから呼吸療法を選択するのでは，生命の危機的状況を回避できない．事前に，患者と家族から将来への希望について聞き，互いに納得して医療処置を意思決定できるように，情報提供する必要がある．退院後，在宅療養で安心した生活ができるように，入院中に適切な知識と技術を家族介護者へ指導する．

また，気管切開や人工呼吸装着後，会話ができなくなること，いったん装着した呼吸器は外せる法律がないことについても十分に説明し，理解を得る必要がある．NPPVや，気管切開とTPPVは，患者と家族が納得したうえで医療処置を受けることが大切である．

患者は在宅療養が中心になるため，介護者は誰で，在宅療養を継続するための介護力はあるのかをアセスメントすることが大切である．介護力が十分ではない場合には，長期療養ができる施設の紹介，ショートステイの利用など，社会資源の活用方法についても情報提供する．一人ではどうにもならない状況になってから，ホームヘルパーを導入するのではなく，予期される在宅での問題を理解してもらい，身体障害者手帳の取得，介護保険，障害福祉サービス，補装具費支給制度などの利用について理解が得られるように，ソーシャルワーカーと連携して支援する必要がある．

3）患者・家族の目標

- 身体可動性の障害によって起こる廃用症候群を最小限にとどめる．
- 嚥下困難から誤嚥性肺炎を起こさない．
- 嚥下障害に起因した栄養バランス不足が改善される．
- 効果的な呼吸療法によって呼吸困難が緩和される．
- 発話以外の方法を用いて，他者とのコミュニケーションがはかれる．
- 社会資源を活用して家族の介護負担が軽減される．

4. しばしば取り上げられる看護問題

筋・骨格系に関連した呼吸機能の低下

なぜ？

ALSでは，呼吸筋の筋力低下により呼吸困難が出現する．退院後呼吸困難になった時，呼吸を楽にする医療処置を意思決定しないまま行うことは問題である．十分に情報を提供し，患者も家族も納得して医療処置，在宅療養を選択するためには，退院指導に含めて療養の仕方までを理解してもらう必要がある．

➡期待される結果

患者と家族が納得して呼吸療法を意思決定し，呼吸困難が緩和する．

◆2 筋力低下や球麻痺による言語的コミュニケーションの障害

なぜ？

最初の症状は，「声のかすれ」であるが，病気の進行によって，声が出しにくいと感じるようになる．舌で出す舌音，咽頭音が障害され，声帯自体が麻痺すると発声そのものが困難になる．

患者の要求を家族介護者が読み取れないと，患者と家族の間にズレが生じ，療養介護の継続が困難になる．コミュニケーションの取り方を工夫し，ホームヘルパーを導入した際も同様に対話ができるためにも，タイムリーに意思伝達装置を導入できるように指導をして理解してもらう．

➡期待される結果

代替コミュニケーション機器を導入して，他者とのコミュニケーションを維持する．

◆3 筋萎縮や筋力低下に関連した廃用症候群の危険性

なぜ？

ALSによって筋萎縮と筋力低下が全身に及ぶため，可能な動作をできるだけ自分で行い，廃用症候群を起こさないことが重要である．進行時期は，リハビリテーションの意義を見失いがちだが，継続を中止すると急速に運動麻痺が進行する．

➡期待される結果

リハビリテーションの継続により，廃用症候群が発生しない．

◆4 筋萎縮に関連した嚥下障害

なぜ？

食事に時間がかかるようになり，食事中のむせ込む回数が多くなると，嚥下障害が進行してきたと捉えることができる．

➡期待される結果

食事形態や食事時の姿勢の見直しにより，むせ込みが生じない．

◆5 麻痺の進行による家族・介護者への負担が増強する可能性

なぜ？

全身の麻痺が進行すると，着替えや体位変換など，日常生活動作のほとんどに介助が必要になる．また，胃瘻造設による経管栄養の扱い，呼吸器装着による吸引と器械の管理，尿留置カテーテルの管理など，専門的な知識と技術が必要になる．とくに，コミュニケーションがとれなくなると，訴えを読み取るためのコミュニケーション技術も求められる．患者の心理的な不満や不安を聞き，それへの対応も求められるようになる．

➡期待される結果

利用できる社会資源をタイムリーに申請でき，介護負担が軽減する．

5. 看護計画の立案

• O-P：Observation Plan（観察計画）　• T-P：Treatment Plan（治療計画）
• E-P：Education Plan（教育・指導計画）

筋・骨格系に関連した呼吸機能の低下

気管切開の前と後で分けて示す．

<気管切開前>

	具体策	根拠と注意点
O-P	**(1)呼吸障害** ①自覚症状 ・息苦しさ，胸部の重苦しい感じの有無 ②バイタルサイン ・脈拍，血圧，呼吸の深さ・リズム・パターン，呼吸音 ③気道分泌物 ・喀痰の性状・色・量 ④随伴症状 ・チアノーゼ，肩呼吸，下顎呼吸，動悸の有無 ⑤意識状態 ・CO_2ナルコーシスの有無 **(2)検査データ** ①胸部X線検査 ②動脈血酸素飽和度(SpO_2)，動脈血ガス分析 ③肺活量(VC/SVC)，努力性肺活量(FVC) ④血液検査 ・白血球・赤血球数，Hb，Ht，電解質 ⑤喀痰の細菌検査 **(3)心理面の変化** **(4)呼吸療法についての意思決定**	●呼吸障害がどの程度進行しているのかを把握し，呼吸作業量が増加していないかを判断する． ●動脈血ガス分析では，PaO_2の低下，$PaCO_2$の上昇に注意する． ●風邪を引き金に，分泌物の喀出困難を引き起こすため，タイムリーに検査を行い，状況把握する．発熱がある場合には，喀痰の細菌検査も重要な情報である． ●呼吸が苦しくなると，落ち着きのなさや不安な表情が出現する．
T-P	**(1)効果的な排痰への援助** **(2)超音波ネブライザーの使用** **(3)誤嚥に注意した食事摂取** **(4)適宜，体位変換**	●呼吸筋の障害が進行すると，自力で排痰ができなくなるため，吸引回数が増加する．分泌物の喀出が楽にできるように，超音波ネブライザーを用いる． ●患者が好む体位があれば，希望を確認して援助する．
E-P	**(1)呼吸療法についての説明と意思決定支援** **(2)咳の仕方による効果的な排痰の指導** **(3)感染予防についての指導**	●呼吸困難への対処について，医師からのインフォームド・コンセント後，理解できなかった点を確認する． ●患者と家族が納得して呼吸療法の意思決定ができるように援助する． ●風邪や誤嚥性肺炎が，急激な呼吸困難を引き起こす原因になるため，日ごろから感染予防に努めるように指導する．風邪を引いた人の面会を制限し，身体の保清，外出時のマスクなどについて説明する．

<気管切開後>

	具体策	根拠と注意点
O-P	**(1)出血，腫脹の有無** **(2)自覚症状** ・息苦しさ，胸部の重苦しい感じの有無	●気管切開後は，聴診器で両肺の呼吸音を確認する． ●気管切開後，すぐに呼吸器を装着する場合とそうでない場合がある．そのため，動脈血ガス分析，胸部X線の所見，自覚症状からその必要性が判断される．最終的には，患者・家族の意思決定に基づいて呼吸器を装着する．

	具体策	根拠と注意点
O-P	**(3)人工呼吸器装着時の確認** ①胸郭の動き ②呼吸音の左右差 ③気道内圧の上昇 ④呼吸量が設定1回換気量に近似 ⑤バイタルサインやSpO_2の変化 ⑥呼吸回数 ⑦酸素濃度 ⑧アラームのセット ⑨トリガーレベル ⑩加温加湿器のセット	●人工呼吸器の設定（換気様式，吸入酸素濃度，一回換気量，換気回数，PEEP値，吸気・呼気時間などの初期条件）は，医師が行うが，適宜，設定値を確認して記録する．各部の接続部にゆるみはないか，蛇管に水滴がたまっていないかを点検する． ●アラームの設定値だけではなく，設定値を外れた場合に確実に作動することの確認が必要である． ●一時的操作（加温加湿器やネブライザーへの蒸留水・薬液の補充，吸引）によって，アラームが作動しても，アラーム装置の設定は解除しない．
	(4)心理的状態 ・気管切開を選択したことについての反応	●バッキング（なんらかの原因で咳嗽反射が起こり，人工呼吸器と患者の呼吸のリズムがあわなくなった状態）や，ファイティング（呼気のときに人工呼吸器による換気が行われるなど，患者の呼吸リズムと人工呼吸器の換気パターンが同調していない状態）を起こしていないかを把握する．ファイティングは，不安が原因の場合もある．呼吸音を聴診器で確認し，呼吸が楽にならないときには，医師に連絡する．
T-P	**(1)気道分泌物を適宜吸引**	
	(2)声漏れ時のカフエアの確認	●声漏れは，カフの破損が原因の場合もあるため，カフのエア量を確認し，ゼロならカニューレを交換する．
	(3)加湿器の蒸留水の補給	●加湿器に，蒸留水を補給した後，患者の呼吸状態を観察する．
	(4)心電図とパルスオキシメーターによるSpO_2のモニタリング	●SpO_2は，一時点の測定ではなく，連続モニタリングが必須である．
	(5)トラブル時の対処	●アラームが鳴ったら，その都度確認して対応する． ●自発呼吸がある場合は，機器とリズムがあわずに焦ってしまうため，気持ちを楽にするように援助する． ●換気異常があった場合は，用手換気に切り替える．用手換気器具（ジャクソンリース回路，バッグバルブマスク）は，状態の変化，機器のトラブルに対応できるようにベッドサイドに常備する．
E-P	**(1)主介護者へ人工呼吸器のトラブル対処について説明** **(2)主介護者への吸引方法の指導** **(3)気管切開を選択したことへの支持**	●異常を発見したときは，いつでも誰でも用手換気ができるように訓練しておく． ●無菌操作で安全に吸引できるように，その方法を段階的に習得してもらえるように援助する．

◆2　筋力低下や球麻痺による言語的コミュニケーションの障害

	具体策	根拠と注意点
O-P	**(1)コミュニケーションのとり方** ①発声の有無 ②口唇・舌の動き ③下顎・頬筋の動きと表情 ④身振り・視線 ⑤手指筋力の程度 ⑥発話以外のコミュニケーション手段と方法 **(2)意思伝達装置の必要性についての理解**	●全く発声できないのか，まだ発声できるのに，誰とも話したくない心理的状況にあるのかを判断する． ●コミュニケーション能力がどの程度障害されているのかを把握することは，全体的な進行過程を知る重要な情報である．

	具体策	根拠と注意点
O-P	**(3)コミュニケーション障害に伴う心理的変化**	●構音障害のレベルにあわせて，筆談，カード，文字板，各種コール，意思伝達装置などを，どのように組み合わせて使用しているのかを把握する． ●他者とどのようにコミュニケーションをとっているのかを知るとともに，抑うつ，いらいら感，引きこもり，積極性などについても把握する．
T-P	**(1)視線，表情，身振りなどから患者が訴えようとしていることを観察** **(2)患者からのメッセージを確認** ・必要に応じて復唱して確認し，文脈の食い違いを最小にする **(3)「はい」「いいえ」のサインを確立** **(4)緊急時のコールを確認し，いつでも使用できるように設置**	●患者がどのようなメッセージを伝えようとしているのか曖昧にせず，簡潔な表現ができる方法を患者とともに確立する． ●コミュニケーションが食い違ったままでは，関係にしこりを残してしまう．とくに，発話能力が徐々に失われていく時期には，小声になり，聞き返しても確認できないことがある．
E-P	**(1)コミュニケーション手段の紹介** ・発話以外のさまざまなコミュニケーション手段を紹介し，意思疎通の可能性を伝え，希望をもたせる **(2)コミュニケーション手段の使用方法を指導** ・意思伝達装置の使用方法を具体的に指導し，それを用いてコミュニケーションをはかる	●発話ができなくても，いくつかの手段を組み合わせて他者との交流ができることを説明し，励ます． ●コミュニケーション手段を失うことは，人間としての存在意義が揺さぶられる． ●意思伝達装置を用いて，インターネットの活用もできることを説明する．意思伝達装置を使いこなすには，スイッチが重要であり，その種類の紹介，身体のどの部位でなら操作できそうかを見極める必要性についても指導する．また，同じ疾患の人々との交流の場として「患者会」があることも情報提供する．

引用・参考文献

1) 日本神経学会監：筋萎縮性側索硬化症診療ガイドライン2013．南江堂，2013．
2) 青木正志：筋萎縮性側索硬化症に対するHGF治療．BRAIN and NERVE，64(3)：245～254，2012．
3) 葛原茂樹：ALS研究の最近の進歩：ALSとTDP-43．臨床神経学，48(9)：625～633，2008．
4) 阿部康二，割田仁：遺伝性ALSの成因と治療の試み．臨床神経学，39(1)：68～69，1999．
5) 鈴木則宏編：神経疾患・診療ガイドライン―最新の診療指針．p.221～224，総合医学社，2009．
6) 鈴木則宏監：運動ニューロン疾患―神経内科Clinical Questions & Pearls．p.78～85，中外医学社，2017．
7) 田村晃ほか編：EBMに基づく脳神経疾患の基本治療指針．改訂第3版，p.468～473，メジカルビュー社，2010．
8) 小林祥泰ほか編：神経疾患最新の治療2015-2017．南江堂，2015．
9) 釘宮豊城監：写真でわかる 人工呼吸器の使い方 改訂版．医学芸術社，2007．
10) 日本ALS協会：利用できる社会資源． http://alsjapan.org/system-available_social_resources/ より2020年8月21日検索
11) 厚生労働省難治性疾患克服研究事業 平成17～19年度「特定疾患患者の生活の質(QOL)の向上に関する研究」班 ALSにおける呼吸管理ガイドライン作成小委員会編：『筋萎縮性側索硬化症の包括的呼吸ケア指針―呼吸理学療法と非侵襲陽圧換気療法(NPPV)』．2008．
12) マージョリー・ゴードン：アセスメント覚え書―ゴードン機能的健康パターンと看護診断．医学書院，2009．

Memo

41 てんかん

1. 疾患の基礎的知識

1）疾患の概念

てんかんは，さまざまな病因によって起こる慢性の脳疾患である．世界保健機関（WHO）によると，大脳の神経細胞が過剰に興奮し，てんかん発作が2回以上（反復性）起こるものと定義される[1)]．あらゆる年齢層で発症するが，とくに乳幼児期と高齢期の発病率が高く，世界的にも一般的な神経疾患の1つである[2)3)]．日本における有病率は1%弱である[4)]．

2）原因

(1)病因

てんかんは，さまざまな病因が原因となって起こる脳の疾患であり，その病因は「脳の構造異常」「遺伝子異常」「感染症」「代謝異常」「免疫性疾患」「原因不明」に分類される[5)6)]（国際抗てんかん連盟，2017）（**表41-1**）．

(2)てんかん発作の誘因

てんかんの主症状が，「てんかん発作」である．そのてんかん発作は，誘発因子がなく自然に起こる「自発発作」と，誘発因子によって起こる「誘発発作」とがある．誘発発作のうち，代謝性，中毒性疾患や外傷性脳損傷，脳血管障害，脳炎などで起こるものは「急性症候性発作」といい，ある刺激によって反射性に引き起こされる発作を「反射発作」という．反射発作の誘因になり得るものを**表41-2**に示した[7)]．

表41-1　てんかんの病因

脳の構造異常	脳形成異常，周産期障害，脳腫瘍，神経変性，ウエスト症候群など
遺伝子異常	単一遺伝子異常，多因子遺伝
感染症	急性脳炎・脳症や細菌性髄膜炎などの後遺症，子宮内感染症後遺症など
代謝異常	アミノ酸異常，尿素サイクル異常，クレアチン代謝異常，ミトコンドリア病など
免疫性疾患	ラスムッセン症候群，痙攣重積型急性脳症，片側痙攣・片麻痺・てんかん症候群など
原因不明	

＊文献5)6)より一部引用して作成

図41-1　てんかん発作の発生順序

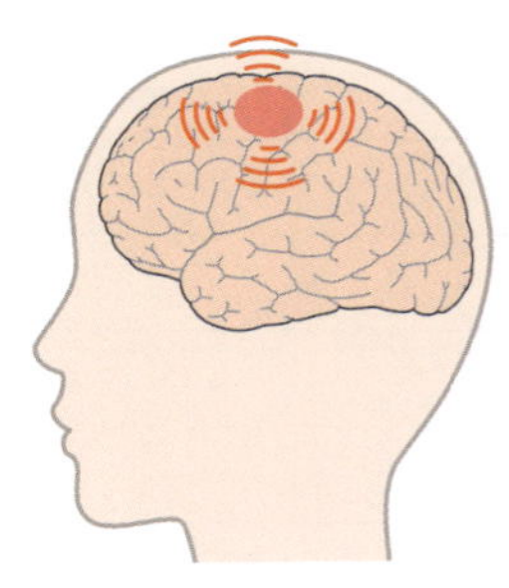

a. 部分発作
脳の一部分から徐々に興奮

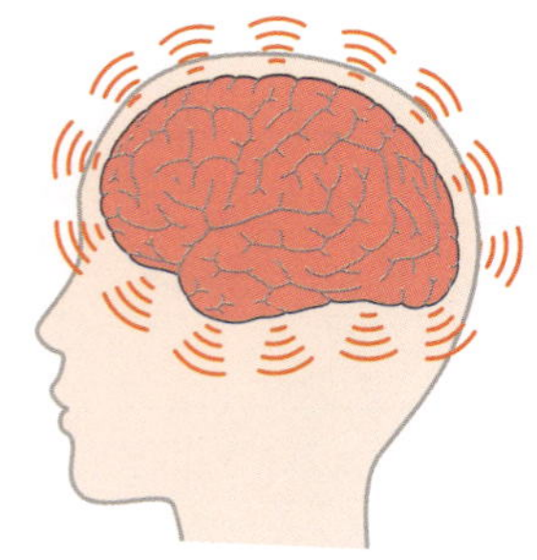

b. 全般発作
脳全体が一度に興奮

表41-2　てんかん発作～自発発作と誘発発作

名称		誘発因子
自発発作		なし
誘発発作	急性症候性発作	代謝性，中毒性疾患や外傷性脳損傷，脳血管障害，脳炎など
	反射発作	高熱，飲酒，過呼吸，睡眠覚醒パターンのある位相，月経周期，身体疲労あるいは不眠，情動興奮，精神的ないし情動的要因（注視や読書，内省，認知，音楽など），光刺激（映像やカメラのフラッシュなど），ほか

３）病態と臨床症状

病態

抗てんかん薬の作用機序から，神経伝達物質受容体やイオンチャネルの異常が関連していると考えられているが，抗てんかん薬の効果がない例も３割程あることから，明確にはされていない．

症状

てんかんの症状は，「てんかん発作」と「てんかん発作以外の症状」に大別される．

(1)てんかん発作

てんかん発作は，大脳の神経細胞（ニューロン）の興奮（過剰な発射）によって引き起こされる．このニューロン自体に原因がある場合と，誘発因子によってニューロンの過剰な興奮を引き起こす場合とがある．

さらに，てんかん発作は「部分発作」と「全般発作」に分類される（**図41-1**）．部分発作は，大脳皮質の一部分（焦点部：発作を起こす病変）のニューロンが過剰興奮して発作が起こる．全般発作は，大脳の両側半球のニューロンが一気に過剰興奮して発作が起こり，全身に症状が現れる．

①部分発作

部分発作では，興奮が生じる部位（焦点部：発作を起こす病変）に関連する症状が現れる．意識消失の有無で分類されており，単純部分発作，複雑部分発作，二次性全般化発作がある（**表41-3**）．

②全般発作

全般発作では，身体全体に発作が起こる．強直間代発作，欠神発作，脱力発作，ミオクロニー発作などがある（**表41-4**）．

③てんかん発作重積状態

てんかん発作が短い間隔で繰り返し出現し（１時間以上），発作間欠時にも意識障害が持続する状態を指す．重積発作を起こした場合，咽頭および咽頭筋群の痙攣収縮のために，呼吸不全，チアノーゼを呈する．脳内は低酸素状態，低血糖状態になる．最も代表的なものは，強直間代発作や二次性全般化発作による重積状態で，高熱，呼吸停止，心不全によって死に至ることもある．

発作時間の平均は，複雑部分発作や全般発作は１分程度という報告がある．（てんかん発作重積状態以外の）ほとんどのてんかん発作は，前兆などを含めても数分以内に収束する[8]．

(2)てんかん発作以外の症状

- 脳の障害部位によって，知的障害を伴ったり，発作を繰り返すことによって高次脳機能障害（記憶障害・言語障害・遂行機能障害）がみられたりする．
- 発作前後には易刺激性や不機嫌，発作後にもうろう状態などがみられることがある．
- 発作が起きていないとき（発作間欠時）にみられるも

表41-3　てんかんの部分発作

単純部分発作	意識障害を伴わず，焦点部がある脳部位に関連する症状が現れる．複雑部分発作に移行する場合もある． 単純部分発作 既視感・未視感などを感じることもある 上行する上腹部不快感	部分発作の現れ方は，焦点部位により，次のようなものがある． ・運動機能の異常 手足や顔面のつっぱり，ねじれ，痙攣，ほか． ・視覚・聴覚の異常 暗点，輝く光や点がみえる，雑音がする，音が強く響く，聞こえにくい，ほか． ・自律神経の異常 頭痛，悪心，発汗，顔面紅潮，顔面蒼白，ほか． ・精神症状 恐怖感，フラッシュバック，ほか．
複雑部分発作	意識障害を伴い，複雑な動作や行動を示す自動症が出現する．自動症とは，状況にそぐわない無目的な言動のことで，次のようなものがある． ・口部（舌舐めずり，噛むなど） ・表情（不安，不快など） ・身ぶり（自分の身体や衣服を無目的に触るなど） ・歩行（うろうろ歩き回る） ・言語（無意味な言葉を繰り返すなど） 複雑部分発作 一点を凝視して，動作が停止する 意識は減損している 手を無目的に動かす（自動症） 発作焦点の反対側の手は独特の形をとることがある	
二次性全般化発作	部分発作が二次的に全般化し，最終的に全身性の強直間代発作が起こる．	

のとして，心因性偽発作，幻覚·妄想などがある．

·てんかんによる不安や孤立などから，気分障害（うつ病），不安障害などを併発しやすい．

4）検査・診断

(1)問診

意識消失を伴う発作の原因は多岐にわたる．検査に加え，病歴聴取が最も重要となる（**表41-5**）．発作症状と病歴を本人・家族，目撃者から詳細に聴取する．発作症状を把握することで，焦点部（発作を起こす病変）を推定できる．

(2)検査

てんかんにおいては，脳波検査と画像検査が主となる．

①脳波

脳波では，大脳神経細胞の興奮（突発波）と，脳の機能異常（徐波）を調べる．通常，外来で行う脳波検査は，発作間欠期（発作を起こしていないとき）の記録

表41-5　病歴聴取の項目例[9)10)]

A　発作について
- 発作が起きた場所・時間・状況・誘因の有無
- 発作が始まる前の状況（前駆症状）
- 発作の状況（意識障害の有無，どの部分から始まってどう変化したか，発作後の様子，痙攣の有無，経過時間，自動症の有無，左右差の有無，など）
- 発作と睡眠・覚醒の関連
- 発作の頻度，発作が好発する時間や環境
- 既往歴（とくに，熱性痙攣，頭部のけがや病気，心臓疾患，循環器の状況など）

B　精神症状について

C　成育歴，既往歴，家族歴

表41-4　てんかんの全般発作

強直間代発作	突然の意識消失とともに，全身の筋が強く硬直し（強直発作），次いで手足をガクガクと震わせる痙攣に移行する（間代発作）．発作後，もうろう状態を示し，そのまま数十分間の睡眠に移行することもある．発作中は一時的に呼吸が止まるが，通常，発作後は自然に呼吸が回復する． 回復後は健忘，頭痛，筋肉痛などの自覚症状が残ることも多い． 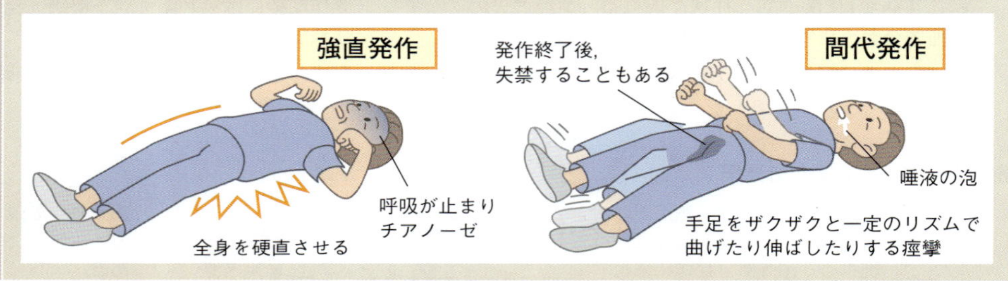
欠神発作	定型欠神発作：突然，数秒～数十秒の意識消失を伴う発作で，すばやく回復する． 非定型欠神発作：持続時間が短く，発作の開始と終了が緩徐である．
ミオクロニー発作	筋肉が瞬間的に動く．ビクッとする軽微なものから，全身が跳ね上がるものまでさまざまある． 覚醒直後や入眠直後に起こりやすく，光刺激にも誘発されやすい． 
脱力発作	全身の筋肉から力が抜けて（姿勢保持筋の脱力），突然姿勢が崩れたり転倒したりする． 失立発作・転倒発作ともよばれる． 外傷を負う危険が高く，頻回に生じるケースでは頭部を保護するためにヘッドギアを常時装着する必要がある．  ヘッドギア装着図

である．発作時の記録が必要な場合は，入院してビデオ脳波モニタリングを行う．

②画像診断：CT，MRI，SPECT，PETなど
てんかんの原因となり得る脳の器質的以上の有無を調べる．

③臨床検査：尿検査，血液検査，血中濃度モニタリングなど

④心理検査：性格検査，知能検査（WISC，WAISほか），発達検査など

⑤ビデオ脳波モニタリング：行動と脳波を同時に記録する
より正確な診断のために，発作時の状況をビデオ撮影しながら，同時に脳波を記録する．設備がある専門施設に入院し，検査を行う．

(3)てんかん発作と識別されるべき疾患

けいれんや意識障害などを主症状とする疾患は多く，てんかん発作と疑われることがよくある．間違われやすい代表的な疾患[11]を以下にあげる．

- 熱性痙攣（３歳以下の乳幼児）
- 夢中遊行，夜驚症（幼少期）
- チック，不随意運動
- 失神，一過性脳虚血発作，低血糖発作
- 片頭痛や発作性めまい
- 睡眠発作

(4)分類

ここでは，一般臨床で広く周知されている国際抗てんかん連盟（ILAE：International League Against Epilepsy）による，1981年分類を紹介する（**図41-2**）．

なお，2017（平成29）年にILAEから発作分類の新提案がなされているが，実臨床に定着するまでにはかなりの時間を要すると推測されるためである．

5）治療

初回発作後，無治療であっても発作が生じない確率は50％といわれ，２回以上の発作を認めた場合に治療を開始することが原則である．てんかんに対する治療の第１目標は発作の抑制であり，基本的には薬物療法を中心とする．

(1)薬物療法

- てんかんの発作型に基づき，使用する薬剤を選択する（**表41-6**）．副作用の少ない抗てんかん薬の単剤服用から始め，発作が治まらなければ徐々に用量を上げ，多剤服用に移行する場合もある．
- 研究により，効果を示す血中濃度と副作用が出やすくなる血中濃度が明らかにされているため[10]，薬の作用および副作用を観察すると同時に，薬物の血中濃度を定期的に測定する．
- 薬剤によって副作用は異なるが，とくに眠気を示すものが多いため，自動車などの運転や，行動をする際には十分注意する必要がある（**表41-7**）．
- 多くの抗てんかん薬について催奇性が知られているが[12]，多剤併用や使用量増加に伴い，先天異常の発生率は上昇傾向にある．患者が妊娠中の場合は，催奇性について考慮された抗てんかん薬を選択する．また，授乳期には母乳中への移行が問題となるため，注意する．

表41-6　てんかんの薬物療法

発作型		第１選択薬	第２選択薬
部分発作		カルバマゼピン	フェニトイン ゾニサミド バルプロ酸ナトリウム
全般発作	強直間代発作	バルプロ酸ナトリウム	フェノバルビタール
	欠神発作		エトスクシミド
	ミオクロニー発作		クロナゼパム

図41-2　てんかん発作型の分類（国際抗てんかん連盟ILAE，1981）

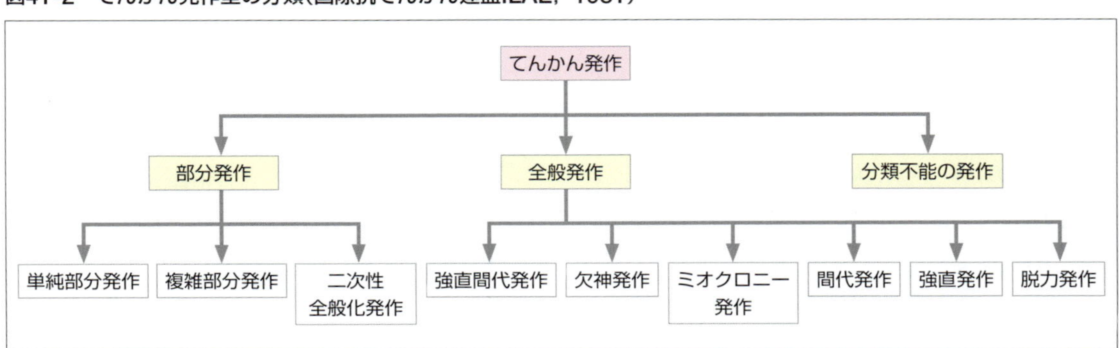

(2)手術療法

①焦点切除術

難治てんかんにおける焦点切除術は有効性が高く，側頭葉てんかんの手術治療では70～90%の発作寛解率となっている[13]．

②脳梁離断術

脳梁離断は，発作が完全に消失することは少ないが，70%以上で発作の改善が認められ，緩和手術としての選択肢の1つである．

③迷走神経刺激療法（VNS：vagus nerve stimulation）

電気刺激を出す小さな機器を埋め込み，迷走神経を一定の間隔で刺激することにより，発作の回数や程度を緩和する（**図41-3**）．発作減少率は50%程度といわれる[8]．

(3)ケトン食療法

脂肪が多く炭水化物（糖質）が少ない食事をとることにより，体内のケトン体を増やす食事療法である．実施中は尿中ケトン体の測定を毎日行う．禁忌としてカルニチン代謝異常症などがある．小児の難治性てんかんの治療において，約50%の症例で発作頻度が半減するといわれる[10]．

(4)ホルモン療法

ACTH（副腎皮質刺激ホルモン）療法は，ウエスト症候群（点頭てんかん）に最も有効性の高い治療法といわれている．通常，2週間毎日筋肉注射を行い，その後，徐々に軽減する方法が標準的である[14]．

(5)緊急時の対応

①通常のてんかん発作に対する対応

・周囲の危険物を除く，安全な場所に移動させる．

・発作の様子を観察する（**表41-5**）．

・（可能な場合は）下顎を下から軽く上げ，痙攣の際に舌を噛まないようにする．

・痙攣発作後は，睡眠に移行したり，もうろう状態となったりすることもあるため，安全な場所に移動し，終えるまでつき添う．

②てんかん重積発作を起こした場合の対応

・てんかん重積発作では，呼吸不全，チアノーゼなどを呈し，脳内は低酸素・低血糖状態になる．このような場合は，すぐに対応しないと神経細胞は不可逆的変化をきたすため，迅速な処置が必要となる．

・患者を半腹臥位にし，気道への誤嚥防止のために頭部を低くする．

・救急のABCを行う（気道Airway，呼吸Breathing，循環Circulationの確保）．

・気道確保をしても十分でない場合，酸素療法を用いる．血中酸素濃度が改善しない場合は，気管挿管を行う．静脈路を確保し，薬物投与の準備をする．同時に電解質や血糖値などを検査する．

(6)全般的生活指導

・てんかん発作の誘発要因（**表41-2**参照）を避けて，規則的な生活を送るように指導する．

・職業を選択する際には，自分や他者に危険が生じる職業（高所の作業，公共交通機関の運転，自動車やバイクなどの運転を必要とする職業など）を避けるよう指導する．

・結婚時には，配偶者にも患者の疾患を理解してもらい，その後の治療が円滑にいくように配慮する．妊娠・出産に際しては医学的説明を十分に行い，当事者間で決定できるよう支援する．

表41-7　薬物療法の副作用

薬剤名	主な副作用
カルバマゼピン	複視，眼振，めまい，運動失調，眠気，悪心など
フェニトイン	複視，眼振，めまい，運動失調，眠気，歯肉増殖，多毛など
ゾニサミド	食欲不振，精神症状，眠気，言語障害，発汗，認知機能低下など
バルプロ酸ナトリウム	高アンモニア血症，パーキンソン症候群，体重増加，脱毛など
フェノバルビタール	めまい，運動失調，眠気，認知機能低下など
エトスクシミド	眠気，行動異常など
クロナゼパム	眠気，運動失調，行動異常，よだれなど

図41-3　迷走神経刺激療法（VNS）

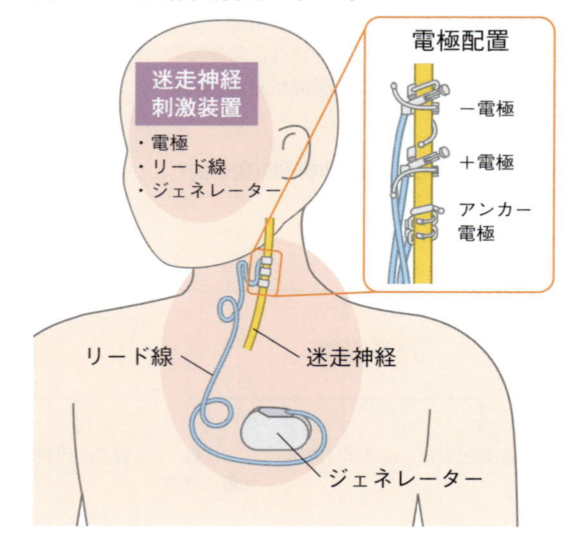

6）予後

てんかん患者の70〜80%は適切な薬物治療によって寛解するが，20〜30%は発作が抑制されず，難治性てんかんに経過するとされる[15]．

死亡理由に関する研究では，てんかん発作のための事故死の例数が最も多く（33%），次いでてんかん発作自体による死（30%），突然死（22%）との報告がある．その事故死の多くは，入浴中の溺死である[16]．

2. 看護過程の展開

● アセスメント〜ゴードンの機能的健康パターンを用いて

パターン	アセスメントの視点	根拠	収集する情報
(1) 健康知覚-健康管理 患者背景 健康知覚-健康管理 価値-信念	●てんかんに関する理解と認識，自己管理能力はどうか ●てんかん発作による危険性を認識しているか ●てんかん発作に備えた安全管理状況はどうか	●てんかんのコントロールにおいては，発作を抑えることが重要となる．そのためには服薬を継続することと，発作の誘因を避けて規則正しい生活を送ることが求められる．したがって，疾患の理解，自己管理への動機づけなどへの支援は必要不可欠といえる． ●てんかん発作（強直間代発作）では，突然の意識消失および全身に痙攣発作が起こる．これに伴い，誤嚥や窒息，外傷や打撲などが生じる可能性がある．また，重積発作に至る場合には緊急措置が必要である． ●てんかん発作は，いつどこで起こるか予測が困難であり，意識障害を伴う発作も多い．そのため，安全対策として，主要な生活の場（自室，職場など）の環境づくり（危険物除去：突起物などの転倒時・痙攣時にぶつかりそうな物の除去）や，てんかん発作時の観察点や対応法を，本人や周囲の人が理解している必要がある．	●既往歴 ●出生時の状況 ●現病歴（治療内容・副作用含む） ●発作症状（前駆症状・前兆含む） ●家族の病歴 ●アレルギー・禁忌 ●生活状況 ●病気の理解度，受け止め方 ●発作の誘因の理解 ●発作時の観察点・対応法 ●家族や周囲の人々の協力状況
(2) 栄養-代謝 全身状態 栄養-代謝 排泄	●誘発因子となる物質の摂取状況はあるか ●どのような抗てんかん薬を用いているか ●副作用が食事摂取に影響していないか	●アルコールなどの物質の過剰な摂取は，発作を誘発する可能性があるため，摂取状況を把握する． ●抗てんかん薬は，基本的には単剤服用から始め，発作が治まらなければ徐々に用量を上げ，多剤服用に移行する． ●薬剤によるが食事摂取などに影響する副作用に，悪心，食欲不振，歯肉増殖などがある．	●食事や水分の摂取内容・量・食欲 ●嗜好品（とくにアルコール） ●身長，体重，BMI ●口腔・歯・皮膚・粘膜・爪 ●栄養-代謝関連データ（Alb，TP，RBC，Ht，Hb，Ma，K，TG，TC，HbA1c，BS） ●薬物療法と副作用 ●症状（発作の抑制・緩和状況） ●使用薬剤の血中濃度
(3) 排泄 全身状態 栄養-代謝 排泄	●排便，排尿状況に問題はないか ●腎機能に問題はないか		●排便回数，便の状態 ●腸蠕動音，腹部症状 ●緩下剤の使用の有無 ●排尿回数，尿の状態 ●尿・便失禁の有無 ●発汗の有無と程度 ●排液ドレーンなどの有無 ●腎機能データ（尿タンパク，尿沈渣，Cr，eGFR，BUN）

パターン	アセスメントの視点	根拠	収集する情報
(4) 活動-運動 活動・休息 活動-運動 睡眠-休息	●てんかん発作による呼吸パターンへの影響はどうか ●けがや事故につながる運動や活動はないか ●脳の障害による運動障害はあるか ●疲れを残さないよう適度な活動にとどめているか	●てんかん発作(強直間代発作)では，突然の意識消失および全身に痙攣発作が起こる．これに伴い，誤嚥や窒息などが生じる可能性がある．また，強直間代性発作の痙攣が起きている間は一時呼吸が止まるが，発作時間の平均は1分ほどであるため，発作後に呼吸が回復すれば影響は考えられない．ただし，発作の頻度やもともとの呼吸機能によっては多少の影響を及ぼす可能性もある．てんかん発作重積状態に至る場合には，気道確保などの緊急措置が必要である． ●抗てんかん薬の副作用に眠気を示すものが多いことと，予測できない発作が起こることでけがや事故につながる恐れがある．また，入浴中の事故(溺死など)が起こる確率も高い． ●てんかん患者には，脳の障害部位によって運動障害がみられることがある． ●身体疲労は発作の誘因になりやすいため，活動と休息のバランスを保ち，過度の運動や疲労を避けることが必要である．	●ADL ●バイタルサイン ●心肺機能 ●運動機能 ●血液データ(RBC，Hb，Ht，CRP) ●生活リズム ●住居環境 ●移動方法 ●運動習慣 ●余暇の過ごし方 ●疲労の程度
(5) 睡眠-休息 活動・休息 活動-運動 睡眠-休息	●十分な休息がとれているか ●安全な睡眠環境か	●身体疲労や睡眠不足は発作の誘因になりやすい． ●睡眠中や覚醒直後にてんかん発作が起こるケースもある．	●睡眠状況 ●睡眠環境 ●睡眠導入薬の有無 ●休息状況 ●睡眠と休息に対する考え方
(6) 認知-知覚 知覚・認知 認知-知覚 自己知覚-自己概念 コーピング-ストレス耐性	●脳機能への影響はあるか ●感覚機能や思考はどうか	●てんかん患者には，脳の障害部位により，知的障害，高次脳機能障害(言語障害など)がみられることがある． ●てんかん患者には，発作間欠時にみられるものとして，幻覚･妄想などがある．	●感覚機能(視覚・聴覚・嗅覚・味覚・触覚など) ●意識レベル，見当識 ●記憶・注意 ●言語能力・理解力 ●知的機能 ●思考 ●疼痛や不安などの不快症状
(7) 自己知覚-自己概念 知覚・認知 認知-知覚 自己知覚-自己概念 コーピング-ストレス耐性	●てんかんをもつ自己の認識や自尊感情はどうか ●感情の状態はどうか	●発作が起こったことやてんかんと診断された事実は，患者の自己概念に大きな影響を及ぼす．また，いつ発作が起きるかもしれないという不安と恐怖を抱きやすい． ●てんかんによる不安や孤立などから，うつ病や不安障害などを併発しやすい．	●自己概念 ●ボディイメージ ●自尊感情 ●価値観 ●感情の状態 ●感情コントロール

パターン	アセスメントの視点	根拠	収集する情報
(8) 役割-関係 周囲の認識・支援体制 役割-関係 セクシュアリティ-生殖	●家族や周囲の人のサポート状況はどうか ●リスクを伴う業務を担っていないか ●社会生活への影響を及ぼしていないか	●家族や周囲の人は常時，発作の場面に遭遇し，対応を迫られる可能性がある．家族だけでなく学校や職場の関係者が，予防法や発作時の対応などを理解している必要がある．また，家族は疾患の見通しや将来に対して不安や心配を抱きやすい．家族や周囲の人が理解と協力を示し，患者本人が社会参加できる環境が整えられていることが望ましい． ●仕事内容によってはてんかん発作によって，患者本人や他者に危険が生じる(例：高所の作業，公共交通機関の運転，自動車やバイクなどの運転を必要とする職業，機械の操作など)． ●てんかんの治療や予防のための日常生活調整，社会生活上の制限，誘発因子を避けるなどの健康管理行動は，患者の生活に制限をかける．また，いつ発作が起こるかもしれないという不安と恐怖から，外出や他者との交流を控えるようになることもある．	●家族構成，キーパーソン ●家庭における役割 ●家族との関係 ●家族歴 ●職業・業務内容 ●職場での関係 ●社会参加状況，社会における役割 ●対人関係，他者との交流状況 ●経済状況
(9) セクシュアリティ-生殖 周囲の認識・支援体制 役割-関係 セクシュアリティ-生殖	●妊娠，出産の可能性はあるか ●月経とてんかん発作の関連はあるか	●抗てんかん薬による催奇性は高い．患者が妊娠している，または今後その可能性がある場合は，抗てんかん薬の副作用や催奇性を考慮した薬物療法が必要となる． ●女性では，月経中やその前後に発作が集中して出現することがある．	●月経，出産 ●更年期障害 ●生殖器の障害や状態 ●婚姻，パートナー ●性に関する悩みや困りごと ●月経周期と量 ●てんかん発作の状況(時期など)
(10) コーピング-ストレス耐性 知覚・認知 認知-知覚 自己知覚-自己概念 コーピング-ストレス耐性	●てんかん発作コントロールに関するストレス状況はどうか	●てんかんの治療や予防として，服薬の継続，日常生活や社会活動におけるさまざまな制限を求められ，患者はストレス増大の可能性がある．	●ストレス耐性 ●ストレス状況 ●ストレスコーピング ●相談できる人(場所)の有無
(11) 価値-信念 患者背景 健康知覚-健康管理 価値-信念	●慢性的に経過するてんかん患者の場合の生活の支えは何か	●てんかん患者の20～30%は難治性てんかんに移行し，慢性的な経過をたどる．このようなケースでは，価値観や希望や目標など，本人の生活の支えが重要となる．	●信仰 ●意思決定を決める価値観 ●希望や生きがい ●信念，目標

3. 全体像の把握から看護問題を抽出

1）病態関連図

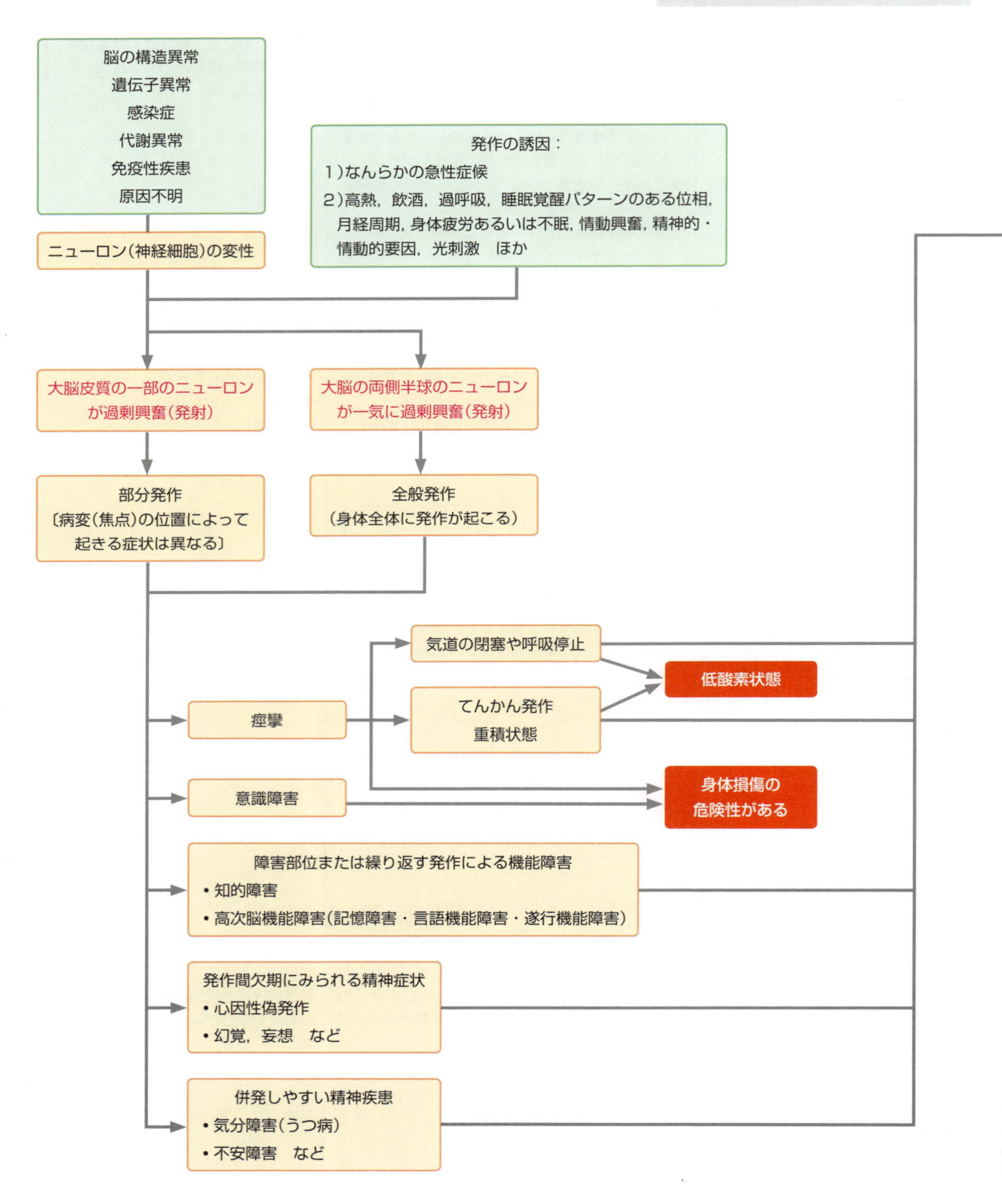

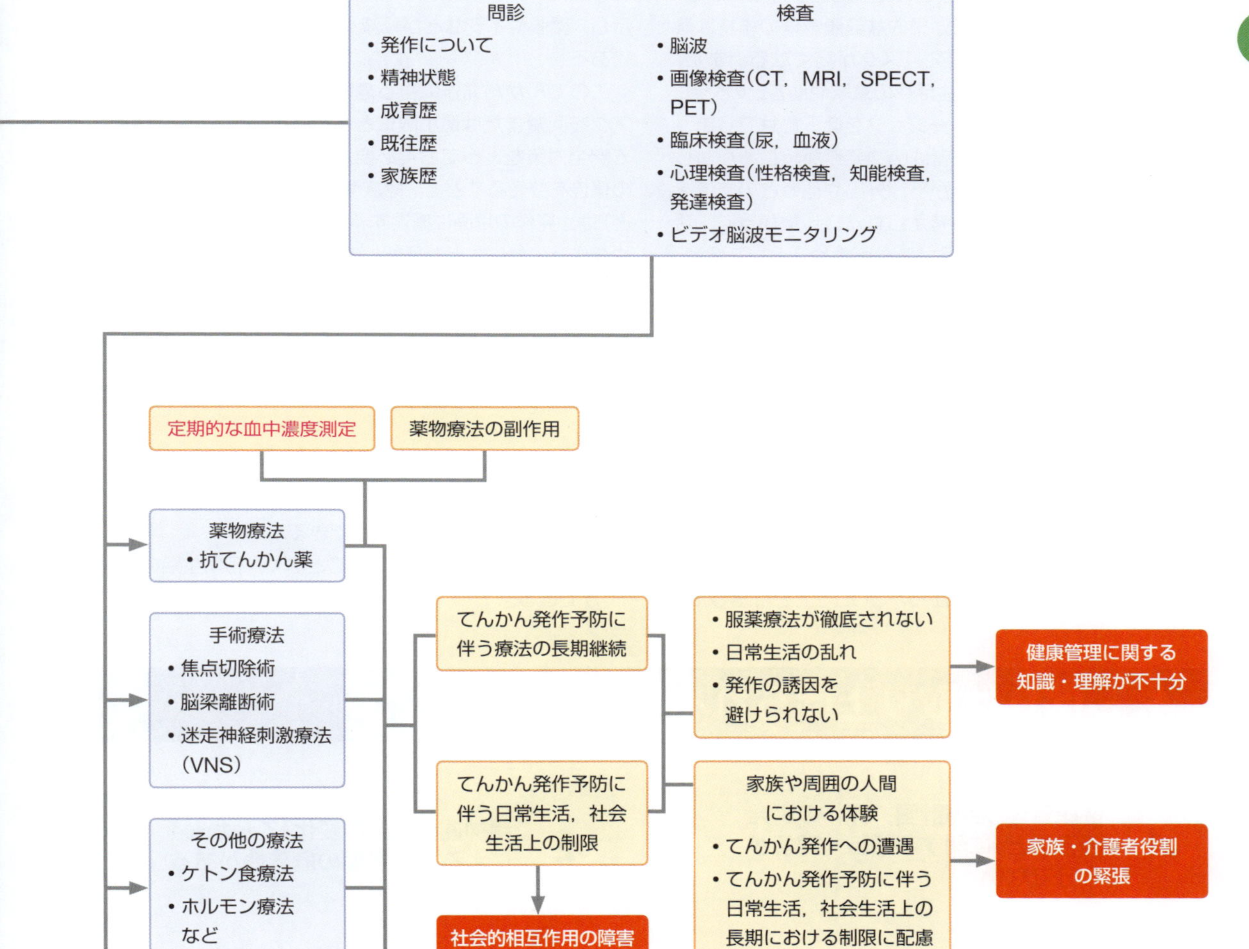
問診
• 発作について
• 精神状態
• 成育歴
• 既往歴
• 家族歴
検査
• 脳波
• 画像検査（CT，MRI，SPECT，PET）
• 臨床検査（尿，血液）
• 心理検査（性格検査，知能検査，発達検査）
• ビデオ脳波モニタリング
定期的な血中濃度測定
薬物療法の副作用
薬物療法
• 抗てんかん薬
手術療法
• 焦点切除術
• 脳梁離断術
• 迷走神経刺激療法（VNS）
その他の療法
• ケトン食療法
• ホルモン療法
など
全般的生活指導
てんかん発作予防に伴う療法の長期継続
てんかん発作予防に伴う日常生活，社会生活上の制限
社会的相互作用の障害
• 服薬療法が徹底されない
• 日常生活の乱れ
• 発作の誘因を避けられない
家族や周囲の人間における体験
• てんかん発作への遭遇
• てんかん発作予防に伴う日常生活，社会生活上の長期における制限に配慮
健康管理に関する知識・理解が不十分
家族・介護者役割の緊張

2) 看護の方向性

てんかんは，さまざまな病因によって起こる慢性の脳疾患である．症状の中心となるのはてんかん発作である．発作は予測できないことが多く，また，意識障害や痙攣などを伴うことから，けがや事故などの身体損傷や，呼吸パターンに悪影響を及ぼす可能性が高い．

てんかんに対する治療の第1目標は発作の抑制であり，薬物療法をはじめ，日常生活調整，社会生活上の制限，誘発因子を避けるなどの健康管理が必要になる．これらが長期に及ぶと，効果的な健康管理の維持は難しくなり，症状悪化や再発リスクが高くなる．また，これらの健康管理行動は生活への意欲や他者との交流，社会活動などへのモチベーションを低下させてしまう恐れがある．さらに，患者はいつ発作が起こるかもしれないという不安と恐怖から，外出や他者との交流を控えるようになることも考えられる．したがって，活動上の注意点は守りながら，気分転換やストレス解消，生活の質（QOL）の向上といった点から，対人交流や社会活動を進めていくことが大切である．

家族や周囲の人においては，常に発作の場面に遭遇し，対応を迫られる可能性がある．そのため，予防法や発作時の対応などを理解してもらうが，いつその場面に遭遇するかわからないという緊張感に加え，「自分が対処できるだろうか」「怖い」といった負担感や不安，恐怖などを抱き，サポートへの抵抗感を示すことも少なくない．てんかん発作重積状態に至る場合には，気道確保などの緊急措置が必要となるため，家族や周囲の人には，発作時の対応を理解してもらう必要がある．こうした「怖い」という感情に対しては共感・理解を示し，緊張や不安などが軽減･緩和するよう支援が必要である．

このてんかん発作による危険性を理解しておき，リスクを回避または最小限にとどめるため，できる範囲で安全対策をとっておく必要がある．主要な生活の場の環境を整えることと，家族や周囲の人（学校や職場など）は，発作の場面に遭遇する確率が高いため，予防法や発作時の対応などを理解してもらう必要がある．

これらについて支援を行うことで，適切な症状管理ができ，家族や周囲の人のサポートを受けながら，患者らしく日常生活および社会生活を送ることができることを目指す．

3) 患者・家族の目標

- 療法が継続され，症状悪化や発作に伴うリスクを回避できる．
- 適切に疾患管理を行いながら，QOL向上を目指した日常生活および社会活動ができる．
- 家族は不安や困難を感じることなく，日常生活の支援ができる．

4. しばしば取り上げられる看護問題

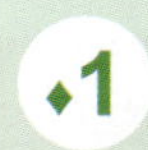

健康管理（治療計画，発作の誘発因子など）に関する知識・理解が十分でない

なぜ？

治療の第1目標である発作の抑制にあたって，薬物療法の継続と，適切な自己管理が求められる．具体的には，疾患や薬物療法についての正しい知識，必要な日常生活調整･社会生活上の制限，避けるべき誘発因子を理解し，自己管理していくことが必要不可欠といえる．

➡期待される結果

処方どおりに服薬ができ，発作誘因を避けた規則正しい日常生活を送ることができる．

◆2 精神運動活動の変化（てんかん）による身体損傷の危険性がある

なぜ？

てんかん発作では，突然の意識消失および痙攣発作が起こるものが多く，これに伴い，誤嚥や窒息，外傷や打撲などが生じる可能性がある．

➡期待される結果

てんかん発作に伴う身体損傷を回避できる．

♦3 神経系の障害(痙攣性疾患)による低酸素状態の危険性がある

なぜ？

てんかん発作(強直間代発作)では，意識消失と痙攣発作が起こることで，誤嚥や窒息などを生じる可能性がある．また，痙攣が起きている間は一時呼吸が止まるが，通常，発作後すぐに呼吸が回復するため，影響はほとんどない．ただし，発作の頻度や呼吸機能レベルによっては多少の影響を及ぼす可能性もある．

➡期待される結果

てんかん発作に伴う低酸素状態が速やかに改善される．

♦4 治療上の隔離による社会的相互作用の障害

なぜ？

てんかんの治療や予防のための日常生活調整，社会生活上の制限，誘発因子を避けるなどの健康管理行動は，患者の生活に制限をかける．また，患者はいつ発作が起こるかもしれないという不安と恐怖から，外出や他者との交流を控えるようになることもある．対人交流や社会活動の極端な減少は，運動機能低下や精神症状出現などの影響を及ぼす可能性がある．

➡期待される結果

疾患管理を日常生活に取り入れながら，他者との交流や社会参加ができる．

♦5 予測できない疾患の経過による家族・介護者の役割緊張が生じる

なぜ？

家族や周囲の人においては，常に発作の場面に遭遇し対応を迫られる可能性がある．家族や周囲の人は，いつ遭遇するかわからないという緊張感に加え，「自分が対処できるだろうか」「怖い」といった負担感や不安，恐怖などを抱き，サポートへの抵抗感を示すことも少なくない．

➡期待される結果

家族が患者の疾患管理を困難と感じることなく，日常生活において支援できる．

5. 看護計画の立案

• O-P：Observation Plan(観察計画)　• T-P：Treatment Plan(治療計画)
• E-P：Education Plan(教育・指導計画)

♦1 健康管理(治療計画，発作の誘発因子など)に関する知識・理解が十分でない

	具体策	根拠と注意点
O-P	**(1)服薬状況** **(2)日常生活の過ごし方の把握・安全な行動**	●本人や周囲の人への情報提供や教育指導に役立てる．
	(3)発作の出現状況の理解 ①前駆症状	●前駆症状の出現は，発作の数分前から，ときには何日も前に感じる場合もある．
	②前兆(部分発作の場合)	●全般発作では最初から意識消失するために自覚できないが，部分発作では意識が保たれているので前兆を自覚できる．
	③誘因，発作直前の行動や状況	●てんかん発作には，自然に起こる自発発作と誘因による誘発発作がある．
	④発作中や発作後の意識，自覚症状	●全般発作，および部分発作の一部(複雑部分発作，二次性全般化発作)は，意識消失を伴う．また，強直間代発作などにおいては，発作後もうろう状態を示し，そのまま睡眠に移行することがある．意識回復後には健忘，頭痛，筋肉痛などの自覚症状が残っていることが多い．
	(4)治療内容の理解 ①使用薬剤とその効果	●正しい処方で服薬されているかを確認する．症状への影響などについても観察し，担当医に情報提供する．
	②副作用の有無	●服薬期間(初期，長期)によって出現しやすい副作用があるため，服薬開始時期を考慮して観察する．

	具体策	根拠と注意点
O-P	**(5)家族や周囲の様子** ①家族の疾患に対する理解度，考えや気持ち，サポート状況 ②学校や職場などの人の疾患に対する理解度，考えや気持ち，サポート状況	●家族や周囲の人への情報提供や教育指導に役立てる.
T-P	**(1)薬物療法に関する支援** ①処方どおりに服薬できるように支援する ②薬物療法の副作用の早期発見・早期対処を行う **(2)日常生活の支援** ①事故防止を目的としてベッド周囲の環境整備を行う ②必要時，ADLを援助する．とくに入浴方法を考慮する ③十分な睡眠を確保し，誘因を避けた規則正しい生活が送れるように支援する ④てんかんおよびてんかん発作などに対する不安や苦悩，心配などについて，受容的・支持的に関わる	●てんかん治療においては，処方どおりの服薬が重要である．自己判断で断薬・調整などをさせない. ●不正確な服薬は発作の回数や副作用の増加につながる可能性が高い. ●副作用が強い・長期にわたる・日常生活に影響を及ぼす場合など，断薬や服薬量の自己調整などにつながる恐れがある. ●ベッド周囲に不必要な物品を置かない，マットなどの緩衝材を敷く，床頭台やベッド柵の角などにカバーをつける．ベッドライトや室内灯の照度にも注意する. ●発作の頻度を考慮し，同居家族などがいる場合は，入浴状況の把握をする．一人の場合は，シャワー浴や清拭に替えるのもよい．食事中に発作が起こる場合は，誤嚥や窒息の危険性が高まるので注意する. ●誘発発作の誘因を避けた日常生活を送れるように配慮する. ●睡眠不足，疲労，発熱，光刺激，飲酒，低血糖，酸塩基平衡障害，生活環境の変化などが誘因となり得る. ●不安や苦悩を十分に理解し，共感しながら支持的に対応することにより，患者は病気を受容でき，服薬や日常生活管理の必要性を理解することにつながる. ●家族や周囲は発作の場面に遭遇し，対応を迫られる可能性が高いので，予防策や発作時の対応などを伝えておく.
E-P	**(1)服薬管理に関する教育と指導** ①服薬継続の重要性を説明する ②薬剤の飲み忘れ，飲み間違いなどがあった場合の対処法を伝える ③薬剤の副作用について説明し，その症状を自覚したときには医療者に伝えるよう指導する **(2)日常生活上の注意点** ①十分な睡眠の確保，および規則正しい生活を送ることが，適切な疾患管理となることを説明する ②発作の誘因となる状況を説明し，できるだけ避けるように指導する ③学校や職場においては，過度の運動や作業などをしないように指導する ④活動や業務の最中に発作が起きる可能性と，それに伴うリスクを説明し，けがや事故を最小限にできるよう支援する ⑤家族や身近な人(学校，職場など)に対して，てんかんやてんかん発作に関する情報提供や教育指導を行う	●てんかん治療においては，処方どおりの服薬が重要である．自己判断で断薬，調整などをさせない. ●不正確な服薬は，発作の回数や薬剤の副作用の増加につながる可能性が高い. ●副作用を早期発見するために，患者自身にも協力してもらう必要がある. ●発作予防について働きかける. ●誘発発作の誘因として，飲酒，身体疲労や不眠，情動興奮，光刺激などがある．患者本人もこれらを自覚し，誘因を避けながら規則正しい生活を送るように教育する. ●過度の運動や作業をするなかで，疲労や情動興奮などの状態に至り，発作を誘発する可能性がある. ●発作が起きた時のリスクを理解してもらい，重大事故につながる可能性のある活動や業務は避けてもらう. ●てんかん発作は予測が困難であり，意識障害を伴う発作も多いため，安全対策としての教育指導を行う必要がある.

2 精神運動活動の変化（てんかん）に関連した身体損傷の危険性がある

	具体策	根拠と注意点
O-P	**(1)発作の状況** ①発作時の行動・状況（何をしていたかなど） ②発作の起始 ・開始部位 ③左右差の有無 ④経過 ・痙攣の型，進行状況，終結の様子 ⑤持続時間 ⑥発作中の意識状態 ⑦発作後の様子	●直前の行動・状況が誘因であるのか確認する． ●てんかん発作には，自然に起こる自発発作と，誘因による誘発発作がある．部分発作の場合，発作の開始部位，左右差などの情報は，焦点部の位置を判断する根拠となる． ●痙攣の型は強直性（突っぱって硬くなる）か，間代性（ガクガクとする）かなどをみる．発作の種類や程度を判断するために必要な情報となる． ●全般発作，および部分発作の一部（複雑部分発作や二次性全般化発作）は意識消失を伴う． ●強直間代発作などの場合は，発作後もうろう状態を示し，そのまま睡眠に移行することがある．意識回復後には健忘，頭痛，筋肉痛などの自覚症状が残っていることが多い．
	(2)一般状態 ①呼吸状態，チアノーゼの有無 ②意識レベル ③バイタルサイン	●通常，発作終了とともに呼吸は再開するが，状態によっては酸素療法を行う場合がある． ●発作後に血圧を測定し，高値であれば数時間は定期的に血圧値のチェックを行う． ●強直間代発作など，発作中に急激な血圧上昇を認めるものがある．
	(3)身体状況 ①外傷などの身体損傷の有無 ②疼痛などの自覚症状の有無	●意識消失を伴う発作の場合，けが，転倒・転落，不慮の事故を起こす可能性が高い． ●筋肉痛などの自覚症状のほか，外見的に異常が認められなくても，不全骨折，脱臼などをしている場合もある．疼痛や違和感などの自覚症状を確認する．
T-P	**(1)発作時の対応（強直間代発作の場合）** ［発作開始時］	
	①患者の安全確保をはかる．必要時，安全な場所に移動させる	●患者の周囲にある危険物は除去する．移動が必要な場合は，人をよび，複数で対応することが望ましい． ●発作時に危険物にぶつかってけがをすることがある．また，階段，狭い場所，高い場所，トイレ，浴室などでは身体損傷リスクが高まる．
	②仰臥位または半腹臥位にし，衣類をゆるめる	●呼吸が楽にできるように，ネクタイやベルト，衣服などをゆるめる．眼鏡は外す（無理にとろうとすると，けがする場合もあるので注意）．
	③ほかの患者や周囲の人への対応（説明し，遠ざける）	●患者の周囲にいる他者（ほかの患者）には，看護師がつき添うので心配しないように伝え，その場から遠ざける．発作中の患者が見世物にならないように配慮する．
	［痙攣中］ ④下顎を押し上げるように固定する	●顎関節脱臼を予防するため．
	⑤痙攣によって上下肢がバラバラに動くような場合は，膝関節を軽く支持する程度に押さえる	●捻挫や脱臼を予防するため．
	［痙攣終了時］ ⑥頭を横向きにし，気道確保する．必要時吸引を行う	●唾液などの分泌物が口腔内に貯留している可能性があり，誤嚥や窒息の予防のために行う．
	⑦呼吸の回復状況をよく観察し，自力回復がみられない場合は人工呼吸を行う	●通常は発作終了とともに呼吸は自力回復するが，まれに呼吸回復に時間がかかることがある．
	⑧外傷の有無を確認し，その処置を行う	●低酸素状態が長くなると脳機能を損傷するリスクがあるため，人工的に呼吸を促す．
	［発作後］ ⑨転倒やけがなど事故防止に努める	●発作後，数分間はもうろう状態を示すことが多く，起き上がったり動いたりしようとする．
	⑩意識回復後，自覚症状の有無を確認する	●意識回復後は，健忘，頭痛，筋肉痛などの自覚症状が残っていることが多い．

	具体策	根拠と注意点
T-P	**(2)発作時の対応(てんかん重積発作の場合)** ①患者をシムス位にし，誤嚥防止のために頭部を低くする ②救急のABCを確保する(気道：airway，呼吸：breathing，循環：circulation) ③気道確保をしても十分でない場合は，酸素療法を用いる．血中酸素濃度が改善しない場合，気管挿管を行うこともある ④静脈路を確保し，薬剤投与の準備をする．同時に，電解質や血糖値などを検査する	●重積発作が起きた場合は，速やかに医師に報告し，指示に従って救急処置を行う．てんかん重積発作とは，発作が短い間隔で繰り返し出現し(1時間以上)，発作間欠時にも意識障害が持続する状態を指すが，ケースによっては発作間欠時がなく，連続して数十分の発作が続くこともある． ●てんかん重積発作が長く続くと，呼吸不全，チアノーゼなどを呈し，脳内は低酸素・低血糖状態になる．このような場合，発症後すぐに対応しないと神経細胞は不可逆的変化をきたすため，迅速に処置する．
E-P	**・てんかん発作時の事故防止に向けた教育** ①発作がいつ起きるか予測できないため，転倒やけがなどの危険が伴うことを伝える ②ADLのうち，入浴や排泄行動などの際は，とくに気をつけ，場合によっては鍵を閉めないように伝える ③事故防止を目的に，周囲に危険物は置かない，家具などの角にはカバーをすることなどをすすめる ④前駆症状や前兆を自覚できる場合は，速やかに安全な場所，人がいるところに移動するように指導する	●患者の理解力にあわせ，安全対策について働きかける． ●ベッド周囲など生活環境における安全対策を説明する．→◆1のT-P(2)①②参照のこと． ●前駆症状や前兆を自覚できる場合は，発作による事故の防止につなげられる． ●前駆症状の出現は，発作の数分前から，ときには何日も前に感じる場合もある．また，部分発作では意識が保たれているため，前兆を自覚できる．

引用・参考文献

1) H.Gastaut編，WHO国際てんかん用語委員会共編，和田豊治訳：てんかん辞典．金原出版，1974．
2) 兼本浩祐ほか編：臨床てんかん学．p.17～22，医学書院，2015．
3) 日本WHO協会：ファクトシート(てんかん)2019．https://japan-who.or.jp/factsheets/factsheets_type/epilepsy/ より2020年8月21日検索
4) 厚生労働科学研究費補助金 障害者対策総合研究事業(精神障害分野)研究代表者大槻泰介：『てんかんの有病率等に関する疫学研究及び診療実態の分析と治療体制の整備に関する研究』．2013．
5) Scheffer IE et al: ILAE classification of the epilepsies. Epilepsia, 58:512 - 521, 2017.
6) 林雅晴：病因と疫学―てんかん診療Update．Pharma Medica，36(8)：9～12，2018．
7) 山内俊雄：反射てんかんからてんかんを考える．てんかんをめぐって，35：38～48，2016．
8) 久保田有一：てんかん診療．医学と薬学，75(11)：1409～1412，2018．
9) 落合慈之監：精神神経疾患ビジュアルブック．p.126～133，学研メディカル秀潤社，2015．
10) 山内俊雄監：てんかんINFO～てんかんについて知ろう．大塚製薬，2016．https://www.tenkan.info/download/pdf/1607_AboutEpilepsy.pdf より2020年8月21日検索
11) 村井俊哉ほか編：精神科看護の知識と実際―臨床ナースのためのBasic & Standard．改訂2版，p.156～167，メディカ出版，2015．
12) 中島研：(8)抗てんかん薬―妊婦・授乳婦への向精神薬の有益性・危険性を判断するデータとその読み方．薬局，64(5)：1725～1732，2013．
13) 赤松直樹：てんかん これからの治療．神経治療学，35(4)：437，2018．
14) 山口解冬ほか：小児てんかんの特殊治療―ACTH，ケトン食など．小児内科，47(9)：1507～1509，2015．
15) 日本てんかん協会：てんかんについて．https://www.jea-net.jp/epilepsy より2020年8月21日検索
16) 小島卓也編著：知っておきたいてんかんの診断と治療．真興交易株式会社医書出版部，2000．

Memo

第６章　脳・神経疾患患者の看護過程

42 認知症

1. 疾患の基礎的知識

1）疾患の概念

認知症とは，「一度獲得された知的機能が，後天的な脳の器質的障害によって全般的に低下し，社会生活や日常生活に支障をきたすようになった状態」と定義される．世界保健機関（WHO）の国際疾病分類第10版（ICD-10）によると，「通常，慢性あるいは進行性の脳疾患によって生じ，記憶，思考，見当識，理解，計算，学習，言語，判断など，多数の高次脳機能障害からなる症候群」と定義される．生理的老化に伴う記憶障害「生理的な健忘」とは区別される．

2025年には，４人に１人が認知症と推計され，加齢とともに増加する（**図42-1**）．

2）原因

認知症は疾患名ではなく，状態像，症候群である．それぞれの疾患・病態によって治療法が異なる．一部には正常圧水頭症，慢性硬膜下血腫，甲状腺機能低下症，ビタミンB_{12}欠乏症などの，外科的治療や薬物療法などによって改善可能な認知症があり，早期診断・治療・介入が重要となる．認知症をきたす主要な疾患・病態を**表42-1**に示す．

3）病態と臨床症状

(1)区別するべき病態

認知症と間違われる病態では，生理的健忘，せん妄，うつ病があり，適切な治療やケアにより，原因となる疾患が改善し，ADLの低下やQOLに影響を及ぼすため，

図42-1　65歳以上の認知症患者の推定者と推定有病率

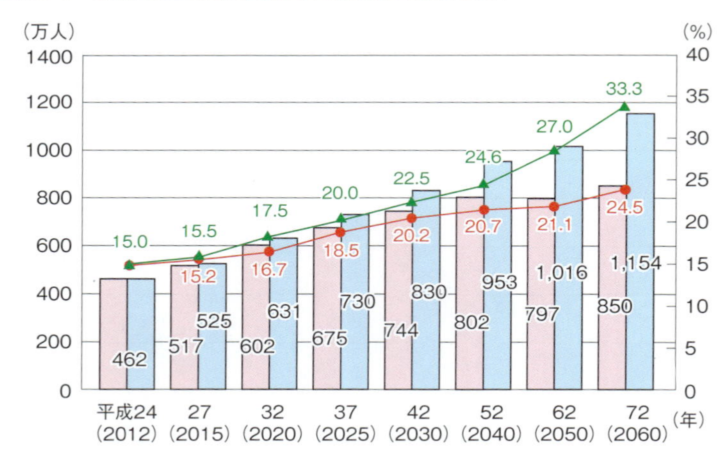

長期の縦断的な認知症の有病率調査を行っている福岡県久山町研究データに基づいた，
・各年齢層の認知症有病率が，2012年以降一定と仮定した場合
・各年齢層の認知症有病率が，2012年以降も糖尿病有病率の増加により上昇すると仮定した場合
※久山町研究からモデルを作成すると，年齢，性別，生活習慣（糖尿病）の有病率が認知症の有病率に影響することが分かった．
本推計では2060年までに糖尿病有病率が20%増加すると仮定した．

内閣府編：高齢社会白書 平成29年版．p.21，日経印刷，2017．

鑑別は重要である．

(2)認知症症状

認知症の症状には，中心となる認知機能障害と，疼痛などの身体へのストレスや不適切な環境・対応によって発症する行動・心理症状（BPSD：Behavioral and Psychological Symptoms of Dementia）がある．BPSDの要因は，本人にとって苦痛となっている可能性が高いことから，その要因を把握して介入していくことが重要となる．

認知症症状，認知機能障害とBPSDについて，**図42-2**，**表42-2**に示す．

(3)代表的な４つの認知症

認知症には，４大認知症といわれるアルツハイマー型認知症（AD：Alzheimer dementia），レヴィー小体型認知症（DLB：dementia with Lewy bodies），前頭側頭型認知症（FTD：Frontotemporal dementia），血管性認知症（VD：vascular dementia）がある．それぞれの病状や症状，進行に違いがある（**表42-3**，**4**）．以下各認知症の特徴を示す．

①アルツハイマー型認知症（AD）

ADは，大脳皮質の細胞外にアミロイドβ-タンパク質の蓄積によるシミ（老人斑）が増え，細胞内にリン酸化されたタンパク質が集まって神経原繊維変化を起こし，これらが神経細胞を脱落させて，脳の萎縮と脳室の拡大を起こす．臨床症状としては，脳の萎縮は側頭葉内側（海馬）から始まり，初期には記憶障害が目立つ．ADの発症と進行は緩徐で，徐々に萎縮が拡大すると，見当識障害，失行，失認などが起こる．認知機能障害に加えて，感情の障害，妄想（代表的なものは物盗られ妄想），幻覚などの行動心理症状が認められることが多い．

②レヴィー小体型認知症（DLB）

ADと同様に，老人斑と神経原繊維変化を認め，大脳皮質広範囲にレヴィー小体（αシヌクレイン）が出現し，脳の萎縮と脳室の拡大がみられる．臨床症状としては，症状認知機能の変動（時間や場所，周囲

表42-1　認知症や認知症様症状をきたす主な疾患・病態

1．中枢神経変性疾患変性疾患
　Alzhheimer型認知症
　前頭側頭型認知症
　Levvy小体型認知症
　進行性核上性麻痺
　大脳皮質基底核変性症
　Huntington病
　嗜銀（しぎん）顆粒性認知症
　神経原繊維変化型老年期認知症
　その他
2．血管性認知症（VaD）
　多発梗塞性認知症
　戦略的な部位の単一病変によるVad
　小血管病変性認知症
　低灌流性VaD
　脳出血VaD
　慢性硬膜下血腫
　その他
3．脳腫瘍
　原発性脳腫瘍
　転移性脳腫瘍
　がん性髄膜症
4．正常圧水頭症
5．頭部外傷
6．無酸素素性あるいは低酸素脳症
7．神経感染症
　急性ウイルス性脳炎（単純ヘルペス脳炎，日本脳炎など）
　HIV感染症（AIDS）
　Creutzfeldt-jakob病
　亜急性硬化性前脳炎・亜急性風疹前脳炎
　進行麻痺（神経梅毒）
　急性化膿性髄膜炎
　亜急性・慢性髄膜炎（結核，真菌性）
　脳膿瘍
　脳寄生虫
　その他
8．臓器不全および関連疾患
　腎不全，透析脳症
　肝不全，門脈シャント
　慢性心不全
　慢性呼吸不全
　その他
9．内分泌機能異常症および関連疾患
　甲状腺機能低下症
　下垂体機能低下症
　副腎皮質機能低下症
　副甲状腺機能亢進または低下症
　Cushing症候群
　反復性低血糖
　その他
10．欠乏性疾患，中毒性疾患，代謝性疾患
　アルコール依存症
　Marchiafava-Bignami病
　一酸化炭素中毒
　ビタミンB_1欠乏症
　ビタミンB_{12}欠乏症，ビタミンD欠乏症，養蚕欠乏症，ナイアシン欠乏症（ペラグラ）
　薬物中毒
　　A）抗がん薬
　　B）向精神薬
　　C）抗菌薬
　　D）抗痙攣薬
　金属中毒（水銀，マンガン，亜鉛など）
　Wilson病
　遅発性尿素サイクル酵素欠損症
　その他
11．脱髄疾患など自己免疫性疾患
　多発性硬化症
　急性散在性脳脊髄炎
　Behcet病
　Sjögren症候群
　その他
12．蓄積病
　遅発性スゥフィンゴリピド症
　副腎白質ジストロフィー
　脳腱黄色腫症
　神経細胞内セロイドリポフスチン症
　糖尿病
　その他
13．その他
　ミトコンドリア脳筋症
　進行性筋ジストロフィー
　Fahr病
　その他

日本神経学会監：認知症疾患診療ガイドライン2017．p.7，医学書院，2017．

の状況に対する認識や，会話をした際の理解力など，悪いときとよいときの差が目立つ），幻覚（多くは幻視），レム睡眠行動障害（睡眠中にみられる大声や激しい行動，いわゆる寝ぼけ．多くは悪夢をみていることが多い），パーキンソニズムなどがある．記憶障害は，ADほど顕著にはみられず，視覚認知障害，視覚構成障害が多くみられる．

③前頭側頭型認知症（FTD）

前頭葉と側頭葉に限局的性変性を示す疾患群である前頭側頭変性症（FTLD：frontotemporal lobar degeneration）の１つである．脳内にタウタンパク質，TDP-43（タンパク質）などの蓄積がみられ，脳の萎縮が起こる．比較的若年層に多くみられる．臨床症状としては，本人の病識の欠如（何かおかしいとは感じているが病気だからという思いは少ない），性格の変化（自分の気になったことに固執するなど），脱抑制（相手に対する配慮などができなくなるなど），常同行動（同じことを繰り返し言う，同じものを食べるなど）がみられる．若年層にみられるため，就労問題や親子関係の危機，体力があるために行動の把握が困難になるなど，家族間の問題と負担は大きくなることが少なくない．

図42-2　認知機能障害とBPSD

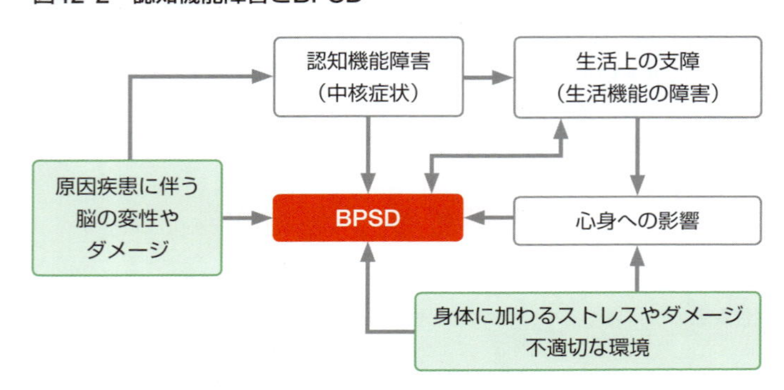

湯浅美千代監：看護師認知症対応力向上研修テキスト（平成30年３月改訂）．p.9，
東京都福祉保健局高齢社会対策部在宅支援課，2018．

表42-2　主な認知機能障害

主な認知機能障害	内容
記憶障害	・記憶は，記銘→保持→想起で成り立っている． ・内容による分類：陳述記憶と非陳述記憶 記憶 → 陳述記憶 → エピソード記憶／意味記憶 記憶 → 非陳述記憶 → 手続き記憶／プライミング効果 ・長さによる分類：近時記憶（数秒～数時間）と遠隔記憶（～年）
見当識障害	時間，場所，人を理解する能力が損なわれる 時間→場所→人の順で障害される
遂行機能障害	目的をもった一連の活動を有効に行っていく機能の障害 目標設定→計画立案→計画の遂行→効果的な行動 行動の開始・維持が困難になり，日常生活の意欲の低下にもつながる
失認	視力・視野に異常がないのに，目の前の物を認識できない，物や人の大きさや形，位置関係がわからないという障害 視覚性失認：視覚的に提示された物，人がわからないなどの感覚性失認 視空間認知障害：空間の距離感，位置関係がわからないなど，なかでも半側空間失認（無視）は多くみられる
失行	運動機能の障害がないのにもかかわらず動作が行えなくなる障害 観念失行：着衣失行（服が着られない），構成失行（図が模写できない）などの，道具を使用する動作の障害 観念運動失行：歯みがきなどの習慣的な動作の障害

④血管性認知症（VD）

多発性脳梗塞やラクナ梗塞などの脳梗塞や，脳出血などの脳血管障害により，脳神経細胞が壊死することで起こる．高齢者の男性に比較的多くみられる傾向がある．基礎疾患に糖尿病，高血圧，脂質異常症などがあるとなりやすい．病巣によって症状は異なる．一般的には，脳血管障害の発症ごとに段階的に悪化することが多いが，細かい血管が詰まるタイプの場合は，緩やかな経過をたどることもある．

4）検査・診断

認知症診断の考え方としては，何かしらの認知機能障害を認め（多くは記憶障害），それが意識障害によるもの（せん妄）ではない，かつ社会生活に支障をきたし，脳の器質的な障害によるものである（**図42-3**）．

代表的な診断基準は，世界保健機関（WHO）による国際疾病分類第10版（ICD-10）（**表42-5**），アメリカ国立老化研究所/Alzheimer病協会（NIA-AA）による認知症の診断基準（2011）（**表42-6**），アメリカ精神医学会による精神疾患の診断・統計マニュアル第５版（DSM-5）（**表42-7**）がある．

認知症の検査と診断には，問診，心理検査，画像検査，一般臨床検査などがある．

(1)問診

本人と家族または身近にいる人から聞くことが重要である．本人の苦痛が何か，それをどのような言動で表現するのかによって，病気に対する認識を知ることができる．

(2)神経心理検査

認知症の疑いがある人に対して，認知症か否かを診断し，さらに認知症と診断された場合には重症度を診断する．

①認知症のスクリーニング検査

多くは改訂版長谷川式簡易知能評価スケール（HDS-R：Hasegawas dementia scale-revised），ミニメンタルステート（以下MMSE：mini-mental state examination）が活用されている（**表42-8，9**）．

図42-3　認知症診断の考え方

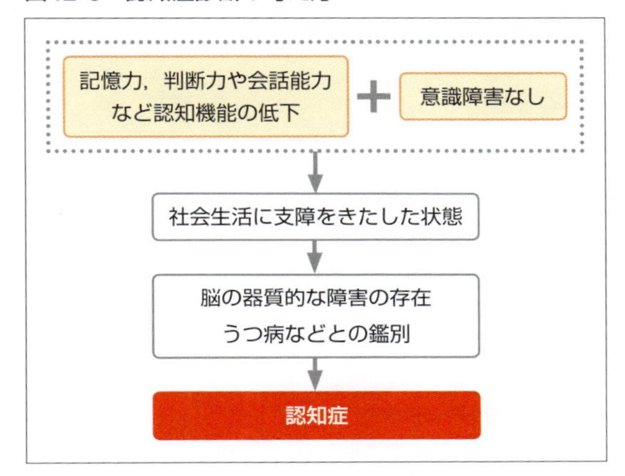

表42-3　認知症の特徴

	アルツハイマー型認知症	レヴィー小体型認知症	前頭側頭型認知症	血管性認知症
初期症状	記憶障害（エピソード記憶） 見当識障害	幻視　パーキンソニズム 抑うつ状態　睡眠障害	人格変化 社会性の欠如	記憶障害（即時記憶） 見当識障害 まだら症状
進行	緩やか	緩やかだが，早く進行するときもある	緩やか	脳血管疾患の再発で段階的に進行
脳の変化	海馬の萎縮	後頭葉血流障害	前頭側頭葉の限局変性	脳血管障害

表42-4　変性性認知症の経過

病名	経過	軽症期	中症期	重症期
アルツハイマー型認知症	平均５年 （１～13年）	エピソード記憶障害， 近似記憶障害	見当識障害，言語障害， 判断力低下，集中力低下	失認，長期記憶障害， 日常生活障害
レヴィー小体型認知症	４～７年 （経過はADに比べ多様）	睡眠障害，抑うつ， 視空間障害，認知機能動揺， 幻視，パーキンソニズム	幻視による行動障害， 二次性妄想，転倒	意思疎通困難， パーキンソニズムの増強， 嚥下障害
前頭側頭型認知症	約10年 （経過はADに比べ多様）	失病識，人格変化，常同行動， 脱抑制，意味記憶障害	人格変化，常同行動の増強， 考え無精	自発性低下，言語障害顕著， 失外套症候群

中島紀恵子編：新版認知症の人々の看護．p.133，医歯薬出版，2013．

HDS-Rは，年齢，見当識，３単語の即時記銘と遅延再生，計算，数字の逆唱，物品記銘，言語流暢性の９項目からなる30点満点の認知機能検査で，20点以下が認知症疑いになる．

MMSEは，時間の見当識，場所の見当識，３単語の即時再生と遅延再生，計算，物品呼称，文章復唱，３段階の口頭命令，書字命令，文章書字，図形模写の計11項目から構成される30点満点の認知機能検査で，23点以下が認知症疑い，27点以下は軽度認知障害（MCI：mild cognitive impairment）が疑われる．

②日常生活機能評価

表42-5　ICD-10による認知症診断の要約（1993）

G１．以下の各項目を示す根拠が存在する
　１）記憶力の低下
　　新しい事象に関する著しい記憶力の減退，重症の例では過去に学習した情報の想起も障害され，記憶力の低下は客観的に観察されるべきである
　２）認知能力の低下
　　判断と思考に関する能力の低下や情報処理全般の悪化であり，従来の遂行能力水準からの低下を確認する
　１），２）により，日常生活動作や遂行能力に支障をきたす
G２．周囲に対する認識（すなわち，意識混濁がないこと）が，基準G１の症状をはっきりと証明するのに十分な期間，保たれていること．せん妄のエピソードが重なっている場合には認知症の診断は保留
G３．次の１項目以上を認める
　１）情緒易変性
　２）易刺激性
　３）無感情
　４）社会的行動の粗雑化
G４．基準G１の症状が明らかに６か月以上存在していて確定診断される

表42-6　NIA/AAによる認知症の診断基準の要約（2011）

１．仕事や日常生活の障害
２．以前の水準より実行機能が低下
３．せん妄や精神疾患ではない
４．病歴と認知機能検査による認知機能の障害
　１）患者あるいは情報提供者からの病歴
　２）精神機能評価あるいは精神心理検査
５．以下２領域以上の認知機能や行動の障害
　a．記銘記憶障害
　b．論理的思考，実行機能，判断力の低下
　c．視空間認知障害
　d．言語機能障害
　e．人格，行動，態度の変化

表42-7　DSM-5による認知症の診断基準の要約（2013年）

A．１つ以上の認知領域（複雑性注意障害，実行機能，学習性および記憶，言語，知覚-運動，社会的認知）において，以前の行動水準からの有為な認知の低下があるという証拠が以下に基づいている：
（１）本人，本人をよく知る情報提供者，または臨床家による，有意な認知機能の低下があったという概念，および
（２）標準化された神経心理学的検査によって，それがなければ他の定量化された臨床的評価によって記録された，実質的な認知行為の障害
B．毎日の活動において，認知欠損が自立を阻害する（すなわち，最低限，請求書を支払う，内服薬を管理するなどの，複雑な手段的日常生活動作に援助を必要とする）
C．その認知欠損は，せん妄の状況でのみ起こるものではない
D．その認知欠損は，他の精神疾患によってうまく説明されない（例：うつ病，統合失調症）

表42-8　長谷川式簡易知能評価スケール（HDS-R）　30点満点／カットオフポイント21点（20点以下は認知症の疑いあり）

1	お歳はいくつですか？	
2	今日は何年の何月何日ですか？何曜日ですか？	見当識
3	あなたが今いるところはどこですか？	見当識
4	これから言う３つの言葉を言ってみてください．あとでまた聞きますのでよく覚えておいてください．	記名
5	100から７を順番に引いてください．（100引く７は？それからまた７引くと？）	作業記憶 即時記憶
6	これから言う数字を逆から言ってください．（３桁，４桁）	作業記憶
7	さきほど覚えてもらった言葉をもう一度言ってみてください．	記名 遅延再生
8	これから５つの物品を見せます．それを隠しますので何があったか言ってください．	物品記名
9	知っている野菜の名前をできるだけ多く言ってください．	言語流暢性

認知症は，日常生活・社会生活に支障をきたす病態である．認知症が疑われる場合は，日常生活機能（ADL，IADLなど）の障害についても確認をする必要がある．

表42-9　ミニメンタルステート検査（MMSE）　30満点カットオフポイント24点（23点以下で認知症の疑いあり）

1	今日は何日ですか？今年は何年ですか？今の季節は何ですか？今日は何曜日ですか？今月は何月ですか？	見当識
2	ここは都道府県でいうと何ですか？ここは何市（町・村・区など）ですか？ここはどこですか？	見当識
3	今から私がいう言葉を覚えてくり返し言ってください． 『さくら，ねこ，電車』はい，どうぞ． 今の言葉は，後で聞くので覚えておいてください．	即時想起
4	100から順番に7をくり返しひいてください．	作業記憶
5	さっき私が言った3つの言葉は何でしたか？	遅延再生
6	時計（または鍵）を見せながら「これは何ですか？」 鉛筆を見せながら「これは何ですか？」	物品呼称
7	今から私がいう文を覚えてくり返し言ってください． 『みんなで力を合わせて綱を引きます』	文の復唱
8	今から私がいう通りにしてください． 右手にこの紙を持ってください．それを半分に折りたたんでください．そして私にください．	口頭指示
9	この文を読んで，この通りにしてください．	書字指示
10	この部分に何か文章を書いてください．どんな文章でもかまいません．	自発書字
11	この図形を正確にそのまま書き写してください．	図形模写

表42-10　バーセルインデックス

食事	10点：自立，自助具などの装着可，標準的時間内に食べ終える ５点：部分介助（食物を切って細かくするなど） ０点：全介助
移乗	15点：自立，ブレーキ・フットレストの操作も含む 10点：軽度の部分介助または監視を要する ５点：座ることは可能だが移乗に介助が必要 ０点：全介助または不可能
整容	５点：自立（手洗い洗面・整髪・歯みがき・ひげ剃り，道具の準備片づけも含め） ０点：部分介助または不可能
トイレ動作	10点：自立（衣服の操作・後始末を含む，ポータブルトイレなどを使用する際は洗浄を含む） ５点：部分介助（身体を支える・衣服の操作・後始末に介助を要する） ０点：全介助または不可能
入浴	５点：自立 ０点：部分介助または不可能
歩行	15点：自立（介助や監視なしに45m以上歩ける，義肢・装具や杖・車輪のない歩行器は使用してよい） 10点：部分介助（軽度の介助や監視があれば45m以上歩ける，車輪つきの歩行器の使用も可） ５点：歩行不能の場合に採点，車椅子を使用して45m以上移動できる ０点：上記以外
階段昇降	10点：自立（手すり・杖の使用の有無は問わない） ５点：部分介助（介助や監視を要する） ０点：不能
更衣	10点：自立（ボタンやファスナーの操作，靴・装具の着脱を含む） ５点：部分介助（標準的な時間内，作業の半分以上は自分で行える） ０点：上記以外
排便コントロール	10点：失禁なし，浣腸・坐薬の取り扱いも可能 ５点：ときに失禁あり，浣腸・座薬の取り扱いに介助を要する者も含む ０点：上記以外
排尿コントロール	10点：失禁なし ５点：ときに失禁あり，収尿器の取り扱いに介助を要する場合も含む ０点：全介助

・バーセルインデックス（BI：Barthel Index）は，できることを評価する（**表42-10**）.

・IADL（instrumental activities of daily life：手段的日常生活動作）の評価方法は，複数提唱されているが，臨床ではLawtonのIADLがよく用いられる.

(3)画像検査

認知症に関する画像検査には，形態画像検査と機能画像検査の２通りある.

①形態画像検査：CT検査やMRI検査などにより，脳の萎縮や脳梗塞・脳出血・脳腫瘍などの，脳内の病変の有無を調べる

・CT（コンピューター断層撮影）
脳のCT画像で，脳全体の萎縮に加え，記憶を司る海馬の萎縮がみられると，アルツハイマー病の疑いがあると判断する．一方，血管性認知症では，出血や血管の梗塞（詰まり）などがわかる.

・MRI（磁気共鳴画像）
CTでは判断しきれないような軽度の認知症でもMRIならばより正確に脳の萎縮を判断することができる．また，MRIでは，慢性硬膜下血腫や特発性正常圧水頭症といった「治療可能な認知症の原因」をみつけることも可能である.

②機能画像検査：脳の血液の流れや代謝を測定する検査で，SPECT検査やPET検査などがある．この検査では，脳内の活動について調べる

・SPECT（単一光子放射断層撮影）
微量の放射性物質（RI：ラジオアイソトープ）を含む薬を体内に投与して，臓器の状態を画像化する検査である．脳内の血流量が少なくなっている場所を特定し，認知症の疑いがあるかだけでなく，原因疾患まで推察することができる.

③その他

・MIBG心筋シンチグラフィー
DLBでは，心筋へのMIBGという薬剤の取り込みが低下するため，診断に活用する.

(4)一般臨床検査

一般臨床検査では，糖尿病や高血圧，脂質異常症などの認知症になりやすい要因はないか，また，甲状腺機能低下症やビタミンBの欠乏，感染症などの治療によって改善可能な認知症の疑いはないかなどの検索をする.

5）治療

(1)薬物療法

①認知機能障害に対する治療（AD・DLB）

現在使用されている抗認知症薬は，コリンエステラーゼ阻害薬と，NMDA受容体拮抗薬の２種類である．抗認知症薬とその特徴について，**表42-11**に示す．薬剤の使用に関しては，副作用に注意し，使用開始の際に副作用出現時の対応（中止，減量など）について伝える必要がある．また，薬剤の使用によっては，BPSDが悪化する場合がある.

②BPSDに対する治療

BPSDの薬物療法に関しては，症状の消失が目的ではなく，苦痛の軽減である．非薬物療法が優先され，それでも効果がないときに薬物療法を併用していく．抗精神病薬，抗うつ薬，抗てんかん薬，睡眠

表42-11　抗認知症薬の特徴と使用方法

一般名	ドネペジル塩酸塩	ガランタミン臭化水素酸塩	リバスチグミン	メマンチン塩酸塩
商品名	アリセプト® （ジェネリックあり）	レミニール®	イクセロンパッチ® リバスタッチパッチ®	メマリー®
適応	軽度～中等度AD 高度AD（10mg/日）	軽度～中等度AD	軽度～中等度AD	中等度～高度AD ※アセチルコリンエステラーゼ阻害薬と併用可
薬理作用	アセチルコリンエステラーゼ阻害作用	アセチルコリンエステラーゼ阻害作用	アセチルコリンエステラーゼ阻害作用	NMDA受容体拮抗作用
作用の特徴	アセチルコリンエステラーゼを強力に阻害	ニコチン受容体にも作用	ブチリルコリンエステラーゼも阻害	グルタミン酸の興奮毒性を抑制
投与方法	経口薬 １日１回服用 3mgを１～２週間服用後，5mgに増量．高度の場合10mgに増量	経口薬 １日２回服用 8mg/日を４週間服用後，16mg/日に増量．症状に応じて24mg/日まで増量	貼付薬（パッチ薬） １日１枚貼付 4.5mgから開始．9mg，13.5mgと４週間ずつ増量．18mgが維持量．（9mg→18mgも可）	経口薬 １日１回服用 5mg，10mg，15mg，20mgと１週間ずつ増量する．腎機能低下例は10mgまで
副作用	胃腸障害，徐脈，精神症状など	胃腸障害，徐脈，精神症状など	局所皮膚症状，胃腸障害など	ふらつき，眠気，便秘など

薬などが使用されることが多いが，過度な使用や副作用によって２次的健康障害や有害事象を起こすことがあるため，使用には十分に注意が必要である．

(2)非薬物療法

認知症の非薬物療法とは，薬物以外のすべての治療的アプローチのことをいう．本人に対する心理療法，リハビリテーションやケアだけでなく，介護家族への教育や支援なども含まれる．アメリカ精神医学会の治療ガイドラインによると，以下のアプローチがある．

①「認知」に焦点を当てたアプローチ

リアリティオリエンテーション（現実見当識訓練：reality orientation training ）や，認知刺激療法（言語や数字などを使ったゲームや簡単な計算で脳に刺激を与える）などがある．リアリティオリエンテーションは，日付や場所，周囲の事物について伝えることで，現実の再認を行う．そのほかに反復訓練や，記憶障害が中等症以上になると外的代償法（メモをする，覚えるためにシグナルを利用する）などの方法がある．例として，計算，書きとり，音読，絵画，園芸，手芸などがある．

②「刺激」に焦点を当てたアプローチ

芸術療法，音楽療法，活動療法，レクリエーション療法，アニマルセラピー，マッサージなどがある．芸術療法は，感情や願望を自分の好きな方法で表現することにより，感情や認知機能を改善する．音楽療法は，音楽のもつ生理的，心理的，社会的働きを応用して，心理の障害の軽減・回復，機能の維持・改善，QOLの向上，問題となる行動の変容を期待する．活動療法は，一般的に作業療法といわれ，人間の基本的活動性を利用したプログラムである．レクリエーション療法の多くは集団で行われるため，本人の自信や意欲の向上だけでなく，「社会性」の拡大にもつながる．

③「行動」に焦点を当てたアプローチ

行動療法や認知行動療法，作業療法，アクティビティケアなどがある．行動療法は，行動障害を観察・評価することに基づいて介入方法を導き出し，望ましい行動を増大（強化）させることを期待する．作業療法は，日常生活活動（動作）療法を含む．日常生活活動療法は，日常生活活動（ADL：食事・整容・排尿・排便・入浴など）について，それぞれの動作の獲得訓練を繰り返し行う．手段的日常生活動作（IADL：買い物・調理・電話・外出など）の訓練もこれらに準ずる．アクティビティケア（AC：activity care）は「障害をもった人たちが『普段の当たり前の日常生活』に少しでも近づけるためのすべての援助行為」である．代表的なACは**表42-12**のとおりである．

④「感情」に焦点を当てたアプローチ

回想法，バリデーション，支持的精神療法，感覚統合，刺激直面療法などがある．回想法は，記憶を引き出す訓練となるほか，認知症の人が過ごしてきた過去の人生に意味づけをしていくことである．バリデーションは，アルツハイマー型認知症の人に対する尊敬と共感をもって関わることを基本姿勢としており，認知症の人と信頼関係を結び，よりよいコミュニケーションへとつなげることができる．

⑤非薬物療法の評価

認知症が進行してくると言語によるコミュニケーションが困難となり，苦痛や適切に感情を言葉にすることが困難となる．そのため，認知症の人の非薬物療法を評価するには，観察による客観的評価が必要になる．認知症の苦痛の客観的な評価法としては，PAINAD（pain assessment in advanced dementia scale），Abbey Pain Scaleなどが知られている．

6）予後

認知症患者の死亡率は，全ステージを通じて一般高齢者に比して高いが，生命予後に関してはさまざまな研究があり，多くは７年から10年と幅も広く，発症年齢や病型によっても違いがあるといわれている．死亡原因としては感染症によるものが多く，とくに肺炎が死因となっていると考えられる．重度のADでは肺炎での死亡が多く，軽度のADでは心疾患や脳卒中などの循環器疾患による死亡が多いことが指摘されている．また，認知症患者は症状を伝えることが困難となり，受診行動につながりにくいことから，深刻な合併症が見逃されやすいといわれている．

表42-12　代表的なアクティビティケア

個人	現実見当識訓練（リアリティオリエンテーション）　個人回想　朗読　工芸工作　習字　俳句　ネイルケア　フットケア　化粧など
グループ	工芸工作倶楽部　習字倶楽部　文芸倶楽部　回想法　ゲーム　茶話会　体操　朗読　ビデオ観賞　お楽しみ会　買い物ツアーなど
大グループ	伝統的行事　誕生会　運動会　家族との交流会

六角僚子：アクティビティケアの基礎知識．看護学雑誌，71(4)：380～385，2007.

2. 看護過程の展開

● アセスメント～ゴードンの機能的健康パターンを用いて

パターン	アセスメントの視点	根拠	収集する情報
(1) 健康知覚-健康管理 患者背景 健康知覚-健康管理 価値-信念	●既往疾患の管理は適切にできているか ●受診行動・服薬管理は適切か ●健康への関心や習慣はあるか	●認知症は，身体疾患の影響で，症状が悪化することが多い．そのため，身体疾患の日常的な管理（認知症で身体疾患の管理が不十分になるため）や，新たな身体疾患の可能性を考えることは重要である． ●健康に関して，何か習慣的に行ってきた人は，また同じ状況になることで，安心感を得られる．あるいは，健康への関心は，その知識によっては本人への病状の説明の際に役立つと考える．	●健康のためにしていたこと ●既往疾患 ●通院状況　服薬アドヒアランス ●感覚機能の状況（視力，聴力）
(2) 栄養-代謝 全身状態 栄養-代謝 排泄	●食事の認識から食事の行動のどこに障害があるのか ●食事環境と食事摂取の間に影響はあるか ●介助方法が食事摂取に影響していないか ●本人の食習慣，嗜好は生かされているか ●薬剤による食事摂取への影響はないか	●認知機能障害によって食行動が起こせない，または，嚥下機能障害などによって必要な栄養が摂取できないことがある．また，周囲の環境によっては集中して食事が摂取できないことがある．一方では，周囲が食事をとっていることで自ら食事を摂取しようと意欲が出てくることもある．介助で食事を摂取している場合，本人の能力にかかわらず，介助者のペースで行うことは介助拒否につながり，食事摂取に大きく影響する． ●食習慣や嗜好は食事の意欲や認識に影響することがある．とくに食事摂取量低下のある場合には，長く続けてきた食習慣や嗜好を活用して支援することが必要となる． ●「嫌いなものは喉を通らない」「飲み込みに時間がかかる」「むせやすい」などの理由で，安易に嚥下食にすると，咀嚼しないことで食行動に混乱をきたすことがある．できる能力とともに，食事を楽しみとして考えることは重要である． ●薬の影響による食欲不振が，認知症のせいであると考えられてしまうことがある．	●身長/体重/BMI ●皮膚や口腔内の状態 ●義歯の使用 ●血液検査（Alb，TP，Hb） ●食事形態，食事摂取量，食事回数 ●食習慣，嗜好 ●食事時の周囲の環境（人・もの） ●内服薬
(3) 排泄 全身状態 栄養-代謝 排泄	●排泄環境の影響はないか ●排便コントロールは適切か ●薬剤による排泄の影響はないか	●排便コントロールとして下剤を投与すると，腹部の不快感が継続し，排泄への固執につながる場合がある．身体疾患，抗認知症薬，行動心理症状への薬剤のなかには，尿閉や便秘に関係する薬剤がある．	●排泄環境（場所，表示，便座の形態，使用の仕方） ●排泄パターン（排尿，排便回数） ●排便習慣 ●使用薬剤 ●習慣的に行っていたこと ●内服薬

パターン	アセスメントの視点	根拠	収集する情報
(4) 活動-運動 活動・休息 活動-運動 睡眠-休息	●ADL・IADLのどこに支援が必要であるか ●日常生活リズムはどうであったか ●趣味や，継続してきた習慣はあるか ●現状はその趣味や習慣をできるのか ●活動が制限されるような苦痛はあるか ●排泄の認識から排泄行動のどこに障害があるのか	●セルフケアの保持は，認知症の人の自己効力感につながる．ADLが低下してきたときには，廃用による新たな苦痛が生じることがある． ●入院・入所によっては，施設のルールで生活しなければならず，リロケーションダメージ（移住や転院による心理的混乱）によって，不安や混乱を呈するときがある．また，生活を活性化するために，今まで行ってきた趣味や活動を活用することがあるが，できていたことができなくなっている可能性もある． ●認知機能障害は，尿意・便意が認識できない，排泄動作やトイレの使い方がわからないなどが排泄動作or行動に影響する．また，排泄の場所がわからない，トイレの文字がみえにくい，介助の際の言葉かけなどの排泄環境は，認知症の人の能力の発揮に影響する．	●ADL（日常生活動作），IADL（手段的生活動作）はどのくらいできるか ●ADL（日常生活動作），IADL（手段的生活動作）はどのようなときに，どのようなものを使用してできるか ●趣味：内容と期間 ●習慣：内容と期間 ●活動制限をきたすような苦痛 ●認知機能からみた一連の食事行動 ●食事介助の方法 ●認知機能からみた一連の排泄行動
	●下着や衣服は排泄行動に適しているか ●適切なおむつの選択と交換時間となっているか	●本人の能力にあった衣服や下着の選択がされず，衣服の着脱が容易にいかない，安易におむつを着用することで混乱してしまう，ということがある．排尿誘導やおむつ交換は，ニーズや生活パターンにあわせて計画しなければ，不快や不満につながる．	●衣服（日中，夜間） ●おむつの種類と交換時間
(5) 睡眠-休息 活動・休息 活動-運動 睡眠-休息	●睡眠，休息は十分にとれているか ●途中で起きることはないか．起きる要因は何か ●日中の休息時間はどのくらい，どの時間に必要か ●睡眠習慣はどうであったか． ●内服薬の影響はあるか	●睡眠不足は，せん妄などの要因となる．高齢者は睡眠時間が浅く短くなり，また，夜間排泄のために何度か覚醒し，熟眠感が得られにくく，薬剤を使用している人も少なくない．夜間の睡眠を考えて日中無理に起こしておくことは適切でないこともある．	●就寝・覚醒時間 ●中途覚醒 ●日中の休息時間 ●内服薬（睡眠薬，抗認知症薬，向精神病薬）
(6) 認知-知覚 知覚・認知 認知-知覚 自己知覚-自己概念 コーピング-ストレス耐性	●認知機能障害の程度はどうか ●認知機能障害に対する認識はどうか	●認知症は，脳の変性，障害によって発症し，日常・社会生活に支障をきたす．本人の保持している知的機能を活用し，できるところを生かして，失敗体験をできるだけしないように支援することが，重要である．認知機能障害は，環境や対応によっては，本来の能力が発揮できないときがある．	●認知機能検査（HDS-R，MMSE，FAST） ●画像検査 ●病気に対する言動
	●感覚機能の影響はないか	●感覚機能の低下によって，高齢者が認知症と間違われたり，認知症の人は症状を重く捉えられることがある．	
	●アルコールの影響はあるか	●アルコールに関しては，入院・入所によって離脱症状などが出現することがあり，行動・心理症状の要因となる．	

パターン	アセスメントの視点	根拠	収集する情報
(7) 自己知覚-自己概念 知覚・認知 認知-知覚 自己知覚-自己概念 コーピング-ストレス耐性	●病気のある自分に対するイメージはどのようなものがあるか ●老化に対する受け止め方はどうか ●自身の人生を振り返るような言動はあるか	●認知症に一番初めに気づくのは本人であるといわれている．日常の言動のなかに，「自分が壊れていく」などの独特な表現で感じていることを表現している場合がある．また，認知症は高齢者に多くみられるため，老化や身体状況の変化の受け止め方によっては，喪失感，悲嘆をまねき，その状態が長く続くと抑うつ状態となる可能性がある．	●病気に関する言動 ●老化に関する言動 ●本人の過去の生活を思わせる行動 ●回想法やコラージュなどの心理療法での内容
(8) 役割-関係 周囲の認識・支援体制 役割-関係 セクシュアリティ-生殖	●家族関係と家での役割はどうか ●社会的役割の遂行はどうか ●地域とのつながりはどうか	●人生のなかで，喪失体験は誰にでも起こることである．ことに高齢者は，社会的な役割，家族のなかでの役割，地域での役割など，さまざまな喪失がある．そのことがきっかけとなって認知症がわかることもある．しかし，高齢者は喪失することばかりではない．孫の面倒をみる，地域の役割を担うなど，新たな役割を担うこともあり，そのことは自己肯定感につながる．認知症ケアについては，その両側面から情報を収集し，アセスメントしていくことが重要である．	●家族構成，・同居者 ●家族の役割 ●家族への思い ●地域の高齢者への関心 ●地域での役割，地域行事への参加
(9) セクシュアリティ-生殖 周囲の認識・支援体制 役割-関係 セクシュアリティ-生殖	●夫婦の愛情表現はどうか ●性に関する表現があるか（場合によって）	●ときに認知症の行動心理症状の嫉妬妄想などから性的な行為を求めてくることがあり，配偶者は悩んでいる場合がある．	●閉経 ●妊娠，出産回数
(10) コーピング-ストレス耐性 知覚・認知 認知-知覚 自己知覚-自己概念 コーピング-ストレス耐性	●今まで大きな問題にどのように対応してきたか ●内服薬の影響はあるか	●認知症によって適切にストレスに対応できないと，不安をもち，混乱する．不安を和らげるために薬剤やアルコールに依存している場合もある．	●大きなライフイベント ●本人が信頼している人 ●問題に関する意思決定の仕方 ●精神安定薬などの服用 ●飲酒歴

パターン	アセスメントの視点	根拠	収集する情報
(11) 価値-信念 患者背景 健康知覚-健康管理 価値-信念	●どのような生き方をしたいか(死に方をしたいか) ●本人が生きるうえで大切にしているものや事柄は何か ●意思決定をする機会をもっているか ●宗教またはそれに代わるものに願う習慣はあるか	●認知機能障害によってコミュニケーションが困難な場合であっても，本人の意思が尊重されるように，今まで生きてきた人生のなかで，どのようなことを大切にしながらさまざまな選択してきたのか，日常の生活のなかで食事を食べること，車椅子で移動すること，トイレに行くことなど，認知症の人の意思を確認し，認知症の人の尊厳を保持することは，生活の安心感につながる． ●天を仰ぐなど，自己の心を平静に保つために行う行為を，何かしらもっていることがある． ●認知症の非薬物療法の結果から，認知症の人が大切にしているものを知ることができる．	●今までの生き方の選択 ●日常生活の意思決定の場面 食事・排泄・移動・生活など ●信仰宗教 ●日常的に願いをする対象

3. 全体像の把握から看護問題を抽出

1）病態関連図

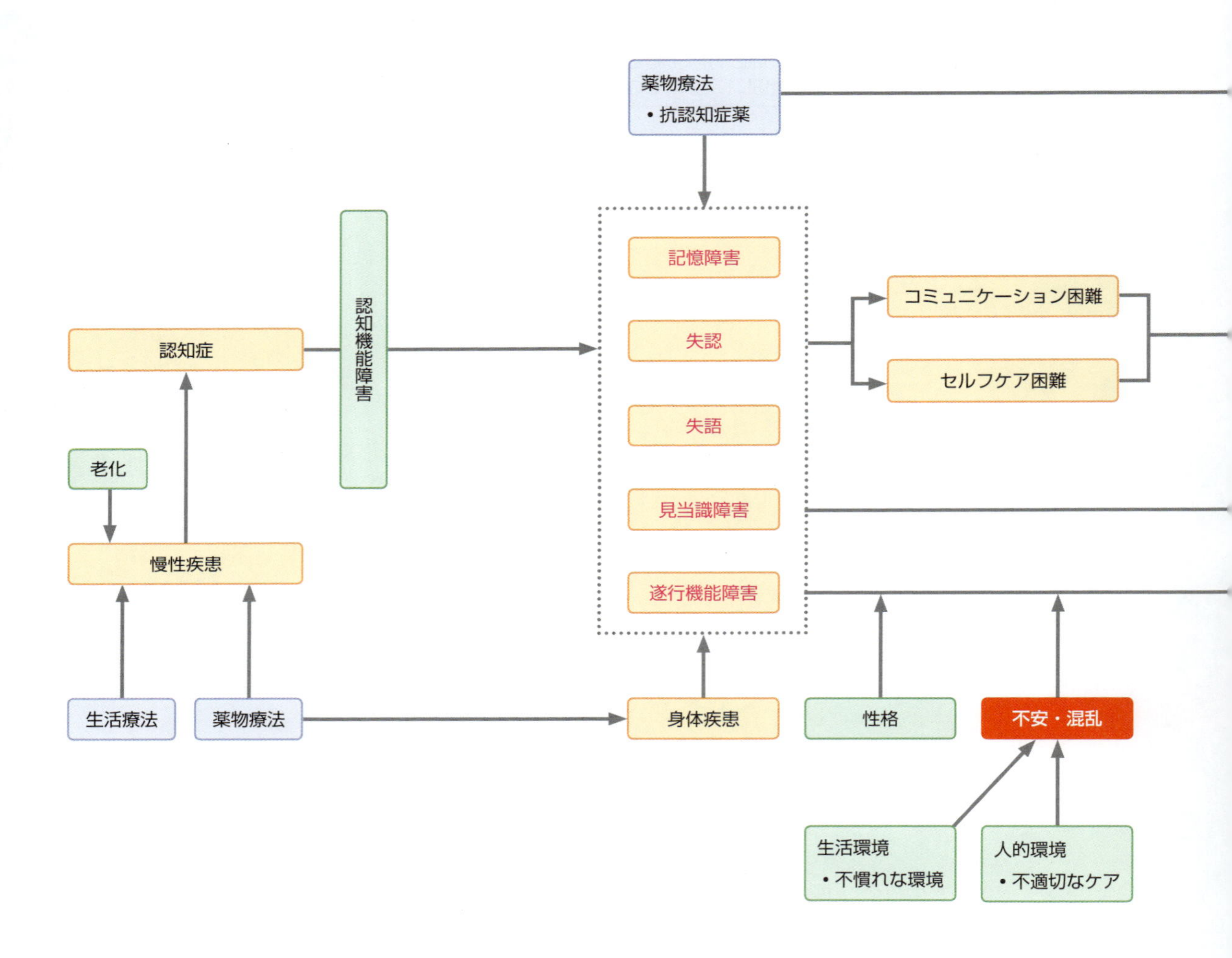

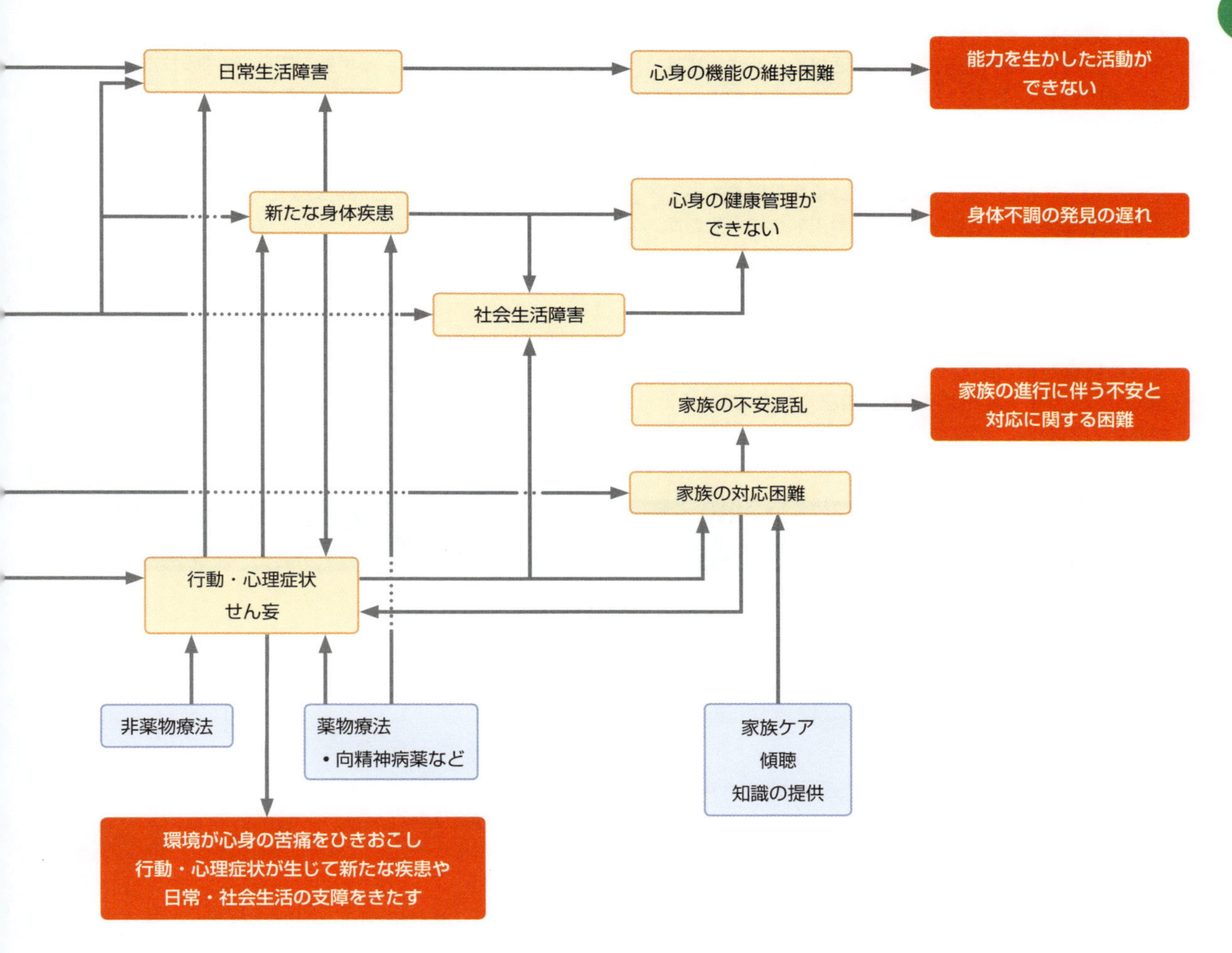
日常生活障害
心身の機能の維持困難
能力を生かした活動ができない
新たな身体疾患
心身の健康管理ができない
身体不調の発見の遅れ
社会生活障害
家族の不安混乱
家族の進行に伴う不安と対応に関する困難
家族の対応困難
行動・心理症状
せん妄
非薬物療法
薬物療法
・向精神病薬など
家族ケア
傾聴
知識の提供
環境が心身の苦痛をひきおこし
行動・心理症状が生じて新たな疾患や
日常・社会生活の支障をきたす

2）看護の方向性

認知症のケアの目標は，認知症の治癒，介護負担の軽減，施設の入院期間の短縮ではなく，認知症である本人がどのように生きていきたいかや，自分自身の存在意義を感じ，自己肯定感を高められるような人生を送ることができるようにすることである．認知症の人が感じている世界を知り，どのようなことに苦痛を感じ，どのようなことに喜びを感じているのか，全人的に理解することは認知症ケアの基本となる．

認知症の人が長い年月のなかで築いてきた価値観や生活に着目し，その背景を詳細に把握し，もてる力を最大限に発揮しながら安心した生活ができるようにする．そのためには，これまでの生活に視点をおき，個別性を重視して，心地よさを感じられるように周囲の環境を調整する．認知症の人は，症状の発症に困惑し，できていたことができなくなっていく喪失感をもっていることも少なくない．それでも本人なりに一生懸命に対処しようとするが，そのことが周囲に伝わらず，認知症の人の言動が周囲の受け止め方によっては介護拒否ととられ，問題だと捉えられてしまう，ときには「何もわからなくなっている」と偏った見方をされていることもある．

認知症の特徴から，状況を正確に判断し，適切な表現をすることが困難となり，適切な看護の提供に苦慮することもある．そのため，看護師は，認知症の人から発信されている微弱なサインをキャッチし，個別性のあるケアへと展開していく必要がある．

認知症の人の体験している世界を知り，周囲のサポートを受けることで家族の介護負担は軽減する．

家族を第二の患者にしないためにも，認知症の人の一番身近な家族が，本人の体験世界を少しでも理解できるように支援し，その心情を受け止め，家族自身の生活の質も守る必要がある．

3）患者・家族の目標

- できる機能を生かして，安心・安全な生活ができる．
- 認知症の人が喪失感を受け入れ，自己効力感が高められる生活を送ることができる．
- 家族が疾患を理解し，安心した生活を送ることができる．

4. しばしば取り上げられる看護問題

心身の苦痛により行動・心理症状が生じている

なぜ？

認知症の人の行動・心理症状には，過活動的な大声や怒りっぽさ，低活動的な意欲の低下などがある．しかし周囲はそのことよりも，症状そのものを消失させようとしがちであり，それでは本来の苦痛は改善されず，行動・心理症状を繰り返す．どの症状にも背景には，その症状を表出させている要因がある．それは，認知症の人の苦痛や不安である可能性がある．

少しでも早期にその要因に介入し，行動・心理症状を低減させることは，認知症の人の安心した生活につながる．認知症の人の行動・心理症状の対応は，第1選択は非薬物療法であるが，薬物療法に依存する傾向があり，適切な薬物療法でなければADLの低下やQOLの低下など二次的な健康障害を引き起こす可能性がある．

➡ 期待される結果

行動・心理症状が出ない，または介入によって軽減する．

対応に関する知識不足に関連した家族の不安

なぜ？

家族は，病状の進行に伴い，変わりゆく姿にさまざまな不安を感じる．行動・心理症状やせん妄などで過活動な症状を目の当たりにすると，一緒に暮らすことすら諦めてしまうことがある．

認知症の人の体験している世界を理解することは難しい．記憶障害ひとつでも，生理的なもの忘れとは違い，全く身に覚えのないこととして本人は受け取っている．そのことを家族が理解し，適切な対応をするのは困難である．また，認知症は進行していく病態であり，今までの父ではない，妻ではないなどと，変わりゆく家族をみていくことは，心情的にとてもつらいことである．家族の考えや対応が，認知症の人の病状の安定につながり，認知症の人の生活の場や治療の選択の意思決定に大きく影響する．そのため，家族の認知症に対する認識や対応は，退院支援のマネジメントや認知症の人の希望する生活への実現に大きく影響する．

➡期待される結果

家族の心情が受け入れられ，自らも生活を楽しもうと考える．

認知症の人の体験している世界を知り，サポートを受けながらともに生活することができる．

◆3　認知機能の低下，環境の影響により自己の能力を生かした活動ができない

なぜ？

認知症の人は，認知機能障害により日常生活に支障をきたす．「何もわからない」「何もできない」というレッテルを貼られてしまいがちである．認知症の人は，認知機能の低下は，症状の程度も現れる症状も人によって違い，生活する環境によっても違いがある．入院となると，環境の変化に加えて身体的な苦痛により，いっそう本来の認知機能は低く見積もられてしまう．その結果，できることをする機会を奪われ，心身ともに廃用してしまい，本来維持される機能が奪われてしまう可能性がある．

認知症の人それぞれの能力が発揮されることは，治療の選択や療養の場の選択の際にも重要なことである．認知機能を適切に見極め，その能力が発揮できる環境にすることは，その後の生活の質にも影響する．

➡期待される結果

できる能力を発揮し，「自分でもできる」という自己効力感をもって生活できる．

◆4　苦痛を表現しないことによる身体の不調が早期に発見されない危険がある

なぜ？

認知症症状は，身体疾患の苦痛によって増悪する．ときには，認知症が悪化したと間違われることもある．

認知症の人は，自身が感じている苦痛を「痛み」として表現しないことがある．ときには落ち着かなかったり，眠れなくなったり，怒りっぽくなったりと，さまざまな形で表出されることがある．そのため，身体疾患は見逃されやすく，悪化してから気づかれ，適切な治療やケアが遅れてしまうことがある．早期に発見されていれば，もとの生活に戻れるはずが，身体疾患の悪化によって二次的に健康障害を引き起こしてしまう可能性がある．

➡期待される結果

認知症の人の言動の意味を理解し，心身の不調を早期に発見できる．

5. 看護計画の立案

• O-P：Observation Plan（観察計画）　• T-P：Treatment Plan（治療計画）
• E-P：Education Plan（教育・指導計画）

◆1　心身の苦痛により行動・心理症状が生じている

	具体策	根拠と注意点
O-P	(1)行動・心理症状 ●認知機能障害の状況（変化） ・記憶障害，見当識障害，遂行機能障害，失認，失行 ●精神症状の状況と度合い（表情や言動） ・過活動症状：興奮，イライラ，暴言など ・低活動症状：意欲の低下，活動の低下など ●バイタルサイン ・既往症のコントロールの状況の把握 ・新たな疾患の出現の可能性	●認知症の人の行動・心理症状は，認知機能障害が基盤となって起こることである．行動・心理症状の出現時には，今までできていたことができなくなったり，落ち着きがなくなったり，逆に活動性が低下するときがある．１日のスケジュールを把握し，いつもと違うところはないか，関わり方に不適切なところはなかったか，活動状況の変化を観察する．また，症状出現前後には何があったのかを観察し，要因を検討し，ケアにつなげていく．

42 認知症

	具体策	根拠と注意点
O-P	●1日の生活スケジュールと活動状況 ・食事(摂取状況，食欲の有無) ・排泄(行動の遂行状況，失禁の有無) ・清潔(行動の遂行，清潔の保持の状況) ・移動(移動方法，移動状況) ・睡眠(就寝・起床時間，中途覚醒とその理由，薬剤の使用) ●症状出現時の状況 ・いつ，どこで，何をしていたか ●症状出現時の周囲の状況 ・いつ，誰と，何をしていたか **(2)心身の苦痛** ●身体症状 ・身体疾患による苦痛とその程度	●認知症の行動・心理症状の要因として，身体の不調が大きく影響する．既往症の悪化や新たな身体疾患の出現がないか，客観的に観察することは重要である．
T-P	**(1)症状のコントロール** ●認知機能障害に適した働きかけを行う ・できるところは見守り，失敗させない支援を検討して実施する ●言動を否定や制止せず，何があったのか，その理由を聞く ●落ち着いて話しかけ，本人の訴えを把握する ●訴えと状況から，要因となっていることを推測していく→チームで共有し，要因を見極めていく ●安全の確保 ・とくに過活動性の症状のときには，周囲の環境調整をする ・転倒しないように距離をとり，見守る ●アクティビティの提供 ・本人がしたいことや気分転換になることなど，本人の希望を聞きながら実施する ・コミュニケーション困難な場合は，表情や言動で評価する **(2)苦痛の緩和** ●身体的苦痛が予測されるとき ・体位の工夫，安楽物品の活用 ・治療方法の検討(薬剤の使用や使用方法・時間) ・鎮痛薬の使用を検討し，使用の際はスケールなどで客観的な評価をできるようにする	●行動・心理症状は，その人なりの理由があっての言動である．決して否定せずに傾聴する．ただし，本人は周囲のことや危険に対する認知が低下していることが多い．周囲の過剰な反応が，本人の感情を刺激してしまうこともある．転倒などの危険に注意しながら，パーソナルスペースを考えて，関わっていく必要がある．本人の一見つじつまのあわない内容でも詳細を聞き，状況から「これが原因ではないか」と思われることがある．その情報を収集し，チームで検討することが，行動・心理症状の要因の判明につながっていく．
E-P	●思っていること，困ったことがあればいつでも言ってもらうように繰り返し伝える ●看護師は訴えを聞く存在であることを理解してもらう	●認知症の人は，出来事は忘れても，そのときの感情は保持されている．常に看護師は安心できる対象であると感じてもらえるように働きかける．

2 対応に関する知識不足に関連した家族の不安

	具体策	根拠と注意点
O-P	**(1)家族の不安状況** ●家族の不安 ●本人と接しているときの言動・表情 **(2)対応についての知識** ●病気に対する認識 ・認知症に対する考え，本人に生じている症状の理解 ●治療の理解 ・身体疾患に対する治療 ・今後の見通し ●社会的サポート ・介護サービスの利用 ・相談できる人や場所の有無	●認知症の人が入院する場合には，身体疾患の治療によって入院することが多い．また，施設入所は，認知症の人のADLの低下や，認知症の対応ができない場合や，家族の健康状態などがきっかけとなって，入所することが多い．どちらにしても，家族とともに過ごしてきた認知症の人が，家族と離れるのは不安が大きい．それとともに，家族の安心感もあるが不安もある．とても複雑な心境になる． ●家族の関係性はさまざまである．すべての家族が支え合っているわけではない．それぞれの家庭での役割がある．そのことを理解し，支援の方法を検討していかなければ，家族にとっても認知症の人にとっても，そぐわない計画になってしまう．面会時の認知症の人との過ごし方や，今までの生活の話などから，家族との関係性を鑑みることもできる．また，社会的なサービスを利用しているか否かは，退院カンファレンスへの参加や退院支援の際のマネジメントにも重要である．また，家族自身がどのような支援を受けてきたかや，家族の健康状態や経済的な状況を把握しておくことは，先行きのわからない状況では重要である．
T-P	**(1)不安の軽減** ●家族と話をする時間をつくる ●これまでの介護の状況を聞く ●否定的な感情も受け入れて，ねぎらいの言葉をかける ●認知症の症状を受け入れられない場合は，どうして受け入れられないのか，何度か話を継続して傾聴していく ●１人ではなく，一緒にみていくことを伝える ●地域との関わりがない場合は，必要時に地域の相談場所の紹介（家族の状況によっては連絡をとる） ●何かあればこちらからも連絡することを約束し，安心感を得られるようにする **(2)対応についての理解を深める** ●病状説明は同席をする ●病状説明で聞いたことをあらためて聞き，理解が難しかったところは補足する ●治療の選択や療養場所の選択などの意思決定の際は，家族に任せきりにしない ・認知症の人本人の意見を一緒に聞く ・意思表示が困難な場合は，家族とともに多職種で，本人の人生で大切にしていたことなどを話し合う機会をつくる ●主介護者だけでなく，ほかの家族からも情報を得る機会をつくる	●家族は，自分の話を聞かれる機会が少ないため，あえてその時間をつくり，今までの介護をねぎらい，安心感が得られるようにする．認知症の人の家族のなかには，本人に対して否定的な感情をもっている人もいる．その背景には，今までの家族の在り方が影響していると考える．急がずに何度か話をする機会をつくり，その要因について検討し，介入していく．また，専門的なことの説明は家族にとっては理解しにくいことが多い．どのように認識されたか，あらためて聞く機会をつくり，必要時はわかりやすく補足説明をする． ●認知症の人が入院すると，治療の選択や療養の場の選択を，家族に一任されることがある．その荷は家族には大きく，決定したことを後々思い返しながら「本当によかったのか」と考えることがある．そのため，本人にまずは意思を確認することを伝え，コミュニケーション困難な場合は，その人の人生について一緒に振り返り，ご本人であればどう考えるかを話し合い，最善の選択について検討する． ●認知症は，高齢の方が罹患する確率が高い．いつ訪れるかわからない最後のときについても，話をしておくことは重要である．

	具体策	根拠と注意点
E-P	**(1)不安の軽減** ●家族自身の体調管理を一番に考えてもらうように伝え，受診環境や療養環境を整えるように伝える ●いつでも話を聞くことを伝える ●家族だけで抱え込まないことを伝える **(2)対応についての理解を深める** ●認知症の病態についてわかりやすく説明する	●家族のなかには，認知症症状の対応に苦慮し，自分の対応が悪いせいだと考えてしまう場合もある．家族には，病気の症状であることをわかるように説明する． ●家族は，自分のことよりも認知症の人のことを優先して考えてしまいがちである．家族自身の心身に目を向けられるように話をする． ●家族だけで認知症の人に対応するには限界がある．そのことを伝えて，抱え込まないように声かけする．

引用・参考文献

1) 冨本秀和ほか編：認知症イメージングテキスト―画像と病理から見た疾患のメカニズム．p.14～24，医学書院，2018.
2) 水谷信子監：最新老年看護学．p.238～246，日本看護協会出版会，2016.
3) 北川公子ほか：老年看護学．系統看護学講座 専門分野Ⅱ，第９版，p.296～315，医学書院，2018.
4) 公益社団法人日本看護協会編：認知症ケアガイドブック．p.216～217，照林社，2016.
5) マージョリー・ゴードン：ゴードン博士の看護診断アセスメント指針―よくわかる機能的健康パターン．照林社，2006.
6) 平原佐斗司ほか編：認知症の緩和ケア―EOLC for ALL すべての人にエンドオブライフケアの光を．p.73～78，南山堂，2019.
7) 工藤綾子ほか編：エビデンスに基づく老年看護ケア関連図．p.64～76，中央法規出版，2019.
8) 繁田雅弘編：認知症の人と家族・介護者を支える説明―実践認知症診療第１巻．p.39～45，医薬ジャーナル社，2013.
9) 中島紀惠子編：新版認知症の人々の看護．p.82～85，医歯薬出版，2013.
10) 日本神経学会監：認知症疾患診療ガイドライン2017．p.6～9，医学書院，2017.
11) 厚生労働省：認知症施策推進大綱について（令和元年６月18日認知症施策推進関係閣僚会議決定）．2019． https://www.mhlw.go.jp/content/000519053.pdf より2020年８月21日検索
12) 平原佐斗司:認知症の人のエンドオブライフ・ケア．2019． https://www.tyojyu.or.jp/net/topics/tokushu/koreisha-end-of-life-care/ninchishou-endoflifecare.html より2020年８月21日検索

第７章　運動器疾患患者の看護過程

43 脊髄損傷

1. 疾患の基礎的知識

1）疾患の概念

脊髄損傷とは，外傷や腫瘍，血行障害などによって脊髄が損傷を受け，運動や感覚機能などに障害が生じた状態である．脊髄損傷は，脊髄振盪（spinal concussion），脊髄圧迫（spinal compression），脊髄挫傷（spinal contusion）に分類される．脊髄振盪は，脊髄に外力が加わった後，器質的な異常がないにもかかわらず，一時的に神経症状を呈するものである．脊髄圧迫は，骨の変形，血腫，腫瘍，膿瘍などによって脊髄が圧迫されて，神経症状を呈するものである．脊髄挫傷は，脊椎の骨折や脱臼，射創，刺創などによって脊髄が挫傷し，神経症状を呈するものである．

2010年に公表された外傷性脊髄損傷者のデータベースによると，年齢別には20歳代前半と50歳代後半に二峰性のピークがある．

2）原因

非外傷性の脊髄損傷の原因としては，炎症（脊髄炎，髄膜炎，化膿性脊椎炎など），血管異常・血行異常（動静脈奇形，脊髄出血など），腫瘍（脊髄腫瘍，髄膜腫，脊椎腫瘍など），脊髄変性疾患（脊髄小脳変性症，脊髄空洞症など），脊椎変性疾患（変形性脊椎症，後縦靱帯骨化症など），中毒（キノホルム中毒）がある．

外傷性脊髄損傷の原因としては，「交通事故」が最も多く36.2%，次いで「高所からの転落」が33.8%，「転倒」（10.0%），「スポーツ」（6.0%），「重量物の落下」（5.8%），となっている（1997～2006年に実施した調査）[1]．これら，外傷性脊髄損傷の原因には，脊椎の損傷がある場合とない場合の２つに分けられる．

(1)骨傷がある場合

脊椎の損傷には安定型と不安定型がある．安定型の骨傷は神経組織を圧迫しないが，不安定型の骨傷では脊椎が変形したり，脊柱管内に神経の圧迫因子が存在することによって神経症状を生じる．脊椎と脊髄にはズレがあり，脊柱の下部ほどその差が大きくなる．たとえば，第10胸椎損傷は第12胸髄損傷を，第１腰椎損傷は仙髄損傷を引き起こす．

脊柱の損傷の代表的なものは骨折であり，神経組織を圧迫する骨折には破裂骨折と脱臼骨折がある．

①破裂骨折：軸圧迫により，前縦靱帯・椎体・椎間板・後縦靱帯が圧潰（あっかい）される．神経症状がみられる場合とそうでない場合がある．

②脱臼骨折：前縦靱帯～黄色・棘上・棘間靱帯までの損傷となり，神経症状を生じる．

(2)骨傷がない場合

頸椎症や後縦靱帯骨化症などの，頸髄への圧迫が存在する者が，転倒などによる軽微な外傷によって，頸髄損傷をきたす場合である．中心性脊髄損傷となることが多い．

3）病態と臨床症状

(1)脊髄損傷の分類

①横断面でみた分類

・Ⅰ型（横断型脊髄損傷）：完全横断型では，損傷部以下のすべての知覚と運動が横断性に完全に麻痺する．

・Ⅱ型（前部脊髄損傷）：脊髄の前方が損傷され，損傷部以下の運動麻痺・表在感覚の障害が生じる．深部感覚は保たれる．

・Ⅲ型（後部脊髄損傷）：脊髄の後方が損傷され，運動障害・深部感覚の障害を示す．表在感覚の障害はない．

・Ⅳ型（中心性脊髄損傷）：脊髄の中心部が損傷され，下肢より上肢の運動麻痺が強く，温度覚・痛覚が障害されるが，触覚・深部感覚は保たれる．

・Ⅴ型（Brown-Sequard型損傷）：脊髄の片側が損傷され，同側の運動麻痺と深部感覚の障害，反対側の表在感覚の障害を示す．

・Ⅵ型（神経根損傷）：神経根の障害による感覚・運動障害を呈する．

②脊髄の高さによる分類

頸髄損傷（頸髄１～８の損傷による），胸髄損傷（胸髄１～12の損傷による），腰髄損傷（腰髄１～５の損傷による），仙髄損傷（仙髄１～５の損傷による）に分けられる．

③損傷の程度による分類

・完全損傷：脊髄の機能が完全に失われた状態

・不完全損傷：脊髄の損傷が一部にとどまり，機能が残っている状態

受傷後24時間～３週間くらいまでは，脊髄の腫脹や出血によって，一過性に損傷部位以下の全ての運動機能・感覚機能・脊髄反射が低下することがある．この時期を脊髄ショック期といい，完全損傷か不完全損傷かの区別はつかない．損傷部より下位の神経支配部位の深部腱反射の亢進や肛門反射の出現により，脊髄ショック期からの離脱を把握できる．

(2)症状

脊髄の部位によって通っている神経が異なるため，脊髄のどの高さで，どの部位（前方・後方・中心・片側・全部）が，どの程度（完全・不完全）損傷したかにより，出現する症状が異なる．

①運動障害（運動麻痺）

馬尾より上の完全損傷の場合は，上位運動ニューロンが切断あるいは圧潰した状態になり，神経の伝達は脳と損傷部位までとなる．随意的な運動は，損傷部位より上までの神経支配の運動となる．たとえば，第６頸髄（C6）の損傷では，C6が支配する運動（肘関節の伸展，前腕の回内，指の伸展）以下ができなくなり，C5までの運動（手関節の背屈）が残存することになる（**表43-1**）．

脳からの指令が損傷部位を通過できないため，損傷部位の下位運動ニューロンの深部腱反射は消失する．損傷部位より下の下位運動ニューロンは，独自に反射反応を起こし，上肢・下肢のコントロール不可能な動き（痙性）を生じる．たとえば，C6の損傷では，上腕二頭筋反射が消失し，上腕三頭筋反射以下の反射が亢進する．

馬尾損傷の場合は下位運動ニューロンの損傷となり，支配筋が萎縮する．深部腱反射は消失し，痙性は生じない．

②感覚障害

完全損傷の場合は，損傷部位以下の神経分節または根性支配領域の感覚障害を生じる（**表43-1**）．

識別性の触覚および圧覚は後脊髄小脳路，痛覚と温度覚は外側脊髄視床路，粗大な触覚および圧覚は前脊髄視床路を通っている．そのため，脊髄横断面のどこを損傷したかにより，感覚の乖離（痛覚はあるが触覚はないなど）を生じることがある．

③呼吸障害

横隔膜の運動を支配する横隔神経はC4の支配であり，C4以上の損傷では，自発呼吸が困難となる．

また，肋間筋の運動を司る肋間神経は第３胸髄（Th3），腹筋の運動を司る神経はTh9から分岐する．そのため，C5以下の損傷でも奇異呼吸（胸部と腹部の動きが同調しない）や換気障害など，呼吸障害を生じることがある．

④自律神経障害

副交感神経の75％は迷走神経で，迷走神経は脳幹から直接分布するため，脊髄損傷では障害されない．一方，交感神経は第１胸髄（Th1）～第３腰髄（L3）から分布するため，Th5より上の損傷では，交感神

表43-1　損傷レベルによる日常生活のめやす

レベル	残存機能	食事	整髪	更衣	入浴	排泄
C3		ストローで飲水可 特殊な自助具の併用で 自立の可能性あり	全介助	全介助	全介助	全介助
C4	自発呼吸 肩甲骨挙上					
C5	肩外転 肘関節の屈曲 前腕の回外	特殊な自助具を用い， 設置されれば自立		上衣：介助 下衣：全介助		
C6	手関節の背屈	自助具で自立 コップで飲水可	自助具で 自立	上衣：自立 下衣：介助	特殊装置で 上下肢部分浴が可能	介助
C7	肘関節の伸展 前腕の回内 指の伸展	自立		下衣：自助具と 特殊装置で自立可能	特殊装置の利用で自立	自立
C8	中指の屈曲		自立	自立	自立	
Th1	小指の外転					
L2	股関節の屈曲					

経の障害が認められる．

・神経原性ショック

受症直後は交感神経の遮断によって末梢血管抵抗が低下し，血圧低下，徐脈になることがある．

・体温調節障害

立毛筋の運動障害，皮膚血流調節障害，発汗障害，アドレナリン分泌調節障害を生じることで，自身での環境調節が困難となり，高温の環境下では高体温，低温の環境下では低体温をきたす．

・起立性低血圧

副交感神経優位になることで，起立反射機能が低下する．また，長期臥床による筋の萎縮や，運動麻痺による筋弛緩によって筋ポンプ機能が低下することで，脳循環が障害され，起立性低血圧を生じる．臥位から坐位にした際に，血圧が下降し，めまい，目のかすみ，全身倦怠感，悪心，動悸，震え，頭頂部痛を生じることがある．

・自律神経過反射

膀胱の過伸展や尿路感染症などを生じると，その刺激が麻痺レベル以下の交感神経を興奮させ，血圧上昇をきたす．正常であれば交感神経を抑制して血管を拡張させるが，第６～10胸髄に情報伝達ができないため，血圧は上昇を続ける．頸動脈洞や大動脈弓圧受容体は，血圧上昇を認知して脳幹部の血管運動中枢に伝え，迷走神経の興奮を促して，麻痺していない部分の血管拡張をきたす．そのため，顔面が紅潮し，発汗，徐脈を生じる．血圧上昇を放置すれば，脳卒中を起こすこともある．

⑤高体温（過高熱）

受傷して間もない時期は，脊髄の出血や浮腫が上行し，体温中枢に直接影響を与えることによって高体温となる．

⑥排尿障害

・尿閉

脊髄ショックの時期には膀胱が弛緩し，尿閉となる．

・反射性（自動性）膀胱

排尿の反射中枢（S2～S4）より上の脊髄損傷によって生じる．下位ニューロンに反射性収縮が起こり，頻尿，尿失禁（反射性尿失禁），残尿，尿流量の低下が生じる．尿意はない．

・自律性膀胱

仙髄の排尿中枢（S2～S4）の障害で生じる．尿意がなく，残尿があり，尿失禁（溢流性尿失禁）を生じる．

⑦排便障害

・肛門付近での排便筋の麻痺により，腸管麻痺を起こすことがある．

・仙髄（排便中枢S2～S4）を含む脊髄損傷では，結腸が弛緩し，反射が起こらなくなる．失禁を起こす可能性のある便秘になる．

・仙髄より上の脊髄損傷では，結腸と肛門に痙性が起こり，外肛門括約筋が弛緩せず，腸蠕動が低下して結腸全体に便の貯留が起こる．直腸の拡張によって内肛門括約筋が弛緩し，排便反射が起こりにくくなる．

・腹筋を支配する第８胸髄より上の損傷では，腹筋による怒責ができなくなり，便の排出が困難となる．

⑧性機能障害

男性の場合，仙髄より上の損傷では精神的な刺激による勃起の障害が生じ，仙髄の損傷では陰茎の局所刺激によっても勃起が生じないことがある．また，勃起の維持の障害，射精の障害が起こることがある．女性の場合は，性感覚の消失や出産時における子宮収縮の減弱を生じることがある．

<table>
<tr><th>レベル</th><th>ベッド上移動</th><th>車椅子移乗</th><th>車椅子走行</th><th>コミュニケーション</th></tr>
<tr><td>C3</td><td rowspan="2">全介助</td><td rowspan="2">全介助</td><td rowspan="2">特殊制御法（呼気・顎制御）の
電動リクライニング車椅子で自立</td><td rowspan="3">特殊な装置を用い
電話・パソコン使用可</td></tr>
<tr><td>C4</td></tr>
<tr><td>C5</td><td>介助・装置利用</td><td>一部介助</td><td>電動車椅子は屋内・外自立
手動車椅子は滑り止めの工夫で
屋内短距離自走可</td></tr>
<tr><td>C6</td><td>装置利用で自立</td><td>トランスファーボード
利用で自立の可能性あり</td><td>屋内：手動車椅子は滑り止めの工夫で自立
屋外：電動車椅子自立，手動車椅子介助</td><td rowspan="2">電話・書字・パソコン
は自助具で自立</td></tr>
<tr><td>C7</td><td rowspan="4">自立</td><td>水平移動：自立
上下移動：介助</td><td>屋内・外自立（縁石・階段を除く）</td></tr>
<tr><td>C8</td><td rowspan="3">自立</td><td rowspan="2">屋内・外自立
（縁石・エスカレータ，階段降りも可）</td><td rowspan="3">自立</td></tr>
<tr><td>Th1</td></tr>
<tr><td>L2</td><td>自立</td></tr>
</table>

4）検査・診断

(1)MRI

椎間板の損傷および突出，靱帯の断裂，脊椎周囲の出血，脊髄の腫脹，圧迫，変形，断裂などを診断する．

(2)X線検査

脊椎の安定性，骨折の有無，脱臼の有無を判断する．

(3)神経学的機能の評価

運動および感覚障害の状態により，損傷部位と重症度を評価する．主な評価法としては次の3つがある．

①改良フランケル分類(**表43-2**)

重症度をA～Eの5段階で評価する．Aは完全麻痺，B～Eが不全麻痺であることを示している．

②ASIA/ISCoSによる機能障害評価

感覚のスコアとレベル，運動のスコアとレベル，神経学的レベル，完全損傷か不全損傷か，部分的残存域（完全損傷で損傷部位より下位に残存する機能），ASIA機能障害尺度（重症度）の6つについて評価する．

③Zancolli機能分類

頸髄損傷者の上肢の運動機能を評価する．

a)日本における評価

・損傷している部位(高さ)を用いて示す．

・たとえば「C6レベル」という場合，C6の損傷があり，障害はC6以下となる．

b)欧米での評価

・残存する機能の最下位レベルで表す．

・たとえば「C6レベル」という場合，C7の損傷があり，障害はC6より下(C7以下)となる．

5）治療

急性期の治療

(1)全身管理

低酸素血症や低血圧は二次損傷を助長する危険性があるため，呼吸および循環の管理は重要である．

①呼吸の管理

呼吸障害がある場合は，その程度により，人工呼吸管理または酸素吸入を行う．高位の損傷では，呼吸筋の障害に加え，交感神経支配の遮断によって気管支の拡張障害や気道分泌物の増加が生じ，痰の喀出が困難となる．呼吸理学療法などによって呼吸器合併症を予防する．また，呼吸補助筋群に対するリハビリテーションを実施し，胸郭の拘縮予防および人工呼吸器離脱を目指す．

②循環の管理

・神経原性ショック

徐脈に対してはアトロピン硫酸塩水和物の投与，または体外式ペースメーカーを使用する．血管拡張に対しては，ドパミン塩酸塩などの血管作動薬を投与する．

・脊髄の浮腫の予防

輸液の過剰投与を避けるように水分出納管理をする．

(2)脊髄損傷の治療

①保存療法

・頭蓋直達牽引：上位頸椎に対しては5ポンド，下位頸椎に対しては10ポンドで牽引する．

・ハローベストの装着

・フィラデルフィアカラーの装着

②手術療法

・除圧術(可能な限り早めに)

・脊椎の固定術

③薬物療法

以前は二次損傷予防目的で，受傷後8時間以内に副腎皮質ステロイドの大量投与を行ってきたが，治療効果が期待できないこと，副作用の危険性から，徐々に行われなくなっている．

(3)合併症の予防

①腸管麻痺への対応

胃管を挿入する．腸管運動を促進するために，胃への食物を取り入れることを促して，胃結腸反射を利用する．また，緩下剤や摘便によって排便コントロールを行う．

表43-2　改良フランケル分類(脊髄損傷の重症度評価)

評価	運動(motor)	感覚(sensory)	機能
A：complete	完全麻痺	感覚脱失	運動，感覚とも完全麻痺
B：sensory only	完全麻痺	不全麻痺	運動完全麻痺，感覚はある程度残存
C：motor useless	不全麻痺：有用でない	不全麻痺	運動機能は幾分残存しているが，実用性はない
D：motor useful	不全麻痺：有用である	不全麻痺	運動機能は実用的で，介助歩行ないし独歩可能
E：normal	正常	正常	運動知覚障害などの神経症状はない

②消化管潰瘍の予防

交感神経遮断による組織の酸素不足，迷走神経刺激による消化液分泌亢進，胃の排出能低下，ストレスによって，消化管潰瘍を生じやすい．スクラルファート水和物，H_2ブロッカー，プロトンポンプ阻害薬を投与する．

(4)リハビリテーション

褥瘡や呼吸器合併症などの廃用性障害を予防するために，ポジショニング，体位変換を行う．受傷直後は筋緊張が低下しているため，麻痺のある部位の関節拘縮は起こりにくい．しかし，頸髄損傷では手の変形を起こしやすいため，良肢位の保持と，関節運動が必要である．また，下肢の麻痺では，深部静脈血栓症の予防のために他動的な運動を行う．

回復期以降の治療

・リハビリテーション

受傷後から数か月間，日常生活活動（ADL）の自立に向けて，積極的なリハビリテーションを行う．損傷部位と残存機能にもよるが，関節可動域の保持，残存筋力増強，バランス保持などの訓練を行い，自助具や歩行補助具を用いてADLを拡大する．その後，更生援護施設において社会復帰を目指した社会的適応訓練を行う．

6）予後

外傷性脊髄損傷では，まず，外力によって機械損傷（一次損傷）が生じる．受傷後24時間ほどで，脊髄の虚血，浮腫，炎症変化によって出血性壊死を生じ，病変が増大する（二次損傷）．その後，２～３週間で壊死巣へマクロファージが遊走して新血管が出現し，数か月すると髄内は空洞化し，グリオーシスとなる．

二次損傷を最小限にすれば，障害自体は進行することはないが，次のような合併症を発症しやすい．

①褥瘡

運動障害および感覚障害により，褥瘡を生じやすい．

②尿路感染症

低活動性の排尿障害がある場合は，排出障害によって失禁や細菌感染，自律神経過反射の要因となる．

2. 看護過程の展開

● アセスメント～ゴードンの機能的健康パターンを用いて

脊髄損傷では，受傷部位と受傷後の時期によって，現れる症状や生じやすい合併症が異なるため，実際はそれを理解してアセスメントすることが必要である．身体的側面については，生じている機能障害と残存している機能を，医師やセラピストの評価を踏まえて把握し，機能の回復が期待できるのか（不全麻痺の場合），機能を低下／向上させる要因，残存している筋の筋力増強を阻害する／向上させる要因，合併症発症の危険性についてアセスメントする．次に，身体機能と障害の受け止め方が，日常生活の遂行や社会参加とどのように影響しあうのか（機能障害や障害の受け止め方によってどのような活動の制限や参加の制約が生じるか，生活活動や社会参加の状況によって機能や障害の受け止め方にどのような影響が生じるか）をアセスメントする．退院が近づいたら，（高位頸髄損傷の場合は）呼吸の管理，排泄の管理，生活環境や生活様式の調整，日常生活活動の遂行，合併症予防などについてのセルフケア能力，サポートシステムについてアセスメントする．

パターン	アセスメントの視点	根拠	収集する情報
(1) 健康知覚-健康管理 患者背景 健康知覚-健康管理 価値-信念	●脊髄損傷による障害とその程度はどのようなものか	●脊髄損傷のレベルと程度(完全/不完全損傷)によって障害が異なってくる. ●損傷が不完全であれば，発症後6か月くらいまでは症状が改善する見込みがある.	●損傷部位(高さ，完全か不完全か)と障害の状況 ●障害，現在の状態，成り行きについての理解状況 ●リハビリテーションの必要性についての理解状況 ●リハビリテーションの内容についての理解状況 ●合併症や危険についての理解状況 ●治療・リハビリテーションへの取り組み方 ●合併症予防への取り組み方 ●転倒・転落・褥瘡などの危険の回避に努めているか
	●現状，今後の成り行き，リハビリテーションについて理解できているか	●回復の見込みがある場合はそれを促進し，障害が残存する場合はそれを踏まえた生活を送るために，自身の状況を理解する必要がある.	
	●機能の維持・改善，合併症の予防に努めているか	●損傷レベルと程度によっては，肺炎，深部静脈血栓症，尿路感染，褥瘡，関節拘縮などの合併症を生じやすい.	
	●危険の回避は可能か	●損傷レベルと程度によっては，車椅子への移乗や車椅子操作などでの，転倒・転落，痙性による打撲などの危険がある.	
(2) 栄養-代謝 全身状態 栄養-代謝 排泄	●水分の摂取不足はないか ●貧血，低栄養状態にないか ●消化器症状はないか	●脱水は，血液の粘性を高め，深部静脈血栓症の要因となる. ●貧血・低栄養状態は，感染・皮膚損傷(褥瘡)の要因となる. ●高位(Th5～6以上)の損傷では，交感神経支配が途絶して迷走神経からの副交感神経支配が優位となること，胃の排出能が低下することで胃潰瘍を生じることがある.	●食事，水分の摂取状況(量・内容) ●皮膚の状態 ●消化器症状(嘔吐・吐血) ●血液データ(Hb，Alb)
(3) 排泄 全身状態 栄養-代謝 排泄	●排尿のコントロールができるか	●急性期には損傷部位によらず膀胱排尿筋収縮障害（ショック膀胱）となり，1～3か月後には本来の病変に対応した下部尿路機能障害となる. ●胸髄以上の損傷では，排尿筋の過反射による過活動膀胱となる. ●腰髄損傷では，排尿筋の反射が亢進する過活動膀胱と，消失する低活動膀胱の両方の場合がある. ●仙髄損傷では，排尿筋反射が消失し，低活動性膀胱となる.	●排尿の状態(尿意の有無，自然排泄の有無，残尿の有無，尿失禁の有無，排尿の間隔，尿流量など) ●尿の排泄方法(膀胱留置カテーテル，導尿，下腹部の圧迫など) ●尿の量，性状
	●腎機能は正常か	●残尿によって尿路感染症を起こし，さらに腎不全を起こすこともある.	●血液データ(BUN，Cr)
	●排便のコントロールはできるか	●脊髄ショック期には，消化管の活動が抑制されて腸管麻痺を起こすことがある. ●受傷早期は，交感神経と副交感神経のバランスが崩れ，激しい下痢になることもある. ●腰髄以上の損傷では，便意を感じることができない，あるいは便意が持続しないことで便秘となる. ●腰髄以上の損傷では，痙性によって外肛門括約筋が弛緩しないこと，直腸の弛緩によって排便反射が起こらないことで，便秘となりやすい. ●仙髄の完全損傷では，結腸反射の消失，肛門周囲の感覚の消失，肛門括約筋の随意運動ができなくなることで，便失禁の可能性のある便秘となる.	●腹部の状態(腹部膨満，腸蠕動音など) ●排便の状態(排便の量，性状，回数，便意の有無，便失禁の有無など) ●肛門括約筋の状態 ●腹部X線の所見

パターン	アセスメントの視点	根拠	収集する情報
(4) **活動-運動** 活動・休息 活動-運動 睡眠-休息	●麻痺の範囲と程度はどうか	●脊髄損傷によって運動機能障害を生じ，後遺症として残存することがある．	●麻痺の範囲と程度
	●痙性はあるか，その程度はどうか	●発症３～６週間は，脊髄ショック状態になって脊髄反射がすべて消失するが，その後は伸張反射が亢進して痙性が出現する．	●(慢性期)痙性の有無・程度
	●関節の拘縮はないか	●脊髄損傷では，麻痺筋と非麻痺筋の筋緊張に不均衡を生じるため，非麻痺筋優位の関節拘縮を生じやすい．	●関節可動域(拘縮の有無)
	●ADL，IADLはどのようなレベルか	●運動障害によってADLが制限される．	●ADL，(在宅の場合)IADL
	●呼吸器系の障害はないか	●C3以上の損傷では，人工呼吸器による呼吸管理が必要であり，それ以下の損傷でも呼吸筋・腹筋の麻痺によって換気障害や肺炎などの呼吸器合併症を生じやすい． ●高位の損傷では，交感神経の障害によって体温調節障害，低血圧，起立性低血圧を生じる． ●血管収縮機構の障害によって静脈血が停滞し，深部静脈血栓症を生じやすい．	●呼吸状態(自発呼吸の有無，呼吸数，呼吸パターン，呼吸音，胸郭運動など) ●SpO_2 ●胸部X線写真 ●血圧，脈拍，体温 ●起立性低血圧の症状 ●深部静脈血栓症の徴候 ●血液データ(D-ダイマー)
	●循環器系の障害はないか	●高位の損傷では，慢性期に入ると交感神経の亢進症状(自律神経過反射)がみられる． ●膀胱や直腸の充満によって，自律神経過反射を生じることが多い．	●(慢性期)自律神経過反射の有無
(5) **睡眠-休息** 活動・休息 活動-運動 睡眠-休息	●睡眠・休息のパターンに問題はないか	●不安などによって，不眠などを生じることがある．	●睡眠状態
(6) **認知-知覚** 知覚・認知 認知-知覚 自己知覚-自己概念 コーピング-ストレス耐性	●認知機能障害はあるか，その程度はどうか	●高齢者の場合は，療養環境や活動性の低下によって，認知機能障害が進行することがある．	●認知機能(記憶，思考，知識など) ●知覚障害の範囲・程度 ●反射
	●感覚機能障害はあるか，その程度はどうか	●脊髄損傷によって感覚機能障害を生じることがあり，残存することがある．	

パターン	アセスメントの視点	根拠	収集する情報
(7) 自己知覚-自己概念 知覚・認知 認知-知覚 自己知覚-自己概念 コーピング-ストレス耐性	●疾病・障害を認知しているか ●どのような自己知覚をしているか ●可動性や日常生活活動の低下によって，自尊感情の低下はないか	●機能障害による生活や役割の変化により，自己像の修正が必要となる． ●否定的な自己像は，リハビリテーションの妨げとなる． ●これまでできていたことができなくなることで，自己評価は下がり，自尊感情も低下することが多い．	●受傷機転 ●受傷や現在の状態，今後の見込みなどの受け止め方 ●自身の状況の知覚，自身に対するイメージ ●不安
(8) 役割-関係 周囲の認識・支援体制 役割-関係 セクシュアリティ-生殖	●役割変更の必要性はあるか ●コミュニケーション障害はあるか，その程度はどうか ●家族の疾病・障害の認知，役割変更への緊張はどうか	●障害の残存によっては役割変更の必要が生じる． ●C3以上の損傷では人工呼吸器の装着が必要となり，言語的コミュニケーションが困難となる． ●障害の残存によっては，家族の機能・役割に変更が必要となり，ストレスや葛藤を生じやすい．	●職業，復職の見込み ●役割変更の必要性の認識 ●コミュニケーションのとり方 ●家族の障害や介護内容に関する理解 ●家族の介護役割に対する認識
(9) セクシュアリティ-生殖 周囲の認識・支援体制 役割-関係 セクシュアリティ-生殖	●性役割，性行動および満足感での問題はあるか	●仙髄損傷によって，性機能・性生活，生殖に障害を生じることがある．	●(男性の場合)性機能とそれについての認識 ●(女性の場合)妊娠・出産の希望
(10) コーピング-ストレス耐性 知覚・認知 認知-知覚 自己知覚-自己概念 コーピング-ストレス耐性	●疾病・障害・治療をストレスと感じていないか ●ストレスにはどのような対処法をとっているか ●どのようなストレス反応を示しているか(不適応でないか)	●突然の発症，自己像の変容を求められることなどによって，ストレスが高まりやすい． ●高位の頸髄損傷で人工呼吸器の装着が必要となると，意思疎通がはかりにくく，ストレスが高まりやすい． ●障害の程度により，受傷前のコーピング方略が使えなくなり，適切に対処できないと不適応になりやすい． ●ストレスは消化管潰瘍の要因となる．	●ストレスの認知 ●対処方法 ●ストレス反応

パターン	アセスメントの視点	根拠	収集する情報
(11) 価値-信念 患者背景 健康知覚-健康管理 価値-信念	●生活信条・価値観と治療の対立はないか	●生活信条・価値観は，リハビリテーションの進度に影響する.	●生活信条，価値観

3. 全体像の把握から看護問題を抽出

1）病態関連図

脊髄損傷の病態を図に示す．高位の頸髄損傷は，C4以上の損傷を指す．ここでは，高位の脊髄損傷は，C5～Th12までの損傷を指す．しばしば取り上げられる看護問題を赤枠で示す．

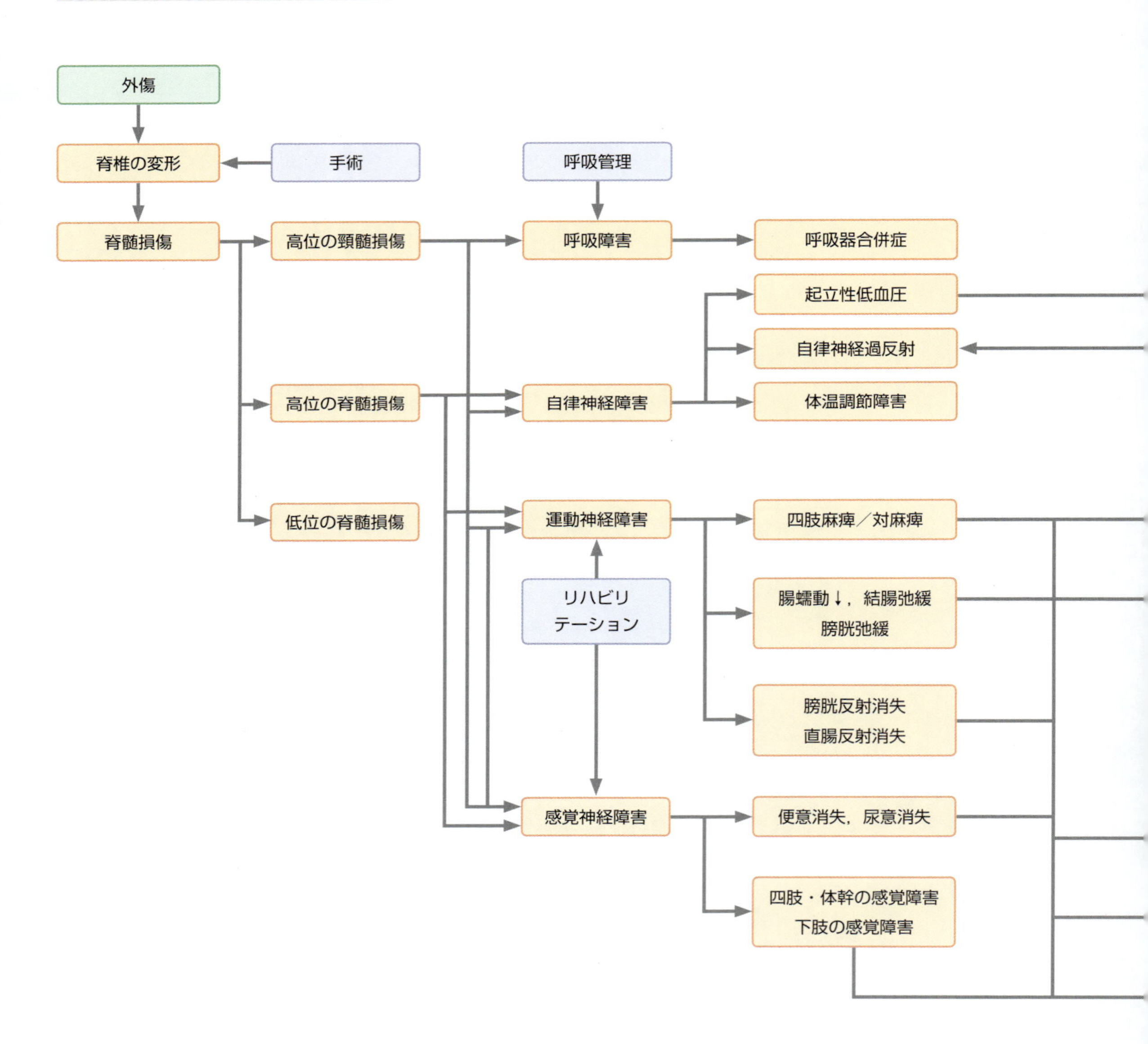

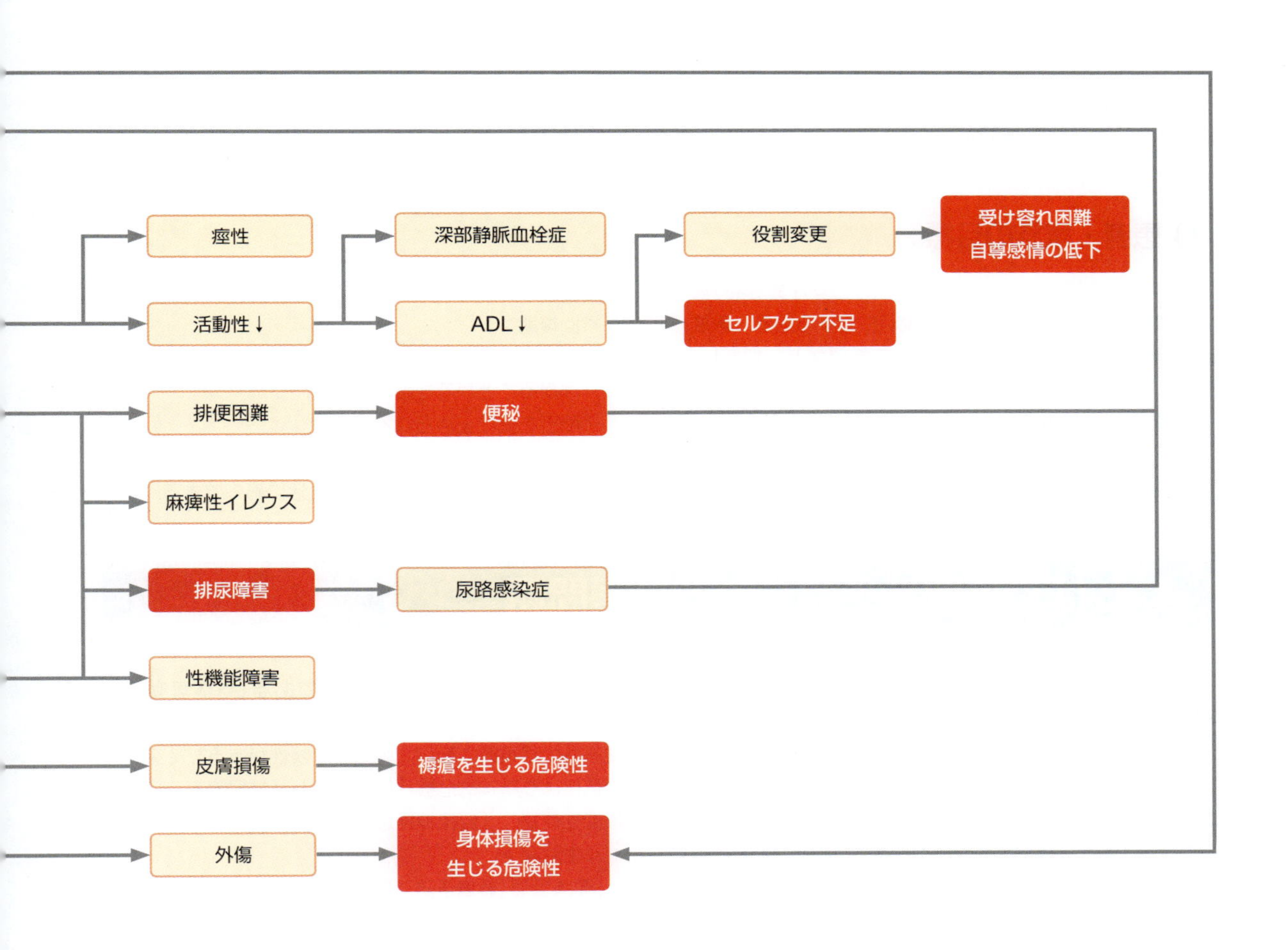
痙性
活動性↓
排便困難
麻痺性イレウス
排尿障害
性機能障害
皮膚損傷
外傷
深部静脈血栓症
ADL↓
便秘
尿路感染症
褥瘡を生じる危険性
身体損傷を
生じる危険性
役割変更
セルフケア不足
受け容れ困難
自尊感情の低下

2）看護の方向性

急性期は，損傷拡大の防止を行うとともに，生じている障害への対応と損傷レベル以下の臓器不全の予防を行い，早期離床を目指す．高位の損傷では交感神経の遮断によって血圧の低下が生じやすく，脊髄の血流や灌流の低下によって二次損傷を引き起こす．損傷拡大を防ぐために損傷部位の安静を保持する．脊髄損傷では，損傷部位よりも下の感覚および運動障害を生じ，頸髄～第１胸髄の損傷では四肢麻痺，第２胸髄以下～第２仙髄の損傷では対麻痺となる．それらによって自力での体動が困難となり，肺炎，褥瘡，深部静脈血栓症，便秘，関節拘縮などの廃用性障害が生じやすくなる．呼吸筋の麻痺によって自発呼吸が困難な場合は，人工呼吸管理を行うこととなる．人工呼吸管理を行っている患者に限らず，呼吸障害がみられる患者の場合は，痰の喀出が困難となるため，呼吸器合併症を起こす危険があり，その予防に努める必要がある．合併症には，副交感神経優位が影響するものも多いため，病態を踏まえた対応が必要である．

脊髄ショックを脱して障害の輪郭が明確になってくると，自身に起きたことを理解する必要が生じてくるが，外傷性脊髄損傷は突然発生するため，精神的に危機的状態となる．まずは，事実を認識できるように働きかける．

回復期は，残存機能を生かし，日常生活活動（ADL）の向上を目指す．そのため，活用可能な筋の筋力アップとともに，歩行補助具や自助具の使用，環境調整などを行い，障害をもって生活することに備えていく．回復期になっても褥瘡や尿路感染症，便秘などの合併症を起こす危険性はあり，その予防に努めるとともに，自宅での自己管理に向けて援助する．この時期，回復に固執する患者や，現実に直面して防衛機制をとる者がいる一方，受傷したことや障害が残ることをプラスに捉えようと努力し，積極的に生活の再構築をはかろうとする者もいる．患者の心理状態を把握して，適応に向けて支援する．

生活期は，合併症の予防，排尿・排便障害への対応，痙性のコントロールなどを行いながら，機能の維持，社会復帰を目指す．外来や合併症による入院時に自己管理状況を把握し，地域の保健師や訪問看護師などと連携をはかりながら，患者・家族の管理能力を高められるように支援する．

3）患者・家族の目標

損傷部位と程度により，日常生活の目安が異なる（**表43-1**参照）．医師の診断，病状説明に対する患者・家族の理解や受け止め方，患者・家族の希望などを把握し，患者・家族に関わる他職種の意見を踏まえて，実現可能な目標（Goal）を設定する．以下に一般的な目標を示す．

＜急性期＞

・合併症を起こさずに早期離床をはかることができる．

＜回復期＞

・機能回復・残存機能の強化に基づき，ADLの拡大をはかることができる．
・障害を受け止められる．

＜生活期＞

・今ある機能によるADLでの生活に適応できる．

4. しばしば取り上げられる看護問題

受傷後の各期において以下のような看護問題があげられる．

＜急性期＞

「非効果的呼吸パターン」，「呼吸器合併症を生じる危険がある（高位の脊髄損傷の場合）」，「褥瘡を生じる危険性がある（褥瘡リスク状態）」，「深部静脈血栓症を生じる危険性がある（静脈血栓塞栓リスク状態）」，「腸管麻痺，便秘を生じる危険性がある」，「嚥下障害」，「不使用性シンドロームリスク状態」．

＜回復期＞

「運動麻痺により体動が困難である（身体可動性障害）」，「ADLの低下がある」，「車椅子，シャワーチェア，便座への移乗時に転倒・転落の危険性がある」，「突然の受傷により精神的危機状態にある」，「排尿障害」，「慢性機能性便秘」，「自律神経過反射異常亢進」．

＜生活期＞

「健康管理（褥瘡予防，排泄管理，自律神経障害に対する対応など）に関する知識が十分でない」，「褥瘡予防のためのスキル獲得の途上にある」，「間欠的自己導尿の手技習得の途上にある」，「排便管理のスキル獲得の途上にある」，「不安」.

ここでは，「褥瘡を生じる危険性がある」，「ADLの低下がある」，「健康管理（褥瘡予防，排泄管理，自律神経障害に対する対応など）に関する知識が十分でない」，「間欠的自己導尿の手技習得の途上にある」について解説する.

褥瘡を生じる危険性がある（褥瘡リスク状態）

なぜ？

馬尾より上の完全損傷の場合は，損傷部の神経支配以下の随意的な運動と損傷部位以下の神経分節または根性支配領域の感覚障害を生じ，長時間，同じ姿勢をとることで同一部位を圧迫しやすくなる．また，高位の脊髄損傷では副交感神経優位となって徐脈，末梢血管の拡張から末梢皮膚血流が低下する．加えて排泄障害に伴う皮膚の汚染や湿潤，栄養状態の不良などによって褥瘡を生じやすい．ファウラー位や車椅子乗車が可能な場合は，仰臥位とは異なる部位（たとえば仙骨部や尾骨部ではなく坐骨部）に圧迫を受け，褥瘡を生じる.

➡期待される結果

- 褥瘡の要因が改善する.
- 褥瘡の徴候がみられない.

◆2 ADLの低下がある

なぜ？

損傷レベルや，完全麻痺か不全麻痺かという運動麻痺の程度，残存筋の筋力により，ADLへの影響は異なる．C5以上の損傷では全介助であるが，C6の損傷では装具や自助具を使用して食事動作や整容動作の一部は自立でき，電動車椅子を駆動させることができる．C7以下の頸髄損傷では車椅子での生活が可能となり，T2以下の損傷では，下肢装具や松葉杖を用いると歩行が可能となる．このような医学的に獲得可能な基本動作とADLを踏まえて，歩行補助具や自助具を用いて向上をはかることになる．ADLの向上が望める場合は，低下と捉える.

➡期待される結果

- 歩行補助具・自助具を使用してADLが向上する.

健康管理（褥瘡予防，排泄管理，自律神経障害に対する対応など）に関する知識が十分でない

なぜ？

脊髄損傷者で，運動麻痺や感覚麻痺が残存する場合は，褥瘡が生じやすい．また，排尿障害や排便障害が残存することも多く，管理が不十分であると尿路感染症や便秘になることが多い．また，自律神経機能の障害により，自律神経過反射，起立性低血圧，体温の調節障害を生じることがあり，対応が適切でないと重篤な状態に移行することもある．退院後はそれらを自己管理していくことが求められ，障害，その結果として生じやすいこと，管理方法や対処方法に関する知識をもつことは必須である．障害が重度で患者自身が管理できない場合は，家族介護者が代わりに知識を得る必要がある．生活管理が多岐にわたり，また，複雑であると，知識不足が生じることがある.

➡期待される結果

- 健康管理方法について説明できる

間欠的自己導尿の手技習得の途上にある

なぜ？

神経因性膀胱によって自排尿では尿の排出が不十分で，膀胱内圧の上昇，膀胱が過伸展に陥っている場合，あるいは尿失禁や自律神経過緊張反射（自律神経過反射）をコントロールできない場合に，自己導尿法（清潔間欠自己導尿）の適応となる．また，上腕二頭筋の筋力が十分にある場合に実現可能となる．その場合，カテーテルの管理，自己導尿の手技，導尿のタイミング，尿路感染予防などについて知識を得て，自己管理できるようになる必要がある．また，自己導尿の操作がしやすいような下着・衣服の工夫も必要となる．在宅での生活に向けて，それらの獲得の途上にある状態が生じる.

➡期待される結果

- 自己導尿法の目的，方法，留意点について述べることができる.
- 自己導尿法を適切に実施できる.

不全麻痺で機能障害の改善が期待できる場合は，たとえば，麻痺があって自力で動くことが困難であること（NANDA-Iのラベルでは「身体可動性障害」）はそれ自体が看護問題になったり，ADLが自立していないこと（NANDA-Iのラベルでは「セルフケア不足」）の関連因子になることもある．しかし，機能回復が期待できない場合は，残存機能の状態に適応することや，その機能を最大限に活用して生活を構築するために，何が課題となるかを考えなければならない．また，呼吸器合併症や褥瘡などの合併症については，急性期は機能障害によって生じる合併症がリスク問題として看護問題にあげられることが多いが，回復期以降は機能障害があるからではなく健康管理上の問題として捉える．

5. 看護計画の立案

• O-P：Observation Plan（観察計画）　• T-P：Treatment Plan（治療計画）
• E-P：Education Plan（教育・指導計画）

1 褥瘡を生じる危険性がある（褥瘡リスク状態）

◆考えられる危険因子：自力での体位変換が困難，低栄養状態，皮膚の湿潤
◆期待される成果：（1）危険因子が軽減する　（2）褥瘡が生じない
（1）の計画

	具体策	根拠と注意点
O-P	①自力での運動の状態 ・損傷レベルと運動の状態 ・感覚の状態 ・しびれ，痛みの知覚 ・自力で除圧（体位変換）が可能か ②栄養状態 ・嚥下機能 ・食事摂取状況 ・上腕の周囲長，腓腹部の周囲長 ・体重 ・血清Alb値，Hb値 ③皮膚の状態 ・皮膚の湿潤，乾燥 ・皮膚の汚染（失禁）	●脊髄損傷の状態によって，運動麻痺，知覚障害の範囲と程度が異なってくる．頸髄損傷では四肢麻痺，胸髄・腰髄損傷では対麻痺となる．不全麻痺の場合は改善が見込まれる． ●高位の頸髄損傷では嚥下障害を生じることがある． ●タンパクの摂取が不十分だと，筋や脂肪組織の減少による骨の突出，低タンパク血症による浮腫を生じやすくなり，褥瘡発生につながりやすくなる．また，体重は多くても筋肉が減少し，活動性の阻害要因となる． ●溢流性尿失禁，便失禁によって皮膚が汚染すると，皮膚損傷から褥瘡を生じやすくなる．失禁への対応のためにオムツを着用していると，湿潤しやすくなる．
T-P	①活動性の向上をはかる ・四肢の運動を行う（自動，自己他動，他動運動） ②栄養状態を整える ・食事が十分に摂れない場合は工夫する ③皮膚の状態を整える ・皮膚の保清を行う ・皮膚のコンディションを整える（湿潤・乾燥）：撥水性のあるクリームの塗布，保湿クリームの塗布 ・オムツ使用による締めつけや浸軟に注意する	●不全麻痺の場合は，運動機能の回復が見込まれる．完全麻痺の場合も，残存している運動能力を強化し，活動性を向上することで，同一部位の圧迫を避ける． ●脊髄損傷による嚥下障害のほか，頸部の固定による嚥下困難や，上肢の運動障害によって，自力での食事摂取が困難となることがある．また，心理的衝撃や不安などから食欲が低下し，十分に食事を摂れないことがある． ●排泄物による皮膚刺激を避けるために，褥瘡好発部位周囲の保清に努める． ●清拭する際はこすらない． ●皮膚の湿潤・乾燥ともに，皮膚トラブルの原因となる．
E-P	①褥瘡予防のために危険因子の軽減に努めることの必要性を説明する ②四肢の運動方法を説明する ③（必要時）食事摂取の方法と内容について説明する	

（2）の計画

	具体策	根拠と注意点
O-P	①皮膚の状態 ・発赤（消退の有無），腫脹 ・同一部位の圧迫	●褥瘡の重症度分類では，ステージⅠとして消退しない発赤が示されている．
T-P	①除圧をはかる ・体圧分散マットを使用する ・体位変換を実施する（2時間ごと） ・クッションなどによって除圧する ②皮膚の保護を行う ・保湿ローションまたは撥水クリームを塗布する ・圧迫部位にポリウレタンフィルムを貼付する ・体位変換時，移乗時皮膚の摩擦を避ける ・ずれを引き起こさないようにポジショニングする ・清拭時，皮膚をこすらないようにする ・排便は水様とならないようにコントロールする	●『褥瘡予防・管理ガイドライン』では，体圧分散マットレスの使用，基本的に2時間以内の間隔での体位変換がすすめられることが示されている． ●『褥瘡予防・管理ガイドライン』では，尿・便失禁のある場合，洗浄後に皮膚保護のためのクリームを塗布してもよいこと，集中治療中の褥瘡予防としてポリウレタンフォームまたはソフトシリコンドレッシング材の貼付がすすめられることが示されている．
E-P	①除圧，皮膚の保護の必要性を説明する ②可能であれば除圧（体位変換の）の方法を説明する	

2 ADLの低下がある

◆考えられる関連因子　今ある機能の活用が不十分，移乗・移動動作のコツがつかめていない
◆期待される成果　移乗・移動動作を確実に実施できる

	具体策	根拠と注意点
O-P	①移乗動作の状態 ・安全・確実に動作を行うことができるか ②移動動作の状態 ・安全・確実に動作を行うことができるか ③移乗・移動に必要な身体機能 ・上肢・下肢の運動機能（筋力，可動性） ・関節可動性 ・姿勢保持，バランス，耐久性・持久性 ・痙性 ④心理状態 ・活動に対する意欲	●痙性が強いと体節が連結し，分離した動きが阻害され，動作が困難となる． ●脊髄損傷者にとって移乗動作を獲得することは，排泄，入浴，車の運転などの日常生活活動や社会生活につながるため，大きな意味をもつ． ●移乗動作の獲得には，残存筋力，身体の柔軟性，肩・肩甲骨・体幹・股関節の可動性，バランス保持能力，動作学習能力などが関与する．
T-P	①移乗・移動に必要な筋力の増強 ・筋力増強トレーニングを実施する ②移乗・移動の環境を整える ・ベッドの高さと車椅子の高さを調整する ・シーツとの間で摩擦が生じる場合は，滑り布を用いる ・ベッドと車椅子の間に隙間が生じる場合は，トランスファーボードを用いる ・側方移乗で殿部の挙上が不十分な場合は，プッシュアップ台を用いる	●環境を整えると自力での移乗が行いやすくなる．

	具体策	根拠と注意点
T-P	③移乗動作の実施・介助 ・自力での移乗が困難な場合は，全介助で実施する ・直角移乗，側方移乗，立位移乗を選択し，実施する 必要時介助，声かけ，見守りをする ・耐久性・持久性を考慮し，乗車時間を調整する	●体幹のバランスが保てない場合は直角移乗，坐位バランスが安定しており，プッシュアップ力がある場合は側方移乗，立位がとれる場合は立位移乗を行う．
	④移動動作の実施・介助 ・車椅子での自走を実施する ・電動車椅子，手動車椅子を選択する ・耐久性・持久性を考慮し，活動範囲を調整する ・(不全麻痺の場合は)歩行器，杖などの歩行補助具を選択し，歩行する	●自走用車椅子の駆動が困難な場合は，電動車椅子の適応となる．
	⑤安全に配慮する ・痙性が強い場合は介助する ⑥できたところを認め，モチベーションを維持する	●痙性が強いと転倒につながる危険がある．
E-P	①移乗・移動に必要な筋力増強の必要性について説明する ②PT・OTに相談し，筋力増強トレーニングの内容と量について説明する ②移乗・移動方法についてPT・OTと統一させて説明する	

3 健康管理(褥瘡予防，排泄管理，自律神経障害に対する対応など)に関する知識が十分でない

◆期待される成果　(1)健康管理の方法について説明できる　(2)外泊時に実施できる

	具体策	根拠と注意点
O-P	①褥瘡予防の方法についての知識 ・好発部位の皮膚の観察を１日１回行う(家族に依頼する) ・褥瘡の要因(患者に該当するもの)について：ずれ，皮膚の湿潤，低栄養状態，骨の突出，筋の萎縮，可動性・活動性の低下，痙性による摩擦，末梢循環 ・体圧分散(同一部位の圧迫を避けること)の必要性と方法 (臥位)ポジショニング，体位変換，背抜き (車椅子乗車)プッシュアップ，除圧姿勢 体圧分散寝具・用具 ・スキンケアの必要性と方法 (失禁がある場合)皮膚の保清方法，撥水性のあるクリーム (乾燥している場合)保湿クリームの塗布 貼付薬の使用	●損傷部位によってとれる姿勢が異なり，それによって好発部位が異なる(頸髄損傷では仙骨・尾骨部，胸腰髄損傷では坐骨結節部)ため，それについても確認する． ●脊髄損傷の場合，痙性による摩擦，自律神経の障害による末梢循環障害が生じることがあり，それが褥瘡の発生要因となる． ●臥床している場合は，２～３時間ごとに体位変換を実施する．ずれを軽減するため，家族に背抜きの方法も指導する． ●体圧分散用具として，臥床の場合はマットレス，車椅子の場合はエアクッション，トイレの便座用クッションなどが用いられる． ●膀胱直腸障害，排便コントロールの不良によって失禁を生じると，皮膚トラブルを発生しやすくなる．
	・栄養管理の必要性と方法：エネルギー・タンパクの摂取，糖尿病の場合は血糖のコントロール	●通常の食事摂取だけでは栄養が十分に摂取できない場合は，高タンパクサプリメントの追加摂取が褥瘡予防に効果があるとされている．

	具体策	根拠と注意点
O-P	②排尿の管理方法についての知識 ・排尿状態に関するセルフモニタリング項目 (自己導尿している場合は)１回導尿量，尿の性状，飲水量 尿失禁(尿漏れ)，尿路感染症の症状，自律神経過反射	●排尿管理の目的は，腎機能の維持，尿路感染症の予防，尿禁制の獲得である. ●脊髄損傷によってADLが異なるため，その状況に見合った排尿管理を実施することになる.
	・(自排尿の場合で適応があれば)手圧排尿，腹圧排尿の方法，排尿に関する留意点	●良好な排尿が得られない状態で手圧排尿や腹圧排尿を行うと，尿路障害を引きこすことがある.
	・(間欠導尿の場合)方法・留意点についての知識，手技 １回の導尿量は400mL以内になるように間隔と飲水量を調整 尿路感染予防のための清潔操作	●男性はC6 BⅠレベル以下，女性はC6 BⅢレベル以下で，清潔間欠自己導尿の動作を獲得できる可能性がある.
	・(カテーテル留置の場合)カテーテル管理方法	●間欠的自己導尿が困難な場合，一時的に間欠式バルーンカテーテルや恥骨上カテーテルを留置することがある.
	③排便コントロールについての知識 ・排便に関するセルフモニタリングの項目 排便の回数(便秘)，便の性状，失禁の有無，緩下剤使用によるコントロール状況，自律神経過反射	●損傷部位と程度によって，排便の状態は異なる(仙髄より上の損傷では外肛門括約筋が弛緩しないため便秘を生じやすい．仙髄を含む損傷の場合は外肛門括約筋が弛緩して便失禁を生じやすくなる．Th8より上の損傷では努責ができない).
	・排便の工夫 排泄時間，姿勢，腹部のマッサージ，肛門の刺激 食事	●胃結腸反射を活用し，定時での排便を試みることが排便習慣の確立につながる. ●坐位になると直腸-肛門角が鈍角になり，便が出やすくなる.
	・適応のある排便の促進方法(緩下剤，摘便，坐薬，浣腸，洗腸など)の用い方	●直腸診で便が触れる場合は摘便する．直腸診で便が触れない場合は，坐薬や浣腸の使用を検討する.
	・自宅でのトイレ環境(ベッド上，高床式トイレ，小判型トイレ，車椅子トイレ)と動作方法，介助者の介助方法	●C5以上の損傷の場合は，トイレへの移動が困難，一定時間の坐位保持が困難なため，ベッド上での排泄となることが多い. ●普通のトイレの使用が困難な場合はトイレの形状，手すりなどの環境を整え，移乗方法や排泄動作の手順を検討する.
	・着衣の工夫：着脱がしやすいように加工する	●排便の所要時間を減らすために，着衣を工夫する.
	・失禁への対処	●仙髄を含む脊髄損傷のほか，食べ物や緩下剤の影響によって水様便となり，失禁することもある．便失禁した場合に対処できるようにする.
	・外出時の準備	●外出前に排便を済ませることがベストだが，食事内容の変化によって排便を催すことがある．これに対応できるように物品を準備する.
	④起立性低血圧の予防・対処に関する知識 ・血圧の測定 ・予防方法 ゆっくり体位を変える，水分を摂取する 腹部にベルト(腹帯)を巻く，弾性ストッキングを着用する ・対処方法 車椅子乗車の状態で身体を後ろまたは前に倒す	●C5～6以上脊髄損傷では起立性低血圧を生じやすい. ●臥位→坐位へ変換する前後(３分以内)で血圧を測定し，判断する. ●急激な動作は血圧の低下につながりやすい. ●循環血液量の減少は起立性低血圧の要因になる. ●腹帯の使用，弾性ストッキングの使用によって，下肢への血液の急激な移動，うっ滞を避ける.
	⑤自律神経過反射の予防・対処に関する知識 ・自律神経過反射の要因 直腸への便の停滞，膀胱の充満 ・血圧の測定 ・対処方法 頭部を下げない(ヘッドアップする) ⑥外泊時の実施状況	●C5～6以上の損傷では，摘便が刺激となって自律神経過反射を生じることもある. ●排便時・排便後に血圧を測定し，摘便，坐薬，浣腸が過度の刺激となっていないか判断する.

	具体策	根拠と注意点
T-P	●介護にあたる家族に，援助の実際を見学してもらう．可能であれば援助に参加してもらう	
E-P	<O-P>の①～④について説明する 家族にも説明する	

引用・参考文献

1）独立行政法人労働者健康福祉機構全国脊髄損傷データベース研究会編：脊髄損傷の治療から社会復帰まで　全国脊髄損傷データベースの分析から．p.9～12，保健文化社，2010．
2）日本排尿機能学会，日本脊髄障害医学会，日本泌尿器科学会，脊髄損傷における下部尿路機能障害の診療ガイドライン作成委員会編：脊髄損傷における下部尿路機能障害の診療ガイドライン2019年版．p.48，中外医学社，2019．

第７章　運動器疾患患者の看護過程

44 腰椎椎間板ヘルニア

1. 疾患の基礎的知識

1）疾患の概念

腰部にある５つの椎骨を腰椎といい，これらは靱帯や椎間板といった組織によって連結されている．椎間板は，中央部の髄核と外周部の線維輪から成り立っているが，加齢などによってこの椎間板が変成し，髄核が線維輪を押し上げたり，破って突出したりすることで，後方の神経を圧迫して各種の症状が現れる疾患群を，腰椎椎間板ヘルニアという（**図44-1**）．

年齢的には，20～40歳代の働き盛りに多く，男女比は２～３：１で男性に多い．好発部位は，第４～５腰椎間（L4～L5），第５腰椎～仙椎間（L5～S1）である．

2）原因

環境的要因と遺伝的要因がある．

環境的要因として，たとえば不用意な姿勢での持ち上げ動作や外傷といったものがあげられる．椎間板は老化の開始が早い組織であり，10歳代後半から始まるといわれている．そのため，軽微な外力や体位変換，スポーツなどをきっかけとして発症することもある．ただし，明らかな誘因がない場合も少なくない．また，喫煙も原因の１つと考えられており，ニコチンが毛細血管を収縮させて血流不良となって，椎間板の老化をまねくとされている．

近年，若年者の発症には遺伝的要因の関与が大きいといわれているが，詳細はわかっていない．

3）病態と臨床症状

病態

それまで血管によって栄養を供給されていた椎間板は，20歳を過ぎると血管支配がなくなる．また，成人の椎間板はコロイド様物質で，20歳頃までの髄核内は約80%以上の水分を含んでおり，衝撃を緩和するクッションの役割を果たしている．

しかし，加齢とともに脱水が起こり，徐々に線維成分に置き換えられる．こうして退行変性を起こした椎間板

図44-1　腰椎椎間板の構造

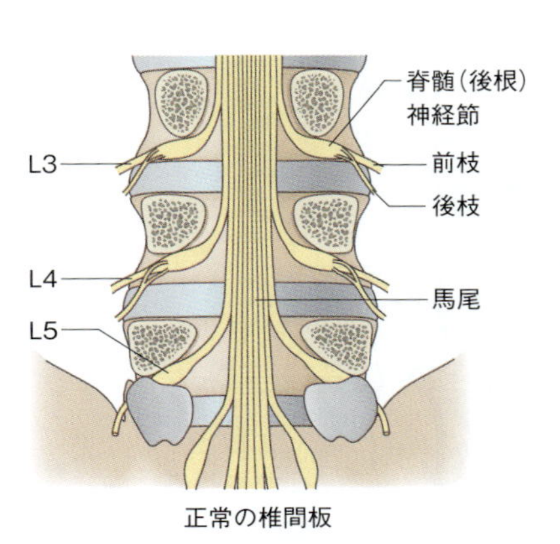

正常の椎間板

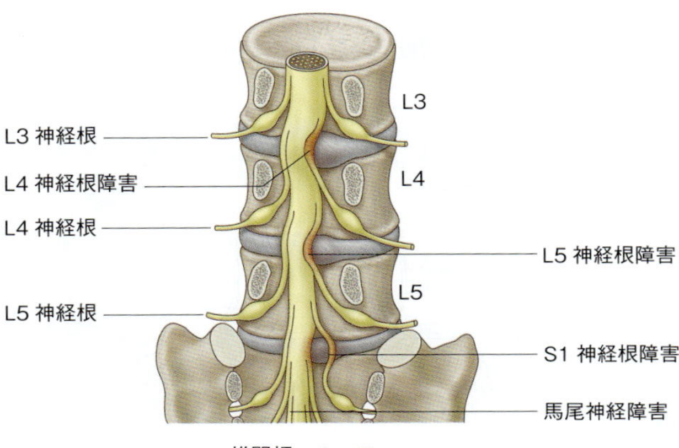

椎間板ヘルニア

は，外力によって線維輪に断裂が生じ，髄核が突出して，神経根や馬尾を圧迫する(**図44-2**)．

臨床症状

(1)疼痛(腰痛，下肢痛)

腰痛は，程度の差はあるもののほとんどの症例でみられる．脊柱の運動，咳，くしゃみ，努責によって疼痛を誘発・増強し，腰痛発作を数回繰り返すうちに，下肢放散痛がはっきりしてくる．腰椎下部から分岐する神経は坐骨神経を形成するため，坐骨神経痛を主症状とするものが多い．また，疼痛を避けるための逃避性の姿勢，すなわち腰部の前屈位姿勢や，体幹の側方偏位(疼痛性側彎)を呈することもある．

(2)感覚障害(図44-3)

疼痛と同様に，ヘルニアによる神経根圧迫のために起こり，当該の神経支配領域にみられる．触覚・痛覚障害に関しては，感覚鈍麻から感覚脱失までとその程度はいろいろあるものの，全症例の約80%に認められる．

(3)運動障害および筋力低下，腱反射の異常

長趾伸筋，屈筋の筋力低下によって，足趾の背屈力や底屈力の低下が起こる．殿筋の筋萎縮や筋緊張の低下が認められることが多い．大腿周囲径を計測すると，患側肢に1～2cmの減少がみられることもある．また，膝蓋腱反射，アキレス腱反射の低下や減弱を認めることもある．

(4)膀胱直腸障害

椎間板ヘルニアが大きい場合，尿閉や便秘などの膀胱直腸障害，下半身の完全または不完全麻痺を起こすことがある．

4) 検査・診断

(1)問診

病歴や現在の痛みの状態を聞き，障害神経根部を推測する．腰椎運動を行い，制限の有無，疼痛の出現や患側下肢への放散の状態を観察したり，視診によって腰椎の傾きなどをみる．

(2)神経学的テスト(図44-3)

①感覚機能・反射の検査：症状から，障害神経根部をある程度推定できる．

- L4神経根：下腿内側から足内側の感覚障害がみられる．膝蓋腱反射が低下することがある．
- L5神経根：下腿外側から第1～3趾までの，足背の感覚障害がみられる．足・趾の伸筋の筋力低下が出現し，踵立ちができない．
- S1神経根：下腿外側から第4，5趾あたりの足外側にかけて，感覚障害がみられる．下腿三頭筋の筋力低下や，アキレス腱反射の低下が起こる．爪先立ちができない．

②疼痛誘発検査

- 下肢伸展挙上テスト(SLRT：straight leg raising test)：仰臥位で膝を伸展したまま，徐々に下肢を挙上して，痛みの出現状態をみる．正常ならば70°以上の挙上が可能である．しかし，坐骨神経に異常がある場合には，挙上途中で下肢の後面に痛みが出現する．これをラセーグ徴候という．
- 大腿神経伸展テスト(FNST：femoral nerve stretch test)：腹臥位で，股関節を伸展した状態で，徐々に股関節を屈曲する．L2～L3，L3～L4神経根に異常があれば，腰痛や下肢痛が出現する．

(3)画像検査

①X線検査：椎間板変性の指標となる椎間板の狭小化の有無や程度が判断できる．

②MRI検査：脱出した椎間板の程度や部位が確認でき，診断に有用な検査である．

③造影検査：クモ膜下腔に造影剤を注入して脊髄造影(ミエログラフィ)をすると，クモ膜下腔の走行が観察できる．ヘルニア部が陰影の欠損として描写され

図44-2 腰椎椎間板ヘルニアの分類

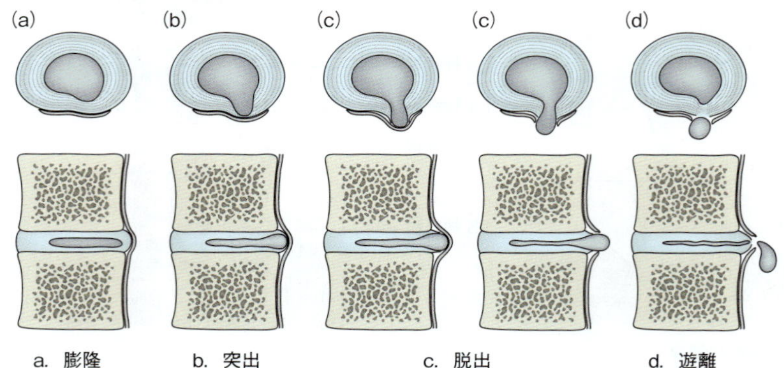

る．なお，MRIの普及によって，必ずしも必要な検査ではなくなった．ちなみに，椎間板造影（ディスコグラフィ）は，椎間板自体の変性度合いを直接みることができる．

5）治療

保存的治療

(1)安静療法

疼痛が激しい急性期は臥床安静とし，局所への負担を軽減する．患者が最も安楽と感じる体位でよい．一般に，腰椎前彎が軽減し，脊柱管や椎間孔が拡大するとともに，椎間板の膨隆が軽減されて神経組織への刺激の緩和が期待できるジャックナイフ型や，仰臥位で膝を屈曲して坐骨神経の緊張を緩和する体位とすることが多い．マットレスがやわらかいと殿部が沈み，腰椎前彎を強めるので，かためのものを使用する．

局所安静には，多くの場合でコルセットを使用する．しかし，コルセットが腰痛に対する予防や治療に有効であるかのはっきりしたデータはない．一般に，腹腔内圧を高めて椎間板の負担を軽減する目的で装着する．長期間装着していると，体幹筋の筋力低下や拘縮をまねいたり，内臓の血行障害を起こしたりすることがある．夜間は取り外し，腹筋や腰背筋の筋力増強をはかりながら，１～３か月程度を目安に使用する．

(2)薬物療法

痛みが強い場合は，非ステロイド性抗炎症薬（NSAIDs）や筋弛緩薬を投与する．これらの薬剤は，椎間板や神経根の周囲の循環異常・炎症によって発生した疼痛を緩和する．

副腎皮質ステロイドの硬膜外腔注入もある．ただし，感染には十分注意する．

(3)牽引療法

医師の指示のもとで行う．骨盤帯を用い，腰椎が後彎位になる方向に，持続的に牽引を行う．これによって椎間孔が広がり，神経根の圧迫が軽減される．30°のセミファウラー位で，股関節と膝関節を30°程度屈曲して実施する（**図44-4**）．５～10kgを目安に牽引する．

(4)運動療法

痛みが消失したら，正しい姿勢の保持，疼痛のない十分な脊柱可動性を獲得するために，運動療法を行う．運動によって脊柱周囲筋をリラックスさせ，筋力の強化と脊柱伸展筋群とのバランスをとり，腰椎の負担を軽減する．骨盤や腰筋などの，伸展筋と腹筋の強化運動が主体となる．

なお，再発を防ぐためには，腰椎の負担を軽減するための姿勢や，ADLについての指導を行う．肥満があるときは，標準体重を目標に減量する．

図44-3　腰椎障害神経根高位と神経学的所見

	障害神経根	感覚障害	筋力低下	腱反射低下
腰椎障害神経根高位	L4（L3-L4椎間板）	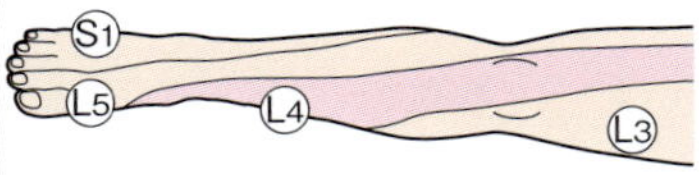 S1 L5 L4 L3	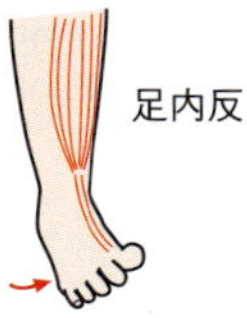 足内反	膝蓋腱 L4 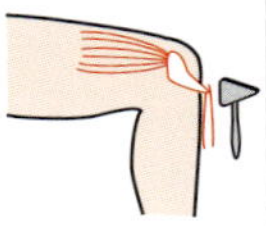
	L5（L4-L5椎間板）	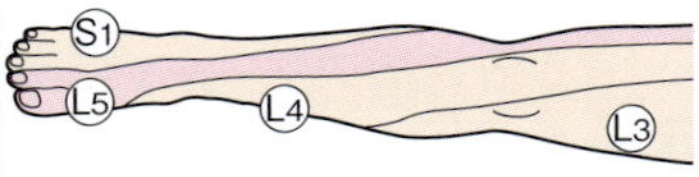 S1 L5 L4 L3	前脛骨筋 L5 長母趾伸筋腱 L5 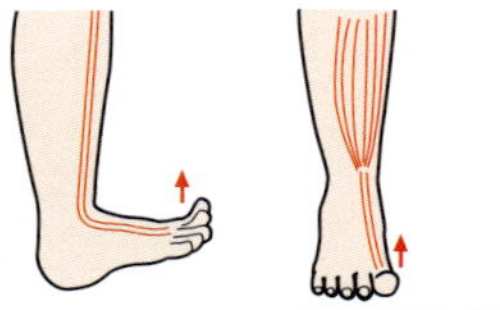	なし
	S1（L5-S1椎間板）	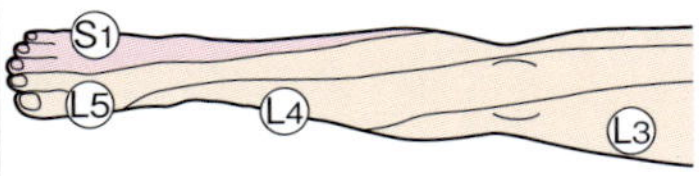 S1 L5 L4 L3	長母趾屈筋腱 S1 腓腹筋 S1 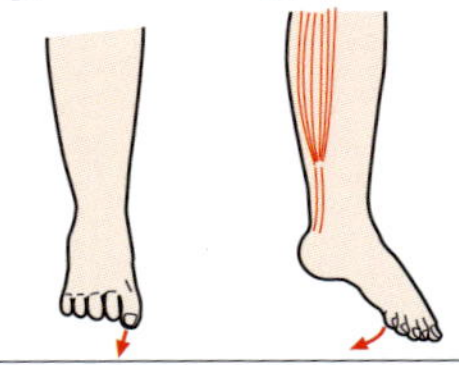	アキレス腱 S1 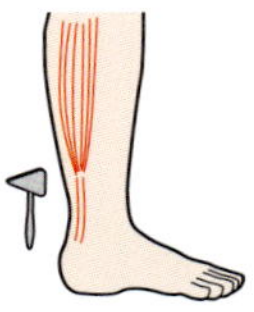

外科的治療(手術療法)

脱出したヘルニアの多くは，貪食細胞によって吸収されて自然に消失するため，まずは保存的治療で経過をみる．保存的治療で全く効果がない場合は，絶対的手術適応である．３か月経過しても症状に変化がみられず，日常生活に支障をきたす場合や，腰痛発作を繰り返して社会生活が障害される場合には，相対的手術適応として手術療法を考慮する．疼痛を訴えて長期間経過している場合は，手術療法と保存的治療では効果に差がないことを説明し，患者自身で意思決定できるようにサポートする．

(1)椎間板侵入ヘルニア除去術(Love法)

最も一般的な方法である．背中側を５cmほど切開して椎弓を部分的に切除し，ヘルニアを取り除くこととなる．80～90%の有効性が期待できる．

近年，手術侵襲が小さい内視鏡下，顕微鏡下での手術が増加している(内視鏡下髄核摘出術，顕微鏡下髄核摘出術)．いずれの方法も目的は同じで，神経根を圧迫しているヘルニアの除去であり，手術成績に差はないといわれている．全身状態や局所の病態を考慮して手術方法を選択する．

(2)脊椎固定術

椎間不安定性の強い症例に対して行われる．椎体前方から椎間板を切除して上下の椎体間に骨移植をする前方固定法と，後方から椎弓や椎間関節と横突起の間に骨を移植する後側方固定法がある．

(3)経皮的椎間板摘出術

局所麻酔をして，背部に直径４～５mm程度の管を刺入し，鉗子を用いてX線透視下で確認しながら髄核を摘出する．椎間板の内圧が減少し，症状が軽減する．手術侵襲は小さいが，脱出したヘルニアを直接除去することができないので，後縦靱帯を突破していない場合の適応となる．効果にも限界がある．

6）予後

腰痛，下肢痛を訴える人の80%は，保存的治療でかなり軽減する．手術療法が適応になるのは，腰椎椎間板ヘルニア全体の10～30%程度である．しかし，日常生活や職業生活といったライフスタイル自体に問題を抱えていることが多いので，手術をしても再発することがある．

図44-4　セミファウラー位の牽引療法(腰椎)

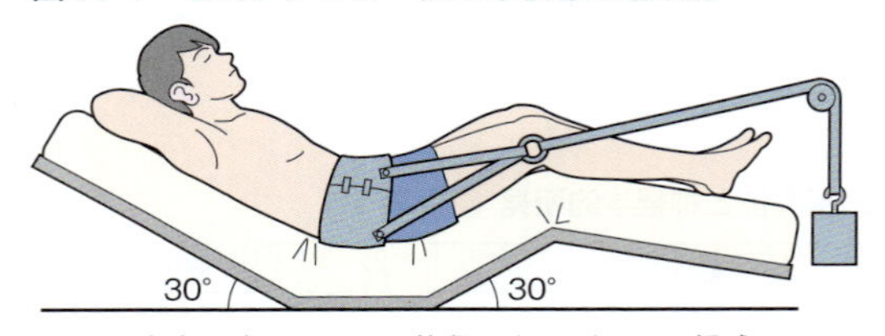

疼痛の強いときには施行しないが，やや軽減しているときは膝を少し屈曲して牽引を行う

2. 看護過程の展開

● アセスメント～ゴードンの機能的健康パターンを用いて

パターン	アセスメントの視点	根拠	収集する情報
(1) 健康知覚-健康管理 患者背景 健康知覚-健康管理 価値-信念	●ライフスタイルでの問題に気づいているか ●再発予防のための生活上の留意点を理解し，実施できているか	●腰椎椎間板ヘルニアは一種の退行現象だが，職業や生活習慣，ADL，運動不足，肥満が発症誘因として関与することが多い．そのため，どのようなときに腰痛が起こりやすいのか，など症状を悪化させる要因を理解することが必要である． ●保存的治療により，腰痛などの自覚症状は１～２週間で急速に改善し，約80%が保存的治療で治癒するといわれている．しかし，２週間以上たっても自覚症状が軽減せず，日常生活に支障をきたしたり，急性発作を繰り返す症例もある．自己管理が必要となる ●慢性的な症状は生活の質を低下させるため，相対的手術適応でも，手術を選択する患者が多い．手術を受けて腰痛や下肢のしびれなどの症状が改善しても，再発の危険性はある．保存的治療，外科的治療（手術療法），どちらを選んでも，再発予防のための正しい姿勢の維持や，ADLの注意が必要である．	●現病歴 ・発症の契機，経過 ・治療の経過，症状 ●既往歴 ●年齢 ●職業（仕事の内容） ●ライフスタイル ・生活様式（和式，洋式） ・運動習慣の有無 ・体重，BMI ●症状の程度と日常生活への影響 ・ヘルニアの部位と程度 ・疼痛の有無と部位，程度 ・知覚異常の有無と部位，程度 ・日常生活での活動状況 ●疾患・治療に対する認識 ・疾患・治療に対する理解度 ・治療に対する期待，不安 ●自己効力感
(2) 栄養-代謝 全身状態 栄養-代謝 排泄	●手術を受けるにあたり，栄養状態や全身状態に問題はないか	●手術療法となった場合，どの術式を選択しても，ほとんどが全身麻酔下による手術となる．腰椎椎間板ヘルニアの手術時間は一般的に１～２時間前後と短いが，全身麻酔が身体に与える影響は小さくない．高血糖，低栄養や貧血は，創治癒遅延，創部感染などの術後合併症の要因となる．とくに高齢者は，加齢によって臓器全体の機能が低下している．それに伴い，予備力，回復力も低下しており，合併症を起こしやすく重症化しやすい．	●栄養状態 ・食欲，食事摂取量 ・身長，体重，BMI ・口腔・皮膚・粘膜の状態 ・検査データ（TP，Alb，Hbなど） ●代謝状態 ・代謝性疾患の既往歴 ・検査データ（血糖値，HbA1c，肝機能）
(3) 排泄 全身状態 栄養-代謝 排泄	●排尿障害や便秘を生じていないか ●術後，合併症はみられていないか	●巨大ヘルニアなどで馬尾神経が圧迫されると，尿閉や便秘など，膀胱直腸障害の症状を示すことがある． ●術後，一過性あるいは持続する神経障害により，排尿障害を生じることがある．症状は経日的に変化していき，一過性の増悪期を過ぎると日々軽快していく．	●排泄状態 ・排便回数・性状 ・腹部症状 ・排便対策，排便支障因子 ・排尿回数・性状 ・水分出納 ・排尿の阻害
(4) 活動-運動 活動・休息 活動-運動 睡眠-休息	●痛み，しびれなどの症状により，日常生活に支障をきたしていないか	●腰椎椎間板ヘルニアの症状により，日常生活に影響を及ぼす．また，疼痛は姿勢の異常や活動の制限をまねく．動くと疼痛が誘発され，活動を自己制御してしまうので，ADLが制限される．疼痛緩和や脊柱への負担を軽減するために，臥床安静の必要がある．	●症状の程度 ・ヘルニアの部位と程度 ・疼痛の有無と部位，程度 ・知覚異常の有無と部位，程度 ・運動障害の有無と程度 ●日常生活での活動状況 ・姿勢異常の有無 ・歩行時間と状態 ・入浴や排泄動作の状況

パターン	アセスメントの視点	根拠	収集する情報
(5) 睡眠-休息 活動・休息 活動-運動 睡眠-休息	●痛み，しびれなどの症状により，睡眠状況に支障をきたしていないか	●腰椎椎間板ヘルニアの症状により，睡眠状況に影響を及ぼすことがある．	・睡眠時間と質 ・睡眠薬使用の有無
(6) 認知-知覚 知覚・認知 認知-知覚 自己知覚-自己概念 コーピング-ストレス耐性	●痛み，しびれの自覚症状はどうか ●術後の自覚・他覚症状の変化，合併症の有無はどうか ●認知機能に問題はないか	●神経根や馬尾にヘルニアが接触または圧迫している場合には，神経周囲に物理的余裕が少ない．また，神経根は多少とも炎症症状（神経根炎）を呈しているため，疼痛の閾値が低下し，疼痛が誘発されやすい．症状は支配神経領域に沿うことが多い．ヘルニアの突出部位と程度によって，症状の現れ方は違う． ●術後，出血や浮腫によって，または神経根そのものへの侵襲の影響から，一過性あるいは持続する神経障害をきたすことがある． ●高齢で認知機能の低下がある場合，安静が保てないことや，せん妄を生じることがある．	●自覚症状の程度 ・疼痛の有無と部位，程度 ・知覚異常の有無と部位，程度 ●鎮痛薬の使用状況とその効果 ●術後の症状の変化 ・自覚症状 ●認知機能
(7) 自己知覚-自己概念 知覚・認知 認知-知覚 自己知覚-自己概念 コーピング-ストレス耐性	●自分をどのように知覚しているか ●自尊心の低下はないか	●繰り返す腰痛発作，持続する腰痛は，社会生活に支障をきたす．そのため，仕事や学業の継続が困難となることも多く，自己効力感の低下につながることもある．	●自身の受け止め方 ●不安，無力感 ●社会復帰への意欲 ●自尊感情
(8) 役割-関係 周囲の認識・支援体制 役割-関係 セクシュアリティ-生殖	●社会復帰に向けて周囲の人は患者の疾患を理解し，支援体制はあるか	●発症誘因に，職業やライフスタイルが関与することが多い．腰部に負担をかけないように生活全体の調整が必要である．仕事では，配置転換や勤務時間の調整も，場合によっては必要になる．そのため，家庭生活においては家族の，仕事においては職場の上司や同僚の理解が必要となる．	●家庭的役割 ・家族構成 ・家族の疾患に対する認識 ・キーパーソンの有無 ●社会的役割 ・職業，仕事内容 ・職場の上司・同僚などの理解

パターン	アセスメントの視点	根拠	収集する情報
(9) セクシュアリティ-生殖 周囲の認識・支援体制 役割-関係 セクシュアリティ-生殖	●セクシュアリティ・生殖の問題を知覚しているか	●疾患によって性行動ができなくなったり，困難を感じたりする．	●生殖歴，生殖段階 ・子どもの有無 ・本人とパートナーの希望 ・生殖機能の温存の希望
(10) コーピング-ストレス耐性 知覚・認知 認知-知覚 自己知覚-自己概念 コーピング-ストレス耐性	●ストレスとなる出来事に対処できているか ●ストレスへの対処を支援するサポート体制はあるか ●ストレスへの耐性は高いか	●症状や治療を受けることがストレッサーとなる． ●普段用いている対処方法の内容によっては，安静に伴って適正にコーピングがはかれない場合がある．	・これまでストレスとなる出来事にどう対応してきたか ・精神的，物的サポートとなる存在はいるか ・家族は誰がキーパーソンか，家族は支えあっているか
(11) 価値-信念 患者背景 健康知覚-健康管理 価値-信念	●治療方法の選択で迷っていることはないか	●日常生活および社会生活に支障をきたす場合は，手術療法を考慮する．働き盛りの男性の発症が多いため，早期かつ確実な社会復帰を願い，保存的治療の余地があっても手術を希望したり，手術を受ける時期を迷っている場合も多い．患者が納得して治療を選択できることが望ましい．	●健康に関する価値や信念，大事にしていること

3. 全体像の把握から看護問題を抽出

1）病態関連図

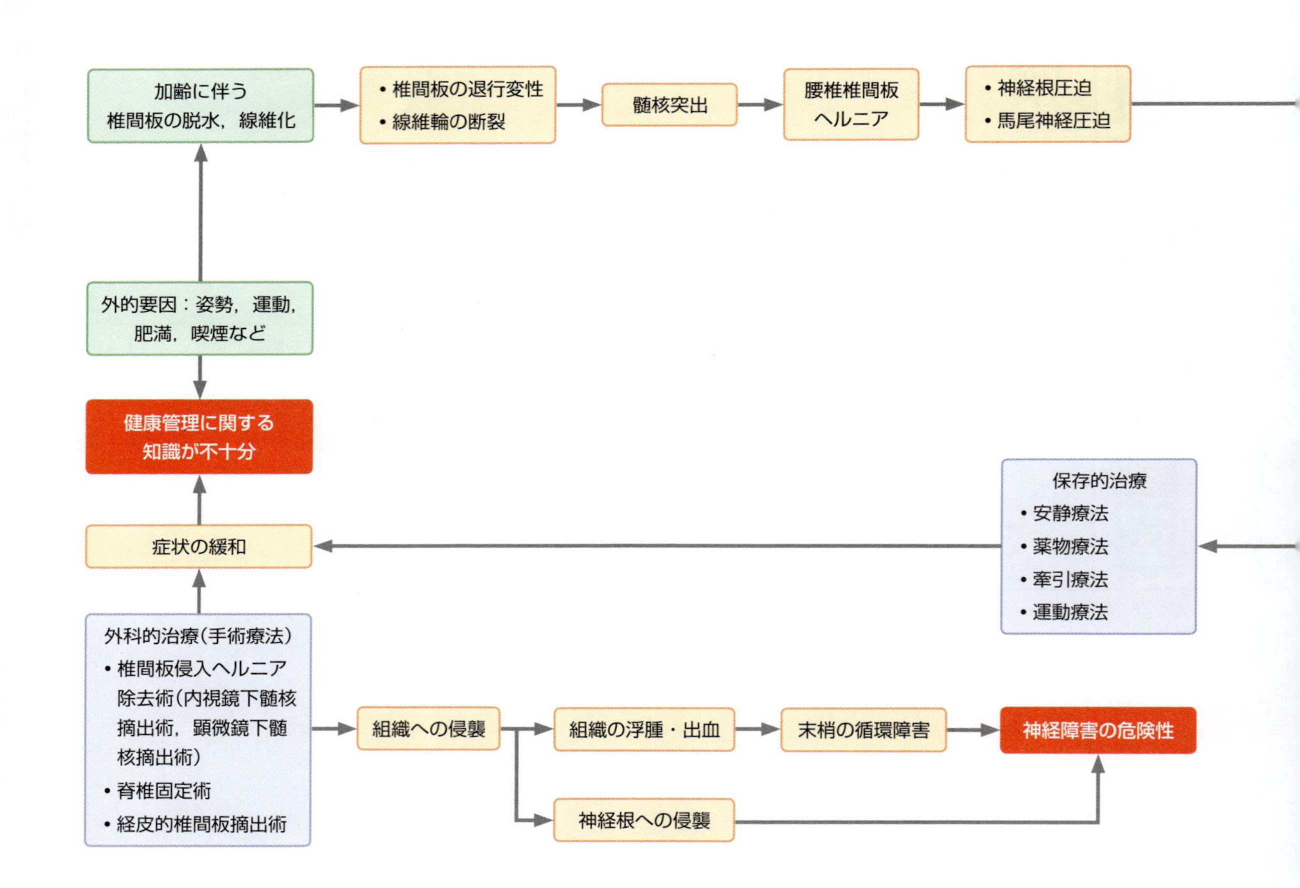

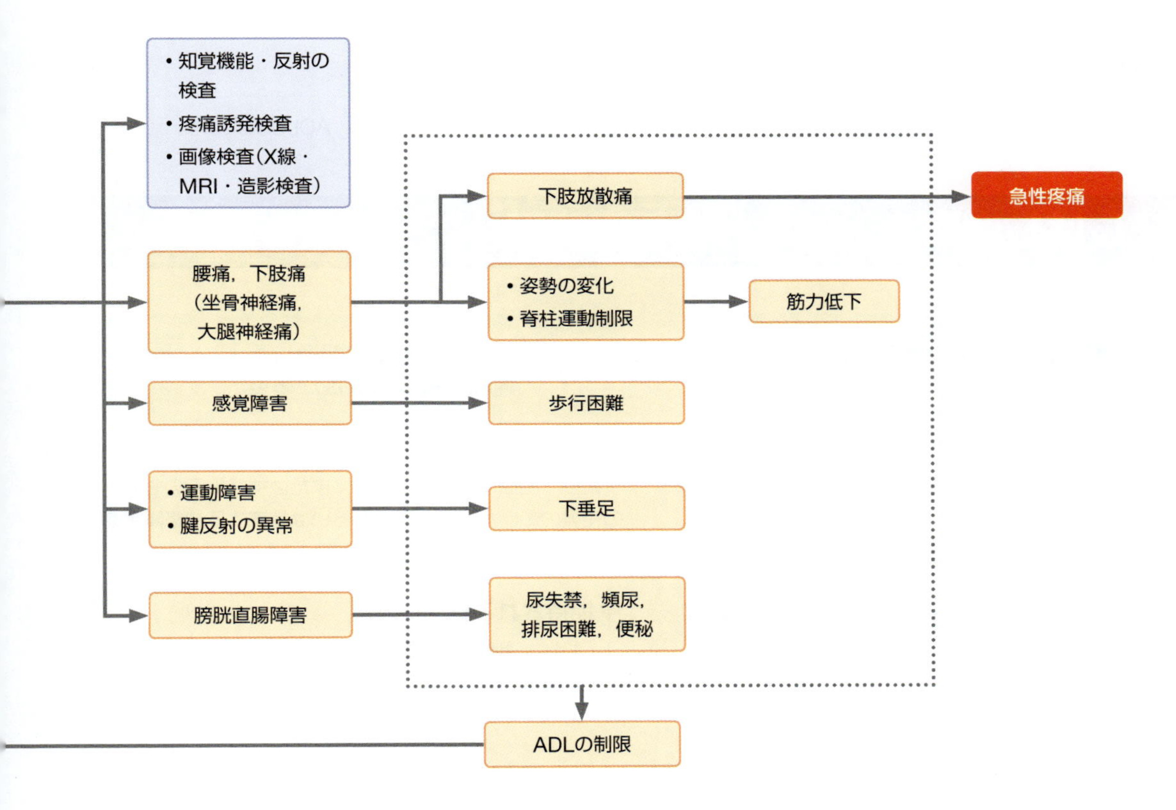

• 知覚機能・反射の検査
• 疼痛誘発検査
• 画像検査（X線・MRI・造影検査）
腰痛，下肢痛（坐骨神経痛，大腿神経痛）
感覚障害
• 運動障害
• 腱反射の異常
膀胱直腸障害
下肢放散痛
• 姿勢の変化
• 脊柱運動制限
歩行困難
下垂足
尿失禁，頻尿，排尿困難，便秘
急性疼痛
筋力低下
ADLの制限

2）看護の方向性

腰椎椎間板ヘルニアは，20〜40歳代の働き盛りに多く発症することから，患者は早期の社会復帰を望むことが多い．しかし，発症の要因には，日常生活や職業生活といったライフスタイル自体に問題を抱えている場合が多いことから，腰部への負担を軽減するための知識を習得できるよう，日常生活に対する指導を行う必要がある．また，疼痛が軽減していくまでの間は，患者にとって苦痛が生じ，姿勢や行動の制限を強いられることにもつながる．安楽な体位の工夫や，鎮痛薬の使用によって症状を緩和し，ADLの向上をはかれるよう援助する．

3）患者・家族の目標

・再発予防のための自己管理ができる．

・症状がコントロールでき，ADLが拡大する．

4. しばしば取り上げられる看護問題

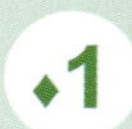

◆1 健康管理（治療計画）に関する知識が十分でない

なぜ？

年齢的に働き盛りの世代で多く発症するため，患者はしばしば早期の社会復帰を望む．しかし，発症の要因には，日常生活や職業生活といったライフスタイル自体に問題を抱えている場合が多い．そのため，腰部への負担を軽減するための知識の習得や，日常生活での実践管理が必要となる．

➡期待される結果

・日常生活上の問題点と改善方法を理解できる．

・再発予防のための具体的な行動をとることができる．

◆2 神経圧迫による急性疼痛

なぜ？

腰椎椎間板ヘルニアによる疼痛は，症状が軽快していくまで，患者には苦痛が生じるとともに，姿勢や行動の制限を強いられることにもつながる．

➡期待される結果

・疼痛，しびれがコントロールでき，ADLが拡大する．

◆3 整形外科手術に関連した神経障害の危険性がある

なぜ？

術後，出血や浮腫によって，または神経根そのものへの侵襲の影響から，一過性あるいは持続する神経障害をきたすことがある．

➡期待される結果

・知覚・運動異常が軽減，消失する．

5. 看護計画の立案

• O-P：Observation Plan（観察計画）　• T-P：Treatment Plan（治療計画）
• E-P：Education Plan（教育・指導計画）

1　健康管理（治療計画）に関する知識が十分でない

	具体策	根拠と注意点
O-P	**(1)疾患・治療に対する知識の程度** ①疾患の原因と治療 ②発症のきっかけと現在の疾患の程度 ③自分の受けた治療とその経過 ④合併症	●自分の疾患について正しく理解し，再発しないよう患者自身で今後の生活がコントロールできるか把握する． ●どのような治療を選択しても，ライフスタイルの改善・維持が必要である．
	(2)腰部への負担を軽減する日常生活についての知識，理解の程度 ①過去に受けた指導内容 ②腰部への負担を軽減する姿勢と動作 ③体重コントロールの必要性 ④排便コントロールの必要性 ⑤下肢の筋力訓練の必要性 ⑥コルセットの意義・必要性・弊害・装着方法	●手術を受けても再発することがある．これは体質的に椎間板が変性しやすいためと，腰椎に負担を強いるような生活を送っていることが原因であると考えられる．そのため，今までの生活を振り返り，どのような知識が不足しているのかアセスメントすることが再発予防につながる． ●コルセットの装着を面倒と思ったり，頼りすぎたりしないように，歩行時などの必要なときに使用できるように正しい知識を習得する．
	(3)家族・同僚の知識，理解の程度	●再発予防のためには，ライフスタイルの改善が必要である．患者が実生活で実践可能で，長期間継続できる方法を選択するためには，家族や同僚の協力が欠かせない．
T-P	**・知識習得への援助** ①患者の理解の程度を確認しながら，患者が最も必要とする情報，興味・関心の高い内容から，段階的に指導する	
	②患者と話し合い，実現可能な方法を選択する ③指導方法（時間，場所，教材など）は，できる限り患者の都合や希望にあわせる ④疑問に思うことをいいだしやすいよう，受容的態度で接する ⑤小さな変化や気になる症状，疑問点などなんでも医師や看護師に相談するよう伝える	●指導内容を患者自身で選択して絞り込むことが，生活改善に関心をもち，実生活での実施や長期的継続へつながる可能性が高くなる．指導の主体は患者であることを忘れてはならない．
E-P	**(1)疾患・治療に関する知識の提供** **(2)腰部に負担をかけない日常生活の指導** ①姿勢 ・正しい姿勢をとる．中腰や前屈姿勢は避ける	
	・仰臥位になるときはかためのマットレスを使用し，膝窩部に枕を入れ，股関節を軽く屈曲する	●マットレスがやわらかいと骨盤が沈み，脊椎後方部の靭帯や筋肉を緊張させ，筋肉疲労をまねきやすい．
	・同じ姿勢を長時間続けない	●車の運転は長時間同じ姿勢をとることになりやすい．適宜休憩をとり，運動をする．
	②生活の工夫 ・洋式の生活にする（洋式トイレ，ベッド，椅子とテーブルなどの使用）	●布団の上げ下ろしは，いわゆるぎっくり腰の発症要因となる．
	・自宅に手すりを設置する	
	・デスクワークの場合は腰部にコルセットを装着する	●コルセットは，医師と相談しながら３か月程度を目安に外すようにする．自己判断で外さないように指導する．長期間の装着は腰背部の筋力低下につながるため．
	・重いものはなるべくもたない．カートを利用する ・高いところのものをとるときは，必ず踏み台を使用する	●背伸びをすると，腰椎の前彎が強くなり，腰痛の原因となる．

	具体策	根拠と注意点
E-P	・ものをもち上げるときは，股・膝関節を屈曲し，ものの近くに身体を寄せてから行う ・ズボン，下着，靴下，靴の着脱は，腰を下ろし，前屈姿勢をとらないように，足を体幹に引き寄せて行う	●腰椎を伸展しないので，腰への負担が小さい．
	③生活習慣の改善 ・体重コントロールについて指導する	●過体重は腰への負担が増加するので，適正体重（BMI18.5 ～ 25）を維持する．
	・禁煙および節煙を指導する	●ニコチンが毛細血管を収縮させるため，椎間板への血流が不良となり，修復を遅らせる．
	・排便コントロールについて指導する ④運動 ・下肢の筋力増強運動を継続するように指導する	

2 神経圧迫による急性疼痛

	具体策	根拠と注意点
O-P	**(1)現在の疼痛の状態** ①腰痛，下肢痛の発現状況と程度	●腰痛の程度や誘因を把握することは，腰痛の緩和をはかるうえで重要である．
	②活動状況（姿勢，ADL） ③歩行状況（跛行の有無と程度）	●疼痛による障害の程度を活動状況や歩行の様子からアセスメントする．
	④知覚異常（しびれ，鈍麻）の有無と程度 ⑤筋力低下（足関節背屈筋・底屈筋の筋力低下）の有無と程度	●下肢の知覚異常，筋力低下は事故につながる危険性があるため，筋力低下の程度を把握する．
	⑥精神状態（不安，ストレス，意欲など） ⑦苦痛様顔貌の有無	●疼痛が精神面にどのような影響を及ぼしているのかアセスメントする．
	(2)疼痛の増強因子 ①関節可動域の低下 ②筋緊張，筋力の低下 ③コルセット装着の有無と装着方法 ④腰の捻転 ⑤病室の環境（ベッドの高さ，マットレスのかたさ） ⑥不適切な姿勢（中腰，前屈姿勢，同一姿勢）	●関節可動域，筋力の低下によって腰椎へ負荷がかかっていないか，また，不適切なコルセット装着方法や姿勢，腰の捻転が神経根を圧迫する原因になっていないかアセスメントする．
	(3)疼痛による二次的障害 ①不眠，抑うつ ②ストレスの増強 ③食事摂取量の低下 ④運動療法に対する意欲低下	●疼痛の持続は，治療や日常生活に対する意欲を奪うことがあるため，早めに対処する．

	具体策	根拠と注意点
T-P	**・疼痛を増強させないための援助** ①安楽な体位の工夫 ・臥床：ギャッチアップしたり，背中にマットを挿入してセミファウラー位とする．膝の下には枕を挿入し，足を屈曲する ・側臥位：ヘルニア脱出側を下にして横を向き，股・膝関節を屈曲して背中を丸めた前屈姿勢をとる ・坐位：足底が床につき，膝が屈曲するよう，必要に応じて足台を置く	●腰椎前彎が減少し，椎間板への負担を軽減させる姿勢をとる． ●椎間板が開いて脱出した髄核が還納され，神経根の圧迫がとれるので安楽である． ●一般に，左記に示した体位は腰椎前彎が減少するといわれている．しかし，この姿勢にこだわらず，患者が楽な姿勢をとって構わない．
	②皮膚刺激による疼痛の緩和 ・温罨法，マッサージなど	●温熱刺激や，マッサージは筋肉の緊張をとる．
	③疼痛の程度によってADLを援助する	●上肢はとくに異常がないので，筋力低下予防のためにも，上肢の機能はできる限り維持・活用する．
	④疼痛が増強する前に鎮痛薬，抗炎症薬などを使用する	●疼痛を我慢すると痛みの連鎖が起こるので，早めに鎮痛薬を与薬する．
	⑤歩行時のコルセットの装着介助	●神経根の圧迫を防ぐため，腰椎部を固定する．
	⑥精神的な援助 ・落ち着いた静かな環境調整 ・話をよく聴く	●心因反応で症状が悪化することもある．そのため，精神面の安静に配慮する．
E-P	**(1)疼痛が起こる原因の説明**	●どのような姿勢が腰部に負担をかけるのか患者の理解を確認したうえで，生理的彎曲を和らげる姿勢をとるように指導する．
	(2)腰部への負担を軽減するための指導 ①ベッドからの起き上がり方法	●腹筋や背筋を刺激しないように側臥位をとり，下になった腕の前腕をベッドに押しつけるようにして上体をゆっくり起こすと痛みが少ない．
	②正しい姿勢（顎を引き，胸を張る，腹部は引く） ③腰部の捻転，背屈など，無理な姿勢の回避	●神経根に負担がかからないような体位，姿勢をとるように指導する．
	④歩行器の使用	●歩行器を使用して軽い前傾姿勢をとるようにして歩行すると椎間板への負荷が軽減する．
	(3)腹筋，腰背部筋を強化するための指導	●運動は腰椎周囲の筋力を強化し，腰椎の負担を減らすために必要である．ただし，疼痛が強いときは禁忌である． ●初めは，腰部に負担をかけずに正しい運動が行えるかどうか，実施状況を確認する．
	(4)疼痛コントロールの指導 ①ホットパックの使用 ②鎮痛薬の服用方法	●筋の緊張を和らげて血液循環を良好にするので，炎症の軽減に効果がある．
	(5)症状の変化が起きたときの報告指導	

引用・参考文献

1）日本整形外科学会，日本脊椎脊髄病学会監：腰椎椎間板ヘルニア診療ガイドライン．改訂第２版，南江堂，2011．
2）松野丈夫ほか編：標準整形外科学．第12版，医学書院，2014．
3）落合慈之監：整形外科疾患ビジュアルブック．第２版，学研メディカル秀潤社，2018．
4）萩野浩編：見てまなぶ整形外科看護スタンダードテキスト脊椎・上肢編．整形外科看護，秋季増刊，2010．
5）萩野浩編：見てまなぶ整形外科看護スタンダードテキスト下肢編．整形外科看護，春季増刊，2010．
6）尾崎敏文編：患者さんといっしょに読める整形外科――病態生理32はじめてマニュアル．整形外科看護，春季増刊，2011．
7）遠藤健司：図解で理解 基礎からレクチャー！ 整形外科疾患と看護．改訂２版，メディカ出版，2010．
9）菊地臣一ほか編：腰痛の運動・生活ガイド．第４版，日本医事新報社，2007．
9）伊藤晴夫ほか編：運動器疾患ベストナーシング．学研メディカル秀潤社，2009．
10）元文芳和：椎間板ヘルニアの理解．クリニカルスタディ，27(2)：125〜130，2006．
11）岡田純也：椎間板ヘルニア患者の看護過程．クリニカルスタディ，27(2)：131〜141，2006．
12）関口恵子監：経過別看護過程の展開．学研メディカル秀潤社，2007．

Memo

第７章　運動器疾患患者の看護過程

45 変形性関節症

1. 疾患の基礎的知識

1）疾患の概念

変形性関節症とは，関節軟骨の変性および骨の増殖性変化（退行変性）を起こす進行性の疾患である．原因疾患のない一次性変形性関節症と，先天性の形成異常，後天性の疾患，外傷などに続発して起こる二次性変形性関節症に分類される．

一般に，中高年で発症し，加齢とともに増加する．膝関節，股関節，肘関節に好発し，関節の可動域制限と疼痛が日常生活に影響を及ぼす．高齢者における要介護の要因の１つになっている．発症率は，女性のほうが男性よりも高い．

2）原因

軟骨の強度に対して，かかる力が過大になると変性する．これには，加齢，肥満，性別，遺伝が関与している．加齢によって関節軟骨が変性する（**図45-1**）．肥満は，関節への過度の負担となり，変性を助長する．女性は，閉経とともに骨粗鬆症が進行し，骨がもろくなることが影響している．

3）病態と臨床症状

病態

関節の構造を**図45-2**に示す．関節は関節包に包まれ，その内側は滑膜に覆われている．関節腔には，透明で粘稠性のある関節液が数mL存在する．これは，滑膜から産生され，関節の動きを滑らかにする役割を果たしている．

軟骨細胞が退行変性を起こし，弾力性を失って線維化したところへ，長期にわたって荷重がかかると，関節軟骨に亀裂や剥離，断裂が生じる．さらに摩擦と浸食を繰り返すと，ついには軟骨層が消失し，軟骨下骨が露出する．それにより，骨の硬化が進んで象牙化が起こる．関節表面は骨形成と骨吸収を繰り返して骨棘が出現し，関節全体が変形する．一方，関節軟骨の摩耗時に発生した削りくずが関節腔内にたまり，滑膜に炎症を起こす．その結果，関節液が多量に産生されて貯留し，関節が腫脹する（関節水腫）．

変形性関節症は，すべての関節で起こる．そのなかでも荷重関節である膝関節や股関節の病変は，臨床で最も多く遭遇し，ADLやQOLに及ぼす影響は大きい．

臨床症状

主な症状は，疼痛と運動制限である．一般的に全身症状はない．

(1)疼痛

初期の頃は，軽い関節痛，関節周囲のこわばり感，重だるさなどを訴える．病状が進行するにつれて，動作時

図45-1　運動器疾患の年齢別患者数

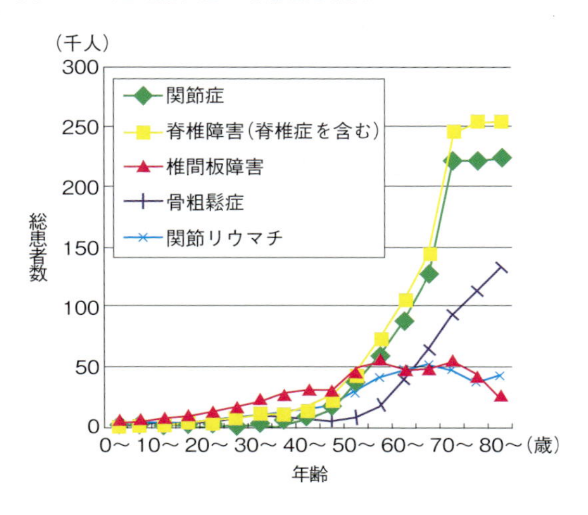

患者は加齢とともに増加し，受診者数も増加傾向を示す
山田治基監：関節の成り立ちから治療まで――変形性関節症まるごとガイド．整形外科看護，17(2)：11，2012．

に疼痛を生じるようになるが，安静にすると消失する．末期になると，安静時や夜間でも痛みを感じるようになり，QOLの低下をまねく．関節水腫は疼痛増強因子となる．

(2)運動制限

徐々に関節の変形や拘縮がみられるようになり，関節可動域が制限される．膝関節や股関節などの下肢関節の場合は，しゃがむことが困難となり，和式トイレの使用や靴下の着脱，足趾の爪切りなどといった面でADLに支障をきたす．

(3)そのほかの症状

関節の変形や拘縮は，外観を変化させ，肢位の異常や姿勢の変化をまねく．ときには跛行などの歩行障害にもつながる．これらは容姿の変化につながり，自尊心の低下をまねくこともある．なお，関節の変形が強い場合，運動時に関節周囲で轢音がすることがある．

4）検査・診断

(1)理学的検査

①関節の視診，触診

・関節は肥大して浮腫状となり，こわばりと変形を伴う．

・関節を動かす筋肉の筋力低下や萎縮をみる．

②関節可動域：屈曲変形によって可動域は制限される．

・股関節：内旋・外転制限，次いで伸展・屈曲制限が起こる．末期になると，屈曲，内転，外旋位をとる．股関節の正常と異常の対比を**図45-3**に示す．

・膝関節：伸展，屈曲制限が起こる．外側変位-内反変形（O脚）となることが多い．

③関節機能

・歩行能力，椅子からの立ち上がり，階段昇降などの制限．

図45-2　関節の構造

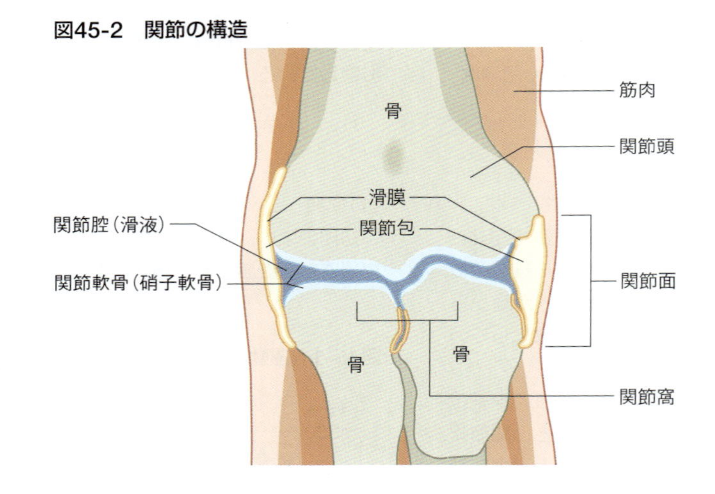

図45-3　股関節の正常と異常の対比

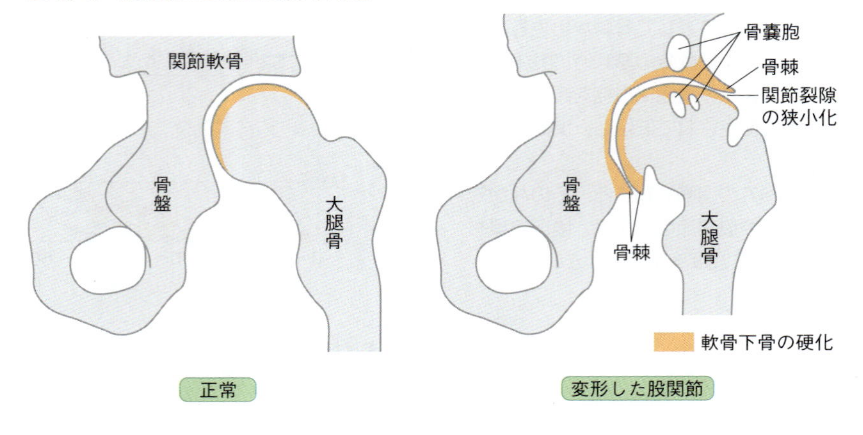

(2)画像検査

①X線検査

診断を確定するための必須の検査である．下肢の場合，荷重をかけた肢位で撮影すると，軟骨の摩耗・破壊状態がよくわかる．X線所見として，関節面の摩耗，関節裂隙の狭小化，軟骨下骨の硬化像，骨嚢胞，骨棘の形成などが認められる(**図45-3**)．**表45-1**に変形性膝関節症と変形性股関節症のX線像による病期分類を示す．

②CT・MRI検査

触診やX線検査で診断はつくが，関節を立体的に捉え，状態をより詳細に把握するために，CT・MRI検査を行う．関節水腫，滑膜変化などの関節内病変については，ある程度観察することができる．関節軟骨の厚さについても評価できるようになってきている．

5）治療

保存的治療

(1)運動療法

目的は，筋力強化と関節機能の維持および筋活動の増進である．疼痛のために動かずじっとしていると，運動器の廃用性変化をまねく．とくに変形性関節症は高齢者に多く，活動量の低下はADLの縮小に直結する．心理的にも大きな影響を及ぼす．しかし，痛みを我慢して運動を継続することは，疾患の進行につながる．したがって，疼痛をコントロールしながら，無理せず継続的に運動療法を行う．

①有酸素運動

十分に時間をかけて呼吸・循環機能を刺激して，関節内組織や軟骨細胞の新陳代謝を活発にする．すなわち，関節液が貯留しにくくなったり，線維軟骨が再生されやすくなることを狙いとする．また，脂肪や糖質を，酸素によってエネルギーに変えるので，体重コントロールにも効果的である．

②筋力強化運動

関節周囲の筋力低下は，関節の不安定性を高め，症状をさらに悪化させる．筋肉の機能を回復させ，筋力を保持する目的で行う．

③関節可動域訓練

痛みのために関節を動かさないでいると，靱帯や関節包の収縮が起こり，関節可動域制限を生じる．これは不可逆的なものであるため，予防が大切である．具体的な運動としては，エルゴメータ(自転車こぎ)，水中運動，ウォーキングなどがある．エルゴメータは，有酸素運動でありながら筋力強化も期待できる．水中運動は，水の抵抗により，下肢のみならず全身の筋力強化がはかれる．浮力により，関節への負担は少ない．注意点として，高齢者は臓器や身体全体の機能低下をきたしていることがあり，呼吸器や循環器，内分泌・代謝の疾患に罹患している人が多い．したがって，こうした運動療法を始める前に必ずメディカルチェックを行い，適切な運動内容や量を決める．

(2)薬物療法

①非ステロイド性抗炎症薬(NSAIDs)

炎症を抑え，疼痛をコントロールする目的で広く使われている．ただし，胃腸障害(胃・十二指腸潰瘍)，循環障害，肝機能障害などの副作用が生じることがある．また，長期の使用は，軟骨細胞に悪影響を及ぼす可能性も示唆されている．疼痛が落ち着いたら使用を中止するなどして，できるだけ使用期間を短くする．主な服用形態は３つある．

・内服薬：最も多く使われているが，高齢者は，薬剤

表45-1　変形性膝関節症と変形性股関節症のX線所見による病期分類

●変形性膝関節症のX線所見による病期分類(ケルグレン・ローレンス分類)

Grade０	正常
GradeⅠ	骨硬化あるいは骨棘を認めるが，関節裂隙の狭小化はない
GradeⅡ	関節裂隙の狭小化はあるが，1/2以上残存しているもの
GradeⅢ	関節裂隙が1/2以下のもの
GradeⅣ	関節裂隙が消失したもの

●変形性股関節症のX線所見による病期分類

前股関節症	臼蓋形成不全(股関節の屋根の部分の発育障害)があるが，骨硬化や関節の隙間の狭小化がない
初期	臼蓋(股関節の骨盤側)の体重がかかる部分の骨硬化や，関節の隙間のわずかな狭小化がみられる
進行期	関節の隙間が明らかに減り，骨頭や臼蓋の骨棘，骨嚢胞(骨に穴があいた状態)を認める
末期	関節の隙間がなくなり，著明な骨破壊や骨棘を認める

の代謝機能が低下しているので，成人よりも少ない量から開始して副作用がないことを確認してから増量する．消化管障害のリスクが高い患者では，胃腸障害が少ない選択的シクロオキシゲナーゼ（COX-2）阻害薬の使用が推奨される．

・坐薬：直腸粘膜から吸収されるので，血中濃度の上昇が急激であり，即効性がある．内服薬と同程度の胃腸障害が発症するといわれている．

・外用薬：経皮的に局所へ薬剤を浸透させて，疼痛を和らげる．貼付薬，軟膏，クリーム，ローションなどがある．使用感の好みなどによって選択する．ほかの与薬方法に比べて胃腸障害が起こりにくいが，内服薬と変わらない効果が得られる．なお，貼付薬として用いられるケトプロフェンが接触した皮膚は，紫外線にさらされると皮膚炎（光線過敏症）を起こすことがあるので注意が必要である．

②副腎皮質ステロイド

関節液貯留や局所炎症が強く，NSAIDsが使用できない場合には，副腎皮質ステロイドの関節内注射が有効である．ただし，これは対症療法であり，副腎皮質ステロイドは副作用が少なくないので，漫然とした使用は控える．また，注入部位の消毒を十分にしないと，化膿性関節炎を起こすこともある．注射当日は，入浴や過激な運動は避ける．

③ヒアルロン酸

関節液の主成分はヒアルロン酸である．変形性関節症ではヒアルロン酸の濃度が下がり，分子量が低下するので，関節内注射で補充すると，関節の動きが改善され，痛みも落ち着いてくる．

外科的治療（手術療法）

治療の基本は保存的治療であるが，関節の疼痛，障害の程度がひどく，保存的治療によって症状が緩和されない場合，手術が適応となる．関節の変性の程度，部位，年齢，生活背景などによって手術療法を検討する．注意点は，疼痛は主観的なものであり，手術をしても完全に痛みがなくなるとは限らないことである．手術の時期や方法は患者とよく相談し，患者自身が決定できるようにする．

(1)骨切り術

関節がそれほど損傷しておらず，関節軟骨が完全にすり減っていない場合に行われる．骨を切り，移動することによって，関節面の傾きを変えたり，荷重面を変化させることで，局所に集中したストレスをより均等に分散することを目的に行う．関節軟骨の修復が期待できる手術であるが，術式が高度で，入院が長くなる．

(2)人工関節置換術

関節軟骨の破壊が高度な末期の患者に行われる．関節の可動性を温存でき，除痛効果も得られる優れた術式である．反面，人工材料を生体に埋め込むため，感染や時間経過後のゆるみや摩耗などの問題がある．患者の年齢や骨の形状，質によって，骨セメントを用いる場合と，セメントを使用せずに実施する場合がある．脱臼の問題は改善されつつあるが，若いときに施行すると再置換術が必要となることが多い．65歳以下の場合は，病状や生活背景，患者の意思などを十分に分析し，適応を慎重に検討する．

手術が頻繁に行われ，効果が高い関節は，膝関節と股関節である．足関節は，膝関節や股関節に比較すると手術成績は劣る．上肢の関節でも行われるが，その頻度は低い．

6）予後

病状が進行しても，変形性関節症で生命が失われることはない．しかし，徐々にADLが低下して家に引きこもりがちになり，身体面のみならず精神活動も低下し，最後には廃用症候群をまねく．

人工関節の耐久年数は長くなり，人工関節置換術が多い膝関節や股関節では，術後10年で90～95%の患者が問題なく機能している．術後15年以上経過するとゆるみが生じ，再置換が必要となる場合もある．それに比較して足関節の耐久性は短い．

2. 看護過程の展開

● アセスメント～ゴードンの機能的健康パターンを用いて

パターン	アセスメントの視点	根拠	収集する情報
(1) 健康知覚-健康管理 患者背景 健康知覚-健康管理 価値-信念	●疾患や運動療法の必要性の理解はどの程度か ●自己管理は適切に行われているか	●治療の原則は，適正体重を維持し，薬剤で疼痛をコントロールしながら運動療法を進めていくことである．運動の必要性を理解しているかは今後の治療過程，術後の経過にも影響する．人工関節置換術後は疼痛が改善するため，行動範囲が広がる．しかし，人工関節に置換しても摩耗は避けられず，関節への負担軽減は必須である．以上のことから，体重コントロールをはじめ，関節に負担をかけない日常生活や運動療法に対する理解，自分でコントロールしていこうという意思や意欲が必要となる．	●現病歴 ・治療の経過 ・外傷の有無 ●年齢 ●ライフスタイル ・寝具，トイレ，階段など ●患者の認識と自己管理状態 ・疾患・治療に対する理解 ・今までの治療経過と満足度 ・運動プログラムへの参加，実施状況 ・体重の変化あるいは維持状況
(2) 栄養-代謝 全身状態 栄養-代謝 排泄	●栄養状態に問題はないか，体重コントロールは適切か ●感染徴候はないか	●下肢の変形性関節症では，荷重関節に大きな負荷がかかるので，極力肥満を予防することが必要になる．「疼痛のために活動が低下してエネルギー消費量は減少するが，食事をとるので体重は増加する，さらに関節への負担が大きくなって疼痛が増強する」という悪循環に陥りやすい．一般に，加齢とともに体脂肪量は増加し，筋肉量は低下する． ●手術療法を行う場合，術前からの低栄養・貧血・高血糖などは，術後創感染・治癒遅延につながりやすい． ●骨切り操作を伴う手術は，出血が多い．また，人工関節は血流がないために白血球の防衛機能が働かず，感染の危険性がある．	●栄養状態 ・食欲，食事回数，食事摂取量 ・食事内容，間食の有無 ・体重の変化，BMI ・検査データ（Alb，Hb，BSなど）
(3) 排泄 全身状態 栄養-代謝 排泄	●手術療法を受けるにあたり，排泄状態に問題はないか	●変形性関節症は高齢者に多く，手術療法を受ける年齢も比較的高い．術前からの排泄障害は，術後に影響を及ぼす．	●排泄状態 ・排便回数，性状，排便異常 ・腹部症状 ・排便対策，排便支障因子 ・排尿回数，性状，排尿異常 ・排尿を阻害する因子 ●腎機能
(4) 活動-運動 活動・休息 活動-運動 睡眠-休息	●疼痛や運動制限によって，日常生活に支障をきたしていないか ●深部静脈血栓症の徴候はないか	●病期が進行するにつれて，疼痛や関節の変形・可動域制限が進む．下肢関節の場合は，徐々に長距離歩行や蹲踞（しゃがむこと）が困難となり，ADLが著しく低下する．動かないとさらに筋力が低下し，ますますADLが縮小し，ついには寝たきりとなる．高齢者ほどこの現象が顕著である． ●下肢の手術の場合，静脈のうっ滞と血管内皮の損傷，術後の血液凝固機能亢進や運動制限によって生じた深部静脈血栓が，離床時などに遊離して肺の動脈を閉塞する危険もある（肺血栓塞栓症）．	●関節変性の程度 ・筋力の低下・拘縮の有無と程度 ・関節の他覚的所見：腫脹，変形，肢位，脚長差 ●日常生活での活動状況 ・歩行距離と時間 ・跛行の有無と程度 ・歩行補助具の使用状況 ・入浴や排泄動作の状況 ●深部静脈血栓症の徴候 ・下肢の状態 ・自覚症状 ・検査データ

パターン	アセスメントの視点	根拠	収集する情報
(5) 睡眠-休息 活動・休息 活動-運動 睡眠-休息	●疼痛により，睡眠状況に支障をきたしていないか	●関節の痛みの持続は，睡眠状況に影響をを及ぼすことがある.	・睡眠時間と質 ・睡眠薬使用の有無
(6) 認知-知覚 知覚・認知 認知-知覚 自己知覚-自己概念 コーピング-ストレス耐性	●関節の障害やそれに伴う苦痛の程度はどうか ●認知機能に問題はないか	●疼痛は，初期は動き始めに生じるが，病期が進行すると，動作時に増強する．安静にすると消失するが，徐々に活動が難しくなり，QOLが低下する. ●高齢者では，認知機能の低下を生じている場合，術後せん妄を生じやすい.	●自覚症状の程度 ・疼痛の程度 ・鎮痛薬使用の有無と効果 ●術後の症状の変化 ・自覚症状 ●認知の状態
(7) 自己知覚-自己概念 知覚・認知 認知-知覚 自己知覚-自己概念 コーピング-ストレス耐性	●自己尊重の低下はみられないか	●疼痛が強いと，何事に対しても意欲が低下し，家のなかに引きこもり，精神活動も低下し，高齢者では病期の進行とともにうつ状態になったり，認知症が進むこともある. ●変形や跛行は外見ではっきりわかるため，人との接触を避けて孤立することもある．また，荷重関節の障害であるため，最終的にはADLすべてに影響が及ぶことから，自己尊重が低下することもある.	●自身の外観に対する思い，捉え方 ●不安，うつ傾向の有無 ●自尊感情
(8) 役割-関係 周囲の認識・支援体制 役割-関係 セクシュアリティ-生殖	●患者・家族の支援体制はどうか	●どの治療方法を選択したとしても，関節の摩耗を防ぐ目的から，できるだけ負担をかけない生活と，運動療法が継続できる環境づくりを目指す．生活様式は洋式が望ましいが，必ずしもすべて変更できるとは限らない．仕事や役割の遂行，運動療法の継続には，家族や同僚の協力は欠かせない. ●高齢者は一人暮らしや夫婦２人の世帯，家族と同居していても昼間は独居となる人も多い．日常生活に支障をきたさないよう，社会資源の利用が必要になることもある.	●家族構成 ・家庭での役割 ・キーパーソンの有無 ●家族の認識 ・疾患・治療に対する知識 ・社会資源の活用状況 ●社会的役割

パターン	アセスメントの視点	根拠	収集する情報
(9) セクシュアリティ-生殖 周囲の認識・支援体制 役割-関係 セクシュアリティ-生殖	●セクシュアリティ・生殖の問題を知覚しているか	●疾患によって性行動ができなくなったり，困難を感じたりする.	●生殖歴，生殖段階 ・子どもの有無 ・本人とパートナーの希望 ・生殖機能の温存の希望
(10) コーピング-ストレス耐性 知覚・認知 認知-知覚 自己知覚-自己概念 コーピング-ストレス耐性	●ストレスとなる出来事に対処できているか ●ストレスへの対処を支援するサポート体制はあるか ●ストレスへの耐性は高いか	●症状，活動の制限や治療を受けることがストレッサーとなるリスクがある. ●普段使っている対処方法の内容によっては，安静に伴って適正にコーピングがはかれない場合がある.	・これまでストレスとなる出来事にどう対応してきたか ・精神的，物的サポートとなる存在はいるか ・家族は誰がキーパーソンか，家族は支えあっているか
(11) 価値-信念 患者背景 健康知覚-健康管理 価値-信念	●治療方法の選択で迷っていることはないか	●若くして関節置換術を行うと，再置換の必要が生じることもあるため，患者が納得して治療を選択できることが望ましい. ●高齢者は，術後合併症のリスクがあるため，体力や既往疾患のコントロール状況，精神・心理状態，手術に何を期待しているのか，経済面などを踏まえての選択になることが望ましい.	●健康に関する価値や信念，大事にしていること

3. 全体像の把握から看護問題を抽出

1）病態関連図

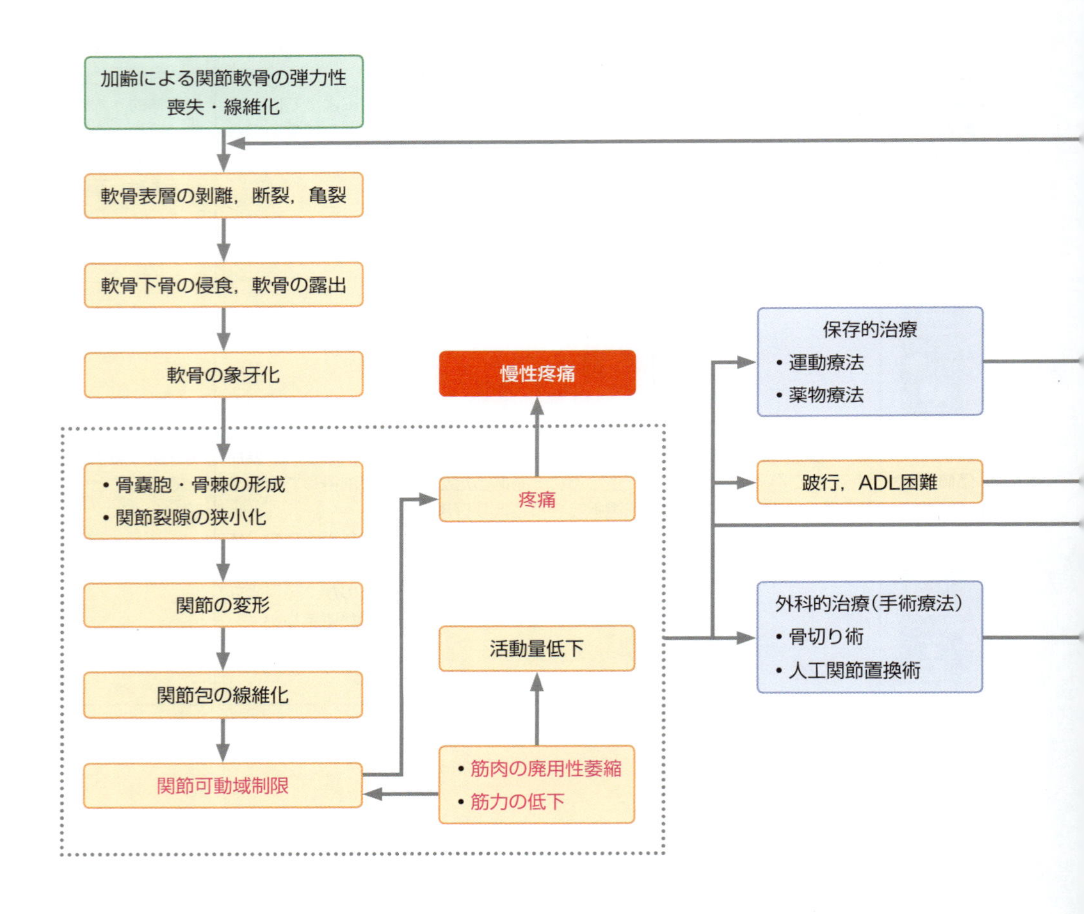

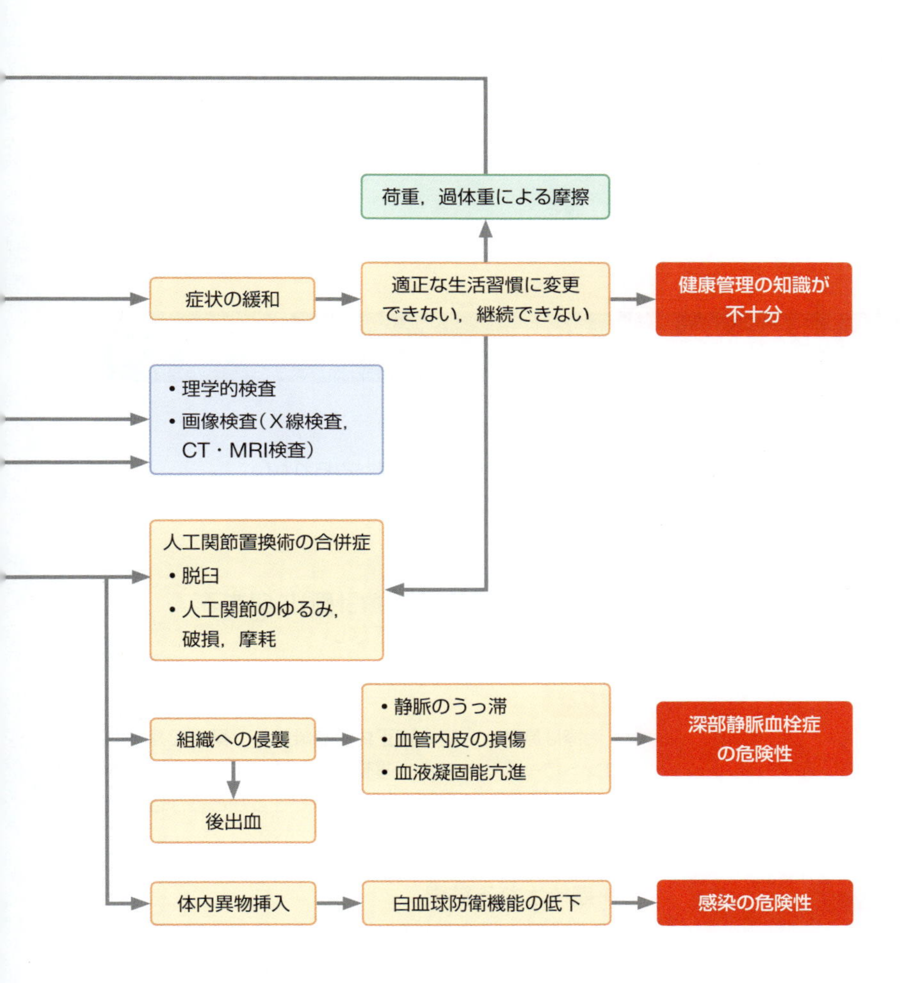
荷重，過体重による摩擦
症状の緩和
適正な生活習慣に変更できない，継続できない
健康管理の知識が不十分
・理学的検査
・画像検査（X線検査，CT・MRI検査）
人工関節置換術の合併症
・脱臼
・人工関節のゆるみ，破損，摩耗
組織への侵襲
・静脈のうっ滞
・血管内皮の損傷
・血液凝固能亢進
深部静脈血栓症の危険性
後出血
体内異物挿入
白血球防衛機能の低下
感染の危険性

2）看護の方向性

変形性関節症における疼痛は，初期は動き始めに生じるが，病期が進行すると，動作時に増強することになる．この際，安静にすると消失するものの，徐々に活動が難しくなり，QOLが低下する恐れがある．そのため，疼痛の有無と程度を経時的に把握し，緩和に努める必要がある．

変形性関節症の治療の原則は，適正体重を維持し，薬剤で疼痛をコントロールしながら，運動療法を進めていくことといえる．運動の必要性を理解し，実践できるかどうかは，治療過程や術後の経過に影響するため，疾患・治療に関する患者の認識や生活状況を十分にアセスメントし，指導を行う．

手術を実施する場合，とくに下肢の手術では，静脈のうっ滞と血管内皮の損傷，術後の血液凝固機能亢進や運動制限によって，深部静脈血栓を生じる可能性がある．離床時などに遊離して，肺の動脈を閉塞する危険もあるので，予防に努めるとともに注意深く観察して，異常の早期発見を行う必要がある．

骨切り操作を伴う手術は，出血が多量となる．また，人工関節は血流がないことから，白血球の防衛機能が働かず，感染の危険性がある．これらの術後合併症の早期発見に努める．なお，人工関節置換術後は疼痛が改善するため，患者の行動範囲が広がることになる．しかし，人工関節に置換しても摩耗は避けられず，関節への負担軽減は必須であるため，生活上の管理が継続できるよう支援する．

3）患者・家族の目標

・術後合併症を生じずにADLが向上する．
・日常生活を送るうえでの注意事項を理解し，実践できる．

4. しばしば取り上げられる看護問題

◆1 慢性的な筋骨格系疾患による慢性疼痛

なぜ？

疼痛は，初期は動き始めに生じるが，病期が進行すると，動作時に増強することになる．この際，安静にすると消失するものの，徐々に活動が難しくなり，QOLが低下する恐れがある．

➡期待される結果

・疼痛をコントロールしながら，無理をせず，自分でできる日常生活活動を積極的に行うことができる．

◆2 深部静脈血栓症を生じる危険性がある

なぜ？

下肢の手術では，静脈のうっ滞と血管内皮の損傷，術後の血液凝固機能亢進や運動制限によって，深部静脈血栓を生じる可能性がある．離床時などに遊離して，肺の動脈を閉塞する危険もある．

➡期待される結果

・深部静脈血栓症の徴候がみられない．
・深部静脈血栓症の予防行動がとれる．

◆3 健康管理（治療計画）に関する知識が十分でない

なぜ？

治療は原則として，適正体重を維持し，薬剤で疼痛をコントロールしながら，運動療法を進めていくことである．運動の必要性を理解し，実践できるかどうかは，治療過程や術後の経過に影響する．

➡期待される結果

・体重コントロールの重要性と運動療法継続の必要性が理解できる．
・体重コントロールと運動療法が継続できる．

侵襲的処置に関連した感染の危険性

なぜ？

骨切り操作を伴う手術は，出血が多量となる．また，人工関節は血流がないことから，白血球の防衛機能が働かず，感染の危険性がある．

➡期待される結果

・感染の徴候がみられない．

5. 看護計画の立案

• O-P：Observation Plan（観察計画）　• T-P：Treatment Plan（治療計画）
• E-P：Education Plan（教育・指導計画）

◆1 慢性的な筋骨格系疾患による慢性疼痛

	具体策	根拠と注意点
O-P	**(1)疼痛の状態** ①疼痛の程度，発症のタイミング ・鎮痛薬の使用の有無と効果	●疼痛およびADLの障害についてよく観察・聴取し，程度を把握する．
	(2)関節の状態 ・関節変性の程度 ・筋力，可動域制限の有無と程度 ・関節の他覚的所見 ・腫脹，変形，肢位，脚長差	●的確な情報収集によって，入院生活上の具体的な援助が計画でき，安楽と基本的なニーズの充足，事故防止につながる．
	(3)疼痛を増強させる因子 ①体重の増加 ②筋力の低下 ③関節変性の進行	●強い疼痛は，治療や日常生活に対する意欲を奪うことがあるため，早めに対処する．
	④疾患，治療に対する知識不足	●疼痛を増強させる因子，すなわち関節に負担をかける因子について，患者がどの程度の知識をもっているかは，今後の経過を大きく左右する．
	(4)疼痛による二次的障害 ①不眠，抑うつ ②ストレスの増強 ③食事摂取量の低下 ④運動療法に対する意欲の低下	●疼痛の持続は，気持ちを暗くさせ，精神活動の低下をまねく．治療や日常生活に対する意欲を奪うことがあるため，徴候がみられた場合は早めに対処する．
T-P	**(1)疼痛の緩和** ①疼痛が強いときは床上安静とする ②車椅子，杖，装具などの歩行補助具を使用する	
	③内服薬が確実に服用できるように援助する ・内服薬の取り出し ・内服用の水の準備	●疼痛のため，自分で内服するための水を準備できない場合がある．また，上肢の変形性関節症患者や，高齢者で手指に機能障害がある場合は，内服薬を袋やシートから取り出せないこともある．
	④温熱療法（温浴，ホットパックなど）を行う	●血液循環を促して組織の新陳代謝を活発にし，筋肉の緊張を和らげ，神経の鎮痛・鎮静をはかることができる．
	(2)関節への荷重軽減の援助 ①体重をコントロールする ・定期的な体重測定 ・必要に応じて摂取エネルギーを制限する	●肥満は退行性変化をきたしている荷重関節に対し，さらなる負担をかける．
	②疼痛や関節の変形の程度によってADLを援助する	●痛みがなく使用できる機能は，動かすようにする．下肢の変形性関節症の場合は，上肢の機能に問題はないので，できる限り維持・活用するように働きかける．

	具体策	根拠と注意点
T-P	**(3)運動療法への援助** ・運動が継続できるように，その効果や変化を患者に伝え，励ます **(4)自尊感情を高めるための援助** ①肯定的で前向きな関わりをする ②患者が自分の考えを表出できるように関わる	●可動域訓練は，痛みをあまり感じない範囲で，穏やかな運動を温熱療法と組み合わせて行うと効果的である． ●看護師は，患者のできることに目を向け，疼痛をコントロールしながら積極的に活動するようにすすめる． ●この疾患は完治するとは言い難いため，疼痛と上手につきあいながら日常生活を送ることになる．そのため，発症したことを否定的に捉え，精神的に落ち込んでしまう人もいる． ●患者が率直な思いを吐き出し，次の行動につなげることができるように関わる．
E-P	**(1)疼痛緩和方法について説明** ①疼痛が強いときの安静の必要性 ②歩行補助具の必要性と使用方法 ③内服薬の必要性と使用方法，副作用 ④温熱療法の効果と方法 **(2)関節への荷重軽減の方法についての説明** ・体重コントロールの必要性と方法，注意点 **(3)運動療法の必要性，注意点についての説明** ・筋力増強運動，関節可動域訓練を指導する	●疼痛を我慢しての無理な運動は，反射的な筋収縮を引き起こすため，効果がない． ●鎮痛薬を怖がる患者もいるが，効果をよく説明し，医師の指示に従って内服できるように援助する． ●疼痛を我慢すると痛みの連鎖が起こるので，ますます動きたくなくなる．適切に薬剤を使用して疼痛がコントロールできれば，活動範囲が広がって筋力低下を予防できる． ●高齢者は副作用が生じるリスクが高いので，どのような症状が出たら内服を中止して連絡をしたらよいのかをよく説明する． ●疼痛のために運動や生活範囲が制限され，食事に楽しみを求める傾向があり，間食をしている場合も少なくない． ●患者とともに生活全体を振り返り，実行可能な方法を考える． ●食事量を減らすだけでなく，食事内容にも注意するように指導する．筋力をつけるためのタンパク質と，減量中に不足しがちなカルシウムはしっかりとる． ●運動は，関節周囲の筋力を増強させるため，関節の安定性を高める．また，関節の荷重や支持性への負担を軽減する．

◆2 深部静脈血栓症を生じる危険性がある

	具体策	根拠と注意点
O-P	**(1)深部静脈血栓症の徴候** ①下肢の状態 ・腫脹，浮腫の有無と程度 ・皮膚温，色の左右差 ・足背動脈触知の有無 ・足関節・足趾の動き ・表在静脈の拡張 ②自覚症状 ・疼痛，圧痛，しびれの有無 ・下肢の倦怠感 ・ホーマンズ徴候の有無 ③検査データ ・D-ダイマー，フィブリノーゲン，血小板数，LDHの上昇	●下肢の状態を十分観察し，静脈血栓症の徴候を早期に発見する． ●下肢の手術では，静脈のうっ滞や血管内皮の損傷が生じるため，静脈血栓症を起こすリスクが高い． ●仰臥位で足関節を他動的に背屈したときに，腓腹筋に生じる疼痛をホーマンズ徴候という．ホーマンズ徴候がみられる場合は，血栓を形成しているリスクが高い． ●一般に，術後は血液の凝固能が亢進するため，血栓ができやすい．

	具体策	根拠と注意点
O-P	**(2)深部静脈血栓症の誘因** ①血流の阻害の有無 ②水分摂取量 ③血液凝固能の亢進 ④足関節・足趾の運動状況	●脱水があると血液の粘稠度が高まり，血栓を形成しやすくなる．水分摂取は大切である．
T-P	**・下肢静脈血栓症を予防するための援助** ①静脈還流の促進 ・術前から弾性ストッキングを着用する ・弾性ストッキングは定期的に外す ・術中・術後は間欠的下肢圧迫装置を装着する ・下肢の挙上 ・術直後から足関節・足趾の運動を促す ・輸液管理 ②早期離床	●表在静脈を圧迫して血流を遮断することで，深部静脈の血流量を増やしてうっ血を防ぎ，血栓形成を予防する． ●１回６～８時間を目安に着用したあとは，30分～１時間程度を目安に外す． ●下肢の圧迫によって心臓へ戻る静脈血が増加するので，循環器系に負担がかかる．とくに，うっ血性心不全の既往がある場合は注意する．また，接触皮膚炎にも注意して使用する． ●深部静脈の血流を持続的・強制的に促すことでうっ血を防ぎ，血栓形成を予防する． ●創痛に配慮しながら，術直後から実施する． ●足関節の自動運動は，深部静脈の血流を安静時の３～５倍増加させるといわれている． ●手術前後は，禁飲食，術後の吸収熱による不感蒸泄の増加，出血などで，脱水に陥りやすい．輸液によって血液の濃縮を防ぎ，血栓形成の予防をはかる． ●創痛をコントロールして早期の離床を目指す． ●動くことで下肢の筋肉ポンプが働き，静脈血のうっ帯が改善するので，血栓が予防できる．また，高齢者は臥床時間が長引くほどADLが低下し，要介護状態となる．
E-P	**(1)静脈還流を促進する必要性の説明** ①弾性ストッキング着用の必要性と方法 ②間欠的下肢圧迫装置の必要性 ③深呼吸の必要性 **(2)下肢の運動の必要性と方法の説明** ①足関節の底背屈運動 ②足趾の屈曲・伸展運動 ③腓腹筋の緊張・弛緩(運動，マッサージ) **(3)水分摂取の必要性と方法の説明** **(4)自覚症状があればすぐ報告するように説明**	●弾性ストッキングは締めつけられる感じが強く，嫌がる患者もいるが，着用の必要性(T-P(1)①の根拠)を説明する．ただし，身体にあったサイズを選び，正しく装着しないと効果が得られない． ●弾性ストッキング，間欠的下肢圧迫装置ともに，夏は蒸れやすいが，必要性を説明して患者の協力を得る． ●深呼吸は胸腔内を陰圧にし，大静脈からの血液循環を促進する． ●必要性の説明だけでなく，実際に行っているか，効果的に行われているかを確認する． ●高齢者は，必要性を理解しても，排尿回数が増えることを心配して，水分摂取を控える傾向にある．また，術後は創痛があり，患者自身で水分を用意するのは難しい． ●ベッドサイドに水を入れた吸い飲みなどを準備し，いつでも飲めるようにしておく． ●患者自身で予防行動がとれ，異常の早期発見ができるように指導する． ●安静中だけでなく，離床後もしばらくは自覚症状に注意するように指導する．

引用・参考文献

1) 山田治基監：関節症の成り立ちから治療まで――変形性関節症まるごとガイド．整形外科看護，17(2)，2012.
2) 松野丈夫ほか編：標準整形外科学．第12版，医学書院，2014.
3) 落合慈之監：整形外科疾患ビジュアルブック．第２版，学研メディカル秀潤社，2018.
4) 落合慈之監：リハビリテーションビジュアルブック．第２版，学研メディカル秀潤社，2016.
5) 萩野浩編：見てまなぶ整形外科看護スタンダードテキスト下肢編．整形外科看護，春季増刊，2010.
6) 尾崎敏文編：患者さんといっしょに読める整形外科――病態生理32はじめてマニュアル．整形外科看護，春季増刊，2011.
7) 遠藤健司：図解で理解 基礎からレクチャー！ 整形外科疾患と看護．改訂２版，メディカ出版，2010.
8) 守屋秀繁監：ひざの痛み――あなたに合った治療がわかる．NHK出版，2007.
9) 松田達男ほか編：変形性膝関節症の運動・生活ガイド――運動療法と日常生活動作の手引き．第４版，日本医事新報社，2011.
10) 伊藤晴夫ほか編：運動器疾患ベストナーシング．学研メディカル秀潤社，2009.
11) 金川克子監：老年症例群別看護ケア関連図&ケアプロトコル．中央法規出版，2008.
12) 関口恵子監：経過別看護過程の展開．学研メディカル秀潤社，2007.
13) 勝呂徹ほか編著：ナースの整形外科学．中外医学社，2005.
14) 飯田寛和監：術前術後の流れが一目でわかる整形外科疾患別看護マニュアル――主要疾患22フローチャート付き．メディカ出版，2007.
15) 整形外科看護編集部編：あなたのハテナにズバッと答える！――整形外科の看護Q&A．整形外科看護，秋季増刊，2006.
16) 江里健輔ほか編：疑問に答える深部静脈血栓症予防ハンドブック．医歯薬出版，2004.
17) 飯田寛和監：写真と図でわかる整形外科手術と術後ケア――手術を知れば看護も変わる‼．整形外科看護，秋季増刊，2005.

46 第７章　運動器疾患患者の看護過程
先天性股関節脱臼(発育性股関節形成不全)

1. 疾患の基礎的知識

1）疾患の概念

先天性股関節脱臼（発育性股関節形成不全）は，股関節（**図46-1**）を支える筋肉や靭帯に緩みがあるなどから，出生前あるいはその後に，寛骨臼に対する大腿骨頭の位置にずれが生じた状態である．

股関節が完全に脱臼した状態で生まれてくることは少なく，出生後の生活様式（抱き方やオムツの当て方）によって亜脱臼や完全脱臼になることもあり，先天性という名称は適さないということから，現在では，寛骨臼形成不全（臼蓋形成不全）も含めて発育性股関節形成不全（DDH：developmental dysplasia of the hip）とよばれる．日本では乳児股関節検診や脱臼予防活動が普及しており，「先天性股関節脱臼」の用語が広く知られている．

少子化や予防活動の普及から罹患数は激減しているが，１歳以上の診断遅延例が15%おり，その多くが乳児股関節検診を受けていたことや，なかには３歳以上で診断された例も含まれていたことから，早期発見，早期治療の再構築が課題となっている[1]．

2）原因

原因として，家族が罹患している場合の発生率の高さ，民族間における発生率の違いなどから遺伝的な要因，また，女性ホルモンの影響による関節弛緩性や，胎内での肢位，下肢を伸展して固定するようなオムツの種類や当て方などによる股関節肢位の影響が指摘されている．

発症率は，1,000人に１～２名程度である．2013（平成25）年の全国多施設調査の結果[2]では，女児が89%，左側が69%，第１子が53%，出生直前骨盤位が15%，10月～３月生まれが72%であった．

3）病態と臨床症状

病態

通常，大腿骨頭は求心性に寛骨臼に収まるものであるが，関節包に覆われたまま，大腿骨頭が関節包の進展や弛緩を伴いながら，寛骨臼の上方外側に位置がずれることによって脱臼が生じる．大腿骨頭と骨性寛骨臼，軟骨性寛骨臼および大腿骨頭の位置により，完全脱臼，脱臼，亜脱臼に分類される．股関節や膝関節を持続して伸展位に保つと，股関節脱臼が生じやすい．

図46-1　股関節の解剖図

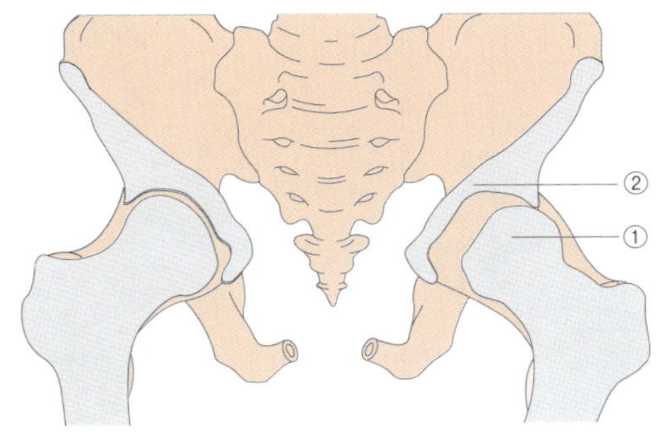

大腿骨骨頭①は，関節包に包まれて寛骨臼蓋②の外にある

寛骨臼形成不全は，なんらかの理由によって寛骨臼の傾斜が大きく，臼蓋部の底が浅い状態で，大腿骨頭を十分に収められない形状である．

大腿骨頭の位置のずれや姿勢の崩れから血行障害などが生じ，炎症や骨頭変形，骨頭壊死をもたらすこともある．一方，正しい姿勢や動きによって正常に発育が進み，股関節が適切に形成されていくという側面もある．

臨床症状

(1)股関節の開排制限(図46-2)

新生児・乳児を仰臥位にし，骨盤を傾斜させずに股関節を90°に屈曲した状態で外転させると，開排時の硬さ，開排制限，左右差，大腿内側のしわの左右差がある．

(2)大腿皮膚溝の左右差，見かけの脚短縮(図46-3)

骨頭が頭側に位置していることにより，脱臼側では大腿内側のしわが増し，下肢を伸展すると短くみえる．

(3)アリス徴候(図46-4)

両股関節を屈曲して両膝関節を最大屈曲した際に，膝の高さの左右差がある．ただし，両側脱臼の場合には左右差はない．

(4)向き癖(斜位姿勢)(図46-5)

子どもの姿勢と股関節開排制限が関係しており，顔を右に向けている子どもは左股関節が内転位になりやすく，左股関節に開排制限がある場合がある．左右逆の場合もある．

(5)クリックサイン

股関節を開排して脱臼が整復される感触を触知するオルトラニ(Ortolani)法と，開排を戻す際に脱臼する感触を触知するバーロー(Barlow)法があるが，脱臼があっても常にクリックサインが触知されるわけではない．無理に行うと，骨頭の障害や軟骨を損傷するリスクがある．

幼児期以降の症状

(1)歩行開始の遅れ

歩行開始の遅れによって発見されることがある．

(2)跛行/トレンデレンブルグ徴候(Trendelenburg sign)

脱臼側の中殿筋の筋力低下に伴い，片足で立った際に骨盤を水平に保つことができずに骨盤が傾き，足を引きずるような歩き方で発見されることがある．両側脱臼では，立位時に骨盤が前傾して腰椎が前弯(前方にカーブ)する．

図46-2　股関節開排制限(開排角度)

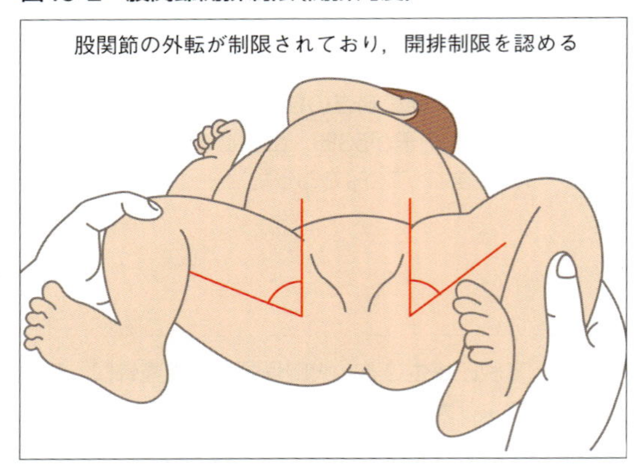

股関節の外転が制限されており，開排制限を認める

図46-3　大腿皮膚溝の左右差，見かけの脚短縮

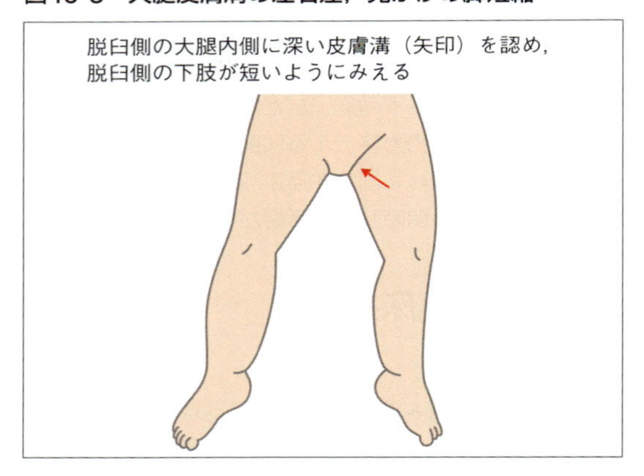

脱臼側の大腿内側に深い皮膚溝（矢印）を認め，
脱臼側の下肢が短いようにみえる

図46-4　アリス徴候

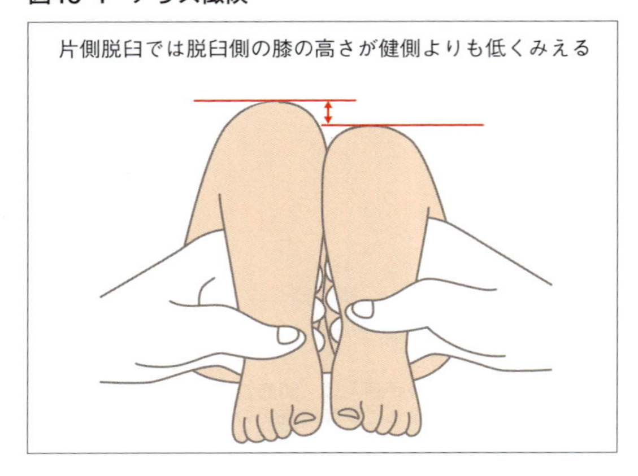

片側脱臼では脱臼側の膝の高さが健側よりも低くみえる

図46-5　向き癖(斜位姿勢)

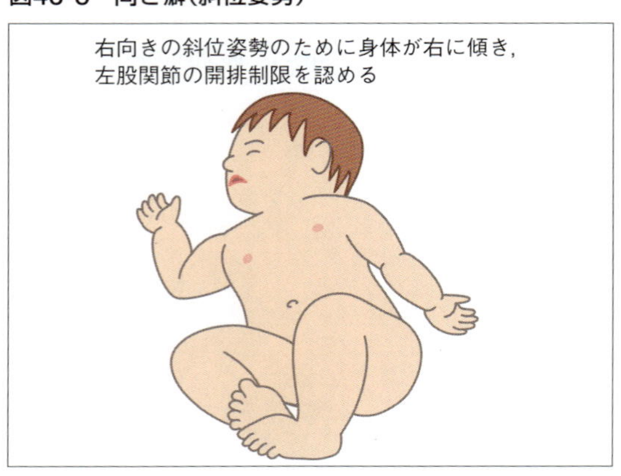

右向きの斜位姿勢のために身体が右に傾き，
左股関節の開排制限を認める

4）検査・診断

(1)問診およびスクリーニング[3]（図46-6）

生後３～４か月の乳幼児健康診査において発見される場合が多い．乳幼児健康診査の際のスクリーニングとして，①開排制限，②大腿皮膚溝または鼠径皮膚溝の非対称，③家族歴，④女児，⑤骨盤位分娩の５項目をあげ，①を認めるか，もしくは②～⑤のうち２つ以上があれば，二次検診につなげる．

(2)超音波検査

ほとんど侵襲がなく，Ｘ線検査ではわからない軟骨などの軟部組織も描出が可能であり，動かしながらの撮影も可能である．側臥位で行うGraf法と，股関節開排位で前方から描出する方法がある．

(3)単純Ｘ線検査

股関節の位置関係を写し出すことができる．大腿骨頭の位置や，寛骨臼形成不全の有無を確認することができる．

(4)関節造影検査

関節内に造影剤を注入したうえで徒手整復を行った後にＸ線撮影を行うため，侵襲性が高い．整復位の安定性や適合性，軟骨・靱帯・関節唇・関節内介在物などの状態が評価できる．主に難治例に対して，治療を決める際に行われる．

(5)MRI検査

関節造影と同様に，軟部組織を含めて詳細な所見が得られる．しかし，検査に時間がかかり，乳幼児の場合には鎮静下での検査が必要となるので，侵襲の高い検査である．

5）治療

先天性股関節脱臼（発育性股関節形成不全）は，早期からの適切な日常生活指導や装具療法によって効果が得られる．

股関節の軟骨が幼弱である生後２～３か月ごろまでは育児指導を中心に経過をみて，生後２～３か月ごろより治療用装具であるリーメンビューゲル装具を用いた保存療法が行われる．

(1)生後２～３か月ごろまで

股関節の伸展を避け，新生児の本来のM字型の開脚姿勢を保つことで，自然治癒や，股関節の適切な形成を促す[4]（図46-7）．

(2)リーメンビューゲル法（図46-8）

リーメンビューゲル法は，肩バンドと胸ベルト，および下腿のバンドで，股関節と下肢を屈曲させ，開排させたまま吊り上げるように固定する．睡眠時に下肢にかかる重力によって股関節の開排が促進され，内転筋が緩むことによって脱臼の整復を促進する装具である．上下肢の動きが制限されず，下肢の開排位を保持したまま自由に動かすことができる．仰臥位時には，過剰に開排しないように膝から足首の下にタオルなどを当てて，角度を調整する．リーメンビューゲル法で，約80～90%は整復される．

１週間程度で効果がみられるが，整復ができない症例もある．２週間装着しても整復されない場合には，４週間ほど除去し，その後に再装着して様子をみる．それでも整復されない場合には，牽引療法や徒手整復，手術などの次の治療へ移行となる．

(3)徒手整復法

牽引療法を行った後に，全身麻酔下に脱臼を徒手で整復し，ギプス固定の後に装具療法を行う．

(4)オーバーヘッド牽引

数週間，両下肢を水平牽引した後に，垂直方向の牽引に切り替え，牽引したまま徐々に股関節の開排を強めて整復する．リーメンビューゲル法で整復されなかった場合に選択され，生後７か月以降に行われる．歩行開始後に発見された例にも適応がある．

(5)手術療法

装具や牽引によっても整復されない例や，歩行開始後に発見された例に適応となる．関節内外の整復を妨げる要因を除去して整復し，術後はギプス固定や装具療法を行う．

脱臼整復後の臼形成が不良の場合，大腿骨骨切り術や骨盤骨切り術などが選択されることもある．

6）予後

リーメンビューゲル法で80～90%整復される．重症度や不適切な肢位などによって，大腿骨頭壊死などの重篤な合併症をもたらすことがある．また，装具やギプスの不適切な使用によって，下肢の循環障害や神経障害をもたらす可能性もある．

合併症や後遺症の主なものとして，骨頭変形，骨頭壊死（ペルテス病様変化），骨頭側変化，再脱臼がある．また，寛骨臼形成不全は，将来的な変形性股関節症に関連しているといわれる．

図46-6　問診およびスクリーニング

乳児股関節健診の推奨項目と二次検診への紹介

①股関節開排制限（開排角度）

開排制限の見方：股関節を 90 度屈曲して開く。
開排角度（右図の a）が 70 度以下、すなわち、開排制限角度（右図の b）が 20 度以上、の時に陽性とする。

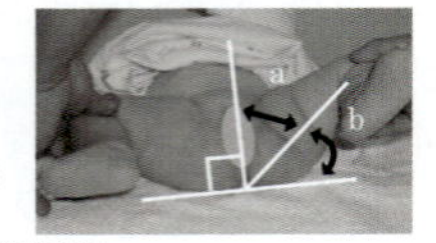

a
b

特に向き癖の反対側の開排制限や左右差に注意する

②大腿皮膚溝または鼠径皮膚溝の非対称

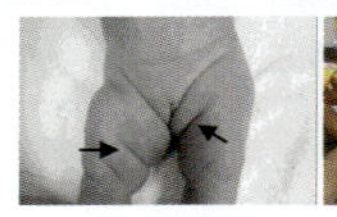

大腿皮膚溝の位置、数の左右差、　鼠径皮膚溝の深さ、長さの左右差に注意

③家族歴：血縁者の股関節疾患

④女児

⑤骨盤位分娩（帝王切開時の肢位を含む）

<u>二次検診への紹介について</u>

- 股関節開排制限が陽性であれば紹介する
- または②③④⑤のうち 2 つ以上あれば紹介する
- 健診医の判断や保護者の精査希望も配慮する

その他：秋冬出生児に多く、股関節開排時の整復感（クリック）や股関節過開排にも注意が必要。
問診、身体所見のみで乳児股関節異常をもれなくスクリーニングすることはできない。

日本整形外科学会・日本小児整形外科学会

図46-8　リーメンビューゲル法

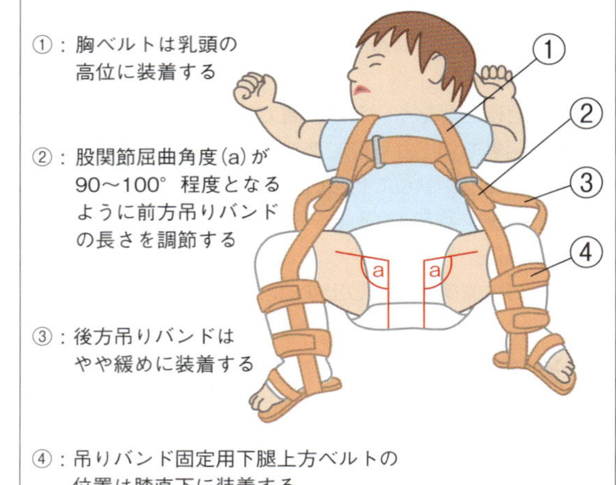

①：胸ベルトは乳頭の高位に装着する
②：股関節屈曲角度(a)が90～100°程度となるように前方吊りバンドの長さを調節する
③：後方吊りバンドはやや緩めに装着する
④：吊りバンド固定用下腿上方ベルトの位置は膝直下に装着する
①
②
③
④
a
a

図46-7　股関節の適切な形成を促す

― 赤ちゃんが股関節脱臼にならないように注意しましょう ―

★「股関節脱臼予防と早期発見」アニメーション動画「赤ちゃんの病気、股関節脱臼」で検索できます。

＊生後の赤ちゃんの扱い方が大切です！

「先天性股関節脱臼（発育性股関節形成不全）」は脚の付け根の関節がはずれる病気です。

その発生はまれですが（1000人に1～3人）、抱き方やおむつの当て方など、赤ちゃんの扱い方を注意することにより、発生をさらに減少させ、また、悪化を防止することができます。

以下の1)～5)のうち、複数の項目があてはまる場合はとくに正しい扱い方を心がけ、必ず3～4か月の健診を受けるようにしましょう。

1) 向き癖がある2) 女の子（男の子より多い）3) 家族に股関節の悪い人がいる4) 逆子（骨盤位）で生まれた5) 寒い地域や時期（11月～3月）に生まれた（脚を伸ばした状態で衣服でくるんでしまうため）

いつも顔が同じ方ばかり向いている「**向き癖**」は、向いている側の反対の脚がしばしば立て膝姿勢となってしまい、これが股関節の脱臼を誘発することがあります。

赤ちゃんの脚は、両膝と股関節が十分曲がったM字型で、外側に開いてよく動かしているのが好ましく（図1）、立て膝姿勢をとったり、脚が内側に倒れた姿勢をとったりすると（図2）、股関節が徐々に脱臼してくることがあるとされています。

両脚がM字型に開かず伸ばされたような姿勢も同様で、要注意とされています（図3）。

- 歩き始めるまで、次の点に注意しましょう -

仰向けで寝ている時は；M字型開脚を基本に自由な運動を

両膝と股関節を曲げてM字型に開脚した状態を基本として（図1）、自由に脚を動かせる環境をつくりましょう。両脚を外から締めつけて脚が伸ばされるような、きついオムツや洋服はさけましょう（図3）。

抱っこは；正面抱き「コアラ抱っこ」をしましょう

赤ちゃんを正面から抱くと、両膝と股関節が曲がったM字型開脚でお母さん（お父さん）の胸にしがみつく形になります。この正しい抱き方は、あたかもコアラが木につかまった形であることから「コアラ抱っこ」とも呼ばれています（図4）。同様に、両膝と股関節がM字型に曲がって使える「正面抱き用の抱っこひも」の使用も問題ありません（図5）。
横抱きのスリングは開脚の姿勢がとれず、また、両脚が伸ばされる危険もあるため、注意が必要です（図6）。

向き癖がある場合は；反対側の脚の姿勢に注意しましょう

向き癖方向と反対側の脚が立て膝姿勢にならず、外側に開脚するような環境を作ってあげるよう留意しましょう。赤ちゃんには常に向き癖の反対側から話しかける、向き癖側の頭から身体までをバスタオルやマットを利用して少し持ち上げる（図7）などの方法が提唱されています。それぞれの赤ちゃんに合った方法を工夫してみましょう。

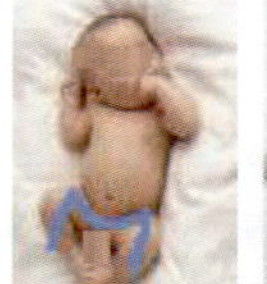

（図1）好ましい姿勢：両脚をM字型に曲げて開き、よく動かしている

（図2）右への向き癖：左脚が立て膝～内倒れになっている

（図3）好ましいオムツや洋服：両脚をM字型に曲げる余裕がある（外側がきついと脚が伸びてしまう）

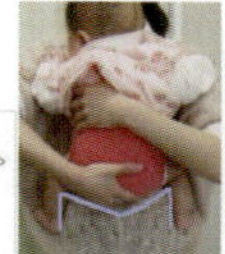

（図4）コアラの姿勢とコアラ抱っこ：両脚が十分曲がりM字型をしている

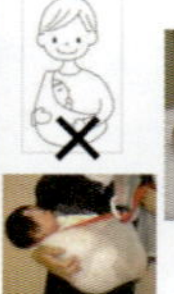

（図5）抱っこひもを利用したコアラ抱っこ

（注：首が座るまでは必ず頭部を支えてあげましょう）

（図6）

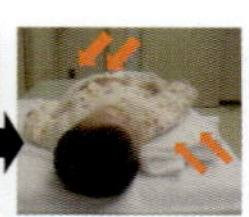

（図7）右への向き癖の場合、右側の頭～身体を少し持ち上げて斜めにして、左脚が外側に倒れて開くように工夫する。

＊1か月と3～4か月の健診でチェックを受け、異常を疑われた場合は整形外科を受診することになりますが、気になる点がある時はいつでも整形外科を受診下さい。

（日本整形外科学会，日本小児整形外科学会）

2. 看護過程の展開

● アセスメント～ゴードンの機能的健康パターンを用いて

パターン	アセスメントの視点	根拠	収集する情報
(1) 健康知覚-健康管理 患者背景 健康知覚-健康管理 価値-信念	●親は子どもの疾患をどのように捉えどの程度理解しているか ●親は子どもの発達に関して理解しているか ●親は子どもの治療上必要な療法を理解しているか実践できているか ●(幼児期の子どもの場合)子どもは疾患についてどのように理解し，どのように捉えているか	●先天性股関節脱臼(発育性股関節形成不全)は，新生児期からの発達過程で明らかになる疾患であるので，子どもに対する親の気持ちが，子どもへの疾患管理を含めた日々の育児やケアに大きく影響する． ●治療上必要な姿勢の保持，特殊な装具やギプス固定など，一般的な育児とは異なる配慮が必要となる． ●新生児期から幼児前期の子どもは，痛みや苦痛，治療上生じる違和感を言葉で表現することが困難であり，親が察知する必要がある． ●幼児期になると子どもは，自分の病気についての理解ができるようになってくるが，自己中心的な理解であり，自分が悪いことをした結果としての病気と捉えていることもあり，罪悪感や自己否定の気持ちをもっていることがある．	●妊娠，出産の経過 ●現病歴 ・発症時期 ・経過 ●既往歴 ●成長・発達の経過 ●家族背景，生活環境 ●育児に対する親の知識や理解 ●子どもの疾患についての親の知識や理解 ●子どもの療養上必要なケアや配慮の日常生活への組み込み方 ●親の，子どものサインや合図の受け止め方とその対応，親子相互作用の状況，愛着形成の状況 ●子どもの認知発達段階の評価に応じた，子どもの疾患の知識や理解
(2) 栄養-代謝 全身状態 栄養-代謝 排泄	●成長，発育状況はどうか ●栄養摂取状況はどうか ●装具・ギプス固定による皮膚の異常はないか	●装具やギプス固定などによる活動制限によって，適切な栄養摂取や食行動の発達が妨げられている可能性がある． ●子どもは新陳代謝が活発であり，皮膚の状況は身体組織へのビタミンや微量元素などの栄養供給の指標にもなる． ●装具やギプス固定によって排泄後の皮膚ケアが十分にできず，発赤やかぶれ，かゆみなどが生じることもある．	●身長，体重，頭囲，胸囲 ●パーセンタイル値 ●カウプ指数 ●一回哺乳量，哺乳回数，間隔 ●離乳食開始の有無，進行状況 ●食欲 ●食事内容，献立 ●食事の好み ●食事環境，習慣 ●食行動の自立の程度 ●食物アレルギーの有無，原因食品，除去が必要かどうか，アナフィラキシー時の対応 ●皮膚状況，毛髪 ●殿部や陰部の発赤やただれの有無
(3) 排泄 全身状態 栄養-代謝 排泄	●排泄に関する臓器や生理機能の成熟状況，生体リズムはどうか ●装具やギプス固定の圧迫により膀胱直腸障害はないか ●水分出納バランスの崩れはないか	●乳幼児期は，膀胱直腸機能の成熟過程にある． ●装具やギプス固定による活動制限，過度な圧迫などにより，便秘，尿回数の増加，尿閉などの徴候がみられる場合がある． ●装具やギプス固定によって活動が制限されることや，身体の多くの部分をギプスなどで覆うことで生じる体温調節の不調やそれに伴う不感蒸泄の増加により，水分出納バランスの崩れの可能性がある．	●排尿回数，一回量，性状 ●排便回数，一回量，性状 ●排泄に対する親の知識や認識

パターン	アセスメントの視点	根拠	収集する情報
(4) 活動-運動 活動・休息 活動-運動 睡眠-休息	●装具やギプス固定による過度な運動制限や活動制限はないか ●リーメンビューゲル装具装着時に，左右差，非対象的な動きなど，不適切な動きはないか ●リーメンビューゲル装具装着時に，過度な開排はないか ●運動発達が妨げられていないか ●排泄行動の自立の程度	●装具やギプスによって治療上必要な肢位を保つことが重要であるが，過度であると成長発達の妨げとなり，治療効果も低下する． ●ギプス固定に適したトイレの準備が必要である． ●排泄は社会的行動であり，プライバシーや個人の尊厳に関連する生活行動である．	●股関節の開排制限 ●脚長差 ●歩行の様子 ●身長，体重，パーセンタイル値，カウプ指数 ●認知発達 ●反射 ●運動機能の発達 ●生活環境 ●興味や関心 ●活動への参加状況 ●排泄の具体的な方法 ●排泄後のケアの具体的な方法 ●排泄行動の自立の程度
(5) 睡眠-休息 活動・休息 活動-運動 睡眠-休息	●日中および夜間の睡眠状況はどうか	●夜間の睡眠中に成長ホルモンが分泌されるなど，子どもにとって睡眠リズムを整えることは，生理機能を整えることにつながる． ●治療上必要な装具やギプス固定によって，苦痛や違和感が生じ，睡眠が妨げられる可能性がある．また，日中の活動制限から，良質な睡眠につながる活動ができずに，睡眠リズムが崩れる可能性がある．	●睡眠状況：入眠までにかかる時間，中途覚醒の回数や時間，入眠一覚醒の規則性 ●睡眠時の環境 ●睡眠時の姿勢 ●日中の眠気 ●機嫌，活気
(6) 認知-知覚 知覚・認知 認知-知覚 自己知覚-自己概念 コーピング-ストレス耐性	●子どもに，装具装着やギプス固定による知覚障害や，感覚異常が生じていないか ●子どもが装具装着やギプス固定を嫌がっていないか ●運動による痛みや苦痛，違和感はないか ●認知発達が妨げられていないか	●装具装着やギプス固定によって，神経圧迫症状や末梢循環不全症状が生じる可能性がある． ●子どもは痛みや苦痛を，言語で訴えることができない． ●痛みや苦痛の徴候は，股関節脱臼が適切に整復されずに，合併症の徴候の可能性もあるため，X線撮影などによって整復位の確認を行う必要がある． ●装具装着やギプス固定により痛みや苦痛を生じることがある． ●子どもの発達には，発達段階に応じた活動参加による経験が重要であるが，治療のために活動参加の経験が制限され，知的発達や運動発達に影響する可能性がある．	●合併症の有無 ・神経圧迫症状 ・末梢循環不全 ・皮膚状況 ●日中の活動や睡眠の状況 ●バイタルサイン ・体温，心拍数，呼吸数，血圧 ●子どもの認知発達段階，コミュニケーション手段 ●子どもの痛みや苦痛の表現方法
(7) 自己知覚-自己概念 知覚・認知 認知-知覚 自己知覚-自己概念 コーピング-ストレス耐性	●（幼児期の子どもの場合）装具やギプス固定をしている自分のことをどのように受け止めているか	●周囲の人から人として尊重され肯定的に対応をされない場合，将来的に，肯定的な自己概念の形成に影響を及ぼす可能性がある． ●股関節脱臼の治療結果によっては，将来的な歩容の崩れなどから情緒的な反応を引き起こす可能性もある．	●疾患や治療，将来像についての子ども，家族の不安

パターン	アセスメントの視点	根拠	収集する情報
(8) 役割-関係 周囲の認識・支援体制 役割-関係 セクシュアリティ-生殖	●子どもと家族の関係はどうか ●子どもと医療者の関係はどうか ●家族と医療者の関係はどうか ●家族内の役割分担はどうなっているか ●家族へのソーシャルサポートはあるか	●子どもの装具やギプス装着などによる療養生活や，日常生活上の制限がある状況において，周囲の人との関係や，役割は，子どもとその家族の生活に大きな影響を及ぼす．	●家族状況 ・家族構成と役割 ・きょうだいの有無 ・家族関係 ・家族内外のソーシャルサポートの状況 ●養育者の役割，関係性 ・育児行動 ・親子相互作用 ・愛着行動 ・分離不安
(9) セクシュアリティ-生殖 周囲の認識・支援体制 役割-関係 セクシュアリティ-生殖	とくになし	とくになし	とくになし
(10) コーピング-ストレス耐性 知覚・認知 認知-知覚 自己知覚-自己概念 コーピング-ストレス耐性	●子どもおよび家族の生活上の制限やストレッサー，ストレス反応はどうか ●子どもはどのようなストレス対処方略をもっているか ●家族のストレス対処方略はどのようなものか ●子どもまたは家族のストレス対処方略が非効果的になっていないか	●子どもの疾患に関連するさまざまな状況，治療の経験をストレスと感じ，そのことによって混乱や精神面での問題を引き起こすこともある．	●子ども，あるいは家族のストレスの重症度 ●ストレス反応 ・不安や恐怖の訴え ・バイタルサイン ●具体的なストレス対処の方略 ・リラックスのために行っていること ●支援体制 ・話を聞いてくれる人はいるか
(11) 価値-信念 患者背景 健康知覚-健康管理 価値-信念	●親が子どもの存在をどのように捉え，位置づけているか ●親が考えている，子どもの理想的な生活とはどのようなものか ●子どもの権利や尊厳が守られているか	●親の信念や価値観は，治療の決定や，治療によって望むもの，また，治癒に向けた親の行動に影響する． ●親が子どもの将来をどのように考えているかによって，治療とその効果に対する期待や希望が異なる． ●先天性股関節脱臼のなかには，基礎疾患（染色体異常や神経系の疾患など）を併発する場合もあり，子どもを健康に産むことができなかったという母親の自責の念や，描いていた未来像の喪失体験をしている場合がある． ●治療を進めるにあたり，子どもに不必要な負担や危害を加えないようにし，事前の説明や，子ども自身の自己決定を促すなど，子どもの権利と尊厳を尊重したケアを行う必要がある．	●親の疾患について捉え方，考え方 ●日々の生活で大事にしていること ●治療の選択肢とその効果，治療成績，予後 ●宗教や宗教上のニーズ ●治療の効果や予後，合併症などが説明され，治療の選択に子どもや家族の意向が反映されているか

3. 全体像の把握から看護問題を抽出

1）病態関連図

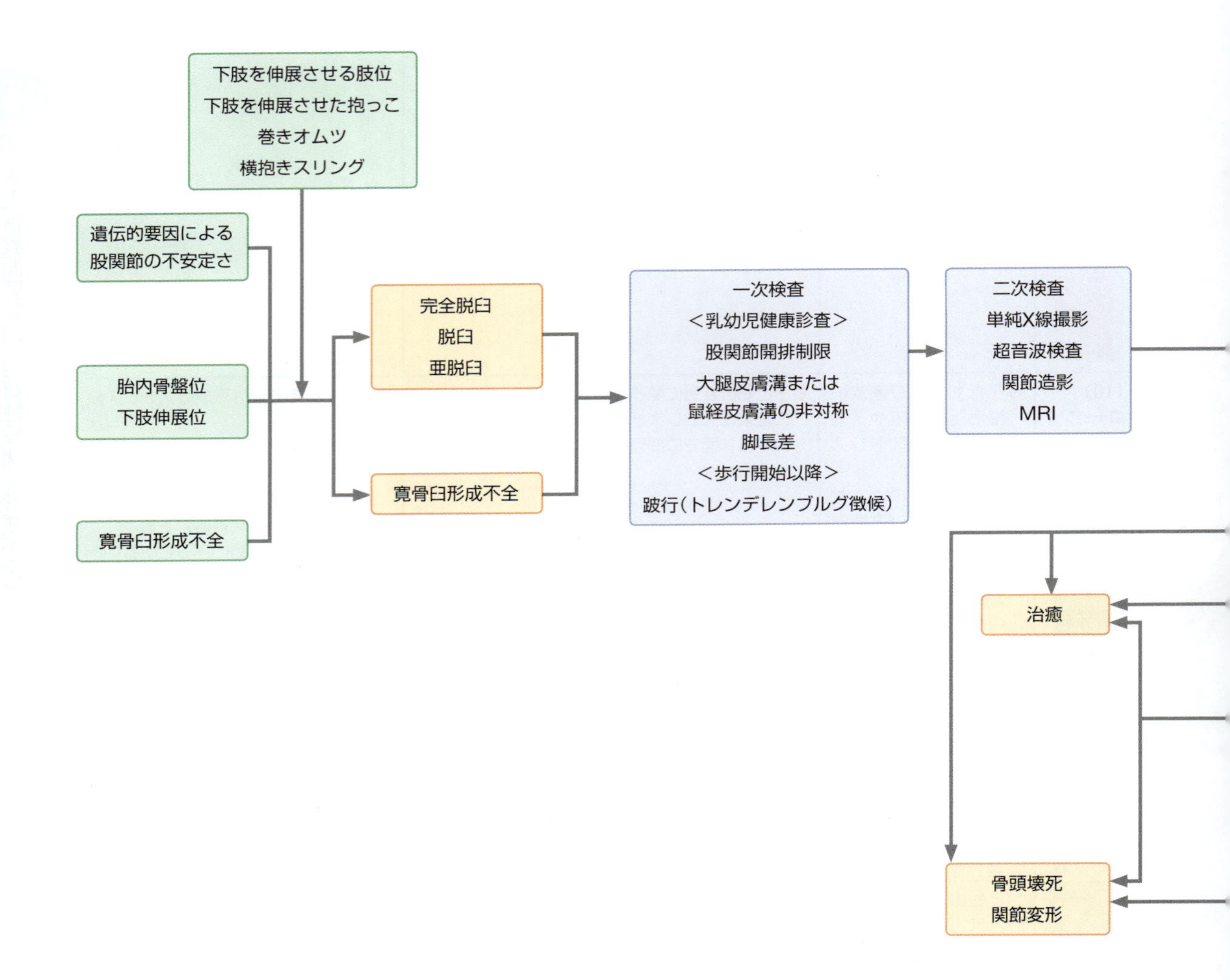

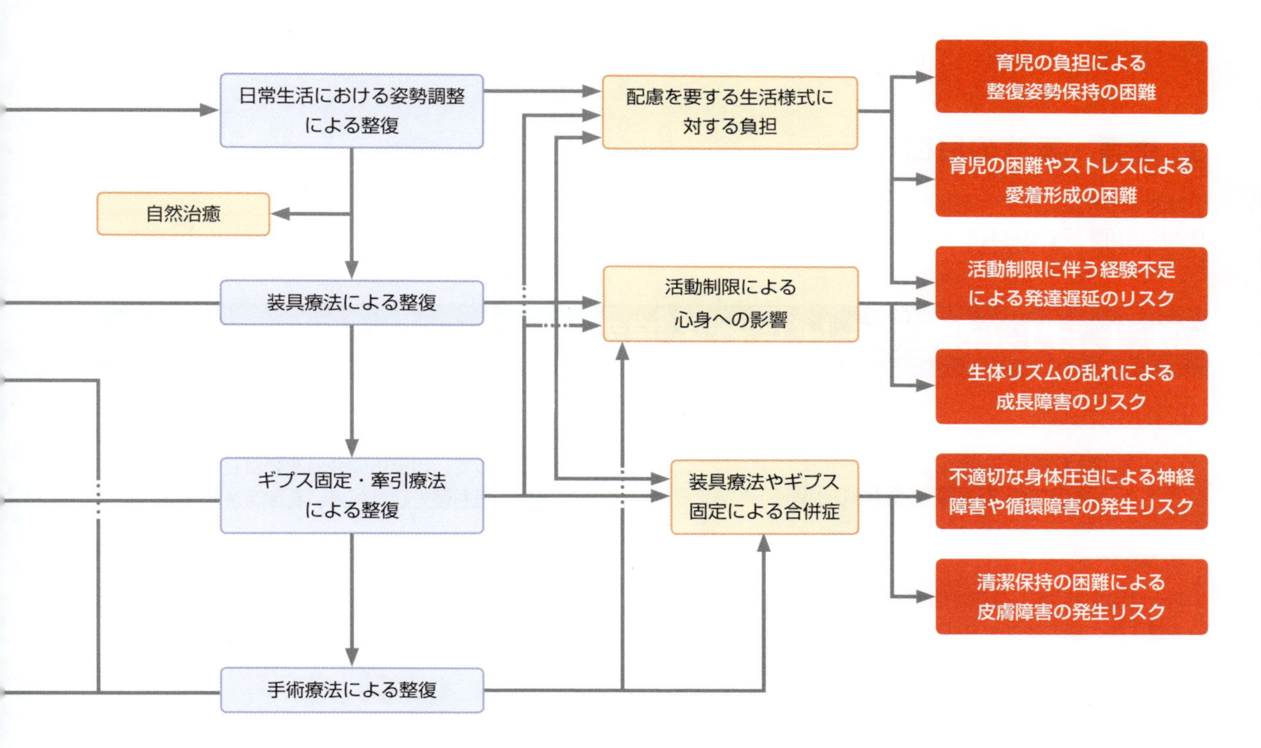
日常生活における姿勢調整による整復
自然治癒
装具療法による整復
ギプス固定・牽引療法による整復
手術療法による整復
配慮を要する生活様式に対する負担
活動制限による心身への影響
装具療法やギプス固定による合併症
育児の負担による整復姿勢保持の困難
育児の困難やストレスによる愛着形成の困難
活動制限に伴う経験不足による発達遅延のリスク
生体リズムの乱れによる成長障害のリスク
不適切な身体圧迫による神経障害や循環障害の発生リスク
清潔保持の困難による皮膚障害の発生リスク

2) 看護の方向性

先天性股関節脱臼(発育性股関節形成不全)は，先天的な素因による股関節の不安定によって，胎児期から新生児期，乳児期にかけて生じる，大腿骨頭と寛骨臼の位置のずれである．生活のなかで適切な股関節の肢位を保持することで整復が期待できる．

しかし，主に症状が発現し，治療が開始されるのは乳児期である．乳児期は，親にとって育児そのものにも負担が大きい時期であり，特別に配慮を要する生活様式を維持することはストレスが大きい．

また，子どもと基本的信頼関係を築く時期において，装具療法などの整復姿勢を保持することへの困難が大きいと考えられる．

先天性股関節脱臼(発育性股関節形成不全)は，乳児期～幼児期に発見されて治療が開始されるが，子どもにとって乳幼児期は，さまざまな経験を通した成長・発達が著しい時期であり，その時期に姿勢保持や装具，ギプスによって活動が制限されることは，認知発達や運動発達への影響が考えられる．また，活動制限や姿勢の制約などから，活動や睡眠への影響，生体リズムの獲得への影響も考えられる．

リーメンビューゲル装具やギプス固定での過度な身体圧迫による神経障害や循環障害，また，清潔ケアが届かない部位などに皮膚障害が生じる可能性がある．

したがって，育児によって生じている親の生活上の変化を理解してねぎらうとともに，日常生活のなかに姿勢保持や装具療法を取り入れる工夫を，親とともに考えていくことが必要である．

親が自身のストレスに気づき，適切に対処していけるように促し，親が子どもを注意深く観察し，子どもの要求に応えられるように支援することが重要である．

また，発達遅延のリスクがあることについて親にも説明し，遊びや玩具，姿勢を工夫することで，可能な限りさまざまな体験ができるような環境を提供することが重要である．

日ごろから子どもの表情や言動を観察し，変化を見逃さないようにする．

3) 患者・家族の目標

股関節の整復に必要な適切な姿勢が保持されながら，基本的信頼関係で結ばれた親子関係が形成され，健全に成長・発達できる．

4. しばしば取り上げられる看護問題

 親の育児負担による子どもの整復姿勢保持の困難

なぜ？

先天性股関節脱臼(発育性股関節形成不全)では，正しい知識に基づいて，親が子どもに股関節脱臼を起こさせない，あるいは，悪化させないように脱臼の整復のために，日常生活のなかでの厳重な姿勢管理が重要となる．日常生活での姿勢管理や，装具療法などによって治癒が期待できる一方で，姿勢管理にかかる親(養育者)の負担は大きく，治療効果に影響する．しかし，この時期は数時間ごとの授乳が必要な時期でもあり，子どもの体調や機嫌によって親の育児による疲労やストレスが左右され，健康な子どもであっても親の不安などが強くなる時期である．

したがって，親の知識や理解の程度，親の日常生活のマネジメント能力，育児の能力，親の負担の程度，また，子どもの治療用の装具やギプスの受け入れ状況などが相互に影響しあって，治療用の装具を装着できる時間が短い場合には，最も優先順位が高い看護問題となる．

➡ 期待される結果

生活のなかに負担なく適切な整復姿勢や装具療法が取り入れらる．

◆2 親の育児困難やストレスによる子どもの愛着形成の困難

なぜ？

親が高いストレスを抱いていると，子どもからの愛着行動を親が受け止められない．この時期に必要な親子のやりとりが行われないと，子どもの基本的信頼感の確立に必要な愛着形成ができない可能性が高まる．装具装着やギプス固定は，装着される子どもにとってストレスに

なるだけではなく，親にとっても，子どもに合併症が生じないように適切に管理し，子どもの要求に応じ続けることが，ストレスフルな状況となる．

親の育児の負担が大きく，子どもの育児にストレスを感じている場合には，優先順位の高い問題である．

➡期待される結果

親が自身のストレスに適切に対処し，子どもとの相互作用が促進される．

子どもの愛着が，健全に形成される．

◆3 活動制限による経験不足に関連した発達遅延のリスク

なぜ？

乳幼児期の子どもは，さまざまな身体活動に伴う経験や探求を通して新たな発見をし，自らの思考の枠組みを広げていくことで認知を発達させる．リーメンビューゲル装具は，四肢の動きを妨げない構造にはなっているが，装着期間は身体全体の動きや，探索行動が妨げられ，発達遅延のリスクが生じることは否めない．ギプス固定であればさらに行動が制限される．

治療によって運動制限がかかることは，発達遅延のリスクが生じる．

➡期待される結果

遊びや玩具，姿勢の工夫により，活動制限により発達が促進される

◆4 生体リズムの乱れによる成長障害のリスク

なぜ？

乳幼児期の子どもは，日中の適切な活動は夜間の良質な睡眠を導き，夜間の良質な睡眠は成長ホルモンの分泌を促し，成長ホルモンは神経系や筋骨格系などの成長を促進する．装具装着やギプス固定による活動制限やストレスは，このような内分泌系の変調の要因にもなる．

また，活動制限やストレスは，栄養摂取や排泄のリズムにも変調をもたらすことも考えられる．

➡期待される結果

活動制限による生体リズムの乱れが最小限になり，成長曲線に沿って成長する．

◆5 不適切な身体圧迫による神経障害や循環障害の発生リスク

なぜ？

子どもの成長発達は著しく，治療用装具やギプスのサイズがすぐに適合しなくなる．不適切な装着によって神経障害や循環障害が起きることがある．乳幼児期の子どもは言葉で痛みや苦痛を訴えることができない．親は，不適切な身体圧迫によって，手足が冷たくなったり，感覚が鈍くなることを理解している必要がある．

また，少しの位置のずれによっても皮膚への圧迫が生じる可能性があり，発生リスクが高い．

➡期待される結果

装具やギプス固定による神経障害や循環障害の徴候がみられない．

◆6 清潔保持の困難による皮膚障害の発生リスク

なぜ？

子どもは新陳代謝が活発であり，発汗や皮脂がたまりやすい場所に皮膚のかぶれが生じることが多い．治療用装具は扱いにくく，頻回の取り外しは困難であるため，清潔の保持が行き届かない可能性がある．また，ギプス固定の場合，汚染がギプスの辺縁から内部に侵入し，ギプス内で皮膚の浸軟や，それに伴う皮膚損傷が生じる．

➡期待される結果

皮膚が清潔に保たれ，皮膚障害の徴候がみられない．

5. 看護計画の立案

• O-P：Observation Plan(観察計画)　• T-P：Treatment Plan(治療計画)
• E-P：Education Plan(教育・指導計画)

1 親の育児負担による子どもの整復姿勢保持の困難

	具体策	根拠と注意点
O-P	**(1)治療上必要な姿勢が保たれているか** ①股関節がねじれたり，左右非対称になっていないか ・ベルトの位置や長さの確認 ・ギプスの破損の有無 ②指示の通りの姿勢が保たれているか ・開排位や外転肢位の位置 ・装具のねじれやゆるみ，圧迫の有無 ③異常の早期発見	●治療用装具の場合は，ベルトの位置の具合によって姿勢が崩れやすくなる. ●子どもの少しの身体状況の変化でも，装具の適合性が悪くなり，治療効果が低下したり，合併症が生じやすくなる.
	(2)治療上必要な姿勢を子どもが嫌がっていないか ①バイタルサイン ②機嫌，表情，活気 ③夜間の睡眠の様子 ④哺乳状況，食欲 ⑤排泄 ⑥発達段階に応じた人やものへの関心	●子どもは，痛みや苦痛，ストレスを，言葉で表現することが難しいので，生理的な反応でストレスを観察することが必要である.
	(3)親(養育者)が子どもの治療上必要な姿勢に対応できているか ①治療に対する親(養育者)の気持ち ②治療上必要な姿勢に対する親の知識や理解 ③親と子どものやりとりの様子 **(4)親の負担の程度**	●親(養育者)が，子どもの姿勢管理をできる能力があるかどうか見極め，親の能力に応じて指導していくことが重要である.
T-P	**(1)治療上必要な姿勢の保持** ①装具のバンド部分の適切な部分にマーキングをしておく ②嫌がる場合には，短時間で外し，再度装着することを繰り返すことで，子どもが装具に慣れるようにする ③子どもの好む遊びや活動を観察し，装具やギプス固定しながらでも子どもが興味をもって楽しめるものを探し，姿勢の工夫をする ④装具やギプスが不適合の場合には，医師に相談する	●治療用装具の場合は，ベルトの位置の具合によって姿勢が崩れやすくなるので，観察による適時な対応が重要である. ●環境を調整し，子ども自身が自ら環境に働きかけることによって得られる発達的変化を促す.
	(2)親の育児負担の緩和 ①親の心配事に耳を傾ける．必要時には専門家への相談を調整する ②親が負担に感じることを親とともに明確化し，1つひとつの解決方法を親と一緒に考える ③子どもと親がよい時間を過ごせるような環境を準備し，子どもと過ごす時間が穏やかで心地よいような雰囲気づくりをする	●親が過度に責任を感じないように，ともに考え，ともに歩む姿勢を示す.
E-P	**・装具の安全な装着方法を指導する** ①親とともに一緒に子どもに装具を装着させ，ベルトの位置，皮膚との接触部位，圧迫しやすい部分などを確認する ②合併症として生じやすい神経障害，循環障害，皮膚障害について説明し，症状出現時の対応方法や，緊急に対応すべき状況について伝える	●親の知識が十分でない場合には，わかりやすく知識を提供する. ●親は育児そのものにも負担を感じやすい時期であることを踏まえ，親をねぎらいながら行う.

5 不適切な身体圧迫による神経障害や循環障害の発生リスク

	具体策	根拠と注意点
O-P	**(1)神経障害や循環障害の有無** ①神経障害の有無，下肢のしびれ・疼痛・麻痺の有無 ・指先を動かすことができるか ・指先を触れられたことがわかるか ・背屈運動ができるか ・下肢の向きや位置が不自然になっていないか ②循環障害の有無 ・足背動脈の触知の有無 ・冷感，皮膚色，浮腫の有無 ・爪の色，毛細血管再充満時間の確認 ・下肢の向きや位置が不自然になっていないか ③異常の早期発見	●身体の自然な動きを制限する装具やギプス固定は，位置がずれることがあり，治療効果が得られないだけではなく，圧迫などによる合併症を起こす可能性がある．
	(2)一般状態の観察 ①バイタルサイン ②機嫌，表情，活気 ③夜間の睡眠の様子 ④哺乳状況，食欲 ⑤排泄 ⑥発達段階に応じた人やものへの関心 **(3)装具装着やギプス固定の状態**	●子どもは痛みや苦痛を言葉で説明することができないので，注意深い観察により，異常を早期発見し，対応する必要がある．
T-P	**(1)適切な装具装着や，ギプス固定の徹底** ①正しい姿勢を熟知して，装具を装着する ②ギプス固定の場合には，ギプスの辺縁部による圧迫，ずれがないか確認する ③オムツの当て方を工夫する **(2)異常時には速やかに医師に相談する**	●ギプス固定の場合に異常の徴候があった場合は，神経障害などの後遺症のリスクを低減するために，ギプスの減圧や抜去などの処置を速やかに行う必要がある．
E-P	**・装具の安全な装着方法を指導する** ①親とともに一緒に子どもに装具を装着させ，ベルトの位置，皮膚との接触部位，圧迫しやすい部分などを確認する ②合併症として生じやすい神経障害，循環障害，皮膚障害について説明し，症状出現時の対応方法や，緊急に対応すべき状況について伝える	●親の知識が十分でない場合には，わかりやすく知識を提供する． ●親は育児そのものにも負担を感じやすい時期であることを踏まえ，親をねぎらいながら行う．

引用・参考文献

1) 齋藤知行ほか：小児股関節疾患への学会としての取り組み．関節外科，2018年10月増刊：10 ～ 16，2018.
2) Hattori T,et.al:The epidemiology of developmental dysplasia of the hip in Japan:Findings from a nationwide multi-center survey. Journal of Orthopaedic Science,22:121-126,2017
3) 日本整形外科学会・日本小児整形外科学会：乳児股関節検診の推奨項目と二次検診への紹介．http://www.jpoa.org/wp-content/uploads/2013/07/a2b209c8952eacb5dc09039e98e8068b.pdf より2020年８月21日検索
4) 日本整形外科学会・日本小児整形外科学会：先天性股関節脱臼予防パンフレット．http://www.jpoa.org/wp-content/uploads/2013/07/pediatric180222.pdf より2020年８月21日検索
5) 日本小児整形外科学会監：小児整形外科テキスト．改訂第２版，メジカルビュー社，2016.
6) 亀ヶ谷真琴：小児股関節疾患に関するエビデンスとエクスペリエンス．関節外科，2018年10月増刊：17 ～ 21，2018.
7) 三谷茂ほか：発育性股関節関節不全―最近の傾向について．関節外科，2018年10月増刊：56 ～ 66，2018.
8) 服部義：発育性股関節形成不全の保存療法の実際．関節外科，2018年10月増刊：130 ～ 138，2018.

Memo

第７章　運動器疾患患者の看護過程

47 大腿骨頸部骨折

1. 疾患の基礎的知識

1）疾患の概念

大腿骨頸部骨折とは，転倒や交通事故などの外力によって，大腿骨頸部に骨折を生じた状態をいう．大腿骨頸部内側骨折（狭義の大腿骨頸部骨折）と，大腿骨頸部外側骨折（転子部骨折）に分けられる（**図47-1**）．

大腿骨頸部骨折は，骨粗鬆症による脆弱性骨折のなかでもとくに機能的予後が悪く，医療および経済的な問題となっている．高齢社会を迎えたわが国において，増加の一途をたどる状況にある．長期臥床によって合併症を生じ，環境の変化にも適応できず，寝たきりになる可能性も大きい．そのため，可能な限り手術を行い，早期離床をはかるのが原則である．

2）原因

大腿骨頸部骨折の発生には，多くの危険因子が関与している．その例を以下に示す．

①骨密度の低下（大腿骨頸部の骨密度の低下＝骨粗鬆症）による骨折：骨がもろくなると，日常生活における荷重や，わずかな外力でも骨折する．

②脆弱性骨折の既往（骨折の既往の有無）

③骨代謝マーカーの上昇：骨代謝マーカーが基準値よりも高いと，将来骨折のリスクが高い．

④転倒・外傷が原因で，大腿骨頸部に加わる外力が骨強度よりも上回ることによって発生する．

3）病態と臨床症状

病態

骨折線が関節包内にあるのが，大腿骨頸部内側骨折（狭義の大腿骨頸部骨折）である．一方，骨折線が関節包外にあるのが，大腿骨頸部外側骨折（転子部骨折）である．

(1)大腿骨頸部内側骨折

高齢者に多発する．骨粗鬆症による骨強度の低下が存在するところに，転倒や日常的な荷重などの外力が加わることによって生じる場合が多い．最も骨癒合しにくい骨折でもある．骨癒合しにくいのには，以下の４つの理由がある．

①骨折部が関節包内にあるため，外骨膜がなく，骨膜性仮骨が形成されない．また，関節液が骨癒合を阻害する．

②大腿骨頭への主血行が大腿骨頸部から供給されているため，骨折によって骨頭側の血流が阻害されやすい．

③骨折線は垂直方向に走りやすいので，骨折部に剪断力（物体の表面が互いに逆方向に平行移動する動きを生み出す力）が働く．そのために，骨癒合が難しく，偽関節が発生しやすい．

④骨粗鬆症を有する高齢者に多発するため，骨の再生能力が低下している．

(2)大腿骨頸部内側骨折の分類

骨折の転位の程度によって，ガーデンのStage分

図47-1　大腿骨頸部骨折の分類

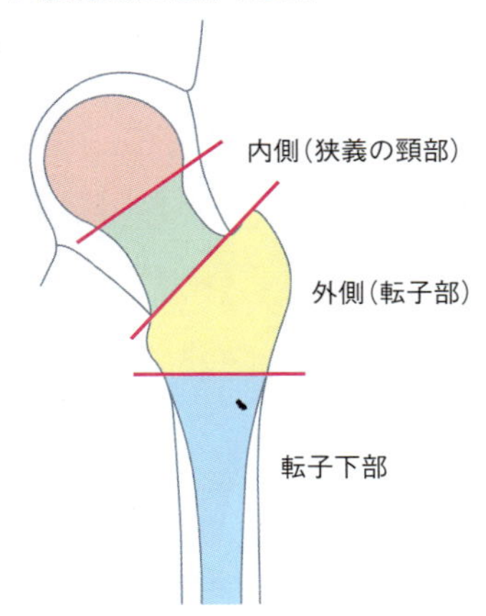

類(**図47-2**)が一般的に使用されている．ガーデンのStage分類は，骨折線の方向ではなく，骨折部における転位の程度によって，StageⅠ～Ⅳに分類している．

①StageⅠ：一部の骨の連続性が保たれている不完全骨折．

②StageⅡ：完全骨折で転位のないもの．

③StageⅢ：完全骨折で骨頭は回旋転位しているもの．

④StageⅣ：完全骨折で，骨折部が離開しているもの．

StageⅠ，Ⅱを非転位型，StageⅢ，Ⅳを転位型と分類し，予後の判定や治療方針の決定に対して活用されている．

外転，嵌合骨折(StageⅠ，Ⅱ)では，股・膝関節の自動運動(自力での運動)が可能な場合もあるので，注意する． StageⅣでは，頸部周囲の支持がすべて断裂しているため，整復も困難で，整復されても安定性が悪い．強い外力が作用した場合に起こり，骨癒合が得られにくい．

なお，大腿骨頸部および骨頭の栄養血管は，関節包を経て骨内に分布している．そのため，内側骨折では骨頭に行く血行は遮断される恐れがある．すなわち，癒合しても，骨頭の血流障害によって阻血性骨壊死が起こりやすい．大腿骨骨頭の栄養動脈を**図47-3**に示す．

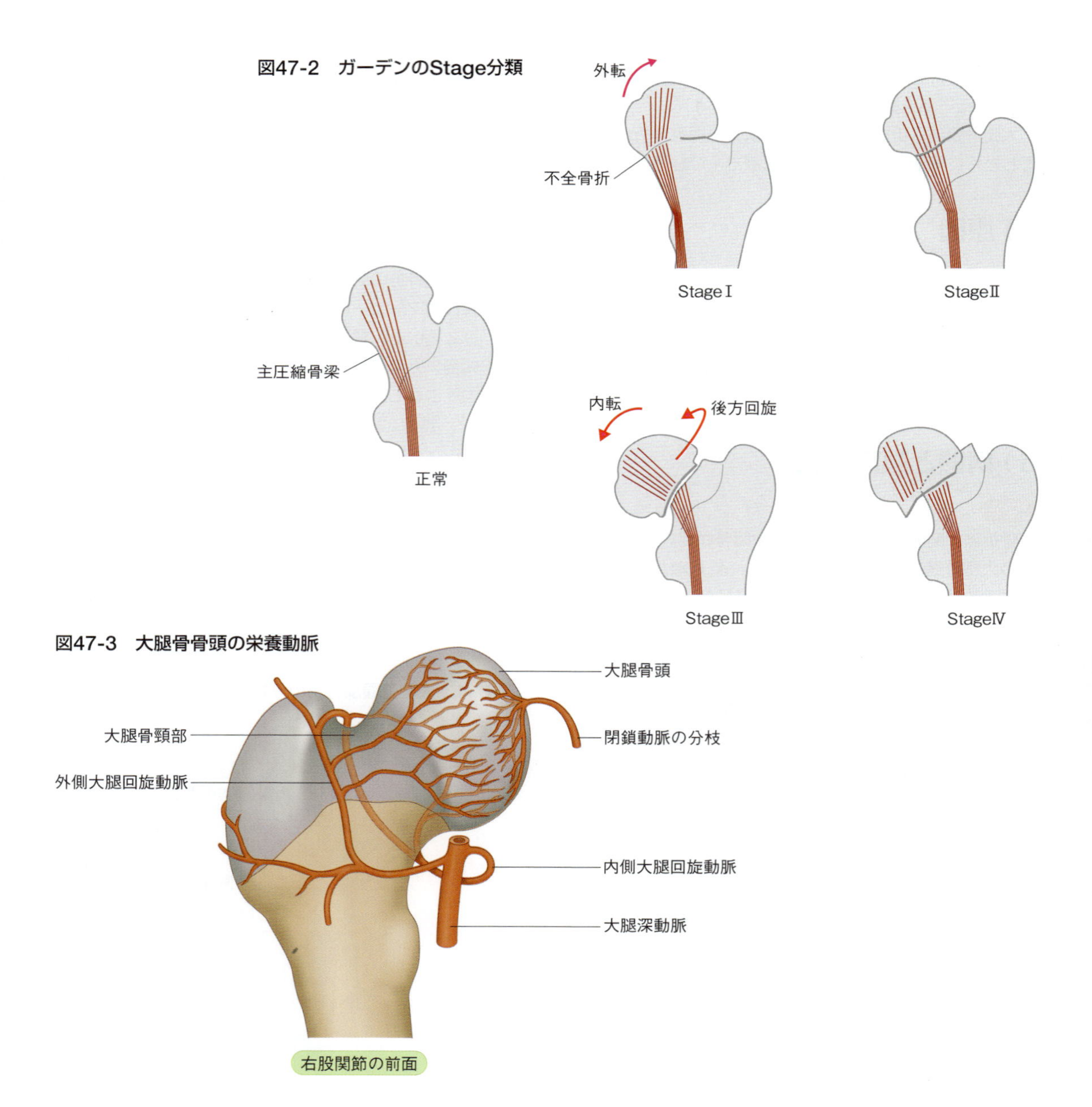

図47-2 ガーデンのStage分類

図47-3 大腿骨骨頭の栄養動脈

(3)大腿骨頸部外側骨折(転子部骨折)

高齢者に多く，転倒などで大転子を強打して発症することが多い．内側骨折に比べて，外骨膜があるので骨癒合はよい．

エバンスの分類(**図47-4**)がよく用いられている．これは，受傷時および骨折整復後のX線写真をもとに，骨折の程度，骨折線の走行方向，および整復が可能かどうかによって５つに分類するものである．

まず，骨折部が安定しているかどうかで，安定型骨折と不安定型骨折に大きく分類される．さらに，骨折線の方向が小転子部近くから近位に向かうかどうかでType1とType2に分けられるが，Type2は一般的に転子下骨折に分類されているため，転子部骨折からは除外されている．

Type1は，group1～4の４群に分類される．group1は転位のない骨折，group2は転位があるものの整復可能で内側骨皮質の接触が得られる骨折，group 3，4は整復不能で，とくにgroup4は高度な粉砕骨折である．Type1のgroup1，2が安定型，Type1のgroup3，4およびType 2が不安定型である．

臨床症状

症状には以下のようなものがある．内側骨折よりも外側骨折のほうが症状は著明である．

(1)関節部・殿部の痛み

骨折によって，骨周辺組織への刺激と血腫形成があることから，痛みが生じる．外側骨折の場合，受傷直後から大転子部の著明な圧痛を認める．

(2)腫脹

内側骨折は，関節包内骨折であるため，腫脹は軽度である．外側骨折は，出血のため，大転子部から殿部に至る箇所で著しい腫脹を生じる．

(3)歩行不能

骨のもつ支持性が失われ，疼痛のために歩行不能となる．しかし，嵌入骨折の場合は，受傷直後は歩行可能であるものの，１～２日後に歩行不能となることがある．転位のある場合(ガーデンのStage分類でいうStageⅢ，Ⅳ)では，一般的に疼痛によって歩行不能となる．転位の少ない場合(StageⅠ，Ⅱ)では，車椅子移動や患肢の自動運動も可能なことがある．

図47-4　エバンスの分類

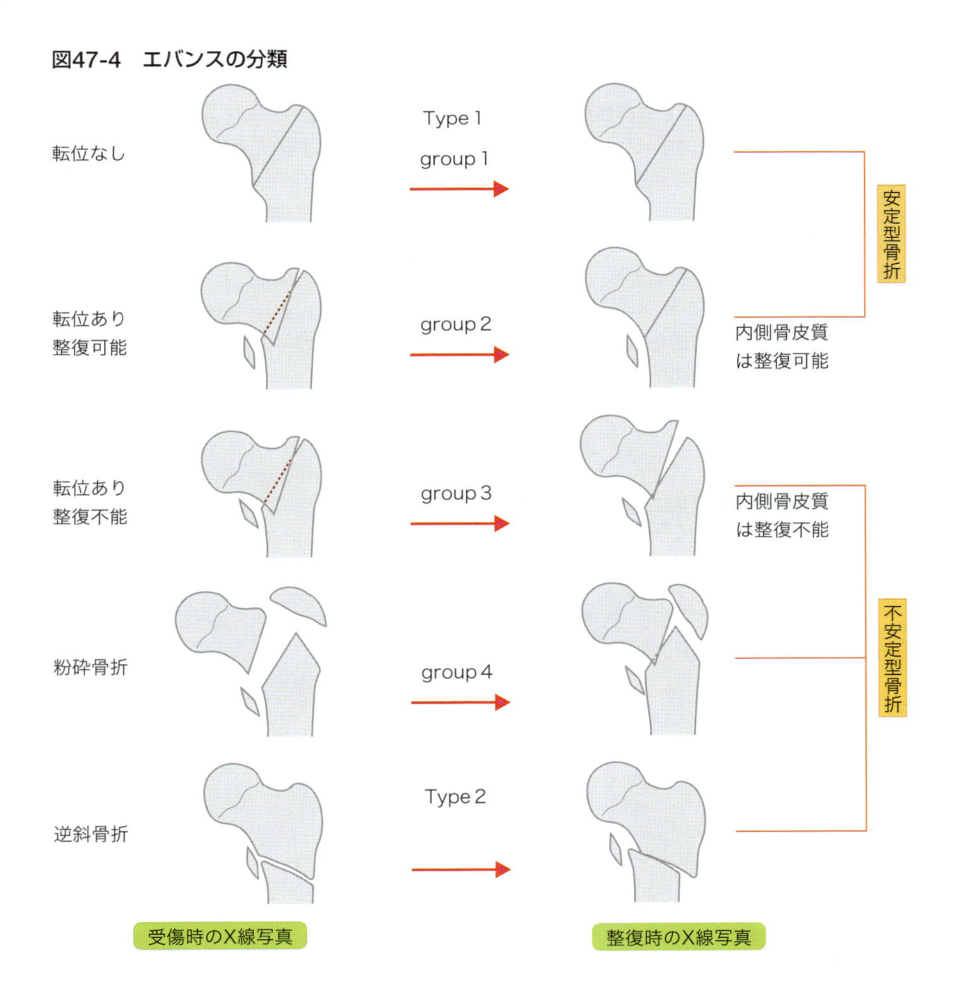

(4)下肢回旋変形と短縮

患肢は，骨折片の転位（骨折端の移動）や支持機能の低下から，外旋位となる．また，骨端部の転位によって下肢の短縮がみられる．

(5)自動運動困難

内側骨折の場合は，仰臥位，膝関節伸展位で下肢挙上が不可能となる．外側骨折の場合は，自動運動は不可能となる．

4）検査・診断

(1)X線検査

両股関節部の正面像と，患側の側面像の，２方向を撮影する．

(2)MRI検査

骨折が疑われるが，単純X線像でははっきりしない不顕性骨折の場合に有用である．

(3)全身の精密検査

高齢者が多く，手術を要することが多いため，呼吸器，循環器，泌尿器など，全身の精密検査を行う．

5）治療

年齢，性別，合併症などの全身状態や社会的背景，および局所の所見，骨折の程度によって，治療法を決定する．

(1)牽引療法

受傷時の疼痛除去と整復目的で，入院後，直ちに牽引を行う．転位の小さなStageⅠ，Ⅱでは自発痛がほとんどなく，多少の他動運動によってもあまり疼痛が増強しないものは，転位を起こす心配が少ないので，４～６週の安静と介達牽引のみでよい．StageⅡで自発痛があり，転位の大きな場合は，大腿骨の下端にキルシュナー鋼線を通して直達牽引を行ったあと，手術が必要となる．

一般的に，大腿骨頸部骨折を起こすと，患肢は外旋位をとりやすい．したがって，牽引時は良肢位の保持に努め，腓骨神経麻痺や循環障害の有無を観察する．

(2)外科的治療（手術療法）

大腿骨頸部骨折は高齢者に多い．このため，長期臥床によって生じるさまざまな合併症予防のためにも，可能な限り手術を行い，早期離床をはかる．

①大腿骨頸部内側骨折（狭義の大腿骨頸部骨折）の手術療法

StageⅠ，Ⅱの適応である．保存的治療でも骨癒合は得られるが，骨接合術を行う場合が多い．StageⅢ，Ⅳは，骨頭側の血流が阻害されているので，骨癒合が期待できないために，骨頭壊死を起こす可能性が高い．したがって，全身状態をみながら人工骨頭置換術（**図47-5d**）を行う．人工骨頭置換術は早期離床が可能であり，高齢者の場合はStageⅠ，Ⅱの場合でも実施されることが多い．

②大腿骨頸部内側骨折（狭義の大腿骨頸部骨折）における骨接合術の種類

・CHS（compression hip screw）固定法（**図47-5a**）：ほかの固定に比べて，安定性がある．

・CCS（cannulated cancellous screw）固定法（**図47-5b**）：ガイドピンを透視下で通常３本挿入し，固定する．

・ハンソンピン固定法（**図47-5c**）：低侵襲で，２本の

図47-5　大腿骨頸部内側骨折に対する手術

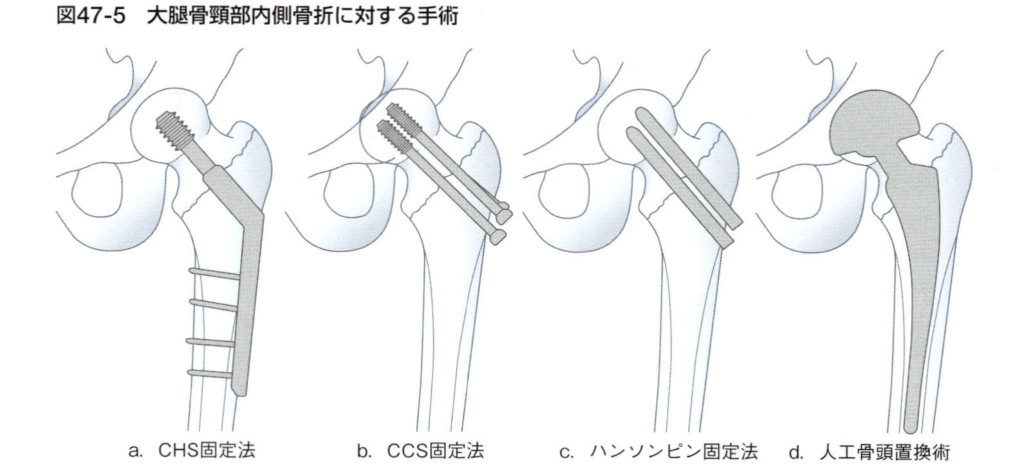

ピンで固定する．

③大腿骨頸部外側骨折（転子部骨折）の手術療法

内側骨折よりも障害が大きく，保存的治療には長期間を要するため，手術を選択することが多い．術式としては骨接合術が用いられる．

④大腿骨頸部外側骨折（転子部骨折）の骨接合術の種類

・CHS固定法：内側骨折と同じ（**図47-5a**参照）．

・ガンマネイル法（**図47-6**）

6）予後

大腿骨頸部骨折の患者は高齢者が多いため，高血圧，心疾患，脳血管障害，呼吸器疾患の有無，受傷前の自立度が，生命予後に大きく影響を及ぼす．

機能的予後および後遺症としては，関節可動域の制限（人工骨頭置換術の場合），下肢の筋力低下による歩行障害などがある．骨癒合が完成する前に退院することが多く，強固な癒合には６か月程度を要する．このため，再度転倒しないように指導するとともに，範囲内での杖歩行とする．

(3)早期リハビリテーション

患者の状態にあわせて，早期離床をはかっていく．人工骨頭置換術術後の早期リハビリテーションの目安を**表47-1**に示す．筋力増強訓練はそれぞれの患者の状況などによって異なるが，中殿筋・大殿筋・大腿四頭筋・内転筋などの運動を行う．

図47-6　ガンマネイル法

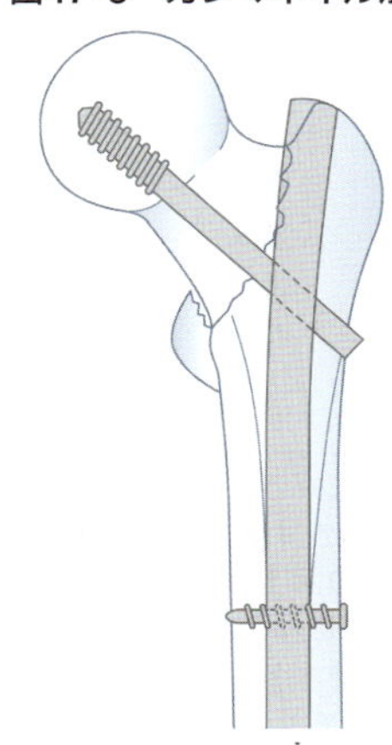

表47-1　人工骨頭置換術術後の早期リハビリテーションの目安

	手術当日	術後１日	術後２日	術後４日	術後７日	術後８日	術後９～14日
排泄		膀胱カテーテル抜去（車椅子トイレ使用）					
活動	外転枕を用いて体位変換	医師，看護師とともに車椅子移動				シャワー浴	
理学療法 作業療法		ベッドサイドリハビリテーション開始	ベッドサイドPT・OT	リハビリ室で立位，歩行練習			
教育・指導		腓骨神経麻痺の予防，車椅子乗車指導，転倒予防	脱臼予防について			シャワー浴，更衣指導	
退院支援					家屋環境の調査，家族・家庭環境の把握		ゴール設定の確認と修正，退院後の生活スタイルの確認と修正
その他処置			SBドレーン抜去				

2. 看護過程の展開

● アセスメント～ゴードンの機能的健康パターンを用いて

パターン	アセスメントの視点	根拠	収集する情報
(1) 健康知覚-健康管理 患者背景 健康知覚-健康管理 価値-信念	●疾患・治療について理解し，合併症予防に努めることができるか	●大腿骨頸部骨折の患者は高齢者が多く，認知症患者も多い．基礎疾患に骨粗鬆症があり，発生する頻度が高い．受傷後，安静期間が長くなると，認知症の悪化，褥瘡，肺炎などの合併症が起こりやすくなる．また，人工骨頭置換術を行った場合，脱臼や感染予防に努める必要がある．	●既往歴 ・骨粗鬆症の有無と程度 ・認知症の有無と程度 ・基礎疾患の有無，現病歴 ・受傷の契機 ・経過 ・治療の経過 ●受傷前のADLや歩行状況 ●骨折・治療に関連する理解と認識 ●患者の合併症予防の必要性に関する認識と自己管理状況
(2) 栄養-代謝 全身状態 栄養-代謝 排泄	●手術に向けて合併症の危険性はないか ●術後の回復に影響する徴候はないか ●食事や水分は十分に摂取できているか ●術後感染の徴候はないか	●高齢者が多く，併存症を有している場合が多い．術前からの低栄養・貧血・高血糖は，術後の感染や治癒遅延につながる． ●術後は出血や感染などのによる合併症を生じる危険がある．人工材料を用いた異物の挿入を行っている場合は感染の危険性も大きい． ●高齢者は，床上安静や疼痛などによって，食事や水分が十分に摂取できなくなる．体液バランスが崩れて脱水症状を起こすと，血液の粘稠性が増し，深部静脈血栓症につながる．	＜術前＞ ●栄養状態，貧血，高血糖の有無 ＜術後＞ ●麻酔の種類・時間，術中の経過（出血量，血圧の変動，水分出納） ・輸血の有無，鎮痛薬の指示，ドレーン挿入の有無・部位 ●感染徴候の有無 ・局所の疼痛，発赤，腫脹，CRP上昇，白血球数増加，術後4日目以降の発熱
(3) 排泄 全身状態 栄養-代謝 排泄	●手術療法を受けるにあたり，排泄状態に問題はないか ●術後，排泄の障害はないか	●大腿骨頸部骨折は高齢者に多く，手術療法を受ける年齢も比較的高い．安静療法や手術の影響で便秘となったり，失禁によって創部汚染の危険もある．	●排泄状態 ・排便回数，性状，排便異常 ・腹部症状 ・排便対策，排便支障因子 ・排尿回数，性状，排尿異常 ・排尿を阻害する因子

パターン	アセスメントの視点	根拠	収集する情報
(4) 活動-運動 活動・休息 活動-運動 睡眠-休息	●症状が活動や日常生活に及ぼす影響はないか ●術後の活動の程度はどうか ●深部静脈血栓症の徴候はないか ●術後合併症の徴候はないか	●術後，固定が不安定だと，患肢への体重負荷が制限されることがあり，また，術後疼痛によって，ADLも制限される． ●術後は人工骨頭の転位を予防するため，患側の股関節の内転・内旋，過屈曲が制限される．スムーズにリハビリテーションを進めていくためには，筋力の維持・増進が必要である． ●基盤に骨粗鬆症があることが多い．リハビリテーションを進める際，転倒による再骨折を起こす危険もある． ●人工骨頭置換術の場合，股関節の内転・内旋位で，脱臼の危険性がある． ●下肢の静脈うっ滞，術後の運動制限による深部静脈血栓のリスクが高い．	●骨折部位の確認 ・X線検査，MRI検査 ●ADLの状況 ●関節可動域（ROM） ●徒手筋力テスト（MMT） ・患肢の自動運動の不能，起立不能，患肢の外旋変形と短縮 ●活動制限の内容と程度 ・牽引療法や安静による日常生活の制限の有無 ●疼痛の有無と程度 ●深部静脈血栓症の徴候 ・患肢全体の腫脹，ホーマンズ徴候の有無など ●下肢の肢位 ・臥床時，股関節25～30°外転位，20～30°屈曲位，足関節は回旋中間位となっているか．腓骨小頭の圧迫はないか ●リハビリテーションへの意欲 ●術後の経過 ・出血量，発熱の有無，呼吸状態，循環動態，末梢循環，後出血の徴候
(5) 睡眠-休息 活動・休息 活動-運動 睡眠-休息	●疼痛により，睡眠状況に支障をきたしていないか	●骨折による疼痛や術後の創部痛，安静による腰背部痛によって，睡眠が阻害される．高齢者の場合，環境の変化によっても十分に睡眠がとれないことがあり，不眠は術後せん妄につながる．	・睡眠時間と質 ・睡眠薬使用の有無
(6) 認知-知覚 知覚・認知 認知-知覚 自己知覚-自己概念 コーピング-ストレス耐性	●症状に伴う苦痛はないか ●神経障害はないか ●突然の入院により，精神的混乱を起こしていないか ●術後合併症の徴候はないか（神経損傷）	●骨折で，骨が転位することによって，関節包などの周辺組織である組織や神経，血管が損傷を受けるために疼痛が出現する． ●牽引中は同一体位を保持するため，圧迫による褥瘡や神経麻痺が生じる可能性がある．下肢は外旋位をとりやすく，腓骨頭を圧迫して腓骨神経麻痺を生じることがある． ●高齢者は，入院による環境の変化に適応できない場合も多い． ●大腿骨の周囲は大血管や筋肉が豊富であり，骨膜や骨皮質・骨髄組織に及ぶため，多量の出血が生じる可能性がある．それらの組織の損傷や炎症に伴って痛みが出現する． ●外転枕の使用や筋力低下によって，患肢が外旋気味になりやすく，腓骨神経麻痺を起こしやすい．	●現在（術前）の症状 ●骨折部の痛みの訴え ●下肢の神経障害の有無 ●手術部位の腫脹や疼痛 ●認知機能 ●せん妄の有無

パターン	アセスメントの視点	根拠	収集する情報
(7) **自己知覚-自己概念** 知覚・認知 認知-知覚 自己知覚-自己概念 コーピング-ストレス耐性	●自己尊重の低下はみられないか	●活動性が低下すると，何事に対しても意欲が低下して，高齢者では病期の進行とともにうつ状態になったり，認知症が進むこともある．	●自身の受け止め方 ●疾患・治療に対する不安，期待 ●うつ傾向の有無 ●自尊感情 ●身体機能の変化に対する受容と適応状態
(8) **役割-関係** 周囲の認識・支援体制 役割-関係 セクシュアリティ-生殖	●家族やケア提供者は，患者の疾患，障害の程度を理解し，支援体制はあるか ●退院後，元通りの役割遂行は可能か	●人工骨頭置換術によって動作が制限されるので，退院後の生活では，家族やケア提供者によるサポートが必要である．	●家族およびケア提供者，キーパーソンの有無 ●退院後の生活様式の変更に対するケア提供者の不安の有無 ●社会的・家庭的役割 ●経済状況，家屋の構造 ●社会資源の活用状況
(9) **セクシュアリティ-生殖** 周囲の認識・支援体制 役割-関係 セクシュアリティ-生殖	●セクシュアリティ・生殖の問題を知覚しているか	●疾患によって性行動ができなくなったり，困難を感じたりする．	●生殖歴，生殖段階 ・子どもの有無 ・本人とパートナーの希望
(10) **コーピング-ストレス耐性** 知覚・認知 認知-知覚 自己知覚-自己概念 コーピング-ストレス耐性	●ストレスとなる出来事に対処できているか ●ストレスへの対処を支援するサポート体制はあるか ●ストレスへの耐性は高いか	●発症や治療を受けることがストレッサーとなるリスクがある． ●普段行っている対処方法の内容によっては，安静に伴って適正にコーピングがはかれない場合がある．	・これまでストレスとなる出来事にどう対応してきたか ・精神的，物的サポートとなる存在はいるか ・家族は誰がキーパーソンか，家族は支えあっているか

パターン	アセスメントの視点	根拠	収集する情報
(11) 価値-信念 患者背景 健康知覚-健康管理 価値-信念	●治療方法の選択で迷っていることはないか	●治療法により，安静期間が異なってくる．患者が納得して治療を選択できることが望ましい．	●健康に関する価値や信念，大事にしていること

3. 全体像の把握から看護問題を抽出

1）病態関連図

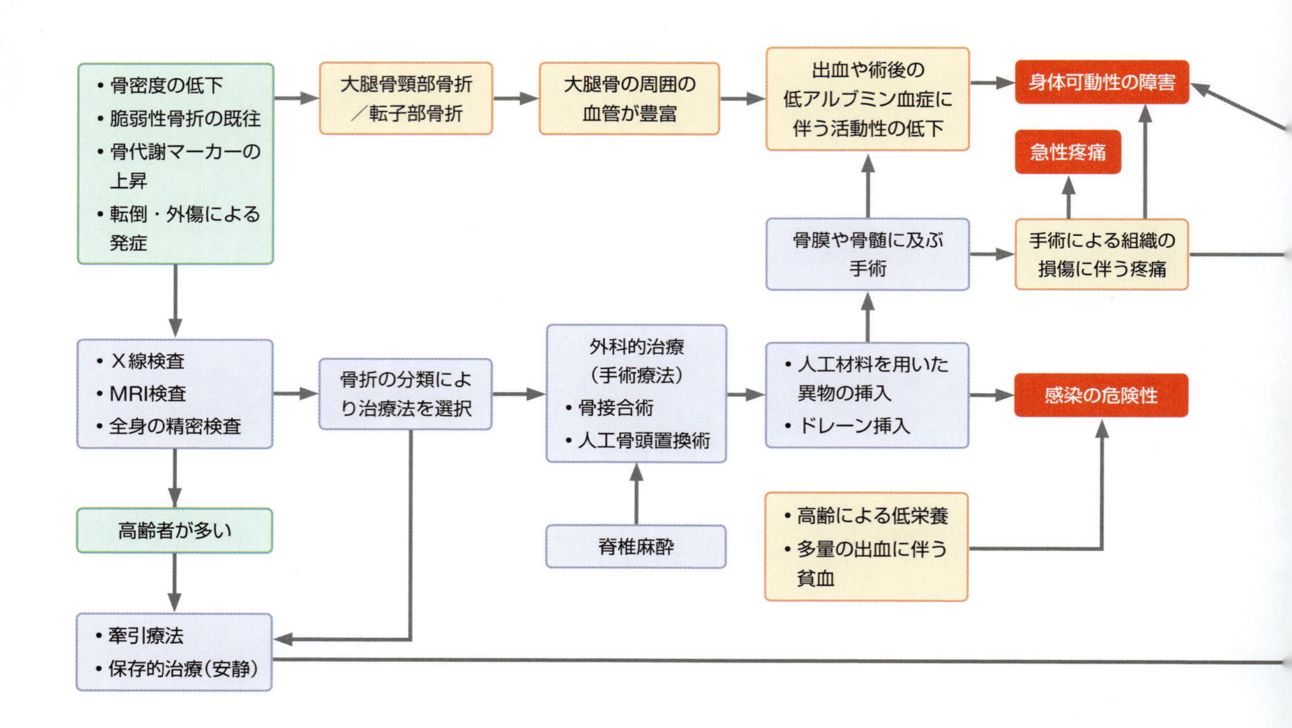

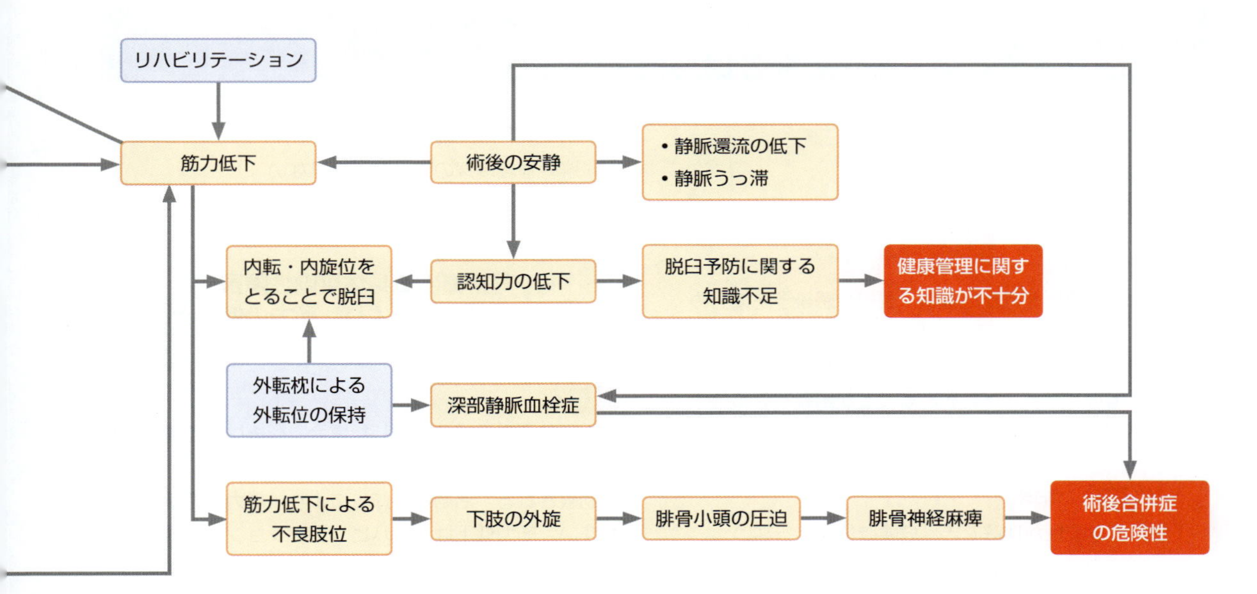
リハビリテーション
筋力低下
術後の安静
・静脈還流の低下
・静脈うっ滞
内転・内旋位をとることで脱臼
認知力の低下
脱臼予防に関する知識不足
健康管理に関する知識が不十分
外転枕による外転位の保持
深部静脈血栓症
筋力低下による不良肢位
下肢の外旋
腓骨小頭の圧迫
腓骨神経麻痺
術後合併症の危険性

2）看護の方向性

大腿骨頸部骨折の患者は高齢者が多く，認知症患者も多い．基礎疾患に骨粗鬆症があり，発生する頻度が高い．受傷後，安静期間が長くなると，認知症の悪化，褥瘡，肺炎などの合併症が起こりやすくなる．また，人工骨頭置換術を行った場合，脱臼や感染予防に努める必要がある．そのため，患者に合併症と予防法を理解し，実施する能力が不足する場合，家族への指導も必要となる．

大腿骨の周囲は大血管や筋肉が豊富であり，骨膜や骨皮質・骨髄組織に及ぶため，外科的治療（手術療法）を選択する場合，多量の出血が生じる可能性がある．それらの組織の損傷や炎症に伴って痛みが出現する．疼痛の緩和に努め，早期離床をはかるよう援助する．人工骨頭置換術の場合は，股関節の内転・内旋位で，脱臼の危険性がある．体動時やトランスファー時には内転，内旋位にならないように，外転枕の固定による下肢の外転位の保持や，正しいトランスファーの方法をとれるように援助する．また，外転枕の使用や筋力低下によって，患肢が外旋気味になりやすく，腓骨神経麻痺を起こしやすい．予防に努めることが必要である．

3）患者・家族の目標

・合併症を起こさずに回復し，元通りの日常生活を送ることができる．

4. しばしば取り上げられる看護問題

◆1 認知機能低下によって良肢位保持が困難である

なぜ？

人工骨頭置換術を行った場合，脱臼や感染予防に努める必要がある．大腿骨頸部骨折の患者は高齢者が多く，認知症患者も多い．受傷後，安静期間が長くなると，認知症が悪化し，安全な行動をとることが困難となることもある．

➡期待される結果

・脱臼の危険性が理解でき，危険肢位をとらない．

◆2 患肢の安静に関連した腓骨神経麻痺の危険性がある

なぜ？

外科的治療（手術療法）を選択する場合，とくに人工骨頭置換術の場合，股関節の内転・内旋位で，脱臼の危険性がある．予防として外転枕の固定による下肢の外転位の保持を行うことや，安静による筋力低下によって，患肢が外旋気味になりやすく，腓骨神経麻痺を起こしやすい．

➡期待される結果

・腓骨神経麻痺の徴候がみられない．
・足関節と母趾の背屈運動が行える．

◆3 骨折による身体可動性障害や安静療法により，筋力の低下を起こしやすい

なぜ？

人工骨頭置換術を実施した場合，術後は人工骨頭の転位を予防するため，患側の股関節の内転・内旋，過屈曲が制限される．活動量の減少により，筋力の低下を生じやすい．筋力低下は，リハビリテーションの阻害要因や転倒のリスク因子となる．

➡期待される結果

・体力・筋力の維持・増強の方法を実践できる．

◆4 骨折や手術による急性疼痛

なぜ？

骨折で，骨が転位することによって，関節包などの周辺組織である組織や神経，血管が損傷を受けるために疼痛が出現する．術後は創部痛が生じる．疼痛は，不眠・

せん妄の要因，リハビリテーションの阻害要因となる．

➡期待される結果

・疼痛コントロールできる．
・安楽な体位によって疼痛が減少する．

♦5 安静により深部静脈血栓症の危険性がある

なぜ？

牽引療法を実施する場合，牽引中は同一体位を保持するため，下肢の静脈うっ滞を生じやすい．また，術後は運動制限により，深部静脈血栓を生じる危険がある．活動制限で十分に水分摂取ができないと，リスクが高まる．

➡期待される結果

・深部静脈血栓症の徴候がみられない．
・深部静脈血栓症の予防行動がとれる．

5. 看護計画の立案

• O-P：Observation Plan（観察計画）　• T-P：Treatment Plan（治療計画）
• E-P：Education Plan（教育・指導計画）

♦1 認知機能低下によって良肢位保持が困難である

	具体策	根拠と注意点
O-P	**(1)脱臼の危険についての認識** ①脱臼をおこす危険があることの知識 ②脱臼肢位，危険動作 ③脱臼時の症状 ・股関節の変形・疼痛・腫脹 ④リハビリテーションの目的	●脱臼についての認識が，どの程度あるのか確認し，指導計画を考えていく． ●リハビリテーションへの意欲などを観察することで，脱臼に対しての理解や関心がわかる．
	(2)脱臼予防のセルフケア行動 ①危険な肢位をとっていないか． ・内旋・内転位となっていないか，股関節の90°以上の屈曲がないか ②起立・移動時の肢位 ③入眠中の肢位 ・外転枕を使用しているか ④下肢の筋力強化訓練への取り組み ・大腿周囲径の測定（週に１回測定） ・下肢伸展挙上（SLR）	●股関節周囲の軟部組織が修復されるまでの３～４週間は，脱臼の危険性がある．そのため，体位変換時や移乗時には危険肢位をとらないように，患者自身の脱臼についての正しい認識と予防法に関する理解が必要である． ●脱臼を起こすと，股関節に激しい痛みや極度な変形が生じる．整復し，床上安静とするが，整復できない場合には，再手術を行って整復となる． ●脱臼を起こすと，安静期間が長くなり，筋力の低下，リハビリテーションの遅れにつながり，落胆が大きくなる．股関節の周囲を鍛えることで脱臼を予防することができるため，患者自身が運動療法の目的を理解し，積極的参加を促す．
	(3) 脱臼予防のセルフケア行動を妨げる要因 ①認知の状態 ②不安・意欲の低下	●脱臼予防について自己管理していくことができる認知機能であるか，観察する．
T-P	**・脱臼を予防するための援助** ①肢位の保持 ・移動時，危険肢位にならないように援助する ・ベッド上での肢位の固定（外転枕を使用） ・体位変換時は，外転枕を使用して行う	●内旋・内転を避け，外転位を保つため，外転枕を装着する．側臥位になるときには，看護師の介助のもとで外転枕を用いて行う． ●SLRが可能になると患肢のコントロールができ，自分で体位変換ができるようになる． ●人工骨頭置換術で股関節後方アプローチの場合，術後の肢位（内旋・内転位，股関節の過屈曲）によって後方脱臼する可能性がある．そのため，外転枕を使用して脱臼を予防する．
	②筋力強化訓練を促す	●脱臼は股関節周辺の筋力低下で起こりやすいので，筋力強化を行い，脱臼を予防する．
	③環境整備 ・身体を捻転せず物を取ることができるようにベッド上，周囲の環境を整備する ・マジックハンドの使用	●無意識に捻転したり，過屈曲したりすることがある．近くにマジックハンドを置き，必要なものがとれるように環境を整備するとともに，常に肢位について意識できるようにする．

	具体策	根拠と注意点
E-P	**(1)安全な肢位についての説明** **(2)禁忌肢位についての説明** **(3)移動時，内旋・内転位，過屈曲とならないような移動方法の指導**	●脱臼予防を中心とした日常生活の指導を行う．禁忌肢位を説明するときは，危険な肢位だけを説明すると，不安で動けなくなることがあるので，安全な肢位を具体的に説明することで，安心して肢位を保持することができる．
	(4)移動時はゆっくり行うように説明	●急激に身体を動かすと，無意識に脱臼肢位をとり，脱臼を起こすことがある．
	(5)筋力強化訓練の必要性についての説明	●脱臼は股関節周辺の筋力低下で起こりやすいため，運動の必要性を説明する．
	(6)自分でとれないものは看護師をよぶように説明	
	(7)マジックハンドの使用法についての説明	●マジックハンドを使用することで身体の捻転や過屈曲を予防できる．

2 患肢の安静に関連した腓骨神経麻痺の危険性がある

	具体策	根拠と注意点
O-P	**(1)腓骨神経麻痺の徴候** ①足関節と母趾の背屈運動が可能か ②指尖，足背部の知覚障害の有無	●腓骨神経麻痺が生じているかどうかを観察するには，患側下肢の足指・足関節が自動で動かせるかどうか，時間ごとに徴候を観察する．腓骨小頭を圧迫しないように，安楽枕などで肢位を安定させる．
	(2)腓骨神経麻痺の原因・誘因 ①不適切な肢位（外旋位）による腓骨小頭圧迫の有無 ②浮腫・腫脹の有無 ③安楽枕による腓骨小頭圧迫 ④弾性包帯での圧迫の有無 ⑤床上安静，疼痛による体位保持困難	●術後，浮腫や腫脹，筋力の低下から外旋位となりやすく，不良な肢位をとり，腓骨小頭の圧迫が考えられる．腓骨小頭が圧迫されると容易に運動麻痺を引き起こす．また，外転枕の使用によって，さらに外旋しやすい状態となっている．
T-P	**・腓骨神経麻痺を予防するための援助** ①外転枕のベルトを固定し，回旋中間位を保持する（外旋の予防） ②枕，バスタオルなどで外旋位を予防する ・肢位：股関節25～30°外転位，20～30°屈曲位，足関節は回旋中間位に整える	●患肢は，筋力の低下から外旋位をとりやすく，腓骨小頭は皮膚と骨に近いため，腓骨頭が圧迫されやすい．回旋中間位を保持しながら，足関節と母趾の背屈運動を確認し，知覚麻痺を予防する．
	③離被架を使用する	●寝具などの重みによる下肢への圧迫を予防する．術後の浮腫・腫脹での体動制限による腓骨神経への圧迫も予防する．
	④患部の冷罨法 ⑤安楽枕を用いて患肢を挙上する	
	⑥１日３回，足関節と母趾の背屈運動を行う	●１日３回行うことで，早期発見につながる．
E-P	**(1)腓骨神経麻痺についての説明** ①腓骨小頭を圧迫すると腓骨神経麻痺が起こることを説明する ②腓骨神経麻痺になると趾尖にしびれや痛みを感じ，下垂足や鶏歩になり歩行が困難になることを説明する ③足関節と母趾の背屈運動を行うことで早期に発見できることを説明する	●患者自身が腓骨神経麻痺についての知識をもち，予防できることが望ましいが，高齢者が多いため，必要性を繰り返し説明する．
	④しびれ，疼痛，知覚鈍麻が出現したら，すぐに知らせるように説明する	●徴候が出現したら，すぐに除圧する必要があるため，症状があったらすぐに伝えてもらう．
	(2)腓骨神経麻痺の予防についての説明 ・回旋中間位を保つ必要性を説明する	

引用・参考文献

1）加藤文雄ほか：整形外科エキスパートナーシング．改訂第３版，p.107，南江堂，2008.
2）松野丈夫ほか編：標準整形外科学．第12版，医学書院，2014.
3）越智隆弘総編：高齢者の運動器疾患．最新整形外科学体系25，p.118〜126，中山書店，2007.
4）日野原重明監：運動器疾患．看護のための最新医学講座18，第２版，p.282〜287，中山書店，2005.
5）萩野浩：整形外科ナース必携 下肢編．見てまなぶ整形外科看護スタンダードテキスト，p.12，メディカ出版，2010.
6）松田達男ほか編：変形性股関節症の運動・生活ガイド――運動療法と日常生活動作の手引き．患者指導に役立つ「運動療法と日常生活動作の手引き」，第４版，p.35 〜 37，日本医事新報社，2011.

Memo

第８章　腎・泌尿器疾患患者の看護過程

48 慢性腎臓病

1. 疾患の基礎的知識

1）疾患の概念

慢性腎不全とは，各種の慢性腎疾患が徐々に進行する，または，急性腎不全が長引き，腎臓による体液の量・質的恒常性が維持できなくなった状態をいう．

近年，慢性腎臓病（CKD：chronic kidney disease）という概念が提唱されている．この概念が取り入れられるようになった背景には，世界中で人工透析や腎移植を必要とする末期腎不全（ESRD：end-stage renal disease）の患者数が増えてきたことと，さらに，軽度の腎機能障害やタンパク尿も心血管疾患（CVD：cardiovascular disease，心筋梗塞や脳卒中）の危険因子であることがわかったことがあげられる．慢性腎臓病の診断基準は，もともとの疾患にかかわらず，次の２つの所見のうちのいずれか，または両方が３か月以上続いた場合とされている．

①尿異常，画像診断，血液，病理で腎障害の存在が明らかであり，とくに0.15g/gCr以上のタンパク尿（30 mg/gCr以上のアルブミン尿）がある．

②糸球体濾過量（GFR：glomerular filtration rate）が60mL/分/1.73m^2未満である．

現在，わが国には約1,330万人の慢性腎臓病患者がいるとされる．腎機能が正常の15%以下で，透析・腎移植が必要もしくは必要に差し迫った状態を，末期腎不全という．慢性腎臓病を早期に発見・治療し，末期腎不全患者を減らすとともに，心血管疾患を予防することが，大きな課題となっている．

2）原因

慢性腎臓病の原因疾患は多種多様であり，すべての腎・泌尿器疾患が原因となる可能性がある．末期腎不全

表48-1 慢性腎臓病の重症度分類

原疾患		蛋白尿区分		A1	A2	A3
糖尿病		尿アルブミン定量（mg/日） 尿アルブミン/Cr比（mg/gCr）		正常	微量アルブミン尿	顕性アルブミン尿
				30未満	30～299	300以上
高血圧 腎炎 多発性嚢胞腎 移植腎 不明 その他		尿蛋白定量（g/日） 尿蛋白/Cr比（g/gCr）		正常	軽度蛋白尿	高度蛋白尿
				0.15未満	0.15～0.49	0.50以上
GFR区分 （mL/分 /1.73m^2）	G1	正常または高値	≧90			
	G2	正常または軽度低下	60～89			
	G3a	軽度～中等度低下	45～59			
	G3b	中等度～高度低下	30～44			
	G4	高度低下	15～29			
	G5	末期腎不全（ESKD）	＜15			

重症度は，原疾患・GFR区分・蛋白尿区分を併せたステージにより評価する
慢性腎臓病の重症度は死亡，末期腎不全，心血管疾患の死亡発症のリスクを示す
緑■のステージを基準に，黄■，オレンジ■，赤■の順にステージが上昇し，リスクも上昇する
（KDIGO CKD guideline2012を日本人用に改変）

日本腎臓学会編：エビデンスに基づくCKD診療ガイドライン2018．p.3，東京医学社，2018．

の最後の治療法である透析療法が導入された疾患のなかで，第１位は糖尿病性腎症（42.3%），次いで慢性糸球体腎炎（15.6%），高齢化に伴う腎硬化症（15.6%）の順となっており，原疾患不明が13.5%であった（2018年）．

3）病態と臨床症状

病態

慢性腎臓病によって長い時間を経て徐々に腎機能が低下すると，透析導入になる前に心血管疾患などの重大な合併症を起こす．『エビデンスに基づくCKD診療ガイドライン2018』では，原疾患，糸球体濾過量，タンパク尿（アルブミン尿）をもとに，イベント発症リスクに応じた慢性腎臓病の重症度分類が示された． 慢性腎臓病の重症度分類を**表48-1**に示す．

糸球体濾過量が30mL/分/1.73m²以下に低下してくると，本来尿中に排泄される窒素を含んだ代謝産物である尿素窒素，クレアチニン（Cr），尿酸などが増加し，高窒素血症が明らかとなる．また，尿素窒素が80～100mg/dL，Crが8～10mg/dLを超えると尿毒症症状が顕著となり，透析療法を必要とする状態になることが多い．セルディン（Seldin）の分類は，慢性腎不全を残存腎機能のレベルによってⅠ～Ⅳ期に分けて考え，病期分類に広く用いられてきた（**表48-2**）．

慢性腎臓病では，心筋梗塞，心不全，脳梗塞の発症および死亡率が高くなっている．糸球体濾過量の低下とタンパク尿（アルブミン尿）排泄量の増加は，ともに心血管疾患の独立した危険因子であり，慢性腎臓病および心血管疾患の危険因子の多くは共通である（**図48-1**）．

臨床症状

慢性腎臓病のステージ（病期）分類を**表48-3**に示す．

［尿毒症症状］

①眼：視力障害，眼底出血
②口：尿臭，歯肉出血，味覚異常
③脳：意識障害，痙攣，不眠，頭痛
④顔：浮腫，黄色変容
⑤肺：咳嗽，息苦しい，肺水腫，胸水
⑥心臓：心肥大，心不全
⑦胃腸：食欲不振，悪心
⑧腎臓：尿量減少
⑨血液：BUN・K上昇，貧血

表48-2　慢性腎不全の病期分類（セルディンの分類）

病期	糸球体濾過値（GFR）（mL/分/1.73m²）	血清クレアチニン（mg/dL）	臨床症状および検査所見
Ⅰ期　腎予備能低下	50以上	正常範囲	無症状
Ⅱ期　腎機能不全期	30～50	2.0未満	夜間多尿 軽度の高窒素血症，貧血
Ⅲ期　非代償性腎不全期	10～30	2.0～8.0	倦怠感，脱力感，高血圧 高窒素血症，貧血，代謝性アシドーシス 高リン血症，低カルシウム血症
Ⅳ期　尿毒症期	10未満	8.0以上	尿毒症症状 肺水腫，高血圧

図48-1　体液調節障害，内皮障害による動脈硬化と貧血による悪循環

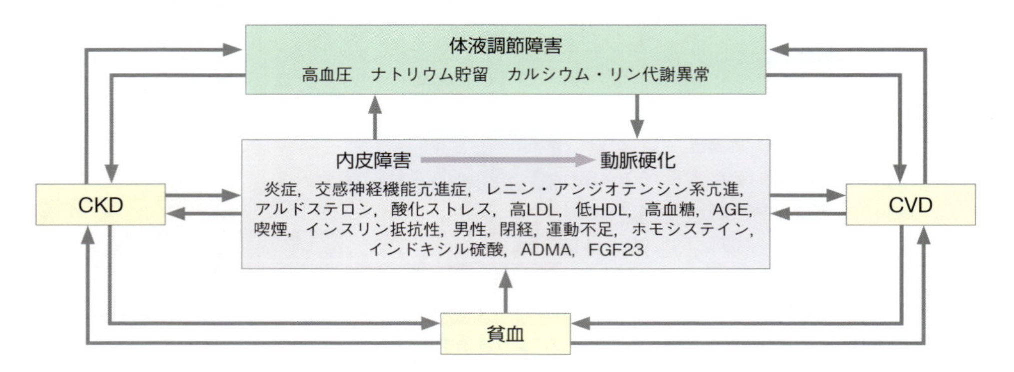

AGE：終末糖化産物 / ADMA：非対称性ジメチルアルギニン / FGF23：線維芽細胞増殖因子23

日本腎臓学会編：CKD診療ガイド2012．p.14，東京医学社，2012．

⑩皮膚：皮下出血，浮腫
⑪骨：低カルシウム血症
⑫末梢神経：感覚異常，いらいら感

末期腎不全期に出現する症状

(1)高窒素血症，尿毒症
①中枢神経系：頭痛，精神障害，不眠，痙攣，意識障害，昏睡
②感覚器：味覚・視覚・嗅覚障害
③末梢神経障害：知覚異常，末梢神経炎
④消化器系：食欲不振，悪心・嘔吐，消化管出血，便秘・下痢

(2)体液過剰
①心・血管系：高血圧，高血圧脳症，眼底の変化，心不全，心筋症，心外膜炎，不整脈
②呼吸器系：尿毒症肺，肺水腫，肺炎，胸膜炎

(3)腎性貧血(エリスロポエチン産生低下)
・血液系：貧血，出血傾向，血小板機能異常

(4)カルシウム代謝異常
・骨・関節：腎性骨症，腎性骨異栄養症，骨痛，骨折

(5)その他
①皮膚：瘙痒感，色素沈着，皮下出血，乾皮症
②免疫系：免疫力の低下，易感染性

4）検査・診断

原因疾患，糸球体濾過量，タンパク尿(アルブミン尿)などから，腎機能の程度を判断する．慢性腎臓病の重症度分類，残存腎機能のレベルによるセルディンの病期分類を用いて診断する．

慢性腎臓病の各種検査を**表48-4，5，6，7**に示す．

5）治療

慢性腎臓病および心不全の治療方針は，早期診断・治療を行い，腎機能低下に基づく代謝の是正を行うとともに，合併症の併発を防ぎ，透析導入をできるだけ回避する，または遅らせることである．透析導入後は，さまざまな合併症の早期発見とその治療を行う．

慢性腎臓病の予防・治療の原則

(1)生活習慣の改善
①食塩摂取量は６g /日未満
②肥満の解消(BMI 25未満)，適度な運動
③禁煙
④病態に応じたタンパク質制限
⑤血清尿酸値(7.0mg/dL以下)
⑥口腔ケア(歯周病予防)

(2)糖尿病の場合は，HbA1c6.5%未満(NGSP値)

(3)血圧は130/80mmHg未満，高齢者140/90mmHg未満

降圧薬は，腎保護作用(臓器保護作用)のあるRA(レニン・アンジオテンシン)系抑制薬を第１選択とする．

(4)脂質異常症の治療により，タンパク尿の減少と腎機能低下の抑制を目指す

LDLコレステロールは120mg/dL未満を目標とする．

(5)その他
①鎮痛薬(非ステロイド性抗炎症薬［NSAIDs］)，造影剤，脱水などは腎機能低下のリスクである．
②過労を避け，規則正しい生活を送る：残業や過度の仕事による疲れ，ストレスをためない．
③感染症予防(インフルエンザ，感染性胃腸炎など)：うがい，手洗いの励行，予防接種．

表48-3　慢性腎臓病のステージ(病期)分類

ステージ(病期)	説明	推算GFR値(mL/分/1.73m^2)	診療計画
0	ハイリスク群 慢性腎疾患には至っていないが リスクが増大した状態	≧90 (CKDのリスクファクターを有する状態で)	CKDスクリーニングの実施(アルブミン尿など)， CKD危険因子を軽減させる治療
1	腎障害は存在するが， GFRは正常または上昇	≧90	上記に加えて，CKD進展を遅延させる治療，併発疾患の治療，心血管疾患のリスクを軽減する治療
2	腎障害が存在し，GFR軽度低下	60～89	上記に加えて，CKDの進行度の評価
3	腎障害が存在し，GFR中等度低下	30～59	上記に加えて，CKD合併症を把握し，治療する(高血圧，貧血，続発性上皮小体機能亢進症など)
4	腎障害が存在し，GFR高度低下	15～29	上記に加えて，透析または移植の準備
5	腎不全・透析期	<15	もし尿毒症の症状があれば，透析または移植の導入

慢性腎臓病の病期分類に応じた治療

第１，２期では，原疾患の治療と進行性腎障害に共通の進展因子の抑制療法が主体となり，心血管病変の評価とその治療を開始する．

第３期になると，さらに腎機能障害が進行するため，腎機能の増悪因子に注意しながら進展因子の抑制療法とタンパク質・塩分制限などの食事療法を強化し，腎不全の進行に伴う合併症の評価と治療を行う．

第４期では，食事制限や薬物療法（経口吸着炭素製剤，エリスロポエチン製剤，高カリウム血症改善薬，高尿酸血症治療薬，高リン血症改善薬，アシドーシス改善薬，ビタミンD製剤など）による代謝異常の是正が強化される．また，透析または腎移植の適切な時期を検討する．

第５期では，透析導入基準に沿って適切な時期に透析導入または腎移植をする．

透析導入基準

原則として，以下のⅠ～Ⅲ項目の合計点数が60点になったときに，長期透析療法への導入が適応となる．年少者（10歳以下），高齢者（65歳以上），高度な全身性血管障害を合併する患者，あるいは全身状態が著しく障害された患者では，Ⅰ～Ⅲ項目の合計点数にさらに10点を加算し，これが60点になったときに長期透析療法への導入が適応となる．

（Ⅰ）腎機能
血清Cr mg/dL（クレアチニンクリアランス［CCr］mL/分）
・８以上（10未満）：30点
・５～８未満（10～20未満）：20点
・３～５未満（20～30未満）：10点
（Ⅱ）臨床症状
①体液貯留（全身性浮腫，高度の低タンパク血症，肺水腫）
②消化器症状（悪心・嘔吐，食欲不振，下痢など）
③循環器症状（重篤な高血圧，心不全，心膜炎［心包炎］）
④神経症状（中枢・末梢神経障害，精神障害）
⑤血液異常（高度の貧血症状，出血傾向）
⑥視力障害（尿毒症性網膜症，糖尿病性網膜症）
これら１～６小項目のうち３項目以上のものを高度（30点），２項目を中等度（20点），１項目を軽度（10点）とする．

表48-4　基本的検査

検査項目	検査の主な目的
血球数計算（CBC）	貧血の程度
生化学検査（Alb，BUN，Cr，Na，K，Cl，Ca，iP，Mgなど）	腎機能，電解質異常
胸部X線検査	肺うっ血，胸水，心拡大の有無
動脈血ガス分析	代謝性アシドーシス，低酸素血症

表48-5　原因疾患の検査

考えられる原因疾患	検査項目
慢性糸球体腎炎	尿検査一般，尿沈渣，尿タンパク定量
間質性腎炎	尿中β_2ミクログロブリン，尿中NAG
糖尿病	尿糖，空腹時血糖値（FBS），HbA1c，眼底所見
膠原病（とくに全身性エリテマトーデス［SLE］）	抗核抗体，抗DNA抗体，IgG，IgA，IgM，C3，C4，CH50
ANCA関連腎炎	抗好中球細胞質ミエロペルオキシダーゼ抗体（MPO-ANCA）
ウェゲナー肉芽腫症	抗好中球細胞質抗体（PR3-ANCA）
クリオグロブリン腎症	クリエグロブリン
多発性嚢胞腎，閉塞性腎症	腹部超音波検査あるいは腹部単純CT検査
尿路感染症，逆流性腎症	中間尿培養，排尿時膀胱造影

表48-6　透析導入時の検査

尿検査，便検査，血球数計算，白血球分画，網状赤血球
生化学（BUN，Cr，UA，Na，K，Cl，Ca，iP，Mg，Fe，β_2ミクログロブリン，IgG，IgA，IgM，C3，C4，CH50，UIB，フェリン，PTH，アルミニウムなど）
心電図検査，胸部X線検査，腹部X線検査，動脈血ガス分析，心臓超音波検査，腹部超音波検査，神経伝導速度，骨X線検査，骨塩定量，眼底検査，ツ反

表48-7　透析導入後の検査

血球数計算，便検査，動脈血ガス分析，胸部X線検査，心電図検査
生化学（BUN，Cr，UA，Na，K，Cl，Ca，iP，Mg，CRP，TP，タンパク分画，AST，ALT，APL，総コレステロール，HDLコレステロール，TG）
特殊検査（Fe，UIBC，フェリチン，β_2ミクログロブリン，HBsAg，HCV，PTH，FBS，HbA1c，IgG，IgA，IgM，C3，C4，CH50，FT3，FT4，TSH，骨X線検査，神経伝導速度，眼底検査など）

（Ⅲ）日常生活障害度
・尿毒症症状のため，起床できないものを高度：30点
・日常生活が著しく制限されるものを中等度：20点
・通勤，通学あるいは家庭内労働が困難となった場合を軽度：10点

末期腎不全（第５期）の治療法

透析療法と腎移植がある．透析療法には血液透析と腹膜透析の２種類があり，腎不全で治療が必要となったときにはこれら３つの治療法（血液透析，腹膜透析，腎移植）から，患者の病状や希望に沿って，主治医と相談のうえ，治療法を選択する．

（1）血液透析（HD：hemodialysis）

わが国で現在，最も広く行われている透析療法である．通常，１週間に２～３回，１回４～５時間，血液を体外に取り出し，ダイアライザーとよばれる透析器（人工の膜）を介して直接血中から不要な老廃物を除いたり（溶質除去），水分を取り除き（除水），血液を浄化し，再度，血液を体内に戻す方法である．

血管に針を刺して血液を連続的に取り出す装置（バスキュラーアクセス）が必要となり，簡単な手術によって，前腕の動脈と静脈を皮下でつなぎあわせてシャント（血液の取り出し口）を作製するほかに，緊急時には大腿静脈または内頸静脈カニューレを装着して透析を行う方法もある．

（2）腹膜透析（CAPD：continuous ambulatory peritoneal dialysis）

腹腔内にカテーテルから１～２Lの透析液を注入し，20～60分，腹腔内に停留させて血液中の毒素や余分な水分を移行させ，カテーテルからサイフォンの原理を利用して排液する．この操作を通常１日４回繰り返す．腹膜を利用して24時間連続した透析を行うので，最も生体腎に近い治療法といえる．１日数回，清潔に透析液バックを交換するCAPDと，夜間就寝中に自動的に透析液を交換する自動腹膜灌流装置を用いて透析するAPDという方法がある．

（3）腎移植

末期腎不全で腎臓が機能しなくなった患者に，他人の腎臓を移植し，その人の腎臓として働きをさせる治療法である．腎移植がうまくいけば透析療法は不要になり，患者の生活の質は大きく向上する．しかし，拒絶反応を抑える免疫抑制薬を飲み続けながら，自己管理を続ける必要がある．腎移植は，生体腎移植と死体腎移植（献腎移植）に分けられる．

（4）透析中の食事療法

慢性腎臓病ステージによる食事療法基準を**表48-8**に，血液・腹膜透析中の慢性腎臓病ステージによる食事療法基準を**表48-9**に示す．

6）予後

慢性腎臓病のステージが進行すると，徐々に腎機能が低下していき，最後には末期腎不全に至る．末期腎不全となった場合は根本的な治療はなく，人工透析か腎移植しか治療法はない．また，心筋梗塞などの心血管疾患で死亡する患者も多く，さらに，人工透析を受けている患者のみならず，その前段階の患者にも死亡者が多いことが明らかにされている．

表48-8 慢性腎臓病ステージによる食事療法基準

ステージ（GFR）	エネルギー（kcal/kgBW/日）	タンパク質（g/kgBW/日）	食塩（g/日）	カリウム（mg/日）
ステージ1　（GFR≧90）	25～35	過剰な摂取をしない	3≦ <6	制限なし
ステージ2　（GFR60～89）		過剰な摂取をしない		制限なし
ステージ3a（GFR45～59）		0.8～1.0		制限なし
ステージ3b（GFR30～44）		0.6～0.8		≦2,000
ステージ4　（GFR15～29）		0.6～0.8		≦1,500
ステージ5　（GFR<15）		0.6～0.8		≦1,500
5D　（透析療法中）	別表（表48-9）			

注）エネルギーや栄養素は，適正な量を設定するために，合併する疾患（糖尿病，肥満など）のガイドラインなどを参照して病態に応じて調整する．性別，年齢，身体活動度などにより異なる
注）体重は基本的に標準体重（BMI=22）を用いる

日本腎臓学会編：慢性腎臓病に対する食事療法基準 2014年版．p.2，東京医学社，2014．

表48-9 血液・腹膜透析中の慢性腎臓病ステージによる食事療法基準

ステージ5D	エネルギー（kcal/kgBW/日）	タンパク質（g/kgBW/日）	食塩（g/日）	水分	カリウム（mg/日）	リン（mg/日）
血液透析（週３回）	30～35[注1,2)]	0.9～1.2[注1)]	<6[注3)]	できるだけ少なく	≦2,000	≦タンパク質(g)×15
腹膜透析	30～35[注1,2,4)]	0.9～1.2[注1)]	PD除水量(L)×7.5＋尿量(L)×5	PD除水量＋尿量	制限なし[注5)]	≦タンパク質(g)×15

注1）体重は基本的に標準体重（BMI=22）を用いる
注2）性別，年齢，合併症，身体活動度により異なる
注3）尿量，身体活動度，体格，栄養状態，透析間体重増加を考慮して適宜調整する
注4）腹膜吸収ブドウ糖からのエネルギー分を差し引く
注5）高カリウム血症を認める場合には血液透析同様に制限する

日本腎臓学会編：慢性腎臓病に対する食事療法基準 2014年版．p.2，東京医学社，2014．

2. 看護過程の展開

アセスメント～ゴードンの機能的健康パターンを用いて

パターン	アセスメントの視点	根拠	収集する情報
(1) 健康知覚-健康管理 患者背景 健康知覚-健康管理 価値-信念	●疾患や病状，治療への理解 ●病状に伴うセルフケア行動	●多尿，または乏尿を伴い，高窒素血症（高尿素窒素血症，高クレアチニン血症），糸球体濾過量の低下があれば腎不全と判断される．慢性腎臓病は，タンパク尿，血清Cr値の上昇，糸球体濾過量の低下，画像診断などで腎障害が明らかな場合，適切な治療がなされないと徐々に進行し，透析療法が必要となり，さらに心血管疾患を合併するリスクが高い． ●慢性腎臓病の初期には，ほとんど自覚症状がみられない．貧血，疲労感，むくみなどの症状が現れたときには，かなり進行している可能性がある．そのため，定期的に尿検査，血液検査を行い，血清Cr値などから発症要因や慢性腎臓病の進行状況を把握する． ●また，肥満，運動不足，飲酒，喫煙，ストレスなどの生活習慣は，慢性腎臓病の発症に大きく関与し，メタボリックシンドロームでも慢性腎臓病の発症率が高まることが解明されている．	●年齢，生育歴，職業 ●病歴 ・発症の原因と経過 ・重症度分類 ・増悪因子 ・治療経過 ●既往歴 ●生活習慣 ・食事，運動，喫煙，アルコール ●セルフケアの実行の程度とその反応 ・受診行動がとれ，服薬コントロールを適切に行えているか ●健康に対する認識・考え方
	●セルフケア行動を阻む心理的要因はないか	●病態に応じて，治療方針，治療内容が決定される．治療の目的や内容，方法，検査について，患者自身が理解できていることは，結果予期を高め，セルフマネジメントをするための基本となる．セルフマネジメントをするうえでは，自己効力感をもつことが重要となる．	●セルフケアに必要な知識，理解力 ●セルフケアに対する実践の程度

パターン	アセスメントの視点	根拠	収集する情報
(2) 栄養-代謝 全身状態 栄養-代謝 排泄	●栄養状態，食事制限への影響はどの程度か ●腎機能障害の程度，その影響はどうか ●透析療法が適切に導入され，合併症が起こっていないか ●皮膚の状態はどうか	●糸球体濾過量が30～50%，血清Cr値2.0～3.5mg/dLになると，腎機能の代償が不完全となり，尿量やBUNが上昇し，貧血も軽度出現する． ●糸球体濾過量が10～30%，血清Cr値3.5～8.0mg/dLになると，体液の恒常性が保てなくなり，低カルシウム血症，高リン血症や代謝性アシドーシスなど，腎機能障害に伴う多彩な臨床症状が出現する．また，慢性腎臓病では，この時期になると，食事制限や薬物療法による代謝異常の是正を主体とし，透析療法導入の準備となる． ●糸球体濾過量が15%以下になると，透析療法が必要となる．透析療法では，恒常的なバスキュラーアクセスとして，内シャントを作製することが多い．内シャントの合併症としては，感染症，狭窄・閉塞，静脈血灌流障害，再循環，仮性動脈瘤，シャント末梢部の血流障害などがみられる． ●透析中または透析直後の合併症としては，低血圧，不均衡症候群，初回透析症候群，不整脈などがある．長期透析に基づく合併症としては，高血圧，尿毒症性心筋症，動脈硬化，心外膜炎，腎性貧血，腎性骨異栄養症，透析アミロイドーシスなどがある． ●浮腫，乾燥に伴う皮膚や組織の損傷のリスクは高く，神経障害，血管障害における皮膚の状態を観察する．	●栄養・代謝 ・身長・体重の増減，食欲の変化 ・制限食への理解 ・食事の好み ●腎機能低下を示す症状 ・高窒素血症，尿毒症症状 ・糸球体濾過量低下，血清Cr値上昇，体液過剰 ・腎性貧血 ・FBS，HbA1c ・血液系変化 ・カルシウム代謝異常 ・皮膚症状 ・免疫力の低下 ・シャントトラブル ・透析療法の合併症
(3) 排泄 全身状態 栄養-代謝 排泄	●排泄状態への影響はどの程度か	●腎臓は代謝産物や異物の排泄，および水・電解質のバランス，体液量，浸透圧，酸・塩基平衡の調節を行う働きがある．障害されると，排泄状態にも影響を及ぼす．	●排泄状態 ・尿量・尿回数の変化，浮腫の有無，便秘・下痢の有無
(4) 活動-運動 活動・休息 活動-運動 睡眠-休息	●慢性腎臓病および透析療法が日常生活に及ぼす影響はどうか	●病状の変化や入院，透析療法をすることにより，日常生活は変化する．腎不全によって活動性が低下すると，心肺機能（活動耐性）が低下する．	●日常生活での活動状況 ・運動量，生活パターン，仕事での活動量，仕事・余暇活動への影響 ●ADLの程度と変化 ・疲労感，倦怠感
(5) 睡眠-休息 活動・休息 活動-運動 睡眠-休息	●慢性腎臓病および透析療法が睡眠に及ぼす影響はどうか	●病状の変化や入院，透析療法をすることにより，睡眠や休息の状況が変化する．	●睡眠状況 ・睡眠時間，熟睡感，不眠

48 慢性腎臓病

パターン	アセスメントの視点	根拠	収集する情報
(6) 認知-知覚 知覚・認知 認知-知覚 自己知覚-自己概念 コーピング-ストレス耐性	●体液貯留による苦痛はないか ●セルフケアに必要な知識をもっているか	●糸球体濾過量が10～30%，血清Cr値3.5～8.0mg/dLになると，体液の恒常性が保てなくなり，低カルシウム血症，高リン血症，代謝性アシドーシスなどの腎機能障害に伴う多彩な臨床症状が出現し，心身の苦痛を生じる．	●腎不全に関する知識 ●病態や治療の知識 ●内シャントの知識と反応 ●透析療法の知識と反応
(7) 自己知覚-自己概念 知覚・認知 認知-知覚 自己知覚-自己概念 コーピング-ストレス耐性	●どのような自己知覚をしているか	●慢性腎臓病は徐々に進行し，疾患をもつ人生に無力感を抱かせ，自己価値が低下しやすい． ●腎障害によって自分のしたいことが制限され，自己概念が低下する原因ともなる．また，将来の不確かさから不安をもったり，うつ状態にもなりやすい．	●心理状態 ・疾患の受け止め方 ・不安，無力感 ・自己効力感 ・社会復帰への意欲 ●疾患をもっている自己の認識
(8) 役割-関係 周囲の認識・支援体制 役割-関係 セクシュアリティ-生殖	●長期療養を支えるサポート体制は十分か ●慢性腎臓病および透析療法が家庭生活，学業，職業などに及ぼす影響はどうか	●長期に治療を継続していくには，患者のみではパワーレスネスとなりやすい．そのため，患者をとりまく周囲の人のサポートを必要とする． ●病状の変化や入院により，家庭生活，学業，職業は変化することがある．	●家族構成，家庭内での役割，職位，職場での役割 ●家族の腎不全に対する知識，治療法に対する理解と反応 ●家族および周囲の人のサポート体制，サポート力 ●経済状況 ●社会資源の活用状況
(9) セクシュアリティ-生殖 周囲の認識・支援体制 役割-関係 セクシュアリティ-生殖	●慢性腎臓病により，性行動・生殖への影響はないか	●慢性腎臓病の人が妊娠すると妊娠合併症を生じるリスクが高い．正常妊娠を持続するため，腎臓への負荷がかかり機能の変化を生じる． ●慢性腎臓病により性機能障害を生じることがある．	●パートナーの有無 ●性行為への影響

パターン	アセスメントの視点	根拠	収集する情報
(10) コーピング-ストレス耐性 知覚・認知 認知-知覚 自己知覚-自己概念 コーピング-ストレス耐性	●ストレスにどのように対処しているか ●ストレス反応はどうか	●慢性腎臓病の症状によって，ストレスを生じることがある．	●ストレス対処 ●腎機能障害に伴う苦痛
(11) 価値-信念 患者背景 健康知覚-健康管理 価値-信念	●慢性腎臓病の自己管理に影響を及ぼす価値観や信念はあるか	●人生で優先する事柄や役割葛藤があると，自己管理行動との折り合いをつけることが困難となる．	●価値観 ●信条，信念

3. 全体像の把握から看護問題を抽出

1）病態関連図

原因・誘因　検査・治療　病態・臨床症状（色文字は重要な症状）
看護上の問題

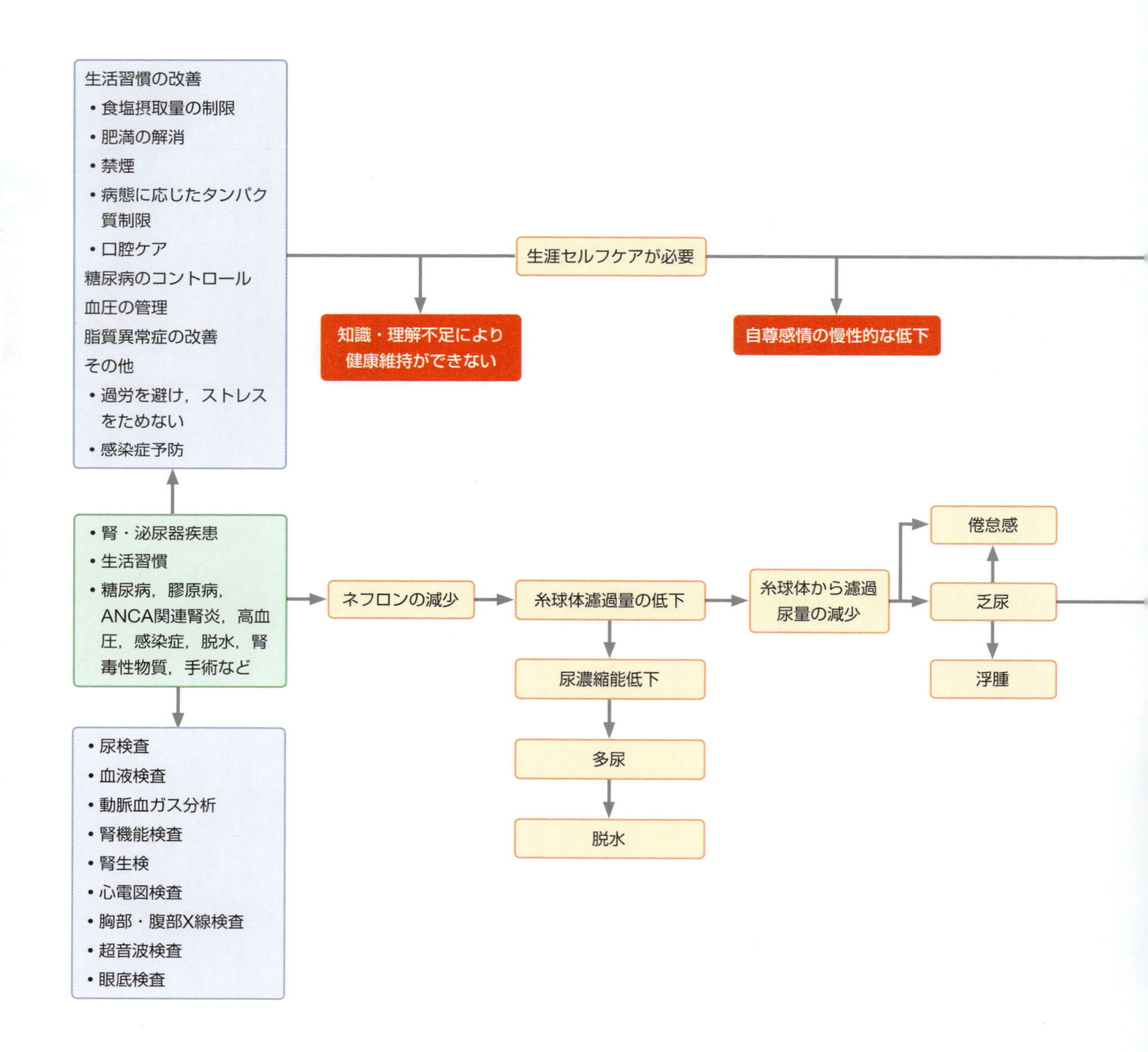

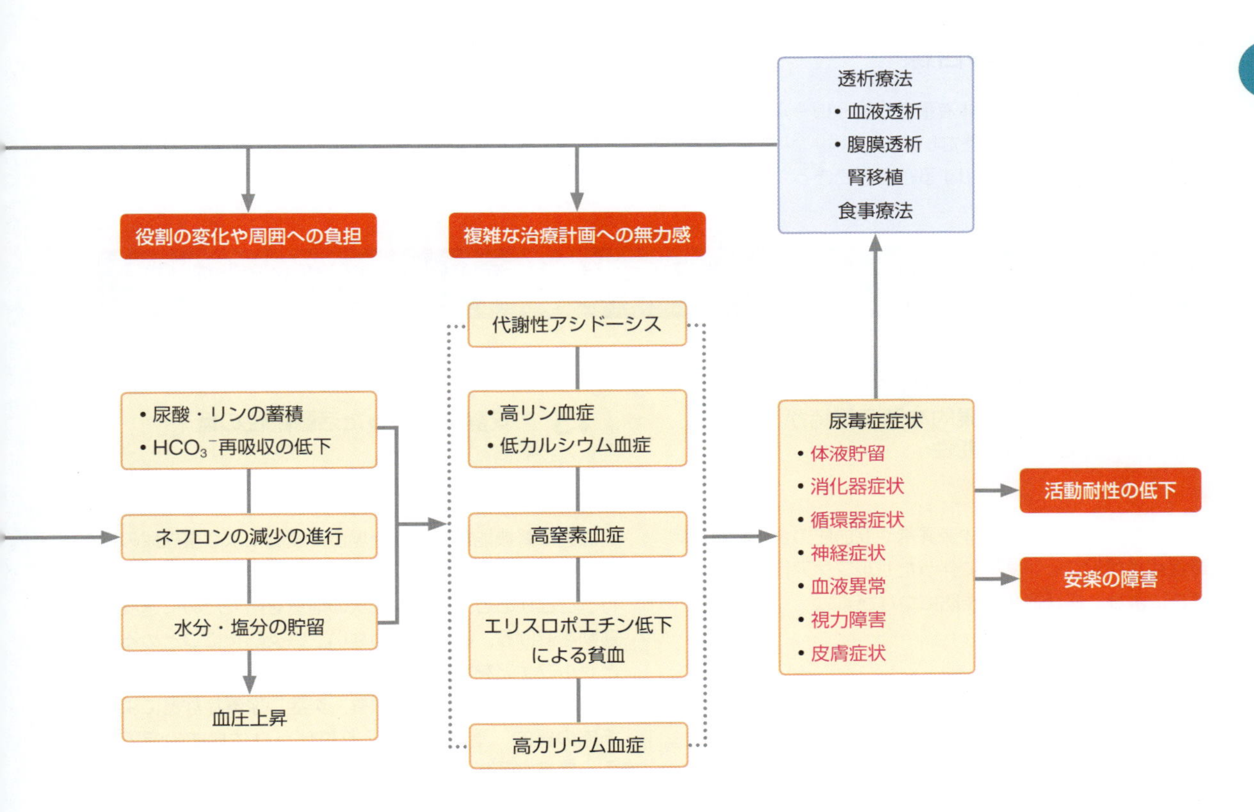
透析療法
・血液透析
・腹膜透析
腎移植
食事療法
役割の変化や周囲への負担
複雑な治療計画への無力感
代謝性アシドーシス
・尿酸・リンの蓄積
・HCO$_3^-$再吸収の低下
ネフロンの減少の進行
水分・塩分の貯留
血圧上昇
・高リン血症
・低カルシウム血症
高窒素血症
エリスロポエチン低下
による貧血
高カリウム血症
尿毒症症状
・体液貯留
・消化器症状
・循環器症状
・神経症状
・血液異常
・視力障害
・皮膚症状
活動耐性の低下
安楽の障害

2）看護の方向性

腎不全患者は腎機能低下に伴い，生体の内部環境が維持できなくなると透析療法に依存せざるを得なくなる．そのため，患者が生活を変化させながらセルフケアを獲得し実践し，自己管理を行いながら腎不全の進行が緩やかになるように維持していく必要がある．患者が治療方針をどのように受け止めセルフケアを実践しているかを把握し，病状の変化の先にある透析療法について受容できるように準備する必要がある．

しかし，実際に透析療法を開始することにより，精神的・身体的苦痛が生じやすく，苦痛を緩和する援助を行い，一生涯続けていかなければならない透析療法に伴う生活全般について理解し，自己管理に対する認識がもてるように援助する．そして，長期透析療法となると自己管理不足からさまざまな合併症を併発しやすい．したがって，長期透析療法で起こりやすい合併症について知識を深め，自己管理できるように指導する必要性がある．

透析療法により生活の変化が起こることから，社会復帰には家族や患者を取り巻く人々の協力が必要となるためこれらの協力が得られるように支援していく．

3）患者・家族の目標

・水分出納を管理し，体液量をコントロールすることにより合併症を起こさない．
・症状に伴う苦痛を緩和することができる．
・セルフケアの必要性を理解し，実践することができる．
・透析導入を受け入れ，セルフケア行動をとりながら生活することができる．

4. しばしば取り上げられる看護問題

◆1 セルフケアへの理解・知識不足により，効果的な健康維持ができない可能性

なぜ？

腎機能の低下に伴い，体液異常や高血圧の合併症と尿毒症症状が起こる．病期に伴ったセルフケア行動をとることにより，病状悪化の予防につながる．

➡期待される結果

セルフケアの必要性と具体的な方法を理解し，実践できる．

◆2 疾患に関連した症状による安楽の障害

なぜ？

腎障害の程度により，浮腫，高血圧，食欲不振，嘔吐，掻痒感などさまざまな症状が出現する．また，シャント造設に伴い慢性的な上肢の疼痛を伴うことがある．

➡期待される結果

高窒素血症，尿毒症症状やシャント造設に伴う苦痛が緩和する．

◆3 安静に関連した活動耐性の低下

なぜ？

急速に腎機能が増悪した場合，運動により蛋白尿の増加，腎機能の低下が起こるといわれており，運動制限を行うことがある．また，症状の増悪を防ぐために過度な運動を避ける，疲労をためない，感染防止につとめるなどセルフケアを実践することが必要となる．

しかし，運動不足や低栄養，炎症，尿毒症などにより筋肉の質的・量的異化とそれに伴う身体機能の低下から，適度な運動を継続させることによりADLやQOLの向上につなげることができる．

➡期待される結果

腎障害の程度に応じた生活行動をとることができる．

◆4 複雑な治療計画への無力感が生じる可能性

なぜ？

病期により，食事制限，水分制限，運動制限など，服薬とともにセルフケア行動を強いられる．しかし，ゆっ

くりと進行する症状に自身のコントロールに無力感を感じ，制限を強いられるセルフケアがうまくいかないと感じることから自己効力感が低下することがある．

➡期待される結果

自分でコントロールできた，または自己決定できたと思える体験がもてる．

♦5 喪失に対する無効なコーピングに関連した自尊感情の慢性的な低下

なぜ？

透析療法を行う患者は週に２～３回透析を実施することから，職場や学校など社会生活へ影響が生じることから，周囲の人の理解が必要となる．このことから，社会的役割や家庭内での役割に変化が生じることがある．

➡期待される結果

変化した役割を肯定的に受け止める言葉が聞かれる．

♦6 疾患・治療による社会生活の変化に関連した自己尊重の状況的変化と周囲の協力

なぜ？

透析療法という長期的な治療に伴い，役割変化から自己喪失感を伴うことがある．患者の社会生活のなか患者とその家族，周囲の人々の理解が必要となるが，とくに家族はともに生活することから，患者が自己管理するための協力がどの程度得られるかということが大切である．

➡期待される結果

長期療養に向けた必要な支援を得られ，家族負担が軽減する．

5. 看護計画の立案

• O-P：Observation Plan（観察計画）　• T-P：Treatment Plan（治療計画）
• E-P：Education Plan（教育・指導計画）

♦1 セルフケアへの知識・理解不足により，効果的な健康維持ができない可能性

	具体策	根拠と注意点
O-P	**(1)腎機能障害の程度，治療方針，治療内容**	●慢性腎臓病の初期は自覚症状がなく，浮腫，貧血，疲労感など，症状の出現した場合は進行している可能性が高い．
	(2)発症からの自己管理状況	●肥満，運動不足，飲酒，喫煙，ストレスなどの生活習慣は，慢性腎臓病の発症に大きく関与し，メタボリックシンドロームを合併すると，慢性腎臓病の発症率が高まる．
	(3)現在の病態，治療に関連する患者・家族の知識・理解度 ・日常生活，食事療法，薬物療法，糖尿病や心血管疾患の合併症の予防など	●慢性腎臓病の第１・２期では，原疾患の治療と進行性腎障害に共通の進展因子の抑制療法を主体とした治療が開始される．
	(4)日常生活習慣・活動 ・活動量・仕事内容，食事内容や量，肥満，服薬，喫煙，飲酒，ストレス	●第３期では，腎機能の増悪因子に注意しながら，進展因子の抑制療法とタンパク・塩分制限などの食事療法を強化し，腎不全の進行に伴う合併症の評価と治療を行う．
	(5)現在の自己管理状況と自己管理に対する反応 ①日常生活行動の是正，食事療法，薬物療法 ②糖尿病や心血管疾患の合併症予防の実施状況	●第４期では，さらに食事制限や薬物療法（経口吸着炭素製剤，エリスロポエチン製剤，高カリウム血症改善薬，高尿酸血症治療薬，高リン血症改善薬，アシドーシス改善薬，ビタミンD製剤など）による代謝異常の是正が強化される．また，透析または腎移植の適切な時期を検討する． ●第５期では，透析導入基準に沿って適切な時期に，透析導入または腎移植をする．
	(6)患者・家族の疾患や治療方法（透析療法）に対する認識	
	(7)疾患に対する反応 ・不安・抑うつ，治療に対する要望，闘病意欲，自尊感情	

	具体策	根拠と注意点
O-P	**(8)患者の好む学習方法，自己管理に対する自己効力感**	●必要な自己管理法を継続して実施するには，指導内容についてどの程度理解されているか，患者・家族は自己管理についてどのように受け止め，実施しているかを評価し，患者・家族が実践可能な，効果的な指導方法を工夫する手がかりを得る．
	(9)患者の性格・理解力，対処能力 **(10)家庭や職場での役割の変化と反応** ・患者，家族，同僚	
T-P	**(1)心理的サポート** ①患者の訴えを受容的に聴く ②患者が話しやすい関係をつくる ③患者の性格や反応，生活背景を考慮した対応をする	●指導内容はどの程度理解されているか，患者の心理状態や準備状況を把握しながら行う．
	(2)家庭や仕事に関する不安や役割葛藤の調整	●長期治療を継続するには，家族や職場の協力や支えも必要とされる．そのため，家族や職場の支援が得られるように援助する．
	(3)腎障害による苦痛の緩和 ・浮腫，呼吸困難，食欲不振，悪心，瘙痒感など	
	(4)透析療法の随伴症状に対する援助 ①血圧上昇・低下 ②悪寒・発熱 ③頭痛 ④悪心・嘔吐	●随伴症状の出現は，透析療法に対する苦痛の原因になる．一貫した援助を行い，予防と異常の早期発見・対処に努める．また，透析室のスタッフと情報交換をし，苦痛を最小限にする． ●血圧低下が生じた場合はファウラー位を避け，頭部を低くしたショック体位をとる． ●血液が体外を循環することで悪寒，発熱が起こる．悪寒，発熱がある場合は，回路を温めたり冷やしたりして対処する．また，電気毛布や氷枕を使用する． ●悪心・嘔吐は突然出現することが多い．
	(5)日常生活の援助 ・腎障害の程度，透析の随伴症状に応じて必要な援助を行う	●症状によって自力でできなくなったニーズを満たすための援助は，セルフケア行動への意欲や動機づけとしても有用である．
E-P	**(1)慢性腎臓病の自己管理指導** ①生活指導 ・食塩摂取量：6g/日未満 ・肥満の解消(BMI25未満)と適度な運動 ・過労を避け，規則正しい生活を送る(残業や過度の仕事による疲れ，ストレスをためない) ・禁煙 ・病態に応じたタンパク質制限・血清尿酸値：7.0mg/dL以下・口腔ケア(歯周病予防)	●慢性腎臓病の進行を予防するには，早期診断・治療を行い，腎機能低下に基づく代謝の是正とともに，合併症の併発を防ぎ，透析導入をできるだけ回避する，または遅らせるための病期に応じた自己管理行動をとれるように支援する． ●指導は，理解度や実行可能性を判断しながら進める． ●慢性腎臓病では，心筋梗塞，心不全，脳梗塞の発症および死亡率が高くなっている．糸球体濾過量の低下とタンパク尿(アルブミン尿)排泄量の増加は，ともに心血管疾患の独立した危険因子であるため，慢性腎臓病および心血管疾患の危険因子である肥満，運動不足，飲酒，喫煙，ストレスなどの生活行動を是正する．
	②糖尿病の場合は，HbA1c6.5%未満(NGSP値)にコントロール	●透析療法を導入された患者の原因疾患の第1位は，糖尿病性腎症(42.3%)である．
	③血圧は130/80mmHg以下，高齢者であれば140/90mmHg以下にコントロール	●降圧薬は，腎保護作用(臓器保護作用)のあるRA系抑制薬(主にACE阻害薬)が第1選択とされる．
	④LDLコレステロールは120mg/dL未満を目標にコントロール	●脂質異常症の治療により，タンパク尿の減少と腎機能低下の抑制を目指す．
	⑤感染症予防(インフルエンザ，感染性胃腸炎など)：うがい，手洗いの励行，予防接種	
	⑥鎮痛薬(非ステロイド性抗炎症薬[NSAIDs])，造影剤，脱水などは腎機能低下のリスクになる	●鎮痛薬，造影剤，脱水は，腎機能低下をきたすことを考慮して観察する．

	具体策	根拠と注意点
E-P	**(2)透析導入時の指導** ①腎不全，透析療法のしくみ，必要性 ②シャント造設部の保護と閉塞予防 ・シャント肢の圧迫，打撲・外傷の回避 ・シャント部の血流音の確認・聴取	●腎臓の機能，腎不全の病態を正しく理解し，透析の必要性が理解できるようにする． ●シャント部で物をもって，圧迫したり，打撲しないように注意する． ●シャント部は動脈血が流れているため，血管を傷つけたときは動脈出血となる．シャントを傷つけた場合は上方の動脈を圧迫止血する． ●シャント肢の圧迫，打撲・外傷の回避や，シャント部の血流音の確認・聴取は，患者自身が実施できるように関わる．
	③透析前後の検査データの変化 ・体重，血圧，BUN，Cr，UA，pH，K，Ca，P，Ht，心胸比	●透析前後の検査データの変化から，透析療法の効果が理解できるように指導する．
	④透析療法の合併症 ・導入期の合併症(血圧低下，血圧上昇，不均衡症候群) ・長期合併症(心不全，高血圧)	●透析中の合併症の出現は患者の苦痛となり，透析に対する不安の原因となるので，これらを予防・早期に対処できるように説明する． ●血圧低下は循環血液量の減少，透析膜の破損などによる失血から起こる．血圧上昇は，精神不安，末梢血管の収縮，返血時に生じやすい． ●不均衡症候群は，透析効率がよいと血中のBUNの低下，pHの上昇が急速に現れるが，中枢神経系では血液脳関門に妨げられて変化が遅れるために起こる．
	⑤日常生活行動 ・体重測定の必要性，体重増加の範囲，ドライウエイト ・飲水の目安	●ドライウエイト(dry weight)とは，透析患者の目標体重を指し，心胸比，血圧の変動などから算定する．この体重を目標に透析によって除水を行う．
	⑥食事指導 ・必要性 ・原則 ・エネルギー：30～35kcal/kg/日が基準 ・タンパク質：1.0～1.2g/kg/日 ・塩分：0.15(残腎尿量100mLにつき0.5g/kg/日増量可) ・K：1.5g/日 ・P：700mg/日 ・Ca：600mg/日 ⑦薬物療法	●腎機能低下に伴い，代謝産物の排液も障害されるため，腎臓に余分な負荷がかからないようにする．食事指導は，栄養士と協力しながら，個別・集団で進める． ●エネルギー不足は，体タンパクの崩壊をまねき，窒素代謝産物の産生増加につながる． ●塩分の過剰摂取は体液の浸透圧を高め，口渇を生じさせ，体内の余分な水分貯留につながる． ●透析療法が導入されるとタンパク質の制限が緩和され，代わって水分・カリウム・リンの制限が加わる．
	⑧社会資源の活用 ・医療保険(高額療養費制度と特定疾病療養受療証の申請) ・自立支援医療(身体障害者手帳の取得)	●医療費の自己負担上限額が，所得に応じて免除される．手続きは，加入している医療保険の窓口(健康保険組合，市区町村の国民健康保険係など)で「特定疾病療養受療証」取得の手続きを行う． ●「身体障害者手帳」を取得して手続きをすることにより，医療費の助成制度を利用することができる．住民票のある市区町村の福祉係で手続きできる．

◆2 疾患に関連した症状による安楽の障害

	具体策	根拠と注意点
O-P	**(1)腎機能障害の程度と患者の反応** ①尿量の増減，体重の増加，浮腫，高血圧の有無 ②腎機能 ・糸球体濾過量の低下 ・Cr，BUNの上昇	●腎機能障害があると尿の異常，体液・電解質調節異常が生じ，さまざまな合併症が生じやすくなり，患者に多くの苦痛を及ぼす． ●加齢に伴って糸球体濾過量は低下するため，高齢者は明らかな原疾患がなくても，腎機能は低下していることを考慮する．
	③体液貯留（全身性浮腫，高度の低タンパク血症，肺水腫） ④消化器症状（悪心・嘔吐，食欲不振，下痢など） ⑤循環器症状（重篤な高血圧，心不全，心膜炎［心包炎］）	●肺水腫は主として水分・ナトリウムの蓄積によって起こるため，肺水腫出現以前に体重の増加がみられることが多い．尿量とともに体重をチェックする．
	⑥神経症状（中枢・末梢神経障害，精神障害）	●糸球体濾過値が30mL/分/1.73m^{2}以下に低下すると，本来尿中に排泄される窒素を含んだ代謝産物であるBUN，Cr，尿酸などが増加し，高窒素血症が明らかとなってくる．さらに，糸球体濾過量が10%以下，血清Cr値8.0mg/dL以上になると，高カリウム血症や肺水腫など，高度な尿毒症症状が出現する．症状は個人差があり，多彩である．
	⑦血液異常（高度の貧血症状，出血傾向） ⑧視力障害（尿毒症性網膜症，糖尿病性網膜症）	●赤血球は，骨髄でつくられるが，その際にエリスロポエチンが必要になる．このエリスロポエチンは腎臓でつくられる．
	⑨皮膚症状（瘙痒感，色素沈着，皮下出血，乾皮症）	●皮下にウロクローム（尿中の色素）が沈着し，黄ばんだ青白い色を呈する．
	⑩免疫力の低下	●生体の免疫力の低下から，感染に対する抵抗力が弱い．とくに上気道感染，尿路感染を起こしやすい．
	(2)既往歴と腎機能障害との関係 **(3)腎機能以外の検査データ** **(4)日常生活状況と症状との関係** **(5)患者の心理状態**	
	(6)透析療法に対する準備状態	●BUNが80～100mg/dL，Crが８～10mg/dLを超えると尿毒症症状が顕著となり，透析療法導入の状態になることが多い．
T-P	**(1)腎障害による苦痛の緩和** ①浮腫（安楽な体位，水分出納・尿量・体重の把握，指示された利尿薬の与薬） ②呼吸困難（安楽な体位，必要な酸素投与，呼吸音，酸素飽和度，呼吸器感染徴候の把握） ③食欲不振，悪心（食べやすいメニューの工夫，汚物は速やかに処理，含嗽） ④皮膚の瘙痒感（寝衣・寝具の工夫，室温の調節，抗ヒスタミン薬の使用）	●腎障害の程度により，浮腫，肺水腫や高度の貧血から呼吸困難，消化器症状としての食欲不振，悪心，皮膚の瘙痒感など，さまざまな症状が出現する．それらの症状に対応した苦痛の緩和を行う．
	(2)日常生活の援助 ・腎障害に応じて必要な援助を行う	●症状のために自力でできなくなったニーズを満たすための援助を行う．
	(3)環境の調整 ・落ち着いた静かな環境にする	
	(4)精神的サポート ①患者が訴えやすい関係をつくる ②性格や生活背景を考慮した対応をする ③不安がある場合は調整をする	●生涯，透析療法を続けなければならないというショックに対処できるようになるには，つらい体験を共感できる周囲のサポートを要する．前向きに治療に取り組めるように心理的支援を行う．

	具体策	根拠と注意点
T-P	**(5)内シャント造設に伴う苦痛の緩和** ①オリエンテーション ②術前・術後のケア ③合併症の予防(閉塞予防)	●血液透析は，わが国で現在，最も広く行われている透析療法である．血管に針を刺して血液を連続的に取り出す装置(ブラッドアクセス)が必要となり，簡単な手術によって，前腕の動脈と静脈を皮下でつなぎあわせてシャントとよばれる血液の取り出し口をつくる． ●通常，利き手と反対側の手前腕に内シャントを造設するので，造設側からの採血などは避け，血管を保護する． ●術後は創部の感染防止に努め，血流音をチェックし，圧迫や打撲などを避け，シャントの閉塞防止をはかる．
E-P	**・症状および透析療法の説明** ①出現している症状，しやすい症状の説明 ②現在行われている治療法についての説明 ③透析療法の必要性 ④透析の方法(原理，時間，回数，随伴症状) ⑤シャントの必要性 ⑥シャントの閉塞予防法	●苦痛を緩和するには，出現している症状について腎機能障害や現在の治療と関連させ，患者自身が理解できるように説明する． ●透析療法に適応していくためには，自己の病状，透析療法の必要性や方法などを理解できるようにする．また，透析療法の導入に伴う不安の軽減や自尊感情の低下から，透析療法を受け入れられない患者もいるため，患者の心理的苦痛を受け止めるように努める． ●説明方法としては，DVD，パンフレットの利用，透析室の見学，患者同士の交流をもてるようにするなど，患者にあわせた工夫をする． ●透析療法を導入することによって，透析前に出現している尿毒症に伴う不快な症状，異常所見の改善が認められることを説明する．

引用・参考文献

1) 山縣邦弘ほか：CKDステージG3b～5診療ガイドライン2017(2015追補版)．2017．https://cdn.jsn.or.jp/data/ckd3b-5-2017.pdf より2020年８月22日検索
2) 日本透析医学会統計調査委員会：わが国の慢性透析療法の現況(2018年12月31日現在)．2019．https://docs.jsdt.or.jp/overview/file/2018/pdf/2018all.pdf より2020年８月22日検索
3) 日本腎臓学会：腎疾患患者の生活指導・食事療法に関するガイドライン．日本腎臓学会誌，39(1)：1～37，1997．
4) 富野康日己編著：図解 腎臓内科学テキスト．中外医学社，2004．
5) 木村健二郎ほか編：講義録 腎臓学．メジカルビュー社，2004．
6) 川口良人ほか編：事例に学ぶ透析看護 応用編．日本メディカルセンター，2004．
7) 日本腎不全看護学会編：透析看護．第２版，医学書院，2005．
8) 平澤由平監：腎不全・透析ガイド―ナーシングコミック＆テキスト．改訂第２版，南江堂，2004．
9) 小川洋史ほか監：透析ハンドブック―よりよいセルフケアのために．第４版増補版，医学書院，2011．
10) 稲本元：透析専門ナース．医学書院，2002．
11) 飯田喜俊編：透析患者の生活指導ガイド．改訂第２版，南江堂，2003．
12) 段野貴一郎：よくわかる透析患者のかゆみケア．改訂２版，金芳堂，2005．

Memo

49 第８章　腎・泌尿器疾患患者の看護過程

急性糸球体腎炎

1. 疾患の基礎的知識

1）疾患の概念

急性糸球体腎炎（AGN：acute glomerulonephritis）の多くは，A群β溶連菌をはじめとする上気道感染症罹患後，１～３週間の潜伏期間を経て，急性腎炎症候群（acute nephritic syndrome）を呈して発症する．「糸球体疾患の臨床分類」（**表49-1**）では，１）急性腎炎症候群（acute nephritic syndrome），２）急速進行性腎炎症候群（rapidly progressive nephritic syndrome），３)反復性または持続性血尿（recurrent or persistent hematuria），４）慢性腎炎症候群（chronic nephritic syndrome），５)ネフローゼ症候群（nephrotic syndrome）の５つのカテゴリーに分類される．

急性腎炎症候群は，「急激に発症する肉眼的血尿，タンパク尿，高血圧，糸球体濾過値の低下，ナトリウムと水の貯留を特徴とする症候群」[1]と定義され，糸球体腎炎とは，急性腎炎症候群を呈する代表疾患である．以前は小児に好発する疾患であったが，衛生環境の改善や抗菌薬の進歩によって，小児の発症は減少し，近年では糖尿病，アルコール依存症などを背景疾患とする高齢者の発症が増加している．

2）原因

急性糸球体腎炎の約80%はA群β溶連菌感染に起因するが，そのほかの細菌やウイルス感染が原因となることもある．A群β溶連菌による咽頭炎，扁桃炎や皮膚感染などの先行感染の後，１～３週間の潜伏期間を経て，Ⅲ型アレルギーの機序で発症する．急性起因菌の菌体成分を抗原とし，循環血中または局所で対応するIgE抗原と，免疫複合体を形成し，糸球体壁に沈着することで発症するとされている．糸球体局所での免疫複合体の形成によって，補体が活性化され，活性化した補体は浸透圧を亢進させるとともに，白血球をよび寄せる．白血球が免疫複合体の処理にあたる際に，リソソーム酵素や活性酸素をばらまくため，結果的に糸球体はさらに障害を受ける．加えて，免疫複合体は血小板を凝集させ，微小血栓を形成するため，循環障害によって組織の損傷が拡大する．そして，微小血栓を溶解するためのサイトカインが毛細血管透過性を亢進させ，白血球の遊離を促すという悪循環も生じる．障害された糸球体ではその修復機転として，メサンギウム細胞と血管内皮細胞が増殖し，糸球体病変が惹起される．

3）病態と臨床症状

病態

腎臓の基本単位であるネフロン（nephron）は，腎小体と尿細管からなり，片腎に約100万個存在している．腎小体は，糸球状の毛細血管である糸球体とボウマン（Bowman）嚢で構成されている．糸球体には，毛細血管で構成される部分（糸球体係蹄）と，メサンギウム（mesangium）領域（メサンギウム細胞と基質）で構成される部分がある．また，糸球体係蹄のボウマン嚢に面した部分を糸球体係蹄壁という（**図49-1**）．

糸球体係蹄の血管内皮細胞には，無数の小孔がある．

表49-1　糸球体疾患の臨床分類（WHO）

1　急性糸球体腎炎症候群	急激に発症する肉眼的血尿，タンパク尿，高血圧，糸球体濾過値の低下，ナトリウムと水の貯留を特徴とする
2　急速進行性腎炎症候群	数週から数か月の経過で末期腎不全に陥る
3　反復性または持続性血尿	高血圧，浮腫，腎機能低下を伴うことなく，血尿，軽度のタンパク尿が長期間持続する
4　慢性腎炎症候群	タンパク尿や血尿が持続し，高血圧，浮腫とともに腎機能障害が緩慢に進行する
5　ネフローゼ症候群	高度タンパク尿，低アルブミン血症，浮腫を特徴とする

中西浩一：教育委員会企画小児腎臓病初歩コース１「あなたは急性糸球体腎炎と急性腎炎症候群の違いを説明できますか？」．日本小児腎臓病学会雑誌，31(2)：109～113，2018.

コラーゲンを主成分にする基底膜を挟んで，血管内皮細胞の外側をとりまく上皮細胞には足突起があり，隙間がある．隙間には，タンパク質を構成要素にもつスリット膜とよばれる特殊なジッパー構造の膜がある．このような構造は糸球体毛細血管の高い溶質浸透性に関与し，一方でタンパク質などの透過を制限している．メサンギウム細胞は筋原細胞の一種であり，糸球体係蹄に沿って枝分かれしながら隅々まで分布している．メサンギウム細胞は糸球体係蹄を支持するほか，収縮・弛緩能を有し，糸球体濾過量の調節を担っている(**図49-2**)．

糸球体が障害を受けると，障害された糸球体では修復機転としてメサンギウム細胞と血管内皮細胞が増殖する．増殖したメサンギウム細胞は，周囲の毛細血管を圧迫するため，糸球体の血流が阻害される．また，血管内皮細胞が増殖すれば，内腔の狭窄によって病状はさらに悪化する．そのため，腎機能が低下し，血尿が出現する．一方で，係蹄壁はボウマン嚢内に濾過液を送り出すため，糸球体係蹄壁の異常は多量のタンパク尿をもたらす．

臨床症状

先行感染後，1～3週間の潜伏期間を経て，主症状として，血尿，タンパク尿，浮腫，高血圧が急激に出現する．自覚症状として，全身倦怠感，食欲不振，微熱，腰痛，頭痛などが出現するが，自覚症状を伴わず，潜在性に発症し，自然治癒する症例もある．血尿，浮腫，高血圧が3大主徴として重要である．

(1)血尿，タンパク尿，乏尿

糸球体が障害されるため，血尿は必発で，約半数に肉眼的血尿が認められる．顕微鏡的血尿は数か月の経過で消失する．

糸球体係蹄壁のタンパク濾過障壁の障害によって，タンパク尿が生じる．タンパク尿は一般的には軽度であり，2～3週間で消失するものが多い．

糸球体濾過値の低下によって，尿量は減少する．約半数で乏尿に至るが，多くは数日で回復する．

(2)浮腫

浮腫は，糸球体濾過値の低下によって，尿細管でのナトリウム再吸収の亢進が生じ，細胞外液が増加することと，低タンパク血症による膠質浸透圧の低下によって出現する．約半数に認めるが，浮腫の程度は軽度であり，顔面の軟部組織，とくに眼窩が中心で，全身性の浮腫に至ることはまれである．

(3)高血圧

細胞外液の増加によって，血圧が急激に上昇する．高血圧は，浮腫と同じく約半数に生じる．ナトリウムと水分貯留によるものであるが，末梢血管壁にナトリウムが貯留することにより，末梢血管抵抗が増強し，さらに高血圧を増悪させる．利尿とともに降圧するが，激しい頭痛，嘔吐，痙攣，せん妄などの高血圧性脳症を発症することもある．

(4)腎機能障害

糸球体濾過値(GFR)の低下が高度であれば，血中尿素窒素(BUN)，血清クレアチニンが一過性に上昇するが，経過とともに正常化する．

(5)全身倦怠感，食欲不振，悪心，微熱，腰痛

腎炎症状の出現に伴って起こる全身症状である．

(6)循環器症状

重症例や，基礎に心疾患を有する高齢者では，体液貯留および血圧上昇により，うっ血性心不全が出現する場合がある．また，体液貯留が重症化すると，胸水貯留や肺うっ血などを認めることもある．

図49-1　腎小体の構造

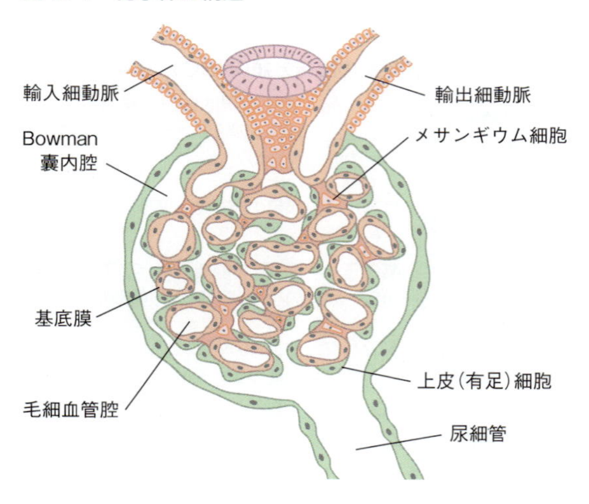

図49-2　毛細血管と糸球体上皮細胞の構造

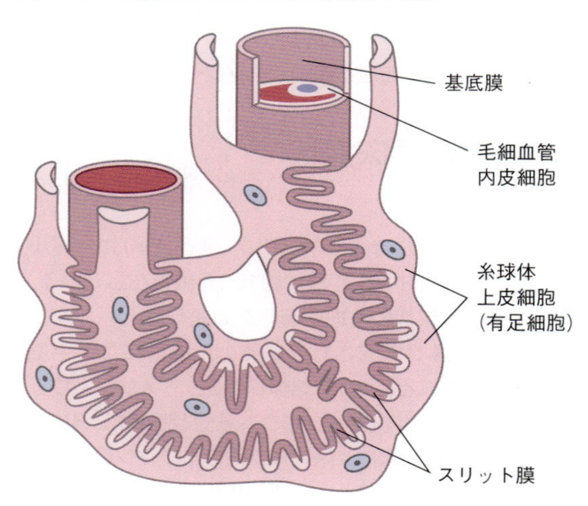

4）検査・診断

急性糸球体腎炎は，臨床経過と，抗ストレプトリジンO（ASO：antistreptolysin-O）高値，低補体血清によって診断する．臨床的には，慢性糸球体腎炎の急性増悪との鑑別が問題となることが多い．急性糸球体腎炎の臨床経過を**図49-3**に示す．

(1)先行感染

急性糸球体腎炎では，A群β溶連菌感染を反映して，溶血毒素に対する抗体であるASOや，ストレプトキナーゼに対する抗体であるASKなどの血中値が上昇する．この抗体価の上昇をもって，溶連菌先行感染症の指標とする．ASOは感染後１～３週で上昇し，３～５週でピークとなり，６～12か月で正常化することが多い．急性糸球体腎炎では先行感染症罹患後に一定の潜伏期間があるのに対し，感染症による慢性糸球体腎炎の急性増悪では，潜伏期間が明らかでないことが多い．

(2)尿所見

約半数の症例で肉眼的血尿を認める．タンパク尿は軽度で，ネフローゼ症候群を呈するものは1/10以下である．沈渣では，変形赤血球，赤血球円柱，顆粒円柱などが認められ，初期には無症候性白血球尿も出現する．

(3)腎機能

病初期に血清クレアチニン，血中尿素窒素（BUN）の上昇が認められるが，利尿に伴って速やかに改善する．

(4)血清補体価

血清補体価の低下はほぼ全例に認められ，症状改善とともに２週以内に上昇し始め，６週以内に正常化する．

(5)超音波検査

腎臓の大きさは，正常またはやや腫大する．慢性腎炎の場合，進行に伴って萎縮するため，慢性腎炎の急性増悪の鑑別に役立つ．

5）治療

治療方針としては，発症初期は腎臓の庇護が重要となるため，安静，食事などの対処療法が中心となる．多くが自然治癒するが，重症化する例もある．発症後２～３週間は臨床症状も活動期で，体液貯留や高血圧，合併症としては急性腎不全，うっ血性心不全などに注意し，治療方針を立てる．

(1)食事療法

食事療法としては，１日35kcal/kg以上の高カロリー食と，低タンパク・塩分制限が中心である．急性期（乏尿期・利尿期）はタンパクを0.5g/kg/日，塩分を０～３g/日に制限し，回復および治癒期にはタンパク1.0g/kg/日と塩分３～５g/日へと制限をゆるめる．急性期には前日の尿量＋不感蒸泄を目安とした水分制限も行う（**表49-2**）．

(2)安静療法

腎血流量の維持のため，安静・保温を保つ．安静臥床の期間は，腎機能や尿所見から明らかな改善をみるまで継続する．日常生活の具体的な生活指導区分について**表49-3**に示す．

(3)薬物療法

薬物療法としては，合併する高血圧および高度浮腫に対し，利尿薬が第１に選択される．利尿薬ではコントロール不能な高血圧に対し，合併症や病状を考慮し，各種降圧薬が使用される．

図49-3　急性糸球体腎炎の経過

潜伏期	乏尿期	利尿期	回復期	治癒期
1～2週間	数日	数日～1週間	1～2か月	2～3か月

小川聡編：内科学書．改訂第８版，p.455，中山書店，2013．

経過中に，急激な高度の血圧上昇（多くは180/120mmHg以上）によって，多臓器に急性の障害が生じる高血圧緊急症をきたすことがある．とくに急性糸球体腎炎では，血圧が異常高値とならなくても，免疫複合体由来の中枢神経系の血管炎のため，脳症を発症することが知られている．高血圧緊急症では，入院安静治療が原則であり，降圧には経静脈的に降圧薬を投与する．

すでに発症している腎炎自体には無効であるが，病巣感染の持続や再燃予防を目的として，病初期に抗菌薬を1～2週間投与することがある．急速に腎機能が低下する症例や，半月体形成を伴う重症例で，副腎皮質ステロイド薬投与が考慮されることもあるが，感染や水・ナトリウム貯留を増悪させる可能性もあることから，原則的には用いられない．

6）予後

予後は一般的に良好であり，大半の症例が寛解し，末期腎不全へ移行する症例は2％未満である．尿タンパクの持続する症例は，腎機能予後が不良で，腎組織所見の改善が遷延する．このような傾向は小児に比べて成人で多い．少なくとも尿所見の回復までは，綿密な注意深い経過観察が必要である．また，糖尿病の高齢者などが罹患した場合には，感染が持続し，腎炎惹起性物質の供給が持続するため，腎予後のみならず，生命予後が不良になることもある．

表49-2　日本腎臓学会ガイドラインによる食事療法

		総エネルギー（kcal/kg/day）	タンパク（g/kg/day）	食塩（g/day）	カリウム（g/day）	水分
急性期	利尿期 乏尿期	35	0.5	0～3	5.5mEq/L以上の時は制限する	前日尿量＋不感蒸泄量
回復期および治癒期		35	1.0	3～5	制限せず	制限せず

日本腎臓学会：腎疾患患者の生活指導・食事療法に関するガイドライン．日本腎臓学会誌，39(1)：19，1997．より一部改変．

表49-3　日本腎臓学会ガイドラインによる生活指導区分

病期	指導区分	通勤・通学	勤務内容	家事	学生生活	家庭・余暇活動
乏尿期 利尿期 回復期（入院中）	安静 （入院・自宅）	不可	勤務不可	家事不可	不可	不可
回復期 （退院後）	高度制限	30分程度	軽作業 勤務時間制限 残業・出張・ 夜勤不可	軽い家事 （3時間程度） 買い物 （30分程度）	教室の学習授業のみ 体育・部活動は制限 ごく軽い運動は可	散歩 ラジオ体操程度
治癒期 （尿所見改善後6か月以内）	中等度制限	1時間程度	一般事務 一般手作業や機械操作では深夜・時間外勤務・出張は避ける	専業主婦 育児も可	通常の学生生活 軽い体育は可 文化的な部活動は可	早足散歩 自転車
治癒期 （発症後2年以内）	軽度制限	2時間程度	肉体労働は制限 それ以外は，通常勤務 残業，出張可	通常の家事 軽いパート 勤務	通常の学生生活 一般の体育は可 体育系部活動は制限	軽いジョギング 卓球，テニス
治癒期 （発症後2年以降）	普通生活	制限なし	普通勤務 制限なし	通常の家事 パート勤務	通常の学生生活 制限なし	水泳，登山，スキー， エアロビクス

日本腎臓学会：腎疾患患者の生活指導・食事療法に関するガイドライン．日本腎臓学会誌，39(1)：8，1997．より一部改変．

2. 看護過程の展開

● アセスメント～ゴードンの機能的健康パターンを用いて

パターン	アセスメントの視点	根拠	収集する情報
(1) **健康知覚-健康管理** 患者背景 健康知覚-健康管理 価値-信念	●現在の病状をどのように知覚しているか（適切か） ●病態・疾患に対する理解と認識はどの程度か ●治療のための自己管理能力はどの程度か ●望ましい生活習慣を理解しているか	●急性糸球体腎炎は，上気道感染などの先行感染症に罹患後１～３週間が経過した後に発症する． ●自覚症状がなく，尿検査によって診断を受ける場合や，腎炎症状を呈する場合など，患者の状況は多様である．自覚症状が乏しい場合は，病態や疾患に対する理解が十分に得られないことがある． ●急性期において１か月の安静と食事療法の順守が，予後に重大な影響を与えるといわれており，患者や家族の理解が必要である． ●腎血流量を増加させるため，安静療法が必要となる．そのため，安静臥床の必要性を理解していることが必要となる．また，食事療法は安静療法と同様に予後に影響するため，塩分制限の必要性についても理解する必要がある． ●腎糸球体病変の回復は，発症後３～６か月を要するため，過激な運動，疲労などを避け，起因する感染症を予防できるような生活環境，生活とすることが必要である．	●現病歴 ●発症の時期 ●発見のきっかけ ●病状の経過 ●治療の経過 ●既往歴 ●疾患・治療についての理解度 ●自己管理能力 ●生活環境 ●生活習慣
(2) **栄養-代謝** 全身状態 栄養-代謝 排泄	●電解質のバランス異常はないか ●栄養摂取に問題はないか ●疾患の症状はどの程度生じているか	●糸球体濾過量低下のため，ナトリウムの貯留が生じる． ●自覚症状として，倦怠感や食欲不振などがある．また，タンパク制限食を行う場合，カロリー不足となる可能性がある． ●乏尿期は水分制限が必要である．一方で，水分制限によって脱水を生じやすい． ●糸球体濾過量の減少によって浮腫を生じることがある．	●全身倦怠感の有無 ●頭痛の有無 ●悪心・嘔吐の有無 ●腰痛の有無 ●食事摂取量 ●食事内容 ●食欲 ●体重の増加 ●浮腫の程度 ●血液検査（TP，Alb，電解質） ●浮腫
(3) **排泄** 全身状態 栄養-代謝 排泄	●排尿状態はどうか ●尿量の減少はないか	●糸球体濾過量の低下によって，乏尿が生じる．	●GFR，Cr ●尿所見（血尿，タンパク尿） ●排尿回数，量，性状 ●水分出納 ●体重の増加
(4) **活動-運動** 活動・休息 活動-運動 睡眠-休息	●活動状況はどうか ●血圧は適切にコントロールされているか ●呼吸，循環の機能は正常か	●低タンパク血症により，倦怠感，疲労感が著明となる． ●細胞外液量の増加によって血圧が上昇する． ●糸球体濾過量の低下，低タンパク血症によって体内に水分が貯留し，うっ血性心不全（肺水腫）を起こすことがある，これによってガス交換が障害される．	●活動状況 ●社会生活状況 ●血圧 ●心電図検査 ●X線検査

パターン	アセスメントの視点	根拠	収集する情報
(5) 睡眠-休息 活動・休息 活動-運動 睡眠-休息	●睡眠，休息の障害はないか ●普段の休息，睡眠のパターンに問題はないか	●安静療法のため，睡眠パターンが乱れやすい.	●睡眠状況
(6) 認知-知覚 知覚・認知 認知-知覚 自己知覚-自己概念 コーピング-ストレス耐性	●認知機能は正常か ●感覚機能は正常か	●急激な血圧上昇により，高血圧脳症をきたすと，頭痛，意識障害，知覚障害などの症状を生じる.	●意識状態 ●視力 ●聴力 ●四肢，体幹部の疼痛やしびれ，知覚鈍麻
(7) 自己知覚-自己概念 知覚・認知 認知-知覚 自己知覚-自己概念 コーピング-ストレス耐性	●自己概念，自尊感情の脅威はないか	●発症から2年程度は，過激な運動，疲労などを避ける必要があるため，生活の変化によって自己像が脅かされる可能性がある.	●性格 ●疾患や治療への思い
(8) 役割-関係 周囲の認識・支援体制 役割-関係 セクシュアリティ-生殖	●家族関係に問題はないか ●役割遂行に問題はないか	●安静療法によってADLに介助を必要とする. ●また，回復までに時間を要するため，治療に専念できるよう周囲のサポートが不可欠である. ●長期療養に加えて，仕事内容に制限がかかる場合は，経済的問題や，心理的負担が増加する.	●家族関係 ●主な介護者 ●職業 ●経済状況 ●家族や周囲の人の認識 ●治療によって生じる社会活動の変化

パターン	アセスメントの視点	根拠	収集する情報
(9) セクシュアリティ-生殖 周囲の認識・支援体制 役割-関係 セクシュアリティ-生殖	●生殖に関する問題はないか	―――	●子どもの有無 ●生殖機能の問題の有無
(10) コーピング-ストレス耐性 知覚・認知 認知-知覚 自己知覚-自己概念 コーピング-ストレス耐性	●ストレス障害が生じていないか ●ストレスにどのように対処しているか	●安静療法や食事療法がストレスとなる場合がある. ●ストレス対処がうまく行われないと，治療への参加が困難となる可能性がある.	●現在感じているストレスの有無 ●ストレスコーピング
(11) 価値-信念 患者背景 健康知覚-健康管理 価値-信念	●価値，信念とヘルスケアシステムの間に対立はないか	●価値・信念とヘルスケアシステムの間に対立があると，安静や治療が適切に実施できない可能性がある.	●どのような思いで治療に臨んでいるか

3. 全体像の把握から看護問題を抽出

1）病態関連図

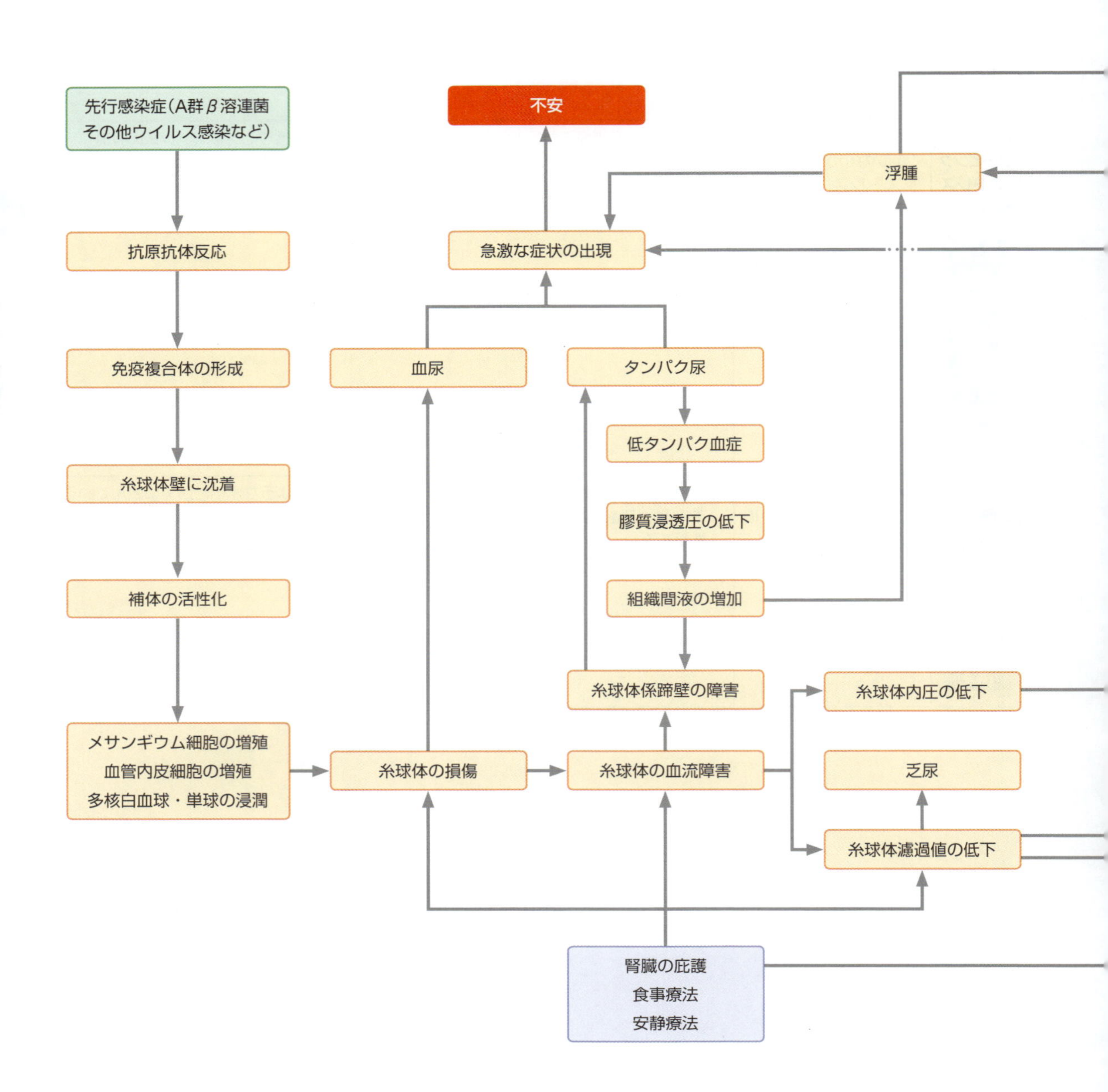

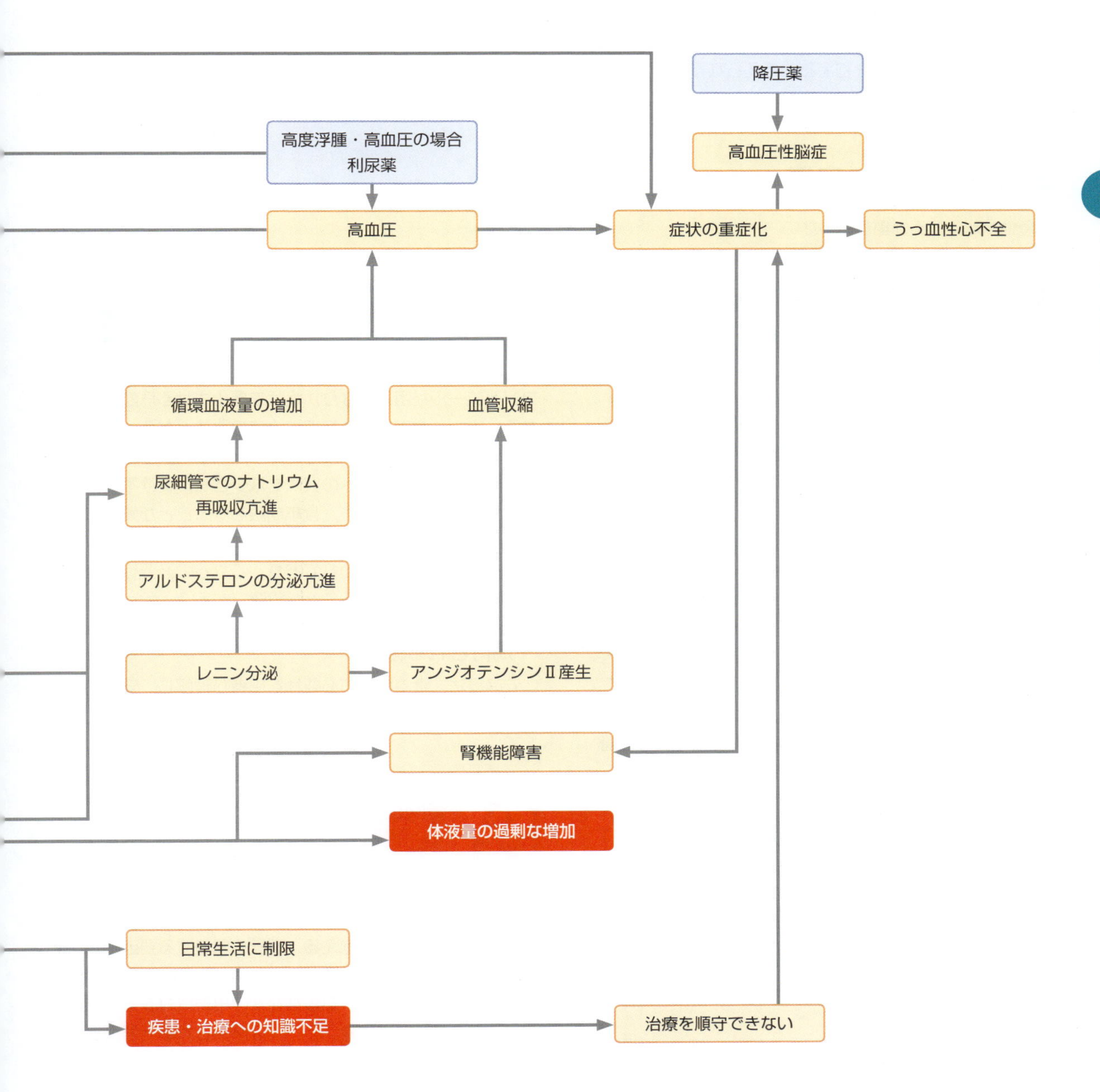
降圧薬
高血圧性脳症
高度浮腫・高血圧の場合
利尿薬
高血圧
症状の重症化
うっ血性心不全
循環血液量の増加
血管収縮
尿細管でのナトリウム
再吸収亢進
アルドステロンの分泌亢進
レニン分泌
アンジオテンシンⅡ産生
腎機能障害
体液量の過剰な増加
日常生活に制限
疾患・治療への知識不足
治療を順守できない

2）看護の方向性

先行感染症の罹患後，急性糸球体腎炎を発症し，糸球体濾過値の低下によって，体液量貯留，乏尿，血尿，高血圧，浮腫などの症状が出現する．

急激な症状の発症に対して，患者は自分自身に何が生じているのかと不安を抱えると考えられる．また，症状が糸球体腎炎に伴うものであるということがわかった後にも，現在の症状が改善されるのか，回復するのにどのくらいの時間がかかるのかなど，病気の成り行きに対して不安を抱えると考えられる．

治療にあたっては，対処療法が主な治療法となる．腎臓の保護のため，高血圧，浮腫，血尿などの症状や，腎機能が改善するまで床上安静が必要となるため，日常生活の活動に制限が加わる．また，食事療法は，普段の食事との味つけの違いや，献立の偏りによる食欲減退や，飲水量の制限による口渇感など，制限によって患者が苦痛に感じることが多い．しかし，安静と食事療法の順守が予後に重大な影響を与えるといわれており，これらの必要性を患者へ説明し，理解を得ることが重要である．また，再発・再燃の予防のためには，疾患や治療に対する知識が必要である．

3）患者・家族の目標

急性糸球体腎炎が重症化しない．

4. しばしば取り上げられる看護問題

 調節機構の悪化に関連した体液量の過剰な増加

なぜ？

急性糸球体腎炎では，糸球体濾過値の低下から，水の貯留がみられ，循環血液量が増加する．循環血液量の増加によって高血圧が出現する．また，尿細管でのナトリウムの再吸収や，膠質浸透圧の低下から，間質へ水が移行して浮腫が出現する．これらの症状は，糸球体の障害が改善されるまで経過する．急激な血圧の上昇による高血圧脳症や，重度の浮腫によるうっ血性心不全などの合併症が出現する危険性があり，患者の腎機能の状態を管理する必要がある．

➡期待される結果

腎機能が改善し，症状が軽快する．

♦2 治療・疾患に対する知識不足

なぜ？

急性糸球体腎炎の治療は，安静療法，食事療法が主な治療法となる．安静療法によって日常生活活動に制限が加わり，不自由感やストレスが高まることが考えられる．床上安静に対する知識が不足している場合，活動範囲のコントロールが困難となり，症状を悪化させる危険性がある．また，食事療法も初期の治療の主体となる．塩分制限や高タンパク食は，食事の味が淡泊で単調な献立となる傾向があり，食事への興味を減少させ，食欲不振につながることが考えられ，食事制限を守ることが難しくなる危険性がある．安静と食事療法の順守は，予後に重大な影響を与えるといわれており，これらの必要性を患者へ説明し，理解を得ることが重要である．

➡期待される結果

安静療法，食事療法の必要性を患者が理解し，守ることができる．

♦3 急激な症状の出現に対する不安

なぜ？

患者は，急激な症状の出現による戸惑いや，病気の成り行きに対する不安を抱える．不安に関連する要因として，疾患や治療に対する知識不足があげられることから，知識が得られることで，急激な症状の出現に対する不安や，病気の成り行きに対する不安は解消されると考えられる．

➡期待される結果

今後の治療や成り行きについて理解することで，患者

が過度なストレスを感じずに治療に取り組むことができる．

5. 看護計画の立案

• O-P：Observation Plan（観察計画）　• T-P：Treatment Plan（治療計画）
• E-P：Education Plan（教育・指導計画）

♦1 調節機構の悪化に関連した体液量の過剰な増加

	具体策	根拠と注意点
O-P	**(1)症状の有無とその程度の観察** ①血圧変動 ②浮腫 ③血尿 ④全身倦怠感，食欲不振，悪心，微熱，腰痛	●腎機能低下に伴い，体液貯留や循環器合併症，尿毒症症状などの全身症状が出現する．症状のサインを見逃さないため，また，症状が対処療法によって改善しているか評価するため，観察を行う．
	(2)検査データ ①血液検査 ・赤沈 ・白血球数 ・eGFR値 ・血中BUN値 ・血清クレアチニン値 ②尿検査 ・尿タンパク ・尿沈渣	●典型的データでは，赤沈亢進が認められ，白血球数は増加する．また，血中BUN値，血清クレアチニン値は上昇する．尿検査では，血尿，タンパク尿が認められ，尿沈渣では，赤血球，白血球，顆粒球円柱，硝子円柱，腎上皮細胞がみられる．
	(3)合併症の徴候 ①うっ血性心不全の徴候 ・心悸亢進 ・脈拍数 ・呼吸状態 ・肺雑音 ・咳嗽 ・喀痰 ②高血圧脳症 ・頭痛，頭重感 ・悪心，嘔吐 ・不穏，せん妄 ・痙攣	●合併症の徴候に関しては，高血圧，心不全の徴候など，症状の変化に注意する．
	(4)水分出納バランスの観察 ①飲水量，排尿量 ②体重測定	●飲水量，排尿量，体重の増減は，水分出納バランスの指標となる．

	具体策	根拠と注意点
T-P	**(1)腎庇護のための援助** ①安静保持への援助 ・安楽な体位の工夫(クッションの使用) ・安静が保てるよう患者周囲の環境整備 ②保温 ・病室内を温暖に保つ ・電気毛布やホットパックの使用 ③日常生活援助 ・保清の援助 ・排泄の援助 ・移動・移乗の援助 **(2)食事療法への援助** ①塩分制限，低タンパク，高エネルギー食の提供 ・食事環境の調整 ・制限内での味つけの工夫 ②水分制限への援助 ・飲水量を容器で計測する ・水分制限が守れるよう飲水の計画的摂取を支援する ・口渇感を軽減できるよう水分を氷に変える **(3)浮腫に対する援助** ・下肢を挙上する ・浮腫のある部位の皮膚を保護する	●腎庇護のため，腎血流量を維持するため，安静・保温を保つ必要がある．また，安静を保つことで身体の新陳代謝を減少させ，老廃物の産出を減らすことにもつながる．また，睡眠や休息がとれるよう環境を整える． ●保温は血行を促し，また，皮膚を保温することで循環が改善されて，浮腫を軽減させる．また，先行感染症の再燃予防のためにも，室内を温暖に保つ必要がある． ●安静制限にあわせた移動・移乗の援助や，全身倦怠感，悪心，呼吸困難などによって不足するセルフケア援助を行う必要がある． ●病期にあわせた食事療法を行う必要がある．症状安静中は，食事環境を整えていく必要がある．また，制限食が苦痛に感じないよう，食器や盛りつけの工夫を行う．減塩食により，食事摂取量低下がみられる場合は，献立を工夫し，全体的に薄味にするのではなく，1品普通の味つけにするなど，食事全体で塩分量の調整を行うといった，味つけの工夫をする． ●急性期には，水分制限が行われるため，水分制限が守れるよう支援を行う． ●身体の下側になる部位に水分が貯留しやすい．下肢の浮腫を軽減するために挙上する必要がある． ●浮腫のある部位の皮膚は脆弱化しやすいため，保護の必要がある．
E-P	**(1)安静制限についての説明** ・腎機能の回復に見合った活動を行うよう説明する **(2)水分制限・栄養管理についての説明** ・ナトリウム制限，水分制限の必要性について説明する ・病院食の摂取が難しい場合は相談してほしいことを説明する **(3)浮腫についての説明** ・身体の下側になる部位に浮腫が起こりやすいことや，下肢の浮腫を軽減するために挙上しておくことを説明する ・浮腫のある部位の皮膚は損傷しやすいため，打撲・擦過に注意するよう説明する	●治療効果を高めることや，症状の緩和には，患者がそれらについて理解し，適切に治療に参加することが必要である．

2 治療・疾患に対する知識不足

	具体策	根拠と注意点
O-P	**(1)安静療法に対する理解度の把握** ・医師の指示による安静度を守れているか ・腎庇護のための安静療法の必要性について述べることができるか ・日常生活動作はどの程度本人が行っているか **(2)食事療法に対する理解度の把握** ・病期にあった食事制限が守れているか ・タンパク制限，塩分制限を行う必要性について述べることができているか **(3)疾患に対する認識の把握** ・先行感染症が起因となって発症したことを理解しているか ・腎炎の病変の回復は，発症後に時間を要することを理解しているか **(4)治療・疾患についての反応** ・治療の制限によってストレスを強く感じていないか	●急性糸球体腎炎では，急性期１か月の治療が予後に重大な影響を与えるといわれており，安静療法や食事療法を適切に行い，管理していくためには，疾患の成り行き・経過，治療について，患者が正しい知識をもつことが望ましい． ●発症後２年までは，一部日常生活に制限がかかるため，回復に時間を要すること，そのために制限が必要であることを，患者が理解することが望ましい． ●日常生活の行動や食事に制限がかかる治療を行うため，患者が主体的に治療・疾患に関する知識を得ることができるよう，精神状態を観察する．
T-P	**・今までの生活習慣から見直すべき行動がないか一緒に考える** ・入院前の食生活の見直しを行う ・退院後の日常生活の行動について見直しを行う	●食事管理や安静の制限の順守が継続できるよう，患者の今までの生活習慣を振り返り，症状の悪化や，再燃・再発を予防するための生活を構築することが望ましい．
E-P	**(1)治療についての計画，その必要性についての説明を行う** ・安静療法の必要性について説明する ・食事療法の必要性について説明する **(2)疾患についての説明を行う** ・急性糸球体腎炎に関する基本的知識について説明する	●安静療法と食事療法が治療の主体となるが，治療が長期化する場合や自覚症状が軽度な場合は，治療に理解が得られないケースがあるため，治療計画とその必要性について説明し，患者の理解を得ることが望ましい． ●患者が主体的に治療に臨むことができるよう，病状の変化を説明し，病期にあわせた治療が行われている点に理解を得ることが望ましい．

引用・参考文献

1) 中西浩一：教育委員会企画小児腎臓病初歩コース１「あなたは急性糸球体腎炎と急性腎炎症候群の違いを説明できますか？」．日本小児腎臓病学会雑誌，31(2)：109～113，2018.
2) 日本腎臓学会：腎疾患患者の生活指導・食事療法に関するガイドライン．日本腎臓学会誌，39(1)：1～37，1997.
3) 小川聡編：内科学書．改訂第８版，p.453～455，中山書店，2013.
4) 吉澤靖之ほか監：腎・呼吸器―ＳＴＥＰ ＳＥＲＩＥＳ内科４．第３版，p.5～6，p.93～97，海馬書房，2012.

50 ネフローゼ症候群

1. 疾患の基礎的知識

1）疾患の概念

ネフローゼ症候群とは，糸球体基底膜の障害による大量のタンパク尿と，それに起因する低タンパク血症（低アルブミン血症），浮腫，脂質異常症を生じた腎疾患群である．わが国では１年間に，小児10万人に５人が発症し，そのうちの約90%は原因不明な原発性（一次性）ネフローゼ症候群である．好発年齢は２～６歳で，男子に多く発症する．

2）原因

糸球体の疾患で発症する原発性（一次性）と，全身性疾患などに伴って糸球体病変が生じる続発性（二次性）に区分される（**表50-1**）．小児ではほとんどが原発性で，とくに微小変化型が多い．

(1)微小変化型

T細胞の産生するサイトカインに起因するとされるが，詳細は不明である．

(2)膜性腎症

抗原抗体複合物の基底膜上皮細胞側への沈着によって，基底膜に透過性の変化を生じるものである（Ⅲ型アレルギー）．抗原が明らかになることは少ない．

(3)巣状糸球体硬化症

原因は不明である．

(4)膜性増殖性糸球体腎炎

原因は不明だが，クリオグロブリンあるいは種々の免疫複合体が糸球体に沈着することによって発症すると考えられている．

表50-1　ネフローゼ症候群の原因疾患

原発性（一次性）ネフローゼ症候群	・微小変化型 ・膜性腎症 ・巣状糸球体硬化症 ・増殖性糸球体腎炎
続発性（二次性）ネフローゼ症候群	・糖尿病性腎症 ・ループス腎炎（SLE） ・アミロイドーシス ・紫斑病性腎症〔IgA血管炎（ヘノッホ・シェーライン紫斑病）〕 ・肝硬変 ・悪性腫瘍（胃がん，大腸がん，肺がん，乳がん→膜性腎症，ホジキン病） ・感染症（心内膜炎，C型肝炎，梅毒，マラリア，HIV） ・結節性多発性動脈炎 ・妊娠高血圧症候群 ・収縮性心膜炎，うっ血性心不全，腎静脈血栓症 ・腎毒性物質（重金属，ペニシラミン） ・過敏性反応（花粉など） ・薬剤性（NSAIDs，DMARDs，抗腫瘍壊死因子抗体製剤，インターフェロン製剤，ビスホスホネート系骨吸収抑制薬）

3）病態と臨床症状

病態

なんらかの原因（免疫学的機序）で，糸球体基底膜の透過性が亢進し，糸球体毛細血管からボウマン腔内に大量にタンパク質が漏出して，タンパク尿が生じる．その結果，低タンパク血症（低アルブミン血症）となって，血漿膠質浸透圧の低下による全身性浮腫の出現や，血管外への水分移動による循環血液量低下をまねく．血液中のアルブミンが減少すると，肝臓でのアルブミン合成が増大し，それに伴ってリポタンパク合成が促進されて，脂質異常症を生じる．

臨床症状

大量のタンパク尿と，それに伴う低タンパク血症，脂質異常症，浮腫が，４大症状である．浮腫は，眼瞼，顔面，下肢，陰部などに現れて全身性となり，進行すると腹水による腹部膨満感や胸水貯留による呼吸困難を起こす場合がある．合併症として，血栓症，急性腎不全，骨代謝異常，感染症も起こり得る．

4）検査・診断

診断基準を**表50-2**に示す．

(1)尿検査

腎機能評価として，尿比重，タンパク尿，クレアチニン・クリアランス，尿沈渣などをみる．

(2)血液検査

低タンパク血症や脂質異常症の評価，糸球体・腎の機能評価のために，BUN，血清クレアチニンをみる．

(3)腎生検

確定診断のため，超音波で確認しながら経皮的腎生検を行う．

(4)胸部・腹部X線検査，CT検査，超音波検査

胸水，腹水の診断に用いる．

5）治療

病型や薬剤感受性によって治療方法が異なるが，主症状となりやすい浮腫の改善をはかることが基本となる．治療効果判定基準を**表50-3**に示す．

(1)安静療法，保温

寛解状態にない患者には，腎血流量を改善・保持する目的で，活動制限，安静が指示されることが多いが，ネフローゼ症候群による血液凝固能亢進や，長期臥床による血流うっ滞は，深部静脈血栓症につながる．また，小児では活動制限がストレス蓄積や闘病意欲低下，医療不信につながりやすい．過度の安静は避け，病状や年齢にあわせて，活動範囲を徐々に広げていく．

(2)食事療法

低栄養状態の改善，腎機能の負荷軽減，浮腫，血圧コントロールを目的とする．塩分制限（微小変化型ネフローゼ症候群患者では０～７g/日，それ以外のネフローゼ症候群患者では５g/日），低タンパク食（微小変化型ネフローゼ症候群患者では1.0～1.1g/kg/標準体重/日，それ以外のネフローゼ症候群患者では0.8g/kg/標準体重/日），高エネルギー食（35kcal/kg/日），が基本となる．腎機能の低下がみられる場合，タンパク制限が重要となる．

脂質代謝異常症の改善として，脂肪制限食が有効である．高度の難治性浮腫がある場合，水分制限を行うこと

表50-2　一次性ネフローゼ症候群の診断基準

成人における診断基準
１．タンパク尿：3.5g／日以上 （随時尿において尿タンパク／尿クレアチニン比が3.5g/gCr以上の場合もこれに準ずる）． ２．低アルブミン血症：血清アルブミン値3.0g/dL以下 診断のカテゴリー： １と２を同時に満たし，明らかな原因疾患がないものを一次性ネフローゼ症候群と診断する．
小児における診断基準
１．高度タンパク尿（夜間蓄尿で 40mg/hr/m^{2}以上）又は早朝尿で尿タンパククレアチニン比 2.0g/gCr以上 ２．低アルブミン血症（血清アルブミン2.5g/dL以下） 診断のカテゴリー： １と２を同時に満たし，明らかな原因疾患がないものを一次性ネフローゼ症候群と診断する．

＊明らかな原因疾患をもつものを二次性に分類する．

公益財団法人難病医学研究財団（厚生労働省補助事業）：難病情報センター．一次性ネフローゼ症候群（指定難病222），概要・診断基準等．https://www.nanbyou.or.jp/entry/4517

表50-3　ネフローゼ症候群の治療効果判定基準

治療効果の判定は治療開始後１か月，６か月の尿タンパク量定量で行う．
・完全寛解：尿タンパク＜0.3g/日
・不完全寛解Ⅰ型：0.3g/日≦尿タンパク＜1.0g/日
・不完全寛解Ⅱ型：1.0g/日≦尿タンパク＜3.5g/日
・無効：尿タンパク≧3.5g/日

注１）ネフローゼ症候群の診断・治療効果判定は24時間蓄尿により判断すべきであるが，蓄尿ができない場合には，随時尿の尿タンパク/尿クレアチニン比（g/gCr）を使用してもよい．
注２）６か月の時点で完全寛解，不完全寛解Ⅰ型の判定には，原則として臨床症状および血清タンパクの改善を含める．
注３）再発は完全寛解から，尿タンパク１g/日（１g/gCr）以上，または（２＋）以上の尿タンパクが２～３回持続する場合とする．
注４）欧米においては，部分寛解（partial remission）として尿タンパクの50％以上の減少と定義することもあるが，日本の判定基準には含めない．

もある.

(3)薬物療法

副腎皮質ステロイド薬(プレドニゾロン，メチルプレドニゾロン)の初期大量，漸減，少量維持投与がなされる．また，病状によって利尿薬，抗血小板薬，抗凝固薬，免疫抑制薬，降圧薬が併用される．副腎皮質ステロイド薬は副作用が多様であり，増量および減量時，長期投与時も十分注意する(**表50-4**).

(4)血液浄化療法

ステロイド療法や免疫抑制薬投与でも寛解しない難治性ネフローゼ症候群，なかでも巣状糸球体硬化症には，血漿交換療法や血液浄化療法が試みられている.

6）予後

病型によって異なるが，微小変化型は一般に副腎皮質ステロイド薬が有効で，小児では90%以上寛解する．しかし，80%は再発を繰り返し，そのうちの半数が頻回に再発型ネフローゼ症候群を呈する．原発性ネフローゼ症候群患者のうち，難治例が10〜12%を占める．ステロイド治療に反応しないステロイド抵抗性ネフローゼ症候群の多くは，腎不全に進行する.

表50-4　副腎皮質ステロイド薬の副作用

投与早期に出現	痤瘡様発疹，満月様顔貌，不眠，緑内障，精神症状，糖尿病
投与後期に出現	骨粗鬆症，骨壊死，白内障
投与期間中全般に出現	感染症，消化性潰瘍
ほかの症状	・軽症：食欲亢進，体重増加，多毛症，月経異常，多尿，多汗，脱毛，浮腫，白血球数増加 ・低カリウム血症 ・重症：高血糖，血圧上昇，動脈硬化，血栓症，副腎不全，筋力低下・筋萎縮
離脱症候群	食欲不振，発熱，頭痛，筋肉痛，関節痛，全身倦怠感，情動不安，下痢など

2. 看護過程の展開

● アセスメント〜ゴードンの機能的健康パターンを用いて

パターン	アセスメントの視点	根拠	収集する情報
(1) 健康知覚-健康管理 患者背景 健康知覚-健康管理 価値-信念	●疾患・治療を理解し，自己管理できているか ●疾患・病状・治療について理解しているか	●副腎皮質ステロイド薬を使用している場合は，感染予防に努めること，塩分，タンパク質の摂取制限などの自己管理が必要となる． ●小児は成長発達段階によって，理解力，言語表現力，状況把握の程度などに違いがある．幼児の場合，病状の出現や変化を自ら訴えることが困難なことが多い．また，入院生活や薬物療法が長期化しやすく，退院後も治療の継続や再発の危険性を伴う．安静・食事・薬物療法の継続，感染・血栓予防対策などの実施には体調や患児の受け入れ状況が影響する．	●現病歴 ●既往歴 ・出生時・乳幼児健康診査時の所見
(2) 栄養-代謝 全身状態 栄養-代謝 排泄	●低アルブミン血症の程度はどうか，易感染状態になっていないか ●副腎皮質ステロイドの効果および副作用はどうか ●浮腫の状態はどうか	●入院による環境の変化や，塩分制限，腸管浮腫による食欲低下など，経口摂取量が減少しやすい．その結果，排便異常を生じ，食欲を低下させるという悪循環をまねく． ●低アルブミン血症およびステロイド療法が長期化して易感染状態が続くことや，全身性の浮腫によって皮膚粘膜が脆弱化し，損傷しやすい傾向にある．感冒やう歯，皮膚粘膜創傷なども重症化しやすい． ●薬物療法では副腎皮質ステロイド薬が第１選択薬として用いられる．治療効果をみながら漸減指示がなされるため，確実な内服管理が必要である． ●副腎皮質ステロイド薬は治療効果が高い反面，多くの副作用がある．満月様顔貌（ムーンフェイス），多汗，多尿，皮膚症状（にきび，多毛）などの比較的軽い症状から，骨粗鬆症，白内障，無菌性骨頭壊死などの重大な症状が出現する恐れもある． ●低アルブミン血症となると，肝臓でのアルブミン合成に伴い，脂質異常症を生じる． ●大量のタンパク尿が持続することで，低アルブミン血症が進み，浮腫の増大，腹水・胸水の貯留を生じることがある．	●栄養状態 ・食事内容・摂取量，食欲 ・身長，体重（変動） ・口腔・皮膚・粘膜の状態 ・歯牙，咀嚼・嚥下状態 ・血液検査 ●代謝状態 ・水分出納 ・浮腫の部位・程度，腹囲 ・血圧，脈拍・脈圧，体温 ・発汗の程度 ●感染徴候
(3) 排泄 全身状態 栄養-代謝 排泄	●排泄状態，尿の性状はどうか	●糸球体の病変によって，タンパク尿となる． ●大量のタンパク尿が長期間続くと，腎機能障害をきたす． ●ネフローゼ症候群によって腸管浮腫となり，腹痛，下痢を生じることがある．	●排泄状態 ・排尿回数・性状・異常 ・排便回数・性状，下痢，便秘 ●腎機能

パターン	アセスメントの視点	根拠	収集する情報
(4) 活動-運動 活動・休息 活動-運動 睡眠-休息	●活動状況の変化，日常生活への影響はないか ●合併症の徴候はないか ●発達段階や基本的生活習慣の獲得状況はどうか	●浮腫による倦怠感，胸水・腹水貯留による呼吸困難や腹部膨満感が，日ごろの活動に支障をきたすようになる． ●小児の場合，症状による活動制限は，基本的生活習慣行動に大きな影響を及ぼすことがある．患児にとって，遊びと午睡は成長発達を促進する重要な要素である．それが，病状による苦痛や治療上の活動制限などによって影響を受けることで，ストレス蓄積や闘病意欲の低下，自立過程の停滞を起こす． ●循環血漿量の低下によるネフローゼ急症〔ショック症状（頻脈，血圧低下，呼吸数増加，四肢冷感，不穏状態など）〕を引き起こす．急性期は，血栓症を生じやすい． ●小児の成長発達は，身体面・精神面において個人差がある．入院前に自宅ではできていたADLが，病状や環境の変化によって困難を感じ，退行現象がみられることもある．	●日常生活での活動状況 ・入院前の活動状況 ・基本的生活習慣の獲得状況 ・遊びの種類・時間，遊具 ●ADLの程度と変化 ・入院前のADL自立度 ●呼吸状態 ●循環の状態 ●生活環境，生活習慣 ●就学状況
(5) 睡眠-休息 活動・休息 活動-運動 睡眠-休息	●睡眠状況はどうか	●疾患による症状や，活動制限などが，睡眠に影響を及ぼす．	●睡眠・休息状況 ・午睡時間，所要時間 ・就寝時の習慣化事項（服，枕，添い寝など）
(6) 認知-知覚 知覚・認知 認知-知覚 自己知覚-自己概念 コーピング-ストレス耐性	●症状に伴う苦痛はないか ●認知の発達はどうか ●疾患・治療についての知識をもっているか	●浮腫による倦怠感，胸水による呼吸困難，腹水貯留による腹部膨満感など，身体的苦痛が持続する． ●眼瞼・顔面浮腫や腹部膨満，ステロイド療法による外観の変化は，ボディイメージの脅威につながり，不安，闘病意欲の低下，不眠を生じる恐れがある． ●自己管理のためには，認知機能の発達や知識が必要である．	●苦痛の有無 ・疼痛 ●疾患・治療についての知識 ●認知の発達状況
(7) 自己知覚-自己概念 知覚・認知 認知-知覚 自己知覚-自己概念 コーピング-ストレス耐性	●自己の近くはどの程度できるか ●自尊感情の低下はないか	●自己認知は1～2歳頃からできるようになり，2～3歳で他者との関係から自己を認識するようになる． ●自尊感情も2～3歳ごろから芽生え，小学校に入学すると，他者との関わりのなかで育まれる．	●自己認識を示す反応 ●自尊感情

パターン	アセスメントの視点	根拠	収集する情報
(8) 役割-関係 周囲の認識・支援体制 役割-関係 セクシュアリティ-生殖	●家族の認識と理解度はどうか．支援体制はあるか	●小児の場合，ストレスが蓄積しやすい患児のはけ口は親になりやすく，それに応える親の心理状態は患児に大きな影響を与える．親は子どもの入院に対して，不安や自責の念を抱きやすい傾向にある．よって，患児を過度に甘やかしたり，逆に叱咤や激怒したりと，通常とは異なる親子関係を生じる危険性がある． ●小児の入院は，家族の心身の疲労や家族役割の変化を生じやすく，家族自身が混乱や不安，悲嘆を抱く場合もある．学童期に入ると自己管理能力が備わってくる．退院後も主体的に療養行動がとれるようにするためには，家族の疾患および管理方法に関する理解と学業復帰への支援が必要である．	●家族構成 ●家庭的役割 ●キーパーソンの有無，キーパーソンの認識 ●社会的役割 ●社会資源の活用状況
(9) セクシュアリティ-生殖 周囲の認識・支援体制 役割-関係 セクシュアリティ-生殖	●生殖器の発達および性別の意識，関心はどうか	●生殖器の発達，性の意識が生まれる．	●性別 ●生殖に関する既往：性染色体異常，生殖器の問題 ●性別および性への意識，関心
(10) コーピング-ストレス耐性 知覚・認知 認知-知覚 自己知覚-自己概念 コーピング-ストレス耐性	●ストレス状況への反応と対処方法，ストレス耐性，自己コントロールの状況はどうか	●小児においては，ストレスが発達につながるとされている．	●ストレスとなるものと反応：痛み，怒りや不安への反応 ●ストレスの自己コントロールの状況 ●ストレス状況への家族の対応
(11) 価値-信念 患者背景 健康知覚-健康管理 価値-信念	●自己管理に影響を及ぼす家族の価値観・信念はあるか	●幼児期は，外的環境に興味を示し，積極的に探索行動を行う時期である．自己中心的であるが，意思表示も明確になってくる．学童期では，物事や外的環境に対する理解力が発達し，納得できるものに対しては主体的参加が可能となる． ●ネフローゼ症候群は，再発を繰り返しやすく，長期の薬物療法や生活規制がなされる疾患的特徴をもつ．家族の価値観や信念が管理に影響を及ぼす．	●本人または家族の生活や行動に関する価値観，信念，宗教 ●本人または家族の大事にしたいこと，目標

3. 全体像の把握から看護問題を抽出

1）病態関連図

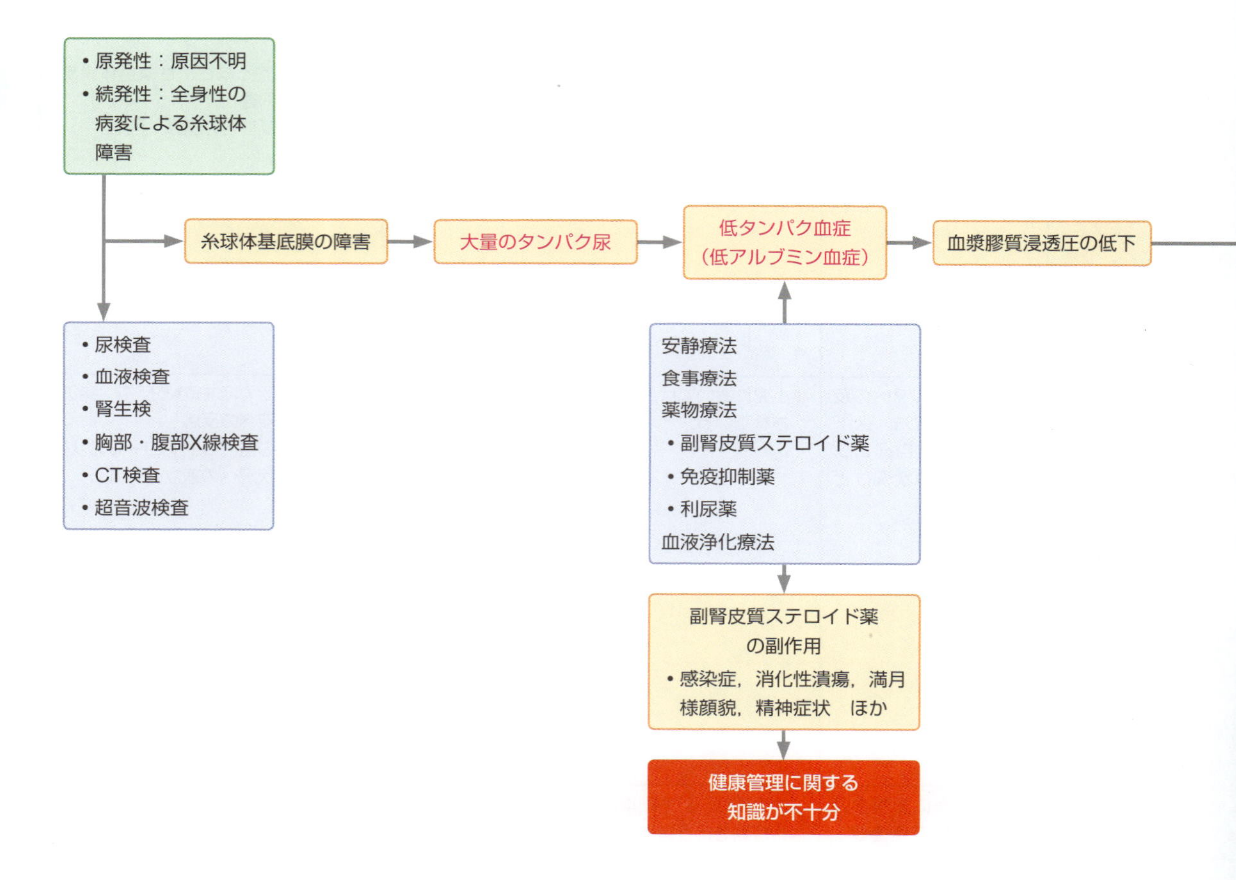

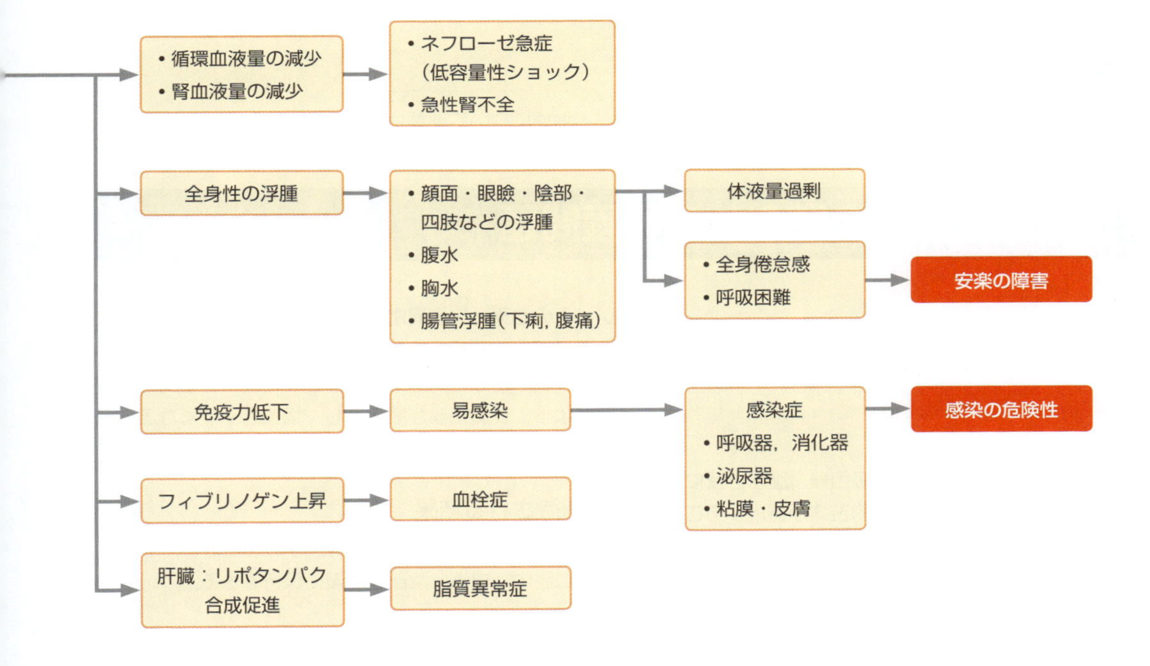
• 循環血液量の減少
• 腎血液量の減少
• ネフローゼ急症
（低容量性ショック）
• 急性腎不全
全身性の浮腫
• 顔面・眼瞼・陰部・
四肢などの浮腫
• 腹水
• 胸水
• 腸管浮腫（下痢，腹痛）
体液量過剰
• 全身倦怠感
• 呼吸困難
安楽の障害
免疫力低下
易感染
感染症
• 呼吸器，消化器
• 泌尿器
• 粘膜・皮膚
感染の危険性
フィブリノゲン上昇
血栓症
肝臓：リポタンパク
合成促進
脂質異常症

2）看護の方向性

ネフローゼ症候群では，浮腫による倦怠感，胸水による呼吸困難，腹水貯留による腹部膨満感などといった，身体的苦痛が持続することになる．急性期は，浮腫に伴う苦痛を緩和し，安静の保持や保温に努める．また，眼瞼・顔面浮腫や腹部膨満，ステロイド療法による外観の変化は，ボディイメージの脅威につながり，不安，闘病意欲の低下，不眠を生じる恐れがある．身体的苦痛を最小限とし，疾患・病状・治療に対する患者の受け入れや心理状態を確認・把握する必要がある．

一方，入院による環境の変化や，食事療法，腸管浮腫による食欲低下などの要因が重なり，経口摂取量が減少しやすい．その結果，排便異常を生じ，食欲を低下させるという悪循環をまねく．また，低栄養状態およびステロイド療法が長期化して易感染状態が続くことや，全身性の浮腫によって皮膚粘膜が脆弱化し，損傷しやすくなる．感冒やう歯，皮膚粘膜創傷なども重症化しやすいため，感染予防に努める．

なお，小児は成長発達段階によって，理解力，言語表現力，状況把握の程度などに違いがある．幼児の場合，病状の出現や変化を自ら訴えることが困難な場合が多い．患児を養育する家族・キーパーソンからの情報（日常の気づき）を重視し，入院生活および治療の導入が苦痛なく円滑に進むように配慮する．また，入院生活や薬物療法が長期化しやすく，退院後も治療の継続や再発の危険性を伴う．長期にわたって自己管理が行えるよう，入院時に就学状況や自己管理能力を把握して援助する．食事・薬物療法の継続，感染・血栓予防対策などを実施するために，体調や患児の受け入れ状況を把握して援助する．

3）患者・家族の目標

・症状が改善して，もとの生活に戻ることができる．
・治療について理解し，継続できる．

4. しばしば取り上げられる看護問題

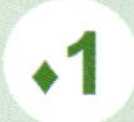

症状による安楽の障害

なぜ？

浮腫による倦怠感，胸水による呼吸困難，腹水貯留による腹部膨満感などといった，身体的苦痛が持続することになる．また，眼瞼・顔面浮腫や腹部膨満，ステロイド療法による外観の変化は，ボディイメージの脅威につながり，不安，闘病意欲の低下，不眠を生じる恐れがある．

➡ 期待される結果

・全身倦怠感が消失する．
・浮腫が軽減し，体重が安定する．

低アルブミン血症，ステロイド療法に関連した感染の危険性がある

なぜ？

入院による環境の変化や，食事療法，腸管浮腫による食欲低下などの要因が重なり，経口摂取量が減少しやすい．その結果，排便異常を生じ，食欲を低下させるという悪循環をまねく．また，低栄養状態およびステロイド療法が長期化して易感染状態が続くことや，全身性の浮腫によって皮膚粘膜が脆弱化し，損傷しやすくなる．感冒やう歯，皮膚粘膜創傷なども重症化しやすい．

➡ 期待される結果

・感染の徴候（発熱，腫脹など）がみられない．
・口腔内，皮膚，陰部を清潔に保持できる．

3 健康管理（治療計画）に関する知識が十分でない

なぜ？

小児は成長発達段階によって，理解力，言語表現力，状況把握の程度などに違いがある．幼児の場合，病状の出現や変化を自ら訴えることが困難な場合が多い．また，入院生活や薬物療法が長期化しやすく，退院後も治療の継続や再発の危険性を伴う．

➡期待される結果

・食事制限の守り方がわかる．
・内服薬の注意事項がわかり，定期的に内服できる．

5. 看護計画の立案

• O-P：Observation Plan（観察計画）　• T-P：Treatment Plan（治療計画）
• E-P：Education Plan（教育・指導計画）

1　症状による安楽の障害

	具体策	根拠と注意点
O-P	**（1）倦怠感・呼吸困難の有無と程度** ①倦怠感・易疲労感の有無と程度 ②呼吸回数，SpO_2，胸部聴診音，息苦しさ ③腹部膨満感，腹痛（腹部触診・打診） ④活気の有無，機嫌 ⑤睡眠・午睡への影響	●胸水・腹水の増加により，換気量が低下し，呼吸困難が生じる． ●言語表現が困難な年齢の患児では，日ごろの活気や機嫌の変化から体調を読み取る．
	（2）浮腫の部位と程度 ①指圧痕（四肢），眼瞼・顔面・陰部の浮腫の有無 ②血圧，脈拍，四肢末梢の冷感・チアノーゼ ③体重，腹囲 ④尿の量・性状，タンパク尿の有無，程度 ⑤水分出納（水分摂取量，輸液量）	●尿タンパクは，試験紙法で迅速に把握できる．乳幼児は，オムツの重量測定または採尿バッグで尿量測定を行う． ●食事・水分摂取や日内変動による誤差を最小限にするため，体重・腹囲測定，水分出納の測定は，毎日決まった時間に行う．
T-P	**（1）倦怠感・呼吸困難の軽減** ①身体を締めつける衣類は避ける ②ベッド上では膝を十分に曲げたファウラー位がとれるよう体位を調整する ③指示された安静を保持する ・ベッド上安静が保持できる遊びを工夫する	●衣服のゴムやベルト類での締めつけによって，静脈還流が阻害されて浮腫が増強するのを防ぐ． ●ファウラー位や坐位をとることで，横隔膜運動が容易に行える．
	（2）浮腫軽減の援助 ①下肢はできるだけ挙上し，同一体位にならないように調整する ②輸液管理 ③服薬管理 ④食事管理 ⑤保温，環境調整	●体動による皮膚圧迫，硬結を予防する． ●乳幼児の場合，注射針・点滴ルートの違和感や，無造作な手足の活動によって，点滴自己抜去が起こり得る． ●ルートの抜去および浮腫による血管外への薬液漏れや刺入部の発赤に対する発見が遅れないように注意する． ●小児の場合，輸液ポンプ使用時は，患児が機器に触れることによる誤作動や，機器の落下が生じないように設置場所を考慮する． ●保温により血管を拡張させ，組織間液の還流を促す．
E-P	**（1）浮腫に伴う症状と出現時の対応** ・全身性の浮腫に伴う症状（倦怠感，呼吸困難，消化器症状，皮膚粘膜の損傷）が出現した際は我慢せず知らせるように説明する **（2）指示された安静度，食事療法，薬物療法についての説明**	●小児の場合，患児・家族が同様の理解を得て協力しあえるよう，説明内容や方法は統一する．家族の不安が強い場合は，家族の状況にあわせて説明・相談の機会を設ける．

◆2 低アルブミン血症，ステロイド療法に関連した感染の危険性がある

	具体策	根拠と注意点
O-P	**(1)感染の徴候と程度** ①発熱，発赤，腫脹，疼痛，悪寒 ②呼吸器(感冒様症状，咳嗽，鼻汁，咽頭痛) ③粘膜・皮膚，歯牙：発疹，水疱，熱感，創部・滲出液の有無 ④泌尿器(尿混濁，排尿困難，排尿時痛)	●秋から冬季は，気温の変化や乾燥によって感冒に罹患しやすく，重症化しやすい．
	(2)低アルブミン血症の改善状況 ①食事摂取量，食事形態，食事時間・方法 ②体重，腹部膨満感 ③排便状態 ④検査データ(Alb)	
	(3)感染予防策の実施状況 ①含嗽，手洗い，歯磨きの回数・方法 ②入浴・清拭の回数・方法 ③爪切り	●成長発達段階によって，自分でどこまで感染予防策(含嗽，手洗い，鼻かみなど)が行えるか個人差がある．在宅での実施方法を基に入院後も継続できるようにする． ●発汗による瘙痒によって，爪で引っかいて皮膚損傷，感染を生じる危険性がある．爪・手指の衛生面を整え，必要によって手袋着用も考慮する．
T-P	**(1)食事前に，含嗽(歯磨き)，手洗いを習慣化する**	●生活習慣行動の獲得状況に応じて，自立過程を阻害しないように介助する．
	(2)安静度にあわせた保清方法(清拭，シャワー浴など)，更衣を実施(介助)する	●小児は代謝が活発で発汗しやすい．
	(3)病室からの移動時は，マスク着用を促す	
	(4)ベッド，病室の環境整備，玩具の清拭	
	(5)適宜，爪切り，保湿クリーム塗布	●浮腫で皮膚が虚弱化しているため，保湿を十分に行い，バリア機能を保つ．
	(6)食事摂取への援助 ①食べやすい食器・食事用具の工夫 ②食事環境を見直す ③１回量が少ないときは分割食(間食)を検討する	●小児は，食事環境によって摂取量に変化が生じやすい．患児・家族が楽しい雰囲気で食事が進むように工夫する．
E-P	**(1)感染予防の必要性，自分で行える予防策について患児・家族に説明**	●ステロイド療法は長期的になることが多く，また，微小変化型は再発率も高いため，日ごろから感染予防策が習慣化するように関わる．
	(2)感染徴候出現時は，早期に伝えるように説明	
	(3)ステロイド療法開始前に，予防接種やう歯治療が必要なことを説明	
	(4)学童～思春期には，無理ににきびを潰したり，刃物で除毛などをしないように説明	●副腎皮質ステロイド薬の副作用で，にきびが生じやすくなる．無理な剝離操作をしたり，ボディイメージの変化による悲嘆が生じたりしないよう，保清や外用薬で軽減できることを早期に説明する．

引用・参考文献

1) 松尾清一監(厚生労働省難治性疾患克服研究事業進行性腎障害に関する調査研究班 難治性ネフローゼ症候群分科会編)：ネフローゼ症候群診療指針［完全版］．東京医学社，2012．
2) 小児ネフローゼ症候群薬物治療ガイドライン作成委員会：小児特発性ネフローゼ症候群薬物治療ガイドライン1.0版．日本小児腎臓病学会，2005．
3) 公益財団法人難病医学研究財団(厚生労働省補助事業)：難病情報センター．一次性ネフローゼ症候群(指定難病222)．https://www.nanbyou.or.jp/entry/4517 より2020年９月３日検索
4) 関口恵子監：経過別看護過程の展開．p.554～566，学研メディカル秀潤社，2007．
5) 井上智子ほか編：病期・病態・重症度からみた疾患別看護過程＋病態関連図．第２版，医学書院，2012．

第８章　腎・泌尿器疾患患者の看護過程

51 尿路結石症

1. 疾患の基礎的知識

1）疾患の概念

尿路結石症とは，尿成分の一部が析出・結晶化し，これらが集合・沈着・増大して，腎臓から尿道に至る尿路に結石ができる疾患である．結石の存在部位によって，腎結石と尿管結石を上部尿路結石，膀胱結石と尿道結石を下部尿路結石という．尿路結石症の約95％は，腎臓，尿管などの上部尿路結石である．発症は男性に多く，30～60歳代が多い．年間罹患率は増加傾向にある．

2）原因

尿路結石の原因は多因子にわたっており，尿流停滞や長期臥床，尿路感染，食事内容などの環境によるものや，薬物によるもの，遺伝的要因が関係しているものなどがある．近年では，生活習慣病・メタボリックシンドロームとの関連性が指摘されている．

また，結石成分はその種類によって原因が異なる．一般に，結石成分の過飽和状態であるか，結石を抑制する物質の低下，または促進物質の増加などの場合に，結石ができやすい．腎側の因子として，尿の停滞や尿路感染によって，細菌が尿素を分解してアンモニアを生成するなどが考えられる．

3）病態と臨床症状

病態

結石成分の尿中濃度が過飽和状態に達して析出され，腎錐体部に結晶が形成される．この結晶が過飽和尿中で次第に大きくなり，いくつか集まって固まり，結石となる．結石の大きさは，腎砂とよばれる小結石から，腎盂，腎杯を満たすサンゴ状結石まで，いろいろである．

上部尿管結石（腎臓，尿管）の成分で最も多いものはカルシウム結石で，原因は過カルシウム尿症，副甲状腺機能亢進症，過シュウ酸尿症，低クエン酸尿症，低マグネシウム尿症などである．次に多い結石は，感染と関連のあるリン酸マグネシウム・アンモニウム結石であり，尿酸結石やシスチン結石も，ときどきみられる．

小さい結石（８～５mm以下）は尿管に下降し，尿流と尿管の蠕動運動によって膀胱に蓄積し，尿道を経て自然排石されることが多い．結石が尿路を下降している途中に尿管内で停止したものを尿管結石といい，尿路閉塞による尿流のうっ滞や，脱水などによる濃縮された過飽和尿の停滞は，結石の形成を促進することになる．結石によって尿流が障害されると水尿管症，水腎症を生じ，腎実質が萎縮して腎機能が低下する．また，結石の存在は二次感染の原因となり，結石性腎盂腎炎，結石性膿腎症などが起こる．

臨床症状

(1)疼痛

腎結石の多くは，疼痛がないか，腰部の鈍痛程度である．しかし，腎杯頭部や腎盂尿管移行部に嵌頓（かんとん）した場合は，腎部痛を自覚する．

尿管結石では，結石が腎盂や尿路から動いて尿流が阻止されることにより，腎盂内圧が急激に上昇し，疝痛（せんつう）発作を引き起こす．これは側腹部から背部にかけての激痛で，随伴症状として悪心・嘔吐・冷汗があり，顔面蒼白，頻脈，血圧低下が起こることもある．

結石が尿管下方に移ると，下腹部から外陰部，大腿などにも放散痛が認められ，鈍痛または不快感を生じるが，痛みが全くない場合もある．

さらに，結石が膀胱に近づくと，膀胱刺激症状（頻尿，残尿感，排尿困難など）が出現する．

(2)血尿

顕微鏡的血尿が多いが，結石によって尿路の粘膜が傷つくと，肉眼的血尿がみられる．疼痛発作時に著明であるが，発作の数日前からみられる場合もある．

(3)結石の排出

結石が自然排出する率は高く，尿管結石の80%以上が自然排出する可能性がある．

(4)無尿

単腎症での尿管結石，あるいは両腎結石で結石の嵌頓によって，尿の流出が妨げられたときに無尿となる．片側の腎結石(尿管結石)で，他側腎が健常であるにもかかわらず無尿となるのを，反射性無尿という．

(5)その他

膀胱結石で結石が内尿道口をふさぐと，尿線中絶(排尿の途中で尿が止まること)をきたす．結石が内尿道口に嵌頓して，尿閉をきたすこともある．結石の刺激によって頻尿となり，感染が加わると，尿意頻数，夜間頻尿など膀胱刺激症状がみられる．

4) 検査・診断

(1)症状

特有な痛みと血尿によって推定できる．結石排出の既往があれば参考となる．

(2)X線検査

尿管膀胱単純X線撮影(KUB：kidney, ureter and bladder)(**図51-1**)によって，結石陰影が証明される．尿酸結石やキサンチン結石は写りにくい．

(3)排泄性尿路造影(IVP：intravenous pyelography)検査(図51-2)

腎機能や結石のある部位より上方の尿路拡張(水尿管症，水腎症)の状態をみることができる．

(4)逆行性腎盂造影(RP：retrograde pyelography)検査

IVPまたは点滴静注腎盂造影(DIP：drip infusion pyelography)で診断されない場合，逆行性腎盂造影で結石が描出されることもある．

(5)超音波検査

腎結石は，小さいものでもX線陰性結石でも診断可能である．水腎症の状態もよく観察される．尿管下端結石や膀胱結石も診断される．

(6)CT検査

どの成分の結石でも描出されるため，超音波検査で不十分な場合や，X線陰性結石の診断に有用である．

5) 治療

(1)内科的治療(保存的治療)

①対症療法

疝痛発作時には，非ステロイド抗炎症坐薬(ボルタレン®など)の使用や，鎮痙薬(抗コリン薬)，非麻薬性鎮痛薬(ペンタゾシン®など)を，筋肉注射または静脈注射によって適宜使用する．また，疼痛コントロールの目的で，硬膜外ブロックが行われる場合もある．感染を合併していれば，適切な抗菌薬や化学

図51-1　尿路結石症のX線像

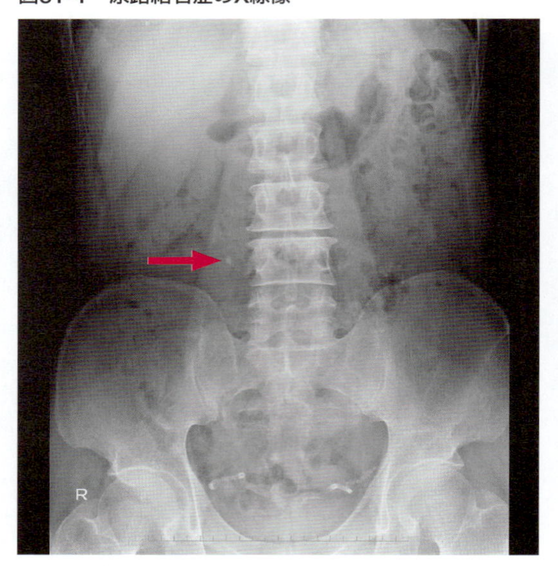

結石像(→)

図51-2　排泄性尿路造影像

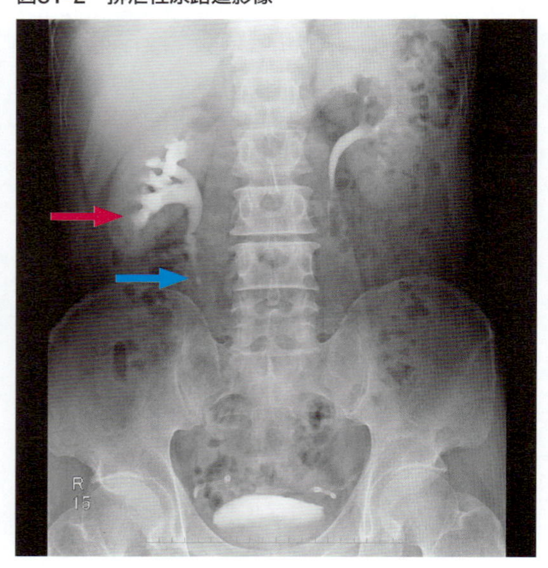

水腎症(→)，結石像(→)

(写真提供：図51-1，2とも黒田加奈美氏［元東邦大学医療センター大橋病院泌尿器科］)

療法薬を投与する．

②自然排石の促進

一般に，5mmくらいまでの尿路結石は自然排石する可能性が高い．結石の尿管内下降をはかるために，水分の多量摂取や輸液などによって尿量を増加させたり（2,000～3,000mL/日），縄跳びや階段昇降，散歩などの運動を促す．また，排石促進薬や尿管拡張薬，利尿薬を使用することがある．排石にかかる日数は個人差が大きいが，経過観察は一般に3～4か月である．

③結石溶解療法

薬剤によって溶解可能な結石は，尿酸結石とシスチン結石である．尿酸結石にはアロプリノール，シスチン結石にはD-ペニシラミンが投与される．

(2)外科的治療（手術療法）（図51-3）

①体外衝撃波結石破砕術（ESWL：extracorporeal shockwave lithotripsy）

一般に，2cm以下の結石に適している方法である．体外で発生させた衝撃波を，X線透視や超音波を用いて体内の結石にあわせて誘導し，結石を砂状にする方法である．破砕された小結石は，粉末または直径2～3mmの砂粒状となって，尿とともに排出される．比較的大きい結石は破砕に時間と大量のエネルギーを要し，破砕片が尿管に詰まり（ストーンストリート），尿流停滞を起こすことがある．長期に停滞する場合は，腎機能低下を生じることがあるため，ESWLの再実施や，後述の経尿道的結石破砕術を行う．

②経皮的腎（尿管）結石破砕術（PNL：percutaneous nephrolithotripsy）

サンゴ状結石など，2cm以上の腎結石に適している．腰背部から穿刺法によって1cmの瘻孔を作製し，内視鏡（腎盂鏡）を挿入して，結石をみながら超音波，レーザー，電気水圧衝撃波などで破砕し，摘出する．破砕片の吸引や術中術後の出血に対する止血を行う経路として，腎盂バルンカテーテルを数日間留置する．

③経尿道的結石破砕術（TUL：transurethral ureterolithotripsy）

経尿道的に尿管鏡を挿入し，内視鏡的に結石をレーザーなどで破砕したり，バスケット鉗子を用いて摘出する．ESWL後のストーンストリートが長期に及ぶ場合や，下部尿管結石に対して実施する．合併症として，腎盂腎炎や水腎症を起こす場合があるため，尿管カテーテルを数日間留置する．

④開腹術

ESWLや内視鏡手術の普及により，開腹術はほとんど行われない．腎機能が極めて悪化し，腎摘出を行う場合などに行われる．

6）予後

尿路結石症の再発率は高い．再発を防止するためには，適切な食事・水分の摂取が重要である．また，過カルシウム尿症や過尿酸尿症など，さらに原因となる代謝異常などの基礎疾患を検索し，治療することも大切である．

図51-3　尿路結石の外科的治療の種類

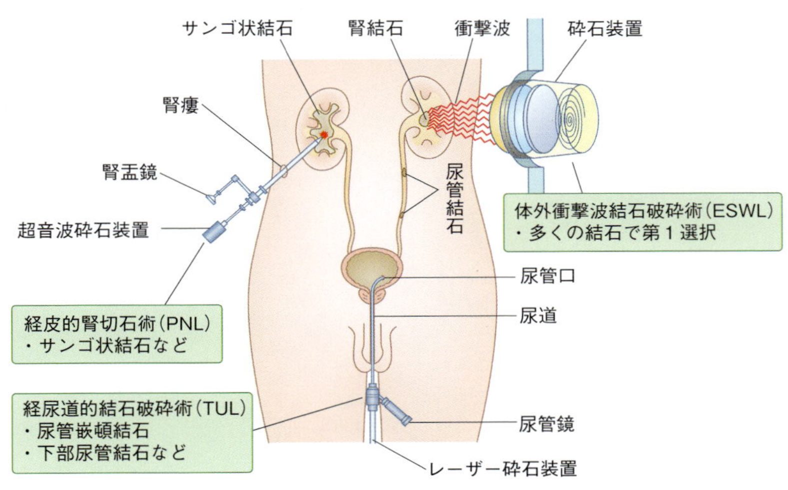

2. 看護過程の展開

● アセスメント～ゴードンの機能的健康パターンを用いて

パターン	アセスメントの視点	根拠	収集する情報
(1) **健康知覚-健康管理** 患者背景 健康知覚-健康管理 価値-信念	●患者（家族）が自分（家族）の健康状態をどのように感じとって理解しているか ●自分（家族）の健康管理の方法はどのようにしているか ●疾患，治療，健康上のリスク管理に関して誤解していることがないか	●尿路結石は再発しやすい．現病歴に加えて，結石の既往歴があれば，再発する可能性が高い．これまで指示されている治療，療養計画が守られていなければ再発する危険性があり，自己管理は重要な要因である．	●主観的情報 ・症状の有無 ・症状出現状況 ・これまでにもこのような症状が起こったことがあるか ・入院の目的 ・医師からの説明 ・既往歴 ・内服薬 ・処方された薬は指示通り服用できているか ・自己管理について指示されていることはあるか ・治療について援助してくれる人はいるか ・気分 ・対象者本人の認識している健康管理方法のパターン，それに対する意欲 ・現在の健康管理 ・今後の目標や見込み ・健康増進活動 ・精神的・身体的な健康維持習慣の順守 ・家族や医療職のサポート ・患者の病状が現れるに至った経過 ●客観的情報 ・態度，行動，外観，身体の動き

パターン	アセスメントの視点	根拠	収集する情報
(2) 栄養-代謝 全身状態 栄養-代謝 排泄	●食物・栄養素と水分が消化・吸収され，全身のバランスとエネルギーの産生がどう維持されているか ●尿路結石の原因となるような飲食の習慣はないか	●水分の摂取と結石の構成成分となる食品の摂取は，疾患の原因となり再発防止につながる． ●尿路結石症の随伴症状として，悪心・嘔吐を生じることがある	●主観的情報 ・体重の変化 ・食事：回数，間食，食事の好み（好きなもの，嫌いなもの） ・食欲 ・悪心 ・口渇 ・皮膚の状態 ・かゆみ ●客観的情報 ・義歯の使用の有無，嚥下困難の徴候 ・身長，体重，BMI，体格（皮下脂肪），腹囲 ・水分摂取量と排泄量のバランス ・腹水の有無と程度 ・皮膚の乾燥の有無，皮膚の湿潤の有無，浮腫の有無と程度 ・下痢・嘔吐の有無，皮膚の弾力の状態 ・体温 ・感染の危険因子 ・体温調節の危険因子 ・検査データ：WBC，RBC，Hb，Ht，plt，CRP，TPアルブミン，中性脂肪，HDLコレステロール，血糖，BUN，Cr，Glu，出血時間，凝固時間，CVP，尿pH，尿潜血，尿沈渣，電解質（Na^+，K^+，Cl^-，HCO_3^-） ・食物・水分の摂取パターン ・毎日の食事時間 ・摂取する食物・水分の種類と量 ・特別な食べ物の好み ・栄養剤またはビタミンなどの栄養補給品の使用 ・自負の損傷と総合的な治癒能力 ・毛髪，爪，粘膜，歯などの状態 ・体温

パターン	アセスメントの視点	根拠	収集する情報
(3) **排泄** 全身状態 栄養-代謝 排泄	●腸，膀胱，皮膚の排泄機能は正常か ●血尿はないか ●無尿・尿閉はないか ●膀胱刺激症状はないか ●尿路感染の徴候はないか ●腎機能障害はないか	●泌尿器系疾患をもつ患者は，排尿の状態や性状に非常に神経質になることが少なくない． ●結石によって尿路の粘膜が傷つくと肉眼的血尿がみられる． ●両腎結石で結石の嵌頓がおこると，無尿になることがある．片側の腎結石でも反射性無尿となることがある． ●結石により尿道口が塞がれると尿閉を生じることがある． ●外科的治療（ESWL，PNL，TUL）が行われた場合，破砕片による尿管への刺激や損傷，閉塞，尿管カテーテルなどの留置により，血尿や出血，疼痛，尿路感染，腎機能低下による腎盂腎炎や水腎症などが現れることがある．	●主観的情報 ＊排尿について ・１日の排尿回数，量 ・血尿の有無 ・尿意，残尿感，排尿時痛の有無 ・尿意があるのに，排尿できないことはあるか ＊排便について ・回数，頻度，量，性状 ・排便時の問題の有無 ・下剤，浣腸などの使用の有無 ・冷汗の有無 ●客観的情報 ・１日尿量・１回尿量 ・必要時残尿測定 ・排尿方法 ・排尿間隔 ・尿の色，性状 ・尿閉の有無 ・尿失禁の有無と程度 ・検査結果の値（簡易尿検査，クレアチニン，BUN） ・泌尿器系の画像検査（各種X線検査，エコー検査） ・排尿状態に影響を及ぼす治療，処置の内容（内服薬，注射，輸液） ・排尿状態に影響を及ぼす生活状態 ・チューブ類の挿入 ・排便回数，排便の間隔 ・便の色，性状 ・排便方法 ・腹部の状態，腸蠕動，腹部膨満など ・皮膚の湿潤の有無と程度，皮膚の弾力・張り・滑らかさ・色・発汗の量 ・排泄機能（膀胱，腸，皮膚）のパターン ・対象が知覚している排泄機能の規則性 ・排泄時間のパターン ・排泄の方法，質，量の変動または障害 ・排泄のコントロールに使われている器具

パターン	アセスメントの視点	根拠	収集する情報
(4) 活動-運動 活動・休息 活動-運動 睡眠-休息	●日常生活のセルフケアを妨げてしまう要因はないか ●日常的活動の自立度はどうか ●排石促進のために運動ができているか	●尿路結石では，その結石の位置や大きさにより，または治療後に排石を促す目的で運動をすすめることもある． ●疼痛発作の際，血圧が低下することもある．	●主観的情報 ・関節の可動性の制限 ・つらい姿勢，楽な姿勢の有無 ・動悸，息苦しさの有無 ・行なっている運動 ・活動やセルフケアに対する意欲 ●客観的情報 ・呼吸回数，呼吸リズム，深さ，呼吸音，息切れ，咳 ・SpO_2(安静時，活動時) ・脈拍数・血圧 ・安静度 ・移動能力：寝返り，坐位，立位，歩行 ・日常動作：摂食，排泄，入浴，更衣，整容 ・中枢神経，筋肉・骨格，脳神経 ・四肢の機能や筋力，関節可動域の状態 ・義手，義足，杖，眼鏡(コンタクトレンズ)などの補装具 ・表情 ●レジャー/レクリエーション/活動は行えているか ・運動，活動，レクリエーションのパターン ・清潔，料理，買い物，食事，仕事，家庭の維持などの関連動作 ・運動 ・レクリエーション活動 ・循環器系，呼吸器系，筋骨格系，神経系の状態
(5) 睡眠-休息 活動・休息 活動-運動 睡眠-休息	●睡眠は十分にとれているか ●休息/リラクゼーションはとれているか ●睡眠と休息やリラクゼーションの方法，覚醒と睡眠時間，夜間の目覚めの回数などといった睡眠の質をどのように感じているか	●尿路結石による痛みや排尿によって睡眠や休息に影響を及ぼす．	●主観的情報 ・睡眠時間 ・不眠，熟睡感の有無 ・睡眠薬の使用 ・悩みごとの有無 ●客観的情報 ・夜間の睡眠状態 ・治療の進行状況と結果 ・病室環境(騒音，採光，日光，温度，湿度) ・薬物療法の有無やアルコール摂取の有無 ・睡眠，休息 ・１日24時間の睡眠と休息 ・リラクゼーションのパターン ・薬剤や睡眠補助手段

パターン	アセスメントの視点	根拠	収集する情報
(6) **認知-知覚** 知覚・認知 認知-知覚 自己知覚-自己概念 コーピング-ストレス耐性	●感覚・知覚機能は正常か ●疼痛はどうか ●認知機能は正常か	●尿管結石においては，疼痛に対して迅速な対応が求められる．結石の移動により腎盂内圧が急激に上昇すると疝痛発作を生じる．	●主観的情報 ・疼痛の有無，部位，性質 ・痛みが悪化する時間 ・痛みを悪化させると思われる活動・動作 ・痛みを悪化させる食事，食品，飲み物 ・痛みを軽減させること ・鎮痛薬の使用 ・治療で悩んでいることの有無 ・視覚（眼鏡・コンタクトレンズの使用） ・聴覚（補聴器の使用） ・嗅覚問題 ・味覚問題 ・触覚 ●客観的情報 ・意識レベル ・病気や治療に関する知識 ・苦痛 ・疼痛 ・疼痛の管理方法 ・不快感 ・味覚の状態 ・感覚器 ・認知レベル ・急性の混乱，幻覚やせん妄，認知症の有無 ・視覚，聴覚，味覚，触覚，嗅覚 ・使用されている代償手段または人工装具（眼鏡，補聴器など）
(7) **自己知覚-自己概念** 知覚・認知 認知-知覚 自己知覚-自己概念 コーピング-ストレス耐性	●病気をもつ自己をどのように知覚しているか ●自己概念は脅かされていないか	●尿路結石では再発の可能性が高く，自己に関する態度は，治療や生活上の自己管理など，意欲面にも影響する重要な要素である．	●主観的情報 ・病気になったことで，できなくなったことの有無，内容 ・身近な人（家族・友人・その他）が今回の病気について言っていることで，気になることがあるか ●客観的情報 ・身体に対する患者の反応（みない・触らない・隠すなど） ・患者の様子：イライラ，不安感，恐怖感，消極的，否定的な表現，視線をあわさない

パターン	アセスメントの視点	根拠	収集する情報
(8) 役割-関係 周囲の認識・支援体制 役割-関係 セクシュアリティ-生殖	●家族の役割・責任，職業上の役割・責任，社会的役割・責任への影響はないか	●役割の負荷はストレスの原因になる可能性がある．また，尿管結石の治療や再発によって影響を受け，収入の減少など影響が生じることもある．	●主観的情報 ・経済的な困難の有無 ・仕事や地域での役割などへの影響の有無 ・介護をしてくれる人の有無 ・孤独を感じることの有無 ●客観的情報 ・介護上の問題 ・経済面の問題 ・環境の変化による身体的表れがあるか（現在のことがわからない・混乱・睡眠障害・うつ状態など）
(9) セクシュアリティ-生殖 周囲の認識・支援体制 役割-関係 セクシュアリティ-生殖	●生殖歴・生殖段階はどうか ●性に対する満足・不満足はあるか	●泌尿器系の術式で，男性生殖機能に影響を与えることもある．そのことで，多くの患者は性に対する悩みをもつことが知られている．この問題は非常に個人的なものであり，プライバシーの侵害を受けやすい問題である．	●主観的情報 ・性に関して心配なことの有無 ・術後の性機能障害についての説明の有無，内容 ●客観的情報 ・性機能障害の程度
(10) コーピング-ストレス耐性 知覚・認知 認知-知覚 自己知覚-自己概念 コーピング-ストレス耐性	●コーピング・メカニズムはどうか ●コーピングの効果はどうか ●ストレスに対する耐性はあるか	●ストレスが緩和されないと食欲・睡眠・活動などのすべてに影響する． ●尿路結石の形成にはストレスも関与する	●主観的情報 ・最近，病気に関してストレスと感じることの有無 ・相談する相手の有無 ・緊張を和らげるための方法の有無 ●客観的情報 ・表情，言動，姿勢 ・食事摂取状況 ・睡眠状況 ・活動量，範囲の変化 ・ストレス・コーピングパターンの有効性 ・挑戦に耐え得る余裕 ・受容力 ・ストレスの処理方法 ・家族やそのほかのサポートシステム ・状況をコントロールして管理する能力をどのように認識しているか
(11) 価値-信念 患者背景 健康知覚-健康管理 価値-信念	●自分の日常で何か大切だと感じた場合の意思決定において，指針となる価値観をもっているか	●尿路結石は再発率が高いため適切な食事・水分摂取が重要であり，それらの自己管理には価値観や信念が影響する	●主観的情報 ・信仰している宗教 ・固く信じていること（信念） ・人生において重要だと認識されているもの ・健康に関連する価値観，信念 ・期待において感じている葛藤

3. 全体像の把握から看護問題を抽出

1）病態関連図

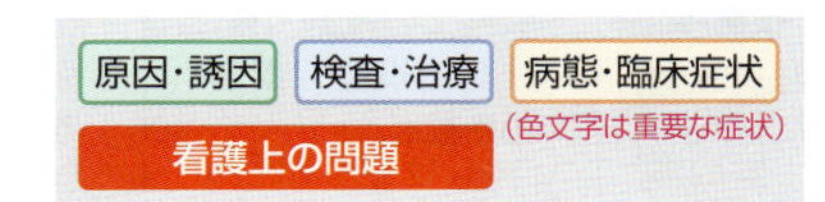

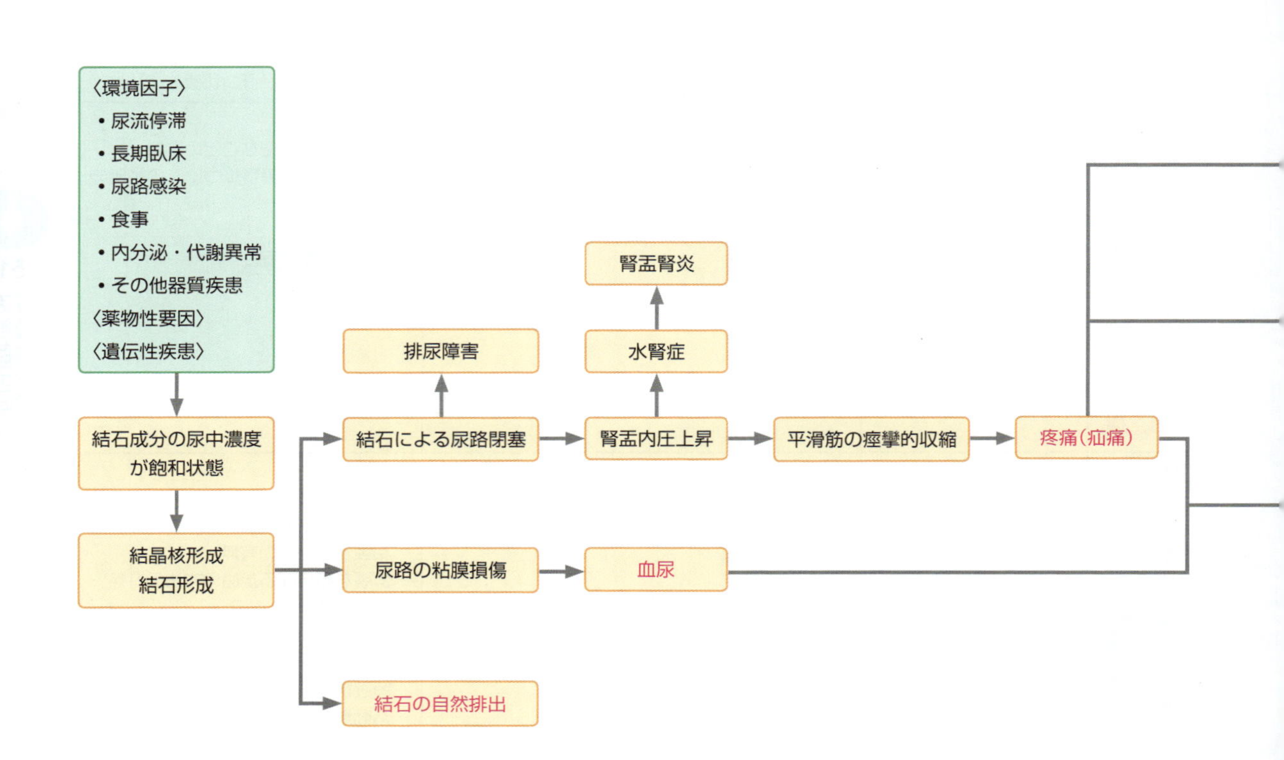

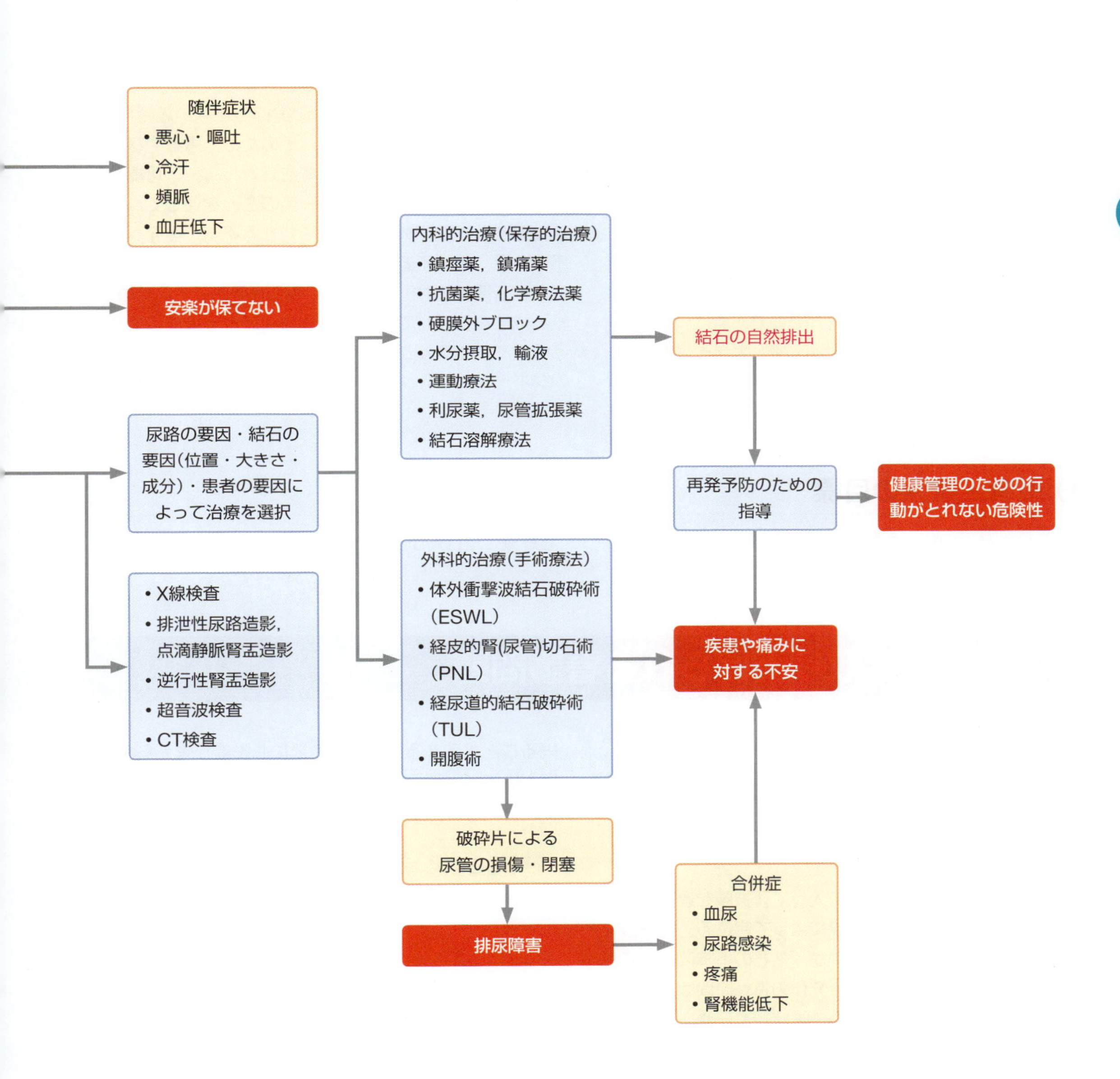
随伴症状
• 悪心・嘔吐
• 冷汗
• 頻脈
• 血圧低下
安楽が保てない
尿路の要因・結石の要因(位置・大きさ・成分)・患者の要因によって治療を選択
• X線検査
• 排泄性尿路造影，点滴静脈腎盂造影
• 逆行性腎盂造影
• 超音波検査
• CT検査
内科的治療(保存的治療)
• 鎮痙薬，鎮痛薬
• 抗菌薬，化学療法薬
• 硬膜外ブロック
• 水分摂取，輸液
• 運動療法
• 利尿薬，尿管拡張薬
• 結石溶解療法
外科的治療(手術療法)
• 体外衝撃波結石破砕術(ESWL)
• 経皮的腎(尿管)切石術(PNL)
• 経尿道的結石破砕術(TUL)
• 開腹術
破砕片による尿管の損傷・閉塞
排尿障害
結石の自然排出
再発予防のための指導
健康管理のための行動がとれない危険性
疾患や痛みに対する不安
合併症
• 血尿
• 尿路感染
• 疼痛
• 腎機能低下

2）看護の方向性

尿路結石症は，環境因子，薬物性要因，遺伝性疾患などの原因から，尿中濃度が飽和状態となり，結晶核形成から結石形成へと至る．結石による尿路の通過障害から尿路閉塞となり，腎盂内圧上昇，平滑筋の痙攣的収縮によって３大徴候の１つである激痛を伴う疝痛発作となる．

また，結石が膀胱に近い尿管下方に移ると，下腹部から外陰部，大腿部へと，下方の放散痛が著明となる．随伴症状として，悪心・嘔吐，冷汗，頻脈，血圧低下などが出現することもある．疼痛を訴える患者に対して迅速に鎮痛のための処置を行い，安楽な体位の工夫や精神的支援を行う．安楽な体位の工夫や精神的支援を行う．また，結石が下降して膀胱付近に近づくと，頻尿や尿意切迫感，残尿感などの膀胱刺激症状が発生する．それに加えて，ときに尿線途絶や尿閉などをきたすことがあり，腎盂腎炎などの感染を併発しないように，排尿障害への看護介入が必要である．

治療の方向性は，結石の要因(位置，大きさ，成分)や，尿路の要因および患者・家族の意向をもとに判断される．小結石では自然排石の可能性が高いことから保存治療が行われ，外科治療の場合はESWLを第１選択として行われる．外科的治療が行われた場合，破砕片による尿管への刺激や損傷，閉塞，尿管カテーテルの留置などによって，合併症が出現しやすい．術後の合併症を早期に発見できるよう，観察を行っていく．

また，尿路結石患者の治療後の再発率は高いことから，薬物療法や日常生活の指導が，再発予防のために必要である．水分摂取や食生活の改善，服薬，運動療法の継続などの自己管理が重要となるが，これまでの健康管理への意識から効果的に実行できない場合は，再発のリスクを高めてしまう．そのため，患者や家族などのキーパーソンが生活指導を理解し，実行可能かどうかの判断も重要である．一連のことを通して，疼痛に対する不安や外科的治療に対する不安，再発への不安など，常に不安を生じやすいことがあるため，病態と生活習慣を調整することで再発が予防できるため，結石成分を把握して，食事療法および水分摂取に関する教育を実施することが再発予防につながる．不安へのサポートが必要となる．

3）患者・家族の目標

疝痛発作などの痛みが最小限に抑えられる．合併症の徴候がみられない．再発しないよう日常生活での注意点を意識した行動がとれる．

4. しばしば取り上げられる看護問題

◆1 結石の刺激や炎症による疼痛がある

疝痛は，結石が腎盂や尿管に入って腎被膜を過緊張させたり，尿管の蠕動亢進や痙攣によって起こる．痛みの部位は，側腹部から背部が多いが，結石の下降によって下腹部などに放散痛が生じる．発作の持続時間は，数分から数時間と一定しない．悪心，嘔吐，冷汗や血圧低下などの随伴症状が現れることもある．また，ESWLなどの治療後は，破砕片による尿管への刺激や損傷などによる疼痛が起こる危険性がある．

尿路結石の場合は，結石移動などで尿路が閉塞されて尿が停滞すると，激痛である疝痛発作となる．痛みは，人の日常生活や精神を制限し，人間としての尊厳を奪い去ることさえある．生きる意欲にも影響が考えられる．痛みに伴い，悪心や顔面蒼白，頻脈などの自律神経症状を伴うこともある．

➡期待される結果

疼痛が軽減，あるいは消失したという発言がある．

◆2 尿管の損傷・閉塞に関連した排尿障害

結石が尿路をふさぎ，尿線途絶や尿閉などをきたすことがある．また，結石が下降して膀胱付近に近づくと，頻尿や尿意切迫感，残尿感などの膀胱刺激症状が発生し，排泄物としての尿を，体外に放出できない状態となる．

結石が両尿管を閉塞すると，腎後性無尿となり，放置すると腎機能低下をきたす．

➡期待される結果

排石があり，排尿障害がない．

♦3 結石の再発予防のための健康管理行動がとれない危険性がある

なぜ？

尿路結石患者の治療後の再発率は高いことから，薬物療法や日常生活においての健康管理行動が必要となる．しかし，これまでの健康管理への意識から効果的に実行できない場合は，再発のリスクを高めてしまうことが予測される．

結石の多くは原因があり，病態と生活習慣を改善しないと再発を繰り返すため，原因に対する適切な治療や予防のためのセルフケア行動が必要となる．

➡期待される結果

再発予防のための対処行動が実施できる．

疾患や痛みに対する不安がある

なぜ？

発症時から，退院後に至る経過のなかで，疼痛や再発の危険性，また，手術などの治療法といった点に，患者は常に不安を感じている可能性がある．不安は，食事や睡眠など，ほかの領域にも影響が及ぶ可能性が高い．

➡期待される結果

不安を表現することができ，不安が軽減したという発言がある．

5. 看護計画の立案

• O-P：Observation Plan（観察計画）　• T-P：Treatment Plan（治療計画）
• E-P：Education Plan（教育・指導計画）

♦1 結石の刺激や炎症による疼痛がある

	具体策	根拠と注意点
O-P	**(1)疝痛発作の出現状況** ①疼痛の部位，症状出現状況，程度，持続時間 ②放散痛の有無と頻度	●疝痛発作は，結石による急激な尿流遮断に伴う腎盂の過度の急性拡張，腎内拡張および平滑筋の痙攣的収縮によって生じる．疼痛は，側腹部から背部にかけて起こるが，結石が膀胱に近い尿管下方に移ると，下腹部から外陰部，大腿部へと，下方の放散痛が著明となる．
	(2)随伴症状の有無と程度 ①悪心・嘔吐，冷汗，顔面蒼白，頻脈，血圧低下 ②検査データ	●疝痛の状況や随伴症状を観察するとともに，治療方針の情報を得て援助する．
	(3)日常生活の状況 ①睡眠時間，睡眠状態，昼間の眠気 ②食欲の有無，食事の摂取量	●疝痛による苦痛や不安から，睡眠障害や食欲不振などをきたしていないか観察する． ●患者・家族が不安なく治療を受けられるように，疼痛に対する反応を把握し，不安の軽減に努める．
T-P	**(1)鎮痛薬の投与**	●疼痛緩和は迅速に行われるべきであり，鎮痛後にほかの症状への対応となる．
	(2)安楽への援助 ①衣類をゆるめ，緊縛感を取り除く ②安楽な体位の工夫 ・安楽枕を使用し，腹壁の緊張を取り除く ③背部，側腹部のマッサージ **(3)ADLの援助** ①睡眠，食事，清潔に対する援助 ②環境の調整	●疼痛時，全身の緊縛感が強くなるため，衣類をゆるめる，安楽な体位をとるなど，緊縛感を軽減させるための援助を行う．疼痛後は，疲労感や全身倦怠感が強くなることから，心身の安静を保てるように環境を整え，ADLの援助を行う．

	具体策	根拠と注意点
E-P	**(1)疼痛時の対処方法についての説明** ①疼痛出現時は我慢せず，すぐに伝えるように説明する ②疼痛緩和のための体位の工夫などについて指導する ③鎮痛薬に対する正しい情報を提供する	●疝痛発作は激しい痛みが続くことから，不安や苦痛が大きい．不安や苦痛を軽減させるためには，疼痛時すぐに対処することが大切である．対処方法について理解できるように説明する．

2 尿管の損傷・閉塞に関連した排尿障害

	具体策	根拠と注意点
O-P	**(1)排尿状態** ①尿の性状・量 ②排尿障害の有無と程度：残尿感，排尿時痛，排尿困難，頻尿など	●破砕された結石は，砂状となって尿とともに流出する．破砕後の凝血や砕石片によって，尿管閉塞をきたすおそれがあるため，排尿状態，尿量，膀胱刺激症状などに注意する．
	(2)排石の有無	●排尿時，結石が排出されたか，必ず確認する．
	(3)治療による症状(腎被膜下血腫) ①背部痛の有無と程度 ②悪心・嘔吐の有無 ③貧血の有無と程度	●衝撃波によって腎損傷をきたすと，腎被膜下血腫が生じることがある．早期発見のために，疼痛や貧血の症状出現に注意する．
	(4)検査データ ①赤血球数，Hb ②白血球数，CRP ③腎機能(BUN，Cr，Ccr，eGFR)	●出血による貧血や感染徴候，尿流障害が腎機能に影響を及ぼしていないかなどに注意する．
T-P	**(1)水分摂取の奨励** ・2,000～3,000mL/日の水分摂取を目標に調整する	●尿流によって排石を促すため，また，濃縮尿によって結石が増大しないように，尿量を2,000mL/日に保つ．
	(2)適度な運動の奨励	●尿管の蠕動を促すために，許可された範囲での適度な運動や体動ができるように援助する．
	(3)輸液の管理	
E-P	**(1)排石，排砂の確認についての指導** ・蓄尿やガーゼ，バスケットでの濾過	●結石の排出を確認するために，蓄尿の必要性とガーゼやバスケットで濾過する方法を指導する．排石があった場合は知らせるように指導する．
	(2)水分摂取の必要性についての説明	●排石のため，十分な飲水による尿量確保の必要性について説明する．
	(3)排石を促すための体位についての説明 ・患側を上にする	●結石が下腎杯に沈殿している場合に排出困難となるために行う．
	(4)適度な運動についての説明	●縄跳び，階段昇降，散歩などをすすめる．

引用・参考文献

1) 伊藤晴夫ほか編：図説 新しい尿路結石症の診断・治療．メジカルビュー社，2009.
2) 山口瑞穂子ほか監：疾患別看護過程の展開．第５版，学研メディカル秀潤社，2016.
3) 江川隆子ほか編：ゴードンの機能的健康パターンに基づく看護データベース―作成過程と臨床への応用．第２版，廣川書店，2003.
4) 古橋洋子編：ＮＥＷ実践！看護診断を導く情報収集・アセスメント．第６版，学研メディカル秀潤社，2019.
5) マージョリー・ゴードン：ゴードン博士のよくわかる機能的健康パターン 看護に役立つアセスメント指針 11の機能的健康パターン．照林社，1998.
6) マージョリー・ゴードン：アセスメント覚え書―ゴードン機能的健康パターンと看護診断．医学書院，2009.
7) 井上智子ほか編：病期・病態・重症度からみた疾患別看護過程＋病態関連図．第３版，2016.
8) 医療情報科学研究所編：病気がみえる vol.8腎・泌尿器．第３版，メディックメディア，2019.
9) 赤座英之監：標準泌尿器科学．第９版，医学書院，2014.
10) 繪本正憲ほか編：腎／泌尿器／内分泌・代謝―ナーシング・グラフィカEX 疾患と看護(8)．メディカ出版，2020.
11) 竹田徹朗ほか編：腎・泌尿器疾患―看護学テキストNiCE 病態・治療論［7］．南江堂，2018.
12) 大東貴志ほか：腎・泌尿器：成人看護学８．系統看護学講座 専門分野Ⅱ，第14版，医学書院，2015.
13) 山口瑞穂子ほか監：The疾患別病態関連マップ2nd ed．学習研究社，2006.
14) 阿部俊子編：改訂版 病態関連図が書ける観察・アセスメントガイド―看護学生必修シリーズ．照林社，2009.
15) 新見明子編：根拠がわかる疾患別看護過程 病態生理と実践がみえる関連図と事例展開．改訂第２版，南江堂，2016.

Memo

第８章　腎・泌尿器疾患患者の看護過程

52 膀胱がん

1. 疾患の基礎的知識

1）疾患の概念

膀胱がんとは，膀胱の内腔を覆っている移行上皮という上皮細胞から発生する悪性腫瘍である．膀胱がんの90%以上が移行上皮がんであり，ほかに扁平上皮がんや腺がんなどがある．年齢別の罹患率は50歳以上，とくに60～70歳代に多く，男女比では４：１で男性に多い．

2）原因

膀胱がんの多くは原因不明であるが，発がんの危険因子として喫煙や化学物質などがあげられている．

喫煙は発がん因子として重要であり，喫煙者は非喫煙者に比べて危険性が高く，２～５倍の発症率となる．喫煙本数が多く，喫煙期間が長いほど，影響は大きいと考えられている．

化学物質としては，ナフチルアミンやアミノビフェニル，ベンジジンなど，芳香族アミンがあげられ，染料工場の従業員にみられた職業性膀胱がんの発症には，染料に用いられるこれらの物質が関与しているといわれる．

その他，北アフリカから中近東にかけて分布する，ビルハルツ住血吸虫による尿路感染症，膀胱結石，神経因性膀胱などによる慢性炎症は，扁平上皮がんの発生母地となることが多いとの指摘がされている．

3）病態と臨床症状

病態

膀胱がんの発生部位としては，膀胱三角部から尿管口付近が多い．膀胱内に多発性に発生することも多く，また，膀胱内だけでなく腎盂や尿管などの尿路に多発することもある．膀胱がんの分類には，TNM分類が広く用いられている（**表52-1**）．膀胱がんの壁内深達度を**図52-1**に示す．

膀胱がんは，膀胱鏡を用いて直接形状を観察することができる．腫瘍の多くは乳頭状を呈することが多く，**図52-2**のような発育様式をとる．乳頭状のほか，非乳頭状があり，それぞれ有茎性，広基性に分けられる．また，膀胱内に突出せず，粘膜内に広がる異形度の高い上皮内がんも存在し，平坦型と潰瘍形成型がある．腫瘍の形状はがんの性質を示していることが多く，乳頭状・有茎性腫瘍は比較的良性で，非乳頭状・広基性腫瘍は浸潤がんである確率が高い．

通常，原発巣が粘膜下層内にとどまり，所属リンパ節転移および遠隔転移のない膀胱がんを表在がん，筋層以上に浸潤している場合（遠隔転移がない）を浸潤がん，転移を有する場合を進行がんとしている．膀胱がんは，骨盤腔から後腹膜腔のリンパ節に転移することが多く，遠隔転移では肺や骨，肝などに多い．

臨床症状

症状としては，無症候性血尿が多く，肉眼的あるいは顕微鏡的血尿がみられる．頻尿や排尿痛，尿意切迫感などの膀胱刺激症状がみられることもある．凝血塊や腫瘍塊による尿管口の閉塞は，排尿困難や尿閉をきたし，水腎症，腎不全を呈することもある．

4）検査・診断

(1)膀胱鏡検査，生検

尿道から膀胱に内視鏡を挿入し，内腔を観察する．腫瘍の発症部位や形状，数，大きさ，腫瘍周囲粘膜の変化などを直接みて診断する．また，腫瘍の一部を切除し，組織検査を行う．上皮内がんや浸潤がんが疑われる場合，生検はとくに重要である．検査は，尿道粘膜麻酔によって行うのが一般的であるが，硬膜外麻酔や腰椎麻酔で行う場合もある．

表52-1　膀胱がんのTNM分類

	T：原発腫瘍の壁内深達度
TX	原発腫瘍の評価が不可能
T0	原発腫瘍を認めない
Ta	乳頭状非浸潤がん
Tis	上皮内がん（CIS）“flat tumour”
T1	上皮下結合組織に浸潤する腫瘍
T2	筋層に浸潤する腫瘍
T2a	浅筋層に浸潤する腫瘍（内側1/2）
T2b	深筋層に浸潤する腫瘍（外側1/2）
T3	膀胱周囲脂肪組織に浸潤する腫瘍
T3a	顕微鏡的
T3b	肉眼的（膀胱外の腫瘤）
T4	次のいずれかに浸潤する腫瘍：前立腺間質，精嚢，子宮，膣，骨盤壁，腹壁
T4a	前立腺間質，精嚢，または子宮または膣に浸潤する腫瘍
T4b	骨盤壁，または腹壁に浸潤する腫瘍
	N：所属（骨盤内）リンパ節転移の有無と程度
NX	所属リンパ節の評価が不可能
N0	所属リンパ節転移なし
N1	小骨盤内の1個のリンパ節（下腹，閉鎖リンパ節，外腸骨および前仙骨リンパ節）への転移
N2	小骨盤内の多発性リンパ節（下腹，閉鎖リンパ節，外腸骨および前仙骨）転移
N3	総腸骨リンパ節転移
	M：遠隔転移
M0	遠隔転移なし
M1	遠隔転移あり M1は下記の表記法によりさらに詳しく記載できる 肺：PUL，骨盤：MAR，骨：OSS，胸膜：PLE，肝：HEP，腹膜：PER， 脳：BRA，副腎：ADR，リンパ節：LYM，皮膚：SKI，ほか：OTH

日本泌尿器科学会・日本病理学会・日本医学放射線学会編：泌尿器科・病理・放射線科 腎盂・尿管・膀胱癌取扱い規約．p.61～62，金原出版，2011．

図52-1　膀胱がんの臨床病期分類とTNM分類の比較

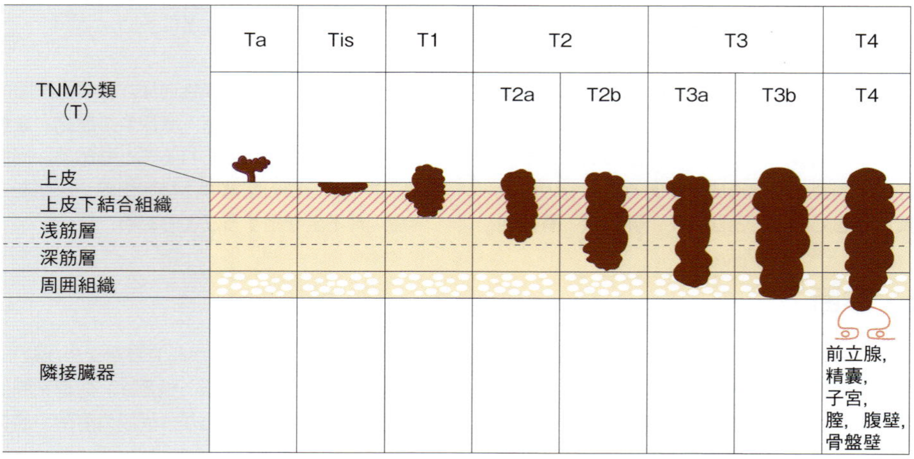

TNM分類（T）	Ta	Tis	T1	T2		T3		T4
				T2a	T2b	T3a	T3b	T4
上皮								
上皮下結合組織								
浅筋層								
深筋層								
周囲組織								
隣接臓器								前立腺，精嚢，子宮，膣，腹壁，骨盤壁

(2)細胞診検査

尿中に脱落した腫瘍細胞を集め，パパニコロー染色をしてがん細胞の存在をみる．あるいは膀胱内に生理食塩液を注入し，排液中の細胞診を行う．細胞や核の異常所見をもとに診断する．通常，Ⅰ～Ⅴまでの５段階で評価する．Ⅰ，Ⅱは陰性，Ⅲは偽陽性，Ⅳ，Ⅴは陽性とする．細胞診では，上皮内がんや浸潤がんで陽性率が高い．この検査法は，職業性膀胱がんなど，がん発症の危険率が高い人を対象にしたスクリーニングにも用いられる．

(3)排泄性尿路造影（IVP：intravenous pyelography）検査

造影剤を静脈内に注入し，経時的にX線撮影を行う．この検査によって，腎盂，尿管などの上部尿管における腫瘍の有無を検討する．上部尿管が拡張している場合には，膀胱がんによる尿管への浸潤や，リンパ節転移による上部尿路閉塞などが推測できる．

(4)CT・MRI検査

膀胱粘膜面の状態や，膀胱周囲へのがんの浸潤の有無，リンパ節転移の有無を診断できる．

(5)超音波検査

超音波によって膀胱壁を描出し，診断する方法で，経腹的，経直腸的，経尿道的に行う方法がある．なかでも経尿道的走査法は，尿道から膀胱内に超音波探触子を挿入し，膀胱の超音波断層像を描出するもので，腫瘍の膀胱壁への浸潤の程度をかなり正確に診断できる．

5）治療

(1)外科的治療（手術療法）

①経尿道的膀胱腫瘍切除術（TUR-Bt：transurethral resection of the bladder tumor）

悪性度が比較的低く，浸潤度の低い表在性がんに対しては，経尿道的膀胱腫瘍切除術が行われる．内視鏡でみながら経尿道的操作によって腫瘍を基底部から深く切除するもので，切除可能なのは，がんの浸潤が粘膜下までの場合である．筋層まで浸潤しているがんは，この方法で完全に切除することはできない．

②膀胱全摘出術（根治的膀胱切除術）

浸潤がんに対しては，膀胱全摘出術が行われる．男性では膀胱，尿管，前立腺，精嚢，尿道を摘出し，女性では膀胱，子宮，膣前壁，尿道を摘出する．同時に骨盤内リンパ節郭清術と，尿を体外に誘導する尿路変更術を行う．腫瘍が直腸に浸潤している場合は，直腸も含めた骨盤内臓器全摘出術を行う．

膀胱全摘出術に伴い，腎臓で生成された尿を正常な排泄経路を通さずに，病変部よりも上部で体外に誘導する方法を尿路変向といい，失禁型尿路変向（回腸導管造設術，尿管皮膚瘻術）と，禁制型尿路変向（尿管S状結腸吻合術，代用膀胱造設術）に分かれる．そのほかに，腎瘻術，膀胱瘻術がある．尿路変向術を**図52-3**に示す．

- 回腸導管造設術：回腸あるいは結腸の一部約20cmを遊離して，口側を縫合して導管をつくり，これに尿管を吻合して，肛門側を皮膚に吻合する術式である．導管内に導かれた尿は，腸蠕動運動によって速やかに体外に排出される．しかし，蓄尿機能はないため，採尿バッグを常に装着する．
- 尿管皮膚瘻術：尿管を皮膚に吻合するもので，尿は直接体外に排出される．手術による侵襲が小さいのでリスクの高い患者に施行されるが，瘻孔が狭窄しやすいために，カテーテルを挿入して留置することが多い．回腸導管と同様，採尿バッグを装着する．
- 尿管S状結腸吻合術：尿管をS状結腸に吻合するもので，尿は一時的に大腸に貯留し，肛門から排泄される．肛門括約筋が正常であれば尿失禁を起こすことはない．しかし，直腸内圧が高いために，逆行性感染による腎盂腎炎を起こすなどの欠点がある．
- 代用膀胱形成術：膀胱に代わる貯留袋を，回腸の一部あるいは回盲部の腸管を切り開いて，さらに袋状に縫合して作製する．これに尿管を吻合する．輸出脚に失禁防止弁を作製するなどして，貯留袋を皮膚

図52-2　膀胱腫瘍の肉眼分類

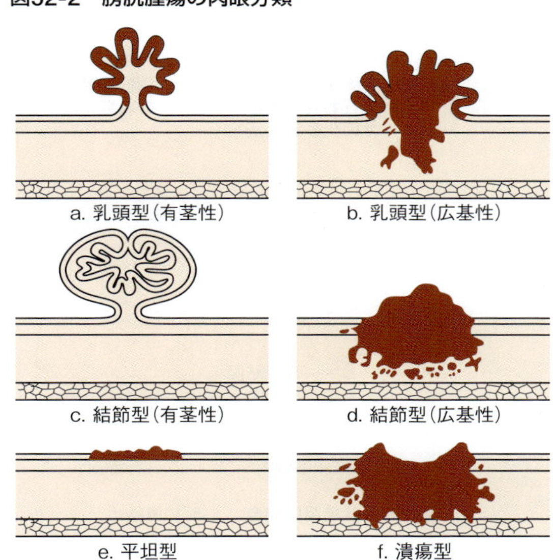

日本泌尿器科学会・日本病理学会・日本医学放射線学会編：泌尿器科・病理・放射線科 腎盂・尿管・膀胱癌取扱い規約．p.86，金原出版，2011．

に吻合する．貯留袋には，作製の仕方によってコックパウチやインディアナパウチなどの種類がある．尿は，ストーマからカテーテルを挿入して，間欠的に排泄することができる．代用膀胱形成術は，採尿バッグの装着や，それに伴う皮膚炎などの心配がなく，より質の高い生活が期待できる．

(2)膀胱内注入療法

膀胱内への薬剤注入は，腫瘍に対する直接的な効果を期待するものや，TUR-Bt後の再発防止を目的に行われる．薬剤としては，マイトマイシンCやドキソルビシン塩酸塩（アドリアシン®）などの抗がん薬が使用される．上皮内がんや乳頭状がんの場合は，BCG（弱毒性の結核菌）の膀胱内注入が第１選択で行われる．

抗がん薬，BCGともに，治療後は頻尿や排尿時痛，血尿などの膀胱刺激症状が現れることが多い．症状は，抗がん薬に比べてBCGのほうが出現頻度が高い．また，BCGでは全身性の副作用として，発熱，悪寒，関節痛などの感冒様症状が出現することがあるので注意する．

(3)化学療法

化学療法は，①浸潤がんや転移のある進行がんに対する全身化学療法，②浸潤がんに対する術前の補助療法，③局所動脈内注入療法，として行われる．使用する薬剤はシスプラチンを中心として多剤併用療法で，M-VAC療法が標準的である（メトトレキサート［MTX］，ビンブラスチン硫酸塩［VBL］，ドキソルビシン塩酸塩［DXRあるいはADM］，シスプラチン［CDDP］の４剤組み合わせ）．

6）予後

生命予後は，膀胱がんの組織学的分化度と深達度によって大きく異なる．膀胱がん手術を行った場合の５年生存率は，粘膜下結合組織までの浸潤では95%，筋層にまで及んでいるものは約80%，膀胱周囲脂肪組織への浸潤があるものでは40%，隣接臓器にまで及んでいるものは約25%である．

図52-3　尿路変向術

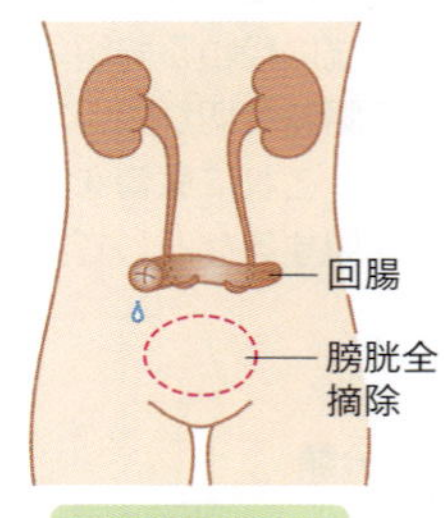

回腸導管造設術

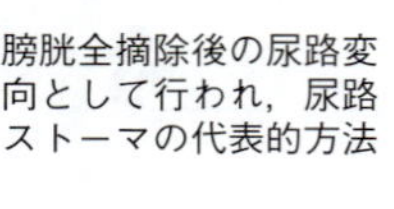
膀胱全摘除後の尿路変向として行われ，尿路ストーマの代表的方法

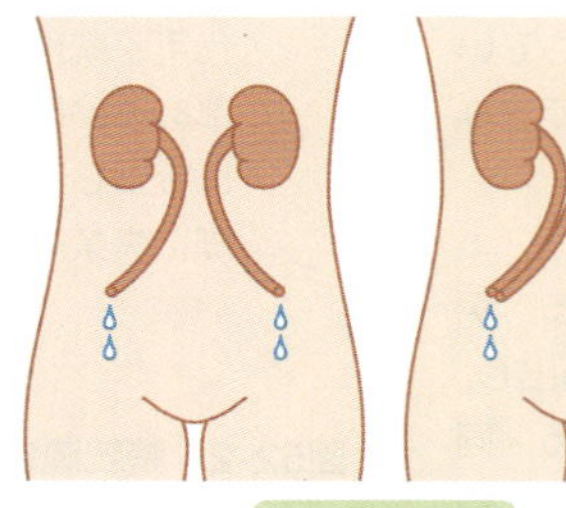

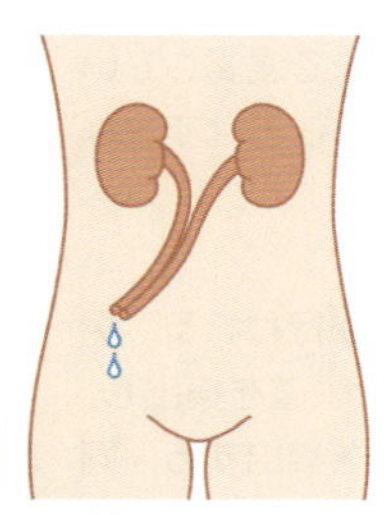

尿管皮膚瘻術

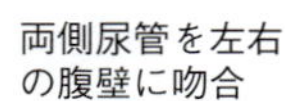
両側尿管を左右の腹壁に吻合

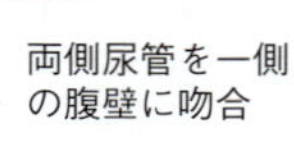
両側尿管を一側の腹壁に吻合

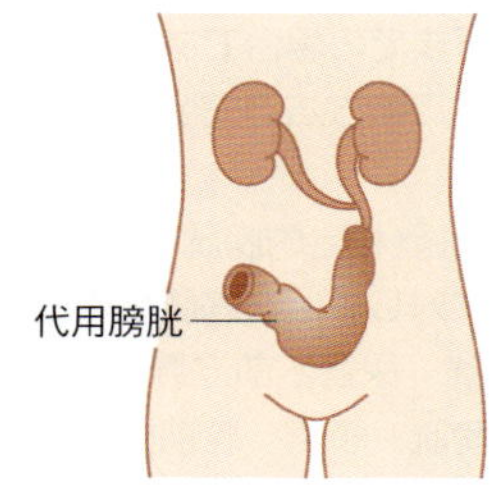

コックパウチ

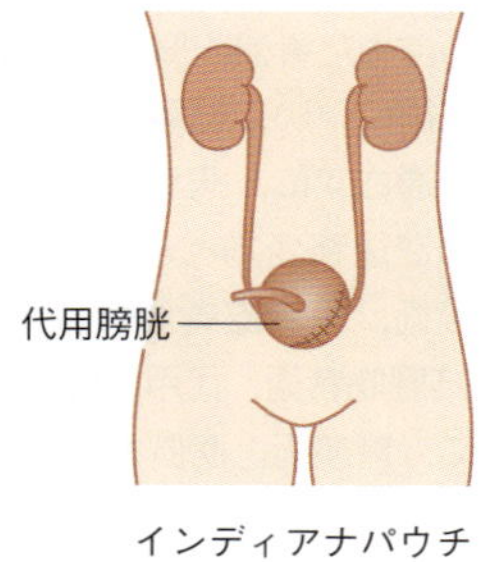

インディアナパウチ

代用膀胱形成術

膀胱全摘除後に，腸管を用いて腹腔内に代用膀胱を作製し，腸管断端を体表に開口させ，そこから間欠的自己導尿を行う

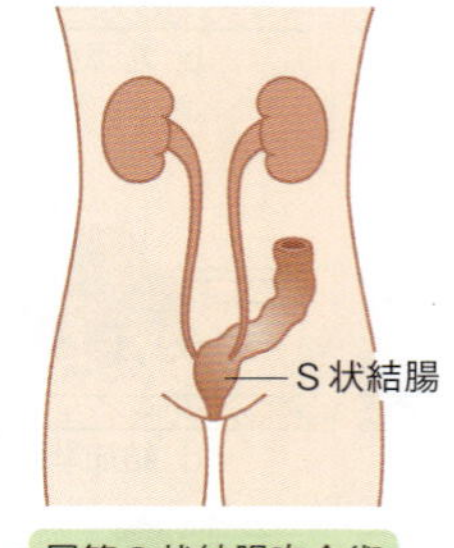

尿管S状結腸吻合術

尿管をS状結腸に吻合

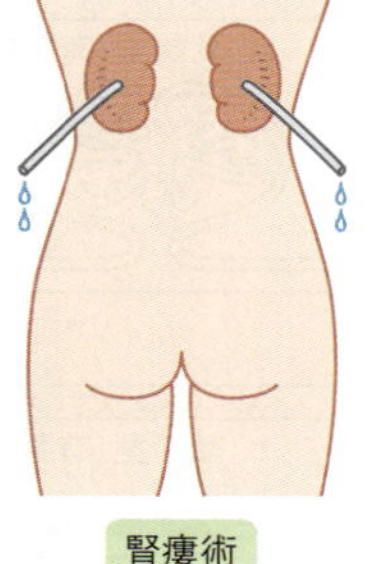

腎瘻術

腎に直接カテーテルを挿入

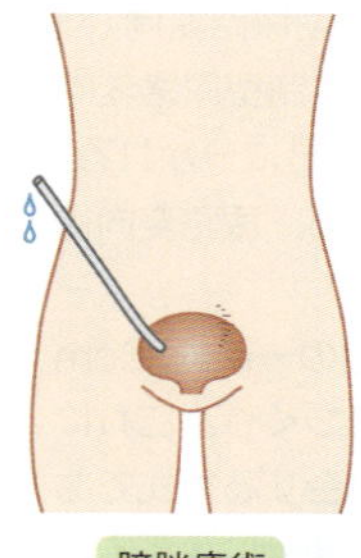

膀胱瘻術

膀胱に直接カテーテルを挿入

2. 看護過程の展開

● アセスメント～ゴードンの機能的健康パターンを用いて

パターン	アセスメントの視点	根拠	収集する情報
(1) 健康知覚-健康管理 患者背景 健康知覚-健康管理 価値-信念	●患者（家族）が自分（家族）の健康状態をどのように感じとって理解しているか. ●自分（家族）の健康管理の方法はどのようにしているか ●疾患，治療，健康上のリスク管理に関して誤解していることがあるか	●膀胱がんは，喫煙が発がんリスクとして高いことや，尿路上皮がんは再発率が高いがんであり，定期的な受診が必要なことから，自己管理は重要な要因である. ●周術期の場合 術後合併症予防のために，術前から準備行動をとる必要がある ●化学療法を受けている場合	●主観的情報 ・症状の有無，内容，経過 ・入院の目的 ・医師から受けた説明 ・既往歴 ・内服薬 ・処方された薬は指示通り服用できているか ・自己管理について指示されていることの有無 ・治療について援助してくれる人の有無 ・喫煙歴 ・飲酒 ・気分 ●客観的情報 ・態度，行動，外観，身体の動き
(2) 栄養-代謝 全身状態 栄養-代謝 排泄	●摂取（食物/水分：基礎食品群） ●代謝機能は正常か ●組織への栄養素供給 ●食物・栄養素と水分が消化・吸収され，全身のバランスとエネルギーの産生がどう維持されているか.	●泌尿器系での皮膚の統合の問題は，術式に関連することが中心となる．その主なものが，回腸導管造設によるストーマ周辺の尿汚染である．また，ストーマ管理に用いるパウチ粘着などによる皮膚刺激が，ストーマ周辺の皮膚の統合性障害を生じさせる. ●周術期の場合 低栄養，高血糖の状態であると術後感染や創治癒遅延などの合併症を生じやすい.	●主観的情報 ・体重の変化の有無 ・食事摂取量，回数，間食，食事の好み（好きなもの，嫌いなもの） ・食欲 ・悪心の有無 ・口渇の有無 ・かゆみの有無 ●客観的情報 ・義歯の使用の有無，味覚の状態，嚥下困難の徴候 ・身長，体重，BMI，体格（皮下脂肪），腹囲 ・水分摂取量と排泄量のバランス ・腹水の有無と程度 ・皮膚の乾燥の有無，皮膚の湿潤の有無，浮腫の有無と程度 ・ストーマ周囲の発赤，びらん ・下痢・嘔吐の有無，皮膚の弾力の状態 ・体温 ・感染の危険因子 ・体温調節の危険因子 ・検査データ：WBC，RBC，Hb，Ht，plt，CRP，TPアルブミン，中性脂肪，HDLコレステロール，血糖，BUN，Cr，Glu，出血時間，凝固時間，CVP，尿pH，尿潜血，尿沈渣，電解質（Na^+，K^+，Cl^-，HCO_3^-） ・ストーマおよびストーマ周囲の皮膚状態

パターン	アセスメントの視点	根拠	収集する情報
(3) 排泄 全身状態 栄養-代謝 排泄	●膀胱機能 ●腸機能 ●皮膚機能 ●腸，膀胱，皮膚などからの排泄機能は正常か	●泌尿器系疾患をもつ患者は，排尿の状態や性状に非常に神経質になることが少なくない． ●血尿のほか，頻尿や排尿痛，残尿感などの膀胱炎に類似した症状を伴うことがある． ●尿路変向術に伴う尿管狭窄，腹圧性尿失禁，夜間の溢流性尿失禁が生じる． ●尿路ストーマでは，尿流停滞や吻合部狭窄で尿路感染を起こす場合がある．	●主観的情報 *排尿について ・1日の排尿回数 ・量 ・血尿の有無 ・尿意，残尿感，排尿時痛の有無 ・尿意があるのに，排尿できないことの有無 *排便について ・排便の回数，頻度，量，便の性状 ・排便時の問題の有無 ・下剤，浣腸などの使用の有無 ●客観的情報 ・1日尿量・1回尿量 ・必要時残尿測定 ・排尿方法 ・排尿間隔 ・尿の色，性状 ・尿閉の有無 ・尿失禁の有無と程度 ・尿意の有無 ・残尿の有無 ・検査結果の値（簡易尿検査，クレアチニン，BUN） ・泌尿器系の画像検査（各種X線検査，エコー検査） ・排尿状態に影響を及ぼす治療，処置の内容（内服薬，注射，輸液） ・排尿状態に影響を及ぼす生活状態 ・ストーマの種類 ・管理するうえで問題になること ・チューブ類の挿入 ・排便回数，排便の間隔 ・便の色，性状 ・排便方法 ・腹部の状態，腸蠕動，腹部膨満など ・皮膚の湿潤の有無と程度，皮膚の弾力・張り・滑らかさ・色・発汗の量

パターン	アセスメントの視点	根拠	収集する情報
(4) **活動-運動** 活動・休息 活動-運動 睡眠-休息	●レジャー/レクリエーション/活動 ●呼吸・循環機能は正常か（術前：合併症のリスクはないか　術後：合併症を生じていないか） ●運動機能の障害はないか（離床のリスクはないか/離床は図れているか） ●ADLの自立はどうか	●膀胱がんの手術療法においては，麻酔や術式などの身体的侵襲が大きい．	●主観的情報 ・つらい姿勢の有無 ・動くことで痛いところや気になるところ ・動悸，息が苦しくなったりすることの有無 ・活動やセルフケアに対する意欲 ●客観的情報 ・呼吸回数，呼吸リズム，深さ，呼吸音，息切れ，咳 ・SpO_2（安静時，活動時） ・脈拍数・血圧 ・安静度 ・移動能力：寝返り，坐位，立位，歩行 ・日常動作：摂食，排泄，入浴，更衣，整容 ・中枢神経，筋肉・骨格，脳神経や感覚器，認知レベル ・四肢の機能や筋力，関節可動域の状態 ・義手，義足，杖，眼鏡（コンタクトレンズ）などの補装具 ・表情
(5) **睡眠-休息** 活動・休息 活動-運動 睡眠-休息	●睡眠は十分にとれているか ●休息/リラクゼーションはとれているか	●膀胱がんによる痛みや排尿症状により睡眠が，障害されることがある． ●術後の疼痛や今後の治療などに不安がある場合，睡眠が障害される可能性がある． ●十分に睡眠がとれないことで術後の体力回復に影響を及ぼす	●主観的情報 ・睡眠時間 ・不眠 ・熟睡感 ・睡眠薬の使用の有無 ●客観的情報 ・夜間の睡眠状態 ・治療の進行状況と結果，悩みごとの有無 ・病室環境（騒音，採光，日光，温度，湿度） ・薬物療法の有無やアルコール摂取の有無 ・急性の混乱，幻覚やせん妄，認知症の有無

パターン	アセスメントの視点	根拠	収集する情報
(6) 認知-知覚 知覚・認知 認知-知覚 自己知覚-自己概念 コーピング-ストレス耐性	●感覚・知覚機能は正常か ●疼痛はあるか(術後は)コントロールされているか ●認知機能は正常か	●膀胱がんのがん性疼痛に対し，迅速な対応が求められる． ●術後の疼痛コントロールが適切になされないと，早期離床が図れない．また不眠などにもつながり，体力の回復を阻害する． ●認知機能の障害は，術後精神症状出現・危険行動のリスクになる．	●主観的情報 ・疼痛の有無，部位，性質 ・一番痛みが悪化する時間帯 ・痛みを悪化させると思われる活動・動作 ・痛みを悪化させる食事，食品，飲み物は？ ・痛みが軽減すること ・鎮痛薬の使用 ・治療に関することで悩んでいること ・視覚(眼鏡・コンタクトレンズの使用) ・聴覚(補聴器の使用) ・嗅覚 ・味覚 ・触覚 ・今一番つらいこと ・不快の有無 ●客観的情報 ・意識レベル ・病気や治療に関する知識不足
(7) 自己知覚-自己概念 知覚・認知 認知-知覚 自己知覚-自己概念 コーピング-ストレス耐性	●病気をもつ自分，手術を受けた(尿路変向を行った)自分をどのように受け止めているか ●術後(尿路変向を行った)の自分の身体に対するイメージはどのようなものか． ●自尊心の低下はないか	●がんの告知を受けると，自分の生命や仕事，家族全体の将来について大きな不安要素となる．そのため，年齢や発達段階，就労状況や家族構成により具体的な不安内容も異なる． ●術後の尿路変向に伴い，ボディイメージや排泄機能に変化が生じる．	●主観的情報 ・病気になったことで，できなくなったことはあるか，内容 ・身近な人(家族・友人・その他)が今回の病気について言っていることで，気になることがあるか ・手術後の排尿方法の変更についてどのように思ったか？ ●客観的情報 ・身体に対する患者の反応(みない・触らない・隠すなど) ・患者の様子：イライラ，不安感，恐怖感，消極的，否定的な表現，視線をあわさない
(8) 役割-関係 周囲の認識・支援体制 役割-関係 セクシュアリティ-生殖	●家族の役割・責任，職業上の役割・責任，社会的役割・責任はどうなっているか．疾病や治療により影響はないか	●役割機能はストレスの原因になる可能性がある．また，膀胱がんの治療や再発によって社会的役割は影響を受け，収入減などにつながることもある．	●主観的情報 ・経済的困難はあるか ・支援や介護をしてくれる人がいるか ・孤独を感じることはあるか ●客観的情報 ・介護上の問題 ・経済面の問題 ・環境の変化による身体的表れがあるか(現在のことがわからない・混乱・睡眠障害・うつ状態など)

パターン	アセスメントの視点	根拠	収集する情報
(9) セクシュアリティ-生殖 周囲の認識・支援体制 役割-関係 セクシュアリティ-生殖	●生殖歴・生殖段階はどうなっているか ●手術により性行動への影響はないか ●性に対する満足・不満足はどうか	●泌尿器系の術式では，男性生殖機能に影響を与えることもある．そのことで，多くの患者は性に対する悩みをもつことが知られている．しかし，この問題は非常に個人的なものであり，プライバシーの侵害を受けやすい問題である．	●主観的情報 ・性に関して心配なことはあるか ・主治医から説明の有無，内容（本人と配偶者の両方から） ●客観的情報 ・性器の機能障害の程度
(10) コーピング-ストレス耐性 知覚・認知 認知-知覚 自己知覚-自己概念 コーピング-ストレス耐性	●コーピング・メカニズムはどうなっているか ●コーピングの効果はあるか ●ストレスに対する耐性はあるか	●ストレスが軽減しないと，食欲・睡眠・活動などのすべてに影響する．	●主観的情報 ・最近，病気に関してストレスと感じることはあるか ・相談相手の有無 ・緊張を和らげるため方法はあるか ●客観的情報 ・表情，言動，姿勢 ・食事摂取状況 ・睡眠状況 ・活動量，範囲の変化
(11) 価値-信念 患者背景 健康知覚-健康管理 価値-信念	●治療や健康管理に影響を及ぼす価値観・信念・欲望（人生・健康についての）はあるか ●魂（精神性）	●治療法の決定，継続の意思決定において，指針となる価値観が影響する．	●主観的情報 ・信仰している宗教はあるか ・固く信じていること（信念）はあるか

3. 全体像の把握から看護問題を抽出

1）病態関連図

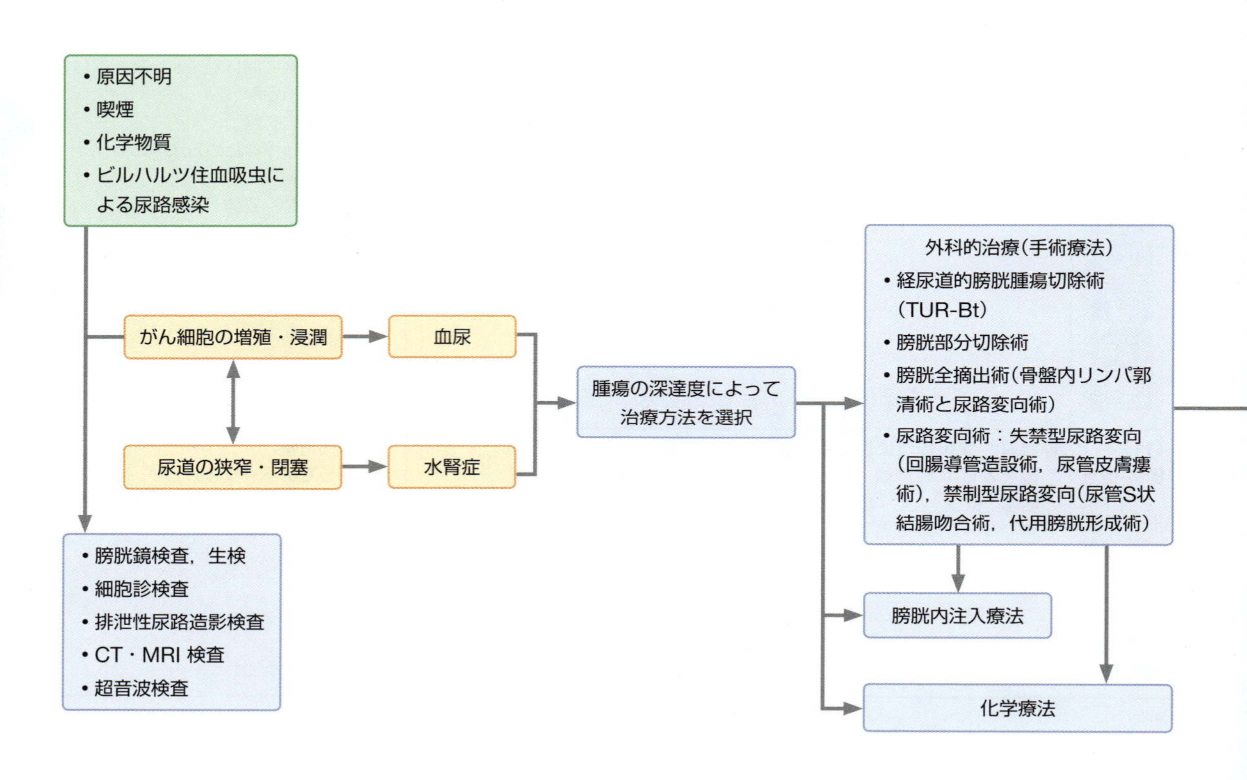

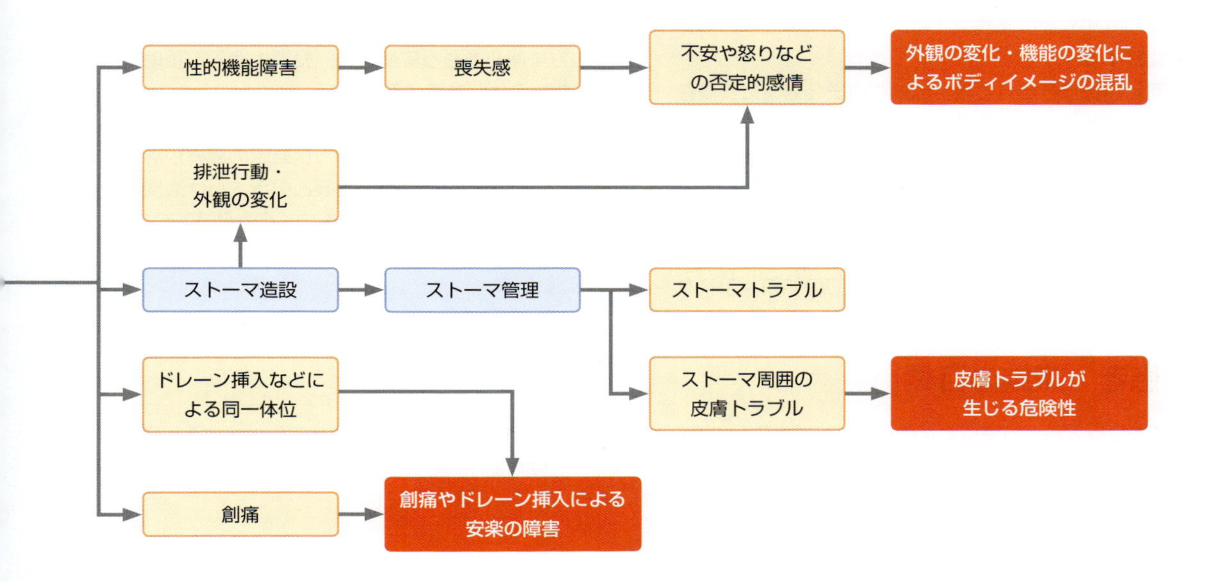
性的機能障害
喪失感
不安や怒りなどの否定的感情
外観の変化・機能の変化によるボディイメージの混乱
排泄行動・外観の変化
ストーマ造設
ストーマ管理
ストーマトラブル
ストーマ周囲の皮膚トラブル
皮膚トラブルが生じる危険性
ドレーン挿入などによる同一体位
創痛
創痛やドレーン挿入による安楽の障害

2）看護の方向性

膀胱がんは，中高年者の男性に多い．治療法は，化学療法，膀胱内注入療法，そして外科的治療（手術療法）があり，高齢者も手術療法の対象となる．筋層浸潤性膀胱がんに対しては，尿路変向を伴う膀胱全摘出術が一般的であり，手術は長時間に及び，身体的侵襲が大きい．そのため，術前から患者の身体状況を詳細に把握する．喫煙による呼吸器合併症や，貧血，低タンパクなどの低栄養状態，腸管切除によるイレウス，縫合不全などの身体機能や栄養状態低下などに注意し，術後合併症が起きないようにケアする必要がある．術後は，創痛はもちろんのこと，尿管や膀胱摘出後の死腔に挿入されたドレーンや点滴などによって体動が制限され，身体的な苦痛や拘束感から，安楽が阻害される．苦痛の有無や程度を観察するとともに精神面への影響も観察する．

回腸導管が行われる場合は，パウチ装着時に皮膚接着剤や粘膜保護薬を使用するため，術前にパッチテストを行っておく必要がある．術後は，ストーマ周囲の皮膚トラブルが起こると，装具を装着することができなくなり，皮膚トラブル状態となる危険性がある．また，患者はストーマを生涯にわたって管理しなければならないため，ストーマケアについての知識や手技を習得する必要がある．尿の刺激やパウチの剝離刺激によって皮膚が損傷され，装着困難とならないように看護介入が必要である．患者・家族の理解度，手技獲得状況に加えて，心理的な受け入れ状況の支援が必要である．

膀胱全摘出術・回腸導管を受ける患者は，性機能障害や排泄行動の変化によるボディイメージの変容を余儀なくされ，QOLに大きな影響を受ける，受け入れられずに不安や怒りなどの否定的な感情を抱き，混乱をきたしやすい状態にある．患者の多くは腹部から排泄物を出さざるを得ない状況に対し，自尊感情が傷つき，疎外感や孤独感に陥る．この危機的状況を乗り越えるためには，患者が最も頼りにしている人（キーパーソン）を把握し，術前，術後を通して患者・家族の反応や受け止め方に関心をもって関わり，受容の過程を援助していくための体制を整える．

なお，尿路の変向の術式によって，さまざまな合併症が出現する可能性があるため，長時間の観察が必要である．また，排泄管理ができるということは人間の最低限の欲求であり，自尊心が傷つくのを防ぎ，QOL向上を高めるためにも必要である．

3）患者・家族の目標

診断を受け入れ，治療に向き合うことができる．患者自身，納得のいく術式選択ができる．尿管・腸管吻合部，術創，尿路からの感染徴候がみられない．疼痛がコントロールされる．ストーマと周囲の皮膚にトラブルがない．患者が積極的にストーマケアに参加する．腸閉塞を起こさない．患者が自らのセクシュアリティに満足できる．

4. しばしば取り上げられる看護問題

 創痛やドレーン挿入による同一体位による安楽の障害

なぜ？

病態によって治療法は異なるが，筋層浸潤性膀胱がんに対しては，尿路変向を伴う膀胱全摘出術が一般的であり，手術は長時間に及び，身体的侵襲が大きい．術中の体位による腰痛や，術後の創部痛はもとより死腔に挿入されたドレーンや点滴などによって体動が制限され，身体的な苦痛や拘束感から安楽が障害される．

治療法は，病気および組織学的分化度によって異なるが，手術を選択した場合には，創痛のみならず，尿管や膀胱摘出後の死腔に挿入されたドレーンや点滴などによって体動が制限され，身体的な苦痛や拘束感から，安楽が障害される．

➡ 期待される結果

創痛やドレーン挿入による身体的・精神的苦痛が緩和する．

◆2 ストーマと周囲の皮膚トラブルを起こす可能性がある

なぜ？

回腸導管が行われる場合は，ストーマから絶えず尿が流れているため，パウチを装着する．尿の刺激やパウチの剝離刺激によって皮膚が損傷され，皮膚統合性障害リスク状態となる．患者は退院後も，自分でストーマおよびパウチを管理していかなければならない．皮膚トラブルが起こると装具を装着できなくなり，QOLにも著しく影響を及ぼす．

➡期待される結果

装具の適切な装着方法を理解し，実施できる．

◆3 外科的処置に関連したボディイメージの混乱がある

なぜ？

膀胱全摘出術・回腸導管を受ける患者は，性機能障害や排泄行動の変化によるボディイメージの変容を迫られ，QOLにも大きな影響を受けることが予測される．不安や怒りなどの否定的な感情を抱き，混乱をきたしやすい状態にある．患者の多くは腹部から排泄物を出さざるを得ない状況に対し，自尊感情が傷つき，疎外感や孤独感に陥る．

新たな排尿方法を獲得して生活していくことが可能かを検討する．患者のボディイメージの混乱は，正しい情報を得ることで軽減につながる．

➡期待される結果

身体的外観および機能の変化について肯定的な言動がみられる．

5. 看護計画の立案

• O-P：Observation Plan（観察計画）　• T-P：Treatment Plan（治療計画）
• E-P：Education Plan（教育・指導計画）

◆1 創痛やドレーン挿入による同一体位による安楽の障害

	具体策	根拠と注意点
O-P	**(1)術後の苦痛の有無と程度** ①創痛 ②体動制限による腰痛など ③発熱に伴う苦痛	●膀胱全摘出術では，皮膚切開創やドレーン創，尿路変向術によるストーマ創など，創部は複数となる． ●ドレーンの数が多いため，同一体位を強いられることから，疼痛の部位や痛みの程度を把握し，安楽への援助を行う．
	(2)創痛やドレーン挿入部位の状態 ①出血 ・創部のガーゼ汚染度 ・ドレーンからの出血量 ・カテーテルからの尿の流出状況，性状 ・バイタルサイン ・検査データ（赤血球数，Hb，Ht） ・患者の訴え，顔色など	●回腸導管造設術は，術直後はカテーテルが挿入される．術後，血尿が続く場合，血塊による閉塞が起こることがあるため注意する．
	②縫合不全 ・正中創の癒合状態，発赤の有無 ・ストーマと周囲皮膚との癒合状態 ・腹痛，発熱，尿量 ・ドレーンからの排液の状態（性状，量，におい）	●術式として，回腸を遊離して尿管と吻合し，出口となる回腸の先端部分は腹壁を貫いて皮膚と縫合するため，縫合不全に注意する． ●回腸導管と尿管の吻合が癒合しない場合，尿が腹腔に漏れて腹腔内ドレーンから尿が排出され，ストーマからの尿排泄が減少する．
	③感染 ・創部の炎症症状（発赤，腫脹，疼痛など） ・ドレーンからの排液の状態（量，性状，色，におい） ・バイタルサイン ・検査データ（白血球数，CRP）	●創部の感染は，創の離開や病状の悪化をまねく原因となるため，早期に発見し，重症化を防ぐことが重要である．

	具体策	根拠と注意点
O-P	④腸管麻痺 ・排ガス，排便の有無 ・腹痛，腹部膨満感の有無 ・腸蠕動音，胃チューブからの排液量 ・腹部X線所見	●回腸導管造設術では，腸管の一部を遊離させて尿管として使用するため，術後に腸管麻痺を起こすことがある．イレウス症状の出現に注意する． ●排ガスは通常12～72時間の間にみられる．
T-P	**(1)苦痛の緩和** ①安楽な体位，体位変換 ②マッサージ，身体の清潔，寝衣交換 ③鎮痛薬，解熱薬などの与薬 **(2)感染予防** ①創部の清潔保持 ②尿による創周囲の汚染防止 **(3)腸蠕動運動の促進** ①腹部温罨法 ②腹部マッサージ ③体位変換 ④早期離床への援助	●創痛やドレーン挿入による身体的・精神的拘束感を緩和させる． ●腸管にガスが停滞すると，回腸と尿管の吻合部に圧がかかり，吻合部の創の治癒を妨げるので，腸蠕動運動を促進するように援助する． ●腸蠕動運動促進のために，早期に離床することが望ましい．患者の状態をみながら，段階的に離床できるよう計画する．
E-P	**(1)創痛がある場合，我慢せずに知らせるよう説明** **(2)安静の必要性や体位保持の方法について指導** **(3)早期離床の必要性について説明**	●合併症の徴候や症状がみられた場合，早期に対処できるように，報告の必要性について説明する． ●安静度により，その都度，安楽な体位変換の方法や離床の仕方などを指導する．

♦2 ストーマと周囲の皮膚トラブルを起こす可能性がある

	具体策	根拠と注意点
O-P	**術前** **(1)ストーマ造設部位の皮膚状態** ①体格 ②しわ，くぼみ，瘢痕，臍の位置，ベルトラインなど **術後** **(2)ストーマの状態** **(3)ストーマ周囲の皮膚の状態** **(4)尿漏れの有無** **(5)患者・家族のストーマに対する受け止め方・理解度** **(6)ストーマケアについての患者・家族の練習状況** **(7)患者・家族の経済状況**	●ストーマを安定した位置に造設するために，皮膚の状態や体格などを考慮して位置を決定する．とくに高齢者の場合は，皮膚のしわやたるみや体位によって，マーキングの位置が変わる可能性があるので注意する． ●ストーマ装具の装着が安定していないと，尿漏れや皮膚障害の原因となる． ●術直後のストーマは鮮紅色である．暗赤色や陥没したストーマは，循環不全から壊死を起こすことがある． ●ストーマ周囲の皮膚のトラブルは，装具の粘着力を弱めるため，交換回数が増えたり，びらんや疼痛をさらに悪化させる原因となり，身体的・精神的負担を与える． ●尿漏れが頻回に起こると，その刺激が皮膚の損傷をまねき，装着困難となるため，注意する．

	具体策	根拠と注意点
T-P	**術前** **(1)ストーマ造設に適切な部位のマーキング** **(2)パッチテスト** **術後** **(3)装具の交換** ①３日に１回の割合で交換する ②装具を剝がす ・皮膚を傷つけないようにゆっくり剝がす ・カテーテルを抜去しないようにゆっくり剝がす ・ストーマとストーマ周囲の皮膚，ストーマ縫合部の観察をする ③ストーマ周囲の洗浄 ・清拭薬と微温湯で皮膚保護薬を完全に除去する ・拭き取りを十分に行い，石けん成分を残さない ④装具を貼付し，密着させる	●ストーマの位置は，患者の日常生活や自己管理に影響があるため，医師，看護師（皮膚・排泄ケア認定看護師など）が，患者・家族と十分に話し合いながら決定する． ●ストーマの位置は，セルフケアできるように，患者がみえる位置につくることが重要である．また，患者・家族がストーマを受容していく過程をサポートできるように，話し合いを通して信頼関係を確立していく． ●尿による皮膚汚染を防止するために，皮膚保護薬を使用する．皮膚保護薬によるアレルギー性皮膚炎を予防するために行う． ●弱酸性の清拭薬を使用し，皮膚をこすらないように注意して，皮膚への刺激を避ける．
E-P	**術前** **(1)尿路のしくみと尿路変向術についての説明** **(2)術後に使用する装具や採尿バッグを提示し，模型やパンフレットなどを用いてのストーマケアについての説明** **術後** **(3)ストーマの観察と皮膚の手入れ方法についての説明** **(4)装具の交換・装着についての説明** **(5)日常生活上の注意点についての説明** ①水分摂取 ・水分は尿量1,500～2,000mL/日を目標に調整する ②衣服の選択 ③入浴 ④外出，運動など	●術前の患者は，手術に対する不安や緊張が強い．患者の心理状態に配慮した環境や指導方法で行う． ●患者・家族に可能な方法を指導する．患者・家族にとって負担が少ない方法を選択することで，長期にわたるトラブルを予防することにつながる．

引用・参考文献

1) 堀江重郎ほか編：膀胱癌診療最前線．メジカルビュー社，2017.
2) 江川隆子ほか編：ゴードンの機能的健康パターンに基づく看護データベース―作成過程と臨床への応用．第２版，廣川書店，2003.
3) 古橋洋子編：ＮＥＷ実践！看護診断を導く情報収集・アセスメント．第６版，学研メディカル秀潤社，2019.
4) マージョリー・ゴードン：ゴードン博士のよくわかる機能的健康パターン 看護に役立つアセスメント指針 11の機能的健康パターン．照林社，1998.
5) マージョリー・ゴードン：アセスメント覚え書―ゴードン機能的健康パターンと看護診断．医学書院，2009.
6) 井上智子ほか編：病期・病態・重症度からみた疾患別看護過程＋病態関連図．第３版，2016.
7) 医療情報科学研究所編：病気がみえる vol.8腎・泌尿器．第３版，メディックメディア，2019.
8) 赤座英之監：標準泌尿器科学．第９版，医学書院，2014.
9) 繪本正憲ほか編：腎／泌尿器／内分泌・代謝―ナーシング・グラフィカEX 疾患と看護(8)．メディカ出版，2020.
10) 竹田徹朗ほか編：腎・泌尿器疾患―看護学テキストNiCE 病態・治療論［7］．南江堂，2018.
11) 大東貴志ほか：腎・泌尿器：成人看護学８．系統看護学講座 専門分野Ⅱ，第14版，医学書院，2015.
12) 山口瑞穂子ほか監：The疾患別病態関連マップ2nd ed．学習研究社，2006.
13) 阿部俊子編：改訂版 病態関連図が書ける観察・アセスメントガイド―看護学生必修シリーズ．照林社，2009.
14) 新見明子編：根拠がわかる疾患別看護過程 病態生理と実践がみえる関連図と事例展開．改訂第２版，南江堂，2016.

Memo

第８章　腎・泌尿器疾患患者の看護過程

前立腺がん

1. 疾患の基礎的知識

1）疾患の概念

前立腺に発生するがんの総称で，組織型はほとんどが腺がんであるが，非常にまれ（２～５％）に移行上皮がん，扁平上皮がん，神経内分泌がん，肉腫などが発生することがある．

2）原因

発生原因は現在でも不明であるが，危険因子として遺伝的要因，動物性脂肪過剰摂取（高トリグリセリド血症），βカロチンの摂取不足，肥満（BMI≧30）が指摘されている[1]．性腺不全症の男性には前立腺がんの発生がみられないため，このがんの発育にはアンドロゲン（男性ホルモン）の存在は不可欠であることが知られている．好

表53-1　前立腺がんのTNM分類

T分類　原発腫瘍	
TX：原発腫瘍の評価が不可能 T0：原発腫瘍を認めない	
T1：触知不能，または画像診断不可能な臨床的に明らかでない腫瘍	T1a：組織学的に切除組織の５％以下の偶発的に発見される腫瘍 T1b：組織学的に切除組織の５％をこえる偶発的に発見される腫瘍 T1c：前立腺特異抗原（PSA）の上昇などのため，針生検により確認される腫瘍
T2：前立腺に限局する腫瘍[注1)]	T2a：片葉の1/2以内の進展 T2b：片葉の1/2をこえ広がるが，両葉には及ばない T2c：両葉への進展
T3：前立腺被膜をこえて進展する腫瘍[注2)]	T3a：被膜外へ進展する腫瘍（一側性，または両側性），顕微鏡的な膀胱頸部への浸潤を含む T3b：精嚢に浸潤する腫瘍
T4：精嚢以外の隣接組織（外括約筋，直腸，挙筋および/または骨盤壁）に固定，または浸潤する腫瘍	
N分類　所属リンパ節[注3)]	
NX：所属リンパ節転移の評価が不可能 N0：所属リンパ節転移なし N1：所属リンパ節転移あり	
M分類　遠隔転移[注4)]	
M0：遠隔転移なし	
M1：遠隔転移あり	M1a：所属リンパ節以外のリンパ節転移 M1b：骨転移 M1c：リンパ節，骨以外の転移

注１）針生検により片葉，または両葉に発見されるが，触知不能，また画像では診断できない腫瘍はT1cに分類される．
注２）前立腺尖部，または前立腺被膜内への浸潤（ただし，被膜をこえない）はT3ではなく，T2に分類する．
・尖部には被膜が存在しないので，この部位に腫瘍が存在する場合，T2に分類される．もちろん尖部をこえればT3あるいはT4となるが，その判定は慎重に行う必要がある．
・隣接臓器である膀胱頸部浸潤はT4であるが，顕微鏡的浸潤はT3aに分類される．
注３）所属リンパ節は本質的に総腸骨動脈の分岐部以下の小骨盤リンパ節である．同側か対側かはN分類に影響しない．
注４）多発性転移の場合は，最進行分類を使用する．pM1cは最進行分類である．
日本泌尿器科学会・日本病理学会・日本医学放射線学会編：泌尿器・病理・放射線科 前立腺癌取扱い規約．第４版，p.40～41，金原出版，2010.

発部位は，末梢域（約70%）が最も多く，次いで移行域（約20%），中心域（5～10%）の順である．

3）病態と臨床症状

病態

現在，前立腺がんの病期の評価は『TNM悪性腫瘍の分類 第8版』（**表53-1**）を用いることが推奨されており，原発腫瘍の進展度（T），所属リンパ節の状態（N），遠隔転移の有無（M）の，3つの因子で腫瘍の広がりを表している．

TNM分類で評価されたのちは，治療後の再発率や予後を予測するリスク分類が行われ，患者の全身状態，合併症，年齢を考慮した治療選択がされる．病理標本の組織構築と浸潤様式によって1～5段階に分類したものをグリソングレード（Gleason grade）といい，最も優勢な組織像と次に優勢な組織像を併記して，2つのグレードの合計としたものをグリソンスコア（Gleason Score）という．従来は，臨床病期分類としてJewett Staging Systemも用いていたが，とくに限局性前立腺がんにおいては，このグリソンスコアが普及している．ただし，2014年にグリソンスコアの問題点を解決するために新分類が提唱され[3]現在併記されていることも多い（**表53-2**）．

さらに，転移のない前立腺がんに対しては，D'Amico分類（**表53-3**）や，NCCNリスク分類（**表53-4**）の使用頻度が高い[4]．

一般的な前立腺がんの進行過程を**図53-1**に示す．

臨床症状

前立腺がんの特異的な症状は，早期がんであるほど出現しにくい．症状が出現するのは，がんが局所で進行した場合や，転移した場合が多い．各種検診で前立腺特異抗原（PSA）値の高値を指摘されて，泌尿器科を受診するケースが多い．

（1）排尿障害（残尿感・夜間尿回数の増加）

末梢域から発生することが多いため，排尿障害の出現は前立腺肥大に比べて遅れる．局所で進行した例では，腫瘍が前立腺尿道を圧迫して，排尿障害（頻尿・排尿時不快感・排尿開始の遅延・排尿時間延長・終末時滴下・尿線の狭小化・尿線途絶など）をきたすことがある．

（2）血尿

がんが尿道粘膜に進行して血尿を呈する．膀胱や精囊へ浸潤した場合，血尿や血精液をきたすことがある．血液の塊が膀胱内にたまり，内尿道口を閉塞して，排尿困難や尿閉になることがある．

表53-2　前立腺がんの悪性度評価指標

悪性度	新分類	グリソンスコア
低い	グレードグループ1	6≦
↑	グレードグループ2	7（優勢病変3＋随伴病変4）
	グレードグループ3	7（優勢病変4＋随伴病変3）
↓	グレードグループ4	8
高い	グレードグループ5	9～10

表53-3　D'Amico分類

	PSA（ng/mL）	Gleason スコア	T-病期
Low	≦10	≦6	T1～T2a
Intermediate	10～20	7	T2b
High	20＜	8～10	T2c

低リスクはすべての条件を満たすことが必要．
高リスクは1因子でも満たせば，高リスクとなる．
中間リスクは，低・高リスク以外に分類されるもの．

日本泌尿器科学会編：前立腺癌診療ガイドライン2016年版．p.63，メディカルレビュー社，2016．

表53-4　NCCN分類

	PSA（ng/mL）	Gleason スコア	T-病期
Low	＜10	≦6	T1～T2a
Intermediate	10～20	7	T2b～T2c
High	20＜	8～10	T3a

T-病期は直腸診による．
超低リスク（very low risk）は，低リスクの中でT1c，陽性コア数が3本未満，各生検コアの癌占拠率が50%以下，PSA濃度（PSAD）が0.15未満のものを指す．
超高リスク（very high risk）は，T3b～T4，primary Gleason patternが5，またはGleasonスコア8～10の陽性コア数が5本以上のものを指す．

日本泌尿器科学会編：前立腺癌診療ガイドライン2016年版．p.63，メディカルレビュー社，2016．

(3)疼痛・神経障害

前立腺がんは骨転移しやすく，転移先で痛みを引き起こすことがある．転移した骨そのものが痛む場合と，脊椎などへの転移による変形によって神経を圧迫して痛みの原因となる場合があり，さらに骨転移に付随して起こった圧迫や骨折などによってしびれや麻痺などの神経障害が起こることがある．

(4)浮腫

骨盤内リンパ節への転移などにより，とくに下半身の浮腫をきたす場合がある．

(5)水腎症

自覚症状として認識されることは少ないが，前立腺がんが膀胱三角部から尿管口周辺に浸潤することで，尿閉を生じ水腎症を呈することがある．

4）検査・診断

前立腺がんの診断には，病理組織学的検査が必要である．検査の流れとしては，前立腺生検を行う必要がある患者を各種検査で絞り込んでから生検を行い，確定診断後に病期を診断するための検査を行う．

(1)スクリーニング(生検が必要かどうか)のための検査

①直腸診

患者への侵襲が少ないので必ず行われる．触診で石様硬(stony hard)であれば，前立腺がんを強く疑う．しかし，腺腹側は触れられないので全てを診断することはできない．

②血清前立腺特異抗原(PSA)

採血で測定することができる．前立腺上皮細胞で産生され，精液成分の一部として分泌されているものである．直腸診で診断できないような微小な早期がんの診断も可能になったが，前立腺肥大や前立腺炎でも血中濃度が上昇するため，注意が必要である．

③経直腸超音波検査

肛門から直腸内に，専用のエコープローブを挿入し，観察する．前立腺の横断面と縦断面の，２方向からの観察が可能である．

(2)確定診断のための検査

・前立腺生険

前立腺がんの確定診断には必須の検査で，経直腸的・経会陰的・経尿道的の３つのアプローチ方法がある(**図53-2**)．経直腸は簡単に行えるが，感染と出血の危険性が経会陰に比べて多い．いずれの方法でも１か所ではなく，前立腺内の広い領域から多所生検を行う．生検後の合併症は，ときに重篤な場合があるため，必要性や合併症の説明が必要である．

(3)病期診断や治療効果判定のための検査

①CT・MRI検査

原発巣ならびにリンパ節転移診断に有用である．とくにMRIは，前立腺被膜や精嚢，直腸への直接浸潤を診断できることが多い．

②骨シンチグラフィー

前立腺がんは骨に転移しやすいため，全身の骨転移の有無を確認するために行われる．

③尿道膀胱造影

尿道の画像を得るための検査である．前立腺がんの場合は，前立腺部尿道が不規則または不整化することで診断できる．

④精巣造影

精嚢まで浸潤している場合には欠損像がみられる．

図53-1　前立腺がんの進行

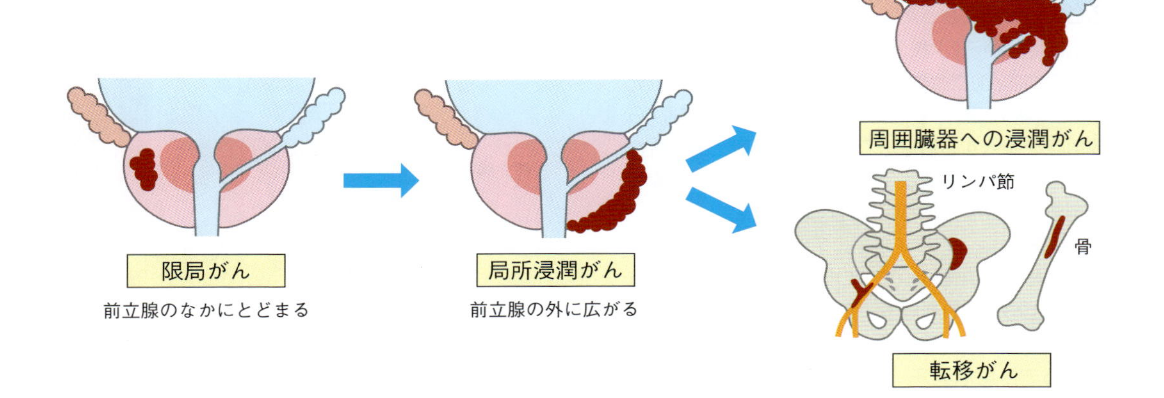

5）治療

(1)手術療法

全身麻酔下に前立腺を摘出し，尿道と膀胱を吻合する．リンパ節郭清が一般的に施行され，がんが前立腺内にとどまっている場合は高い生存率を保証できるが，直腸尿道瘻，尿道膀胱吻合不全などの合併症の可能性がある．また，術後後遺症として，蓄尿・排尿障害，性機能障害などがある．期待余命が10年以上の限局性前立腺がん症例に推奨される治療である．術式に特徴的な合併症として，出血，勃起不全，尿失禁があげられる．

①恥骨後式前立腺全摘除術（RRP）：下腹部正中を切開し，恥骨背側にある前立腺を摘除する．

②腹腔鏡下前立腺全摘除術（LRP）：腹腔鏡を挿入して前立腺を摘出する．

③ロボット支援前立腺全摘除術（RALP）：手術支援ロボットを用いて前立腺摘出手術を行う．

近年では，３つの術式で，腫瘍の制御効果（切除断端陽性率）に差は認めない[5]とされている．LRP・RALPは，RRPと比較して出血量は少ない[5]．

(2)放射線療法

術後の前立腺特異抗原の再上昇に対する治療として，外照射が行われる場合がある．照射野内に含まれる正常組織（肛門周囲・膀胱）の炎症や排便・排尿時の疼痛や出血がみられるが，一時的であることが多い．遅発性の反応として，慢性直腸炎・膀胱炎を呈する場合がある．

①外照射療法

10MV以上の高エネルギーX線を用いて行う．線量分布が前立腺の形態にあうように，３次元で治療計画を立てることが推奨されている．ときに，骨盤リンパ節領域に照射する全骨盤照射を併用する場合がある．通常では７〜８週間の治療期間が必要で，負担が大きかったため，2016年からは１回の線量を増やして分割回数を減らした寡分割照射も行われるようになった．さらに，2018年からは，実施可能な施設は限られるが粒子線での治療も行われるようになり，前立腺にX線をより強く，線量を集中させることが可能になった[6]．

②組織内照射療法（小線源療法）

患者の体内（前立腺内）に，密封された放射線同位元素（ヨウ素125が一般的）を留置し，前立腺内部から放射線を照射する治療法である．外照射と組み合わせた治療方法の成績が良好なため，今後は併用療法が重要な選択肢となる可能性がある[6]．

(3)内分泌療法

前立腺がんは，男性ホルモンのテストステロンによって増殖するため，これを除去・遮断する療法である．内分泌療法の有害事象としては，ホルモン環境が変化することによって，急な発汗，のぼせなどのホットフラッシュ（hot flash）が起こるほか，筋力低下，女性化乳房，性機能障害（勃起障害）をきたす．

①LH-RH（黄体形成ホルモン放出ホルモン）アナログ薬：脳の下垂体視床下部に働きかけ，男性ホルモン分泌を抑制する．

②抗男性ホルモン製剤：前立腺に直接作用して男性ホルモンを遮断する．

③女性ホルモン製剤：男性ホルモン分泌を抑制する．ただし，凝固系促進作用もあり，脳・心血管系の合併症（心筋梗塞・脳梗塞など）を引き起こす恐れがあるため，抗凝固薬が併用される場合が多い．

(4)監視療法・待機療法

スクリーニングの普及により，寿命に影響しないがんを発見する可能性が高くなっており，このようながんは当面，積極的な治療は行わず，経過を観察する．このことを監視療法という．類似の治療戦略としての待機療法は，転移の出現などといった病勢の明らかな増悪を待って，ホルモン療法を開始する治療法である．高齢者で期待余命10年以下と予想される場合には，監視方法が推奨されている．ただし，下部尿路症状や，何も治療しないことに関する不安感から，QOLを低下させる可能性もあり，医療者の十分な説明と患者の十分な病態の理解が必須である．

(5)フォーカルセラピー（Focal therapy）

フォーカルセラピーとは，監視療法と，手術などの根治的治療の，中間的な治療の概念である．がんを治療しつつも正常な組織を可能な限り残すことで，治療と身体機能の維持を両立することを目的としている．

以上のように，がんの進行の程度に応じた治療法の選択がなされるが，比較的進行がゆっくりであることか

図53-2　前立腺生検

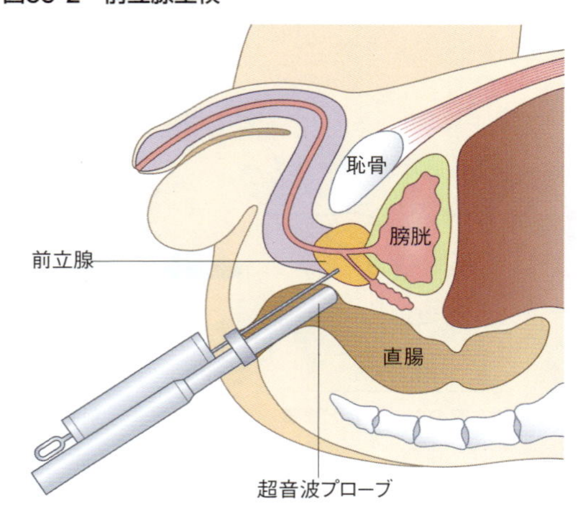

ら，患者の年齢（期待余命），患者の病気に対する考え方によって，治療法が決定される．病期とそれに応じた治療法の一般的な選択方法について，**表53-5**，**図53-3**にあげる．

6）予後

一般的には前立腺がんの進行は遅いとされており，経過が長いことが多い．さらに，前立腺がんに罹患する年齢はほかのがんに比べて高いため，加療中にほかの疾患に罹患し，それが死因になることも多い．全国がんセンター協議会加盟施設における５年相対生存率は，ステージⅠ～Ⅲで100%，ステージⅣでは65.9%である[7]．

表53-5　前立腺がんの病期と治療方法

待機療法	グリソンスコアが６かそれ以上でPSAが20ng/mL以下，病期T1c-T2b
手術療法	期待余命が10年以上でPSA＜10ng/mL，グリソンスコア７以下，かつ病期T1c-T2b
放射線療法	局所前立腺がん，局所進行前立腺がん，または緩和としても使用される
密封放射線療法	グリソンスコアが６かそれ以下で，PSAが10ng/mL以下，病期T1c-T2b
内分泌療法	全身に作用するため，転移を有する前立腺がんの場合には第１選択，いつかは再燃とよばれる治療抵抗性となる

図53-3　病期別治療アルゴリズム

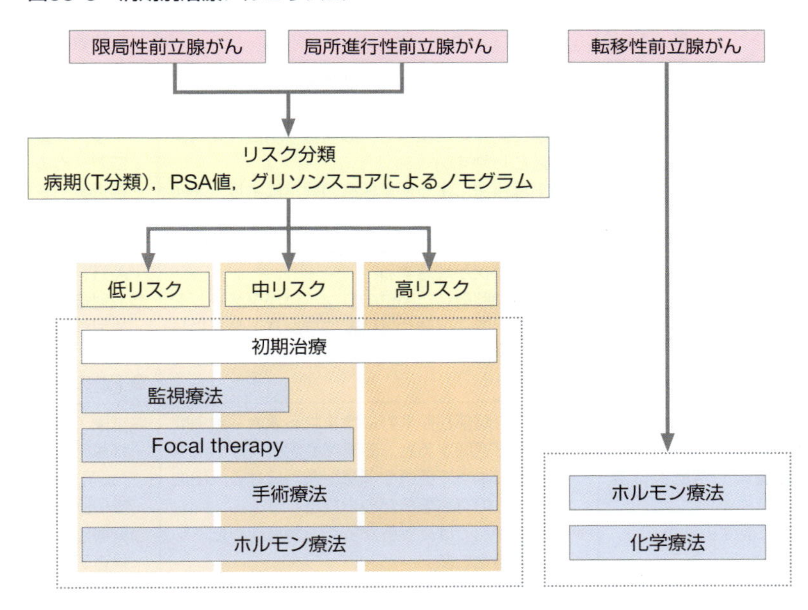

2. 看護過程の展開

アセスメント：内科療法(放射線療法・内分泌療法)～ゴードンの機能的健康パターンを用いて

パターン	アセスメントの視点	根拠	収集する情報
(1) 健康知覚-健康管理 患者背景 健康知覚-健康管理 価値-信念	●疾患の進行の程度症状について知覚できているか ●既往歴の有無とその管理状況はどうか ●理解に基づいて治療を選択しているか ●治療によって必要となる健康管理は何か，その管理を行う能力や意欲があるか	●前立腺がんは検診で発見される場合も少なくないが，自覚症状を有していることは疾病・治療の必要性の認識につながる． ●前立腺がんの患者は高齢者が多く，さまざまな既往歴をもっていることが多い．管理が不良であると有害事象の増悪につながる． ●進行度に応じた治療法が選択されるが，治療法の選択にあたって，理解に基づき，悔いのないように選択できることが重要である． ●ホルモン療法や放射線療法の有害事象の予防や，症状マネジメントのために，患者自身で行う健康管理が必要となる．	●現病歴 ・発症時期 ・発見のきっかけ ・自覚症状の有無 ●健康管理状況 ・生活習慣 ・既往の管理状況 ・常用薬の有無 ●治療とその理解 ・選択された治療 ・治療の理解度 ●選択した治療に関わる健康管理 ・健康管理についての理解度 ・健康管理への意欲 ・実施するための能力 ・支援者の有無
(2) 栄養-代謝 全身状態 栄養-代謝 排泄	●栄養状態は良好か，代謝機能は正常か ●放射線の有害事象はあるか ●リンパ浮腫は生じているか ●水分出納は適正か	●高齢者が多く，もともと低栄養状態や代謝機能の低下がある場合が多いことに加え，ホルモン療法の副作用によって，高血糖や脂質代謝異常を起こしやすい． ●放射線療法による便意尿意の異常により，トイレへ通う回数が増えると，肛門や会陰部を拭き取る回数が増加し，肛門や会陰部の皮膚炎・粘膜炎の症状が増悪する． ●放射線で照射した部位のリンパ管がダメージを負うことで，下肢や外陰部にリンパ浮腫を生じることがある．	●栄養状態・代謝機能 ・食事摂取内容，量，食欲 ・身長，体重，体重変動 ・口腔，皮膚，粘膜の状態 ・検査データ(TP，Alb，Hbなど) ・代謝性疾患の既往の有無 ・検査データ(血糖値，HbA1c，AST，ALT，TCなど) ●放射線有害事象の有無 ・放射線照射部位の皮膚 ・陰部 ●下肢のリンパ浮腫の有無
(3) 排泄 全身状態 栄養-代謝 排泄	●排尿・排便の状態は良好か ・直腸炎や膀胱炎はないか ●腎機能は正常か	●肛門や会陰部が照射野に含まれる場合，治療開始2～3週間すると，直腸炎や膀胱炎が出現することによって便意や尿意が頻回になる，出血するなどの有害事象がみられる． ●前立腺がんでは高齢者が多く，腎機能が低下している場合も多い．	●排尿・排便の状態 ・排尿回数，性状(血尿)，排尿の状態(尿閉，失禁，尿線異常の有無) ・排便回数，性状，排便異常 ●腎機能 ・検査データ(BUN，Cr，GFRなど)
(4) 活動-運動 活動・休息 活動-運動 睡眠-休息	●日常生活で支障はないか ・骨転移や骨密度の低下はないか ・活動に支障のある症状はないか(筋肉量は十分か)	●骨は，前立腺がんが転移しやすい部位である．自覚症状としては，体動時や夜間に腰部などに疼痛が発現する．脊椎に転移したがんが脊髄を圧迫すると，手足のしびれや麻痺が生じる．また，ホルモン療法によって筋肉の減少や骨密度の低下が生じ，転倒や骨折の危険も高まる．	●日常生活での活動状況 ・ADLの程度と変化 ・体動時の疼痛の有無 ・骨密度 ・骨転移の有無(骨シンチグラフィー) ・筋力

パターン	アセスメントの視点	根拠	収集する情報
(4) 活動-運動 活動・休息 活動-運動 睡眠-休息	●循環機能・呼吸機能は正常か	●前立腺がんでは高齢者が多く，循環・呼吸機能が低下している場合も多い．	●循環機能・呼吸機能の状態 ・血圧，脈拍，SpO_2 ・呼吸機能検査 ・心電図
(5) 睡眠-休息 活動・休息 活動-運動 睡眠-休息	●睡眠・休息の障害はないか	●頻尿などの症状がある場合，睡眠の障害をきたす．	●睡眠の状態 ・睡眠時間・深さ ・昼間の活動への障害の有無
(6) 認知-知覚 知覚・認知 認知-知覚 自己知覚-自己概念 コーピング-ストレス耐性	●認知・感覚機能は正常か ●疾患や病態についての理解はどの程度か	●前立腺がんでは高齢者が多く，認知・感覚機能が低下している場合もある． ●前立腺がんは早期の場合，患者の年齢，ADL，経済効果，期待余命を考慮したうえで治療方法を選択していくため，意思決定に必要な知識がより複雑化している．治療方針への納得の程度は，闘病生活の意欲にも影響する．	●認知・感覚機能 ●病態・疾患の理解 ・疾病の受容の状態 ・治療方法に関する理解 ・治療法選択における意思決定の状態
(7) 自己知覚-自己概念 知覚・認知 認知-知覚 自己知覚-自己概念 コーピング-ストレス耐性	●ボディイメージの混乱はないか ・自己像の変化はどの程度か ・自尊感情の脅威はないか	●成人男性にとって，尿失禁があることは羞恥心を伴うため，医療者に症状を相談しにくい．そのため，プライバシーに配慮して症状把握に努めることが必要である．また，性機能障害も症状を目の当たりにすると精神的ダメージが大きく，ボディイメージが混乱する要因となり得る．	●ボディイメージ ・排尿障害・性機能障害など，ボディイメージに関わる有害事象の程度と理解度 ・自尊感情に関する発言
(8) 役割-関係 周囲の認識・支援体制 役割-関係 セクシュアリティ-生殖	●家族関係に問題はないか ・家族の理解度はどうか ・家族関係は良好か ・支援体制はあるか ●役割遂行に問題はないか	●治療に伴って起こる排尿・性機能障害については，配偶者などの家族のQOLも左右する．患者が家族と良好な関係を築くことは，治療を継続するうえで重要である．	●家庭内外の役割 ・家族構成・家庭的役割 ・キーパーソンの有無，キーパーソンの認識 ●社会的役割，社会活動状況 ・仕事の種類・内容・継続状況 ・経済的状況

パターン	アセスメントの視点	根拠	収集する情報
(9) セクシュアリティ-生殖 周囲の認識・支援体制 役割-関係 セクシュアリティ-生殖	●内分泌療法による有害事象はあるか，どの程度か	●内分泌療法では，ホルモン環境が変化することにより，急な発汗，のぼせといったホットフラッシュや，勃起障害などが出現する．とくに女性ホルモン製剤では，心血管や脳血管の梗塞などの致死的な合併症をきたす場合がある．放射線療法の場合は治療数年後，神経血管束が治療によって傷つくことで起こる血流障害のため，勃起機能に影響が出ることがある．	●内分泌療法の有害事象 ・ホットフラッシュ，女性化乳房，勃起障害
(10) コーピング-ストレス耐性 知覚・認知 認知-知覚 自己知覚-自己概念 コーピング-ストレス耐性	●ストレスと対処方法はどうか	●治療にはボディイメージを混乱させる有害事象も多く，これらのストレッサーに適切に対処できない場合，術後の健康管理状態や心理状態に悪影響を及ぼす．	●ストレッサーとその対処方法 ・主なストレッサー ・ストレスへの対処方法 ・対処の効果
(11) 価値-信念 患者背景 健康知覚-健康管理 価値-信念	●価値信念とヘルスケアシステムの間に対立はないか	●多様な治療法があるため，提供された選択肢について，自分の価値観に基づいた意思を明確に表現していく必要がある．	●人生に対する価値観 ・今後の生き方の希望

●アセスメント：外科的療法
～ゴードンの機能的健康パターンを用いて

パターン	アセスメントの視点	根拠	収集する情報
(1) 健康知覚-健康管理 患者背景 健康知覚-健康管理 価値-信念	●疾患の進行の程度症状について知覚しているか ●既往歴の有無とその管理状況はどうか ●選択された術式と合併症について理解できているか ・切除範囲，神経の温存 ・リンパ節郭清・合併症 ●手術によって必要となる健康管理を行なう能力や意欲があるか	●前立腺がんは検診で発見される場合も少なくないが，自覚症状を有している場合病状や治療の必要性の認識につながる． ●前立腺がんの患者は高齢者が多く，さまざまな既往歴をもっていることが多い． それらの管理が不良であると術後合併症を生じやすい． ●進行度に応じた治療法が選択されるが，治療法の選択にあたって，十分に理解し悔いのないように選択できることが重要である． ●手術による，合併症予防に関する健康管理が必要となる．	●現病歴 ・発症時期 ・発見のきっかけ ・自覚症状の有無 ●健康管理状況 ・生活習慣 ・既往の管理状況 ・常用薬の有無 ●治療とその理解 ・選択された治療 ・治療の理解度 ●健康管理 ・術後合併症の理解度 ・離床の程度・意欲 ・合併症予防のための自己管理行動の状況
(2) 栄養-代謝 全身状態 栄養-代謝 排泄	●栄養状態は良好か，代謝機能は正常か ●リンパ浮腫は生じているか	●高齢者が多く，もともと低栄養状態や代謝機能の低下がある場合が多い．異常がある場合，術後の回復遅延や感染などの合併症を起こしやすくなる．また，腹部に余分な脂肪がつくことで排尿障害が起こりやすくなる． ●手術によってリンパ節を切除することで，下肢や外陰部にリンパ浮腫を生じることがある．	●栄養状態・代謝機能 ・食事摂取内容，量，食欲 ・身長，体重，体重変動 ・口腔，皮膚，粘膜の状態 ・検査データ(TP，Alb，Hbなど) ・代謝性疾患の既往の有無 ・検査データ(血糖値，HbA1c，AST，ALT，T-colなど) ●下肢のリンパ浮腫の有無 ・リンパ郭清の範囲 ・リンパ浮腫の程度
(3) 排泄 全身状態 栄養-代謝 排泄	●排尿・排便の状態は良好か ・術後の血尿は正常範囲内か ・術後の排便障害・排尿障害はないか ・尿失禁はあるか，それはどのようなものか ●腎機能は正常か	●前立腺手術後は，前立腺と直腸の剥離に伴い，術後，一時的に排便障害(便秘，頻便，便意と尿意の混乱，便失禁)が起こることがある．さらに，術直後は，膀胱周囲の炎症による膀胱容量の減少や，尿道カテーテルの長期留置による尿道括約筋機能低下によって，腹圧性尿失禁をきたすことが多い．吻合部の炎症などで尿道が硬化することで，溢流性尿失禁となる場合もある． ●前立腺がんでは高齢者が多く，腎機能が低下している場合も多い．	●排尿・排便の状態 ・排尿回数，性状(血尿)，排尿の状態(尿閉，失禁，尿線異常の有無) ・排便回数，性状，排便異常 ・手術による骨盤内の侵襲の程度 ●腎機能 ・検査データ(BUN，Cr，GFRなど)

パターン	アセスメントの視点	根拠	収集する情報
(4) **活動-運動** 活動・休息 活動-運動 睡眠-休息	●日常生活で支障はないか	●骨転移している場合，体動時の疼痛が発現する．脊椎に転移している場合は，手足のしびれや麻痺が生じる． ●前立腺がんの患者は高齢であることが多く，運動機能低下から早期離床を図りにくいことがある	●日常生活での活動状況 ・ADLの程度と変化 ・体動時の疼痛の有無 ・骨転移の有無(骨シンチグラフィー)
	●術後の合併症のリスクは高いか ・循環動態の変動 ・呼吸器合併症 ・深部静脈血栓	●前立腺がんは高齢者に多いため，術後は全身麻酔などの影響から，循環動態や呼吸状態が変動しやすい．また，手術の部位は骨盤深部での長時間手術であり，術後肺塞栓症などの合併症が起こりやすい．なかでも，壮年期，老年期の体格のよい患者はとくにリスクが高い．	●循環機能・呼吸機能の状況 ・血圧，脈拍，SpO_2 ・呼吸機能検査 ・手術・麻酔時間 ・離床の程度 ・離床時の呼吸状態
(5) **睡眠-休息** 活動・休息 活動-運動 睡眠-休息	●睡眠・休息の障害はないか	●術後排尿障害の症状がある場合，睡眠が障害されやすく，睡眠障害はせん妄や転倒の危険因子となる．	●睡眠の状態 ・睡眠時間・深さ ・昼間の活動への障害の有無
(6) **認知-知覚** 知覚・認知 認知-知覚 自己知覚-自己概念 コーピング-ストレス耐性	●認知・感覚機能は正常か	●前立腺がんでは高齢者が多く，認知・感覚機能が低下している場合もある．腹腔鏡下手術では頭低位で行われるため，眼圧・頭蓋内圧が上昇しやすい．そのため，緑内障や頭蓋内血管疾患を有するかどうかは重要な情報である．	●認知・感覚機能
	●疾患や病態についての理解はどの程度か	●前立腺がんは早期の場合，患者の年齢，ADL，経済効果，期待余命を考慮したうえで治療方法を選択していくため，意思決定に必要な知識がより複雑化している．治療方針への納得の程度は，闘病生活の意欲にも影響する．	●病態・疾患の理解 ・疾病の受容の状態 ・治療方法に関する理解 ・治療法選択における意思決定の状態
(7) **自己知覚-自己概念** 知覚・認知 認知-知覚 自己知覚-自己概念 コーピング-ストレス耐性	●ボディイメージの混乱はないか ・自己像の変化はどの程度か ・自尊感情の脅威はないか	●術後尿失禁を生じやすい成人男性にとって，尿失禁があることは羞恥心を伴うため，医療者に症状を相談しにくい．また，性機能障害も症状を目の当たりにすると精神的ダメージが大きく，ボディイメージが混乱する要因となり得る．	●ボディイメージ ・排尿障害・性機能障害など，ボディイメージに関わる有害事象の程度と理解度 ・自尊感情に関する発言

パターン	アセスメントの視点	根拠	収集する情報
(8) 役割-関係 周囲の認識・支援体制 役割-関係 セクシュアリティ-生殖	●家族関係に問題はないか ・家族の理解度はどうか ・家族関係は良好か ・支援体制はあるか ●役割遂行に問題はないか	●治療に伴って起こる排尿・性機能障害については，配偶者などの家族のQOLも左右する．患者が家族と良好な関係を築くことは，治療を継続するうえで重要である．	●家庭内外の役割 ・家族構成・家庭的役割 ・キーパーソンの有無，キーパーソンの認識 ●社会的役割，社会活動状況 ・仕事の種類・内容・継続状況 ・経済的状況
(9) セクシュアリティ-生殖 周囲の認識・支援体制 役割-関係 セクシュアリティ-生殖	●手術療法による合併症が性行動へ及ぼす影響はどうか	●前立腺手術では精管が切断されるため，術後に射精することが不可能となる．また，病態によって勃起神経を前立腺とともに切除した場合，勃起障害が起こる．神経温存が可能な場合もあるが，温存を行っても機能が改善しない場合もある．	●手術療法後の性機能障害 ・勃起障害 ・射精の可否
(10) コーピング-ストレス耐性 知覚・認知 認知-知覚 自己知覚-自己概念 コーピング-ストレス耐性	●ストレスと対処方法はどうか	●手術というストレッサーに適切に対処できない場合，術後の健康管理状態や心理状態に悪影響を及ぼす．	●ストレッサーとその対処方法 ・主なストレッサー ・ストレスへの対処方法 ・対処の効果
(11) 価値-信念 患者背景 健康知覚-健康管理 価値-信念	●価値信念とヘルスケアシステムの間に対立はないか	●多様な治療法があるため，提供された選択肢について，自分の価値観に基づいた意思を明確に表現していく必要がある．	●価値観

53 前立腺がん

3. 全体像の把握から看護問題を抽出

1）病態関連図

（1）内科療法（放射線療法・内分泌療法）

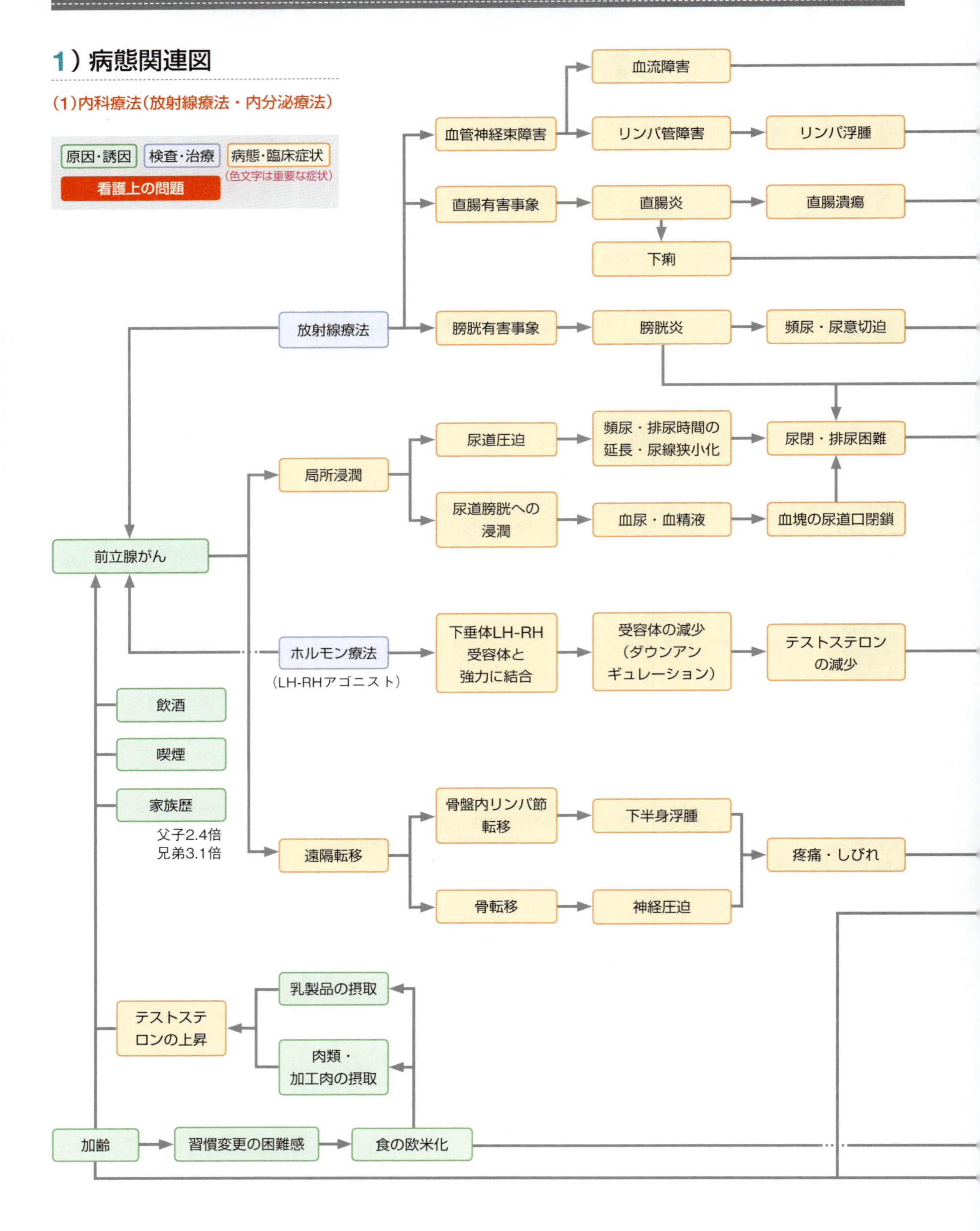

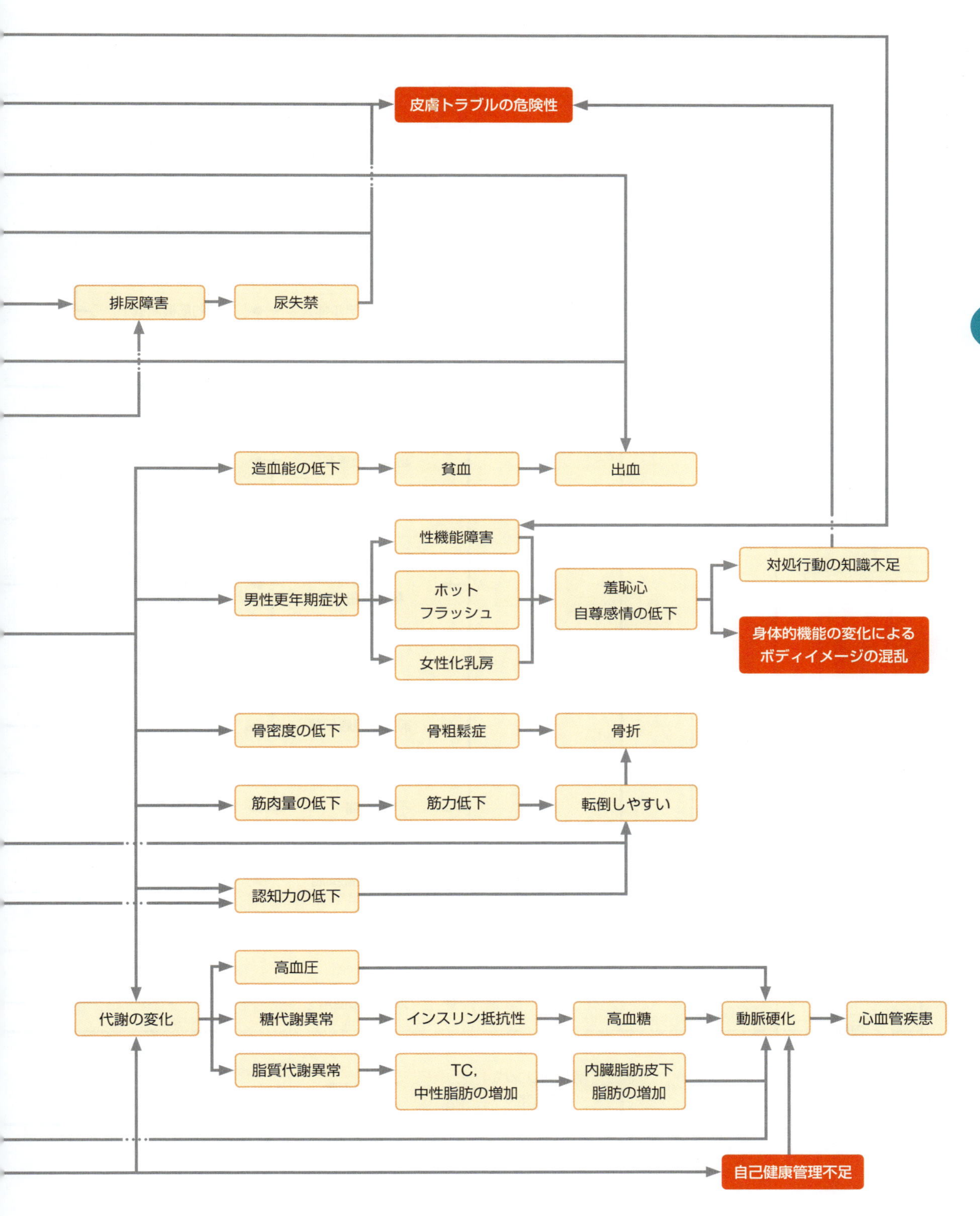
皮膚トラブルの危険性
排尿障害
尿失禁
造血能の低下
貧血
出血
性機能障害
男性更年期症状
ホット
フラッシュ
女性化乳房
羞恥心
自尊感情の低下
対処行動の知識不足
身体的機能の変化による
ボディイメージの混乱
骨密度の低下
骨粗鬆症
骨折
筋肉量の低下
筋力低下
転倒しやすい
認知力の低下
高血圧
代謝の変化
糖代謝異常
インスリン抵抗性
高血糖
動脈硬化
心血管疾患
脂質代謝異常
TC,
中性脂肪の増加
内臓脂肪皮下
脂肪の増加
自己健康管理不足

1）病態関連図

(2)外科的療法

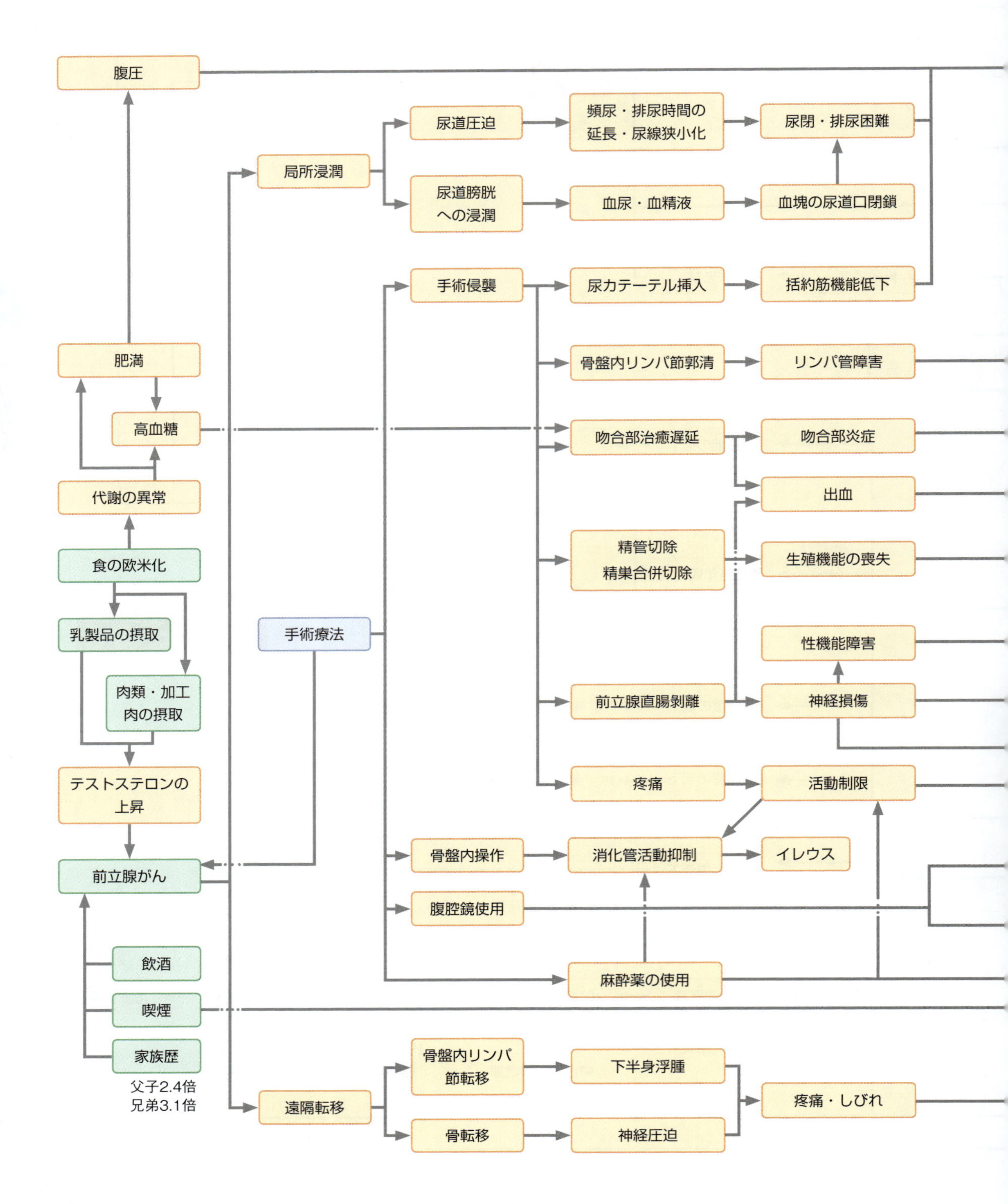

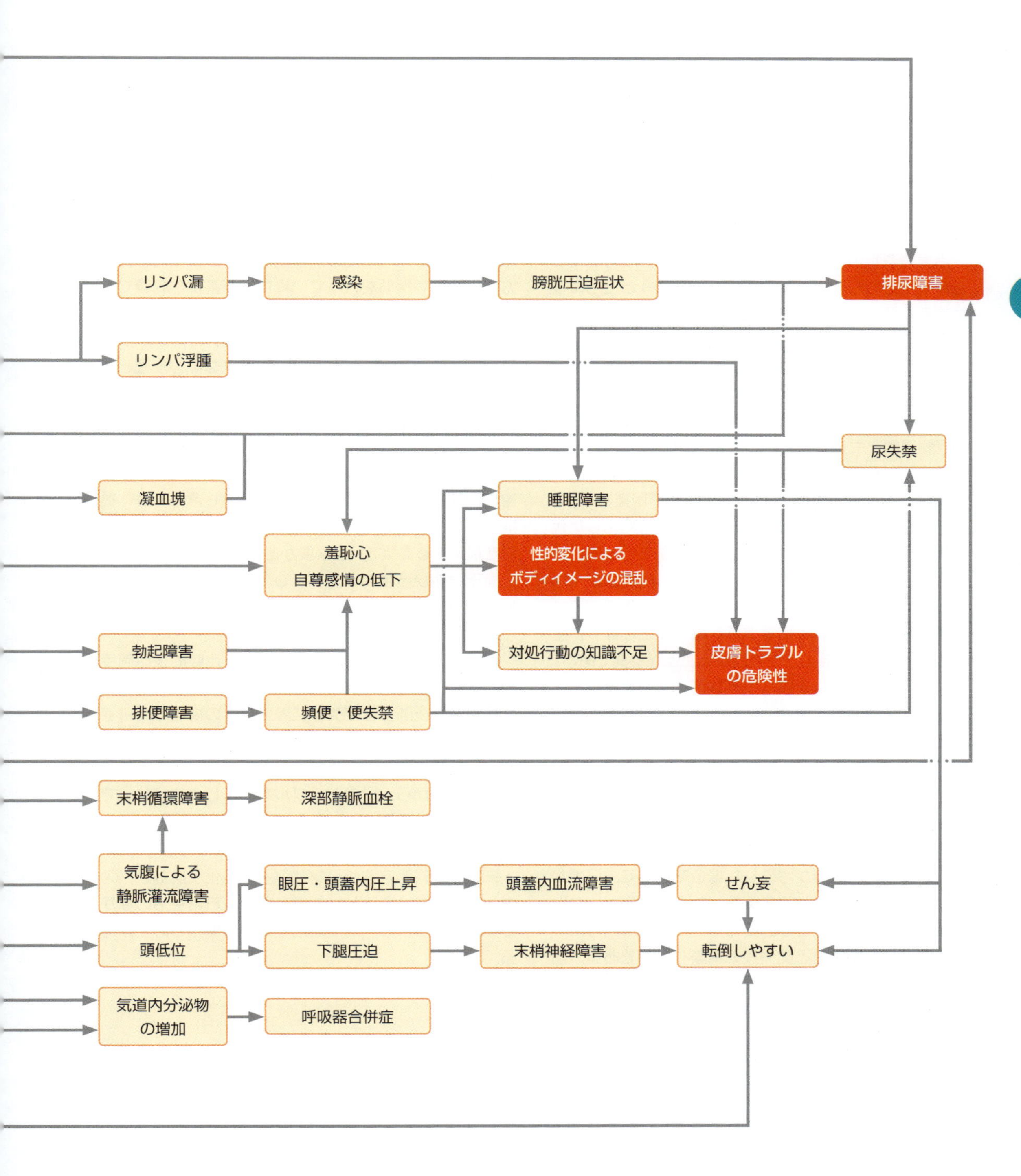
リンパ漏
感染
膀胱圧迫症状
排尿障害
リンパ浮腫
尿失禁
凝血塊
睡眠障害
羞恥心
自尊感情の低下
性的変化による
ボディイメージの混乱
勃起障害
対処行動の知識不足
皮膚トラブル
の危険性
排便障害
頻便・便失禁
末梢循環障害
深部静脈血栓
気腹による
静脈灌流障害
眼圧・頭蓋内圧上昇
頭蓋内血流障害
せん妄
頭低位
下腿圧迫
末梢神経障害
転倒しやすい
気道内分泌物
の増加
呼吸器合併症

2）看護の方向性

(1)内科療法(放射線療法・ホルモン療法)の場合

ホルモン療法では，テストステロンの減少が起こること，放射線の影響では血管神経束の障害によって血流障害が起こることから，性機能が障害される．

これに加えて，男性更年期症状としてホットフラッシュや女性化乳房，放射線による膀胱炎からの尿失禁といった症状がある場合，成人男性としてのボディイメージの混乱を生じやすい．

患者だけでなく家族も含めて身体機能変化について話し合い，当事者が納得できる対処方法を構築する支援を行う必要がある．

治療法選択の段階から，このような障害の可能性と治療効果とのバランスを家族（パートナー）とともに検討する必要があり，実際の治療後のリハビリテーションについても協力を得る支援が必要な状態である．

また，ホルモン療法のほかの有害事象として，骨密度低下・筋肉量減少をまねきやすく，転倒や骨折のリスクが高いこと，高血糖や高コレステロール血症などの代謝異常を生じやすいことがあげられる．

前立腺がんは高齢者に多く発症するため，食事などの生活習慣の調整は難しく，健康管理が困難な場合，動脈硬化から心血管疾患のリスクも高い．変化した代謝機能に応じて，生活（食事など）の調整を行っていけるよう援助する必要が生じる．ただし，前立腺がんは高齢者での罹患率が高いため，これまで長年行ってきた生活を変更することに抵抗感を感じることなく，生活に取り入れられる方法を検討することが重要である．

失禁への対処として尿パッドなどを使用する場合も多いが，その使用方法やスキンケアについて正しい知識を得て，日常生活のなかで実践できるよう，治療開始早期から関わる必要がある．さらに，放射線の影響によって膀胱炎や直腸炎の有害事象が起こること，頻回の排泄行動や尿便失禁により，肛門や会陰部の皮膚炎・粘膜炎のリスクも高い状態である．

失禁によって皮膚が汚染した場合を含めて，日頃からどのようなスキンケアを実施したらよいのかについて話し合っておくことが必要で，そのような内容について気軽に相談できる関係性の構築も重要である．前立腺がんの罹患者は高齢者が多いため，負担なく取り入れることのできる健康管理をともに考えていくことが必要である．

(2)外科的療法の場合

前立腺がんの術直後は，膀胱周囲の炎症や尿道カテーテル留置による尿道括約筋機能低下によって腹圧性尿失禁をきたすことが多く，吻合部の炎症などで尿道が硬化することで溢流性尿失禁となる場合もある．さらに，前立腺と直腸の剥離に伴い，術後，一時的に排便障害が起こることもある．症状がよりスムーズに改善するよう援助する必要がある．症状の程度の評価を行い，下着の工夫や，骨盤底筋体操などの，退院後も必要な生活管理についての指導を行うことが重要である．早くから自己管理に取り組むことで症状の改善や負担感の軽減がはかれるため，術後早期から積極的に対処方法について援助を行っていくことが重要な問題である．

前立腺手術では，精管の切断や勃起神経の切除や侵襲によって，性機能（生殖機能）に重大な障害が残ることが多い．

以上の障害は，成人男性にとっては羞恥心を生じやすく，ボディイメージの混乱を生じやすい状態である．自尊感情の低下や，家族（パートナー）との関係へも影響を及ぼすため，患者だけでなく家族も含めて身体機能変化について話し合い，当事者が納得できる対処方法を構築する支援を行う必要がある．

術後早期から家族に対しても，実際の治療後のリハビリテーションについても協力を得る支援が必要である．

前立腺の手術の部位は骨盤深部で，比較的長時間手術であり，腹腔鏡を使用する際には頭低位とすることからも，術後肺塞栓症や神経障害などの術後の合併症が起こりやすい．また，術後排尿障害による皮膚汚染や，リンパ節郭清が行われることに伴う下肢・陰部のリンパ浮腫から，皮膚トラブルを起こしやすい状態である．リンパ浮腫では，症状やスキンケアを理解して，予防や早期発見できるよう支援することが必要である．

失禁への対処方法やリンパ浮腫の悪化予防など，スキンケアについて正しい知識を得て，日常生活のなかで実践できるよう，治療開始早期から関わる必要がある．

3）患者・家族の目標

内科的治療によって生じる男性更年期症状・心血管障害・排尿障害などへの対処方法を確立し，心理的・社会的な影響を最小限にとどめ，闘病意欲を維持する．

手術療法によって生じる性機能障害・排尿障害などへの対処方法を確立し，心理的・社会的な影響を最小限にとどめ，闘病意欲を維持する．

4. しばしば取り上げられる看護問題

(1)内科療法（放射線療法・ホルモン療法）の場合

治療の有害事象による身体的機能の変化に関連したボディイメージの混乱

なぜ？

ホルモン療法・放射線療法のいずれの療法を選択した場合にも性機能障害が起こるが，とくにホルモン療法では性機能障害は避けられない．これに加えて，ホットフラッシュや女性化乳房，膀胱炎からの尿失禁といった症状がある場合，成人男性としては危機的な状態となる．

その変化から受ける影響は身体的な問題のみならず，心理的・精神的にも大きく，ボディイメージの混乱を生じる．自尊感情の低下や，家族（パートナー）との関係へも影響を及ぼす．

➡期待される結果

- ライフスタイルの変更について具体的に発言することができる．
- ライフスタイルの変更について家族と話し合うことができる．

肛門・会陰部への刺激の増加，対処行動の知識不足に関連した皮膚トラブルの危険性がある

なぜ？

放射線療法に伴う直腸・膀胱の炎症によって，トイレ回数や陰部の保清が保たれない頻度が増すため，周囲の皮膚はトラブルを生じやすい状態となる．成人男性にとって羞恥心を伴う症状であるため，なかなか相談することができず，自己流の方法で対処し，かえって皮膚の損傷の発生や，悪化をする場合もある．

➡期待される結果

- 膀胱炎・直腸炎が及ぼす影響についていうことができる．
- 失禁時の皮膚・粘膜の保清方法，日々のスキンケアについて理解し，実施できる．

◆3　ホルモンバランスの変調からの代謝異常に関する生活調整への困難感による自己健康管理不足の危険性がある

なぜ？

ホルモン療法では，糖代謝や脂質代謝の異常をきたしやすい．治療前から加療中であった場合は，その健康管理を確実に行っていけるよう支持的な関わり方が求められる．

➡期待される結果

- 現在の代謝障害について理解したと発言がある．
- 自らの生活の調整すべき点について話し合うことができる．
- 必要な健康管理を自分の生活に取り入れる方法を検討し，実施できる．

(2)外科的療法の場合

術操作や術後の吻合部の炎症，尿道括約筋機能低下による排尿障害

なぜ？

前立腺がんの手術侵襲によって吻合部に炎症が起きたり，術後長期に尿道カテーテルを留置することからくる尿道括約筋機能低下は避けられない．多くは術後徐々に症状が改善していくが，この状況は成人男性としてはたいへん苦痛が大きく，闘病意欲などにも影響が大きい問題となる．

➡期待される結果

- 自己の排尿に関する問題について，医療者（専門家）と話し合うことができる．
- 排尿障害の程度に応じた対処方法について理解し，実践できる．

♦2 手術による性的変化による ボディイメージの混乱

なぜ？

前立腺がんの標準的な術式では，精管切断や神経の損傷による勃起障害などの性的な変化が高率に発生する．その変化から受ける影響は，身体的な問題のみならず，心理的・精神的にも大きく，ボディイメージの混乱を生じる．このことは直ちに生命に脅威をもたらすわけではないが，自尊感情の低下や，家族（パートナー）との関係にも影響を及ぼし，退院後の社会復帰への意欲を喪失することにもなりかねず，患者にとっては重要な問題である．

➡ 期待される結果

・ライフスタイルの変更について具体的に発言することができる．
・ライフスタイルの変更について家族と話し合うことができる．

♦3 失禁による皮膚の汚染，リンパ浮腫に関連した皮膚トラブルの危険性がある

なぜ？

術後排尿障害による皮膚汚染や，リンパ節郭清が行われることに伴う下肢・陰部のリンパ浮腫から，皮膚トラブルを起こしやすい状態である．

神経損傷による尿失禁や，リンパ郭清によるリンパ浮腫のため，下肢や陰部の皮膚はトラブルを生じやすい状態となる．

➡ 期待される結果

・正しいスキンケア方法を理解し，実践できる．

5. 看護計画の立案

• O-P：Observation Plan（観察計画） • T-P：Treatment Plan（治療計画）
• E-P：Education Plan（教育・指導計画）

(1)内科療法（放射線療法・ホルモン療法）の場合

♦1 治療の有害事象による身体的機能の変化に関連した ボディイメージの混乱

	具体策	根拠と注意点
O-P	**(1)自分の身体についてのイメージ**	
	(2)不安を表す生理的症状の有無 ①不眠 ②食欲不振 ③イライラ感 ④落ち着きのなさ ⑤疲労感･倦怠感 ⑥心悸亢進　など	●不安や悩みを表出できない患者も多く，元気に振る舞っていても自分の状況を受け止めているとは限らない．食欲不振や夜間不眠などの症状として現れる場合があるため，注意が必要である．
	(3)治療に関連する身体状態 ①性機能障害の有無，程度 ②男性更年期症状の有無，程度 ・ホットフラッシュ ・女性化乳房 ・筋力低下 ③その他 ・痙攣 ・低カリウム血症	●ホルモン環境が変化することにより，性機能障害や更年期症状が出現する． ●がんに対する恐怖や治療への不安だけでなく，性機能障害や男性更年期症状は，成人男性として苦痛の大きい状況であることを理解して接する必要がある．とくに男性ホルモンは，肉体的にも精神的にも「男性らしさ」の根源となっているため，このホルモンの産出が抑えられる治療を行うと，今まで感じていた気持ちの張りや気力が衰えることが多い．

	具体策	根拠と注意点
O-P	**(4)女性化乳房，性機能障害や男性更年期症状に対する心理的な状態** ①発言の内容 ・治療によって変化した身体機能に関する発言の内容 ・自己尊重のレベル ②表情･態度･しぐさ **(5)家族の支援状況** ①面会の状況 ②キーパーソンの有無 ③家族からの支援の有無	●去勢抵抗性前立腺がんに対して，さらに強力に男性ホルモンを抑制する新規抗アンドロゲン薬では，まれに痙攣や低カリウム血症を起こす場合がある．
T-P	**(1)患者の訴え･思いを十分に聴き，受容的･肯定的態度で接する** ①患者について肯定的に述べる ②状況に対処できる力があることを患者に伝える ③目標達成に向けた患者の進歩をほめる	●患者の気分の落ち込みを感じる際には，さまざまな身体機能の変化によって男性としての自信を失っている可能性がある．
	(2)患者が気持ちを表出しやすい環境をつくる ①頻回に訪室する ②家族とゆっくり過ごせる場を提供する ③必要時，家族(パートナー)との調整役となる	●とくに性生活はパートナーがいて成立する．お互いの性生活を含めてどんな生活を送っていきたいのかをみつめるよい機会にすることで，どちらかが不満を抱えて過ごすことを予防できる．
	(3)ボディイメージへの影響を軽減する環境をつくる ①男性更年期症状 ・ホットフラッシュ →発汗時，額や首筋を冷やす →調節しやすい服装にする ・脂肪蓄積・筋力の低下 →高コレステロール食を避ける →身体を動かす日課を作る(散歩など) ・女性化乳房 →摩擦による痛みに対して，乳頭に絆創膏などを貼る →鎮痛薬の検討 ②性機能障害 ・影響要因を明らかにする ・PDE5阻害薬の使用を検討する	●脂肪蓄積は，ホルモン環境によってインスリンレベルが増加し，脂肪による体重増加がみられることも一因である．適度な運動は筋力の維持に有用であるが，マウンテンバイクや乗馬などの前立腺を刺激するような運動は医師と相談しながら行う． ●治療による影響は，性機能障害の１つの要因ではあるが，性機能は精神状態とも深く関わりがあり，がんにかかったという恐怖や加齢や既往歴など，ほかの要因が影響していないかを明らかにすることは機能回復を考える際に役立つ．
E-P	**(1)ボディイメージを適正に変化させる方法の指導** ①男性更年期障害の退院後の対処法 ・症状マネジメント(T-P参照) ・カロリーコントロールなどの食事指導 ・運動習慣 ②性機能障害の退院後の対処法 ・PDE5阻害薬使用時の注意点 ・早期のリハビリテーション ・勃起補助具に関する情報提供 **(2)感情や知覚したこと・恐怖などを言葉に表して表現するように言う** **(3)共通の悩みをもつ人との交流をすすめる**	●PDE5阻害薬は血管拡張作用があるため，ニトロ製剤を使用している場合には血圧が下がりすぎるなどの，使用上の注意がある． ●実際にパートナーとの性交渉をしてみることがよいリハビリテーションになる． ●必要があれば，健康保険適用外であるが種々の勃起補助具があり，人工的に勃起状態にすることが可能であるなどの情報を提供する

◆2 肛門・会陰部への刺激の増加，対処行動の知識不足に関連した皮膚トラブルの危険性がある

	具体策	根拠と注意点
O-P	**(1)リスクが高い部位の把握** ・放射線照射刺入部，出口部	●最近では，放射線を体内に集中して当てる技術の進歩により，皮膚障害は以前に比べて少なくなっているが，昔の放射線治療のイメージや誤解に伴う過度の不安は，心身の負担となり，適切な治療の妨げとなる．
	(2)照射部周囲の皮膚・粘膜の症状の有無と程度 ①皮膚の症状 ・発赤 ・瘙痒感 ・表皮剝離 ・疼痛 ②肛門・会陰部粘膜の症状 ・発赤 ・疼痛 ・粘液分泌や出血	●放射線照射のマーキング部位だけに皮膚炎が出現すると考えている患者は非常に多い．多門照射の場合はすべての照射刺入部にマーキングされていない場合もあり，どの部位にどの方向から照射されているのか把握し，皮膚炎出現のリスクの高い部位を理解することが重要である． ●照射を受けた皮膚は，水分が蒸発乾燥し，かゆみを生じる．また，角質層の減少・消失を起こし，水分保持ができなくなるため，ささいな刺激でも損傷しやすくなる．
	(3)照射部周囲の皮膚・粘膜への刺激の有無と程度 ①頻便，頻尿 ②トイレの回数 ③排泄後，拭き取りに使用しているもの ④衣服(とくに下半身下着) ⑤陰部の保清の状況	●直腸炎・膀胱炎は治療開始２～３週間で出現してくる．このため，頻便・頻尿などの症状が起こると排泄後に陰部を拭き取る回数が増加し，刺激によって粘膜の炎症が悪化する．そのほか，さまざまな刺激の要因を特定し，取り除くことが重要である．
T-P	**(1)照射部位の保護** ①照射部を触ったり，こすったりしない ②テープや湿布などを貼付しない ③かみそりなどを使用しない	●治療中や治療後１か月程度は皮膚への刺激を避け，細菌などへの感染の予防のため，清潔に保つことが必要である．
	(2)清潔への援助 ・許可があれば毎日弱めのシャワー浴を実施し，それまでは陰部の洗浄(坐浴)を介助する	●治療中は，刺激の軽減とマーキングを消さないようにするため，軽くすすぐ程度にする．
	(3)症状出現時の援助 ①症状出現後は極力歩行をしないよう移動の援助を行う ②症状に応じて軟膏や皮膚の保護薬を使用する	●20～30Gyで発赤や紅斑，40～50Gyで乾燥性皮膚炎，60～70Gyで水疱やびらんなどの症状が起こりやすいとされている．ただし，照射部位の放射線感受性や個人差によって異なる．
E-P	**(1)リスクの高い部位に関する指導** ・放射線照射刺入部，出口部の説明	●どの部位にどの方向から照射されているのか把握し，皮膚炎出現のリスクの高い部位を理解し，刺激を避ける生活をしてもらうことが重要である．
	(2)照射部周囲の皮膚・粘膜の保護についての指導 ①照射部の皮膚・粘膜保護についての説明 ・照射部を触ったり，こすらない ・照射部にテープや湿布などを貼付しない ・かみそりを使用しないよう説明する ・排泄後の拭き取りは抑え拭きにし，医療用不織布など，刺激の少ないものを使用する ・トイレの温水洗浄便座の水圧は弱くする ②爪を切り，皮膚を傷つけないよう説明する ③衣類の選択についての説明 ・下着は締めつけないものにする ・ジーンズなど陰部を締めつけるものを避け，股間にゆとりのあるものを選択する	●トイレットペーパーは繊維が残存し，刺激となり得る． ●拭き取りの刺激を避ける目的で，トイレに設置されている温水洗浄便座を使用する場合，洗浄の水圧で，炎症を起こした皮膚が剝離する可能性がある．熱い湯や乾燥機能も使用しないほうがよい．

	具体策	根拠と注意点
E-P	**(3)清潔保持に関する指導：清潔保持の必要性と清潔保持方法についての説明** ・清潔保持の必要性 ・お湯の温度は熱すぎないようにする ・長湯やサウナは禁止する ・刺激の強い入浴剤は使用しない ・シャワーか短時間の入浴にし，マーキングが消えないようにする ・症状発現部位には石けんを使わず流す程度にするか，よく泡立てこすらずに流す ・身体を拭くときは，優しく押さえて拭く	●放射線治療単独での発生は少ないとされているが，白血球・血小板が減少する骨髄抑制が起こる可能性もある．白血球が減少すると，粘膜炎症の危険性や細菌性感染の危険性が高まる． ●損傷した皮膚は，細菌などによって感染しやすいため，感染防止のため，清潔の保持が重要である． ●治療中はマーキングが消えないように注意することと，入浴行為が刺激にならないよう，注意することが必要である．患者が実施できるよう，理解度や個別性にあわせて具体的な方法を指導する．
	(4)症状発現時の対処に関する指導 ①症状に応じて消炎薬，ステロイドなどの処方を受けられることを説明する ②症状発現時は歩行を避け，照射部の安静を保つよう説明する	●乾燥皮膚炎には抗炎症作用の軟膏，瘙痒感が強い場合はステロイド入りの軟膏，皮膚剥離や湿性皮膚炎の場合は抗菌薬入りの軟膏を使用するなど，症状に応じた対処を行う． ●前立腺がんへの照射部位は，皮膚の可動性が高く，衣服でこすれやすいため，症状発現時は歩行を避けることが望ましい．

(2)外科的療法の場合

◆1　術操作や術後の吻合部の炎症，尿道括約筋機能低下による排尿障害

	具体策	根拠と注意点
O-P	**(1)尿・排尿状態，水分出納** ①尿の性状 ・血尿の有無と程度 ・凝結塊の混入の有無と程度 ・排尿回数と排尿量 ・排尿時間 ②水分摂取量	●術後，膀胱と尿道の吻合部の浮腫や狭窄，出血による血塊の形成によって，尿閉となる場合がある． ●術後数日は手術部位に炎症があるため，尿による粘膜の刺激によって排尿時に疼痛が出現する．また，手術操作や尿道カテーテル留置による尿道粘膜の損傷があった場合にも排尿時痛が生じる． ●血尿を認める場合には，血塊形成を予防するため，水分を十分摂取する必要がある．
	(2) 排尿障害の有無と程度 ①腹部などの状態 ・腹部膨満感 ・下腹部痛 ・腰背部痛や違和感 ②排尿の異常の有無と程度 ・排尿時痛 ・残尿感や頻尿 ・尿失禁の回数，程度の変化	●前立腺手術直後は，膀胱周囲の炎症によって膀胱容量が減少することや，尿道カテーテルの長期留置による尿道括約筋機能低下で腹圧性尿失禁をきたすことが多い． ●尿道狭窄，あるいは膀胱頸部，吻合部が炎症などで硬化すると，尿閉が起こる可能性が高く，この場合，溢流性尿失禁となることもある．
	(3)検査所見の有無と程度 ①血液データ ・貧血（Hb，赤血球数） ・感染徴候（白血球，CRP） ②尿検査 ・尿生化学 ・尿培養	●尿閉などの排尿障害があると，膀胱炎などの尿路感染症を起こしやすくなる．

	具体策	根拠と注意点
T-P	**(1)尿失禁への援助** ①尿漏れの程度に応じた尿取りパッドの選択と紹介をする ②尿道カテーテル抜去直後は，尿意がなくても定期的に排尿を促す(1～2時間ごと) ③必要に応じて，尿器やポータブルトイレを設置してベッドサイドでの排尿を促す ④必要に応じて，病床をトイレに近い位置に変更する ⑤排尿記録用紙を渡し，排尿時刻，排尿量，尿漏れの量を記載する ⑥排尿記録用紙から尿失禁の状況を評価する	●尿取りパッドは，パッドによる陰部の不要な蒸れを避けるために，尿漏れの状況に合わせて，必要な大きさを選択する． ●カテーテル抜去後，正常な排尿パターンに戻すために排尿を促す必要がある． ●患者の年齢や身体状況に応じて，頻尿がある場合は負担を軽減する工夫が必要である． ●尿失禁の程度や性質を評価するために患者の排尿のパターンを把握する． ●排尿障害に対して内服薬が処方された場合は，服用後の反応も観察する．
	(2)陰部の清潔へ援助 ①許可があれば毎日シャワー浴を実施し，それまでは陰部の洗浄を介助する ②尿漏れによる寝衣や寝具の汚染があれば速やかに交換する	●尿取りパッドは長時間汚染されたままであると臭いが生じたり，皮膚・粘膜が刺激され，発赤や瘙痒感を生じる．
	(3)排尿困難時の対応 ・排尿量低下，尿閉などの症状が生じた場合は医師に報告する	●術後の吻合部狭窄による一時的な尿閉に対しては，尿カテーテルを再度挿入して管理することがある．
E-P	**(1)尿失禁への対処方法の指導** ①尿路感染予防が必要性とその対処方法を説明する ・清潔保持の必要性 ・尿取りパッドの使用方法 ・水分を1日1,500～2,000mLを目標に摂取する ・夜間頻尿予防のため，夕方以降は水分摂取は控えめにする	●尿取りパッドなどによる蒸れや，尿の皮膚への付着により，陰部のスキントラブルを起こすリスクが高くなるため，清潔を心がける必要がある． ●尿失禁をしないように水分摂取を控える患者が多いが，水分摂取は尿の濃縮を防ぎ，尿路感染防止に必要である．
	②排尿の自己管理 ・排尿記録用紙の使用方法と，尿漏れの測定や記録の方法 ・時間を決めて排尿する ・尿意があれば我慢せずに排尿する ・就寝前には必ず排尿しておく	●尿失禁の程度や性質を，退院後も継続して評価できるよう，患者自身で排尿のパターンを把握できるようにする． ●排尿パターンは，排尿管理の計画に活用することができる．
	③骨盤底筋の訓練 ・適度な運動を積極的に行う ・骨盤底筋体操の方法について説明 ④人口尿道括約筋埋込術などの方法について情報提供する	●前立腺尖部周囲には外尿道括約筋があり，前立腺全摘除術を施行することで，この括約筋が脆弱化して尿失禁が生じる．外尿道括約筋は骨盤底筋群の一部として形成されており，骨盤底筋を鍛えることで，術後の尿失禁の改善が期待できる． ●動くと腹圧で尿失禁が起こりやすくなるために，患者は活動を控えることがあるが，歩行などで活動をすることが骨盤底筋への刺激となる． ●尿失禁の改善に，人口尿道括約筋埋込術が保険適用され，重症例については観血的な治療も行われる． ●術後尿失禁が改善されないと，患者は手術に対する不信感を抱いたり，回復への意欲が低下する恐れがある．通常は時間の経過とともに改善し，3～6か月程度で日常生活に支障がない程度になることを説明し，社会復帰後も日常生活が前向きに送れるよう援助することが重要である．

引用・参考文献

1) 日本泌尿器科学会編：前立腺癌診療ガイドライン2016年版．p.24～26，メディカルレビュー社，2016.
2) 日本泌尿器科学会・日本病理学会・日本医学放射線学会編：泌尿器・病理・放射線科 前立腺癌取扱い規約．第４版，p.40～41，金原出版，2010.
3) 日本泌尿器科学会編：前立腺癌診療ガイドライン2016年版．p.88～89，メディカルレビュー社，2016.
4) 日本泌尿器科学会編：前立腺癌診療ガイドライン2016年版．p.63，メディカルレビュー社，2016.
5) 田畑健一：前立腺がんの手術：ロボット支援手術および腹腔鏡下手術．泌尿器Care&Cure Uro-Lo，24(1)：43，メディカ出版，2019.
6) 中村清直ほか：前立腺がんの放射線療法．泌尿器Care&Cure Uro-Lo，24(1)：45～47，メディカ出版，2019
7) 国立がん研究センターがん情報サービス：がんの統計 '18．2019．https://ganjoho.jp/reg_stat/statistics/brochure/backnumber/2018_jp.html より2020年８月22日検索

54 子宮がん

1. 疾患の基礎的知識

1）疾患の概念

子宮がんとは，子宮に発症する悪性腫瘍であり，女性生殖器の悪性腫瘍のなかでも最も頻度が高い．がんが，子宮頸部の粘膜上皮に発症したものを子宮頸がん，子宮体部の内膜に発生したものを子宮体がんとよぶ．子宮体がんは，子宮内膜から発生することから，子宮内膜がんともよばれる．このほかに，子宮の筋肉層から発生する腫瘍があり，良性のものを子宮筋腫，悪性のものを子宮肉腫（がん肉腫や平滑筋肉腫）という．子宮肉腫は，子宮体がんと比べて発生頻度はまれである．

子宮頸がんのほとんどは扁平上皮がん（約75%）であるが，予後不良の腺がん（約23%）も増加傾向にある．それに対して子宮体がんは，腺がんが95%以上を占める．

発生頻度は，子宮頸がんが約45%，子宮体がんが約50%であり，子宮体がんのほうが多い．

欧米では以前から子宮体がんの増加が指摘されており，近年，わが国でも増加していることから，食生活の欧米化と関係があると考えられている．

2）原因

子宮頸がん

好発年齢は，20歳代後半～60歳（40歳代にピーク）である．子宮頸がんの90%以上からヒトパピローマウイルス（HPV：human papilloma virus）が検出されており，性交渉で感染することが知られているHPV感染が関連している．HPVには複数の型があるが，なかでも

表54-1　子宮頸がんの臨床進行期分類（日産婦2011，FIGO2008）

Ⅰ期	癌が子宮頸部に限局するもの（体部浸潤の有無は考慮しない）
ⅠA期	組織学的にのみ診断できる浸潤癌 肉眼的に明らかな病巣は，たとえ表層浸潤であってもⅠB期とする．浸潤は，計測による間質浸潤の深さが５mm以内で，縦軸方向の広がりが７mmをこえないものとする．浸潤の深さは，浸潤がみられる表層上皮の基底膜より計測して５mmをこえないものとする．脈管（静脈またはリンパ管）侵襲があっても進行期は変更しない．
ⅠA１期	間質浸潤の深さが３mm以内で，広がりが７mmをこえないもの
ⅠA２期	間質浸潤の深さが３mmをこえるが５mm以内で，広がりが７mmをこえないもの
ⅠB期	臨床的に明らかな病巣が子宮頸部に限局するもの，または臨床的に明らかではないがⅠA期をこえるもの
ⅠB１期	病巣が４cm以下のもの
ⅠB２期	病巣が４cmをこえるもの
Ⅱ期	癌が子宮頸部をこえて広がっているが，骨盤壁または腟壁下1/3には達していないもの
ⅡA期	腟壁浸潤が認められるが，子宮傍組織浸潤は認められないもの
ⅡA１期	病巣が４cm以下のもの
ⅡA２期	病巣が４cmをこえるもの
ⅡB期	子宮傍組織浸潤の認められるもの
Ⅲ期	癌浸潤が骨盤壁にまで達するもので，腫瘍塊と骨盤壁との間にcancer free spaceを残さない，または腟壁浸潤が下1/3に達するもの
ⅢA期	腟壁浸潤は下1/3に達するが，子宮傍組織浸潤は骨盤壁にまでは達していないもの
ⅢB期	子宮傍組織浸潤が骨盤壁にまで達しているもの，または明らかな水腎症や無機能腎を認めるもの
Ⅳ期	癌が小骨盤腔をこえて広がるか，膀胱，直腸粘膜を侵すもの
ⅣA期	膀胱，直腸粘膜への浸潤があるもの
ⅣB期	小骨盤腔をこえて広がるもの

日本産科婦人科学会・日本病理学会編：子宮頸癌取扱い規約 病理編．第４版，p.10，金原出版，2017．

HPV16，18，31，52，58がハイリスク型といわれている．また，多産婦に多く，喫煙も子宮頸がんの危険因子であることがわかっている．

子宮体がん

好発年齢は，40〜60歳（50歳代にピーク）である．子宮体がんは，エストロゲンの慢性的な刺激で発生するⅠ型と，エストロゲンとは関係ない原因で発生するⅡ型がある．

Ⅰ型は，プロゲステロンによって拮抗されないままエストロゲンの刺激が長期持続したことにより，子宮内膜異形増殖症を経由してがんに至るものをいう．危険因子として，出産経験がないこと，閉経が遅いこと，肥満，エストロゲン製剤の長期投与，エストロゲンを産生する腫瘍，卵巣機能異常などがあげられる．このほかに，乳がんの治療で使用されるタモキシフェンや，更年期障害の治療で使われるエストロゲンを充足する薬を使用することが，子宮体がんの発生に関係している．

Ⅱ型は，子宮内膜異形増殖症を介さないでがん化するもので，主な組織型は漿液性がんや明細胞がんなどである．危険因子には，糖尿病や，血縁者にがんの家族歴，遺伝性腫瘍であるリンチ症候群などがある．

3）病態と臨床症状

子宮頸がんの病態

子宮頸がんの進行度分類を**表54-1**に示す．

異形成と上皮内がん（CIS）を総括して子宮頸部上皮内腫瘍（CIN）とよび，これらを分類したものをCIN分類という．子宮頸部では，扁平上皮接合部にある予備細胞がエストロゲンの作用によって増殖・多層化し，扁平上皮化を経て，重層扁平上皮へと変化する．子宮頸がんの発生過程は，この予備細胞の増殖に，HPV感染などのさまざまな刺激因子が集積されることで異常細胞が発生し，前がん状態である異形成が生じると考えられている．

子宮体がんの病態

子宮内膜がんの進行度分類を**表54-2**に示す．

Ⅰ型の子宮体がんの発生過程は，子宮内膜の単純な異常増殖である子宮内膜増殖に始まり，内膜増殖が異型を伴う内膜異型増殖症を経て，浸潤性の子宮体がんへ進行する．

臨床症状

子宮頸がんは無症状のことが多い．とくに，上皮内がんの初期には無症状に経過することが多い．子宮体がんも，ごく初期では無症状の場合がある．子宮頸がん，子宮体がんともに進行するにつれて，不正性器出血，帯下などの主症状が出現してくる．遠隔転移が起こった場合には，全身衰弱やがん性悪液質に陥ることがある．

(1)不正性器出血

子宮頸がんは，初期は無症状のことが多く，がんが進行すると不正性器出血を認めるようになる．成熟期の女性では，月経とは無関係に出血が起こり，性交によって自覚される接触出血は，子宮頸がんの特徴である．がんの進行とともに出血の程度は増強し，止血困難な大出血をきたすこともある．

子宮体がんでも，不正性器出血が代表的な症状である．更年期女性では，しばしば月経と認識していることがあるので注意が必要である．最初に帯下が増量し，がんが進行してから血性となることもある．

(2)帯下

子宮頸がんでは，初期は普通の帯下とあまり変わらないが，がんの進行につれて徐々に増量し，血性褐色肉汁様となる．さらに進むと，がん組織の壊死，腐敗菌の感染から，悪臭を伴う膿血性帯下がみられるようになる．

表54-2　子宮内膜がんの進行期分類（日産婦2011，FIGO2008）

Ⅰ期：癌が子宮体部に限局するもの 　ⅠA期：癌が子宮筋層1/2未満のもの 　ⅠB期：癌が子宮筋層1/2以上のもの
Ⅱ期：癌が頸部間質に浸潤するが，子宮をこえていないもの※
Ⅲ期：癌が子宮外に広がるが，小骨盤腔をこえていないもの，または所属リンパ節へ広がるもの 　ⅢA期：子宮漿膜ならびに／あるいは付属器を侵すもの 　ⅢB期：腟ならびに／あるいは子宮傍組織へ広がるもの 　ⅢC期：骨盤リンパ節ならびに／あるいは傍大動脈リンパ節転移のあるもの 　　ⅢC１期：骨盤リンパ節転移陽性のもの 　　ⅢC２期：骨盤リンパ節への転移の有無にかかわらず，傍大動脈リンパ節転移陽性のもの
Ⅳ期：癌が小骨盤腔をこえているか，明らかに膀胱ならびに／あるいは腸粘膜を侵すもの，ならびに／あるいは遠隔転移のあるもの 　ⅣA期：膀胱ならびに／あるいは腸粘膜浸潤のあるもの 　ⅣB期：腹腔内ならびに／あるいは鼠径リンパ節転移を含む遠隔転移のあるもの

※頸管腺浸潤のみはⅡ期ではなくⅠ期とする．

注１　すべての類内膜癌は腺癌成分の形態によりGrade１，２，３に分類される．

注２　腹腔洗浄細胞診陽性の予後因子としての重要性については一貫した報告がないので，ⅢA期から細胞診は除外されたが，将来再び進行期決定に際し必要な推奨検査として含まれる可能性があり，すべての症例でその結果は登録の際に記録することとした．

注３　子宮内膜癌の進行期分類は癌肉腫にも適用される．癌肉腫，明細胞癌，漿液性癌（漿液性子宮内膜上皮内癌を含む）においては横行結腸下の大網の十分なサンプリングが推奨される．

日本産科婦人科学会・日本病理学会編：子宮体癌取扱い規約 病理編．第４版，p.9，金原出版，2017．

これは悪性帯下とよばれ，末期がんに多い．

子宮体がんでは，初期には著明ではない．血性または膿性帯下であり，進行するにしたがって感染による悪臭を伴うことがある．

(3)疼痛

子宮頸がんでは，がんが子宮傍結合組織までの浸潤である場合はそれほど著明ではないが，骨盤内に伸展して腰仙骨神経叢をおかすと，断続的な腰痛，坐骨神経痛，下肢痛を伴う．また，疼痛による不眠，食欲不振，全身衰弱がみられる．

子宮体がんでは，がん性変化のために子宮口内に狭窄をきたして，子宮内に分泌物が貯留し，子宮留膿腫を形成する．一定以上，貯留すると子宮収縮を起こし，内容物を排出するが，このときに陣痛様の疼痛を伴う．この疼痛と分泌物を排出する現象をシンプソン徴候という．

(4)排尿障害

腐敗した帯下の尿路への上行性感染，がんの膀胱壁浸潤による膀胱刺激症状（頻尿，残尿感，血尿など），がんの尿路またはその周囲組織への浸潤によって膀胱炎，腎盂腎炎を生じる．膀胱への浸潤が高度になると，膀胱腟瘻となる．また，尿管を圧迫して水腎症になると，末期には尿毒症に陥る．

(5)直腸障害

がんの直腸への浸潤により，便秘，下痢，血便などを生じる．浸潤が進むと腸閉塞，直腸腟瘻などが起こる．

(6)その他

周囲のリンパ節転移に伴う鼠径部の腫脹や疼痛による歩行障害が起こる．また，遠隔リンパ節転移では，上肢のしびれ感，頸部の浮腫などが起こる場合がある．

4）検査・診断

子宮頸がんの検査

(1)問診

子宮頸がんでは不正性器出血，とくに接触出血などを把握する．

(2)腟鏡診・内診

内診（双合診）では，子宮周囲の状況がより正確に把握できる．子宮頸がんでは，臨床進行期の診断，手術適否の診断および治療方針の決定に不可欠のものである．直腸診を併用して，頸がんの部位と大きさ，腟壁や子宮傍組織への浸潤の有無と程度を調べる．とくに，子宮頸部から浸潤したがんが，骨盤まで達しているかどうかの診断は重要である．

(3)経腟超音波

超音波検査は非侵襲的で簡単に実施できる．子宮や卵巣は骨盤内にあるため，経腟のほうが経腹よりも距離が近いので観察しやすい．若年者など，プローブを腟内に挿入できないときは，直腸に挿入して画像を得る．これでも腟と同様の質の画像が得られる．

(4)細胞診

子宮頸がんの早期診断に不可欠であり，集団検診に用いられる．細胞診は，内診の前に，腟内分泌物の採取，子宮腟部の綿棒での擦過，子宮頸部内のブラシなどでの擦過を施行する．

(5)コルポスコピー（子宮腟部拡大鏡診）

子宮頸部に3％酢酸液を塗布することにより，異常上皮が一時的に白色となるので，異常所見が確認しやすくなる．子宮頸がんの早期診断法として重要である．とくに細胞診陽性例に対する，組織診の切除部位を決めるのに役立つ．

(6)組織診（円錐切除を含む）

子宮頸がんでは，細胞診によってがん細胞を認めたり，がんが疑われたりした場合に，組織検査を行う．細胞診は異常所見がみられた部位から2，3か所を切除し，組織を採取する．頸管内に病変がある場合には，頸管内を掻爬して組織を採取する．

組織診は，試験切除や頸管内掻爬によって組織を採取するもので，診断率は高い．組織診でCIN3上皮内がんの場合は，ほかの部位への浸潤の有無を確認するために円錐切除を行い，鑑別診断を行う．

(7)腫瘍マーカー

治療判定や再発防止の診断に有用であり，扁平上皮がんではSCC，CEA，腺がんではCA19-9，CA125，CEAを測定する．

子宮体がんの検査

(1)問診

子宮体がんではほとんどに不正性器出血がある．したがって，不正性器出血の有無を聞き逃さないことが重要で，とくに50歳以上，閉経後，未妊婦の場合は，不規則な月経，点状出血，褐色帯下の有無などの聴取を詳細にする．

(2)腟鏡診・内診

子宮がんでは，子宮が硬く増大していることが多い．子宮の大きさ，硬さ，移動性，子宮結合組織への浸潤の有無や，子宮腔からの出血の有無を確認する．子宮表面が凹凸不平で非対称的な場合は，がん病巣が子宮筋層から漿膜に及んでいる．がんが頸部に進展すると，頸部は肥厚し，体部との境界が不明瞭となる．

(3)内膜細胞診

子宮体がんを疑った場合，スクリーニングや確定診断として内膜細胞診を行う．スクリーニングとしては，50歳以上，閉経後不正性器出血，危険因子がある場合に，擦過用具を挿入して行う．子宮体がんの検出率は80～

90%である．内膜細胞診の結果は，陰性・疑陽性・陽性で簡便に分類するのが一般的である．確定診断として行う場合は，ゾンデキュレットを用いて，盲目的に子宮内を少なくとも４方向掻爬する．

(4)経腟超音波

補助診断として経腟超音波や子宮鏡検査，MRIなどで，浸潤の広がりを確認する．細胞診で悪性を疑う所見が得られなかった場合でも，経腟超音波で内膜の肥厚がみられれば子宮体がんを疑い，細胞診の再検や組織診を行い，診断を確定する．

(5)ヒステロスコピー（子宮鏡検査）

経頸管的に子宮腔内に内視鏡を挿入して，子宮腔や頸管内の状態を観察する．病巣の表面の形態や色調，突出の程度，腺開口，血管の分布と走行，膿瘍形成，出血などを直接みることができるので，病変の広がりを確認できる．

(6)腫瘍マーカー

子宮体がんでもCA125やCA19-9，CEAなどの陽性例がみられるので，腫瘍マーカーを測定する．

子宮頸がん・子宮体がんの転移検査

子宮頸がんの場合，リンパ・血行性転移を起こしやすく，肺，肝臓，腎臓，骨などへの転移の頻度が高い．遠隔転移の予後が異なるので，その検索は重要である．

(1)骨盤内連続浸潤

臨床進行期を決定するには，視診・内診および直腸診による腟や子宮傍結合織へのがん浸潤の有無の判定が基本となっている．腟はときに非連続に島状に浸潤している場合がある．

外診では，腹水，腹部腫瘤，肝臓や腎臓の腫大の有無，左鎖骨上窩リンパ節や頸部リンパ節腫大の有無，下肢の浮腫の有無などを観察する．

触診では双合診を行うが，子宮傍組織の結合の有無，硬結の骨盤壁への連続性などを触診する．直腸診では，このほかの狭窄や粘膜の可動性なども観察し，がんの浸潤が疑われれば大腸内視鏡による観察と直腸粘膜生検が必要となる．

膀胱浸潤の診断は，膀胱鏡による観察と，浸潤が疑われる部位の生検による組織学的確認によってなされる．尿路系では，水腎症の有無の判定が進行期の分類にとっては必須である．

(2)リンパ節転移

触診によって，鼠径部，頸部，腋窩部などの表在リンパ節の腫脹の有無を確認する．転移が疑われたら，穿刺細胞診や生検でがん細胞を確認する．また，CTやMRIなどの画像診断で，骨盤内および傍大動脈リンパ節の腫大を確認する．

(3)遠隔転移

治療前に肺転移，肝転移などの遠隔転移の有無を確認することは，進行分類や治療計画の決定，患者の予後推定のために重要である．CTやMRI，PETなどが有用で

表54-3　進行度に応じた治療法

臨床進行期分類	Ⅰ期			
	ⅠA1	ⅠA2	ⅠB1	ⅠB2
治療	●円錐切除 ●単純子宮全摘術 ●準広汎子宮全摘術＋骨盤リンパ節郭清術	●（準）広汎子宮全摘術＋骨盤リンパ節郭清術 ●広汎子宮頸部摘出術 ●放射線療法	●広汎子宮全摘術 ●放射線療法 ●広汎子宮頸部摘出術（2cm以下）	●広汎子宮全摘術 ●同時化学放射線療法（CCRT）※
臨床進行期分類	Ⅱ期			
	ⅡA1	ⅡA2	ⅡB1	
治療	●広汎子宮全摘術 ●放射線療法	●広汎子宮全摘術 ●同時化学放射線療法（CCRT）		
臨床進行期分類	Ⅲ期		Ⅳ期	
	ⅢA	ⅢB	ⅣA	ⅣB
治療	●同時化学放射線療法（CCRT）		●同時化学放射線療法（CCRT）	●化学療法 ●（緩和的）放射線療法 ●best supportive care（BSC）

※同時化学放射線療法（CCRT：concurrent chemoradiotherapy）

・放射線治療と同時にシスプラチンを中心とする抗がん薬を投与する同時化学放射線療法（CCRT）は，腫瘍径の大きい症例や局所進行症例に対して，主としてシスプラチンを含む抗がん薬を同時に投与する方法が標準となっている．

・円錐切除術（挙児を希望するCIN3，AIS，ⅠA1期）
検査目的で行う場合と，検査・治療目的で行う場合がある．子宮を摘出しない手術なので，とくに若年者で将来妊娠出産を希望する場合に行われる．ただし，AISでは，連続しない病変（skip lesion）を考慮し，原則として子宮摘出が推奨される．

・広汎子宮頸部摘出術（挙児を希望するⅠA2，ⅠB期）
通常，広汎子宮全摘術の適応であるが，挙児希望が強い場合に行われる．術後は順調でも，妊娠に際して生殖補助医療が必要となる場合が多く，分娩も帝王切開になる．

ある．

(4)腫瘍マーカー

治療効果の判定や再発の診断に利用可能なので，治療前に測定しておく．

5）治療

手術療法，放射線療法，化学療法，ホルモン療法などがある．臨床進行期，年齢，合併症の有無，患者の希望などを考慮して，これらの治療が単独または組み合わせ，個別的に決定される（**表54-3**）．

(1)手術療法

子宮頸がん，子宮体がんともに，進行期に応じた術式を選択する．

①子宮頸がん

子宮頸がんは，手術療法と放射線治療が同じ程度に有効である．手術療法は比較的早期がんに選択される．放射線療法は早期から進行がんまで，ほぼすべての進行期に選択が可能であり，また，高齢や手術のリスクが高い症例であっても治療が可能である．

手術療法は一般的に，上皮内がんからⅡ期までの非進行がんで，手術侵襲に十分耐えられることと，重篤な併存疾患がなく，妊孕性温存が必要であるなどの場合に選択される．手術侵襲は術式で大きく異なり，とくに広汎子宮全摘術では手術の侵襲以外に，骨盤内神経の一部が切除されるために，排尿障害として術後の尿意喪失などが起こる．

②子宮体がん

子宮体がんの治療においても，ほかのがん腫と同様に，手術療法，放射線療法，薬物療法を，患者の全身状態や合併症，腫瘍の進行度に基づき選択するが，手術による摘出，進行度判定は最も重要であり，摘出物の病理所見にあわせて術後療法を選択する．

がんが子宮体部にとどまっている場合は，腹式単純子宮全摘術と子宮付属摘出術を基本に，骨盤リンパ節郭清と傍大動脈リンパ節郭清が選択的に追加される（**表54-4，5，6，7**）．子宮頸がんに比べると，

表54-4　子宮全摘術の術式

		単純子宮全摘術	準広汎子宮全摘術	広汎子宮全摘術
摘出範囲		子宮のみで付属器（卵巣・卵管）は切除しない	子宮+子宮傍組織+腟上部 子宮頸部の靱帯を広く摘出し，腟壁も十分に切除する	子宮体部+子宮傍組織 +腟上(〜中)部
主な適応	子宮頸がん	子宮頸部上皮内がん，ⅠA1期	ⅠA1期，ⅠA2期	ⅠA2期，ⅠB期，Ⅱ期
	子宮体がん	体部に限局	体部に限局から頸部間質浸潤	頸部間質浸潤以上の広がり
リンパ節郭清	子宮頸がん		症例に応じて行う	骨盤リンパ節
	子宮体がん	症例に応じて行う		骨盤〜傍リンパ節
特徴			広汎子宮全摘術で生じる排尿障害などの合併症が軽減できる	膀胱や直腸に分布する神経が損傷されるため，排尿・排便障害をきたしやすい

表54-5　子宮全摘術の合併症

合併症		特徴
尿路系合併症	膀胱機能麻痺	●最も頻度が高い ●尿意鈍麻，排尿困難を呈する
	尿路感染症	●導尿カテーテルや膀胱機能麻痺による残尿などにより生じる
	尿管瘻	●栄養血管の切断による栄養障害や炎症，尿管壁の損傷により生じる
	膀胱瘻	●膀胱剥離を行った場合に生じることがある
	尿管狭窄	●尿管の剥離に伴って生じることがある
直腸機能障害		●便秘を認めることが多い
骨盤死腔炎		●骨盤内の死腔に進出液が貯留し，感染が起こり発症する
リンパ路障害		●リンパ節郭清に伴い，リンパ液の滲出によるリンパ膿腫，リンパ路のうっ滞によるリンパ浮腫が生じる
性交障害		●腟の容積減少，支配神経の切断，精神的・心理的要因などによる性欲減退などが相互に複雑に絡み合って生じる

比較的早期から傍大動脈リンパ節転移例が認められる．頸部への浸潤を認める進行例では，子宮頸がんと同様に広汎子宮全摘術が行われる．

(2)放射線療法

①子宮頸がん

扁平上皮がんは放射線感受性が高いため，手術療法と大差のない治療効果が期待できる（**表54-8**）．そのため，放射線を身体の外側から当てる外部照射と，子宮腔内と腟内に線源を置いて腫瘍を直接照射する腔内照射がある．子宮頸がんの放射線治療は，外照射と腟内照射の組み合わせで行うのが原則である．近年では，腔内照射においてCTを用いた三次元画像誘導小線源治療（3D-IGBT）が行われるようになってきた．外部照射では，高エネルギーX線治療装置リニアック（直線加速器）を用いる．また，近年では強度変調放射線治療（IMRT）の適応が進みつつある．

②子宮体がん

以前は術後療法として行われたが，術後化学療法が放射線療法に劣らない成績を示したことから，現在は行う施設が少なくなってきた．しかし，合併症や全身状態などで，手術のリスクが高いと考えられる症例には，主治療として行われる．子宮頸がんの治療に準じ，全骨盤への照射と子宮腔内に照射を行う腔内照射をあわせて行う．

③放射線療法の合併症

直腸や膀胱など，子宮に隣接する臓器も放射線の感受性が高いため，副障害が起こりやすい（**表54-9**）．照射直後から症状が出現する早期（一次的）合併症として，白血球減少，宿酔（二日酔い）症状，下痢，膀胱障害などがある．

一方，放射線治療後時間をおいてから，数か月以上

表54-6　浮腫の種類と特徴（日本リンパ浮腫学会）

	リンパ浮腫	静脈性血栓性浮腫	低タンパク性浮腫
患肢	必ず左右差あり	片側性（血栓の位置による）	両側性
発症	緩徐，蜂窩織炎を契機に急な発症もある	急	中間
皮膚色	基本的に変化はない	青紫（うっ血）	白
皮膚硬度	初期は柔らかいが徐々に硬くなる	中間	軟らかく，てかてか
疼痛	違和感のみ	＋＋～±	ない
静脈怒張	ない	ある	ない
剛毛・多毛	ある	ない	ない
蜂窩織炎	多い	少ない	少ない
合併症	リンパ漏・疣贅など	潰瘍など	リンパ漏

表54-7　リンパ浮腫の病期分類（国際リンパ学会）

0期	リンパ液輸送が障害されているが，浮腫が明らかでない潜在性または無症候性の状態．
Ⅰ期	比較的タンパク質成分が多いが組織間液が貯留しているが，まだ初期であり，四肢をあげることにより治まる．圧痕がみられないこともある．
Ⅱ期	四肢の挙上だけではほとんど組織の腫脹が改善しなくなり，圧痕がはっきりする．
Ⅱ期後期	組織の線維化がみられ，圧痕がみられなくなる．
Ⅲ期	圧痕がみられないリンパ液うっ滞性象皮病のほか，アカントーシス（表皮肥厚），脂肪沈着などの皮膚変化がみられるようになる．

表54-8　子宮頸がんの標準治療

	手術	放射線治療
上皮内癌・ⅠA1期	単純子宮全摘術（リンパ節郭清無）	腔内照射
ⅠA2期	縮小（準）広汎子宮全摘術（リンパ節郭清有）	外照射＋腔内照射（＋/－同時放射線化学療法）
ⅠB期・ⅡA期	広汎子宮全摘術	外照射＋腔内照射（＋同時放射線化学療法）
ⅡB期	広汎子宮全摘術	外照射＋腔内照射（＋同時放射線化学療法）
ⅢA期・ⅢB期		外照射＋腔内照射（＋同時放射線化学療法）
ⅣA期		外照射＋腔内照射（＋同時放射線化学療法）

武谷雄二ほか監：プリンシプル産科婦人科学１ 婦人科編．第３版，p.509，メジカルビュー社，2014.

の経過後に症状が出現する晩期（二次的）合併症として，膀胱や直腸障害（出血），下肢（リンパ浮腫），皮膚組織の萎縮などがある．放射線宿酔は，外部照射の早期合併症が多い．

(3)化学療法

①子宮頸がん

抗がん薬は，放射線治療の補助や再発に対する緩和目的で用いられる．抗がん薬のみでは根治目的の治療は困難であり，遠隔転移や再発の症例で，手術や放射線療法の適応とならないものに抗がん薬が使われる．プラチナ製剤が中心であり，パクリタキセルなど２剤併用で用いられている．

②子宮体がん

高齢者や合併症などで手術不能な場合や，放射線や手術で再発の高リスク・中リスクと判断された例には，術後の追加治療として抗がん薬投与が行われる．化学療法においては，ドキソルビシン，プラチナ製剤，タキサン製剤が有効とされているが，主に用いられるレジメンはアドリアマイシン＋シスプラチン（AP療法）やパクリタキセル＋カルボプラチン（TC療法）である．標準治療はAP療法であるが，タキサン系製剤とプラチナ製剤の併用も有用とされる．

(4)ホルモン療法

子宮体がんのエストロゲン依存性を標的にして，プロゲステロンレセプターを介して抗エストロゲン作用が期待できる黄体ホルモン製剤が用いられる．

近年，徐々に広まっている若年性の初期子宮体がんにおいて，高分化型の類内膜腺がんで病変が内膜に限局する場合に，高容量の黄体ホルモンを用いた子宮温存療法が行われる．

(5)ワクチン接種

子宮頸がんに深く関連するHPVのなかでも16型，18型に対する２価ワクチンがある．HPV感染後では効果がないうえ，ほかの型のHPV感染には対応できないため，接種後も検診は必要である．

HPVの副反応として，注射部位では瘙痒感，疼痛，発赤，腫脹，硬結などがあり，全身に対しては，発熱，頭痛，筋肉痛，関節痛，失神などがある．

6）予後

子宮がんの予後は，臨床進行分類や治療法などが関係する．

子宮頸がんは，検診を受けている場合，早期発見が容易で早期治療が可能であり，その場合は治療成績は良好である．しかし，子宮頸がんの罹患率は，早期発見例を含めて若年層で増加傾向で，若年層の進行例での死亡率も増加傾向であるため，検診が大切である．

子宮体がんは，がんの病巣の発育，転移が緩慢なので，予後は子宮頸がんに比べて良好である．しかし，Ⅳ期の進行がんでは予後不良である．

表54-9　放射線療法の合併症

	合併症	症状
早期合併症	放射線宿酔	●悪心・嘔吐・全身倦怠感
	消化器症状	●下痢
	皮膚障害	●外部照射の照射部位に一致した赤斑や色素沈着 ●重度潰瘍
	骨盤機能障害	●貧血，白血球減少，血小板減少（高齢者に多い）
晩期合併症	放射線直腸炎	●軽度：下血，下痢，腹痛，便秘 ●重度：内腔狭窄，潰瘍形成➡直腸腟瘻
	小腸障害	●軽度：線維性癒着➡腹痛，下痢 ●重度：腸閉塞，穿孔性腹膜炎
	放射線膀胱炎	●軽度：血尿，頻尿，出血性膀胱炎 ●重度：瘻孔形成（膀胱腟瘻，膀胱穿孔）

2. 看護過程の展開

• アセスメント〜ゴードンの機能的健康パターンを用いて

パターン	アセスメントの視点	根拠	収集する情報
(1) 健康知覚-健康管理 患者背景 健康知覚-健康管理 価値-信念	●発症の原因となる要因はないか ●疾病・治療についての理解と認識，自己管理能力はどの程度か	●子宮頸がんの好発年齢は30〜40歳である．子宮体がんは50歳代が最も多い． ●子宮体がんの危険因子として，エストロゲン薬の使用，乳がんの既往がある． ●高血圧や糖尿病の合併も危険因子となる．また，糖尿病，高血圧，肥満などは，術後の合併症の誘因となる． ●子宮体がんの場合は高齢者に好発し，基礎疾患を抱えていることが多い．自己管理が困難であることもある．	●年齢 ●現病歴 ・発症の時期，発見のきっかけ ・病状の経過 ・がん発生部位と進行度 ●危険因子の有無 ・既往歴 ●エストロゲン薬の使用の有無，高血圧，糖尿病，乳がん ・定期受診の有無 ・既往歴などの経過（コントロール状況：内服薬の内服状況など）
(2) 栄養-代謝 全身状態 栄養-代謝 排泄	●手術や術後の回復に影響するデータはあるか	●不正性器出血やがん細胞の増加によって貧血状態になることがあり，身体的苦痛，術後合併症のリスクとなる ●子宮体がんの危険因子に，過度の肥満がある．リスクファクターである肥満や糖尿病は，年々増加傾向にある． ●術後，骨盤内死腔（後腹膜腔）に挿入されたドレーンから，排液が十分に行われないと，感染を起こしやすい． ●排尿障害が出現するため，術後，一定期間は膀胱カテーテルを留置する．また，膣断端部からの出血が持続し，外陰部が汚染しやすく，感染を起こしやすい．尿路感染は排尿障害を助長するという悪循環になる．	●栄養状態 ・不正性器出血の有無 ・貧血の有無 ・帯下の状況 ・発熱の有無 ・創の状態 ・排液の性状・量 ・検査データ（TP，Alb，Hb，HbA1c）
(3) 排泄 全身状態 栄養-代謝 排泄	●手術による排泄状態への影響はどの程度か	●膀胱や尿管などの周辺臓器への浸潤により排尿障害を生じることがある． ●膀胱支配神経の切断による排尿筋の収縮不良や，膀胱や尿管の剥離によって尿意を欠き，排尿障害が出現する． ●手術で直腸支配神経を切断するうえ，麻酔の影響で腸蠕動が低下し，腸管麻痺が起こりやすい．創痛で体動が少なく，離床が遅れると腸蠕動は弱く，腸閉塞などをまねくことがある．	●排泄状態 ・排尿回数，性状，排尿障害の有無 ・排便回数，性状，排便障害の有無 ・検査データ（CT，MRI，内診，超音波など）
(4) 活動-運動 活動・休息 活動-運動 睡眠-休息	●術後の活動状況に影響を及ぼすことはないか	●子宮体がんの危険因子に，高血圧や糖尿病がある． ●子宮体がんは肥満などを抱えていることが多く深部静脈血栓症を生じるリスクとなる．	●日常での活動状況 ●深部静脈血栓症リスク状態 ●ADLの程度と変化 ・入院前も活動状況 ・術後の活動状況

パターン	アセスメントの視点	根拠	収集する情報
(4) 活動-運動 活動・休息 活動-運動 睡眠-休息	●術後の呼吸状態に及ぼす影響はないか	●術後は，疼痛や各種ドレーン挿入によって日常生活が制限され，拘束感がある．なかでも骨盤内死腔ドレーンによる行動制限に対するストレスは大きい． ●骨盤のリンパ節郭清を行った場合は，外陰部から下肢にかけてリンパ浮腫やリンパ嚢胞を生じ，血栓性静脈炎になることがある． ●長時間にわたる全身麻酔下での手術や，創痛によって気道内分泌物を排出できないことにより，無気肺や沈下性肺炎を起こしやすい．とくに子宮体がんの場合，高齢の患者が少なくなく，長時間の手術では，術後，無気肺や静脈血栓塞栓症，腸閉塞などの合併症が起こりやすい．	●呼吸状態 ・麻酔時間 ●循環動態 ・出血量 ・血圧変動 ・水分出納(IN/OUT) ・骨盤内死腔ドレーンの状態 ●術後のリンパ浮腫の有無と程度
(5) 睡眠-休息 活動・休息 活動-運動 睡眠-休息	●睡眠はとれているか	●術前は，疾患に対する不安だけでなく，手術に対する不安などが重なり，不眠となることがある．術後は創部痛などにより不眠になることがある．	●睡眠状態 ・睡眠時間，睡眠の質
(6) 認知-知覚 知覚・認知 認知-知覚 自己知覚-自己概念 コーピング-ストレス耐性	●術後の安楽ははかられているか ●術後の合併症はあるか	●術後の疼痛，悪心，嘔吐，痰喀出困難，腰背部痛や各種チューブやドレーンにより，安楽が障害されやすい．これらは，離床への意欲を低下させるばかりか，不眠や不安を増強し，術後合併症を助長する誘因にもなる． ●痛みと創離開に対する不安から，腹圧をかけられず，便意を我慢するようにもなる．鎮痛薬の使用は，多くの苦痛緩和に結びつく．	●疾患・治療についての知識 ・病理診断の結果 ・成り行きの理解 ●心理状態 ・受容の状況 ・不安の有無 ●コミュニケーション能力 ●苦痛の有無 ・疼痛 ・倦怠感 ・悪心・嘔吐 ●妊娠・分娩歴 ●挙児希望の有無
(7) 自己知覚-自己概念 知覚・認知 認知-知覚 自己知覚-自己概念 コーピング-ストレス耐性	●不安や喪失感などないか ●疾患・治療についての知識をもっているか ●自己概念を揺るがす問題はないか ●喪失感や自己尊重の低下や自尊感情の低下がないか	●術前の不安は，術後の回復まで及ぼす． ●手術の必要性，がんの告知，女性生殖器喪失など，さまざまな葛藤，不安が生じる．また，年齢の若い人や未婚の人では，子宮を失うことは妊娠の可能性がなくなることであり，結婚や子どもへの希望を失う．職業をもつ女性の場合は，生きがいの喪失まで及ぶこともある．	●疾患・治療についての知識 ・病理診断の結果 ・成り行きの理解

パターン	アセスメントの視点	根拠	収集する情報
(8) 役割-関係 周囲の認識・支援体制 役割-関係 セクシュアリティ-生殖	●家族の認識と理解はどうか ●家族関係は良好に保たれており，支援体制があるか ●社会生活への影響はどの程度か	●治療が長期に及ぶため，家族のサポートが必要である．また，女性生殖器を喪失した現実を認めて，退院後の生活をより快適に過ごしていくためには，家族や周囲のあたたかい支援・協力が支えとなる． ●性生活に対する不安は，パートナーも同様である．	●家族構成 ●家庭での役割 ●周囲の人の認識と支援体制 ●キーパーソンの有無，キーパーソンの認識 ●社会的役割 ・仕事の種類，内容，継続状況 ・社会生活の状況
(9) セクシュアリティ-生殖 周囲の認識・支援体制 役割-関係 セクシュアリティ-生殖	●生殖機能に問題はないか	●子宮頸がん：出産が多い経産婦に多いこと，性交開始年齢が若年であるほど，性交渉の相手が多いほど，発生リスクが高い． ●子宮体がん：危険因子として不妊・未産，月経異常，閉経遅延，エストロゲン薬の使用がある． ●子宮がんの発症．治療は妊孕性の喪失につながる．性行為への影響もある．	●妊娠・分娩歴 ●性交渉開始年齢 ●月経異常の有無 ●閉経遅延の有無 ●エストロゲン薬の使用
(10) コーピング-ストレス耐性 知覚・認知 認知-知覚 自己知覚-自己概念 コーピング-ストレス耐性	●ストレス耐性に問題はないか ●コーピングが行えているか ●サポート体制に問題はないか	●卵巣欠落症状は，他人に伝わりにくく，精神的なストレスになる．とくに未婚者の場合，結婚や出産への期待，希望が失われることから，人生設計を変更することがある．	●ストレス有無 ●夜間の睡眠状態 ●食事摂取量 ●家族との関係
(11) 価値-信念 患者背景 健康知覚-健康管理 価値-信念	●価値信念を揺るがす問題はないか	●未婚者の場合，子宮摘出は結婚や出産への期待，希望が失われる．	●生活信条 ●価値観

3. 全体像の把握から看護問題を抽出

1）病態関連図

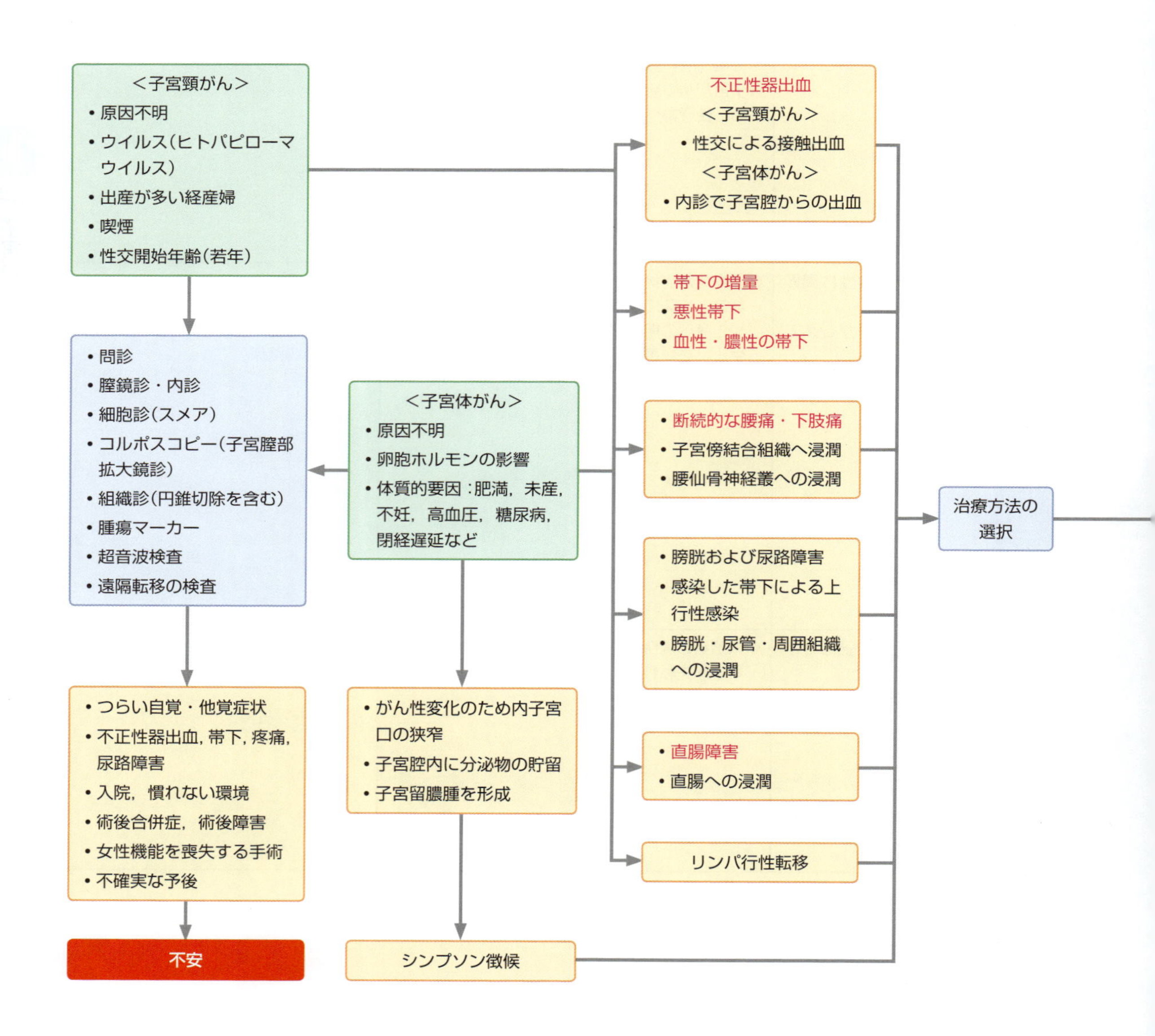

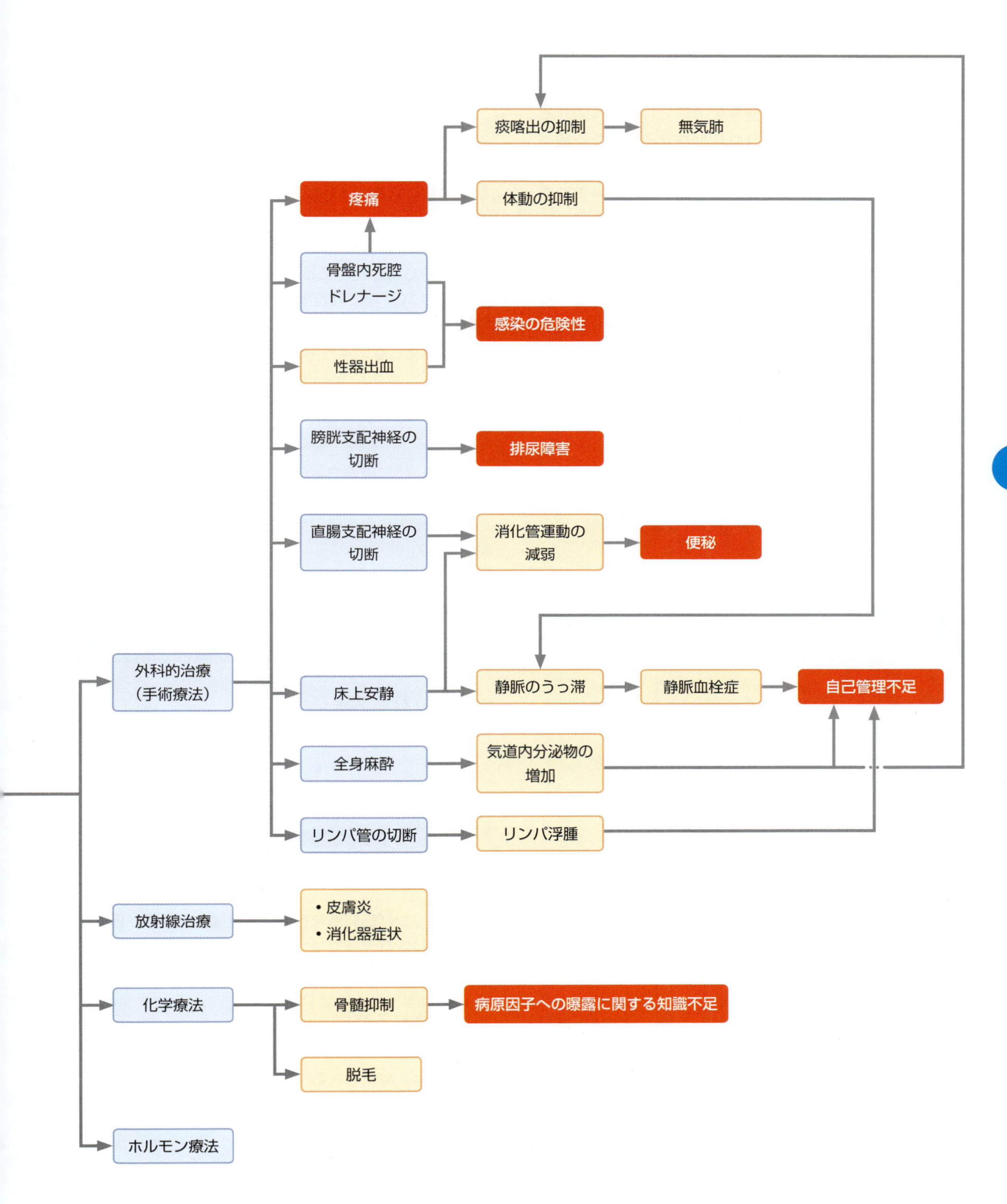

痰喀出の抑制
無気肺
疼痛
体動の抑制
骨盤内死腔
ドレナージ
感染の危険性
性器出血
膀胱支配神経の
切断
排尿障害
直腸支配神経の
切断
消化管運動の
減弱
便秘
外科的治療
（手術療法）
床上安静
静脈のうっ滞
静脈血栓症
自己管理不足
全身麻酔
気道内分泌物の
増加
リンパ管の切断
リンパ浮腫
放射線治療
• 皮膚炎
• 消化器症状
化学療法
骨髄抑制
病原因子への曝露に関する知識不足
脱毛
ホルモン療法

2）看護の方向性

婦人科疾患の診察や検査は羞恥心を強く起こさせる体位で行うため，露出部分を最小限にし，精神的な不安感や緊張を和らげるような援助をする．また，細胞診や組織診は身体の一部を採取するため，痛みや出血を伴うことがある．そのため，患者へ説明や検査時の声がけを十分行い，不安軽減に努める．

子宮がんの場合，がんであることだけでなく，性や妊娠，出産，家族，夫婦関係など，さまざまな思いから，不安や悲観，喪失感などが生じてくる．患者の疾患や術式の理解はもちろんのことだが，パートナーや家族と十分な話し合いが行われたうえで選択できるよう支援していく．また，子宮や卵巣の摘出をした場合は，女性性喪失への精神的支援に努める．

術後は，骨盤腔内の手術による血栓予防に努めるとともに，手術操作や麻酔の影響による腸閉塞に注意していく．リンパ節郭清や広汎子宮摘出を行う術式では，膀胱周囲の神経を損傷することで，排尿障害や骨盤内のリンパ液の流れが妨げられ，大腿部や陰部に一時的に浮腫を生じることがある．さらに，約20%の人が慢性的なリンパ浮腫に移行する場合がある．そのため，排尿障害やリンパ浮腫に対する支援を行うとともに，それらが悪化しないよう指導を行っていく．

3）患者・家族の目標

術前は，患者が治療に対して家族と話し合ったうえで治療を選択できる．また，術後の合併症，術後障害を理解し，積極的に訓練を行い，心身ともに最良の状態で手術に臨むことができる．

術後は，排尿障害や腸閉塞，リンパ浮腫などの術後合併症，術後障害を理解し，その改善に取り組める．また，女性生殖器の喪失や自己尊重の低下などの思いについて表出できる．

4. しばしば取り上げられる看護問題

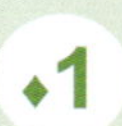

◆1 感覚運動神経障害に関連した排尿障害

なぜ？

膀胱支配神経の切断による排尿筋の収縮不良や，膀胱や尿管の剥離によって尿意を欠き，排尿障害が出現する．

➡期待される結果

自然排尿が確立するための方法を理解し，自ら実施できる．

◆2 消化管運動の減弱に関連した便秘

なぜ？

手術で直腸支配神経を切断するうえ，麻酔の影響で腸蠕動が低下し，腸管麻痺が起こりやすい．創痛で体動が少なく，離床が遅れると腸蠕動は弱く，便秘をまねくことがある．

➡期待される結果

自然排便が定期的にあり，便秘にならない．

◆3 リンパ節の郭清により，リンパ浮腫を生じる危険がある

なぜ？

骨盤のリンパ節郭清を行った場合は，外陰部から下肢にかけてリンパ浮腫やリンパ嚢胞を生じ，血栓性静脈炎になることがある．

➡期待される結果

静脈血栓症予防の対策を行うことができ，静脈血栓症の徴候がなく離床できる．

5. 看護計画の立案

• O-P：Observation Plan（観察計画）　• T-P：Treatment Plan（治療計画）
• E-P：Education Plan（教育・指導計画）

◆1 感覚運動神経障害に関連した排尿障害

	具体策	根拠と注意点
O-P	**(1)排尿状態** ①排尿の有無 ②尿量，比重 ③性状 ④回数 ⑤排尿感覚	●膀胱支配神経の切断による排尿筋の収縮不良と，膀胱や尿管の剝離によって尿意を欠き，膀胱が充満していてもわからない状態が起こる．
	(2)排尿障害の有無と程度 ①出血 ②尿閉 ③尿意 ④下腹部の疼痛，重い感じ，腹部膨満感 ⑤排尿時痛の有無 ⑥残尿感の有無	●疼痛によって交感神経が優位となり，末梢血管を収縮して血圧が上昇する．血圧の上昇は，創断端部の出血の誘因となる．
	(3)排尿障害の誘因 ①術式 ②手術操作	●術式は排尿障害に大きく影響するので，術式の把握ともに，術中の経過を把握し，術後の排尿障害をアセスメントする．
	(4)排尿障害の二次的障害 ①不安 ②不眠 ③食欲不振 ④感染（膀胱炎）	●排尿障害は長期にわたることもあり，苦痛を伴い，回復するかの不安が増強する．不安は，不眠や食欲不振などを引き起こし，術後の回復にも影響を及ぼす． ●排尿機能が低下することで，膀胱炎などの感染を起こすことがある．
T-P	**(1)排尿障害を早期発見するための援助** ・バイタルサイン測定時に排尿状態の観察を行う	●術後，骨盤内神経の一部切断により，排尿障害が生じる．膀胱内に尿を長時間貯留しておくことで生じる膀胱括約筋の弛緩を予防するために，時間ごとに導尿を含めた排尿を促す必要がある．
	(2)膀胱カテーテル抜去後の排尿管理 ①時間を決めて自然排尿を試み，その後，残尿測定器で残尿測定を行い，必要に応じて導尿を行う	●残尿は，膀胱内圧（容量）の上昇を防ぐ，また，自然排尿と残尿量を比較測定することで，膀胱麻痺の程度，膀胱機能の回復程度が判断できる．
	②残尿測定 ・残尿量50mL/日以下になるまで行う	●一般に，残尿量50mL/日以下が３日間続くと，膀胱機能が回復したとみなす．残尿測定はストレスとなるばかりでなく，夜間の導尿は不眠も伴うため，処置に対して消極的になる．精神的な支援も行っていく．
	③排尿訓練の評価	●広汎性子宮全摘術後は，尿意を欠き，自然排尿の確立が難しい．手術範囲が拡大すればするほど障害の程度も大きいといえる．患者が根気よく取り組めるよう適切な評価を行い，指導を進めていく．
	④食事摂取への援助 ・栄養士の相談による嗜好調査の実施 ・上記を踏まえたうえでの献立への配慮 ・もち込み食の許可	●創部の治癒促進のために，栄養補給は重要である．食事が開始されたら，十分に摂取できるように援助する．
	⑤精神面への援助 ・根気と努力を要するので，受容的態度で接する ・医療者は統一したアプローチを行う ・気分転換を促す	●排尿が思うようにならないことで，精神的動揺が強くなり，不安に陥る．温かい励ましは患者を安心させる． ●指導の食い違いは患者を戸惑わせ，不安を増強させる．医療者間で態度を一貫し，患者の理解に応じた計画を立てる．

	具体策	根拠と注意点
E-P	**(1)排尿障害について** **(2)排尿訓練指導** ①水分摂取の必要性と3～4時間ごとの排尿について説明する ・水分は1,500mL/日を摂取する ・残尿測定時間以外にもトイレに座って排尿を試みる ②排尿時，膀胱部を圧迫し，腹圧をかける．ただし，術後しばらくは創痛のために腹圧がかかりにくいので，手で下腹部を軽く圧迫する方法（用手圧迫法）や，前かがみになる方法を促す ③温水洗浄便座などを利用し，尿道を刺激する ④骨盤底筋群体操の指導 ⑤適度な運動の指導 **(3)自己導尿指導** ・退院までに導尿が終了できなかった場合は，医師の指示のもとで自己導尿の手技を指導する	●尿路感染を予防するため，尿量は1,500～2,000ml/日を目安にする． ●導尿時，補助運動として患者に行ってもらい，感覚をつかんでもらう． ●尿道周辺の筋肉支持組織を強化し，尿道の閉鎖力の低下や，尿道周辺の支持組織の損傷，退行萎縮によって生じた尿失禁を予防する． ●運動することによって肛門括約筋を刺激すると同時に，気分転換にもなる．

2 消化管運動の減弱に関連した便秘

	具体策	根拠と注意点
O-P	**(1)排便の状態** ①排便の有無 ②量 ③性状 ④回数 ⑤排ガスの有無 **(2)便秘の有無と程度** ①腹部膨満感の有無 ②食欲不振の有無 ③悪心の有無 ④腹痛の有無 **(3)排便障害の誘因** ①術式 ②手術操作 ③麻酔時間 ④創痛 ⑤食事摂取状況 ・食事摂取量 ・摂取内容 ・水分摂取量 ⑥離床状況（運動状況） ⑦指導に対する理解力と理解	●手術後は，手術操作や麻酔の影響による腸管の癒着，麻痺によって，腸の動きが悪くなりやすく，腸閉塞を起こしやすい． ●術式，それに伴う麻酔時間は，排便障害に大きく影響するので，術式の把握ともに，術中の経過を把握し，術後の排便障害をアセスメントする． ●創痛で体動が少なく，離床が遅れると腸蠕動は弱く，腸閉塞などをまねくことがある．また，痛みのために怒責が加えられないことが多い． ●便秘には，水分と食事摂取量とその内容が影響する．便は食物の残渣から生成されるため，食事量が少ないと便の生成が少なく，便意を感じにくい．また，便の多くが水分であることから，水分の不足は便秘になる． ●横隔膜，腹壁，骨盤底筋群や腸の筋肉が虚弱になったり，緊張が低下したりすると便秘になる．また，運動不足は新陳代謝や腸の蠕動運動が不活発になり，便秘を誘発する．

	具体策	根拠と注意点
O-P	**(4)便秘の二次的障害** ①腹部膨満感の有無 ②食欲不振の有無 ③悪心の有無 ④いらいら・不快感 ⑤腹痛の有無 ⑥不眠 ⑦腸閉塞	
T-P	**(1)便秘を早期発見するための援助** ①腹部の状態の確認 ②排便状態の確認 ③創痛の有無・程度の確認 ④離床状況やADLの状況の観察 ⑤水分や食事摂取状況の観察 **(2)早期離床** **(3)疼痛のコントロール**	●創痛で体動が少なく，離床が遅れると腸蠕動は弱く，腸閉塞などをまねくことがある．
E-P	**(1)便秘が及ぼす影響について** **(2)便秘予防のための指導** ①水分摂取の必要性について説明する ②適切な食事について説明する ・規則正しい食事時間 ・適切な食品と量の摂取 ・早朝・空腹時に冷水や牛乳を飲むと腸蠕動が促進する ③排便習慣確立への指導 ・毎日一定の時間に排便を試みる ・便意を感じたらトイレへ行く ④適度な運動の指導 ⑤腹部の「の」の字マッサージ ⑥温水洗浄便座を使用し，肛門に刺激を与える **(3)創部離開に対する不安への指導** ・怒責を加えても傷は開かないことを説明する **(4)排便のコントロール**	●規則的な排便習慣を身につけることが必要となるため． ●胃・結腸反射を利用する． ●物理的な刺激は直腸反射を促す． ●退院後も排便のコントロールをはかるよう説明していく必要がある．

◆3 リンパ節の郭清により，リンパ浮腫を生じる危険がある

	具体策	根拠と注意点
O-P	**(1)リンパ管系の機能低下による症状** ①倦怠感の有無 ②浮腫の有無 ・浮腫の左右差 ・シュテンマー徴候：下肢の皮膚を寄せることによって表皮の硬さや浮腫の範囲を確認する ・圧痕性テスト：患部の皮膚を約10秒間指腹で圧迫することによって，圧迫痕が残るかどうかを確認する ③皮膚症状出現の有無 ・皮膚温 ・色調の変化 ・静脈のみえ方 ・線維化の有無 ・皮膚硬化の有無 ・脂肪組織の増加 ④足趾の形状 ⑤感染や炎症症状の有無 ・真菌感染の有無 ・蜂窩織炎の有無	●リンパ系の機能が低下すると，組織間隙から十分に水分を解消できなくなる． ●生理機能が低下するために，分子構造の大きいタンパク質や炎症物質，疲労物質などが組織間隙から十分に排泄されず，疲れやすさ，皮膚の乾燥，皮膚線維化といった皮膚症状などが出現する．
	(2)リンパ浮腫の種類と病期 **(3)リンパ浮腫の誘因** ①術式 ②手術操作 **(4)リンパ浮腫の二次的障害** ①不安 ②感染（蜂窩織炎など）	●浮腫が，リンパ浮腫であるのか，それとも静脈血栓性浮腫，または低タンパク浮腫であるのか鑑別が重要であり，とくに静脈血栓性浮腫は見落とさないようにしなければならない．
T-P	**(1)リンパ浮腫を早期発見するための援助** ①バイタルサイン測定時に下肢の観察を行う ②自覚症状の確認 ・倦怠感 ・下肢の重たい感じ ・下肢の動かしにくさ ・腫れぼったい感じ ・しわが目立たない ・足の静脈のみえ方に左右差がある ・皮膚が張ってくる ・皮膚がつまみにくくなる ・皮膚が硬くなる	●リンパ浮腫の診断治療には自覚症状が重要になる．また，リンパ浮腫は早期発見，早期治療が重要である．
	(2)リンパ浮腫出現後の管理 ①圧迫療法 ・弾性ストッキング：むくみが軽減した良好な状態を維持したいときに使用 ・弾性包帯：組織と組織の隙間にたまった過剰なリンパ液を排出したいときに使用 ②スキンケア ・清潔保持や保湿 ③リンパ浮腫の評価 ④精神面への援助 ・根気と努力を要するので，受容的態度で接する ・医療者は統一したアプローチを行う	●圧迫療法は，圧力を持続的にかけることにより，治療後にむくみが軽減した良好な状態を維持すること，組織の隙間にリンパ液がたまらないようにすること，さらにリンパ液の流れをよくすることを目的としている．心臓，腎臓の病気がある場合や深部静脈血栓症の旧跡は圧迫療法が適さない．また，発赤，かぶれなどの皮膚の異常があるとき，血圧が高いとき，痛みやしびれを感じるとき，手先や足先が冷たくなるときなど．

	具体策	根拠と注意点
E-P	**(1)リンパ浮腫について** **(2)リンパ浮腫予防と対策指導** ①日々の皮膚の観察 ②スキンケア ・清潔保持：指と指の間，爪の間もきちんと洗う．靴下や靴による蒸れに気をつける ・皮膚の保湿：保湿に対するケアは入浴やシャワー後に行うと効果的である．角質を軽石ややすりなどでこすり落とすことはしない．皮膚が乾燥している場合は，香料や添加物が少なく，アルコール成分が入っていない保湿クリームやローションを選ぶ．皮膚が硬くなっている場合は尿素系の軟膏やローションを選ぶ ・水虫の予防と対応：指がむくんでいる状態では，足趾間が密着するので水虫になりやすい．靴下は木綿や毛などの通気性のよい素材を選ぶ．マットはこまめに洗い，日光に当ててよく乾かし，清潔な状態で使う ・けがの予防と対応：けがをしてしまったら，流水と石けんで汚れや異物が残らないよう丁寧に洗浄する．爪を切るときは深爪をしたり甘皮を削ったりして，皮膚を傷つけないようにする ・虫刺されなどの対応：流水で洗い流し，腫れている場合は氷嚢などで冷やす．かゆみがあるときは，かゆみ止めを塗る ・除毛について：リンパ浮腫が生じている部位では多毛になることがある．その場合，毛の処理は，小さな傷を負いやすい剃刀は使用しないで，電気シェーバーなど，皮膚に負担の少ないものを使用する ③服装選び ・ショーツ類は，ウエストはゴムより幅広のレース，足のつけ根は幅広のレースか股下が腿まであるものを選ぶ ・靴下は足首のあたりを締めつけ過ぎないものを選ぶ ・靴は足のサイズにあったものを選ぶ ・一般の弾性ストッキングの使用をしないこと ④栄養 ・栄養バランスのよい食事を心がける ・標準体重を保ち，太りすぎないよう注意する ⑤適度な運動 ・肩回し ・腹式呼吸の継続 ・足の関節運動 ⑥仕事・家事 ・長時間の立ち仕事をする場合は，途中で足を休める時間をつくる，軽いリズミカルな運動(つま先立ちなどの運動)を行う ・デスクワークをするときは，ときどき足を挙上する ・重いものは，小分けにしてもつ	●リンパ浮腫は，術後数年経過した後でも出現することがある． ●リンパ浮腫がある皮膚は，傷つきやすい状態にある．また，皮膚が乾燥しているとひび割れなどを起こし，そこから細菌が侵入して炎症を起こしやすくなる．そこで，日頃から皮膚の清潔と保湿を維持し，けがなどをしない，虫に刺されない，日焼けをしないようにすることなどの指導も重要である． ●足の関節を動かすことで，リンパの流れをよくすることができる．足を動かすことで，その動きにあわせて筋肉は収縮と弛緩を繰り返す．その筋肉の収縮と弛緩の動きはリンパ管にも作用して，リンパ管のリンパ液が一定方向に押し出され，結果としてリンパ液の流れがよくなる．

	具体策	根拠と注意点
E-P	⑦受診の目安 ・熱感・赤みなどの炎症症状がみられるとき ・急にむくみが出現・悪化し，痛みを伴うとき ・むくみが出現・悪化し，改善しないとき ⑧その他 ・過労や睡眠不足は避け，体調を崩さないように体調管理に気をつける ・入浴，温泉やプールは，基本的に傷や炎症があるときには控える ・炎症がないときでも長湯や熱いお風呂の入浴は控えることが望ましい ・リンパ浮腫の治療として，鍼，灸やあん摩などの一般的なマッサージは控える	

引用・参考文献

1）日本婦人科腫瘍学会編：子宮頸癌治療ガイドライン2017年版．第３版，金原出版，2017.
2）日本婦人科腫瘍学会編：子宮体がん治療ガイドライン2018年版．第４版，金原出版，2018.
3）横田淳子ほか：子宮(体部・頸部)がん．プロフェッショナルがんナーシング，5(3)：255～259，2015.
4）医療情報科学研究所編：病気がみえる vol.9婦人科・乳腺外科．第４版，メディックメディア，2018.

Memo

第９章　女性生殖器・婦人科疾患患者の看護過程

55 子宮筋腫

1. 疾患の基礎的知識

1）疾患の概念

子宮筋腫とは，子宮に発生する平滑筋の良性腫瘍で，女性生殖器に発生する腫瘍のなかで最も頻度が高い．発生部位によって，子宮体部筋腫と子宮頸部筋腫に分けられるが，体部に発生するものが大部分である．筋腫は多発しやすく，大きさはさまざまで，成人の頭大に達するものもある．年齢的には40歳代に最も多く，次いで30歳代，50歳代である．

2）原因

思春期や更年期以降にはまれで，性成熟期に好発することから，エストロゲンが関与するエストロゲン依存性疾患であることが指摘されている．研究が進み，エストロゲンだけでなくプロゲステロンも関与していることがわかってきているが，いまだにその原因は解明されていない．

3）病態と臨床症状

病態

子宮筋腫は，子宮の未熟な間葉細胞または平滑筋芽細胞が，過度に発育したものである．筋腫の発生部位は大部分（約95％）が子宮体部であるが，子宮頸部（約５％）にも発生する．子宮筋腫の発育方向によって，粘膜下筋腫，筋層内筋腫，漿膜下筋腫に分けられる（**図55-1**）．

このうち粘膜下筋腫が約５～10％で，子宮内膜に接した筋層から発生するため，子宮腔内に突出する．子宮腔が変形し，症状が強くなる．子宮の粘膜は希薄化し，血行障害による壊死・感染のため，不正出血を起こすことも多い．筋層内筋腫が70％と最も多く，筋腫が多発しやすい（子宮筋腫の60～70％は多発性である）．漿膜下筋腫は約10～20％で，子宮の漿膜下面から隆起して発育したものであり，無症状のことが多いが，捻転を起こすと急性腹症をきたす．

子宮筋腫の合併症として子宮内膜症（約20％）と子宮腺筋症がある．

臨床症状

月経過多，月経困難症，不妊が３主徴である．大きな筋腫であっても無症状に経過することがあり，大きさよりも発生部位との関係が深い．漿膜下筋腫では症状がほとんどなく，粘膜下筋腫では筋腫がそれほど大きくなくても症状が強い．

(1)過多月経，不正性器出血

筋腫の大小に関係なく，粘膜下筋腫に多くみられる．筋層内筋腫にもみられるが，漿膜下筋腫には少ない．過多月経は，筋腫が充血したり，筋腫の発育につれて子宮粘膜が引き延ばされて薄くなったりして，出血しやすい状態になることや，筋層の発育に伴う子宮収縮不全や子

図55-1　子宮筋腫の種類

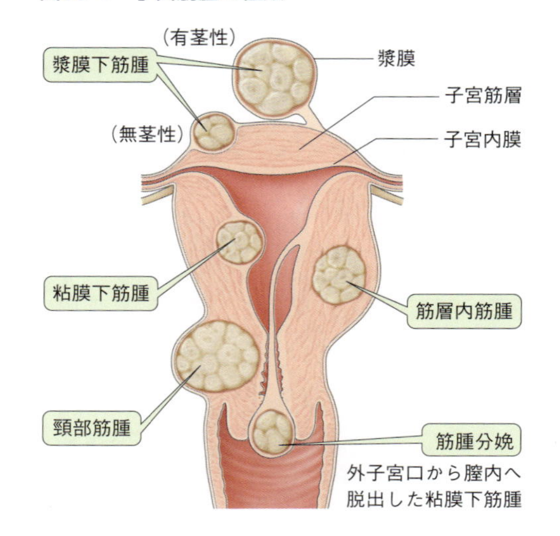

宮内腔の増大などによって生じる．

(2)貧血

過多月経が持続すると，高度の貧血に陥ることが多い．これは失血による続発性貧血であり，小球性（平均赤血球容積が基準値より低い），低血色素性（赤血球と赤血球１個あたりのHbの減少），鉄欠乏性という特徴をもっている．顔面蒼白，心悸亢進，疲労感，全身倦怠感，脱力感などを訴え，浮腫状外観（筋腫顔貌）を呈する．ときには心肥大，心雑音などを認め，心不全の状態まで進行することがある．このような状態を筋腫心臓という．

(3)月経困難症

筋層内筋腫では，子宮の変形によって子宮の収縮が妨げられたり，筋腫を子宮から排除しようと子宮収縮が増強したりすることで，30～50%の例で月経時の下腹部痛や腰痛などが出現する．粘膜下筋腫や筋腫分娩（粘膜下筋腫が有茎性となり，茎が子宮頸管から腟腔，陰裂まで脱出している状態）である場合は，子宮腔内腫瘤が異物刺激となり，子宮はこれを排除しようと収縮し，月経痛として現れる．

(4)圧迫症状

筋腫の発生部位，発育方向によって，周囲の骨盤内の臓器は圧迫され，さまざまな圧迫症状が生じる．直腸が圧迫されると便秘，鼓腸，排便時痛がみられ，尿管が圧迫されると水腎症や尿閉，膀胱の圧迫では頻尿や排尿障害，腰仙骨神経を圧迫すると腰痛が出現する．まれに，下大静脈，腸骨静脈の圧迫により，下肢の浮腫をきたすことがある．

(5)不妊

不妊症との合併は，不妊の30～40%に達し，妊娠しても流産や早産となることが多いといわれている．筋腫に不妊が合併した場合，不妊の原因が必ずしも筋腫とは限らないが，筋腫に合併しやすい炎症や内膜の非薄化による血行障害のため，受精卵の着床が起こりづらいのではないかと推測されている．

4）検査・診断

内診による診察のほか，筋腫の大きさ，数，臓器との位置関係，子宮腺筋症，卵巣腫瘍，子宮体がんや子宮肉腫などとの鑑別，腎機能の状態など，補助診断とあわせて総合的に判断する．

(1)内診，問診

双合診（腟内に挿入した内診指と腹壁の外診手）で，容易に診断できるので，診察などで偶然にみつかることも多い．子宮筋腫の存在部位によっても，症状が異なる非典型的な所見をきたす場合があるため，年齢，月経歴，妊娠歴，治療歴などの問診も必要である．

(2)超音波検査

筋腫の大きさや位置関係をみる．可能であれば経腹法と経腟法の両方で実施することが望ましい．子宮全体の大きさがあまり大きくない場合，または腟円蓋部近くにある粘膜下筋腫や筋層内筋腫などには経腟法を用いる．一方，腹壁に近く大きい筋層内筋腫や，漿膜か筋腫などでは，経腹法を用いている．一般的な所見としては，子宮と連続した比較的境界明瞭で充実性の腫瘤で，種々の続発性変化によって，低～高エコーまでさまざまな所見を呈する．

(3)CT検査

子宮と連続した充実性の腫瘤として写る．造影剤投与により，辺縁明瞭な腫瘤全体が均一に造影されるが，正常の筋層との差はあまり認められない．子宮腔内の様子もよくわかるので，粘膜下筋腫の診断も可能である．筋腫に変性がなければ，卵巣嚢腫やほかの骨盤内腫瘤との鑑別に有用である．

(4)MRI検査

MRIは子宮筋腫の診断を行ううえで有用であり，筋腫の大きさ，位置，個数などや，筋腫とその周囲の臓器の位置関係を確認するための，正確な３次元的情報を与えてくれる．また，子宮肉腫や腺筋症との鑑別にも役立つ．筋腫内の血流が乏しいため，一般的にはT1強調画像ではやや低信号，T2強調画像では明らかな低信号を示す．しかし，変性によっては低～高信号まで，さまざまな所見を呈する場合が少なくない．

(5)ソノヒステログラフィー（SHG）

子宮腔内に生理食塩水を注入し，経腟超音波で観察する方法である．通常の経腟超音波検査では，子宮口が閉じているため，粘膜下筋腫などの子宮内の筋腫は確認しにくい．しかし，この方法では生理食塩水によって子宮が膨らむため，内腔にある粘膜下筋腫の存在部分が明確に確認できる．

(6)子宮鏡検査

直視下で子宮腔内を観察できるので，子宮腔内病変に有用であり，粘膜下筋腫と子宮ポリープの鑑別診断が可能である．

5）治療

子宮筋腫の患者のすべてが治療の対象になるとは限らず，発生部位，大きさ，数，臨床症状などから治療法を決定する．比較的小さく無症状のものや，閉経が近く，症状の軽いものは経過観察とする．また，患者側の要因

（年齢，未婚か既婚か，挙児希望の有無，出産回数，妊娠中の有無，全身状態や合併症の有無）なども十分考慮し，個々の患者に適した方法を選択する．

一般に，治療は，筋腫の大きさと存在部位，過多月経による高度な貧血，圧迫症状，疼痛，挙児希望，全身状態などを総合して判断される．経過観察の場合，3～6か月ごとに子宮のサイズの変化や症状のチェックを行う．

(1)外科的治療（手術療法）

手拳大以上の筋腫は外科的治療の対象と考えられるが，患者側の要因を十分に検討した後，手術とするかを決定する．筋腫の大きさが手拳大以下でも，**表55-1**のようなときは手術適応となる．

①子宮筋腫核出術

下に書いてある筋腫のみを摘出し，子宮を温存する手術である．再発する可能性があり，主に若い年齢層や多数の筋腫結節を核出した例に多い．筋腫の状況に応じて，従来からある開腹手術，または腹腔鏡下の術式が選択される．腹腔鏡下子宮筋腫核出術の適応は，挙児希望または子宮温存を希望し，有症状の筋腫で，筋腫の個数においては明確な制限はないが，大きさは直径10cm程度までである．ただし，筋腫の個数の明確な制限がないものの，個数が多い場合，手術時間の延長や出血量増加をきたしやすい．術後の癒着による妊孕性（にんようせい）の低下を防ぐために，癒着防止剤を使用する．子宮筋層からの出血を抑えるため，GnRHアゴニスト事前投与や，術中のバソプレシン子宮筋層注入などが行われる．

②単純子宮全摘出術

妊孕性を温存する必要がない場合には，子宮全摘術を行う．子宮頸部を含めて子宮全体を摘出する手術で，腹式，腟式，腹腔鏡下がある．腟式手術には手術侵襲が少なく，術後の回復が早く，腹部に創痕をつくらないというメリットがあるが，そもそも巨大なものや癒着があるものや腹腔内の所見を確認する必要がある症例が手術適応となることが多いため，多くは腹式を選ぶ．腹腔鏡下で子宮周囲の癒着を剝離したり，子宮諸靱帯を処理した後に腟式処置をすることや，すべての操作を腹腔鏡で行うこともある．

(2)偽閉経療法（GnRHアゴニスト，GnRHアンタゴニスト）

子宮筋腫はエストロゲン依存性腫瘍であるため，エストロゲンの分泌を抑制すると縮小する．通常は，術前の筋腫の縮小をはかる場合や，閉経直前の逃げ切り療法として行う．性腺刺激ホルモン放出ホルモン（GnRH）アゴニスト（注射薬剤，月1回投与）を投与すると，下垂体からの黄体形成ホルモン（LH）や卵巣刺激ホルモン（FSH）の分泌はネガティブフィードバックが働いて抑えられ，卵巣でのエストロゲン産生が抑制されて，筋腫の発育が停止し，縮小する．また，2019年より，GnRHアンタゴニスト（内服）も登場し，こちらは直接LH，FSHの働きを抑える．どちらも副作用として，低エストロゲン状態による更年期障害症状を引き起こし，投与を続けると骨量の低下をきたすため，保険適用は6か月以内となっている．

(3)MRガイド下集束超音波療法（FUS：focused ultrasound surgery）

超音波を集束させ，この集束した超音波の振動エネルギーを利用して，集積させた部位の組織を熱凝縮する治療法である．筋腫は壊死し，数か月かけて組織内に吸収されていく．MR装置器内で臥床位となり，画像所見で治療部位を確認しながら行う．治療時間は，患者の子宮筋腫の状態にもよるが，1回に3～6時間かかる．ただし，日帰りが可能であり，合併症も少なく，安全性が高い．この治療による改善率は80％である．治療の適応は，筋腫の大きさが12cm以下，数は3つ以内，挙児希望がないこととされている．GnRHアゴニスト投与を3か月行ってから治療すると効果が高い．

(4)血管塞栓術-子宮動脈塞栓術（UAE：uterine arterial embolization）

子宮を栄養している動脈を閉塞して筋腫を縮小させ，症状の改善をはかるものである．具体的には，足の大腿動脈にカテーテルを入れ，そのカテーテルを，筋腫に栄養を与えている子宮動脈まで進め，そこに詰め物（塞栓）をする．その結果，血流を遮断された筋腫は，栄養がいかなくなって虚血性壊死あるいは変性（細胞の活性が不可逆的に失われた）状態となり，縮小する．この治療の適応は，筋腫による症状の出現があること，閉経前であること，妊娠希望がないことである．UAEのメリットは，開腹術をしないため，低侵襲であり，入院期間が短いことや再発が少ない，子宮全摘を避けられるなどがある．しかし，挙児希望のある患者には行うことができない，術後に強い疼痛が生じる，病理検査ができない，合併症（感染症）を起こす（1～5％）などのデメリットがある．

(5)対症療法

①貧血の改善：貧血があれば造血薬などによって改善をはかる．

②疼痛の緩和：鎮痛薬の使用．

表55-1　子宮筋腫の手術適応

①発育が急速であるとき
②悪性が疑われるとき
③過多月経や月経困難症が高度のとき
④筋腫が不妊の原因と考えられ得るとき
⑤有茎性粘膜下筋腫
⑥茎捻転の危険がある漿膜下筋腫
⑦分娩障害が予測されるとき
⑧腫瘤が卵巣腫瘍か筋腫か鑑別し得ないとき

6）予後

子宮筋腫の予後は，経過も含めて良好である．しかし，閉経後に筋腫が急に増大する場合は，続発性平滑筋肉腫を合併していることがあるため，注意する．悪性化することはまれ(0.5%以下)である．

2. 看護過程の展開

● アセスメント～ゴードンの機能的健康パターンを用いて

パターン	アセスメントの視点	根拠	収集する情報
(1) 健康知覚-健康管理 患者背景 健康知覚-健康管理 価値-信念	●疾患・治療について理解・認識しているか	●子宮筋腫の好発年齢は成熟期であり，閉経とともに減少する．成人女性の30歳代で20～30%，40歳代では40%に異常がみられる． ●筋腫の発生部位，大きさ，数，臨床症状患者側の要因により治療方法が決定される．	●年齢 ●現病歴 ●既往歴
(2) 栄養-代謝 全身状態 栄養-代謝 排泄	●手術や術後の回復に影響するデータはあるか ●子宮筋腫による症状はあるか	●月経過多，不正性器出血などにより，慢性的な貧血状態となっていることがある．貧血状態は，細胞への酸素供給量が低下し，めまいや疲労，術後の回復遅延が生じやすい．術後の合併症を起こしやすい貧血状態の場合には，その治療を行い，ある程度の改善がみられたのちに手術を行う． ●まれではあるが，大静脈，腸骨静脈の圧迫により，下肢浮腫を呈することがある．	●栄養状態 ・不正性器出血 ・貧血の有無，程度 ・月経困難症の有無 ・検査データ（TP，Alb，Hbなど）
(3) 排泄 全身状態 栄養-代謝 排泄	●圧迫による排泄障害が出現していないか ●術後の排泄障害はないか	●子宮は膀胱と隣接しているため，子宮筋腫が膀胱や直腸を圧迫し，頻尿や便秘になることがある． ●子宮は後腹膜のなかにあり，解剖学的に膀胱の裏側に位置しているため，膀胱と剝離する操作が必要になる．癒着などがあると，膀胱や尿管を損傷したりすることがまれにみられる． ●手術や麻酔の影響などから腸蠕動が低下し，腸管麻痺となることがある．また，痛みと創離開に対する不安から，腹圧がかけられず，排便を我慢するようになると便秘を生じることがある．	●排泄状態 ・圧迫症状（排尿障害，便秘，鼓腸，排便時痛）の有無 ●麻酔時間，麻酔の影響の有無 ●術後の経過 ・回復状態 ・合併症の有無
(4) 活動-運動 活動・休息 活動-運動 睡眠-休息	●術後のADLは低下していないか ●術後の循環動態に影響を及ぼすことはないか	●女性の場合，筋肉が少なく，下肢静脈がうっ滞しやすい．脂質異常などがあると，脂肪の蓄積による血管壁の脆弱化や血流の阻害，静脈うっ滞などによって深部静脈血栓を形成する可能性がある．血栓が形成されると，離床時に肺塞栓症などのリスクがあり，生命の危機に直結する． ●子宮筋腫患者の年齢は，比較的若いため，理解力もよい．できるだけ早期に離床することで回復意欲が高まり，体力的にも自信がもてるようになる．	●深部静脈血栓症リスク状態 ●ADLの状況 ●呼吸状態 ・喫煙の有無と術後に及ぼす影響 ●循環動態 ・出血量 ・血圧の変動

パターン	アセスメントの視点	根拠	収集する情報
(5) 睡眠-休息 活動・休息 活動-運動 睡眠-休息	●不安による不眠などが出現していないか	●不眠は術後の回復にも影響を及ぼす.	●睡眠状況 ・睡眠時間 ・熟睡感の有無
(6) 認知-知覚 知覚・認知 認知-知覚 自己知覚-自己概念 コーピング-ストレス耐性	●術後の安楽に影響する疼痛はどの程度か	●疼痛は安楽を阻害し, 交感神経優位となるため, 血圧の上昇, 不眠, 食欲不振などの原因となる. また, 痰が出せない, 離床が思うように進まないなどの弊害が起こる.	●疾患・治療についての知識 ●心理状態 ・受容の状況 ・不安の有無 ●コミュニケーション能力 ●苦痛の有無 ・疼痛 ・倦怠感 ・悪心・嘔吐 ●妊娠・分娩歴 ●挙児希望の有無
(7) 自己知覚-自己概念 知覚・認知 認知-知覚 自己知覚-自己概念 コーピング-ストレス耐性	●不安や喪失感などないか ●疾患・治療についての知識をもっているか ●自己概念を揺るがす問題はないか ●喪失感や自己尊重の低下や自尊感情の低下がないか	●手術への不安に加え, 女性生殖器喪失という心理的な苦悩が加わり, 極めて不安定な状態となる. ●女性生殖器を喪失したことは, とくに退院後の性生活や家族との人間関係に関する問題などに及び, 社会復帰への不安を募らせやすい.	●疾患・治療についての知識
(8) 役割-関係 周囲の認識・支援体制 役割-関係 セクシュアリティ-生殖	●家族の理解と認識はどうか, 支援体制はどうか ●社会復帰に対する意欲はどうか	●生殖機能の喪失は, 女性でなくなったという思いを抱いたり, とくに退院後の生活や家族との夫婦関係にも影響を与えることがある.	●家族構成 ●家庭での役割 ●周囲の人の認識と支援体制 ●キーパーソンの有無とキーパーソンの認識 ●社会的役割 ・仕事の種類, 内容, 継続状況 ・社会生活の状況

パターン	アセスメントの視点	根拠	収集する情報
(9) セクシュアリティ-生殖 周囲の認識・支援体制 役割-関係 セクシュアリティ-生殖	●生殖機能はどうか ●性行為の満足感への影響はどうか	●治療法により生殖機能を喪失することがある. ●治療が性行為へ影響を及ぼすこともある.	●妊娠・分娩歴 ●月経異常の有無
(10) コーピング-ストレス耐性 知覚・認知 認知-知覚 自己知覚-自己概念 コーピング-ストレス耐性	●ストレス耐性に問題はないか ●コーピングが行えているか ●サポート体制に問題はないか	●治療法の選択はストレスフルなできごとであり，周囲のサポートが必要である.	●入院・治療をストレスと感じているか ●どのような対処を用いているか，それは有効か
(11) 価値-信念 患者背景 健康知覚-健康管理 価値-信念	●価値信念を揺るがす問題はないか ●治療の選択に影響を及ぼす価値・信念はないか	●未婚者の場合，子宮摘出は結婚や出産への期待，希望が失われる	●生活信条 ●価値観

3. 全体像の把握から看護問題を抽出

1）病態関連図

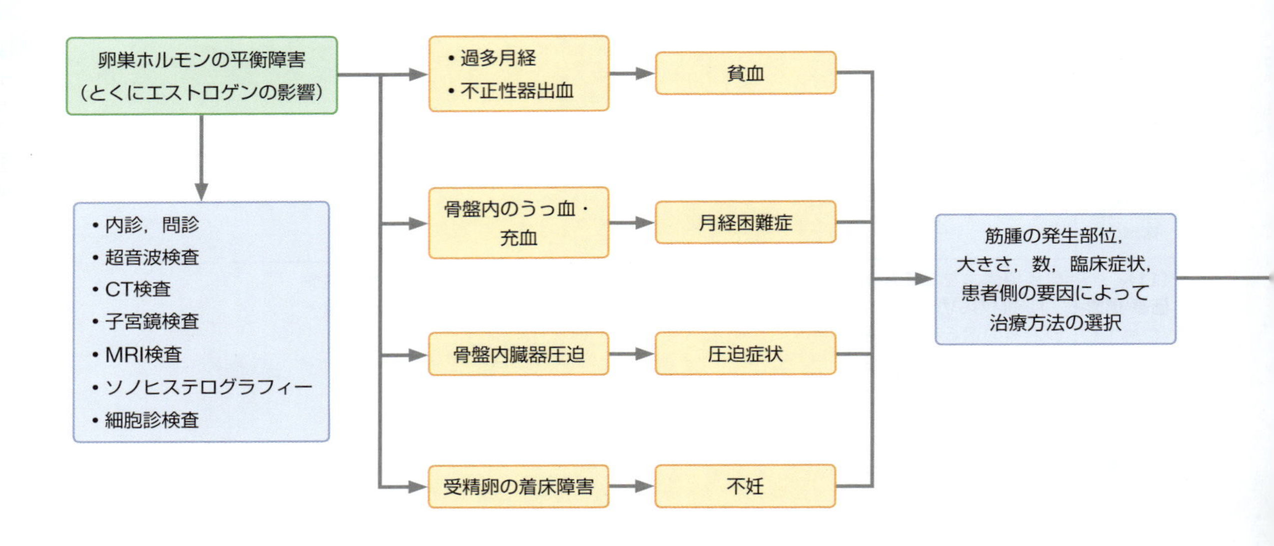

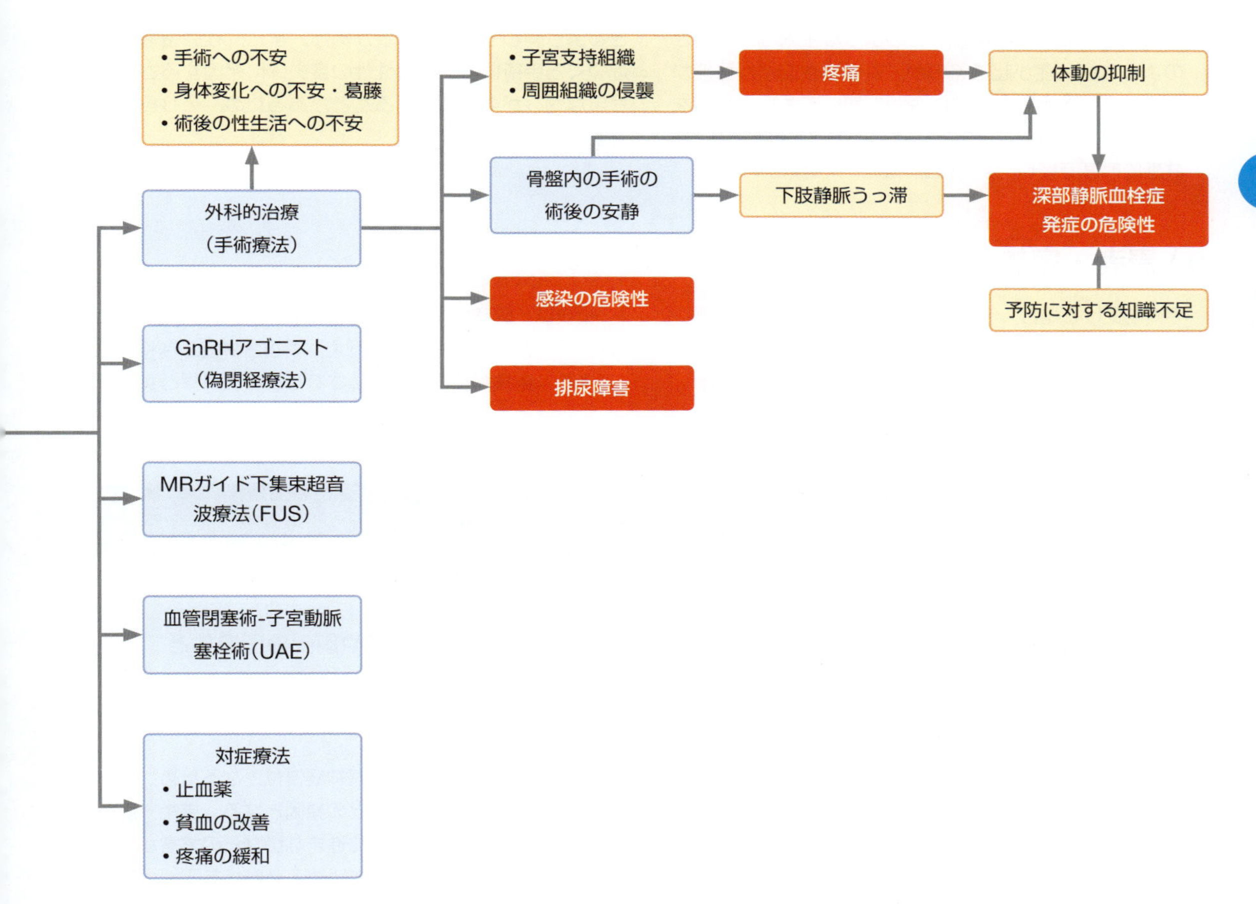

・手術への不安
・身体変化への不安・葛藤
・術後の性生活への不安
・子宮支持組織
・周囲組織の侵襲
疼痛
体動の抑制
骨盤内の手術の
術後の安静
下肢静脈うっ滞
深部静脈血栓症
発症の危険性
外科的治療
（手術療法）
感染の危険性
予防に対する知識不足
排尿障害
GnRHアゴニスト
（偽閉経療法）
MRガイド下集束超音
波療法（FUS）
血管閉塞術-子宮動脈
塞栓術（UAE）
対症療法
・止血薬
・貧血の改善
・疼痛の緩和

2）看護の方向性

診断時，羞恥心を強く起こさせる体位で行う婦人科疾患の診察や検査では，露出部分を最小限にし，精神的な不安感や緊張を和らげるような援助を行う．また，細胞診や組織診は身体の一部を採取するため，痛みや出血を伴うことがあるため，説明や検査時の声がけを十分行い，不安軽減に努める．

過多月経による貧血や，圧迫症状による身体的苦痛が出現している場合が少なくない．また，子宮の摘出をせざるを得ない場合，女性生殖器の喪失，手術，社会復帰に対する不安など，さまざまな精神的ストレスを抱えていることがある．どのような手術なのか，どのような合併症が起こるのか，術後は性交渉が可能かなど，パートナーも一緒に説明を聞いてもらう機会をつくるようにする．このような心身の状態を考慮し，共感的態度で接し，手術に臨めるように援助する．

手術療法が行われた場合，術後，骨盤腔内の手術による深部静脈血栓症発症のリスクがあるため，その予防に努める．また，術式によって異なるが，手術操作による疼痛が数日間続くため，疼痛の軽減に努める．その際，痛みの感じ方はそれぞれ違うため，痛みの訴えをよく聞きながら，個々に応じて鎮痛をはかる．子宮全摘を行った場合，術後の経過が回復に向かうにつれ，再び，女性生殖器の喪失，手術，社会復帰に対する不安などが出現することがある．そこで，女性生殖器の喪失や自己尊重の低下などの思いについて表出できるよう関わっていく必要がある．また，社会復帰が近づくと手術によって女性性の喪失感に起因するさまざまな悩みが再燃してくることがあるため，それらに対する支援を行う．

3）患者・家族の目標

手術を受ける場合，手術そのものに対する不安と女性生殖器を失う不安がある．術前には，手術に対する不安が軽減する，女性生殖器喪失に対する不安が表出でき，軽減されることを目標とする．

術後は，異常の早期発見と合併症の予防に努めることが大切であり，早期離床が行え，術後合併症がなく経過できる，創痛がコントロールされることを目標とする．

4. しばしば取り上げられる看護問題

♦1 深部静脈血栓症発症の危険性がある

なぜ？

女性の場合，筋肉が少なく，下肢静脈がうっ滞しやすい．脂質異常などがあると，脂肪の蓄積による血管壁の脆弱化や血流の阻害，静脈うっ滞などにより，深部静脈血栓を形成する可能性がある．血栓が形成されると，離床時に肺塞栓症などのリスクがあり，生命の危機に直結する．そのため，深部静脈血栓症の予防や異常の早期発見に努める．

➡期待される結果

静脈血栓予防の対策が行え，静脈血栓症の徴候がなく離床できる．

♦2 手術後の体動や創部の圧迫などによって生じる疼痛

なぜ？

疼痛は安楽を阻害し，交感神経優位となるため，血圧の上昇，不眠，食欲不振などの原因となる．また，痰が出せない，離床が思うように進まないなどの弊害が起こる．そのため，疼痛の緩和に努める必要がある．

➡期待される結果

術後，鎮痛薬により創痛が緩和される．

5. 看護計画の立案

• O-P：Observation Plan（観察計画）　• T-P：Treatment Plan（治療計画）
• E-P：Education Plan（教育・指導計画）

1 深部静脈血栓症発症の危険性がある

	具体策	根拠と注意点
O-P	**(1)深部静脈血栓症の徴候** ①下肢静脈血栓症 ・下肢の皮膚色・腫脹・浮腫の有無 ・発赤，熱感，疼痛，圧痛の有無 ・ホーマンズ徴候の有無 ・プラット徴候の有無 ・足背動脈の触知の有無 ・表在静脈の拡張 ②肺塞栓症の徴候 ・呼吸器症状の有無：呼吸困難，息切れ，頻呼吸 ・SpO_2低下 ・循環器症状の有無：胸痛，頻脈	●代表的な症状は，突然に発症する片側性の下肢の腫脹と疼痛であるが，疼痛の自覚のないことも多い． ●ホーマンズ徴候とは，下肢を伸展した状態で足を背屈すると腓腹筋に疼痛が生じることである． ●プラット徴候とは，腓腹筋をつかむと疼痛が増強することである． ●ホーマンズ徴候やプラット徴候がある場合は，血栓を形成している可能性が高いため，注意する． ●代表的な症状は，突然の肺動脈の閉塞による循環障害と，肺でのガス交換の障害に起因する症状である．
	(2)静脈血栓症の誘因 ①高齢 ②手術（とくに骨盤内） ③術後の安静時間や臥床状況 ・静脈血流の停滞 ④体位変換の程度 ⑤脱水傾向（水分出納） ⑥血液凝固系の異常（主に亢進） ⑦足関節・足趾の運動状態 ⑧既往歴 ・静脈血栓塞栓症，血圧，糖尿病，脂質異常，心疾患，悪性腫瘍	●65歳以上はリスクが高い． ●婦人科疾患の場合，良性疾患手術（開腹，経腟，腹腔鏡）でも中等度のリスクとなる． ●術後症例から多く，産婦人科領域は発生頻度が高いという報告がされている． ●長時間の手術や麻酔の覚醒状況，疼痛によって同一体位となる時間が長くなると，血栓を生じやすいため，その誘因を把握する．
	⑨肥満体形 ⑩ホルモン補充療法の有無 ⑪喫煙歴 ⑫弾性ストッキングの着用状況 ⑬観血的下肢圧迫装置の装着状況と作動状況	●BMIが25.3以上になるとリスクが高い．
	(3)深部静脈血栓症の成り行き ・肺塞栓症：心不全，ショック，心停止	●血栓の大きさにより，まったく無症状のものからショック状態，突然の心肺停止に至るものまで千差万別である．
T-P	**(1)静脈血栓症の徴候を早期に発見するための援助** ①深部静脈血栓症症状の経時的な観察 ・とくにホーマンズ徴候の有無 ②足背動脈の触知や足関節の背屈運動の状況 ③疼痛の訴え	●深部静脈血栓症は，無症状で経過することがある．バイタルサインに異常がなくても，離床時に血栓が飛ぶことがあるので注意する．
	(2)肺塞栓症と深部静脈血栓症の予防 ①スクリーニング（リスク判定） ②弾性ストッキングの着用 ・弾性ストッキングは１日１回外して観察と清潔ケアを行う ・瘙痒感が強いときは部分清拭を実施する ・乾燥がある場合は保湿クリームを塗布する	●弾性ストッキングを使用し，深部静脈の循環改善をはかる．離床が行われるまで装着する． ●骨盤内の操作であること，手術時間や麻酔覚醒状況，疼痛によって同一体位となる時間が長いため，血栓を生じやすい．下肢に適度な圧力をかけることで，下肢の静脈血のうっ滞が減少し，血栓が発生しにくくなる．

	具体策	根拠と注意点
T-P	③間欠的下肢圧迫装置の装着	●血栓症の危険が発生する前からの装着が望ましい．自動運動が十分行えるようになるまで継続して使用する． ●弾性ストッキング同様，間欠的下肢圧迫装着することで，静脈灌流が促進され，血栓ができにくい．
	④早期離床 ・初回離床時はつき添いで実施 ・術後の使用状況について把握	●運動と早期離床が重要である．
	⑤下肢の運動 ・足関節の背底屈運動（つま先の屈曲，伸展運動） ・腓腹筋の緊張・弛緩運動 ・下肢の挙上	●下肢を積極的に動かすことで，下肢の深部静脈では静脈弁による逆流防止機能と筋肉のポンプ作用により，血液が心臓へ灌流される．
	⑥脱水予防 ・輸液管理 ・飲水許可後は，水分摂取を促す	●術前からの絶食，術後の吸収熱や不感蒸泄，出血などから脱水に陥りやすい． ●脱水は血液を濃縮し，血栓などを誘発しやすいため，予防する．
E-P	**・術前オリエンテーション** ①肺塞栓症と深部静脈血栓症の症状について説明	●患者の協力が重要である．
	②弾性ストッキング着用の必要性について説明	●締めつけられている感じがあるため，着用の必要性を説明する．
	③間欠的下肢圧迫装置装着の必要性の説明	●夏季は蒸れる感じがあるため，弾性ストッキングと同じく，その必要性を説明する．
	④下肢の運動の必要性について説明	●疼痛があり，なかなか実施しにくい．事前に必要性を説明することで，協力を得る．
	⑤早期離床の必要性について説明	●早期離床は重要であるが，疼痛によって実施しにくい．事前に必要性を説明することで，協力を得る． ●早期離床は全身の循環を促進させ，機能回復を促して静脈のうっ滞を防ぎ，ひいては深部静脈血栓症の予防につながる．
	⑥水分摂取の必要性について説明	●術前からの絶食，術後の吸収熱や不感蒸泄，出血などから脱水に陥りやすいこと説明する．

2 手術後の体動や創部の圧迫などによって生じる疼痛

	具体策	根拠と注意点
O-P	**(1)疼痛の程度** ①疼痛の主観的情報 ・部位，程度，性質，持続時間 ②疼痛の客観的情報 ・表情，発汗の有無 ・バイタルサインの変化：脈拍数の増加，血圧の上昇，呼吸数の増加	●術後は，手術操作による組織の損傷によって疼痛が起こる．疼痛は下腹部に強く，腹圧がかけにくい．術後は硬膜外カテーテルが留置され，鎮痛薬が投与されている場合が多い． ●疼痛のピークは術後24～48時間である．長引く下腹部痛は，縫合不全や骨盤内感染の徴候でもある．検査データとともに症状を追っていく．
	(2)疼痛を増強させる因子 ①体動 ②創部の圧迫 ③疼痛閾値に対する個人差 ④不安 **(3)疼痛による二次的障害** ①後出血 ②離床の遅延 ③不安やストレスの増強 ④不眠 ⑤食欲不振	●創痛のコントロールをはかり，早期離床を促す． ●疼痛によって交感神経が優位となり，末梢血管が収縮して血圧が上昇する．血圧の上昇は出血の誘因となる．また，手術による骨盤内の操作や腸管の露出，麻酔による腸管麻痺，疼痛による離床の遅延により，腸閉塞を起こすことがある．

	具体策	根拠と注意点
T-P	**(1)疼痛緩和のための援助** ①硬膜外カテーテルの管理 ・カテーテルの閉塞の有無，抜去の有無 ②疼痛増強時は，医師の指示によって鎮痛薬を追加する ③体位の工夫 ・下肢に安楽枕などを挿入 **(2)疼痛増強を予防するための援助** ・体動時の援助：体動時は声がけをし，患者の理解を得てゆっくり行う **(3)二次的な障害に対する援助** ①十分な休息と睡眠への援助 ②輸液の確実な実施	●鎮痛効果だけでなく，硬膜外カテーテルによる副作用も観察する． ●硬膜外カテーテル内の薬剤の副作用により，瘙痒感や悪心・嘔吐が起こることがある． ●下肢に枕を挿入することで腹部の緊張を取り除き，疼痛が緩和する． ●患者の理解を得て行うことで，協力が得られる． ●十分な睡眠や休息がとれないと，疼痛を増強する要因になりかねない． ●疼痛により食事や水分が摂れないと，回復の妨げとなる．
E-P	**(1)疼痛を我慢しないように説明** ①鎮痛薬の使用について説明する ②疼痛増強時には鎮痛薬を追加できることを説明する **(2)疼痛を緩和する方法についての指導** ①着衣について ・患者の希望を聞いて，膀胱カテーテル抜去後はゆったりサイズの下着をつけるなどの指導をする ②咳嗽の仕方 ・下肢を屈曲し，創部を押さえて行う ③起き上がりの仕方 ・横を向き，片手は創部を押さえ，もう片方の手を使いながらゆっくり起きる ④歩行の仕方 ・創部を押さえながら歩く	●創部が圧迫されていることで，痛みが増強することがある． ●創部を押さえることで痛みが和らぐとされている．

引用・参考文献

1）日本婦人科腫瘍学会編：子宮体がん治療ガイドライン2018年版．第４版，金原出版，2018．
2）医療情報科学研究所編：病気がみえる vol.9婦人科・乳腺外科．第４版，メディックメディア，2018．

Memo

第９章　女性生殖器・婦人科疾患患者の看護過程

56 乳がん

1. 疾患の基礎的知識

1）疾患の概念

乳がんは，乳腺の組織にできる悪性腫瘍である．わが国では年間に約９万人が新たに診断され，女性のがん罹患率では最も多く，とくに40歳代後半～60歳代後半に多い．

2）原因

乳がんの発生要因には，エストロゲンの関与が明らかになっている．体内のエストロゲンが多いことや，経口避妊薬，閉経後のホルモン補充療法の長期使用は，発症リスクを高める．また，初経年齢が低い，閉経年齢が高い，出産経験がない，初産年齢が高い，授乳経験がない，良性乳腺疾患（異型過形成）の罹患歴なども，乳がんの発生と関連が認められている．

さらに，飲酒，閉経後の肥満，運動不足といった生活習慣との関連も指摘されている．そのほか，乳がんの５～10％は遺伝性であると考えられ，BRCA1，BRCA2という遺伝子の変異による遺伝性乳がん・卵巣がん症候群（HBOC：hereditary breast and ovarian cancer syndrome）がある．

3）病態と臨床症状

病態

乳房は，皮膚・皮下組織（脂肪）と，そのなかに乳腺を含む部位である．乳腺は前胸壁の外部に位置し，厚い線維性の間質を伴った腺組織であり，腺組織は多くの小葉からなる．

乳がんは，初めに乳腺や小葉の上皮細胞から発生し，初期は乳管や小葉内にとどまる非浸潤がんとなり，進行すると周囲の組織に浸潤する浸潤がんとなる．好発部位は乳房上外側1/4（c領域）で約45％を占める．

リンパ行性・血行性に転移する．リンパ行性では，腋窩リンパ節や胸骨傍リンパ節，鎖骨下リンパ節などに転移しやすい．血行性では，肺，肝，骨，脳，胸膜への転移が多い．

病期分類は，日本乳癌学会の『乳癌取扱い規約』によるTNM病期分類を用いる（**図56-1**）．

臨床症状

初期症状はほとんどなく，健診にて指摘され，診断に至る場合が多い．腫瘤が増大すると，しこりとして触知されたり，乳房の皮膚や乳頭に引きつれ，陥没，発赤，乳頭からの異常分泌（血性分泌）などを認める．腋窩リンパ節の腫れを自覚する場合もある．局所がさらに進行すると，自壊創を呈する．

4）検査・診断

(1)マンモグラフィ（乳腺X線検査）

乳腺を圧迫板で挟み，X線撮影する検査である．乳がんのスクリーニングとして最も有用とされている．所見の評価としてカテゴリー分類（１：正常～５：がん）がなされる．

(2)超音波検査

乳がんのスクリーニングや良悪性の鑑別に有効な検査である．

(3)MRI検査

乳房温存療法における腫瘍の広がり診断に有用と考えられている．

(4)CT検査，骨シンチグラフィー

主に遠隔転移の診断目的に施行される．骨転移の頻度が高いため，骨シンチグラフィーが行われる．

(5)穿刺吸引細胞診（FNB：fine needle aspiration cytology）

腫瘍やリンパ節を穿刺して細胞を採取し，良悪性を鑑別するために行う方法である．

(6)経皮的針生検法

細胞診よりも太い穿刺針で組織を採取する方法である．CNB（core needle biopsy）やマンモトーム生検がある．確定診断とホルモン感受性の有無や各種免疫染色

図56-1　乳がんの病期分類

a. 臨床T因子：原発巣注1）

		大きさ（mm）	胸壁固定注2）	皮膚の浮腫，潰瘍 衛星皮膚結節
TX		評価不可能		
Tis		非浸潤癌あるいはPaget病注3）		
T0		原発巣を認めず注4，5）		
T1注6）		≦20	−	−
T2		20＜　≦50	−	−
T3		50＜	−	−
T4	a	大きさを問わず	＋	−
	b		−	＋
	c		＋	＋
	d	炎症性乳癌注7）		

注１：Tの大きさは原発巣の最大浸潤径を想定しており，視触診，画像診断を用いて総合的に判定する．乳管内成分を多く含む癌で，触診径と画像による浸潤径との間に乖離がみられる場合は画像による浸潤径を優先する．乳腺内に多発する腫瘍の場合は最も大きいTを用いて評価する．

注２：胸壁とは，肋骨，肋間筋および前鋸筋を指し，胸筋は含まない．

注３：浸潤を伴わない場合．

注４：視触診，画像診断にて原発巣を確認できない場合．

注５：異常乳頭分泌例，マンモグラフィの石灰化例などはT0とはせず判定を保留し，最終病理診断によってTis，T1miなどに確定分類する．

注６：mi（≦１mm），a（１mm＜　≦５mm），b（５mm＜　≦10mm），c（10mm＜　≦20mm）に亜分類する．

注７：炎症性乳癌は通常腫瘤を認めず，皮膚のびまん性発赤，浮腫，硬結を示すものを指す．腫瘤の増大，進展に伴う局所的な皮膚の発赤や浮腫を示す場合はこれに含めない．

b. 臨床N因子：領域リンパ節注1）

		同側腋窩リンパ節 レベルⅠ，Ⅱ		内胸リンパ節	同側腋窩リンパ節 レベルⅢ注2）	同側鎖骨上 リンパ節
		可動	周囲組織への固定あるいはリンパ節癒合			
NX		評価不可能				
N0		−	−	−	−	−
N1		＋	−	−	−	−
N2	a	−	＋	−	−	−
	b	−	−	＋	−	−
N3	a	＋／−	＋／−	＋／−	＋	−
	b	＋　または	＋	＋	−	−
	c	＋／−	＋／−	＋／−	＋／−	＋

注１：リンパ節転移の診断は触診と画像診断などによる．　注２：UICC/TNM分類第８版でいう鎖骨下リンパ節を含む．

c. 臨床M因子：遠隔転移

M0	遠隔転移なし
M1	遠隔転移あり

注：転移を認めた臓器はUICC/TNM分類に準じて３文字コードで別個に記載する．肺（PUL），骨（OSS），肝（HEP），脳（BRA），遠隔リンパ節（LYM），骨髄（MAR），胸膜（PLE），腹膜（PER），副腎（ADR），皮膚（SKI），その他（OTH）

記載例：M1（OSS）

d. 臨床病期分類表

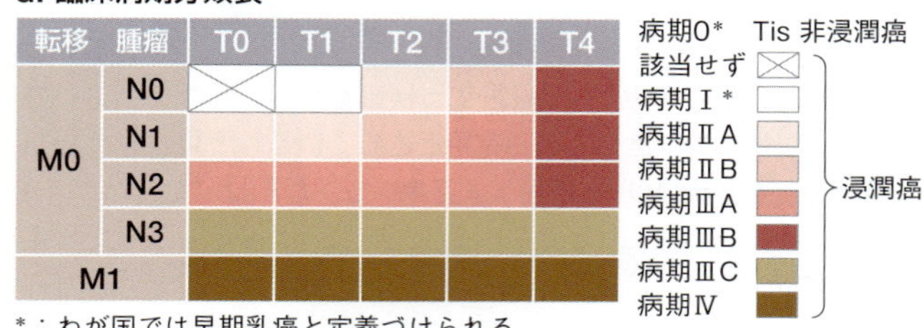

＊：わが国では早期乳癌と定義づけられる．

日本乳癌学会編：臨床・病理 乳癌取扱い規約．第18版，p.4～6，金原出版，2018.

のために重要な検査である．

(7)腫瘍マーカー

CEA，CA15-3などが上昇する可能性がある．

(8)バイオマーカー検査

ホルモン受容体やHER2タンパクの発現などのタイプ別に，治療方針が決定される．

①ホルモン受容体（ER：estrogen receptor，PgR：progesterone receptor）

各ホルモン受容体が発現している細胞（陽性細胞）の割合やその染色強度を判定する．

②HER2（ヒト表皮成長因子受容体２型）

HER2とは，細胞表面に発現しているタンパク質（受容体）であり，分子標的薬の適応を判断する．

③Ki67発現

Ki67は，細胞周期関連核タンパク質の１つで，細胞増殖の程度を評価する．

5）治療

初発乳がんの治療は，手術療法を軸にして，がんのバイオマーカーや病期にあわせて，薬物療法や放射線療法と組み合わせた集学的治療が行われる．

(1)外科的治療

①乳房手術

・乳房部分切除術：がんの進展範囲と考えられる部位から一定の正常組織をつけて切除する術式である．

・乳房全切除術：従来の胸筋温存乳房切除術を指す．インプラントによる乳房再建を前提にした皮膚温存もしくは乳頭温存乳房全切除術が増加している．

②腋窩手術

・センチネルリンパ節生検：腫瘍細胞が最初に流れ着くとされているリンパ節をセンチネルリンパ節といい，術中に同定し，術中迅速診断で転移の有無を判定する．転移陰性であれば，腋窩郭清は省略可能である．

・腋窩郭清：腋窩リンパ節群の郭清術である．術後の合併症にリンパ浮腫の発症がある．

③乳房再建術

乳房再建手術には，再建時期による分類（一次再建，二次再建）と，再建が完成するまでの手術の回数による分類（一期再建，二期再建）がある．一次再建は乳房全切除術と同時に行い，二次再建は乳房全切除後に一定期間を経て行う．また，一期再建とは１回の手術で再建を行う方法である．二期再建は，まず組織拡張器（ティッシュ・エキスパンダー：TE）を用いて皮膚を伸展させたのち，後日にTEからインプラントまたは自家組織に置き換える方法である．再建方法には，TEやインプラントの人工物を用いる方法と，広背筋や遊離深下腹壁動脈穿通枝皮弁，腹直筋などの自家組織を用いる方法がある．

(2)放射線療法

乳房部分切除術の後には，原則として残った乳房の組織の局所再発予防のために放射線照射を行う．乳房全切除術を行った場合でも，リンパ節転移数が多い場合には，放射線治療が追加される．主な副作用には，皮膚炎，放射性肺炎などがある．骨転移や脳転移に対して，症状緩和や腫瘍縮小を目的として放射線療法が行われる．

(3)薬物療法

①化学療法・分子標的薬

術前・術後薬物療法は，再発予防のために行われる．加えて，術前薬物療法には腫瘍を小さくして手術範囲を小さくする目的もある．再発転移乳がんの場合には，腫瘍の縮小，症状を緩和し，延命を目的として行われる．

②内分泌療法

ホルモン受容体陽性の乳がんに対する術後の内分泌療法は，再発・転移を予防するために原則として５～10年といったように長期的に行われる．閉経前と後では，エストロゲン産生の機序が異なるため，使用薬剤も異なる．

6）予後

乳がんは比較的予後のよいがんである．StageⅡの乳がんであっても，５年生存率は90％を超える．その一方で，一部のホルモン受容体陽性乳がんは，長期の経過観察のなかで再発が認められることがあるため，経過観察を維持することが重要である．

図56-2　乳がんの病期別治療の流れ

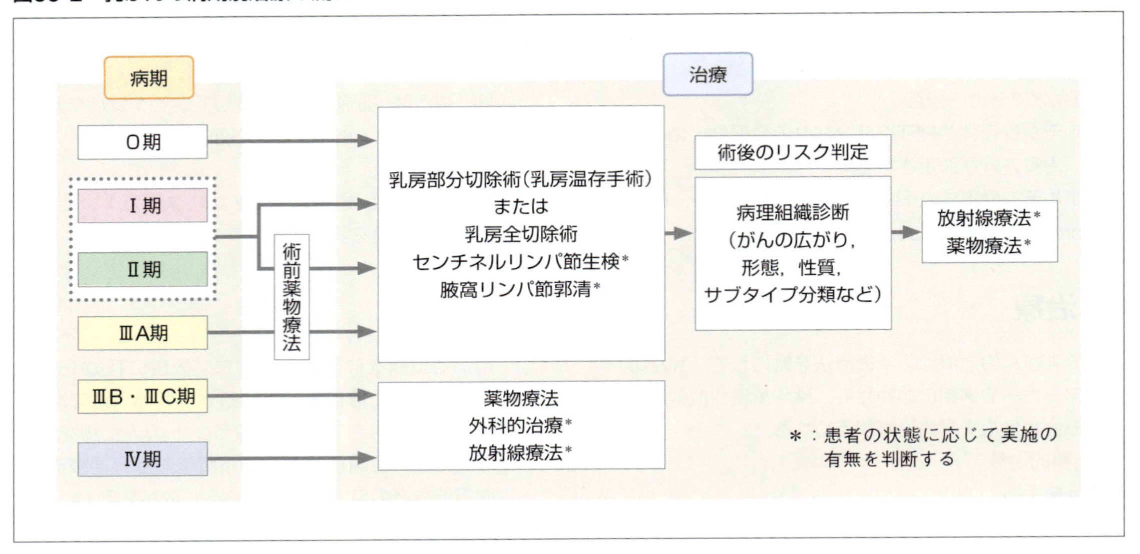

2. 看護過程の展開

アセスメント～ゴードンの機能的健康パターンを用いて

パターン	アセスメントの視点	根拠	収集する情報
(1) 健康知覚-健康管理 患者背景 健康知覚-健康管理 価値-信念	●現在の健康状態をどのように認識しているか	●診断に至る経緯や症状出現時の受診行動について知ることで，術後健康管理行動を予測することができる.	●乳がんの腫瘤の部位，大きさ，リンパ節転移，遠隔転移の有無，病理学的サブタイプ（ホルモン受容体など），適応される術式，術前・術後治療の有無
	●病気や手術についての受け止め	●がんという病気をどのように受け止め，治療選択への意思決定を行ったかが，治療への向き合い方や合併症とのつき合い方に影響を及ぼす.	●疾病に対する認識と理解度 ●疾病や手術に対する説明と受け止め ●術式選択に対して納得した決定が行われているか
	●術後合併症のリスクになるような生活習慣はあるか	●喫煙や食事摂取量の低下は，術後の創治癒過程や呼吸器合併症のリスク要因となる. ●肥満は乳がんの再発リスク因子であり，リンパ節郭清後のリンパ浮腫の発症のリスクを高めることがわかっている.	●術後合併症に関する知識と理解，予防行動の実行性（呼吸訓練や禁煙など） ●喫煙・飲酒・食事摂取の程度
	●術後合併症のリスクになるような併存疾患はあるか ●併存疾患は適正にコントロールされてきたか	●糖尿病や呼吸器・循環器疾患は，術後合併症のリスク要因となる.	●併存疾患の有無と程度，服薬状況
	●術後の合併症について適切に理解しているか	●術後の合併症予防のためには，正しい理解と積極的な予防行動が重要である.	
	●危険の回避は可能か	●術後，患側上肢の保護によってバランスを崩し，転倒の危険が生じる.	●転倒のリスクの認識

パターン	アセスメントの視点	根拠	収集する情報
(2) 栄養-代謝 全身状態 栄養-代謝 排泄	●貧血，低栄養状態にないか ●感染のリスク因子はないか ●出血の要因はないか ●代謝異常や肝機能障害はないか ●皮膚障害や脆弱性はないか	●栄養状態が悪化していたり，貧血の状況下で手術を受けることは，術後感染症，縫合不全などの合併症につながりやすい．とくに術前化学療法が施行されている場合にはリスクが高い． ●人工物を用いた同時再建術が行われる場合，感染のリスクが高くなる． ●凝固系のデータの異常や抗凝固薬の副作用などは，術中・術後出血の助長因子となる． ●麻酔侵襲によって，術後肝機能が悪化することがあり，それによって麻酔覚醒遅延となることがある． ●術前に高血糖状況下にあると，術後感染症，縫合不全のリスクが高い． ●術中の体位保持や術後の臥床安静に伴い，皮膚障害を起こす危険性がある．	●栄養状態(BMI，TP，Alb)，食事摂取量，脱水症状，水分出納バランス ●WBC，好中球数，CRP，感染症の既往 ●PLT，PT(%)，PT(秒)，出血傾向に影響する内服薬 ●肝機能(AST，ALT，γ-GTP，LDH，ALP)，血糖値，CRP ●皮膚の状態
(3) 排泄 全身状態 栄養-代謝 排泄	●腎機能は正常か ●排便の問題はないか ●排尿に問題はないか ●電解質バランスの異常はないか	●麻酔侵襲によって一時的に腎機能が悪化する可能性がある． ●術後，全身麻酔の影響で，イレウスを生じることがある． ●術後に尿道カテーテルを挿入するにあたり，排尿障害があると尿路感染の因子となる． ●術前の電解質バランスの異常は，術後せん妄のリスク因子である．手術侵襲によって，水分出納の変化に伴い，電解質のバランスを崩すことがある．	●排便習慣　排便の量と性状 ●排便コントロールのための工夫 ●腹部の状態(腸蠕動音，腹部膨満など) ●排尿習慣 ●排尿困難・残尿感の有無，排尿の量と性状 ●尿検査所見 ●血液検査値(BUN，Cre，CCr，Na，K，Cl)
(4) 活動-運動 活動・休息 活動-運動 睡眠-休息	●日常生活は自立しているか ●関節可動域に障害はないか ●呼吸器系・循環器系の障害はないか ●転移巣による運動障害はないか	●日常生活の自立度は，術後の早期離床に影響を与える． ●関節可動域に障害がある場合，術中・術後の身体損傷や神経麻痺のリスク要因となる． ●とくに，術後は腕神経叢損傷や瘢痕治癒による軟部組織の拘縮によって，肩関節の可動域制限が生じる．術前から可動域制限がある場合には，術後のリハビリテーションの妨げとなる． ●COPDや気管支喘息，循環器疾患などの既往は，呼吸器合併症のリスクとなる． ●乳がんは，骨・脳が好発転移部位であり，転移が疑われる場合，活動性に影響が出る．	●呼吸器疾患の既往の有無(呼吸回数，呼吸音，呼吸困難，呼吸パターン，呼吸機能検査，胸部X線所見，血液ガス分析，酸素飽和度) ●循環器疾患の既往の有無(血圧，体温，脈拍，心音，CTR，心電図異常，EF〔左室駆出率〕) ●骨・関節・筋の状態(麻痺・運動失調の有無) ●ADLのレベル(歩行補助具・自助具の使用) ●日常生活活動状況
(5) 睡眠-休息 活動・休息 活動-運動 睡眠-休息	●睡眠・休息のパターンに問題はないか	●環境の変化や術後の創部痛によって，睡眠パターンに変調をきたすことがある．	●睡眠時間，睡眠パターン，熟睡感の程度，入眠の工夫

パターン	アセスメントの視点	根拠	収集する情報
(6) **認知-知覚** 知覚・認知 認知-知覚 自己知覚-自己概念 コーピング-ストレス耐性	●認知機能に問題はないか ●感覚機能に問題はないか ●疼痛はあるか，あるとすればどの程度か	●認知機能の障害は，術後のせん妄や危険行動のリスク因子となり得る． ●表在知覚の異常は，術後の皮膚損傷のリスク因子となる． ●手術可能症例については，がん性疼痛が生じていることはあまりないが，本人の知覚として感じていることもある．	●認知機能（記銘力・集中力・説明の理解力） ●聴覚・触覚・視覚障害の有無と程度 ●疼痛の有無と程度
(7) **自己知覚-自己概念** 知覚・認知 認知-知覚 自己知覚-自己概念 コーピング-ストレス耐性	●がんと診断された自己をどのように捉えているか ●乳房の手術を受けることでボディイメージが変化することにより，自己概念や自尊感情に影響を及ぼしていないか	●がんと診断されたことについて，自己概念や自尊感情への変化が生じている可能性がある． ●乳房の手術を受けることは，温存術であってもボディイメージの変化と向き合うことになる．	●がんと診断されたことをどのように受け止めているか ●乳房の手術を受けることの受け止めや乳房再建術への期待 ●もともとの乳房への愛着，喪失感，女性性への影響はどのようなものか ●どのように今後がんとともに生きていこうと考えているか
(8) **役割-関係** 周囲の認識・支援体制 役割-関係 セクシュアリティ-生殖	●社会的・家族内役割変更の必要性はあるか ●家族や重要他者から手段的・情緒的サポートが得られているか ●遺伝性乳がん・卵巣がん症候群（HBOC）の可能性と影響を受ける家族はいるか	●乳がんの好発年齢は壮年期の女性であり，家庭内・社会での役割が大きい世代である．合併症や補助療法によっては，役割変更の必要が生じる． ●退院後，術後疼痛や可動域制限が生じた場合に，家事などの協力を得る必要がある． ●乳がん患者の5～10%は遺伝性乳がんであり，家族歴が濃厚な患者や若年の患者の場合には，希望があれば遺伝子検査を受けることができる．家族への遺伝の可能性が存在する場合がある．	●家庭内役割 ●就業状況 ●経済状況 ●社会活動（地域での活動など） ●家族構成 ●家族や重要他者から手段的・情緒的サポートが得られているか ●パートナーや家族と，病気のことや術後の生活についての意向を共有することができているか ●HBOC遺伝子検査の関心と実施の有無，影響を受ける家族成員について
(9) **セクシュアリティ-生殖** 周囲の認識・支援体制 役割-関係 セクシュアリティ-生殖	●性役割，性行動および満足感での問題はあるか ●挙児希望はあるか	●乳房の変形や喪失によって，性生活やパートナーとの関係性に影響を与える場合がある． ●術後の内分泌療法や化学療法の副作用で，エストロゲン欠落状態になり，更年期症状や性交疼痛が出やすい． ●補助療法として行われる薬物療法は，卵巣機能への影響がある．	●性生活での問題の有無 ●挙児希望の有無，薬物療法前の妊孕性温存療法（卵子保存など）への関心の有無

パターン	アセスメントの視点	根拠	収集する情報
(10) コーピング-ストレス耐性 知覚・認知 認知-知覚 自己知覚-自己概念 コーピング-ストレス耐性	●疾病・障害・治療をストレスと感じているか ●ストレスにはどのような対処法をとっているか ●どのようなストレス反応を示しているか	●がんと診断された患者は，約３割が急性の適応障害を起こす可能性があることが指摘されている．さらに，がんと診断され，治療が必要となることでストレスが高まりやすい．	●表情や言動，過去に困難なことがあった際の対処方法 ●趣味など気分転換方法 ●ストレス反応
(11) 価値-信念 患者背景 健康知覚-健康管理 価値-信念	●生活信条・価値観と治療の対立はないか	●がんとともに生きる，治療後の生活を再構築するためには，個々の価値や信念がベースとなる．	●信仰する宗教，人生において大切にしていること ●健康観

3. 全体像の把握から看護問題を抽出

1）病態関連図

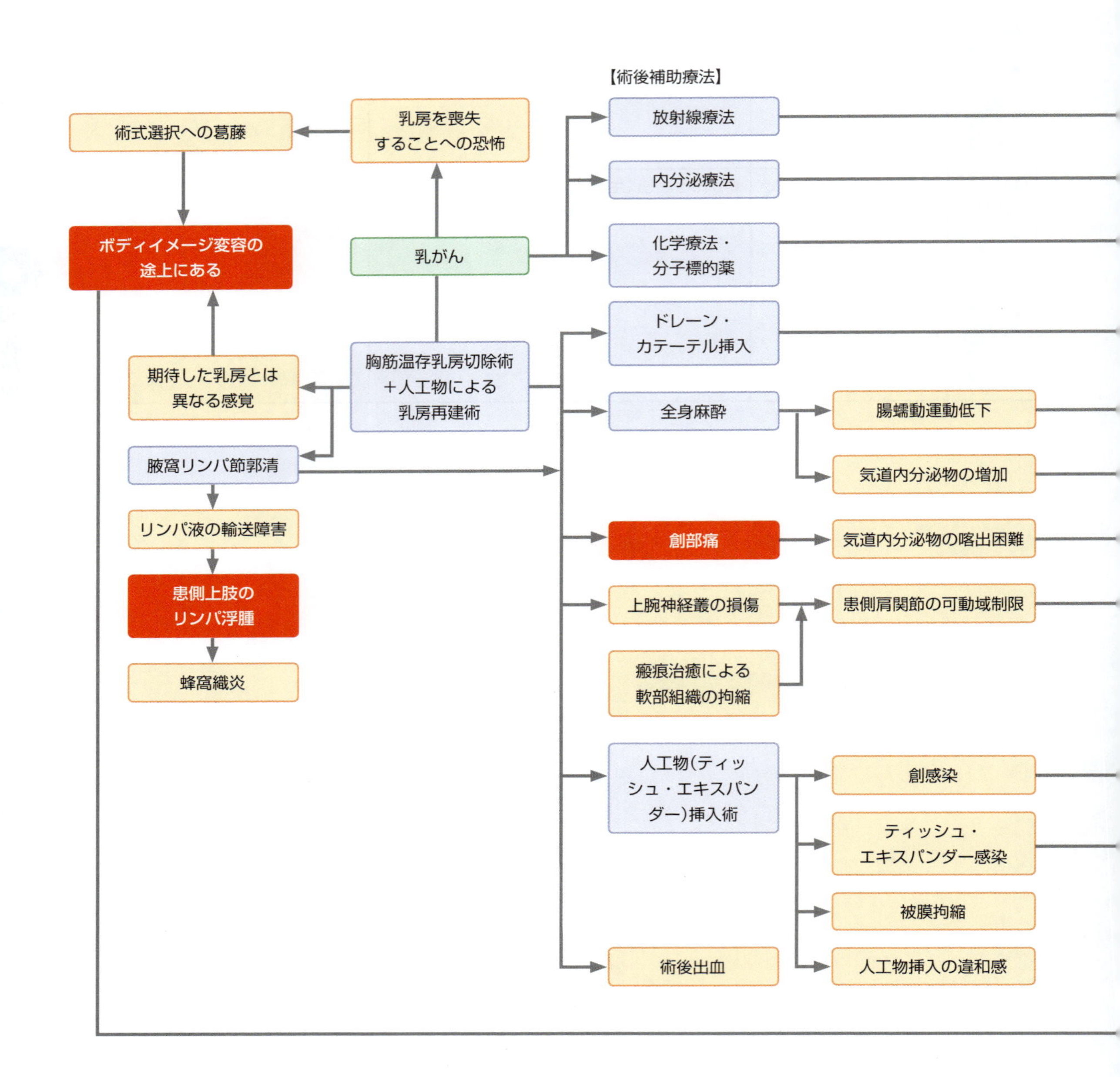

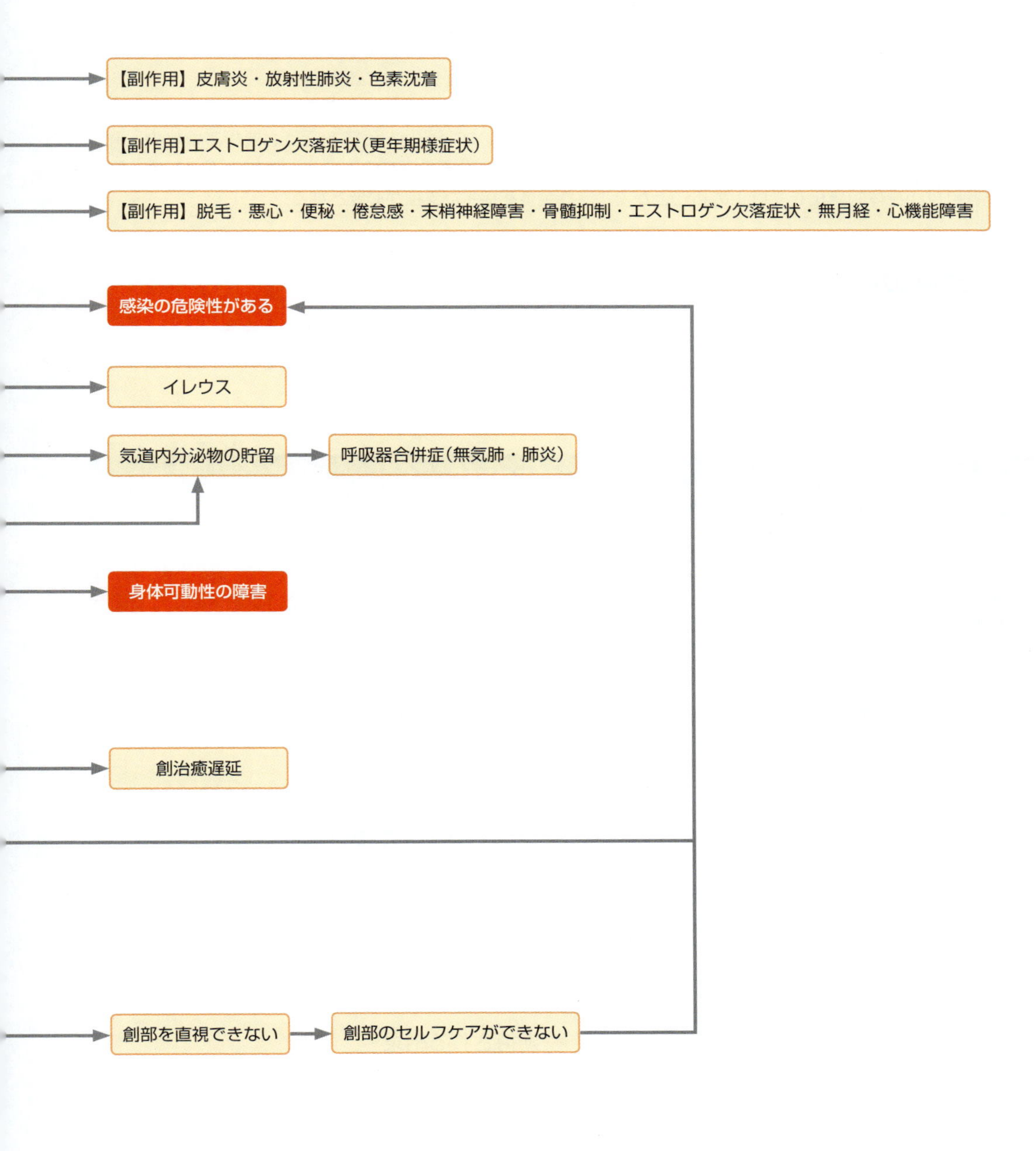
【副作用】皮膚炎・放射性肺炎・色素沈着
【副作用】エストロゲン欠落症状（更年期様症状）
【副作用】脱毛・悪心・便秘・倦怠感・末梢神経障害・骨髄抑制・エストロゲン欠落症状・無月経・心機能障害
感染の危険性がある
イレウス
気道内分泌物の貯留
呼吸器合併症（無気肺・肺炎）
身体可動性の障害
創治癒遅延
創部を直視できない
創部のセルフケアができない

2）看護の方向性

乳がんは無症状で診断される場合が多く，がんと診断されたことに加えて，女性にとって乳房を手術するという身体状況の変化と向き合う経験をする．術後，身体状況の変化に適応する，すなわちボディイメージ（自己概念）を変化させるための支援が必要であり，身体状況の変化に対する悲嘆や受け止めの途上にある状態として取り扱う．

手術や麻酔の侵襲に伴い，術後は呼吸器合併症や出血，疼痛，イレウスが生じる可能性があるため，個別のリスクがない場合，それらに対しては標準看護計画で対応していく．人工物による一次乳房再建術が同時に行われた場合には，術後疼痛は慢性疼痛へと移行することや，エキスパンダー挿入に伴う感染のリスクが高まる．患者自身が身体的変化を受け止めることができず，創部の観察や清潔保持ができない場合は，感染のリスク因子となり得る．術後は，腕神経叢損傷や瘢痕治癒による軟部組織の拘縮によって，肩関節の可動域制限が生じやすい．可動域の拡大による日常生活活動の自立を支援する．さらに，腋窩リンパ節郭清を伴った場合は，リンパ液の輸送障害によって，患側上肢にリンパ浮腫が発症するリスクがある．それらの予防のため，自己管理できるように支援する．乳がん治療は，外科療法を軸に，薬物療法や放射線療法と組み合わせた集学的治療が長期的に必要となる．

乳がんは壮年期の女性に多く，家庭内役割や社会的役割を担いながらがん治療を行う必要があるため，育児や仕事と治療の両立の課題や，家族の不安など，家族全体を捉えた支援が必要となる．

3）患者・家族の目標

患者は，術後早期の合併症を起こすことなく，自分のペースで創部や術後の乳房の変化を受け止めながら，創部の清潔保持や肩関節可動域の拡大，リンパ浮腫の予防に向けたセルフケアを行うことができる．

家族は，退院後の生活に向けて必要な支援のあり方について述べることができる．

4. しばしば取り上げられる看護問題

◆1 患側上肢のリンパ浮腫の危険性がある

◆2 乳房の変化に対する悲嘆や受け止めの途上にある

なぜ？

長期的な看護問題として，これらが考えられる．リンパ浮腫の危険性については，個々の患者の生活にあわせた発症や悪化予防のためのセルフケアが必要となる．さらに，術後の身体状況の変化を受け止める途上にあることについては，ボディイメージとは常に変化していくものであることから目標達成型の表現としたが，身体的変化に適応ができなかったり，自己概念に関して否定的な言動がみられる場合には，ボディイメージの混乱として取り扱う．

➡期待される結果

- リンパ浮腫予防のためのセルフケアを行うことができる．
- リンパ浮腫の初期症状について述べることができる．
- 術後の身体的変化について，自分の感情を認識し，表出できる．
- 術後の整容の工夫について相談することができる．

◆3 神経損傷，瘢痕形成に関連した身体可動性の障害

なぜ？

乳がん術後の特徴的な合併症として，腕神経叢損傷や瘢痕形成による軟部組織拘縮から生じる身体可動性の障害がある．

➡期待される結果

- 退院時に，入院前と同程度に患側を挙上でき，日常生活に支障がない．

♦4 人工物（エキスパンダー）挿入，リンパ液貯留，創部を直視できないことに関連した感染の危険性がある

♦5 創の縫合，人工物（エキスパンダー）挿入に関連した術後疼痛

なぜ？

感染の危険性と術後疼痛については，乳房切除術のみであれば標準看護計画で対応するが，術後の乳房の変化が受け止めきれず，創部の観察ができない状況下や，乳房同時再建術による人工物（エキスパンダー）挿入などの危険因子が加わる場合には，優先度が高まるため，看護問題として取り上げる．

➡期待される結果

・感染を起こさない．
・自ら創部の観察を行うことができる．
・疼痛が自制内（我慢できる範囲）に収まり，日常生活に支障がない．

5. 看護計画の立案

• O-P：Observation Plan（観察計画）　• T-P：Treatment Plan（治療計画）
• E-P：Education Plan（教育・指導計画）

♦1 患側上肢のリンパ浮腫の危険性がある

	具体策	根拠と注意点
O-P	●患側上肢の浮腫・腫脹・皮膚色・温度差（熱感・冷感） ●患側上肢と健側上肢の周径の差（上肢計測箇所：MP関節，尺側外顆一手関節，肘窩線をはさみ末梢側5cm，中枢側10cm） ●患側上肢の自覚症状（浮腫み，手指の握りにくさ，だるさ，痺れ，疼痛，不快感，皮膚のつっぱり感） ●皮膚の弾力性・緊満性の有無，圧迫痕の有無と程度 ●皮膚の乾燥 ●リンパ漏の有無 ●蜂窩織炎の有無 ●日常生活での患側上肢の動き ●浮腫の発症のきっかけとなる行動の有無（やけど，旅行，重労働，介護，患側範囲の外傷） ●リンパ浮腫に対する理解度 ●リンパ浮腫に対するE-Pのセルフケア実施状況	●術後は，腋窩リンパ節郭清に伴うリンパ液貯留によって，一過性に患側上肢の浮腫を生じることがある．術後数か月から数年後の経過のなかで浮腫が生じることをリンパ浮腫と定義されている． ●その変化を適切に観察するために，術後早期から継続して，患側上肢の浮腫の状況やそれに伴う皮膚の変化を客観的に評価する必要がある． ●リンパ浮腫の初期の自覚症状である． ●皮膚や皮下組織に過剰な組織間液が貯留した状態になると，皮膚は菲薄で弾力性が低下する． ●皮脂の分泌低下や水分保持能力も低下するため，皮膚は乾燥し，バリア機能が低下する． ●リンパ浮腫が増悪し，リンパ液が皮下に滲み出ることによってリンパ漏を生じる． ●リンパ液の輸送障害，血行障害，皮膚のバリア機能の低下などによって，ささいな細菌感染でも蜂窩織炎を発症するリスクが高まる． ●リンパ浮腫の発症や増悪につながる生活行動を把握するため． ●セルフケアを継続するためには，リンパ浮腫に関する正しい知識を理解することが大切である． ●セルフケアの実施状況を把握し，さらに強化することが重要である．
T-P	●患側上肢では，採血や穿刺，血圧測定などの処置は避ける ●保清や移動の介助時には，患側上肢の皮膚を傷つけないように注意する	●患側上肢のリンパ還流への圧迫や皮膚への刺激を避けるため．
E-P	**（1）腋窩リンパ節切除とリンパ浮腫の機序について説明する** **（2）日常生活におけるリンパ浮腫予防対策についての説明** ①皮膚の保護	

56 乳がん

	具体策	根拠と注意点
E-P	・外傷や熱傷，虫刺され，日焼け，深爪の予防，低刺激性の保湿剤をこまめに塗布する ・患側上肢や腋窩郭清創部周辺を洗浄する際には，泡立てた洗浄剤で汚れを包み込むようにやさしく洗浄する ②リンパの流れをよくする生活 ・全身性の運動や肩回し運動，深呼吸など，リンパの流れを促進する工夫を生活に取り入れる ・患側上肢を締めつけないような下着や洋服の選択 ・重い荷物をもつことや，肩や腕にくい込むようなバックの使用，長時間の同一体位でのパソコン作業など，患側の肩や上肢に負担をかける習慣に注意する ・就寝時は，患側上肢は安楽枕などを用いて挙上する ③リンパ浮腫の徴候に対するセルフモニタリング ・むくみ，手指の握りにくさ，だるさ，痺れ，疼痛，不快感，皮膚のつっぱり感といった自覚症状 ・指輪や腕時計，洋服の圧痕などが生じていないか ・患側上肢のむくみが慢性化したり，発赤，腫脹，熱感などの炎症所見がみられたら受診すること	●患側上肢の皮膚を損傷すると蜂窩織炎を生じる危険性がある． ●皮膚の保清と保湿は感染予防になる． ●鎖骨下には左右静脈角，腹部には胸管があり，肩回しや深呼吸によって全身のリンパ液の循環を促進する． ●患側上肢を締めつけることによって，リンパの流れを圧迫することにつながる． ●患側上肢の静脈とリンパ還流をよくすることで予防になる． ●リンパ浮腫は放置すると，皮膚の硬化や蜂窩織炎などの合併症を起こしやすいため，初期症状に早めに気づき，適切な医療につなげることが大切である．

2 乳房の変化に対する悲嘆や受け止めの途上にある

	具体策	根拠と注意点
O-P	**(1)乳房の変化に対する心理状態** ①術式を意思決定するプロセスにおける言動 ②術前の表情・緊張度・不安の訴え・乳房に対する愛着度 ③術後の創部の受け入れ状況 ・創部をみることができるか ・患側の胸に触れることができるか ・ドレーン類の扱いや創部の保護ができるか ・医療者からの創部や保清のケアを受け入れることができるか **(2)術後のボディイメージ，乳房の変化に対する否定的な反応** ・否認・不安・無力感・パニック・現実逃避・怒り・敵意・抑うつ・深い悲しみ・不眠・食欲低下 **(3)ボディイメージの混乱の有無** ・乳房がある，喪失していない感覚，身体のなかの異物感，乳房に対する固執，無関心，投げやりな態度	●納得した術式決定ができたかどうかは，術後の身体状況の変化の受け止めに影響を及ぼす． ●術前から，術後の身体的変化に対する緊張や不安が強い場合には，受け止めに時間を要する場合がある． ●本人から直接的な言動がみられなかったとしても，乳房をみたり触ったりできるかによって，受容の段階を判断することができる． ●ボディイメージの混乱をきたしていると，実際にはない部分をあると感じたり，ある部分をないように感じたりするような身体感覚の異常を感じることがある．さらに，自分の身体の状態を自分でコントロールできているという感覚の喪失や，身体あるいは身体の一部が自分のものでないような感覚を持つ場合がある．

	具体策	根拠と注意点
O-P	**(4)家族やパートナーなど，重要他者が乳房喪失に対してどのように認識し，コミュニケーションがとれているかどうか**	●家族が受容できているか，どのような認識をもって患者と関わっているかが患者自身の身体状況の変容に対する受け入れに影響を及ぼす
T-P	**(1)感情の表出を促す** ・誰もが受け入れられるまでには時間を要することを説明し，焦らなくてよいことを話す ・本人が悲しみや怒りの感情を表出するときには，安心して表出できる環境を提供する ・防衛機制が働き，受け入れが進まない状況でも，患者の発言を否定せず，傾聴的に接する **(2)現実を受容する援助** ・創部の観察や保清のセルフケアについては，無理強いせず，受容の状況にあわせて段階を踏みながら行う ・医療者が創部や保清のケアを行う際には，プライバシーに十分配慮し，ケアの目的を説明してから行う ・家族や面会者の前で創部や手術の話をする際には，患者本人の了解を得てから行う	●感情を抑制したり，受け入れられないことを否定的に捉える場合は，新たな自己概念の形成の障害となる． ●心的準備状態が整う前に創部を直視することで，余計に受容が困難になるため．創部を見ないという対処行動をとっていることを理解する必要がある． ●医療者や家族に創部を見られることも，ボディイメージの脅威につながる可能性がある．
E-P	**(1)シャワー浴などで初めて創部をみた際には，どのように感じたかを共有しながら，創部や乳房の状況は術後の経過のなかで変化するもので，創も徐々に目立たなくなることを伝える** **(2)術式や患者の生活にあわせた補正具や補正下着の工夫について説明する** **(3)同時再建術を受け，人工物(エキスパンダー)を挿入した場合には，今後の再建術の流れと注意事項について説明する** ・同時再建を行わなかった場合には，二次再建術を受けることができる点も説明する **(4)いつでも相談に乗ることを説明し，必要に応じて患者会などのピアサポートを紹介する** **(5)必要に応じて，家族へ状況や配慮してほしい点についての説明を行う**	●術後早期は，創部や内出血斑が生々しくみえるため，経時的変化によって創部が目立たなくなることや，徐々に皮膚の状態も落ち着くことを説明する． ●生活への影響をできるだけ少なくする工夫の知識を得ることにより，自尊感情の低下させないように援助する． ●同時再建術は今後，外来での生理食塩水の注入やインプラントへの入れ替え手術，乳頭・乳輪形成術などが必要となるため，その流れについて理解することが必要である． ●ピアサポートを得ることによって，孤独感を軽減し，社会生活への適応を促進する． ●家族に対して求める支援や配慮を，患者が話しにくい場合には，患者の了承を得て家族へ説明を行う．

引用・参考文献

1）日本乳癌学会編：臨床・病理 乳癌取扱い規約．第18版，金原出版，2018．
2）日本癌治療学会：リンパ浮腫ガイドライン2014年版． http://www.jsco-cpg.jp/guideline/31.html より2020年10月４日検索
3）日本乳癌学会：乳癌診療ガイドライン2018年版． http://jbcs.gr.jp/guidline/2018/ より2020年10月４日検索
4）国立がん研究センターがん情報サービス：乳がん． https://ganjoho.jp/public/cancer/breast/treatment.html より2020年10月４日検索

Memo

第９章　女性生殖器・婦人科疾患患者の看護過程

57 卵巣がん

1. 疾患の基礎的知識

1）疾患の概念

卵巣がんとは，卵巣に発生するがんで，卵巣中の異なる細胞から発生する．80％以上は卵巣の表面に発生する上皮がんで，残りは主として卵子を生じる細胞から発生する胚細胞腫瘍と，結合組織に発生する間質細胞腫瘍が占める（**図57-1**）．

2）原因

都心で生活する女性に多くみられることから，ライフスタイルや食生活の欧米化が原因の１つではないかと考えられている．初潮が早い，閉経が遅い，妊娠出産の経験のない人は，罹患する確率が上がるとされている．とくに，２親等内に卵巣がんに罹患した人がいると危険性が高くなる．卵巣内膜症性嚢胞（チョコレート嚢胞）では，変性血液に含まれる鉄の酸化作用によって，発がんしやすくなる可能性が指摘されている．

3）病態と臨床症状

病態

卵巣悪性腫瘍（上皮性）の組織型は，多岐にわたる．組織学的には，漿液性腺がん，粘液性腺がん，類内膜腺がん，明細胞腺がん，悪性ブレンナー腫瘍，移行上皮がんなどに分類され，なかでも，以下の４型の頻度が高く，臨床上重要である．

①漿液性腺がん：卵巣がんの36％程度を占め，約半数が両側性である．抗がん薬が最もよく効くタイプである．

②粘液性腺がん：卵巣がんの11％程度を占め，Ⅰ期症例ではほとんど片側性である．

③類内膜腺がん：卵巣がんの17％程度を占め，子宮内膜症と関連があり，子宮内膜がんとの合併例もある．抗がん薬が効きにくい．

④明細胞腺がん：卵巣がんの24％程度を占め，近年頻度が増加傾向である．抗がん薬が効きにくい．

卵巣がんのTNM分類（**表57-1**）は，原発腫瘍の進展度，所属リンパ節転移の有無，遠隔転移の有無による分類で，

図57-1　卵巣の構造と腫瘍の発生場所

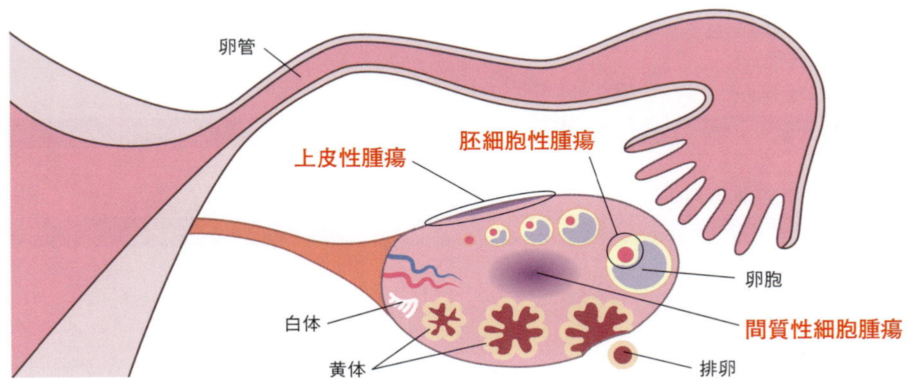

新FIGO臨床進行期分類がこれに対応して作成されている(**表57-2**).

臨床症状

卵巣がんは“サイレントキラー”とよばれ，無症状のうちに進行するものが多く，病期が進行してから発見されるケースも多い．胚細胞腫瘍や間質細胞腫瘍の場合は，エストロゲンを分泌して子宮内膜を増殖して乳房を大きくする場合がある．また，腫瘍から男性ホルモンや甲状腺ホルモンに似た物質を分泌するため，男性化や甲状腺機能亢進を呈する場合もある．

(1)腹部圧迫感

腫瘍が腫大すると下腹部に腫瘤を感じたり，腹部の圧迫感が生じる．初期では，消化不良の症状に似た漠然とした不快感から，症状が出現することがある．

(2)頻尿

腫瘍が膀胱を圧迫することによって，症状が出現することがある．

(3)消化管障害(便秘・腸閉塞)

腹腔内への腫瘍の進展によって，とくにS状結腸・直腸では，その表面への転移や直接浸潤が起こりやすい．腫瘍による圧迫で狭窄したり，がん性の癒着や腹水の影響によって生じた消化管運動障害により，腸閉塞を起こす．

(4)骨盤部の疼痛

腹膜播種が進むと，腹水が貯留し，骨盤痛，貧血，悪液質などが生じる．

(5)深部静脈血栓，肺梗塞

卵巣がんでは，原発腫瘍や転移した腫瘍によって大動脈が圧迫されること，腹水貯留に伴って血管内脱水が起こること，腹部膨満などの症状から活動性が低下することなどから，深部静脈血栓症が起こりやすい．また，卵巣がんの手術は侵襲が大きく，血栓形成のリスクも高いため，術後の肺梗塞につながりやすい．

表57-1　卵巣がんのTNM分類[1)]

T分類：原発腫瘍の進展度		
TX		原発腫瘍の評価が不可能
T0		原発腫瘍を認めない
T_1		**卵巣(片側あるいは両側)に限局する腫瘍**
	T_1a	一側の卵巣に限局する腫瘍；被膜破綻なく，卵巣表面に腫瘍がない．腹水または腹腔洗浄液に悪性細胞なし
	T_1b	両側卵巣に限局する腫瘍；被膜破綻なく，卵巣表面に腫瘍がない．腹水または腹腔洗浄液に悪性細胞なし
	T_1c	一側または両側の卵巣に限局する腫瘍で，以下のいずれかを伴う：被膜破綻，卵巣表面の腫瘍，腹水または腹腔洗浄液の悪性細胞
T_2		**一側または両側の卵巣にあり，骨盤に浸潤する腫瘍**
	T_2a	子宮，および／または卵管に進展し，および／または播種する腫瘍，腹水または腹腔洗浄液に悪性細胞なし
	T_2b	他の骨盤組織に進展し，腹水または腹腔洗浄液に悪性細胞なし
	T_2c	骨盤内に進展(2aまたは2b)し，腹水または腹腔細胞診に悪性細胞
T_3		**一側または両側の卵巣に浸潤する腫瘍で，顕微鏡的に確認された骨盤外の腹膜転移**
	T_3a	骨盤外の顕微鏡的腹膜転移
	T_3b	骨盤外に肉眼的腹膜転移があり，その最大径2.0cm以下
	T_3c	最大径が2.0cmをこえる骨盤外腹膜転移
N分類：所属リンパ節		
NX		所属リンパ節転移の評価が不可能
N0		所属リンパ節転移なし
N1		所属リンパ節転移あり
M分類：遠隔転移		
M0		遠隔転移なし
M1		腹膜転移以外の遠隔転移あり
病理組織学的分化度分類		
GX		分化度の評価が不可能
G1		高分化
G2		中分化
G3		低分化

日本産科婦人科学会・日本病理学会編：卵巣腫瘍・卵管癌・腹膜癌取扱い規約 病理編．p.10～11，金原出版，2016.

4）検査・診断

卵巣がんの患者は多くの場合，腹部膨満感が出現して初めて婦人科を受診する場合が少なくない．問診では，結婚・出産歴，月経異常の有無や家族歴などを聴取する．

(1)内診

卵巣腫大の有無，圧迫による子宮の偏位をみる．閉経後，数年経っても触知可能な場合は，精査の対象となる．

(2)腫瘍マーカー

①尿検査

尿中ヒト絨毛性ゴナドトロピン（hCG）が非妊娠中に陽性の場合，卵巣絨毛がんなどの胚細胞腫瘍を疑う．5ーヒドロキシインドール酢酸（5-HIAA）は，卵巣腫瘍で高値を示す．

②血液検査

上皮性腫瘍の腫瘍マーカーは，CA125，CA19-9である（**表57-3**）．しかし，ほとんどの腫瘍マーカーは正常組織からも産生されており，高値でも悪性腫瘍ではない場合もあり，その逆もあり得る．

(3)CT・MRI

腫瘍の性状，腹部・胸部の転移などの把握を行う．CTは，大動脈周囲リンパ節転移や石灰化像の確認に優れ，MRIは，腫瘍の質的診断（良性・悪性の診断，組織型の推定など）を得意とする．

(4)超音波検査

非侵襲的で簡便に腫瘍の内部構造を詳細に観察できる．通常は，原発巣の性状を検査するためには経腟プローブを用いて行われる．経腟での検査時は，排尿してから行うが，経腹で検査する際には腸内ガス像が妨げになるので，排尿を我慢させ，膀胱の拡張によって小腸を頭側へ移動させて，卵巣の描出を容易にして行う．

(5)病理診断

卵巣腫瘍は腹腔内にあるため，腹腔穿刺やダグラス窩穿刺を行うと，腫瘍の腹腔内漏出を惹起するため，基本的には，病理診断は手術前には行われない．進行症例では，転移巣（リンパ節など）を対象とした検査は可能である．

表57-3　卵巣腫瘍の腫瘍マーカー

卵巣腫瘍の腫瘍マーカー	
CA125　CA19−9　CEA　AFP　CA72-4　SLX STN	
腫瘍マーカーによる組織型推定	
漿液性腺がん	CA125
粘液性腺がん・成熟奇形腫	CA19-9
胎児性がん	AFP
転移性がん	CEA

表57-2　卵巣がん・卵管がん・腹膜がんの手術進行期分類（日産婦2014，FIGO2014）[2]

Ⅰ期：卵巣あるいは卵管内限局発育
ⅠA期：腫瘍が一側の卵巣（被膜破綻がない）あるいは卵管に限局し，被膜表面への浸潤が認められないもの．腹水または洗浄液の細胞診にて悪性細胞の認められないもの
ⅠB期：腫瘍が両側の卵巣（被膜破綻がない）あるいは卵管に限局し，被膜表面への浸潤が認められないもの．腹水または洗浄液の細胞診にて悪性細胞の認められないもの
ⅠC期：腫瘍が一側または両側の卵巣あるいは卵管に限局するが，以下のいずれかが認められるもの
ⅠC1期：手術操作による被膜破綻
ⅠC2期：自然被膜破綻あるいは被膜表面への浸潤
ⅠC3期：腹水または腹腔洗浄細胞診に悪性細胞が認められるもの
Ⅱ期：腫瘍が一側または両側の卵巣あるいは卵管に存在し，さらに骨盤内（小骨盤腔）への進展を認めるもの，あるいは原発性腹膜癌
ⅡA期：進展ならびに／あるいは転移が子宮ならびに／あるいは卵管ならびに／あるいは卵巣に及ぶもの
ⅡB期：他の骨盤部腹腔内臓器に進展するもの
Ⅲ期：腫瘍が一側または両側の卵巣あるいは卵管に存在し，あるいは原発性腹膜癌で，細胞学的あるいは組織学的に確認された骨盤外の腹膜播種ならびに／あるいは後腹膜リンパ節転移を認めるもの
ⅢA1期：後腹膜リンパ節転移陽性のみを認めるもの（細胞学的あるいは組織学的に確認）
ⅢA1（ⅰ）期：転移巣最大径10mm以下
ⅢA1（ⅱ）期：転移巣最大径10mmをこえる
ⅢA2期：後腹膜リンパ節転移の有無にかかわらず，骨盤外に顕微鏡的播種を認めるもの
ⅢB期：後腹膜リンパ節転移の有無にかかわらず，最大径2cm以下の腹腔内播種を認めるもの
ⅢC期：後腹膜リンパ節転移の有無にかかわらず，最大径2cmをこえる腹腔内播種を認めるもの（実質転移を伴わない肝および脾の被膜への進展を含む）
Ⅳ期：腹膜播種を除く遠隔転移
ⅣA期：胸水中に悪性細胞を認める
ⅣB期：実質転移ならびに腹腔外臓器（鼠径リンパ節ならびに腹腔外リンパ節を含む）に転移を認めるもの

日本産科婦人科学会・日本病理学会編：卵巣腫瘍・卵管癌・腹膜癌取扱い規約 病理編．p.8～9，金原出版，2016.

57 卵巣がん

5）治療（図57-2）

(1)手術療法

①根治手術

基本術式は，正中切開による単純子宮全摘出術＋両側付属器摘出術＋大網切除術が行われる．腹腔鏡下手術は，現時点では開腹術と比べて優れているというエビデンスがない[3]．

腹膜内に播種があれば，播種や転移病巣に対して，膀胱子宮窩，ダグラス窩などの病変を周囲の腹膜とともに切除するなど，肉眼的に残存腫瘍がない状態を目指した腫瘍減量手術を行う．高齢の患者に対しても，可能な限りの腫瘍減量術が行われることが望ましいが，基本術式に加えて転移巣の切除が上乗せされて手術の複雑性が増すごとに，周術期の合併症は増加するため，術後管理に注意が必要となる．卵巣のリンパ流は，広い領域にわたるため，リンパ郭清の範囲が広くなり，術後生じた骨盤内の死腔などにリンパ嚢腫が形成されやすく，下肢リンパ浮腫も合併しやすい．さらに，閉経前の患者が両側の卵巣を摘出した場合，卵巣欠落症状とよばれる，のぼせ・めまいといった更年期障害に似た症状が現れることがある．症状は個人差があるが，必要に応じてホルモン補充療法を行う．卵巣欠落症状の晩期症状としては，膣自浄作用の低下，骨粗鬆症，脂質異常症がある．

卵巣がんは，ほかのがん種と比べて血栓塞栓症の発症リスクが高く，予防として抗凝固療法や間欠的空気圧迫法などの予防法を行う．なかでも血栓症の既往があることや，麻酔時間２時間以上，４日間臥床，進行がん，60歳以上では，血栓のリスクがとくに高い[5]．

②妊孕性（にんようせい）温存手術

術式は，患側付属器摘出術＋大網切除術である．進行期確定のために，腹腔細胞診，健側卵巣の生検，リンパ節郭清または生検が含まれる．妊孕性温存手術が適応となる条件として，漿液性腺がん，粘液性腺がんおよび類内膜腺がんで，進行期Ⅰa期で分化度がgrade1またはgrade2であること，患者が挙児を強く望み，妊娠可能な年齢であること，患者および家族が治療や再発の可能性について深く理解していること，治療後の厳重な経過観察に同意していることがあげられる．

(2)化学療法

卵巣がんの多くが，治療開始時に腹膜播種を伴い，手術のみでは完治が望めない．そのため，化学療法との集学的治療が必要となることが多い．手術によって腫瘍を減量し，引き続いて全身化学療法を行うことが多い．第１選択はTC療法（パクリタキセルとカルボプラチン）で，末梢神経障害が疑われる場合やアルコール不耐がある場合は，DC療法（ドセタキセルとカルボプラチン）が選択される．ただし，進行がんで広範な腹膜播種などを伴うために完全摘出が不可能と予測される症例などに対しては，術前化学療法を施行後に，手術を考慮することがある．主な合併症は，投与１～２日後に悪心・嘔吐，３～５日後に関節痛・筋肉痛，５日後以降に手指のしびれ，２週間後以降に骨髄抑制による易感染状態と易出血状態，３～４週間後に脱毛が生じやすい[6]．味覚障害が生

図57-2　卵巣がんの治療フローチャート

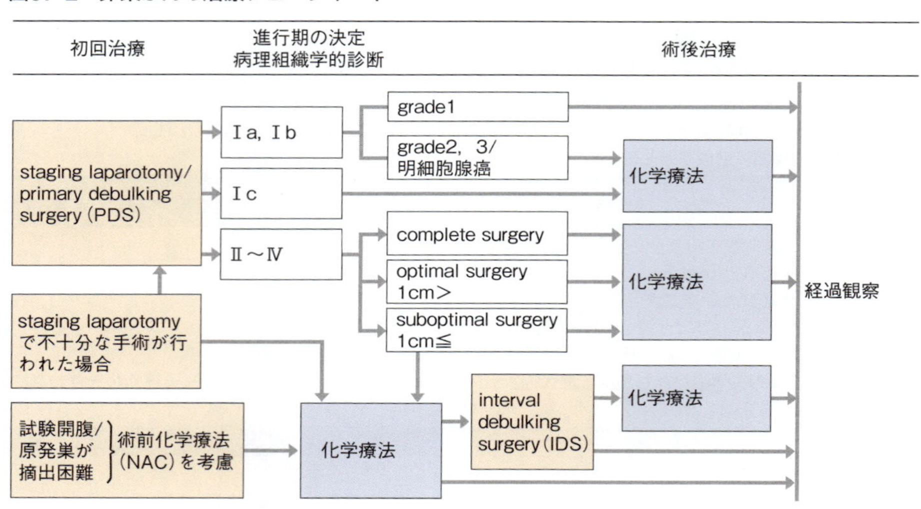

日本婦人科腫瘍学会編：卵巣がん治療ガイドライン2015年版．第４版，p.19，金原出版，2015．

じることもある．近年では，TC療法（またはDC療法）に，ベバシズマブ（分子標的治療薬）を併用するようになってきており，TC療法単独に比べて，無増悪生存期間の延長につながった[4]という報告がされている．ベバシズマブの代表的な有害事象は，消化管穿孔，血栓塞栓症である．

(3)放射線療法

卵巣がんで放射線療法が適応となるのは，再発例や遠隔転移例に対して症状を緩和する場合に限られる．局所再発で痛みを伴う，脳転移・骨転移による症状があるといった場合に行う．

(4)免疫療法

進行卵巣がんに対して上記治療では十分な効果が得られていないため，新たな治療法の開発が行われている．シグナル伝達阻害薬，インターフェロン，抗CA125抗体などが研究されている．

6）予後

腫瘍の組織学的分化度が低い場合や，手術で明らかに浸潤している組織を全て切除できなかった場合は，予後不良である．全国がんセンター協議会加盟施設における５年相対生存率は，ステージⅠで91.2%，ステージⅡで73.3%，ステージⅢで47.6%，ステージⅣでは30.1%である[7]．

2. 看護過程の展開

● アセスメント：内科的治療（放射線治療・化学療法）～ゴードンの機能的健康パターンを用いて

パターン	アセスメントの視点	根拠	収集する情報
(1)健康知覚-健康管理 患者背景 健康知覚-健康管理 価値-信念	●疾患の進行の程度を知覚しているか ●既往歴の有無とその管理状況はどうか ●治療は理解した上で選択しているか，治療によって必要となる健康管理は何か，その管理を行う能力や意欲があるか ・治療の必要性，合併症・副作用について理解しているか ・合併症予防への健康行動は適切か	●卵巣がんは，早期には自覚症状を伴わないことも多い．症状や疾患の進行の程度を認識することは治療の必要性の理解につながる． ●高血圧や血栓症の既往歴をもっている場合，化学療法と併用して使用される分子標的薬（ベバシズマブ）が使用できない．また，それらについて管理が必要になる． ●進行度に応じて治療法が選択されるが，再発しやすく，抗がん薬の種類を変更しながら長期に投与が継続されることも多い．そのため，有害事象の発現頻度も高く，日常生活において感染管理やスキンケアなどの健康管理を主体的に行うことができるようになる必要がある．	●現病歴 ・発症時期 ・発見のきっかけ ・自覚症状の有無 ●健康管理状況 ・生活習慣 ・既往の管理状況 ・常用薬の有無 ●治療とその理解 ・選択された治療 ・治療の理解度

パターン	アセスメントの視点	根拠	収集する情報
(2) 栄養-代謝 全身状態 栄養-代謝 排泄	●栄養状態は良好か，代謝機能は正常か ●化学療法による有害事象はあるか，どの程度か	●卵巣機能の低下によって，脂質代謝異常を起こしやすい．腹膜播種が起こっている場合には，腹水内に多量のアルブミンが漏出する． ●標準初回治療では，TC療法・DC療法が行われる．消化器症状や骨髄抑制など，多くの抗がん薬でもみられる副作用に加え，使用されるパクリタキセル・ドセタキセルでは脱毛がほぼ必発である．	●栄養状態・代謝機能 ・食事摂取内容，量，食欲 ・身長，体重，体重変動 ・口腔，皮膚，粘膜の状態 ・検査データ(TP，Alb，Hbなど) ・代謝性疾患の既往の有無 ・検査データ(血糖値，HbA1c，AST，ALTなど) ●化学療法による有害事象の有無 ・悪心・嘔吐 ・骨髄抑制 ・脱毛
(3) 排泄 全身状態 栄養-代謝 排泄	●排尿・排便の状態は良好か ・消化管へのがん浸潤はないか ・消化管の手術歴はあるか ●腎機能は正常か	●腫瘍が大きくなって膀胱を圧迫した場合は，尿意を頻繁に感じることがある．化学療法に使用されるベバシズマブの代表的な有害事象として消化管穿孔があり，消化管の手術歴や消化管へのがんの浸潤がある場合には危険性が高まる． ●標準的なTC(DC)療法の効果が薄れた際には，オプションでより腎毒性のあるプラチナ製剤(シスプラチン)が投与されることがある．	●排泄状態 ・排便･排尿回数，性状，排便･排尿異常 ・腹部症状(圧痛，筋防御，ガス) ・便通対策，排便支障因子 ●腎機能 ・検査データ(BUN，Cr) ・水分出納
(4) 活動-運動 活動・休息 活動-運動 睡眠-休息	●日常生活で支障はないか ・活動に支障のある症状はないか ●循環機能・呼吸機能は正常か	●化学療法によって筋肉痛・関節痛，手指のしびれなどが起こることがあり，日常生活に支障が生じることがある． ●化学療法に使用されるベバシズマブは，血管新生を阻害するため，高血圧や血栓症の合併例には使用が禁忌となる．胸腔内への遠隔転移によって胸水が多量に貯留した場合は，呼吸困難を生じる．	●日常生活での活動状況 ・ADLの程度と変化 ・体動時の疼痛の有無 ・手指・足指のしびれの有無 ●循環機能・呼吸機能の状態 ・血圧，脈拍，SpO_2 ・呼吸機能検査 ・呼吸困難感 ・心電図・X線検査 ・血栓症の既往の有無
(5) 睡眠-休息 活動・休息 活動-運動 睡眠-休息	●睡眠・休息の障害はないか	●がんの進行によって，骨盤内への浸潤による疼痛(下腹部・腰痛など)，腹膜播種による腹水が生じると，睡眠が障害される．	●睡眠の状態 ・睡眠時間・深さ ・昼間の活動への障害の有無
(6) 認知-知覚 知覚・認知 認知-知覚 自己知覚-自己概念 コーピング-ストレス耐性	●認知・感覚機能は正常か ●疾患や病態についての知識をもっているか	●抗がん薬の有害事象として，末梢神経障害が生じる場合がある．また，骨盤内神経叢への浸潤があると，下肢の知覚麻痺や疼痛が生じる． ●治療方針について正しい知識をもつことは，闘病生活の意欲にも影響する．	●認知・感覚機能 ・知覚障害の有無 ・疼痛の有無と場所・程度 ●病態・疾患の理解 ・疾病の受容の状態 ・治療方法に関する理解 ・治療法選択における意思決定の状態

パターン	アセスメントの視点	根拠	収集する情報
(7) 自己知覚-自己概念 知覚・認知 認知-知覚 自己知覚-自己概念 コーピング-ストレス耐性	●ボディイメージの混乱はないか ・自己像の変化はどの程度か ・自尊感情の脅威はないか	●化学療法によって「子どもがつくれなくなる」など，女性特有の喪失感が生じる．タキサン系の抗がん薬の使用で脱毛が起こるなど，外見上の変化が起こる場合も多い．術前に説明を受けていても，脱毛などを実際に実感した際の衝撃は大きい．ボディイメージの変容を迫られる．	●ボディイメージ ・創部・妊孕性の喪失など，ボディイメージに関わる有害事象の程度と理解度 ・自尊感情に関する発言
(8) 役割-関係 周囲の認識・支援体制 役割-関係 セクシュアリティ-生殖	●家族関係に問題はないか ・家族の理解度はどうか ・家族関係は良好か ・支援体制はあるか ●役割遂行に問題はないか	●好発年齢が40～50歳代と，母や妻として家庭内で重要な役割を担っている時期であるが，化学療法などが長期にわたることも多く，その有害事象から，家庭内の役割遂行が困難になる場合もある．家族の支援体制の有無は，闘病意欲の維持に影響する．	●家庭内外の役割 ・家族構成・家庭的役割 ・キーパーソンの有無，キーパーソンの認識 ●社会的役割，社会活動状況 ・仕事の種類・内容・継続状況 ・経済的状況
(9) セクシュアリティ-生殖 周囲の認識・支援体制 役割-関係 セクシュアリティ-生殖	●妊孕性温存の希望はあるか	●化学療法では，治療に伴って卵巣機能不全に陥る．また，卵巣へ放射線治療を行った場合も，妊孕性の温存は現状では困難である．	●妊娠・出産歴，挙児希望
(10) コーピング-ストレス耐性 知覚・認知 認知-知覚 自己知覚-自己概念 コーピング-ストレス耐性	●ストレスと対処方法はどうか	●治療にはボディイメージを混乱させる有害事象も多く，これらのストレッサーに適切に対処できない場合，術後の健康管理状態や心理状態に悪影響を及ぼす．	●ストレッサーとその対処方法 ・主なストレッサー ・ストレスへの対処方法 ・対処の効果

パターン	アセスメントの視点	根拠	収集する情報
(11) 価値-信念 患者背景 健康知覚-健康管理 価値-信念	●価値信念とヘルスケアシステムの間に対立はないか	●妊孕性を温存できなかった場合，術後の生活設計に大きな影響がある．	●人生に対する価値観 ・今後の生き方の希望

• アセスメント：外科的治療 〜ゴードンの機能的健康パターンを用いて

パターン	アセスメントの視点	根拠	収集する情報
(1) 健康知覚-健康管理 患者背景 健康知覚-健康管理 価値-信念	●疾患の進行の程度について知覚しているか	●卵巣がんは，進行した状態で発見される場合も少なくないが，なんらかの自覚症状や疾患の進行程度を知覚することは治療の必要性の理解につながる．	●現病歴 ・発症時期 ・発見のきっかけ ・自覚症状の有無
	●既往歴の有無とその管理状況はどうか	●便秘や血栓症の既往歴をもっている場合，術後の合併症が出現しやすい．予防のため自己管理が必要となる．	●健康管理状況 ・生活習慣 ・既往の管理状況 ・常用薬の有無
	●理解した上で治療法を選択しているか ・切除範囲，妊孕性温存は可能か ・リンパ節郭清の有無と程度はどのくらいか	●進行度に応じた治療法が選択されるが，治療法の選択にあたって，十分に理解した上で悔いのないように選択できることが重要である．	●治療とその理解 ・選択された治療 ・治療の理解度
	●手術によって必要となる健康管理は何か，その管理を行う能力や意欲があるか	●手術による合併症予防に関する健康管理が必要となる．	●健康管理 ・術後合併症の理解度 ・離床の程度・意欲 ・合併症予防のための自己管理行動の状況
(2) 栄養-代謝 全身状態 栄養-代謝 排泄	●栄養状態は良好か，代謝機能は正常か	●低栄養状態や代謝機能の低下がある場合，術後の回復遅延や感染などの合併症を起こしやすくなる．	●栄養状態・代謝機能 ・食事摂取内容，量，食欲 ・身長，体重，体重変動 ・口腔，皮膚，粘膜の状態 ・検査データ(TP，Alb，Hb　など) ・代謝性疾患の既往の有無 ・検査データ(血糖値，HbA1c，AST，ALT，T-colなど)
	●リンパ浮腫はあるか	●骨盤リンパ節郭清後の，下肢リンパ浮腫の頻度は5〜40%である．卵巣がんでは大動脈周囲リンパ節まで郭清を行うため，リンパ浮腫の頻度が高くなる．また，リンパ液の流速が落ちた下肢皮膚は感染しやすい．	●リンパ浮腫の有無 ・リンパ郭清の範囲 ・リンパ浮腫の程度

パターン	アセスメントの視点	根拠	収集する情報
(3) 排泄 全身状態 栄養-代謝 排泄	●尿の異常，排液の異常はあるか	●癒着によって子宮などの剥離が困難だった場合は，膀胱や尿管を損傷することがある．損傷部安静のために，１週間ほど尿カテーテルが留置される．逆行性の感染の危険もある．	●排尿状態 ・排尿異常(血尿) ・ドレーン排液性状 ・水分出納
	●便秘や腹部症状はあるか	●開腹術では，術後イレウスを起こす可能性があることに加え，卵巣がんの標準術式では大網切除が含まれるため，腸管麻痺になる可能性が高い．	●排泄状態 ・排便･排尿回数，性状，排便 ・腸蠕動音，腹部症状(圧痛，筋防御，ガス) ・便通対策，排便支障因子
(4) 活動-運動 活動・休息 活動-運動 睡眠-休息	●術後離床はスムーズに行えたか ・静脈血栓のリスクは高いか	●卵巣がん手術は，骨盤内広範囲へ比較的長時間の操作が必要であることに加え，卵巣がん患者は凝固能が亢進していることが多く，深部静脈血栓症のハイリスクである.主として下肢静脈，骨盤腔内静脈に存在した血栓が剥離して，肺動脈を閉塞した場合，肺血栓塞栓症を呈し，死亡率も高い．	●手術療法後の離床状況 ・ホーマンズ徴候 ・初回離床時の胸痛など
	●骨粗鬆症のリスクは高いか	●閉経前に両側卵巣摘出術を受けると，体内のエストロゲンレベルが急速に閉経レベルにまで減少する．このエストロゲン失調によって，骨量減少症が起こる．自然閉経に比べて骨量減少が始まる時期が早いと，骨量の低下が著しく，骨折の危険性が高まる．骨折は，それによって起こる疼痛や障害によって活動が制限される原因となり，QOLを低下させる．	●ADLの程度と変化 ・入院前の活動状況 ・活動時の生理的変化 ・骨量減少の有無
(5) 睡眠-休息 活動・休息 活動-運動 睡眠-休息	●睡眠・休息の障害はないか	●がんの進行によって，骨盤内への浸潤による疼痛(下腹部・腰痛など)がある場合や，術後のリンパ浮腫による違和感などは，睡眠を障害する可能性がある．	●睡眠の状態 ・睡眠時間・深さ ・昼間の活動への障害の有無
(6) 認知-知覚 知覚・認知 認知-知覚 自己知覚-自己概念 コーピング-ストレス耐性	●治療方法の選択に関して，理解度はどうか，意思決定は行えているか	●卵巣がんの場合，手術療法では腫瘍がさまざまな骨盤内臓器と隣接しているため，多臓器合併切除となることがあり，患者の理解度にあわせて術後の経過を説明する必要がある．挙児希望や女性性器に対する患者の考え方などを表出できるようにすることは，術後の精神的安定に役立つ．初回化学療法は術後２週目程度から行われることも多いため，心身の回復が十分でない時期にあり，負担が大きい．各治療法の合併症や経過について，患者や家族が理解しているかは，術後の闘病意欲の維持に大きな影響がある．	●病態・疾患の理解 ・疾病の受容の状態 ・治療方法に関する理解 ・治療法選択における意思決定
	●術後の疼痛はあるか，程度はどのくらいか	●開腹術で行われるため，術後の疼痛が比較的強い．	●苦痛の有無 ・疼痛の程度 ・疼痛の出現するタイミング ・疼痛の管理状況

57 卵巣がん

パターン	アセスメントの視点	根拠	収集する情報
(7) **自己知覚-自己概念** 知覚・認知 認知-知覚 自己知覚-自己概念 コーピング-ストレス耐性	●ボディイメージや自己尊重に影響する治療の有害事象の程度はどうか，どのように受け止めているか ・女性性の喪失に対する受け止めはどうか ・リンパ浮腫への受け止めはどうか	●女性特有の臓器である子宮と卵巣を摘出することによって，「女性ではなくなってしまう」「子どもがつくれなくなる」など，女性特有の喪失感が生じる．術後リンパ浮腫で下肢が腫れるなど，外見上の変化が起こる場合も多い．	●ボディイメージ ・女性性器喪失など，ボディイメージに関わる有害事象の程度と理解度 ・心理状態（不安，ストレスへのコーピング方法）
(8) **役割-関係** 周囲の認識・支援体制 役割-関係 セクシュアリティ-生殖	●家族の理解度はどうか，家族関係は良好か，支援体制はあるか	●卵巣および子宮の摘出術は，妊孕性を失うため，挙児を希望するのかなど，配偶者と協働した意思決定が必要となる．卵巣摘出に伴う卵巣欠落症状については，配偶者などの家族からの理解を得ることは治療を継続するうえで重要である．好発年齢が40～50歳代と，母や妻として家庭内で重要な役割を担っている時期であるが，術後の化学療法などが長期にわたることも多く，その有害事象から，家庭内の役割遂行が困難になる場合もある．家族の支援体制の有無は闘病意欲の維持に影響する．	●家庭的・社会的役割 ・家庭内での役割遂行状況 ・社会生活での活動状況 ・仕事の種類・内容・継続状況 ・キーパーソンの有無，キーパーソンの認識
(9) **セクシュアリティ-生殖** 周囲の認識・支援体制 役割-関係 セクシュアリティ-生殖	●治療による生殖機能への影響はどうか	●片方の卵巣にとどまっている初期がんの場合は，妊孕性を温存した術式がとられることがある．	●妊娠・出産歴，挙児希望
	●卵巣摘出による有害事象はあるか，どの程度か ・卵巣欠落症状はあるか	●閉経前に卵巣切除を行った場合，エストロゲン欠乏によって卵巣欠落症状を呈する．顔面紅潮・発汗などの血管運動神経障害，関節痛などの運動系障害，頭痛・イライラなどの精神神経障害，手足のしびれ感などの知覚障害が起こる．晩期性症状としては，膣の自浄作用低下による性交痛，骨粗鬆症，脂質異常症などが起こりやすくなる．	●卵巣欠落症状の有無 ・血管運動神経障害
	●性生活に対する疑問や不安はないか	●性交渉時の疼痛などへの不安やパートナーへの遠慮など，術後にはさまざまな懸念を抱いていることが多い．	●性生活について ・性生活への考え方 ・術後の身体の変化や，性生活に関する理解度 ・パートナーの理解度，協力の意思

パターン	アセスメントの視点	根拠	収集する情報
(10) コーピング-ストレス耐性 知覚・認知 認知-知覚 自己知覚-自己概念 コーピング-ストレス耐性	●ストレス障害は起きていないか	●手術やその後の合併症に関連したストレッサーに対処できなかった場合，心理状態や闘病意欲に悪影響がある．	●ストレッサーとその対処方法 ・主なストレッサー ・ストレスへの対処方法 ・対処の効果
(11) 価値-信念 患者背景 健康知覚-健康管理 価値-信念	●価値信念とヘルスケアシステムの間に対立はないか	●妊孕性を温存できなかった場合，術後の生活設計に大きな影響がある．	●人生に対する価値観 ・今後の生き方の希望

3. 全体像の把握から看護問題を抽出

1）病態関連図

（1）内科的治療（放射線治療・化学療法）

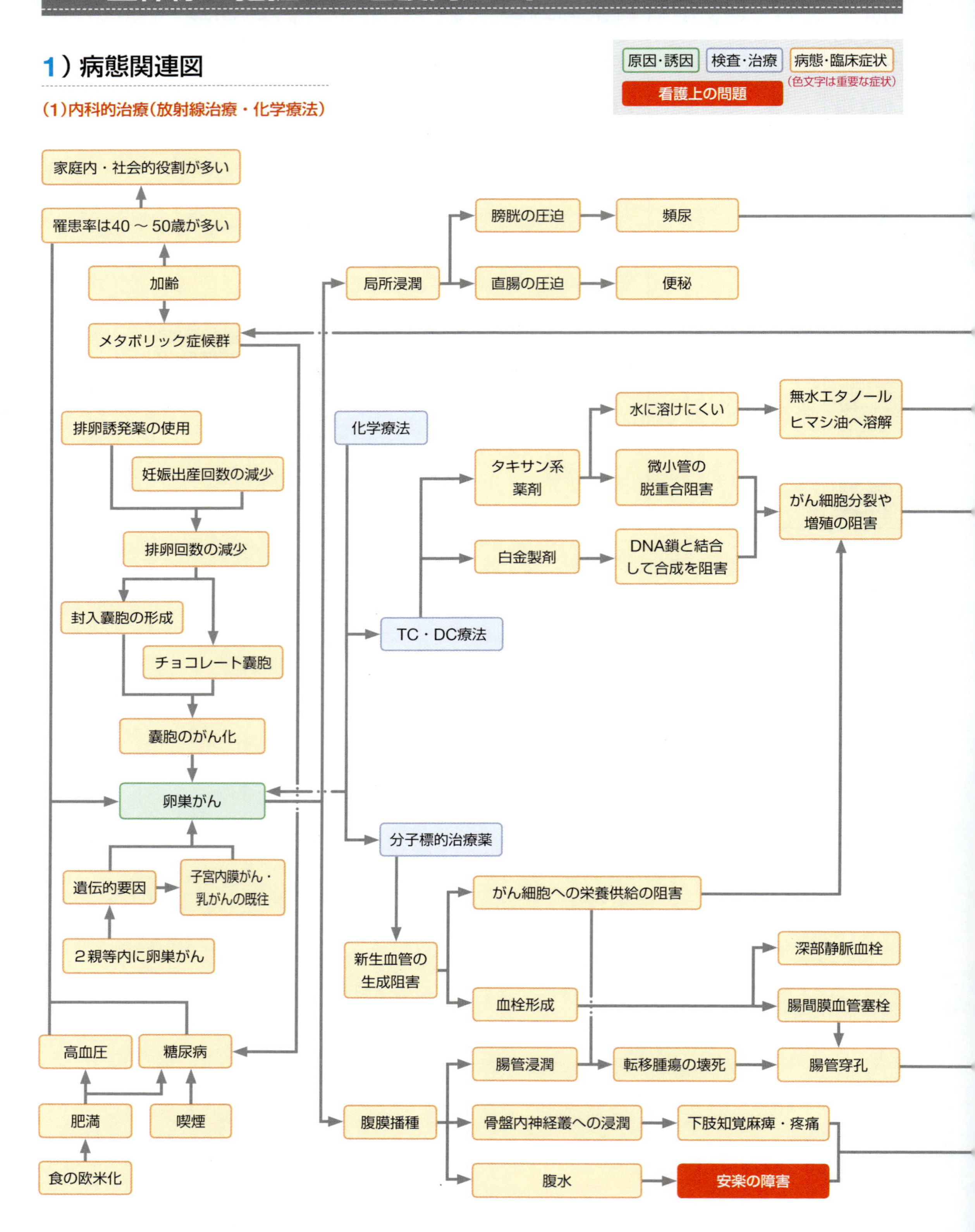

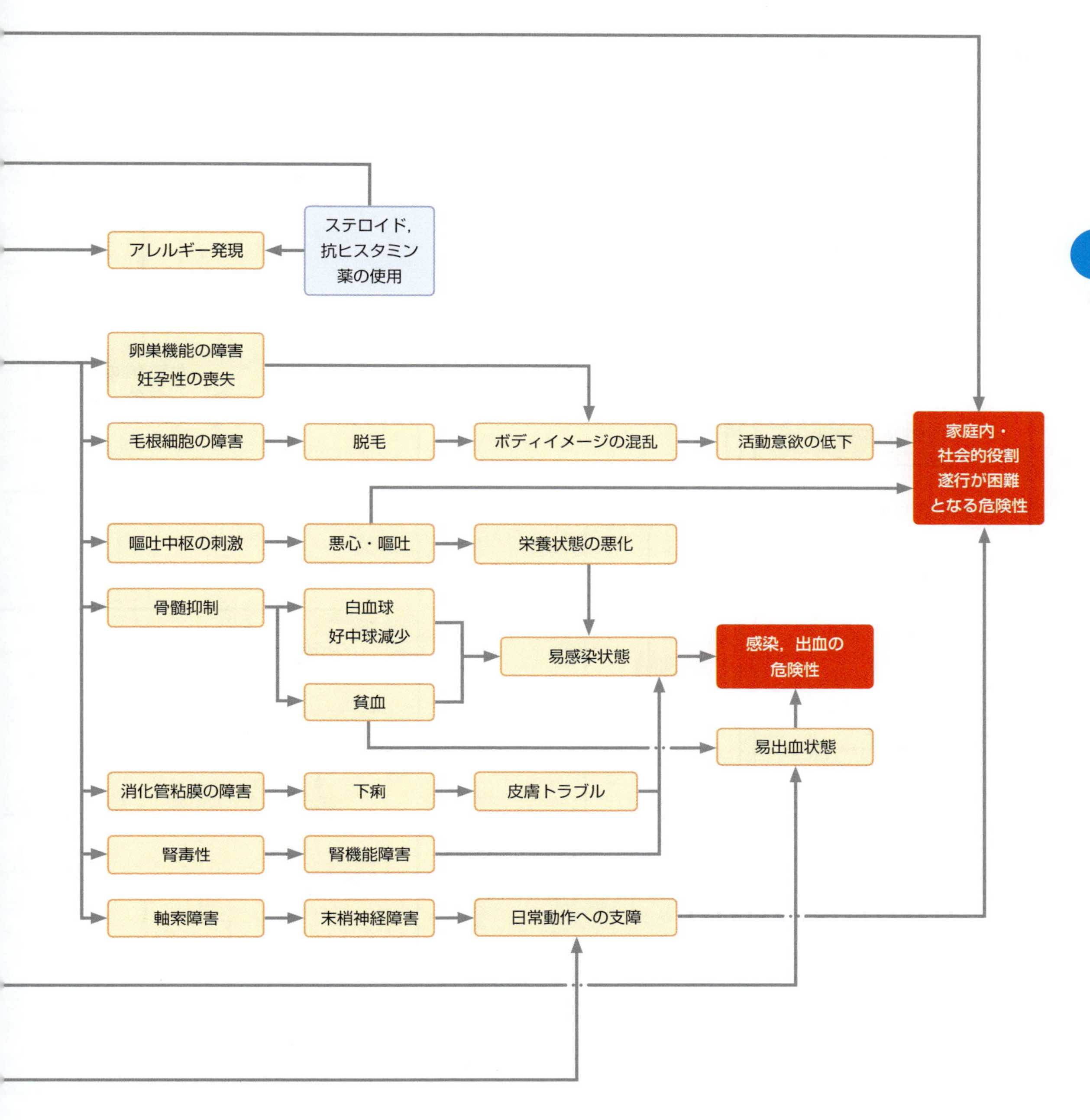
ステロイド，
抗ヒスタミン
薬の使用
アレルギー発現
卵巣機能の障害
妊孕性の喪失
毛根細胞の障害
脱毛
ボディイメージの混乱
活動意欲の低下
家庭内・
社会的役割
遂行が困難
となる危険性
嘔吐中枢の刺激
悪心・嘔吐
栄養状態の悪化
骨髄抑制
白血球
好中球減少
易感染状態
感染，出血の
危険性
貧血
易出血状態
消化管粘膜の障害
下痢
皮膚トラブル
腎毒性
腎機能障害
軸索障害
末梢神経障害
日常動作への支障

1）病態関連図

(2)外科的治療

原因·誘因　検査·治療　病態·臨床症状
看護上の問題　(色文字は重要な症状)

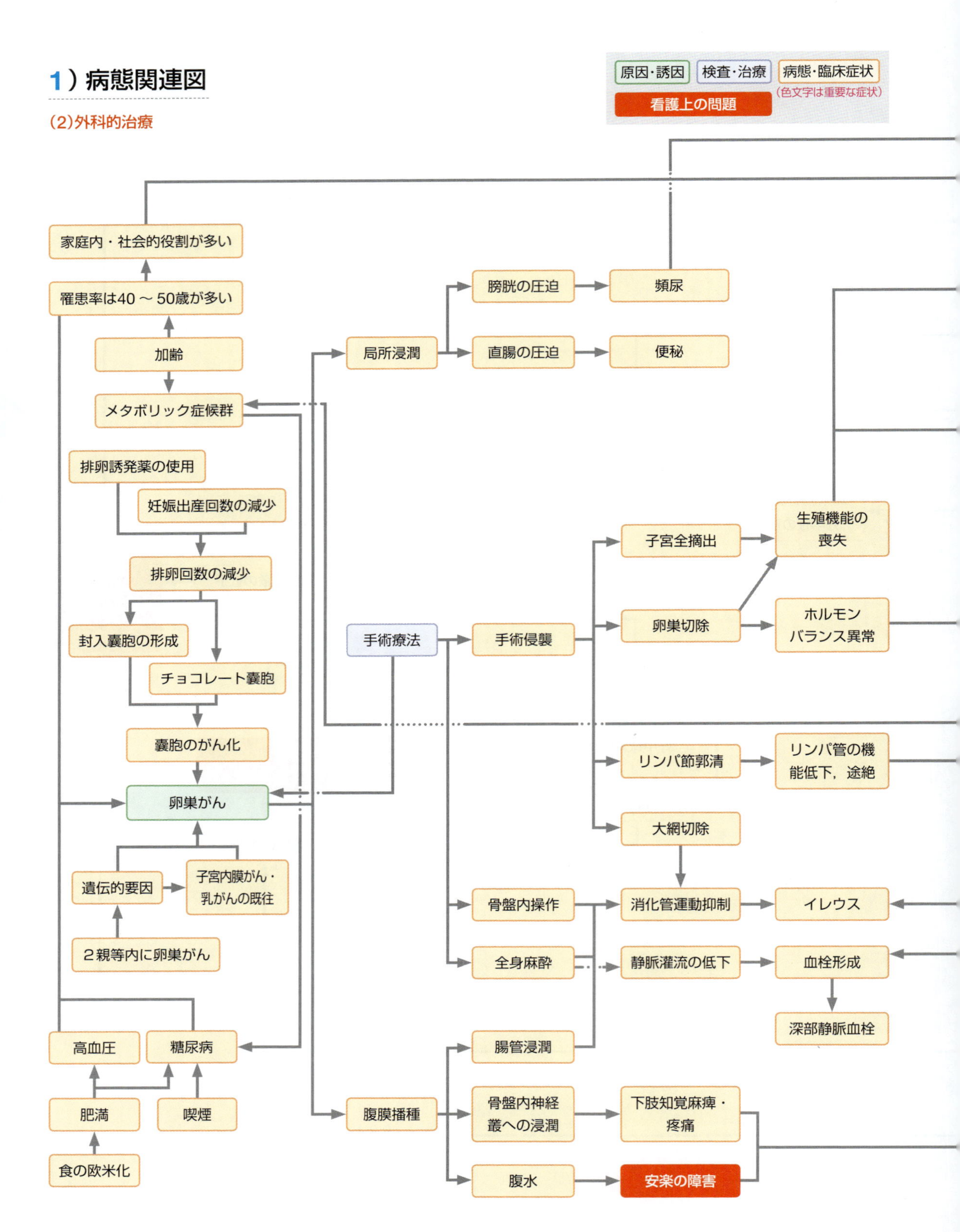

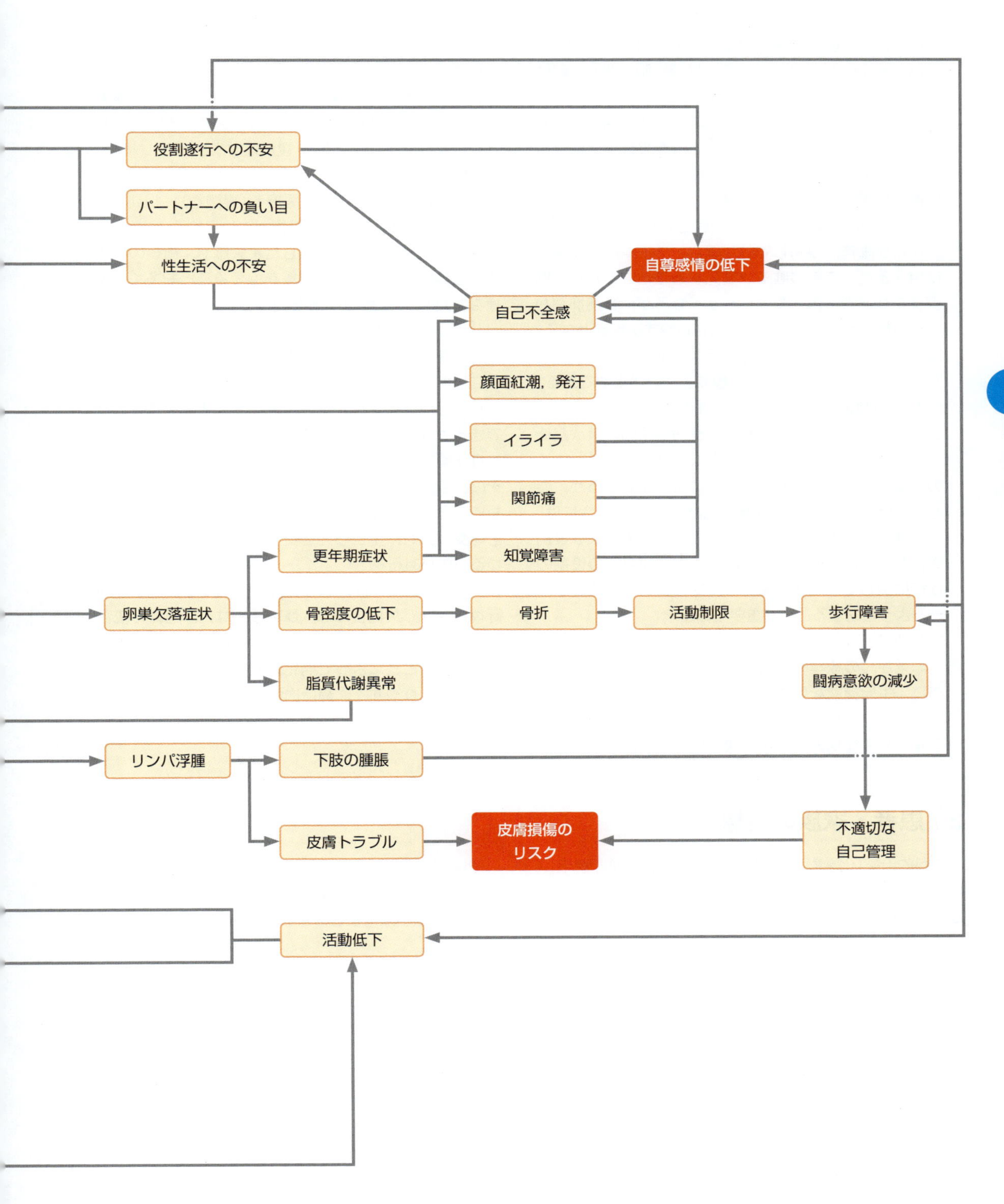
役割遂行への不安
パートナーへの負い目
性生活への不安
自尊感情の低下
自己不全感
顔面紅潮，発汗
イライラ
関節痛
知覚障害
更年期症状
卵巣欠落症状
骨密度の低下
骨折
活動制限
歩行障害
脂質代謝異常
闘病意欲の減少
リンパ浮腫
下肢の腫脹
皮膚トラブル
皮膚損傷のリスク
不適切な自己管理
活動低下

2）看護の方向性

(1)内科的治療(化学療法)の場合

標準治療であるタキサン系・白金製剤系の化学療法では，薬剤の有害事象として，骨髄抑制，悪心・嘔吐など，さまざまな問題が生じる．

まず，骨髄抑制によって白血球（とくに好中球）が減少すること，悪心・嘔吐によって栄養摂取不良になった際の栄養状態の悪化，消化管粘膜障害からの下痢，腎機能低下などによって，身体の内外部からの脅威への抵抗力が，非常に低下した状態となる．

がんが腸管に浸潤していた場合，分子標的治療薬を使用することで転移腫瘍が壊死することなどから，腸管穿孔などの合併症も生じやすくなるが，骨髄抑制からくる貧血がある場合には出血もしやすい状態となる．患者が対処方法を日常生活にうまく取り入れて，症状をマネジメントできるよう支援することが重要である．

毛根細胞の障害による脱毛は発現頻度が高く，ボディイメージの混乱をまねき，闘病や活動の意欲が低下する．卵巣がんは40～50歳代の罹患率が高く，多くの家庭内・社会的役割を担っている時期であるが，悪心・嘔吐などの症状や神経障害が出現した場合には，家事などへの支障をきたすことから，さまざまな役割遂行が困難となる可能性がある．患者が自己の役割の遂行に関して前向きに知覚し，支援者を得ることができるよう援助することが重要である．

(2)外科的治療の場合

卵巣がんの標準的な術式は子宮全摘＋付属器切除であり，生殖機能を喪失することが多い．閉経前に両側卵巣を切除した場合には，卵巣欠落症状が起こり，イライラや関節痛といった症状を呈する．さらに，リンパ節郭清も行われるため，下肢のリンパ浮腫を起こしやすい状態となるが，下肢の腫脹は外見的な変化に対する不安・混乱や活動への支障をきたす．常に皮膚の清潔を保つ方法や，刺激を最小限にするための健康管理について，早期に習得してもらう必要がある．ただし，リンパ浮腫の管理方法（複合理学療法）については，患者個々の状態にあわせて方法を選択する必要があり，状況を見極めて，必要時は医療者（専門家）に相談することができるような知識・技術が求められる．

また，子宮や卵巣を摘出した喪失感や，術後の性生活への誤解や不安などの問題を抱えることも多く，多様な家庭内・社会的役割を担っている時期の患者にとっては，自己や自己の役割遂行能力に対して否定的な評価をしやすい状態である．精神的な落ち込みは異常なことではなく，キャンサーズギフト（がんになって得たもの）をみつけることも可能であると考えることができるように支援が必要である．

身体面でも，徐々に術後の変化に慣れていけるよう，その人自身にあった症状をコントロールする方法をともに考え，支えることが重要である．患者が新たな自己を受け入れ，生きる力を促すよう，術後早期から関わる必要がある．

一方，リンパ浮腫が生じた際に，適切な自己管理が行われなかった場合には，蜂窩織炎など，組織の統合性に障害を生じやすい．術後の合併症としては，大網を切除することによって消化管運動が抑制され，腸管麻痺が起こりやすく，静脈血栓症もほかのがんに比べて生じやすい．

3）患者・家族の目標

内科的治療（化学療法）によって生じる骨髄抑制，脱毛，悪心・嘔吐などへの対処方法を確立し，心理的・社会的な影響を最小限にとどめ，闘病意欲を維持する．

外科的治療（手術療法）によって生じる卵巣欠落症状，リンパ浮腫などへの対処方法を確立し，心理的・社会的な影響を最小限にとどめ，闘病意欲を維持する．

4. しばしば取り上げられる看護問題

(1)内科的治療(化学療法)の場合

自己健康管理(化学療法の有害事象，感染予防行動など)に関する理解が十分でない

なぜ？

卵巣がんの化学療法は長期にわたって行われることが多い．

たとえば骨髄抑制によって易感染状態となると，重篤な感染症を引き起こし，生命を脅かす場合もある．また，ベバシズマブによる腸管穿孔が発生した場合には腸の切除や人工肛門造設などの処置を必要とする．化学療法は長期にわたって実施されるため，このようなさまざまな有害事象が長期にわたって生じることになる．そのため，感染などの有害事象の予防や症状の早期発見に関して，患者の理解を十分に得て，退院後も実施できるようにする必要がある．

➡期待される結果

・化学療法によって生じる有害事象を言うことができる．
・感染の徴候がみられない．
・日常生活に必要な感染予防行動を理解し，実践できる．

◆2 化学療法の影響からの身体症状や身体変化に伴う活動意欲の低下により役割を遂行できない

なぜ？

化学療法の有害事象のなかでも脱毛といった身体的変化は直ちに生命を脅かすものではないが，悪心嘔吐や神経障害など，日常の生活活動への支障をきたすことでさまざまな役割を遂行できなくなることは，患者にとって心理的に大きな負担となる．そのため，本人の工夫や家族の支援が重要である．また，さまざまな有害事象への対処方法を獲得することは，長い闘病生活を継続するうえで重要である．

➡期待される結果

・自己の身体変化について受け入れる発言がある．
・効果的な役割遂行への工夫を考えることができる．

(2)外科的治療の場合

リンパ浮腫および不適切な自己管理に関連した皮膚組織の障害

なぜ？

卵巣がんの標準的な手術では，リンパ節郭清が行われるため，下肢にリンパ浮腫が起こりやすい．リンパ浮腫では，症状を理解して早期発見に努めることや，発症後は進行度に応じてケアの内容を変更する必要がある．皮膚のささいな損傷であっても感染を起こし，蜂窩織炎などへ悪化する可能性があり，患者のQOLを大きく損なう．正しいスキンケアの方法を理解し，自己管理できるようにすることが必要である．

➡期待される結果

・リンパ浮腫の症状を言うことができる．
・正しいスキンケア方法を理解し，実践できる．
・マッサージや圧迫療法といった複合的理学療法について理解し，実践できる．

生殖機能の喪失感，卵巣欠落症状による役割遂行の自己不全感に関連した自尊感情の低下

なぜ？

子宮や卵巣という女性特有の臓器を失ったという喪失感や卵巣欠落症状は，直ちに生命を脅かすものでは無いが，妊孕性喪失による他者との関係の変化は，患者のアイデンティティを揺るがす，危機的な状況であるといえる．また，閉経前であった場合，ホルモンバランスが急激に変化することによる身体症状が出現し，役割遂行などにも影響を及ぼすため，適切な対処がされない場合，自己に否定的な感覚を抱くことにつながる．

さらに，うつ症状を呈するほか，社会復帰の妨げともなる．

➡期待される結果

・自分なりの卵巣欠落症状への対処方法を見いだすことができる．
・がんに罹患して気づいたことなど，肯定的な自己に着目することができる．

5. 看護計画の立案

• O-P：Observation Plan（観察計画） • T-P：Treatment Plan（治療計画）
• E-P：Education Plan（教育・指導計画）

（1）内科的治療の場合

◆1 自己健康管理（化学療法の有害事象，感染予防行動など）に関する理解が十分でない

	具体策	根拠と注意点
O-P	**（1）検査データ** ①骨髄抑制に関するデータ ・白血球数（好中球数） ・赤血球数，Hb ・血小板数 ・凝固系（PT時間，PT活性，APTT） ・CRP ②栄養状態に関するデータ ・TP，Alb ③腎機能に関するデータ ・BUN，Cr ④胸部X線検査 **（2）バイタルサイン** ①体温 ②循環（血圧，脈拍，不整脈） ③呼吸（呼吸数，SpO_2）	●卵巣がんの標準的なTC療法・DC療法では，投与後約2週間から骨髄抑制がほぼ全員に出現する．好中球が1,000/μL以下では易感染状態である． ●カルボプラチンは血小板減少を起こしやすい．
	（3）治療内容 ①使用している薬剤 ②予定されている治療期間 ③有害事象に対して使用されている薬剤	●一般的にはTC・DC療法である．3～4週間ごとに3～6サイクル継続するのが一般的で，長期にわたって薬剤が投与される． ●TC療法では副作用を抑制するため，制吐薬やステロイドの投与が並行して行われる． ●進行症例の場合は，再発しやすい．再発例には抗がん薬の種類を変更しながら行うため，注意すべき副作用が異なる． ●好中球減少に対してはG-CFSの投与や抗菌薬などの投与が行われる．貧血に対しては濃厚赤血球輸血，血小板減少に対しては血小板輸血が行われる． ●食事摂取が十分にできない場合，栄養状態の悪化をまねき，易感染にもつながる．
	（4）感染徴候の有無 ①悪寒・発熱・倦怠感 ②咳嗽，喀痰 ③尿混濁，排尿時痛 **（5）出血徴候の有無** ①皮膚・粘膜の出血斑 ②吐血・下血 ③血尿	
	（6）そのほかの有害事象の有無 ①神経障害（手足のしびれ） ②関節痛 ③アレルギー反応	●ベバシズマブを使用した場合，腸管穿孔が起こる場合がある．その際は，腹部症状とともに血便やタール便がみられる．
	（7）栄養摂取状況 **（8）非効果的抵抗力であることの理解度** **（9）家族の協力の有無**	●タキサン系は悪心・嘔吐のほか，下痢の発生頻度も高い薬剤である．症状の有無にあわせて食事摂取できているかは栄養状態にも関わる．

	具体策	根拠と注意点
T-P	**(1)環境整備** ①汚染の除去 ・医療者自身の感染防御策の励行 ②転倒転落しやすい環境の改善 ・めまいなどの症状発現時は安静をすすめる	●感染予防の観点から，環境からの病原体を少なくするとともに，身体の損傷からの出血を予防するために，転倒転落を起こさない環境への配慮が必要である．神経障害で手足のしびれがある場合も多いため，患者自身でできない環境の整備については援助が必要である．
	(2)感染予防 ①上気道 ・手洗い・含嗽を励行する ・可能な限り人混みに近づかない ・マスクの着用 ②尿路 ・水分を十分に摂取する ・陰部の保清に努める ・膀胱に尿をためすぎない ③腸管 ・食材が傷みにくい食物の保管，調理方法の工夫(火を通す)	●人が多く集まる場所では，病原体に接触する機会が増えるため，感染しやすい時期は避けることが望ましい．外出した際はマスクを着用して予防に努める． ●食べ物に付着した菌が感染源にならないよう，注意を要するが，食欲低下などのために差し入れをしてもらう場合も多いため，本人家族にも十分理解してもらう．洗浄しきれない菌がある可能性のある生野菜や果物は避ける．肉・魚・卵の生食は，サルモネラ菌やO-157などに汚染される危険があるため，控える．
	(3)保清 ①皮膚(頭部，陰部，肛門部など)の清潔を保つ ②粘膜(口腔など)の清潔を保つ	●卵巣がんで使用する抗がん薬では脱毛が起こる．毛髪が抜けることを気にして，洗髪に消極的にならないようにする． ●粘膜(口腔)の保清では，刺激が少ない方法(やわらかい歯ブラシの使用など)で，出血の予防にも気を配ることが必要である．
	(4)食事摂取 ①悪心嘔吐時 ・制吐薬の定期使用 ・食事の自由度を高める ・食前のうがいの励行 ②下痢時 ・温かく消化吸収のよい食事をすすめる ・食物残渣の少ないものを少量ずつ摂取する	●タキサン系は悪心嘔吐のほか，下痢の発生頻度も高い薬剤である．症状のある際には，それにあわせた食事摂取方法を行う必要がある．
E-P	**(1)感染予防に関する指導** ・感染徴候の発見方法 ・感染予防のための日常生活の注意点 **(2)出血傾向に関する指導** ・出血徴候の発見方法 ・出血予防のための日常生活の注意点	●治療は通常長期にわたって行われるため，易感染状態・出血傾向について症状を理解し，日常生活のなかで気を配れるようにすることが重要である．

(2)外科的治療の場合

◆1　リンパ浮腫および不適切な自己管理に関連した皮膚組織の障害

	具体策	根拠と注意点
O-P	**(1)術式など治療内容からのリスク評価** ・リンパ節郭清の範囲 **(2)症状の程度** ①リンパ浮腫の発生場所･範囲 ・浮腫部位の周囲径 ・皮膚色 ②圧迫痕の有無 ③主に下肢の倦怠感の有無 ④組織の肥厚の有無 ⑤象皮症様変化の有無	●手術でリンパ節を切除した場合や，放射線療法でリンパ管が細くなったり途切れたりしたために，リンパ液が貯留するのがリンパ浮腫である．ただし，出現時期は術直後あるいは5～10年とさまざまであるうえ，個人でリンパ管の働きや側副路の形成のされ方が違う．また，生活習慣などによっても，症状の出現の仕方が異なる． ●リンパ浮腫は発現時期が多様であるため，現在症状がない場合でも，発現を予防する生活習慣を実施しているか，発現した場合の対処方法について患者が理解しているか，といった点を確認することが重要である．

	具体策	根拠と注意点
O-P	**(3)日常生活活動の状態** ①正座など，リンパ流を遮断する動作の有無 ②長時間の立位が必要かどうか ③下肢の運動の有無 ④リンパドレナージの必要性の理解度と実施状況 ⑤弾性包帯，サポートストッキング着用の有無 ⑥日常の動作のしにくさ ⑦体重管理	
	(4)感染の予防と早期発見 ①リンパ浮腫部位の感染徴候の有無 ・発赤，腫脹，熱感，疼痛 ・発熱，CRP値上昇の有無 ・清潔保持の自己管理方法 ②損傷予防の必要性の理解度	●リンパ浮腫になった部位は，局所の好中球やマクロファージの働きが低下しており，易感染状態である．患肢の感染徴候に注意する必要がある．
T-P	**(1)スキンケア** ①皮膚の保湿を心掛ける ②保湿薬は刺激の少ないものを選ぶ	●皮膚が乾燥していたり，傷口があると，細菌が侵入し，蜂窩織炎などを起こしやすい．
	(2)リンパドレナージ ①肩回しと腹式呼吸 ②患肢のある側の腋窩リンパ節に向かって，円を描くように皮膚だけを動かす ③基本的な手技の流れ ・腋窩→体幹→腹部→殿部→大腿→膝・下腿→足→まとめ(足先から腋窩までさすりあげる) ・急性炎症がある場合は行わない	●リンパドレナージとは，リンパ液を，皮膚や皮下組織内のリンパ管側副路を通して深部リンパ管に誘導し，最終的には静脈に誘導する方法である．線維症や象皮症によって硬化した皮膚を改善する効果もある． ●肩回しによって鎖骨が開き，静脈角に入る深部のリンパ管の流れがよくなる．腹式呼吸は乳び槽から胸管を介して，静脈角までの流れを改善する． ●心臓に既往がある場合や，放射線療法などで皮膚に炎症がある場合などは，炎症を悪化させるので医師やセラピストに相談してから行う．
	(3)圧迫療法 ・浮腫の状況に応じて弾性包帯を巻く，または弾性ストッキングを用いて圧迫する ・適切な圧で巻く ・しびれ防止のため，足背に圧力を入れすぎない ・日常生活に影響のないよう，足首や膝関節の可動性を保つ ・ストッキングの場合，サイズの確認を行う ・装着による皮膚トラブルを確認する	●圧迫療法は，リンパ液のうっ滞を軽減し，ドレナージで改善された皮膚の柔らかさや，浮腫が減退した良好な足の状態を維持したり改善するために行われる． ●適切な圧迫は，リンパ液が再び貯留するのを防ぐが，無理な圧迫は浮腫の悪化や皮膚障害，神経障害の原因となるため，症状にあわせて圧を決定していく．
	(4)下肢の運動 ・弾性ストッキングなどで圧迫しながら運動を促す ・足関節の屈曲伸展 ・膝関節屈曲伸展	●運動を行うことで，筋肉の動きが刺激となり，リンパ液の流れが活発になって，リンパ浮腫の改善が期待できる．
E-P	**(1)皮膚の症状管理に関する指導** ①スキンケア方法 ②リンパドレナージの目的と方法 ③弾性包帯，サポートストッキングの着用方法 ④運動療法	●リンパ浮腫の症状は長期に持続する場合もあり，自己管理できるようになることが重要である．症状に応じた弾性ストッキングの選択方法や，日常生活に適度な運動を取り入れることなどを説明し，セルフケアへの自信を高めることで，不安の軽減や闘病意欲の促進につながる．
	(2)症状を悪化させない生活習慣に関する指導 ①注意すべき日常生活動作について ・正座 ・長時間の立位 ・重い荷物を繰り返し持ち上げる動作 ・長時間の飛行機での旅行	●正座は，リンパ液の流れを遮断する体位であり，長時間の立位はリンパ液の足への停滞が生じやすいため，避ける必要がある．その他，リンパ液の流れに影響のある生活について理解し，対処行動がとれるようにする必要がある．

	具体策	根拠と注意点
E-P	・温熱・寒冷刺激	●温熱刺激で血流が増加すると，リンパの流れが停滞している足の組織にリンパ液が貯留する．寒冷刺激ではリンパの輸送能力を低下させる．
	②運動後の休息について ・足を心臓より高く(10cm程度)して休む ・側臥位の際は，足の間にまくらなどを挟み，足を重ねないようにする	●足を高くするとリンパ液の流れが促進される．
	③日常で起こりがちな皮膚損傷について ・下肢の切創 ・日焼け ・虫さされ ・毛剃り ・低温やけど ・(必要時)白癬の治療	●下肢皮膚が損傷すると，リンパ浮腫では易感染性のため，炎症を起こしやすい．皮膚が損傷しないような，予防的な生活習慣を獲得する必要がある．
	④衣生活について ・きつい衣類，サイズのあわない靴，ハイヒールは避ける	●服装は，正常なリンパ流を阻害しないようなものを選択する必要がある．
	⑤体重管理	●体重が重いと，重力で下肢に負担がかかり，リンパ浮腫が悪化する．さらに，皮下脂肪の蓄積は，リンパ管の輸送能力を低下させる．予防的に体重を落とし，標準体重を維持することが必要である．
	(3)異常症状と対処方法 ①受診が必要な症状 ・38℃以上の高熱 ・赤い斑点や広範囲の発赤 ・疼痛	
	②蜂窩織炎発症時の対処方法 ・炎症部位を冷やす ・リンパドレナージ，弾性包帯などによる圧迫の中止 ・速やかに受診する	●蜂窩織炎を起こした際には抗菌薬を投与し，安静にする．リンパドレナージなどは，症状が落ち着いてから10日後くらいから再開する．急性皮膚炎の場合は，血液データに異常がなければリンパドレナージなどを継続して行って構わない．

#2 生殖機能の喪失感，卵巣欠落症状による役割遂行の自己不全感に関連した自尊感情の低下

	具体策	根拠と注意点
O-P	**(1)女性性器喪失に対する心理的な状態** ①発言の内容 ・手術によって変化した身体機能に関する発言の内容 ・自己尊重のレベル ②表情･態度･しぐさ	●不安や悩みを表出できない患者も多く，元気に振る舞っていても，自分の状況を受け止めているとは限らない．食欲不振や夜間不眠などの症状として現れる場合があるため，注意が必要である．
	(2)不安を表す生理的症状の有無 ①不眠 ②食欲不振 ③イライラ感 ④落ち着きのなさ ⑤疲労感･倦怠感 ⑥心悸亢進　など	
	(3)ボディイメージに関連する身体状態 ・リンパ浮腫の有無，程度	●化学療法を併用している場合は，脱毛などの化学療法からくる身体変化に関しても，ボディイメージに影響する．

	具体策	根拠と注意点
O-P	**(4)担っている役割** ①家庭内・社会的役割の遂行状況 ②術後の役割遂行能力や意欲 ③役割遂行するにあたっての障壁 **(5)家族の支援状況** ①面会の状況 ②キーパーソンの有無 ③家族からの支援の有無	●卵巣がんは，多様な役割を担っている年代に罹患率が高いため，術後にどのような役割を遂行するのか，遂行に支障はないかを評価することが重要である．
T-P	**(1)患者の訴え・思いを十分に聴き，受容的・肯定的態度で接する** ①患者について肯定的に述べる ②状況に対処できる力があることを患者に伝える ③目標達成に向けた患者の進歩をほめる	●医療者が「ありのままの患者」を受け入れる姿勢を示すことで，患者自身も自己肯定感をもつことができると考えられる．
	(2)患者が気持ちを表出しやすい環境をつくる ①頻回に訪室する ②家族とゆっくり過ごせる場を提供する ③必要時，家族との調整役となる **(3)患者が自身のキャンサーズギフトについて考えられるよう促す** ①がんになって成長できたことを想起する ②他者からの肯定的な反応に気づくよう促す	●患者の家族も，患者の変化に不安を感じたり，患者が担ってきた家庭内での役割を代行する必要があるなど，負担が大きい．患者にどのように関わったらいいのかわからなくなる家族も多いため，患者と家族の関係の調整を行うことが必要となる．
	(4)役割遂行への影響を軽減する環境をつくる ①排尿トラブル（尿漏れ）への対処 ・排尿訓練 ・骨盤底筋群体操 ②リラックス ・入浴や適度な運動，好きな音楽や香りを楽しむことをすすめる ③リンパ浮腫へのケア（(2) 外科的治療の場合-◆1参照） **(5)利用可能なサポートシステムを見つけるよう支援する**	●神経損傷による排尿トラブルに対しては，術後７日～14日から排尿訓練を行い，尿が膀胱にたまったサインを捉えられるようにする． ●術後の卵巣欠落症状の急性症状は，術後１～３週間で出現し，時間とともに軽減する．手術を行わなくても更年期になれば体験する症状であるため，神経質にならずリラックスできるように援助する．
E-P	**(1)役割遂行を継続できる症状マネジメント方法の指導** ①排尿トラブルへの対処法 ・骨盤底筋群体操の方法 ・水分摂取方法 ②卵巣欠落症状への対処法 ・リラクゼーション方法 **(2)感情や知覚したこと・恐怖などを言葉に表して表現するように言う** **(3)共通の悩みをもつ人との交流をすすめる**	●さまざまな症状に対して自己コントロールができるという感覚は，ストレスの知覚を軽減させ，役割遂行への支障が少なくなった場合には，自尊感情も回復する．

引用・参考文献

1）日本産科婦人科学会・日本病理学会編：卵巣腫瘍・卵管癌・腹膜癌取扱い規約 病理編．p.10～11，金原出版，2016.
2）日本産科婦人科学会・日本病理学会編：卵巣腫瘍・卵管癌・腹膜癌取扱い規約 病理編．p.8～9，金原出版，2016.
3）日本婦人科腫瘍学会編：卵巣がん治療ガイドライン2015年版．第４版，p.70～71，金原出版，2015.
4）Matthew A. Powell et.al.: A randomized phase 3 trial of paclitaxel（P）plus carboplatin （C）versus paclitaxel plus ifosfamide（I）in chemotherapy-naive patients with stage I-IV, persistent or recurrent carcinosarcoma of the uterus or ovary: An NRG oncology trial.米国臨床腫瘍学会．2019． https://meetinglibrary.asco.org/record/173464/abstract より2020年８月24日検索
5）日本婦人科腫瘍学会編：卵巣がん治療ガイドライン2015年版．第４版，p.51，金原出版，2015.
6）永野忠義編：はじめての婦人科看護．p.114～118，メディカ出版，2017.
7）国立がん研究センターがん情報サービス：がんの統計 '18．2019． https://ganjoho.jp/reg_stat/statistics/brochure/backnumber/2018_jp.html より2020年８月24日検索

第 10 章　自己免疫疾患患者の看護過程

58 関節リウマチ

1. 疾患の基礎的知識

1）疾患の概念

関節リウマチ（RA：rheumatoid arthritis）は，関節炎を主な特徴とする慢性炎症性疾患であり，局所だけでなく多臓器に病変が及ぶ可能性のある全身性疾患である[1]．経過中，さまざまな関節外症状を伴うことがあり，血管炎などの難治性もしくは重篤な病態を伴う場合は悪性関節リウマチ（MRA：malignant rheumatoid arthritis）とよばれ，指定難病となっている[2]．関節の変形に伴って上下肢の機能障害が生じ，日常生活活動（ADL）や生活の質（QOL）が低下する．罹病期間が延長しやすく，患者・家族の心身の負担のみならず，社会的な負担も大きい疾患である[3]．厚生科学審議会疾病対策部会リウマチ等対策委員会報告書（2018年）によると，有病率は0.6～1.0%，推定患者数は33～100万人と，調査によって差があるが，近年，受療率は入院・外来ともに減少しており，その理由は主に薬物療法の向上に伴う変化と考えられている[3]．日本での男女比は 1 ：2～5で女性に多く，発症のピークは50歳代である[4]が，国民の高齢化を反映し，平均発症年齢の上昇が認められている[3]．

2）原因

原因はいまだ不明であるが，遺伝的要因，免疫学的要因，環境要因などの関与が考えられている．

3）病態と臨床症状

病態

RAにおける滑膜の初期病変は，血漿成分やフィブリンの滲出を伴って浮腫状となる．滑膜表層細胞は増殖し，リンパ球と形質細胞は集積，濾胞を形成し，その周囲は線維性結合組織で囲まれる．増殖性線維芽細胞や滑膜が増殖して炎症性肉芽となったパンヌス（Pannus）は，関節軟骨の表層に広がり，プロテアーゼ，コラゲナーゼ，その他の化学伝達物質によって，軟骨，骨のびらんへと進展する．

皮下結節の中心部は壊死層で，外層は形質細胞とリンパ球からなる慢性炎症性細胞と線維芽細胞で構成されている．血管炎は比較的小血管をおかし，爪床周囲や指腹部の小梗塞としてみられる．大きな血管がおかされる場合は，全身性血管炎に類似した壊死性血管炎がみられることがある．

RAの病期（Stage）は，X線所見による骨破壊の程度を示したもので，関節の解剖学的変化の分類（**表58-1**）である．機能障害度（Class）（**表58-2**）は，ADLの可能範囲の程度を表したものであり，これは病期，機能障害の程度を知るうえで有用である．

関節リウマチの関節破壊の経過を**図58-1**に示す．

臨床症状

発症は関節症状を主とするが，脱力感，全身倦怠感，全身の痛みなどの全身症状が先行することもある．最も多い訴えは，朝の覚醒時における関節のこわばり（朝のこわばり）である．おかされる関節は，手は近位指節関節と中手指節関節，足は中足趾節関節で，膝，足，肘，腕，肩などの関節もおかされ，多くは対称性である．痛みやこわばりだけでなく，腫脹，発赤，熱感，圧痛などもある．

（1）関節症状

①手の関節：軟部組織の腫脹を伴い，伸筋と屈筋の腱鞘炎をきたす．進行すると，スワンネック変形，ボタンホール変形などの特徴的な変形をみる．また，軟骨および骨の破壊により，中手指節関節の亜脱臼を起こし，尺側偏位が生じる．

②腕：伸展尺側部に無症候性腫脹を認め，正中神経障害を伴う手根管症候群を起こす．

③環軸関節：亜脱臼を起こすとともに，知覚および錘体路徴候を伴った脊髄圧迫を起こす．

④輪状披裂関節：声帯が内転し，喉頭閉塞の原因とな

る．

⑤顎関節：咀嚼障害を起こす．

⑥股関節：可動制限をきたし，進行すると膀胱直腸障害を起こす．合併症として無菌性骨壊死を伴うこともある．

⑦膝：リウマチ性滲出液が貯留し，ときとして下腿後面まで拡散することがある．

⑧中足趾節関節：亜脱臼，外反母趾を起こし，歩行時の激痛と歩行困難の原因となる．

(2)関節外症状

①皮下結節：肘，手指，後頭部，肩甲骨部など，刺激や圧迫を受けやすい部位に認められる．同様の結節は，心臓，脾臓，肺，眼などにも生じる．

②血管炎に伴う症状：爪周囲の小梗塞が多い．

③心症状：約30%に心外膜炎が認められる．

④肺症状：滲出性胸膜炎が認められる．

⑤眼症状：上強膜炎，虹彩炎が認められる．

表58-1　関節リウマチの病期分類(Steinbrocker分類)

StageⅠ　初期	＊1．X線写真上に骨破壊像はない
	2．X線学的オステオポローシス(骨粗鬆症)はあってもよい
StageⅡ　中等期	＊1．X線学的に軽度の軟骨下骨の破壊を伴う，あるいは伴わないオステオポローシスがある．軽度の軟骨破壊はあってもよい
	＊2．関節運動は制限されていてもよいが関節変形はない
	3．関節周辺の筋萎縮がある
	4．結節および腱鞘炎のような関節外軟部組織の病変はあってもよい
StageⅢ　重症期	＊1．オステオポローシスのほかに，X線学的に軟骨および骨の破壊がある
	＊2．亜脱臼，尺側偏位，あるいは過伸展のような関節変形がある線維性または骨性強直を伴わない
	3．強度の筋萎縮がある
	4．結節および腱鞘炎のような関節外軟部組織の病変はあってもよい
StageⅣ　末期	＊1．線維性あるいは骨性強直がある
	2．それ以外はStageⅢの基準を満たす

＊印のある基準項目は，とくにその病期，あるいは進行度に患者を分類するためには必ずなければならない項目である

表58-2　関節リウマチの機能障害度の分類(Steinbrocker分類)

ClassⅠ	身体機能は完全で，不自由なしに普通の仕事は全部できる
ClassⅡ	動作の際に1か所あるいはそれ以上の関節に苦痛があったり，または運動制限があっても，普通の活動ならなんとかできる程度の機能
ClassⅢ	普通の仕事や自分の身のまわりのことがごくわずかできるか，あるいはほとんどできない程度の機能
ClassⅣ	寝たきり，あるいは車椅子に座ったきりで，身のまわりのこともほとんど，または全くできない程度の機能

図58-1　関節リウマチの関節破壊の経過

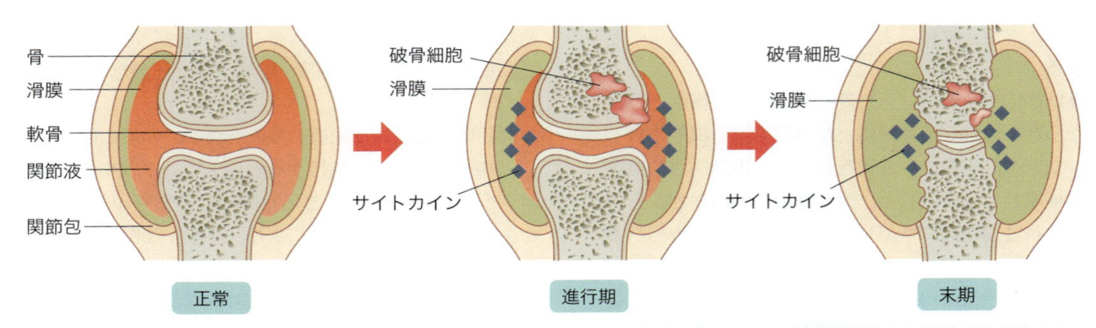

正常の関節では，骨と骨のあいだに軟骨があり，また，滑膜が分泌する関節液によって関節はスムーズに動く

滑膜が炎症により活性化し増殖(関節の腫れ)，増殖した滑膜からサイトカインが放出され，軟骨・骨を破壊する

軟骨が破壊され関節裂隙が狭くなる．骨（関節）が変形し，変形による痛みが出てくる

落合慈之監：リハビリテーションビジュアルブック．p.120，学研メディカル秀潤社，2011.

4）検査・診断

診断

アメリカリウマチ協会によって提唱された関節リウマチの診断基準（**表58-3**）と，日本リウマチ学会による早期関節リウマチの診断基準（**表58-4**），悪性関節リウマチの改訂診断基準（**表58-5**）を示す．なお，多発性関節炎と関節痛をきたす疾患は数多いので，これらの疾患（**表58-6**）との鑑別を行う．

検査

(1)免疫学的検査

①リウマトイド因子：リウマトイド因子は変性IgGを抗原とする抗体であり，RAに特徴的に認められる．RA以外の膠原病，感染症，肝疾患などでも認められることがある．

②抗核抗体：RAの40％以上に認められるが，抗体価は低い．LE細胞は５％以下で認められる．

(2)血液検査

大部分の患者に軽度の貧血がみられる．これは，炎症性の貧血であるので鉄剤の投与は無効である．白血球数増加，血小板数増加をみることもある．赤沈亢進，CRP陽性を認め，この値はリウマチ活動性の程度を反映している．

(3)関節液検査

非化膿性で炎症性の所見を呈する．関節液量増加，軽度混濁，粘稠度減少，白血球数増加，赤血球数増加，補体価低下をみる．リウマトイド因子は陽性である．

(4)骨・関節X線検査

診断のみならず，疾患の進行状態を知るうえでも重要な検査である．症状が進行するに従い，一般的に次の順序で変化がみられる．軟部組織の腫脹，関節周囲の骨粗鬆症，関節裂隙の狭小化，骨びらん，骨破壊，骨の変形や強直，荷重関節では続発性の変形性関節症を認める．

(5)滑膜生検

滑膜表層細胞の増殖，滑膜の浮腫・充血，多核白血球，形質細胞，リンパ球，巨細胞からなる細胞浸潤が特徴的である．

5）治療

RAの治療方針を立てるためには，患者の現時点での病態，年齢，性別，職業，疾患への対応などを把握する．RAの治療は，従来型抗リウマチ薬（csDMARD），生物学的製剤（bDMARD），ステロイドによる薬物療法が中心である．また，症例に応じて理学療法や手術療法，基礎療法などを組み合わせて行う．

表58-3　ACR/EULAR新分類基準（2010）

A．腫脹または圧痛関節数	
１個の大関節	0
２～10個の大関節	1
１～３個の小関節	2
４～10個の小関節	3
11関節以上（少なくとも１つは小関節）	5
B．血清学的検査	
RFと抗CCP抗体がともに陰性	0
RFと抗CCP抗体のいずれかが低値陽性	2
RFと抗CCP抗体のいずれかが高値陽性	3
C．罹病期間	
６週間未満	0
６週間以上	1
D．急性期反応	
CRPとESRがともに正常値	0
CRPかESRが異常値	1

※スコアの合計が６点以上ならば，関節リウマチに分類される

Aletaha D, et al：2010 Rheumatoid arthritis classification criteria：an American College of Rheumatology/European League Against Rheumatism collaborative initiative. Arthritis Rheumatism, 62：37～42, 2010より改変

表58-4　早期関節リウマチの診断基準

1. ３関節以上の圧痛または他動運動痛
2. ２関節以上の腫脹
3. 朝のこわばり
4. リウマトイド結節
5. 赤沈20mm以上の高値またはCRP陽性
6. リウマトイド因子陽性

※以上６項目中，３項目以上を満たすもの
この診断基準に該当する患者は詳細に経過を観察し，病態に応じて適切な治療を開始する必要がある

「患者の疾患活動性を適切な治療によりコントロールし，長期的なQOLを最大限まで改善し，職場や学校での生活や妊娠・出産等のライフイベントに対応したきめ細やかな支援を行う」[3]ことを目標に，治療・ケアが行われる（**図58-2**）．

(1)基礎療法，理学療法

基礎療法は，すべてのRA患者が守らなければならないものである．基礎療法には，患者・家族の教育，安静療法，食事療法が含まれ，理学療法には，運動療法，温熱療法が含まれる．

①教育：患者・家族，周囲の人に対してRAの病態や治療法などを理解してもらい，治療しやすい環境づくりをする．

②安静療法：全身的安静，局所的安静，精神的安静の3つが含まれる．全身的安静は安静臥床であり，局所的安静には主に炎症のある関節に対してサポーター，変形防止用スプリント，頸椎カラーを装着する．精神的安静には，患者の不安を和らげる手段が含まれる．

③食事療法：高タンパク質，高ビタミン，ミネラルに富むバランスのとれた食事を摂取するように指導する．

表58-5 悪性関節リウマチ（MRA）の診断基準

1．臨床症状
（1）多発性神経炎：知覚障害，運動障害いずれを伴ってもよい．
（2）皮膚潰瘍または梗塞または指趾壊疽：感染や外傷によるものは含まない．
（3）皮下結節：骨突起部，伸側表面または関節近傍にみられる皮下結節．
（4）上強膜炎または虹彩炎：眼科的に確認され，ほかの原因によるものは含まない．
（5）滲出性胸膜炎または心嚢炎：感染症など，ほかの原因によるものは含まない．癒着のみの所見は陽性にとらない．
（6）心筋炎：臨床所見，炎症反応，筋原性酵素，心電図，心エコーなどにより診断されたものを陽性とする．
（7）間質性肺炎または肺線維症：理学的所見，胸部X線，肺機能検査により確認されたものとし，病変の広がりは問わない．
（8）臓器梗塞：血管炎による虚血，壊死に起因した腸管，心筋，肺などの臓器梗塞．
（9）リウマトイド因子高値：2回以上の検査で，RAHAないしRAPAテスト2560倍以上（RF960IU/ml以上）の高値を示すこと．
（10）血清低補体価または血中免疫複合体陽性：2回以上の検査で，C3，C4などの血清補体成分の低下もしくはCH50による補体活性化の低下をみること，または2回以上の検査で血中免疫複合体陽性（C1q結合能を基準とする．）をみること．

2．組織所見
皮膚，筋，神経，その他の臓器の生検により小ないし中動脈壊死性血管炎，肉芽腫性血管炎ないしは閉塞性内膜炎を認めること．

3．診断のカテゴリー
ACR/EULARによる関節リウマチの分類基準 2010年を満たし，上記に掲げる項目のなかで，
（1）1．臨床症状（1）～（10）のうち3項目以上満たすもの，または
（2）1．臨床症状（1）～（10）の項目の1項目以上と2．組織所見の項目があるもの，
を悪性関節リウマチ（MRA）と診断する．

4．鑑別診断
鑑別すべき疾患，病態として，感染症，続発性アミロイドーシス，治療薬剤（薬剤誘発性間質性肺炎，薬剤誘発性血管炎など）の副作用があげられる．アミロイドーシスでは，胃，直腸，皮膚，腎，肝などの生検によりアミロイドの沈着をみる．関節リウマチ（RA）以外の膠原病（全身性エリテマトーデス，強皮症，多発性筋炎など）との重複症候群にも留意する．シェーグレン症候群は，関節リウマチに最も合併しやすく，悪性関節リウマチにおいても約10%の合併をみる．フェルティー症候群も鑑別すべき疾患であるが，この場合，白血球数減少，脾腫，易感染性をみる．

厚生労働省：悪性関節リウマチ―概要，診断基準等．2015.
https://www.mhlw.go.jp/file/06-Seisakujouhou-10900000-Kenkoukyoku/0000157666.docx

表58-6 関節炎をきたす疾患

疾患	疾患名	好発部位	症状
膠原病	全身性エリテマトーデス	多関節	骨壊死，関節痛
	関節リウマチ	すべての滑膜関節	両側または対称性の関節腫脹．関節痛，関節変形
	若年性関節リウマチ	すべての滑膜関節	関節痛，関節腫脹，関節変形
	リウマチ熱	大関節など	関節痛，関節腫脹
	強直性脊椎炎	脊椎，仙腸関節など	急激な関節痛，関節腫脹，局所発熱
変形性関節疾患	変形性関節症	股関節，膝関節，足関節，脊椎など	関節痛，ヘバーデン結節
代謝・内分泌性疾患	痛風	第1MTP（中足趾節）関節など	強い関節痛と関節腫脹
その他	感染症，外傷性疾患，腫瘍性疾患など		

④運動療法：長期にわたる身体の安静は，筋肉の萎縮，関節の変形・拘縮をきたすので，症状に応じた適度の運動療法をすすめる．日常の家事や仕事のほかに，関節運動と筋肉を増強する訓練を取り入れたリウマチ体操を日課とする．

⑤温熱療法：運動療法を進めるうえで，温熱療法を併用すると効果が上がる．温熱療法は関節の痛みを軽くし，また，関節，筋肉などの血液の循環をよくして，機能の保持に役立つ．理学療法は筋萎縮防止と関節機能維持のために温熱療法，超短波療法，極超短波療法，超音波療法，水治療法が行われる．関節可動域（ROM），筋力，ADLなどを評価し，最終的には社会復帰を目標としてリハビリテーションが行われる．そのなかには，作業訓練，家事訓練，職業訓練なども含まれる．

(2)薬物療法

①非ステロイド抗炎症薬（NSAIDs）：関節痛に代表される自覚症状の改善を期待して投与される．

②副腎皮質ステロイド薬：副腎皮質ステロイド薬は，RAに対しても強い抗炎症効果をもち，自覚症状の著明な改善をもたらす．

③抗リウマチ薬（csDMARD）：csDMARDは，RAの骨関節破壊進行を防止する効果を期待して投与する．診断後，投与を開始し，最も有効確率の高いものを使用する．早期のRAほど治療が奏功すると考えられている．

④生物学的製剤（bDMARD）：日本では2003年に初めて承認された．著明な骨破壊の抑制が認められ，その有効性が期待されているが，反面，感染症などの副作用が認められることや，高価な薬剤であることなどの問題もある．生物学的製剤投与の有効性が最も高いのは，発病後早期であるにもかかわらず，リウマチ炎症が強く，骨関節破壊が進展すると思われる患者とされている．

(3)免疫吸着療法，血漿交換療法

薬物療法との併用により，RAの急性炎症症状，赤沈亢進，高γグロブリン血症，リウマトイド因子，免疫複合体などに著明な改善が得られる．

(4)外科的療法

①関節形成術：関節運動の維持と改善を目的として行われる．

②関節固定術：関節変形と動揺関節に対して行われる．

③滑膜切除術：炎症性病変を示す滑膜組織を取り除く目的で行われる．

6）予後

RAは，関節のみならず関節外症状の合併をきたすため，健常者と比較すると一般的に予後は不良とされる．しかし，近年の治療薬の進歩に伴い，症状のコントロールや合併症の抑制が可能となり，生命予後の改善が期待できるようになった．

図58-2　関節リウマチの治療目標

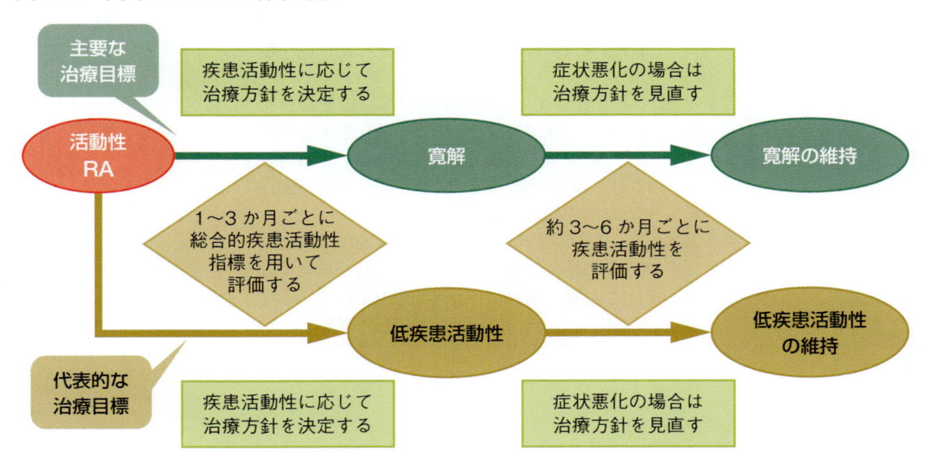

Smolen JS, et al：Ann Rheum Dis, 69(4)：631 〜 637, 2010.

2. 看護過程の展開

● アセスメント～ゴードンの機能的健康パターンを用いて

パターン	アセスメントの視点	根拠	収集する情報
(1) 健康知覚-健康管理 患者背景 健康知覚-健康管理 価値-信念	●症状 ●RAに特有な検査所見，合併症について認識しているか ●合併症，薬物療法の副作用はあるか，それについて認識しているか ●RAの自己管理行動について理解しているか，実践できているか ●必要な自己管理行動を阻む要因はないか	●RA患者では，関節症状が出現する前に，脱力感，全身倦怠感，全身の痛みなどの全身症状が先行することもある．最も多い訴えは，朝の覚醒時におけるこわばりである．関節症状として，おかされる関節の多くは対称性である．痛みやこわばりだけでなく，腫脹，発赤，熱感，圧痛などもあり，行動制限を伴いやすく，全身症状も出現して心身の苦痛が生じる． ●リウマトイド因子は，変性IgGを抗原とする抗体であり，RAに特徴的に認められる．抗核抗体は，RAの40%以上に認められるが，抗体価が低い．大部分の患者に軽度の貧血がみられる．これは炎症性の貧血であるので，鉄剤の投与は無効である．白血球数増加，血小板数増加をみることもある．赤沈亢進，CRP陽性を認め，この値はリウマチ活動性の程度を反映している．関節液は非化膿性で，炎症性の所見を呈する．生命予後に影響する合併症として，感染症，肺線維症，アミロイドーシス，過粘稠度症候群などがある． ●副腎皮質ステロイド薬，免疫抑制薬，生物学的製剤を使用するため，感染に対する抵抗性が減弱して起こりやすく，感染症による死亡例も少なくない．重篤な感染症が起こりやすくなっている．一般細菌によるものはまれで，アスペルギルス，クリプトコッカス，カンジダ，ニューモシスチスなどの日和見感染や，生物学的製剤療法を受けている場合は結核菌感染への注意も必要となる．活動期には抗炎症，免疫抑制目的で副腎皮質ステロイド薬を大量に使用することがある．したがって，消化性潰瘍，ステロイド性糖尿病，精神症状，感染症などの副作用が起こりやすい． ●RAの治療は生涯にわたる．寛解状態を維持するために，疾患，症状，治療，悪化要因について十分に理解することが必要である．これらは症状進行の予測に有効で，自己管理行動を確立するための基本となる． ●スムーズに自己管理行動を実施するには，疾患を適切に捉え，家庭，職場での役割を認識することが必要．痛みから安静を過度に保ち，依存的になると，自己管理行動が困難となる．	●現病歴：経過，増悪因子，治療経過 ●既往歴，これまでの健康管理状況，健康状態の認識 ●全身症状：脱力感，全身倦怠感，全身の痛み，朝のこわばり ●関節症状（手関節，肘関節，環軸関節，輪状披裂関節，顎関節，股関節，膝関節，中足趾節関節など）：腫脹，発赤，熱感，圧痛，変形・拘縮，脱臼 ●関節外症状：皮下結節，血管炎に伴う症状，心症状，肺症状，眼症状 ●検査所見 ・血液検査：リウマトイド因子陽性，抗核抗体陽性 ・関節液検査 ・骨・関節X線検査 ・滑膜生検 ・合併症の検査：感染症，肺線維症，アミロイドーシス，過粘稠度症候群，副腎皮質ステロイド薬の副作用，免疫抑制薬の副作用，生物学的製剤の副作用 ●治療についての認識 ・疾患，症状，予後の理解 ・治療方針，治療内容とその効果，副作用の理解 ・悪化要因の理解 ・これまでの疾患，治療，悪化要因に関する学習経験 ・ストレスへの対処

パターン	アセスメントの視点	根拠	収集する情報
(2) 栄養-代謝 全身状態 栄養-代謝 排泄	●栄養状態に問題はないか ●皮膚の状態はどうか	●RAの原因はいまだ解明されず，特別な食事療法は確立されていないが，全身性の炎症性疾患であり，貧血を伴うこともある．十分なエネルギー，良質のタンパク質，ビタミン・ミネラルを摂取し，栄養バランスのよい状態を保つことが有効とされている[5]．	●身長，体重，BMI ●これまでの体重変化 ●食事形態，食習慣 ●輸液の有無と内容 ●血液検査データ ・血清アルブミン値 ・総タンパク ・貧血の有無・程度 ●皮膚の状態
(3) 排泄 全身状態 栄養-代謝 排泄	●腎機能に異常はないか ●膀胱機能に異常はないか ●排尿障害はないか ●消化管の機能に問題はないか	●RAの治療でよく使用される抗リウマチ薬や非ステロイド性抗炎症薬は，腎障害を起こしやすい[4]． ●RAの活動性が高い状態が続くと，アミロイドーシスが発症し，腎機能障害を起こすことがある．腎アミロイドーシスの主な症状はタンパク尿と血尿であり，進行すると透析療法が必要となる[6]．	●排尿回数，１日の排尿量 ●排尿障害の有無と対処方法 ●腎機能に関する血液検査データ ●排便回数，便の性状 ●便秘の有無と対処方法 ●腹部の状態，腸蠕動や腹部膨満の有無など ●腹部X線 ●下剤使用の有無
(4) 活動-運動 活動・休息 活動-運動 睡眠-休息	●症状がADLや日常生活に及ぼす影響はどうか	●手指のこわばり，疼痛，関節の腫脹，変形・拘縮による運動障害，内臓病変などによって行動範囲が狭くなり，ADLが制限されやすい．	●症状の出現がADLに及ぼす影響 ●障害される生活行動の範囲とそれらに対する反応 ●家庭，病院での１日の過ごし方
(5) 睡眠-休息 活動・休息 活動-運動 睡眠-休息	●睡眠状況に異常はないか ●休息はとれているか ●リラクゼーション法はあるか	●RA患者は抑うつを合併しやすい．入眠までに時間がかかる，中途覚醒をする，早期覚醒である場合は，抑うつ状態が強くなる[7]．	●睡眠パターン ●睡眠障害の有無と対処方法 ●休息時間とそのパターン
(6) 認知-知覚 知覚・認知 認知-知覚 自己知覚-自己概念 コーピング-ストレス耐性	●自分の記憶力をどう感じているか ●問題解決，意思決定についてどう感じているか ●コミュニケーション能力の理解力，注意力，意識レベルはどうか ●疼痛や瘙痒感の有無・程度，部位，表情，言動，対処方法について	●治療・看護を進めるうえで患者の現状認識の状態，意思決定能力に問題はないか． ●不快症状の有無と程度から，心身に与える影響はないか．	●RAに関する知識 ●疾患の受容過程 ●健康観 ●治療の必要性の理解と反応 ●悪化要因の理解と反応 ●自己管理に対する知識，理解力，自己効力感 ●自己管理に対する反応と管理行動の実行 ●社会復帰への意欲

パターン	アセスメントの視点	根拠	収集する情報
(7) **自己知覚-自己概念** 知覚・認知 認知-知覚 自己知覚-自己概念 コーピング-ストレス耐性	●自己の状況をどのように捉えているか ●自己概念，自尊感情の脅威はないか	●RA患者には，痛みやこわばりだけでなく，腫脹，発赤，熱感，圧痛などもあり，行動制限を伴いやすい．また，関節の変形・拘縮などがみられ，外見も変化する． ●持続する疼痛，関節の変形・拘縮は，患者には何よりも苦痛であるうえ，外観上の変化も伴うことから，患者は悲観的，抑うつ的になりやすい．さらに，日常生活，学業，職業，余暇活動に影響を及ぼし，自己概念を低下させる原因ともなりやすい．	●性格，物事への対処 ●疾患や治療に伴う自己に対する思い ●疾患や治療に伴う外観・身体機能の変化の有無 ●話し方や表情 ●育児，家事，仕事に対する思い ●症状，治療が家庭や社会生活および役割に及ぼす影響 ●情緒的状態：不安，抑うつ，葛藤，家族関係，対人関係
(8) **役割-関係** 周囲の認識・支援体制 役割-関係 セクシュアリティ-生殖	●役割遂行に問題はないか ●家族関係に問題はないか ●心理的・手段的・制度的サポート資源は十分か	●RAの好発年齢は30～50歳代で，女性に多い．痛みや関節機能障害から，妻，母，職業人としての役割が十分果たせないなど，役割達成に制限があると，役割葛藤が生じやすい．また，治療が長期化するため，医療費の支払いに対する負担も大きい． ●生活行動を制限しつつ，疾患を生涯コントロールしていくためには，患者を取り巻く周囲のサポートを必要とする．とくにRAは女性に多いため，家事や育児をサポートするパートナーや家族が重要となる．	●家族構成，キーパーソン ●家族の病態，治療，増悪因子に対する知識 ●家族の生活管理に対する理解と反応 ●家族および周囲のサポート体制，サポート力 ●活用可能な社会資源 ●職業上の役割・責任 ●職場の理解状況 ●社会的な役割・責任
(9) **セクシュアリティ-生殖** 周囲の認識・支援体制 役割-関係 セクシュアリティ-生殖	●性，生殖に関する問題はないか ●妊娠・出産に関する希望はないか	●RA患者の約３割は20～30歳代に発症しており，妊娠・出産は重要な課題である[8]．妊娠・出産による疾患活動性の変化や，使用する薬物の影響が懸念されるが，適切な治療とケアで疾患活動性をコントロールすることで，妊娠・出産は可能となる．	●生殖歴 ●生殖器の異常・障害の有無 ●性，生殖に関する発言の有無 ●性，生殖に対する満足・不満足 ●妊娠・出産に関する患者・家族の希望
(10) **コーピング-ストレス耐性** 知覚・認知 認知-知覚 自己知覚-自己概念 コーピング-ストレス耐性	●今回の病気や治療がストレスとなっていないか ●ストレスと対処方法に問題はないか ●強い不安や恐怖を感じていないか	●RA患者は，強い痛みや軽快しない症状，ADLの低下，職場や家庭での役割遂行困難，身体状況の変化などから，心理的負担が大きい[9]． ●入院や治療をストレスと感じていないか． ●ストレスに対してどのように対処しているか，対処方法は適切か．	●ストレスに感じていることの有無 ●ストレスの対処方法 ●相談する人

パターン	アセスメントの視点	根拠	収集する情報
(11) 価値-信念 患者背景 健康知覚-健康管理 価値-信念	●価値観・信念と治療との間に対立はないか	●人生において大切だと認識しているものや，生活の質，価値，信念，健康に関連する将来の見込みなどは治療選択などの意思決定や生活管理に影響する[11]．	●健康に関する価値や信念，大切にしていること ●生きがいにしていること ●信仰している宗教

3. 全体像の把握から看護問題を抽出

1）病態関連図

原因・誘因　検査・治療　病態・臨床症状（色文字は重要な症状）　看護上の問題

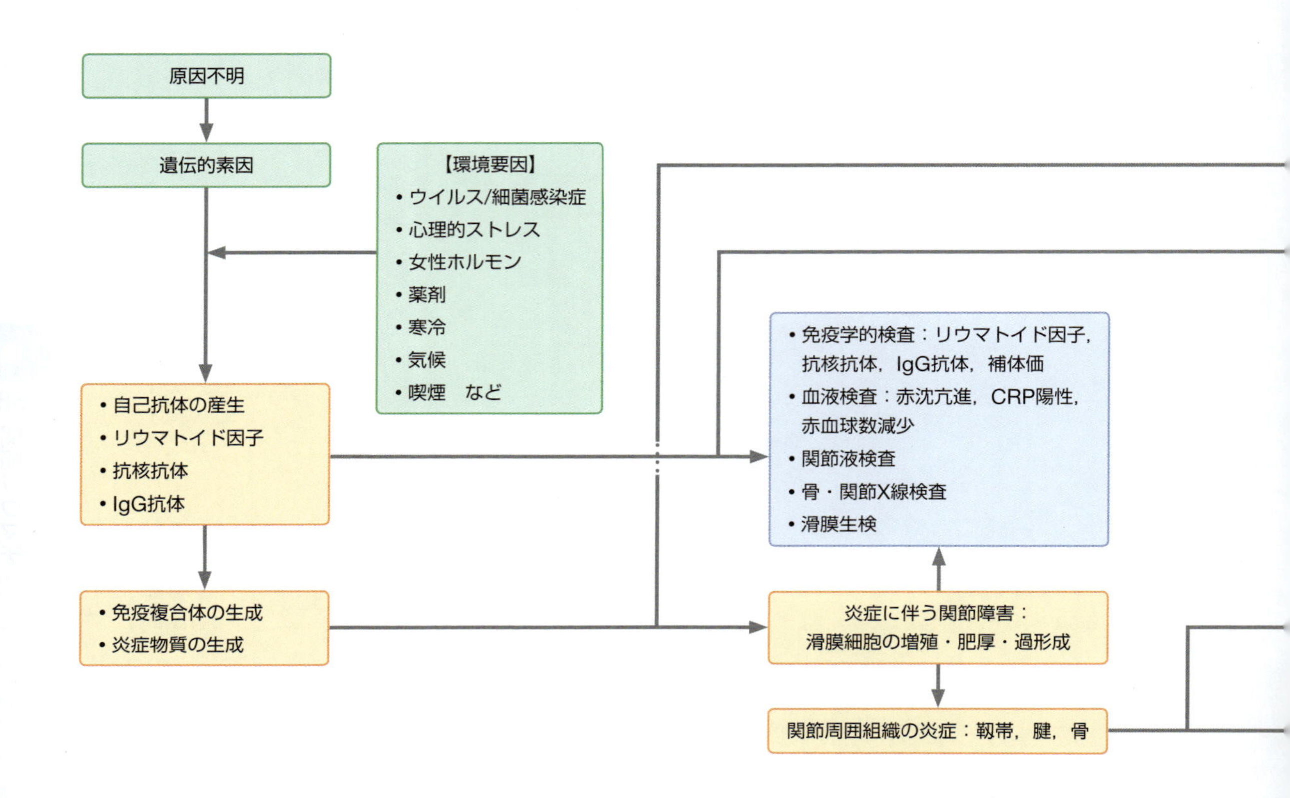

• 発症のピークは50歳代，男女比１：２～５
• 家事の負担が大きい

再燃と寛解を繰り返す：経過が長い

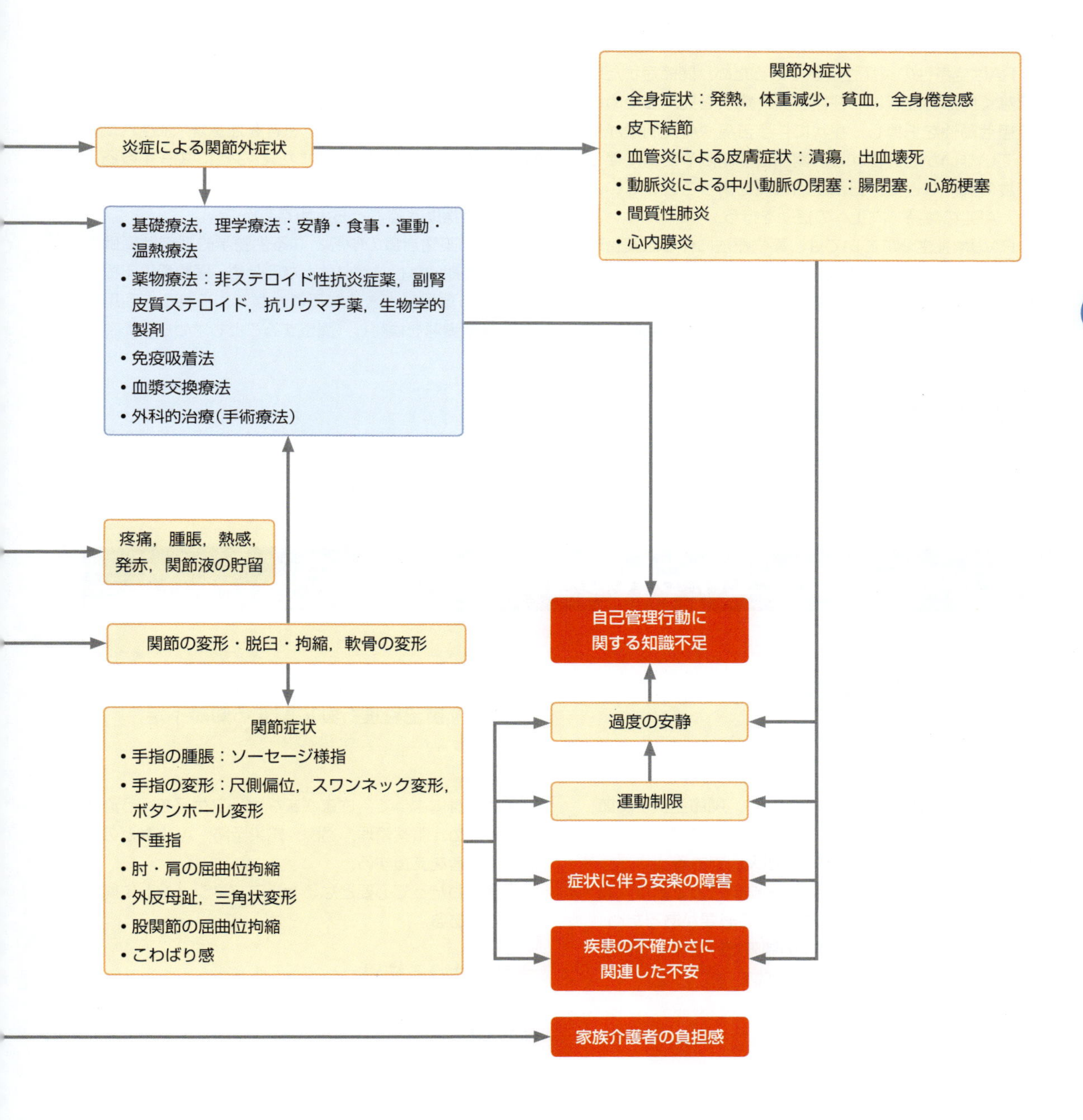
関節外症状
• 全身症状：発熱，体重減少，貧血，全身倦怠感
• 皮下結節
• 血管炎による皮膚症状：潰瘍，出血壊死
• 動脈炎による中小動脈の閉塞：腸閉塞，心筋梗塞
• 間質性肺炎
• 心内膜炎
炎症による関節外症状
• 基礎療法，理学療法：安静・食事・運動・温熱療法
• 薬物療法：非ステロイド性抗炎症薬，副腎皮質ステロイド，抗リウマチ薬，生物学的製剤
• 免疫吸着法
• 血漿交換療法
• 外科的治療(手術療法)
疼痛，腫脹，熱感，発赤，関節液の貯留
関節の変形・脱臼・拘縮，軟骨の変形
自己管理行動に関する知識不足
関節症状
• 手指の腫脹：ソーセージ様指
• 手指の変形：尺側偏位，スワンネック変形，ボタンホール変形
• 下垂指
• 肘・肩の屈曲位拘縮
• 外反母趾，三角状変形
• 股関節の屈曲位拘縮
• こわばり感
過度の安静
運動制限
症状に伴う安楽の障害
疾患の不確かさに関連した不安
家族介護者の負担感

2）看護の方向性

慢性疾患である関節リウマチ（RA）は，長期にわたる療養が必要となる．RAは発症初期の治療導入によって予後の改善がみられるため，関節破壊が進行する前に正しい診断とともに適切な治療を受けることが重要となる．患者本人と家族，医療従事者との間で，治療に対する思いの相違がないかを確認し，患者・家族が納得して治療を受けられるよう支援することが大切である[10]．

RAは全身性の炎症性疾患であるため，関節症状だけでなく関節外症状にも注目する．病状を捉えるために疾患活動性を把握し，症状に伴う苦痛やADL制限が生じていないかを評価する．関節機能制限や疼痛に伴う過度の安静などで，日常生活機能を失うことのないよう，ADLの維持・向上への援助を行う．

RAの療養生活においては，薬物療法に伴う服薬管理や自己注射，定期的な通院，易感染状態に対する感染予防，疼痛や関節機能制限に伴う日常生活の工夫など，セルフケアが重要となる．また，生活行動を制限しつつ，疾患を生涯コントロールしていくためには，患者を取り巻く周囲のサポートを必要とする．患者や家族の疾患の捉え方や家庭・職場での役割，どのような健康観をもっているかを把握し，患者がセルフケアを行いながらスムーズに療養生活を送れるよう支援する．

持続する疼痛，関節の変形・拘縮は，患者には何よりも苦痛であるうえ，外観上の変化を伴うことから，患者は悲観的，抑うつ的になりやすく，RA患者は一般よりも抑うつの有病率が高いとされている．また，長期にわたる療養を余儀なくされることから，先のみえない不安を抱くことも多い．患者を注意深く観察し，患者本人が感じている焦りやつらさなどに共感する姿勢をもち，活動と休息のバランスをはかりながら生活できるよう援助することも大切である．

ほかに，薬物治療の中心となる生物学的製剤は高価であり，長期的な投与が必要となるため，医療費の支払いに対する負担も大きくなることが考えられる．活用可能な社会資源を検討し，調整することも求められる．

3）患者・家族の目標

RAの症状に関連した身体的苦痛が緩和し，病状の進行や不確かな予後への不安が軽減される．療養生活に必要な自己管理行動をとることで，治療を継続しながら日常生活や社会生活を維持することができる．

4. しばしば取り上げられる看護問題

RAに関連した症状に伴う安楽の障害

なぜ？

全身性の炎症性疾患であることから，関節症状・関節外症状に注意する．症状による苦痛やADL制限などを，緩和・援助できるようにすることが大切である．

身体症状は患者にとって何よりも辛いことであり，適切な対応で症状コントロールをはかる必要があるため．また，関節の変形・拘縮はADLの制限だけでなく外観上の変化を伴い，心理的影響が出やすい．

➡期待される結果

症状に伴う苦痛が緩和される．

RAの治療や増悪予防のための自己管理行動に関する知識不足

なぜ？

患者自身によって，さまざまなセルフケアを行う必要があるため，服薬管理，通院，感染予防，ADLなどの面から，患者を支援する．

生涯にわたって必要となるセルフマネジメントに関わる問題である．

➡期待される結果

RAの自己管理行動について理解できる．自己管理行動を継続できる．

◆3　疾患の不確かさに関連した不安

疼痛，関節の変形・拘縮，外観上の変化など，患者は先行きへの不安を感じる．一般的に，RA患者は抑うつの有病率が高いとされていることからも，患者の不安を和らげる関わりが重要となる．

➡ 期待される結果

疾患の進行に対する不安が軽減される．

◆4　長期的な療養生活に関連した家族介護者の負担感

生活行動を制限して疾患をコントロールするためには，患者自身のみならず，家族や社会資源などのサポート体制を整えることが大切となる．患者家族には，介護者としての負担が生じるため，注意する必要がある．

➡ 期待される結果

長期療養に伴う家族介護者の負担が軽減される．家族の心理的安寧が得られる．

5. 看護計画の立案

• O-P：Observation Plan（観察計画）　• T-P：Treatment Plan（治療計画）
• E-P：Education Plan（教育・指導計画）

◆1　RAに関連した症状に伴う安楽の障害

	具体策	根拠と注意点
O-P	**(1)全身症状** ・発熱，脱力感，全身倦怠感，食欲不振，体重減少，貧血，訴え方	●検査データと関連づけながら，症状を把握する． ●RAは関節症状を主徴とするが，脱力感，全身倦怠感，全身の痛みなどが先行して出現することがある．関節症状に伴い，発熱，熱感など炎症症状も認める．
	(2)関節症状の部位と程度 ・おかされている関節，疼痛，腫脹，変形，障害の程度，朝のこわばり，訴え方 **(3)痛みの特徴** ・自発痛，運動痛，荷重痛 **(4)その他の臨床症状** ・皮下結節，心症状，肺症状 **(5)検査データ** ・免疫学的検査，血液検査，関節液検査，関節X線検査	●ほとんどの場合，手指，手首，肘，肩などの関節痛がある．痛みの特徴は，自発痛，運動痛，荷重痛である．関節痛は多発性で，左右対称性に発症することが多い．
	(6)治療内容・効果・副作用 ・基礎療法，生物学的製剤療法，理学療法，薬物療法，免疫吸着法，血漿交換療法，外科的治療（手術療法） **(7)現病歴，既往歴，家族歴**	●病理学的には中小動脈に病変が起こり，内臓病変が出現する．これらの内臓病変によって生命を失うことが多い．
	(8)ADL状況 ・活動，食事，排泄，清潔，睡眠	●手指のこわばり，関節痛，関節の腫脹，変形・拘縮による運動障害，内臓病変などによって行動範囲が狭くなり，日常生活の支援が必要となる．
	(9)患者・家族の症状に対する反応	●外観上の変化も伴うことから，患者は悲観的になったり，抑うつ的になりやすい． ●持続する疼痛，関節の変形・拘縮は心理面に影響する． ●長期療養が必要なため，家族の支援が得られにくく，精神的ストレスを抱えたり，過度に依存性が強くなりやすい．

	具体策	根拠と注意点
T-P	**(1)症状に対する援助** ①関節の腫脹，疼痛 ・サポーター，変形防止用スプリント，頸椎カラーの装着，安静，温湿布，温浴，薬剤の使用法の工夫 ②全身症状 ・発熱，全身倦怠感，食欲不振，貧血などに対する看護	●局所の安静と保温の方法を工夫する． ●原則的には，局所の安静と保温が必要となる． ●痛み止めの薬剤は，生活時間とあわせて最も効果が期待できる用い方を工夫する． ●疼痛によって活動を制限されないようにする．
	(2)安静の保持 ・局所，全身	●全身的な安静が必要である． ●局所の安静とともに疲労の回復をはかる．
	(3)室内の環境 ・温度，湿度，換気の調整	●エアコンでの冷やしすぎに注意する． ●寒冷により症状が悪化する．
	(4)ADLの援助 ①清潔，排泄，更衣，移動，食事摂取など ②便通の調整 ③皮膚，頭髪の清潔保持 ④陰部の清潔保持 ・シャワー浴，温水洗浄便座の使用 ⑤精神的安寧	●ボタンをかける，ビンのふたを開ける，タオルを絞るなどの動作が不自由となる． ●関節の痛み，変形・拘縮による運動制限のために生じる． ●とくに腋窩，足趾間などの清潔を保ち，乾燥させる． ●発汗が多く，皮膚が湿潤しやすい．関節に変形や拘縮があるので，皮膚と皮膚が接する部位は湿疹ができやすい．また，行動制限があるため，排泄後の後始末が不十分になりやすい．
E-P	**(1)症状の緩和方法について説明** **(2)痛みの緩和方法を一緒に工夫** **(3)合併症予防について説明**	●痛みが緩和できる方法（安静，運動，薬剤）について，患者と一緒に考える．

#2 RAの治療や増悪予防のための自己管理行動に関する知識不足

	具体策	根拠と注意点
O-P	**(1)自己管理行動に関する知識** ①治療について ②悪化予防 ③症状，検査データ，合併症の有無 ④機能障害の有無と程度 ⑤治療効果と副作用の有無	●病態を正確に捉え，患者がどのような状況にあるかを把握し，今後，必要としている生活管理を患者と一緒に考える．
	⑥リハビリテーションの内容と効果	●病状との関連から，リハビリテーションを計画的に実行し，関節機能の保持と低下防止をはかる． ●機能障害から日常生活に困難が生じる． ●病状を再燃させる要因として，ストレス，寒冷，感染，疲労などがあげられる．
	(2)ADL状況 ・活動，食事，清潔，排泄，睡眠など **(3)患者・家族の疾患，リハビリテーションに対する捉え方，反応** **(4)疾患が長期化することによる生活への影響** **(5)健康観** **(6)家庭，職場での地位や役割，人間関係，協力体制，経済状態**	●患者の多くは30～50歳代の女性である．機能障害でADLが制限され，さらに疾患が長期化することで，母，妻などの役割が果たせなくなることが多い．これらが悪化要因となっていないか把握する．
	(7)精神的ストレスの有無	●苦痛が持続することで，さまざまな精神的・社会的問題が生じやすい．

	具体策	根拠と注意点
T-P E-P	**(1)リハビリテーションに関する説明** ①リウマチ体操 ②ADLの評価を行い，家庭的・社会的自立がはかれるように支援する ③理学療法の目的，注意事項の説明 ④理学療法士(PT)との連絡，調整	●現在の病状を正確に把握し，悪化につながる徴候を早期発見する． ●頑張りすぎる患者にとって，リハビリテーションを進めることは疲労を蓄積させ，病状が悪化する危険性がある． ●意欲的にリハビリテーションに取り組めるように工夫する． ●疼痛のため，過度に安静を保持することもある．
	(2)自助具の使用についての説明，ADLの工夫 ①食事(スプーン，フォーク，食器) ②更衣(ファスナー，マジックテープ) ③整容(ブラシ，タオル，リーチャー)	
	(3)家屋の改造 ・段差の解消，トイレ，浴室の手すり設置など	●機能障害の程度により，家屋の改造も必要となる場合がある．
	(4)悪化要因についての説明 ①寒冷，ストレス，疲労 ②感染予防(感冒，尿路感染)	●悪化要因が除去できるように関わる． ●機能障害があると，口腔内や陰部が不潔になりやすく，上気道感染や尿路感染が起こりやすいため，対処方法を考慮する． ●寒冷，ストレス，疲労，感染などは，RAの悪化要因である．
	(5)セルフケアのための支援 ①性格や背景を考慮して接する ②家族に働きかけ，協力と支援を得る ③患者会の紹介 ④利用可能な社会資源の紹介	●長期療養者にとって，家族の支援は欠かすことができない． ●生活環境を十分に把握し，家族の協力が得られるように，利用できる社会資源の活用をすすめる．

引用・参考文献

1) 日本リウマチ学会編：関節リウマチ診療ガイドライン2014．p.44～48，メディカルレビュー社，2014．
2) 公益財団法人難病医学研究財団(厚生労働省補助事業)：難病情報センター．悪性関節リウマチ(指定難病46)．https://www.nanbyou.or.jp/entry/205 より2020年 8 月24日検索
3) 厚生科学審議会疾病対策部会リウマチ等対策委員会：厚生科学審議会疾病対策部会リウマチ等対策委員会報告書，2018．https://www.mhlw.go.jp/content/10901000/000377563.pdf より2020年 8 月24日検索
4) 公益財団法人日本リウマチ財団監：関節リウマチのトータルマネジメント．p.15～19，医歯薬出版，2011．
5) 公益財団法人日本リウマチ財団監：関節リウマチのトータルマネジメント．p.160～165，医歯薬出版，2011．
6) 公益財団法人日本リウマチ財団監：関節リウマチのトータルマネジメント．p.147～151，医歯薬出版，2011．
7) 公益財団法人日本リウマチ財団監：関節リウマチのトータルマネジメント．p.185～191，医歯薬出版，2011．
8) 公益財団法人日本リウマチ財団監：関節リウマチのトータルマネジメント．p.179～184，医歯薬出版，2011．
9) 公益財団法人日本リウマチ財団監：関節リウマチのトータルマネジメント．p.143～147，医歯薬出版，2011．
10) 工藤綾子ほか編：エビデンスに基づく老年看護ケア関連図．p.286～295，中央法規，2019．
11) マージョリー・ゴードン：ゴードン看護診断マニュアル．原書第11版，p.26，医学書院，2010．

Memo

第 10 章　自己免疫疾患患者の看護過程

59 多発性筋炎・皮膚筋炎

1. 疾患の基礎的知識

1）疾患の概念

多発性筋炎（PM：polymyositis）・皮膚筋炎（DM：dermatomyositis）は，びまん性に横紋筋をおかす原因不明の炎症性疾患である．PMは，体幹および近位横紋筋群の筋力低下を主症状とする筋症状と，肺や心臓などの全身の臓器障害を合併することもある．DMは，PMの症状に加えて，特徴的な皮膚症状がみられる．

2）原因

多発性筋炎・皮膚筋炎の原因はいまだ明確にされていないが，免疫異常，ウイルス感染，悪性腫瘍などが考えられている．また，ペニシラミン，コルヒチン，シメチジンなどの，薬剤投与による発症も報告されていることから，遺伝的要因に環境因子が加わり，免疫異常を誘発していることが推測される．その結果，筋炎特異的自己抗体の存在や，ほかの自己免疫疾患の合併などから，自己免疫疾患と考えられている．

3）病態と臨床症状

病態

多発性筋炎は，対称性の，体幹および近位横紋筋の筋力低下を主症状とする非化膿性炎症性筋炎であり，筋肉障害によって力が入らなかったり，疲労感，筋肉痛などの症状が出現する．

皮膚筋炎では，それに加えて，ヘリオトロープ疹（両上眼瞼の赤紫色の浮腫性紅斑）（**図59-1**）や，ゴットロン徴候（手指の関節伸側の落屑を伴う紅斑）（**図59-2**）などの，特有の皮疹や多形皮膚萎縮を伴う．また，多発性筋炎・皮膚筋炎では，筋肉だけが障害されるのではなく，関節炎，間質性肺炎，心筋障害，レイノー現象（**図59-3**）などがみられる．さらに，関節リウマチ（RA），全身性エリテマトーデス（SLE），強皮症，シェーグレン症候群などの膠原病，悪性腫瘍を合併し，その症状もさまざまである（**図59-4**）．悪性腫瘍の合併は，皮膚筋炎診断時から1年以内の発症が高率（約80%）であり，健常者の約7倍である．なかでも，胃がん（40%）が最も多く，肺がん，乳がん，子宮がんの順である．

図59-1　ヘリオトロープ疹

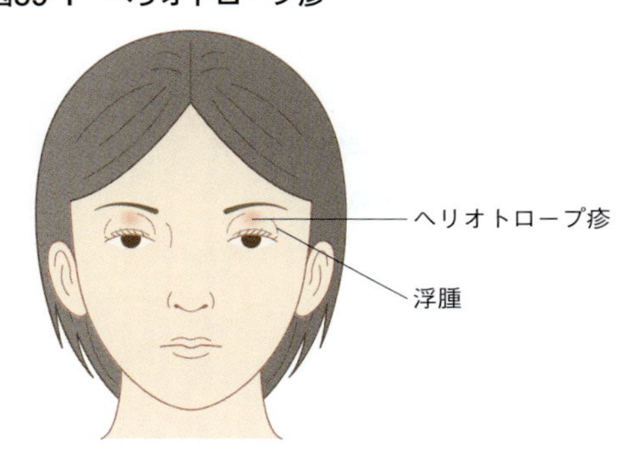

顔面，とくに両上眼瞼が腫脹し，ヘリオトロープ疹の紫紅色紅斑の色素沈着がみられる

図59-2　ゴットロン徴候

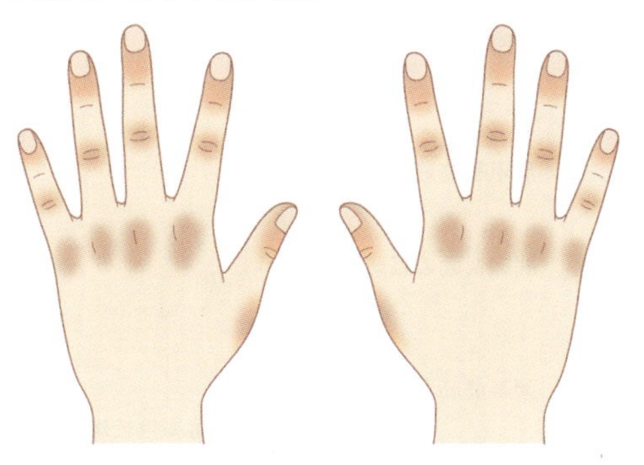

落屑を伴う紅斑のうち，手指に多くみられる特徴的な紅斑である

多発性筋炎・皮膚筋炎は，筋由来酵素であるCK，アルドラーゼ，AST，LDH上昇，抗Jo-1抗体（抗ヒスチジルトランスファーRNA合成酵素）陽性が特異的であり，関節炎や間質性肺炎が認められる患者では，抗Jo-1抗体陽性の割合が高い．

多発性筋炎・皮膚筋炎は，比較的まれな疾患であり，わが国の患者数は約6,000人（PM：3,000人，DM：3,000人）と推定され，男女比は１：２で女性に多いが，小児では男女差はない．好発年齢は小児期の５歳～14歳，中年・老年期の45歳～65歳に発症のピークを認める．

臨床症状

(1)全身症状

発熱，全身倦怠感，易疲労感，体重減少などがある．

(2)初期症状

多発性筋炎では徐々に進行する四肢筋力の低下，レイノー現象，関節痛（50～70%），皮膚筋炎では皮膚症状と筋力低下で発症する．

(3)筋症状

四肢近位筋群（下肢95%，上肢75%），頸部屈筋群（70%），咽頭・喉頭筋群（70%）などの筋力低下がみられる．そのため，起立，階段昇降，洗髪，頭部挙上，重いものの持ち上げが困難となり，構音障害や嚥下障害，呼吸困難が起こる．筋肉痛は約半数にみられ，病態が進行すると筋萎縮が著明となる．

(4)皮膚症状

皮膚筋炎では，両上眼瞼に浮腫を伴ったヘリオトロープ疹と，手指関節伸側のゴットロン徴候が特徴的にみられる．紫外線の曝露によって皮疹は悪化し，日光過敏症を示す．その他，爪周囲紅斑，爪床部の毛細血管拡張，小梗塞，皮膚の難治性潰瘍，レイノー現象がみられる．

(5)肺症状

間質性肺炎は，多発性筋炎・皮膚筋炎の約50～60%でみられ，予後を左右する重要な合併症である．とくに急性発症の場合は，急速に進行して呼吸不全となり，死亡する予後不良の病型がある．慢性に経過する間質性肺炎では，自覚症状として乾性咳嗽と息切れがみられ，胸部聴診では両下肺野に捻髪音が聴取され，胸部X線所見では，両側肺野を中心に陰影がみられる．呼吸機能検査では，拘束性障害のパターンを示す．その他，進行例では誤嚥性肺炎を呈することがある．

(6)心症状

心筋炎や線維化に伴い，心不全や重篤な不整脈がみられることがある．心筋障害は無症状のことが多いため，とくに注意する必要がある．

(7)その他

関節痛は約半数にみられるが，関節炎，骨破壊・変形はまれである．ときにリンパ節腫脹を呈することもある．

図59-3　レイノー現象

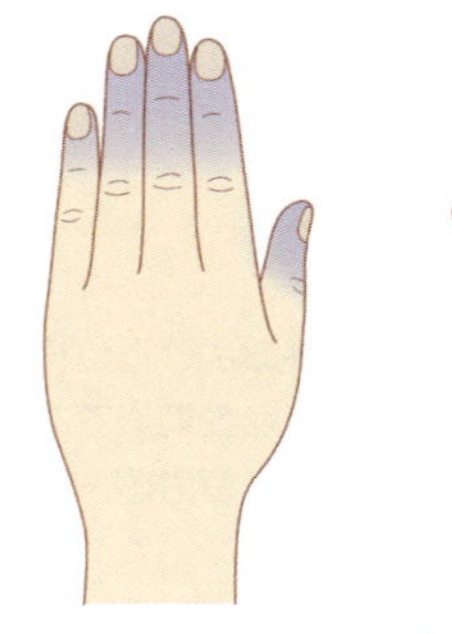
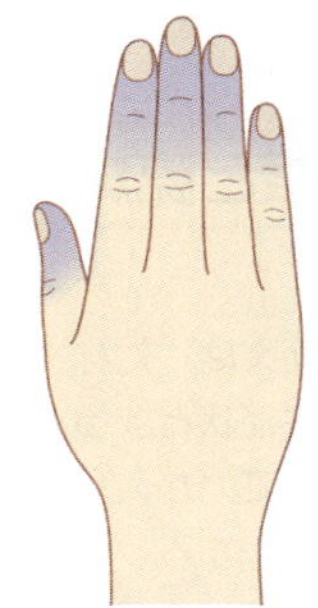

低温によって，手指，足趾の細動脈の収縮が起こることで，皮膚の色調が正常→白→紫→赤→正常へと変化する現象

図59-4　多発性筋炎・皮膚筋炎の症状

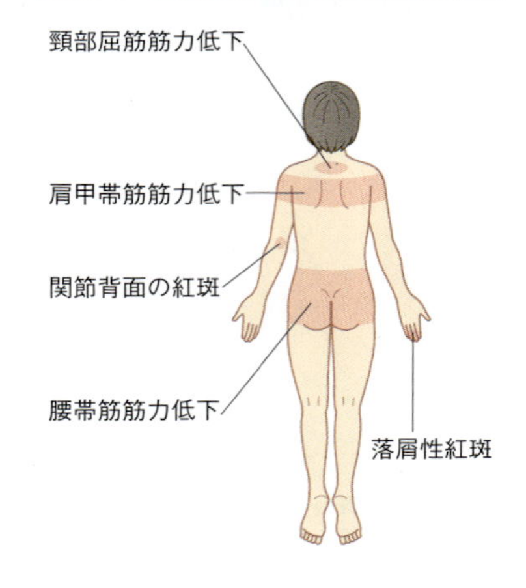

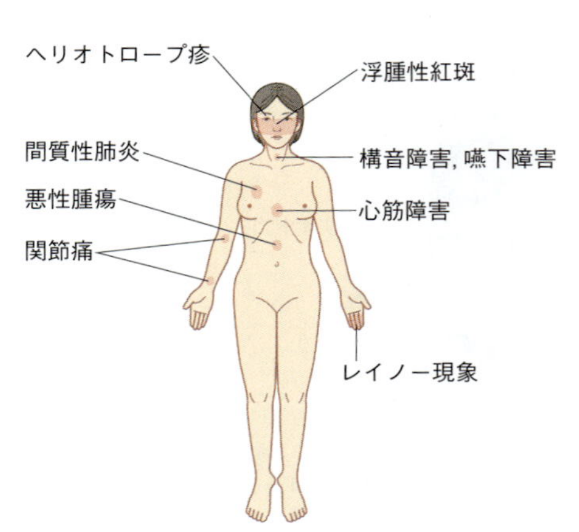

4）検査・診断

診断では，前項の臨床症状に加えて，数か月の経過で左右対称・近位筋優位の脱力，筋肉痛，筋原性酵素の上昇，筋電図上の筋原性変化を認め，さらに筋生検組織での炎症細胞浸潤が証明されれば，確定診断ができる．1992年に厚生省（現厚生労働省）自己免疫疾患調査班による多発性筋炎・皮膚筋炎の改訂診断基準（**表59-1**）が作成されている．

(1)生化学検査

血清筋原性酵素（CK，アルドラーゼ，LDH，AST，ALT）が上昇する．CK，アルドラーゼが最も鋭敏で特異性が高い．また，血清ミオグロビン，尿クレアチン/クレアチニン比も増加し，活動性の指標となる．

(2)免疫学的検査

抗Jo-1抗体陽性率は20～30%であり，疾患特異性が強い．これは，間質性肺炎合併例に出現する．

(3)筋電図検査

筋原性変化（神経節単位の持続と低電位）と脱神経電位を同時に認める．

(4)筋生検

60～70%で典型的な所見を示す．単核細胞中心の炎症性細胞浸潤がみられ，筋細胞の大小不同・変性・壊死，中心核・再生線維の増加，線維化も認められる．筋電図やMRIで異常がみられる部位から，治療前に行うのが原則である．

(5)鑑別診断

筋力低下，筋肉痛をきたす全ての疾患が鑑別診断を必要とする．鑑別には，筋生検組織所見が重要となる．鑑別診断の必要な疾患としては，進行性筋ジストロフィー症，重症筋無力症，イートン・ランバート症候群，先天性ミオパチー，代謝性ミオパチー，サルコイドーシス，ウイルス性筋炎，横紋筋融解症，心筋梗塞，甲状腺機能低下症，全身性エリテマトーデス，混合性結合組織病，リウマチ性多発筋痛症などがある．

(6)合併症の診断

悪性腫瘍の合併は5～10%で，DMはより合併率が高く10～30%である．DMでは，とくに50歳以上の男性に発症率が高い．全身性エリテマトーデス，強皮症などの，ほかの膠原病とのオーバーラップ症候群は15～30%で，とくに多発性筋炎の女性に発症率が高い．

5）治療

(1)一般療法

急性期から亜急性期には，できる限りの安静を保ちながら，関節拘縮を予防するための他動的な関節可動域訓練を行う．慢性期には，廃用性萎縮をまねく可能性があるため，筋力回復を目指してリハビリテーションを行うことが大切である．理学療法は，筋炎の活動性が鎮静化

表59-1　多発性筋炎・皮膚筋炎の診断基準

1．診断基準項目
　（1）皮膚症状
　　（a）ヘリオトロープ疹：両側または片側の眼瞼部の紫紅色浮腫性紅斑
　　（b）ゴットロン丘疹：手指関節背面の丘疹
　　（c）ゴットロン徴候：手指関節背面および四肢関節背面の紅斑
　（2）上肢または下肢の近位筋の筋力低下
　（3）筋肉の自発痛または把握痛
　（4）血清中筋原性酵素（クレアチンキナーゼまたはアルドラーゼ）の上昇
　（5）筋炎を示す筋電図変化
　（6）骨破壊を伴わない関節炎または関節痛
　（7）全身性炎症所見（発熱，CRP上昇，または赤沈亢進）
　（8）抗アミノアシルtRNA合成酵素抗体（抗Jo-1抗体を含む）陽性
　（9）筋生検で筋炎の病理所見：筋線維の変性及び細胞浸潤
2．診断のカテゴリー
　皮膚筋炎：（1）の皮膚症状の（a）～（c）の1項目以上を満たし，かつ経過中に（2）～（9）の項目中4項目以上を満たすもの．
　なお，皮膚症状のみで皮膚病理学的所見が皮膚筋炎に合致するものは，無筋症性皮膚筋炎として皮膚筋炎に含む．
　多発性筋炎：（2）～（9）の項目中4項目以上を満たすもの．
3．鑑別診断を要する疾患
　感染による筋炎，薬剤誘発性ミオパチー，内分泌異常に基づくミオパチー，筋ジストロフィーそのほかの先天性筋疾患，湿疹・皮膚炎群を含むそのほかの皮膚疾患

公益財団法人難病医学研究財団（厚生労働省補助事業）：難病情報センター．皮膚筋炎／多発性筋炎．診断・治療方針．https://www.nanbyou.or.jp/entry/4080

してから開始し，等尺性運動などを行っていく．この際，血清筋原性酵素値や筋肉痛の程度を目安に，徐々に運動量を増やしていき，増悪した場合は理学療法を一時見合わせる．

食事は，高エネルギー，高タンパク，高ビタミン食で消化のよいものとする．上部食道病変がある場合には，食種を変更し，誤嚥に注意する．

感染，外傷，薬物は，原疾患の増悪因子となってしまうため，環境の調整や転倒予防などの指導を行う．また，皮膚筋炎では，紫外線が増悪因子となってしまうため，帽子や長袖，長ズボンを着用し，顔には日焼け止めクリームなどを塗って外出するよう指導する．

悪性腫瘍の早期発見に努め，合併している場合は，可能な限り手術によって摘出する．摘出手術後に筋症状の寛解をみることもある．

副腎皮質ステロイドホルモン薬，免疫抑制薬の使用中は，副作用とその早期発見，感染予防などについて指導する．

(2)薬物療法

多発性筋炎・皮膚筋炎の第１選択薬として，副腎皮質ステロイドホルモン薬が用いられる．成人では，プレドニゾロン40～60mg/日を約４週間投与し，筋原性酵素値，筋症状，臓器病変の評価を行い，薬物療法の効果がみられたら，２週間ごとに５mg前後漸減していく．漸減量は個々のケースごとにきめ細かく検討する．

副腎皮質ステロイドホルモン薬の初期投与量の効果が得られない場合は，ステロイドパルス療法（メチルプレドニゾロンコハク酸エステルナトリウム［ソル・メドロール® 500～1,000mg/日］）を３日間行い，その後，プレドニゾロン60～80mg/日の後療法が行われる．

副腎皮質ステロイドホルモン薬の効果が得られない場合，免疫抑制薬が併用される．メトトレキサート（５～15mg/週），アザチオプリン（50～100mg/日），シクロスポリン（５mg/kg/日），タクロリムス水和物（３mg/日）を用いる．また，ステロイド抵抗性の筋炎には，大量γグロブリン療法（400mg/kg/日・５日間）も有用である．

検査所見としては，血清中の筋原性酵素（CK，アルドラーゼ，LDH，AST，ALT）および尿クレアチン/クレアチニン比を，活動性の指標に用いる．活動期には，血清ミオグロビン値も上昇する．筋萎縮が著しい場合，筋力の回復は筋原性酵素値の回復より遅れる．治療中に筋原性酵素値が上昇する場合は，副腎皮質ステロイドホルモン薬の急激な減量，急性増悪の前兆，あるいは，運動負荷が大きすぎた場合の，いずれかであることがほとんどである．

急性の間質性肺炎や心筋炎がある場合は，早期の炎症鎮静化を目的にステロイドパルス療法が行われる．間質性肺炎が進行性であれば，ステロイドパルス療法を１～２回繰り返すか，シクロホスファミド大量療法を反復して使用する．また，シクロスポリン投与も行われている．

6）予後

筋炎のみの５年生存率は約60～80%である．悪性腫瘍，間質性肺炎，感染症，心肺病変の合併によって生命予後が左右される．しかし，その経過は個々の患者によって異なり，なかには治療に抵抗性があり，徐々に筋萎縮が進行してADLが制限され，QOLが障害される場合もある．

現在最も問題となるのが，間質性肺炎であり，とくに急激に進行するタイプ（急性間質性肺炎）である．その原因はまだ不明のため，治療法も確立できておらず，呼吸不全となって不幸な転帰をとる場合がある．

2. 看護過程の展開

● アセスメント〜ゴードンの機能的健康パターンを用いて

パターン	アセスメントの視点	根拠	収集する情報
(1) 健康知覚-健康管理 患者背景 健康知覚-健康管理 価値-信念	●健康維持のために行っていたことは何か ●病気に関する認識，病いとともに生きるための健康管理をどのようにしているか	●多発性筋炎，皮膚筋炎は，筋肉や皮膚の硬化が全身に及ぶ. ●完治が望めず，寛解・増悪を繰り返しながらの症状コントロールが必要となるため，病気を受容し，自己管理をしながら病気とつきあっていく必要がある. ●多発性筋炎・皮膚筋炎の治療は生涯にわたるため，寛解状態を維持するには，疾患，症状，治療や増悪因子を十分に理解し，自己管理行動をとれることが重要である.	・健康観 ・健康状態 ・受診状況 ・病気や治療への理解 ・運動習慣 ・内服薬 ・身長・体重・BMI ・飲酒・喫煙の有無 ・既往歴 ●病態・疾患の理解 ・疾患の知識 ・受容の状態 ・治療の必要性の理解と反応 ●自己管理 ・増悪因子の知識と理解 ・健康観 ・自己効力感
(2) 栄養-代謝 全身状態 栄養-代謝 排泄	●皮膚状態，栄養状態，抵抗力，易感染状態に影響する副腎皮質ステロイドホルモン薬，免疫抑制薬の副作用はどうか ●嚥下障害は生じていないか	●免疫力低下，副腎皮質ステロイドホルモン薬の使用，場合によっては，免疫抑制薬が使用されることにより，重篤な感染症が起こりやすい. また，毛細血管拡張，小梗塞，レイノー現象などで，皮膚潰瘍が起こりやすくなっている. 皮膚潰瘍は難治性であり，感染を起こすと治癒が困難となる. ●筋症状として嚥下障害を生じることがある.	・食事・水分摂取量，食欲の有無 ・身長，体重，BMI ・口腔・皮膚・粘膜の状態 ・嚥下の状態 ・検査データ（TP，Albなど） ・代謝性疾患の既往歴，検査結果，血液データ（SMBG，HbA1c，肝機能）
(3) 排泄 全身状態 栄養-代謝 排泄	●排尿，排便，発汗に与えている影響はないか	●病気によって皮膚の硬化が生じる. 皮膚の乾燥がみられる.	・排尿/排便回数，性状，異常腹部症状（圧痛，排ガス），水分出納，血液データ
(4) 活動-運動 活動・休息 活動-運動 睡眠-休息	●病気によってADLの制限，呼吸状態の悪化，消化機能の低下が生じているか	●多発性筋炎，皮膚筋炎によって硬化が進み，活動に制限が出る. 身体機能のみならず，肺機能，腸蠕動の機能が低下する. ●レイノー現象，発熱，易疲労感がみられることがある.	・ADLの状況 ・運動機能・呼吸機能・腸蠕動 ・職業・運動歴・安静度 ・移動/移乗方法 ・住居環境 ・バイタルサイン ・血液データ

パターン	アセスメントの視点	根拠	収集する情報
(5) 睡眠-休息 活動・休息 活動-運動 睡眠-休息	●睡眠の習慣，休息の方法をどのようにとっていたか	●病気によって睡眠・休息が妨げられることがある.	・睡眠時間 ・熟眠感 ・睡眠薬使用の有無 ・日中/休日の過ごし方
(6) 認知-知覚 知覚・認知 認知-知覚 自己知覚-自己概念 コーピング-ストレス耐性	●感覚機能に問題はないか，記憶・注意に問題はないか ●言葉の理解と表現に問題はないか，意思決定に問題はないか，学習・知識に問題はないか，疼痛はないか ●その他，苦痛と感じる症状はないか	●症状として関節痛や筋肉痛を生じることがある.	●認知機能 ●感覚機能 ●心理状態 ・不安 ・ストレスコーピング ●コミュニケーション能力 ●苦痛の有無 ・全身倦怠感，発熱，易疲労感，筋肉痛，息切れ
(7) 自己知覚-自己概念 知覚・認知 認知-知覚 自己知覚-自己概念 コーピング-ストレス耐性	●ボディイメージの変化はないか，自尊感情に問題はないか	●皮膚の硬化や腫脹，発赤，ヘリオトロープ疹，ゴットロン徴候などから，ボディイメージの変化に迫られる.	・自分の身体に対するイメージ ・病気になった自分に対する評価 ・自尊感情
(8) 役割-関係 周囲の認識・支援体制 役割-関係 セクシュアリティ-生殖	●精神的サポート，家庭内での役割を支援する体制が十分であるか ●コミュニケーションはとれるか	●多発性筋炎・皮膚筋炎は，疾患が進行するとADLが制限される．そのために，周囲のサポートを必要とすることが多い. ●女性に多い多発性筋炎・皮膚筋炎の場合，パートナー，両親，兄弟姉妹が病態を理解したうえで，サポートすることが重要となる. ●経済的負担も大きい. ●筋症状として構音障害を生じることがある.	・家族背景，治療，増悪因子に対する知識，生活管理に対する理解と反応，サポート体制，サポート力 ・家庭的役割 ・キーパーソンの有無 ・社会的役割 ・社会生活での活動状況 ・職種，内容，継続状況 ・利用可能な社会資源と利用状況

パターン	アセスメントの視点	根拠	収集する情報
(9) セクシュアリティ-生殖 周囲の認識・支援体制 役割-関係 セクシュアリティ-生殖	●生殖機能・セクシュアリティの問題はないか	●治療薬でもある副腎皮質ステロイドホルモン薬は，生殖機能を低下させる恐れがある．	・生殖機能 ・セクシュアリティ
(10) コーピング-ストレス耐性 知覚・認知 認知-知覚 自己知覚-自己概念 コーピング-ストレス耐性	●どの程度のストレス耐性があり，ストレスコーピングをとることができるか	●突然の発症，診断，また生涯完治が望めない疾患であり，ストレスが病気を増悪させる要因にもなる可能性がある．	・ストレス耐性 ・コーピング方法 ・サポート体制
(11) 価値-信念 患者背景 健康知覚-健康管理 価値-信念	●治療の選択や継続に影響を及ぼす価値観・信念はないか	●突然の発症，診断，また生涯完治が望めない疾患であるため，これまでの価値観や信念が治療の選択や継続に影響を及ぼす．	・価値観・信念は何をもっているか

3. 全体像の把握から看護問題を抽出

1）病態関連図

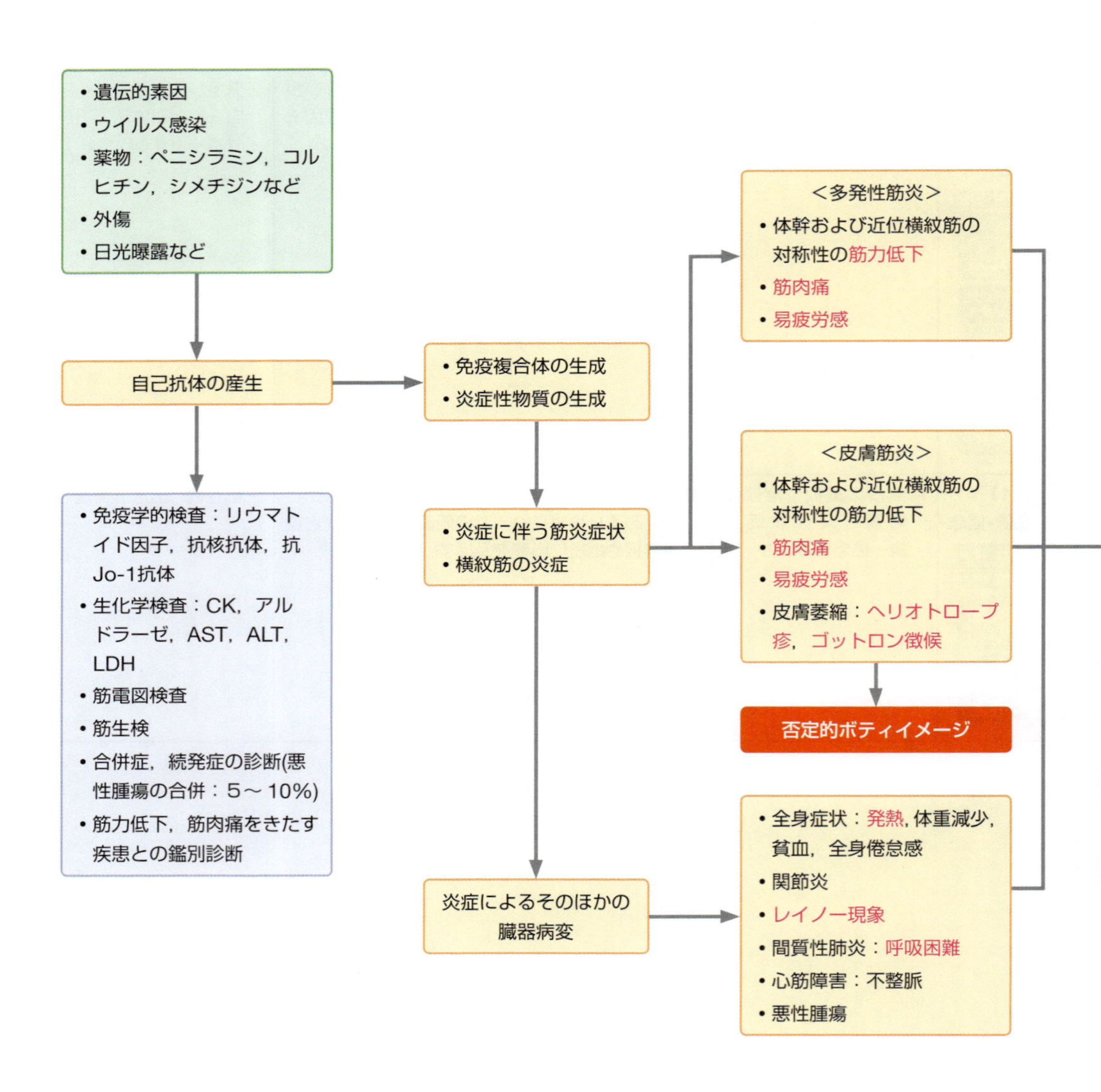

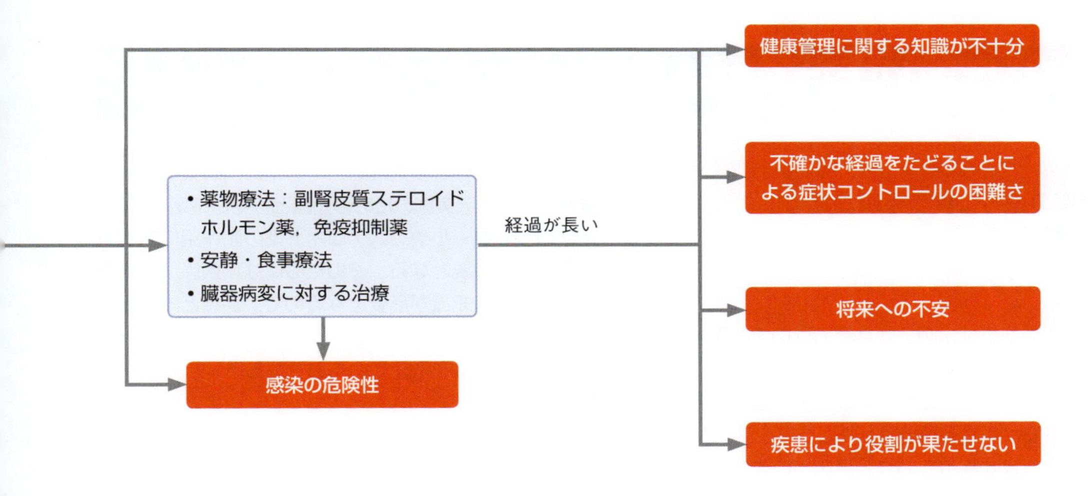
健康管理に関する知識が不十分
不確かな経過をたどることによる症状コントロールの困難さ
・薬物療法：副腎皮質ステロイドホルモン薬，免疫抑制薬
・安静・食事療法
・臓器病変に対する治療
経過が長い
将来への不安
感染の危険性
疾患により役割が果たせない

2）看護の方向性

多発性筋炎，皮膚筋炎は明らかな原因がいまだ解明されず，関節リウマチ，全身性エリテマトーデスに次いで，膠原病のなかでも多く発症している．筋肉や皮膚に炎症が生じることから，炎症部位の疼痛や硬化が起きやすく，ボディイメージの変化に迫られる．治療が開始されると炎症が治まり，疼痛や硬化が和らいでくることが多い．しかし，治療薬である副腎皮質ステロイドホルモン薬をはじめ，病状によっては免疫抑制薬を使用することから，薬剤の副作用にも対処するためのセルフケア能力を身につけながら，症状コントロールをすることが必要となる．とくに，長期的に副腎皮質ステロイドホルモン薬や免疫抑制薬を内服すると易感染性となるため，感染予防のためのセルフケアが重要となる．病気の特性上，セルフケアを実施していても，明らかな原因が不明なまま病気が増悪することがある．そのため，患者は，症状コントロールを困難に感じる一方で，寛解と増悪を繰り返す中での体験から，自分自身の病気を理解し受け入れ対処法を身につけていく．看護師は，患者の病気体験をよく聴き，その体験を今後の病いとともにある生活に生かせるよう，支援することが重要である．また，成人期の女性に多く発症することから，女性としてのライフイベントや役割遂行を継続できるような支援をすることも重要である．

3）患者・家族の目標

セルフケア能力を身につけ，病いとともにある生活を充実したものにできる．

4. しばしば取り上げられる看護問題

♦1 疾患の進行に伴う不確かさに関連した不安

なぜ？

多発性筋炎・皮膚筋炎は，明らかな原因はいまだ不明であり，寛解と増悪を繰り返す．セルフケアを実施していても，急性増悪することもあり，見通しのつきにくさから，将来への不安が生じる可能性がある．

寛解と増悪を繰り返す疾患であり，原因がいまだ不明である．そのため，セルフケアを実施していても，病期そのものが急性増悪することもあるので，不確かな状況に不安が生じる．セルフケアや症状コントロールに必要な知識を身につけられるよう関わることが必要となる．このような時期には優先順位を上げていく．

➡期待される結果

・疾患について知識が得られ，不安が軽減する．

♦2 自己健康管理（疾患の経過やセルフケアなど）に関する知識が十分でない

なぜ？

疾患に対する増悪因子への理解，症状コントロールのための自己管理が必要となる．そのため，病気に関する知識やセルフケア実施のための知識と行動が不足する．

症状コントロールや，ステロイド薬の副作用に対するセルフケアが必要となる．そのためには，疾患，ステロイド薬に対する知識が必要となるので，疾患と向きあうことができた際には，これらの知識を身につけられるよう関わる優先順位を考えていく必要がある．

➡期待される結果

・自己管理に必要な知識と技術が理解できる．

♦3 免疫力の低下，副腎皮質ステロイドホルモン薬，免疫抑制薬の副作用による感染の危険性がある

なぜ？

副腎皮質ステロイドホルモン薬および免疫抑制薬は，異常な免疫のみならず，正常に機能している免疫も抑えるため，感染のリスクが高まる．

多発性筋炎・皮膚炎の治療には，副腎皮質ステロイドホルモン薬を使用する．生涯内服し続ける必要性があることから，易感染状態が続き，感染症に気をつける必要がある．

➡期待される結果

・感染症を早期に発見し，早期に対処する．
・感染症に対する予防行動がとれる．

ADLの低下や身体状況の変化による自尊感情の低下

なぜ？

皮膚・筋肉の炎症により外観に変化を生じ，硬化によってADLが低下したりする．これらのことから，ボディイメージの変化を余儀なくされる．それによって自己尊重が低下することがある．とくに，社会との交流が多い成人期の女性に発症することが多い病いであるため，深刻である．

病気によるADLの低下から，これまでできていたことができなくなったり，細かい作業がやりにくくなることがある．このような症状が出現している際には，優先順位を上げていく必要がある．

➡期待される結果

・機能障害，外観に変化のある自己を受容できる．

長期的な療養生活に伴い，心理的・手段的・制度的サポートに関連した介護者の役割緊張が生じる

なぜ？

治療が開始されると，炎症や硬化が和らいでくるため，外見上，周囲には病気であることがみえにくくなる場合がある．患者はこれまで通りの役割を遂行しようとするが，身体的には日々変化することがあり，本人・周囲が望む役割発揮ができない場合もある．そのため，患者は自身の体調の変化に応じた行動をとることや，周囲からの理解を得ることが必要となってくる．

病気によって，これまで遂行していた役割が中断したり，自分自身が思うように発揮できないこともある．その際には，周囲からの支援も必要となるため，自分自身の病気や，病期によって制限されていることなどを，周囲からの理解を得られるようにする必要が出てくる．

➡期待される結果

・家族や周囲から理解され，適切なサポートが得られる．

5. 看護計画の立案

• O-P：Observation Plan（観察計画）　• T-P：Treatment Plan（治療計画）
• E-P：Education Plan（教育・指導計画）

♦1 疾患の進行に伴う不確かさに関連した不安

	具体策	根拠と注意点
O-P	**(1)心理的・情緒的状態** ・不安，抑うつ，葛藤，家族・対人関係	●多発性筋炎・皮膚筋炎は女性に多い．筋力の低下，筋萎縮によって家事や育児，職業上の役割が十分に果たせなかったり，役割達成に制限があることから葛藤が生じやすい． ●多発性筋炎・皮膚筋炎はまれな疾患であり，わが国では約6,000人である．男女比は1：2で女性に多い．
	(2)患者・家族の疾患に対する認識，理解度 **(3)出現している症状**	●治療が長期化することによる家族の負担も大きい．生活背景から支援の必要性を把握する．
	(4)変化した自己に対する認識 ・容姿や役割の変化およびADLの低下に対する動揺，不安，戸惑いの言動 **(5)通常のコーピング行動**	●多発性筋炎・皮膚筋炎は自己免疫疾患であり，生涯にわたって病いとともに生きていかなければならない．
	(6)家族・医療従事者への期待	●原因不明の発症，生涯完治が望めない疾患であるため，患者を専門的立場から支えることが重要である． ●一般的に，疾患にかかると本来もっていた性格が強調されやすく，依存心が強くなり過ぎたり，反対に必要な依存ができない患者もいる．
	(7)家族の患者に対する期待および反応	●多発性筋炎・皮膚筋炎は，疾患が進行するとADLが制限される．周囲のサポート体制を把握し，調整することが重要となる． ●多発性筋炎・皮膚筋炎患者の約半数に筋肉痛がみられ，進行すると筋萎縮が出現する．

	具体策	根拠と注意点
T-P	**(1)症状に対する援助** ・出現している症状の対症看護を行い，苦痛の緩和をする **(2)必要なADLの援助** **(3)精神的支援** ・悩みや不安などを話せる相談相手となる	●必要な援助をしながら，現在の機能状態や今後の見通しを説明し，患者の現実認識を助けるようにする． ●発症初期は，筋肉痛，筋力低下により，一過性にADLが低下する．そのため，患者は今後についての不安が強くなるので，専門的立場からの助言，支援が必要である． ●よき相談相手となるために，常に傾聴，共感を心がける．皮膚筋炎では，悪性腫瘍を合併することもあるので，それらの心配事の相談相手になれるようにする． ●生涯完全治癒することが望めない疾患であるため，家族やパートナーに負い目を感じ，悩みや不安を話せないことがある．
E-P	**(1) 必要な情報の提供** ①患者の疾患，診断，検査，治療，今後の見通し，予想されるADLの範囲などについて説明する ②疑問，不安，不満，希望などを確認し，必要な支援をする	●知識不足や誤った理解をしないように，患者の反応をみながら計画的に実施する． ●発症後，患者は症状コントロールをしながら生活をしていかなければならない．今後の見通しに関する情報が重要となってくる． ●検査時や状態，治療内容が変化したときなどは，患者が疑問や不安をもつことが考えられる．医療者間で情報交換をしながら必要とされる説明をする． ●診断が確定するまでに多くの検査を行い，苦痛や時間を要する．その間の患者の疑問，不安，不満，希望を傾聴することが必要である．
	(2)家族への情報提供と協力の依頼 ①家族に疾患，診断，検査，治療，今後の見通し，予想されるADLの範囲などについて説明する ②必要時には患者と家族との調整役になる	●患者が治療に専念するためには，家族にも疾患や治療を正しく理解できるように説明をする． ●患者が病いとともに生きていくには，周囲のサポートが重要となる．そのため，家族，パートナーが疾患について理解し，必要な情報を提供することが必要である． ●患者が家族に過不足のない依存ができたり，患者役割に専念できるよう配慮する． ●患者は治癒が望めない疾患になると，家族やパートナーに負い目を感じることが多い．そのため，患者と家族・パートナーとの調整役を担うことが必要となる．

2 自己健康管理（疾患の経過やセルフケアなど）に関する知識が十分でない

	具体策	根拠と注意点
O-P	**(1)健康管理状況** **(2)患者・家族の自己管理についての知識** **(3)疾患の経過と今後の見通し** ・経過，症状，検査データ，合併症の有無，治療内容と効果，副作用の有無，今後の見通し，機能障害の程度，増悪因子の有無	●家庭での療養に向けた準備のため，患者の今ある状態を把握し，必要な機能訓練を行い，ADLの拡大をはかる． ●確定診断がついて，治療開始後は，機能回復訓練も治療の１つとなる．発症によって落ちたADLを回復する必要がある． ●家庭での療養のため，必要なセルフケアに対する知識・技術(疾患，治療の目的や方法，増悪因子の理解と予防方法など)が習得されているかを把握する．さらに，自己管理に対する意欲，それを支援する体制を確認して調整する． ●原因不明の突然の発症，慢性的に経過を辿る疾患であるため，患者，家族ともに困惑することが多い．患者・家族の心理状態を確認しながら，退院後にも必要なセルフケアの指導を行うことが必要となる．
	(4)疾患が長期化することによる家庭・社会生活への影響 ・家庭での役割，人間関係，職場での地位・役割，他者との交流，経済状態，介護力	●役割変更に伴い，家庭的・社会的に多くの混乱や問題が生じることが予測される． ●多発性筋炎・皮膚筋炎は40～50歳代の女性に多く，家庭や社会的に多くの役割をもつ．

	具体策	根拠と注意点
O-P	**(5)心理的安定の程度** ①退院後の生活に対する不安 ②今後の疾患の経過に対する不安	●症状の改善によって家庭生活が可能になると，家庭では疾患と共存した生活が求められるため，生活全般にわたり不安が生じやすい． ●完解と増悪を繰り返しながら慢性的に経過をたどる疾患であり，治癒が望めない．疾患の不確かさから，病いとともに生きていく行路も描きにくい．患者・家族が抱える不安を傾聴して共感する姿勢が必要である．
T-P	**(1)ADLの援助** ・退院後の生活を想定して行う **(2)機能訓練** ・筋力低下に対する機能回復訓練は，ADLの改善を目標に，理学療法士(PT)と協働して進める **(3)精神的支援** ①性格や心理状態，通常の対処行動を考慮しながら接する ②外観の変化からくる思いや悩みに対して傾聴して共感する ③必要時に家族などに働きかけ，協力や支援を得る ④社会や他者との交流をすすめる	●住環境，買い物，通勤などの手段を把握し，退院後の生活にあわせた援助を行う． ●起き上がりなどの起居動作，椅子や便座などからの立ち上がり動作，階段の昇降などの動作の改善が必要となる． ●性格や心理状態，通常の対処行動を考慮し，自尊感情が高められるような関わりを家族にも依頼する． ●疾患によるもの，副腎皮質ステロイドホルモン薬の副作用によるものから，さらに精神的に不安定となりやすい．これは一時的なものであることを家族やパートナーに説明し，一緒に病いとともに生きていくための方策を考えていくことが重要である．
E-P	**(1)生活指導についての説明** ①活動と休養のバランス ②保温：室温の調節，家事をするときの湯の使用，皮膚の保護と外傷の予防 ③食事：バランスのよい食事，高エネルギー・高タンパク質・高ビタミン食とする ④生活環境，家屋改造：生活しやすい環境にする．ベッド，洋式トイレ，手すりの設置，段差解消の工夫，階段の昇降をしなくて済む工夫など	●皮膚症状，筋力低下から，徐々に家庭に閉じこもりがちになる可能性がある．社会や他者との交流の機会を閉ざさないよう助言する． ●休養がとれるように，必要時，家族にも協力を依頼する．活動は翌日に疲労をもち越さない程度にする． ●寒暖が病状に影響するので，適温で生活できるように冷暖房器具の使用をすすめる． ●多発性筋炎・皮膚筋炎は，セルフケアによって症状コントロールを良好に保つことが可能である．そのため，患者の生活に即したセルフケア行動がとれるような指導が必要である．
	(2)感染予防についての説明 ①気道感染 ②陰部の感染 ③皮膚潰瘍の予防や処置	●副腎皮質ステロイドホルモン薬，免疫抑制薬によって，易感染状態となる．抵抗力が通常よりも低下していることを理解し，清潔を保つようにする． ●レイノー現象がある場合は，皮膚を保護して潰瘍を予防する．皮膚潰瘍がある場合は，創部の処置方法を指導する． ●抵抗力が低下している状態で感染症に罹患すると，治癒するまでに時間を要し，また感染症によって死に至るケースもある．
	(3)薬物療法についての説明 ・目的，与薬時刻と量，作用・副作用	●とくに副腎皮質ステロイドホルモン薬，免疫抑制薬の指示量，与薬時間を守り，自己判断で中止，服用しないようにする． ●副腎皮質ステロイドホルモン薬や免疫抑制薬は，免疫力を低下させるため，感染予防がとくに重要となる．外出後のうがい，手洗い，人混みに行く際のマスクの着用などを習慣化し，感染予防をするための清潔を心がけるよう指導する． ●多発性筋炎・皮膚筋炎は自己免疫疾患であり，副腎皮質ステロイドホルモン薬，免疫抑制薬は，自己をおかしている免疫を抑制すると同時に，自己を保護している免疫も抑制している．急にこれらの薬剤を中止すると，疾患の増悪の原因となる．
	(4)増悪因子についての説明 ①外傷・感染・薬物 ②皮膚筋炎の場合は日光照射	●直射日光を避けるため，日焼け止めクリームの使用，外出時は日傘や帽子，長袖，長ズボン，アームウォーマーなどの衣服着用をすすめる． ●直射日光や紫外線を浴びることにより，膠原病の発症が明らかになっているため，増悪因子となる．紫外線から自己を守ることが必要となってくる．

	具体策	根拠と注意点
E-P	**(5)社会資源の活用についての説明** ①厚生労働省指定の「特定疾患医療費助成制度」の紹介 ②市町村の福祉課や福祉事務所，在宅介護支援センターなどの紹介 ③患者会の紹介：「膠原病友の会」など	●必要なサポートが得られることは，心理的安定にもつながる． ●生涯にわたって病いとともに生きていかなければならないため，外来通院，治療継続は必須となる．経済的負担も生じるため，利用できる社会資源の提供が必要である．

引用・参考文献

1) 三森経世編：リウマチ・膠原病診療チェックリスト．文光堂，2004.
2) 住田孝之編：EXPERT膠原病・リウマチ．改訂第２版，診断と治療社，2006.
3) 医療情報科学研究所編：病気がみえる vol.6免疫・膠原病・感染症．メディックメディア，2009.
4) 竹原和彦ほか編：膠原病1 全身性エリテマトーデス―インフォームドコンセントのための図説シリーズ．医薬ジャーナル社，2004.
5) 竹原和彦ほか編：カラーで見る 新・膠原病―診断と治療の最新ポイント 皮膚から内臓へ．診断と治療社，2002.
6) 橋本博史編：膠原病・リウマチ―専門医を目指すケース・メソッド・アプローチ５．第３版，日本医事新報社，2002.
7) 延永正：患者さんとスタッフのためのリウマチ・膠原病ABC．改訂第２版，日本医学出版，2006.
8) 鈴木志津恵ほか編：成人看護学 慢性期看護論．第２版，ヌーヴェルヒロカワ，2009.
9) 橋本博史：全身性エリテマトーデス臨床マニュアル．日本医事新報社，2006.
10) 川合眞一編：実地医家のためのステロイドの上手な使い方．永井書店，2004.
11) 三森明夫編：膠原病診療ノート―症例の分析 文献の参考 実践への手引き．第２版，日本医事新報社，2006.

第 10 章　自己免疫疾患患者の看護過程

60 全身性エリテマトーデス

1. 疾患の基礎的知識

1）疾患の概念

全身性エリテマトーデス（SLE：systemic lupus erythematosus）は，原因はいまだ不明であるが，代表的な全身性自己免疫疾患の１つと考えられている．全身に炎症を起こす疾患である．以前は予後不良であり，生命に関わると考えられていたが，診断技術と治療法の発展により，慢性的に経過をたどる予後良好な疾患となった．

2）原因

SLEは多因子性疾患であるが，その原因はいまだ不明である．発症には，疾患感受性遺伝子による遺伝的要因と，環境要因（紫外線，月経，妊娠，ウイルス感染，手術など）があると考えられている．

3）病態と臨床症状

病態

SLEは，なんらかの原因で，血液中に抗核抗体という自己抗体をもち，この抗体が，自分の細胞の核の物質と反応し，免疫複合体という物質をつくって，全身の皮膚，関節，血管，腎臓などに沈着して，病気が引き起こされるのが主な病態と考えられている．このほか，免疫をつかさどるリンパ球が直接，自分の細胞，組織を攻撃することもあると考えられている．

臨床症状

SLEでは，発症初期の半数以上に，関節痛，発熱，レイノー症状，全身倦怠感が出現する．症状は数週をかけて徐々に進行するが，急性ないし劇症に経過する症例もある（**図60-1**）．

(1)発熱

発熱は，80%近くの患者に出現し，そのうち約40%は38.5℃以上となる．特異的な熱型はない．

(2)関節痛

約90%に出現する．主には，手指，手，肘，肩，膝，足などの移動性関節痛や筋肉痛がみられる．関節の腫脹はまれで，骨破壊は伴わない．

(3)蝶形紅斑

約70%に出現する．鮮紅色・暗紫紅色の扁平あるいは隆起した丘疹が，頬骨隆起部に持続して出現する．

(4)レイノー現象

約50%に出現する．第２指～第５指に寒冷刺激が加わると，血流が途絶え，蒼白色となり，血流が戻ってくると紫色，赤色と徐々に変化する．また，手指のしびれ，疼痛，知覚鈍麻などが起こることがある．

(5)腎症状・ループス腎炎

持続するタンパク尿が約50%に出現する．これは，糸球体に障害をきたし，SLEに合併する腎障害のため，ループス腎炎という．初期はとくに自覚症状はないが，病気が進行すると足や顔をはじめ，全身に浮腫が出現し，高血圧・体重増加などをきたす．治療をしないと，透析を余儀なくされることがある．

(6)血球減少

主に白血球・赤血球・血小板の低下がみられる．

(7)神経症状・CNSループス

中枢神経症状を呈する場合は重症である（CNSループス）．うつ状態，失見当識，妄想などの精神症状と痙攣，脳血管障害がよくみられる．

(8)心血管症状

心外膜炎はよくみられ，タンポナーデとなることもある．心筋炎を起こすと，頻脈，不整脈が出現する．

(9)肺症状

胸膜炎は急性期によくみられる．このほか，間質性肺炎，細胞出血，肺高血圧症は，予後不良の病態として注意が必要である．

(10)消化器症状

腹痛がみられる場合には，腸間膜血管炎やループス腹膜炎に注意する．

4）検査・診断

検査

(1)血液検査

白血球減少（2,500～4,000/μL以下），リンパ球減少（1,500/μL以下），血小板減少（10万/μL以下），溶血性貧血，赤沈亢進，高γグロブリン血症を認める．また，IgG，IgA，IgMの増加がみられ，とくにIgGの増加が顕著である．CRPは陰性または弱陽性を示す．

(2)尿検査

タンパク尿，赤血球尿，白血球尿，円柱尿を認める．

(3)免疫血清学的検査

①SLEでは，多彩な自己抗体が出現するが，とくにHep-2細胞を基質とした蛍光抗体間接法による抗核抗体は，ほぼ100%陽性を示す．

②抗DNA抗体（抗dsDNA抗体）は，SLEの活動期，とくにループス腎炎の活動期に高値陽性を示す．治療によって値は低下するため，治療効果を評価するための指標となる．

③血清補体価（CH50，C3，C4）の低下が特徴的である．

(4)その他

①腎臓：腎生検

②肝臓：肝生検

③呼吸器：胸部X線検査，CT，MRI，呼吸機能検査，動脈血液ガス

④骨・関節系：X線検査，CT，MRI

診断

診断では，臨床症状と検査所見を総合的に判断する．また，分類基準として，最近は感度がより高いSLICC（2012年）を使用することが多い（**表60-1**）．

5）治療

SLEの治療は，急性期の症状を全て消失させることが目的ではなく，炎症の抑制や鎮静，増悪因子の回避，予測される臓器病変を予防するために，最低限の投薬で寛解導入をはかり，社会復帰を目指すことが目標となる．

図60-1　SLEの臨床症状

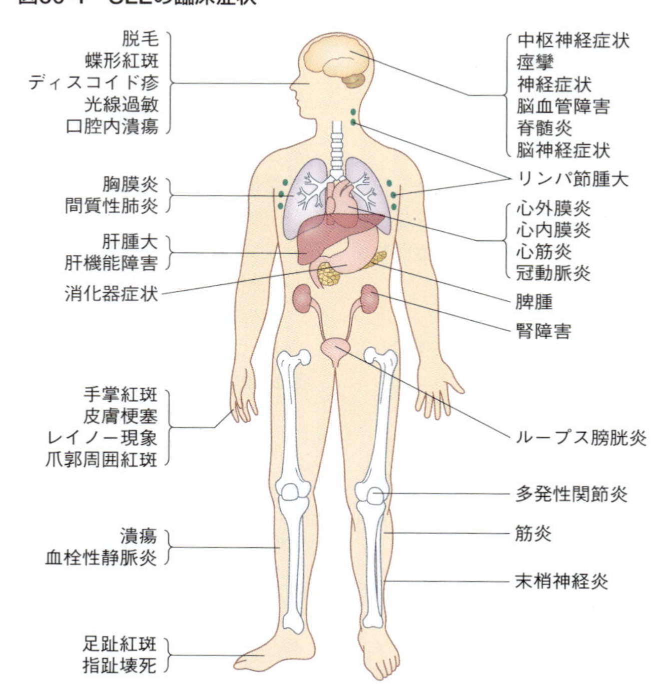

(1)薬物療法

①非ステロイド性抗炎症薬(NSAIDs)

発熱，関節痛，筋痛などに対して，解熱，鎮痛，抗炎症の目的で用いられる．すでにステロイド薬が使用されている場合には，炎症作用が働いているため，必ずしも非ステロイド性抗炎症薬を必要としない．

②副腎皮質ステロイドホルモン薬

SLEの主となる治療薬である．抗炎症作用のほか，大量に投与する場合は免疫抑制作用もある．SLEにおける投与方法は，通常，経口投与となるが，症状が重篤化していて早急な治療が必要な場合は，静脈注射にて投与する．

また，ステロイド薬には内服量や内服期間によって，さまざまな副作用が出現する(**表60-2**)．

表60-1　SLICC(Systemic Lupus International Collaborating Clinics)SLE分類基準(2012年)

臨床項目(各項目中どれかがあれば，その項目を陽性１項目と数える)
1. 急性皮膚ループス(皮膚筋炎または亜急性皮膚ループスによるものを除外する) 頬部紅斑(頬部の円板状ループスと重複算定しない) 中毒性表皮壊死，toxic epidermal necrolysis variant of SLE 斑点状丘疹，macropapular lupus rash 光線過敏
2. 慢性皮膚ループス 古典的円板状ループス(頭頸部または全身性のdiscoid lupus erythematosus/DLE) 増殖性(疣贅性)ループス，hypertrophic lupus 深在性ループス，lupus panniculitis(profundus) 粘膜ループス，mucosal lupus 腫瘍性紅斑性ループス，lupus erythematosus tumidus 凍瘡様ループス，chillblains lupus 円板状ループス/扁平苔癬重複，discoid lupus/lichen planus overlap
3. 口内潰瘍または鼻咽腔潰瘍(Behcet病など他疾患を除く)
4. 非瘢痕性の脱毛(細く脆い毛が特徴，ほかの明らかな原因によるものを除く)
5. ２か所以上の関節炎 滑膜炎；腫脹，または圧痛＋30分以上の朝のこわばり
6. 胸膜炎，心外膜炎(一過性でもよい．ほかの明らかな原因によるものを除く)
7. タンパク＞0.5g/日(尿タンパク/尿Cr比または24時間蓄尿による)，または赤血球円柱
8. 神経学的異常 痙攣 精神症状，psychosis 複合性単神経炎(血管炎症候群によるものを除く) 脊髄炎 末梢神経または脳神経障害(血管炎症候群，感染，糖尿病などによるものを除く) 急性錯乱(中毒，代謝性，尿毒症，薬剤など，ほかの原因を除く)
9. 溶血性貧血
10. 白血球＜4000，またはリンパ球＜1000，１回の測定でもよい(ほかの明らかな原因を除く)
11. 血小板＜10万，１回の測定でもよい(ほかの明らかな原因によるものを除く)
免疫項目
1. 抗核抗体陽性
2. 抗dsDNA抗体陽性(ELISAの場合は，基準値の２倍以上)
3. 抗Sm抗体
4. 抗リン脂質抗体陽性 lupus anticoaglant陽性 梅毒反応(rapid plasma reagin)偽陽性 抗cardiolipin- IgA，IgG，or IgM中等度以上の陽性 抗β 2-GP1-IgA，IgG，or IgM陽性
5. 低補体値(C3，C4，or CH50)
6. 直接Coombsテスト陽性(溶血性貧血と重複算定しない)

臨床項目，免疫項目の両者の少なくとも１つを含み，計４項目陽性ならSLEとする．(臨床だけで４つ，免疫だけで４つという算定はしない．所見の出現は同時でなくてよい)

③免疫抑制薬

ステロイド薬の効果が十分に得られない場合や，ステロイド薬の副作用が重篤で大量投与が困難な場合などに，併用して使用する．現在は多種類の免疫抑制薬が開発されており，妊娠に影響の少ない免疫抑制薬もある．副作用は，骨髄抑制，感染症，肝障害などがある．

④アフェレーシス療法

SLEの病態に深く関与している有害物質を，体外循環によって機械的に除去し，疾患や病態の改善をはかる目的がある．方法は，血漿交換療法と血球成分除去療法に大別され，目的に応じて選択される．

6）予後

SLEの10年生存率は，2003（平成15）年以降90％を超えており，さらなる改善をし続けている．そのため，慢性に経過する予後良好な疾患という考えに変化してきている．一方で，急速に進行し，短期間で死に至る症例も存在し，長期間経過観察される症例では，感染症や動脈硬化などの合併症による死因が注目されている．

SLEでは，血漿交換療法において，予後に影響を及ぼす重篤な病態のループス腎炎とCNSループスに保険適用され，月４回まで認められている．

(2)増悪因子に対する自己管理

紫外線，寒冷，感染，外傷，妊娠・出産は，増悪因子となってしまうため，帽子や長袖，長ズボンを着用し，顔には日焼け止めクリームなどを塗って外出するよう説明する．副腎皮質ステロイドホルモン薬，免疫抑制薬の使用中は，副作用とその早期発見，感染予防などについて指導する．

表60-2　主な副作用

開始当日	不眠，うつ，精神高揚，食欲亢進
数日後	血圧上昇，Na↑・K↓，浮腫
2～3週間	副腎抑制，糖尿病，脂質異常症，創傷治癒の遷延，消化管潰瘍
1か月後	易感染，中心性肥満，多毛，満月様顔貌，痤瘡，無月経
1か月以上	紫斑，皮膚線条，皮膚萎縮，筋力脱力
長期的	無菌性骨壊死，骨粗鬆症，圧迫骨折，白内障，緑内障

2. 看護過程の展開

● アセスメント～ゴードンの機能的健康パターンを用いて

パターン	アセスメントの視点	根拠	収集する情報
(1) 健康知覚-健康管理 患者背景 健康知覚-健康管理 価値-信念	●健康維持のために行っていたことは何か ●病気・治療に関する理解はできているか ●病いとともに生きるための健康管理をどのようにしているか	●完治が望めず，寛解・増悪を繰り返しながら症状コントロールが必要となるため，病気を受容し，自己管理をし病気とつきあっていくことが必要である．	●これまで周囲にSLEの人はいたか． ●健康管理のために実施していた習慣は何か． ●SLEの診断を受けたときの気持ちはどうだったか． ●SLEとともに生きることをどのように考えているか． ●SLEと診断されて変化した生活習慣は何か． ・健康観 ・健康状態 ・受診状況 ・病気や治療への理解 ・運動習慣 ・内服薬 ・身長・体重・BMI ・飲酒・喫煙の有無 ・既往歴

パターン	アセスメントの視点	根拠	収集する情報
(2) **栄養-代謝** 全身状態 栄養-代謝 排泄	●皮膚状態，栄養状態，抵抗力，易感染状態に影響する副腎皮質ステロイドホルモン薬，免疫抑制薬の副作用はどうか ●肝機能障害，口腔内潰瘍，消化器症状はないか	●免疫力低下，副腎皮質ステロイドホルモン薬の使用，場合によっては，免疫抑制薬が使用されることにより，重篤な感染症が起こりやすい．また，毛細血管拡張，小梗塞，レイノー現象などで，皮膚潰瘍が起こりやすくなっている．皮膚潰瘍は難治性であり，感染を起こすと治癒が困難となる． ●SLEによる潰瘍やステロイド薬によって，皮膚の脆弱化が生じる．	・食事・水分摂取量，食欲の有無 ・身長，体重，BMI ・口腔・皮膚・粘膜の状態 ・嚥下の状態 ・検査データ（TP，Albなど） ・代謝性疾患の既往歴，検査結果，血液データ（SMBG，HbA1c，肝機能）
(3) **排泄** 全身状態 栄養-代謝 排泄	●排尿，排便，発汗に与えている影響はないか	●ループス腎炎によって腎機能障害が生じる．	・タンパク尿の有無 ・eGFRの値 ・尿量 ・排尿/排便回数，性状，異常腹部症状（圧痛，排ガス），水分出納，血液データ
(4) **活動-運動** 活動・休息 活動-運動 睡眠-休息	●呼吸状態の悪化，消化機能の低下などによりADL制限が生じていないか	●急性期においては，発熱や倦怠感，関節痛によって，ADLが制限されてる． ●心外膜炎，胸膜炎，間質性肺炎などを生じることもある． ●約半数の人がレイノー現象を生じる．	・ADLの状況 ・運動機能・呼吸機能・腸蠕動 ・職業・運動歴・安静度 ・移動/移乗方法 ・住居環境 ・バイタルサイン ・血液データ
(5) **睡眠-休息** 活動・休息 活動-運動 睡眠-休息	●睡眠の習慣，休息の方法をどのようにとっていたか ●病気によって妨げとなっていることはないか．	●症状の苦痛により睡眠・休息が防げられることがある．	・睡眠時間 ・熟眠感 ・睡眠薬使用の有無 ・日中/休日の過ごし方
(6) **認知-知覚** 知覚・認知 認知-知覚 自己知覚-自己概念 コーピング-ストレス耐性	●感覚機能に問題はないか，記憶・注意に問題はないか ●言葉の理解と表現に問題はないか，意思決定に問題はないか，学習・知識に問題はないか，疼痛はないか ●その他，苦痛と感じる症状はないか	●中枢神経症状を生じることもありその場合，認知感覚機能の障害がみられる． ●関節痛を生じることが多い．	●病態・疾患の理解 ・疾患の知識 ・受容の状態 ・治療の必要性の理解と反応 ●自己管理 ・増悪因子の知識と理解 ・健康観 ・自己効力感 ●心理状態 ・不安 ・ストレスコーピング ●コミュニケーション能力 ●苦痛の有無 ・全身倦怠感，発熱，易疲労感，筋肉痛，息切れ

パターン	アセスメントの視点	根拠	収集する情報
(7) **自己知覚-自己概念** 知覚・認知 認知-知覚 自己知覚-自己概念 コーピング-ストレス耐性	●ボディイメージの変化を迫られていないか，自尊感情に問題はないか	●SLEによる蝶形紅斑，皮膚潰瘍，脱毛などで，否定的なボディイメージとなることがある． ●ステロイド薬による満月様顔貌，中心性肥満，多毛などがボディイメージの変化を迫ることがある．	●社会的役割 ●就業状況，療養期間中の職場の対応，社会保障の利用状況 ●家庭内での役割
(8) **役割-関係** 周囲の認識・支援体制 役割-関係 セクシュアリティ-生殖	●精神的サポート，家庭内での役割を支援する体制が十分であるか	●SLEは慢性的に病態が経過するが，日々体調に変化が生じる．その変化が周囲にはみえにくく，一見元気そうにみえるため，周囲のサポートを必要とすることが多い．女性に多いSLEの場合，パートナー，両親，兄弟姉妹が病態を理解したうえで，サポートすることが重要となる．また，経済的負担を軽減するための，社会資源の利用状況を把握し，支援に活用することが重要である．	●家族背景，治療，増悪因子に対する知識，生活管理に対する理解と反応，サポート体制，サポート力 ●家庭的役割 ●キーパーソンの有無 ●社会的役割 ・社会生活での活動状況 ・職種，内容，継続状況 ●利用可能な社会資源
(9) **セクシュアリティ-生殖** 周囲の認識・支援体制 役割-関係 セクシュアリティ-生殖	●生殖機能・セクシュアリティの問題はないか	●治療薬でもある副腎皮質ステロイドホルモン薬は，生殖機能を低下させる恐れがある． ●妊娠は，SLEが寛解期にあって，ステロイド薬が維持量で経過し，重篤な内蔵病変がないことが条件となる．妊娠はSLEの増悪因子にもなるので，妊娠の希望がある際には，計画的に出産できるようにすることが必要となる．	・生殖機能 ・セクシュアリティ
(10) **コーピング-ストレス耐性** 知覚・認知 認知-知覚 自己知覚-自己概念 コーピング-ストレス耐性	●どの程度のストレス耐性があり，ストレスコーピングをとることができるか	●突然の発症，診断，また生涯完治が望めない疾患であり，ストレスが病気を増悪させる要因にもなる可能性がある．	・ストレス耐性 ・コーピング方法 ・サポート体制

パターン	アセスメントの視点	根拠	収集する情報
(11) 価値-信念 患者背景 健康知覚-健康管理 価値-信念	●治療の継続に影響する価値観・信念はあるか	●病気を抱えて治療を継続するには，これまでの価値観や信念が影響する.	●価値観はどうか，信念は何をもっているか

3. 全体像の把握から看護問題を抽出

1）病態関連図

原因・誘因　検査・治療　病態・臨床症状（色文字は重要な症状）
看護上の問題

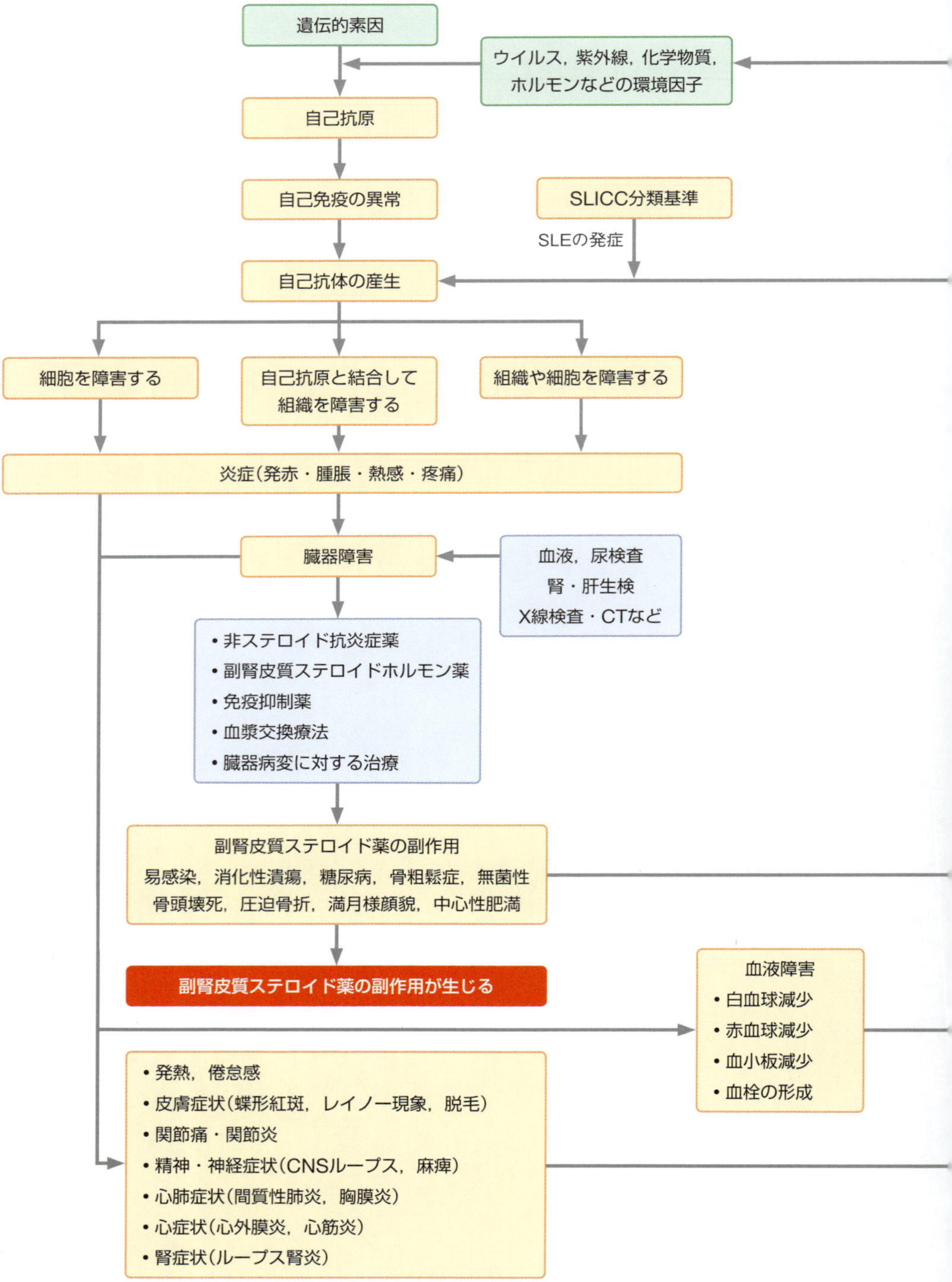

遺伝的素因
ウイルス，紫外線，化学物質，ホルモンなどの環境因子
自己抗原
自己免疫の異常
SLICC分類基準
SLEの発症
自己抗体の産生
細胞を障害する
自己抗原と結合して組織を障害する
組織や細胞を障害する
炎症（発赤・腫脹・熱感・疼痛）
臓器障害
血液，尿検査
腎・肝生検
X線検査・CTなど

- 非ステロイド抗炎症薬
- 副腎皮質ステロイドホルモン薬
- 免疫抑制薬
- 血漿交換療法
- 臓器病変に対する治療

副腎皮質ステロイド薬の副作用
易感染，消化性潰瘍，糖尿病，骨粗鬆症，無菌性骨頭壊死，圧迫骨折，満月様顔貌，中心性肥満

副腎皮質ステロイド薬の副作用が生じる

血液障害
- 白血球減少
- 赤血球減少
- 血小板減少
- 血栓の形成

- 発熱，倦怠感
- 皮膚症状（蝶形紅斑，レイノー現象，脱毛）
- 関節痛・関節炎
- 精神・神経症状（CNSループス，麻痺）
- 心肺症状（間質性肺炎，胸膜炎）
- 心症状（心外膜炎，心筋炎）
- 腎症状（ループス腎炎）

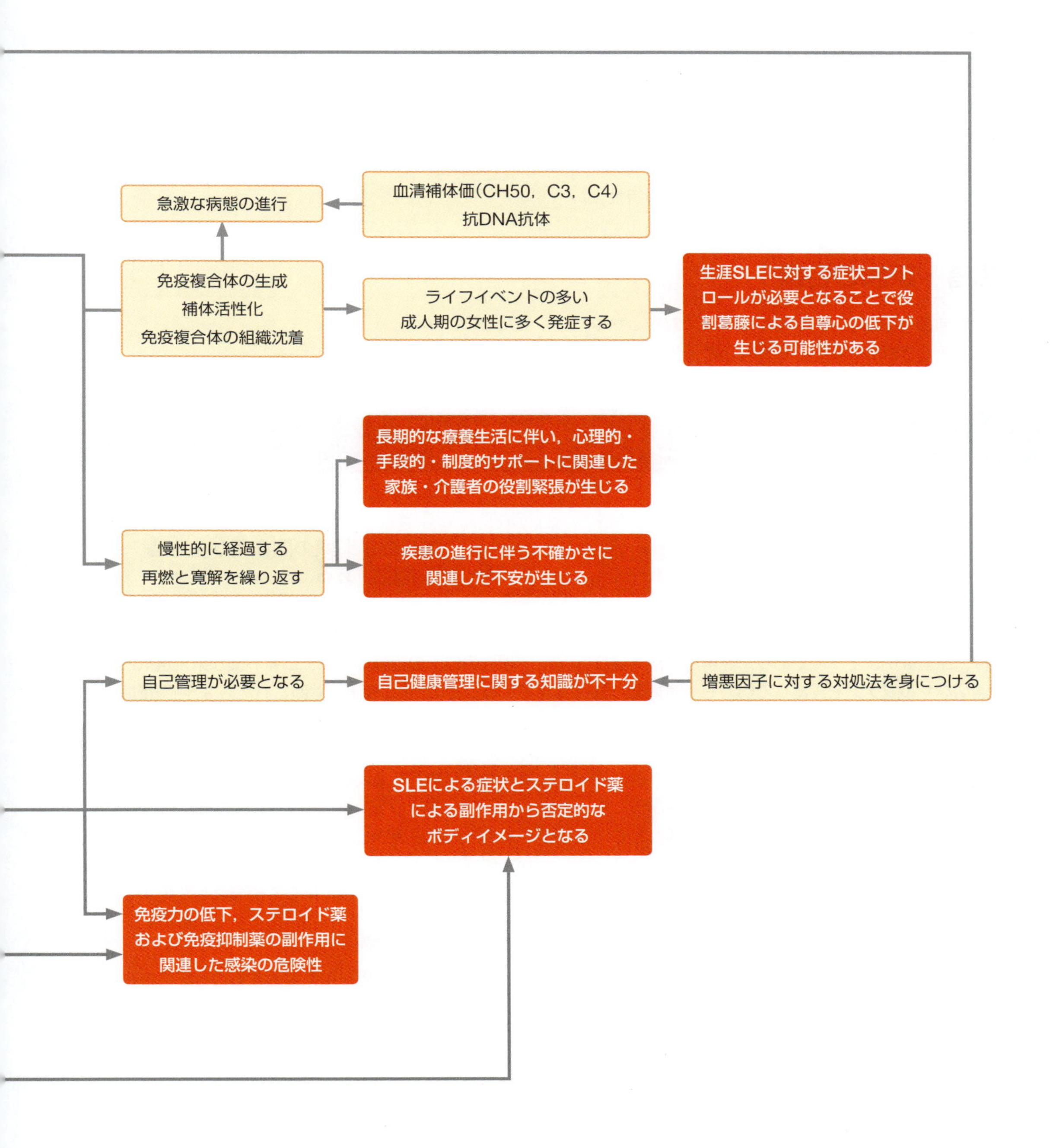
急激な病態の進行
血清補体価（CH50，C3，C4）
抗DNA抗体
免疫複合体の生成
補体活性化
免疫複合体の組織沈着
ライフイベントの多い
成人期の女性に多く発症する
生涯SLEに対する症状コントロールが必要となることで役割葛藤による自尊心の低下が生じる可能性がある
長期的な療養生活に伴い，心理的・手段的・制度的サポートに関連した家族・介護者の役割緊張が生じる
慢性的に経過する
再燃と寛解を繰り返す
疾患の進行に伴う不確かさに関連した不安が生じる
自己管理が必要となる
自己健康管理に関する知識が不十分
増悪因子に対する対処法を身につける
SLEによる症状とステロイド薬による副作用から否定的なボディイメージとなる
免疫力の低下，ステロイド薬および免疫抑制薬の副作用に関連した感染の危険性

2）看護の方向性

SLEは，明らかな原因がいまだ解明されず，関節リウマチに次いで，膠原病のなかでも多く発症している．SLEは，活動期には全身に多彩な症状を呈し，症状の出現は人によってさまざまである．治療薬である副腎皮質ステロイドホルモン薬は，何かしらの副作用が必ず出現し，病気のみならず患者に苦痛を与える．また，病状によっては免疫抑制薬を使用することから，薬剤の副作用にも対処するためのセルフケア能力を身につけながら，症状コントロールをすることが必要となる．とくに，長期的に副腎皮質ステロイドホルモン薬や免疫抑制薬を内服すると，易感染性となるため，感染予防のためのセルフケアが重要となる．病気の特性上，セルフケアを実施していても，明らかな原因が不明なまま病気が増悪することがある．

また，症状の軽快とステロイド薬の減量とともに，改善していくことを伝える必要がある．

さらに，成人期の女性に多く発症することから，女性としてのライフイベントや役割遂行を継続できるような支援をすることも重要である．このように，根治が望めない病いであるため，日常生活のなかで，増悪因子やステロイド薬への副作用に対処しながら，SLEの目標としては，長期にわたって寛解期を維持できることが重要となる．

3）患者・家族の目標

SLEの増悪因子を回避し，病気や治療薬に対するセルフケアを実施しながら，病いとともに生きる生活が充実したものとなる．

4. しばしば取り上げられる看護問題

♦1 疾患の進行に伴う不確かさに関連した不安

なぜ？

SLEは，原因はいまだ不明であり，寛解と増悪を繰り返す．適切なセルフケアを実施していても，病気そのものが急性増悪することもあり，見通しのつきにくさから将来への不安が生じる可能性がある．

SLEは，妊娠可能な年齢に多く発症し，予後もよい疾患であることから，症状コントロールを行いながら，生涯，病気とともに生きていく必要がある．病気とともに生きていくなかで，急性増悪の可能性や免疫力低下から，感染症などで仕事を中断せざるを得ないこともあるが，その予測がつきにくいことから不安が生じる．

➡ 期待される結果

・疾患について知識が得られ，不安が軽減する．

♦2 ステロイド薬の副作用が生じる可能性がある

なぜ？

現在のSLEの治療は，ステロイド薬が第１選択となっている．そのため，SLEと診断された人は，内服量は個々に違うが，ステロイド薬を生涯飲み続けることとなる．ステロイド薬の効果を得ることができるが，副作用に対するセルフケアも必要となってくる．

ステロイドホルモン薬は，生涯のみ続ける治療薬となるため，内服直後から，長期内服によって生じる副作用がさまざまある．これらの副作用に対するセルフケアも必要となることから，量に応じて優先度を変更する．

➡ 期待される結果

・ステロイド薬の副作用に対処することができる．

♦3 免疫力の低下，ステロイド薬および免疫抑制薬の副作用に関連した感染の危険性がある

なぜ？

副腎皮質ステロイドホルモン薬および免疫抑制薬は，異常な免疫のみならず，正常に機能している免疫も抑えるため，感染のリスクが高まる．

SLEの第 1 選択薬である副腎皮質ステロイドホルモン薬の使用により，免疫機能の低下が起こる．免疫の低下により，外部からのウイルスの侵入や，身体に存在する常在菌も，感染症の起因菌となることもある．

➡ 期待される結果

- 感染症を早期に発見し，早期に対処する．
- 感染症に対する予防行動がとれる．

♦4 SLEによる症状とステロイド薬による副作用から否定的なボディイメージとなりやすい

なぜ？

SLEによる蝶形紅斑や皮膚潰瘍，脱毛，ステロイド薬による満月様顔貌や中心性肥満，ニキビ，多毛など，さまざまなボディイメージの変化が起こる．SLEは，青年期から壮年期の女性に多く発症する．この時期はとくに，社会との交流が多かったり，環境の変化が生じる．そのため，ボディイメージは否定的となり，自己の尊厳を低下させることがある．

副腎皮質ステロイドホルモン薬は，SLEの第 1 選択薬であり，生涯内服を続けなくてはならない．食欲亢進や代謝異常から，満月様顔貌，中心性肥満などが生じる．そのため，食事制限が必要となるが，ステロイドが減量されていくと改善されるので，そのときのステロイドの量によって優先度を変更する．

➡ 期待される結果

- 外観の変化を受容することができる．

♦5 自己健康管理（増悪因子の理解，症状コントロールなど）に関する知識が十分でない

なぜ？

疾患に対する増悪因子への理解，症状コントロールのための自己管理が必要となる．

SLEは，疾患そのものの症状コントロールとステロイド薬の副作用に対して，セルフケアが必要となる．そのための知識と方法を，患者自身が身につけていけるような関わりが重要となる．

➡ 期待される結果

- 自己管理に必要な知識と技術が理解できる．

生涯SLEに対する症状コントロールが必要となることで役割葛藤による自尊心の低下が生じる可能性がある

なぜ？

活動期は入院などが必要となる場合が多く，そのため，ライフイベントが多様な時期に発症することが多いSLEの症状コントロールは重要となる．しかし，寛解期においても，日々体調に変化は生じるため，役割を思うように遂行できない場合も少なくはない．

治療が開始されると，炎症や出現していた症状が和らいでくるため，外見上，周囲には病気であることがみえにくくなる場合がある．患者はこれまで通りの役割を遂行しようとするが，身体的には日々変化することがあり，本人・周囲が望む役割発揮ができない場合もある．そのため，患者は自身の体調の変化に応じた行動をとることや，周囲からの理解を得ることが必要となってくる．

SLEの発症年齢は，比較的若い女性に多い．仕事上での役割や，妻として母親としてなど，さまざまな役割をもっている人が多い．病気によって長期入院となったり，自宅療養の必要性が生じた場合には，自身の意思とは別に，役割を遂行できない時期も出てくる可能性がある．SLEの活動状況によって，優先度を考えていく必要がある．

➡ 期待される結果

- 変化した役割を受け入れることができる．

長期的な療養生活に伴い，心理的・手段的・制度的サポートに関連した家族・介護者の役割緊張が生じる可能性がある

なぜ？

SLEは，治療やセルフケアによって症状コントロールが可能である．そのため，周囲には病気であることがわかりにくくなる場合がある．症状コントロールのためには，周囲からの支援も必要となることがあるため，病気の理解を得ることが必要となる．

➡ 期待される結果

- 家族が周囲から理解され，適切なサポートが得られる．

5. 看護計画の立案

• O-P：Observation Plan（観察計画）　• T-P：Treatment Plan（治療計画）
• E-P：Education Plan（教育・指導計画）

1 疾患の進行に伴う不確かさに関連した不安

	具体策	根拠と注意点
O-P	**(1)心理的・情緒的状態** ・不安，抑うつ，葛藤，家族・対人関係	●SLEは女性に多い．体調のよい日ばかりではないため，家事や育児，職業上の役割が十分に果たせなかったり，役割達成に制限があることから葛藤が生じやすい． ●わが国のSLE患者は，約59,000人といわれている．男女比は1：9で女性に多く，難病指定されている疾患である．
	(2)患者・家族の疾患に対する認識，理解度	●治療が長期化することによる家族の負担も大きい．生活背景から支援の必要性を把握する．
	(3)出現している症状	●SLEは自己免疫疾患であり，生涯にわたって病いとともに生きていかなければならない．
	(4)変化した自己に対する認識 ・容姿や役割の変化および原因不明の病いに対する動揺，不安，戸惑いの言動	●原因不明の発症，生涯完治が望めない疾患であるため，患者を専門的立場から支えることが重要である．
	(5)通常のコーピング行動	●一般的に，疾患にかかると本来もっていた性格が強調されやすく，依存心が強くなり過ぎたり，反対に必要な依存ができない患者もいる．
	(6)家族・医療従事者への期待 **(7)家族の患者に対する期待および反応**	●SLEは外見上，病気ということがわかりにくく，周囲のサポートが得られにくい．そのため，患者も周囲に病気であることを隠し，病気になる前と同様の生活を送ろうとすることがある．そのため，周囲のサポート体制を把握し，調整することが重要となる．
T-P	**(1)症状に対する援助** ・出現している症状の対症看護を行い，苦痛の緩和をする	●必要な援助をしながら，現在の機能状態や今後の見通しを説明し，患者の現実認識を助けるようにする．
	(2)必要なADLの援助	●発症初期は，38℃以上の高熱が続き，関節痛や倦怠感などから，一時的にADLが低下する．そのため，患者は今後についての不安が強くなるので，専門的立場からの助言，支援が必要である．
	(3)精神的支援 ・悩みや不安などを話せる相談相手となる	●よき相談相手となるために，常に傾聴，共感を心がける． ●生涯完全治癒することが望めない疾患であるため，家族やパートナーに負い目を感じ，悩みや不安を話せないことがある．
E-P	**(1) 必要な情報の提供** ①患者の疾患，診断，検査，治療，今後の見通しなどについて説明する ②疑問，不安，不満，希望などを確認し，必要な支援をする	●知識不足や誤った理解をしないように，患者の反応をみながら計画的に実施する． ●発症後，患者は症状コントロールをしながら生活をしていかなければならない．今後，病いとともに生活を送っていくための，見通しに関する情報が重要となってくる． ●検査時や状態，治療内容が変化したときなどは，患者が疑問や不安をもつことが考えられる．医療者間で情報交換をしながら，必要とされる説明をする． ●診断が確定するまでに多くの検査を行い，苦痛や時間を要する．その間の患者の疑問，不安，不満，希望を傾聴することが必要である．
	(2)家族への情報提供と協力の依頼 ①家族に疾患，診断，検査，治療，今後の見通しなどについて説明する ②必要時には患者と家族との調整役になる	●患者が治療に専念するためには，家族にも疾患や治療を正しく理解できるように説明をする． ●患者が病いとともに生きていくには，周囲のサポートが重要となる．そのため，家族，パートナーが疾患について理解し，必要な情報を提供することが必要である． ●患者が家族に過不足のない依存ができたり，患者役割に専念できるよう配慮する． ●患者は，治癒が望めない疾患になると，家族やパートナーに負い目を感じることが多い．そのため，患者と家族・パートナーとの調整役を担うことが必要となる．

♦2 ステロイド薬の副作用が生じる可能性がある

	具体策	根拠と注意点
O-P	**(1)ステロイド薬の投与量**	●SLEの治療薬は，ステロイド薬が第１選択となる．その投与量は，出現している症状や活動性によって，個々に違う． ●ステロイド薬は，投与量，投与期間によって，出現する副作用もさまざまである．
	(2)ステロイド薬の効果 ①出現している症状の改善状況 ②バイタルサイン ③ADLの状況 ④食欲の有無	●ステロイド薬が開始になると，効果が現れ，早い段階で症状が改善する．効果が得られ始めたら，どのように変化しているかを観察する必要がある．
	(3)ステロイド薬の副作用 ①開始当日：不眠，うつ，精神高揚，食欲亢進 ②数日後：血圧上昇，Na↑・K↓，浮腫 ③2～3週間：副腎抑制，糖尿病，脂質異常症，創傷治癒の遷延，消化管潰瘍 ④１か月後：易感染，中心性肥満，多毛，満月様顔貌，坐瘡，無月経 ⑤１か月以上：紫斑，皮膚線条，皮膚萎縮，筋力脱力 ⑥長期的：無菌性骨壊死，骨粗鬆症，圧迫骨折，白内障，緑内障	●ステロイド薬は，投与量とともに，投与期間によっても出現する副作用がさまざまある．全ての副作用が出現するわけではないが，投与時期によって出現する副作用を予測し，観察することが重要である．とりわけ，生命に関わるような感染症，消化管出血，ADLに関わる無菌性骨壊死，骨粗鬆症，圧迫骨折などは，とくに観察を要する． ●患者にとって，ステロイド薬はSLEの治療薬であり，症状を緩和させる効果もある．その効果を実感している患者は，ステロイド薬の重要性を理解している．しかし，効果が得られる一方で，副作用に対する苦痛がある．
	(4)ステロイド薬に対する理解度	●ステロイド薬を開始すると，ほとんどの患者は生涯内服し続けることとなる．そのため，開始前に，効果とともに副作用に対する説明と，中断した際のリスクを説明する必要がある． ●寛解と増悪を繰り返しながら，慢性的に経過をたどる疾患であり，治癒が望めない．生涯，ステロイド薬の副作用に対処していく必要がある．
T-P	**(1)ステロイド薬の副作用に対する援助** ①感染症(発熱時の保温や冷罨法，発汗時の更衣や清拭・洗髪など，予防としてマスク・手洗い・うがいの徹底) ②満月様顔貌や中心性肥満，ニキビなどのボディイメージの変化 ③糖尿病，消化性潰瘍，高血圧，脂質異常症などの身体的変化 ④不眠，精神高揚などの精神症状 ⑤骨粗鬆症による圧迫骨折の予防行動 ⑥皮膚の脆弱化に伴うスキンケア	●ステロイド薬によって，身体的，精神的に変化を及ぼす副作用が出現する．感染症は，ステロイド薬を内服している患者は経験することが多いため，日頃からの感染予防行動が重要となる．また，ボディイメージの変化を及ぼす副作用に対してのケアも必要となる． ●ステロイド薬は，SLEのみならず，あらゆる疾患で使用される．抗炎症，免疫抑制の作用があり，効果が得られやすい一方で，副作用も多くある薬剤である．
	(2)精神的支援 ①性格や心理状態，通常の対処行動を考慮しながら接する ②外観の変化からくる思いや悩みに対して傾聴して共感する ③必要時に家族などに働きかけ，協力や支援を得る	●ステロイド薬によって，性格や心理状態，通常の対処行動とは異なることを考慮し，自尊感情が高められるような関わりを家族にも依頼する． ●疾患によるもの，ステロイド薬の副作用によるものから，さらに精神的に不安定となりやすい．これは一時的なものであることを，家族やパートナーに説明し，一緒に病いとともに生きていくための方策を考えていくことが重要である．

	具体策	根拠と注意点
E-P	**(1)異常の早期発見のための指導**	●ステロイド薬，免疫抑制薬によって易感染状態となる．抵抗力が通常よりも低下していることを理解し，清潔を保つようにする． ●ステロイド薬や免疫抑制薬は，免疫力を低下させるため，感染予防がとくに重要となる．外出後のうがい，手洗い，人混みに行く際のマスクの着用などを習慣化し，感染予防をするための清潔を心がけるよう指導する． ●レイノー現象がある場合は，皮膚を保護して潰瘍を予防する．皮膚潰瘍がある場合は，創部の処置方法を指導する． ●抵抗力が低下している状態で感染症に罹患すると，治癒するまでに時間を要し，また，感染症によって死に至るケースもある．
	(2)薬物療法についての説明 ・目的，与薬時刻と量，作用・副作用	●とくにステロイド薬，免疫抑制薬の指示量，与薬時間を守り，自己判断で中止，服用しないようにする． ●SLEは自己免疫疾患であり，ステロイド薬，免疫抑制薬は，自己をおかしている免疫を抑制すると同時に，自己を保護している免疫も抑制している．急にこれらの薬剤を中止すると，疾患の増悪の原因となる．
	(3)増悪因子についての説明 ・紫外線・外傷・感染・妊娠・出産・手術など	●直射日光を避けるため，日焼け止めクリームの使用，外出時は日傘や帽子，長袖，長ズボン，アームウォーマーなどの衣服着用をすすめる．
	(4)感染予防についての説明 ①気道感染 ②陰部の感染 ③皮膚潰瘍の予防や処置	●直射日光や紫外線を浴びることにより，膠原病の発症が明らかになっているため，増悪因子となる．紫外線から自己を守ることが必要となってくる．

引用・参考文献

1) 橋本博史：全身性エリテマトーデス臨床マニュアル．第３版，日本医事新報社，2017.
2) 竹原和彦ほか編：膠原病1 全身性エリテマトーデス—インフォームドコンセントのための図説シリーズ．医薬ジャーナル社，2004.
3) 三森経世編：リウマチ・膠原病診療チェックリスト．文光堂，2004.
4) 三森明夫編：膠原病診療ノート—症例の分析 文献の参考 実践への手引き．第３版，日本医事新報社，2013.
5) 医療情報科学研究所編：病気がみえる vol.6免疫・膠原病・感染症．メディックメディア，2009.
6) 塩沢俊一：膠原病学—免疫学・リウマチ性疾患の理解のために．第６版，丸善出版，2015.
7) 川合眞一編：実地医家のためのステロイドの上手な使い方．永井書店，2004.

第 11 章　感染症疾患患者の看護過程

61 肺結核

1. 疾患の基礎的知識

1）疾患の概念

肺結核は，結核菌による呼吸器感染症である．結核菌に初めて感染した「初感染」によって発病する「一次結核症」と，初感染から一定期間以上経過して細胞性免疫が獲得されたあとに発病する「二次感染症」がある．結核菌は，肺以外のさまざまな部位をおかすが，最も多いのが肺結核である．結核は，感染症法によって２類感染症に分類され，診断した医師は直ちに最寄りの保健所に届け出ることが義務づけられている．全国における結核による死亡者数は，2018（平成30）年で2,204人（厚生労働省）と依然多く，再興感染症として注意が必要である．

2）原因

排菌者から空気中に喀出された結核菌を含む飛沫は，速やかに水分が蒸発し，結核菌だけの飛沫核となって長時間空中を浮遊する．これを肺内に吸入することによって空気感染する．発病は，免疫が正常な結核菌感染者の初感染の約10%にみられ，残りの約90%は生涯発病しない．しかし，個人要因として，糖尿病，人工透析，悪性腫瘍，副腎皮質ステロイド薬や免疫抑制薬の使用，HIV感染症など，宿主の免疫状態が減弱する場合，感染から数十年以上経過していても発病することがある．

なお，2014（平成26）年度の新登録結核患者数統計では，249人の看護師・保健師が新たに感染していた．病院などの医療施設での結核集団感染は，学校や会社などを含む全集計のうち，３割近くを占めている．医療従事者は，結核曝露へのリスクが高いこと，また，発病すると多くの人に感染させる危険があることを念頭に置き，後述のインターフェロンγ遊離試験（クォンティフェロン（QFT）検査，T-SPOT検査）などの結核スクリーニングを行い，事前に対応していく必要がある．

3）病態と臨床症状

病態

結核菌は，長さ１～６μm，幅0.3～0.5μmの，偏性好気性桿菌である．換気が悪く狭い空間などでは，排菌者からの飛沫核が時間の経過とともに浮遊し，結核菌は終末細気管支を越えて肺胞まで到達し，初感染病巣を形成する．一部はリンパ行性に運ばれ，肺門リンパ節に病巣をつくる．このような初感染病巣と肺門リンパ節の病巣をあわせて初期変化群という．多くの初期変化群は自然治癒するが，細胞性免疫が不十分な場合，発病することがあり，一次結核症となる．また，特異的細胞性免疫が成立して，数年から数十年以上の結核菌の冬眠状態を経て，宿主の免疫状態が減弱したのを契機に，内因性再燃によって発病する二次結核症がある．

感染後，初期変化群を経て，結核菌はマクロファージによる乾酪性肉芽腫によって閉じ込められ，低酸素となって壊死するが，一部は生存する．そして，壊死に陥った内容物が融解して，気管支から排出されると，空洞が形成される．空洞の内部は酸素が豊富で，結核菌が大量に増えて血管が巻き込まれると，喀痰に血液が混ざるようになる．こうした過程を経て，感染より発病し，排菌することになる．

表61-1　肺結核の症状

無症状	呼吸器の症状
全身症状	・咳嗽
・発熱	・喀痰
・盗汗（寝汗）	・血痰
・全身倦怠感	・喀血
・易疲労感	・胸痛
・体重減少	・呼吸困難
・食欲不振	肺外結核の症状
・不快感	・おかされる臓器により，その症状をきたす
・衰弱感	

＊個々の症状には結核特有のものはないが，各症状の組み合わせが結核を示唆する

結核の「感染」と「発病」は，区別して考える必要がある．「感染」とは，結核菌が肺に定着した状態であり，とくに悪影響を与えず，他者への感染性もない．これに対して「発病」とは，結核菌が体内で増殖した状態で，発病の初期は排菌されないが，結核の進行に伴って排菌され，他者にも感染する．

臨床症状

肺結核は，無症状から重症の呼吸不全まで，多岐にわたる．病変の広がりが小さければ症状も軽い傾向があり，過労や感冒などとして見逃される場合が少なくない．しかし，肺結核は慢性炎症の消耗性疾患であるため，呼吸器症状とともに全身症状も出現する（**表61-1**）．また，結核菌は経気道性（管内性），リンパ行性，血行性に進展し，肺内から全身に広がる．肺以外の臓器に発症した結核病変を，肺外結核という（**図61-1**）．なかでも結核性胸膜炎・結核性膿胸，リンパ節結核，粟粒結核などが多い．

4）検査・診断

診断

肺結核の診断では，喀痰検査で抗酸菌を検出することが重要である．しかし，抗酸菌検出例のうち，約20～25%は非結核性抗酸菌であるため，識別する必要がある．非結核性抗酸菌症とは，抗酸菌のなかでも結核菌とらい菌を除いた，非結核性抗酸菌による感染症の総称である．

日本では新登録肺結核患者の約80%が症状を訴えて医療機関を受診していることから，問診などによって自覚症状を把握することが重要であり，症状の組み合わせが肺結核の病像を構成する場合に，診断の手がかりになる．つまり，微熱，易疲労感，寝汗が続くと結核が疑われ，体重減少や咳嗽，喀痰が出現すると肺結核を強く疑

図61-1　肺以外で発症する結核の種類

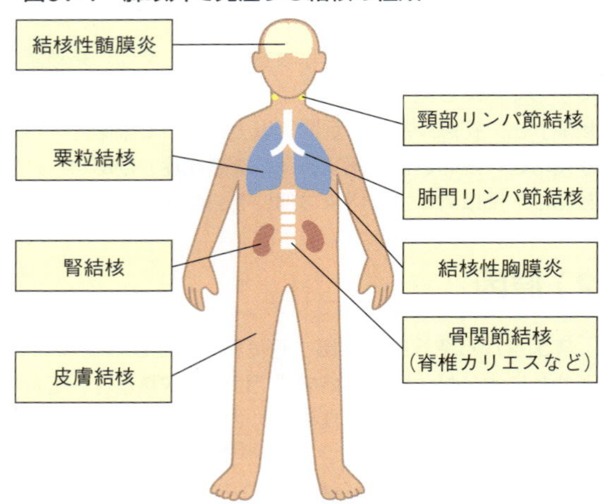

図61-2　結核の検査

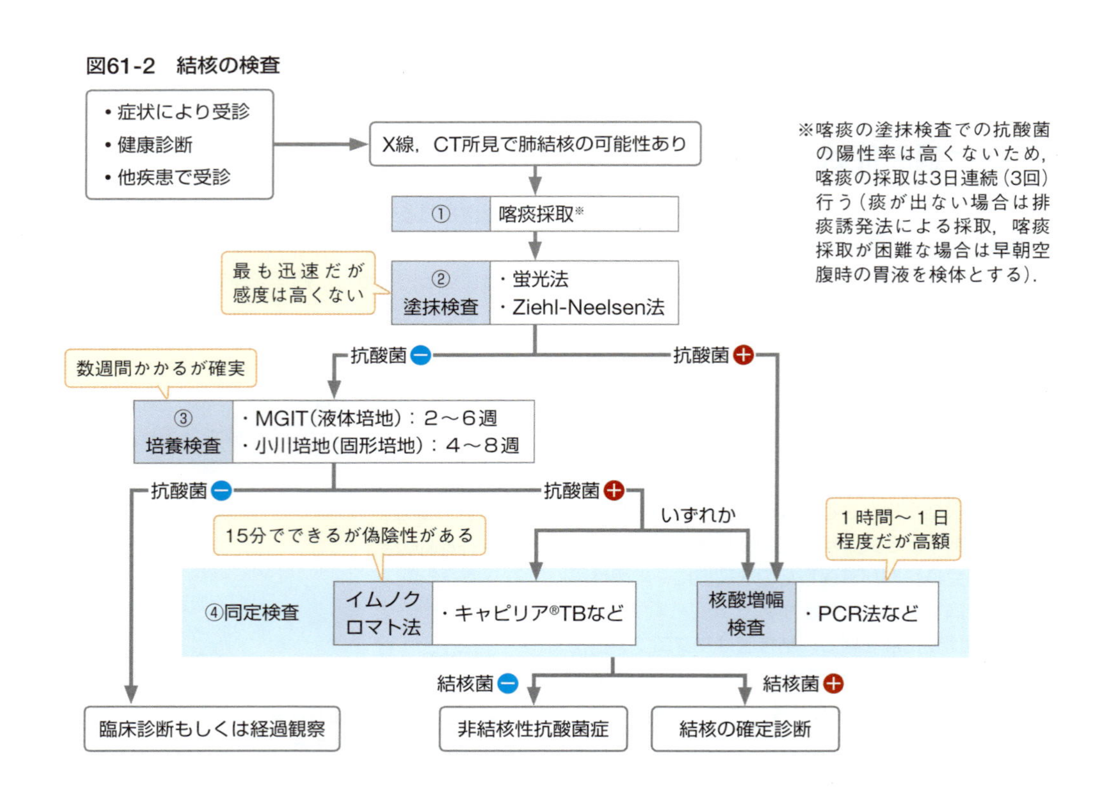

い，検査を試みることになる（**表61-1**）．問診においては，全身症状や呼吸器症状とともに，集団感染を考慮して，結核患者との接触や，感染の既往，治療歴の確認などの既往歴，細胞性免疫の状況として合併症（糖尿病，人工透析，悪性腫瘍，副腎皮質ステロイド薬や免疫抑制薬の使用，HIV感染症）の問診も重要となる．

結核の届出基準（健感発第0607001号，厚生労働省健康局結核感染症課長通知）の要約抜粋を，以下に示す．

> 結核の臨床的特徴を有し，症状や診察所見などから結核が疑われ，かつ，喀痰や胃液，気管支肺胞洗浄液などの各種検体を用いた病原体検査などの結果に基づき「結核」と診断した場合は，結核患者（確定例）として届出を行う．ほかの感染症と同様に，患者（確定例）の診断根拠としては，病原体（結核菌群）または病原体遺伝子の検出を第一とするとされている．

検査（図61-2）

（1）喀痰結核菌検査

喀痰結核菌検査では，抗酸菌を検出する方法として，塗抹検査と培養検査を行う．また，抗酸菌を検出後は，核酸増幅検査（PCR法など）で結核菌を同定することによって，結核の確定診断をする．

①塗抹検査

塗抹検査は最も迅速であるが，陽性率は高くないため，通常3日間（3連痰）検体を採取して行う．喀痰がとれない場合は，胃液検査も試みる．塗抹検査の抗酸菌の染色法には，蛍光法とZiehl-Neelsen法があり，蛍光法にて陽性を示したものに対してZiehl-Neelsen法を行う（**表61-2**）．

②培養検査

喀痰中の抗酸菌を検出するため，MGIT（液体培地）や小川培地（固形培地）で培養を行う．MGITは，抗酸菌が増殖することで減少する酸素を，蛍光の強さとして観察することによって，2～6週間で抗酸菌を検出することができ，検出感度も高い．

（2）胸部X線検査・胸部CT検査

肺結核の病巣の存在と広がりから，病型分類を確認することができる．病型によって特徴的な浸潤影や粒状影，空洞影などの所見を認める．上葉主体の複数病変などが多いが，中葉や下葉に主な病変を認める場合や，画像では異常を認めにくい場合など，多彩な陰影のパターンがある（**図61-3**）．

肺胞・肺胞管から細気管支に乾酪性病変を形成し，樹木状にみえるもの（tree in bud sign）もある．

表61-2　抗酸菌の菌数の表示方法

記載法	蛍光法（200倍）	Ziehl-Neelsen法（1,000倍）	備考（ガフキー号数）
−	0/30視野	0/300視野	G0
±	1～2/30視野	1～2/300視野	G1
1+	1～19/10視野	1～9/100視野	G2
2+	≧20/10視野	≧10/100視野	G5
3+	≧100/1視野	≧10/1視野	G9

日本結核・非結核性抗酸菌症学会教育委員会：Ⅱ．結核の診断―結核症の基礎知識．改訂第4版，p.2，2013．

図61-3　肺結核のX線像とCT像

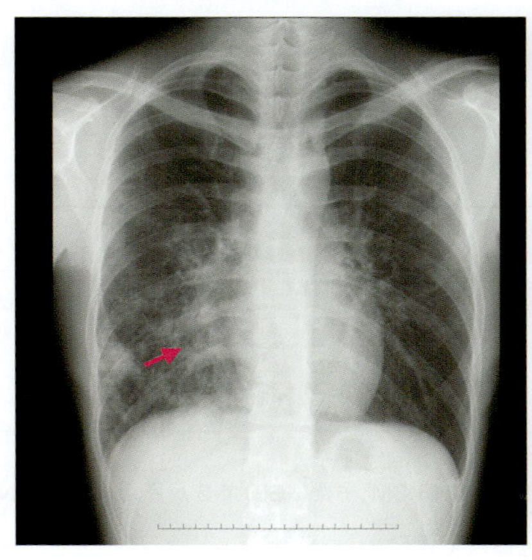

右肺下葉に結節陰影（→）を認める

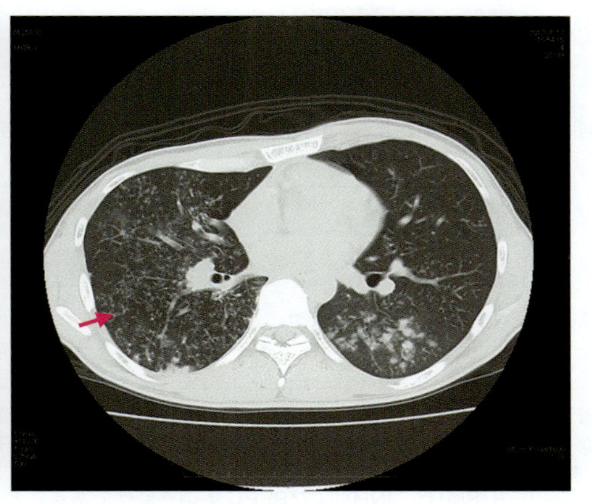

両上肺野にびまん性粒状陰影（→）を認める

（写真提供：中野千裕氏［東邦大学医療センター大橋病院呼吸器内科］）

(3)インターフェロンγ遊離試験(IGRA:Interferon-gamma release assay)

結核感染の有無を調べる場合に行われるスクリーニング検査の1つである.IGRAによって,過去のBCGワクチン接種の影響を受けずに感染の有無がわかる.しかし,過去に結核既往歴のある人でも陽性になることがあり,判断には注意が必要である.また,ツベルクリン反応検査(ツ反)もスクリーニング検査とされているが,過去のBCGワクチン接種の影響を受けるため,陽性であっても実際に結核に感染しているかどうかは不明な場合が多く,IGRAを優先的に行うことが多い.

5)治療

(1)結核の入院基準(健感発第0607001号,厚生労働省健康局結核感染症課長通知の要約)(表61-3)

感染症法に基づき,都道府県知事などは,感染症のまん延を防止する必要がある場合,就業制限と72時間以内の入院勧告を行うことができ,入院の勧告に応じない場合には強制的な入院措置を行うことができる.感染源隔離を目的とした入院治療は,基本的人権を制限する措置でもあるため,入院基準を熟知して十分な説明を行い,患者の支援体制を整えることが重要となる.

表61-3 結核の入院基準

どのような患者が入院勧告の対象となるのか? 肺結核,気管・気管支結核,喉頭結核,咽頭結核の患者で,次の(1)または(2)の状態にある場合
(1)喀痰塗抹検査の結果が「陽性」の場合 (2)喀痰塗抹検査の結果は「陰性」だが,喀痰以外の検体(胃液や気管支鏡検体)の塗抹検査で「陽性」と判明した患者,または喀痰を含めた上記いずれかの検体の培養または核酸増幅法(PCRなど)の検査で「陽性」と判明した患者のうち,次の①または②に該当する場合 ①感染の恐れがあると判断される者(例:激しい咳などの呼吸器症状がある者) ②外来治療では規則的な治療が確保されず早晩大量排菌,または多剤耐性結核に至る恐れが大きいと判断される者(例:不規則治療や治療中断により再発した患者,外来治療中に排菌量の増加がみられた患者)

図61-4 結核の治療法

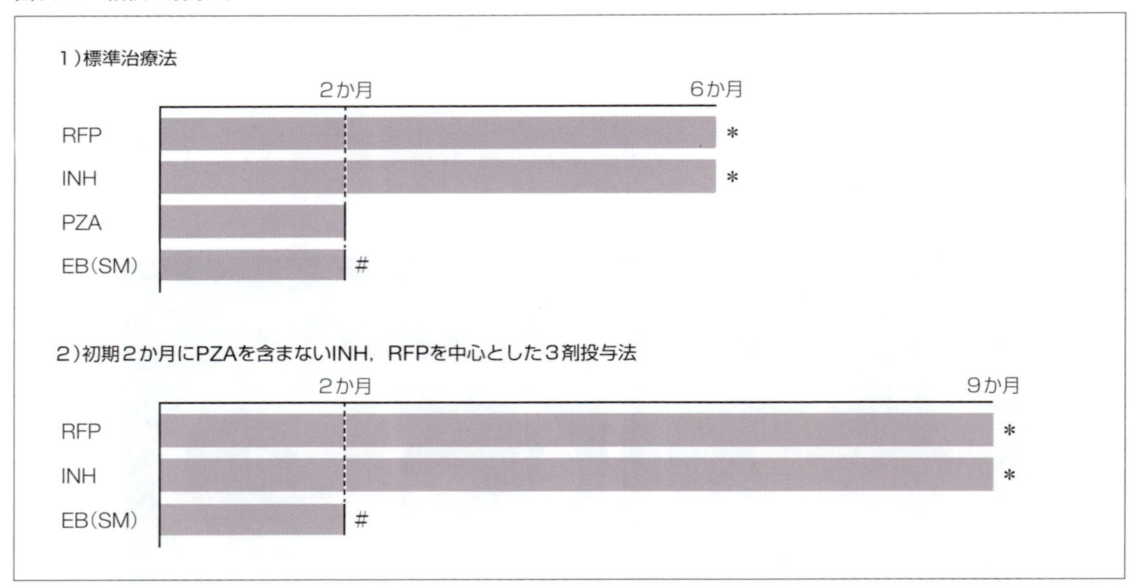

1)標準治療法:RFP+INH+PZAにSMまたはEBの4剤併用で2か月間→RFP+INHで4か月間
2)初期2か月にPZAを含まないINH,RFPを中心とした3剤投与法:RFP+INH+SM(またはEB)で2か月間→RFP+INH7か月
原則として1)標準治療法を用い,病状を勘案し2)を用いる
#:初期強化期のEB(SM)は,INHおよびRFPに薬剤感受性であることが確認されれば終了する.
*:重症結核(粟粒結核,中枢神経系,広汎空洞型など),結核再発,塵肺・糖尿病・HIV感染など免疫低下をきたす疾患,副腎皮質ステロイド薬などによる免疫低下をきたす治療時には維持期治療を3か月延長する.

(2)多剤併用療法(化学療法)

肺結核の初回治療では，薬物療法(化学療法)が中心であり，標準治療を適切に行えば再発率は１～２％である．しかし，結核菌はどの薬剤に対しても一定の自然耐性菌が存在するため，薬剤耐性菌が選択的に増殖しないように，感受性のある薬剤を多剤併用投与する(**図61-4**)．

多剤併用薬剤では，リファンピシン(RFP)，イソニアジド(INH)，ピラジナミド(PZA)，エタンブトール(EB)またはストレプトマイシン(SM)などを，３剤または４剤を併用して治療を行う．**図61-4**の「1)標準治療法」を用いることが原則であるが，PZA使用不可となる肝障害のある場合や，80歳以上の高齢者である場合などには，例外的に「２)３剤投与法」を用いる．また，抗結核薬による治療では，最低６か月の長期にわたる確実な服用が必要となるため，副作用や薬物の相互作用に十分な注意が必要である(**表61-4**)．

(3)直接服薬確認療法(DOTS)

臨床で最も多いのが，患者の不規則な薬剤の内服による耐性化であるといわれている．抗結核薬の服薬を６か月から９か月の間，継続することは患者にとって大きな努力を要することである．そのため，行政が総合的かつ効果的な結核対策を行う戦略として，直接服薬確認療法(DOTS：Directly Observed Treatment，Short-course)の考え方が，2005(平成17)年の改正結核予防法に盛り込まれ，その後の感染症法にも継承され，2007(平成19)年に「結核に関する特定感染症予防指針」が策定された(**図61-5**)．

6)予後

2018(平成30)年の結核による死亡数は2,204人(概数)で(厚生労働省)，死亡率(人口10万対)は1.8，死因順位は30位となっている．結核は，治療によって完治が望める疾患であり，予後は良好であるが，多剤耐性結核菌では必ずしも良好ではない．また，確率は低いが再発することもある．

表61-4　標準治療時の主な副作用と対応

副作用	症状，徴候	薬剤中止の目安と留意点	主な原因薬剤
肝障害	食思不振，倦怠感 自覚がないことも多い	AST/ALTが正常上限の５倍(自覚症状がある時は３倍)以上までは経過観察．これを超えるときは中止．改善後可能性が低い薬剤を１剤ずつ再開	PZA，INH，RFP
末梢神経障害	末梢のしびれ	しびれが出現したときはビタミンB_6を併用する 症状が悪化するときには中止	INH，EB
視神経障害	視力低下，色覚異常	出現時直ちに中止(EB再使用不可) 定期的眼科受診が望ましいが，自覚症状が最も重要	EB
アレルギー性反応	発疹，紅皮症	軽度の場合には抗アレルギー薬などを併用し経過観察 全身に拡大する場合には，早めに中止 薬剤の特定は困難であるが，１剤ずつ再開	RFP，EB他 すべての薬剤
	発熱	中止(解熱には中止後３～４日かかることが多い) 薬剤の特定は困難であるが，１剤ずつ再開 RFP，INHによる場合は，減感作で再投与を試みる	すべての薬剤
血液系障害(時に)	出血傾向 血小板減少 白血球減少	検査における緩徐な低下であれば，経過観察 血小板は５万/μL，白血球は2,000/μL以下は中止．急激な血小板減少をきたした場合にはRFP再投与は禁	RFP，EB INHも可能性あり
腎機能障害	腎機能低下 まれに急性腎不全	薬剤中止 原則として再使用不可，およびアミノ配糖体系薬の使用不可	SM まれにRFP
第Ⅷ脳神経障害	聴力低下，耳鳴，めまい	原則として中止 体重，年齢に対して用量，投与頻度が過剰ではなかったか再検討	SM
その他	高尿酸血症，痛風	過半数にみられ，無症状であれば経過観察，痛風(まれ)があれば中止 投与終了すれば尿酸値は速やかに低下する	PZA
	間質性肺炎(まれ)	直ちに中止，原因薬剤の再投与不可	INH

図61-5　日本版21世紀型DOTS戦略推進体系図

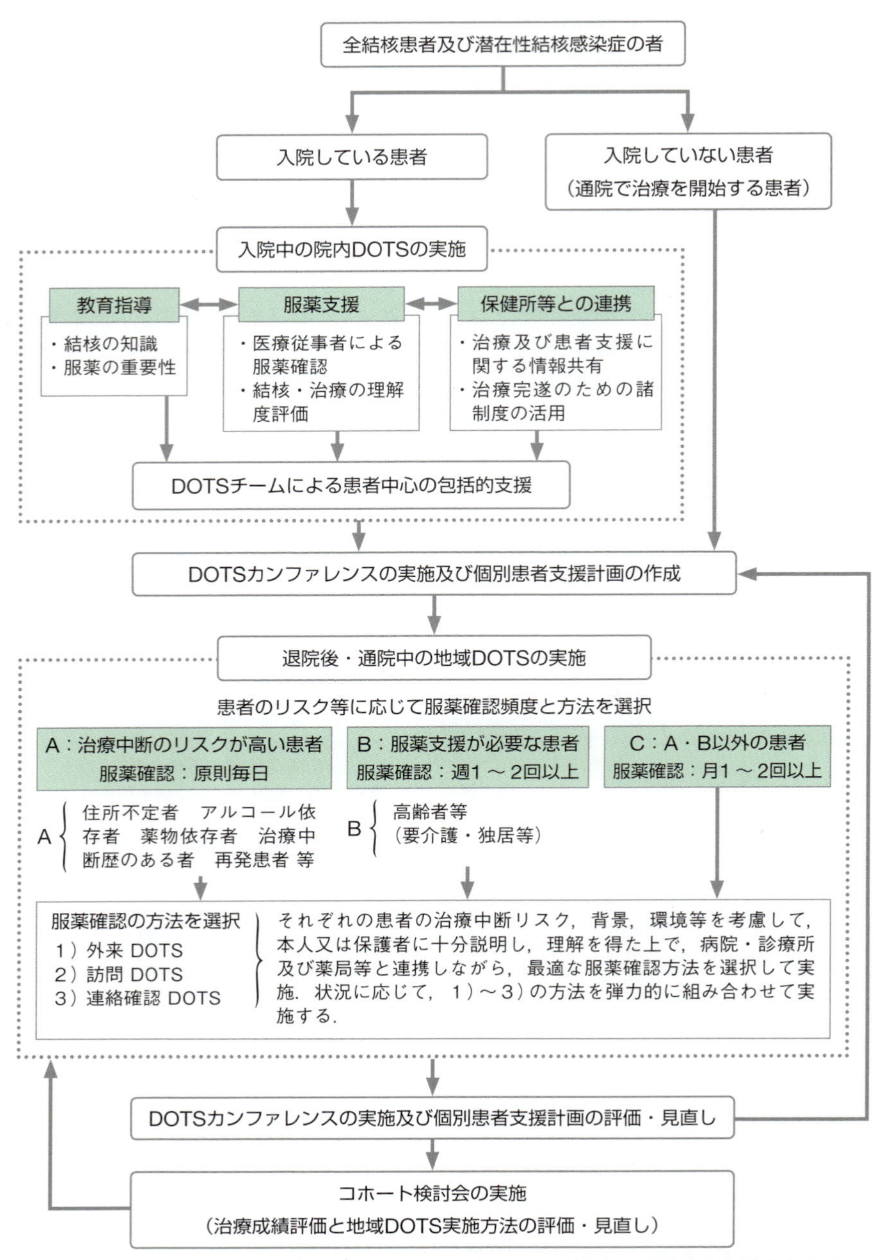

健感発1125第１号 平成28年11月25日厚生労働省健康局結核感染症課長通知：
「結核患者に対するＤＯＴＳ（直接服薬確認療法）の推進について」の一部改正について．より引用.

2. 看護過程の展開

• アセスメント～ゴードンの機能的健康パターンを用いて

パターン	アセスメントの視点	根拠	収集する情報
(1) 健康知覚-健康管理 患者背景 健康知覚-健康管理 価値-信念	●治療や疾患に伴う症状に対してどのように認識しているか ●薬物療法の必要性を理解し，治療計画に従って内服を継続することができるか ●感染防止行動を理解し，行うことができるか	●肺結核の治療上，最も困難なことに，患者の不規則な薬剤の内服による耐性化がある．その結果，重症化して治療が困難になることを避けるためにも，長期にわたる内服治療を確実に行うためには，患者のアドヒアランスが欠かせない． ●結核は，人から人へ空気感染する２類感染症である．患者が自ら感染予防行動がとれない場合には，他者に結核が広がる恐れがある．そのため，感染予防行動についての理解を促し，確実に実施していくことが重要となる．また，患者のみならず家族も正しい知識をもち，自らを感染から守るとともに，患者のサポートができる支援体制を整えていく必要がある．	●現病歴：症状の発生と経過，治療の経過 ●既往歴：結核患者との接触，感染の既往，治療歴の確認 ●合併症：糖尿病，人工透析，悪性腫瘍，副腎皮質ステロイド薬や免疫抑制薬の使用，HIV感染症 ●周囲の人々の健康状況 ●肺結核についての理解 ●抗結核薬の副作用の有無 ●服薬の自己管理能力 ●疾患や治療に対する認識 ●家族の疾患・治療に対する認識や協力度 ●社会活動への意欲・期待 ●家族のサポート状況 ●感染防止行動への理解と実施状況
(2) 栄養-代謝 全身状態 栄養-代謝 排泄	●体力を維持するために必要な栄養状態が保たれているか ●発症の要因はあるか ●治療薬の副作用はないか	●肺結核は，慢性炎症の消耗性疾患であるため，呼吸器症状とともに全身症状も出現する．また，二次結核症による肺結核は，高齢者や細胞性免疫の低下を起こしている患者が多い． ●糖尿病，人工透析，悪性腫瘍などの患者，副腎皮質ステロイド剤や免疫抑制剤を服用している患者は発症しやすい． ●治療薬の副作用として肝機能障害を生じることがある．	●合併症：糖尿病，人工透析，悪性腫瘍，副腎皮質ステロイド薬や免疫抑制薬の使用，HIV感染症 ●全身症状：発熱，寝汗，体重減少，倦怠感，食欲不振 ●栄養状態(食欲，食事摂取量，体重・身長，BMI，皮膚状態) ●食習慣(１日の食事回数，食事時間，間食の有無) ●検査データ(TP，Alb，ASL，ALT，Ch-E，TLC，Hbなど) ●水分摂取状況 ●栄養障害に伴う随伴症状(易疲労感，倦怠感，無力感，めまい，ふらつき，筋力低下など) ●患者の嗜好
(3) 排泄 全身状態 栄養-代謝 排泄	●心理的・社会的ストレスによって排泄状況への影響はないか ●治療薬の副作用はないか	●個室隔離治療を行う場合の生活や，入院・治療に伴って仕事や家庭役割を遂行できない状況など，心理的・社会的ストレスにより，排泄状況は影響を受けやすい． ●治療薬の副作用として腎機能障害を生じることがある．	●排泄状態(排便回数・性状，腹部症状，排泄行動) ●食事摂取状況

パターン	アセスメントの視点	根拠	収集する情報
(4) 活動-運動 活動・休息 活動-運動 睡眠-休息	●有効な気道浄化が行え，活動耐性に見合った活動が行えているか	●肺結核は，慢性炎症の消耗性疾患であるため，呼吸器症状とともに全身症状も出現する．気道分泌物を取り除き，酸素供給量を十分に保つなかで，全身症状をコントロールし，体力の消耗を最小限にできるようにするが，段階的に活動時間や活動量を増やして，活動機能を維持・改善することが重要となる．	●局所症状：長引く咳嗽（2週間以上持続する），喀痰，血痰・喀血，胸痛，呼吸困難 ●全身症状：発熱，寝汗，体重減少，倦怠感，食欲不振 ●活動状況：ADLの状態 ●活動時の生理的変化 ・活動前後のバイタルサインの変化，呼吸困難，めまい，疲労感，チアノーゼ） ●運動機能の状態（筋力，関節可動域など） ●活動に対する患者の認識 ●排泄行動における呼吸器症状
(5) 睡眠-休息 活動・休息 活動-運動 睡眠-休息	●心理的・社会的ストレスによって睡眠が阻害されていることはないか	●個室隔離治療を行っている場合の生活や，入院・治療に伴って仕事や家庭役割を遂行できない状況など，心理的・社会的ストレスにより，睡眠障害を起こしやすい．	●睡眠状況（睡眠時間，熟眠感，中途覚醒の有無など） ●日中の疲労感や居眠り状況 ●活動と休息のバランス ●感情や気分の変化
(6) 認知-知覚 知覚・認知 認知-知覚 自己知覚-自己概念 コーピング-ストレス耐性	●自己管理に必要な認知機能，感覚機能であるか	●治療や予防に関する知識や情報処理能力の不足は，治療の妨げになることから，患者の認知機能に及ぼす要因をコントロールすることが重要となる．	●認知機能（記憶力，注意力，集中力，判断力など） ●症状・治療に伴う副作用による身体的苦痛
(7) 自己知覚-自己概念 知覚・認知 認知-知覚 自己知覚-自己概念 コーピング-ストレス耐性	●自分の身体をどのように捉えているか，自己概念・自尊心の脅威はないか	●個室隔離治療を行っている場合は，患者の身体的機能低下のみならず，精神的機能も低下させ，孤立感が大きくなって不安へとつながりやすい．また，こうした不安により，これまでの自己像が脅かされることがある．	●自分の身体をどのように捉えているか（ボディイメージの混乱はないか） ●自己概念・自尊心の脅威はないか ●感情表出（不安，恐怖，怒り，悲しみなど）の有無 ●自律神経反応（発汗，悪心，震え，動悸，不眠，めまいなどの症状） ●心理状態

パターン	アセスメントの視点	根拠	収集する情報
(8) 役割-関係 周囲の認識・支援体制 役割-関係 セクシュアリティ-生殖	●役割遂行に問題はないか	●排菌がなくなるまでは隔離が必要であるため，社会生活の中断を余儀なくされる．それにより，仕事や家族内での役割遂行に困難を生じる可能性がある．	●家族構成 ●入院期間，治療期間の予定 ●社会的役割と葛藤に関連した言動 ●社会的資源の活用状況 ●抑うつ症状の有無 ●家族のサポート状況
(9) セクシュアリティ-生殖 周囲の認識・支援体制 役割-関係 セクシュアリティ-生殖	●性行動に問題はないか	●治療や症状によって性行動をとりにくくなる．	●パートナーの有無 ●性行動に対する影響
(10) コーピング-ストレス耐性 知覚・認知 認知-知覚 自己知覚-自己概念 コーピング-ストレス耐性	●ストレスの原因となる出来事はあるか，またコーピングは効果的か	●隔離治療や呼吸器症状によって，予後への不安を感じ，思うようにならない身体状況にイライラすることがある．効果的なストレスマネジメントを身につけることが重要となる．	●治療や症状に伴うストレス ●感情表出の有無とコントロール状況 ●コーピングパターン ●性格傾向 ●家族のサポート状況 ●患者の言動(心理的ストレスの状態) ●心理的・社会的ストレス ●心理状態
(11) 価値-信念 患者背景 健康知覚-健康管理 価値-信念	●価値・信念と治療方針との間に葛藤はないか	●生活信条が治療方針と対立すると，スムーズに治療や生活管理が進まないことがある．	●人生や生活に伴う価値に対する言動 ●治療方針に対する認識

3. 全体像の把握から看護問題を抽出

1）病態関連図

原因・誘因　検査・治療　病態・臨床症状（色文字は重要な症状）　看護上の問題

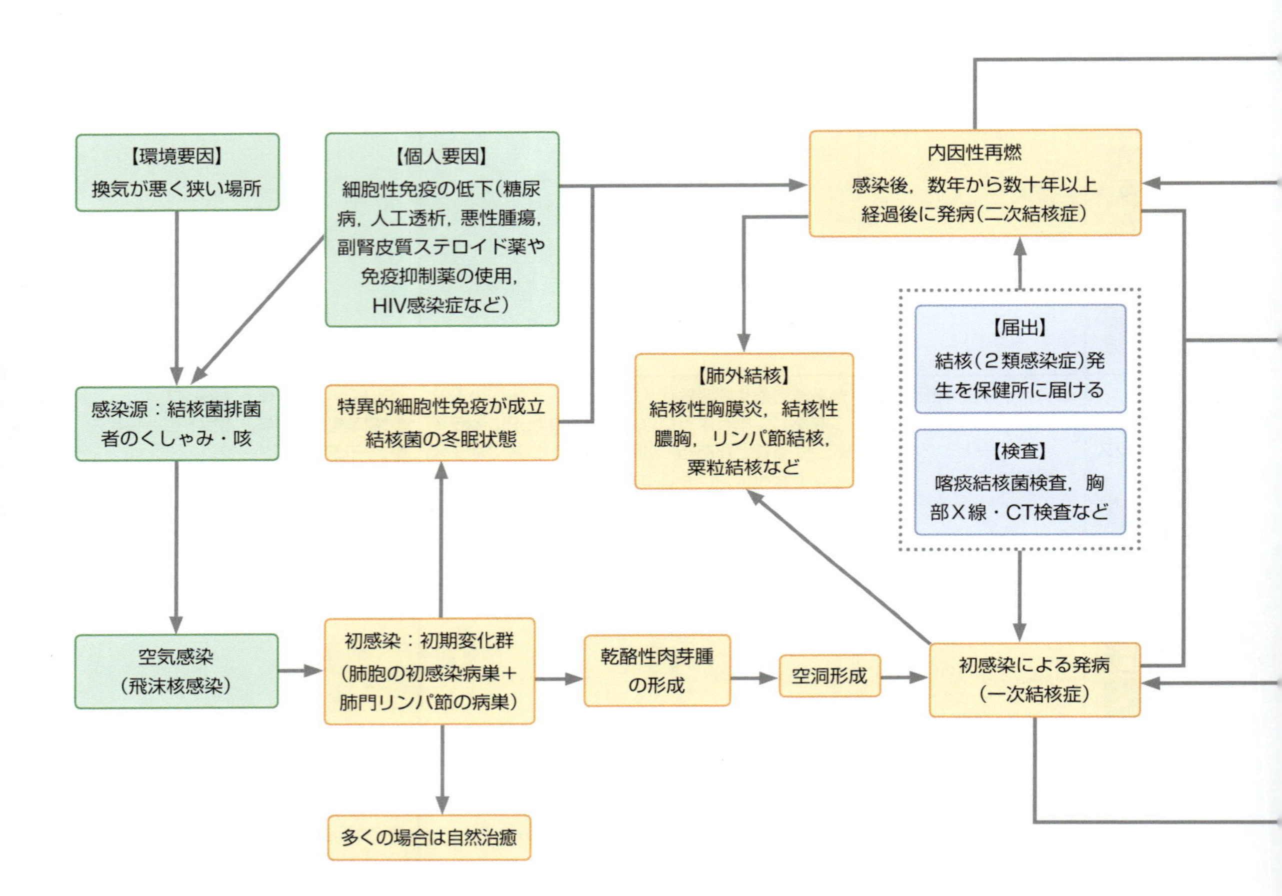

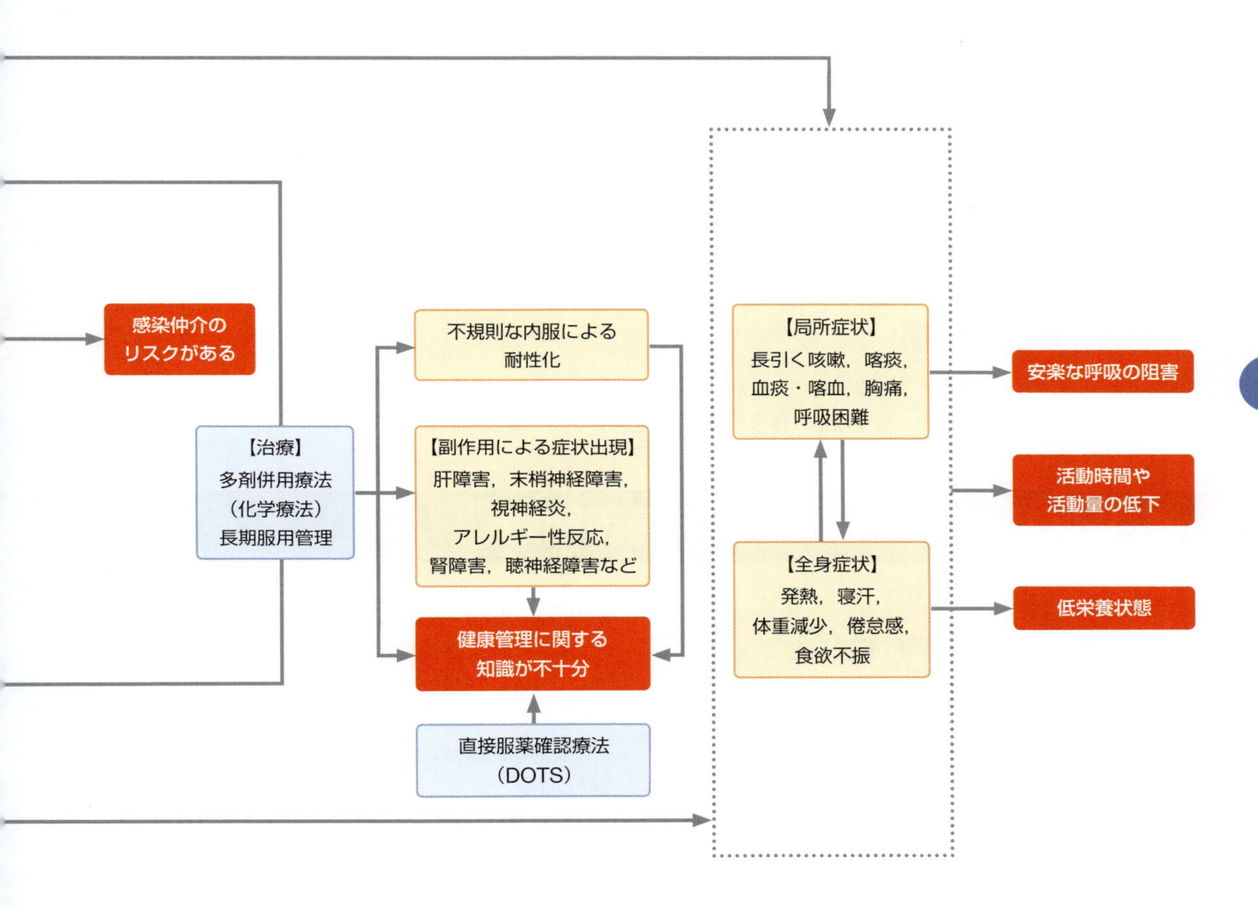

感染仲介のリスクがある
【治療】
多剤併用療法
（化学療法）
長期服用管理
不規則な内服による耐性化
【副作用による症状出現】
肝障害，末梢神経障害，
視神経炎，
アレルギー性反応，
腎障害，聴神経障害など
健康管理に関する知識が不十分
直接服薬確認療法
（DOTS）
【局所症状】
長引く咳嗽，喀痰，
血痰・喀血，胸痛，
呼吸困難
【全身症状】
発熱，寝汗，
体重減少，倦怠感，
食欲不振
安楽な呼吸の阻害
活動時間や活動量の低下
低栄養状態

2）看護の方向性

(1)肺結核の症状を緩和し，確実に感染拡大を予防すること

結核は，人から人へ空気感染する2類感染症であり，慢性の消耗性疾患である．排菌によって隔離をして治療を行っている段階であれば，局所症状（長引く咳嗽，喀痰，血痰・喀血，胸痛，呼吸困難）のみならず，全身症状（発熱，寝汗，体重減少，倦怠感，食欲不振）によってADLも低下する．よって，生活全般に援助を要するとともに，呼吸状態の悪化は，患者に生命の危機を感じさせ，不安の強い段階でもある．肺結核の症状を緩和しながら，確実に感染拡大を予防することが重要となる．

患者のみならず，家族も正しい知識をもち，自らを感染から守るとともに，患者のサポートができる支援体制を整えていくことが必要である．

(2)多剤併用療法（化学療法）を継続できるように支援すること

隔離治療を終えてからは，何よりも服薬の継続が重要となる．肺結核の治療上，最も困難なことに，患者の不規則な薬剤の内服による耐性化がある．抗結核薬の服薬を6か月から9か月の間，継続することは，患者にとって大きな努力を要することである．そのためにも，抗結核薬の服用に伴う副作用や薬物の相互作用に十分な注意をしながら，疾患に対する正しい知識をもち，治療を継続できるよう支援が必要である．

患者の活動耐性に見合った活動を促進できるように，体力の消耗を最小限にとどめ，段階的に活動時間や活動量を増やして，活動機能を維持・改善することが重要となる．

3）患者・家族の目標

感染予防対策を整えるなかで，咳嗽，喀痰，発熱，呼吸困難などの症状の緩和ができ，薬物療法に伴う副作用をコントロールしながら，確実な服薬を継続できる．

4. しばしば取り上げられる看護問題

◆1 気道分泌物の貯留に関連した安楽な呼吸の阻害

肺結核の急性期においては，咳嗽，喀痰，血痰・喀血，胸痛，呼吸困難などの激しい局所症状に加え，発熱，倦怠感，食欲不振などの全身症状を伴う．

とくに呼吸の阻害は，身体的な苦しさだけでなく，生命を脅かす恐怖でもある．

➡期待される結果

安楽に呼吸できる．

◆2 感染予防行動が守られないことによる他者への感染リスク

肺結核は，人から人へ空気感染する2類感染症である．患者が自ら感染予防行動がとれない場合には，他者に結核が広がる恐れがある．そのため，感染予防行動についての理解を促し，確実に実施していくことが重要となる．

➡期待される結果

他者への結核の広がりを予防するための行動をとることができる．

◆3 食事摂取量低下に関連した低栄養状態

肺結核は，慢性炎症の消耗性疾患であるため，呼吸器症状とともに全身症状も出現する．また，二次結核症による肺結核は，高齢者や細胞性免疫の低下を起こしている患者が多い．抗結核薬の長期内服による副作用の管理のためにも，栄養状態のモニタリングは重要となる．

➡期待される結果

栄養状態が改善する．

♦4 日常生活活動に必要なエネルギーの不足に関連した活動時間，活動量の低下

なぜ？

肺結核は，慢性炎症の消耗性疾患であるため，呼吸器症状とともに全身症状も出現する．体力の消耗を最小限にできるよう援助するが，段階的に活動時間や活動量を増やして，活動機能を維持･改善することが重要となる．

➡ 期待される結果

安楽に日常生活行動をとることができる．

♦5 健康管理（内服治療の継続）に関する知識が十分でない

なぜ？

肺結核の治療上，最も困難なことに，患者の不規則な薬剤の内服による耐性化がある．重症化して治療が困難になることを避けるためにも，長期にわたる内服治療を確実に行うためには，患者のアドヒアランスが欠かせない．

➡ 期待される結果

内服治療を継続できる．

5. 看護計画の立案

• O-P：Observation Plan（観察計画）　• T-P：Treatment Plan（治療計画）
• E-P：Education Plan（教育・指導計画）

♦1 気道分泌物の貯留に関連した安楽な呼吸の阻害

	具体策	根拠と注意点
O-P	**(1) 呼吸状態** ①呼吸数，リズム，パターン ②酸素飽和度 ③咳嗽性状 ④呼吸困難の有無と程度 ⑤胸痛の有無と程度	●肺結核の呼吸器症状を観察することで，病状や合併症の発症や程度を把握し，早期に対応することが重要となる． ●湿性咳嗽は喀痰の貯留を示すため，積極的に排痰を促す．
	(2) 気道分泌物の貯留状態 ①呼吸音聴取 ②喀痰（痰の性状，粘稠度，量）	●肺結核の全身症状や栄養状態など，増悪要因となり得る状態を観察することで，病状や合併症の発症や程度を把握し，早期に対応することが重要となる．
	(3) 薬物療法の効果 ①抗結核薬の内服状況（使用回数，使用効果） ②薬物療法についての言動内服状況	●抗結核薬の副作用による肝障害，末梢神経障害，視神経炎，アレルギー性反応，腎障害，聴神経障害などの症状が出現しやすいことから，観察によって早期発見をする．
	(4) 検査データ ①胸部X線・CT画像 ②栄養状態（TP，Alb，Ch-E，TLC，Hbなど） ③抗結核薬の副作用：肝機能（AST，ALT，γ-GPTなど），腎機能（UN，UA，Crなど）	●検査結果から排菌段階であるか否か，抗結核薬の副作用について把握する．
	(5) 疾患および服薬への理解度 ①疾患についての理解度 ②服薬状況 ③患者の表情と言動	●肺結核の治療には，服薬の適切な継続が重要である．不規則な服用や服用中断は，耐性化を誘導するため，重症化する可能性がある．服薬状況のみならず，服薬に対する患者の理解度なども含めて観察していく．
T-P	**(1) 気道分泌物の貯留を防ぐ** ・体位ドレナージを促す ・ハフィングを促す ・水分摂取を促す ・排痰困難時の吸引	●痰がたまっている部分を上にして，重力を用いて痰を気道上部に誘導する． ●ゆっくりと息を吸い込んだ後，早く，強く息を吐くことで，痰を気道の上部に移動させる． ●気道内分泌物の粘稠度を下げ，たまらないように水分の摂取を促し，喀出しやすいようにする． ●自力で痰を喀出できない場合は，貯留した痰によって細菌感染を起こし，気道の炎症を生じさせる可能性もあることから，吸引を行う．

	具体策	根拠と注意点
T-P	**(2)安楽な体位をとる** ・体位の工夫：枕やクッションなどを利用して，ファウラー位や起坐位など，安楽な体位をとる ・不安の軽減と精神的支援 **(3)酸素療法の管理** **(4)服薬管理**	●安静によって呼吸数が減少すると，病巣部の安静や，炎症症状の回復に効果がある． ●横隔膜を下げ，呼吸面積を広げることにより，呼吸しやすくする． ●個室隔離治療は，患者にとって孤立感が大きくなって不安へとつながりやすく，呼吸困難を増悪させることから，早期に援助を行う． ●低酸素血症を改善するため，酸素療法を行う． ●服薬管理によって適切な服薬を継続し，症状を緩和する．
E-P	**(1)薬物療法の継続の必要性についての指導** **(2)副作用出現時の対処方法についての指導** **(3)服用し忘れ時の対処方法についての指導** **(4)直接服薬確認方法(DOTS)についての説明** **(5)感染予防：口腔ケアの重要性**	●多剤耐性結核菌を誘導することなく，治療を継続するためには，服薬における正しい理解とともに，服薬継続を困難にさせる状況に対する具体的な対処法を理解することが重要となる． ●貯留した痰によって細菌感染を起こしやすいことから，口腔内の清潔を保ち，感染予防する重要性を指導する必要がある．

♦2 感染予防行動が守られないことによる他者への感染リスク

	具体策	根拠と注意点
O-P	**(1)呼吸状態** ①バイタルサイン ②呼吸音聴取 ③咳嗽(頻度，湿性咳嗽か乾性咳嗽) ④喀痰(痰の性状，粘稠度，量) ⑤呼吸困難の有無と程度 **(2)薬物療法の効果と副作用** ①抗結核薬の内服状況(使用回数，使用効果) ②抗結核薬の副作用 ③薬物療法についての言動，内服状況 **(3)検査データ** ・喀痰結核菌検査，胸部X線・CT画像 **(4)疾患および感染予防行動への理解度** ・疾患についての理解度 ・感染予防行動の必要性の理解 ・感染予防方法の理解 **(5)感染予防行動の実施状況**	●症状や薬物療法の実施状況，検査結果から排菌状況を理解し，隔離治療を適切に終了できる状況を確認する． ●隔離治療は，患者の理解なくして適切に実施することが難しい．また，個室で隔離治療を行っている場合は患者にとって身体的機能低下のみならず，精神的機能も低下させ，孤立感が大きくなって不安へとつながりやすい． ●隔離治療の生活や，入院・治療に伴って仕事や家庭役割を遂行できない状況など，心理的・社会的ストレスによって食事・排泄・睡眠などの状況は影響を受けやすい．
T-P	**(1)感染予防行動の実施** ①衛生行動 ②排痰の適切な処理 **(2)服薬管理** **(3)精神的苦痛に対する援助(不安，いら立ち，恐怖など)** ①患者の訴えを傾聴する ②話しやすい環境をつくる ③家族関係の支援にも配慮する	●衛生行動を正しく行うことで，他者への感染を予防する．看護師自身の感染予防と院内感染防止のために，確実に実施する． ●結核患者や結核疑い患者の診察・看護を行う際は，N95マスクを着用する． ●見舞客などの面会者についても，N95マスクを着用させる． ●服薬管理によって適切な服薬を継続し，結核の感染力を弱めることが重要となる． ●精神的な側面が，感染予防行動や服薬行動に影響していないか観察する．

	具体策	根拠と注意点
E-P	**(1)患者・家族へ感染防止行動の必要性を説明** **(2)感染予防の方法について説明** ①喀痰はティッシュペーパーに包んで捨てる ②喀痰後の含嗽 ③咳嗽時は他者から顔をそむける ④必要時，部屋を離れるときには必ずマスクを着用 ⑤手洗いの励行 **(3)接触者検診の必要性**	●感染経路に対する正しい知識を得ることで，他者への感染拡大を予防する．また，隔離治療の必要性を理解することで，心理的不安が軽減される．また，家族を含めた指導により，患者のサポートを継続できるように援助する． ●確実な服薬によって，隔離治療が必要な期間の短縮につながることを説明する．感染症法によって，医療費公費負担が受けられるため，必要時情報を提供する． ●患者が排菌中に，換気が悪く狭い空間で接触した可能性のある他者がいる場合には，感染のリスクを考え，検診の必要性が生じる．

引用・参考文献

1）日本結核病学会編：結核診療ガイド．南江堂，2018.
2）医療情報科学研究所編：病気がみえる vol.4呼吸器．第３版，メディックメディア，2018.
3）井上智子ほか編：病期・病態・重症度からみた 疾患別看護過程＋病態関連図．第２版，医学書院，2012.
4）日本看護協会：労働者の感染管理—医療従事者の結核感染． https://www.nurse.or.jp/nursing/shuroanzen/safety/infection/ より2020年８月24日検索
5）藤田明監：結核2018．東京都福祉保健局，2018.
6）厚生労働省：平成30年結核登録者情報調査年報集計結果について． https://www.mhlw.go.jp/stf/seisakunitsuite/bunya/0000175095_00001.html より2020年８月24日検索
7）高木永子監：看護過程に沿った対症看護．第５版，学研メディカル秀潤社，2018.
8）リンダ J. カルペニート：看護診断ハンドブック．第11版，医学書院，2018.

MRSA感染症

1. 疾患の基礎的知識

1）疾患の概念

MRSA感染症とは，メチシリン耐性黄色ブドウ球菌（MRSA：methicillin-resistant *Staphylococcus aureus*）という，多くの抗菌薬に対して耐性をもった黄色ブドウ球菌による感染症である．黄色ブドウ球菌はブドウ球菌属に含まれ，毒性因子の１つであるコアグラーゼを産生する．黄色ブドウ球菌以外はコアグラーゼを産生しないことから，黄色ブドウ球菌以外のブドウ球菌属を，コアグラーゼ陰性ブドウ球菌（CNS：coagulase negative *Staphylococcus*）と総称する．MRSA感染症は，感染症法で５類感染症定点把握疾患に分類されている．

近年，MRSAに限らず，多剤耐性緑膿菌（MDRP：multi drug resistant *Pseudomonas aeruginosa*）や，カルバペネム耐性腸内細菌科細菌（CRE：carbapenem-resistant Enterobacteriaceae）をはじめとする薬剤耐性菌が，世界的に問題となっている（**表62-1**）．日本においても，2016年，「薬剤耐性（AMR：Antimicrobial Resistance）対策アクションプラン」が発表され，2020年までの計画で，地域社会に向けた感染対策が実践されている．

2）原因

黄色ブドウ球菌は，グラム陽性菌に属し，生活環境やヒトの皮膚などに広く生息している常在菌である．しかし，種々の化膿性疾患，腸炎，肺炎，食中毒，表皮剝脱性皮膚炎の原因となる病原菌でもある．1940年代にペニシリンによる化学療法が開始され，黄色ブドウ球菌に対しても有効であった．しかしその後，ペニシリン耐性黄色ブドウ球菌が出現し，1950年代半ばには，テトラサイクリン，クロラムフェニコール，アミノグリコシド系など，多系統の抗菌薬に耐性のある黄色ブドウ球菌が出現した．その後，ペニシリン系抗菌薬のメチシリンや，第１～３世代セフェムが開発され，この菌も克服できるかにみえたが，1980年代に，耐性が誘導されたメチシリン耐性黄色ブドウ球菌（MRSA）が急速に増加し，現在に至っている．

MRSAは，黄色ブドウ球菌と同様に，常在菌として皮膚や鼻前庭に存在する．そのため，検出したからといって感染の原因菌にならない場合（保菌）もあり，治療の対象とするかどうか，十分な評価が必要となる．

表62-1　耐性菌の種類

略称	菌種名	菌種名（欧文）
BLNAR	β-ラクタマーゼ非産生ABPC耐性インフルエンザ菌	β-lactamase-nonproducing ABPC-resistanto *H.influenzae*
CPE	NDM型カルバペネマーゼ産生腸内細菌科細菌	carbapenemase-producing Enterobacteriaceae
CRAB	カルバペネム耐性アシネトバクター	carbapenem-resistant *Acinetobacter baumannii*
CRE	カルバペネム耐性腸内細菌科細菌	carbapenem-resistant Enterobacteriacea
MDRA	多剤耐性アシネトバクター	multi drug resistant *Acinetobacter baumannii*
MDRP	多剤耐性緑膿菌	multi drug resistant *Pseudomonas aeruginosa*
MRSA	メチシリン耐性黄色ブドウ球菌	methicillin-resistant *Staphylococcus aureus*
MRSP	マクロライド耐性肺炎球菌	macrolide-resistant *Streptococcus pneumoniae*
PRSP	ペニシリン耐性肺炎球菌	penicillin-resistant *Streptococcus pneumoniae*
VRE	バンコマイシン耐性腸球菌	vancomycin-resistant *Enterococci*

3）病態と臨床症状

病態

MRSAは，以下の３つの型，院内感染型MRSA（HA-MRSA：healthcare-associated MRSA），市中感染型MRSA（CA-MRSA：community-associated MRSA），および家畜感染型MRSA（LA-MRSA：livestock-associated MRSA）に大別される（**表62-2**）．細菌学的には遺伝子型でそれぞれ定義しているが，一般の検査室では確認が困難であるため，薬剤感受性が比較的良好なMRSAをCA-MRSAと簡易的に判定する場合が多い．

黄色ブドウ球菌は，ヒトの常在菌であることから，MRSAが検出されても，すぐにMRSA感染症とは診断されない．たとえMRSAが検出されても，MRSA感染症の特徴とする臨床症状を呈さない者は保菌者という．臨床的に問題となる感染症状を呈している者が，MRSA感染症患者とされる．

MRSA感染症は，表層感染と深部感染の２つに大別される．表層感染は，一般に良好な経過をとることが多いが，熱傷，褥瘡，手術創感染などでは局所の感染防御能が低下しているため，遷延化して深部感染に移行することがある．深部感染では，多くの抗菌薬が無効なため，重症化しやすい．

臨床症状

感染症の症状として，全身倦怠感，脱力感，食欲不振，頭痛，とくに発熱などの全身症状が現れる．さらに局所症状として，発赤，腫脹，熱感，疼痛，分泌物の増加，尿の混濁，排膿などが認められる．

易感染性患者としては，高齢者（とくに寝たきりの高齢者），免疫不全状態にある患者（悪性腫瘍患者，糖尿病患者，免疫抑制薬・抗がん薬使用患者など），抗菌薬の長期使用者，侵襲が大きく長時間を要する手術患者（心臓手術，大血管手術，腹部大手術患者など），中心静脈栄養（IVH）施行患者，気管挿管などによる長期呼吸管理患者，未熟児，新生児，広範囲の熱傷患者，外傷患者などがあげられる．

4）検査・診断

MRSA感染症患者は，院内での伝播によるものが多いといわれることから，病棟分布状況の把握が重要である（**表62-3**）．また，入院前検査や術前検査における保菌の確認は，術後感染症を予防する意味においても重要

表62-2　院内感染型および市中感染型MRSAの比較

	院内感染型（HA-MRSA）	市中感染型（CA-MRSA）
臨床的定義	入院患者から分離されるMRSA	市中の健康人から分離されるMRSA
細菌学的定義（SCCmecによる分類）	主にtypeⅡ（ほかにtypeⅠ，Ⅲ）	主にtypeⅣ（ほかにtypeⅤ）
主なクローン	New York / Japan	USA300（アメリカが中心）
毒素	種々の毒素	PVLが特徴的（国内では少ない）
流行の場所	院内	学校，幼稚園，家庭
感染（保菌）者の年齢	主に高齢者	主に若年者，小児
感染部位	各種臓器	主に皮膚，軟部組織
薬剤感受性	多剤耐性	比較的多くの抗菌薬に感性
治療経過	難治性	反応良好（ただし肺炎は重症化）

表62-3　目的に応じた耐性菌検査

種類	目的	特色
通常の検体検査	原因菌を同定するために有症状時にのみ実施	保菌による伝播拡大を発見することはできない
監視培養	保菌されている多剤耐性菌を検出	比較的検出しやすい部位（鼻腔，気道，直腸など）から検体を採取
積極的監視培養（アクティブ・サーベイランス）	当該病棟全入院患者を対象とした特定の病原体に対する積極的な監視培養	MRSAなどの分離頻度が高い菌で有効
アウトブレイク発生時のスクリーニング検査	潜在的な保菌者の検知	実際の保菌状況を正確に把握
環境細菌培養検査	環境が多剤耐性菌伝播に関与しているかの検討	ブドウ糖非発酵グラム陰性桿菌は湿潤環境を好むが，アシネトバクター属菌は乾燥した環境でも長期間生存が可能

である．

診断は，各種培養検査材料からの黄色ブドウ球菌検出と，規定の方法によるオキサシリン耐性によって行われる〔アメリカ臨床・検査標準協会（CLSI：Clinical Laboratory Standards Institute）による〕．主な検体採取部位は，鼻腔，咽頭，皮膚の傷（手術創，注射部位，皮膚炎，潰瘍，圧挫創），耳漏，膀胱留置カテーテル，中心静脈カテーテル，ドレナージチューブなどである．

5）治療

MRSA感染症の治療は，抗菌薬による治療が主体となる．MRSA感染症は，ときとして死亡例もみられることから，MRSAが起因菌であるかどうかの，的確な診断と迅速な治療が求められる．MRSA感染症は易感染性患者に多くみられるため，各薬物の適応症（**表62-4**），投与量および副作用には十分注意する．

また，免疫不全状態にある患者（がん患者や糖尿病患者など）はとくに，MRSA感染症の治療と並行して，基礎疾患の治療および免疫能や栄養状態の改善に努める．

MRSA感染症に用いられる抗菌薬には，グリコペプチド系薬のVCM（バンコマイシン塩酸塩），TEIC（テイコプラニン），アミノグリコシド系薬のABK（アルベカシン硫酸塩），オキサゾリジノン系薬の LZD（リネゾリド），TZD（テジゾリドリン酸エステル），環状リポペプチド系薬のDAP（ダプトマイシン）がある．MRSAハイリスク手術（心臓手術，人工関節置換術，脊椎インストゥルメンテーション手術など）における除菌には，MUP（ムピロシンカルシウム水和物）が有効とされている．VCM，ABK，TEICの投与にあたっては，腎障害の原因になり得るため，血中濃度の薬物治療モニタリング（TDM）を実施することが推奨されている．また，現在，バンコマイシン耐性腸球菌（VRE：Vancomycin

表62-4　抗MRSA薬の承認されている適応症

適応症	VCM	TEIC	ABK	LZD	TZD	DAP
肺炎・肺膿瘍・膿胸	○	○	○	○		
慢性呼吸器病変の二次感染		○				
敗血症	○	○	○	○		○
感染性心内膜炎	○					○
深在性皮膚感染症　慢性膿皮症		○		○	○	○
外傷・熱傷および手術創の二次感染	○	○		○	○	○
びらん・潰瘍の二次感染					○	○
骨髄炎・関節炎	○					
腹膜炎	○					
化膿性髄膜炎	○					
MRSAまたはMRCNSが疑われる発熱性好中球減少症	○					

表62-5　主な看護処置に必要な手指衛生と防護用具

ケアの内容	手指衛生		防護用具			
	手洗い	手指消毒	ガウン，エプロン	手袋	マスク	ゴーグル
検温	○	○				
清拭	○	○				
陰部洗浄	○	○	○	○		
おむつ交換	○		○	○		
口腔ケア	○	○	○	○		
吸引	○	○	○	○	○	○
血糖測定	○	○		○		
採血	○	○		○		
排泄物の処理	○		○	○		
点滴交換	○			○		

※手洗い：石けんと流水による手指衛生　手指消毒：速乾性手指消毒薬による手指衛生
点滴交換時の手指衛生は手洗いののち，手指消毒が必要

Resistant Enterococci）が，治療法または手段のない院内感染症として重要視されているので，抗菌薬使用には慎重な対応が望まれる．

感染予防対策の基本

(1)スタンダードプリコーション（標準予防策）の実施（表62-5）

院内伝播を防止するため，WHO（世界保健機関）が推奨する５つのタイミング（**図62-1**）で手指衛生（石けんと流水による手洗いもしくは速乾性手指消毒薬による手指消毒）を実践し，必要な場面で防護用具を使用することが重要である．

アメリカ疾病管理予防センター（CDC）の「医療現場における手指衛生のためのガイドライン」（2002年版）では，手指衛生の基本をアルコールベースの速乾性手指消毒薬におき，従来どおりの流水による手洗いは，見た目の汚れがあるときなどに実施するように勧告している．

(2)MRSA感染・保菌者の場合

スタンダードプリコーション（標準予防策）＋接触予防策の完全実施が重要である．

(3)MRSA陽性患者の隔離（図62-2）

①感染源隔離

感染症患者から病原体が拡散することを防ぐ目的で，MRSA陽性患者自体の隔離や，ドレッシング材による創部の部分隔離を実施する．

②保護隔離（逆隔離）

感染に対してとくに抵抗力の弱い易感染性患者を，感染患者から隔離する．

(4)MRSA陽性患者および家族への説明

個室隔離など，ほかの患者と区別されると，患者は疎外感をもち，不安に陥る．患者・家族に医療従事者が，適切で一貫した情報を提供し，不安を取り除くとともに，MRSA拡散の予防にも理解・協力が得られることを目標として説明・指導する．

(5)MRSA隔離病室の運用

①体温計，聴診器，血圧計などは，専用のものを用意する（ほかの患者と共有する場合は必ず消毒する）．

②器械・器具の安全な取り扱い

- 器械・器具は，可能な限り患者専用またはディスポーザブルとする．包帯交換車，吸引器具，レスピレーター（人工呼吸器）などの汚染は，適切な消毒を実施する（**表62-6**）．
- 低レベル消毒薬：両性界面活性剤，第四級アンモニウム塩，クロルヘキシジングルコン酸塩など
- 中レベル消毒薬：アルコール，次亜塩素酸ナトリウ

図62-1　手指衛生の５つのタイミング

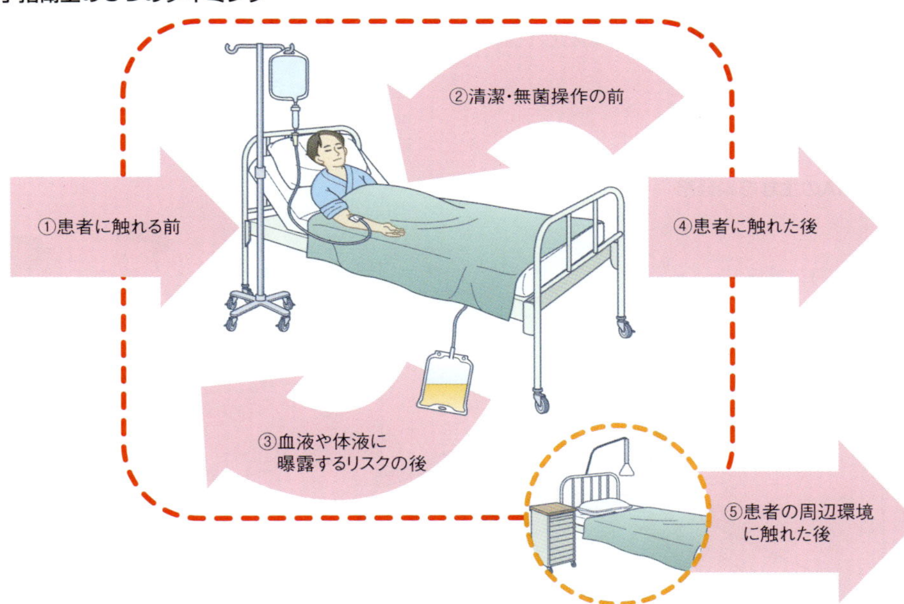

①患者に触れる前：手指を介して伝播する病原微生物から患者を守るため（握手，移動などの介助，入浴や清拭，体温測定など）
②清潔・無菌操作の前：患者の体内に微生物が侵入することを防ぐため（分泌物の吸引，損傷皮膚のケア，創部ドレッシング，点滴交換などの管理，食事，与薬など）
③血液や体液に曝露するリスクの後：患者の病原微生物から自分自身と医療環境を守るため（分泌物の吸引，損傷皮膚のケア，創部ドレッシング，液状検体の採取および処理，ドレーンシステムの開設，排泄介助，おむつ交換，吐物などの処理など）
④患者に触れた後：患者の病原微生物から自分自身と医療環境を守るため（移動などの介助，入浴や清拭，体温測定など）
⑤患者の周辺環境に触れた後：患者の病原微生物から自分自身と医療環境を守るため（ベッドリネンの交換，点滴速度調節，患者が使用しているモニターや人工呼吸器，輸液ポンプなど，コントローラー，ベッド，床頭台，オーバーテーブル，ドアノブなど）

ム，ポビドンヨードなど

・高レベル消毒薬：グルタールアルデヒドなど

③防護用具の使用

・MRSA感染症患者および周囲の環境に触れる場合は，防水性のガウンやエプロン，マスク，ゴーグル，手袋を適正に使用する．

④MRSAに汚染されたリネンの処理

・リネン類は，ほこりを立てないように静かにたたみ，指定のプラスチック袋に入れて封をする．

⑤病室（病院）清掃の徹底

・患者のベッド柵，オーバーテーブル，床頭台，ドアノブなど，患者周囲の環境に注意する．

(6)無菌操作

①体内のカテーテル挿入などの，生体の自然な防御機能を低下させる処置や創処置などでは，医療従事者が無菌操作を確実に行う（マキシマルバリアプリコーション）．

②菌が濃厚に存在するところに着目し，それが周辺に広がらないようにする．

③同一患者の場合は，身体のほかの部位へ広がらないようにする．

(7)医療従事者の清潔保持について

①毎日洗髪し，シャワーを浴びて清潔にする．

②手の爪は短く清潔にし，指輪や時計はしない．

③毎日清潔なユニフォームを着用する（裾や袖口が，患者や周辺の環境に触れてしまうような白衣やカーディガンは，交差感染の原因にもなるため，好ましくない）．

④患者のケアをする前後や，そのほかの業務の前後に手を洗う．

⑤感染症患者をケアするときは，防水性のガウンやエプロンと手袋（必要に応じてマスクとゴーグル）を着用する．

⑥含嗽の励行

(8)保菌者の除菌

鼻前庭や創部で単なる定着状態にあるMRSAは，抗菌薬による治療の必要性はない．しかし，ブドウ球菌は，カテーテルや人工関節や人工弁などの異物に定着しやすいことから，手術前に鼻腔用軟膏（ムピロシンカルシウム水和物）の塗布などの除菌処理を行う．

6）予後

保菌者が易感染性患者でなければ，感染症を発症する可能性はほとんどないため，予後は良好である．しかし，易感染性保菌者の場合，肺炎や菌血症を引き起こしやすく，重症化しやすい．しかも，適切な処置を怠れば死に至ることもある．

図62-2　MRSAの主な感染経路

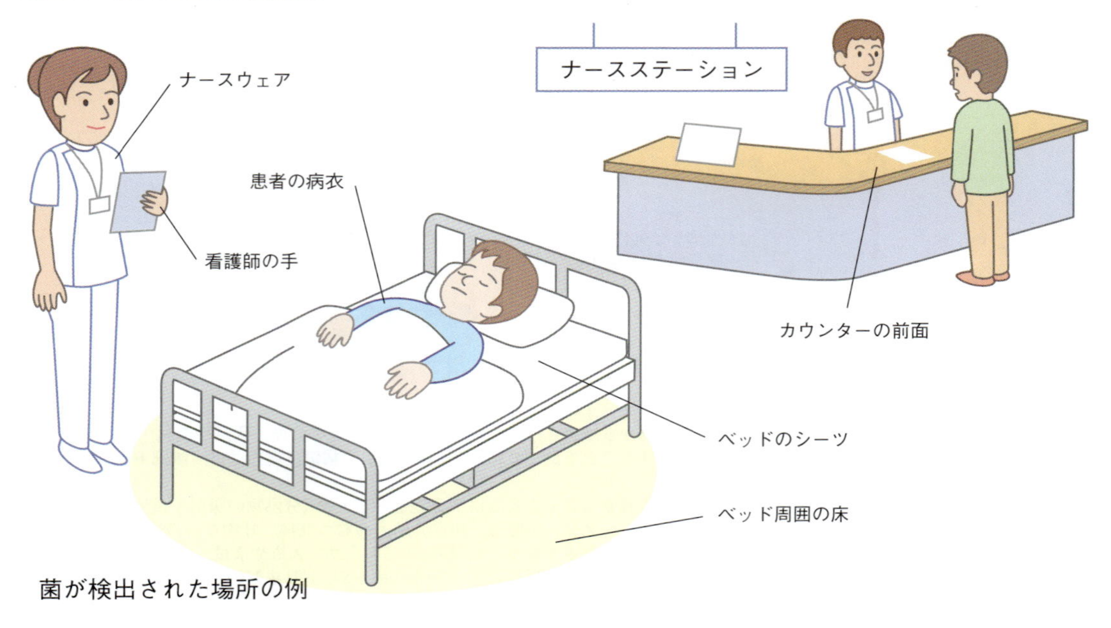

表62-6　スポルディングの分類とその処理方法

器材の分類	器材(例)	処理分類	理論的根拠
クリティカル(高度リスク)分類 無菌の組織または血管系に挿入する	植え込み器材，外科用メス・針・その他手術用器材	滅菌：対象が耐熱性であれば加熱洗浄処理後，高圧蒸気滅菌．非耐熱性であれば，洗浄後，低温での滅菌処理	芽胞を含むあらゆる微生物で汚染された場合に感染の危険性が高いため，すべて滅菌しなければならない
セミクリティカル(中等度リスク)分類 粘膜に接触(歯科用を除く)	呼吸器回路，消化器内視鏡，喉頭鏡，気管内チューブ，その他同様の器材	高レベル消毒 ただし，対象器材が耐熱性であれば高圧蒸気滅菌も可能．非耐熱性であれば，低温での滅菌処理も可能	損傷していない正常粘膜は，細菌芽胞による感染には抵抗性があるが，結核菌やウイルスなど，そのほかの微生物に対しては感受性が高い
	体温計(粘膜に接触)	中レベル消毒 結核菌殺菌性とラベル表示のある病院用消毒薬	
ノンクリティカル(低度リスク)分類 粘膜に接触しない，創傷のない無傷の皮膚と接触する，あるいはまったく皮膚と接触しない	便器，血圧測定用カフ，聴診器，テーブル上面など	低レベル消毒 結核菌殺菌性とラベル表示のない病院用消毒薬	無傷の皮膚は，通常微生物に対して防御機構を有するため，無菌性は重要ではない

2. 看護過程の展開

アセスメント～ゴードンの機能的健康パターンを用いて

パターン	アセスメントの視点	根拠	収集する情報
(1)健康知覚-健康管理 患者背景 健康知覚-健康管理 価値-信念	●全身症状や局所症状がないか ●免疫機能の低下がないか ●自身の状態(MRSAへの感染により隔離されている)を理解できているか ●MRSAが検出されたことにより，感染予防の対策を家族とともに実施できるか	●保菌の状態か，感染症を発症している状態かを見極める． ●免疫機能が低下すると，保菌の状態から感染へと移行するリスクが高い． ●MRSAが検出されている部位から，現在は検出されていない部位へ移すことがないようにするため．移す部位によっては，保菌状態から重症な感染症へ移行する恐れがある． ●また，医療機関などの易感染状態の患者が多い場所では，ほかの患者へ移すことにより，ほかの患者の治療の妨げになる恐れがある．	●全身症状，局所症状 ●MRSA検出部位の状態 ・発赤，熱感，滲出液，や排泄物の量・性状など ●炎症所見の検査データ(白血球数，CRPなど) ●細菌検査(培養検査，薬剤感受性検査など) ●MRSAのことをどのように理解したか ●MRSA検出時の説明の理解 ●手指衛生(正しい手技)の方法とタイミング(WHOの５つのタイミング) ●ほかの患者と違う扱い(防護具の着用)に対する理解 ●治療に対する態度
(2)栄養-代謝 全身状態 栄養-代謝 排泄	●食欲や栄養状態の低下はないか	●栄養状態が低下すると免疫機能が低下し，易感染状態に陥りやすい．	●食事摂取状況(食が進まない場合はその原因を追究) ●検査データ(TP，Alb)

パターン	アセスメントの視点	根拠	収集する情報
(3) 排泄 全身状態 栄養-代謝 排泄	●尿路感染を生じやすい状況にないか ●尿路，消化管の感染を示す状態はないか	●膀胱留置カテーテルや胃瘻カテーテル・透析など，医療機器の使用による感染を起こしやすい． ●消化管の感染では下痢が続き，腸管内の細菌叢が乱れる．	●排泄状態 ●尿：量，比重，尿混濁，排尿時痛，恥骨上部の疼痛，回数 ●便：便の性状（下痢の場合，血液の混入は無いかなど），回数 ●機器の有無・随伴症状
(4) 活動-運動 活動・休息 活動-運動 睡眠-休息	●安静度の範囲はどうか	●範囲が広いほど感染を広げないよう自身の管理を行う必要がある．	●理解度の確認 ●共有スペースを使用している場合，使用場所（トイレなど） ●使用後の共有スペースの消毒は実施可能か
(5) 睡眠-休息 活動・休息 活動-運動 睡眠-休息	●睡眠や休息は十分にとることができるか	●睡眠の質が悪い場合や睡眠時間がとれないようなときには，免疫機能の低下を起こす恐れがあり，免疫能が低下することで易感染状態となり得る． ●睡眠や休息が低下することで免疫機能の低下が起こりやすい	●睡眠の質，熟睡感の有無 ●倦怠感の有無 ●どのような状況が良眠を阻んでいるのか ●自宅では，良眠を得るための対策があるか
(6) 認知-知覚 知覚・認知 認知-知覚 自己知覚-自己概念 コーピング-ストレス耐性	●認知機能の障害はないか ●患者および家族がMRSAについて正しい知識をもっているか	●自己管理のために，ある程度の認知機能とMRSAおよび感染拡大予防法についての知識が必要．	●認知機能（記憶力，注意力，集中力，判断力など）
(7) 自己知覚-自己概念 知覚・認知 認知-知覚 自己知覚-自己概念 コーピング-ストレス耐性	●MRSAの検出およびMRSAに罹患した自分をどのように受け止めているのか	●MRSAと聞くと重症な感染症だと思い込むこともあり，悲観的になる患者や家族もいる．	●MRSAの説明を受けたときの印象（表情，言動） ●自己イメージ ●自尊感情

パターン	アセスメントの視点	根拠	収集する情報
(8) 役割-関係 周囲の認識・支援体制 役割-関係 セクシュアリティ-生殖	●人間関係は良好であるか，どのような役割をを担っているか	●MRSA感染症のために入院が長期化する恐れがあり，社会復帰が遅れてしまうと不安が増強する． ●MRSAという薬剤耐性菌が検出された場合，全患者に実施している標準予防策にプラスして，接触感染対策が必要となる．個室に隔離され，医療従事者がビニールエプロンと手袋を着用して対応することになるため，疎外感や不安を感じやすい．	●家族構成や家族内での位置づけ ●家族や他者はどのように感じているか ●社会的グループに属しているか ●社会的グループ内での位置づけ ●家族，親しい友人の有無 ●収入は十分か ●医療費に関する問題の有無 ●疎外感の有無
(9) セクシュアリティ-生殖 周囲の認識・支援体制 役割-関係 セクシュアリティ-生殖	●性に対する満足・不満足はあるか ●出産時の感染リスク	●退院後の日常生活には支障がない． ●妊婦の場合，健診時にMRSAが検出されたケースでは，経膣分娩時の新生児が保菌することがある．	●妊婦健診時の膣培養 ●新生児のMRSAスクリーニング検査
(10) コーピング-ストレス耐性 知覚・認知 認知-知覚 自己知覚-自己概念 コーピング-ストレス耐性	●ストレスの処理方法を効果的に使用しているか，状況をコントロールできているか	●MRSAという薬剤耐性菌が検出された場合，全患者に実施している標準予防策にプラスして，接触予防策が必要となる．個室に隔離され，医療従事者がビニールエプロンと手袋を着用して対応することになるため，ストレスフルな状況におかれる．	●支えになっている家族や友人の有無 ●自らの現在の状況の表出 ●必要なサポート
(11) 価値-信念 患者背景 健康知覚-健康管理 価値-信念	●治療に影響する価値観や信念はないか	●隔離など感染拡大の予防のための管理を行うにあたり，対立するような価値観・信念があると効果的でなくなる．	●人生や生活のなかで大切にしていること ●将来の計画

3. 全体像の把握から看護問題を抽出

1）病態関連図

原因・誘因　検査・治療　病態・臨床症状（色文字は重要な症状）
看護上の問題

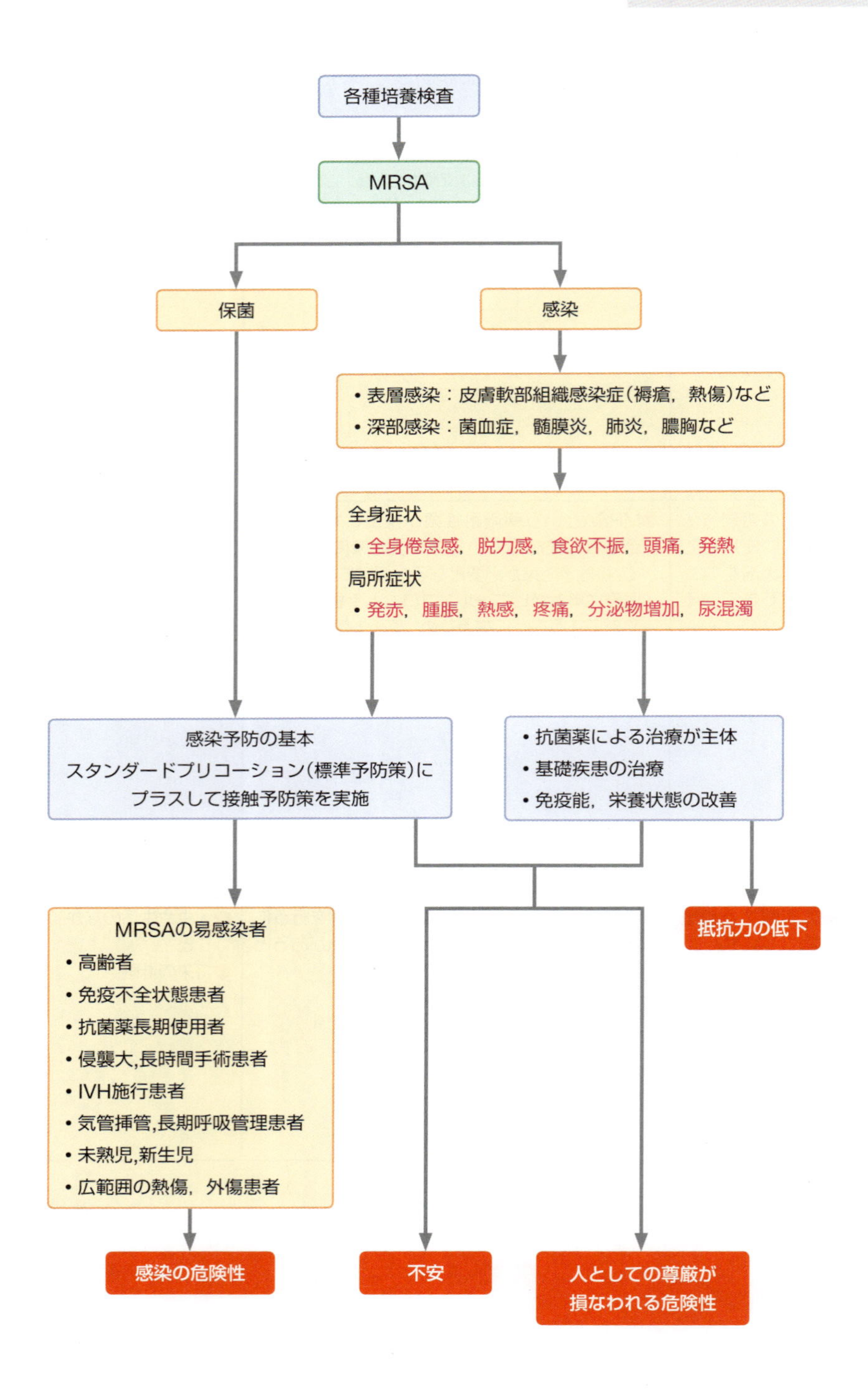

2）看護の方向性

MRSAが保菌状態であっても，すべてが感染に移行するわけではない．未熟児や新生児のように抵抗力が未発達な場合や，高齢者などの免疫が低下しているような場合に，感染へと移行しやすいので，患者の背景を理解する．また，熱傷，外傷，褥瘡，術後の創部などの，感染防御の第1バリアである皮膚が損傷を受けている場合は，細菌が侵入しやすく，あるいは，損傷に伴って網内系細胞が感染部位に効率よく集まらない状態の場合にも，感染へ移行しやすい．血液透析患者，放射線治療中の患者，副腎皮質ステロイド薬，抗がん薬，長期にわたる抗菌薬，免疫抑制薬などの治療で免疫力が低下している患者は，定着から感染へと最も移行しやすい．

MRSAは薬物に高度の耐性をもつことから，易感染性患者が深部感染に至れば，しばしば致命的となる．そのため，症状の観察，異常の早期発見とその対応が重要となる．また，基礎疾患やその治療が，免疫能の低下，栄養状態の低下を起こしやすく，感染を含めた合併症を引き起こしやすい．適切な抗菌薬使用は，感染部位の培養検査を実施し，薬物の感受性試験をもとに，使用する抗菌薬を決定する．また，同じ抗菌薬が長期に投与されないよう注意することも大切である．

MRSAが検出されたからといって感染ではなく，定着しているだけの場合（保菌）もある．全身状態やMRSA検出部位の状況をみて判断し，治療を開始しなければならない．抗MRSA薬を漫然と与薬することにより，耐性菌が発現する恐れがある．

3）患者・家族の目標

・MRSA感染症徴候がみられない．
・MRSA検出に対し，感染予防対策の必要性を理解し，協力できる．
・MRSAに関する理解を深め，誤解をもたない．
・MRSAについて説明を受け，不安が軽減する．

4. しばしば取り上げられる看護問題

MRSAに関連した感染の危険性がある

なぜ？

感染リスクの高い易感染状態の患者がMRSA感染症を発症してしまうと基礎疾患の治療が遷延されてしまうばかりか，敗血症など深部感染を引き起こし，治療に難渋するおそれが高い．そのため，医療従事者が患者に接する場合は，患者背景や基礎疾患の治療状況も含めた全身状態を確認し，厳重な感染予防策を実施するために，標準予防策に加え，接触予防策を遵守することが重要となる．

➡期待される結果

MRSA感染症を発症することなく，基礎疾患の治療が適切に受けられる．

MRSAに対しての抵抗力が低下している状態

なぜ？

患者の基礎疾患および全身状態の把握とともに，標準予防策を実践し，身体の清潔および患者周囲の環境を清潔に保つことが重要になる．未熟児や新生児のように抵抗力が未発達な場合や高齢者など免疫力が低下しているような場合，熱傷・外傷・褥瘡・術後の創部など感染防御の第1バリアである皮膚が損傷を受けている場合，血液透析患者，放射線治療中の患者，副腎皮質ステロイドや抗がん薬，長期にわたる抗生物質，免疫抑制薬などの治療で免疫力が低下している患者，気管切開や気管挿管中の患者，中心静脈カテーテルや各種ドレーン留置中の患者は侵襲が大きい各種ルートを通じて細菌が定着し感染に移行しやすい．そのため，感染徴候を早期に発見できるよう観察は怠らない．患者・家族が感染予防対策の必要性を理解し，協力して療養生活を送れるよう，指導することも重要である．

➡期待される結果

MRSA検出に対して，感染予防対策の必要性を理解して協力できる．

経路別感染対策の実施により，人としての尊厳が損なわれる危険性がある

なぜ？

MRSAは治療上あるいは基礎疾患のために，易感染状態にある患者へ，医療従事者の手を介して，また，患者周囲の環境や患者が触れたものを介して接触感染するリスクが高い．そのため医療従事者は，MRSAを保菌またはMRSA感染症を発症した患者に対し，他の患者への院内伝播を防止する目的で，標準予防策に加え接触予防策を遵守することになる．個室隔離や防護服を使用した医療従事者の対応が，他の患者とは違う扱いと感じ，非人間的だと感じるおそれがある．そのため，患者や家族にMRSAに関する知識を深め，誤解をもたないように指導することが重要である．

➡期待される結果

感染対策に関する協力が得られる．

MRSAに対する知識不足や誤解に関連した不安—恐怖より明らか

なぜ？

MRSAの院内感染は，社会的にも問題となっており，患者・家族の中には「怖い細菌」といったイメージをもっている人もいる．また，入院当初，感染性の疾患ではなかったにも関わらず，個室に隔離されたり，医療者の対応が変化したりすると差別をされている感覚や疎外感をもつ場合もある．知識不足や誤解のまま感染予防策が実行されると，患者・家族と医療者の信頼関係に亀裂を生じかねない．そのため，MRSAの難治性・院内感染性について十分なインフォームドコンセントを行う必要がある．また，患者・家族の言葉や態度の変化に対応できるように観察し，不安の程度を把握する必要がある．

➡期待される結果

MRSAについて説明を受け，不安が軽減する．

5. 看護計画の立案

• O-P：Observation Plan（観察計画） • T-P：Treatment Plan（治療計画）
• E-P：Education Plan（教育・指導計画）

◆1 MRSAに関連した感染の危険性がある

	具体策	根拠と注意点
O-P	**(1)MRSA検出部位と菌量の確認** ①検出部位 ・鼻腔，咽頭，尿，便，創部，血液，喀痰，カテーテル（中心静脈，尿路），気管チューブ，ドレーン（胸腔，腹腔） ②菌量 **(2)MRSA感染症発症の観察：褥瘡，肺炎，腸炎，髄膜炎，敗血症などの症状のチェック** ①全身状態の観察 ・バイタルサイン（とくに発熱の有無） ・全身倦怠感，食欲不振，頭痛など ②局所症状 ・発赤，腫脹，熱感，疼痛，分泌物の増加，尿混濁など ③検査データの把握 ・白血球数，CRP，胸部X線検査，細菌培養，薬剤感受性 ・血中濃度の薬物治療モニタリング（TDM）値 **(3)MRSA感染のリスク因子**	●MRSAの検出部位や症状により，個室隔離の有無，必要な防護用具の選択など，感染予防対策が異なる． ●患者の状況をよく観察し，医師と看護師が連携をとりながら患者に説明し，感染予防策を行う． ●皮膚落屑物が多い患者，気管切開患者，咳の激しい患者，下痢の患者などは，排菌量が多くなる． ●感染症患者は保菌者よりも菌量が多く，患者の安全が脅かされる．同時に，環境の汚染や他者への感染リスクも高くなる．早期発見が重要である． ●患者が室外に出るときは，ほかの患者や環境へ拡散させないよう，十分な手洗いと排菌部の被覆に努める． ●感染症患者は，白血球数，CRPの増加，胸部X線写真で浸潤影などがみられる． ●治療薬によっては，腎機能が低下する怖れがあるため，注意する． ●免疫力が低下している患者や皮膚損傷のある患者では，MRSAが保菌されている状態の場合，感染症に移行しやすい．

	具体策	根拠と注意点
T-P	**(1)感染経路の遮断** ①手指衛生(手洗いおよび手指消毒)の順守 ②湿性生体物質を扱うときは，手袋，防水性のガウンやエプロン，キャップ，マスクを着用．患者やその周辺の環境に触れる場合は，ガウンやエプロンを着用する ③無菌操作 ・創部の無菌操作(創部管理) ・血管留置カテーテル，膀胱留置カテーテルの無菌操作(カテーテル管理)	●感染予防の基本は，手指衛生と適切な防護用具の使用にあることを理解し，徹底する．患者に関わる医療従事者すべてが，一貫した感染予防対策をとれるようにする． ●MRSAが検出されていない創部に触れる直前に手指衛生を実施し，手袋を装着する．操作終了後はその場で手袋を外し，手指衛生を実施する． ●血管留置カテーテル，膀胱留置カテーテルに触れる直前に，手指衛生を実施する．手袋を外したあと，および操作終了直後に必ず手指衛生を実施する．
	④感染源隔離の有無 ・個室隔離(喀痰からMRSAが排出され，気管切開や人工呼吸器でのケアを受けている患者，熱傷などでMRSAを飛散させる状態にある患者など)，創部の部分隔離	●個室へ隔離された患者は，周囲から隔絶されて不安や孤独を感じやすく，ストレスが高まりやすい．看護師は病状を観察するだけでなく，患者がどのような気持ちで入院生活を過ごしているかなどを観察し，コミュニケーションをはかる．
	⑤体温計，聴診器，血圧計は専用とする	●専用にできない場合は，使用後にアルコールで消毒する．MRSAはアルコールに感受性である．
	⑥リネン類を取り扱う際は，防水性のガウンやエプロンと手袋を着用し，ほこりを立てないように静かにたたみ，指定のプラスチック袋に入れ，封をする	●リネン類を処理する際には，便や血液で汚染しているものはビニール袋に入れ，ほかのリネンと区別をする．
	⑦使用器具の清浄化 ・MRSAは低水準の消毒薬にも感受性である ・アルコールが一番簡便に使用できる ⑧病室清掃の徹底 ・ベッドの下，カーテンレール，冷房機のフィルタなどにほこりがたまっていないか点検し，清掃が行き届いているかどうか確認する ・床のほこりを巻き上げるような動作(走る，バタバタ歩くなど)はしない	●MRSAは低水準の消毒薬にも感受性があるため，ディスポーザブルでない場合は，アルコールなどの適切な濃度の消毒薬で消毒する． ●MRSAは，ゴミやほこりなどの有機物にくるまり，乾燥状態で約1か月も生存する．ゴミやほこりを取り除き，乾燥状態を保つなど，環境の清浄化をはかる． ●患者周辺の環境(ベッド柵，オーバーテーブル，床頭台，手すり，ドアノブなど)は，1回/日アルコールで清拭する．
	(2)患者・家族へ具体的な感染予防対策 ・手洗い，手指消毒，含嗽などについて援助する	●具体的に説明・指導し，理解・協力を得る．
	(3)MRSA感染リスク因子の改善	●感染症を起こさないように現状を維持する．
E-P	**(1)医師から患者・家族にMRSA検出についての説明**	●黄色ブドウ球菌はヒトの常在菌であること，健常者には通常，疾患を起こさないこと，バンコマイシン塩酸塩などの有効な薬物があるが，回復には抗菌薬ばかりでなく，体力の回復が重要であること，手洗いの励行などで伝播が予防できることなどを説明し，いたずらに恐怖心を与えないように配慮する．
	(2)患者・家族に対する感染予防方法についての説明	●ほかの患者への接触は避けることや，手洗いはいつ行うのがよいかなどを具体的に説明する． ●MRSA検出部位や，保菌者か感染症患者かにより，個々に応じた説明を行う．
	(3)MRSAリスク因子改善についての説明	●家族には面会を避けることがないように協力を要請する．

◆2 MRSAに対しての抵抗力が低下している状態

	具体策	根拠と注意点
O-P	**(1)抵抗力** **(2)抵抗力に関連する要因** ①栄養状態 **(3)患者の基礎疾患(易感染状態)の状況** ①各種ドレーンの種類と部位 ②外傷，熱傷，手術部位	●易感染症の種類と，侵襲が大きい手術や侵襲的操作が多く行われる治療・処置を査定し，感染予防対策を立てる． ●スタンダードプリコーションを順守し，感染症の有無にかかわらず，手指衛生と防護用具の使用を徹底する． ●褥瘡，肺炎，腸炎，髄膜炎，敗血症などの感染症発症の有無を確認する．
	(4)MRSA検出部位，菌量 **(5)感染徴候の観察** ①全身状態 ・バイタルサイン(とくに発熱の有無) ・全身倦怠感，食欲不振，頭痛など ②局所症状 ・創部やドレーン，各種カテーテルやチューブ挿入部の発赤・腫脹，滲出液の性状，排膿の有無，咳嗽の有無，喀痰の増減と色調の変化，排尿痛の有無，尿の混濁，褥瘡の大きさなど	●検査データだけに頼らず，全身状態および局所の観察が，異常の早期発見につながる．看護の基本となる観察を怠らない．
T-P	**(1)病原体の侵入予防(内因性感染および外因性感染予防)** ①医療従事者，患者・家族の手洗いの徹底 ・1患者，1処置ごとに手指衛生 ②ポビドンヨードによる含嗽や口腔洗浄，鼻腔用軟膏の塗布などによる除菌処置 ③防護用具の適正使用 ④場合によっては，面会者の制限 ⑤体温計，聴診器，血圧計などは専用にする ⑥病室清掃の徹底	●スタンダードプリコーションに基づいた感染予防対策を実施する． ●菌検出部位や菌量，保菌状態から，感染状態に移行しやすい要因(年齢，医原的な状況，物理的状況)を査定し，手指衛生と防護用具を適切に使用する． ●病状によって保護隔離となる場合が多い．
	⑦侵襲的器具(静脈注射など)は必要なものだけに制限する ⑧患者の治療・処置・介助，ケア時の無菌操作の徹底(処置，ケア時はMRSAを他部位へ広げない)． ・血管留置カテーテルの管理，挿入部位の無菌操作，側管注入時の三方活栓の無菌操作に，とくに注意．膀胱留置カテーテル挿入時の無菌操作と管理，採尿バッグの逆流防止と無菌操作，気管吸引の無菌操作，創部包帯交換時など	●侵襲的操作が多く行われる先の治療・処置は，感染の機会が増加するため，創部の取り扱いやカテーテルなどの汚染防止には，細心の注意をする． ●院内感染は，医療器具との強い関連性が指摘されている．そのため，細菌が侵入しやすい因子は，できるだけ取り除くように，医師と協同し，必要のない膀胱内留置カテーテルや血管内留置カテーテルを管理する． ●気道分泌物には多くの菌が常在している．気管吸引の手技が細菌を媒介することのないように無菌操作に努める．
	(2)基礎疾患に対する看護 ①感染抵抗力の改善 ・栄養状態の改善 ②基礎疾患，合併症の看護 ・感染予防策が，基礎疾患の看護にどのように影響するのかをよく整理する	●MRSA感染症の改善には，抗菌薬だけでなく，栄養状態の改善，体力の回復が重要である． ●MRSAが検出されると，感染予防対策上の取り扱いが煩雑になり，基礎疾患の治療・看護の質が低下する恐れがある．

	具体策	根拠と注意点
T-P	**(3)清潔保持** ・皮膚，口腔，気管挿管・切開中の口腔ケア，鼻腔のケア，外陰部のケアなど	●皮膚や粘膜に常在菌が定着して共生している． ●入浴や洗髪，場合によって清拭を行う．入浴やシャワー浴はその日の最後にする． ●口腔内はさまざまな菌のすみかである．歯みがきは毎食後に行う（義歯も同様）．食事をしていない場合は，唾液の分泌が減少して自浄作用が低下するので，４回/日以上の口腔ケアを行う． ●挿管中の口腔内洗浄は，誤嚥を防ぐために２人で行い，安全を確保する． ●外陰部は排泄物や分泌物のため，汚染されやすく，感染の原因になりやすい．
E-P	**・患者・家族に対する感染の徴候と症状についての説明**	●患者・家族が感染から身を守るためには何ができるか，また，感染徴候を早期に発見できるように指導する．

引用・参考文献

1）T．ヘザー・ハードマン，上鶴重美原書編集，上鶴重美訳：NANDA-I看護診断―定義と分類2018-2020．原著第11版，医学書院，2018.
2）洪愛子編：ベストプラクティスNEW感染管理ナーシング．学研メディカル秀潤社，2006.
3）パトリシア・リンチほか：限られた資源でできる感染防止．日本看護協会出版会，2001.
4）日本感染症学会・日本化学療法学会編：抗菌薬使用のガイドライン．協和企画，2005.
5）医療情報科学研究所編：病気がみえる vol.6免疫・膠原病・感染症．メディックメディア，2009.
6）満田年宏：医療環境における多剤耐性菌管理のためのCDCガイドライン2006．ヴァンメディカル，2007.
7）矢野邦夫ほか：医療現場における隔離予防策のためのCDCガイドライン．改訂２版，メディカ出版，2007.
8）尾家重治：ここが知りたい！消毒・滅菌・感染防止のQ&A．照林社，2006.
9）MRSA感染症の治療ガイドライン作成委員会編：MRSA感染症の治療ガイドライン2019．改訂版，日本化学療法学会・日本感染症学会，2019．http://www.kansensho.or.jp/uploads/files/guidelines/guideline_mrsa_2019revised-booklet.pdf より2020年８月24日検索
10）平松玉江：看護管理者が押さえておくべき薬剤耐性（AMR）時代の感染対策．看護管理，29(9)：820 ～ 826，2019.

Memo

第 11 章　感染症疾患患者の看護過程

63 HIV感染症

1. 疾患の基礎的知識

1）疾患の概念

ヒト免疫不全ウイルス（HIV：human immunodeficiency virus）が，主としてリンパ球の一部であるCD4陽性T細胞に感染し，身体の免疫機構が破壊され，特異的な日和見感染症を発症したり，二次性悪性腫瘍あるいは神経障害を発症するなどの，多彩な様相を呈する状態をHIV感染症という．感染症法では５類感染症（診断後７日以内に届け出の義務）に分類されている．

後天性免疫不全症候群（AIDS：acquired immunodeficiency syndrome）とは，HIV感染症の進行により，細胞性免疫を主体とした免疫不全状態（CD4陽性リンパ球の減少）に陥り，特異的な日和見感染症や悪性腫瘍，神経障害など，AIDS診断のための指標疾患（23疾患）が１つ以上認められるものである（**表63-1**）．

2018（平成30）年末現在，日本でのHIV感染者およびAIDS患者数は累計で３万人を突破した．また，世界中での感染者はおよそ3,800万人，年間170万人の新規感染者と69万人のAIDSによる死亡者が発生している．

2）原因

HIVの感染によって引き起こされる．HIVは１型（HIV-1）と２型（HIV-2）があるが，世界の流行の主体はHIV-1であり，HIV-2は西アフリカに限局してみられる．

感染経路としては性行為感染，HIVが含まれた血液媒介感染，HIVに感染している母体からの母子感染の３つがある（**表63-2**）．HIV感染者の多量のウイルスを含む体液（血液，精液，腟分泌液，母乳）が，粘膜や傷口から血液に侵入して感染する．

3）病態と臨床症状

病態（図68-1）

HIVは，主にCD4陽性Tリンパ球とマクロファージ系の細胞に感染するレトロウイルスである．HIVは，リンパ組織のなかで急速に増加し，感染後１～２週間で100万コピー /mLを超えるウイルス血症を呈する．約半数の患者が，一過性の伝染性単核球症様あるいはインフルエンザ様症状を呈するが，無症状か，気づかないままに経過する患者も多い．

一部の感染者にみられる急性症状は，２～３週間続いて自然に消退し，無症状期に入る．無症状期は数年から十数年続く．

急性期症状の消失後もウイルスは増殖を続けるが，宿主の免疫応答によって，症状のない平衡状態が長期間続くことが多い．この無症候期でも，HIVは著しい速度（毎日100億個前後のウイルスが産生される）で増殖しており，骨髄からリクルートされてくるCD4陽性Tリンパ球は次々とHIVに感染して，平均2.2日で死滅するとされている．

やがて，持続性の全身リンパ節腫脹，発熱，下痢，体重減少，全身倦怠感，盗汗（寝汗）などの非特異的症状が出現する．さらに進行して，CD4陽性Tリンパ球数が減少し，細胞性免疫が高度に障害されると，免疫力が低下してニューモシスチス肺炎，サイトメガロウイルス感染症，カンジダ症，活動性結核などの特異的な日和見感染症や悪性腫瘍（カポジ肉腫，悪性リンパ腫），神経障害などを発症する．この時期がAIDSとよばれる病態であり，複数の日和見感染症を併発していることが多く，症状は多彩かつ重篤である．ウイルスの増殖と宿主の免疫応答による平衡状態がやがて破綻し，血中ウイルス量（HIV RNA量）が増加，CD4陽性Tリンパ球数も減少，免疫不全状態となって，AIDSを発症する．

臨床症状

・急性感染期：１～６週間の間に，40～90％のHIV感染者に発熱，リンパ節腫脹，咽頭炎，発疹，倦怠感，筋肉痛といったインフルエンザ様の症状がみられることがあるが，通常２～４週間で消失する．

表63-1　AIDS指標疾患

A. 真菌症	1. カンジダ症(食道，気管，気管支，肺)
	2. クリプトコッカス症(肺以外)
	3. コクシジオイデス症[1)]
	4. ヒストプラズマ症[1)]
	5. ニューモシスチス肺炎
B. 原虫感染症	6. トキソプラズマ脳症(生後1か月以後)
	7. クリプトスポリジウム症(1か月以上続く下痢を伴ったもの)
	8. イソスポラ症(1か月以上続く下痢を伴ったもの)
C. 細菌感染症	9. 化膿性細菌感染症[2)]
	10. サルモネラ菌血症(再発を繰り返すもので，チフス菌によるものを除く)
	11. 活動性結核(肺結核または肺外結核)[1),3)]
	12. 非結核性抗酸菌症[1)]
D. ウイルス感染症	13. サイトメガロウイルス感染症(生後1か月以後で，肝，脾，リンパ節以外)
	14. 単純ヘルペスウイルス感染症[4)]
	15. 進行性多巣性白質脳症
E. 腫瘍	16. カポジ肉腫
	17. 原発性脳リンパ腫
	18. 非ホジキンリンパ腫(a. 大細胞型・免疫芽球型，b. Burkitt 型)
	19.浸潤性子宮頸がん[3)]
F. その他	20. 反復性肺炎
	21. リンパ性間質性肺炎/肺リンパ過形成：LIP/PLH complex(13歳未満)
	22. HIV脳症(認知症または亜急性脳炎)
	23. HIV消耗性症候群(全身衰弱またはスリム病)

1) a：全身に播種したもの，b：肺，頸部，肺門リンパ節以外の部位に起こったもの
2) 13歳未満で，ヘモフィルス，連鎖球菌などの化膿性細菌により以下のいずれかが2年以内に，2つ以上多発あるいは繰り返して起こったもの
　a：敗血症，b：肺炎，c：髄膜炎，d：骨関節炎，e：中耳・皮膚粘膜以外の部位や深在臓器の膿瘍
3) C11活動性結核のうち肺結核，およびE19浸潤性子宮頸がんについては，HIVによる免疫不全を示唆する症状または所見がみられる場合に限る
4) a：1か月以上持続する粘膜，皮膚の潰瘍を呈するもの
　b：生後1か月以後で気管支炎，肺炎，食道炎を併発するもの

表63-2　感染経路

	具体的感染経路	予防対策
性行為感染	同性間，異性間の性的接触による感染	近年，同性間での感染も増加している 不特定多数との性交渉を避ける，コンドームの使用によるセーファーセックスを行うよう患者指導を行う
血液媒介感染	注射の回し打ち 医療従事者の針刺し事故 HIV混入血液製剤使用	注射針の使い回し禁止 医療者は針刺し事故防止策を実施
母子感染	経胎盤感染 産道感染 母乳感染	母，新生児に対する抗HIV投与，帝王切開，人工栄養によって感染予防を行う

図63-1　HIV感染症の病態の経過

HIV感染 → 急性感染期 → 無症候期 → AIDS期

・無症候期：ほぼ症状がなく経過する．患者ごとに期間のばらつきは大きいが，約10年続く．この時期は症状は認めないが，HIVは活発に増殖している．

・AIDS発症期：種々の日和見感染症や悪性腫瘍などを合併し，さまざまな症状が出現する．

4）検査・診断

血清中の抗HIV抗体やHIV抗原，遺伝子検査が行われる（**図63-2**）．

HIV感染症では，血液中ウイルス量（HIV RNA量）と，CD4陽性リンパ球が，病態の程度や経過を把握する指標となる．

（1）CD4陽性リンパ球

基準値は，700～1,300/μL（500μL以上）である．

CD4陽性リンパ球数は，HIVによって破壊された宿主

図63-2　診療におけるHIV-1/2感染症診断のためのフローチャート

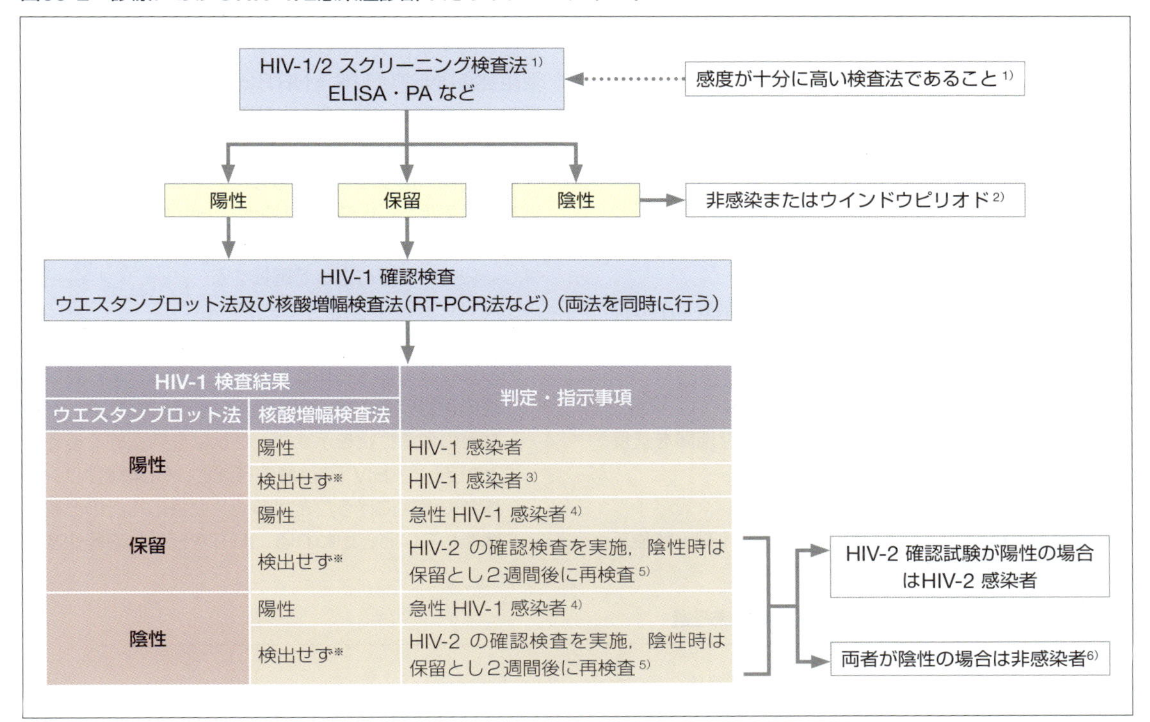

1）明らかな感染のリスクがある場合や急性感染を疑う症状がある場合は抗原・抗体同時検査法によるスクリーニング検査に加えHIV-1 核酸増幅検査法による検査も考慮する必要がある（ただし，現時点では保険適用がない）．

2）急性感染を疑って検査し，HIV-1/2スクリーニング検査とウエスタンブロット法が陰性または保留であり，しかも，HIV-1 核酸増幅検査法（RT-PCR法）が陽性であった場合は，HIV-1の急性感染と診断できるが，後日，HIV-1/2スクリーニング検査とウエスタンブロット法にて陽性を確認する．

3）HIV-1 感染者とするが，HIV-1核酸増幅検査法（RT-PCR：リアルタイムPCR法または従来法の通常感度法）で「検出せず※」の場合（従来法で実施した場合は，リアルタイムPCR法または従来法の高感度法における再確認を推奨）はHIV-2ウエスタンブロット法を実施し，陽性であればHIV-2の感染者であることが否定できない（交差反応が認められるため）．このような症例に遭遇した場合は，専門医，専門機関に相談することを推奨する．

4）後日，適切な時期にウエスタンブロット法で陽性を確認する．

5）2週間後の再検査において，スクリーニング検査が陰性であるか，HIV-1/2の確認検査が陰性/保留であれば，初回のスクリーニング検査は偽陽性であり，「非感染（感染はない）」と判定する．

6）感染のリスクがある場合や急性感染を疑う症状がある場合は保留として再検査が必要である．また，同様な症状を来たす他の原因も平行して検索する必要がある．

注1：妊婦健診，術前検査等の場合にはスクリーニング検査陽性例の多くが偽陽性反応によるため，その結果説明には注意が必要．

注2：母子感染の診断は，移行抗体が存在するため抗体検査は有用でなく，児の血液中のHIV-1抗原，またはHIV-1核酸増幅検査法により確認する必要がある．

日本エイズ学会・日本臨床検査医学会：診療におけるHIV-1/2感染症の診断ガイドライン2008（日本エイズ学会・日本臨床検査医学会 標準推奨法）．日本エイズ学会誌，11(1)：72，2009．

の免疫応答能の残存量を示す．HIVに感染して200/μL未満になると免疫不全状態となり，種々の日和見疾患を発症しやすくなる．CD4陽性リンパ球数は，後述する治療法であるART（抗レトロウイルス療法）開始を考慮する際の，最も重要な指標である．測定値は変動があるため，複数回の検査による判定が必要である．

(2)HIV-1 RNA量

- 検出感度20コピー/mL.
- 治療導入後の，最も鋭敏な治療効果の指標である．また，HIV感染症の進行予測の指標となる．未治療時のウイルス量が多いほど，病気の進行が早い．
- 感染成立後，急激に増加した後，宿主の免疫応答が発動すると減少し，感染約6か月後にはある一定レベルに保たれる．このウイルス量をセットポイント（**図63-3**）とよび，高値であるほど病気の進行が早い．男性に比べて女性のほうが低値との報告がある．血中ウイルス量はHIV RNAコピー数で表され，治療開始の判断や抗HIV薬の効果判定，治療変更の判断などに利用される．測定誤差があり，その変動を考慮したうえで評価すべきである．
- 検査の保険適用は月に1回である．

5）治療

(1)抗HIV療法（ART：anti-retrovirai therapy：抗レトロウイルス療法）

①ARTの原則

- 治療は原則として3剤以上からなるARTで開始する．
- 治療によって免疫能のいくつかの指標が改善しても，治療を中断してはならない．

②ARTの目標

- 血中ウイルス量を長期にわたって検出限界以下に抑え続ける．
- 免疫能を回復・維持する．
- HIVの二次感染を減少させる．
- HIV関連疾患および死亡を減らし，生存期間を延長させる．
- QOLを改善する．

初回治療では，プロテアーゼ阻害薬（PI）1剤＋核酸系逆転写酵素阻害薬（NRTI）2剤，あるいはインテグラーゼ阻害薬（INSTI）1剤＋NRTI 2剤，NRTI 2剤＋非核酸系逆転写阻害薬（NNRTI）1剤の，いずれかの組み合わせを選択する（**表63-3**）．

治療開始に関する患者の考え，アドヒアランス，服薬剤数・服薬頻度・食事などの条件，HIV感染症の重症度，副作用，合併症，妊娠，薬物相互作用，コストなどを考慮し，個々の患者に応じて選択する．

③ARTの課題

- 免疫再構築症候群：ART開始から16週程度までにみられる炎症を主体とした病態である．日和見感染症の再燃，増悪あるいはAIDS関連悪性腫瘍，肝炎などの増悪症状を示すが，症状は非典型的であることが多い．HIV RNA量の著減と，CD4陽性リンパ球数の増加に伴うことが多く，免疫応答能の改善に関連していると思われる．ARTを続行して軽快する

図63-3　HIV感染症の臨床経過

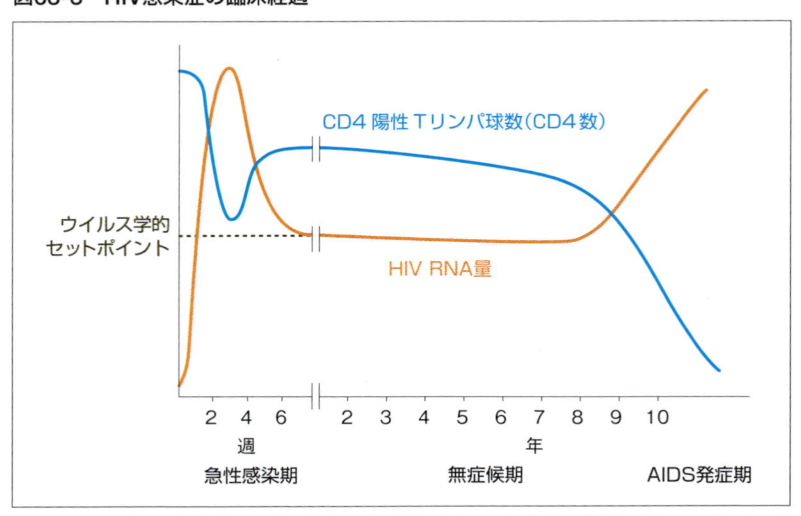

令和元年度厚生労働行政推進調査事業費補助金エイズ対策政策研究事業 HIV感染症及びその合併症の課題を克服する研究班：抗HIV治療ガイドライン．p.7，2020.

こともあるが，ステロイドや抗炎症薬，抗菌薬，抗ウイルス薬の投与を必要とすることもある．ARTは極力継続すべきであるが，場合によっては中止を必要とすることもある．
- 薬剤耐性ウイルス：アドヒアランスの低下によって薬剤の血中濃度が維持できず，ウイルス増殖が十分に抑制されず，耐性ウイルス出現が加速される（**図63-4**）．複雑な服薬レジメンや，生活スタイルにあっていない服薬スケジュール，うつ病，薬物依存といった患者の要因などにより，アドヒアランスの低下をまねく．多職種連携や患者教育によって支援をする必要がある．

(2)日和見感染症やHIV合併症に対する治療

①肝炎ウイルス重複感染
- B型肝炎ウイルス（HBV）：感染は，母子感染を除くと性的接触を介した感染が多く，HIV感染症患者の合併が多くみられる．HBs抗原陽性患者では，抗HBV作用を有する薬剤を含むARTで治療を行う．
- C型肝炎ウイルス（HCV）：静脈注射薬物使用者や，血液製剤による感染例で，重複感染が多い．HIV感染はHCV感染症の進行を早める．

②結核
- HIV感染によって，潜伏結核が活動性結核に進行するリスクは100倍増加する．
- 活動性結核がある場合は，直ちに治療を開始する必要がある．
- 抗結核療法開始後，早期のART開始は免疫再構築症候群を合併しやすく，抗結核薬による副作用の出現も多い．

③悪性腫瘍
- ARTによるウイルス抑制は，AIDSリンパ腫合併の生存期間を延長させたとされている．
- 抗HIV薬と化学療法の薬物相互作用に注意する．

6）予後

抗HIV療法が行われなかった場合，AIDS発症後から死亡に至るまでの期間は約２年程度であるとされている．ARTの導入によって長期生存が認められている．

図63-4　ARTによるHIV RNA量の変化

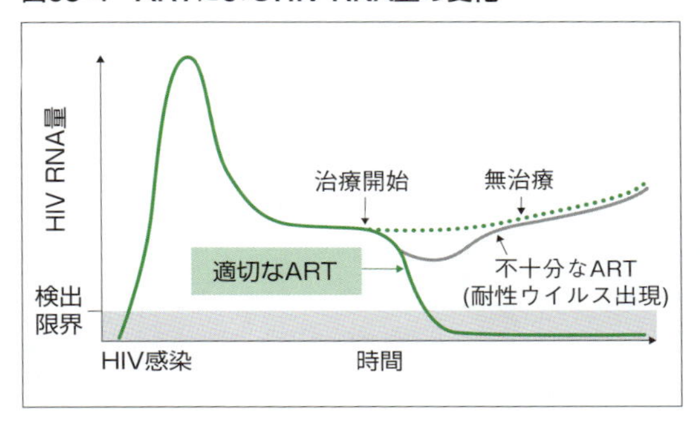

日本エイズ学会 HIV感染症治療委員会：HIV感染症「治療の手引き」. 第23版，p.10，2019.

表63-3　日本で承認されている抗HIV薬（2019年11月現在） アルファベット順（同系統薬内）

一般名	略号	製品名
INSTI		
ドルテグラビル	DTG	テビケイ
ラルテグラビル	RAL	アイセントレス
INSTI/NNRTI		
ドルテグラビル/ リルピビリン配合剤	DTG/RPV	ジャルカ配合錠
INSTI/NRTI		
ビクテグラビル/テノホビル アラフェナミドフマル酸塩/ エムトリシタビン配合剤	BIC/TAF/FTC	ビクタルビ配合錠
ドルテグラビルナトリウム/ アバカビル/ ラミブジン配合剤	DTG/ABC/3TC	トリーメク配合錠
エルビテグラビル/ コビシスタット/ テノホビル アラフェナミドフマル酸塩/ エムトリシタビン配合剤	EVG/COBI/ TAF/FTC	ゲンボイヤ配合錠

(続き)

エルビテグラビル/ コビシスタット/ テノホビル ジソプロ キシルフマル酸塩/ エムトリシタビン配合剤	EVG/COBI/ TDF/FTC	スタリビルド配合錠
PI		
アタザナビル	ATV	レイアタッツ
ダルナビル	DRV	プリジスタ プリジスタナイーブ錠
ダルナビル/ コビシスタット配合剤	DRV/COBI	プレジコビックス配合錠
ホスアンプレナビル	FPV	レクシヴァ
ロピナビル/ リトナビル配合剤	LPV/R	カレトラ配合錠
ネルフィナビル	NFV	ビラセプト
リトナビル	RTV	ノービア
PI/NRTI		
ダルナビル/コビシスタット/ エムトリシタビン/テノホビル アラフェナミドフマル酸塩配合剤	DRV/COBI/ FTC/TAF	シムツーザ配合錠
NNRTI		
エファビレンツ	EFV	ストックリン
エトラビリン	ETR	インテレンス
ネビラピン	NVP	ビラミューン
リルピビリン	RPV	エジュラント
NNRTI/NRTI		
リルピビリン/テノホビル アラフェナミドフマル酸塩/ エムトリシタビン配合剤	RPV/TAF/FTC	オデフシィ配合錠
リルピビリン/ テノホビル/ エムトリシタビン配合剤	RPV/TDF/FTC	コムプレラ配合錠
NRTI		
ラミブジン	3TC	エピビル
アバカビル	ABC	ザイアジェン
アバカビル/ ラミブジン配合剤	ABC/3TC	エプジコム配合錠
ジドブジン	AZT(ZDV)	レトロビル
ジドブジン/ ラミブジン配合剤	AZT/3TC	コンビビル
エムトリシタビン	FTC	エムトリバ
テノホビル アラフェナミドフマル酸塩/ エムトリシタビン配合剤	TAF/FTC	デシコビ配合錠
テノホビル	TDF	ビリアード
テノホビル ジソプロキシルフマル酸塩/ エムトリシタビン配合剤	TDF/FTC	ツルバダ配合錠
侵入阻害薬(CCR5阻害薬)		
マラビロク	MVC	シーエルセントリ*

*本剤の適応はCCR5指向性HIV-1感染症であり，選択にあたっては指向性検査を実施すること．

日本エイズ学会 HIV感染症治療委員会：HIV感染症「治療の手引き」．第23版，p.14，2019.

2. 看護過程の展開

• アセスメント～ゴードンの機能的健康パターンを用いて

パターン	アセスメントの視点	根拠	収集する情報
(1) 健康知覚-健康管理 患者背景 健康知覚-健康管理 価値-信念	●HIV感染症，AIDSに対する認識，理解はどの程度か ●セルフケアはできているか	●HIV感染症の告知を受けた患者は，AIDS発症に対する不安，恐怖，予後への悲嘆を抱きやすい．早期に治療を開始し，継続することでAIDSの発症を遅らせることができる． ●ARTの効果は，内服継続が鍵となる．内服アドヒアランスが低下する理由として，ライフスタイルの変化，副作用による苦痛，経済的理由など，患者によってさまざまである． ●無症候期などの症状がない場合には，内服アドヒアランスの低下をきたす可能性がある．	●疾患の理解 ●感染経路 ●ほかの感染症の有無 ●自覚症状 ●告知内容 ●社会資源の活用状況 ●内服管理状況 ●生活リズム
(2) 栄養-代謝 全身状態 栄養-代謝 排泄	●HIV感染症による症状があるか ●CD4陽性Tリンパ球数，血中ウイルス量(HIV RNA)はどうか ●アルコール，薬剤などの依存歴はあるか ●生活習慣病の合併はないか	●CD4陽性Tリンパ球数は感染症に対する免疫力を表し，血中ウイルス量は治療効果を反映する重要なデータとなるため，患者自身の理解を促し，セルフケアへとつなげることが必要である． ●HIV感染症患者は，違法薬物やアルコールなどの物質依存を有していることが多い．思考の低下をきたし，内服アドヒアランスにも影響する． ●抗HIV薬の副作用などから脂質代謝異常をきたしやすく，生活習慣病の合併が多い．	●二次感染症の有無 ●アルコール依存の有無 ●消耗性疲労の有無 ●性感染症の合併の有無 ●体重減少の有無 ●服薬状況 ●肝機能 ●脂質代謝の有無 ●身長，体重 ●食生活 ●血糖値
(3) 排泄 全身状態 栄養-代謝 排泄	●排泄パターンに変化はあるか	●悪性腫瘍合併や抗HIV副作用から，排泄の変化が生じる可能性がある． ●また，ストレス，不安などから，排便パターンに影響を及ぼす可能性がある． ●抗HIV薬の副作用として，悪心，嘔吐，腹痛が出現するものがある．	●薬物依存の有無 ●悪性腫瘍合併の有無 ●服薬状況 ●抗HIV薬の副作用の有無 ●便秘，下痢の有無
(4) 活動-運動 活動・休息 活動-運動 睡眠-休息	●ADLの変化はあるか ●日和見感染症の有無，感染症に伴う症状があるか ●転倒のリスクにつながる神経系の合併症はないか ●倦怠感はないか	●日和見感染症を合併すると，呼吸機能などの全身状態に影響を及ぼす．ADLの変化から，合併症の早期発見へとつながる． ●ART開始後，免疫機能は回復するが，それまでは日和見感染症を合併するリスクが高い． ●神経系の合併症によって，歩行状態の変化や視力，視野障害をきたし，転倒リスクが高くなる可能性がある． ●日和見感染症や悪性腫瘍などの合併症を有する場合，倦怠感が出現する．	●ADLの変化 ●呼吸器症状の有無 ●消化器症状の有無 ●皮膚，粘膜症状の有無 ●神経症状の有無 ●眼症状の有無 ●歩行状態 ●転倒リスク変化
(5) 睡眠-休息 活動・休息 活動-運動 睡眠-休息	●夜間睡眠はとれているか	●HIV感染症患者の30～40%に睡眠障害が生じる．告知直後の衝撃，パートナーや家族への告知を巡るストレス，社会生活での偏見への恐れなどから，十分な休息がとれない可能性がある．	●夜間の睡眠状況 ●日中の活動状況 ●内服の有無 ●呼吸状態の変化 ●不安，ストレスの有無 ●倦怠感の有無 ●セルフケア行動の変化

パターン	アセスメントの視点	根拠	収集する情報
(6) 認知-知覚 知覚・認知 認知-知覚 自己知覚-自己概念 コーピング-ストレス耐性	●合併症による視力，視野の変化を生じていないか ●認知力の低下はないか	●HIV感染症患者は，サイトメガロウイルス感染症を合併しやすく，サイトメガロウイルス網膜炎を起こすと視力障害を生じる． ●HIV感染症患者が精神疾患を有する割合は約30%であり，一般人の約5倍である．また，HIV関連神経認知障害を合併する場合もある．	●視力低下，視野障害の有無 ●現病歴 ●病状の経過 ●治療の経過 ●内服状況 ●薬剤アドヒアランス ●自尊感情の変化 ●認知機能の変化 ●コミュニケーション能力 ●呂律不良の有無
(7) 自己知覚-自己概念 知覚・認知 認知-知覚 自己知覚-自己概念 コーピング-ストレス耐性	●HIV感染者となった自分をどのように受け止めているか ●自己評価，自尊感情はどうなっているか	●HIV感染症患者は，社会的孤立を生じやすい．また，青年期のHIV感染症患者は，自己肯定感が低いといわれている．	●感染経路 ●人間関係の変化 ●自尊感情の変化 ●性的志向 ●ボディイメージの変容 ●病名告知の有無，内容 ●通学，就業状況
(8) 役割-関係 周囲の認識・支援体制 役割-関係 セクシュアリティ-生殖	●社会資源の申請，活用はできているか ●社会的役割の変化はあるか ●家族やパートナー，周囲の人々の疾患理解や協力体制はどうか	●HIV感染症患者は，生涯にわたって内服，通院の必要があり，治療に伴う経済的な負担も大きい．経済的な負担から，外来受診の中断や服薬アドヒアランスの低下を生じることがある．継続した療養生活を送るために，社会福祉制度の活用が必要である． ●社会的役割の変化や喪失を生じることがある． ●感染予防や出血時の対応などの，必要とされるセルフケア行動が多いため，患者だけではなく，家族も知識を必要とする． ●HIV感染症の告知を受けた家族，パートナーも，患者と同様の衝撃を受ける．打ち明けられた負担や悩み，困惑などを抱える可能性がある．患者の支援者として存在できるようにすることが必要である．	●家族構成 ●職業，学業 ●就業状況 ●社会的役割 ●経済力 ●パートナーの有無 ●パートナーとの関係性 ●専門職（ソーシャルワーカー，カウンセラー）などの活用の有無
(9) セクシュアリティ-生殖 周囲の認識・支援体制 役割-関係 セクシュアリティ-生殖	●パートナーとの関係性に変化はあるか ●挙児の希望はあるか	●HIV感染症が明らかになることで，パートナーとの関係性が悪化することもある． ●挙児を希望する際に，非感染者がパートナーの場合には人工授精が必要となる．	●パートナーの有無 ●性自認 ●性志向 ●生物学的性と性自認，性志向の捉え方 ●性行為 ●パートナーの感染症の有無 ●分娩後の母乳管理

パターン	アセスメントの視点	根拠	収集する情報
（10） コーピング-ストレス耐性 知覚・認知 認知-知覚 自己知覚-自己概念 コーピング-ストレス耐性	●ストレス対処行動はどうか ●物質依存はないか	●HIV感染症患者のうつ病の合併は多い．告知による衝撃や孤独感から，衝動的な性行動や薬物，アルコールなどの物質依存となる可能性がある．また，HIV感染症が明らかになることで，パートナーからの暴力を受ける場合や孤独感を強める可能性がある．	●告知状況 ●受け止め方 ●服薬状況 ●外来通院状況 ●怒り ●生活リズムの変化 ●薬物，アルコール，危険な性行動の有無 ●NGO，NPO参加希望
（11） 価値-信念 患者背景 健康知覚-健康管理 価値-信念	●患者の望む生き方はどのようなものか ●ライフスタイルの変化はないか	●一生涯にわたって服薬が必要となる．治療について十分な説明が行われ，同意のもとで治療を開始することで，アドヒアランスの向上につながる． ●ART導入後，長期生存が望めるようになった一方で，高齢HIV感染症，AIDS患者の増加が課題となっている．また，AIDS発症から約80%が2年以内に死亡する．	●インフォームド・コンセント（IC）状況 ●治療内容に対する理解度 ●性的志向 ●信仰する宗教 ●家族，友人，パートナー，支援者の有無 ●カウンセリングの有無

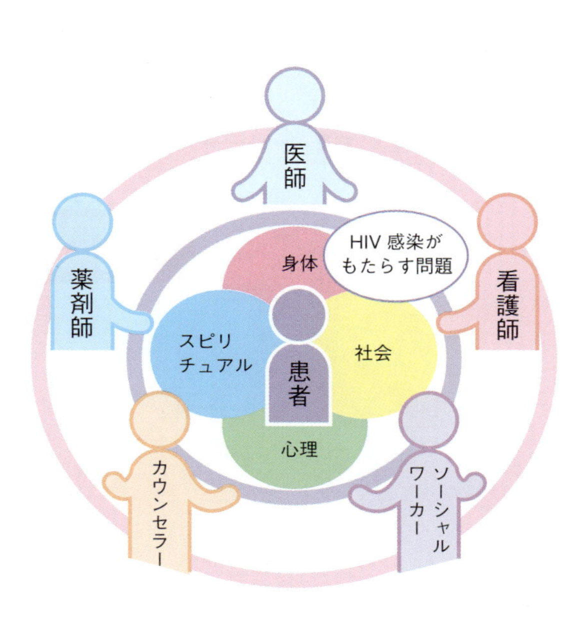

3. 全体像の把握から看護問題を抽出

1）病態関連図

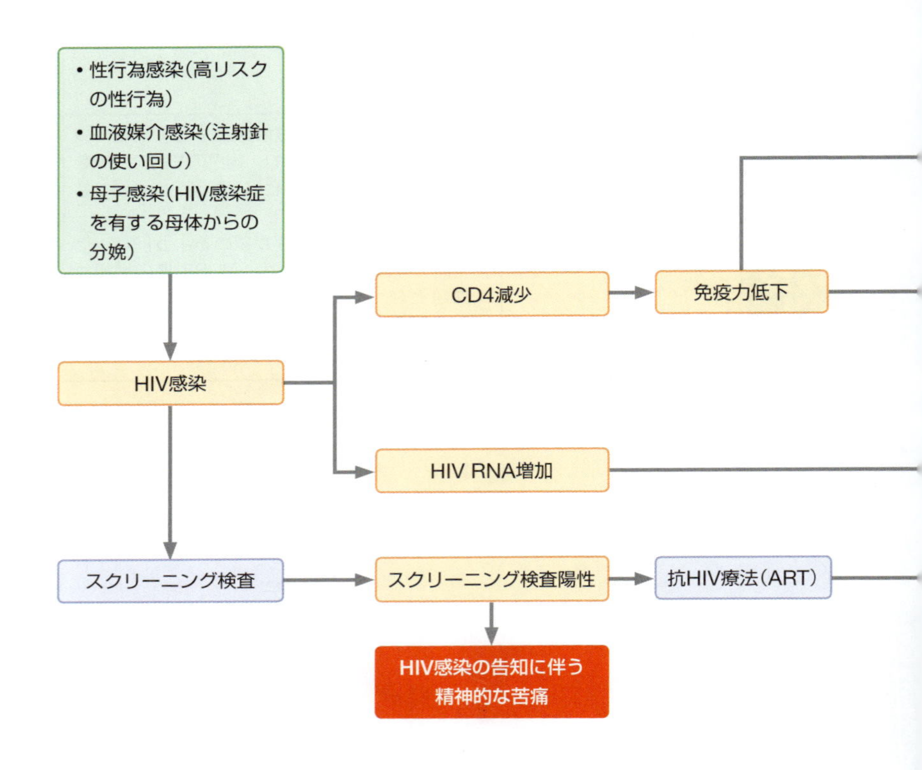

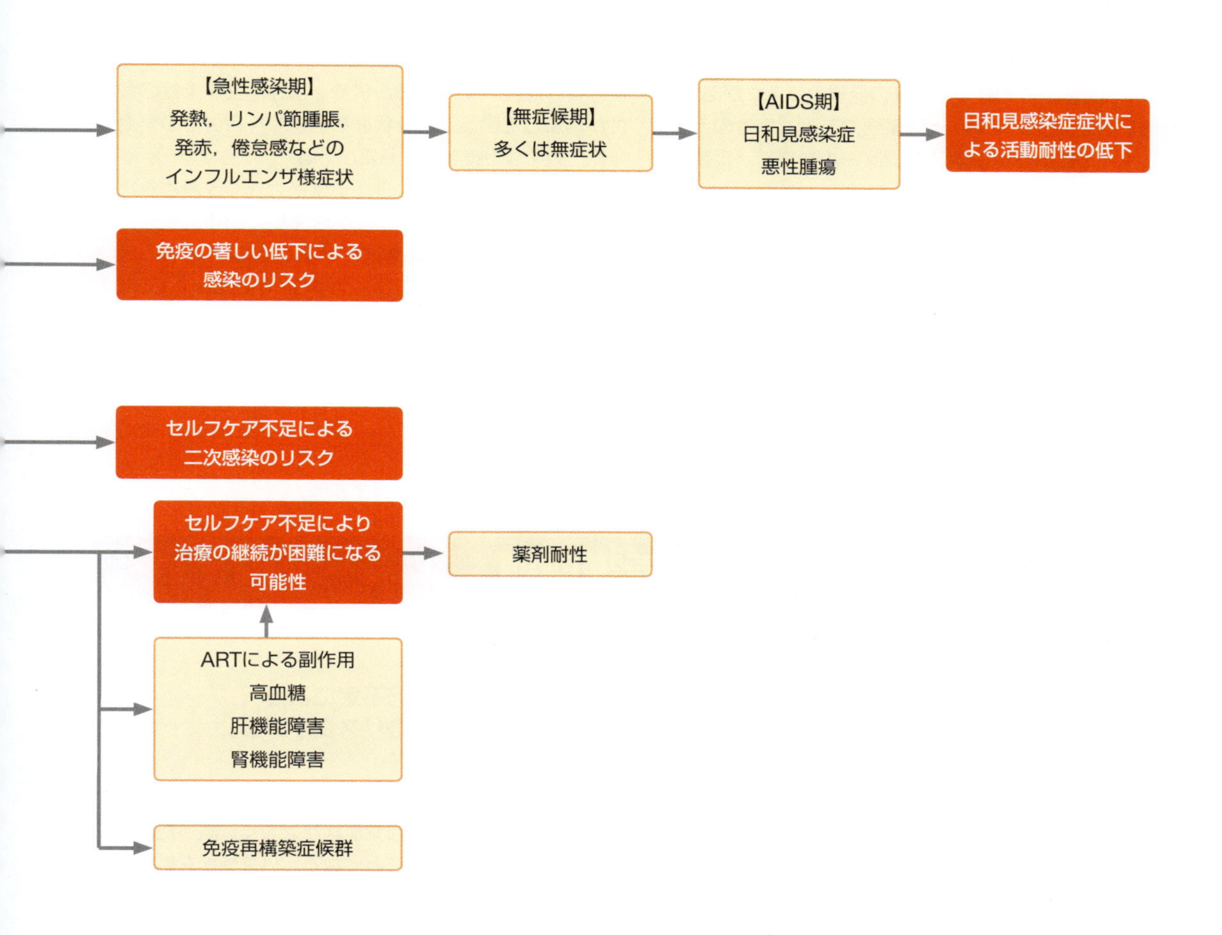
【急性感染期】
発熱，リンパ節腫脹，
発赤，倦怠感などの
インフルエンザ様症状
【無症候期】
多くは無症状
【AIDS期】
日和見感染症
悪性腫瘍
日和見感染症症状に
よる活動耐性の低下
免疫の著しい低下による
感染のリスク
セルフケア不足による
二次感染のリスク
セルフケア不足により
治療の継続が困難になる
可能性
薬剤耐性
ARTによる副作用
高血糖
肝機能障害
腎機能障害
免疫再構築症候群

2）看護の方向性

HIV感染症は，世界的には減少してきているが，日本においては患者数は横ばいであり，とくに都心部周辺や若者の罹患率が高い．告知は守秘義務を順守し，患者のプライバシーを保護する姿勢が重要である．また，結果が陰性であっても，過去の性行為が安全である証明ではない．そして，HIV感染症＝AIDSとの間違った理解がある可能性もあり，違いについての教育が必要である．

HIV陽性であった場合は，早期にARTを開始することが望ましいとされており，内服は一生にわたって継続する必要がある．一時的であったとしても，内服忘れや中断によって耐性ウイルスの発現のリスクがあり，服薬アドヒアランスの向上は重要である．患者のライフスタイルにあった服薬スケジュールを立て，継続できることを優先する．

HIV感染症患者は，社会の偏見，差別意識などから，抑うつ，薬剤，アルコール依存の割合が高く，これらが服薬アドヒアランスの低下につながる．そのため，心理社会的な支援が必要となる．また，服薬アドヒアランスを低下させる要因の１つとして，経済的負担がある．社会福祉制度を活用し，継続した外来受診や服薬ができるよう多職種連携を行っていく．

HIV感染症患者は，他者への感染を重要視する傾向にあるが，患者自身が免疫機能の低下をきたしており，感染リスクを低減させるための教育も必要となる．

AIDS期になると，進行した免疫不全状態となるため，服薬アドヒアランスを維持し，CD4陽性Tリンパ球の減少を予防する．また，HIV感染症患者は他者への感染を気にする傾向にあるため，自身の感染予防に関するセルフケアの支援が必要である．さらに，HIV感染症患者は肝炎ウイルスの合併や，現在，性感染症の合併が増加している．全身状態を把握し，合併症の早期発見，適切な治療を行う必要がある．

現在，治療の進歩により，予後が大きく改善された一方で，高齢HIV感染症患者が増加している．終末期の意思決定支援，地域連携が今後の課題である．患者がどのように生きていくかACP（Advance Care Planning）を行う．

3）患者・家族の目標

セルフケアを継続し，ウイルス量が検出限界以下の状態を保つことができる．

4. しばしば取り上げられる看護問題

◆1 セルフケア不足によって治療継続困難となる可能性

なぜ？

HIV感染症は慢性疾患であり，HIV感染症の治療は，服薬を継続できることが重要となる．しかし，HIV感染症患者は，精神疾患の合併や認知機能の低下をきたしやすい．また，疾患やセクシュアリティに対する偏見も少なくなく，社会的孤立が生じやすい．さらに，生涯内服をしていかなければならない苦痛や副作用などから，服薬アドヒアランスの低下をまねく．服薬を中断することにより，ウイルス量の増加をきたす恐れがあり，AIDSへの移行を早めることになる．

➡期待される結果

服薬アドヒアランスが保たれる．

◆2 セルフケア不足による二次感染のリスクがある

なぜ？

とくに無症候期には自覚症状が乏しく，誤った認識によって感染を拡大することになる．外来受診を継続することや，セーファーセックスなどを含めたセルフケアにより，他者へのHIV感染拡大を予防できる．アドヒアランスの維持をはかるため，医学的側面のみならず心理社会学的側面も含めた総合的なケアが必要である．

一方で，過剰な感染予防行動をとることでストレスを強め，結果として服薬中断，ウイルス量の増加をきたすリスクがあるため，継続した二次感染予防ができるよう支援が必要である．

HIV感染患者数は横ばいであり，感染原因の８割は性行為によるものである．正しい知識をもち，感染拡大を防ぐことが重要である．

➡ 期待される結果

他者への感染予防行動をとることができる．

免疫機能の著しい低下による感染のリスクがある

なぜ？

HIVに感染すると，CD4陽性Tリンパ球の減少が生じ，免疫機能が著しく低下する．無症候期には症状は認めないが，HIVは活発に増殖し，CD4陽性Tリンパ球は減少し続ける．AIDS期になると，進行した免疫不全状態となる．

HIV感染症患者は，他者への感染を気にする傾向にあるため，自身の感染予防に関するセルフケアの支援が必要である．

➡ 期待される結果

感染予防を実施し，合併症の予防ができる．

HIV感染の告知に伴う精神的苦痛

なぜ？

HIV感染症＝AIDSのイメージをもつものも多く，疾患や性的志向に対する偏見も存在する．HIV感染症の診断を受けることにより大きな衝撃を受け，さらに不安や恐怖を，家族やパートナー，友人，同僚，上司に相談できず，孤独感を強めていく可能性がある．うつ病の合併や自己肯定感の低下など精神的な苦痛が増大することによって，生活リズムの変調や物質依存状態となり，良好な治療が継続できないリスクもある．

パートナー，家族，同僚，上司などと良好な関係を形成することや，医療者や社会的資源などとのつながりによって，患者の精神的苦痛の緩和につながると考える．患者の状態によって優先度を変更する．

➡ 期待される結果

精神的苦痛が軽減し，治療が継続できる．

◆5 日和見感染症症状による活動耐性の低下

なぜ？

CD4陽性T細胞リンパ球が200μLを下回ると，日和見感染症を合併しやすくなる．重篤な状態へと移行する場合がある．

➡ 期待される結果

日和見感染症の早期発見，適切な治療が受けられる．

5. 看護計画の立案

• O-P：Observation Plan（観察計画）　• T-P：Treatment Plan（治療計画）
• E-P：Education Plan（教育・指導計画）

◆1 セルフケア不足によって治療継続困難となる可能性

	具体策	根拠と注意点
O-P	(1)血液検査データ（HIV RNA，CD4陽性リンパ球）	●HIV RNA，CD4陽性リンパ球数は，HIV感染症のコントロール状況を反映する．患者が把握することで，治療効果を理解することにつながる．
	(2)患者の理解力	●HIV感染症は，認知力の低下や精神疾患の合併をきたす．服薬について患者が理解しているか確認する必要がある．
	(3)内服状況（方法，時間，副作用の有無） ・内服薬の残数	●ART継続ができない要因の１つとして，薬剤の副作用がある．処方通りの時間・方法で服用できているか，副作用の出現はないか確認をする．また，無症候期には自覚症状が乏しいことから，服薬を中断する恐れがある．
	(4)嚥下，食事摂取状況 (5)睡眠状況	●薬剤によって食事との相互作用がある．食事摂取状況に変化がある場合には，医師や薬剤師と情報を共有する．

	具体策	根拠と注意点
O-P	(6)心理的変化 ・患者の表情，顔色 (7)パートナーの有無 (8)性行為 (9)日和見感染症症状の有無 (10)家族の協力体制 (11)定期受診の状況 (12)経済的負担の有無	●精神的苦痛により，服薬の中断や日常生活のリズムが崩れる恐れがある．
T-P	(1)プライバシーが確保できる場所でコミュニケーションをとる	●薬剤の情報は，インターネットなどですぐに調べることができる．薬剤の名称，外包などの情報を含め，患者のプライバシーが確保できる環境を整える．
	(2)多職種との連絡調整を行う	●服薬アドヒアランスを低下させる要因はさまざまである．メディカルソーシャルワーカー(MSW)による社会資源の活用や，精神科，カウンセラーによる精神的支援，薬剤師による服薬指導，栄養士による食事指導など，看護師は専門職とのコーディネートの役割を発揮する．
	(3)服薬が継続できる方法を患者とともに検討する	●患者が自ら考えて継続できる方法を検討する．
E-P	(1)HIV感染症および性感染症についての教育 (2)服薬についての教育	●薬剤師からの指導を受けられるよう調整する． ●抗HIV薬と，アルコール，サプリメントなどを併用すると血中濃度が変動する． ●薬剤によって食事との相互作用が生じるものがある．
	(3)安全な性交についての教育 (4)感染予防策についての教育	●HIV感染症患者は，他者への二次感染を気にする傾向にある．自身の感染予防を行い，合併症発症を予防をすることで，服薬アドヒアランスを維持する意欲につなげる．
	(5)栄養指導，生活指導	●十分な睡眠，休息や，バランスのとれた食生活によって，免疫機能の低下を予防する．飲酒による判断力の低下がないよう，適度な飲酒を指導する．また，生活リズムが崩れることによって，服薬継続に影響が及ぶことを指導する．

2 セルフケア不足による二次感染のリスクがある

	具体策	根拠と注意点
O-P	(1)血液検査データ(HIV RNA量，CD4陽性リンパ球) (2)患者の理解力 (3)内服状況 (4)薬物の副作用の有無 (5)嚥下，食事摂取状況 (6)日和見感染症の有無 (7)パートナーの有無	●HIV RNA量は感染リスク，CD4陽性リンパ球は現在の免疫力の指標となる． ●服薬初期には，消化器症状，アレルギー症状，中枢神経症状などが生じやすい． ●服薬を正しく継続することによって，HIV RNA量を検出限界以下に保つことにつながる．ウイルス量が減ることにより，二次感染のリスクも減少させることにつながる． ●また，内服忘れによるウイルス量の増加や耐性ウイルスの発現などの可能性がある．
	(8)パートナーへの病名告知状況 (9)パートナーのHIV抗体検査の実施状況 (10)生活リズム (11)性行為 (12)患者の表情，顔色 (13)家族の協力体制	●HIV感染症が明らかになる前に濃厚接触をしている可能性があり，病名告知をすることで，早期の検査，感染症拡大予防につながる．

	具体策	根拠と注意点
T-P	**(1)プライバシーが確保できる場所でコミュニケーションをとる**	●疾患に対する誤った情報や偏見がある社会背景であり，患者情報の漏洩に注意する．また，落ち着いた環境でコミュニケーションをとることで信頼関係の構築につながる．
	(2)医療従事者は標準予防策を実施 **(3)ライフスタイルに合わせた内服薬の提案**	●医療従事者が過度な感染予防を行うことで，患者の精神的苦痛につながる．HIVウイルスは感染力は弱く，過剰な感染予防は不要である．
	(4)内服忘れのないように対策を検討する	●一生服薬を継続することは，患者にとって大きな負担であることを理解する．服薬を継続できるための対策をともに考える姿勢で臨む．
E-P	**(1)HIV感染症および性感染症についての教育**	●HIV感染症患者は，性感染症の合併が多く，感染拡大も課題となっている．
	(2)安全な性交についての教育	●患者との信頼関係を築き，指導を行う． ●ウイルス量を検出限界以下でコントロールすること，コンドームを使用することを指導する．オーラルセックスにおいても，感染リスクがあることを説明する．また，HIV感染症患者同士においても，新たな感染リスクがあることを説明する．
	(3)日常生活における教育 ・日用品の取り扱い ・血液，体液，分泌物の付着したものの処理方法	●歯ブラシ，カミソリの共有はしない． ●血液，体液，分泌物が付着したティッシュペーパーや生理用品は，ビニール袋に密閉して捨てる． ●衣服に血液が付着した場合は，家庭用漂白剤で消毒後に洗濯する．
	・出血時の注意 ・受診時の注意	●歯科やワクチン接種など，出血を伴う際に，かかりつけ医以外の受診をする場合には感染を伝える．
	・ワクチン接種 ・献血禁止	●予防接種は，予防につながる一方で，免疫力が低下している場合はワクチン自体が感染を引き起こす可能性があるため，生ワクチンは実施しない． ●インフルエンザワクチンは，流行2か月前に主治医に相談する．肝炎，肺炎球菌感染症の予防接種は受けておくことが望ましい．
	・妊娠，出産	●妊娠，出産を希望する場合には専門医に相談をする． ●母子感染のリスクがあるが，適切な対応によって感染リスクを減少させることが可能であるため．
	(4)社会資源の活用について	●高額な医療費負担によって，外来受診の中断や服薬を中断する患者もいるため，必要に応じて支援が受けられるよう情報を提供する．

引用・参考文献

1) 令和元年度厚生労働行政推進調査事業費補助金エイズ対策政策研究事業 HIV感染症及びその合併症の課題を克服する研究班：抗HIV治療ガイドライン．2020． https://www.haart-support.jp/pdf/guideline2020.pdf より2020年８月25日検索
2) 日本エイズ学会 HIV感染症治療委員会：HIV感染症「治療の手引き」．第23版，2019． http://www.hivjp.org/guidebook/hiv_23r.pdf より2020年８月25日検索
3) 北海道大学病院HIV診療支援センター：HIV感染症診断・治療・看護マニュアル．改訂第11版，2018． https://www.hok-hiv.com/for-medic/download/manual.html より2020年８月25日検索

第12章　皮膚疾患患者の看護過程

熱傷

1. 疾患の基礎的知識

1）疾患の概念

熱傷とは，「熱による皮膚障害および生体の変化」である．

熱傷は大きく，体表熱傷と気道熱傷に分けられる．体表熱傷は，原因から温熱熱傷，化学熱傷，放射線熱傷，電撃傷・雷撃傷に分けられる．また，気道熱傷は，「火災や爆発の際に生じる煙や有毒ガス，高温水蒸気などを吸入することによって惹起される種々の呼吸器障害の総称」と定義されており，気道熱傷は部位によって，上気道型と下気道・肺実質型に分けられる（**表64-1**）．

2）原因

体表熱傷のうち，温熱熱傷は，火焔，熱湯や高温の油，高熱の金属，ストーブなどの暖房器具への接触によって生じる．湯たんぽや電気あんかなど，身体に心地よいという比較的低い温度（44～50℃）でも，長時間同一部位が接触していると熱傷を生じる（低温熱傷）．化学熱傷は，酸やアルカリ溶液などの化学薬品への接触，放射線熱傷は放射線への曝露，電撃傷は高圧電線への接触，雷撃傷は被雷による．気道熱傷は，熱風，水蒸気，刺激性ガス，煙などを吸い込むことによって生じる（**表64-1**）．

表64-1　熱傷の種類

分類			原因
体表熱傷	温熱熱傷	火焔熱傷	火焔
		高温液体熱傷	熱湯
		高温固体熱傷	金属
		低温熱傷	湯たんぽ，電気あんか，ストーブなど
	その他	化学熱傷	化学薬品など
		放射線損傷	放射線
		電撃傷・雷撃傷	高圧電線，落雷
気道熱傷	上気道型		熱風
	下気道・肺実質型		水蒸気，煙，刺激性ガス

表64-2　熱傷の深達度

分類	状態	症状
Ⅰ度熱傷 EB：epidermal burn	障害が表皮に限局	発赤，腫脹，知覚過敏，ヒリヒリとした疼痛
浅達性Ⅱ度熱傷 SDB：superficial dermal burn	障害が真皮浅層に及ぶ	激しい疼痛 水疱形成，水疱底の真皮は赤色
深達性Ⅱ度熱傷 DDB：deep dermal burn	障害が真皮深層まで及ぶ	水疱形成，水疱の剥離 水泡底の真皮の色調は白色貧血様またはびらん状
Ⅲ度熱傷 DB：deep burn	真皮全層，皮下組織の障害	皮膚の色調は白黄色または褐色羊皮様，炭化 知覚神経は損傷し，ピンプリックテスト(－)

3）病態と臨床症状

（1）局所症状

熱源への接触によって，皮膚に変化が生じる．皮膚の状態から，熱傷の深達度は**表64-2**のように分類される．熱源に触れると，プロスタグランジンが分泌されて血管が拡張し，血液量が増加して発赤する．熱源の温度が高い場合や，長時間にわたる熱源への接触により，中心部の細胞は凝固壊死を起こす．その周囲は細胞障害によって血流量が低下し，24～48時間以降に凝固壊死を起こすこともある．そのため，深達度は受傷後に進行する．化学熱傷の場合は，洗浄しても皮膚の内部に浸透した薬物が不活化するまで進行する．

Ⅰ度熱傷は，障害が上皮に限局し，痕を残さずに数日間で治癒する．浅達性Ⅱ度熱傷は，障害が真皮表層に達するもので，水疱を形成し，１～２週間で治癒する．深達性Ⅱ度熱傷は，障害が真皮深層まで達し，水疱が破れてびらんとなることもある．治癒までに３～４週間を要し，瘢痕を残すことが多い．Ⅲ度熱傷は，障害が真皮全層から皮下組織まで及び，知覚神経も損傷するため，疼痛を感じることがない．自然治癒することはなく，植皮をしないと瘢痕を形成する（**表64-2**）．

（2）全身症状

①受傷直後～48時間（ショック期）

・循環器系への影響

Ⅱ度熱傷で熱傷部位が広範囲に及ぶと，熱傷部から血漿成分が体外へ漏出して低アルブミン血症となり，膠質浸透圧が低下する．また，内皮細胞の損傷によって血管透過性が亢進し，血漿成分が血管外へ漏出する．これらにより，非熱傷部は浮腫を生じるとともに，循環血液量が減少してショックとなる．その結果，腎血流量が減少し，腎機能が低下する．熱傷面積が40%の場合，浮腫のピークは12時間といわれている．熱による溶血でのヘモグロビン尿や，組織の崩壊によるミオグロビン尿によって尿細管が閉塞すると，尿細管の壊死を起こし，これらによって急性腎不全を生じることがある．

・呼吸器系への影響

口のなかや喀出された痰に煤（すす）が含まれている，鼻毛の先端が焦げている，顔面に熱傷がある，といった場合は，気道熱傷の存在が疑われる．熱風の吸入で咽頭・喉頭に浮腫が生じて気道が閉塞すると，換気障害を生じる．体幹部の全周性の熱傷で，浮腫や壊死によって胸郭運動が制限されると，拘束性の換気障害を生じる．水蒸気，煙，ガスなどを吸入すると，気管や気管支が損傷し，粘膜の脱落物質や気道分泌物によって無気肺や肺炎を生じる．また，肺胞の炎症により，肺胞隔壁の透過性が亢進し，肺

図64-1　熱傷面積の判定法

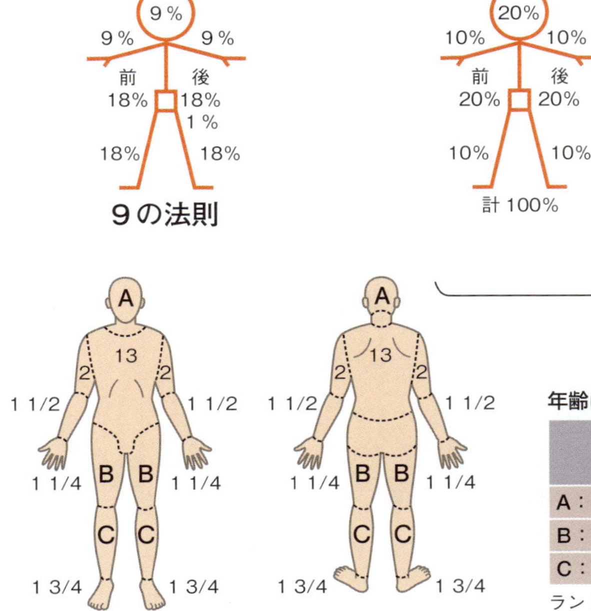

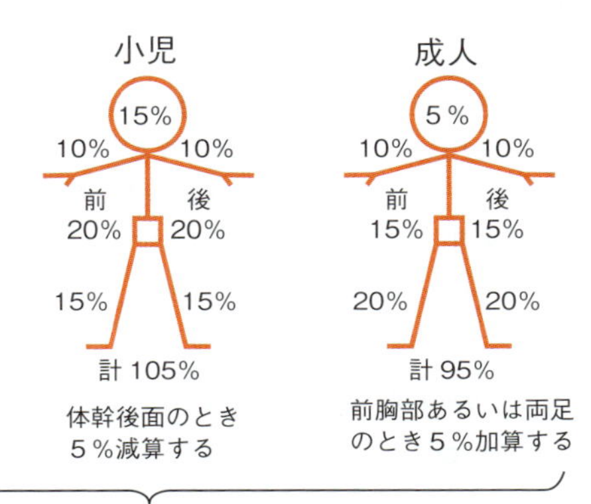

年齢による広さの換算

分　類	年齢					
	0歳	1歳	5歳	10歳	15歳	成人
A：頭部の1/2	9 1/2	8 1/2	6 1/2	5 1/2	4 1/2	3 1/2
B：大腿部の1/2	2 3/4	3 1/4	4	4 1/4	4 1/2	4 3/4
C：下腿部の1/2	2 1/2	2 1/2	2 3/4	3	3 1/4	3 1/2

ランド・ブラウダーの図表

水腫を生じることもある．これらにより，急性呼吸窮迫症候群（ARDS：acute respiratory distress syndrome）となることもある．煙やガスの吸入によって，一酸化炭素中毒となることが多い．

・四肢・体幹への影響

四肢に全周性のⅢ度熱傷を負った場合は，皮膚が瘡皮化し，深達性Ⅱ度熱傷でも皮下組織の浮腫によって，末梢部の血行障害を生じることがある．

②受傷後48～72時間（ショック離脱期またはリフィリング期）

受傷後48～72時間すると，血管透過性が消退し，血管外に移動していた体液が血管内に移動して細胞外液が増加する．それにより，心拍出量が増加して尿量も増加する．循環血液量が過剰となって心肺に負荷がかかると，心不全や肺水腫を生じることがある．

③受傷後３日以降（感染期）

広範囲熱傷の場合は，侵襲によって免疫能の低下，高血糖状態の持続などにより，日和見感染を起こしやすくなる．創部の感染だけでなく，膀胱留置カテーテルや輸液のラインなどからの感染の危険性もあり，その結果として敗血症，敗血症性ショックを生じることもある．

4）検査・診断

熱傷部に対しては，肉眼で熱傷の深度と範囲を判断する．受傷後に深達度が進行するため，正確な深達度の判定には５～７日を要する．また，化学熱傷の場合は，皮膚色の変化が伴うため，色調による深達度の判定が困難となる．熱傷の深度の正確な診断のためには，レーザー・ドップラー血流計測法やビデオマイクロスコープの併用がすすめられている．

全身熱傷の範囲の判断は，一般に，９の法則，５の法則，ランド・ブラウダー（Lund-Browder）の法則で行う（**図64-1**）．局所的な熱傷範囲の推定には，手掌法を用いる．手掌法では，指先までを含む手掌１つの広さで熱傷面積１％とする．その人の身体の，全表面積（熱傷体表面積）の15～20％以上が，広範囲熱傷とされる．

熱傷の重症度は，熱傷指数（Burn Index）で判定する．BI＝［Ⅲ度熱傷面積＋1/2Ⅱ度熱傷面積］で算出する．指数10～15以上が重症熱傷と診断される．熱傷の部位，範囲，深度によって，重症度と治療施設を分類するArtzの基準（**表64-3**）がある．

気道熱傷に対しては，喉頭ファイバースコープで確定診断を行う．気道熱傷による呼吸障害が疑われる場合は，胸部単純X線を実施し，動脈血酸素分析によって酸素化の評価を行う．

表64-3　Artzの基準（Artz,1957）

分類	評価基準
重症熱傷（専門施設で入院加療を要するもの）	Ⅱ度30％ TBSA以上のもの
	Ⅲ度10％ TBSA以上のもの
	顔面，手，足のⅢ度熱傷
	気道熱傷の合併
	軟部組織の損傷や骨折の合併
	電撃症
中等度熱傷（一般病院で入院加療を要するもの）	Ⅱ度15～30％ TBSAのもの
	Ⅲ度２％～10％ TBSA以下のもの（顔，手，足を除く）
軽度熱傷（外来通院で治療可能なもの）	Ⅱ度15％ TBSA以下のもの
	Ⅲ度２％ TBSA以下のもの

TBSA（熱傷面積）：Total body surface area

表64-4　必要エネルギー量の算出

●必要エネルギー量＝基礎エネルギー量（Harris-Benedictの式）×活動係数×ストレス係数

男性基礎エネルギー量：66.47＋［13.75×体重（kg）］＋［5.0×身長（cm）］－（6.76×年齢）

女性基礎エネルギー量：665.1＋［9.56×体重（kg）］＋［1.85×身長（cm）］－（4.68×年齢）

＜活動係数＞	
寝たきり	1.0～1.1
ベッド上安静	1.2
歩行可能	1.3

＜ストレス係数＞	
体表面積0～20％の熱傷	1.0～1.5
体表面積20～40％の熱傷	1.5～1.85
体表面積40～100％の熱傷	1.85～2.05
発熱	36℃から１℃上昇するごとに0.2増加

5）治療

(1)中等症以上の体表熱傷・気道熱傷

①全身の管理

・輸液の管理

成人では熱傷面積15%以上，小児では10%以上の患者で，輸液が必要となる．ショック期には，熱傷部からの体液の消失と，血管外への水の移動による循環血液量の低下に対し，補充療法として等張電解質輸液を行い，血圧を維持して主要臓器への血流を維持する．低アルブミン血症や膠質浸透圧低下によって，呼吸・循環に影響がある場合は，コロイドが併用される．また，喪失する細胞外液，電解質の補充のために，高張乳酸食塩水（HLS）が用いられることがある．一方で，過剰な輸液は，浮腫の増強，心不全，肺水腫などを引き起こすため，初期輸液はParkland法（Baxter法ともいう）によって輸液量を決定する．受傷後24時間の総輸液量＝４mL×TBSA（%）×体重（kg）であり，受傷初期８時間に総輸液量の50%を投与し，次の16時間に残り50%を投与する．輸液の注入速度は，尿量を指標とする．成人は0.5mL/kg/時または30～50mL/時，小児は１～２mL/kg/時以上に尿量を維持するように，注入速度を調整する．

・呼吸管理

気道熱傷がある場合や，顔面・頸部に熱傷がある場合は，気道閉塞の危険性に対し，予防的に気管挿管を行う．呼吸障害に対して，人工呼吸管理を行う．

・栄養の管理

具体的には，成人でⅡ度熱傷15%以上またはⅢ度熱傷10%以上，年齢70歳以上，５歳以下の入院症例，気道熱傷，耐糖能障害がある，熱傷疼痛がある，侵襲熱による食欲減退がある，熱傷による臓器の機能低下がある，といった場合は，積極的な栄養管理が必要となる．摂取カロリーは，間接熱量測定によって決定されるが，簡易式（25～30kcal/kg/日）やハリス・ベネディクト（Harris-Benedict）の式（**表64-4**）を用いて算出することもある．タンパクの喪失に対し，1.0～2.0g/kg/日を基準として，タンパクを摂取できるようにする．重症熱傷では，腸管蠕動の低下，便秘，腸管浮腫による下痢，胃液の逆流などを起こしやすい．経口摂取ができない場合は，腸管の状態を把握しながら早期に経腸栄養を開始する．

②局所の治療

熱傷創部が汚染されている場合は，予防的に破傷風トキソイドまたは抗破傷風人免疫グロブリンを投与することがある．また，予防的に抗菌薬を投与することもある．

Ⅰ度熱傷では，熱傷部位を，30分を超えない程度，水道水で冷却する．氷や氷水で冷却すると，組織の損傷を増悪させるという報告もある．発赤，浮腫，疼痛の軽減のために，ステロイド外用薬を用いることがある．外用薬の使用だけで，被覆材は不要である．

浅達性Ⅱ度熱傷では，表皮の基底細胞が残存しているため，上皮化が期待できる．このため，創面を清潔に保ち，外用薬と被覆材を用いて保護する．基本的に水疱蓋は除去しない．大きさと場所によって穿刺することがある．初期治療の外用薬としては，油脂性基剤軟膏を用い，湿潤環境の保持のために外用薬を用いる．

深達性Ⅱ度熱傷では，基底細胞の残存が少なく，外用薬と被覆材の使用だけでは上皮化に時間がかかる．深達性Ⅱ度熱傷およびⅢ度熱傷の壊死組織は，感染の要因となるため，外用薬を用いて除去する（**表64-5**）．被覆材としては，銀含有ハイドロファイバーの使用が推奨されているが，それ以外にも創部からの滲出液の状態などにあわせて，銀含有アルギン酸，銀含有ポリウレタンフォーム／ソフトシリコン，アルギン酸塩，ハイドロコロイド，ハイドロジェルなどが用いられる．

表64-5　局所の治療（外用薬）

Ⅰ度熱傷		ステロイド外用薬
Ⅱ度熱傷	初期治療	油脂性基剤軟膏 酸化亜鉛，ジメチルイソプロピルアズレン，ワセリンなど
	湿潤環境の保持	滲出液が過剰な場合 カデキソマー・ヨウ素，デキストラノマー，ブクラデシンナトリウム
		滲出液が少ない場合 アルミニウムクロロヒドロキシアラントイネート，トレチノイントコフェリル プロスタグランジンE1，リゾチーム塩酸塩，ワセリンなど
Ⅲ度熱傷	壊死組織の除去	ブロメライン軟膏，カデキソマー・ヨウ素，デキストラノマー，スルファジアジン銀

Ⅲ度熱傷が広範囲に及ぶ場合は，焼痂組織を切除し（デブリードマン），植皮を行う．手術の実施時期は，受傷後48時間以内，１週間以内，それ以降に分けられる．広範囲熱傷の場合は，受傷後２週間以内に90～100％の焼痂組織を切除することがすすめられている．移植できる皮膚が少ない場合は，培養によって人工皮膚を用いることもある．

四肢や前胸部の全周性，あるいは全周性に近い状態の深達性Ⅱ度熱傷では，末梢血流障害や拘束性換気障害の予防のために，減張切開を行うことがある．減張切開は，神経や太い血管を避け，皮下脂肪が露出する深さに切開を入れる．

肛門周囲の熱傷が便によって汚染される場合は，排便管理チューブを使用することもある．

(2)化学熱傷

化学物質で汚染された衣服を脱がせ，大量の水道水（広範囲の場合は体温程度の温水）で，１時間以上かけて洗い流す．フッ化水素による場合は，グルコン酸カルシウムの皮下注射と動注を行い，中和する．フェノールはポリエチレングリコールで除去し，タールは有機溶媒やワセリンなどで除去する．その後，温熱熱傷と同じように，外用薬を用いて治療を行う．組織の壊死が広範囲の場合は，植皮術を行うこともある．

6）予後

熱傷の予後は，予後指数で予測される．熱傷予後指数（Prognostic Burn Index）は，［年齢＋熱傷指数］で算出する．指数の値により，予後を予測する（**表64-6**）．重症熱傷の場合，受傷してから治療開始までの時間が長くなるほど合併症を併発しやすく，予後不良となる．深達性Ⅱ度熱傷は，植皮術を行わないと肥厚性瘢痕を残し，瘢痕が関節にかかると瘢痕性拘縮を生じる．

表64-6　熱傷の予後指数

指数の値	臨床的予後
80以下	重篤な合併症や既存症がなければ，ほぼ救命可能
80～100	重症熱傷であり，死亡もあり得る
100～120	救命は可能であるが，非常に困難
120以上	致命的

2. 看護過程の展開

• アセスメント～ゴードンの機能的健康パターンを用いて

広範囲熱傷患者のアセスメントの視点を示す．熱傷では，受傷部位と範囲，深度によって，症状や合併症の生じやすさが異なる．また，ショック期～ショック離脱期への移行も，侵襲の大きさによって異なるため，実際はそれらを理解して予防的に関われるようアセスメントすることが必要である．身体的側面については，循環動態と変動のリスク，疼痛，感染のリスクをアセスメントする．また，胸部の全周性熱傷や気道熱傷がある場合は，呼吸状態と呼吸器合併症のリスクについてもアセスメントする．熱傷は多くの場合，事故や自殺企図によって生じる．家族を含めた生活背景や心理状態についても可能な限りアセスメントする．

深達性Ⅱ度熱傷やⅢ度熱傷では，数回にわたりデブリードマンや植皮術を行うことがある．苦痛を伴う治療，熱傷による外見の変化，他者から生活の援助を受けなければならないことなど，心理的苦痛は大きい．また，熱傷による瘢痕拘縮の危険がある場合は，予防的なリハビリテーションや，ADLの自立に向けた訓練も必要であり，退院後も継続が必要になることがある．急性期を脱した患者に対しては，治療やリハビリテーションに関する患者の理解，セルフケア能力，意欲などについてアセスメントする．

外見の変化やADLの制限を伴っての社会復帰になる場合は，現実社会で受ける他者からの反応により，自己概念に影響を受ける．また，フラッシュバックを生じることもある．外来通院している患者に対しては，社会への適応状況をアセスメントする．

パターン	アセスメントの視点	根拠	収集する情報
(1) 健康知覚-健康管理 患者背景 健康知覚-健康管理 価値-信念	●受傷前の健康状態や生活習慣はどのようであったか ●現在の状態を適正に知覚しているか ●重症度と治療の必要性を正しく認識しているか ●熱傷によって感染しやすい状態であることを理解しているか	●食習慣や喫煙，飲酒などの状況が創部の感染や呼吸器合併症のリスクとなり得る．そうした現在の状態を適正に理解していないと，安静保持，清潔保持などの，治療の継続が困難となる可能性がある． ●気道熱傷の場合は，ガス中毒や酸素化の障害による意識レベルの低下を伴い，鎮静によって人工呼吸管理を行うこともあるため，現状を適正に理解できないことがある． ●熱傷によって血管透過性が亢進し，低アルブミン血症となり，侵襲によって血糖値が上昇することで，易感染状態となる．	●受傷の経緯 ●既往歴 ●病状に関する認識 ●治療の必要性に関する認識 ●治療の方法に関する認識 ●受傷前の健康管理状況 ●起こりやすい合併症についての理解 ●治療への参加状況（合併症予防に向けての自己管理状況）
(2) 栄養-代謝 全身状態 栄養-代謝 排泄	●食物や水分が，経口的に自然な形で摂取できるか ●消化管潰瘍形成の徴候はないか ●栄養状態に問題はないか（感染や創治癒遅延のリスクはないか） ＜ショック期＞ ●皮膚損傷の程度はどれくらいか ●浮腫による循環障害はないか ●水分の過不足はないか ●肝機能の低下はないか ＜ショック離脱期＞ ●浮腫の改善はみられるか ●低アルブミン血症は改善しているか ＜感染症期＞ ●熱傷部の感染徴候はないか ●敗血症の徴候はないか	●気道熱傷や顔面・口唇熱傷があると，経口摂取が困難となる． ●迷走神経の刺激，血管作動性物質分泌などによって消化管潰瘍を生じることがある． ●熱傷によって血中アルブミンが漏出するため，受傷前から低栄養状態であると，感染や創治癒遅延のリスクとなる． ●血管透過性亢進，低アルブミン血症によって非熱傷部は浮腫を生じ，四肢の場合は循環障害を生じることがある． ●熱傷創部からの滲出と血管透過性亢進・膠質浸透圧低下による細胞間質への水の移動によって，循環血液量が減少し，ショックを生じることがある．それによって肝血流量が低下すると肝機能が低下する． ●ショック離脱期に入ると浮腫が改善される． ●ショック離脱期に入ると，受傷早期の低アルブミン血症は次第に改善されるが，エネルギー摂取が不十分で低アルブミン血症が続いていると，感染のリスクとなる． ●感染症期は，創部の感染を起こしやすく，敗血症になりやすい．	●食事・水分の摂取状況 ●滲出液の量・性状 ●輸液の内容・量 ●水分出納バランス ●熱傷創部の範囲・状態 ●熱傷周囲の皮膚の状態（浮腫） ●消化管潰瘍の症状 ●血液検査データ（血清アルブミン値，Hb，CRP，WBC，AST，ALT） ●バイタルサイン（SARS） ●軟膏の種類
(3) 排泄 全身状態 栄養-代謝 排泄	＜ショック期＞ ●排泄に異常はないか ＜ショック離脱期＞ ●水分出納バランスはとれているか ＜感染症期＞ ●腎機能は正常か	●熱傷によって腸管の浮腫が生じると，下痢を生じたり，活動性の低下によって便秘となることがある． ●熱傷によって血球が破壊されるとヘモグロビン尿，組織が破壊されるとミオグロビン尿となることがあり，それらにより腎不全を起こすことがある． ●熱傷によって循環血液量が減少すると，腎血流量も減少し，腎不全となることがある． ●体液の喪失，それに対する大量の輸液によって，体液量や電解質バランスが不均衡となりやすい． ●感染期には，敗血症から腎不全を生じることがある．	●尿量・尿の性状 ●排便の量・性状 ●水分出納バランス ●便による創部の汚染 ●検査データ（Cr，BUN，Na，K）

パターン	アセスメントの視点	根拠	収集する情報
(4) 活動-運動 活動・休息 活動-運動 睡眠-休息	＜ショック期＞ ●心拍出量は適正にコントロールされているか ●呼吸困難はないか ＜ショック離脱期＞ ●心不全・肺水腫の徴候はないか ＜感染症期＞ ●肺炎の徴候はないか ●四肢の可動性の障害はないか ●日常生活活動の制限はないか	●ショック期には循環血液量が減少し，ショックとなることがある． ●気道熱傷，有害ガスの吸引による酸素化の障害や胸部の広範囲熱傷により，胸郭運動制限や横隔膜の挙上運動が制限され，呼吸困難を生じることがある． ●細胞外液の増加によって，ARDSを生じることがある． ●ショック離脱期には，循環血液量が増加すると細胞外液が血管内に戻り，心不全や肺水腫を生じることがある． ●気道熱傷や分泌物の排出が困難なことによって肺炎を生じやすい． ●Ⅲ度熱傷による瘢痕や安静保持によって関節拘縮を生じ，活動が制限されることがある． ●疼痛によって日常生活活動が制限される．	●バイタルサイン（ショックの徴候） ●胸郭の可動性 ●身体の可動性，関節の可動性 ●痰の喀出状況 ●肺炎・呼吸困難の徴候（呼吸音，胸部X線所見など） ●肺水腫・心不全の徴候（呼吸音，動脈血ガス分析値，胸部X線所見など） ●ADL
(5) 睡眠-休息 活動・休息 活動-運動 睡眠-休息	●睡眠，休息の障害はないか	●疼痛や体位変換が自由にできないことや，不安などによって，睡眠が障害されることがある．	●睡眠状況
(6) 認知-知覚 知覚・認知 認知-知覚 自己知覚-自己概念 コーピング-ストレス耐性	●認知・知覚機能に障害はないか ●疼痛のコントロールはできているか ●知覚の異常はないか ●症状や治療に関する知識はどの程度あるか	●睡眠パターンや環境の変化によって，せん妄をきたすことがある． ●疼痛によって活動や睡眠などに支障をきたす． ●Ⅲ度熱傷では疼痛を感じず，知覚の障害が生じる． ●顔面熱傷によって角膜が損傷されると，視覚障害が生じる． ●症状や治療法について理解をすることで，積極的に治療に参加することが望める．	●意識レベル ●せん妄 ●疼痛の部位，程度 ●鎮痛薬の使用状況 ●熱傷部の皮膚の知覚 ●顔面熱傷の場合は視力 ●熱傷や治療法・合併症に関する知識
(7) 自己知覚-自己概念 知覚・認知 認知-知覚 自己知覚-自己概念 コーピング-ストレス耐性	●自分の身体状態をどのように捉えているか ●自己概念，自尊感情の脅威はないか	●偶発的な出来事であるため，精神的危機に陥りやすく，フラッシュバックを生じることがある． ●熱傷によって治療を受けている自分を受け入れることで，治療への積極的な参加を期待できる． ●もとの身体状態に戻ることが困難であることが多く，それを受け入れられないとボディイメージが混乱する．	●自分の身体の変化の知覚（知覚の有無，どのように知覚しているか） ●自身の身体や行動，生活に関するイメージ ●フラッシュバックの有無，契機

パターン	アセスメントの視点	根拠	収集する情報
(8) 役割-関係 周囲の認識・支援体制 役割-関係 セクシュアリティ-生殖	●役割変更の必要性はないか ●家族関係に問題はないか ●家族の役割認識と理解はどうか	●入院や治療による回復状況によっては，受傷前の役割の遂行が困難となる場合がある. ●治療の継続には家族のサポートが必要である.	●受傷前の社会的役割 ●受傷前，現在の対人関係，家族との関係 ●サポートしてくれる人の有無 ●受傷に対する家族の認識
(9) セクシュアリティ-生殖 周囲の認識・支援体制 役割-関係 セクシュアリティ-生殖	●性，生殖に関する問題はないか	●創部の瘢痕や関節拘縮により，性行動に障害をきたすことがある. ●陰部の熱傷があると，性行為に支障を生じることがある.	●性行為への影響
(10) コーピング-ストレス耐性 知覚・認知 認知-知覚 自己知覚-自己概念 コーピング-ストレス耐性	●現在の状況をどのように受け止めているか ●ストレスにどのように対処しているか	●疼痛や体動制限などはストレスとなりやすい. ●対処がうまく行えないと，消化管潰瘍のリスクとなる.	●受傷前のストレス・コーピング ●現在のストレス認知，対処，それによる反応 ●ストレスの増強／緩和に影響する要因
(11) 価値-信念 患者背景 健康知覚-健康管理 価値-信念	●価値，信念とヘルスケアシステムの間に対立はないか	●美的意識や外見への意識が高いと，治療や今後の生活に影響を及ぼす.	●価値観，生活信条，信念

3. 全体像の把握から看護問題を抽出

1）病態関連図

広範囲熱傷で生じる病態を図に示す．合併症のリスク因子となり得る既往症や，侵襲に伴う生体反応は省略している．しばしば取り上げられる看護問題を赤色で示す．煙やガスの吸入による意識障害や，人工呼吸管理によって患者本人と会話によるコミュニケーションがとれない場合は，家族から話を聞き，患者の背景について把握する．それらが病態へどのような影響を及ぼすかを考え，個別の問題の抽出に結び付ける．

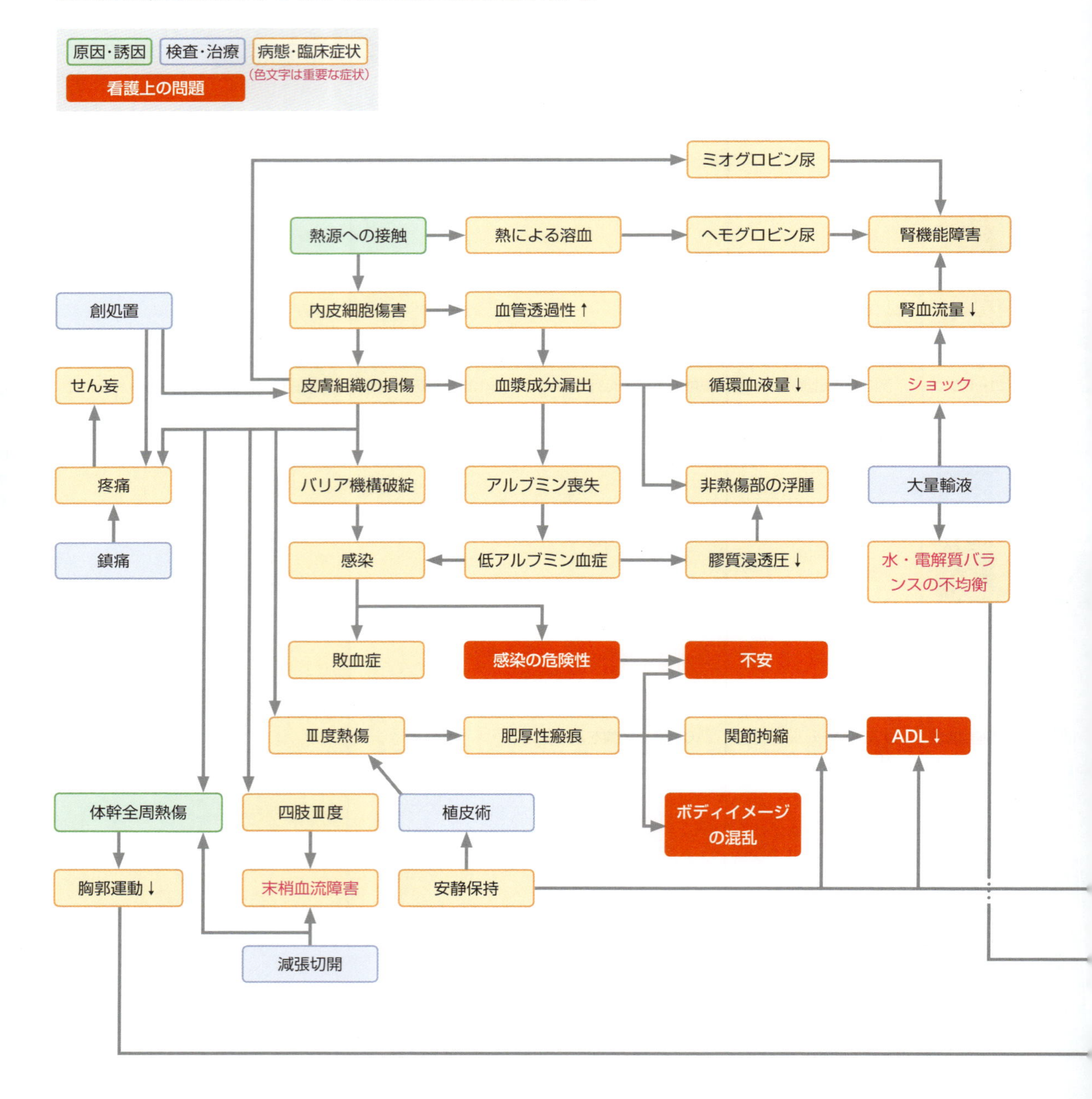

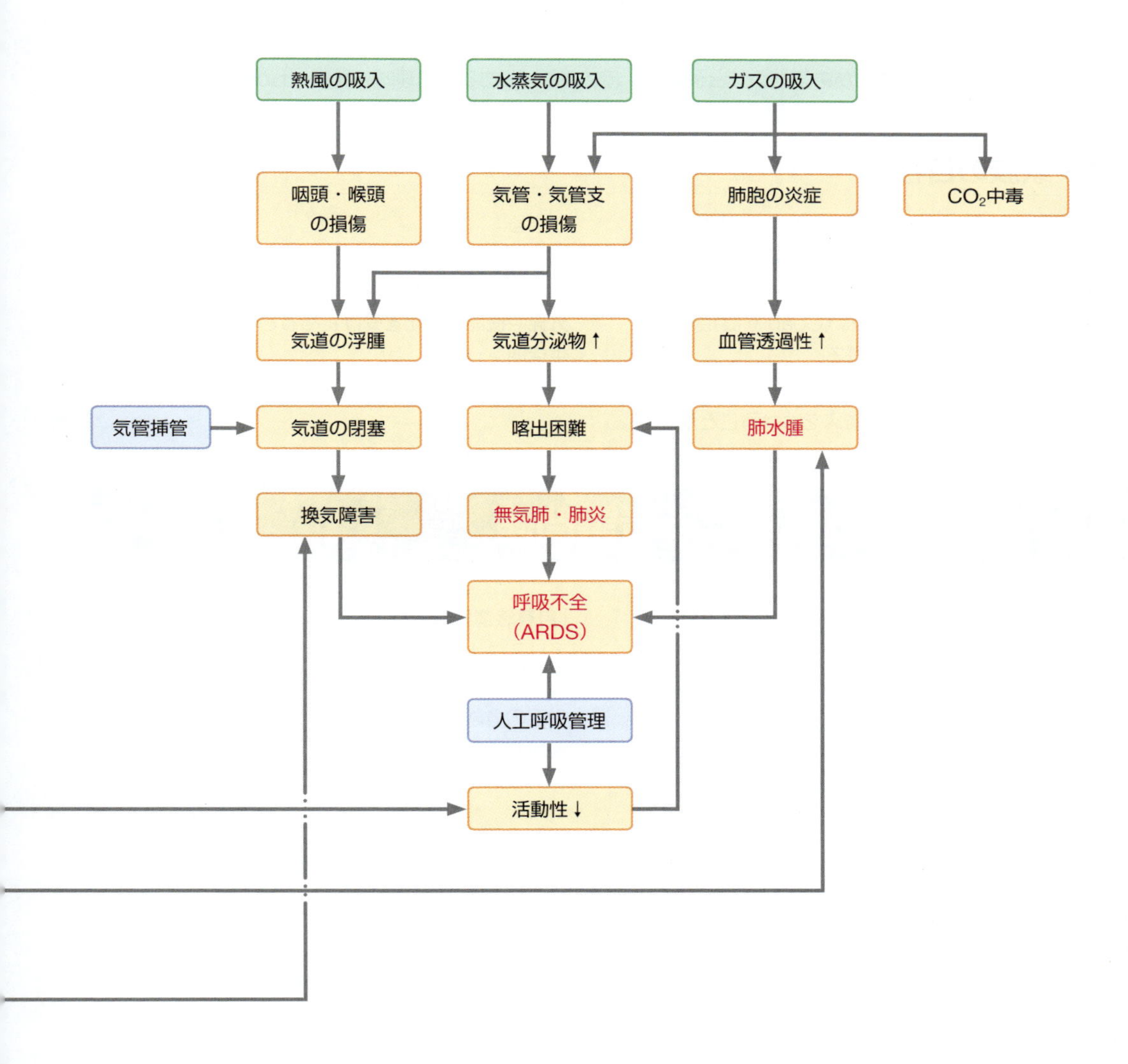
熱風の吸入
水蒸気の吸入
ガスの吸入
咽頭・喉頭の損傷
気管・気管支の損傷
肺胞の炎症
CO_2中毒
気道の浮腫
気道分泌物↑
血管透過性↑
気管挿管
気道の閉塞
喀出困難
肺水腫
換気障害
無気肺・肺炎
呼吸不全（ARDS）
人工呼吸管理
活動性↓

2）看護の方向性

広範囲熱傷の場合は，熱傷部からの血漿成分の漏出と，血管透過性の亢進による血漿成分の血管外への漏出によって低タンパク血症となり，膠質浸透圧の低下から水分が血管外に漏れ，非熱傷部は浮腫を生じるとともに，循環血液量が減少してショックとなる．これに対し，輸液管理が行われるが，過剰な輸液は浮腫の増強，心不全，肺水腫などを引き起こす．そのため，適正な輸液管理を行うことが必要である．

気道熱傷や体幹部の全周性の熱傷で胸郭運動が制限されると，換気障害を生じる．また，膜の脱落物質や気道分泌物によって，無気肺や肺炎を生じる．肺胞の炎症による肺胞隔壁の透過性の亢進や，リフィリング期の循環血液量の過剰によって，肺水腫を生じることもある．気道閉塞の危険性に対しては予防的に気管挿管し，呼吸障害がある場合は人工呼吸管理を行うが，呼吸器合併症は生命を脅かすことがあるため，合併症の予防と異常の早期発見に努める．

広範囲熱傷の場合は，侵襲によって免疫能の低下，高血糖状態の持続などにより，日和見感染を起こしやすくなる．その結果として敗血症，敗血症性ショックを生じることもある．感染の予防，熱傷創および術創の早期回復のために，栄養管理，適正な創傷ケアを行う必要がある．Ⅱ度熱傷や，Ⅲ度熱傷でも処置時には疼痛を伴うため，疼痛の緩和に努めることが必要である．

熱傷による瘢痕拘縮の危険がある場合は，予防的なリハビリテーションを行うとともに，ADLの自立に向けた訓練も必要である．顔面などの目立つ部分に変化を生じた場合は，心理的苦痛が大きい．また，多くの場合，熱傷は事故や火災に伴って生じるため，フラッシュバックなどの心的外傷後ストレス障害（PTSD）を起こすこともある．心理的なサポートが重要である．

3）患者・家族の目標

受傷部位，範囲と程度により，治療にかかる時間や後遺症が異なってくる．医師の診断，病状説明に対する患者・家族の理解や受け止め方，患者・家族に関わる他職種の意見を踏まえて，実現可能な目標（Goal）を設定する．一般的に，以下の目標が考えられる．

＜急性期＞
- 合併症（敗血症）を生じずに早期離床をはかることができる．

＜回復期＞
- 熱傷創部が回復し，ADLが拡大する．
- 外見や機能の変化を受け止めることができる．

＜生活期＞
- 社会生活に適応する．

4. しばしば取り上げられる看護問題

どの時期を通じても，熱傷創に関して「皮膚統合性障害」「組織統合性障害」があげられる．また，各期にあげられる看護問題としては以下がある．

＜ショック期〜リフィリング期＞
「体液量平衡異常の危険性がある」，「ショックリスク状態」，「（気道熱傷／胸部の広範囲な熱傷により）換気障害を起こす危険性がある」，「非効果的気道浄化」，「末梢性神経血管性機能障害リスク状態」，「急性疼痛」，「急性混乱」．

＜感染期＞
「感染リスク状態」，「不安」，「不使用性シンドロームリスク状態」．

＜回復期＞
「身体可動性障害」，「セルフケア不足」，「不安」．

＜生活期＞
「自尊感情状況的低下」，「心的外傷後シンドローム／リスク状態」．

ここでは，「体液量平衡異常の危険性がある」，「呼吸器合併症の危険がある」，「感染の危険性がある」「ADLの制限がある」について解説する．

◆1 体液量平衡異常の危険性がある

なぜ？

熱傷面積が15〜20%以上の場合は，血管透過性亢進によって循環血液量が減少し，低容量性ショックが起こりやすい．また，血管外に漏れた水分によって，受傷後6〜8時間で浮腫を生じることが多く，その後18〜24

時間あるいはそれ以上持続する．これに対し，輸液療法が行われるが，早い時期に適切な量の輸液が行われないと腎機能の低下をきたすこともある．一方，大量輸液による負荷で，心不全および肺水腫を起こす危険性がある．

➡期待される結果

・ショックの徴候がみられない．
・肺水腫，心不全の徴候がみられない．

♦2 呼吸器合併症の危険がある

なぜ？

気道熱傷，有害ガスの吸引による酸素化の障害や，胸部の広範囲熱傷によって胸郭運動制限や横隔膜の挙上運動が制限され，呼吸困難を生じることがある．気道熱傷では，ガスやすすの吸引によって受傷後12～24時間は気道内分泌物が増加し，線毛上皮機能の障害によって分泌物の排出が困難となる．気管挿管を行った場合は，機械的刺激によっても気道分泌物が増加する．また，その後も気道粘膜の障害に伴って末梢気道の閉塞が生じたり，リフィリング期に肺水腫となった場合は気道分泌物が増加する．これらによって無気肺や肺炎を起こしやすくなる．

➡期待される結果

・無気肺・肺炎の徴候がみられない．

♦3 広範囲の皮膚の損傷，低アルブミン血症により感染の危険性がある

なぜ？

熱傷時に創の汚染がある場合や，糖尿病などの易感染状態にある場合は，熱傷創の感染を起こしやすい．熱傷創の存在および血管透過性の亢進によって低アルブミン血症となり，受傷前から低栄養状態だと感染や創治癒遅延のリスクとなる．ショック離脱期に入ると，受傷早期の低アルブミン血症は次第に改善されるが，エネルギー摂取が不十分で低アルブミン血症が続いていると，感染のリスクとなる．侵襲によって高血糖となるため，糖尿病の既往がある場合は，コントロールが困難となり，感染のリスクとなる．広範囲熱傷で感染を起こすと，敗血症を起こしやすく，生命を脅かすことになる．

➡期待される結果

・感染徴候がみられない．

関節可動域の低下によりADLの制限がある

なぜ？

熱傷により，植皮術を行った場合は，皮膚の生着を促進する一方で，部位によっては関節拘縮を予防するための援助も必要となり，日常生活の援助の際に注意すべきことが多い．一方，関節の可動性や筋力が低下しているために，ADLの自立が妨げられていることもある．

➡期待される結果

・関節の可動域が拡大する．
・ADLが向上する．

NANDA-Iには「皮膚統合性障害」「組織統合性障害」という診断ラベルがある．Ⅰ度熱傷やⅡ度の浅達性熱傷で，創処置を要しない場合にはこれに該当する．医師による創処置が必要な場合は，看護独自の援助では対応できないため，熱傷そのものを問題にすることは避けたほうがよい．循環血液量減少性ショックやリフィリング期の肺水腫，熱傷創の感染の危険性などは，患者が熱傷以外の外傷を伴っていたり，心疾患，腎疾患，糖尿病などの既往歴をもつなどのハイリスクでなければ，潜在的合併症としたり，標準看護計画で対応することができる．瘢痕拘縮の予防やADL自立のために退院後もリハビリテーションを必要とし，機能障害やADLの制限を問題とあげても直接介入できない場合は，教育指導につながる健康管理上の問題とする．

5. 看護計画の立案

• O-P：Observation Plan（観察計画）　• T-P：Treatment Plan（治療計画）
• E-P：Education Plan（教育・指導計画）

広範囲の熱傷で身動きがとれない場合や人工呼吸器が装着されるような場合は，患者自身が健康管理に参加することが困難であるため，急性期は看護師が患者に代わって実施し，回復期以降は介護者が実施できるように教育的に関わる．患者が少しでも健康管理に参加できるような状態であれば，急性期は看護師が患者のできないところを補完し，回復期以降は徐々に自己管理ができるように援助する．受傷から時間が経つにつれ，看護師による直接的介入から教育指導の割合が増えていく．

1 体液量平衡異常の危険性がある

危険因子：体液量不足：熱傷創からの漏出，低アルブミン血症
　　　　　体液量過剰：大量輸液
期待される成果：（1）ショックの徴候がみられない　（2）肺水腫，心不全の徴候がみられない

	具体策	根拠と注意点
O-P	**（1）in take out putをモニターする** ①輸液量 ②尿量 ③滲出液の量（ガーゼや被覆材のカウント）	●広範囲熱傷では，皮膚バリア機構の損傷，血管透過性の亢進によって，創部から血漿成分が体外に漏出し，循環血液量が減少する．
	（2）循環動態をモニターする ①バイタルサイン ②中心静脈圧，肺動脈楔入圧，心係数 ③浮腫 ④末梢循環（冷感，蒼白，皮膚の湿潤）	●循環血液量が減少すると，血圧低下，尿量減少，脈拍の増加を生じる． ●血管透過性の亢進，低アルブミン血症によって，非熱傷部は浮腫を生じる． ●循環血液量の減少による心拍出量の低下，四肢の全周囲性熱傷によって，末梢循環障害を生じる．
	（3）体液喪失に身体への影響をモニタリングする ①血清アルブミン値，血清総タンパク値 ②血清Hct値 ③血液尿素窒素値（BUN），クレアチニン値 ④血清と尿の電解質 ⑤血清および尿浸透圧	●広範囲熱傷では，血漿成分の体外への漏出によって，低アルブミン血症となることがある． ●循環血液量が減少すると，Hct値の上昇などを生じる． ●循環血液量減少による腎血流量の低下，ミオグロビン尿・ヘモグロビン尿による尿細管の閉塞などによって，腎機能障害を生じることがある． ●水分の過剰投与によって，血清浸透圧は低下する．尿量増加によって，尿浸透圧は低下する．
	（4）大量輸液に伴う身体への影響をモニターする ・体温の低下	●広範囲熱傷では，体温調節機構の破綻や，治療のために身体を露出することに加え，大量の輸液によって，体温が低下しやすい．
	（5）リフィリングに伴う身体への影響をモニタリングする ①頸静脈怒張 ②呼吸音（水泡音），痰の量・性状，SpO_2 ③体重の変化 ④胸部X線写真	●利尿期には浮腫液が血管内に戻り，水・Na・Kが体外に排出され，電解質の不均衡となる． ●水分過剰によって，心不全，肺水腫をきたすことがある． ●水分の過剰投与によって心不全を生じると，中心静脈圧の上昇，肺動脈楔入圧の上昇，心係数の低下をきたす．
T-P	**・確実な輸液の管理を行う** ①輸液ラインの管理 ②処方された輸液を確実に与薬する	●広範囲熱傷で体外への血漿成分の漏出による血液減少性ショックを防ぐため，大量の輸液が必要となる． ●成人はBaxterの公式で輸液量を算出し，尿量を観察しながら投与する．

3 広範囲の皮膚の損傷，低アルブミン血症により感染の危険性がある

危険因子：広範囲の皮膚の損傷，低アルブミン血症
期待される成果：感染徴候がみられない

	具体策	根拠と注意点
O-P	**(1)熱傷創を観察する** ①範囲，深度 ②肉芽組織・壊死組織・上皮化の状態 ③感染の徴候（悪臭，緑色の滲出液，滲出液の増加など） ④疼痛の有無，増強	●皮膚のバリア機能の低下によって，感染を起こしやすい． ●熱傷創からの体液の消失によって低アルブミン血症となりやすく，それが感染の要因となる．
	(2)全身状態を観察する ①発熱 ②血液データ（WBC，CRP，血清アルブミン値など） ③糖尿病の既往がある場合は血糖のコントロール状況 ④敗血症の徴候 ・意識レベルの低下，SpO_2低下，血圧低下， ・血清ビリルビン値・クレアチニン値上昇，血小板減少	●糖尿病の既往がある場合は，侵襲によって高血糖となりやすく，それが感染の要因となる． ●熱傷創の感染から敗血症を生じることがある．
	(3)カテーテルやライン類の感染徴候を観察する ①カテーテル，ライン刺入部の腫脹，発赤，疼痛，熱感 ②痰・尿の性状	●熱傷創が存在することによって，ライン・カテーテルからの感染を起こす危険性が高い．
T-P	**(1)創部の処置の清潔保持** ①短時間で創処置が終了するよう，物品の準備をする ②疼痛コントロール，室温の調整などの準備をする ③ドレッシング材交換時は清潔領域を設定し，できる限り無菌状態を維持する **(2)病室の環境調整** ①陽圧室を使用する ②マスク・ガウン・滅菌手袋・キャップなどを使用する **(3)日常生活の援助による清潔保持** ①リネン類，寝衣の交換を適宜行う ②ベッド周囲の環境整備を行う ③創処置の機会に創周囲の清拭を行う **(4)ライン類の管理を行う** ①ライン刺入部の管理をする ②膀胱留置カテーテル挿入部の清潔維持および逆流防止をはかる	●熱傷創の感染によって熱傷が悪化することがあるため，予防に努める． ●疼痛コントロールによって創処置が苦痛なく，効率よく実施されるようにする． ●熱傷創の存在に加え，常在菌による日和見感染を起こしやすい．
	(5)栄養の管理を行う ①経腸栄養を行っている場合は，適切に実施できるよう管理する ②経口摂取が可能な場合は食べやすい形態にする ③食欲を保てるよう，創処置の時間を調整する	●広範囲熱傷では，血漿成分の体外への漏出によって低タンパク血症となるため，栄養の管理が必要である． ●重症熱傷の場合，24時間以内に経腸栄養を開始することで，予後が改善することが指摘されている． ●熱傷に伴うエネルギー代謝量は，通常安静時の1.5～2倍となり，それに応じた栄養摂取が必要となる．

	具体策	根拠と注意点
E-P	**(1)本人および面会者に手洗い・含嗽などを十分に実施するよう説明する** **(2)創傷ケアに関する守られるべき手順を説明する** **(3)栄養補給の必要性を説明する**	●感染症を予防し，創傷を早期治癒に導くためには，現在の状況を理解し，適切なケアを実施することに患者も参加することが必要である．

4 関節可動域の低下によりADLの制限がある

関連因子：熱傷・植皮術による皮膚性制限，安静保持による筋力低下
期待される成果：(1)関節の可動域が拡大する　(2)ADLが向上する

	具体策	根拠と注意点
O-P	**(1)四肢の可動性** ①関節可動域 ②握力，MMT **(2)感覚** ①表在感覚 ②関節運動時の疼痛 **(3)ADL** ①食事　②排泄　③更衣　④清潔　⑤移動 **(4)リハビリテーションへの参加状況** ①訓練室での訓練内容と到達レベル ②リハビリテーションに対する意欲 ③心理状態(現状の受け入れ，今後に対する期待など)	●熱傷，植皮術，術後の安静保持によって，皮膚の伸張性が低下し，関節可動域制限を生じる． ●熱傷に対する創の保護や，植皮の定着のための安静保持などによって活動性が低下すると，筋力の低下を生じる． ●Ⅲ度熱傷によって表在感覚の障害を生じることがあり，細かな動作の遂行に影響を及ぼすことがある． ●関節可動域の制限により，ADLが低下する． ●訓練内容を把握し，日常生活に生かせるようにすることが必要である． ●現状を受け入れ，目標を目指し，意欲をもって取り組むことが効果的なリハビリテーションにつながる．
T-P	**(1)セラピストによる訓練実施をサポートする** ①体調の調整 ②時間の調整 ③心理的サポート **(2)ADLのなかで熱傷のある上下肢の活用を促す** **(3)自主訓練を促す**	●効果的な訓練を実施するために，心身のコンディションを整え，時間調整をはかることが必要である． ●意欲をもって訓練に臨めるようにサポートすることが必要である． ●実用的な回復を遂げるために，日常生活で使用できるようにしていく． ●誤った方法による訓練ややり過ぎは逆効果になるため，セラピストと相談して自主訓練の内容と回数を示す．
E-P	**(1)リハビリテーションの目的と進め方について説明する** **(2)訓練室での内容を日常生活に取り入れることの必要性を説明する**	

引用・参考文献

1) 日本静脈経腸栄養学会編：静脈経腸栄養ガイドライン．第3版，p.236～237，照林社，2013.
2) 創傷・熱傷ガイドライン委員会：創傷・褥瘡・熱傷ガイドライン―6：熱傷診療ガイドライン．日本皮膚科学会雑誌，127(10)：2271，2017.
3) 伊藤武久ほか：気道熱傷に対し集中的呼吸理学療法を施行した一症例 ―病態と治療管理に沿った予防的介入―．愛知県理学療法学会誌，24(2)：66～69，2012.

Memo

65 アトピー性皮膚炎

1. 疾患の基礎的知識

1）疾患の概念

アトピー性皮膚炎とは，増悪・寛解を繰り返す瘙痒（かゆみ）のある湿疹を主病変とする疾患であり，患者の多くはアトピー素因をもつ[1]と定義されている．

2）原因

個人の素因にいろいろな環境要因があわさって発症すると考えられており，発症に関わる素因は遺伝する傾向がみられる．発症に関わる因子には多くのものが考えられているが（**図65-1**），その重要性は個人個人で異なる．本症の発症や悪化には，アレルギーは重要な要因であるが，掻破（引っかき）やストレス（神経要因）などの非アレルギー性の要因も重要である．発汗が瘙痒を惹起し，症状の悪化につながる．

3）病態と臨床症状

病態（図65-2）

アトピー性皮膚炎は，基本的には慢性の湿疹・皮膚炎群に含まれ，病理組織学的には，リンパ球，好酸球，マスト細胞などの浸潤を伴う炎症所見を示す．病態に重要な役割を担うヘルパーT細胞（Th）からみると，基本的にはTh2細胞優位の炎症反応によるが，慢性期にはTh1細胞優位に移行することもある．病変部位では，リンパ球などの単核球，好酸球，好中球などが，炎症の段階によっていろいろな割合で浸潤する．急性期では滲出傾向が強いが，慢性期では苔癬化が強くなる．また，セラミドなどの角質細胞間脂質の減少によって，皮膚のバリア機能や水分保持能の低下がみられ，角層構造は粗となり，皮膚は乾燥する．そのために，かゆみの閾値の低下，易感染性がみられる．

分類（症状）

(1)瘙痒

(2)皮疹（表65-1参照）

(3)年齢別の症状

アトピー性皮膚炎は，年齢によって好発部位が異なる．

①乳児期（**図65-3**）

生後1か月以降から6か月頃に発症する．頭，顔に始まり，しばしば体幹，四肢に拡大していく．紅斑と鱗屑に丘疹が混じり，湿潤傾向があるが，一部は痂皮を形成する．とくに頭部では，厚い痂皮を形成する．かゆみが強いために皮疹部をこすりつけたり，不機嫌に泣くこともある．乳児脂漏性湿疹との

図65-1　アトピー性皮膚炎の原因・悪化因子

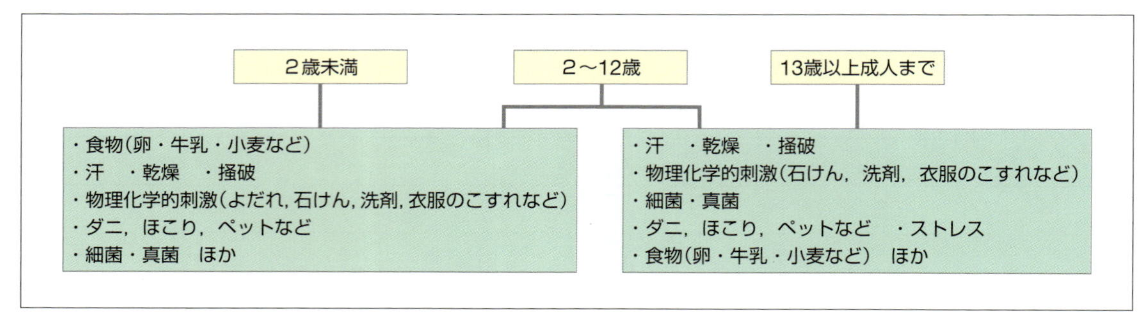

鑑別が重要である.

②幼児期

頸部，肘窩，膝窩が好発部位で，乾燥した苔癬が主体である．かゆみのために掻破すると，出血して血痂を形成したり滲出性になる．皮膚全体が乾燥して光沢がなく，白色描記症(異常な血管収縮反応によって皮膚をこすると貧血性白線を生じる)を伴う．毛孔の角化や魚鱗癬，四肢伸側には痒疹様小結節を伴うこともある.

③年長児

乾燥した苔癬は，幼児型よりもさらに広範囲で，かゆみも強い．乳頭の湿疹，口唇炎，眉毛の外側の疎毛化や，毛髪際の下降による前額部の狭小化がみられることがある.

図65-2　アトピー性皮膚炎病態形成機序

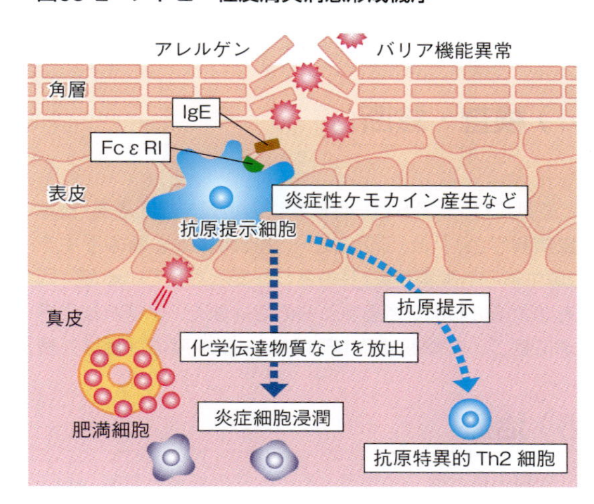

表65-1　アトピー性皮膚炎の定義・診断基準(日本皮膚科学会)

アトピー性皮膚炎の定義(概念)
アトピー性皮膚炎は，増悪・寛解を繰り返す，瘙痒のある湿疹を主病変とする疾患であり，患者の多くはアトピー素因を持つ. アトピー素因：①家族歴・既往歴(気管支喘息，アレルギー性鼻炎・結膜炎，アトピー性皮膚炎のうちいずれか，あるいは複数の疾患)，または②IgE抗体を産生し易い素因.

アトピー性皮膚炎の診断基準
1. 瘙痒 2. 特徴的皮疹と分布 ①皮疹は湿疹病変 ・急性病変：紅斑，湿潤性紅斑，丘疹，漿液性丘疹，鱗屑，痂皮 ・慢性病変：浸潤性紅斑・苔癬化病変，痒疹，鱗屑，痂皮 ②分布 ・左右対側性 好発部位：前額，眼囲，口囲・口唇，耳介周囲，頸部，四肢関節部，体幹 ・参考となる年齢による特徴 乳児期：頭，顔にはじまりしばしば体幹，四肢に下降. 幼小児期：頸部，四肢関節部の病変. 思春期・成人期：上半身(頭，頸，胸，背)に皮疹が強い傾向. 3. 慢性・反復性経過(しばしば新旧の皮疹が混在する) ：乳児では2ヶ月以上，その他では6ヶ月以上を慢性とする. 上記1，2，および3の項目を満たすものを，症状の軽重を問わずアトピー性皮膚炎と診断する．そのほかは急性あるいは慢性の湿疹とし，年齢や経過を参考にして診断する.

除外すべき診断(合併することはある)	診断の参考項目
・接触皮膚炎・手湿疹(アトピー性皮膚炎以外の手湿疹を除外するため) ・脂漏性皮膚炎・皮膚リンパ腫 ・単純性痒疹・乾癬 ・疥癬・免疫不全による疾患 ・汗疹・膠原病(SLE，皮膚筋炎) ・魚鱗癬・ネザートン症候群 ・皮脂欠乏性湿疹	・家族歴(気管支喘息，アレルギー性鼻炎・結膜炎，アトピー性皮膚炎) ・合併症(気管支喘息，アレルギー性鼻炎・結膜炎) ・毛孔一致性の丘疹による鳥肌様皮膚 ・血清IgE値の上昇

臨床型(幼小児期以降)	重要な合併症
・四肢屈側型・痒疹型 ・四肢伸側型・全身型 ・小児乾燥型・これらが混在する症例も多い ・頭・頸・上胸・背型	・眼症状(白内障，網膜剥離など)：・伝染性軟属腫 とくに顔面の重症例・伝染性膿痂疹 ・カポジ水痘様発疹症

日本皮膚科学会・日本アレルギー学会：アトピー性皮膚炎診療ガイドライン2018．p.2483，2018.

④思春期，成人期

上半身(顔，頸，胸，背)に皮疹が強い傾向がある．

4）検査・診断

診断

診断には，「アトピー性皮膚炎の定義・診断基準(日本皮膚科学会)」と，「アトピー性皮膚炎の診断の手引き(厚生省心身障害研究)」の2つが提示されているが，両者は大筋において矛盾するものではなく，いずれかの基準に基づいて診断する(**表65-1**)．重症度の評価は，**表65-2**を組み合わせて判断する．

検査

- 一般血液検査：白血球数増加，好酸球増加
- 血清総IgE値上昇
- アレルゲン特異IgE抗体価
- 皮膚テスト(プリックテスト，パッチテストなど)

5）治療

治療の基本は，①原因・悪化因子の検索と対策，②スキンケア(皮膚機能異常の補正)，③薬物療法，を適切に組み合わせて行う．

(1)原因・悪化因子の検索と対策

食物，発汗，掻破を含む，物理的刺激，環境因子，細菌・真菌，接触抗原，ストレス，治療のアドヒアランスの低下など．

(2)スキンケア

アトピー性皮膚炎の主な皮膚機能異常は，水分保持能の低下，かゆみの閾値の低下，易感染性である．2歳未満では，保湿ケアだけで状態がよくなることが少なくない．

①皮膚の清潔

- 汗や汚れは速やかに落とす．しかし，強くこすらない．
- 石けん，シャンプーを使用するときは，洗浄力の強いものを避ける．
- 石けん，シャンプーは残らないように十分にすすぐ．
- かゆみを生じるほどの高い温度の湯は避ける．
- 入浴後にほてりを感じさせる沐浴剤，入浴剤は避ける．
- 患者あるいは保護者には，皮膚の状態に応じた洗い方を指導する．
- 入浴後は必要に応じて適切な外用薬を塗布する．

②外用薬による皮膚の保湿・保護

- 保湿・保護を目的とする外用薬は，皮膚の乾燥防止に有用である．
- 入浴やシャワー浴後は，必要に応じて保湿・保護を目的とする外用薬を塗布する．
- 患者ごとに，使用感のよい保湿・保護を目的とする外用薬を選択する．

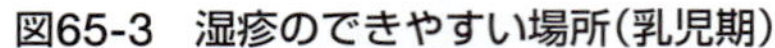
図65-3　湿疹のできやすい場所(乳児期)

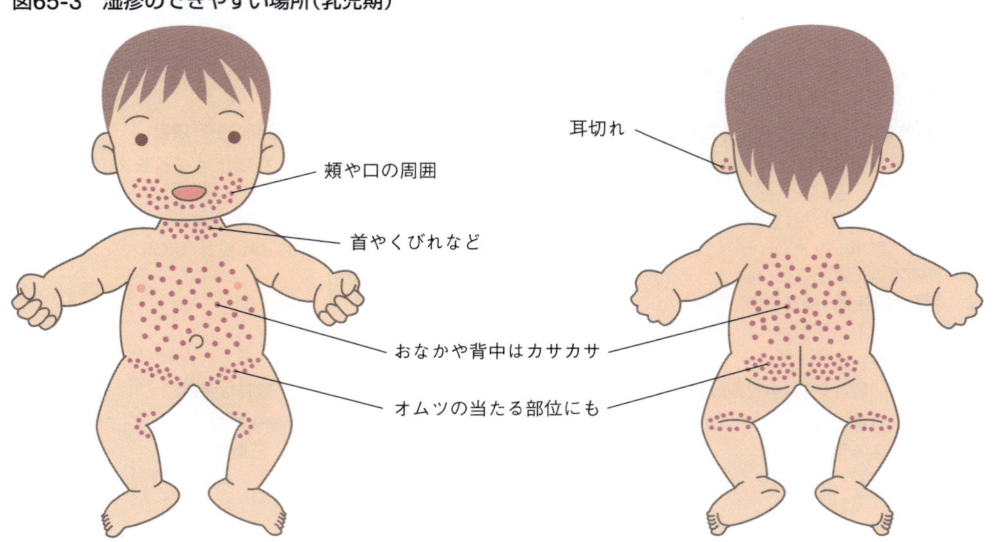

・軽微な皮膚炎は，保湿・保護を目的とする外用薬のみで改善することがある．

③その他

・室内を清潔にし，適温・適湿を保つ．

・新しい肌着は使用前に水洗いする．

・洗剤は，できれば界面活性剤の含有量の少ないものを使用し，十分にすすぐ．

・爪を短く切り，なるべくかかないようにする（手袋や包帯による保護が有用なことがある）．

(3)薬物療法（図65-4）

①副腎皮質ステロイド外用薬

長期間の副腎皮質ステロイド薬の内服は，全身的な副作用の発現を引き起こす．内服は，外用療法に比べて危険性が高いと考えられるので，最重症例に一時的に使用することはあっても，原則的には使用しない．

副腎皮質ステロイド外用薬は，臨床効果の強い順にⅠ～Ⅴ群の５段階に分類される．剤型も，軟膏，クリーム，ローション，ゲル，テープなど，多様な種類がある．症状の程度，塗布部位，年齢，塗布方法，使用期間などを考慮して使い分け，皮膚を清潔にしてから塗布する．症状が軽快してくれば，弱いステロイドやステロイドを含まない外用薬に変更する．それを適切に行うには，定期的（原則として１回/１～２週間）に医師の診察を受け，皮膚症状をチェックしたうえで，治療法や治療薬を決める．

②タクロリムス外用薬（プロトピック®軟膏）

免疫抑制薬であるタクロリムス外用薬は，２歳以上15歳以下には0.03%軟膏，16歳以上には0.1%軟膏が販売されている．1999年の発売以来，とくに顔面，頸部の症状に有用性が認められている．副腎皮質ステロイド外用薬などの既存療法では，効果が不十分または副作用によって投与できないなど，本剤による治療がより適切と考えられる場合に，使用する．使用法や副作用などについて，医師から十分な説明を受けて理解したうえで使用する．

③抗ヒスタミン薬，抗アレルギー薬

外用薬に加えて，抗ヒスタミン薬や抗アレルギー薬が，抗炎症作用，止痒効果を期待して併用される．ただし，これらの薬剤のみでアトピー性皮膚炎の症状をコントロールすることは不可能であるため，補助的薬物療法として使用される．

6）予後

アトピー性皮膚炎は，一般に，乳幼児・学童期に発症することが多く，加齢とともに患者数は減少し，一部の患者が成人型アトピー性皮膚炎に移行すると考えられている．

表65-2　アトピー性皮膚炎の重症度の目安

軽度	面積にかかわらず，軽度の皮疹のみみられる
中等症	強い炎症を伴う皮疹が体表面積の10%未満にみられる
重症	強い炎症を伴う皮疹が体表面積の10%以上，30%未満にみられる
最重症	強い炎症を伴う皮疹が体表面積の30%以上にみられる

軽度の皮疹：軽度の紅斑，乾燥，落屑主体の病変
強い炎症を伴う皮疹：紅斑，丘疹，びらん，浸潤，苔癬化などを伴う病変

日本皮膚科学会・日本アレルギー学会：アトピー性皮膚炎診療ガイドライン2018．p.2444，2018．

図65-4　アトピー性皮膚炎のステロイド外用薬の使用法

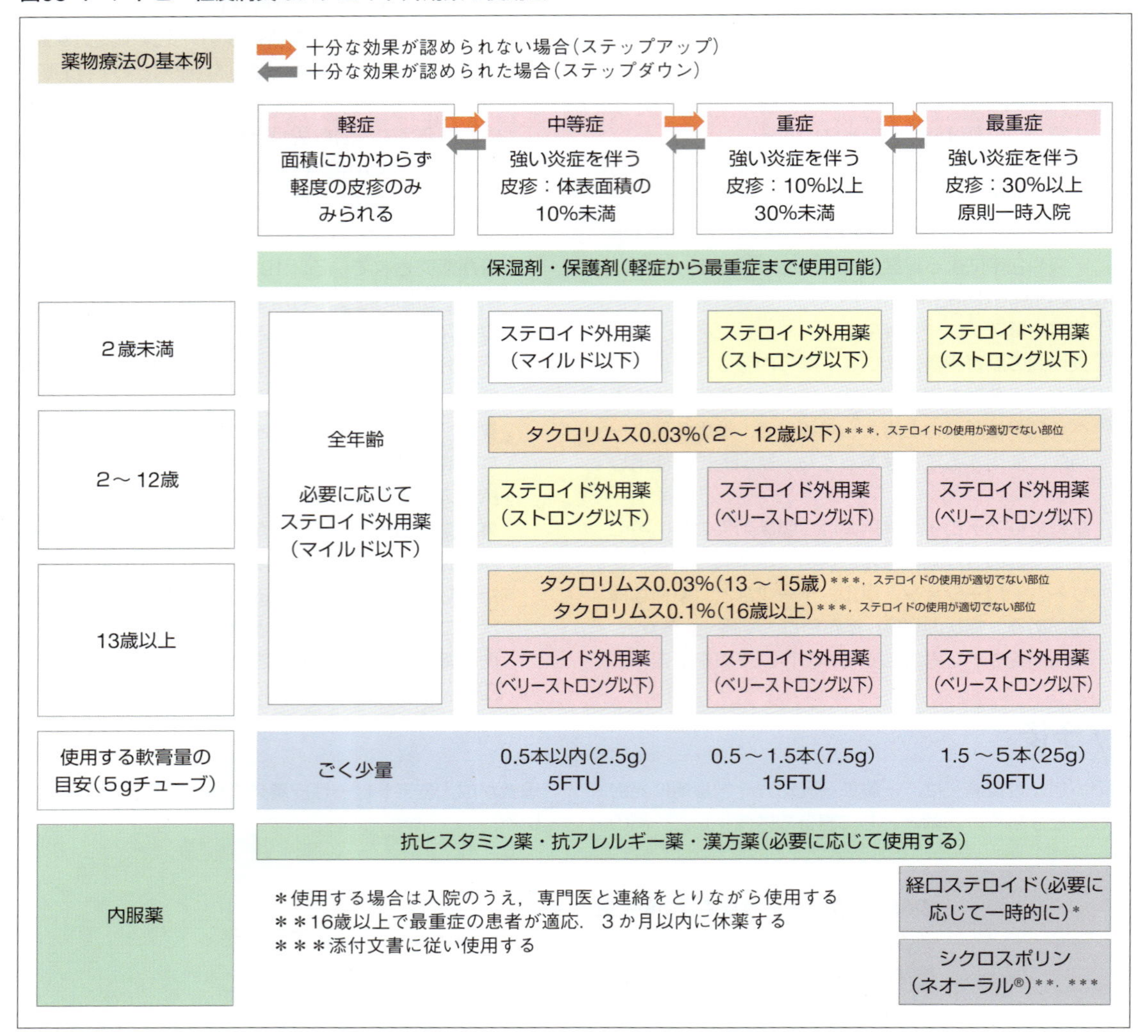

2. 看護過程の展開

• アセスメント～ゴードンの機能的健康パターンを用いて

パターン	アセスメントの視点	根拠	収集する情報
(1) 健康知覚-健康管理 患者背景 健康知覚-健康管理 価値-信念	●患児・家族と医療者間の治療計画が一致しているか，計画通りに行動できているか ●治療計画を調整し，日々の生活に取り入れることができているか	●患児の年齢によって疾患の理解は異なり，低年齢であれば家族に委ねられる．同時に生活行動もさまざまであるため，年齢にあわせた関わりが必要となる． ●慢性疾患であるアトピー性皮膚炎の診療では，患児や家族が疾患の病態や治療の意義を十分に理解して，積極的に治療方針の決定に参加し，その決定に従って積極的に治療を実行し，粘り強く継続する姿勢，すなわち治療のアドヒアランスを高めることに，医療者が配慮することが大切である． ●発汗，ほこり，皮膚の汚れなどは，かゆみを誘発する原因となる．日常生活のなかで悪化因子となるものを回避し，環境の工夫，皮膚の清潔と保湿を行っていくことが必要となる．皮膚に付着したダニ，黄色ブドウ球菌や真菌を除去する意味でも，皮膚を清潔に保つ，皮膚の症状にあわせて適切な外用薬を塗布する．皮膚の保湿をするなどが必要である．ただし，無理な改善は，患児や家族の意欲を低下させる．改善を促すだけではなく，患児や家族の意見を取り入れて，個々にあわせたものとなるように配慮することが必要となる．	●患児，家族の疾患と治療計画の理解度 ●疾患を意識した行動の有無 ●病歴（発症の時期，きっかけ，病状・治療経過） ●アトピー素因の有無（家族歴，既往歴，IgEを産生しやすい素因） ●生活環境，生活習慣 ●原因，悪化因子（物理的刺激，発汗，環境因子，細菌，真菌，心理的刺激，食品） ●疾患，治療についての認識，反応，期待（患児・家族） ●日常生活の変更の必要性についての認識（患児・家族） ●合併症についての認識（患児・家族） ●治療薬の使用状況 ●スキンケアの状況（時間，回数，主にスキンケアを行う人） ●疾患・治療についての認識，反応，期待（患児・家族） ●日常生活の変更の必要性についての認識（患児・家族） ●合併症についての認識（患児・家族）
(2) 栄養-代謝 全身状態 栄養-代謝 排泄	●皮膚組織の損傷や破壊がないか ●感染症を発症する危険性はないか	●アトピー性皮膚炎の発症に関わる素因は，遺伝する傾向がみられる．発症に関わる因子は個人で異なる． ●掻破は悪化因子となる ●免疫機能が低下して，宿主の感受性が極めて高い状態にある場合，感染症を発症しやすくなる．すなわち，①掻破によってウイルス感染が拡大・重症化した場合，②精神的・心理的ストレス状態となって免疫機能が低下した場合，③栄養状態が低下した場合，④皮膚や粘膜の障害がある場合，⑤易感染状態である場合，といったときに侵襲的処置や機械的刺激があると，感染の危険性が高くなり，十分にコントロールできない場合もある．	●治療薬の使用状況 ●スキンケアの状況（時間，回数，主にスキンケアを行う人） ●皮疹の湿疹病変（紅斑・乾燥・落屑・丘疹・びらん・湿潤・苔癬化・水泡）の状態，部位，重症度 ●栄養状態の評価（身長，体重，食事内容・量，血液検査，食欲の有無） ●合併症，二次感染を示す症状，徴候の有無と程度（気管支喘息，アレルギー性鼻炎，食物アレルギー，伝染性膿痂疹（とびひ），伝染性軟属腫（みずいぼ），カポジ水痘様発疹症， ●合併症，二次感染を発症しやすい因子の有無と程度（年齢，体質，皮膚や粘膜の障害，活動量・内容，身体への侵襲的な処置）
(3) 排泄 全身状態 栄養-代謝 排泄	●便秘や下痢がないか ●栄養，排泄のバランスが保たれているか ●排泄は自立しているか	●オムツを使用している場合は，接触部位に湿疹ができやすいため，注意する必要がある．	●排便回数，量，性状 ●オムツ使用の有無 ●腹部膨満，腸蠕動音の減弱

パターン	アセスメントの視点	根拠	収集する情報
(4) 活動-運動 活動・休息 活動-運動 睡眠-休息	●発達段階に見合った必要な日常活動(学習・遊び・運動)の維持や遂行ができているか	●かゆみが強いと，遊びや学習に集中できない，また，睡眠の不足により，日常生活に影響を生じることもある．	●日常生活での活動状況(活動範囲，生活環境，室内遊び，室外遊び，習い事，趣味，清潔，スキンケア，タイムスケジュール) ●社会生活での活動状況(保育園，幼稚園，学校生活(クラブ活動，部活動)，活動範囲 ●バイタルサイン ●日常生活行動の自立度
(5) 睡眠-休息 活動・休息 活動-運動 睡眠-休息	●かゆみによって睡眠の量と質が悪化していないか	●アトピー性皮膚炎にみられる睡眠障害には，入眠困難と夜間の覚醒がある．入眠困難は，就床後，すべての緊張から解放されて身体が温まると，かゆみが強く感受されるのが原因で起こる．夜間覚醒は，皮膚をかく刺激が覚醒をまねく．かゆみが強いと，睡眠が不足したり，夜泣きがみられる．どのようなときに眠れないのかを十分に把握する．	●休息(睡眠時間，午睡時間，夜泣きの有無) ●使用している寝衣・寝具の状況 ●部屋の温度・湿度
(6) 認知-知覚 知覚・認知 認知-知覚 自己知覚-自己概念 コーピング-ストレス耐性	●瘙痒感の程度はどれくらいか ●視力障害を生じていないか	●かゆみは日常生活すべてのQOLの低下に影響する． ●かゆみと苦痛の度合いは，主観的で個人差が大きい． ●アトピー性皮膚炎の合併症として角結膜炎，白内障，網膜剝離などを生じることがある．	●瘙痒感の有無，部位，程度，性質，発症時期と経過，原因・誘因の有無と程度 ●随伴症状の有無と程度(表情・言動などによるストレスの表出の有無，イライラ感，不快感，集中力の低下，不眠) ●視力，視野 ●顔面の重症例に多い合併症(白内障，網膜剝離，視力障害，水晶体の白濁)
(7) 自己知覚-自己概念 知覚・認知 認知-知覚 自己知覚-自己概念 コーピング-ストレス耐性	●自身の状況に対する不安や混乱はないか ●掻破や見た目の変化が自身を否定的にとらえることにつながっていないか	●アトピー性皮膚炎は，憎悪・寛解を繰り返す疾患であり，治療は長期に及ぶため，治癒のイメージがつかず不安を生じることがある． ●かゆみが著しいときには，皮膚に擦過傷，血液が付着したかさぶた，細菌感染による膿症がみられたり，人前でもポリポリとかきむしることがある．慢性的に自尊感情の低下を生じることがある． ●うつ状態を生じやすい． ●幼児の場合，親の認識が子ども自身のイメージに影響する．	●疾患の受容の程度(患児・家族) ●不安や不満の有無(患児・家族) ●自分の身体状況のとらえ方 ●周囲の人の患者のとらえ方 ●疾患の受容の程度(患児・家族) ●不安や不満の有無(患児・家族)

パターン	アセスメントの視点	根拠	収集する情報
(8) 役割-関係 周囲の認識・支援体制 役割-関係 セクシュアリティ-生殖	●家族の態度が患児の不安に影響を及ぼしていないか ●対人関係に影響していないか	●アトピー性皮膚炎は，アレルギー素因が関与していることが多く，家族は自責の念を抱きやすい．そのため，患児が瘙痒感で不眠になると，家族も睡眠不足になったり，再燃や合併症，退院後の生活に対して過度な不安をもち，必要以上に生活上の制限を加えることがある．さらに，自己判断で治療を中止したり，よりよい治療を求めて医療機関を渡り歩くこともある． ●このような家族にとって，日々の生活管理は大きな負担となり，心身ともに疲労し，孤立していく場合がある． ●対人関係の障害など．	●家族の反応と期待 ●患者と家族の関係 ●家族のサポート状況
(9) セクシュアリティ-生殖 周囲の認識・支援体制 役割-関係 セクシュアリティ-生殖	該当なし		
(10) コーピング-ストレス耐性 知覚・認知 認知-知覚 自己知覚-自己概念 コーピング-ストレス耐性	●ストレスは効果的にコーピングされているか	●精神的・心理的ストレスが強く，それがコーピングにより緩和されないと症状の悪化や易感染となる．	●ストレッサー ●コーピングの方略 ●ストレス反応
(11) 価値-信念 患者背景 健康知覚-健康管理 価値-信念	●治療の継続に影響する価値観，信念はないか	●治療は長期に及ぶため，管理には価値観や信念が影響する．	●生活の中で大切にしていること

3. 全体像の把握から看護問題を抽出

1）病態関連図

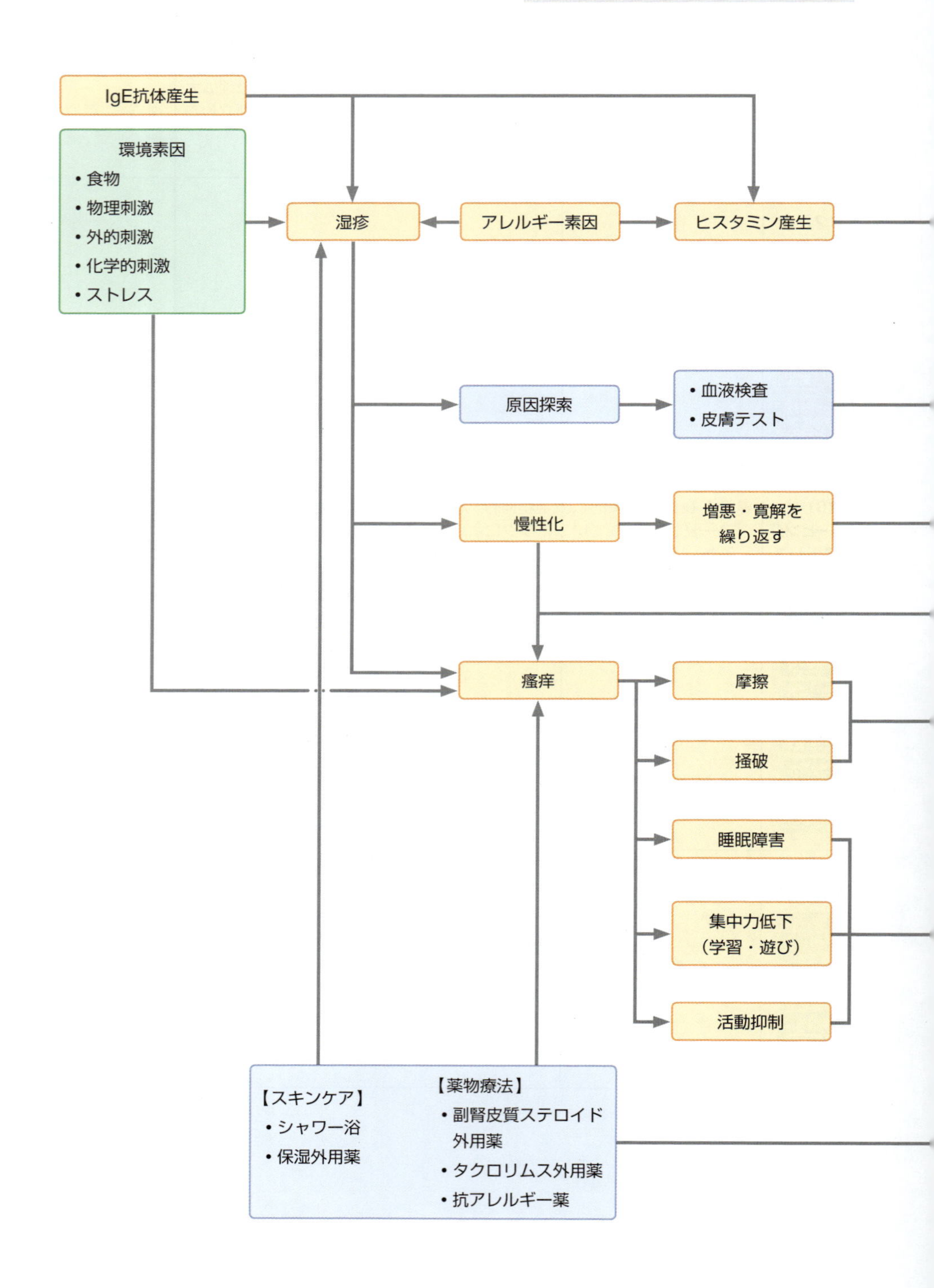

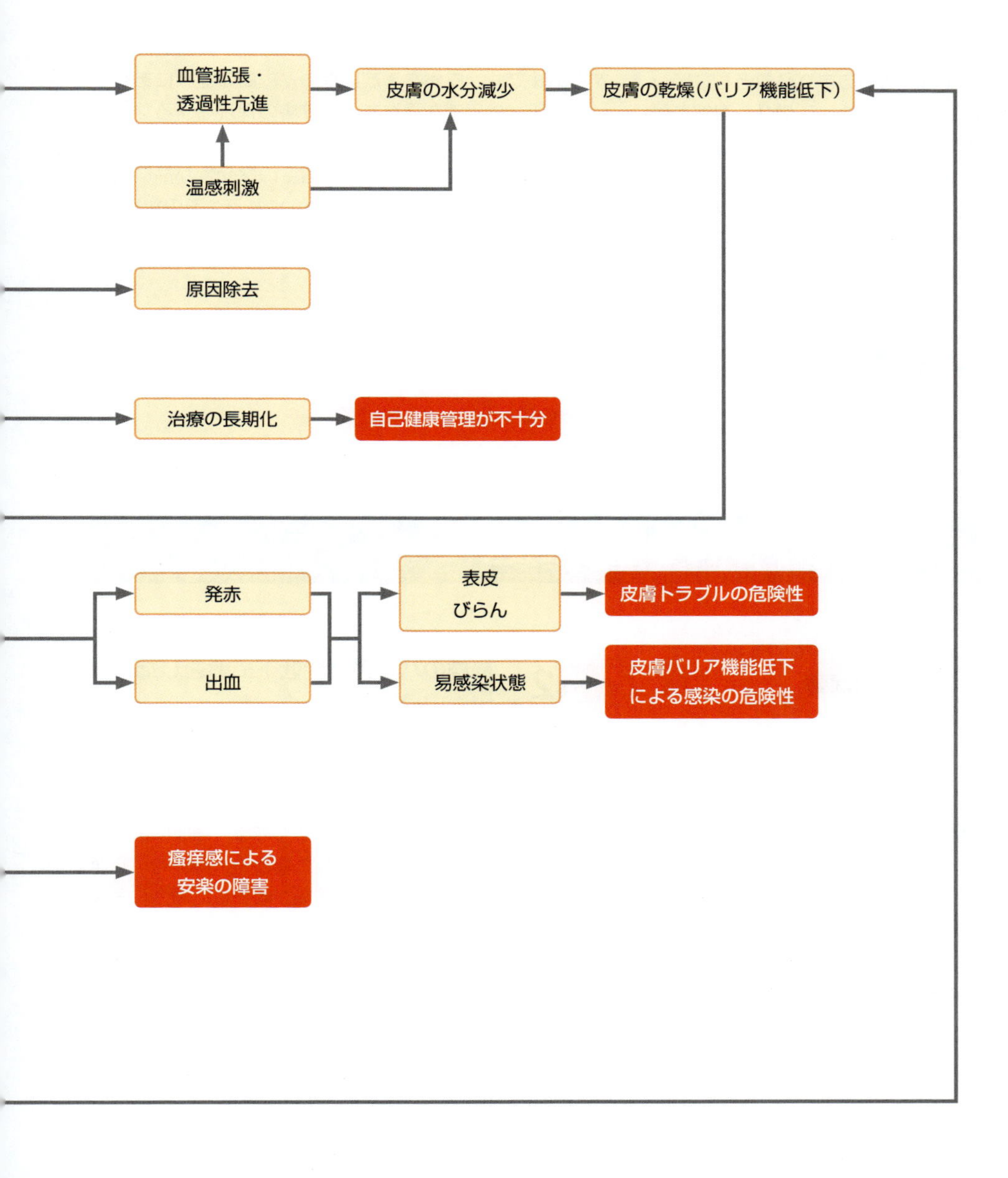
血管拡張・
透過性亢進
皮膚の水分減少
皮膚の乾燥(バリア機能低下)
温感刺激
原因除去
治療の長期化
自己健康管理が不十分
発赤
表皮
びらん
皮膚トラブルの危険性
出血
易感染状態
皮膚バリア機能低下
による感染の危険性
瘙痒感による
安楽の障害

2）看護の方向性

アトピー性皮膚炎は，増悪・寛解を繰り返す瘙痒のある湿疹を主病変とする疾患であり，乳幼児期に発症することが多い．治療の基本は，原因・悪化因子の検索と対策，スキンケア，薬物療法を適切に組み合わせて行う．スキンケアの基本は清潔と保湿であり，乳幼児期のアトピー性皮膚炎患児は軽症の場合も多く，スキンケアだけで症状が軽快する場合も多いといわれているように，毎日のスキンケアで皮膚の乾燥を防ぎ，皮膚のバリア機能を高めておくことが重要である．治療の最終目標は，症状がないか，あっても軽微で日常生活に支障がなく，薬物療法もあまり必要としないレベルであるが，治療は長期にわたって増悪・寛解を繰り返すため，自己判断による薬物療法やスキンケアの中断による症状の悪化の可能性があり，家庭での管理は患児・家族の負担も大きい．さらに，アトピー性皮膚炎の発症に関わる素因は遺伝する傾向がみられ，家族は自責の念を抱きやすく，必要以上に生活の制限を加えたり，よりよい治療を求めて医療機関を渡り歩くこともある．したがって，長期のセルフコントロールの実現に向け，患児・家族が疾患と治療を認識し，自己管理を継続できるような支援が必要である．

また，アトピー性皮膚炎は強いかゆみを伴い，かゆみによる入眠困難や，夜間覚醒，遊びや学習への集中力の低下がみられる．そのため，かゆみをコントロールし，発達段階に応じた活動や睡眠が保てるように保証していく必要がある．

皮膚に付着したダニ，黄色ブドウ球菌や真菌を除去する意味でも，皮膚を清潔に保つ，皮膚の症状にあわせて適切な外用薬を塗布する．皮膚の保湿をするなどの改善策を把握し，管理できることが必要である．

さらに，免疫機能が低下し，宿主の感受性が高い状態にある場合，感染症を発症しやすくなる．そのため，皮膚の観察や管理，異常の早期発見に努める必要がある．

3）患者・家族の目標

症状がない，あっても軽微で日常生活に支障がなく，薬物療法を必要とせずに皮膚の清潔・保湿が保たれ，かゆみのコントロールができる．

4. しばしば取り上げられる看護問題

瘙痒感による安楽の障害

なぜ？

アトピー性皮膚炎には強いかゆみが伴い，皮膚の乾燥が強くなると，バリア機能が低下し，かゆみに敏感になる．そして，かくことによってさらにバリア機能の低下につながるという悪循環に陥る．身体が温まるとかゆみが強く感受されて入眠困難が起き，皮膚をかく刺激で夜間覚醒をまねき，睡眠が不足すると日中の機嫌が悪くなる．子どもの場合，かゆみを我慢することは難しく，遊びや学習に集中できず，発達にも影響を及ぼす．

➡期待される結果

皮膚の清潔・保湿が保たれ，かゆみをコントロールし，発達段階に応じた睡眠や活動ができる．

皮膚のバリア機能低下に関連した感染の危険性がある

なぜ？

免疫機能が低下して，宿主の感受性が極めて高い状態にある場合，感染症を発症しやすくなる．掻破によってウイルス感染が拡大・重症化した場合や，精神的・心理的ストレス状態となって免疫機能が低下した場合，栄養状態が低下した場合，皮膚や粘膜の障害がある場合，易感染状態である場合などに，侵襲的処置や機械的刺激があると感染の危険性が高くなり，十分にコントロールできない場合もある．皮膚の湿潤傾向がある場合や，粘膜が損傷した状態の場合は，人，動植物，排泄物など，あらゆるものが感染源となる．

➡期待される結果

合併症を防止できるよう生活を調整し，習慣化できる．合併症や二次感染を早期に発見し，悪化を防ぐことができる．

◆3 瘙痒感に伴う掻破に関連した皮膚トラブルの危険性がある

なぜ？

アトピー性皮膚炎は，増悪・寛解を繰り返す瘙痒のある湿疹を主病変とする疾患である．治療の基本は，原因・悪化因子の検索と対策，皮膚機能異常の補正（スキンケア）・薬物療法が中心であるが，年単位の長期にわたる治療や症状観察が必要となる．

医師の指示通りの治療を続け，毎日のスキンケアで，皮膚の乾燥を防ぎ，皮膚のバリア機能を高め，かゆみをコントロールすることが重要である．

➡期待される結果

症状がない，あっても軽微で日常生活に支障がなく，薬物療法もあまり必要としない．

軽度の症状は持続するが，急性に悪化することはまれで悪化しても遷延することがない．

皮膚状態の変化や長期療養に関連した自己健康管理不足

なぜ？

発汗，ほこり，皮膚の汚れなどは，かゆみを誘発する原因となる．患児や家族が，疾患の病態や治療の意義を十分理解して，積極的に治療方針の決定に参加し，治療を継続することへの支援が必要である．

生活のなかで悪化因子となるものが存在していないか，皮膚の清潔と保湿の方法は正しいか，環境整備の工夫をし，皮膚の症状にあわせて適切な外用薬を塗布する，皮膚の保湿をするなどの改善策を把握し，長期的に管理できることが必要である．

➡期待される結果

皮膚の状態を良好に保つための正しいスキンケア方法や環境調整について理解し，家庭での管理ができ，継続できる．

5. 看護計画の立案

• O-P：Observation Plan（観察計画）　• T-P：Treatment Plan（治療計画）
• E-P：Education Plan（教育・指導計画）

◆1 瘙痒感による安楽の障害

	具体策	根拠と注意点
O-P	**(1)安楽の状態** **(2)瘙痒感の状態** **(3)皮膚(湿疹)の状態** **(4)随伴症状の有無と程度** **(5)悪化因子の変化**	●(1)～(5)の観察項目は，目標に近づいているかどうかを最も端的に表す情報となる． ●皮膚の状態は客観的に判断できるが，かゆみは主観的情報が多いため，正しく把握するには総合的に観察していく．
T-P	**(1)安楽への援助**	
	①環境整備 ・室温・湿度の調整	●身体が温まると瘙痒感が増強するため，室温・湿度を調整する． ●肌にとっては室温22～25℃，湿度50～60%が望ましい．
	・室内の清掃	●ダニなどのアレルゲンが明らかな場合は，掃除や布団を干すなど，ほこりの除去に努める．
	②皮膚への刺激を避ける ・新しい肌着は使用前に水洗いする ・寝具・衣服の調整	●下着をはじめ，直接肌に触れる衣類は，毛糸や一部の化学繊維などの皮膚を刺激する素材を避け，綿などの吸湿性や通気性の優れたものを選択する．また，洗剤は，界面活性剤の含有量の少ないものを使用し，すすぎを十分に行う．
	・掻破の予防 ・爪切り ・手袋の着用 ・瘙痒部の冷却	●掻破によって神経終末の興奮が高まり，かゆみが増強する．それにより，かゆみの自覚が強くなり，またかくという悪循環を繰り返し，皮膚の損傷や二次感染を起こしかねない．したがって，かゆい部分を冷やしたり，爪を切って皮膚の損傷を予防するなど，方法を工夫する．
	③悪化することが明らかな食品以外は，原則として制限しない	●成長発育期にある小児では，バランスのとれた十分な栄養摂取が必須である．食物アレルギーによる場合は，その食品の摂取について医師と相談する．

	具体策	根拠と注意点
T-P	**(2)瘙痒感の緩和** ①皮膚の清潔 ・毎日の入浴やシャワー浴 ・濡らしたタオルでの清拭 ②皮膚の保湿 ・入浴後は保湿目的の外用薬を塗布する ・タオルでの清拭，オムツ交換時の保湿 **(3)薬物療法の管理** ・外用薬，内服薬の使用 **(4)気分転換：発達段階に応じた遊び** **(5)瘙痒感の緩和** ・入浴，シャワー浴直後の入眠を避け，必要以上に身体を温めない. ・かゆみが強い場合は冷やす.	●汗，泥やほこりは，病変を刺激し，かゆみや症状の悪化の原因となるため，入浴やシャワー浴で汗や汚れを速やかに落とし，清潔にする. ●とくに，涙やよだれのたまる部分，陰部や殿部を清潔に保つ．強くこすらないようにする．石けんやシャンプーは，洗浄力の強いものは避け，残らないよう十分にすすぐ．かゆみが生じるほどの高温の湯や，ほてりを感じるような沐浴剤，入浴剤を避けるなど，皮膚の状態に応じた洗い方を指導する. ●乳児は38～39℃で３分以内の入浴が望ましい. ●食事後や午睡後，汗をかいたあとは，濡らして絞ったタオルで押さえるように拭く. ●使用感のよい保湿目的の外用薬を使用する. ●保湿は，入浴後10分以内に行う．保湿外用薬の使用量は，乳幼児の場合，腕・脚に対し５円玉大，体部は500円玉大くらいが目安となる. ●日中の刺激を予防するためにも，朝の保湿や，こまめな保湿を心がける. ●中止，変更は医師の指示を守る. ●指示された軟膏を指示どおりの方法で塗布する．塗布する回数を増減したり，中止しないように十分説明する. ●外用薬は，皮膚を清潔にしてから塗布する. ●かゆみによる不眠がある場合は，就寝前に皮膚の清潔をはかると効果的である.
E-P	**(1)安楽保持のための指導** **(2)瘙痒感を減らすための指導**	●自己判断で治療薬の変更や中止をし，症状が悪化するという悪循環をまねかないためにも，十分に説明して理解を得る. ●患者によって，原因・悪化因子や症状の増減は異なる．それらを十分確認・理解するうえでも，患者と医師や看護師，ほかの医療スタッフ間で情報交換し，信頼関係を築いていく. ●スキンケアの主体者が，タイミング，回数，方法を理解し，実施できているのか，また，成長に伴う変更に適応できているのか，確認する.

◆2 皮膚のバリア機能低下に関連した感染の危険性がある

	具体策	根拠と注意点
O-P	**(1)二次感染を示す症状・徴候の有無** **(2)二次感染を引き起こす原因・誘因の増減** **(3)前駆症状の有無** **(4)二次感染に対する診察と検査結果の変化** **(5)実施されている治療内容や防止策の効果・副作用**	●(1)～(5)の観察項目は，目標に近づいているか否かを最も端的に表す情報となる．これらの観察項目を継続的に観察し，感染予防と同時に，合併症や二次感染の前駆症状を早期に発見し，対処できるように努める.
T-P	**(1)感染源からの隔離と伝播防止** ①皮膚・粘膜の清潔 ②浸潤している部分の保護 ③動植物との接触制限 ④排液，血液で汚染されたリネン類のこまめな洗濯 ・衛生的な寝具・衣服の着用 ⑤環境整備	●必要時，①～⑤を実施する ●とくに，皮膚の浸潤傾向がある場合や粘膜が損傷した状態の場合，人，動植物，植物，排泄物など，あらゆるものが感染源となる可能性があるため，必要時，接触を避ける.

	具体策	根拠と注意点
T-P	**(2)病原体侵入の防止** ①身体の清潔の保持 ・入浴，シャワー浴，清拭 ・陰部ケア ・爪の手入れ ・手洗いの励行 ・口腔ケア	●生体と外界とのバリア機能をもつ皮膚，粘膜を清潔に保ち，細菌の繁殖を阻止する．
	②侵襲的処置を最小限とする ・処置前の手洗い，手指消毒を励行する ・留置針などの挿入部の消毒 ・輸液中の管理	●病原体の体内への侵入門戸となる可能性の高い処置は，無菌操作で行う．
	[血管留置針挿入中] ・挿入部位の消毒，ドレッシング材の定期交換 ・輸液ライン内，輸液薬内の浮遊物の観察 ・連結部の異常や挿入部の観察 ・滴下速度を一定に維持 ・輸液セットの定期的交換	●できるだけ早く留置針を抜去できる方向で，ケア計画を立案する． ●急激な滴下速度の変更は，カテーテルや針内に血栓やフィブリンの形成を起こしやすく，これらは菌の定着・増殖の場となりやすい．
	(3)二次感染に対する抵抗力強化のための生活調整 ①バランスのとれた食事摂取 ②浸潤している部分がある場合は，水分補給に努める	●栄養低下は補体の結合能力を弱めたり，食細胞の働きを弱める．
	③心身の安静をはかる ・十分な休息と睡眠の確保 ・気分転換をはかる ・ストレスの軽減・発散	●身体的・精神的ストレスは，免疫反応を直接低下させる．
	④皮膚粘膜の損傷防止	●生体と外界とのバリアに，細菌の侵入口となる傷をつけないように注意する．
E-P	**(1)合併症や二次感染を予防するため，また，抵抗力を増強させるための生活調整** ・患児・家族に説明し，同意・協力を得る	●これら皮膚状態の主観的情報は，合併症や二次感染の早期発見・早期治療のための大切な情報となる．
	(2)皮膚のバリア機能改善のための指導	●患児を合併症や二次感染から守るためには，周囲の人々の知識と協力が必要である． ●目的や方法，期間など，具体的でわかりやすく説明する．

引用・参考文献

1) 日本皮膚科学会・日本アレルギー学会：アトピー性皮膚炎診療ガイドライン2018．2018． https://www.dermatol.or.jp/uploads/uploads/files/guideline/atopic_GL2018.pdf より2020年９月17日検索
2) 海老澤元宏：子どものアレルギーのすべてがわかる本．講談社，2009．
3) 及川郁子監：小児看護とアレルギー疾患―小児看護ベストプラクティス．中山書店，2011．
4) 水野克己ほか編：子どものアレルギー×母乳育児×スキンケア．南山堂，2016．
5) 高木永子監：看護過程に沿った対症看護．第５版，学研メディカル秀潤社，2018．
6) 奈良間美保ほか：小児看護学概論 小児臨床看護総論：小児看護学１．系統看護学講座 専門分野Ⅱ，第13版，医学書院，2015．
7) 奈良間美保ほか：小児臨床看護各論：小児看護学２．系統看護学講座 専門分野Ⅱ，第13版，医学書院，2015．
8) 赤澤晃：正しく知ろう――子どものアトピー性皮膚炎．朝日出版社，2010．
9) 片山一朗監：アトピー性皮膚炎診療ガイドライン2015．協和企画，2015．
10) 山本一哉監：赤ちゃんの肌トラブルを防ぐ本．マガジンハウス，2008．
11) 石黒彩子，浅野みどり編：発達段階からみた小児看護過程+病態関連図．第２版，医学書院，2012．
12) 厚生労働省健康局疾病対策課：平成22年度リウマチ・アレルギー相談員養成研修会テキスト．p.17～36，厚生労働省HP．（http://www.mhlw.go.jp/new-info/kobetu/kenkou/ryumachi/dl/jouhou01-02.pdf）
13) アトピー性皮膚炎．リウマチ・アレルギー情報センター HP．http://www.allergy.go.jp/allergy/guideline/03/index.htmlより2020年９月17日検索

Memo

第 13 章　眼疾患患者の看護過程

白内障

1. 疾患の基礎的知識

1）疾患の概念

白内障とは，水晶体が混濁する疾患である（**図66-1**）．水晶体が混濁すると，瞳孔が白くみえる．また，光の透過が障害され，視力低下などの症状が出る．

2）原因

水晶体上皮細胞の分化・遊走異常，タンパク質の変性，浸透圧異常などによって生じる．加齢に伴って生じる加齢白内障が最も多い．そのほかに，眼疾患によるもの，全身疾患に伴うものがある．水晶体の正常な代謝が阻害されることによって，透明性を維持できなくなることが原因である．

(1) 先天白内障

主な原因として，母子感染（風疹，トキソプラズマ），代謝異常（ホモシスチン尿症，ガラクトース血症），ダウン症候群，マルファン症候群などがある．さまざまな先天的原因によって，出生時から乳幼児期に発症するものである．

(2) 後天性白内障

①加齢白内障

白内障のなかで最も多い．リスク因子として，喫煙，紫外線があげられる．70歳以上では半数以上に加齢白内障が認められる．

②併発白内障

眼疾患（ブドウ膜炎，緑内障，網膜剝離，眼内腫瘍など）を起因として生じるものである．水晶体を栄養する房水や硝子体の変化によって，水晶体の代謝障害をきたすことによる．

③全身性疾患に伴う白内障

糖尿病による糖代謝障害が原因とされている．ほかに，筋強直性ジストロフィーや，副甲状腺機能低下症などがある．若年者では，アトピー性皮膚炎による発症頻度が高い．

④薬物性白内障

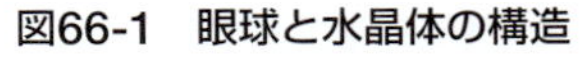

図66-1　眼球と水晶体の構造

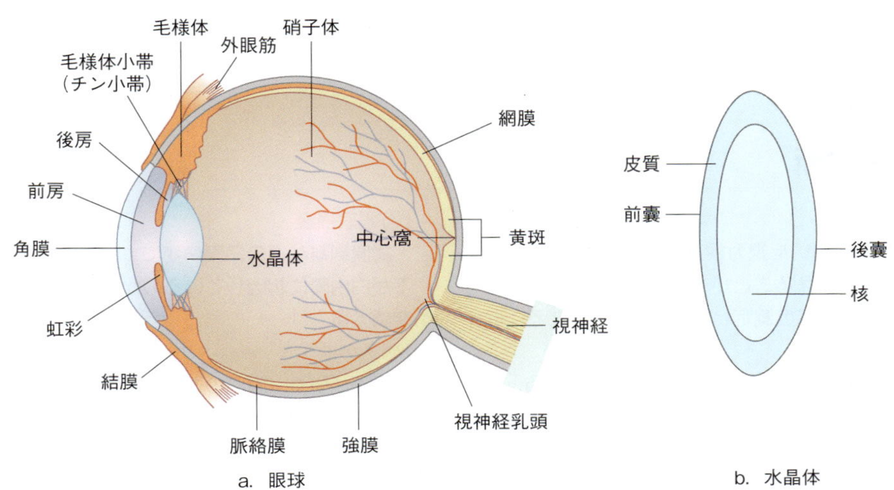

a. 眼球　　b. 水晶体

ステロイド長期投与によるものが多い．ステロイド薬はさまざまな投与方法があるが，内服と吸入によって生じやすいとされている．発症すると進行が早く，数か月から１年程度で手術が必要となることもある．

⑤そのほかの原因による白内障

外傷，放射線（紫外線，赤外線など）被曝によっても生じる．外傷は，水晶体の直接的な損傷によって急速に進行するものもあれば，打撲などの間接的な損傷の場合は，受傷後しばらくしてから発症することがある．放射線被曝によるものは晩期障害として生じることがある．

3）病態と臨床症状

病態

水晶体上皮細胞の分化・遊走異常，タンパク質の変性，浸透圧異常，水晶体線維の膨化・破壊などによって，水晶体が濁る．水晶体は血管のない組織であり，房水や硝子体を利用して成分供給しているため，それらの障害によっても生じる．

(1)混濁部位による分類

実際には，それぞれが単独で生じるよりも，複数の部位の混濁が同時に存在していることが多い．

①皮質白内障

最も頻度が高いもので，皮質部に楔型の混濁が放射状にみられる．紫外線が関与していると考えられている．

②核白内障

中心部の核が混濁するもので，タンパク質が凝集して生じる．加齢に伴うものが多く，年齢とともに進行していく．混濁が進行するにつれて，白から茶褐色へ変化し，硬くなる．

③前囊下白内障

前囊直下に認められる混濁で，水晶体上皮細胞が異常に分化し，Ⅰ型コラーゲンを産生して，混濁する．アトピー性皮膚炎に伴うものが多い．

④後囊下白内障

後囊下に平面上に広がる混濁で，ステロイドによる薬物性白内障でみられることがある．

(2)混濁程度による分類

①初発白内障：ごく軽度で部分的，散瞳したときにわかる程度

②未熟白内障：混濁範囲が拡大し，進行しているが，透明な部分も残っている

③成熟白内障：水晶体全体が完全に混濁している

④過熟白内障：皮質が変性・吸収されてきて，前囊に皺が生じている状態

臨床症状

水晶体の機能は，①屈折，②調節，③有害光の除去，④前房と硝子体の隔壁，という４つがある．白内障によって，これらの機能が障害されて，さまざまな症状を呈する．

(1)視力低下，霧視

混濁によって光の透過性が低下し，網膜へ到達する光が減少するために，視力が低下する．また，視野全体が霧がかってみえる霧視を生じる．

(2)羞明感

水晶体の混濁によって光が乱反射するため，まぶしさを訴えやすい．

(3)頭重感，眼痛

水晶体の厚みが増して前房が浅くなり，狭隅角緑内障と同様の症状になると生じる．

(4)単眼複視

光の異常な屈折のために，片方の眼でみたときに複視が生じることがある．

(5)近視

核白内障は，水晶体の屈折率が高くなるため，近視に移行することがある．核白内障のように，核の硬化が強度のときに生じる．

4）検査・診断

(1)視力検査

ランドルト環を用いた視力検査が基本だが，視力1.0でもみえづらさを訴えることがある．より詳細な検査として，コントラスト感度測定（グレアテスト）がある．

(2)細隙灯顕微鏡検査

散瞳薬を用いて，十分に散瞳した状態で観察する．混濁の部位・程度，範囲を調べる．

(3)眼底検査

網膜剥離などの網膜病変について評価を行う．視力低下が白内障に起因しているのか，ほかの眼疾患はないかを調べる．

(4)その他

混濁が強く，眼底の透過が困難なときには，網膜電位図（ERG：electroretinography），超音波画像検査などを行う．

5）治療

(1)薬物療法

初期や自覚症状がないとき，手術希望がないときに行う．薬剤によって進行を遅らせることはできるが，水晶体の混濁を軽減することはできない．

ピレノキシンなどの点眼が行われる(**表66-1**)．

(2)外科的治療(手術療法)

混濁を軽減する治療として，観血的に混濁した水晶体を取り除き，代わりに人工の水晶体(眼内レンズ)を挿入する．

頻度は低いが，手術による合併症が生じて視機能低下をきたす可能性があるため，手術によってどの程度症状が改善するか，手術リスクはどの程度かを評価することが重要である．

①水晶体嚢内摘出術(**図66-2a**)

角膜を半周近く切開し，水晶体を丸ごと取り出す方法である．水晶体嚢が除去されるため，眼内レンズを挿入するには特殊な操作が必要となる．眼内レンズを支えることができず，術後の視力矯正は眼鏡，コンタクトレンズを用いることもある．また，硝子体が前房へ移動しやすくなることで，網膜剝離などの合併症も起こりやすい．

②水晶体嚢外摘出術(**図66-2b**)

・嚢外摘出術

角膜を1/3周ほど切開し，水晶体の核と皮質を，水晶体嚢から取り出す方法である．前嚢と後嚢，赤道部は残存し，眼内隔壁としての役割は残る．眼内レンズを嚢内に固定することが可能である．

・水晶体超音波乳化吸引術(PEA：phacoemulsification and aspiration)

標準的な手術術式である．2～3mmほどの切開で手術が可能であり，超音波で核を眼内で砕き，吸引除去する方法である．より小さな切開創で済むため，術後の炎症，眼球のゆがみや乱視も少なく，視力回復も早い．水晶体嚢が残るため，眼内レンズを固定することも可能である．

(3)視力の矯正

水晶体はレンズの役割を担っているため，摘出すると調節機能が低下する．そこで，視力の矯正が必要となるが，強度の近視例では不要となることもある．

①眼鏡

最も簡単な方法ではあるが，実際にみえる視野が狭くなるため，主に両眼の症例に適応となる．片眼の症例を眼鏡で矯正すると，矯正した患側のほう(無水晶体眼)でものが大きくみえてしまい(不等像視)，眼精疲労や頭痛を生じやすくなり，使用できない．

②コンタクトレンズ

眼鏡での短所はほとんど生じない．片眼のみの症例に適応となるが，角膜の障害などによって，使用できないときもある．また，高齢者の場合は，取り外しや管理が困難となることが多い．

③眼内レンズ(IOL：intraocular lens)(**図66-3**)

表66-1　白内障治療薬一覧

	薬剤(商品名)
点眼薬	ピレノキシン(カタリン®，カリーユニ®) グルタチオン(タチオン®) アザペンタセン(ファコリジン®)
内服薬	唾液腺ホルモン(パロチン®) チオプロニン(チオラ®) 漢方薬(牛車腎気丸®)

図66-2　水晶体嚢内摘出術と水晶体嚢外摘出術(術後)

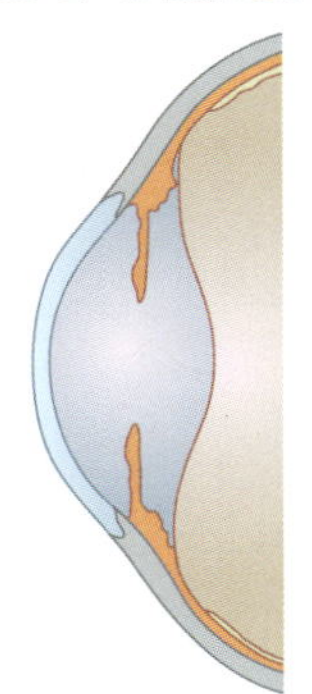

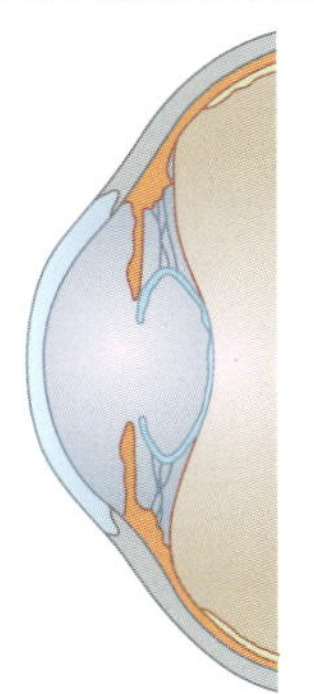

a. 水晶体嚢内摘出術　b. 水晶体嚢外摘出術

図66-3　眼内レンズの固定

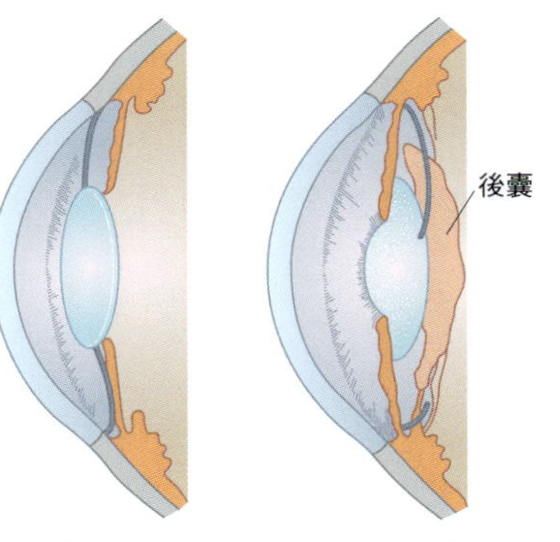

a. 前房レンズ　b. 残っている後嚢に支持されている後房レンズ

Newell, F.W.: Ophthalmology : principles and concepts. ed 5, The C.V.Mosby Co., 1982

最も多く用いられる矯正方法で，人工の水晶体として屈折力を代替する．IOLは，屈折を担う光学部と，固定するための支持部でできている．眼鏡やコンタクトレンズと同様に，さまざまな度数がある．術前に十分に検査し，患者の希望を丁寧に聞き，適切な度数を決定して移植する必要がある．

眼内レンズの種類としては，単焦点レンズ（焦点があう距離が１つのもの）と，多焦点レンズ（焦点があう距離が２つ以上のもの）がある．単焦点レンズは，患者に応じて焦点距離を選択し，みえづらい距離には眼鏡での矯正が必要となる．多焦点レンズは，眼鏡が不要となる場合が多いが，保険適用外であり，コントラスト感度が低下して薄い字が読みにくいことがある．

その他，乱視を矯正する機能があるトーリックレンズ，紫・青色光を抑制する着色レンズ，球面による収差を補正した非球面レンズなどの種類がある．

(4)術後合併症

頻度は低いが，以下のような合併症がみられることがある．また，高齢者で全身性疾患を有する症例も多いため，手術による全身への影響も考慮する必要がある．

①眼圧上昇

手術に使用する粘液性物質の残存や炎症などによって，房水の流出を妨げると，一過性の眼圧上昇をきたす．続発性緑内障につながる可能性もある．一過性であれば，そのまま様子をみるが，症状が強ければ眼圧を下降させる点眼や内服を行う．症状は嘔吐，眼痛，頭痛などである．

②術後眼内炎

術後，数日して生じる危険性がある．多くは術中，術後の細菌感染によるもので，眼痛，眼脂，結膜の腫脹などの症状が出る．急激に悪化し，視力低下する危険もあるため，早急な対応が必要となる．副腎皮質ステロイドや非ステロイド抗炎症薬（NSAIDs）の点眼，清潔ケアによって予防・治療する．

③後発白内障

術後に最も多く生じる合併症である．水晶体嚢外摘出術後に，後嚢上に残存した水晶体上皮細胞が増殖するために起こる．混濁が高度で視力低下がある場合は，後嚢をYAGレーザーで切除すると，視力は回復する．

④その他

角膜浮腫，黄斑浮腫，前嚢収縮，眼内レンズ偏位などがある．

6）予後

白内障以外に眼疾患を併発しているかどうかに左右される．白内障だけであれば，かなり進行していても，手術によって視力はほぼ回復可能である．先天白内障で混濁が強く，視力障害が大きい場合は，早期に治療しないとものをみる刺激が阻害され，脳神経細胞の萎縮・変性が生じ，不可逆性の弱視となる．

2. 看護過程の展開

• アセスメント～ゴードンの機能的健康パターンを用いて

パターン	アセスメントの視点	根拠	収集する情報
(1) 健康知覚-健康管理 患者背景 健康知覚-健康管理 価値-信念	●疾患や治療についての理解はあるか ●健康管理状況に問題はないか ●感染予防行動の必要性を理解し，自己管理できるか ●これまでの健康に関する認識に問題はないか ●現在の健康に関する認識に問題はないか ●転倒リスクについて理解し，予防できるか	●治療後の自己管理のためには白内障の症状や治療を正しく理解することが必要である． ●白内障患者は高齢であることが多く，身体機能の低下や全身性疾患をもっていることが多い．手術や術後の経過に影響を与えることがある． ●合併症を予防し，順調な回復を促進するためには，日常生活での眼の安静，感染予防が必要となる．患者は高齢であることが多く，自己管理が困難なこともある．術後の生活指導を行ううえで，患者・家族が疾患や生活上の注意点について認識していることが必要である． ●入院によってものの位置や環境が変わること，眼帯の着用などによって片眼での生活となる可能性があるため，転倒の危険がある．そのことを本人が理解し，転倒予防に留意することができないと転倒につながる．	●入院，手術体験の有無 ●疾患，症状，治療についての理解と認識 ●術後の経過に対する理解と認識 ●既往歴，治療歴 ●術後に起こり得る合併症や，予防するために必要なことを理解し，表現できるか ●眼をこすったり，触るなどの行為がないか ●転倒の既往，入院に伴う環境の変化に適応しているか
(2) 栄養-代謝 全身状態 栄養-代謝 排泄	●食習慣に問題はないか ●栄養摂取に問題はないか ●水分摂取に問題はないか ●摂食・嚥下の状態に問題はないか ●栄養状態に問題はないか ●皮膚状態に問題はないか	●低栄養や脱水，皮膚の脆弱性などは，術後の経過に影響を与える．	●検査データ ●栄養状態 ●摂食，嚥下の状態 ●皮膚状態
(3) 排泄 全身状態 栄養-代謝 排泄	●排尿，排便のコントロールができているか	●視力障害によって，排泄パターンや排便方法に影響を与える因子はないか検討するため．	●排便回数，性状，排便パターン ●排尿回数，排尿パターン
(4) 活動-運動 活動・休息 活動-運動 睡眠-休息	●眼の症状による日常生活への影響はどうか ●呼吸，循環器機能に問題はないか ●運動機能に問題はないか ●余暇活動に問題はないか	●症状の程度によって，日常生活上の危険度や今後の治療方針が異なる． ●高齢者が多いため，既往歴や心肺機能の低下が今後の治療内容や日常生活を制限する要因となることがある． ●上肢の機能障害は点眼薬などの治療の継続に影響する． ●視機能の状態によって余暇活動に影響を及ぼすことがある．	●バイタルサイン ●呼吸状態 ●高血圧や不整脈など循環器機能の状態 ●ADLの状況 ●運動機能 ●余暇活動の状況

パターン	アセスメントの視点	根拠	収集する情報
(5) 睡眠-休息 活動・休息 活動-運動 睡眠-休息	●睡眠習慣に問題はないか ●休息に問題はないか	●睡眠，休息の不足は治療経過に影響を与える．	●睡眠時間，熟眠感は得られているか ●休息やリラクゼーションの時間はとれているか
(6) 認知-知覚 知覚・認知 認知-知覚 自己知覚-自己概念 コーピング-ストレス耐性	●現在の症状の確認，疾患によって視機能にどのような影響を及ぼしているか ●そのほかの感覚機能に問題はないか ●疼痛はないか ●そのほかの不快な症状はないか ●認知機能に問題はないか	●疾患により症状が出現し視機能の障害をひきおこす． ●患者の多くは高齢であるため，関節痛や加齢に伴う感覚機能の低下がみられる． ●疼痛や感覚機能の低下によって，点眼や感染予防行動などの自己管理に影響を与えるため． ●説明した内容の理解などの認知機能が必要である．	●視力障害(視力低下，霧視)，羞明感， ●頭重感，眼痛 ●その他(単眼複視，近視，眼精疲労) ●検査データ ・視力検査 ・細隙灯顕微鏡検査 ・グレアテスト ●眼底検査 ●関節痛や聴力の状態 ●説明した内容の理解，記憶
(7) 自己知覚-自己概念 知覚・認知 認知-知覚 自己知覚-自己概念 コーピング-ストレス耐性	●疾患や治療についての不安の有無，表情や言動 ●回復への期待はどの程度か ●自己概念(アイデンティティとボディイメージ)に問題はないか	●人間にとって視力を失うことは脅威であり，治療に対する期待と不安が入り混じっている可能性が考えられる． ●手術が初めてであれば，手術に対する不安も大きい可能性がある．また，局所麻酔で覚醒したままの手術であるため，術中の痛みや手術操作への心配もある可能性がある． ●術後に痛みが生じたり，視力が思うように回復しないと，「こんなはずではなかった」という思いにつながったり，治療への満足感に影響を及ぼす可能性がある．	●疾患や症状について患者の表情や言動 ●入院や治療，今後の生活についての思い
(8) 役割-関係 周囲の認識・支援体制 役割-関係 セクシュアリティ-生殖	●他者との関係に問題はないか ●家庭，職場，地域での役割遂行と関係に問題はないか	●疾患や治療によって，役割遂行に問題が生じることがある． ●安全，効果的に役割を果たすには他者の理解や協力が必要である． ●対象は高齢者であることが多く，全身状態や視機能状態によっては，家族のサポートだけでは継続治療が困難となることがある．	●生活状況，社会的役割 ●キーパーソンの有無 ●周囲のサポートの有無 ●面会や協力の程度 ●社会資源の活用状況

パターン	アセスメントの視点	根拠	収集する情報
(9) セクシュアリティ-生殖 周囲の認識・支援体制 役割-関係 セクシュアリティ-生殖	●性行動・性的関係に関する不満足感はないか	●視力障害によって性生活に影響を及ぼすことがある.	●パートナーの有無 ●性行為への影響
(10) コーピング-ストレス耐性 知覚・認知 認知-知覚 自己知覚-自己概念 コーピング-ストレス耐性	●今回の出来事をどのように知覚しているか ●対処方法に問題はないか	●視機能の回復状況によっては，ストレスを生じることがある.	●疾患や治療，予後について，どのようなことにストレスを感じているか ●対処方法はどのようなものか，対処方法に影響はないか
(11) 価値-信念 患者背景 健康知覚-健康管理 価値-信念	●どのような価値観をもっているか(望ましい治療管理と対立しないか)	●価値観や信念が，望ましい治療管理の阻害要因となり得るため. ●長期的な治療，治療法の選択には価値観，信念が影響する	●価値観 ●信念

3. 全体像の把握から看護問題を抽出

1）病態関連図

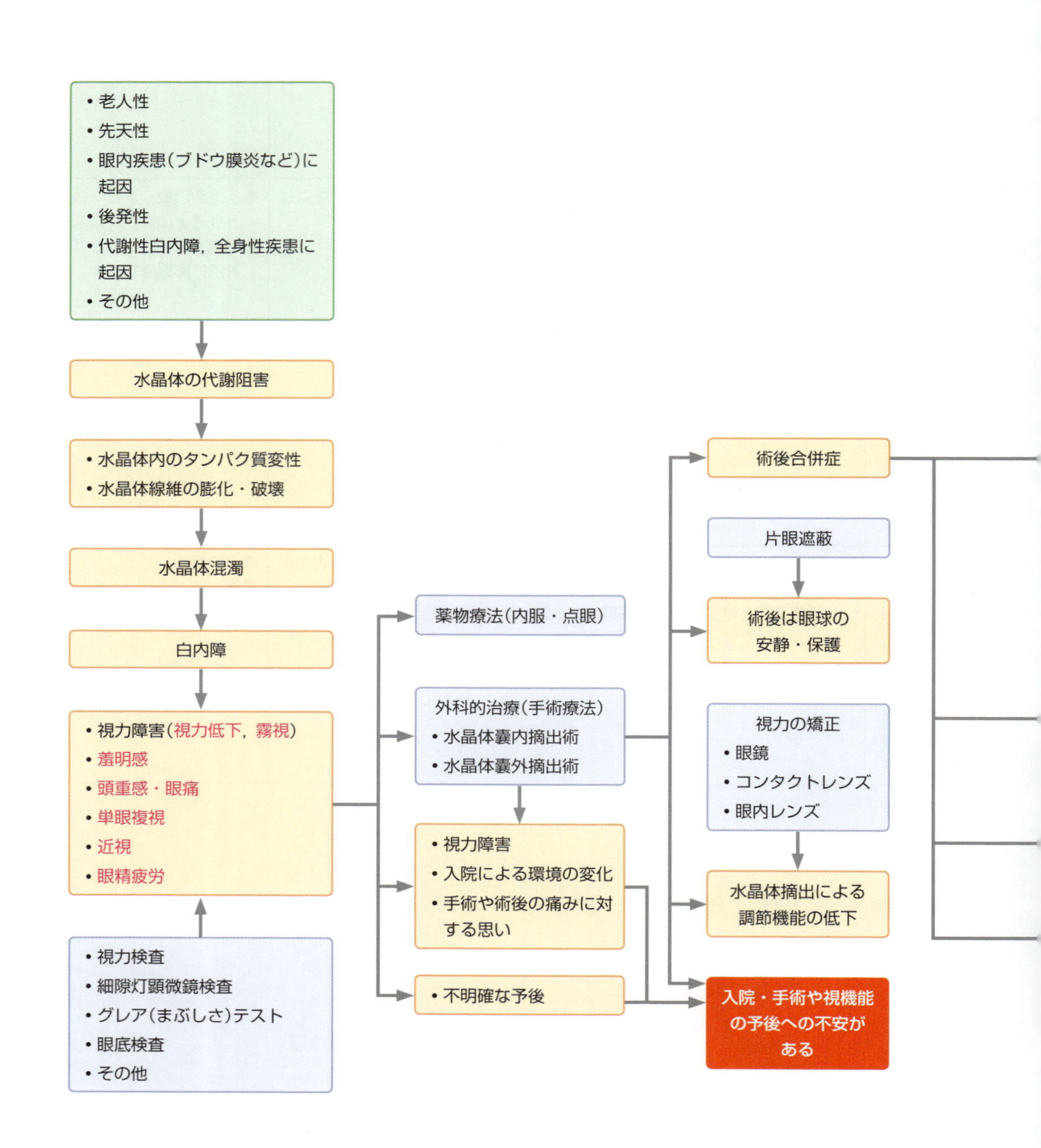

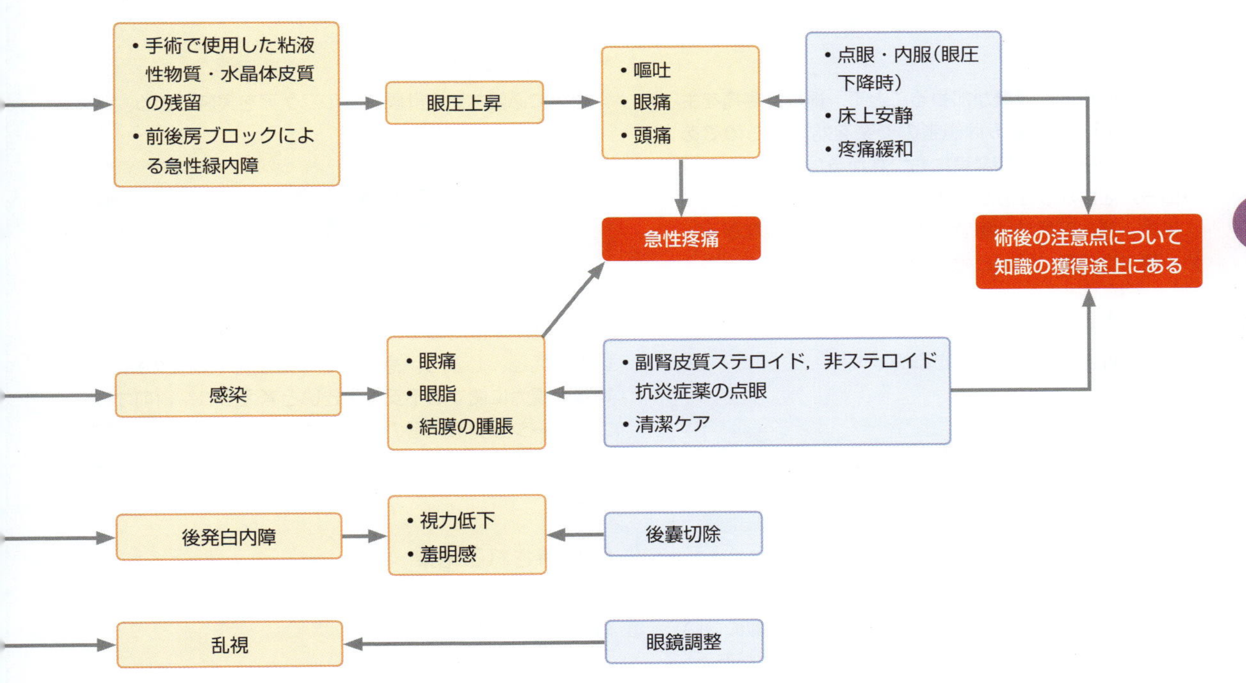

・手術で使用した粘液性物質・水晶体皮質の残留
・前後房ブロックによる急性緑内障
眼圧上昇
・嘔吐
・眼痛
・頭痛
・点眼・内服(眼圧下降時)
・床上安静
・疼痛緩和
急性疼痛
術後の注意点について知識の獲得途上にある
感染
・眼痛
・眼脂
・結膜の腫脹
・副腎皮質ステロイド，非ステロイド抗炎症薬の点眼
・清潔ケア
後発白内障
・視力低下
・羞明感
後嚢切除
乱視
眼鏡調整

2）看護の方向性

水晶体の代謝阻害によって水晶体が混濁し，視力低下・霧視・羞明感などの症状をきたす．治療としては，薬物療法（内服・点眼）と手術療法があり，手術は日帰りで低侵襲で行えることが多いが，患者の多くは高齢者であるため，既往歴や生活状況にあわせて治療を進めていく必要がある．術後の疼痛緩和や，感染予防など，適切な自己管理を退院後も継続していけるよう，入院中に介入する必要がある．

3）患者・家族の目標

安全に手術を受けることができ，合併症を起こさず視力を回復することができる．

4. しばしば取り上げられる看護問題

◆1 急性疼痛

なぜ？

眼球に直接的に侵襲が加わることで，術後に疼痛を生じることがある．痛みは患者の安楽を妨げるものであり，術後合併症の早期発見にもつながるため，疼痛コントロールをはかり注意して観察していく必要がある．

また，痛みの軽減は患者の不安の軽減にもつながるため，優先度の高い問題と考えられる．

➡期待される結果

疼痛が軽減したと表現できる．

◆2 術後の注意点について知識獲得途上にある

なぜ？

術後は，眼の保護や点眼薬の適切な使用が必要となる．多くの患者は高齢であるため，術後に必要な処置について，理解し，継続していくことが困難な可能性がある．

また，術後の感染は視力回復に影響するため，予防や感染徴候の早期発見について患者が自ら行えるよう知識を得る必要がある．

➡期待される結果

術後に必要な治療計画，セルフケアを実施できる．

◆3 入院・手術や視機能の予後について不安がある

白内障の手術は日帰りで行うことができ，手術時間も短く，局所麻酔であるため，手術による身体侵襲は少ないといえる．しかし，患者にとって手術や術後の痛み，術後の視力に関する不安は大きいと考えられ，術前オリエンテーションや患者の思いを傾聴することにより，安心して治療を受けることができるよう関わることが必要である．

➡期待される結果

安心して入院生活を送れると表現できる．安心して手術に臨めると表現できる．

5. 看護計画の立案

• O-P：Observation Plan（観察計画）　• T-P：Treatment Plan（治療計画）
• E-P：Education Plan（教育・指導計画）

1 急性疼痛

	具体策	根拠と注意点
O-P	(1)痛みの程度，増悪因子 (2)患者の言動や表情 (3)血圧，脈拍，呼吸 (4)四肢の冷感，発汗の有無 (5)鎮痛薬や麻酔薬の使用状況とその効果	●痛みによって，血圧上昇，脈拍数の増加，呼吸の乱れが起こり得るため． ●痛みの程度を客観的に捉えるため，バイタルサインの変動に注意する必要がある．
T-P	・医師の指示による鎮痛薬を使用する ①リラックスできる環境の整備 ②精神的ストレスや緊張・不安などを軽減する	●身体的な痛みと精神的な痛みを考慮し，できるだけ安楽に過ごせるよう，環境整備や援助に努める．
E-P	(1)疼痛時は，医師や看護師にすぐに伝えるよう指導する (2)痛みに関して我慢しなくてよいことを伝える	●痛みの表出によって早期対応が可能になることから，患者の苦痛の軽減につながる．

2 術後の注意点について知識獲得途上にある

	具体策	根拠と注意点
O-P	(1)術後の経過とセルフモニタリングの実施状況 ・みえ方，異物感，眼痛，眼脂 (2)術後の注意点に関する理解度，実施状況 (3)退院後のサポート体制	●術後の炎症や感染徴候を確認するために必要である．入院中は看護師が観察するが，退院後は患者自身が症状の有無を観察する必要がある． ●術後，切開創や縫合糸によるゴロゴロ感やチクチク感を生じる場合があるが，術後の眼球の保護のため，こすったり圧迫しないようにする． ●主観的なみえ方や明るさを確認することは，患者自身が視力の回復を自覚することにつながる． ●点眼などの管理を継続していけるのか，他者のサポートを得られるのか，確認する必要がある．
T-P	・医師の指示に基づく点眼・内服薬の使用	●術後の状態によって，処方される薬剤は異なる．医師の指示を確認し，正確に使用する． ●点眼は，初めは看護師が行うが，徐々に患者が行う部分を増やしていく．患者にあわせた点眼方法を考える．
E-P	(1)術後 1 週間程度，洗髪や洗顔は禁止となることを説明する (2)球技や水泳などの運動は，医師の指示が出るまで行わないよう説明する (3)外出時は，紫外線や帽子を使用するよう説明する (4)点眼の種類や回数，使用方法について説明する (5)点眼は自己中断しないよう説明する (6)目を強くこすったり，押さえたり，不潔な手で触れないように説明する (7)異常時には外来受診するよう伝える (8)(1)～(7)について，必要に応じて家族にも説明する	●術後に水や洗浄液が目に入ると，感染や炎症が増加する危険性がある．1 週間程度，洗顔やシャワー浴，洗髪は禁止とする． ●球技は突発的に目にボールが当たったり，水泳はプールの水に薬品を使用したりしていることから，炎症の増加につながるため，医師の許可が出るまで禁止となる． ●眼内レンズを挿入した場合は，術後の紫外線や直射日光に気をつけなければならない．強い光線が網膜に集束するため，光による網膜障害を起こしやすい．そのため，外出時や日差しが強いときは，紫外線を遮断する眼鏡や帽子をつけることが望ましい． ●術後の状態によって，処方される薬剤は異なる．医師の指示を確認し，正確に使用する．

引用・参考文献

1) 中澤満ほか編：標準眼科学．第14版，医学書院，2018.
2) 秋山健一監：Simple Step 眼科．海馬書房，2017.
3) 医療情報科学研究所編：病気がみえる vol.12眼科．メディックメディア，2019.
4) 香川大学医学部附属病院看護部標準看護計画検討会編：現場ですぐ使える標準看護計画 第2巻．日総研，2010.
5) 市川幾恵監：意味づけ・経験知でわかる疾患別病態生理看護過程 下巻．第3版，日総研，2017.

Memo

第13章　眼疾患患者の看護過程

67 緑内障

1. 疾患の基礎的知識

1）疾患の概念

緑内障とは，視神経の障害による視神経の構造的異常と，視野障害の両方を有する疾患をいう．眼圧を下げることによって，これらの改善または進行を抑制することが可能な疾患である．

緑内障は，40歳以上の失明原因の第１位となっており，40歳以上の有病率は5.0%，70歳以上では10%を上回っており，加齢に伴って増加する．緑内障による視野障害は不可逆的であり，加齢とともに徐々に進行するため，自覚症状に乏しく，早期発見が難しいといわれている．

2）原因

緑内障は，原因と隅角（ぐうかく）の所見によって，以下のように分けられる（**図67-1**）．

(1)原発緑内障

眼圧上昇や視神経障害の原因として，ほかの疾患がないものをいう．

①原発開放隅角緑内障（広義）

原発開放隅角緑内障（狭義）と，正常眼圧緑内障が含まれる．狭義の原発開放隅角緑内障は，前房隅角に狭窄・閉塞所見はなく，正常で広いが（20～45°），房水の流出機能が不良のために眼圧上昇が起こる（**図67-1a**）．一方，眼圧が正常範囲（10～20mmHg）であるが，視神経の脆弱性などが原因と考えられる正常圧緑内障もある．

②原発閉塞隅角緑内障

虹彩隅角が狭くなり，房水の流出が妨げられることを，隅角閉塞という（**図67-1b**）．目の構造や加齢による変化，水晶体の位置など，さまざまな理由で急激に眼圧上昇をきたす急性型と，眼圧上昇の軽い発作と寛解を繰り返すことによって慢性的に隅角閉塞が進行する慢性型がある．

(2)続発緑内障

ほかの疾患によって二次的に発症するもので，ブドウ膜炎，眼腫瘍，眼外傷などの眼疾患によるもの，糖尿病などの全身疾患によるもの，副腎皮質ステロイドなどの薬物使用によるものなどが，原因としてあげられる．

(3)小児緑内障（発達緑内障）

胎生期の隅角発育異常による緑内障をいう．隅角の形成異常による原発小児緑内障と，先天眼形成異常や先天性の全身疾患に関連した緑内障がある．３歳以下で発症すると，高眼圧によって角膜が伸展し，黒目の部分が大

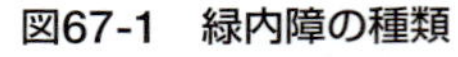

図67-1　緑内障の種類

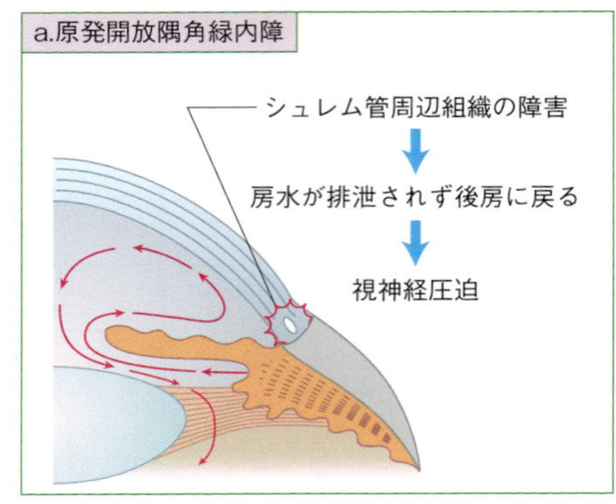

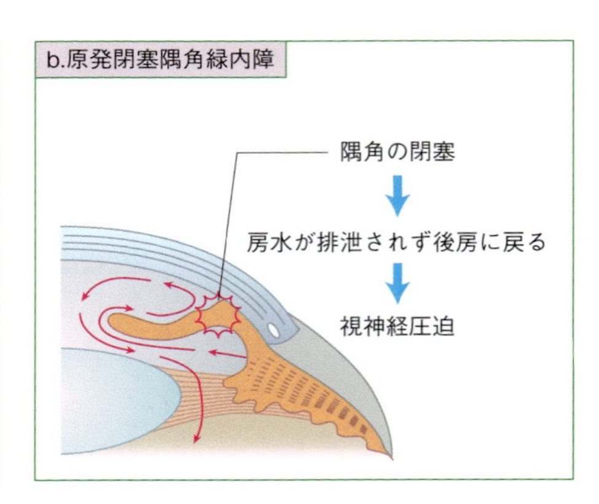

きくなり，その外観から牛眼とよばれる症状を呈する．

3）病態と臨床症状

病態

隅角とは，角膜と虹彩の移行部位で，前房の“隅(すみ)”である．房水は，眼圧や眼球形状の維持に重要で，眼房を満たす透明な液であり，眼内組織の栄養供給や老廃物の除去を担っている．房水は毛様体上皮で産生され，後房から瞳孔縁を通過し，前房に至る．その後，85%は隅角部の線維柱帯流出路であるシュレム管に流入し，15%はブドウ膜強膜内流出路を経て，眼外の血管へと流れ出る(**図67-2**)．

この一連の過程のどこかに問題が生じ，房水の流れが阻害されると，通常の眼圧が維持できなくなる．狭隅角眼（0〜10°）では，虹彩は繊維柱帯に近い位置に存在する．加齢に伴って水晶体が膨張し，前方に偏位すると，さらに隅角が狭くなり，房水の流出が悪くなる．後房圧が増すと，虹彩と隅角部の癒着によって隅角が狭くなり，房水流出はブロックされ（瞳孔ブロックという），急性緑内障発作に陥る可能性がある．

なお，眼球は大気圧に対して内圧を保ち，球状を維持している．その内圧を眼圧というが，わが国の40歳以上の健常人の平均眼圧は14.5±2.5mmHg程度で，正常眼圧の上限は約20mmHgである．日内変動があり，朝高く夜低い．

緑内障は，網膜神経節細胞のアポトーシスと軸索障害によるもので，進行性で不可逆的な病態である．これを緑内障性視神経症（GON：glaucomatous optic neuropathy）という．眼圧や視神経脆弱性によってGONが起きると，視神経乳頭部の陥没が拡大し，緑内障性視神経萎縮をきたす．視神経萎縮の発症機序に関しては，網膜線維の機械的圧迫による，という説が代表的である．ほかに，視神経乳頭の構造的な脆弱性や，軸索である視神経の原形質の流れが圧迫によって障害されるという循環障害説もある．

臨床症状

緑内障の主な症状は，視神経障害（GON）による視力・視野障害であり，これは慢性的に進行するため，自覚症状に乏しい傾向にある．しかし，急激な眼圧上昇によってさまざまな症状が現れ，視野障害が急激に進行する場合もある．

(1)原発緑内障

①原発開放隅角緑内障

初期には自覚症状がほとんどなく，訴えがある場合は，目が疲れるなどの眼精疲労が多い．進行していくにつれて，次第に視野欠損が進み，初めて視野異常を自覚するようになる．高眼圧であることが多いが，眼圧が20mmHg以下と高くないにもかかわらず，視神経に緑内障性変化を認める場合もある．これを正常眼圧緑内障という．

②原発閉塞隅角緑内障

・急性緑内障：急激に眼圧が上昇し，虹彩の循環不全・圧迫壊死によって，強度の眼痛が生じる．さらに頭痛，悪心・嘔吐，高度の視力低下，霧視に加え，虹輪視(こうりんし)を訴える．虹輪視は，光をみたときにその周囲に虹のような輪がみえる現象で，角膜上皮の浮腫による．他覚的には，角膜浮腫，毛様体充血，角膜混濁，瞳孔散大，浅前房を認める．

・慢性緑内障：眼圧はゆるやかに上昇し，霧視，軽度の眼痛や頭重感を訴える．

(2)続発性緑内障

基礎となる原疾患があり，その合併症として眼圧上昇を起こし，緑内障につながるものをいう．原因となる疾患によって症状の進行は異なり，緑内障の治療だけでなく，原疾患の治療も大切である．主に，眼圧上昇に伴う

図67-2　房水の流れ方

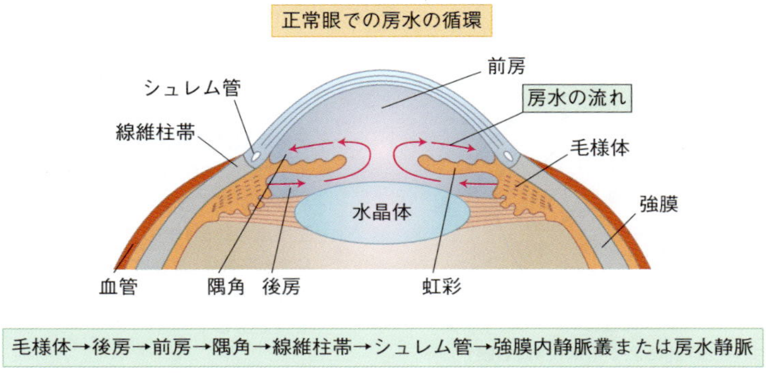

視力低下，視野欠損，眼痛，霧視などが生じる．

(3)発達緑内障

先天性の隅角発育異常のため，房水の流出障害が起こり，眼圧上昇をきたす．眼球壁が比較的やわらかい乳幼児期に発生し，角膜径が拡大する．症状としては，流涙，羞明(しゅうめい)，眼瞼痙攣，角膜浮腫，角膜混濁，巨大角膜などがみられる．高眼圧を呈し，隅角検査では隅角の発育異常がみられ，眼底では，緑内障性の視神経乳頭陥没がみられる．

4）検査・診断

(1)眼圧測定(トノメトリー)

シェッツ眼圧計，圧平眼圧計（ゴールドマン眼圧計による接触型の測定のほか，非接触型の測定など）によって，眼圧を測定する．このうち，ゴールドマン眼圧計が最も精度が高い．20mmHg以下が基準値とされる．しかし，眼圧が高くても視力障害などが生じていない場合や，反対に正常圧であっても緑内障の場合もある．このため，一般に，眼圧だけでは緑内障であるかどうかは判断できない．

(2)視野測定(図67-3)

緑内障の視野の変化は，障害を受けた視神経に対応した部位に視野欠損がみられる．動的視野検査と，静的視野検査があるが，中心視野に鋭敏な静的視野検査のほうが，初期の変化を描出しやすい．

中心5°～15°以内の孤立暗点，鼻側に生じるレンネ鼻側階段，マリオット盲点（生理的盲点）から続く弓状暗点（ブエルム暗点）などがみられる．さらに進行すると，切痕状暗点，中心性狭窄（中心部の視野欠損）を呈す（**図67-4**）．

(3)眼底検査

視神経乳頭，網膜神経線維層の変化を確認する．視神経乳頭はドーナツ状を示し，中央が白く，周囲がオレンジ色の輪になってみえる．中央の白い凹みが陥没で，生理的にほぼ必ず存在する．

直像鏡と倒像鏡とがあるが，視神経乳頭部の観察には前者が適している．眼底カメラを用い，視神経乳頭部周辺の写真によって経過を観察する．眼圧が上昇していない患者でも，眼底検査によって視神経異常を発見できるため，重要な検査といえる．

(4)隅角検査

隅角検査は，緑内障病型分類をするうえで必要不可欠である．閉塞隅角の場合には，閉塞した機序も予測することができる．角膜に隅角鏡を装着して観察する．角膜と虹彩の角度が20°以上で広隅角，20°未満で狭隅角という．

(5)負荷試験

①飲水試験：眼圧下降薬を中止し，５分以内に約1Lの水を飲ませる．飲水前の眼圧と飲水後の最高眼圧との差が９mmHg以上で緑内障を疑う．

②眼圧日内変動試験：24時間，眼圧を測定し，その差が10mmHg以上で緑内障を疑う．

③うつむき試験：眼球を圧迫しないようにし，腹臥位の状態で１時間寝る．眼圧の差が実施前後で８mmHg以上の場合，虹彩の隆起と，前房隅角での房水の流れのブロックが考えられる．

④散瞳試験：副交感神経遮断薬または交感神経刺激薬を片眼にのみ点眼し，散瞳させる．前後の眼圧の差が８mmHg以上の場合，緑内障を疑う．

5）治療

緑内障による視神経障害は，眼圧，視神経の脆弱性，循環障害などが原因としてあげられるが，現在，確立された治療法は，眼圧下降のみである．眼圧を下げることで，視神経障害や視力障害，緑内障進行を抑制すること

図67-3　正常視野

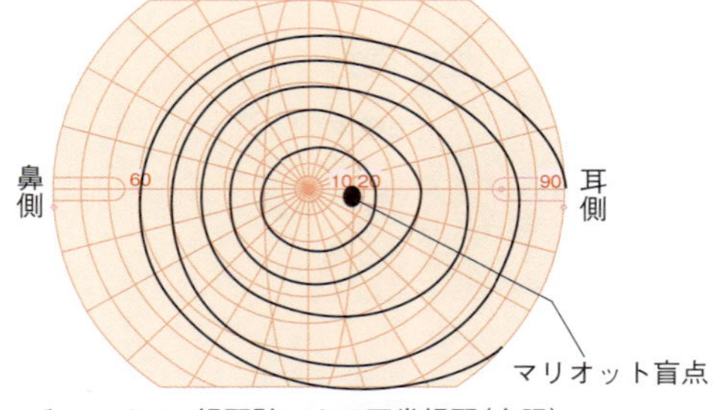

ゴールドマン視野計による正常視野（右眼）

・正常な視野は外方90～10°，下方70°，内方および上方60°程度．鼻側より耳側のほうが視野が広くなっている

・固視点の耳側10°の位置に，みえない部分（マリオット盲点）が存在する．視細胞のない視神経乳頭部に像が入るために生じる，生理的暗点である

が目的で，薬物療法と外科的療法（手術療法・レーザー治療）がある．緑内障の原因や病期によって，選択する治療法は異なる．

原発開放隅角緑内障では，まず薬物療法を行い，効果が不十分な場合に手術療法を検討する．原発閉塞隅角緑内障では，閉塞している機序に応じて閉塞を解除するための手術療法を行い，効果不十分な場合に薬物療法を行う．急性緑内障発作時には，薬剤を用いて眼圧を正常化し，そののちに手術を行う．続発緑内障は，原因疾患の治療がまず行われる．発達緑内障の多くは手術療法が原則である．

(1)薬物療法

治療薬は主に，房水産生抑制薬と房水流出促進薬がある．通常は点眼薬を用いる．点眼で不十分な場合，内服薬を用いる．急性緑内障発作時には注射を用い，速やかに眼圧の下降をはかる（**表67-1**）．

(2)外科的治療(手術療法)

緑内障手術は主に，観血的手術とレーザー手術がある．内容としては，新たな房水流出路をつくる方法と，もとの流出路の流れをよくする方法があり，手術目的に応じて方法を選択する．

①線維柱帯切除術（トラベクレクトミー）

現在，最も広く行われている代表的な濾過手術である．眼球外から隅角へ到達し，角膜輪部に強膜弁を作製し，線維柱帯外側と虹彩根部を切除する．その結果，眼内から結膜下に房水が流れ，濾過胞を形成する．

②線維柱帯切開術（トラベクロトミー）

眼球外からシュレム管へ到達し，角膜輪部に強膜弁を作製し，シュレム管外壁に小切開を加える．そこからトラベクトーム（細い針金状の器具）を挿入し，シュレム管内壁および線維柱帯を切開する．これによって，房水抵抗の減弱をはかる．

③線維柱帯形成術

隅角線維柱帯にレーザーを照射する．熱凝固によって組織の瘢痕収縮が生じ，線維柱間隙が拡大し，房水流出抵抗を低下させる．その結果，房水流出が促進する．

④レーザー虹彩切開術

レーザーを照射して虹彩に穴を開け，前房～後房間のバイパスを作製する．瞳孔ブロックを解除する方法である．

⑤周辺虹彩切除術

角膜に切開を加え，そこから虹彩の一部を切除することで，上記と同様にバイパスをつくる．

⑥隅角切開術

主に発達緑内障で行われる方法である．角膜から線維柱帯を覆う組織をナイフで剥がし，隅角を切り開いて眼圧を下げる．

⑦毛様体凝固術

レーザー凝固によって毛様体を破壊し，房水産生を抑制する．この方法は，術後に疼痛や炎症，低眼圧

図67-4　緑内障の見え方例（右眼）

正常　マリオットの盲点（白丸）

初期　眼の中心からややずれた暗点

中期　暗点は広がり，視野欠損が拡大する

末期　視野狭窄が進み，視力も悪化する

症などの合併症のリスクがあるため，ほかの治療が無効だったときに検討する．

(3)合併症への対応

薬物療法を行っている場合は，その作用に注意する（**表67-1**）．

手術施行例では，一般的なものとして術後感染，濾過手術の場合は，低眼圧症や，それに伴う脈絡膜剥離や低眼圧黄斑症などがある．また，前房消失，結膜層からの房水漏出などをきたすことがある．高度視力障害患者の場合，手術侵襲で残存機能が失われることもある．

(4)リハビリテーション

視覚障害の程度にあわせて，歩行や食事などのADLに関することや，点眼薬・内服薬管理，コミュニケーション手段，職業訓練などのリハビリテーションが行われる．

6）予後

治療の目的は，現状より，症状を進行させないことであり，治療開始後に眼圧をコントロールできても，一度生じた視野欠損，視力障害は改善しない．発見時の視神経障害の程度が予後に影響する．薬剤によって眼圧をコントロールしても，再び眼圧が上昇し，失明することがある．原発開放隅角緑内障は，無自覚で徐々に進行するため，発見されたときはすでに視覚機能障害がかなり進行していることが多い．放置すれば失明に至る．

表67-1　緑内障治療薬一覧

	薬剤（商品名）	作用	副作用
点眼薬	副交感神経刺激薬 0.5～4％ピロカルピン塩酸塩（サンピロ®）	房水流出を促進	縮瞳，昼盲，近視の発症，視力低下，暗黒感，結膜充血，眼局所刺激症状（痛みなど）
点眼薬	交感神経刺激薬 0.04～0.1%ジピベフリン塩酸塩（ピバレフリン®）	交感神経のα，β受容体に作用．房水の産生抑制・流出促進	散瞳，眼局所のアレルギー，充血，結膜・角膜・涙道の色素沈着，黄斑部浮腫
点眼薬	交感神経β遮断薬 0.25～0.5%チモロールマレイン酸塩（チモプトール®）	房水の産生抑制	眼局所のアレルギー，黄斑部浮腫，血圧下降，徐脈，うっ血性心不全，気管支喘息の誘発・増悪
点眼薬	プロスタグランジン誘導体 0.12%イソプロピルウノプロストン（レスキュラ®）	房水流出のなかでも，ブドウ膜・強膜流出を促進	結膜充血，眼局所刺激症状，虹彩の色素沈着
内服薬	炭酸脱水酵素阻害薬 ジクロフェナミド（ダラナイド®） アセタゾラミド（ダイアモックス®）	房水の産生抑制	再生不良性貧血，代謝性アシドーシス，低カリウム血症，腎・尿路結石，消化器症状，光線過敏症，疲労感，頭痛，手指・口唇のしびれ，めまい，一過性近視
内服薬	高浸透圧薬 グリセリン（アミラック®） イソソルビド（イソバイド®）	浸透圧利尿による眼圧の下降	頭痛，悪心・嘔吐，食欲不振，倦怠感
注射薬	炭酸脱水酵素阻害薬 アセタゾラミド（ダイアモックス®）	房水の産生抑制	上記，内服薬（炭酸脱水酵素阻害薬）と同様
注射薬	高浸透圧薬 D-マンニトール（マニトンS®） 濃グリセリン（グリセオール®）	浸透圧利尿による眼圧の下降	・D-マンニトール：高度利尿，脳圧低下および脱水 ・濃グリセリン：乳酸アシドーシス，血尿，頭痛

2. 看護過程の展開

• アセスメント～ゴードンの機能的健康パターンを用いて

パターン	アセスメントの視点	根拠	収集する情報
(1) 健康知覚-健康管理 患者背景 健康知覚-健康管理 価値-信念	●疾患や治療についての理解はあるか ●健康管理状況に問題はないか ●感染予防行動の必要性を理解し，自己管理できるか ●これまでの健康に関する認識に問題はないか ●現在の健康に関する認識に問題はないか ●転倒リスクはあるか，それを理解し，予防に努めることができるか	●治療後の自己管理のために治療後の自己管理のために緑内障の症状や治療を正しく理解することが必要となる． ●疾患による症状以外にも，手術や術後の経過に影響を与える要因がある． ●術後の合併症を予防し，順調な回復を促進するためには，日常生活での眼の安静，術後感染予防が必要となる．術後は，患者・家族が，疾患や生活上の注意点について理解していることが必要． ●入院によってものの位置や環境が変わること，眼帯の着用などによって片眼での生活となる可能性があり，転倒の危険がある．そのことを本人が理解し，転倒予防に留意することができないと転倒のリスクが高くなる．	●疾患，症状，治療についての理解と認識 ●術後の経過に対する理解と認識 ●既往歴，治療歴 ●術後に起こり得る合併症や，予防するために必要なことの理解，表出 ●眼をこすったり，触るなどの行為の有無 ●転倒の既往，入院に伴う環境の変化への適応 ●入院，手術体験の有無 ●緑内症以外の症状の有無，膝痛，腰痛，難聴などの有無
(2) 栄養-代謝 全身状態 栄養-代謝 排泄	●食習慣に問題はないか ●栄養摂取に問題はないか ●水分摂取に問題はないか ●摂食・嚥下の状態に問題はないか ●栄養状態に問題はないか ●皮膚状態に問題はないか	●栄養状態の不良は，術後の経過に影響を与える．	●検査データ ●栄養状態 ●摂食，嚥下の状態 ●皮膚状態
(3) 排泄 全身状態 栄養-代謝 排泄	●排尿，排便のコントロールができているか	●視野障害によって，排泄パターンや排便方法に影響を与える因子はないか検討するため．	●排便回数，性状，排便パターン ●排尿回数，排尿パターン
(4) 活動-運動 活動・休息 活動-運動 睡眠-休息	●眼の症状による日常生活への影響はどうか ●呼吸，循環器機能に問題はないか ●運動機能に問題はないか ●余暇活動に問題はないか	●症状の程度によって，日常生活への影響や今後の治療方針が異なる． ●既往歴や心肺機能の障害は，今後の治療内容や日常生活の制限につながることがある． ●上肢機能は点眼薬などの治療を継続することに影響を及ぼす． ●視野障害によって余暇活動に影響を及ぼすことがある．	●バイタルサイン ●呼吸状態 ●高血圧や不整脈など循環器機能の状態 ●ADLの状況 ●運動機能 ●余暇活動の状況

パターン	アセスメントの視点	根拠	収集する情報
(5) 睡眠-休息 活動・休息 活動-運動 睡眠-休息	●睡眠習慣に問題はないか ●休息に問題はないか	●睡眠，休息の不足は治療経過に影響を与える． ●眼痛などの症状や入院による環境の変化は，睡眠に影響を及ぼす可能性がある．	●睡眠時間，熟眠感は得られているか ●休息やリラクゼーションの時間はとれているか
(6) 認知-知覚 知覚・認知 認知-知覚 自己知覚-自己概念 コーピング-ストレス耐性	●疾患によって視機能はどの程度影響を受けているか ●そのほかの感覚機能に問題はないか ●疼痛はないか ●そのほかの不快な症状はないか ●認知機能に問題はないか	●眼圧上昇に伴い，虹彩の循環不良や，圧迫による虹彩の組織壊死，線維柱帯の癒着などを生じ，それによって，眼痛や頭痛が生じる．また，それに伴って，悪心・嘔吐が生じることがある． ●患者の多くは高齢であるため，関節痛や加齢に伴う感覚機能の低下がみられる． ●疼痛や感覚機能の低下によって，点眼や感染予防行動などの自己管理に影響を与えるため． ●自己管理は説明した内容の理解が必要である．	●視力障害(視力低下，霧視)，羞明感 ●頭重感，眼痛(部位，程度) ●悪心，嘔吐の有無 ●その他(単眼複視，近視，眼精疲労) ●検査データ ・視力検査 ・眼圧値 ・隅角所見 ・眼底所見 ・角膜浮腫の有無 ●関節痛や聴力の状態 ●説明した内容の理解，記憶 ●認知機能
(7) 自己知覚-自己概念 知覚・認知 認知-知覚 自己知覚-自己概念 コーピング-ストレス耐性	●疾患や治療についての不安はあるか ●回復への期待はどの程度か ●自己概念(アイデンティティとボディイメージ)に問題はないか	●緑内障は，その種類によって治療や予後が大きく異なるが，偏った知識や情報によって不安が大きくなっている場合もある． ●手術が初めてであれば，手術に対する不安も大きい可能性がある．また，局所麻酔で覚醒したままの手術であるため，術中の痛みや手術操作への心配もある可能性がある． ●術後に痛みが生じたり，思うように回復しないと，「こんなはずではなかった」という思いにつながったり，治療への満足感に影響を及ぼす可能性がある．	●疾患や症状について患者の表情や言動 ●入院や治療，今後の生活についての思い，イメージ ●視機能の障害のある自分の受け止め ●自己評価 ●自尊感情
(8) 役割-関係 周囲の認識・支援体制 役割-関係 セクシュアリティ-生殖	●他者との関係に問題はないか ●家庭，職場，地域での役割遂行，人々との関係に問題はないか	●疾患や治療によって，役割遂行に影響を及ぼすことがある． ●治療管理のため，他者の理解や協力が必要である． ●視機能状態によっては，家族のサポートだけでは継続治療が困難となることがある．	●生活状況，社会的役割 ●キーパーソンの有無 ●周囲のサポートの有無 ●面会や協力の程度 ●社会資源の活用状況

パターン	アセスメントの視点	根拠	収集する情報
(9) セクシュアリティ-生殖 周囲の認識・支援体制 役割-関係 セクシュアリティ-生殖	●性行動・性的関係に関する不満足感はないか	●視野障害によって性生活に影響を及ぼすことがある.	●パートナーの有無 ●性行為への影響
(10) コーピング-ストレス耐性 知覚・認知 認知-知覚 自己知覚-自己概念 コーピング-ストレス耐性	●今回の出来事をどのように知覚しているか ●対処方法に問題はないか	●視野障害や眼痛など，症状によってはストレスを生じることがある.	●疾患や治療，予後について，どのようなことにストレスを感じているか ●対処方法はどのようなものか，対処方法に影響はないか
(11) 価値-信念 患者背景 健康知覚-健康管理 価値-信念	●どのような価値観をもっているか(望ましい治療管理と対立しないか)	●価値観や信念が，望ましい治療管理の阻害要因となり得るため. ●治療の継続には価値観や信念が影響を及ぼすことがある.	●価値観 ●信条，信念

3. 全体像の把握から看護問題を抽出

1）病態関連図

原因・誘因　検査・治療　病態・臨床症状（色文字は重要な症状）
看護上の問題

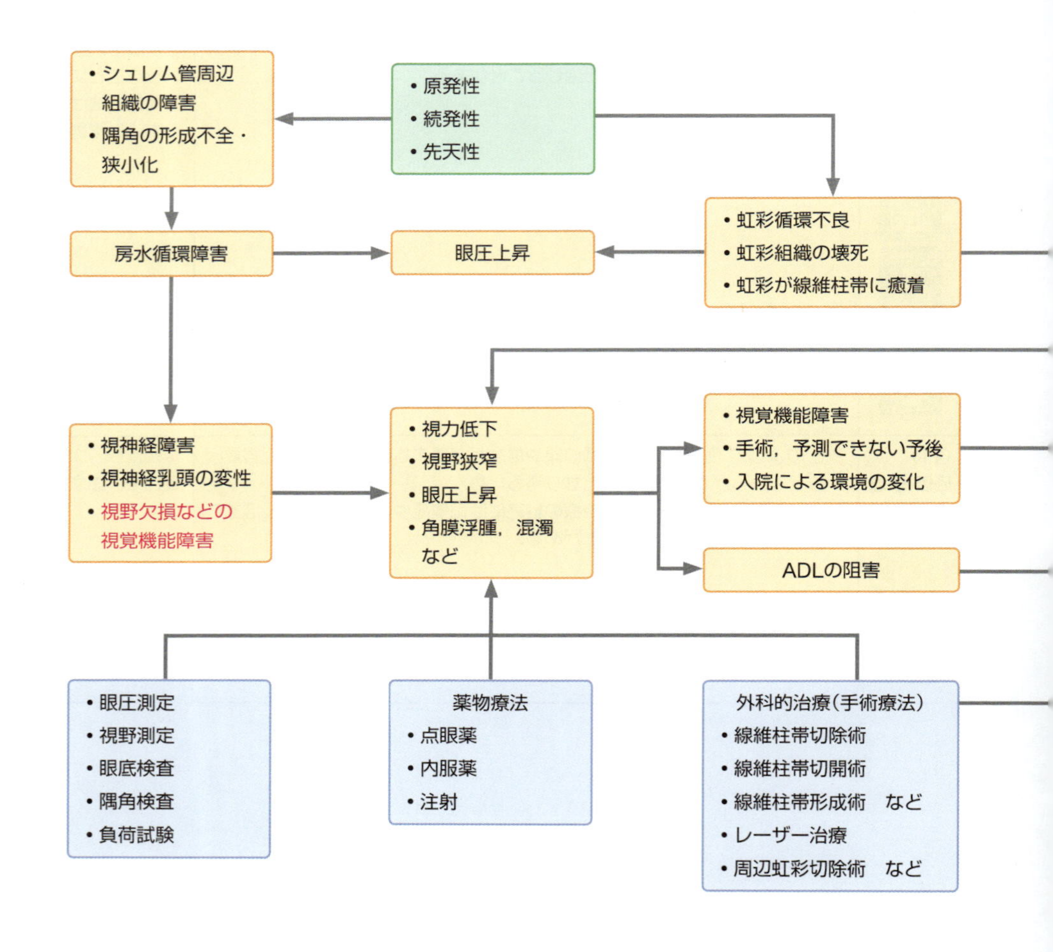

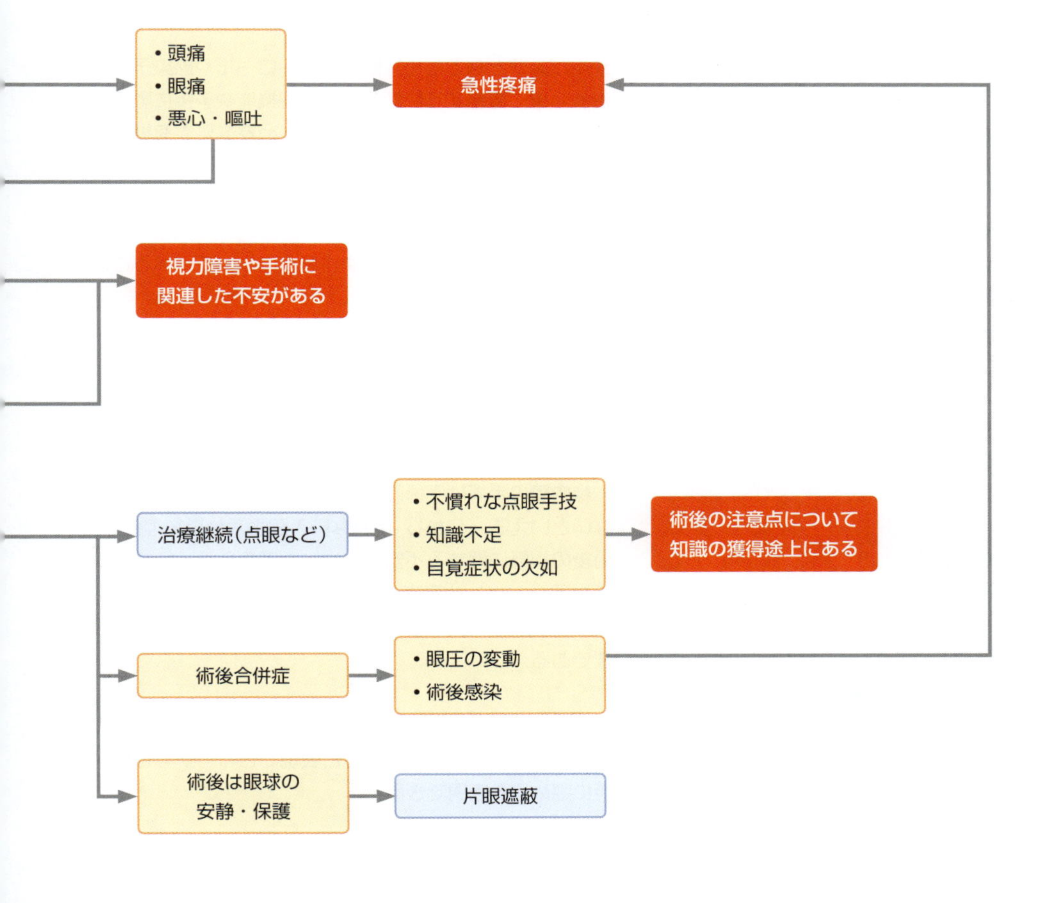
• 頭痛
• 眼痛
• 悪心・嘔吐
急性疼痛
視力障害や手術に
関連した不安がある
治療継続（点眼など）
• 不慣れな点眼手技
• 知識不足
• 自覚症状の欠如
術後の注意点について
知識の獲得途上にある
術後合併症
• 眼圧の変動
• 術後感染
術後は眼球の
安静・保護
片眼遮蔽

2）看護の方向性

緑内障は，40歳以上の失明原因の第１位であり，自覚症状に乏しく，早期発見が難しい．視野障害は不可逆的なものである．こうした点を念頭に置いて考える必要がある．

緑内障によって，眼圧の上昇，眼痛，視神経障害が生じる．治療としては，薬物療法（点眼，内服薬）によって眼圧を下げる方法，手術療法によって房水の排出経路を再建して眼圧を下げる方法がある．術後は，手術操作に伴う眼痛，眼圧の変動，感染などが合併症として考えられ，それらを注意深く観察していく必要がある．退院後も継続して点眼を行うなどの管理が必要で，入院中に必要な知識や手技を習得する必要がある．

3）患者・家族の目標

安全に手術を受けることができ，合併症を起こさず視機能を維持することができる．

4. しばしば取り上げられる看護問題

◆1 急性疼痛

なぜ？

疾患による眼圧の上昇や，手術によって眼球に直接的に侵襲が加わることによって，術後に眼痛や頭痛を生じることがある．痛みは患者の安楽を妨げるものであり，術後合併症の早期発見にもつながるため，注意して観察していく必要がある．

治療経過のなかで，急激な眼圧の変化をきたすことがある．また，痛みの軽減は患者の不安の軽減にもつながるため，優先度の高い問題と考えられる．

➡期待される結果

疼痛が軽減したと表現できる．

◆2 術後の注意点について知識の獲得途上にある

なぜ？

緑内障は完治する疾患ではなく，退院後も治療の継続が必要となる．また，術後は眼の保護や点眼薬の適切な使用が必要となるため，眼圧コントロールや感染予防は治療効果に直結する問題であり，視機能や予後に影響を及ぼす．これらの必要性を理解し，必要な処置を継続していくことが必要である．

➡期待される結果

退院後に必要な処置内容や注意点について述べることができる．

◆3 入院・手術や視機能の予後について不安がある

緑内障の手術は手術時間も短く，身体侵襲としては少ないといえる．しかし，慣れない入院生活や術後の痛み，術後の視野に関する不安は大きいと考えられ，術前オリエンテーションや患者の思いを傾聴することによって，安心して治療を受けることができるよう関わることが必要である．

➡期待される結果

安心して入院生活を送れると表現できる．安心して手術に臨めると表現できる．

5. 看護計画の立案

• O-P：Observation Plan（観察計画）　• T-P：Treatment Plan（治療計画）
• E-P：Education Plan（教育・指導計画）

1 急性疼痛

	具体策	根拠と注意点
O-P	(1)痛みの程度 (2)患者の言動や表情 (3)血圧，脈拍，呼吸 (4)四肢の冷感，発汗の有無 (5)悪心，嘔吐の有無 (6)鎮痛薬や麻酔薬の使用状況とその効果 (7)痛みによる日常生活への影響 (8)不安やストレスの有無と程度	●痛みによって，血圧上昇，脈拍数の増加，呼吸の乱れが起こり得るため． ●痛みの程度を客観的に捉えるため，バイタルサインの変動に注意する必要がある． ●眼圧の変化によって，術後に悪心，嘔吐を生じることがある． ●疾患や手術からくる痛みか，それ以外から影響している苦痛か確認する．それによって，痛みへの援助とその他の因子に対する援助を検討し，実施するため．
T-P	(1)医師の指示による鎮痛薬，点眼薬を使用する (2)リラックスできる環境の整備 (3)精神的ストレスや緊張，不安などを軽減する	●身体的な痛みと精神的な痛みを考慮し，できるだけ安楽に過ごせるよう，環境整備や援助に努める．
E-P	(1)術後に起こり得る眼痛について説明する（創の痛み，眼圧上昇による痛み，感染による痛み） (2)痛みに関して我慢しなくてよいことを伝える (3)疼痛が軽減しない場合は，医師や看護師にすぐに伝えるよう指導する	●痛みの表出によって早期対応が可能になることから，我慢せず伝えてもらう必要がある．

2 術後の注意点について知識の獲得途上にある

	具体策	根拠と注意点
O-P	(1)疾患や今後の注意点に関する理解度，実施状況 (2)退院後のサポート体制	●術後の感染や眼圧の変化を早期に発見して対応するために，症状を観察する必要がある．入院中は看護師が観察していくが，退院後は患者自身が症状の有無を観察する必要がある． ●治療を継続していくためには，患者・家族が疾患や退院後の注意点を理解し，実施する必要がある． ●点眼などの管理を継続していけるのか，他者のサポートを得られるのか確認する必要がある．
T-P	(1)知識獲得の援助 ・点眼や内服薬の使用	●術後の状態によって，処方される薬剤は異なる．医師の指示を確認し，正確に使用する． ●点眼は，初めは看護師が行うが，徐々に患者が行う部分を増やしていく．患者にあわせた点眼方法を考える．

	具体策	根拠と注意点
E-P	**(1)術後1週間程度，洗髪や洗顔は禁止となることを説明する** **(2)点眼の種類や回数，使用方法について説明する** **(3)点眼は自己中断しないよう説明する** **(4)自己点眼の指導をする．** ・実施前の手洗い，点眼薬の名称・効果・使用方法，点眼薬の先が眼球に触れないようにさす，2種類以上の点眼薬をさす場合は5分ほど間隔をあける，清潔なティッシュペーパーなどであふれた点眼薬を拭き取る **(5)眼帯ガーゼの装着中は，むやみにガーゼに触れたり，濡らしたりしないよう説明する** **(6)目を強くこすったり，押さえたり，不潔な手で触れないように説明する** **(7)便通を整え，努責や重いものをもつことは控えるように説明する** **(8)異常時には外来受診するよう伝える．緑内障の発作時の徴候(激しい眼痛，羞明，流涙)を説明する** **(9)(1)～(8)について，必要に応じて家族にも説明する**	●眼の安静を保つため，許可された清潔行為の範囲で実施する． ●術後に水や洗浄液が眼に入ると，感染や炎症が増加する危険性がある．1週間程度，洗顔やシャワー浴，洗髪は禁止とする． ●感染予防のため，点眼薬の容器や手などが直接眼球に当たらないよう注意する． ●強い努責や重いものをもつような動作は，眼圧上昇の引き金になる可能性があるため． ●治療を継続していくために，家族のサポートを得る内容については，家族に直接，指導する．

引用・参考文献

1) 中澤満ほか編：標準眼科学．第14版，医学書院，2018.
2) 秋山健一監：Simple Step 眼科．海馬書房，2017.
3) 医療情報科学研究所編：病気がみえる vol.12眼科．メディックメディア，2019.
4) 香川大学医学部附属病院看護部標準看護計画検討会編：現場ですぐ使える標準看護計画 第2巻．日総研，2010.
5) 市川幾恵監：意味づけ・経験知でわかる疾患別病態生理看護過程 下巻．第3版，日総研，2017.

第 13 章　眼疾患患者の看護過程

68 網膜剥離

1. 疾患の基礎的知識

1）疾患の概念

網膜剥離とは，感覚網膜層（網膜色素上皮層以外の９層）と，網膜色素上皮との間が，なんらかの原因で剥離した状態である．発生機序によって裂孔原性網膜剥離と非裂孔原性網膜剥離（滲出性網膜剥離・牽引性網膜剥離）に大分される．

2）原因

（1）裂孔原性網膜剥離（図68-1）

網膜剥離のなかで最も多い．感覚網膜層と網膜細胞上皮層は通常，密着しているが，細胞間に接着装置がなく，物理的な刺激で容易に離開してしまう．裂孔原性網膜剥離は，主に加齢や近視によって網膜に生じた裂孔や円孔に，液化した硝子体が流入することで生じる．

（2）非裂孔原性網膜剥離

滲出性網膜剥離と牽引性網膜剥離がある．滲出性網膜剥離は，ブドウ膜炎，眼内腫瘍などの疾患で，網膜下に液体成分が貯留した状態である．

牽引性網膜剥離は，糖尿病性網膜症などによって，網膜表面に癒着した病変が，網膜を牽引しながら縮小した際に，二次的に網膜剥離を生じるために起こる．

3）病態と臨床症状

病態

視細胞には栄養血管がなく，酸素や栄養分の供給は脈絡膜の血管からの拡散によって得ている．そのため，網膜剥離になると酸素などが欠乏し，剥離した部分の機能が低下する．剥離した丈が高いほど，視細胞障害は大きくなる．また，眼球内には硝子体というゼリー状の液体成分があり，これは，コラーゲン，ヒアルロン酸，水などでできている．加齢とともに硝子体の液体成分は，ゼリー状から液化へと変性していく．

後部硝子体剥離による裂孔原性網膜剥離は，50～60歳代が発症のピークである．加齢とともに硝子体は液化し，硝子体と網膜が一部癒着すると，硝子体が収縮した

図68-1　裂孔原性網膜剥離

網膜裂孔
網膜下液
中心窩
黄斑
硝子体の液化
視神経
脈絡膜
強膜

際に網膜に牽引がかかり，網膜孔が生じる．その網膜孔を通じて，液化した硝子体が網膜下腔に流入することで生じる．

近視によるものは，20歳代に発症のピークをもつ．近視によって眼軸長が長くなり，網膜は二次的に引き伸ばされて，菲薄化した状態になる．菲薄化によって，格子状変性といわれる網膜の萎縮性の変化が生じやすくなり，変性した部分は硝子体と癒着が強くなって，円孔や裂孔を生じやすくなる．若年者では，硝子体の液化が進んでいないため，網膜剝離は比較的扁平で，進行もゆるやかである．

網膜孔の種類には，その形態によって，①裂孔（網膜と硝子体の強い癒着部に牽引がかかることで生じる弁状の裂孔）と，②円孔（網膜の萎縮や菲薄化で生じる円状裂孔）がある．黄斑部に生じた網膜円孔は黄斑円孔とよばれ，強度近視眼に多くみられる．

合併症として，硝子体出血（網膜血管に牽引力がかかって出血を生じる病態）と増殖性硝子体網膜症（硝子体の線維成分が増殖し，難治性となる．網膜剝離が長期間放置されることで生じる病態）がある．

臨床症状

(1)飛蚊（ひぶん）症・光視症

初期には，裂孔や円孔の形成によって，蚊や小さな糸くずなどが視野内にみえ，眼球運動に伴って動くことから，虫が飛んでいるようにみえる飛蚊症がある．また，網膜へ物理的な刺激が生じ，それが光刺激として中枢に伝わることによって，眼前にキラキラと光がみえる光視症がある．

(2)視野欠損，視力低下

網膜剝離の進行により，剝離した範囲に応じて視野欠損が生じる．剝離部分は周辺へと広がっていくため，視野狭窄も拡大していく．剝離が黄斑部に達すると，急激に視力の低下をきたし，放置しておくと失明に至ることもある．

4）検査・診断

(1)問診，視力検査，眼圧検査

飛蚊症，光視症，視力低下，視野欠損があれば，網膜剝離を疑う．

(2)眼底検査

最も大事な検査で，散瞳薬を用いて行う．散瞳することによって眼底の周辺部まで確認でき，網膜孔の有無と数，大きさ，位置，剝離の進行（範囲），硝子体の状態を知ることができる．

(3)視野検査

裂孔の進行や数による視野欠損の程度を明らかにする．

(4)超音波検査，CT検査

白内障や硝子体出血によって，眼底の透見ができない場合に行う．

5）治療

(1)裂孔原性網膜剝離

外科的治療として，強膜内陥術（強膜バックリング術）が行われる．これはとくに，若年者の裂孔原性網膜では第１選択となる．この手術は，眼球を内側にへこませて，剝離した網膜色素上皮層と感覚網膜層を密着させるものである．剝離の丈が高い場合や，また，高周波（ジアテルミ）電流や冷凍凝固装置，光凝固装置を用いて網膜裂孔の閉鎖と，網膜下に貯留している硝子体の排液を，併用して行う場合もある．

難治例や裂孔が後極にあるものなどは，硝子体を直接除去し，眼内を空気と置換することで網膜下液を排除し，網膜裂孔を直視下でレーザーまたは冷凍凝固法にて閉鎖する．眼内に膨張性ガスやシリコーンオイルを注入して，凝固部の瘢痕治療を待つ手術である．網膜裂孔が上方にある場合は，普通の姿勢でも水より軽い空気やガスが網膜裂孔を押さえるよう位置するが，裂孔が下方にある場合は，十分な腹臥位をとらないと裂孔を押さえる効果をなさない．したがって，裂孔の位置によって，術後体位制限（腹臥位，側臥位など）が生じる．注入するガスの濃度や量によるが，腹臥位の期間は約１週間程度である．中高年の裂孔原性網膜剝離では，硝子体手術が第１選択となる．

(2)非裂孔原性網膜剝離

原因疾患によって治療法は異なる．薬物療法，光凝固，手術療法を行う．

(3)術後合併症

術式によって生じるメカニズムが異なる．

①高眼圧：頭痛，悪心，嘔吐，眼脂，気分不快
②脈絡膜剝離，前房部虚血
③眼球運動障害
④感染：結膜充血，浮腫，眼痛，分泌物増加
⑤網膜下気体侵入

6）予後

初回手術の治癒率は80～90%で，再手術が必要となった場合の治癒率は，回を追うごとに少しずつ低下していく．神経である網膜が障害を受けるため，完全にもとの状態に戻ることは困難で，なんらかの後遺障害を残すことが多い．早期発見と早期治療を行えば視力回復を望めるが，もとの機能を回復するまでには数か月を要する．長期間の放置例や，黄斑円孔網膜剝離，アトピー性皮膚炎や外傷に伴う網膜剝離は，手術困難や難治性となりやすい．

2. 看護過程の展開

● アセスメント～ゴードンの機能的健康パターンを用いて

パターン	アセスメントの視点	根拠	収集する情報
(1) 健康知覚-健康管理 患者背景 健康知覚-健康管理 価値-信念	●疾患や治療についての理解はあるか ●健康管理状況に問題はないか ●感染予防行動の必要性を理解し，自己管理できるか ●これまでの健康に関する認識に問題はないか ●現在の健康に関する認識に問題はないか ●転倒リスクを理解し，予防に努めることができるか	●網膜剝離は，突然に視力障害をきたして進行が速い場合と，徐々に視力が低下していく場合がある．突発的な場合は，早期に治療を開始する必要がある． ●疾患による症状以外にも手術や術後の経過に影響を与える要因がある． ●術後の合併症を予防し，順調な回復を促進するためには，日常生活での眼の安静，術後感染予防が必要となる．術後の生活指導を行ううえで，患者・家族が疾患や生活上の注意点について理解している必要がある． ●入院によってものの位置や環境が変わることや，体位制限，眼帯の着用などによって片眼での生活となる可能性があるため，転倒の危険がある．そのことを本人が理解し，転倒予防に留意しないとリスクは高まる．	●発症時期，部位，病状の経過 ●疾患，症状，治療についての理解と認識 ●術後の経過に対する理解と認識 ●既往歴，治療歴 ●術後に起こり得る合併症や，予防するために必要なことの理解，表現の有無 ●転倒の既往，入院に伴う環境の変化への適応 ●入院，手術体験の有無
(2) 栄養-代謝 全身状態 栄養-代謝 排泄	●食習慣に問題はないか ●栄養摂取に問題はないか ●水分摂取に問題はないか ●摂食・嚥下の状態に問題はないか ●栄養状態に問題はないか ●皮膚状態に問題はないか	●栄養-代謝の障害は，手術や術後の経過に影響を与える． ●硝子体術後は，網膜孔を接着させる目的で 1 週間程度，体位制限がなされることがある．それにより二次的合併症を生じることがある．	●検査データ ●栄養状態 ●摂食，嚥下の状態 ●栄養状態 ●皮膚状態
(3) 排泄 全身状態 栄養-代謝 排泄	●排尿，排便のコントロールができているか	●視野障害によって，排泄パターンや排便方法に影響を与える因子はないか検討するため． ●状況に応じて，術前から安静制限が必要となることがあり，排便パターンが変化する可能性がある．	●排便回数，性状，排便パターン ●排尿回数，排尿パターン

パターン	アセスメントの視点	根拠	収集する情報
(4) **活動-運動** 活動・休息 活動-運動 睡眠-休息	●眼の症状による日常生活への影響はどうか ●呼吸，循環器機能に問題はないか ●運動機能に問題はないか	●症状の程度によって，日常生活への影響や今後の治療方針が異なる． ●既往歴や心肺機能の障害によって，今後の治療内容や日常生活が制限されることがある．	●バイタルサイン ●呼吸状態 ●高血圧や不整脈など循環器機能の状態 ●ADLの状況 ●運動機能
(5) **睡眠-休息** 活動・休息 活動-運動 睡眠-休息	●睡眠習慣に問題はないか ●休息に問題はないか	●睡眠，休息の不足は治療経過に影響を与える． ●眼帯による視覚遮断や体位制限によって，日中の活動量の低下，睡眠パターンの変化を生じることがある． ●入院による環境の変化は，睡眠に影響を及ぼす可能性がある．	●睡眠時間，熟眠感の有無 ●休息やリラクゼーションの時間はとれているか
(6) **認知-知覚** 知覚・認知 認知-知覚 自己知覚-自己概念 コーピング-ストレス耐性	●視機能の障害はどの程度か ●そのほかの感覚機能に問題はないか ●疼痛はないか ●そのほかの不快な症状はないか ●認知機能に問題はないか	●体位制限により苦痛が生じることがある． ●点眼や感染予防行動などの自己管理のために説明した内容を理解できるなどの認知機能が必要である．	●飛蚊症，光視症 ●視野欠損 ●視力低下，眼圧所見 ●結膜充血，浮腫，眼脂の有無 ●網膜剝離の程度（網膜孔の数，位置・形，硝子体所見，剝離の範囲） ●検査データ ・視力検査 ・眼底所見 ●術後の疼痛の有無と程度 ●関節痛や聴力などの状態 ●説明した内容の理解，記憶
(7) **自己知覚-自己概念** 知覚・認知 認知-知覚 自己知覚-自己概念 コーピング-ストレス耐性	●疾患や治療についての不安はないか ●回復への期待はどの程度か ●自己概念（アイデンティティとボディイメージ）に問題はないか	●手術が初めてであれば，手術に対する不安も大きい可能性がある．また，術中の痛みや手術操作への心配もある可能性がある． ●視機能の回復は，術後数か月を要する．視機能回復への焦りや不安を生じる可能性がある． ●術後に痛みが生じたり，思うように回復しないと，「こんなはずではなかった」という思いにつながったり，治療への満足感に影響を及ぼす可能性がある．	●疾患や症状について患者の表情や言動 ●入院や治療，今後の生活についての思い ●視機能の低下を生じた自分に対するイメージ ●自己評価，自尊感情
(8) **役割-関係** 周囲の認識・支援体制 役割-関係 セクシュアリティ-生殖	●他者との関係に問題はないか ●家庭，職場，地域での役割の遂行と他者との関係に問題はないか	●疾患や治療によって，役割遂行に問題が生じることがある． ●役割遂行には，他者の理解や協力が必要となることもある． ●視機能状態によっては，家族のサポートだけでは継続治療が困難となることがある．	●生活状況，社会的役割 ●キーパーソンの有無 ●周囲のサポートの有無 ●面会や協力の程度 ●社会資源の活用状況

パターン	アセスメントの視点	根拠	収集する情報
(9) セクシュアリティ-生殖 周囲の認識・支援体制 役割-関係 セクシュアリティ-生殖	●性行動・性的関係に関する不満足感はないか	●視野障害によって性生活に影響を及ぼすことがある．	●パートナーの有無 ●性行為への影響
(10) コーピング-ストレス耐性 知覚・認知 認知-知覚 自己知覚-自己概念 コーピング-ストレス耐性	●今回の出来事をどのように知覚しているか ●対処方法に問題はないか	●視野障害や眼痛など，症状によってはストレスを生じることがある．	●疾患や治療，予後について，どのようなことにストレスを感じているか ●対処方法はどのようなものか，対処方法に影響はないか
(11) 価値-信念 患者背景 健康知覚-健康管理 価値-信念	●どのような価値観をもっているか（望ましい治療管理と対立しないか）	●価値観や信念が，望ましい治療管理の阻害要因となり得るため． ●長期治療となった場合，その継続には価値観や信念が影響することがある．	●価値観 ●信念，信条

3. 全体像の把握から看護問題を抽出

1）病態関連図

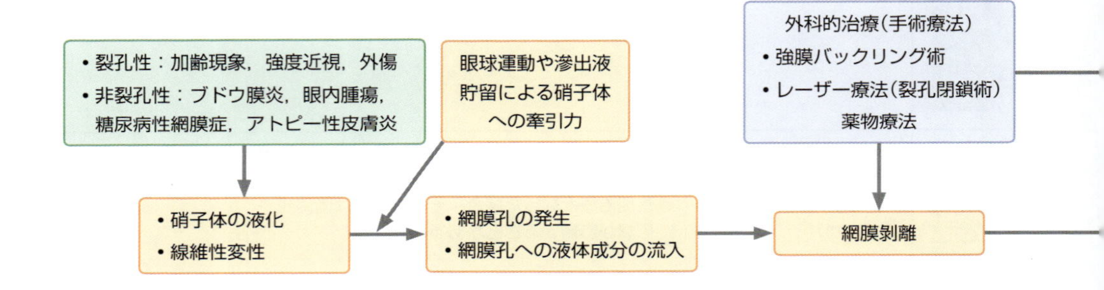

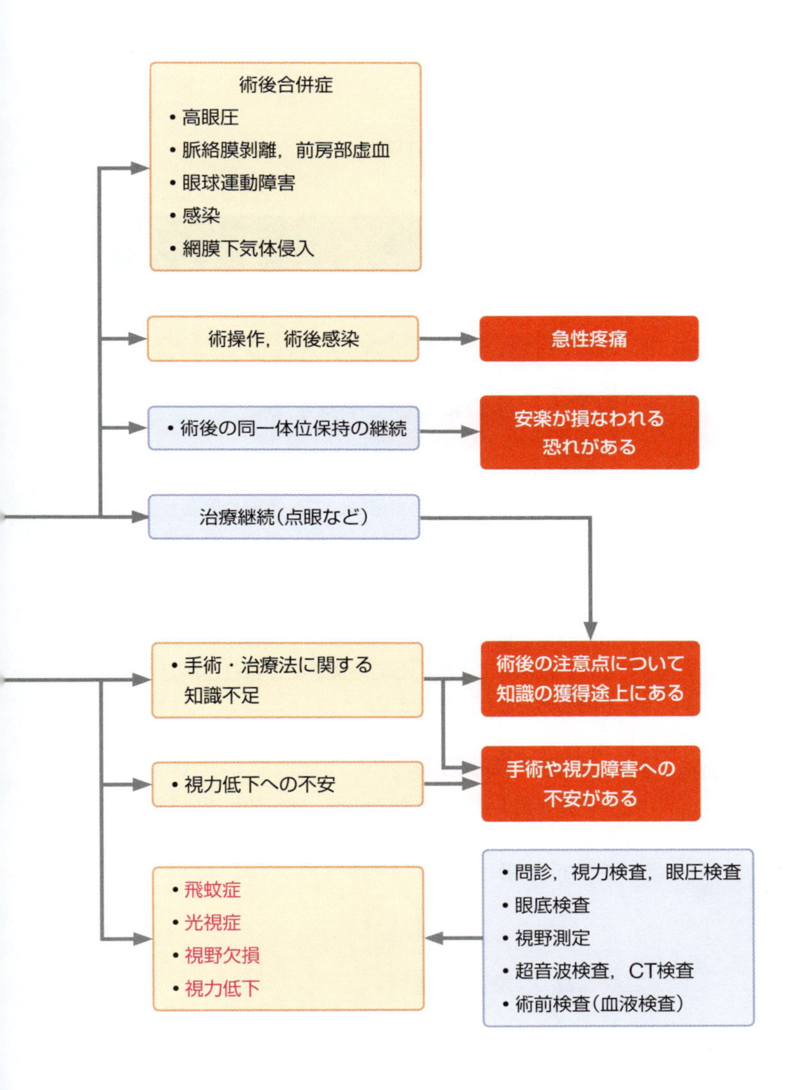
術後合併症
• 高眼圧
• 脈絡膜剥離，前房部虚血
• 眼球運動障害
• 感染
• 網膜下気体侵入
術操作，術後感染
急性疼痛
• 術後の同一体位保持の継続
安楽が損なわれる恐れがある
治療継続（点眼など）
• 手術・治療法に関する知識不足
術後の注意点について知識の獲得途上にある
• 視力低下への不安
手術や視力障害への不安がある
• 飛蚊症
• 光視症
• 視野欠損
• 視力低下
• 問診，視力検査，眼圧検査
• 眼底検査
• 視野測定
• 超音波検査，CT検査
• 術前検査（血液検査）

2）看護の方向性

網膜剝離は，加齢やなんらかの疾患によって，硝子体の液化や線維性変化が起こり，網膜に裂孔を生じた状態である．飛蚊症や光視症，視野欠損などの症状がみられ，とくに急な発症の場合は緊急入院や手術となるため，患者は病状や治療への不安，緊張が強くなりやすい．また，手術自体は低侵襲だが，術後の疼痛や体位制限から苦痛を生じる恐れがある．なるべく安楽に過ごせるよう，環境整備や身の回りの援助を行うとともに，適切な点眼の継続や感染予防を，退院後も継続していけるよう介入する必要がある．

3）患者・家族の目標

指示された安静制限や薬物療法を継続することができる．術後合併症の徴候がみられない．

4. しばしば取り上げられる看護問題

体位制限（うつむき姿勢，腹臥位の保持）によって安楽が損なわれる恐れがある

なぜ？

体位制限（うつむき姿勢，腹臥位の保持）は，裂孔の位置や術中操作によって，その必要性や指示期間が異なるが，同一肢位を求められる患者の負担は大きいことが予測される．治療効果を得るためには，医師の指示通りに姿勢保持できることが望ましく，なるべく苦痛なく保持できるよう援助する必要がある．

➡期待される結果

体位制限（うつむき姿勢，腹臥位の保持）による苦痛が軽減したと表現できる．

術後の注意点について知識獲得途上にある

なぜ？

突然の発症や活動制限，入院，手術などに対して，患者は動揺や不安を抱えている．そのようななか，自身の状況を理解し，治療上で必要となる安静や薬物療法を継続していけるよう介入が必要である．最大限，治療効果を得るためにも，術後の安静や感染予防の注意点を理解し，退院後も継続していけるよう入院中に関わっていく必要がある．

➡期待される結果

退院後に必要な処置内容や注意点について述べることができる．

♦3 入院・手術や視機能の予後について不安がある

網膜剝離は，緊急入院，緊急手術になることが多く，患者は病状や今後の治療について，不安や緊張が高いことが考えられる．手術自体は時間も短く，身体侵襲としては少ないが，慣れない入院生活や術後の痛み，体位制限，術後の視力の回復などに関する不安は大きいと考えられる．術前オリエンテーションや患者の思いを傾聴することによって，安心して治療を受けることができるよう関わることが必要である．

➡期待される結果

不安を表出することができる．病気や手術について理解し，術前の準備や処置が確実に行われて手術を受けることができる．

急性疼痛

手術によって，眼球に直接的に侵襲が加わることで，術後に眼痛や頭痛を生じることがある．痛みは患者の安楽を妨げるものであり，術後合併症の早期発見にもつながるため，注意して観察していく必要がある．

➡期待される結果

疼痛が軽減したと表現できる．

5. 看護計画の立案

- O-P：Observation Plan（観察計画）
- T-P：Treatment Plan（治療計画）
- E-P：Education Plan（教育・指導計画）

1 体位制限（うつむき姿勢，腹臥位の保持）によって安楽が損なわれる恐れがある

	具体策	根拠と注意点
O-P	(1)血圧，脈拍，呼吸 (2)胃や下腹部の不快感，圧迫感 (3)悪心，嘔吐の有無 (4)下顎の疼痛の有無や部位，程度 (5)患者の言動や表情 (6)睡眠状況 (7)鎮痛薬の使用状況とその効果 (8)不安やストレスの有無と程度	●圧迫や痛みにより血圧上昇，脈拍数の増加，呼吸の乱れが起こり得るため． ●患者の体形によるが，前胸部，腹部，肩，顎などが圧迫されることがある． ●疾患や手術からくる痛みか，体位制限から影響している苦痛か確認する．それによって，援助を検討し，実施するため．
T-P	(1)圧迫や痛みがある部位にタオルや柔らかいクッションなどを置く (2)医師の指示による鎮痛薬を使用する (3)リラックスできる環境の整備 ・不快な音やにおいへ配慮，頻繁に使用する物品はすぐ手が届くところに配置する (4)精神的ストレスや緊張，不安などを軽減できるよう声かけを行う	●必要時，医師と相談し，鎮痛薬を使用する． ●当て物の工夫などで，なるべく安楽な体位をとる．その際，眼球を圧迫しないよう注意する． ●体位制限によって，普段よりも音やにおいに敏感になる可能性があるため，環境面にも配慮する． ●身体的な痛みと精神的な痛みを考慮する．できるだけ安楽に過ごせるよう，環境整備や声かけなどの援助に努める．
E-P	(1)疼痛が軽減しない場合は，医師や看護師にすぐに伝えるよう指導する (2)痛みや苦痛に関して我慢しなくてよいことを伝える	●痛みの表出によって早期対応が可能になることから，我慢せず伝えてもらう必要がある．

2 術後の注意点について知識獲得途上にある

	具体策	根拠と注意点
O-P	(1)疾患や今後の注意点に関する理解度，実施状況 ・安静の保持，点眼薬の使用方法，清潔行為，排便コントロール (2)退院後のサポート体制	●術後の感染や再剝離を，早期に発見して対応するために，症状を観察する必要がある．入院中は看護師が観察していくが，退院後は患者自身が症状の有無を観察する必要がある． ●治療を継続していくためには，患者・家族が，疾患や退院後の注意点を理解し，実施する必要がある． ●点眼の継続などの注意点を理解して取り組んでいけるのか，必要に応じて他者のサポートを得られるのか，確認する必要がある．
E-P	(1)術後1週間程度，洗髪や洗顔は禁止となることを説明する (2)点眼の種類や回数，使用方法について説明する (3)点眼は自己中断しないよう説明する (4)自己点眼の指導をする ・実施前の手洗い，点眼薬の名称・効果・使用方法，点眼薬の先が眼球に触れないようにさす，2種類以上の点眼薬をさす場合は5分ほど間隔をあける，清潔なティッシュペーパーなどであふれた点眼薬を拭き取る	●眼の安静を保つため，許可された清潔行為の範囲で実施する． ●術後に，水や洗浄液が眼に入ると，感染や炎症が増加する危険性がある．1週間程度，洗顔やシャワー浴，洗髪は禁止とする ●感染予防のため，点眼薬の容器や手などが直接眼球に当たらないよう注意する． ●強い努責や重いものをもつような動作は，再剝離の引き金になる可能性があるため． ●治療を継続していくために家族のサポート得ていく内容については，家族に直接，指導する．

	具体策	根拠と注意点
E-P	(5)眼帯ガーゼの装着中はむやみにガーゼに触れたり，濡らしたりしないよう説明する (6)目を強くこすったり，押さえたり，不潔な手で触れないように説明する (7)便通を整え，努責や重いものをもつことは控えるように説明する (8)異常時には外来受診するよう伝える．視野障害，飛蚊症，光視症，眼痛，流涙などの出現時に医師に相談するよう説明する (9)(1)～(8)について，必要に応じて家族にも説明する	

引用・参考文献

1）中澤満ほか編：標準眼科学．第14版，医学書院，2018.
2）秋山健一監：Simple Step 眼科．海馬書房，2017.
3）医療情報科学研究所編：病気がみえる vol.12眼科．メディックメディア，2019.
4）香川大学医学部附属病院看護部標準看護計画検討会編：現場ですぐ使える標準看護計画 第2巻．日総研，2010.
5）市川幾恵監：意味づけ・経験知でわかる疾患別病態生理看護過程 下巻．第3版，日総研，2017.

Memo

69 喉頭がん

1. 疾患の基礎的知識

1）疾患の概念

喉頭がんは，喉頭に生じる悪性腫瘍であり，ほとんどが扁平上皮がんである．

2）原因

原因として，喫煙，飲酒の影響が最も大きい．その他，声の酷使，逆流性食道炎などが誘因といわれている．

3）病態と臨床症状

病態

わが国で１年間に新たに喉頭がんと診断される人は約４～5,000人であり，10万人あたり約４人が罹患している．これは，がん全体の0.6%にあたる．男性に多く，男女比は約11～13：１である．50歳代から増加し，60～70歳代がピークである．

喉頭がんは，発生部位によって，声門上がん，声門がん，声門下がんに分類される（**図69-1**，**表69-1**）．声帯粘膜に起こる白板症から，喉頭がんに進展する場合もある．

臨床症状

喉頭は，発声，呼吸，嚥下に重要な役割を担っており，症状は病変部位によって異なる．

図69-1　喉頭および周辺部の区分

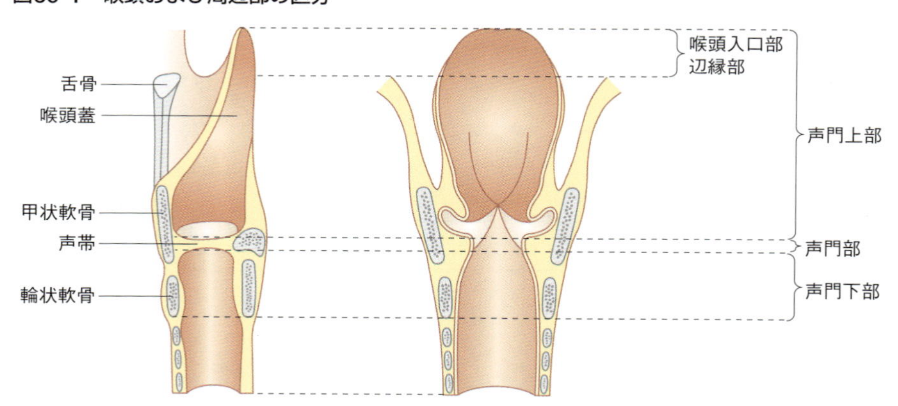

表69-1　喉頭がんの特徴

部位	声門上がん	声門がん	声門下がん
頻度	３分の１	３分の２	数%
特徴	早期に喉の異常感や嚥下時の痛みが生じることがある．頸部リンパ節転移が起こりやすい．	嗄声が早期から生じるため，早期がんで発見されやすい．声帯はリンパ管が少ないため，頸部リンパ節転移が起こりにくい．予後は最もよい．	早期は症状が出にくいため，進行がんで発見されやすい．

(1)嗄声

声門閉鎖不全，声門粘膜異常，反回神経麻痺などによって，嗄声が起こる．

声門がんでは，声門そのものにがんが発生するため，早期から嗄声が出現する．そのために，早期に発見されることが多い．腫瘍の増大につれて嗄声は次第に強くなり，ついには失声（有響成分の全くない気流雑音のみ）となる．声門上がんや声門下がんは，声帯に腫瘍が波及して初めて嗄声が起こるため，その頃には進行がんとなっていることが多い．

嗄声は，粗糙性（雑音が多い，ガラガラ声），気息性（息漏れ），無力性（弱々しい），努力性（力んだような，絞り出すような声）などがある．

(2)息苦しさ，喘鳴

腫瘍や炎症，あるいは，両側の声帯が正中位に固定することで，呼気・吸気の通過障害が起こり，息苦しさや喘鳴を生じる．

(3)嚥下障害

上喉頭神経や反回神経麻痺によって，声門閉鎖不全があると，嚥下障害をきたす．

(4)咳嗽・喀痰

喉頭粘膜刺激による反射で起こる．腫瘍が露出して潰瘍をつくると，血痰が生じる．

(5)喉の異常感・疼痛

腫瘍による圧迫，浸潤や周囲組織の壊死，感染，それに伴う発痛物質（ヒスタミン，プロスタグランジンなど）の遊離によって起こる．嚥下時に増強することが多い．また，関連痛として耳痛が生じることもある．

4）検査・診断

(1)問診

嗄声や喉の異常感，嚥下時の頸部の疼痛など，自覚症状および喫煙歴・飲酒歴といったリスク因子の有無を聴取する．

(2)視診

器具を用いて，咽喉頭全体の把握，喉頭粘膜（とくに声帯粘膜）の変化，声帯運動，声帯振動，嚥下時の咽喉頭の動きなどを観察する．

①間接喉頭鏡検査：間接喉頭鏡を用いて行う基本的な検査である．麻酔をせずに実施できる．

②喉頭内視鏡検査：喉頭ファイバースコープや電子内視鏡を用いて行う．経鼻的に器具を挿入することで，発声・呼吸時の咽喉頭の動きや気道の狭窄なども観察できる．電子内視鏡は，内視鏡の先端にCCDカメラが装着されており，より鮮明な画像が得られる．

③喉頭ストロボスコープ検査：声帯の振動を観察することで，ごく小さな声門がんも発見できる．

(3)触診

頸部の触診を行う．

①頸部リンパ節：リンパ節転移によって腫脹する．

②甲状軟骨：がんの浸潤によって可動性がなくなる．

(4)画像診断

内視鏡検査では確認が難しい軟膜下進展や，深部構造への浸潤の有無・範囲の把握が可能である[1]．

①造影CT：呼吸や嚥下の影響を受けにくいCTによって，軟骨浸潤やリンパ節転移の有無を調べる．喉頭蓋前方の組織や声門周囲腔への進展を評価することが，ステージ分類上，とくに喉頭温存手術を行ううえで重要となる[2]．

②MRI：CTに比べて高いコントラストが望めることから，主要組織と正常組織の違いを捉えることが可能である．舌根への浸潤など，軟部組織の情報が得られる．

③超音波：頸部リンパ節への転移の有無を調べる．

これらの結果を，TNM分類（T分類：原発腫瘍の大きさ，N分類：所属リンパ節転移の数，大きさ，M分類：遠隔転移の有無）や，stage分類を用いて，病期Ⅰ～Ⅳの４段階に分類する（**表69-2**）．これらは，治療法の選択や，予後予測に重要である．

(5)病理診断

喉頭内視鏡検査や直接喉頭鏡検査によって，組織の一部を採取し，病理組織検査を行い，確定診断をする．

5）治療

治療方針は，組織型，原発部位，病期，根治切除術の適応，喉頭機能の温存の希望などを，総合的に判断して決定する[4]（**図69-2**）．

(1)放射線治療

放射線治療は，発声および嚥下機能を温存できるため，標準治療の１つとして認知されている．病変が小さく，リンパ節転移がない場合は，放射線治療単独で行われる．声門がんの局所制御率は，T1病変で80～95%，T2病変で60～80%程度が期待できる[6]．T1～T2のがんに対しては，１回２Gy，総線量60～70Gyの照射が有効である．照射量20Gyを超えると，有害事象として，粘膜炎，嗄声，嚥下障害，照射部位の皮膚炎などが起こる．

表69-2　喉頭がんの病期診断

[T分類]	
TX	原発腫瘍の評価が不可能
T0	原発腫瘍を認めない
Tis	上皮内癌
声門上部	
T1	声帯運動が正常で，声門上部の1亜部位に限局する腫瘍
T2	喉頭の固定がなく，声門上部に隣接する2亜部位以上，または声門もしくは声門上部の外側域(例えば舌根粘膜，喉頭蓋谷，梨状陥凹の内壁など)の粘膜に浸潤する腫瘍
T3	声帯の固定があり喉頭に限局する腫瘍，および/または次のいずれかに浸潤する腫瘍：輪状後部，喉頭蓋前間隙，傍声帯間隙，および/または甲状軟骨の内側皮質
T4a	甲状軟骨を貫通し浸潤する腫瘍，および/または喉頭外組織，例えば気管，舌深層の筋肉/外舌筋(オトガイ舌筋，舌骨舌筋，口蓋舌筋，茎突舌筋)を含む頸部軟部組織，前頸筋群，甲状腺，もしくは食道に浸潤する腫瘍
T4b	椎前間隙に浸潤する腫瘍，頸動脈を全周性に取り囲む腫瘍，または縦隔に浸潤する腫瘍
声門	
T1	声帯運動が正常で，声帯に限局する腫瘍(前または後連合に達してもよい)
T1a	一側声帯に限局する腫瘍
T1b	両側声帯に浸潤する腫瘍
T2	声門上部および/または声門下部に進展する腫瘍，および/または声帯運動の制限を伴う腫瘍
T3	声帯の固定があり喉頭に限局する腫瘍，および/または傍声帯間隙および/または甲状軟骨の内側皮質に浸潤する腫瘍
T4a	甲状軟骨の外側皮質を破って浸潤する腫瘍，および/または喉頭外組織，例えば気管，舌深層の筋肉/外舌筋(オトガイ舌筋，舌骨舌筋，口蓋舌筋，茎突舌筋)を含む頸部軟部組織，前頸筋群，甲状腺，食道に浸潤する腫瘍
T4b	椎前間隙に浸潤する腫瘍，頸動脈を全周性に取り囲む腫瘍，または縦隔に浸潤する腫瘍
声門下部	
T1	声門下部に限局する腫瘍
T2	声帯に進展し，その運動が正常か制限されている腫瘍
T3	声帯の固定があり，喉頭に限局する腫瘍
T4a	輪状軟骨もしくは甲状軟骨に浸潤する腫瘍，および/または喉頭外組織，例えば気管，舌深層の筋肉/外舌筋(オトガイ舌筋，舌骨舌筋，口蓋舌筋，茎突舌筋)を含む頸部軟部組織，前頸筋群，甲状腺，食道に浸潤する腫瘍
T4b	椎前間隙に浸潤する腫瘍，頸動脈を全周性に取り囲む腫瘍，または縦隔に浸潤する腫瘍
[N分類]	
NX	領域リンパ節の評価が不可能
N0	領域リンパ節転移なし
N1	同側の単発性リンパ節転移で最大径が3cm以下かつ節外浸潤なし
N2	以下に記す転移：
N2a	同側の単発性リンパ節転移で最大径が3cmをこえるが6cm以下かつ節外浸潤なし
N2b	同側の多発性リンパ節転移で最大径が6cm以下かつ節外浸潤なし
N2c	両側または対側のリンパ節転移で最大径が6cm以下かつ節外浸潤なし
N3a	最大径が6cmをこえるリンパ節転移で節外浸潤なし
N3b	単発性または多発性リンパ節転移で臨床的節外浸潤*あり
注 *皮膚浸潤か，下層の筋肉もしくは隣接構造に強い固着や結合を示す軟部組織の浸潤がある場合，または神経浸潤の臨床的症状がある場合は，臨床的節外浸潤として分類する． 正中リンパ節は同側リンパ節である．	
[M分類]	
M0	遠隔転移なし
M1	遠隔転移あり

（続き）

[病期分類]			
0期	Tis	N0	M0
I期	T1	N0	M0
II期	T2	N0	M0
III期	T3	N0	M0
	T1，T2，T3	N1	M0
IVA期	T4a	N0，N1	M0
	T1，T2，T3，T4a	N2	M0
IVB期	T4b	Nに関係なく	M0
	Tに関係なく	N3	M0
IVC期	Tに関係なく	Nに関係なく	M1

日本頭頸部癌学会編：頭頸部癌診療ガイドライン2018年版．第3版，p.55～57，金原出版，2017.

近年では，放射線治療機器の技術向上によって，複雑な形状をしている部位に，均一に照射できる強度変調放射線治療（IMRT：intensity modulated radiation therapy）が普及しつつある．それによって，正常組織への照射を減少させ，標的組織への正確かつ十分な照射が可能になり，治療効果の向上と有害事象の軽減が期待できる．

(2)外科的治療

①喉頭温存術

喉頭温存手術は，主にT1/T2病変に対する標準治療として行われており，経口的切除術，内視鏡切除術，外切開による喉頭部分切除術，喉頭亜全摘出術[7]がある．喉頭を温存すると，発声，経鼻呼吸，経口摂取の機能を保つことが期待できるが，嗄声や誤嚥を生じることがある．早期声門がんに対する喉頭温存手術の治療成績は，放射線治療と同等であるとされている[8]．

②喉頭全摘出術

進行がんに対しては，喉頭全摘出術が標準治療として行われている．腫瘍を，甲状軟骨・輪状軟骨の枠組みごと，一塊に摘出する．摘出後は，残存した咽頭後壁の粘膜を縫縮して食物経路を形成し，気管断端は頸部に永久気管孔とし，食道と気道を分離する．食道再建は，空腸が用いられることもある．これによって，発声機能と気道保護の機能を失う．頸部リンパ節郭清も同時に実施されることが多い．

(3)喉頭摘出後の代用音声（図69-3）

①人工喉頭

図69-2　病期ごとの治療戦略の概要[5]

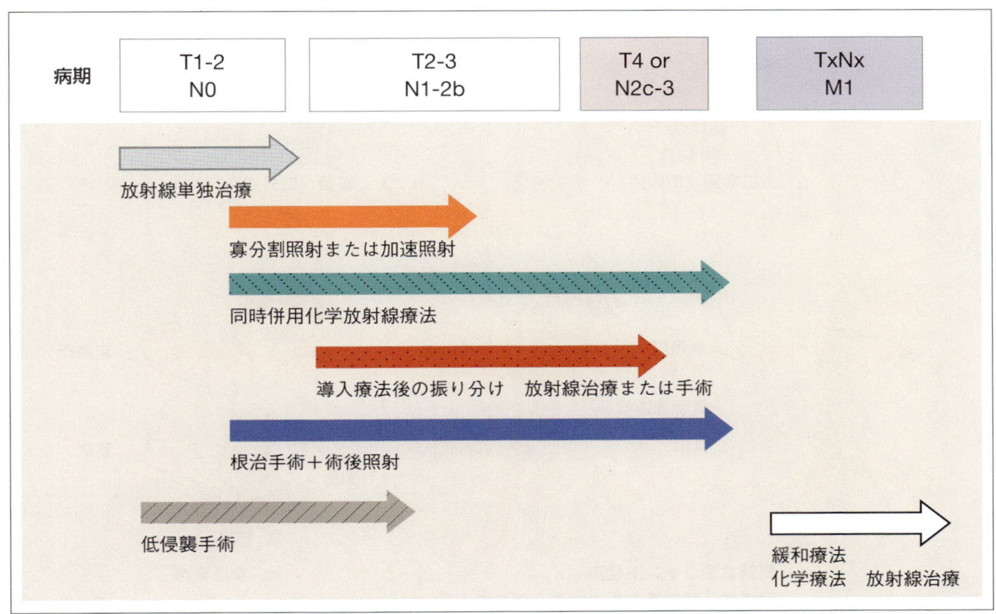

古平毅：下咽頭癌・喉頭癌に対する放射線治療．ENTONI，195：45，2016.

・口内式：術後早期から使用できる．チューブを口にくわえ，装置を作動させると，音がチューブを通過して直接口内に伝わり，発声できる．

・口外式：電気喉頭を頸部に当て，電気的に下咽頭粘膜を振動させて音源とする．

②気管食道シャント発声

気管膜様部に装置を挿入し，シャントを形成する．シャント形成は，喉頭全摘出術と同時に行う場合と，その後に行う場合がある．肺からの呼気を，シャント孔から咽頭に導くと，残存粘膜や皮弁や空腸で再建された新声門が振動することで，音声が発せられる．呼気を利用するため，流暢で大きな発声が可能であるが，日常の手入れや誤嚥のリスクといった短所がある．

③食道発声

食道上部に空気をためて，それを吐出する際に，舌や口唇などを動かすことで発声する．食道発声法は習得が難しいため，時間やモチベーションの維持，指導者が必要である．

(4)化学療法

声帯は血管が少ないため，薬剤ががん細胞内に入り込みにくく，効果があまり期待できない．そのため，単独では選択されないが，放射線治療との併用療法（化学放射線療法・CRT：chemoradiotherapy），導入化学療法（ICT：induction chemotherapy）として行われる．CRTでは，シスプラチン（CDDP）単剤あるいは，フルオロウラシルを加えた２剤併用療法（PF療法）を行う[9]．ICTの場合，シスプラチンにフルオロウラシル，ドセタキセルを加えた３剤併用療法（TPF療法）が標準レジメンである[10]．また，進行がんに対して，分子標的薬であるセツキシマブの有用性も示されている[11]．

CRTの場合には有害事象が増加するため，治療継続が困難となる場合や，QOLの低下を引き起こすことがある．

6）予後

比較的早期に発見されやすい声門がんの予後は良好である．声門上がんや声門下がんは，早期に特徴的な症状が出にくいこと，頸部リンパ節転移を起こしやすいことから，声門がんに比較して悪性度が高い．喉頭がん全体では，病期分類Ⅰ期の５年相対生存率は93.9％，Ⅱ期は85.0％，Ⅲ期は70.5％，Ⅳ期47.6％である[12]．

図69-3　喉頭摘出後の代用音声

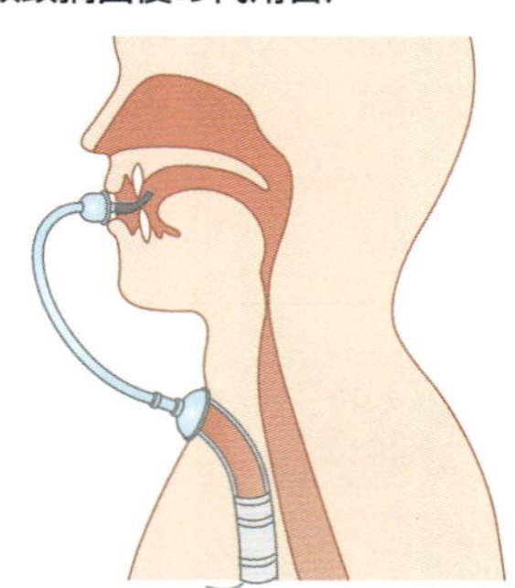

a. 人工喉頭（口内式）

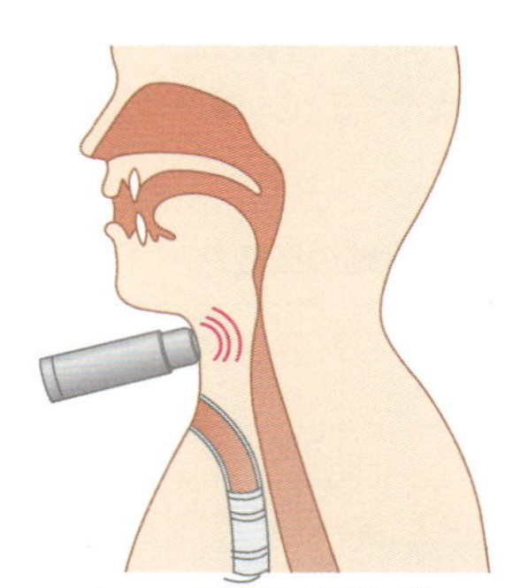

b. 人工喉頭（口外式）

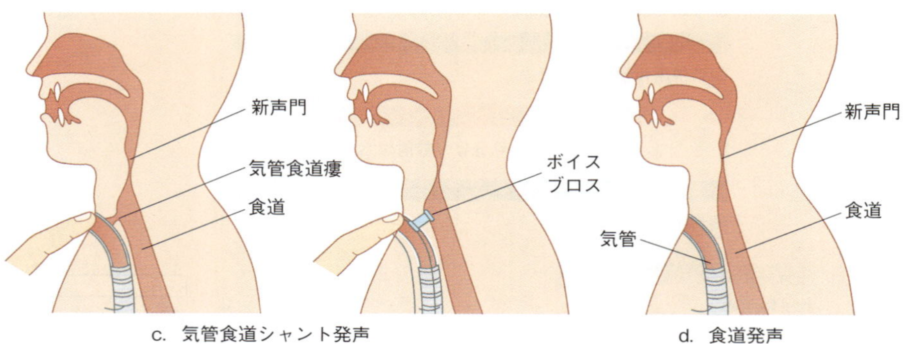

c. 気管食道シャント発声

発声時，気管孔を指で塞ぎ，気管を上行してきた呼気を食道側へ送る

d. 食道発声

2. 看護過程の展開

• アセスメント～ゴードンの機能的健康パターンを用いて

パターン	アセスメントの視点	根拠	収集する情報
(1) 健康知覚-健康管理 患者背景 健康知覚-健康管理 価値-信念	●現在の健康状態をどのように知覚しているか ●手術の必要性や合併症について適切に理解しているか ●手術に向けて適切に行動できているか ●術後合併症のリスクとなるような生活習慣，併存疾患への管理行動は適切か	●病状や治療の必要性，治療方法，合併症などについての理解が不十分であると，治療や回復への行動が妨げられることがある． ●喉頭切除によって，発声や嚥下機能に影響を及ぼす．とくに，喉頭全摘出術の場合は，発声方法や生活の調整が必要となる． ●術後合併症予防のために，術前から準備をする必要がある． ●喫煙，糖尿病，高血圧などは術後合併症のリスクを高める．	●主訴，現病歴，既往歴 ●治療方針，内服薬，薬剤アレルギー， ●疾患，治療，合併症，機能障害に対する捉え方･考え方，医療者による説明の理解状況 ●嗜好（喫煙，飲酒），健康管理のために行っている・心がけている内容 ●指示されている自己管理の実施状況
(2) 栄養-代謝 全身状態 栄養-代謝 排泄	●食事摂取（嚥下機能）に問題はないか ●栄養状態に問題はないか ●耐糖能異常はないか ●水分出納や電解質バランスの不均衡はないか ●肝機能に問題はないか ●出血のリスクはないか	●喉頭は，嚥下の第２相（咽頭期）に関与し，嚥下物に対して喉頭が挙上し，この際に喉頭蓋によって喉頭入口部が閉鎖し，さらに声帯による声門閉鎖が生じることで，嚥下物の口頭，気管への誤嚥を予防している．そのため，腫瘍によって，喉頭の運動制限や神経麻痺，疼痛から嚥下障害，誤嚥が生じやすい． ●喉頭部分切除後は，声帯上部組織の切除によって，嚥下障害が生じることがある．全摘出では永久気管孔を増設するため，誤嚥はしないが，１回摂取量が多いと，食物が鼻腔へ逆流しやすくなる．また，嗅覚の脱落や，麺類などをすすること，息を吹きかけて冷ます動作などができなくなる．これらのことから，食欲の低下や食事摂取量の低下から，栄養状態が低下する恐れがある． ●低栄養状態や耐糖能異常があると，術後感染症や縫合不全，褥瘡などの合併症が生じるリスクが高くなる． ●脱水状態であると，術後，循環器系の合併症や腎機能障害が生じるリスクが高まる． ●肝機能障害があると，薬物の代謝に影響を与える． ●抗凝固薬の服用や術前化学療法は，術後出血のリスク要因となる．	●身長，体重，BMI，最近の体重変化の有無，体温 ●食事内容，摂取状況（量・スピード），食欲，嚥下状態 ●病変部の状態（位置，出血など） ●浮腫，皮膚状態，骨突出 ●栄養状態，血球数，凝固，電解質，免疫，肝機能に関する採血データ ●抗凝固薬，血糖降下薬などの薬剤の使用状況
(3) 排泄 全身状態 栄養-代謝 排泄	●腎機能に問題はないか ●排尿に問題はないか ●排便に問題はないか	●全身麻酔による腎機能障害のリスクがある． ●術後，一時的に尿道留置カテーテルを挿入して，排泄経路を変更する必要がある． ●術後，腸管運動の抑制によって，排便のパターンや性状に変化が現れることがある． ●永久気管孔になると，息こらえができないため，腹圧をかけづらく，便秘になる恐れがある．	●排尿状況，失禁 ●泌尿器疾患の既往 ●腎機能に関する採血・尿データ ●排便状況，緩下剤の使用 ●消化器疾患・腹部手術の既往，腸蠕動音，腹部X線

パターン	アセスメントの視点	根拠	収集する情報
(4) 活動-運動 活動・休息 活動-運動 睡眠-休息	●呼吸に問題はないか ●循環に問題はないか ●日常生活はどの程度自立しているか ●深部静脈血栓症のリスクはどの程度か	●術前からの呼吸機能の低下や喫煙は，術後呼吸器合併症のリスクを高める． ●声門の開大の度合いは呼吸に影響するため，腫瘍による気道狭窄から，呼吸困難が出現する恐れがある． ●術後は，全身麻酔の影響や永久気管孔造設による呼吸経路の変化によって，喀痰の増加が起こる．適切に排痰できなければ，分泌物貯留による換気障害，酸素化障害が起こる． ●高血圧や心疾患は，術後循環器合併症のリスクを高める． ●術後は，疼痛，ドレーン挿入，創部保護による体動制限から，ADLに支障をきたす． ●永久気管孔造設時は，気管孔から水が入ると窒息の恐れがあるため，とくに入浴方法などに影響を及ぼす． ●長時間の手術や離床の遅れは，深部静脈血栓のリスクを高める．	●呼吸 呼吸音，回数，リズム，胸郭の動き，肺副雑音，喀痰，咳嗽，呼吸機能検査の結果，血液ガスデータ，経皮静脈血酸素飽和度，胸部CT・X線，呼吸訓練の状況 ●循環 血圧，脈(回数，リズム)，胸痛，胸部症状，心電図，心エコー，胸部X線，心血管系疾患の既往 ●筋・骨格 筋力の程度，ADLの状態，転倒転落の経験の有無
(5) 睡眠-休息 活動・休息 活動-運動 睡眠-休息	●睡眠状況に問題はないか ●心身の休息はとれているか	●睡眠状態や休息が，術後の離床や回復に影響する．	●睡眠時間(入院前後)，熟睡感，入院前の生活リズム ●入眠に関して使用している薬剤の有無 ●日中の過ごし方，日ごろのリラックス法
(6) 認知-知覚 知覚・認知 認知-知覚 自己知覚-自己概念 コーピング-ストレス耐性	●認知機能に問題はないか ●知覚機能に問題はないか ●疼痛は問題ないか ●疾患や治療に関する知識はどの程度か	●認知機能の障害は，術後のせん妄や危険行動のリスクとなる． ●表在知覚の異常は，皮膚障害のリスクとなる． ●視覚や聴覚の異常は，術後のせん妄や転倒転落などの事故のリスクとなる． ●喉頭全摘によって呼吸経路が変更になると，嗅覚が脱落する． ●創部痛，ドレーン刺入部痛，嚥下痛，吸引刺激による疼痛などが起こる． ●疾患や治療に関する知識の不足は，適切な健康管理行動の妨げになる．	●脳血管疾患の既往，意識レベル，見当識障害，せん妄 ●視覚，聴覚，平衡感覚，味覚，触覚，嗅覚の異常の有無 ●疼痛の程度，疼痛による生活への影響，鎮痛薬の使用状況と効果 ●理解力の状況，疾患や治療に関する知識
(7) 自己知覚-自己概念 知覚・認知 認知-知覚 自己知覚-自己概念 コーピング-ストレス耐性	●自己概念・自尊感情の脅威はないか ●疾患や治療に対して受容できているか ●ボディイメージの混乱のリスクはないか	●疾患の理解や受け入れ状況が，術後の回復や健康管理に影響する． ●手術によって，発声機能の障害や喪失，外見の変化が生じる．手術の必要性は理解していても，術後に身体機能や外見の変化に直面し，自尊感情低下やボディイメージ混乱のリスクがある．	●性格 ●自己の疾患および手術についてどう思っているか ●疾患の告知を受けたときの状況，思い ●外見の変化は身体機能の変化についてどう捉えているか ●心配・不安に関する訴え

パターン	アセスメントの視点	根拠	収集する情報
(8) 役割-関係 周囲の認識・支援体制 役割-関係 セクシュアリティ-生殖	●家族関係に問題はないか ●疾患・手術による役割遂行への影響はないか ●役割変更の必要性はないか	●治療・リハビリや機能障害は，本人・家族の役割遂行を妨げることがある． ●術後，コミュニケーション手段の変更は，家族の理解や協力が必要である． ●喉頭がんは50歳代から増加するため，就業している患者も多い．治療や機能障害によって，社会的役割の遂行に影響を及ぼす恐れがある． ●役割変更が必要な場合，変更がうまくいかなければ，治療・リハビリの遂行や家族の生活に影響を及ぼす．	●年齢，性別，職業，労働の内容 ●家族構成，家族支援の状況 ●雇用者などの支援状況，友人の支援状況 ●面会状況，自己の役割に関する訴え
	●コミュニケーションに問題はないか	●声帯切除の程度によって，発声障害が起こる．とくに，喉頭を全摘した場合には，コミュニケーション方法を再構築しなればならない．獲得するまでに時間を要するため，コミュニケーションの問題が起こりやすい．	
(9) セクシュアリティ-生殖 周囲の認識・支援体制 役割-関係 セクシュアリティ-生殖	●性生活への懸念はないか	●永久気管孔からの臭気，呼吸音，喀痰や鼻汁などが気になり，性交に消極的になることがある．	●性生活に関する発言
(10) コーピング-ストレス耐性 知覚・認知 認知-知覚 自己知覚-自己概念 コーピング-ストレス耐性	●ストレスの原因となることはあるか ●ストレスへの適切な対処法をもっているか	●喉頭切除によって機能障害が残る可能性があり，ADLや社会生活に影響を及ぼすため，それがストレスになることがある． ●ストレスが適切に緩和されないと，術後合併症のリスクが高まる．	●ストレスと感じているもの，ストレスの解消法 ●入院中のストレス解消法 ●疾患受容過程における患者自身の対処行動
(11) 価値-信念 患者背景 健康知覚-健康管理 価値-信念	●どのような価値感や信念をもっているか ●それは治療方針と対立しないか，または治療を継続していくうえで強みとなるか	●信仰によっては，治療の遂行に影響する． ●信念や生きがいが，術後の回復，退院後の生活に影響を与える．	●信仰 ●生きがい，人生のなかで何を大切としているか ●手術を受け，回復したいと思う背景は何か

3. 全体像の把握から看護問題を抽出

1）病態関連図

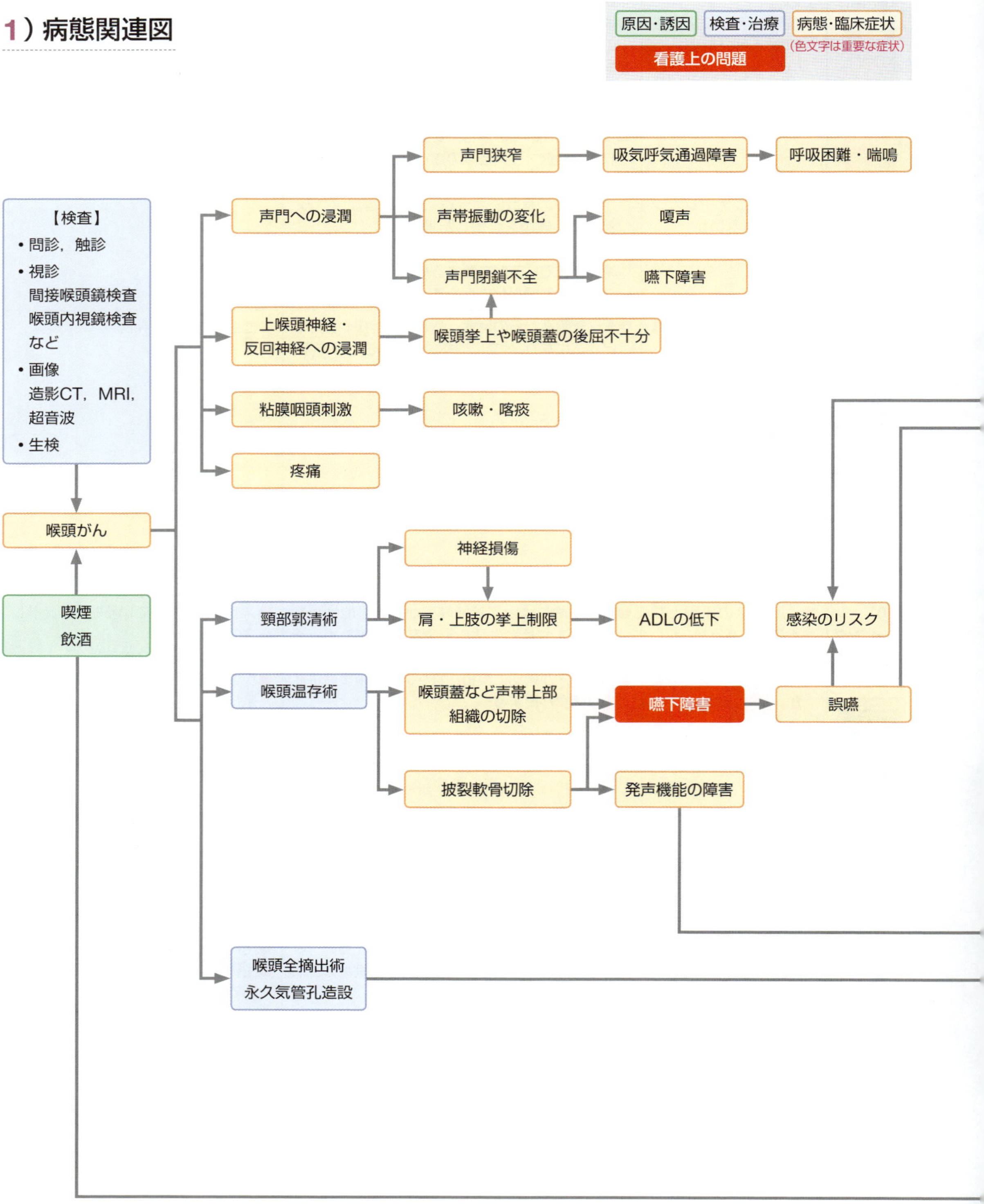

原因・誘因
検査・治療
病態・臨床症状
（色文字は重要な症状）
看護上の問題

【検査】
・問診，触診
・視診
間接喉頭鏡検査
喉頭内視鏡検査
など
・画像
造影CT，MRI，
超音波
・生検

喉頭がん

喫煙
飲酒

声門への浸潤
声門狭窄
吸気呼気通過障害
呼吸困難・喘鳴
声帯振動の変化
嗄声
声門閉鎖不全
嚥下障害
上喉頭神経・
反回神経への浸潤
喉頭挙上や喉頭蓋の後屈不十分
粘膜咽頭刺激
咳嗽・喀痰
疼痛

頸部郭清術
神経損傷
肩・上肢の挙上制限
ADLの低下
感染のリスク
喉頭温存術
喉頭蓋など声帯上部
組織の切除
嚥下障害
誤嚥
披裂軟骨切除
発声機能の障害
喉頭全摘出術
永久気管孔造設

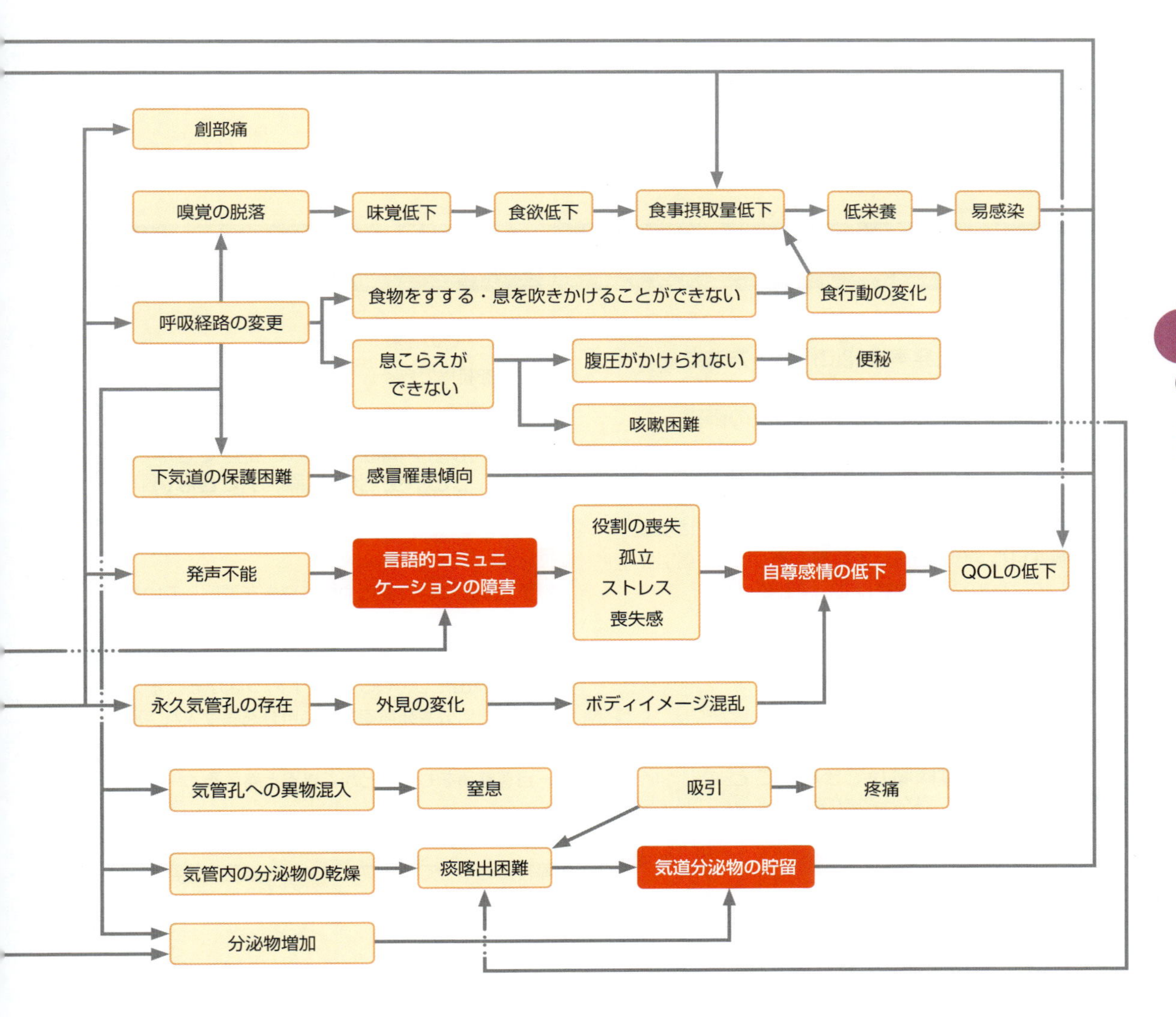
創部痛
嗅覚の脱落
味覚低下
食欲低下
食事摂取量低下
低栄養
易感染
呼吸経路の変更
食物をすする・息を吹きかけることができない
食行動の変化
息こらえができない
腹圧がかけられない
便秘
咳嗽困難
下気道の保護困難
感冒罹患傾向
発声不能
言語的コミュニケーションの障害
役割の喪失
孤立
ストレス
喪失感
自尊感情の低下
QOLの低下
永久気管孔の存在
外見の変化
ボディイメージ混乱
気管孔への異物混入
窒息
吸引
疼痛
気管内の分泌物の乾燥
痰喀出困難
気道分泌物の貯留
分泌物増加

2）看護の方向性

・外科的治療（喉頭全摘出術）について

喉頭全摘出によって永久気管孔を造設すると，下気道が外部と直接交通するため，微細な異物を取り除くことや，空気の加湿が困難となる．術直後は，全身麻酔による影響や酸素投与の影響が加わり，痰の増量や粘稠化が起こる．気管孔の存在によって息こらえができないため，効果的な咳嗽が難しく，痰の貯留が起こりやすい．痰の喀出ができないと，下気道感染を起こし，無気肺や肺炎などの合併症を引き起こすリスクが高まる．術後早期は，痰の貯留による無気肺や肺炎といった呼吸器合併症を予防することが必要である．その後も，呼吸経路の変更による身体への影響を理解し，生活のなかで適切に管理できるよう知識と技術を身につける必要がある．また，周術期を脱しても，永久気管孔の管理は必要であるため，自己管理ができるように支援していく必要がある．

喉頭全摘出によって発声不能となる．コミュニケーション手段を再獲得するまでには，長時間のリハビリテーションが必要なため，その間はコミュニケーションの問題が起こりやすい．コミュニケーションの障害は，孤立感やストレスの増大，役割の喪失，ボディイメージの混乱などを引き起こし，自尊感情が低下する恐れがある．代替手段の獲得には長期間の訓練が必要であり，家族をはじめとする周囲のサポートや，本人のモチベーション維持が不可欠である．入院生活中にできる支援は限られるが，患者と家族が根気強く，退院後も継続して代用音声の獲得の訓練が行えるように，多職種およびピアサポート会と連携し，患者・家族が継続したサポートが受けられるように体制を整えていく必要がある．

3）患者・家族の目標

手術による形態や機能の変化を受け入れ，代用方法を獲得し，生活に取り入れることができる．

4. しばしば取り上げられる看護問題

♦1 喪失した発声機能に代わる方法を獲得していないことによる言語的コミュニケーションの障害

なぜ？

喉頭全摘出をした患者には必ず起こる問題である一方で，患者の年齢，仕事，趣味，モチベーションなどによって，獲得を目指す代用音声が異なる．そのため，個別性を考慮して，長期に支援を続けていく必要がある．

➡ 期待される結果

他者とメッセージを正しく交換できる．

♦2 効果的な咳嗽ができないことによる気道分泌物の貯留

なぜ？

外科的治療（喉頭全摘出術），永久気管孔の造設によって，咳嗽が効果的にできなくなり，痰の貯留が起こりやすい．排痰の必要性を理解し，排痰行動を自らとる必要がある．

➡ 期待される結果

分泌物を排除できる．

♦3 形態や機能の変化を受容できないことや生活の再構築ができないことによる自尊感情の低下

なぜ？

喉頭全摘出による変化や機能喪失を理解していたとしても，術後，現実を目の前にし，自尊心が低下する．自尊心が低下したままだと，代用音声を獲得する訓練の継続に影響が出たり，QOLの低下につながる．永久気管孔となった自分や発声できない自分を受け入れ，別の方法で他者とコミュニケーションがとれるようになることで，自尊感情をもつことができると考える．

➡ 期待される結果

障害にあわせてライフスタイルを修正できる．

5. 看護計画の立案

• O-P：Observation Plan（観察計画）　• T-P：Treatment Plan（治療計画）
• E-P：Education Plan（教育・指導計画）

♦1 喪失した発声機能に代わる方法を獲得していないことによる言語的コミュニケーションの障害

	具体策	根拠と注意点
O-P	**(1)創部・永久気管孔** ・発赤，腫脹，出血，疼痛の程度，カニューレへの痰の付着や閉塞の有無 **(2)バイタルサイン，意識レベル** **(3)呼吸** ・呼吸困難感，呼吸音，SpO_2値，痰の量・性状	●術後，全身状態が安定し，創部や永久気管孔に感染などの合併症が起こっていないことが，リハビリテーションを積極的に開始する目安となる．
	(4)心理状態 ・リハビリテーション意欲，現状の受容，現状や今後への期待，心配，不安（発言，行動，表情）	●リハビリテーションは，本人の意欲が不可欠である．心配事や不安に気持ちがとらわれていないかなど，リハビリテーションに集中できる心理状態であるかを観察する．
	(5)知識 ・自分の障害，永久気管孔，代用音声に関する知識，リハビリテーション内容の理解，退院後に利用できるサポートに関する知識	●リハビリテーションを主体的に継続していくため，自身の身体状況や行動の意味を正しく認識できているか観察する．
	(6)生活背景 ・年齢，仕事，役割，趣味，楽しみなど	●代用音声の種類や方法などの目標を設定するために，どのような生活に戻りたいのか観察する．
	(7)自己管理能力 ・ADL，入院前の生活 **(8)家族とのコミュニケーションの様子** ・協力体制，障害やリハビリテーションへの理解	●永久気管孔の管理や代用音声の選択，退院後にリハビリテーションを継続するうえで，どの程度自己管理ができるか，家族の協力が得られるかは重要なポイントとなる．
	(9)代用音声の習得状況	●訓練の効果，他者と正しくメッセージ交換をできるか確認する．
T-P	**(1)排痰ケア** ①加湿 ②吸引，排痰の促し ③気管カニューレの洗浄 ④シャント孔の喀痰除去	●痰の貯留があると，空気がスムーズに流れず，発声に影響する．吸引は痛みが伴うため，愛護的に行う．気管孔にカニューレが挿入されている場合や，シャント器具が挿入されている場合は，挿入物に痰が付着することがあるため，除去する必要がある．
	(2)代用音声の訓練 ①人工喉頭使用訓練（言語聴覚士と協働） （口外式） ・50音字の口型を正確につくる ・ゆっくり発音する ・口を大きく開けて発音する ・スイッチのオン・オフを音にあわせて行う ・自然なフレーズにする ・義歯や補聴器を装着する ②気管食道シャント発声 ・吸気の際に気管孔を押さえ，口を開けて息を吐く ・気管孔周囲皮膚のスキンケア ・発声を意識しすぎないようにリラックスを促す ・発声する機会をつくる ③食道発声 ・口から息を吸って食道の上部にため，すぐに空気を出しながら舌や口唇を動かす ・50音字の口型を正確につくる ・発声する機会をつくる	●代用音声の訓練は，専門家である言語聴覚士と協働して行う．代用音声の訓練は，人工喉頭から始まる．声の抑揚は表現できないが，術後数日から開始でき，食道発声などのほかの方法を習得したのちも，代理として人工喉頭をもつ．口内式，口外式があるため，適した方法を選択する．シャント発声や食道発声は，継続した訓練が必要であるため，発声の機会を意識してつくり，日常生活のなかに訓練を取り入れることが大切である．退院後も自主的に訓練を行えるよう，方法だけでなく，根拠や必要性を伝える．訓練時は静かな環境を提供する．

	具体策	根拠と注意点
T-P	**(3)コミュニケーション** ①患者や家族の心配や悩み事を傾聴する ②目標達成に向けた進歩をほめる，または肯定的に述べる ③目標や方法について，患者を含めて話しあい，患者の意思を尊重する	●代用音声を獲得する意欲を失わないように，心理的サポートを行う．コミュニケーションがうまくいかないことで，本人だけでなく，家族にも心理的影響があるので，家族も含めて支援をしていく．また，専門的な知識が必要なため，患者の意思を尊重しつつ，訓練の道筋を立ててあげることが必要である．
E-P	**(1)気管孔やシャント孔の自己管理方法，リスクを患者・家族に説明する** ・スキンケア ・痰の除去 ・定期的な受診やシャント器具の交換 ・誤嚥性肺炎の症状，早期発見するための観察，早期受診の必要性	●シャント発声を維持していくには，日常のメンテナンスが必要となるため，管理できるように指導する．シャント器具の種類によっては，定期的な交換が必要となる．シャント孔がある場合は，誤嚥性肺炎のリスクがあるため，異常の際に早期発見・早期受診ができるようにする．
	(2)サポートグループの情報を提供する	●同様な障害をもつ人とつながりをもつことで，心理的サポートを得られる．代用音声の講習をするサポートグループもあり，退院後の代用音声の習得を促進できる．
	(3)上達したことや，自分の長所に目を向けるように説明する	●できないことに目を向けるより，できるようになったことや，ありのままの自分に目を向けるように説明する．

2 効果的な咳嗽ができないことによる気道分泌物の貯留

	具体策	根拠と注意点
O-P	**(1)呼吸状態** ・肺野のエア入り，肺副雑音，痰の性状・量，咳嗽，胸部X線所見，吸引前後の呼吸状態の変化	●分泌物の貯留や，それによる換気障害や酸素化障害が起こっていないか観察する．
	(2)全身状態(効果的な咳嗽に影響する要因) ・疼痛レベル，鎮痛薬使用頻度・効果，意識レベル，活動状況	●分泌物の性状や量，排痰に関連する要因の観察を行う．また，分泌物貯留による全身状態への影響がないか観察する．
	(3)気管孔やシャント孔の状態 ・感染徴候の有無，びらんや潰瘍の有無，狭窄の有無，気管チューブの固定状態，痰の付着	●永久気管孔の造設やシャント形成によって，感染や縫合不全が起こる可能性がある．とくに，シャント形成を喉頭全摘術と同時行った場合は，血流が不安定な状態であるため，合併症のリスクが高まる． ●気管孔には，しばらく気管チューブが挿入され，分泌物の付着やチューブによる皮膚障害が起こりやすい．気道の狭窄によって，呼吸状態の悪化が考えられるため，観察する．
T-P	**(1)排痰の促進** ①吸引(気管，鼻腔) ②一時的酸素投与	●自己排痰が不十分のときは，吸引を行う．吸引によって，気管内の空気も同時に吸引されてしまうため，SpO_2値の低下や呼吸困難感が出現する．これらを最小限に抑えるため，吸引前後に10～15秒程度，高濃度の酸素吸入を行う．吸引時は吸引圧に留意し，気道粘膜の損傷に注意する．また，気道分離によって，鼻をかむことができないため，必要時に鼻腔吸引も行う．
	③ネブライザー，加湿器 ④水分バランスの管理	●鼻機能の脱落に加え，酸素投与や脱水によって，分泌物の粘稠化がさらに進む．ネブライザーや水分の適切な管理によって，粘稠度を低下させて排出しやすくする．
	⑤離床	●離床によって分泌物が移動し，喀出しやすくなる．頸部の安静度にあわせて実施する．

	具体策	根拠と注意点
T-P	**(2)気管孔カバーの装着** **(3)気管孔やその周囲の清潔保持** ・付着した分泌物の除去，皮膚の清拭	●外部からの異物の入り込み防止，分泌物の飛散防止，加湿のために装着する． ●外部と交通する部位は，乾燥によって分泌物が付着しやすく，空気の通りを妨げる．付着した分泌物を取り除くことで，呼吸がしやすくなったり，皮膚障害を予防することができる．
E-P	**(1)痰の喀出(除去)方法について説明する** **(2)咳嗽の方法を説明する** ①分泌物を拭きとるティッシュを用意する ②咳嗽時は気管孔を押さえる ③深呼吸をして，腹部に力を入れ，咳嗽する．腹部に力が入らない場合は，咳嗽時に前に屈む **(3)永久気管孔，シャント，気管チューブの管理方法や注意点を説明する** ①清潔保持 ・気管チューブの洗浄，皮膚の清拭，分泌物の除去 ②保湿の必要性 ・加湿，気管孔カバー ③異常の早期発見と早期受診 ・分泌物の量・性状の観察，感染徴候の観察，受診のタイミング	●気管孔があることで息こらえができず，咳嗽に必要な胸郭の固定や腹圧の上昇などができない．そのため，気管孔を閉じ，意識して腹圧を上昇させる行動をとることで，効果的な咳嗽につなげる．気管孔から直接喀痰されるため，感染予防のためにもすぐに拭きとれるようにする．また，嘔吐することがあるため，食後は避ける． ●退院後も継続したケアが必要となるため，管理方法や注意点を患者・家族に理解してもらい，実施できるようにする．また，下気道感染を起こしやすいため，異常の早期発見・受診が行えるように説明を行う．

引用・参考文献

1) 尾尻博也：下咽頭癌・喉頭癌の画像診断．ENTONI，195：9～14，2016.
2) 落合慈之監：耳鼻咽喉科疾患ビジュアルブック．p.217～222，学研メディカル秀潤社，2011.
3) 日本頭頸部癌学会編：頭頸部癌診療ガイドライン2018年度版．第3版，p.55～57，金原出版，2017.
4) 今村善宣ほか：下咽頭癌・喉頭癌に対する化学療法．ENTONI，195：35～43，2016.
5) 古平毅：下咽頭癌・喉頭癌に対する放射線治療．ENTONI，195：44～50，2016.
6) 古平毅：下咽頭癌・喉頭癌に対する放射線治療．ENTONI，195：44～50，2016.
7) 杉本太郎：下咽頭癌・喉頭癌に対する経口的部分切除．ENTONI，195：51～58，2016.
8) 日本頭頸部癌学会編：頭頸部癌診療ガイドライン2018年度版．第3版，p.59～60，金原出版，2017.
9) 今村善宣ほか：下咽頭癌・喉頭癌に対する化学療法．ENTONI，195：35～43，2016.
10) 今村善宣ほか：下咽頭癌・喉頭癌に対する化学療法．ENTONI，195：35～43，2016.
11) 今村善宣ほか：下咽頭癌・喉頭癌に対する化学療法．ENTONI，195：35～43，2016.
12) 全国がんセンター協議会：生存率共同調査，2019年4月更新．http://www.zengankyo.ncc.go.jp/etc/index.html より2020年8月25日検索
13) Hori M, et al：Cancer incidence and incidence rates in Japan in 2009：a study of 32 population-based cancer registries for the Monitoring of Cancer Incidence in Japan（MCIJ）project. Japanese Journal of Clinical Oncology, 45(9): 884-91, 2015.
14) Jack E. Thomasほか，菊谷武監訳：喉頭がん舌がんの人たちの言語と摂食・嚥下ガイドブック―将来に向けて．原著第4版，医歯薬出版，2008.
15) 馬場均：頭頸部領域における機能温存手術の現状と今後の展望―喉頭癌における機能温存手術．京都府立医科大学雑誌，118(4)：189～199，2009.

70 舌がん

1. 疾患の基礎的知識

1）疾患の概念

舌がんとは，顎口腔領域に発生する悪性腫瘍のなかで，舌の前方2/3（有郭乳頭より前）の舌背面，舌縁，下面（舌腹）に発生したものを指す[1]．

2）原因

主な危険因子として，喫煙と飲酒があげられている．とくに，喫煙は最大の危険因子とされており，量や期間が増すごとに，発生の危険度は高くなるとされている．ほかに，歯やう歯，義歯などによる慢性的な機械的刺激，ウイルス感染〔とくにヒトパピローマウイルス（HPV：Human Papilloma Virus）〕があげられている．

3）病態と臨床症状

病態

舌がんは，口腔がんのなかで最も頻度が高く，60%を占めている[2]．口腔がんの男女比は3：2と男性に多く，年齢的には60歳代に最も多い[3]．

好発部位は，舌縁（舌の両側面）や，舌腹（舌の裏側）である．病理組織型は，大部分が扁平上皮がんである．

臨床症状

初期は無症状か，病変に歯や硬い食べ物が当たると痛みを生じたり，刺激性の飲食物がしみる程度の，軽いものである．口内炎と思われて放置される例もあるが，症状が2週間以上続き，硬結や発赤，潰瘍を伴う場合には，舌がんを疑う．進行すると，自発痛，出血が生じ，腫瘤や潰瘍が増大すると，舌の運動障害から構音障害，嚥下障害などが起こる．

また，壊死組織から口臭が生じることもある．末期には激痛を訴えることが多い．頸部リンパ節転移を生じると，頸の腫瘤で気づくこともある．

4）検査・診断

(1)問診

疼痛や構音障害などの症状の有無や程度，期間を聴取する．

(2)視診

極めて初期は，白斑と紅斑の混在型・顆粒型・乳頭型・白斑型などであり，潰瘍は少ない．進行すると，肉芽型，乳頭型となり，潰瘍も増加する．腫瘍の表面は凹凸がみられ，色は白色，黄白色，暗赤色を呈する．

客観的かつ簡便な臨床型分類として，臨床発育様式分類[4]が用いられており，表在型，外向型，内向型に分類されるが，進行するに従い，これらが複合した形となる．

①表在型：表在性の発育を主とし，上・下歯肉，硬口蓋においては骨の吸収を認めないもの
②外向型：外向性の発育を主とするもの
③内向型：深部への発育を主とするもの

最大径が4cm以下の腫瘍において，内向型はほかの型に比べて，頸部リンパ節への転移率が高い[5]．同様に，内向型と表在型は外向型に比べて，原発巣再発率は高い傾向にある[6]．

(3)触診

硬結を生じることが多い．触診によって深部への広がり（深達度）を評価する．また，頸部リンパ節の部位，硬さ，可動性の有無などから，リンパ節転移の判定を行う．触診による頸部リンパ節転移の診断精度は，60～70%である[7]．

(4)画像診断

CT，MRI，超音波検査，胸部X線検査などを行う．舌内および周囲組織への腫瘍の進展範囲や，頸部リンパ

節転移は，CT，MRI，超音波を用いて診断する．また，最も多い肺転移の有無は，胸部X線検査やCTを用いて診断する．その他，遠隔転移の有無は，骨シンチグラフィやPETによって診断する．重複がんや予後予測などに，PET/PET-CTの有用性も示唆されている．

これらの結果を，TNM分類（T分類：原発腫瘍の大きさ，N分類：所属リンパ節転移の数や大きさ，M分類：遠隔転移の有無），stage分類を用いて，病期Ⅰ～Ⅳの４段階に分類する（**表70-1**，**2**）．これらは，治療法の選択や予後予測に重要である．

(5)病理診断

生検によって，がんの診断を確定する．組織採取に際しては，がんおよび隣接する組織を，あわせて切除するのが一般的な方法である．組織学的悪性度や浸潤能，脈管侵襲能，リンパ節転移予測などの詳細な情報を得られる．小さな病変の場合，一度ですべてを切除する切除生

表70-2　舌がんの病気分類 [10]

0期	Tis	N0	M0
Ⅰ期	T1	N0	M0
Ⅱ期	T2	N0	M0
Ⅲ期	T3	N0	M0
	T1，T2，T3	N1	M0
ⅣA期	T4a	N0，N1	M0
	T1，T2，T3，T4a	N2	M0
ⅣB期	Tに関係なく	N3	M0
	T4b	Nに関係なく	M0
ⅣC期	Tに関係なく	Nに関係なく	M1

日本頭頸部癌学会編：頭頸部癌診療ガイドライン2018年版．第3版，p.32～33，金原出版，2017．

表70-1　舌がんのTNM分類 [8) 9)]

[T分類]	
TX	原発腫瘍の評価が不可能
T0	原発腫瘍を認めない
Tis	上皮内癌
T1	最大径が2cm以下かつ深達度が5mm以下の腫瘍
T2	最大径が2cm以下かつ深達度が5mmをこえる腫瘍，または最大径が2cmをこえるが4cm以下でかつ深達度が10mm以下の腫瘍
T3	最大径が2cmをこえるが4cm以下でかつ深達度が10mmをこえる腫瘍，または最大径が4cmをこえ，かつ深達度が10mm以下の腫瘍
T4a	（口唇）下顎骨皮質を貫通する腫瘍，下歯槽神経，口腔底，皮膚（オトガイ部または外鼻の）に浸潤する腫瘍*
T4a	（口腔）最大径が4cmをこえ，かつ深達度が10mmをこえる腫瘍，または下顎もしくは上顎の骨皮質を貫通するか上顎洞に浸潤する腫瘍，または顔面皮膚に浸潤する腫瘍
T4b	（口唇および口腔）咀嚼筋間隙，翼状突起，または頭蓋底に浸潤する腫瘍，または内頸動脈を全周性に取り囲む腫瘍
注 ＊歯肉を原発巣とし，骨および歯槽のみに表在性びらんが認められる症例はT4aとしない．	
[N分類]	
NX	領域リンパ節の評価が不可能
N0	領域リンパ節転移なし
N1	同側の単発性リンパ節転移で最大径が3cm以下かつ節外浸潤なし
N2	以下に記す転移：
N2a	同側の単発性リンパ節転移で最大径が3cmをこえるが6cm以下かつ節外浸潤なし
N2b	同側の多発性リンパ節転移で最大径が6cm以下かつ節外浸潤なし
N2c	両側または対側のリンパ節転移で最大径が6cm以下かつ節外浸潤なし
N3a	最大径が6cmをこえるリンパ節転移で節外浸潤なし
N3b	単発性または多発性リンパ節転移で臨床的節外浸潤*あり
注 ＊皮膚浸潤か，下層の筋肉もしくは隣接構造に強い固着や結合を示す軟部組織の浸潤がある場合，または神経浸潤の臨床的症状がある場合は，臨床的節外浸潤として分類する． 正中リンパ節は同側リンパ節である．	
[M分類]	
M0	遠隔転移なし
M1	遠隔転移あり

日本頭頸部癌学会編：頭頸部癌診療ガイドライン2018年版．第3版，p.32～33，金原出版，2017．

検(excisional biopsy)が行われることもある.

5) 治療

外科的切除，放射線治療，化学療法を，病期によって，単独，あるいはこれらを組み合わせて行うことが多い．口腔は，発音，咀嚼，嚥下などの重要な機能を担っているため，根治性だけでなく，舌の機能温存，治療後のQOLを，十分考慮して選択する．

(1) 外科的治療

舌の切除，舌の再建のほか，頸部リンパ節転移には頸部郭清術が行われる(**図70-1**).

・舌の切除

がんの大きさ，浸潤の深さ，周囲組織への進展によって，舌の切除範囲が異なる．具体的には，①舌部分切除術，②舌可動部半側切除，③舌可動部(亜)全摘術，④舌半側切除術，⑤舌(亜)全摘術，以上に分類される(**図70-2**).

①舌部分切除術：舌可動部の半側に満たない切除
②舌可動部半側切除術：舌可動部のみの半側切除
③舌可動部(亜)全摘術：舌可動部の半側を超えた，あるいは全部の切除
④舌半側切除術：舌根部を含めた半側切除．舌根の有無は嚥下機能に大きく影響する
⑤舌(亜)全摘術：舌根部を含めた半側以上の切除，あるいは全部の切除

・舌の再建

舌の主要な部分を切除した場合は，嚥下障害，整容障害軽減のために再建術が行われる．舌半側切除の場合，残存舌の運動を障害しないことが術後機能に有利とされ，比較的薄い皮弁である前腕皮弁や，前外側大腿皮弁などが用いられる[13]．舌亜全摘術や舌全摘術では，再建舌と口蓋・咽頭との接触を容易にして，構音や嚥下機能の回復をはかるために，容量のある腹直筋皮弁が有用である[14]．舌尖を切除した場合は，切除範囲は小さいものの，再建を行ったとしても，構音障害・嚥下障害は残存する可能性が高い．

・頸部郭清

頸部リンパ節に転移がある場合に行われる．

①根治的頸部郭清術：Level Ⅰ～Ⅴのリンパ節・組織を，胸鎖乳突筋，内頸静脈，副神経を含めて郭清する．術後の機能障害が大きい．
②根治的頸部郭清術変法：Level Ⅰ～Ⅴのリンパ節・組織を郭清するが，胸鎖乳突筋，内頸静脈，副神経のいずれか１つは保存する．根治的頸部郭清術の根治性を損なうことなく，より低侵襲である．
③選択的(部分的)頸部郭清術：頸部リンパ節レベルを，１つあるいはそれ以上を選択的に郭清する．郭清範囲によって下記のような術式がある．
a)肩甲舌骨筋上頸部郭清術：Level Ⅰ～Ⅲのリンパ節，組織を郭清する．
b)拡大肩甲舌骨筋上頸部郭清術：Level Ⅰ～Ⅳのリンパ節・組織を郭清する．
c)その他：舌骨上頸部郭清術：Level Ⅰのリンパ節・組織を郭清する．

図70-1　舌がんの外科療法のアルゴリズム[11]

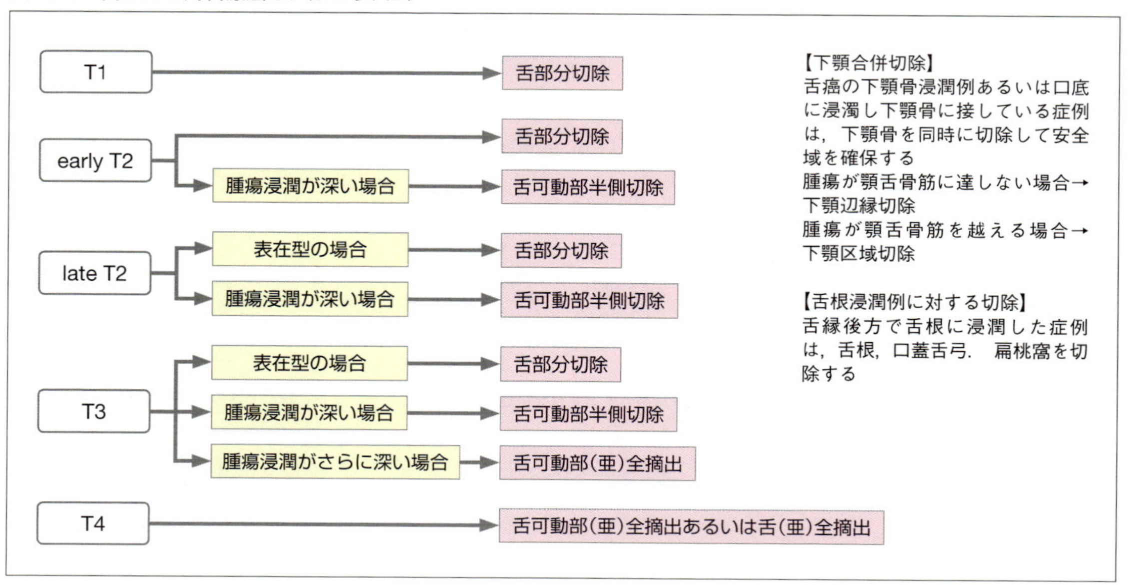

d)その他：顎下部郭清術：Level Ⅰのリンパ節・組織を郭清する．

(2)放射線治療

放射線治療は大まかに，根治を目指す根治的治療，術前の腫瘍縮小や術後の再発予防のための補助療法，症状緩和やQOLのための緩和的治療，という３つに分けられる．放射線治療には組織内照射と外部照射がある．

①組織内照射(**図70-3**)

腫瘍内に放射性金属を直接埋め込む方法である．腫瘍に高線量を照射でき，周囲の正常組織には低線量の照射で済むことから，根治性が高く，機能・形態を温存できる治療法である．低線量率照射と高線量率照射があり，後者は，術者の被曝や，放射線管理病棟での患者管理などの短所を克服した治療法である．一般的な適応は，TNM分類でT1・T2で，腫瘍の厚さが１cmを超えない症例である．また，スペーサーの使用で有害事象の予防も可能となっている．

図70-2　舌がんの切除範囲 [12)]

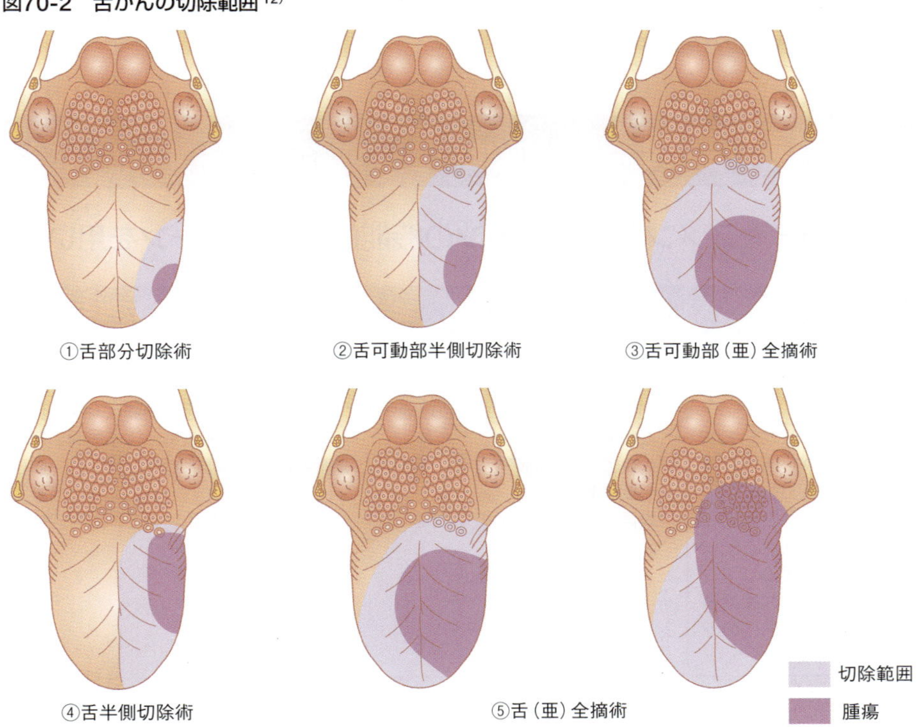

図70-3　組織内照射

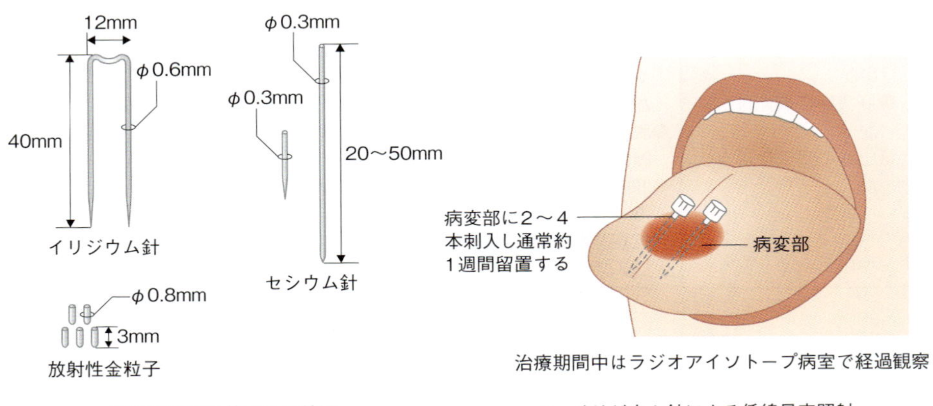

a. 組織内照射に使用する線源

b. イリジウム針による低線量率照射

②外部照射

X線やγ線を用いて，外部から照射する方法である．外部照射単独の治療成績が，外科手術に匹敵するという報告はほとんどなく，手術の補助療法として行われる．

(3)化学療法

進行がんに対して，化学療法と放射線治療を併用する方法が多くとられており，とくに同時併用する化学放射線療法（CCRT：concurrent chemoradiotherapy）が有効とされている．白金製剤をベースとするCCRTが有効であるとされており，シスプラチン，カルボプラチンなどが使用されているほか，フルオロウラシル，テガフール・ギメラシル・オテラシルカリウムなども使用される．

6）予後

舌は，豊富な血流とリンパ系が発達していることから，頸部リンパ節への転移が多い．予後も，転移の有無が影響してくる．筋層浸潤例やリンパ節転移例は，予後が悪い．病期分類Ⅰ期の５年相対生存率は93.3%，Ⅱ期は81.1%，Ⅲ期は62.7%，Ⅳ期は46.2%である[16]．

2. 看護過程の展開：外科的治療

● 外科的治療のアセスメント～ゴードンの機能的健康パターンを用いて

パターン	アセスメントの視点	根拠	収集する情報
(1) 健康知覚-健康管理 患者背景 健康知覚-健康管理 価値-信念	●現在の健康状態をどのように知覚しているか ●手術の必要性や合併症について適切に理解しているか ●手術に向けて適切に行動できているか ●術後合併症のリスクとなるような生活習慣，併存疾患への管理行動は適切か	●病状や治療の必要性，治療方法，合併症などについての理解が不十分であると，手術に不安を抱いたり，治療や回復への行動が妨げられることがある． ●術後合併症予防のために，術前から準備をする必要がある． ●喫煙，糖尿病，高血圧などは，術後合併症のリスクを高める．	●主訴，現病歴，既往歴 ●治療方針，内服薬，薬剤アレルギー， ●疾患や治療に対する捉え方·考え方，医療者による説明の理解状況 ●嗜好（喫煙，飲酒），健康管理のために行っている・心がけている内容 ●指示されている自己管理の実施状況
(2) 栄養-代謝 全身状態 栄養-代謝 排泄	●食事摂取に問題はないか ●栄養状態に問題はないか ●耐糖能異常はないか ●水分出納や電解質バランスの不均衡はないか ●肝機能に問題はないか ●出血のリスクはないか	●腫瘍の増大による舌の運動障害やがん性疼痛から，咀嚼・嚥下障害が生じる． ●外科的切除術では，舌半側切除以上になると舌の運動障害が生じ，食塊が口腔内に残留したり咽頭へ流れ落ちてしまう．また，舌根の温存の有無と範囲は，嚥下障害に大きく影響する． ●低栄養状態や耐糖能異常があると，術後感染症や縫合不全，褥瘡などの合併症が生じるリスクが高くなる． ●脱水状態であると，循環器系の合併症や腎機能障害が生じるリスクが高まる． ●肝機能障害があると，薬物の代謝に影響を与える． ●抗凝固薬の服用や術前化学療法は，術後出血のリスク要因となる．	●身長，体重，BMI，最近の体重変化の有無，体温 ●食事内容，摂取状況，食欲，嚥下状態 ●病変部の状態（位置，大きさ，出血，疼痛，硬結の有無） ●浮腫，皮膚状態，骨突出 ●栄養状態，血球数，凝固，電解質，免疫，肝機能に関する採血データ ●抗凝固薬，血糖降下薬などの薬剤の使用状況

パターン	アセスメントの視点	根拠	収集する情報
(3) 排泄 全身状態 栄養-代謝 排泄	●腎機能に問題はないか ●排尿に問題はないか ●排便に問題はないか	●全身麻酔による腎機能障害のリスクがある. ●術後, 一時的に尿道留置カテーテルを挿入して, 排泄経路を変更する必要がある. ●術後, 腸管運動の抑制によって, 排便のパターンや性状に変化が現れることがある.	●排尿状況, 失禁 ●泌尿器疾患の既往 ●腎機能に関する採血・尿データ ●排便状況, 緩下剤の使用 ●消化器疾患・腹部手術の既往, 腸蠕動音, 腹部X線
(4) 活動-運動 活動・休息 活動-運動 睡眠-休息	●呼吸に問題はないか ●循環に問題はないか ●日常生活はどの程度自立しているか ●深部静脈血栓症のリスクはどの程度か	●呼吸機能の低下や喫煙は, 術後呼吸器合併症のリスクを高める. ●手術では, 通常は気管切開を行う. 気管切開後は気道内分泌物が増加し, 自力での排痰が困難となる. 分泌物貯留による換気量の低下を起こす. ●高血圧や心疾患は, 術後循環器合併症のリスクを高める. ●皮弁による再建術後など, 創部の安静をはかるために, 頸部を砂嚢で固定して絶対安静をとる場合もある. 数日のベッド上安静でも筋力が低下し, ADLの低下や術後合併症につながる. ●長時間の手術や離床の遅れは, 深部静脈血栓のリスクを高める.	●呼吸 呼吸音, 回数, リズム, 胸郭の動き, 肺副雑音, 喀痰, 咳嗽, 呼吸機能検査の結果, 血液ガスデータ, 経皮静脈血酸素飽和度, 胸部CT・X線, 呼吸訓練の状況 ●循環 血圧, 脈(回数, リズム), 胸痛, 胸部症状, 心電図, 心エコー, 胸部X線, 心血管系疾患の既往 ●筋・骨格 筋力の程度, ADLの状態, 転倒転落の経験の有無
(5) 睡眠-休息 活動・休息 活動-運動 睡眠-休息	●睡眠状況に問題はないか ●心身の休息はとれているか	●睡眠状態や休息が, 術後の離床や回復に影響する.	●睡眠時間(入院前後), 熟睡感, 入院前の生活リズム ●入眠に関して使用している薬剤の有無 ●日中の過ごし方, 日ごろのリラックス法
(6) 認知-知覚 知覚・認知 認知-知覚 自己知覚-自己概念 コーピング-ストレス耐性	●認知機能に問題はないか ●知覚機能に問題はないか ●疼痛は問題ないか ●疾患や治療に関する知識はどの程度か	●認知機能の障害は, 術後のせん妄や危険行動のリスクとなる. ●表在知覚の異常は, 皮膚障害のリスクとなる. ●視覚や聴覚の異常は, 術後のせん妄や転倒転落などの事故のリスクとなる. ●術創部の疼痛や皮弁採取部の疼痛が起こる. また, 吸引刺激による疼痛やドレーン刺入部痛などが起こる. ●疾患や治療に関する知識の不足は, 適切な健康管理行動の妨げになる.	●脳血管疾患の既往, 意識レベル, 見当識障害, せん妄 ●視覚, 聴覚, 平衡感覚, 味覚, 触覚, 嗅覚の異常の有無 ●疼痛の程度, 疼痛による生活への影響 ●理解力の状況, 疾患や治療に関する知識

パターン	アセスメントの視点	根拠	収集する情報
(7) 自己知覚-自己概念 知覚・認知 認知-知覚 自己知覚-自己概念 コーピング-ストレス耐性	●自己概念・自尊感情の脅威はないか ●疾患や治療に対して受容できているか ●がんになった自分や手術療法が必要となった自分をどのように知覚しているか ●ボディイメージの混乱のリスクはないか	●疾患の理解や受け入れ状況が，術後の回復や健康管理に影響する． ●舌形態の変化や構音障害によって，自尊感情低下やボディイメージ混乱のリスクがある．	●性格 ●自己の疾患および手術についてどう思っているか ●疾患の告知を受けたときの状況，思い ●術後のボディイメージについてどう捉えているか ●心配・不安に関する訴え
(8) 役割-関係 周囲の認識・支援体制 役割-関係 セクシュアリティ-生殖	●家族関係に問題はないか ●疾患・手術による役割遂行への影響はないか ●役割変更の必要性はないか ●コミュニケーションに問題はないか	●治療・リハビリテーションや機能障害は，本人・家族の役割遂行を妨げることがある． ●役割変更が必要な場合，変更がうまくいかなければ，治療・リハビリテーションの遂行や家族の生活に影響を及ぼす． ●術後，気管切開によって発声不能になる．発声が可能になっても，舌の広範な切除や舌尖の切除によって，主にカ・サ・ザ・タ・ダ・ラ行の発音が不明瞭になる．	●年齢，性別，職業，労働の内容 ●家族構成，家族支援の状況 ●雇用者などの支援状況，友人の支援状況 ●面会状況，自己の役割に関する訴え
(9) セクシュアリティ-生殖 周囲の認識・支援体制 役割-関係 セクシュアリティ-生殖	(なし)		
(10) コーピング-ストレス耐性 知覚・認知 認知-知覚 自己知覚-自己概念 コーピング-ストレス耐性	●ストレスの原因となることはあるか ●ストレスへの適切な対処法をもっているか	●舌切除によって機能障害が残る可能性があり，ADLや社会生活に影響を及ぼすため，それがストレスとなることがある． ●ストレスが適切に緩和されないと，術後合併症のリスクが高まる．	●ストレスと感じているもの，ストレスの解消法 ●入院中のストレス解消法 ●疾患受容過程における患者自身の対処行動

パターン	アセスメントの視点	根拠	収集する情報
(11) 価値-信念 患者背景 健康知覚-健康管理 価値-信念	●どのような価値感や信念をもっているか ●それは治療方針と対立しないか，または治療を継続していくうえで強みとなるか	●信仰によっては，治療の遂行に影響する． ●信念や生きがいが，術後の回復，退院後の生活に影響を与える．	●信仰 ●生きがい，人生のなかで何を大切としているか ●手術を受け，回復したいと思う背景は何か

● 内科的治療のアセスメント～ゴードンの機能的健康パターンを用いて

パターン	アセスメントの視点	根拠	収集する情報
(1) 健康知覚-健康管理 患者背景 健康知覚-健康管理 価値-信念	●現在の健康状態をどのように知覚しているか ●放射線療法や化学療法の必要性や合併症について適切に理解しているか ●感染のリスクはないか ●必要な健康管理行動はとれているか ●身体損傷のリスクはないか	●病状や治療の必要性，治療方法，合併症などについての理解が不十分であると，不安を抱いたり，治療や回復への行動が妨げられることがある． ●化学療法によって免疫機能が低下している場合には，感染予防行動がとれないと，感染のリスクがある． ●低線量率照射を行う場合には，放射線管理病棟での入院管理が必要であり，自身での健康管理が必要となる．また，適切に行動できないと他者や他部位への被曝のリスクがある．	●主訴，現病歴，既往歴 ●治療方針，内服薬，薬剤アレルギー， ●疾患や治療に対する捉え方・考え方，医療者による説明の理解状況 ●嗜好(喫煙，飲酒)，健康管理のために行っている・心掛けている内容 ●指示されている自己管理の実施状況
(2) 栄養-代謝 全身状態 栄養-代謝 排泄	●食事摂取，水分摂取に問題はないか ●栄養障害や貧血はないか ●耐糖能異常はないか ●水分出納や電解質バランスの不均衡はないか ●肝機能に問題はないか	●放射線管理病棟での入院中は，経鼻栄養を自己注入する． ●腫瘍の増大や，化学療法・放射線療法による口腔粘膜の炎症から，舌の運動障害や疼痛が生じ，食事に影響を及ぼす． ●放射線治療後は，唾液分泌不全を起こすことがあり，食塊形成を妨げ，搬送能力が低下し，嚥下障害による誤嚥のリスクがある． ●化学療法による骨髄抑制や消化器症状を生じる． ●骨髄抑制，低栄養状態，耐糖能異常があると，感染症が生じるリスクが高くなる． ●肝機能障害があると，薬物の代謝に影響を与える．また，化学療法による肝機能障害が生じることがある．	●身長，体重，BMI，最近の体重変化の有無，体温 ●食事内容，摂取状況，食欲，嚥下状態 ●病変部の状態(位置，大きさ，出血，疼痛，硬結の有無) ●浮腫 ●栄養状態，血球数，凝固，電解質，免疫，肝機能に関する採血データ ●抗凝固薬，血糖降下薬など薬剤の使用状況
(3) 排泄 全身状態 栄養-代謝 排泄	●腎機能に問題はないか ●排便に問題はないか	●化学療法による腎機能障害のリスクがある． ●活動量低下や食事形態の変化によって，便の性状や排便パターンに影響を及ぼす恐れがある．	●腎機能に関する採血・尿データ ●便の性状・パターン，緩下剤の使用 ●腸蠕動音

パターン	アセスメントの視点	根拠	収集する情報
(4) **活動-運動** 活動・休息 活動-運動 睡眠-休息	●呼吸・循環に問題はないか ●日常生活はどの程度自立しているか	●化学療法による心機能障害が生じることがある. ●放射線管理病棟では数日間一人で過ごすため, ある程度ADLが自立している必要がある.	●呼吸 呼吸音, 回数, リズム, 胸郭の動き, 肺副雑音, 喀痰, 咳嗽, 経皮静脈血酸素飽和度, 胸部CT・X線 ●循環 血圧, 脈(回数, リズム), 胸痛, 胸部症状, 心電図, 心エコー, 胸部X線, 心血管系疾患の既往 ●筋・骨格 筋力の程度, ADLの状態, 転倒転落の経験の有無
(5) **睡眠-休息** 活動・休息 活動-運動 睡眠-休息	●睡眠状況に問題はないか ●心身の休息はとれているか	●放射線管理病棟での隔離された入院生活や, 治療の副作用によって, 睡眠障害が生じることがある.	●睡眠時間(入院前後), 熟睡感, 入院前の生活リズム ●入眠に関して使用している薬剤の有無 ●日中の過ごし方, 日ごろのリラックス法
(6) **認知-知覚** 知覚・認知 認知-知覚 自己知覚-自己概念 コーピング-ストレス耐性	●認知機能に問題はないか ●知覚機能に問題はないか ●疼痛は問題ないか ●疾患や治療に関する知識はどの程度か	●認知機能の障害は, 危険行動のリスクとなる. ●化学療法による視覚障害・聴覚障害のリスクがある. ●腫瘍の疼痛に加え, 放射線治療や化学療法の副作用として, 口腔粘膜炎による疼痛が生じる. ●疾患や治療に関する知識の不足は, 適切な健康管理行動の妨げになる.	●脳血管疾患の既往, 意識レベル, 見当識障害, せん妄 ●視覚, 聴覚, 平衡感覚, 味覚, 触覚, 嗅覚の異常の有無 ●疼痛の程度, 疼痛による生活への影響 ●理解力の状況, 疾患や治療に関する知識
(7) **自己知覚-自己概念** 知覚・認知 認知-知覚 自己知覚-自己概念 コーピング-ストレス耐性	●疾患や治療に対して受容できているか ●がんになった自分をどのように知覚しているか ●ボディイメージの混乱のリスクはないか	●疾患の理解や受け入れ状況が健康管理に影響する. ●疾患による機能障害や病変部がみえることから, ボディイメージ混乱のリスクがある.	●性格 ●自己の疾患および手術についてどう思っているか ●疾患の告知を受けたときの状況, 思い ●術後のボディイメージについてどう捉えているか ●心配・不安に関する訴え

パターン	アセスメントの視点	根拠	収集する情報
(8) 役割-関係 周囲の認識・支援体制 役割-関係 セクシュアリティ-生殖	●家族関係に問題はないか ●疾患・治療による役割遂行への影響はないか ●役割変更の必要性はないか ●コミュニケーションに問題はないか	●治療や機能障害は，本人・家族の役割遂行を妨げることがある． ●役割変更が必要な場合，変更がうまくいかなければ治療・リハビリの遂行や家族の生活に影響を及ぼす． ●組織内照射中は，舌の可動制限のため，筆談によってコミュニケーションをとる．	●年齢，性別，職業，労働の内容 ●家族構成，家族支援の状況 ●雇用者などの支援状況，友人の支援状況 ●面会状況，自己の役割に関する訴え
(9) セクシュアリティ-生殖 周囲の認識・支援体制 役割-関係 セクシュアリティ-生殖	（なし）		
(10) コーピング-ストレス耐性 知覚・認知 認知-知覚 自己知覚-自己概念 コーピング-ストレス耐性	●ストレスの原因となることはあるか ●ストレスへの適切な対処法をもっているか	●放射線管理病棟に入院する場合，隔離されて数日過ごすため，ストレスとなることがある．	●ストレスと感じているもの，ストレスの解消法 ●入院中のストレス解消法 ●疾患受容過程における患者自身の対処行動
(11) 価値-信念 患者背景 健康知覚-健康管理 価値-信念	●どのような価値感や信念をもっているか ●それは治療方針と対立しないか，または治療を継続していくうえで強みとなるか	●信念や生きがいが，治療の遂行や退院後の生活に影響を与える．	●信仰 ●生きがい，人生のなかで何を大切としているか ●手術を受け，回復したいと思う背景は何か

3. 全体像の把握から看護問題を抽出

1）病態関連図

(1)外科的治療

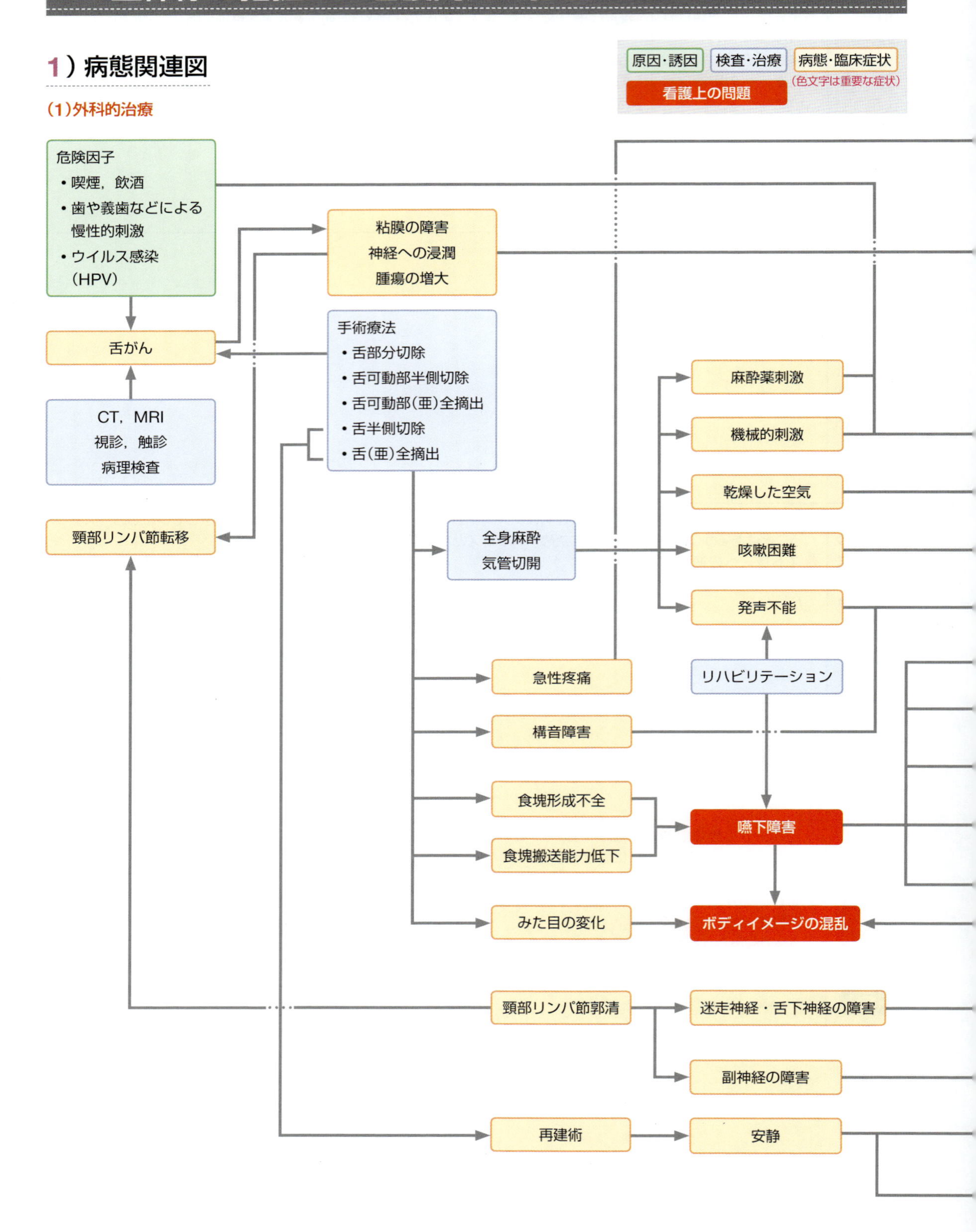

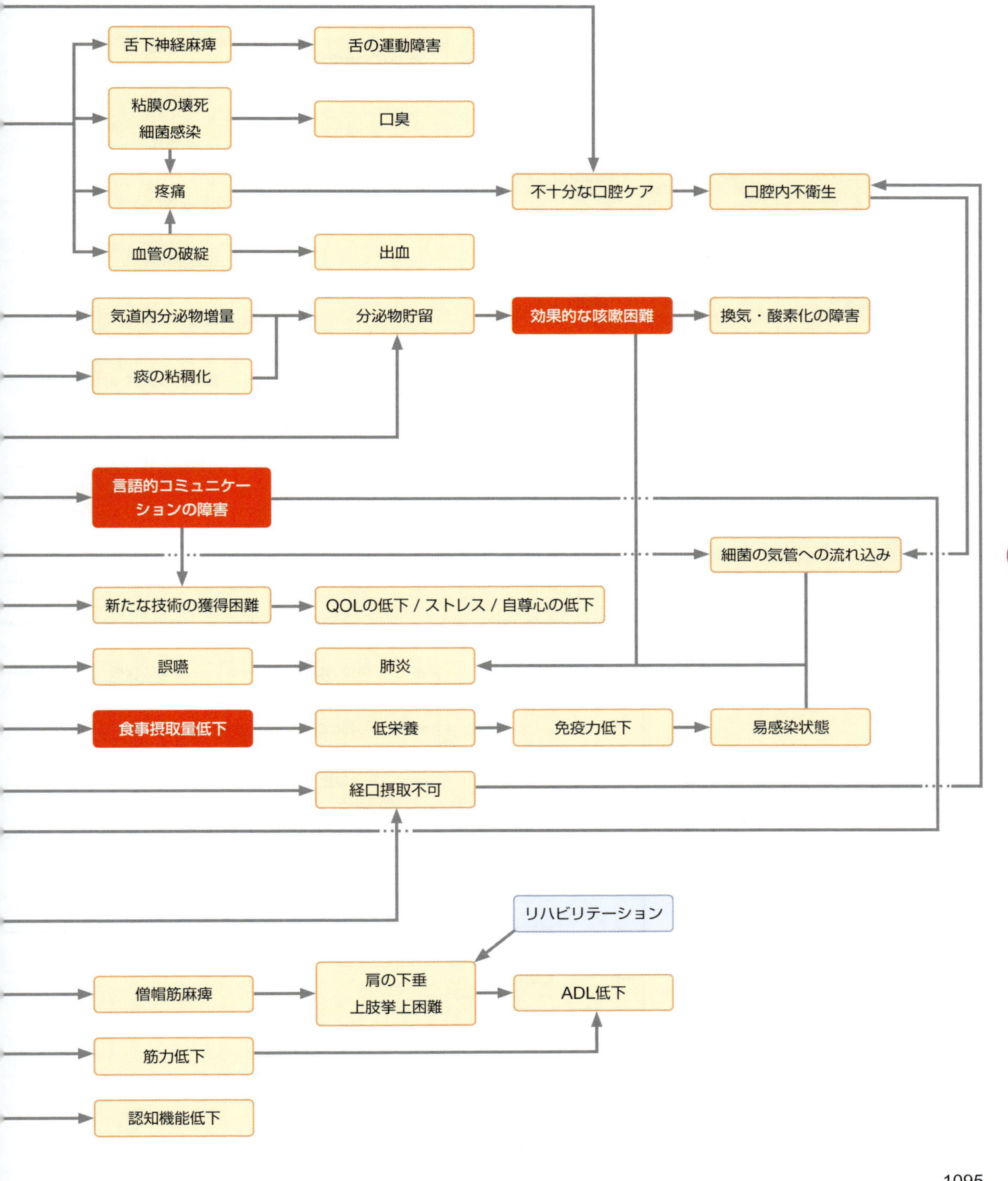
舌下神経麻痺
舌の運動障害
粘膜の壊死
細菌感染
口臭
疼痛
不十分な口腔ケア
口腔内不衛生
血管の破綻
出血
気道内分泌物増量
分泌物貯留
効果的な咳嗽困難
換気・酸素化の障害
痰の粘稠化
言語的コミュニケーションの障害
細菌の気管への流れ込み
新たな技術の獲得困難
QOLの低下 / ストレス / 自尊心の低下
誤嚥
肺炎
食事摂取量低下
低栄養
免疫力低下
易感染状態
経口摂取不可
リハビリテーション
僧帽筋麻痺
肩の下垂
上肢挙上困難
ADL低下
筋力低下
認知機能低下

1）病態関連図

(2)内科的治療

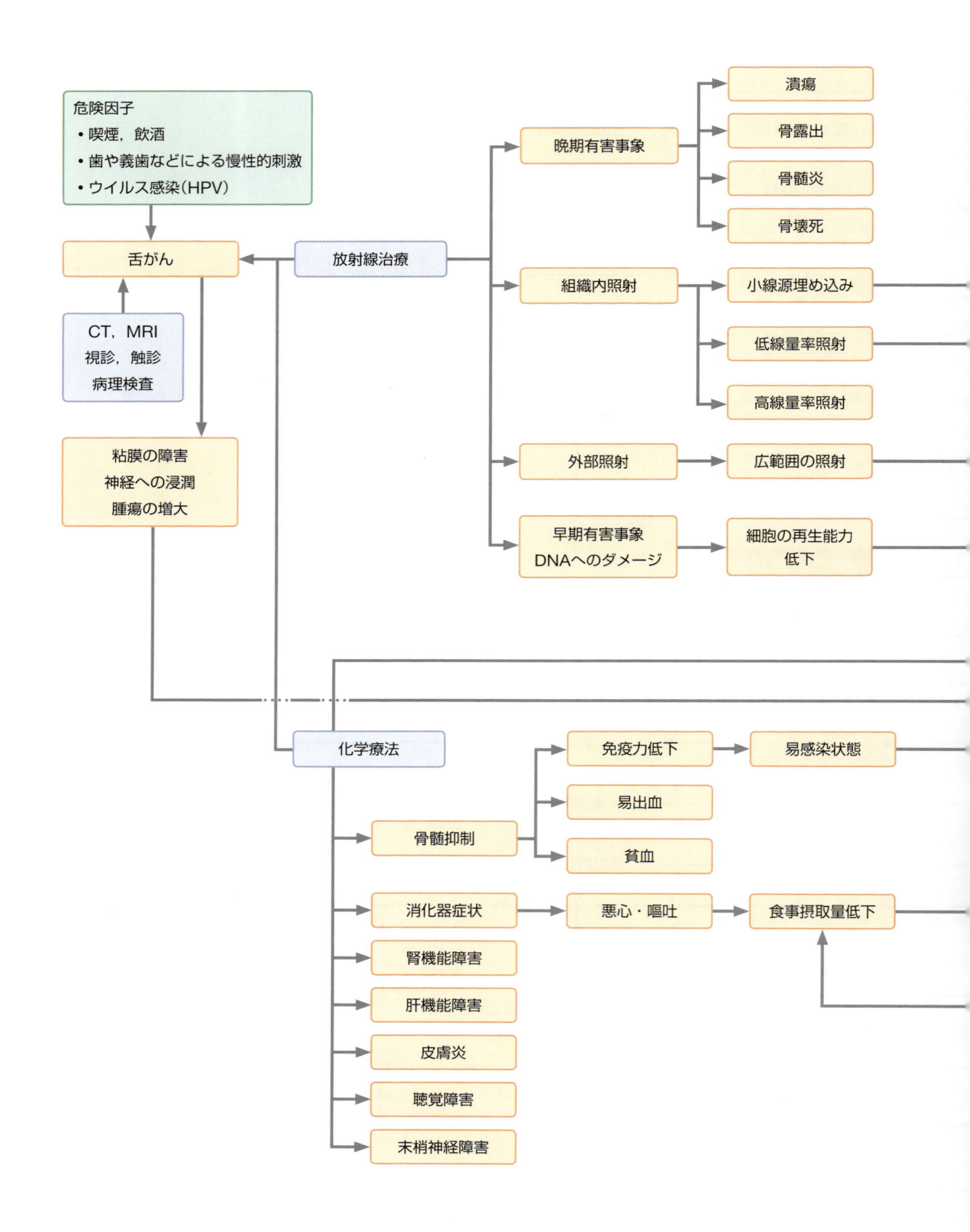

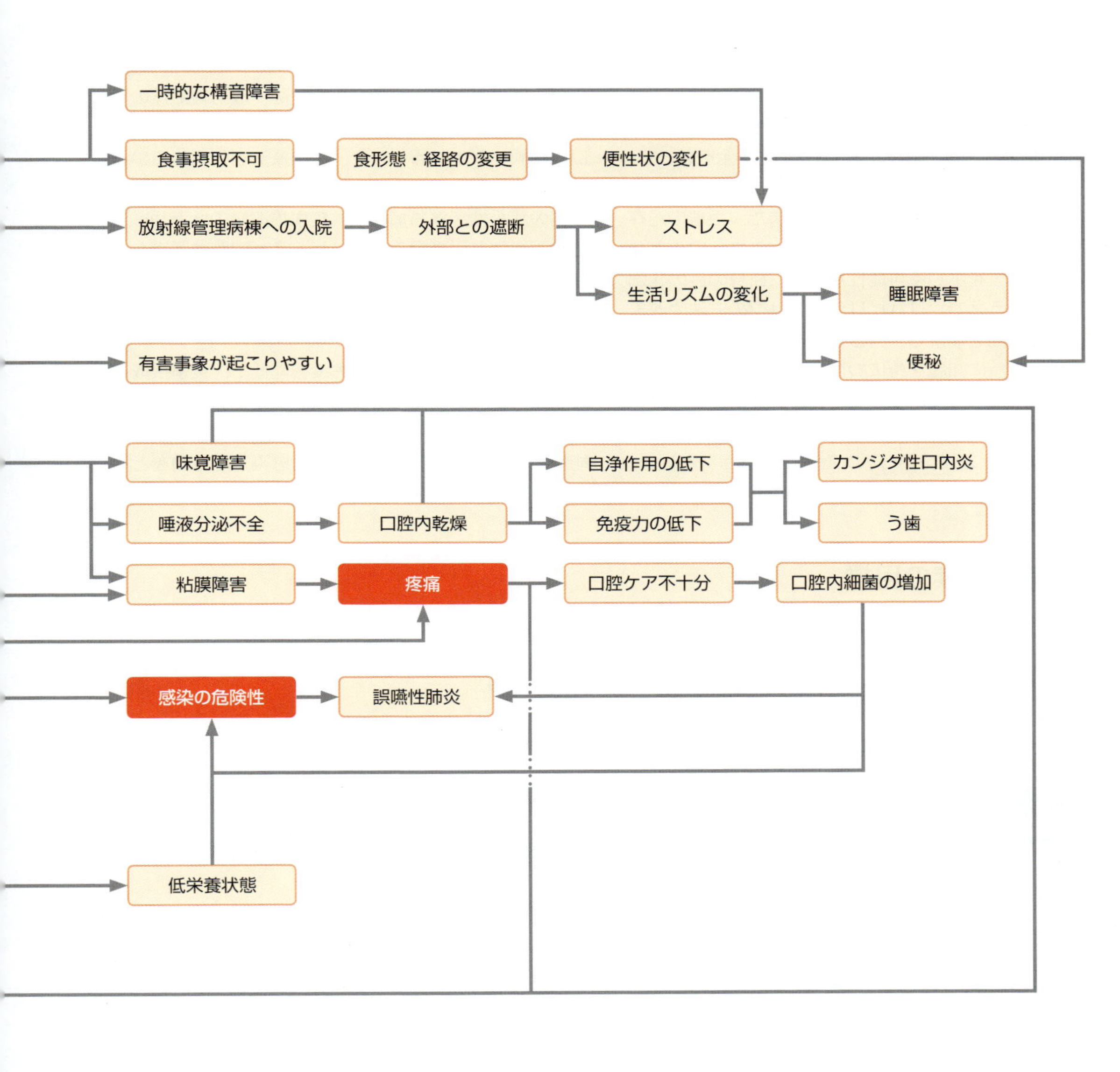
一時的な構音障害
食事摂取不可
食形態・経路の変更
便性状の変化
放射線管理病棟への入院
外部との遮断
ストレス
生活リズムの変化
睡眠障害
有害事象が起こりやすい
便秘
味覚障害
自浄作用の低下
カンジダ性口内炎
唾液分泌不全
口腔内乾燥
免疫力の低下
う歯
粘膜障害
疼痛
口腔ケア不十分
口腔内細菌の増加
感染の危険性
誤嚥性肺炎
低栄養状態

2）看護の方向性

（1）外科的治療

舌がんの手術は，経口挿管では手術操作ができないので，通常は気管切開を行い，術後も呼吸管理のために気管カニューレを留置する．舌がんの危険因子として，喫煙があり，長期間の喫煙歴や，麻酔ガスや機械的刺激などによって気道内分泌物が増加するが，効果的な咳嗽が困難であるため，分泌物貯留による換気量の低下や，酸素の障害を起こす危険性がある．排痰ケアを行うことで，痰の貯留を防止し，無気肺や肺炎などの術後合併症を予防する必要がある．

舌の半側切除以上になると，舌の運動障害が生じ，咀嚼をすることが困難になり，食塊形成不全を起こす．さらに，口腔内の知覚低下から，食塊が口腔内に残留したり，咽頭へ流れ落ちてしまう．また，舌根の温存の程度は，嚥下機能に影響を与える．これらのことから，嚥下障害を生じる可能性が高い．自身の舌の状況を理解したうえで，リハビリテーションの方法や改善のための期間を理解し，自らリハビリテーションを実施できるように知識を身につけ，生活のなかで継続して実施していく必要がある．さらに，経口からの食物摂取量が減少し，栄養状態の低下が起こる可能性がある．そのため，摂食・嚥下リハビリテーションを進め，摂食・嚥下しやすい食形態を選択していく必要がある．

加えて，気管切開や舌の広範な切除，舌尖の切除によって，主にカ・サ・ザ・タ・ダ・ラ行の発音が不明瞭になるため，コミュニケーションの障害が生じる．残された舌や新たな舌を効果的に活用し，新たな発声方法を獲得することで，言語的コミュニケーション能力を改善させる必要がある．それによって，社会復帰や自尊感情などにも影響する．

（2）内科的治療

放射線治療は，細胞のDNAにダメージを与え，細胞の再生能力を低下させる．そのため，放射線治療の早期有害事象として，20Gyを超えた頃から，照射部位に口腔粘膜炎が生じる．また，化学療法を併用していると，口腔粘膜炎が増強する．口腔粘膜炎による痛みに腫瘍のがん性疼痛も加わり，食事摂取量の低下や，口腔内不衛生を引き起こす恐れがある．口腔粘膜炎を予防することは難しいため，疼痛のコントロールと悪化の予防を行い，食事摂取や口腔内衛生への影響を小さくする必要がある．

さらに，骨髄抑制による免疫機能低下，食事摂取量低下による栄養状態低下，口腔内不衛生によって，感染を引き起こす可能性や，口腔内炎症の治癒遅延の可能性がある．患者自身が意識的に感染予防行動をとる必要がある．

3）患者・家族の目標

（1）外科的治療

舌切除による機能障害からの回復の行動がとれ，嚥下障害やコミュニケーション障害によるQOL低下が起こらない．

（2）内科的治療

腫瘍や有害事象による疼痛がコントロールでき，安楽に過ごせる．

4. しばしば取り上げられる看護問題

（1）外科的治療

1 舌運動の欠如に関連した嚥下障害

なぜ？

舌の切除部位や切除範囲だけでなく，年齢などからくるもともとの嚥下機能も影響し，術後の嚥下機能障害の有無や程度が異なり，個別性が大きい．食事は生活の基本であり，退院後は自ら食事方法や食形態を考慮していかなければならない．

➡ 期待される結果

誤嚥することなく，食事が摂取できる．

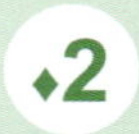

2 効果的な咳嗽が困難なことによる気道分泌物の貯留

なぜ？

舌がんの手術は全身麻酔で行われ，術後は痰の増加・粘稠化に加え，気管切開をしており，自己排痰は困難である．また，長期間の喫煙歴や麻酔ガス，機械的刺激などによって，気道内分泌物が粘稠化・増加する．さらに，嚥下機能の低下から，創部からの出血や滲出液，唾液などが気管に流れ落ちる．痰や分泌物が適切に排除できなければ，換気障害や酸素化の障害が起こり，無気肺や肺炎などの呼吸器合併症につながる．

➡期待される結果

副雑音が聴取されない．

◆3 解剖学的障害（舌切除）に関連した言語的コミュニケーションの障害

なぜ？

舌の切除部位や切除範囲によって，構音障害の程度は異なる．

➡期待される結果

言語的コミュニケーションがとれる．

◆4 食物の摂取ができないことによる栄養状態低下のリスク

なぜ？

術後の創部安静や舌切除による嚥下障害によって，食事摂取量が低下する可能性があり，嚥下障害の程度によっては，食事摂取量の低下が長期間継続する可能性もある．

➡期待される結果

嚥下や咀嚼の改善をはかり，食物摂取量を増やすことによって，栄養状態が改善する．

(2)内科的治療

◆1 放射線治療による口腔粘膜炎に関連した疼痛

なぜ？

放射線治療では，早期有害事象として高頻度に口腔粘膜炎が起こる．口腔粘膜炎は疼痛を伴い，心理面に悪影響を及ぼすのはもちろんのこと，食事摂取や口腔内衛生に悪影響を与え，さまざまな合併症を惹起する恐れがある．

➡期待される結果

疼痛が緩和されたと発言する．

◆2 骨髄抑制，低栄養状態，口腔内不衛生に関連した感染の危険性

なぜ？

舌がんでは，放射線治療と化学療法を同時併用することもあり，感染のリスクとなる危険因子が多く存在する．骨髄抑制の増強や，また，食事経路の一時的な変更，化学療法による消化器症状の出現，口腔粘膜炎による疼痛から，食事摂取量の低下が生じる．さらに，食事をしないことや疼痛によって，口腔ケアが適切に行われず，口腔内が不潔になる．これらのことから，感染のリスクが高まる．患者は危険因子の存在を理解し，患者自身が意識的に感染予防行動をとることで防げる．

➡期待される結果

感染を起こさない．

5. 看護計画の立案

• O-P：Observation Plan(観察計画)　• T-P：Treatment Plan(治療計画)
• E-P：Education Plan(教育・指導計画)

(1)外科的治療

♦1 舌運動の欠如に関連した嚥下障害

	具体策	根拠と注意点
O-P	**(1)嚥下の状態** ①舌の動き ②唾液の量 ③口唇の閉じ具合 ④食事摂取量 ⑤食事形態 ⑥誤嚥の徴候(むせ，痰量，肺副雑音，SpO_2値，呼吸困難感) ⑦悪心，嘔吐 ⑧口腔内の食物残渣	●舌は，半側切除以上になると運動障害が生じ，食物を口腔内に維持し，唾液とともに咀嚼し，食塊を形成することが困難となる．さらに，口腔内の知覚低下から，食塊が口腔内に残留したり，咽頭へ流れ落ちてしまい，飲み込もうと思う前にむせてしまうという嚥下前誤嚥を誘発したりする[17]．また，舌根(中咽頭前壁)の温存の有無と範囲は，嚥下障害に大きく影響する[18]．咽頭期の反射が遅れると，飲み込むときにむせる嚥下中誤嚥を誘発し，舌根の後方運動不全が嚥下圧の低下をきたして，食塊が喉頭蓋谷や食道入口部の梨状窩に貯留し，飲み込んだ後にむせる嚥下後誤嚥を誘発する．
	(2)舌の状態 ①舌の運動 ②創部の状態(出血，腫脹など) ③疼痛レベル	●口腔内の状態から嚥下訓練が行えるか，合併症のリスクはあるかを判断する．
	(3)その他の状態 ①意識レベル ②リハビリテーションへの意欲 ③嚥下造影検査(VF)結果	●術後の機能障害の回復は，年齢やリハビリテーションへの意欲などが影響してくる．
T-P	**(1)基礎的訓練** ①口腔ケア	●口腔ケアの目的は，口腔内の清拭と口腔の刺激である．創部の感染や，口腔内の細菌が気管に落ち込むことによる誤嚥性肺炎予防するため，術創，皮弁，残存舌に重点を置き，口腔ケアを行う．
	②アイスマッサージ	●凍らせた綿棒に少量の水をつけて，舌の奥，軟口蓋，咽頭後壁を，左右数回ずつ刺激するアイスマッサージによって，嚥下反射を誘発する．
	③舌の運動(突出，後退，側方，挙上，下降)	●舌の運動訓練を行うことで，残存舌の筋力が増強し，食塊形成や咽頭への送り込みが促される．
	④声門上(息こらえ)嚥下訓練	●声門上(息こらえ)嚥下訓練は，鼻から大きく息を吸い，息を止め，唾液や少量の水を飲み込み，その後，息を勢いよく吐き出す．この訓練によって，気道に食塊が流入するリスクが軽減される．
	(2)代償的訓練 ①食物形態の工夫	●必要な場合，とろみ食やミキサー食など，嚥下機能にあわせた食形態を選択する．
	②食物摂取時の体幹・頸部の姿勢の工夫	●誤嚥予防や嚥下のしやすさを考慮した姿勢をとる．また，口腔内に食物を置く位置も工夫する．
	③舌接触補助床(PAP)など，補綴的補助具の使用	●舌切除によって残存舌の容量が減少したり，再建を行った後に舌の可動性が制限された場合には，舌と口蓋の間に生じる空隙を，レジンによって補填する装置(PAP)を使用することがある．PAPは，舌や再建皮弁と，口蓋との接触を代償するとともに，機能訓練によって舌の機能を賦活化する役割もある．PAPは上顎に装着されるが，有歯列から無歯顎まで作製が可能であり，口腔内の条件を選ばないのが利点である．一方，PAPの問題点としては，装着による違和感，味覚の低下，唾液分泌の亢進などがあげられている[19]．

	具体策	根拠と注意点
T-P	**(3)支援体制の整備** ①言語療法士，栄養士，作業療法士などと共同し，リハビリテーション計画に継続性を確保する ②家族/介護者に対し，計画的な練習セッションを提供する	●機能障害のリハビリテーションには数か月〜数年の時間がかかり，分野も多岐にわたっている．さまざまな分野の協力が不可欠である． ●退院後の生活をともにする家族/介護者への援助も，患者が退院後も安全で効果的なリハビリテーションを進めていくうえで必要である．
E-P	**(1)嚥下治療の必要な理由を患者/家族に説明する**	●嚥下障害の治療，リハビリテーションは数か月〜数年かかる長いものであり，「思うようにいかない」と落胆や意欲の低下をきたしやすい．一つひとつの治療やリハビリテーションの意味を，患者/家族が理解できるよう関わる必要がある．
	(2)食事中は話をしないように患者に指導する	●嚥下中の会話は誤嚥のきっかけになる．
	(3)窒息に対する緊急対処法について，家族/介護者を指導する	●退院後の生活において，食事形態の変更などから誤嚥による窒息のリスクがあるため，対処できるよう指導する．

2　効果的な咳嗽が困難なことによる気道分泌物の貯留

	具体策	根拠と注意点
O-P	**(1) 気道浄化の状態** ①肺のエアー入り ② SpO_2 値，冷感，チアノーゼの有無 ③気管内分泌物の性状，量 ④咳嗽の有無，種類，頻度，強弱 ⑤唾液の量，性状 ⑥吸引前後の SpO_2 値，脈拍，血圧の変動，副雑音 ⑦胸部X線所見	●術後も口腔・咽喉頭の浮腫が起こるため，気管カニューレを挿入し，気道を確保する．分泌物の貯留や酸素化の障害など，呼吸状態の評価を行う． ●舌切除にて嚥下障害が起こるため，唾液が気管へ垂れ込むことが起こり得る． ●吸引物の正常や量などから唾液を誤嚥しているか予測する． ●吸引による循環動態に及ぼす影響や吸引の効果を評価でき，より患者にあった吸引方法への変更が可能になる．
	(2)全身状態(効果的な咳嗽を阻害する要因) ①疼痛(部位，疼痛レベル，痛みの種類) ②意識レベル ③活動レベル	●疼痛があると，咳嗽や呼吸パターン，活動レベルに影響する．
	(3)気管切開部の状態 ①気管切開部周囲の感染徴候(発赤，腫脹，排液，疼痛の有無) ②気管カニューレ固定ひもの緩み ③頸部の皮膚状態	●気管切開部やその周囲は，分泌物による汚染や，ひも，カニューレ本体による皮膚への物理的刺激から，皮膚障害や感染を起こしやすい．清潔に保ち，観察を行うことで，異常の早期発見につながる．
T-P	**(1)排痰援助** ①吸引(気管内，口腔内，鼻腔)	●カフつきのカニューレを挿入しているときは，自力での排痰は困難であるため，吸引が必要である．舌切除によって唾液の嚥下が困難であり，誤嚥のリスクも高まるため，口腔，鼻腔を含めた吸引を行う．
	②一時的酸素投与	●吸引時は，気管内の空気も同時に吸引されてしまうため，SpO_2 値の低下や呼吸困難が出現する．最小限に抑えるため，吸引前後に高濃度の酸素吸入，吸引時間の短縮を行う．
	③体位ドレナージ，スクィージング	●末梢の分泌物を中枢気道へ移動させ，スクウィージングを行うことで，分泌物をとりやすくする．
	④ネブライザー ⑤水分バランスの管理	●酸素療法による気道の乾燥，脱水によって，分泌物の粘稠度が増したり，逆に過度の加湿などで分泌物が水様にならないよう，適切に管理する．
	(2)気管カニューレの管理 ①気管カニューレ交換	●分泌物が乾燥してこびりつくことで，カニューレの閉塞や狭窄が起こるため，1週間程度で交換する．

	具体策	根拠と注意点
T-P	②気管カニューレの選択	●歩行が可能になり，口腔・咽喉頭の浮腫が徐々に引いてくれば，カフなしのカニューレに換えていく．カフなしのカニューレに換えることで発声が行え，リハビリテーションが行える．この場合，カフがないため，唾液などの誤嚥に注意し，咳嗽を促し，気道の分泌物を十分に喀出させることが必要である．発語は不明瞭でも，声が出ることは患者にとって回復を感じられる喜びであり，リハビリテーションへの意欲にもつながる．
	③カフ圧管理	●カフ圧は20～30cmH_2Oに保つ．粘膜への過度の圧力は，粘膜の壊死や出血，肉芽形成につながる．カフ圧が少なすぎると，事故抜去や口腔内分泌物の垂れ込みにつながる．
	④事故抜去時の対策（固定ひもの管理予備カニューレ，バッグバルブマスクの準備）	●カニューレの事故抜去は生命に直結するため，緊急時にすぐに対策がとれるようにしておく．
	(3)感染対策 ①スタンダードプリコーション ②気管切開部の清潔保持	●気管切開部周囲は，分泌物による汚染が起こりやすいため，清潔に保つ．
E-P	**(1)吸引について患者と家族に情報を提供する** **(2)吸引の前に数回深呼吸を行うよう患者を指導する** **(3)体位変換，咳嗽を指導する**	●術前から，気管切開によって声が出せないことや，意思伝達の方法を指導する． ●吸引時は苦痛が伴い，患者は呼吸困難を感じる．吸引によって一時的に呼吸ができないことや，吸引中の注意事項，効果的に吸引を行うための方法などを指導する．

(2)内科的治療

#1 放射線治療による口腔粘膜炎に関連した疼痛

	具体策	根拠と注意点
O-P	**(1)疼痛** ①疼痛の部位，程度，持続時間 ②表情や痛みに関する発言 ③含漱薬や鎮痛薬の使用と効果	●放射線治療によって粘膜障害が生じ，疼痛を伴う．化学療法も併用する場合には，粘膜障害が増強することもある．
	(2)口腔内の状態 ①口内粘膜の状態（色，腫脹，口腔粘膜炎の数・部位，大きさ，乾燥，唾液量，びらん・潰瘍など） ②口腔内の清潔状態	●組織内照射の場合は治療部位に起こり，外部照射の場合は照射された部位に起こる．
	(3)食事 ①食事摂取量，摂りやすい食事 ②食欲 ③食事にかかる時間 ④嚥下状態，誤嚥の徴候 **(4)睡眠** **(5)会話（言葉の明瞭さ，接触痛）**	●疼痛は，食事摂取，口腔内清潔保持，睡眠，会話など，さまざまな活動に悪影響を及ぼす．影響を小さくするため，患者にあった方法をアセスメントする．
	(6)治療遂行状況 **(7)血液データ（炎症反応）**	●放射線を20Gy照射したことから粘膜障害が起こり，放射線治療後1～2か月程度で治癒するため，治療経過を把握することで，症状の予測が可能になる．
T-P	**(1)鎮痛薬の使用** ①含漱液の使用（毎食前，起床就寝時） ②鎮痛薬（NSAIDs，麻薬）の投与（医師指示のもと）	●疼痛が強い時期には，積極的に鎮痛薬を使用し，安楽に努め，生活の影響を最小限にする．食事の際に，最大限の効果が現れるように，使用する時間を調整する．麻薬使用時には，それによる副作用への対策も行う．

	具体策	根拠と注意点
T-P	**(2)疼痛の増強因子を減らす** ①刺激物を避ける(辛味・酸味・塩分の強い物，熱すぎる物) ②柔らかい歯ブラシを使用し，力を入れずにみがく ③刺激の少ない歯みがき剤を使用 ④含漱時は，アルコールの入っていない洗口液または生理食塩水を使用 ⑤こまめな含漱や保湿薬を使用して，口腔内乾燥を予防	●食形態を患者にあったものにすることで，栄養摂取を妨げないようにする．刺激物を避け，口腔内に食物がとどまる時間が減るような食形態にすることで，疼痛を感じる時間を少なくする． ●疼痛による食事摂取量の低下や，治療による唾液分泌の低下から，口腔が不衛生になる傾向がある．そのため，口腔ケアを行い，口腔の清潔を保つ必要がある．口腔ケアによる疼痛の増強を最小限にするため，刺激を少なくする方法を選択する．
	(3)痛みにより生じたことへの対応 ①好みの食事を患者や栄養士と相談する ②流動食やとろみ食など，素早く嚥下できるもの ③経管栄養	
	(4)コミュニケーション ①クローズドクエスチョン ②筆談	●疼痛の強い時期は，会話をすることも疼痛の誘因となるため，発語を控えてコミュニケーションをとれる方法を工夫する．
E-P	**(1)疼痛を我慢しないように説明する**	●疼痛ピーク前に鎮痛薬を投与した方が，効果を得られやすいため，我慢しないように伝え，患者自身が早めに鎮痛薬の使用を決定できるようにする．
	(2)口腔内を自己点検する理由と観察項目を伝える	●口腔内の異常を患者自身が把握し，適切な行動がとれるようにする．
	(3)T-Pの方法と根拠を伝え，退院後の生活を考える	●口腔粘膜障害による疼痛は長期間継続することもあるため，入院中から対処方法とその根拠を知っておくことで，退院後に自己管理が行える．
	(4)粘膜障害の見通しを伝える	●疼痛の見通しを伝えることで，疼痛の終わりがみえ，精神的によい効果が期待できる．

◆2　骨髄抑制，低栄養状態，口腔内不衛生に関連した感染の危険性

	具体策	根拠と注意点
O-P	**(1)感染徴候** ①照射部位(口腔粘膜，皮膚) ・発赤，腫脹，熱感，疼痛 ②上気道感染，肺炎症状(咳嗽，痰の量・性状，鼻汁，肺副雑音，SpO_2値，呼吸困難感など) ③バイタルサイン	●化学療法を行う場合は，2週間前後で骨髄抑制が起こり，易感染状態となる．感染徴候を観察し，異常の早期発見に努める．
	(2)血液データ ・WBC，好中球，CRP，TP，Albなど	●骨髄抑制のグレードや，低栄養状態の程度によって，介入が変わってくる．
	(3)口腔内の清潔状態，口腔ケア実施状態	●舌がんの進行や治療の副作用によって，嚥下障害が出現し，口腔内の清潔が保たれていないと誤嚥性肺炎のリスクが高まる．
	(4)食事摂取量，栄養状態	●疾患や副作用によって食事摂取が不十分となり，低栄養状態が続けば，易感染状態となる．
	(5)治療による副作用(口腔粘膜炎) ・唾液分泌不全，味覚障害，嚥下障害，悪心・嘔吐，食欲不振，倦怠感など)	●放射線療法，化学療法ともに，食事摂取に影響を与える副作用の出現が考えられる．
	(6)感染予防行動(手洗い，うがいなど)	●患者自身が感染予防対策をとることが必要である．
	(7)感染リスクに関する患者の知識	●感染リスクが高まる理由や対策を知らなければ，患者自らが健康管理行動をとることはできない．

	具体策	根拠と注意点
T-P	**(1)感染予防対策の実施** ①手洗い，含漱の促し ②清潔ケア(口腔ケア，シャワー浴，陰部洗浄) ③行動範囲の制限 ④生ものの禁止	●感染を予防するためには，清潔を保つことが必要である．また，骨髄抑制のグレードによっては，感染予防のために，活動範囲の制限や生もの摂取を禁止する．
	(2)栄養・水分 ①口腔粘膜炎がある場合(◆1参照) ・鎮痛薬の使用 ・食形態の工夫 ・点滴，経管栄養，中心静脈栄養 ②消化器症状がある場合 ・制吐薬の使用 ・食形態の工夫(のどごしのいいもの，さっぱりとしたもの，冷やしたもの，匂いの弱いもの，食べたいもの)	●副作用出現時は，副作用の軽減をはかり，脱水を予防し，栄養状態を低下させないようにする．食事は，嚥下機能を考慮して，患者自身が摂取したいもの・しやすいものを選択する．必要時，栄養投与経路の変更を検討する．
	(3)口腔ケア(◆1参照)	●食事摂取や唾液が減少すると，口腔内は不潔になりやすい．口腔内細菌が気管に流れ込むことで，誤嚥性肺炎を発症しやすいため，口腔内を清潔に保つ．
E-P	**(1)骨髄抑制が起こる理由，時期，現状を説明する** **(2)感染予防のための方法と根拠を説明する** **(3)口腔ケアの必要性を説明する**	●骨髄抑制の起こる時期や期間，グレード，感染予防行動に関する知識があれば，患者が感染予防行動を自らとることが可能になる．

引用・参考文献

1）日本口腔腫瘍学会，日本口腔外科学会編：科学的根拠に基づく口腔癌診療ガイドライン2013年版．第2版，p.11，金原出版，2013.
2）日本口腔腫瘍学会，日本口腔外科学会編：科学的根拠に基づく口腔癌診療ガイドライン2013年版．第2版，p.14，金原出版，2013.
3）日本口腔腫瘍学会，日本口腔外科学会編：科学的根拠に基づく口腔癌診療ガイドライン2013年版．第2版，p.12，金原出版，2013.
4）日本口腔腫瘍学会，日本口腔外科学会編：科学的根拠に基づく口腔癌診療ガイドライン2013年版．第2版，p.26，金原出版，2013.
5）日本口腔腫瘍学会，日本口腔外科学会編：科学的根拠に基づく口腔癌診療ガイドライン2013年版．第2版，p.28，金原出版，2013.
6）日本口腔腫瘍学会，日本口腔外科学会編：科学的根拠に基づく口腔癌診療ガイドライン2013年版．第2版，p.30，金原出版，2013.
7）日本口腔腫瘍学会，日本口腔外科学会編：科学的根拠に基づく口腔癌診療ガイドライン2013年版．第2版，p.32，金原出版，2013.
8）日本頭頸部癌学会編：頭頸部癌診療ガイドライン2018年度版．第3版，p.32～33，金原出版，2017.
9）日本頭頸部癌学会：頭頸部癌取扱い規約第6版 TNM分類の一部訂正について．2018年．http://www.jshnc.umin.ne.jp/pdf/teisei_20181225.pdf より2020年8月25日検索
10）日本頭頸部癌学会編：頭頸部癌診療ガイドライン2018年度版．第3版，p.32～33，金原出版，2017.
11）日本口腔腫瘍学会，日本口腔外科学会編：科学的根拠に基づく口腔癌診療ガイドライン2013年版．第2版，p.68，金原出版，2013.
12）日本口腔腫瘍学会，日本口腔外科学会編：科学的根拠に基づく口腔癌診療ガイドライン2013年版．第2版，p.66，金原出版，2013.
13）日本口腔腫瘍学会，日本口腔外科学会編：科学的根拠に基づく口腔癌診療ガイドライン2013年版．第2版，p.86，金原出版，2013.
14）日本口腔腫瘍学会，日本口腔外科学会編：科学的根拠に基づく口腔癌診療ガイドライン2013年版．第2版，p.86，金原出版，2013.
15）佐藤千史ほか編：病態生理ビジュアルマップ5．p.256，医学書院，2010.
16）全国がんセンター協議会：生存率共同調査．2019年4月更新．http://www.zengankyo.ncc.go.jp/etc/index.html より2020年8月25日検索
17）大西和子ほか編：がん看護学．p.384，ヌーヴェルヒロカワ，2011.
18）大西和子ほか編：がん看護学．p.384，ヌーヴェルヒロカワ，2011.
19）日本口腔腫瘍学会，日本口腔外科学会編：科学的根拠に基づく口腔癌診療ガイドライン2013年版．第2版，p.140，金原出版，2013.
20）Jack E. Thomasほか，菊谷武監訳：喉頭がん舌がんの人たちの言語と摂食・嚥下ガイドブック—将来に向けて．原著第4版，医歯薬出版，2008.
21）落合慈之監：耳鼻咽喉科疾患ビジュアルブック．p.174～176，学研メディカル秀潤社，2011.
22）渋谷絹子ほか：歯・口腔：成人看護学15．系統看護学講座 専門分野Ⅱ，第12版，p.242～248，医学書院，2013.

71 神経症性障害

1. 疾患の基礎的知識

1）疾患の概念

神経症性障害は，心の負担になるような出来事（心因）によって，精神機能あるいは身体機能に異常が生じる心因性疾患である．しかし，心因だけでは説明できない諸症状があり，症状を記述的に表現した診断名が使用されている．

一般的に，器質的症状はみられず，不安を主とする症状が中心であり，適応障害を示すこともある．ただし，自然治癒する場合もあり，持続的に社会に適応できないことはまれである．病識や現実検討能力は保たれており，顕著な人格的崩壊を示さない．好発年齢は，活動的だが精神的負担が重く，葛藤の生じやすいとされる青年期後期から成人期にかけてである．

国際疾病分類（ICD-10）では「神経症性障害，ストレス関連障害および身体表現性障害」，アメリカ精神医学会による診断分類（DSM-5）では「不安症群/不安障害群」「強迫症および関連症群/強迫性障害および関連障害群」「心的外傷およびストレス因関連障害群」「解離症群/解離性障害群」「身体症状症および関連症群」などに症状が分類されている．

2）原因

原因ははっきりとしないが，性格や遺伝などの要因と，学習・行動・防衛機制などの環境要因，心因などが複合して発症する．これらの要因が長い間に発症の準備状態として形成され，きっかけとなる出来事が加わり，発症すると考えられている．なお，近年，脳がある種の機能不全状態であることが推定されている（パニック症，強迫症）．

(1)生物学的要因

病態生理も不明な点が多いが，青斑核ノルアドレナリン系の異常が関与しているとする仮説がある．青斑核ノルアドレナリン系は，外界からのさまざまな感覚情報を統合・処理しているが，ストレスに対して敏感に反応することがわかっている．ノルアドレナリン系に抑制作用をもつセロトニンまたはGABA作動性神経系の異常も示唆されている．

(2)遺伝要因

欲求不満に対する耐性は，生来的な素因が影響するといわれている．また，強迫性障害になりやすい几帳面で秩序を重んじる強迫性格は，遺伝傾向が指摘されている．パニック障害は，脳内にある生得性の制御機能が関与するともいわれる．

(3)心理社会的要因

完全主義で高いプライド，過敏性，過度に良心的などのパーソナリティは，環境との間に，欲求不満や葛藤を生じやすい．また，感情的に未熟で，柔軟性が不足し，不安定で，逃避的傾向にある場合は，欲求不満や葛藤に対処できない．

3）病態と臨床症状

不安障害

(1)不安症/不安障害

特定の対象や状況に対し，不合理であることはわかっているが，強い恐れを抱く．恐怖の対象は，高所，乗り物，注射や血液，動物などである．

(2)社交不安症/社交不安障害

対人場面での行動に恐怖が生じる．

(3)パニック症/パニック障害，パニック発作

自律神経の興奮によって，現実的対象のない激しい不安が突然に生じ，死の恐怖や苦悶が起こる．顔面蒼白，めまい，心悸亢進，呼吸困難，冷汗などが出現する．10分以内でピークに達するパニック発作の形で出現することが多い．かつては「急性不安発作」とされ，うつ病や僧帽弁逸脱症候群にも出現したが，近年の研究では，

乳酸ナトリウムの静脈注射や二酸化炭素の吸引で誘発されることなどが明らかになり，生物学的基盤が注目されている.

(4)広場恐怖症

逃げられない場所や助けてもらえない場所(公共の場や人混みなど)に行く，あるいは，それを考えただけでも不安となる.

(5)全般性不安症/全般性不安障害

特定されない対象や状況に対する過剰な不安が，慢性的に持続する．ICD-10の診断ガイドラインでは，①心配(将来の不幸に関する気がかり，いらいら感，集中困難など)，②運動性緊張(そわそわした落ち着きのなさ，筋緊張性頭痛，振戦，身震い，くつろげないこと)，③自律神経性過活動(頭のふらつき，発汗，頻脈あるいは呼吸促迫, 心窩部不快，めまい, 口渇など)の要素を含む，少なくとも数週，通常は数か月連続してほとんど毎日，不安の症状を含むものとされている．将来の見通しは，現実に比べて過度に悲観的であり，筋緊張による肩こりや頭痛などの身体症状を伴う制御困難な不安である.

強迫症および関連疾患

不合理とわかっていても，強い恐怖感，不安や苦痛を伴う常同的かつ反復的な思考(強迫観念)があり，それを排除するために，一定の行為を繰り返す(強迫行為). DSM-5では「醜形恐怖症/身体醜形障害」や，現実的に価値のないものをため込んで捨てられない「ため込み症」や, 自分の体毛を抜く「抜毛症」などに分類される. 20歳代の早い時期までに生じた強迫症状は，１年以内に自然に消失することが多い．症状がパーソナリティと絡んでいるほど慢性化しやすい．最近では, 脳の尾状核, 被殻，淡蒼球，視床，前頭葉眼窩面が，強迫症状と関連するといわれている．また，神経細胞末端にセロトニンが増えると症状が治まるといわれ，生物学的基盤が注目されている.

解離症/解離性障害

(1)解離性同一症/解離性同一障害

「多重人格障害」「二重人格障害」「交代人格」などとよばれ，２つ以上のパーソナリティの出現，同一人格の混乱崩壊分裂が起こる.

(2)離人症・現実感喪失症/離人症・現実感喪失障害

持続性・反復性の，離人・現実感喪失の体験である. 現実吟味能力は正常に保たれている.

身体症状症および関連症

(1)身体症状症(身体表現性障害)

心臓や胃など，特定の器官についての訴えと，心筋梗塞や胃がんなどの疾患に対する恐怖をもち，訴えは執拗である．身体異常を強く訴えることで，周囲への依存を強め，同時に攻撃性も示す.

(2)変換症/転換性障害

失歩，失立，失声や，嚥下ができなくなる運動障害, 神経支配に一致しない感覚障害や，視覚・聴覚・嗅覚・味覚障害などが出現する場合がある.

(3)ほかの医学的疾患に影響する心理的要因(心身症)

身体疾患であり，ストレスなどによる心理的要因により，症状の進行・悪化，回復の遅延がみられる．消化性潰瘍，過敏性腸症候群などがあげられる.

4）検査・診断

神経症性障害だけに特有な症状はない．しかし，症状を全体としてみると，多彩な身体症状があっても，その症状の根底となる器質的病変はなく，精神症状も質的に軽い. 正常な体験反応との区別が不明確で困難であるが, 除外・鑑別・類型的に診断する.

(1)器質的疾患の除外

脳のCT，MRIや，脳波検査，血液検査などの検査で異常がないこと，つまり，非器質的であることを明確にする．ウイルス性の非特異脳炎や脳腫瘍などでも，神経症性障害様の症状を示す場合がある．また，身体表現性障害の症状が強い場合，検査によって精神的・身体的症状を悪化させることがあるので注意する.

(2)類型診断

いくつかの症状がまとまり，１つの症候群をつくっていることが多い.

(3)ほかの精神疾患との鑑別

身体表現性障害，強迫性障害，離人・現実感喪失症候群は，統合失調症の初期にも出現するが，統合失調症では融通性がなく，病識が不十分で，積極的には訴えない. うつ病では，精神運動静止や日内変動が目立つ.

(4)積極的診断

心因性の特徴を把握する．症状の内容，主題と，原因となる体験との関連が理解可能であり，症状は原因となった体験に影響される.

5）治療

精神療法，薬物療法や環境調整が主な治療となる．症状が，外的ストレス(身体疾患からくる不安，環境からのプレッシャー)によるものか，パーソナリティによるものかによっても治療は異なる．パーソナリティは良好で外的ストレスが強い場合は，心理的アプローチよりも薬物療法や環境調整が適切である．身体的要因や外的ストレスが強くない場合は，心理的アプローチが適切である．

(1)精神療法

①支持的精神療法

防衛機能を強化させ，新しい適応機制をつくり出して，症状改善を目指すものである．比較的健全な人格をもつ人に起こった不安障害は，改善する場合が多い．

②行動療法

適応の改善を目指した再教育的方法である．

③精神分析療法

原因についての自己洞察によって，無意識の葛藤を洞察し，防衛的な性格特性を変えていく方法である．頑固な身体表現性障害，解離性(転換性)障害が対象となる

④認知療法

認知のゆがみを修正することで，パニック発作を起こさないようにする．症状発生のしくみの理解と，対処法の習得と，自助努力が基本であり，リハーサル，宿題日記などの行動療法的技法が用いられる．

(2)薬物療法

不安障害，身体表現性障害をはじめ，各症状に対し，ベンゾジアゼピン系の抗不安薬が使用される．症状が深刻な場合は，フェノチアジン系の抗精神病薬が使用される場合もある．パニック障害，恐怖症性不安障害，強迫性障害に対しては，セロトニンの再取り込みを阻害するクロミプラミン塩酸塩(三環系抗うつ薬)が，効果を示す場合がある．

(3)環境調整

家庭や職場などの環境要因が明らかであれば調整する．また，対人関係での要因が考えられれば改善に努める．ただし，安易な職場の配置転換や休職は，かえって社会適応の妨げとなることがある．

6）予後

経過と予後が不明なものも多いが，一般的に予後は比較的よい．慢性，進行性，間欠性に経過し，ほぼ半数は症状が軽く，持続的に社会適応できないことは少ない．しかし，パーソナリティが不健康な場合や，ストレスへの反応として未熟な防衛を使う人ほど，予後は不良である．パニック症や強迫症では，気分障害(うつ病)が合併する場合がある．

2. 看護過程の展開

● アセスメント～ゴードンの機能的健康パターンを用いて

パターン	アセスメントの視点	根拠	収集する情報
(1) 健康知覚-健康管理 患者背景 健康知覚-健康管理 価値-信念	●自身の健康状態，治療への意識はどうか	●自分の不安に目を向けて立ち向かうためには不安に裏づけられた観念，行為とそれがどのようなときに強まるのか過去にどのような対処を行っていたかを意識することが必要である． ●よりよい対処法を生み出すためには，治療への意欲，動機づけが重要である．	●既往歴 ●現病歴 ・発症時期，年齢 ・入院，治療の経過 ●自覚症状 ●他覚症状 ●服薬状況 ●治療に関する発言の有無と内容

パターン	アセスメントの視点	根拠	収集する情報
(2) **栄養-代謝** 全身状態 栄養-代謝 排泄	●症状によって栄養，水分の摂取状況に変化があるかどうか	●身体表現性障害では器質的な所見はないが，頭痛，腹痛，悪心・嘔吐などの胃腸症状，あるいはふらつきや嚥下障害などを訴え，食事や排泄，睡眠などの日常生活に影響する．	●バイタルサイン ●BMI ●血液検査データ（TP，Alb，コレステロールなど） ●身長・体重の増減と程度 ●皮膚，口腔粘膜の状態 ●食事量，食事内容 ●訴えの頻度，内容
(3) **排泄** 全身状態 栄養-代謝 排泄	●症状によって排泄状況に変化があるかどうか	●身体表現性障害では器質的な所見はないが，頭痛，腹痛，悪心・嘔吐などの胃腸症状，あるいはふらつきや嚥下障害などを訴え，食事や排泄，睡眠などの日常生活に影響する．	●排尿・排便（回数，量，性状）
(4) **活動-運動** 活動・休息 活動-運動 睡眠-休息	●不安，強迫症状などによる日常生活への支障はないか	●全般的・持続的な不安障害のある場合，絶えず緊張し，心悸亢進や不眠に悩む．強迫性障害による強迫行為は，睡眠時の儀式的行為や，不潔恐怖による反復的な手洗い動作によって，日常生活に支障をきたす．	●活動状況 ●疲労，焦燥，集中困難，享楽不能など ●ADLの程度（保清・整容状態など）
(5) **睡眠-休息** 活動・休息 活動-運動 睡眠-休息	●睡眠・休息の不足による症状への影響はどうか	●強迫行動や不安による緊張が，日常生活や睡眠に影響することがある．	●睡眠状態 ●不眠の訴え
(6) **認知-知覚** 知覚・認知 認知-知覚 自己知覚-自己概念 コーピング-ストレス耐性	●不安による認知や知覚への影響はどうか	●不安は認知的問題であり，不安に占拠される結果，そのほかの認知面にも影響を与える．全体に情報を知覚できる領域が狭まり，想像力の貧困化，生産性の減退などが生じる．不安は通常，ほかの情動と結びついた形で観察される．怒り，抑うつ，焦燥，無気力，自己卑下，悲しみといったものである．また，怒りや緊張を通して表現されることもある．	●不安の程度 ●不安による認知的反応（注意の障害，集中力の欠如，忘れやすさ，判断の誤り，思考の途絶など）

パターン	アセスメントの視点	根拠	収集する情報
(7) 自己知覚-自己概念 知覚・認知 認知-知覚 自己知覚-自己概念 コーピング-ストレス耐性	●ストレスや不安などの感情を表現できているか ●自分の状況をどのように知覚しているか	●強迫障害における過度の手洗いや確認行動などの儀式的行動や反復行動は，不安をコントロールして強迫思考を抑制しようとする努力といえる．ストレスや不安などの感情を自由に表現することが自己感情を認識するきっかけとなる． ●感情表現は，患者が，ストレスや不安などの感情と，強迫行為や解離(転換)症状などの関連を認識し，健康的な対処方法を見いだすためにも重要である．	●不安による生理的反応 ・交感神経反応：動悸，息苦しさ，血圧上昇，食欲減退など ・副交感神経反応：失神，脈拍数減少，胸やけ，下痢など ●不安による行動的反応(不穏，過剰な警戒，協調性に欠けた行動，引きこもり，過換気など) ●自分に対するイメージ ・自己評価，自尊感情
(8) 役割-関係 周囲の認識・支援体制 役割-関係 セクシュアリティ-生殖	●社会生活への適応状態はどうか ●対人関係に支障はないか	●過去に経験した発作や不可抗力の出来事に対して適応できず，職業や学業に支障をきたし，社会生活から孤立することもある． ●不安による行動への影響として，不穏，過剰な警戒，協調性に欠けた行動，引きこもりなどがあり，対人関係にも影響を及ぼす． ●強い強迫的思考や儀式的行動は，周囲も巻き込み，対人関係や仕事や学業にも支障をきたす． ●身体表現性障害でも，頭痛，腹痛，悪心・嘔吐などの胃腸症状，あるいはふらつきや嚥下障害などで，十分に社会的役割を果たすことができなくなる．	●家族関係 ●職業 ●経済的状態 ●人間関係(依存・攻撃性) ●家族の疾患への理解度・言動 ●他者との接し方，話し方
(9) セクシュアリティ-生殖 周囲の認識・支援体制 役割-関係 セクシュアリティ-生殖	●性役割を十分に果たせているか	●対人関係への影響に関連し，家庭内あるいはパートナーとの関係において，十分に役割をとれない場合，自尊心の低下につながる．	●親役割，パートナーとの間での問題の有無，程度
(10) コーピング-ストレス耐性 知覚・認知 認知-知覚 自己知覚-自己概念 コーピング-ストレス耐性	●ストレスや不安に対する感情を表現できているかどうか	●不安に裏づけられた行動は，不安をコントロールし，そのような行動を抑制しようとする努力といえる．ストレスや不安などの感情を自由に表現することにより，その感情と行動との関連を認識し，健康的な対処方法を見いだすためにも重要である．	●発症に関連した出来事，状況 ●心身に不調を感じたときにどうしていたか ●現在の症状 ●症状に対する主観的な思い

パターン	アセスメントの視点	根拠	収集する情報
(11) 価値-信念 患者背景 健康知覚-健康管理 価値-信念	●病前にもっていた価値，信念への影響	●コーピングの資源として，経済状況，問題解決能力，社会的支援，文化的信条がある．患者の強みを見いだし，ストレス状態をより適応的コーピングに導くことが可能になる．	●病前性格 ●成育歴 ●学歴 ●宗教の有無

3. 全体像の把握から看護問題を抽出

1）病態関連図

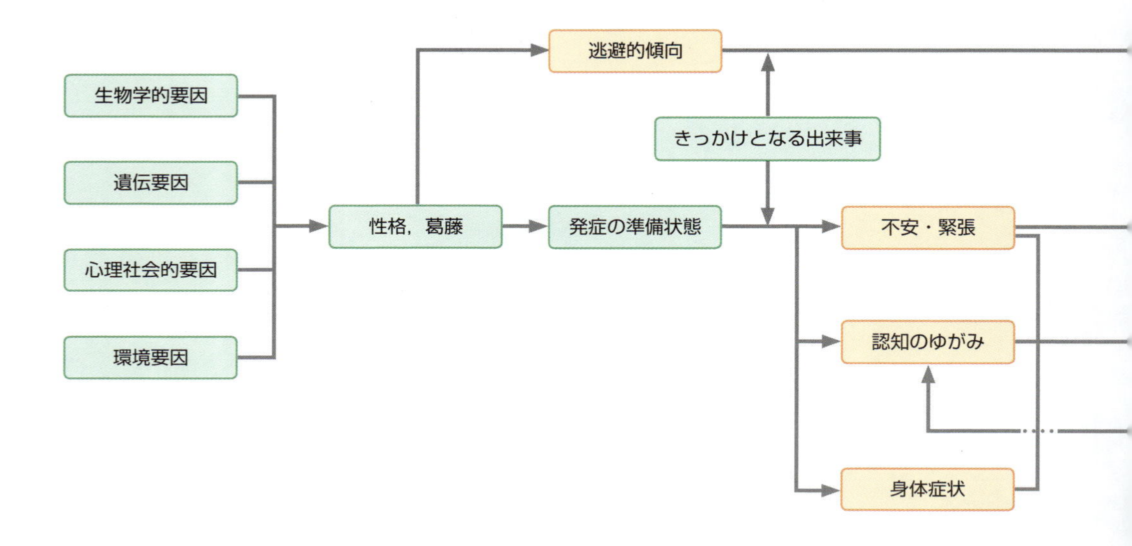

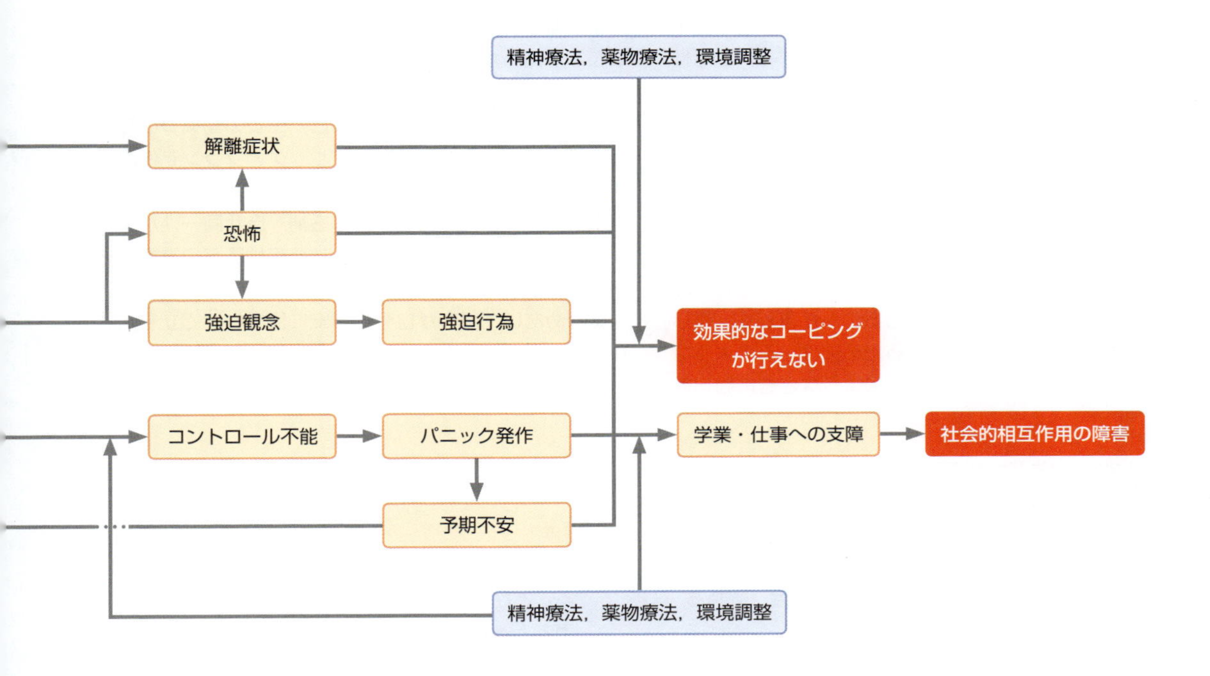

精神療法，薬物療法，環境調整
解離症状
恐怖
強迫観念
強迫行為
効果的なコーピングが行えない
コントロール不能
パニック発作
学業・仕事への支障
社会的相互作用の障害
予期不安
精神療法，薬物療法，環境調整

2）看護の方向性

神経症性障害の症状は，その患者にとって無意識に自分を守るため，内部の緊張やストレスを取り除こうとするような，意味のある行為や状態であるといえる．そのため，表面的な症状にとらわれることなく，患者の感情や考えに関心を向けられるような関わりが求められる．

ただし，患者にとって症状は現実である．たとえば，痛みの訴えがあればそれは実際に痛いのであり，それを取り除けるような具体的な手だてが必要である．まずは，正常な生理機能が維持されるように援助や介助を行い，あわせて，睡眠・休息と，活動と栄養や水分摂取と排泄のバランス，清潔保持などの基本的なセルフケア能力の維持，増進についても援助する．生活行動を安心して自立して行えるようになることで，患者の自信も高まる．そのうえで，不安や緊張と強迫観念，強迫行為との関連の理解を促し，適切なコーピングに向けて援助していく．

強迫症/強迫性障害の患者にとっては，強迫観念や行為について不合理でばかばかしいこととわかっているが，それをやめると気になるイメージが一層強まり，不安や不快感が伴うため，やめることが苦しく，難しい．強迫観念や行為を理解するためには，そのような患者の不安の変化を捉えて，どのようなときに強迫観念や行為が強まるのかを把握することが必要である．加えて，行為が軽減，緩和する方法や過程についても知ることができれば，ケアの方向性を見いだしやすい．

パニック症/パニック障害の患者では，動悸や息苦しさ，窒息感，めまい，震えなどの身体の変化に対して，死などの否定的なイメージが過大となる破局的認知や，「また発作が起こるのではないか」という予期不安がみられる．また，それらがより不安や緊張を高め，発作が起こりやすくなっているという悪循環が生まれて，発作が起きた場所や状況を避ける回避行動によって，日常生活範囲が狭まっている．

看護者はまず，患者の心配事，回避行動から，どんなことが困るかについて，よく話を聞くことが大切である．そのうえで，患者がどういう行動を変えたいか，どんな行動なら変えやすいかなど，患者の動機づけを意識しつつ，ともに目標を設定し，ケアプランを作成する．

不安は，その人の自我，自尊感情，自我同一性が脅かされた結果であるといえる．神経症性障害の看護においては，患者の情動反応を，行動から推測してそれを確かめあい，患者が自分の不安に目を向けて立ち向かえるよう支援することが求められる．

3）患者・家族の目標

(1)患者

・症状にとらわれずに日常生活を送れる．
・繰り返される訴えや症状に対し，その都度，気持ちや考えを表現できる．
・自己評価を高めることができる．

(2)家族

・患者の訴えを受け流さず，患者の苦痛に関心を向けることができる．
・患者とともに過ごし，安心感を生み出し，患者ができていることを認めることができる．
・患者の社会的役割を損なうことがない．

4. しばしば取り上げられる看護問題

耐え難い不安・緊張を高度の脅威と感じることにより効果的なコーピングが行えない

なぜ？

不安や緊張が強まると，自分を守ろうとする強迫行為や回避行動を，長時間かつ何度も繰り返してしまう．それがかえって心身に過大な負担をかけることになり，身体機能に影響する場合もある．

症状あるいは神経症的な観念から，不眠，過活動などによって身体に過度な負荷がかかること，あるいは直接的に損傷が起こるリスクが高まる．

➡期待される結果

強迫行為による身体への影響を最小限に抑えられる．

思考過程の混乱による社会的相互作用の障害

なぜ？

パニックへの予期不安などによって，行動が制限されることがある．また，強迫行為について，自らの不安に対処するために，周囲の人へも患者と同じような行為を求めることがある．周囲がそれに応じない場合に，患者の不安が強まると，ときに攻撃的になる場合もある．とくに家族も含めた集団生活の場合は，より直接的に患者からの影響を受けやすい状態である．周囲の人を巻き込むことで，対人関係や患者の社会的役割に悪影響を及ぼす恐れがある．さらに，対人関係の不全や他者に理解されないと感じることで，自信を喪失し，不安がさらに強まることも考えられる．

病状による安心感の欠如や自己肯定感の低下から，生活が縮小し，生活の質が低下するリスクが高まる．

➡ 期待される結果

日常生活の範囲を拡大できる．

5. 看護計画の立案

• O-P：Observation Plan（観察計画）　• T-P：Treatment Plan（治療計画）
• E-P：Education Plan（教育・指導計画）

◆1 耐え難い不安・緊張を高度の脅威と感じることにより効果的なコーピングが行えない

	具体策	根拠と注意点
O-P	**(1)対処方法** **(2)不安・緊張の認知** ・不安の程度 ・訴えるときの表情，様子 **(3)治療の効果** ・薬物療法 効果，副作用 **(4)生活への影響** ・生活への影響 睡眠，食事，排泄，保清など，ADLの状況	●患者の不安のレベルと，それへの対処反応は連続体である．したがって，不安のレベルの観察によって，それにあわせた看護介入が求められる． ・軽度の不安：日常の生活において緊張がある ・中等度の不安：その場の関心だけに集中し，感覚領域が狭まっている ・重度の不安：感覚領域が著しく減少し，あらゆる行動が不安を除くことに費やされている ・パニック発作：激しい動悸や息苦しさを訴え，死の恐怖を感じる．ほかのことに関わる能力が低下し，認知にゆがみが生じ，論理的思考が失われる
T-P	**(1)対処法への援助** ・強迫的な行為を無理に禁止しない **(2)不安・緊張に対する援助** ・怒り，悲しみなど否定的な感情にも耳を傾け，批判的な姿勢をとらない **(3)薬物療法を確実に実施** **(4)悪化要因の改善** ・環境調整 できるだけ静かな環境の提供 **(5)障害されている生活への援助** ・睡眠と休息の確保 ・障害されているセルフケアについての援助（栄養，保清など）	●不安に裏づけられた行動や，強迫的な行為が持続すると，疲弊する．また，セルフケアへの関心が向けられずに，それが障害されている場合もある． ●患者が示す行為には何かしらの意味がある．身体に大きな危険が及ぶものでない限りは，批判や否定をしたり，強く制止したりしてはならない．それによって，不安をさらに強めることになるからである． ●患者の不安は，周囲を巻き込むことがある．不安に関心を寄せるために，ある程度，患者の内面を看護師は想像する必要があるが，看護師自身の過度な不安は，看護ケアにとって必ずしもよい影響を与えない． ●不安によって引き起こされる行為がみられなくなったことを評価するのではない．患者の健康的な側面を生かしながら対処行動がとれることを目標とし，もし問題となる行為が残存していたとしても，その人らしく心身の健康を保ちながら，安楽に生活できているかどうかに注目するとよい．

	具体策	根拠と注意点
E-P	・普段意識していないような自分の側面について話し合う ・趣味や食べ物，患者が好む話題を提供する ・音楽，ゲーム，軽い運動などの機会を提供する ・活動の後には肯定的なフィードバックを行う	●病的なコーピングの裏には，欲求不満や，厳格さを求めるとらわれなどが存在する場合がある．それについて話し合うことにより，自分自身の思考や認知と，行動との関連を振り返り，より心身に負担の少ない健康的なコーピング方法の獲得への糸口とする．ただし，批判的になったり，患者にとって大きな負担にならないよう注意する． ●強迫行為や回避行動以外のことで，本人がやってみようと思える行動を提案し，その実行を支援する．健康的な対処行動による自信を積み重ねるためには，対処行動を患者自らの動機づけによって，自分で問題解決に取り組むことが重要である． ●複雑な作業，活動，刺激に対する能力は，低下している場合が多い．看護師は，患者が焦ることなく，達成可能な目標を，1つずつクリアできるように支援する． ●健康的な形で対処行動をとることができたときには，それを肯定的に評価し，自尊心の強化をはかる．

◆2 思考過程の混乱による社会的相互作用の障害

	具体策	根拠と注意点
O-P	**(1)社会的相互作用の状態** ・社会人経験，学生生活 ・他者との接し方，話し方 **(2)思考過程の状態** ・不安の程度 ・訴えるときの表情，様子 **(3)薬物療法の効果** ・効果，副作用	●過去に経験した発作や，不可抗力の出来事に対して，適応できず，職業や学業に支障をきたし，社会生活から孤立することもある． ●不安による行動への影響として，不穏，過剰な警戒，協調性に欠けた行動，引きこもりなどがあり，対人関係にも影響を及ぼす． ●強い強迫的思考や儀式的行動は，周囲も巻き込み，対人関係や仕事や学業にも支障をきたす． ●そのような経験から，患者が自分はおかしいと感じて症状を隠したり，また，周囲に理解されないつらさから閉じこもってしまう場合もある．これまでの生活全般についての情報を踏まえ，不安や対人関係の特徴について，細やかな変化を観察し，患者の内面についてある程度推測することも必要である．
T-P	**(1)社会的相互作用に対する援助** ・安心できる環境の提供 ・本人ができる対処行動の支援(否定をしないこと) **(2)思考過程の混乱を軽減できるようにするための援助** ・訴えの傾聴 ・感情表現の促し	●症状については，本人にとっての深刻さに反して，周囲の人からの理解が得られにくいことが多い．患者本人にとってその苦しみは現実であり，症状のつらさのほかに「どうなってしまうのか」というやり切れなさや焦りを抱えている．その気持ちに関心を寄せ，患者の語りを聞くことが重要である．心配事や困りごと，生活上のストレスや不安を言葉にすることで，感情表現を促し，不安の高まりを抑えることができる． ●症状がある程度安定しているときに，不安によって引き起こされている行為について，振り返ってみるように促す．それを通して，不安が自分にどのような形で現れているかについての気づきを得られ，対処方法につなげやすくなる． ●行動範囲の制限は，信頼する人が同行するなど，安心できる状況で外出することができれば，その成功体験をもとに活動範囲を広げられる可能性がある．
E-P	・病気や治療について ・症状について ・自助グループについて ・グループ活動などでは肯定的なフィードバックを行う	●同じ状況で悩んでいる仲間がいることで，自己洞察が深まり，何より「悩んでいるのは自分だけではない」「現実を隠さずありのまま受け止めてもらえる」という感覚が患者を力づける． ●またグループミーティングを通して，対人関係能力の維持，向上を目指す．

引用・参考文献

1）萱間真美ほか編：精神看護学II 臨床で活かすケア—看護学テキストNiCE．改訂第２版，p.342〜351，2015.
2）外口玉子ほか：精神保健看護の展開：精神看護学２．系統看護学講座 専門分野27，第２版，p.127〜130，医学書院，2001.
3）ゲイル・W・スチュアート：看護学名著シリーズ 精神科看護—原理と実践．原著第８版，p.359〜391，エルゼビア・ジャパン，2007.
4）井上智子ほか編：病期・病態・重症度からみた 疾患別看護過程＋病態関連図．第３版，p.1283〜1290，医学書院，2016.
5）ベンジャミンJ．サドックほか編：カプラン臨床精神医学テキスト—DSM-5診断基準の臨床への展開．日本語版第３版，原著第11版，p.435〜519，メディカル・サイエンス・インターナショナル，2016.
6）中井久夫ほか：看護のための精神医学．p.165〜215，医学書院，2001.
7）融道男ほか監訳：ICD-10精神および行動の障害—臨床記述と診断ガイドライン．新訂版，p.143〜181，医学書院，2005.
8）高橋三郎監訳：DSM-5ガイドブック—診断基準を使いこなすための指針．p.107〜201，医学書院，2016.

72 双極性障害（躁うつ病）

1. 疾患の基礎的知識

1）疾患の概念

双極性障害（躁うつ病）とは，気分が異常かつ持続的に高揚する躁病相（躁病または軽躁病エピソード）と，反対に気分が持続的に落ち込むうつ病相（うつ病エピソード），また，それらの病相が混在する移行相を繰り返し，長期にわたって再発を繰り返す慢性の精神疾患である．躁うつ病という疾患名は，わが国で広く使用されているが，国際分類では「気分（感情）障害―双極性感情障害（躁うつ病）」（ICD-10），「双極性障害および関連障害群」（DSM-5）に分類されている．

双極性障害は10歳代後半以降から発症し，ピークは20歳代後半だが，中年にも発症する．うつ病の発生率よりも低く，男女差はみられない．

2）原因

(1)生物学的要因

抗うつ薬の発見や，うつ状態を引き起こすレセルピンなどの薬理学・生化学の研究によって，現在は以下の仮説がある．

①モノアミン欠乏仮説

うつ状態では，脳内のモノアミンが欠乏している．抗うつ薬は，モノアミンの再取り込みを阻害することで，シナプス間隙のモノアミンを増やし，症状の改善をはかる．

②モノアミン受容体過感受性仮説

ストレスなどが加わると，アドレナリンβ受容体またはセロトニン受容体の感受性が変化し，モノアミンの遊離が急激に起こり，うつ病が発症する．

③視床下部―下垂体―副腎皮質（HPA系）障害仮説

HPA系は，ストレスに反応して一過性に機能亢進が起こるが，正常であればフィードバック機構によって短時間で正常に戻る．ところが，うつ状態ではフィードバック機構に障害があり，持続的なHPA系の機能亢進が生じる．

④リズム異常仮説

気分の日内変動，睡眠・覚醒パターンの障害があることなどにより，周期性，リズム異常が生じる．

(2)遺伝要因

双極性障害の家系では，子ども，きょうだいでの出現率が高い．また，双生児では一卵性双生児と二卵性双生児を比較すると，一卵性双生児のほうが高い一致率を示し，遺伝子の関与がより大きいと考えられている．

(3)心理社会的要因

①病前性格

- 循環気質：社交的で明朗活発な気分と，一方では静かで口数少なく柔和な側面がある．陽気と陰気の特徴を両極とする気分がある．→循環病質（循環気質が顕著になったもの）→発症
- 執着気質：凝り性，強い義務・責任感を示す．→疲労しても休養ができない→過労→発症
- メランコリー親和性：几帳面．過度に良心的，勤勉で要求水準が高い→生き方の変化を余議なくされた場合や，連続性や秩序が脅かされた場合（転職や転居，出産後，昇進や目標達成した際など）→うつ病として発症しやすい

②状況要因，社会文化的要因

環境の変化，精神的衝撃，身体的疾患が誘因となる．精神分析的には，うつ病の発症は「対象の喪失」という状況だと考えられている．人生において，また，社会生活を送るうえで，誰にでもさまざまな出来事があり，「喪失」「悲嘆」の状況と遭遇する（近親者の死，転勤，昇進，退職，引っ越しなど）．これらや身体的要因（出産，身体疾患，加齢に伴う身体変化）などとともに，素因や身体的疾患，発症以前の性格などの要因，心理的重圧，不安状況などの要因が絡み合っている．

3）病態と臨床症状

双極性障害は多くの場合，うつ病相から始まり，躁とうつを反復する病相を繰り返すうちに，病相の間隔はしばしば短縮する．次第に，大きなストレスがなくても繰り返し病相がみられる急速交代型（ラピッドサイクリング）となっていくため，長期維持療法をするケースが多い．双極性障害は，その定義から，統合失調症のようなパーソナリティ変化は認められない．うつ病相と躁病相では，気分や思考，活動性で対照的な症状を示す．

(1)うつ病相

悲哀を伴う抑うつ気分によって，絶望感や意欲の減退がみられる．また，考えが頭に浮かばないなどの思考制止，活動性が低下する行動制止といった精神運動抑制や，認知のゆがみが強くなった悲観的な物事の見方，自責感，希死念慮などもみられる．これらの症状は，午後よりも午前のほうが重篤な傾向を示す（日内変動）．また，抑うつ気分から睡眠障害や性欲減退，食欲減退による体重減少がみられ，頭痛や腹痛などの自律神経症状が出現する場合もある．

①精神症状

- 抑うつ気分：「気がめいる」「うっとうしい」「寂しい」「悲しいのに悲しめない」などの訴え
- 自責的，悲観的，絶望的な感情：抑うつ気分が重篤な場合には，さらに罪業妄想へと発展する（希死念慮があり，抑制の強くない発症初期や回復期には自殺企図の危険性が強い）
- 不安焦燥感：とくに高齢者に多い
- 離人感：「実感が湧かない」「ピンとこない」など
- 精神運動制止，精神運動抑制：おっくう，気力の減退によって活動性が低下し，無気力となって日常生活にも支障をきたす．気持ちのうえでは「やらなければならない」という意識をもつ
- 思考制止：思考が渋滞し，決断できずに迷う

②身体症状

- 睡眠障害：多くは早朝覚醒（過眠もみられる）
- 体重減少
- 性欲減退
- 食欲減退（ときに食欲亢進）
- 症状の日内変動：多くは午前中に悪く，夕方にかけて軽減

(2)躁病相

突然に始まり，2～4，5か月持続する．病識の欠如もあり，周囲への影響は大きい．うつ病の治療中に薬剤によって躁転することもある．

①精神状態

- 高揚した気分：意欲の亢進，連合弛緩，誇大思考，観念奔逸を特徴とする
- 多動多弁で疲労感がなく活動的
- 抑制の欠如と判断力の低下：真夜中の電話，買いあさり，無分別な投資・運転，性的逸脱など

②身体症状

- 睡眠欲求の減退，睡眠時間の減少，早朝覚醒
- 激しい興奮の持続によって不眠と食欲低下を生じ，体重減少，性欲亢進をきたす

(3)移行相

- 躁病相およびうつ病相の症状の混在がみられる
- 希死念慮の行動化（自殺企図）が起きやすい

4）検査・診断

当てはまる気分エピソード（**表72-1**）を検討して，抑うつ障害と双極性障害に大別する．

ICD-10においては，躁病（または軽躁病）エピソードが2回以上反復するか，躁病（または軽躁病）エピソードとうつ病エピソード，あるいは両極のエピソードが混在，既往した場合に診断される．うつ病エピソードのみを繰り返す場合は「反復性うつ病性障害」に分類される．

DSM-5においては，躁状態の程度によって「双極Ⅰ型」「双極Ⅱ型」に分けられる．また，軽躁と抑うつの2極間を軽度に変動する場合，「気分循環性障害」とされる．

表72-1　気分エピソードの種類

抑うつエピソード：うつ病相	抑うつ的な気分と，何に関しても興味・関心や楽しさが感じられなくなってしまう状態の2つの基本症状を示す
躁病エピソード：躁病相	気分が高揚する，開放的になる，怒りっぽくなるといった気分の変化に加え，気力・活動性の増加を示す．またこのような症状の変化が1日の大半を占める状態がほぼ毎日，少なくとも1週間以上続く
軽躁病エピソード：軽躁病相	躁病エピソードと症状は同一だが，期間は4日以内でよく，その重篤さも社会的・職業的機能障害を起こすほどでないか，入院を要しない程度

尾崎紀夫ほか編：標準精神医学．第7版，p.342，医学書院，2018.

5）治療

薬物療法および心理社会的介入によって，いかに病相を予防するかという維持療法に焦点を当てる．

薬物療法

(1)うつ状態に対する抗うつ薬と気分安定薬の使用

うつ病の重症度や，身体合併症，ほかの併用薬などを考慮して，抗うつ薬を選択する．抗うつ薬の臨床的効果発現には，1～2週間以上を要することが多い．無効と判定するには，十分量を使用して4～6週間を要する．ただし，気分安定薬なしで抗うつ薬による薬物療法を行うことは不適切である．それによって，病相の周期の加速化，躁転，混合状態，自殺企図のリスクが高まるため，診断の正確さが重要である．

①抗うつ薬の作用機序

うつ病は，シナプス間隙に放出されるセロトニンやノルアドレナリンなどのモノアミンが減少することで発症すると考えられており（モノアミン仮説），抗うつ薬は，これらのモノアミンの再取り込みを阻害することによって，シナプス間隙のモノアミン濃度を増加させて抗うつ効果を発揮する．

②主な抗うつ薬の薬理作用

・三環系抗うつ薬

ノルアドレナリンやセロトニンの再取り込みを阻害する作用をもち，精神賦活作用に優れている一方で，抗コリン作用の口渇，尿閉，便秘，めまいなどの発現も強い．抗ヒスタミン作用による鎮静や眠気，心臓に対する直接作用であるQT延長，不整脈などの副作用もみられるため，注意する．

・四環系抗うつ薬

前シナプスのアドレナリンα_2受容体を阻害することによって効果を得る．鎮静効果に優れている．効果は三環系よりも弱いが，副作用も少ないため，長期内服のケースが多い．

・選択的セロトニン再取り込み阻害薬（SSRI：serotonin selective reuptake inhibitor）

選択的にセロトニンの再取り込みを阻害することによる抗うつ・抗不安効果がある．三環系，四環系よりも副作用は少なく，かつ三環系とほぼ同等の効果の発現がある．増量時に，ほかの薬剤との併用時にセロトニン症候群とよばれる錯乱や軽躁状態などの精神症状，発汗・下痢などの自律神経症状が生じることがある．服薬の急な中断や不規則な服薬で，精神症状の悪化や悪心・嘔吐などの身体的不調が出現する．

・セロトニン・ノルアドレナリン再取り込み阻害薬（SNRI：serotonin noradrenalin reuptake inhibitor）

セロトニンだけでなくノルアドレナリンの再取り込みを選択的に阻害することから，効果の面ではより三環系に近い抗うつ効果がある．副作用は，SSRIと同程度である．ノルアドレナリンへの作用があるため，意欲の低下の改善に効果があるとされる．

(2)躁状態に対する気分安定薬と抗精神病薬の使用

躁病期の薬物療法としては，炭酸リチウム，カルバマゼピンなど，気分安定薬を中心とするが，炭酸リチウムの臨床効果発現までに4～10日かかるため，急性の躁状態のときには抗精神病薬であるハロペリドールなどの即効性のある薬剤を併用し，興奮した思考や行動をコントロールする．カルバマゼピンは，重症の躁病や，躁うつ病相が頻繁である場合にも有効である．下記の副作用に注意する．

①炭酸リチウム

中毒症状（意識障害，腱反射亢進，痙攣，粗大振戦など）に注意する．有効量と中毒量の差が少ないので，血中濃度を測定しながら投与する．

②カルバマゼピン

眠気，めまい，ふらつき，脱力など，中枢神経系副作用の頻度が高い．また，投与後数日～1か月間に12～14%の確率で皮疹の報告もある．白血球減少症や再生不良性貧血など，重篤な血液障害の出現もある．

精神療法

(1)うつ病相

・うつ病という病気であることの確認
・心身の休養のすすめ：治療の見通しを述べ，必ず治る病気であることの説明．重要な現実的問題の決定を先延ばしする（退職や離婚など）
・持続的服薬の必要性と，生じ得る副作用への理解を促す
・家族や周囲の人への心理教育（励ましや責めるなどで患者を追いつめない）

(2)躁状態

・疾患の理解と病識が得られるようにする
・患者のエネルギーを転換できるレクリエーションや芸術療法などの活動に導く
・家族や周囲の人への心理教育：疾患の理解，服薬の必要性

電気痙攣療法（ECT：electroconvulsive therapy）

薬物療法に比べて即効性があるため，自殺の危険が高い場合や，肝疾患などで薬物療法が難しい場合には第1選択とされる．一過性に，心拍数の増加，血圧の上昇，頭蓋内圧の亢進などを生じるため，関連する既往疾患がある患者には適応がない．副作用として，一過性の前向健忘や逆向健忘がみられることがある．また，効果が持

続しにくく，再燃しやすい面もある．

高照度光療法

季節性感情障害に適応する．通常，毎朝2,500ルクスか，それ以上の照度の光に２時間以上，１～２週間にわたって連日曝露する．副作用として頭痛，疲れ目，焦燥感，不眠がある．

身体の管理

脱水や栄養障害，種々の身体的症状が生じている場合，補液や栄養補給に努める．薬剤の副作用による身体的問題が生じる危険性もあり，とくに高齢者の場合は注意する．

6）予後

躁病相とうつ病相を反復し，病相間欠期は寛解という経過をとるが，躁病相とうつ病相の交じり合った混合状態を呈するものもある．うつ病に比べて，長期にわたって病相を繰り返すものも多い．頻回の再発や病相の不安定状態が続けば，意欲，思考力，判断力などが低下し，就労や生活の自立が困難となる．

死亡率は，一般人口の２～５倍であり，死亡原因は自殺が最も多い．予後不良因子として，早期発症，長期間続く躁病相，精神病的症状を伴う，アルコール依存の合併などがある．

2. 看護過程の展開

● アセスメント～ゴードンの機能的健康パターンを用いて

パターン	アセスメントの視点	根拠	収集する情報
(1) 健康知覚-健康管理 患者背景 健康知覚-健康管理 価値-信念	●自身の健康状態，治療への意識はどうか	●とくに躁病相では，強い爽快感によって自己の不調を感じなかったり，病識自体をもつことが難しい状態である．そのため，患者は治療や服薬に対する必要性の理解が不足し，服薬を含めた治療の拒否が起こりやすい．	●既往歴 ●現病歴 ・発症時期，年齢 ・躁病相とうつ病相の経過 ・入院，治療の経過 ●自覚症状 ●他覚症状 ●服薬状況 ●治療に関する発言の有無と内容
(2) 栄養-代謝 全身状態 栄養-代謝 排泄	●症状によって栄養，水分の摂取状況に変化があるか	●躁病相，うつ病相ともに，食事量の低下から栄養状態の悪化や脱水となりやすい． ●薬物療法のうち，抗コリン作用によって食欲不振も起こり得る．双極性障害の場合，治療に適応となる薬物がうつ病の場合と異なる．	●バイタルサイン ●BMI ●血液検査データ（TP，Alb，コレステロールなど） ●身長・体重の増減と程度 ●皮膚，口腔粘膜の状態 ●食事量，食事内容
(3) 排泄 全身状態 栄養-代謝 排泄	●症状によって排泄状況に変化があるか	●食事，水分の不足や，うつ病相の身体活動の低下から，便秘が起こりやすい． ●抗コリン作用によって排尿困難や便秘が起こる可能性もある．	●排尿・排便（回数，量，性状）

パターン	アセスメントの視点	根拠	収集する情報
(4) 活動-運動 活動・休息 活動-運動 睡眠-休息	●症状による日常生活への影響はあるか	●うつ病相にあるときは意欲の低下や倦怠感から，また，躁病相のときは活動性の亢進によって自分自身に注意が向かず，セルフケア行動が難しくなる．	●整容 ●入浴 ●更衣 ●食事
(5) 睡眠-休息 活動・休息 活動-運動 睡眠-休息	●睡眠・休息の不足による症状への影響はどうか	●躁病相とうつ病相に共通してみられることは，睡眠障害である．躁病相においては，短時間の浅い眠りで疲れないが，疲労に気づかず身体的消耗と憔悴が重なった状態である．うつ病相においては，睡眠の維持困難や早朝覚醒がみられる．心身ともにエネルギーを蓄積できることが必要である．	●睡眠時間 ●熟眠感
(6) 認知-知覚 知覚・認知 認知-知覚 自己知覚-自己概念 コーピング-ストレス耐性	●認知機能の変化による希死念慮，自殺企図のリスクはあるか	●周りへの関心や喜びの感情，自尊心の低下や不必要な罪悪感などから，希死念慮を抱きやすい状態である．とくに発病初期と回復期では，希死念慮や自殺企図のリスクが増す． ●躁病相の場合，思考の回転が速くなり，多弁となる．話の筋が脱線していく観念奔逸によって話がまとまらない．また，注意が散漫となって自分の行動の予測がつかず，危険な行為に発展してしまうことがある．	●うつ病相にあるとき ・悲観的，過小評価，焦燥感，罪悪感，自尊感情の低下，判断力の低下 ・希死念慮，自殺企図の状況 ・倦怠感 ・表情 ●躁病相にあるとき ・気分の高揚，疲労感の喪失，易刺激性，易怒性 ・注意散漫，観念奔逸 ・浪費，性的逸脱 ・他者とのトラブル
(7) 自己知覚-自己概念 知覚・認知 認知-知覚 自己知覚-自己概念 コーピング-ストレス耐性	●自分についての見方の変化はどのようになっているか	●うつ病相のときは気持ちが塞ぎ込み，重度の疲労感や不安，焦燥感，精神運動性の興奮や抑制の反復などを伴う．集中力や意思決定能力の低下がみられ，認知のゆがみから，自己の言動や自分自身に対して過度に否定的になりやすい．反対に躁病相においては，自分の能力に過剰な自信を示し，誇大妄想的になることもある．	●うつ病相にあるとき ・悲観的，過小評価，焦燥感，罪悪感，自尊感情の低下，判断力の低下 ・希死念慮，自殺企図の状況 ・倦怠感 ・表情 ●躁病相にあるとき ・気分の高揚，疲労感の喪失，易刺激性，易怒性 ・注意散漫，観念奔逸 ・浪費，性的逸脱 ・他者とのトラブル
(8) 役割-関係 周囲の認識・支援体制 役割-関係 セクシュアリティ-生殖	●健康的な対人関係をどのくらいとれるか	●躁病相においては，会話もしばしば障害される．論理的な話し方ができず，声高で早口となる．過活動に伴い，多弁になり，連合弛緩（思考のまとまりがない），観念奔逸が強く，的外れになってしまう．家庭や社会的な役割を果たすことは難しく，他者との関係も障害されてしまう．	●他者との接し方，話し方 ●家族関係，キーパーソンの有無 ●職業，役職 ●経済状況

パターン	アセスメントの視点	根拠	収集する情報
(9) セクシュアリティ-生殖 周囲の認識・支援体制 役割-関係 セクシュアリティ-生殖	●性役割，性関係での問題はあるか	●うつ病相では，意欲低下に伴って性欲も減退する．性役割を十分に果たせないことで，自尊心が低下することもある．躁病相では，充実したエネルギーに加えて，強い性的欲望をもつことが多い．性的な逸脱行為もみられる．	●家族関係 ●親役割，パートナーとの間での問題の有無，程度 ●性的逸脱行動の有無，状況
(10) コーピング-ストレス耐性 知覚・認知 認知-知覚 自己知覚-自己概念 コーピング-ストレス耐性	●ストレスに対して健康的な対処ができるか	●躁病相においては集中力の欠如，易刺激性などから，また，うつ病相においては主に意欲の低下，思考の制止，認知のゆがみなどから，さまざまなストレッサーに対処できず，症状が引き起こされている状態であるといえる．ストレッサーへの対処方法を獲得することで，今後の予防的の手だてを見いだせる．	●発症に関連した出来事，状況 ●出来事や状況に対する主観的な思い ●心身に不調を感じたときにどうしていたか
(11) 価値-信念 患者背景 健康知覚-健康管理 価値-信念	●病前にもっていた価値，信念への影響はあるか	●うつ病相では思考の制止，躁病相では連合弛緩，観念奔逸がみられるため，ある一定の価値，信念を保つことは難しい．	●病前性格 ●成育歴 ●学歴 ●宗教の有無

3. 全体像の把握から看護問題を抽出

1）病態関連図

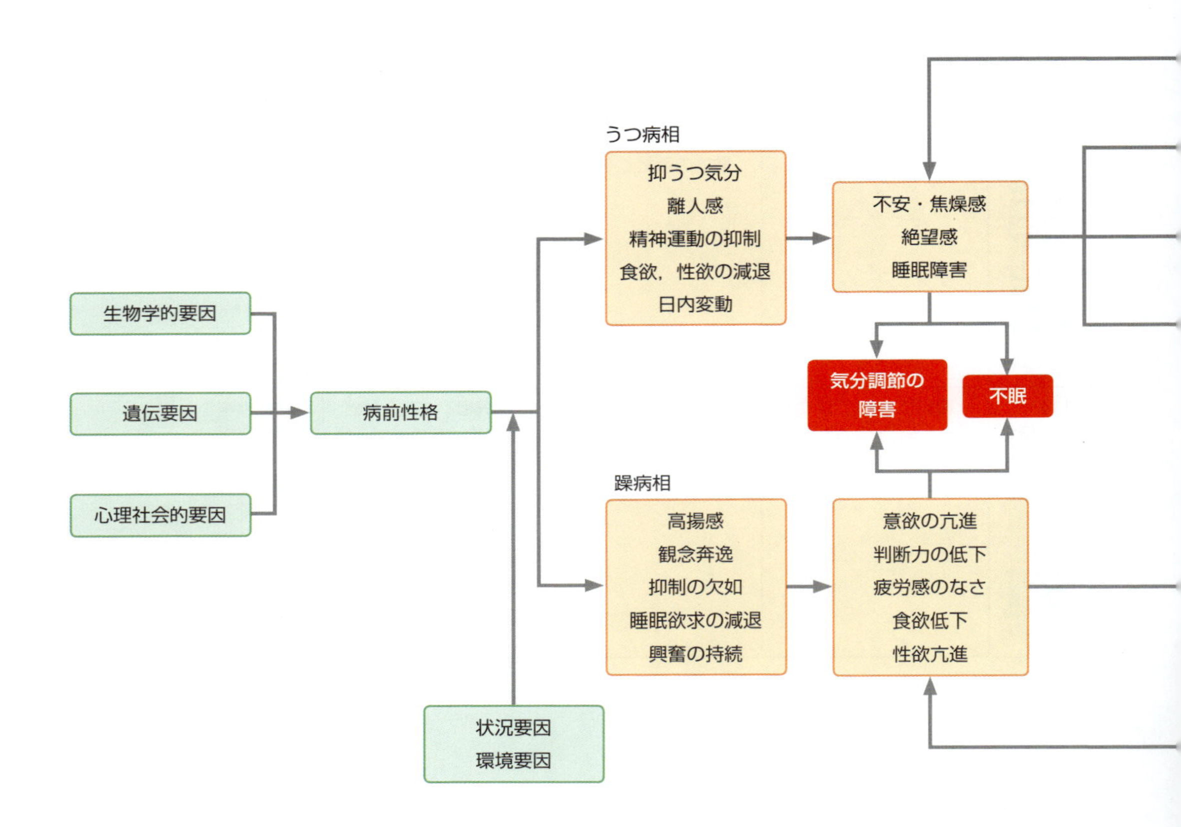

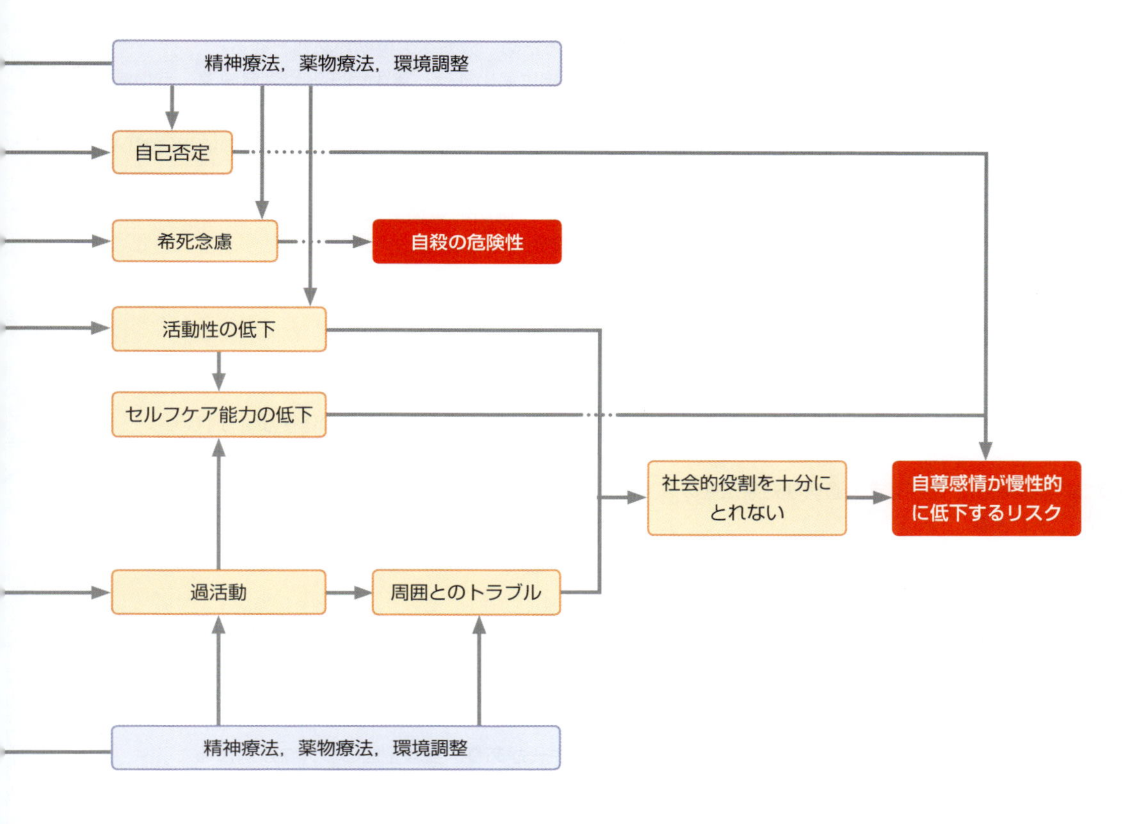
精神療法，薬物療法，環境調整
自己否定
希死念慮
自殺の危険性
活動性の低下
セルフケア能力の低下
社会的役割を十分にとれない
自尊感情が慢性的に低下するリスク
過活動
周囲とのトラブル
精神療法，薬物療法，環境調整

2）看護の方向性

躁病相での精神症状として，激しい気分の高揚と思考障害によって，誇大思考，観念奔逸などがみられる．加えて，情動，行動に対する抑制の欠如と，認知機能の低下もしくはゆがみもある．これらのことから，患者は多弁，多動になるだけではなく，過活動，注意散漫，行動のコントロールの困難などによって，他者との約束や決め事が実行されないことが多い．他者の態度や言葉遣いに容易に刺激され，興奮して怒りや攻撃が表現されやすい．そのため，家族を含む周囲の人々との関係の悪化の予防と修復への支援，問題の拡大を防止することがはかられなければならない．トラブルによって，周囲の人々から信用を失ったり排除されたりすることなく，地域での生活を維持していけることを重点とした関わりが求められる．加えて，集中力の低下や注意散漫によって，身体の不調に気づきにくいこと，判断力が乏しいために極端に危険な行動をとり，その結果を現実的に評価できないことによる，自分を傷つけてしまうリスクも高い．

うつ病相では，抑うつ気分と思考の制止，意欲低下と行動減少がみられ，仕事や家事の能率が落ちたりできなくなったりもする．治療が必要なうつ病相は，このような状態が数週間から数か月続き，気分転換ができず，さまざまな回復の試みがかえって悪循環を引き起こしている状態である．認知機能の低下もしくは過度な自責，悲観，自己卑下などのゆがみが生じる．これらの精神症状により，強い不安，焦燥感，漠然とした悲哀感，絶望感を抱え，自殺の考え（希死念慮）の憎悪による自殺の計画（自殺企図）のリスクが高まる．

移行相においては躁病相とうつ病相の症状の混在がみられるため，双方への援助が必要となる．

躁病相においては，集中力低下や注意散漫，うつ病相においては意欲低下や行動減少によるセルフケア低下への援助が必要である．また，いずれの病相においても，十分な休息，睡眠の確保と活動とのバランスをとること，適切な薬物療法のための副作用の観察と，早期対応が求められる．

3）患者・家族の目標

(1)患者

- 病気であり，治療をすれば回復することを理解できる．
- 躁やうつの前駆症状を把握でき，適切な対象法をみつけることができる．
- 活動と休息，睡眠のバランスがとれる．
- 自殺企図を起こさない．
- 家族や周囲の人との関係の修復がはかれる．

(2)家族

- 病気であり，治療をすれば回復することを理解できる．
- 患者の十分な休息を保障できる．

4. しばしば取り上げられる看護問題

抑うつ気分，うつ病相から躁病相への移行に関連した自殺の危険性がある

なぜ？

精神症状としてみられる激しい易怒性，罪悪感，無価値感は，希死念慮を促進する要因となる．とくに移行相においては，希死念慮を行動に移すためのエネルギーがあり，自殺企図のリスクが最も高い．想定される全ての希死念慮を慎重に取り扱う必要がある．また，希死念慮，自殺企図によって治療が中断される場合がある．円滑な治療には希死念慮などに適切に対応し，自殺企図，自殺を未然に防ぐことが，必要である．

とくに移行相においては，希死念慮を行動化できるエネルギーがあり，自殺企図のリスクが高まる．

➡期待される結果

安全に過ごすことができる．

脱抑制，絶望による気分調節の障害

なぜ？

適切な薬物療法は症状を軽減させ，また，その後も一定期間の服薬を継続することは再発の低下につながる．しかしながら，とくに躁病相では，強い爽快感によって自己の不調を感じたり，病識自体をもつことが難しい状

態である．そのため，患者は治療や服薬に対する必要性の理解が不足し，服薬を含めた治療の拒否が起こりやすい．

また，服薬以外にも，健康の自己管理においては，患者が自分自身の状態を把握して変化を察知し，なんらかの症状などの危険信号が現れたときに，早期に対応できることが，再発や症状の再燃の予防には必要である．躁病相においては，前述の通り自己管理が難しく，うつ病相においては，意欲低下によって自分の健康に関心を向けづらく，再発や症状再燃のリスクが高い状態であると考えられる．

症状が再燃することによって，生活の質が低下する恐れがある．

➡期待される結果

治療を円滑に進めることができる．

◆3　精神症状に関連した不眠

なぜ？

躁病相とうつ病相に共通してみられることは，睡眠障害である．躁病相においては，短時間の浅い眠りで疲れないが，疲労に気づかず身体的消耗と憔悴が重なった状態である．うつ病相においては，睡眠の維持困難や早朝覚醒がみられる．心身ともにエネルギーを蓄積できることが必要である．

➡期待される結果

治療が円滑に進む．不眠が改善する．

◆4　抑うつによる自己知覚の変化，躁状態での過活動に関連した自尊感情が慢性的に低下するリスク

なぜ？

うつ病相では，集中力や意思決定能力の低下がみられ，認知のゆがみから自己の言動や自分自身に対して過度に否定的になりやすい．また，躁病相における対人トラブル，社会的に受け入れられない自分の言動を思い返すことなどから，自己肯定感が低下しやすい．

➡期待される結果

生活の質の向上をはかることができる．

5. 看護計画の立案

• O-P：Observation Plan（観察計画）　• T-P：Treatment Plan（治療計画）
• E-P：Education Plan（教育・指導計画）

◆1　抑うつ気分，うつ病相から躁病相への移行に関連した自殺の危険性がある

	具体策	根拠と注意点
O-P	**(1)希死念慮，自殺企図** ・患者の訴え（死や自殺の願望，絶望感や諦め，身体機能の喪失や疼痛による強い苦痛，苦悩） **(2)リスク因子** ・抑うつの有無，程度 ・抑うつ気分の日内変動 ・不安状態ないしは焦燥状態の有無，程度 ・睡眠状況 ・心気的訴えの有無と程度・食欲（体重減少，性欲減退，倦怠感，易疲労感，頭痛，腹痛など）	●抑うつ気分には日内変動がある．起床してから午前中にかけては気分が悪く，夕方から夜にかけては改善することが多い． ●とくに，気分や行動が急に変化したときに，自殺のリスクは高くなる．投薬によって抑うつが軽快するのに従い，自殺の計画を実行に移す気力・エネルギーが出てくる．また，活動水準も高まる．行動の観察，評価をしておくと，普段と違う行動の発見や，自殺リスクの高まりの把握が可能になる．その際，中途覚醒や早朝覚醒などの睡眠障害や，食欲不振などの心気的訴えにも注目する．

	具体策	根拠と注意点
T-P	**(1)自殺の予防** ・自殺についてオープンに話をする ・病室など，患者の周囲から危険物を撤去する **(2)リスク因子の軽減** ・気分の変化（意気揚々，引きこもり，突然の諦めなど）は，どんなささいなものでも観察し，報告，記録する ・衝動的に自己破壊的な行動をとりたくなるかどうか	●一般的な見解とは異なり，患者に希死念慮や自殺企図について直接尋ねることは，自殺の引き金とはならない．むしろ，ほとんどの患者は，希死念慮を実行に移してしまわないようにしてほしいと望んでいるといえる． ●自殺予防のための関わり方に，TALKの原則とよばれるものがある．Tell，Ask，Listen，Keep Safeのイニシャルである．こちらが勇気をもって話をすることで，心理的視野狭窄に陥った人の現実検討を促す．それと同時に，死を恐れる相手の気持ちを解きほぐし，絶望的な気持ちを言葉で表現できるようになる． ●だが，患者から絶望的な気持ちを聞くのは苦しく，「元気を出して」「大丈夫だから」などと励ましたり，安易に気分転換や休息をすすめてしまうことがある．また，「死んではいけない」「家族が悲しむ」など，常識的なことをいいたくなる．しかし，重要なのはその苦しさに関心を寄せ，あくまで聞き役に徹することである．また，希死念慮や考え込みを強化しないようにする．
E-P	**(1)自殺の予防** ・自殺予防機関の紹介 ・「死にたい」と思ったときには誰かに伝えること ・その連絡先を伝える **(2)リスク因子の軽減** ・自殺リスクについてこちら側の評価を伝える（緊急性，どの程度患者を保護すべきか）	●患者にはっきりとした希死念慮があり，自殺のリスクが高いとわかった場合，自殺予防の相談機関を紹介したり，必要に応じて受診につき添う．その際，1人で対処しようとせずに，周囲の協力を得ることが重要である．

2 脱抑制，絶望による気分調節の障害

	具体策	根拠と注意点
O-P	**(1)脱抑制，絶望** ・不安状態ないしは焦燥状態の有無，程度 **(2)気分障害** ・睡眠状況 ・食欲 ・副作用，副作用の自覚症状 ・服薬に関する困り事 ・治療への心配事 ・更衣，整容の状況	●症状の変化に早期に対応することで，再発，再燃，重症化を食い止めたり，症状の持続期間を短くすることができる． ●自分の身体に対する関心の減弱により，セルフケアの範囲も縮小する．

	具体策	根拠と注意点
T-P	・十分な睡眠と休息の確保 ・セルフケア能力の維持，促進（栄養，睡眠，個人衛生） ・傾聴	●躁病相では，集中力低下や注意散漫，過活動などによる体力の消耗，セルフケアへの無関心，十分な栄養と水分がとれない恐れがある．また，うつ病相では，心的エネルギーの減少，意欲低下と行動減少によるセルフケアの全般的な低下があるため． ●発症までの経歴を，成育歴までさかのぼり，気分の波に留意しながら，丁寧に聞くことが大切である．これらの情報は，現在の患者の問題や課題，また，強みを理解するうえでも重要であり，患者が今後，気分の波とうまくつきあいながら社会生活を営むための方策を考えるときに役立つ． ●これらの情報を患者から聴きながら，患者と共有し，気分の波とどうつきあっていけばよいかを，患者と話し合うことが効果的である．同時に，患者の薬物療法などの治療内容や方針，薬剤への反応性については，適宜，医師や心理職などの医療チームとのカンファレンスをもち，検討して確認することも重要である． ●精神症状が要因となって周囲との間にトラブルを起こし，関係が悪化したり破綻してしまうケースも多い．関係の悪化した状態のなかに患者が戻ると，再燃や再発につながりやすいため，家族を含めた周囲との関係の修復が，治療にとっても重要な課題である．キーパーソンがいる場合，その人を介して，患者に対する，家族や周囲の人の気持ちや思い，患者と過ごすうえでの不安や困難な点についての情報を得るようにする．また，患者の，家族や周囲の人への思いも伝えながら，患者，家族，周囲の人，医療チーム間で関係修復に向けて話し合いを進める．
E-P	・病気について（気分障害は医学的な疾患で，個人の性格の欠陥または弱さではない）説明する ・治療について（適切な治療によって回復する）説明する	●とくに躁病相では病識が欠けているため，治療の必要性を感じられず，拒薬が起こりやすい．初期は易怒的になることも多いため，患者の行動に対してやむを得ず制止が必要な場合は，静かな環境を保障し，穏やかにゆっくりと対応する． ●薬物療法の継続にあたっては，服薬状態，内服することへの思いなどをよく聞き，治療の必要性について，患者の理解が得られると判断できれば薬物の必要性や継続について情報を提供する． ●薬物療法の効果について，それが服薬する患者自身にとって利点として感じられなければ，治療の動機づけは難しいものである．患者の希望や目標と関連づけて話をすることが大切である．

引用・参考文献

1）萱間真美ほか編：精神看護学II 臨床で活かすケア―看護学テキストNiCE．改訂第 2 版，p.332～341，2015．
2）外口玉子ほか：精神保健看護の展開：精神看護学 2．系統看護学講座 専門分野27，第 2 版，p.124～127，医学書院，2001．
3）ゲイル・W・スチュアート：看護学名著シリーズ 精神科看護―原理と実践．原著第 8 版，p.456～528，エルゼビア・ジャパン，2007．
4）井上智子ほか編：病期・病態・重症度からみた 疾患別看護過程＋病態関連図．第 3 版，p.1268～1276，医学書院，2016．
5）ベンジャミンJ．サドックほか編：カプラン臨床精神医学テキスト―DSM-5診断基準の臨床への展開．日本語版第 3 版，原著第11版，p.393～433，メディカル・サイエンス・インターナショナル，2016．
6）中井久夫ほか：看護のための精神医学．p.146～163，医学書院，2001．
7）尾崎紀夫ほか編：標準精神医学．第 7 版，p.342，医学書院，2018．
8）融道男ほか監訳：ICD-10精神および行動の障害―臨床記述と診断ガイドライン．新訂版，p.119～141，医学書院，2005．
9）高橋三郎監訳：DSM-5ガイドブック―診断基準を使いこなすための指針．p.79～106，医学書院，2016．

Memo

第 15 章　精神・神経疾患患者の看護過程

73 統合失調症

1. 疾患の基礎的知識

1）疾患の概念

統合失調症は，生物学的要因に心理的・環境的要因が複雑に絡み合い発症する脳機能の障害，と考えられている．主に，幻覚や妄想などの陽性症状や，思考障害・意欲減退・感情平板化などの陰性症状が認められる．多くは慢性的・再発的に経過するなかで，認知機能障害を伴う．思春期・青年期（15歳〜35歳）での発症が多く，有病率は 1 %弱といわれ，ごく身近な疾患である．性差では，わずかに男性の発症が多い（男性が1.42倍多い）．また，男性よりも女性の発症年齢が遅い[1]．

2）原因

いくつかの仮説が提唱されており，いまだ明確な原因はつかめていない．ここでは，代表的なものとして，いくつかの因子が重なって発症するというストレス-脆弱性モデルを紹介する（**図73-1**）．これは，生物学的要因などの病気になりやすい“もろさ”（脆弱性）があるところに，心理的・環境的なさまざまなストレスがかかり，発症するという考え方である．

(1)生物学的要因

生物学的要因としては，神経伝達物質説や，神経発達障害説などがいわれている．

①神経伝達物質説

精神活動に大きく影響する神経伝達物質として，ノルアドレナリン・ドパミン・セロトニン・グルタミン酸・GABA（ギャバ，γ-アミノ酪酸）・アセチルコリンなどがあるが，このうち，ドパミン，セロトニン，グルタミン酸が，統合失調症の発症に関連していると考えられている．

②神経発達障害仮説

胎生期〜生後脳発達期にかけて，遺伝要因を含めたなんらかの原因による脳発達障害が，統合失調症の発症脆弱性を形成するという説がある[2]．

(2)心理的・環境的要因

幼少期の養育環境や，妊娠中や分娩時の合併症，出生後の気候の厳しさなど，さまざまな因子や出来事が，心理的・環境的なストレスや負荷となり，発症を引き起こす一因になるとされている[3]．

3）病態と臨床症状

病態

統合失調症の陽性症状，陰性症状，認知機能障害は，主に前頭葉と側頭葉の機能障害と考えられている[4]（**図73-2**）．

①いくつかある神経伝達物質説では，神経伝達物質の機能異常が症状と関連するとされる．ドパミン仮説では，大脳辺縁系でのドパミン伝達過剰が陽性症状を生じさせ，大脳皮質系（前頭前野）でのドパミン伝達低下が陰性症状や認知機能障害を生じさせるといわれる（**図73-3**）．このほかに，セロトニン代謝低下と陰性症状の関連や，グルタミン酸受容体神経伝達の遮断が，陽性症状・陰性症状に関連するなどの説がある．

図73-1　ストレス-脆弱性モデル

【脆弱性】
- 神経伝達物質説
- 神経発達障害説

【心理的・環境的要因】
- さまざまな要因が，心理的・環境的なストレス，負荷となる

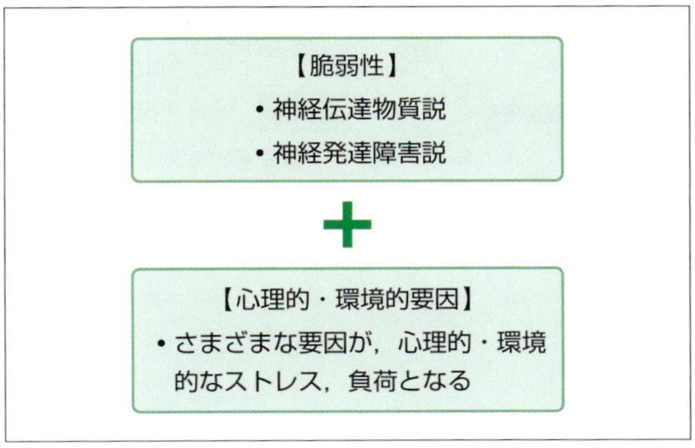

②統合失調症患者には，なんらかの原因による脳発達障害が生じており（神経発達障害仮説），具体的には側脳室や第三脳室の拡大，海馬領域の体積減少，灰白質の体積減少（主に前頭葉と側頭葉）などの器質的変化が認められている．これらによって，さまざまな症状を呈するとされる．

③さまざまな心理的・環境的なストレスや負荷は，神経伝達物質などのバランスを崩し，情報がうまく伝達されなくなり，精神的・身体的な不調を呈すると考えられている．

症状

統合失調症では，脳機能（主に前頭葉と側頭葉）の障害が，精神機能に影響を及ぼす．精神機能とは，意識，知覚，思考，感情，意欲・行動，自我意識，記憶に関する機能を指す．個々によって障害される機能はさまざまであり，多様に出現するが，大きくは陽性症状，陰性症状，認知機能障害に分けられる（**表73-1**）．通常，急性期には陽性症状が顕著にみられ，慢性期（残遺期）には陰性症状が目立つようになり，その後，慢性的・再発的に経過するなかで認知機能障害を伴う．

また，急性期にある患者（とくに初発患者）は，自分の症状をはっきり自覚できることは少ない．そのため，病識（insight into disease）がないことが多い．ただし，“自分はどこか，何かおかしい”といった病感をもっていることが多い．統合失調症患者が入院する際，入院治療への同意が得られず，精神保健福祉法による強制入院が適応されるのはこのためである．程度の差はあるが，通常，症状改善とともに病識もある程度出現してくる[5]．

(1)陽性症状

陽性症状の中心となるのは，妄想，幻覚，まとまりのない会話（解体した会話），まとまりのない行動（著しく解体した行動）の４つである（**表73-2**）．

(2)陰性症状

精神機能が低下する症状であり，エネルギー切れのような状態になる．感情の平板化，思考の貧困，意欲減退などがある（**表73-3**）．

(3)認知機能障害

統合失調症は，慢性的・再発的に経過するなかで認知機能障害を伴う（**表73-4**）．認知機能とは，記憶，思考，理解，計算，学習，言語，判断などの知的な能力を指し，認知機能障害は，日常生活や社会活動全般に影響を及ぼす．とくに，注意・記憶・実行などの認知機能が低下していることが多く，その結果，注意が必要な作業や，複雑な作業が苦手になる．

(4)症状の経過

症状の出方には個人差があるが，前駆期があることが多く，次いで陽性症状を主とする急性期，そして陰性症状を中心とした消耗期を経て，回復期に至る．回復期においては，数年から数十年と長い経過をたどるケースが多く，この間に再発を繰り返すこともある．

図73-2　症状と脳基盤の関係

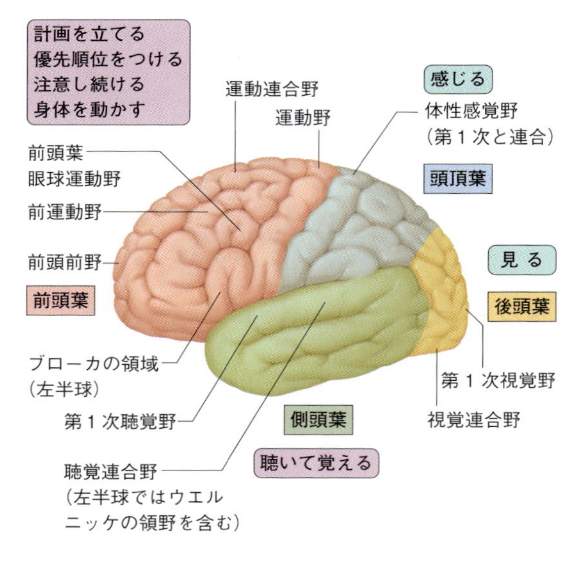

図73-3　ドパミン仮説におけるドパミンの機能異常と症状の関連

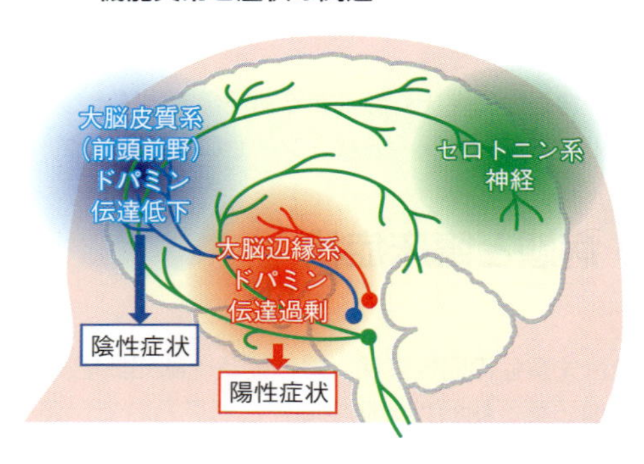

表73-1　統合失調症の症状（概観）

陽性症状	陰性症状	認知機能障害
妄想	感情鈍麻	注意・集中困難
幻覚	意欲減退	記憶力減退
思考の混乱	思考の貧困（言語の貧困）	作業効率低下
奇異な行動　ほか	無関心　ほか	思考力低下　ほか

4）検査・診断

統合失調症の診断は，主として陽性症状，陰性症状などによって診断される．世界や日本で用いられている診断基準に，WHO（世界保健機関）の国際疾病分類ICD-10と，アメリカ精神医学会のDSM-5がある．近年は，画像検査やバイオマーカーなどの研究が活発ではあるが，いまだ確定診断に用いるエビデンスがあるものは得られていない．

検査

・心理検査：人格検査，知能検査，認知機能検査など
・画像検査：頭部CT，頭部MRI，SPECT，PET，光トポグラフィー（NIRS）
・血液生化学検査
・心電図
・脳波
・精神症状を評価する尺度など

診断基準

国際疾病分類（ICD-10）も，アメリカ精神医学会による診断基準（DSM-5）でも，シュナイダーの一級症状（精神症状）と，症状の持続期間に着目して定められたものである．DSM-5の診断基準では，陽性症状や陰性症状が認められ，社会的・職業的機能の低下した状態が持続する場合に，統合失調症が疑われる（**表73-5**）．

識別すべき疾患

幻覚や妄想を生じる病因や原因は，精神疾患をはじめ，脳・神経疾患，全身疾患，精神作用性物質や身体疾患治療薬など，多岐にわたる[6]．識別すべき代表的な疾患をあげる．

・脳・神経疾患（てんかん，脳血管障害，脳腫瘍，脳炎，神経梅毒）
・精神作用性物質（薬物やアルコールなど）による障害
・全身疾患（代謝・内分泌疾患，膠原病，電解質異常，ビタミン欠乏症）
・精神疾患（気分障害，パーソナリティ障害，認知症，せん妄ほか）

5）治療

一般的に，薬物療法と心理社会療法を組み合わせて進められるが，病期にあわせて治療方針を変えていく[7]（**表**

表73-2　陽性症状（主なもの）

妄想	思考内容の障害	あり得ない考えや意味づけに，異常な確信をもち，訂正できないもの	被害妄想・誇大妄想・注察妄想・追跡妄想などの関係妄想が多い
幻覚	知覚の障害	対象のないところに知覚が生じること	幻聴・幻視・幻臭・幻味・幻触のうち，とくに幻聴が多い
まとまりのない会話（解体した思考）	思考過程の障害	思考が，目指す方向に向かってスムーズに流れない状態	連合弛緩，滅裂思考，言葉のサラダ
まとまりのない行動（著しく解体した行動）	行動や自己統制の障害	・著しくまとまりがない行動，その場や状況にあわない行動をとる ・高度になると，日常生活を送ることが困難になる場合もある	・暑い日に厚着や手袋をするなどの，状況にあわない行動 ・緊張病性の症状（昏迷，激しい興奮，奇妙な姿勢，反響動作・反響言語など） ・緊張病性の行動（緊張によって生じる行動で，動機や目的がない．緊張病症候群ともいう）

表73-3　陰性症状（主なもの）

感情鈍麻	感情の障害	感情の動きが減少し（感情の幅が狭まり），喜怒哀楽の表現が減る	これらの症状が継続した結果，無為や自閉と呼ばれる状態になる．
感情の平板化	感情の障害	表情・しぐさ・適切な感情表現が乏しい．表現できても感情の幅がごく狭い	
意欲減退	意欲・行動の障害	自発的に何かを行おうとする意欲がない．始めた行動を途中でやめることもある	
思考の貧困	思考の障害	思考力低下により，会話量や流暢さが減少，質問にも素っ気ない返事になる	

無為	欲動，意志が欠如し，周囲への感情反応や関心も乏しい状態．何にも関心がなく，意欲も出ず，何も考えられず，ただじっとしている状態
自閉	外見上は，じっとしているようにみえても，頭のなかではあれこれと考えている．現実や外部との対人関係から遠ざかり，自分自身のなかに閉じこもる状態

73-6）.

(1)薬物療法

①抗精神病薬

抗精神病薬は，発症に関わる神経伝達物質（主にドーパミン）の活動を抑えることで，症状を改善するものである．定型抗精神病薬（従来型）と非定型抗精神病薬（新規）に分けられ，定型抗精神病薬は陽性症状に効果があり，非定型抗精神病薬は陽性症状に加えて陰性症状や認知機能障害に対しても効果があるとされる．代表的な薬物と副作用を，**表73-7**に示した．また，長期に服用することが多いため，さまざまな剤形の抗精神病薬がある．水薬，発泡錠，粉薬，注射薬（筋肉注射，静脈注射，持効性注射など）である．

②そのほかの薬

抗精神病薬のほかに，症状にあわせて，気分安定薬・抗躁薬，抗不安薬，睡眠薬などが用いられる．また，薬物療法の副作用を抑えるために，抗パーキンソン病薬や便秘薬なども用いられる．

抗精神病薬や抗うつ薬，気分安定薬·抗躁薬，抗不安薬，睡眠薬などの，中枢神経に作用して精神機能に変化を及ぼす薬物の総称を「向精神薬」とよぶ．この向精神薬全般に多くみられる副作用として，眠気，ふらつき，口渇，便秘，悪心，肝機能障害などがある．

(2)修正型電気痙攣療法（m-ECT：modified electroconvulsive therapy）

難治性や薬剤抵抗性のケースには，全身麻酔下にて電気痙攣療法を行うこともある．医師の管理のもと，麻酔をかけたうえで，筋肉の収縮が起こらないように筋弛緩薬を使い，頭部に短いパルス波電気刺激を与える治療法である．

(3)心理社会療法

①精神療法

言語的・非言語的な対人交流を通して，精神的な問題を解決し，悩みを軽減することを目的とした治療法である．個人がもつさまざまな能力を最大限に引き出し，本人が自分を支えていけるよう支援する．

②心理教育

精神医学的な問題や課題について，専門家がわかりやすく患者や家族に説明する．そうして，疾患や治療についての知識を共有し，かつ，対処技能の向上

表73-4　統合失調症にみられる認知機能障害の例

持続的注意の障害	・同じ作業を長時間続けられない
言語性記憶の障害	・人からいわれたことや，指示をすぐ覚えられない
実行機能の障害	・優先順位や手順がわからない ・自分で工夫したり臨機応変に対応することが難しい

表73-5　DSM-5の診断基準

A. 以下のうち2つ（またはそれ以上），おのおのが1カ月間（または治療が成功した際はより短い期間）ほとんどいつも存在する．これらのうち少なくとも1つは(1)か(2)か(3)である．
(1)妄想
(2)幻覚
(3)まとまりのない発語（例：頻繁な脱線または滅裂）
(4)ひどくまとまりのない，または緊張病性の行動
(5)陰性症状，すなわち感情の平板化，意欲の欠如

B. 障害の始まり以降の期間の大部分で，仕事，対人関係，自己管理などの面で1つ以上の機能のレベルが病前に獲得していた水準より著しく低下している（または，小児期や青年期の発症の場合，期待される対人的，学業的，職業的水準にまで達していない）.

C. 障害の持続的な徴候が少なくとも6カ月間存在する．この6カ月の期間には，基準Aを満たす各症状（すなわち，活動記の症状）は少なくとも1カ月（または，治療が成功した場合はより短い期間）存在しなければならないが，前駆期または残遺期の期間では，障害の徴候は陰性症状のみか，もしくは基準Aにあげられた症状の2つまたはそれ以上が弱められた形（例：奇妙な信念，異常な知覚体験）で表わされることがある．

D. 統合失調症感情障害と「抑うつ障害または双極性障害，精神病性の特徴を伴う」が，以下のいずれかの理由で除外される．
(1)活動期の症状と同時に，抑うつエピソード，躁病エピソードが発症していない．
(2)活動期の症状中に気分エピソードが発症していた場合，その持続期間の合計は，疾病の活動期および残遺期の持続期間の合計の半分に満たない

E. その障害は，物質（例：乱用薬物，医薬品）または他の医学的疾患の生理学的作用によるものではない．

F. 自閉スペクトラム症や小児期発症のコミュニケーション症の病歴があれば，統合失調症の追加診断は，顕著な幻覚や妄想が，その他の統合失調症の診断の必須症状に加え，少なくとも1カ月（または，治療が成功した場合はより短い）存在する場合のみ与えられる．

日本精神神経学会日本語版用語監集，髙橋三郎・大野裕監訳：DSM-5精神疾患の診断・統計マニュアル．p.99，医学書院，2014.

をはかることにより，再発に影響するような不適切な行動を防止する狙いがある．医師や看護師などによって行われる．

③社会生活技能訓練（SST：Social Skills Training）
対人コミュニケーションの改善や，生活技能を向上させ，地域生活への適応を高めることを目的とする集団精神療法である．主に看護師や精神保健福祉士，医師などが運営する．通常４～８人程度で行われ，日常生活場面を想定した教示，モデリング，ロールプレイ，フィードバックなどの認知行動療法的技法を用いる．

④作業療法（OT：Occupational Therapy）
作業過程を通して，低下した活動性や作業能力を賦活・改善し，患者の健康的な部分の増大をはかる．生産的作業（園芸・木工・農作業ほか），創造的作業（絵画・彫刻・染色・陶芸ほか），構成的作業（編み物，手芸ほか）などがある．

⑤認知行動療法（CBT：Cognitive Behavioral Therapy）
患者の行動・情緒・認知における問題や課題を治療標的とし，行動変容の技法を用いて，不適応反応を軽減させ，適応反応を学習させていく治療法である．

⑥生活指導
精神症状や長期入院によって乱れたり，欠如する傾向の日常生活行動（清潔行為，身だしなみ，整理整頓，金銭管理，服薬管理，睡眠・休息管理，対人関係行動など）について，再び習慣づけるための指導である．入院場面では，看護師や介護者などが支援する．

表73-6　病期ごとの治療方針の例

病期	治療方針
急性期	幻覚，妄想，思考の混乱，精神運動興奮などの激しい症状の場合は，物理的・人的刺激を最小限にとどめることが重要である．また，自傷他害の恐れがある場合は，安全の確保を第一優先とする．具体的には，保護室への隔離，身体的拘束を精神保健福祉法に基づいて実施するなど
消耗期	急性期を脱した後の消耗期では，症状の鎮静にあわせて，薬物の投与量を減らす方向に調整することが多い．この時期は，心身を回復させるための充電期間ともいえる．睡眠が十分に確保でき，徐々に活力も戻ってくるため，少しずつ活動の幅を広げながら，日常生活行動の自立に向けてセルフケア支援を行う．また，病気や薬の理解ができるようにも働きかけていくことが重要である．レクリエーション療法や作業療法などへも参加可能になってくる
回復期	周囲への関心がもてるようになり，さまざまな心理社会療法によって，対人関係や行動範囲が拡大する．また，外出や外泊などのリハビリテーションを通して，退院・社会復帰に向けて準備を行う時期である．ただし，ストレスが症状の再発や悪化につながる可能性もあるため，規則正しい生活，十分な睡眠や休息がとれるよう支援する．また，服薬の必要性の理解と服薬自己管理は，再発予防につながる重要事項だということを本人に認識してもらう．

表73-7　薬物療法の種類と副作用

【定型抗精神病薬】精神病症状の改善に強い作用
幻覚や妄想を抑える：ハロペリドール，ブロムペリドール，フルフェナジン
混乱や興奮を抑える：クロルプロマジン塩酸塩，レボメプロマジン，プロペリシアジン，ゾテピン，スルトプリド塩酸塩

【非定型抗精神病薬】副作用が少なめ，認知機能改善に効果が期待
リスペリドン，オランザピン，クエチアピンフマル酸塩，ペロスピロン塩酸塩水和物，ブロナンセリン，アリピプラゾール，クロザピン

＊副作用としては以下のようなものがある
①抗精神病薬に特徴的な副作用（錐体外路症状）
・アカシジア：そわそわしてじっと座っていられない
・パーキンソン症状：身体がこわばる，震える，よだれが出る
・ジスキネジア：口が勝手に動いてしまう
・ジストニア：筋肉の一部がこわばる
②代謝に影響する副作用
・糖尿病，高血圧，体重増加
③薬の効果に随伴する副作用
・眠気，だるさ，口の渇き，便秘⇒薬の種類や量を調節することで軽減できる
④ホルモンへの影響
・無月経，乳汁分泌，性欲低下⇒薬の種類や量を調節することで軽減できることがある
⑤悪性症候群（※ごくまれ）
・高熱（39℃以上），筋肉の硬直，意識障害が出る⇒特効薬を用いた速やかな治療で改善する

患者のわずかな進歩を肯定的に評価し，自信や病状の回復につれて，徐々に自立を促し，繰り返し働きかけることで習慣化をはかる．

⑦レクリエーション療法

ゲーム，スポーツ，芸術活動，野外活動，運動，文化活動など，数多くのプログラムがある．患者の緊張緩和を促進して病状の回復や健康維持をはかるほか，治療者や他者との関係構築や，協調性を高めるなど，対人関係の改善にも有用である．

⑧元気行動回復プラン（WRAP：Wellness Recovery Action Plan）

リカバリーに役立てるツールである．元気であるためにすることや，調子が崩れそうなときの乗り越え方などを整理してプランをつくり，日常生活に生かしていくものである．

(4)地域におけるリハビリテーションプログラム

①精神科デイケア

通所型のリハビリテーション施設をいう．病気の再発や再入院の予防，社会参加の促進などを目的とする．生活リズムを整え，対人関係のトレーニングや軽作業などによって，社会生活機能の回復を援助する．

②包括型地域生活支援プログラム（ACT：Assertive Community Treatment）

重度の精神障害者を対象にしたケースマネジメントである．地域において多職種チームが，保健・医療・福祉・労働などの包括的なケアを集中的に提供する．

6）予後

①慢性的に症状が持続する例や，比較的安定した経過から社会生活に移行する例のほか，病態の増悪と寛解を繰り返す例など，さまざまとされる．

②統合失調症患者は，一般人口に比して15～20年，寿命が短いとされる[8]．アメリカの大規模な縦断的コホートにおいて，成人の統合失調症患者は，観察期間中の標準化死亡比が，一般人口に比して37倍であった[9]．これらの重大な要因として，統合失調症患者の自殺率や心疾患による死亡率の高さがあげられる．心疾患による死亡原因については，向精神薬の服用による心筋梗塞や致死性不整脈などが指摘されている．また，抗精神病薬・抗うつ薬によって，起立性低血圧や，QT延長が生じる可能性が高いとされる[10]．

③統合失調症に併存しやすい疾患として，不安障害，強迫性障害，パニック障害などがある[11][12][13]．

2. 看護過程の展開

● アセスメント～ゴードンの機能的健康パターンを用いて

パターン	アセスメントの視点	根拠	収集する情報
(1) **健康知覚-健康管理** 患者背景 健康知覚-健康管理 価値-信念	●統合失調症の理解と入院治療への同意はあるか	●急性期においてはとくに，病識の乏しさから入院治療への同意が得られず，精神保健福祉法による強制入院が適応されることが少なくない．この場合の患者は，病識がなく，入院や治療の必要性を理解できないため，治療拒否や離院などの行動に至ることもある．	●既往歴 ●現病歴 ●家族の病歴 ●アレルギー・禁忌 ●入院形態 ●入院目的・治療方針 ●治療内容（薬物療法，心理社会的療法，ほか） ●治療による副作用や影響 ●病識，病感 ●疾患や薬物療法の理解度 ●病気に対する捉え方 ●家族や周囲の人々の協力状況 ●入院前の生活状況
	●統合失調症の自己管理に関する認識と能力はどうか	●統合失調症は，慢性化して再発を繰り返すことが多い疾患である．そのため，薬物療法を中心とし，心身のストレスをためないよう日常生活管理を行うことが求められる．	
	●症状悪化や再発につながる因子はないか	●統合失調症は，再発に至るケースが少なくない．症状悪化や再発につながる因子がなかったかを聴取する必要がある．例として，怠薬（薬の飲み忘れ）や自己判断による断薬，過度の疲労，過度の睡眠不足などがある．	

パターン	アセスメントの視点	根拠	収集する情報
(2) 栄養-代謝 全身状態 栄養-代謝 排泄	●向精神薬の効果と副作用の把握はどうか ●食事摂取状況はどうか ●精神作用性物質の摂取状況はどうか	●統合失調症には，抗精神病薬のほかに，症状にあわせて抗不安薬，抗うつ薬，睡眠薬なども用いられる．これら全体を向精神薬とよび，さまざまな副作用を呈する．副作用の程度によっては重大な影響を及ぼす． (高血糖による肥満や糖尿病，精神症状や副作用による水中毒など) ●症状による焦燥感や妄想などによって，食事摂取時に誤嚥を生じることがある． ●薬物やアルコールなどの物質の摂取は，精神作用に影響を及ぼす．	●身長，体重，BMI ●口腔・歯・皮膚・粘膜・爪 ●食事や水分の摂取内容・量・食欲 ●嗜好品(とくにアルコール) ●栄養-代謝関連データ ・栄養状態(RBC，Hb，Ht，TP，Alb) ・腎機能(BUN，Cr，UA) ・肝機能(AST，ALT，γ-GTP，LDH，ALP，T-Bil，CHE) ・糖代謝(HbA1c，BS) ・電解質(Na，K，Cl，Ca，P) ●薬物療法と副作用
(3) 排泄 全身状態 栄養-代謝 排泄	●腎機能は正常か ●排泄状況，とくに排便コントロールに関する状況はどうか	●さまざまな要因から便秘になる患者が非常に多く，放置しておくと慢性便秘やイレウスを起こす．向精神薬を服用中の患者は，自身の身体の変調に気づきにくいという面があり，自覚できたときには悪化していることが少なくない．	●排便回数，便の状態 ●腸蠕動音，腹部症状 ●緩下剤の使用の有無 ●排尿回数，尿の状態 ●尿・便失禁の有無 ●発汗の有無と程度 ●排液ドレーンなどの有無 ●腎機能データ(尿タンパク，尿沈渣，eGFR，BUN，Cr，UA) ●月経周期と量
(4) 活動-運動 活動・休息 活動-運動 睡眠-休息	●バイタルサインに異常がみられないか ●日常生活行動においてけがや事故につながる要因はあるか ●症状による日常生活活動への影響はあるか ●活動と休息のバランスはどうか	●向精神薬の副作用によって，QT延長や不整脈，起立性低血圧などを生じる可能性が指摘されており，また，心筋梗塞や致死性不整脈などで突然死するケースもある． ●向精神薬の副作用に，眠気やふらつきを示すものが多いため，けがや事故につながる可能性がある． ●統合失調症患者は，基本的には身体機能に問題がないことが多く，日常生活活動は自立している．しかし，思考，意欲・行動の障害が，日常生活行動の実行する能力を低下させる． ●心理的・環境的ストレスは症状悪化につながるため，適宜心身の休息を確保する必要がある．また，(急性期以外では)適度な活動は精神機能を健康に保つために必要である．	●ADL ●バイタルサイン ●心肺機能 ●運動機能 ●血液データ(RBC，Hb，Ht，CRP) ●生活リズム ●日常生活動作 ●運動習慣 ●余暇の過ごし方 ●疲労の自覚と休息のとり方
(5) 睡眠-休息 活動・休息 活動-運動 睡眠-休息	●十分な休息がとれているか ●どのような睡眠状況か	●身体疲労や睡眠不足は症状悪化につながりやすい． ●統合失調症においては，精神症状と睡眠の関連が指摘されている．また，精神機能の回復・維持には，睡眠の質と量の確保が必要不可欠である．	●睡眠状況 ●睡眠環境 ●睡眠導入薬の有無 ●熟眠感など本人の認識 ●休息状況 ●睡眠と休息に対する考え方

パターン	アセスメントの視点	根拠	収集する情報
(6) 認知-知覚 知覚・認知 認知-知覚 自己知覚-自己概念 コーピング-ストレス耐性	●各精神機能の障害はどうか ●不快症状	●統合失調症においては，知覚(幻覚など)・思考(妄想など)・感情などに関する症状が多様に出現する．とくに，急性期にある患者は，幻覚や妄想などの病的体験に支配されていることが多く，現実検討能力の低下，精神運動興奮などから，混乱状態に陥ることも少なくない．その場合，けがや事故に至る可能性のほか，日常生活への影響も考えられる．	●意識(意識障害，見当識，せん妄など) ●知覚(疼痛，不安や気分不快や違和感，幻覚ほか) ●思考(妄想，強迫観念，思考伝播ほか) ●記憶(記銘力，健忘ほか) ●言語能力・理解力 ●知的機能(知能検査結果含む)
(7) 自己知覚-自己概念 知覚・認知 認知-知覚 自己知覚-自己概念 コーピング-ストレス耐性	●統合失調症をもつ自己に対する捉え方や自尊感情はどうか ●衝動性の有無およびコントロール状況はどうか ●感情の状態はどうか	●統合失調症と診断された事実は，すぐには受け入れられず，自己に対する偏見を抱いたり，自己を否定したりなど，自己概念に大きな影響を及ぼす．また，幻覚や妄想などの症状は，ネガティブなものも多く，不安や恐怖を抱きやすい． ●幻覚や妄想などの病的体験や，現実検討能力の低下による困難，極度の不安などのさまざまな要因から，患者は衝動を抱えることが多い．その衝動は，自傷行為や自殺企図などの自己に向く場合と，暴言や暴力などの他者に向く場合がある． ●統合失調症を抱えることによる不安や孤立などから，不安障害やパニック障害などを併発しやすい．	●自己概念(長所・短所，自己に対する捉え方，自己肯定感，心理検査など) ●ボディイメージ ●自尊感情 ●価値観 ●感情の状態，コントロール状況 ●衝動の方向 自己に向く：自傷，自殺念慮，自殺企図など 他者に向く：暴言，暴力，器物破損など ●衝動のコントロール状況
(8) 役割-関係 周囲の認識・支援体制 役割-関係 セクシュアリティ-生殖	●社会参加状況はどうか ●家族や周囲の人のサポート状況はどうか	●陰性症状および症状に伴う対人関係能力の低下などにより，対人交流や社会活動などへの興味を失い，そのまま自閉傾向になるケースも多い．統合失調症患者において，社会参加などの社会とのつながりは，健康な精神活動のためには欠かせない． ●統合失調症は慢性化しやすい傾向にあり，長期的な服薬やリハビリテーションを行うことが多い．そのため，家族や周囲の人による理解や協力，支援があることが望ましい．また，家族は，疾患の見通しや将来に対して，不安や心配を抱きやすい．	●家族構成，キーパーソン ●家庭における役割 ●家族との関係 ●家族歴 ●職業・業務内容 ●職場での関係 ●社会参加状況，社会における役割 ●対人関係，他者との交流状況 ●経済状況
(9) セクシュアリティ-生殖 周囲の認識・支援体制 役割-関係 セクシュアリティ-生殖	●生殖機能に関する副作用の出現があるか	●抗精神病薬の副作用として，ホルモンへの影響などによって無月経・乳汁分泌・性欲低下・勃起障害・性機能低下などがみられる．副作用が強い場合は，薬の種類や量を調節することで軽減をはかる場合もある．	●月経，出産 ●更年期障害 ●生殖器の障害や状態 ●婚姻，パートナー ●性に関する悩みや困り事

パターン	アセスメントの視点	根拠	収集する情報
(10) コーピング-ストレス耐性 知覚・認知 認知-知覚 自己知覚-自己概念 コーピング-ストレス耐性	●日常生活や疾患管理におけるコーピング状況はどうか	●治療過程において患者は，薬物療法をはじめとする治療の継続や，症状の影響による日常生活における困難，対人関係における困難などを抱え，それぞれに対して効果的な対応ができないことがある．それにより，心理的・環境的ストレスが増大し，症状悪化や再発につながる恐れもある．	●日常生活状況 ●疾患管理状況 ●ストレス耐性とストレス状況 ●対人関係状況 ●困ったときに助けを求めることができるか ●相談できる人（場所）の有無
(11) 価値-信念 患者背景 健康知覚-健康管理 価値-信念	●慢性的に経過する統合失調症患者における生活の支えは何か	●慢性的な経過をたどるケースも多く，患者が主体的に生活に取り組めるようにするには，価値観や希望や目標など，本人の生活の支えになるものが重要である．	●信仰 ●意思決定を決める価値観 ●希望や生きがい ●信念，目標

3. 全体像の把握から看護問題を抽出

1）病態関連図

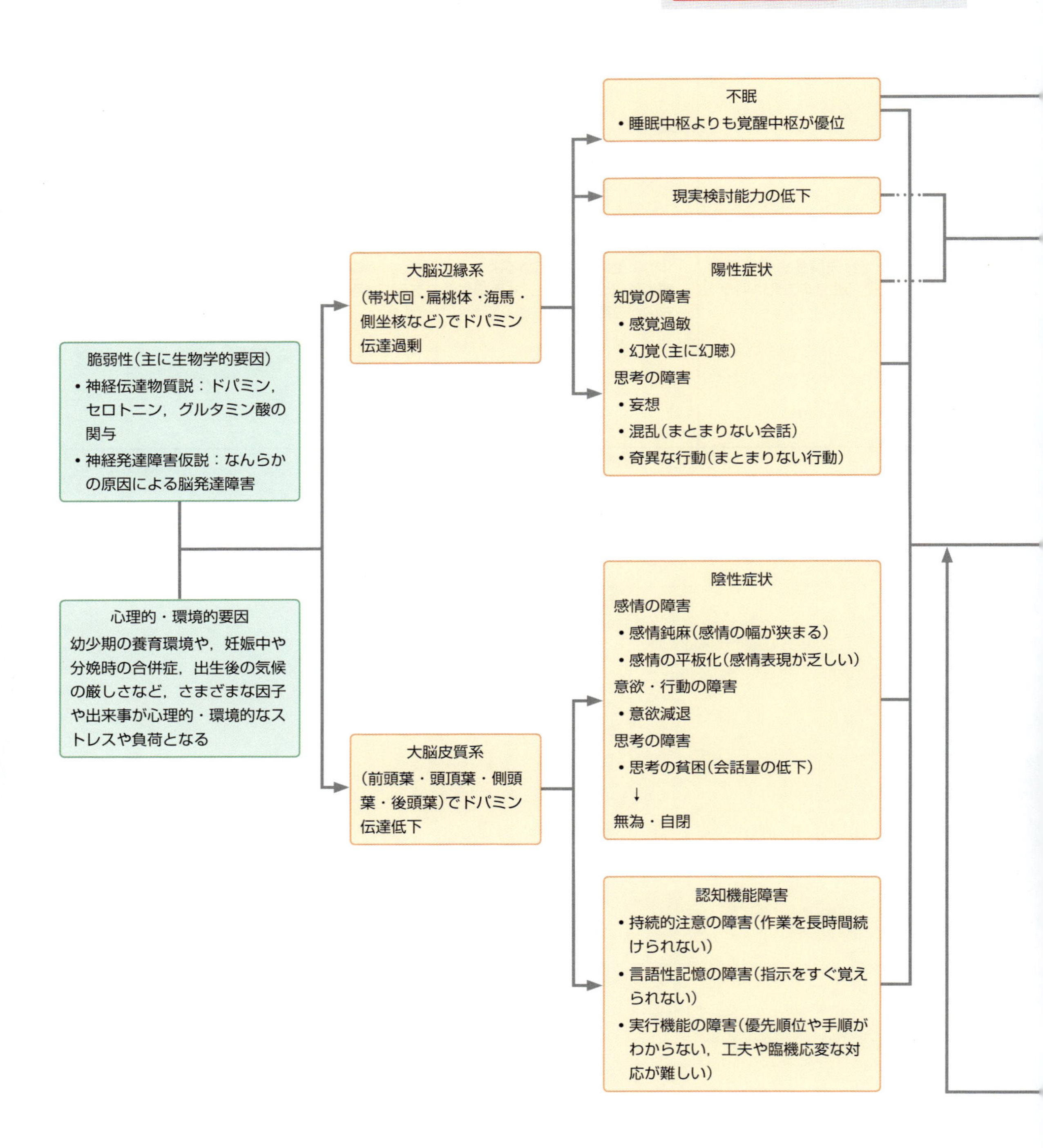

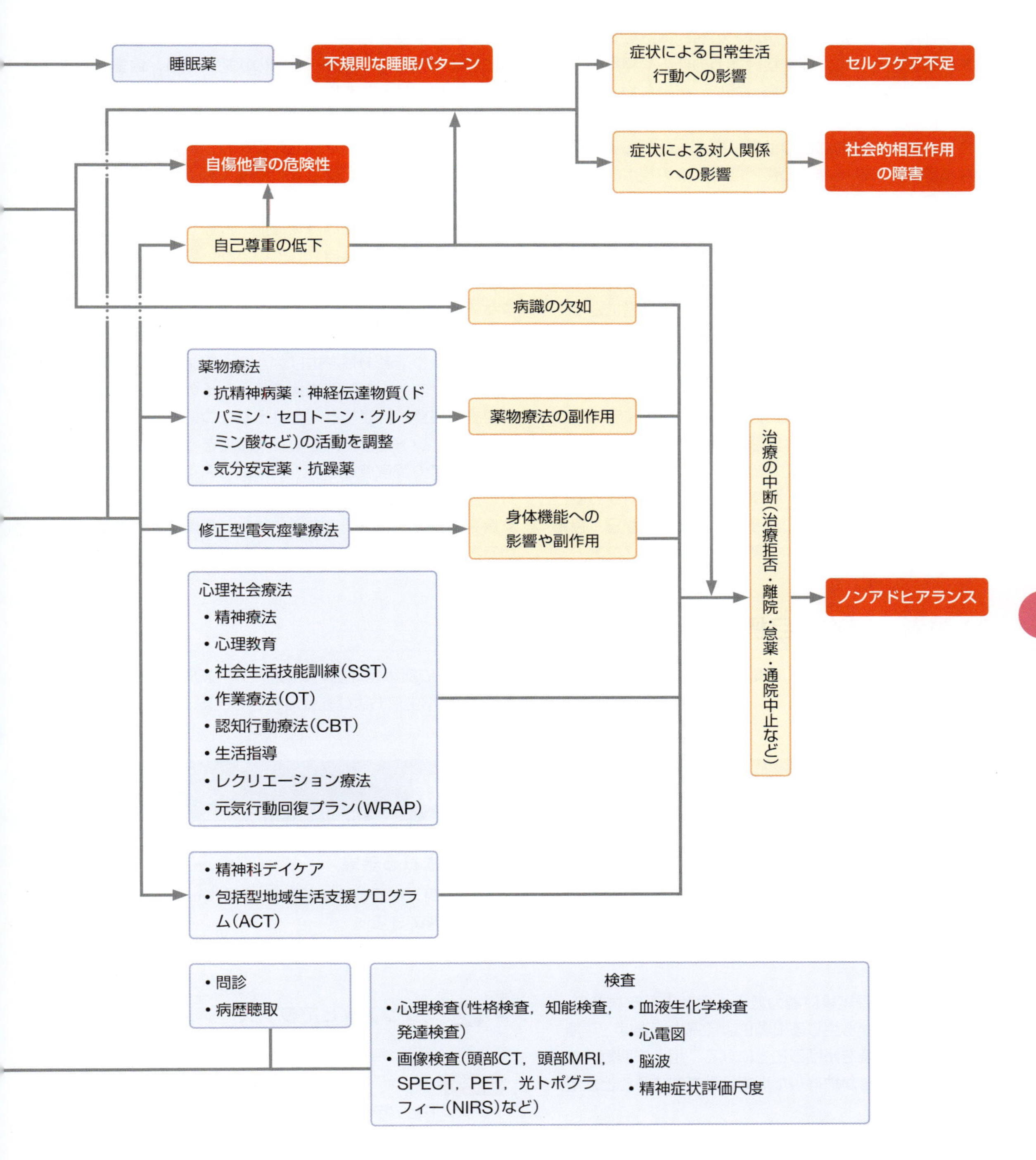
睡眠薬
不規則な睡眠パターン
症状による日常生活行動への影響
セルフケア不足
症状による対人関係への影響
社会的相互作用の障害
自傷他害の危険性
自己尊重の低下
病識の欠如
薬物療法
• 抗精神病薬：神経伝達物質（ドパミン・セロトニン・グルタミン酸など）の活動を調整
• 気分安定薬・抗躁薬
薬物療法の副作用
治療の中断（治療拒否・離院・怠薬・通院中止など）
ノンアドヒアランス
修正型電気痙攣療法
身体機能への影響や副作用
心理社会療法
• 精神療法
• 心理教育
• 社会生活技能訓練（SST）
• 作業療法（OT）
• 認知行動療法（CBT）
• 生活指導
• レクリエーション療法
• 元気行動回復プラン（WRAP）
• 精神科デイケア
• 包括型地域生活支援プログラム（ACT）
• 問診
• 病歴聴取
検査
• 心理検査（性格検査，知能検査，発達検査）
• 画像検査（頭部CT，頭部MRI，SPECT，PET，光トポグラフィー（NIRS）など）
• 血液生化学検査
• 心電図
• 脳波
• 精神症状評価尺度

2）看護の方向性

統合失調症は，なんらかの原因による脆弱性に，心理的・環境的要因が複雑に絡み合って発症する脳機能の障害，と考えられている．主に，幻覚や妄想などの陽性症状，思考障害・意欲減退・感情平板化などの陰性症状が認められる．

急性期には，幻覚や妄想などの病的体験に支配されていることも多く，現実検討能力の低下や極度の不安なども生じ，混乱状態に陥ったり，衝動を抱えたりする．衝動は，自傷行為や自殺企図などの自己に向く場合と，暴言や暴力などの他者に向く場合がある．安易な鎮静薬や抑制帯などの使用は，人権的視点およびその後の治療関係構築上，最適なケアとはいえない．あらゆる方法を検討し，必要最低限に抑える必要がある．患者にとって安全・安心な環境におかれたなかで，早期に治療開始および治療継続できるよう，暴力リスクを回避することが重要である．まずは，患者にとって安全・安心な状況におかれることが，その後の信頼関係の構築や治療の早期開始につながる．また，病的体験や病識の乏しさから，入院や治療の必要性を理解できずに，治療拒否や離院，怠薬などの行動に至ることもある．その場合でも，医療者と患者が相互関係を築きながら，協働して適切な治療を進めていくことが重要である．具体的には，疾病や入院治療に対する受け止めを受容し，患者との信頼関係を築きながら，協働して治療が進められるよう関わり，患者がノンアドヒアランスと症状の増悪が関連することを認識できるよう，支援していくことが求められる．信頼関係を築きながら，入院や治療に対する自己の感情を表現してもらうことから始めるなど，初期のうちからノンアドヒアランスに対しての支援を行う必要がある．

意欲減退や感情の平板化などの陰性症状が中心に表れている時期では，無為・自閉の状態になり，自室にこもったり，対人交流を避けたりする様子がみられる．社会参加などの他者や社会とのつながりは，健康な精神機能回復には欠かせないものであり，病期や症状の程度にあわせながら，少しずつ活動の幅を広げ，対人交流や活動への参加を促す必要がある．また，統合失調症患者は，基本的には身体機能に問題がないことが多く，日常生活行動は自立しているが，思考の障害や意欲・行動の障害などにより，日常生活におけるセルフケア能力が低下していることもある．このような状態にある場合には，睡眠と休息を十分に確保したうえで，少しずつ活動の幅を広げながら，日常生活行動の自立に向けてセルフケア支援を行う．そのため，入浴や更衣，摂食，排泄など，それぞれについてセルフケアアセスメントを行い，そのレベルにあった支援を行う．その際の留意点として，病期にもよるが，患者自身のセルフケア機能を維持・向上できるよう意識した支援を行うことが必要である．また，病気や薬の理解ができるようにも働きかけていくことが重要である．

3）患者・家族の目標

- 安全と安心が保証された環境にて，適切な治療が行われる．
- 適切に疾患管理を行いながら，QOL向上を目指した日常生活および社会活動ができる．

4. しばしば取り上げられる看護問題

◆1 自傷他害の危険性がある

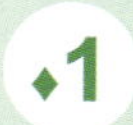

病的体験や，現実検討能力低下，極度の不安などの，さまざまな要因から生じる衝動による暴力行為は，早期治療の導入や継続を妨げることになる．相手の興奮・攻撃性を鎮め，患者が納得した形で行動を制することが望まれる．

➡期待される結果

自分自身，あるいは他者を傷つけない．安全な方法で衝動を表現できる．

◆2 ノンアドヒアランス

ノンアドヒアランスにより，入院や治療の必要性を理解できず，治療拒否や離院や怠薬などの行動に至る可能

性がある．このような行動は，治療の妨げにもなり，予測できないけがや事故などを引き起こす可能性もある．また，ノンアドヒアランスのまま治療を続けることは，患者の医療者への不信感につながり，その後の治療関係や疾患管理にも影響を及ぼす可能性が高い．

➡期待される結果

入院や治療に対する自己の感情を表現する．ノンアドヒアランスと症状の増悪の関連を認識できる．

◆3　セルフケア不足

なぜ？

思考の障害や知覚の障害，意欲･行動の障害などにより，日常生活行動を実行する能力が低下する．幻覚や妄想などの陽性症状が直接的な妨げになることもあれば，意欲の低下や自閉などの陰性症状によって行動を起こすことができない場合もあり，陽性症状や陰性症状の影響を受ける部分が大きく，セルフケア不足を満たす支援が必要である．また，陽性症状・陰性症状が落ち着いた後は，認知機能障害などがセルフケアの自立に影響することが少なくないため，患考自身がセルフケアを満たせるよう，段階を追った計画的支援が必要となる．

➡期待される結果

支援によって適切なセルフケアが行われる．

◆4　不規則な睡眠パターンの混乱

なぜ？

統合失調症において，身体疲労や睡眠不足は症状悪化につながりやすいため，精神機能の回復･維持に向けて，睡眠の質と量を確保することが必要不可欠である．睡眠環境，睡眠薬や抗不安薬などの使用薬剤の有無，睡眠状況（睡眠時間やパターン），本人の熟眠感など，多角的に情報収集したうえで，規則的な睡眠パターンとなり，適切な長さの睡眠時間が確保できるよう支援する．

➡期待される結果

それぞれの場面において，効果的なコーピング行動がとれる．

◆5　社会的相互作用の障害

なぜ？

陰性症状および症状に伴う対人関係能力の低下などにより，対人交流や活動への興味を失い，そのまま自閉傾向に陥ることがある．

➡期待される結果

他者と交流する．活動に参加する．他者との相互作用を始める．

5. 看護計画の立案

・O-P：Observation Plan（観察計画）　・T-P：Treatment Plan（治療計画）
・E-P：Education Plan（教育・指導計画）

◆1　自傷他害の危険性がある

	具体策	根拠と注意点
O-P	**(1)精神状態** ・陽性症状（幻覚，妄想，思考の混乱，奇異な行動ほか） ・ネガティブな感情（抑うつ，落ち込み，自己否定感，無価値感，失望感，絶望感など） ・不安や恐怖 ・易刺激性，イライラ，焦燥感などの精神運動興奮 ・現実検討能力	●幻覚や妄想などの病的体験に支配されて暴力行為に至る場合や，極度の抑うつや落ち込み・不安・恐怖，無価値感，絶望感などによって衝動的に自傷行為・自殺念慮を抱くこともある．
	(2)身体の状況 ・バイタルサイン ・身体機能や皮膚などの異常の有無 ・疼痛などの有無	●バイタルサイン測定や処置，入浴・清拭などの際に，身体機能や全身の皮膚などに自傷行為やけがなどないかを観察する． ●対自己または対他者に向けた暴力が行われている場合，患者自身が傷を負っていたり痛めていたりする可能性がある．
	(3)治療内容とその効果，副作用 ・治療内容（薬物療法，心理社会療法ほか） ・薬物療法による症状の変化 ・副作用の有無	●薬剤が効果的に作用しているか，副作用の出現がみられていないかなどを確認する．
	(4)環境 ・ベッド周囲の様子 ・行動範囲の環境	●けがや事故につながる危険物がないか，安静が保てる環境が整えられているかなどを確認する．
	(5)日常生活行動 ・日中の活動の様子 ・対人関係状況，トラブルなどの有無	●普段の行動のパターンを把握しておくことで，いつもと違う行動に気づけたり，暴力行動のリスクが高まる時間帯の予測が可能になる． ●活動の様子や対人関係状況，トラブルの有無などから，暴力リスクの程度を査定する．
	(6)睡眠状況 ・睡眠時間，入眠・覚醒時刻，睡眠パターン，熟眠感，睡眠薬使用の有無	●十分な睡眠の量と質が確保されているか確認する． ●睡眠不足が精神状態に影響を及ぼすこともあり，また，症状の程度を示す指標ともなるため．
	(7)表情や言動，本人の訴え	●言語的，非言語的情報から，患者の感情や精神状態を把握する． ●リスク評価の重要因子である．
	(8)病識，疾患や入院治療に対する受け止め方	●疾患や入院治療のコンプライアンスの程度が，衝動性を促進する因子にもなるため．
T-P	**(1)安心できるアプローチを行う** ・一貫性を保ち，穏やかで落ち着いた態度で接する ・患者と看護師の適切な物理的距離を意識して関わる．	●外界や相手の対応などには敏感に反応するため，威圧的・攻撃的な態度は逆効果である．また，患者のパーソナルスペースは個々に異なる．通常の距離でも，患者自身にとっては近づき過ぎと感じられ，恐怖や不安を抱くこともある．少しずつ様子を観察しながら近づき，患者と看護師が互いに安心できる距離を見いだせるよう努める．
	(2)定期的に所在確認を行う ・リスクレベルに応じて間隔は変動する（例：15分ごと，30分ごと）	●定期的な観察行為は，実行の抑止にもなり，また，早期発見・早期対処にもつながる．
	(3)環境調整 ・刺激が少ない安静が保持できる環境を整える ・患者が過ごす範囲から危険物を除去する	●刃物や火器以外にも，ガラスや陶器などの割れるもの，先端が鋭利なもの，長いひも状のものなど，さまざまな日用品が危険物となる． ●精神状態によっては，物・音・光・人の行き来・においなども刺激となる．また，危険物が目に入ることで，暴力の実施につながることもある．

	具体策	根拠と注意点
T-P	**(4)抗精神病薬などの適切な与薬** ・定期薬を処方通りに投与する ・必要時，指示により，臨時薬を用いる	●病的体験や感情の高ぶりを緩和するために，適切な薬物療法を行う．
	(5)怒りや衝動性を感じ始めたことが示されたときは，非破壊的な形(言語化や運動など)で表現できるよう支援する．また，非破壊的な形の表現方法について，看護師と一緒に話し合う	●傾聴と受容，看護師がつき添い散歩や軽い運動ができる場所に連れ出すなどする． ●患者は，非破壊的な方法で衝動性や感情を表現することを学ぶ必要があるため．
	(6)必要時，日常生活行動(入浴，ひげ剃り，爪切りなど)につき添う	●個室で独りになる場面や，危険物を使用するときには，リスクが高まるため，注意する．
	(7)睡眠や休息への援助	●十分な睡眠と休息がとれるよう支援する．
	(8)本人の訴えをよく聴く	●患者の話や訴えをじっくり聴く時間を設ける．
E-P	**(1)患者のことを価値ある人間だと信じていること，心配していることを伝える**	●患者を一人の人間として認めていることを伝え，自己肯定感を高める．
	(2)容認できない行動(自傷行為・自殺企図・破壊行為・暴力行為など)を具体的に伝え，決して実行しないでほしいことを伝える	●信頼関係ができ，E-P(1)を伝えたうえで，真摯な態度で伝える．
	(3)感情や衝動性が高まりそうなときは，行動化する前にスタッフに教えてくれるよう伝える．伝えた通りにできたときは，支持と肯定的フィードバックをする	●実行する前にスタッフが介入できる機会をつくる． ●適切な行為に対して支持し，肯定的フィードバックをすることは，適切な行動(よい行動)の強化につながる．

2 ノンアドヒアランス

	具体策	根拠と注意点
O-P	**(1)精神状態** ・意識レベル ・病的体験の有無(幻覚, 妄想, 思考の混乱, 奇異な行動ほか) ・易刺激性, イライラ, 焦燥感などの精神運動興奮	●どのような精神状態にあり, 現実検討能力があるかどうかなどをアセスメントする.
	(2)治療内容とその効果, 副作用 ・治療内容(薬物療法, 心理教育ほか) ・薬物療法による症状の変化と副作用の有無 ・服薬状況(服薬時の言動, 飲み込みの様子)	●行われている治療内容, 薬剤の作用および副作用の有無を確認する.
	(3)日常生活状況 ・行動制限の内容とそれに対する反応 ・日中の活動状況や過ごし方	●ノンアドヒアランスに関連する行動や, 症状に左右された行動などがみられないか把握する.
	(4)疾病や治療に関する認識や言動 ・病識 ・疾病および治療に対する認識 ・内服薬に対する拒否の有無, 内服薬に関する言動 ・疾患管理や日常生活に関する自己効力感	●病識および疾病や治療に対する認識や言動などを把握し, アドヒアランスの評価に役立てる.
	(5)自己概念 ・自己像, 自己肯定感 ・価値観 ・希望や願望	●自己概念を把握し, アドヒアランス向上に向けた支援に役立てる.
T-P	**(1)安心できる環境を提供する** ・穏やかで落ち着いた態度で接する ・患者と看護師の適切な物理的距離を意識して関わる	●安心できる環境にあることが, 信頼関係構築や自己表現の促進につながる. とくに関係構築初期や急性期には, 急な動作やタッチングなどは避け, 穏やかな言動・態度で, 患者のパーソナルスペースを意識し, 距離感をもって接する.
	(2)自己表現を促すアプローチ ・積極的な関心を示し, 患者の話や訴えを聴く時間を設ける ・受容・傾聴する ・病的体験や感情の言語化や明確化を助けるような, 声がけや促しをする ・妄想やこだわりなどに対しては, 否定的な批判や議論は避ける	●混乱状態や的確に表現できない状態のときは, しばらくそばにつき添うなどしてもよい. ●積極的な関心を示すことは, 信頼関係構築につながる. ●受容・傾聴や, 言語化・明確化の際には, コミュニケーションスキルを活用する. ●幻覚や妄想などの病的体験に対しては, 明らかな否定や肯定はせず, 病的体験によって抱く感情などに共感するにとどめる. ●病的体験への否定は,「拒否された」「軽んじられた」などと受け取られ, その後の自己表現を妨げる可能性がある. また, 肯定することは病的体験を強化する可能性がある.
	(3)抗精神病薬などの適切な与薬 ・定期薬を処方通りに投与する ・必要時, 指示により, 臨時薬を用いる	●病的体験や感情の変化を安定させるために, 適切な薬物療法を行う.
	(4)疾患や治療などに関して話す場を設ける ・疾患や治療に対する考えや感情の自己表現を促す ・ノンアドヒアランスと症状悪化のつながりについて気づけるよう助言する ・患者がリラックスでき, 落ち着ける状況にあるときに実施する	●疾患や治療に関する話題は, 患者本人から出されることはそう多くない. 必要な情報収集のため, 医療者から話題を振ることも必要である. ただし, 適したタイミングと状況をはかること.

	具体策	根拠と注意点
T-P	・疾患や治療に対して拒否的な言動がみられた場合，批判などはせずに，正確に受け止め，患者本人がどうしたいのか，といった考えも確認する	●拒否的な内容であっても正直な本音であれば，アドヒアランス評価のための情報となる．また，拒否的な考えを抱いている場合，本人は医療者（治療）に何を求めているのかを把握することで，その後のアプローチ法を検討できる．
	・内容に関わらず，適切に自己表現してくれたときには，ほめる・評価するなどの肯定的フィードバックを返す	●拒否的な内容でも，そうでなくとも，自己表現をしたという行動の強化となる（この場合は，適切に自己表現してくれたことを強化）
	(5)正しい知識の獲得への援助	
	・心理教育への参加を促し，疾患や治療に関する正しい知識の獲得を促す	
	・必要時，心理教育に同席し，参加状況を把握する	●参加態度や理解度，集中度などを観察する．
	・心理教育に参加後は振り返りを行い，獲得した知識の強化や，継続的に参加できるよう支援を行う	●現実検討能力の低下や，認知機能障害などの影響で，患者本人の理解度の自覚と実際が異なることもあるため，一緒に振り返りを行い，理解度を把握し，教育・指導に役立てる．
	・正しい理解や知識については，ほめる・評価するなどの肯定的フィードバックを返す	
E-P	**(1)疾患について，一般的な経過を理解できるように説明する**	●現状や今後の見通しについての不安などを緩和するため．
	(2)薬物治療の必要性と薬の副作用を伝え，自覚症状があるときにはすぐに伝えてくれるよう依頼する	
	(3)訴えたいことや不安，困り事などあれば，いつでも看護師に伝えてほしいことを説明する	●看護師からも働きかけるが，患者からも相談してほしいことを説明する．
	(4)治療を進めるには，患者の主体的取り組みが必要であることを説明する．また，医療者との協働も重要であることを伝える	●アドヒアランスを向上させるためには，患者，医療者，患者-医療者の相互関係の３側面における因子が関わっている．

引用・参考文献

1) 山口直人：統合失調症の疫学．医学と薬学，73(10)：1239～1244，2016.
2) 佐々木司：Psychiatric Lecture成因・危険因子―統合失調症の周産期リスク．精神科臨床Legato，2(3)：122～126，2016.
3) 上島国利監：最新図解やさしくわかる精神医学．p.86～89，ナツメ社，2017.
4) 落合慈之監：精神神経疾患ビジュアルブック．p.180～191，学研メディカル秀潤社，2015.
5) 尾崎紀夫ほか編：標準精神医学．第７版，p.317～340，医学書院，2018.
6) 山下佑介ほか：統合失調症の診断と鑑別診断．Mebio，32(10)：16～20，2015.
7) 川野雅資編：エビデンスに基づく精神科看護ケア関連図．p.126～131，中央法規出版，2008.
8) Hennekens CH, et al：Schizophrenia and increased risks of cardiovascular disease．Am Heart J．150：1115-21, 2005.
9) Olfson M, et al：Premature Mortality Among Adults With Schizophrenia in the United States．JAMA Psychiatry, 72：1172-81, 2005.
10) Ifteni P, et al：Schizophr Res．2014；155(1-3)：72-6.
11) 朝倉聡：社交不安障害の診断と治療．精神神経学雑誌，117(6)：413～430，2015.
12) Eisen JL, et al：Obsessive-compulsive disorder in patients with schizophrenia or schizoaffective disorder. Am J Psychiatry, 154(2)：271-273, 1997.
13) Baylé FJ, et al：Clinical features of panic attacks in schizophrenia. Eur Psychiatry, 16(6)：349-353, 2001.

第15章　精神・神経疾患患者の看護過程

74 アルコール依存症

1. 疾患の基礎的知識

1）疾患の概念

*DSM-5では依存という言葉は使用されなくなり，「アルコール使用障害」と定義されるようになった．本節ではアルコールによる精神障害の1つとして「アルコール依存症」という用語を用いる．

アルコール依存症は，長期にわたる習慣的飲酒によって，飲酒量のコントロールができなくなり，精神的・身体的依存を形成する疾患である．健康や仕事，家庭生活などに重大な支障をきたし，社会的・経済的な影響が大きいとされる．日本におけるアルコール依存を抱える患者は107万人との報告[1]がある一方，受診するのはそのうちの4.6%[2]と，低い受診率が問題になっているように，患者本人は自分のアルコール依存を認めたがらない傾向にあり，「否認の病」ともいわれる．男性に多いが，近年は高齢者や女性に増加していることが注目されている．世界的問題でもあり，世界保健機関（WHO）は，「アルコール依存症予備群」が引き起こす飲酒運転事故や暴力事件などのほうが，むしろ深刻であると提言している．

2）原因

アルコール依存症の成因は，明確にはされていないが，さまざまな要因が関与するといわれる．アルコールは精神に作用する化学物質であり，中枢神経を抑制する機能をもつ．精神作用物質としてのアルコールも関係しているが，遺伝因子と環境因子の相互作用によって発症するという考え方が，現在の主流である（**図74-1**）．

（1）アルコール

アルコールは合法的な嗜好品であるが，精神に作用する化学物質で，中枢神経抑制薬としての側面をもち，常用すると「耐性の形成」と「身体依存」が生じる．摂取されたアルコールは体内で代謝され，有害物質であるアセトアルデヒドになり，これが全身の機能障害をまねく原因になるといわれる．

（2）遺伝因子

アルコール依存症の50～60%に遺伝因子が関与するとされるが[3][4]，特定の遺伝子の同定は進んでいない．また，アルコール代謝に関する体質にも遺伝的素因があるとされ（**図74-2**），日本人を含む東洋人には，アルコール代謝酵素の1つである2型アルデヒド脱水素酵素は，遺伝で決まっている3つのタイプが存在する．それは，活性型，低活性型（活性型に比べてアセトアルデヒド分解が緩徐），非活性型である．

（3）環境因子

養育環境，住居地や所属社会の飲酒に関する姿勢，生活背景，社会不安，経済的状況，ストレス度，アルコールの入手のしやすさなどの物理的なものなど，さまざまある．

（4）その他の因子

性格傾向や心理的要因によるストレス耐性の低下が，飲酒行動促進に影響することも少なくない．

図74-1　アルコール依存症の要因の考え方

3）病態と臨床症状

長期にわたる習慣的飲酒によって，飲酒量が増え，コントロールができなくなる．次第に，常にアルコールを探し求める行動がみられ（精神依存形成），アルコールが切れると震えや発汗，錯覚･幻覚などの離脱症状が現れる．これを抑えるために，さらに飲酒するといった悪循環に陥る（身体依存形成）．

(1)精神依存形成

繰り返しアルコールを摂取するうちに，得られる効果は弱くなり（耐性が生じる），摂取量や回数が次第に増えていく（**図74-3**）．そして，アルコールの摂取を何よりも優先するという，アルコールに対する渇望（強い欲求）が生じ，飲酒による社会的・身体的な問題が起きても，自分の意志では制御できず，常にお酒を探し回る探索行動がみられ，飲酒をくり返す．このような状態を「精神依存」といい，アルコールが報酬系の神経に作用して形成されるものである．

(2)身体依存形成

ある量以上の物質（アルコール）が常時体内に存在すると，体内ではその物質（アルコール）に対する適応作用が起こる．つまり，アルコールに対する「耐性」が高まる（物質の効果が減弱する）．すると，今までと同じ摂取量では，高揚感や快感などの効果を得にくくなり，摂取量が増す．生体が，特定の物質に対する適応状態にあるときに，その物質摂取量を急激に減量・中止すると，生体は不均衡を起こす（不均衡によって生じる症状は「離脱症状（退薬症状）」とよばれる）．離脱症状は，生体にとって極めて不快なものであるため，それを避けるために，いっそうその物質を求めるようになる．このような状態を，身体依存という（**図74-4**）．

(3)臨床症状

①病的飲酒行動

飲酒に対する病的な渇望があり（強迫的飲酒欲求），常にお酒を探し回る行動をとる．職場でこっそり飲酒したり，一定量のアルコールを摂取しても欲求が満たされず，数時間おきに延々と摂取する（連続飲酒）．飲酒行動は**表74-1**のように分類されており，このうち，少量分散飲酒と持続深酩酊飲酒を「病的飲酒行動」としている．

図74-2　体内のアルコール代謝のプロセス

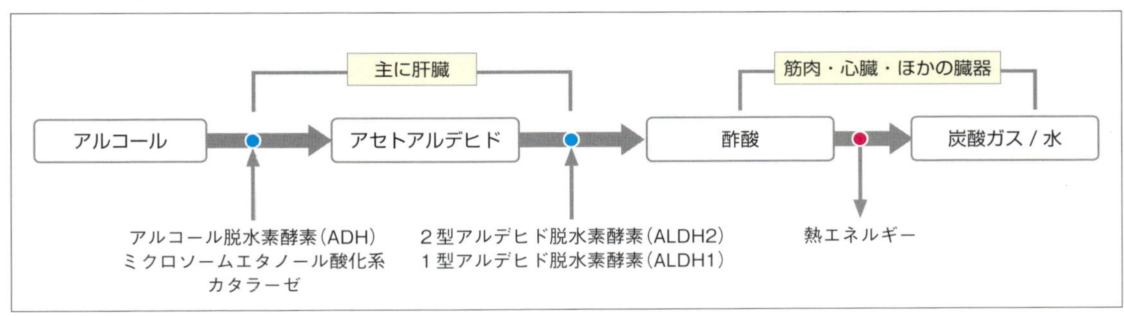

図74-3　精神依存形成の過程

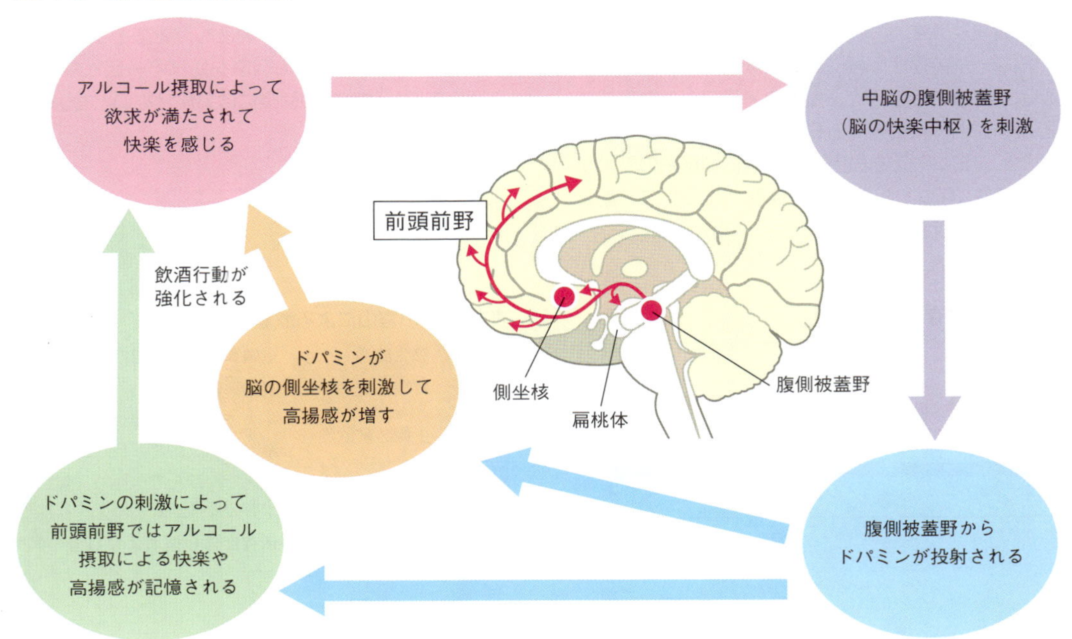

②アルコール幻覚症

意識は清明だが，活発な幻覚（幻聴や幻視）をみる．

③アルコール性妄想

被害妄想や嫉妬妄想が主である．このため，攻撃的になったり暴力行為に及んだりすることもある．

④アルコール離脱症状

早期離脱症状，後期離脱症状，遷延性離脱症状に分類される[6]（**図74-5**）．

a）早期離脱症状

- 最終飲酒から48時間頃までに出現し，3～7日以内に軽快する
- 自律神経症状（手指振戦，発汗，頻脈，悪心・嘔吐，下痢，寒気など），精神症状（不安，焦燥，イライラ，抑うつ，一過性の幻覚），全身痙攣発作

b）後期離脱症状

- 最終飲酒から3～4日頃に出現し，7日目までに軽快する
- 四肢の粗大振戦，せん妄（小動物幻視，幻聴，見当識障害），自律神経症状（発汗，頻脈，発熱など）
- 小動物幻視とは，床や壁，自分の腕などを這っている小動物をつかもうとしたり，追い払おうとしたりするしぐさ

c）遷延性離脱症状

- 後期離脱症状の終息後に出現し，3か月から9か月持続する
- 精神症状（不安，易怒性，抑うつ，焦燥など），自律神経症状（血圧不安定，呼吸不整，不眠など）

⑤合併症

- アルコールは，肝障害（肝炎，肝硬変，肝性脳症など）や，膵障害などをはじめとして，さまざまな身体への影響を及ぼす．
- アルコール依存症患者においては，偏食や食欲不振がよくみられることと，大量のアルコールを分解するため，とくにビタミンB群が消費される．そのため，ビタミン欠乏を原因とする中枢神経系の障害が起きやすい（ウェルニッケ症候群，コルサコフ症候群，ペラグラ脳症など）．
- ウェルニッケ症候群：ビタミンB_1不足によって，意識障害，歩行障害，眼球運動障害などを呈する．
- コルサコフ症候群：ビタミンB_1不足によって，記憶障害，失見当識，作話などを呈する．
- ペラグラ脳症：ニコチン酸不足によって，意識障害，皮膚炎，消化器症状などを呈する．
- アルコールの代謝産物であるアセトアルデヒドは，発がん性物質であることから，食道がん，肝臓がん，膵がんなどの発症リスクも高い．

⑥脱水，電解質異常，酸・塩基平衡異常

- アルコールによる直接的作用のほかに，栄養障害や肝機能障害などの合併症の影響が加わり，水・電解質，酸・塩基平衡にさまざまな影響を与える．具体的には，脱水状態や電解質異常，（低ナトリウム血症，低カリウム血症，低リン血症）[7]．代謝性または呼吸性アルカローシス，代謝性アシドーシスなどを呈する．

⑦併発しやすい精神疾患

アルコール依存症などの物質使用障害においては，気分障害，不安障害，睡眠障害の併発率は高いとされている．とくにうつ病との関連は強く，うつ病性障害をもつ人のうち，40.3％にアルコール使用障害の併存を認めたという報告もある[8]．

(4)心理特性

アルコール依存症の心理的特徴として，「否認」がある．「自分は依存症ではない」「自分には酒の問題はない」と全く認めなかったり，「酒の問題はあるが，自分はいつでもやめられる」「依存症かもしれないが，重症ではない」などと過小評価したりする．また，「酒を飲んで死んでもいい」「酒をやめたっていいことはない」などと理由をつけて飲み続けてしまう場合も否認だとされる．否認は，アルコール依存症の回復を妨げる一因となるため，否認の克服が依存症の回復には欠かせないともいえる．

図74-4　身体依存

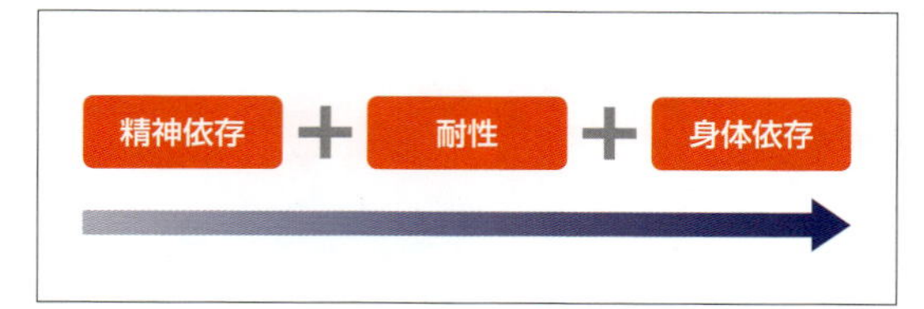

表74-1　小宮山による飲酒行動分類[5]

A型	機会飲酒	冠婚葬祭，宴会などでの飲酒
B型	習慣性飲酒	晩酌，寝酒など
C型	少量分散飲酒	一人で，日常行動の合間合間に少量飲酒の反復が2日以上にわたる
D型	持続深酩酊飲酒	一人で，飲んでは眠り，覚めては飲むの反復が2日以上にわたる

これらのうち，アルコール依存症はC型およびD型の病的飲酒行動を示す．

4）検査・診断

(1)診断基準

アルコール依存症の診断基準として，アメリカ精神医学会のDSM-5と，WHOのICD-10によるものがある（**表74-2，3**）．ICD-10に比べ，DSM-5は依存の捉え方が拡大されており，診断閾値が大幅に低下しているといわれる[9]．

(2)問診

一般的な初診時の問診に加え，アルコールに関する情報を確認する[10]．

- 初飲年齢，飲酒習慣の確立時期
- 隠れ酒，昼酒，連続飲酒の開始時期
- 生活状況
- 飲酒による社会生活への影響
- 離脱症状
- てんかん発作（アルコール離脱性も含め）の既往
- 受診前１か月間の飲酒状況
- 最終飲酒時刻
- 抗不安薬，睡眠薬，ほかの薬物の使用状況など
- アルコール依存症の治療歴
- 自助グループの参加歴

(3)血液検査データ

- 血中アルコール濃度
- 肝機能データ（AST，ALT，γ-GTP，T-Bil，A/G比，アンモニアなど）

図74-5　断酒による離脱症状の経過図

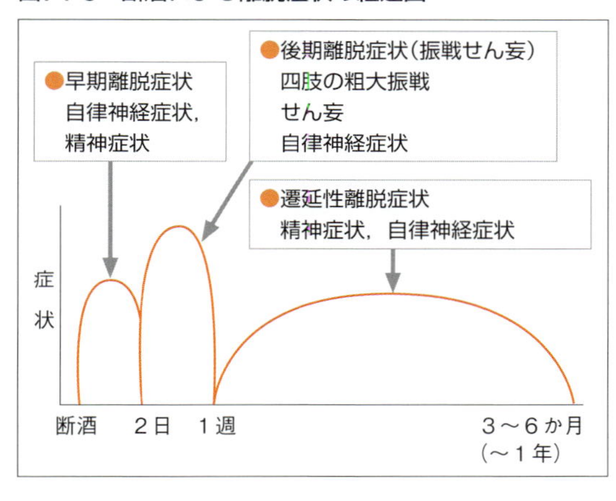

表74-2　ICD-10（WHO）によるアルコール依存症の診断基準

過去１年間に以下の項目のうち３項目以上が同時に１か月以上続いたか，または繰り返し出現した場合	
1	飲酒したいという強い欲望あるいは強迫感
2	飲酒の開始，終了，あるいは飲酒量に関して行動をコントロールすることが困難
3	禁酒あるいは減酒したときの離脱症状
4	耐性の証拠
5	飲酒にかわる楽しみや興味を無視し，飲酒せざるをえない時間やその効果からの回復に要する時間が延長
6	明らかに有害な結果が起きているにもかかわらず飲酒

表74-3　DSM-5（アメリカ精神医学会）によるアルコール使用障害の診断基準

アルコールの問題となる使用様式で，臨床的に意味のある障害や苦痛が生じ，以下のうち少なくとも２つが，12カ月以内に起こることにより示される	
(1)	アルコールを意図していたよりもしばしば大量に，または長期間にわたって使用する
(2)	アルコールの使用を減量または制限することに対する，持続的な欲求または努力の不成功がある
(3)	アルコールを得るために必要な活動，その使用，またはその作用から回復するのに多くの時間が費やされる
(4)	渇望，つまりアルコール使用への強い欲求，または衝動
(5)	アルコールの反復的な使用の結果，職場，学校，または家庭における重要な役割の責任を果たすことができなくなる
(6)	アルコールの作用により，持続的，または反復的に社会的，対人的問題が起こり，悪化しているにもかかわらず，その使用を続ける
(7)	アルコールの使用のために，重要な社会的，職業的，または娯楽的活動を放棄，または縮小している
(8)	身体的に危険な状況においてもアルコールの使用を反復する
(9)	身体的または精神的問題が，持続的または反復的に起こり，悪化しているらしいと知っているにもかかわらず，アルコールの使用を続ける
(10)	耐性，以下のいずれかによって定義されるもの： (a) 中毒または期待する効果に達するために，著しく増大した量のアルコールが必要 (b) 同じ量のアルコールの持続使用で効果が著しく減弱
(11)	離脱，以下のいずれかによって明らかとなるもの： (a) 特徴的なアルコール離脱症状がある (b) 離脱症状を軽減または回避するために，アルコール（またはベンゾジアゼピンのような密接に関連した物質）を摂取する

日本精神神経学会（日本語版用語監修）高橋三郎・大野裕監訳：DSM-5 精神疾患の診断・統計マニュアル．p.483，医学書院，2014．より一部省略

・膵機能データ(AMY，リパーゼ，トリプシン)
・腎機能データ(BUN，Cr)
・電解質データ(Na，K，Cl，Mg，Pなど)
・栄養状態(BS，HbA1c，TP，Alb)

(4)スクリーニングテスト(質問紙)

問題飲酒者をスクリーニングするための質問紙として，新久里浜式アルコール症スクリーニングテスト(新KAST：Kurihama Alcoholism Screening Test, Revised Version)(2003年改訂版)や，AUDIT(Alcohol Use Disorders Identification Test)がある．

・KASTは，日本で最も普及しているアルコール依存症のスクリーニングテストである．男性版と女性版がある(**表74-4，5**)．

・AUDITは，WHOの６か国における調査研究に基づいて作成されている．危険な飲酒や有害な飲酒に焦点を当てて開発されており，アルコール依存症予備群の飲酒者に対しても有効とされている．10項目からなる質問票と，臨床検査結果などの組み合わせによって判定するが，AUDIT-C(３項目)という短縮版もあり，AUDITと比較して，感度や特異度などについて統計上の有意差がないことが示されている[11](**表74-6**)．

5) 治療

アルコール依存症では，まずは物質を断つことを第一目的とし，次いで断酒の継続に向けた支援を行うことが基本となる．

(1)治療導入期

治療導入期の受診は，非自発的な形が多い．主に，アルコール摂取の影響によるけが・トラブル・事故の過程で病院につながるケース，肝障害などの身体疾患のため

表74-4　新久里浜式アルコール症スクリーニングテスト：男性版(KAST-M)

項目	はい	いいえ
最近６か月の間に次のようなことがありましたか？		
①食事は１日３回，ほぼ規則的にとっている	0点	1点
②糖尿病，肝臓病，または心臓病と診断され，その治療を受けたことがある	1点	0点
③酒を飲まないと寝つけないことが多い	1点	0点
④二日酔いで仕事を休んだり，大事な約束を守らなかったりしたことがある	1点	0点
⑤酒をやめる必要性を感じたことがある	1点	0点
⑥酒を飲まなければいい人だとよく言われる	1点	0点
⑦家族に隠すようにして酒を飲むことがある	1点	0点
⑧酒が切れたとき，汗が出たり，手が震えたり，いらいらや不眠など苦しいことがある	1点	0点
⑨朝酒や昼酒の経験が何度かある	1点	0点
⑩飲まないほうがよい生活を送れそうだと思う	1点	0点
合計点	点	

合計点が4点以上：アルコール依存症の疑い群
合計点が1～3点：要注意群(質問項目1番による1点のみの場合は正常群とする)
合計点が0点：正常群

表74-5　新久里浜式アルコール症スクリーニングテスト：女性版(KAST-F)

項目	はい	いいえ
最近６か月の間に次のようなことがありましたか？		
①酒を飲まないと寝つけないことが多い	1点	0点
②医師からアルコールを控えるように言われたことがある	1点	0点
③せめて今日だけは酒を飲むまいと思っても，つい飲んでしまうことが多い	1点	0点
④酒の量を減らそうとしたり，酒をやめようと試みたことがある	1点	0点
⑤飲酒しながら，仕事，家事，育児をすることがある	1点	0点
⑥私のしていた仕事をまわりの人がするようになった	1点	0点
⑦酒を飲まなければいい人だとよく言われる	1点	0点
⑧自分の飲酒についてうしろめたさを感じたことがある	1点	0点
合計点	点	

合計点が3点以上：アルコール依存症の疑い群
合計点が1～2点：要注意群(質問項目６番による1点のみの場合は正常群とする)
合計点が0点：正常群

に受診するケース，そして家族や周囲の人にアルコール依存を心配されて受診するケースである．非自発的受診であっても，アルコール依存症は病気であることを理解してもらい，患者の治療意欲を高めていくことが重要である．

(2)離脱症状期～離脱・身体治療が中心

この時期は，離脱症状によって生命の危機に陥っている可能性，および，脱水や偏食などによる栄養障害が生じている可能性が高い．また，ほとんどのケースで，肝機能障害をはじめとする臓器障害を併発している．離脱症状が軽減したのちに，合併症などの各臓器障害に対する治療を行う．

(3)リハビリテーション期～断酒教育プログラムが中心

この時期の中心となるのは，自助グループ(SHG：Self Help Group)のミーティングへの参加である．こうした自助グループでは，自分と同じ悩みをもつ仲間がいるだけでも心強いが，同じ疾患から回復の歩みを続けているメンバーもおり，自己の回復のモデルとなる．また，回復の進んだメンバーにとっても，これから回復していく者を手助けしていくなかで，自己の内省をより深めたり，気を引き締めたりなどするため，回復ステージのどの過程にあるメンバーも，何かしら得るものがある効果的なツールである．

(4)家族へのアプローチ

家族は，患者の行動に過剰に反応したり，巻き込まれたりしており，意図せず飲酒を支援していることが多い．この状態を「共依存」とよぶ．具体的には，飲酒による失態やトラブル・事故などの対応や片づけを家族がしてしまう，(応じないと暴力を振るわれるため)飲酒のためのお金を患者本人に渡してしまうなどである．これらは一見，より大きな問題にならないように処理をしているようにもみえるが，実際は，患者の問題行動をエスカレートさせている．こうした悪循環の一端を担っている家族のことを，イネイブラー(enabler：依存者を支える人)とよぶ．この状態から抜け出すために，家族および家族関係への介入も重要となる．

(5)基本的な療法

①物質を断つ(断酒)

・精神依存が形成されているため，患者個人の意思だけで断酒を継続することは困難であり，外来通院ではなく，一定期間の入院治療が望ましい．

・身体依存が形成されている場合，数十年にわたって断酒を継続できていても，あるとき少量飲んだだけで，それだけでは止められず，再び際限なく酒を飲む日々に戻ってしまう．したがって，アルコールを生涯断つ．

②薬物療法

・抗酒薬(シアナミド，ジスルフィラム)
抗酒薬は，アルコールの代謝酵素であるアセトアルデヒド脱水素酵素を阻害して，アセトアルデヒドの血中濃度を高める．少量の飲酒でも悪心，動悸，顔面紅潮，頭痛などの不快な症状を引き起こすため，こうしたアルコールへの嫌悪反応を利用して，断酒を継続させようとするものである．副作用として悪心や頭痛，倦怠感，不眠などがあるが，継続するうちに軽症化する．ただし，長期服薬することで肝機能に影響を及ぼすことがある．

・抗うつ薬，抗不安薬，催眠薬
離脱症状としての焦燥，不安，抑うつなどに対して，抗うつ薬，抗不安薬，催眠薬などを投与することがある．ただし，新たな物質への依存形成となる可能性が高いため，短期間の使用にとどめる．

・輸液
多くの患者に，低栄養状態や脱水，ビタミン類欠乏などがみられるので，これらの状態改善のために点滴治療を行う．

表74-6　AUDIT-C(3項目)　邦訳版[12]

項目
1．あなたはアルコール含有飲料をどのくらいの頻度で飲みますか？ 0．飲まない　1．1か月に1度以下　2．1か月に2～4度 3．1週に2～3度　4．1週に4度以上
2．飲酒するときには通常どのくらいの量を飲みますか？ ただし，日本酒1合＝2単位，ビール大瓶1本＝2.5単位，ウイスキー水割りダブル1杯＝2単位， 焼酎お湯割り1杯＝1単位，ワイングラス1杯＝1.5単位， 梅酒小コップ1杯＝1単位(1単位＝純アルコール9～12g) 0．1～2単位　1．3～4単位　2．5～6単位 3．7～9単位　4．10単位以上
3．1度に6単位以上飲酒することがどのくらいの頻度でありますか？ 0．ない　1．1か月に1度未満　2．1か月に1度 3．1週に1度　4．毎日あるいはほとんど毎日

AUDIT-Cの男性のカットオフポイントは，危険な飲酒を同定する目的では4点，アルコール使用障害では5点，女性ではそれぞれ3点，4点となっている．

・飲酒欲求抑制薬(アカンプロサートカルシウム)
主に，脳内のNMDA受容体を介する神経伝達を阻害することによって，効果を現すとされている．断酒をしている人が服用すると断酒率が上がるが，飲酒している人の飲酒量を少なくするものではない．このため，断酒をしている人を対象とする薬剤である．副作用として，下痢・軟便が起こることがあるが，多くは一過性である．重度の腎障害がある場合は服用できない．

・飲酒量低減薬
2019(平成31)年３月「飲酒量低減薬」(ナルメフェン塩酸塩水和物，セリンクロ®10mg)が発売された．この薬剤により，断酒に至るまでの段階の１つとして，または，断酒の必要はない患者の治療目標として，飲酒量低減という選択肢が加わるのではないかと期待されている[13]．

③心理社会的療法
アルコール依存症患者においては，飲酒に伴う問題の否認，身体的問題，家族との問題，社会的な問題，断酒継続の重要性などの，自己に起きているさまざまなことと向き合い，受け入れ，理解するところから始まる．その方法は，個人で行うものや集団で行うものなど，さまざまある．

・心理教育
・精神療法(認知行動療法など)
・動機づけ面接
・集団精神療法

なかでも，集団精神療法の１つとして，自助グループがある(**表74-7**)．同じ悩みを抱えた者同士が集まり，それぞれの体験を語り合うなかで自己を振り返り，内省を深めていく．それによって，依存物質に依存しなくて済むような新しい生き方を身につけていく．

6）予後

発症後の主な経過は，断酒を継続するか，再飲酒し大量飲酒を繰り返すかに二分される．再飲酒することを「スリップ」ともいう．

わが国の治療転帰に関する調査結果をみると，断酒率は治療後２～３年で28～32%，５年前後で22～23%，８～10年で19～30%と，期間が長くなると減少するものの，５年以降では20～30%程度で安定している[14]．

良好な転帰に関係する因子は，より高齢，配偶者がいる，仕事に就いている，治療前の飲酒量が少ない，入院回数が少ない，治療に対する姿勢がよい，人格障害をもたない，アフターケアの三本柱(通院・抗酒薬服用・自助グループに参加)を励行している，など[13]があげられる．

断酒できない群では，合併症の悪化などによる入院も多い．

アルコール依存症患者は，自殺に至ることも多く，生涯自殺率は７～15%という報告がある．さらに，うつ病を併発しているアルコール依存症患者に限定すると，25～30%に自殺行動がみられている[15]．

表74-7　主なアルコール関連の自助グループ

AA	アルコール依存症の本人(家族)のための，自助ミーティングを各地で行っている団体．全対象ミーティングのほか，女性だけ，若者だけ，英語でのミーティングなどの枠組みで行うプログラムもある．
断酒会(社団法人全日本断酒連盟)	アルコール依存症の本人(家族)のための自助ミーティングを各地で行っている団体．
アラノン(Al-Anon)	家族，友人など周囲に依存症を抱える人が対象．
家族の回復ステップ12	家族，友人など周囲に依存症を抱える人が対象．

2. 看護過程の展開

● アセスメント～ゴードンの機能的健康パターンを用いて

パターン	アセスメントの視点	根拠	収集する情報
(1) 健康知覚-健康管理 患者背景 健康知覚-健康管理 価値-信念	●疾患の理解と入院治療への意欲はどうか ●アルコール摂取のコントロール状況と自己管理に関する認識と能力はどうか	●アルコール依存症は「否認の病」ともいわれ，治療導入期の受診は非自発的な形が多い． ●アルコール依存症では，断酒（物質を絶つ）が基本だが，再飲酒（スリップ）に至るケースも多い．また，断酒を数十年継続できていても，あるとき1滴飲んでしまうと，それだけでは止められず，再び際限なく酒を飲む日々に戻ってしまう．	●既往歴（てんかん発作含む） ●併発している精神疾患 ●現病歴 ●アレルギー・禁忌 ●治療内容（薬物療法，心理社会的療法，ほか） ●治療による副作用や影響 ●飲酒に関する状況 ・初飲年齢，飲酒習慣の確立時期，病的飲酒行動の内容と開始時期，飲酒による社会生活への影響，アルコール依存症の治療歴，自助グループの参加歴
(2) 栄養-代謝 全身状態 栄養-代謝 排泄	●アルコールの摂取状況および最終飲酒時刻はどうなっているか ●水・電解質，酸・塩基平衡などはどうか ●肝障害・膵障害などの合併症はみられないか ●栄養状態およびその影響はあるか ●薬物療法の効果と副作用はどうなっているか	●適切な自己管理へのアプローチは直近の摂取状況，患者のこれまでのアルコールとのつき合い方をふまえることが必要．また，離脱症状が出現する可能性がある． ●アルコールによる直接的作用のほか，栄養障害や肝機能障害などの合併症が加わり，水・電解質，酸・塩基平衡にさまざまな影響を与える．具体的には，脱水や電解質異常（低ナトリウム血症，低カリウム血症，低リン血症），アルカローシスやアシドーシスなどを呈する． ●アルコールは体内で代謝され，有害物質のアセトアルデヒドになり，機能障害をまねく．肝障害（肝炎・肝硬変・肝性脳症など）や膵障害のほか，食道がん・肝臓がん・膵がんなどの発症リスクも高い． ●アルコール依存症患者には，偏食や食欲不振がよくみられる．また，アルコール分解にはビタミンB群が消費されるため，ビタミン欠乏による中枢神経障害が起きやすい． ●入院中は抗酒薬を中心とし，補助的に抗うつ薬，抗不安薬，催眠薬などが投与される．これらはさまざまな副作用を呈する．	●身長，体重，BMI ●口腔・歯・皮膚・粘膜・爪 ●食事や水分の摂取内容・量・食欲 ●受診前1か月間の飲酒状況，最終飲酒時刻 ●アルコール以外の嗜好品の摂取状況 ●血中アルコール濃度 ●栄養状態（BS，HbA1c，TP，Alb） ●肝機能（AST，ALT，γ-GTP，T-Bil，A/G比，アンモニアなど） ●膵機能（AMY，リパーゼ，トリプシン） ●電解質（Na・K・Cl・Mg・Ca・Pなど） ●薬物療法と副作用 ●悪心・嘔吐
(3) 排泄 全身状態 栄養-代謝 排泄	●早期離脱症状としての発汗，悪心・嘔吐，下痢などはどうか ●脱水，電解質異常，酸・塩基平衡異常による腎機能への影響はどうか	●最終飲酒から～48時間頃に早期離脱症状として，自律神経症状（発汗，悪心・嘔吐，下痢など）がある． ●アルコールによる直接的作用とともに，随伴する栄養障害や肝機能障害などの合併症の影響が加わり，水・電解質，酸・塩基平衡にさまざまな異常が生じる．その影響で，腎機能および尿量，尿中電解質にも異常が生じる．	●排便回数，便の状態 ●排尿回数，尿の状態 ●尿・便失禁の有無 ●発汗の有無と程度 ●尿中電解質（Na・K・Cl・Mg・Ca・P） ●腎機能（BUN，Cr）

パターン	アセスメントの視点	根拠	収集する情報
(4) **活動-運動** 活動・休息 活動-運動 睡眠-休息	●肝機能障害による安静や日常生活行動の制限などがあるか ●規則正しい日常生活を送れているかどうか ●リハビリテーション期における体力改善状況はどうか	●アルコールの長期使用によって，多くの患者が肝機能障害などを合併している．肝機能障害が重度の場合，肝臓の再生のために安静が求められることがある．肝臓への負担を少なくするための，安静や行動制限などの指示が出ることもある． ●アルコール依存症の患者は，病的飲酒行動を中心とした不規則な生活習慣になっていることが多い． ●離脱期を脱したリハビリテーション期では，倦怠感や疲労の有無，日常生活動作の状況などを観察したうえで，体力改善プログラムの導入をはかることが必要である．	●バイタルサイン ●安静度 ●行動制限の有無 ●血液データ(RBC，Hb，Ht，CRP) ●倦怠感，疲労の有無 ●日常生活動作 ●日常生活リズム ●入院前の生活習慣やレクリエーション
(5) **睡眠-休息** 活動・休息 活動-運動 睡眠-休息	●十分な睡眠と休息がとれているか	●離脱期における精神症状などによって，不眠に陥りやすい．また，身体疲労や睡眠不足は肝機能障害の悪化につながりやすい．	●睡眠状況 ●睡眠環境 ●睡眠導入薬の有無 ●熟眠感など本人の認識 ●休息状況
(6) **認知-知覚** 知覚・認知 認知-知覚 自己知覚-自己概念 コーピング-ストレス耐性	●知覚異常などによって混乱状態に陥り，けがや事故などが生じる可能性はないか ●不快な症状はあるか	●アルコールによる幻覚や妄想，見当識障害，離脱期における精神症状(興奮，焦燥，易怒性，恐怖，不安，抑うつなど)が生じている場合，現実検討能力の低下，精神運動興奮などから混乱状態に陥り，転倒・転落やけが，点滴の抜管などの事故が起こる可能性が高い． ●離脱期には手指振戦，悪心・嘔吐，寒気などの症状が出現することがある．また，肝機能障害などによる倦怠感や腹部症状などがみられることもある．	●意識(意識障害，見当識，せん妄など) ●知覚(疼痛，不安や気分不快，幻覚ほか) ●思考(妄想など) ●記憶 ●言語能力・理解力 ●知的機能(知能検査結果含む) ●認知機能
(7) **自己知覚-自己概念** 知覚・認知 認知-知覚 自己知覚-自己概念 コーピング-ストレス耐性	●アルコール依存症に対する否認の状況や自己概念はどうか ●感情の状態はどうか	●アルコール依存症患者の心理的特徴として，アルコール依存に対する「否認」がある．否認は，アルコール依存症の回復を妨げる一因となる． ●離脱期に感情障害がみられるほか，アルコール依存症は気分障害や不安障害の併発率が高く，とくにうつ病を併発している場合の自殺率は4割を超える．	●自己概念(長所・短所，自己に対する捉え方，自己肯定感，心理検査など) ●否認の状況 ●自尊感情 ●価値観 ●感情の状態

パターン	アセスメントの視点	根拠	収集する情報
(8) 役割-関係 周囲の認識・支援体制 役割-関係 セクシュアリティ-生殖	●飲酒行動による家族の反応，対応方法はどうか ●社会生活への影響，社会的信頼の状況はどうか	●アルコール依存によって，家族の崩壊，経済的問題が生じていることが多い．また，家族は患者の行動に過剰に反応したり，巻き込まれたりしており，意図せず飲酒を支援していることが多い(共依存関係)． ●アルコール摂取によって，職業遂行や対人関係，自己やトラブルなどの社会生活に影響を及ぼし，社会的信頼を失っている可能性は高い．今後の断酒継続に向けて社会的信頼を回復し，社会とのつながりをもち続けることが必要である．	●家族構成，キーパーソン ●家庭における役割 ●家族との関係 ●家族歴(家族員の飲酒歴含む) ●職業遂行状況 ●社会生活上の事故やトラブル ●対人関係，他者との交流状況 ●経済状況
(9) セクシュアリティ-生殖 周囲の認識・支援体制 役割-関係 セクシュアリティ-生殖	●生殖機能はどうか ●セクシャリティに問題はないか ●性役割を十分に果たせているか	●対人関係への影響に関連して，家庭内やパートナーとの関係において，十分に役割を果たせない場合がある．	●婚姻，パートナー ●性に関する悩みや困り事 ●生殖器の障害や状態 ●月経，出産，更年期障害
(10) コーピング-ストレス耐性 知覚・認知 認知-知覚 自己知覚-自己概念 コーピング-ストレス耐性	●ストレス耐性やコーピング状況はどうか	●性格傾向や心理的要因によるストレス耐性の低下が，飲酒行動促進に影響するとされる．飲酒行動を止めるためには効果的なコーピングの獲得，および心理的・環境的ストレスの影響を小さくする必要がある．	●ストレス耐性とストレス状況 ●コーピング ●困ったときに助けを求めることができるか ●相談できる人(場所)
(11) 価値-信念 患者背景 健康知覚-健康管理 価値-信念	●生涯続く断酒の過程における生活の支えは何か	●断酒は，生きている間，生涯，1滴も飲まないことを指す．一方，アルコール依存症患者の飲酒欲求は消えることは少なく，患者は日々，飲酒欲求を抱えたまま断酒を継続している．断酒の継続には患者の価値観や希望や目標など，本人の生活の支えになる事柄が必要である．	●信仰 ●意思決定を決める価値観 ●希望や生きがい ●信念，目標

3. 全体像の把握から看護問題を抽出

1）病態関連図

原因・誘因　検査・治療　病態・臨床症状
看護上の問題　（色文字は重要な症状）

遺伝因子
- なんらかの遺伝因子が発症に関与
- アルコール代謝に大きく関わる2型アルデヒド脱水素酵素は，遺伝によって働き方が異なる（活性型・低活性型・非活性型）

環境因子
養育環境，住居地や所属社会の飲酒に関する姿勢，生活背景，社会不安，経済的状況，ストレス度，アルコールの入手のしやすさなど

長期にわたる習慣的飲酒

性格傾向や心理的要因によるストレス耐性の低下

アルコール（精神作用物質：中枢神経抑制薬）

アルコール耐性

精神依存形成
- アルコールに対する渇望
- ドパミン神経系から構成される報酬系回路が作用
  腹側被蓋野・側坐核・前頭前野などが関与

身体依存形成
- アルコール耐性高まる
- 生体がアルコールに適応

家族コーピングの無力化

- 共依存関係にある家族
- イネイブラーとしての家族の存在

アルコール依存に対する否認

病的飲酒行動（少量分散飲酒・持続深酩酊飲酒）

- 業務遂行に支障，失職
- 家族機能破綻

併発しやすい精神疾患
- 気分障害（とくにうつ病）
- 不安障害
- 睡眠障害

自殺のリスク

偏食・食欲不振

ビタミン欠乏症
- ウェルニッケ症候群
- コルサコフ症候群
- ペラグラ脳症

栄養状態の低下

アルコール代謝により
アセトアルデヒド生成

アルコール幻覚症
アルコール性妄想

臓器障害
- 肝障害
- 膵障害
  など

肝機能障害のリスク

- 脱水
- 電解質異常
- 酸・塩基平衡異常

電解質平衡異常のリスク

安静，休養，補液へ

再飲酒（スリップ）へ

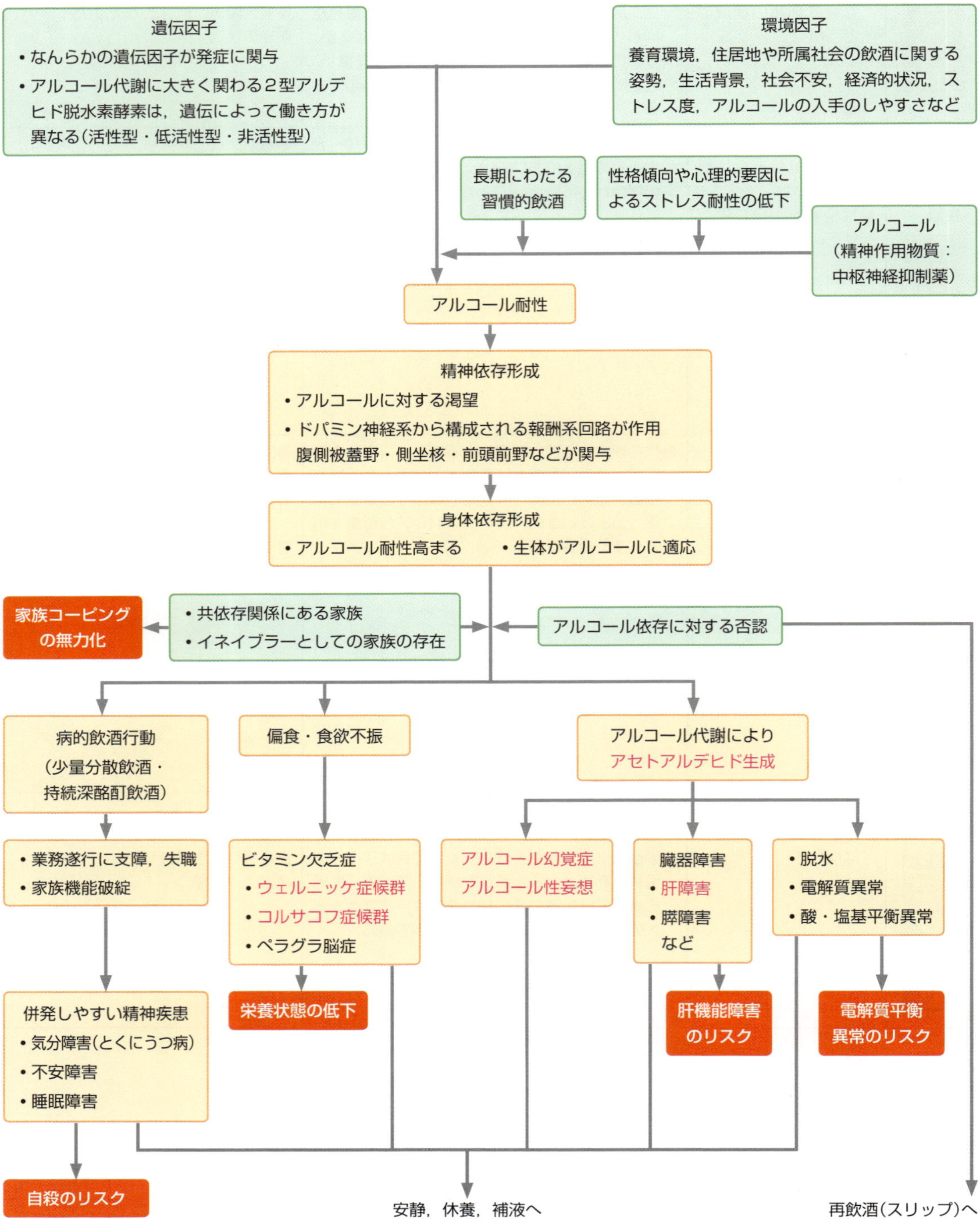

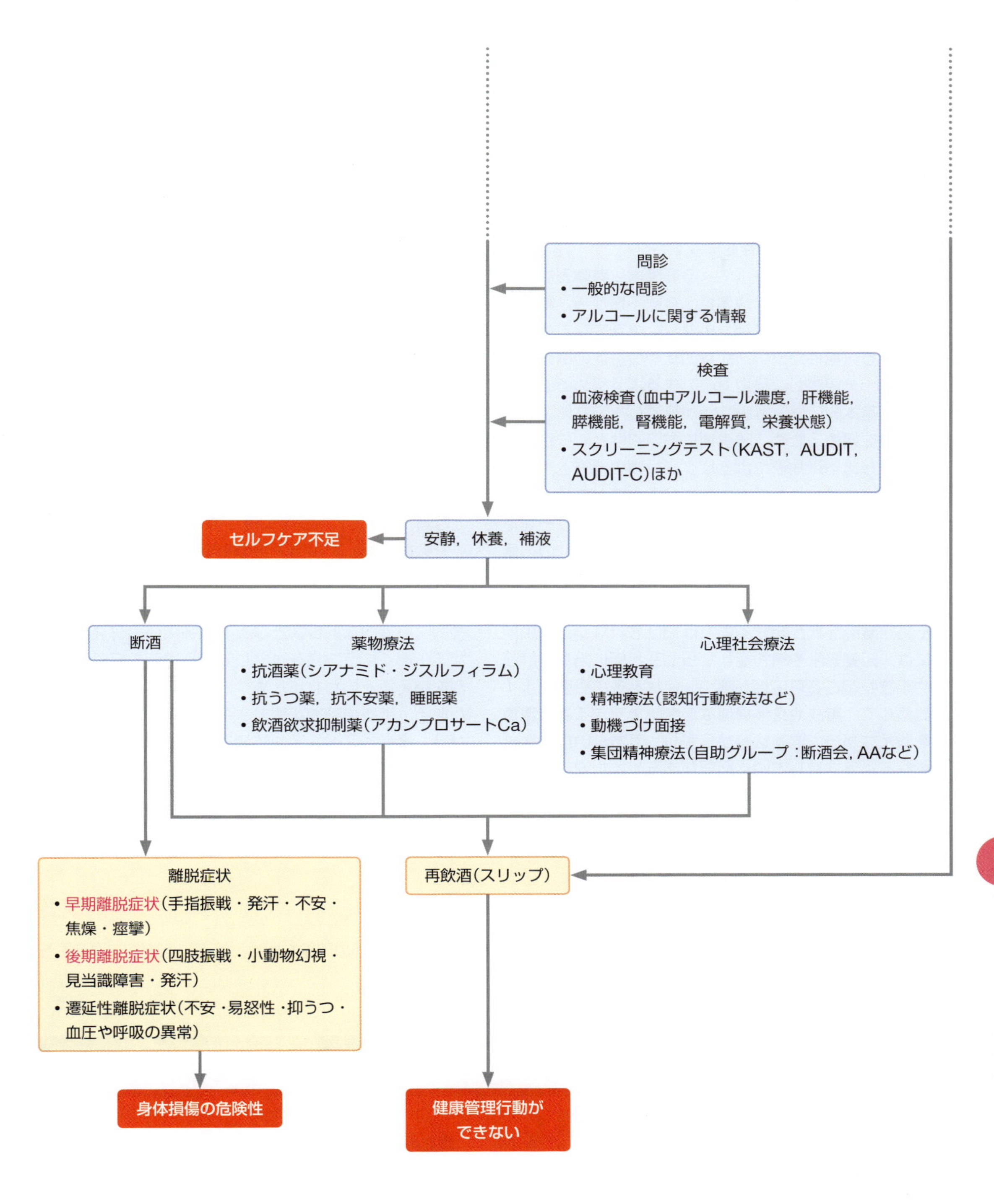

問診
• 一般的な問診
• アルコールに関する情報
検査
• 血液検査(血中アルコール濃度，肝機能，膵機能，腎機能，電解質，栄養状態)
• スクリーニングテスト(KAST，AUDIT，AUDIT-C)ほか
セルフケア不足
安静，休養，補液
断酒
薬物療法
• 抗酒薬(シアナミド・ジスルフィラム)
• 抗うつ薬，抗不安薬，睡眠薬
• 飲酒欲求抑制薬(アカンプロサートCa)
心理社会療法
• 心理教育
• 精神療法(認知行動療法など)
• 動機づけ面接
• 集団精神療法(自助グループ：断酒会，AAなど)
離脱症状
• 早期離脱症状(手指振戦・発汗・不安・焦燥・痙攣)
• 後期離脱症状(四肢振戦・小動物幻視・見当識障害・発汗)
• 遷延性離脱症状(不安・易怒性・抑うつ・血圧や呼吸の異常)
再飲酒(スリップ)
身体損傷の危険性
健康管理行動ができない

2）看護の方向性

アルコール依存症は，中枢神経抑制機能をもつアルコールの関与のほか，遺伝因子と環境因子の相互作用によって発症するとされている．長期にわたる習慣的飲酒によって，飲酒量のコントロールができなくなり，精神依存および身体依存を形成する．

入院時は，アルコールによる肝障害，膵障害などの臓器障害に加え，脱水や偏食・食欲不振から，電解質異常，酸・塩基平衡異常，ビタミン欠乏症なども併発している可能性が高い．症状悪化や合併症の徴候がないかを十分観察し，早期対応できるよう努める必要がある．基本的には，離脱症状が軽減したのちに合併症の治療を始めるため，離脱期においてはとくに注意する必要がある．輸液によるビタミン類の補充と，栄養評価結果にあわせた栄養管理を行う必要がある．通常は，経静脈的に少量から開始し，徐々にカロリーを増やし，経口摂取へと段階的に移行する．合併症の徴候に注意しながら，適切に栄養管理が行われるよう支援する．また，入院によってアルコール摂取が絶たれるため，離脱症状が起きることは避けられない．離脱期には，知覚異常や精神症状から混乱状態に陥り，けがや事故が起こる可能性が高い．症状とその影響をよく観察して，事故や身体損傷などを防止できるよう環境を整えながら，混乱状態から脱し，落ち着いた状態に戻れるよう支援していく必要がある．また安全に治療が進められるよう環境を整える必要がある．断酒後の経過時間によって出現する離脱症状も変化するため，経過時間の把握も大切である．

離脱症状の軽減後，合併症などに対する治療を始めるが，重度の場合は一定期間の安静が求められることもあり，必要に応じてセルフケア支援を行う．指示された安静度が守られ，身体機能回復がはかれるよう，不足するセルフケア支援を行う必要がある．

心理的特徴としてみられる「否認」は，回復を妨げ，再飲酒行動（スリップ）につながりかねないため，否認を克服できるよう支援していく必要がある．したがって，患者の治療意欲を高め，適切な健康管理行動がとれるよう支援を行う必要がある．また，患者と家族は共依存関係にあり，実際は患者の問題行動をエスカレートさせていることも少なくない．今後の断酒継続に際して，この状態から抜け出すために，家族介入も重要となる．

社会的には，アルコールの影響で仕事や家庭に影響を及ぼし，職を失う，家族機能破綻をまねくなどして，社会的信頼を失うケースもみられる．このことは，精神的・心理的ストレスとなって精神疾患の併発につながる．とくにうつ病を併発している患者の自殺率は４割を超えるといわれるため，自殺リスクに備える必要がある．患者の精神状態および感情の状態を観察しながら，患者がストレスや感情を自己表現できるよう支援する．同時に，言動や行動を注意深く観察し，危険物除去や定期的な所在確認などを行い，自殺リスクを回避できるよう努める．

3）患者・家族の目標

・適切に全身管理が行われ，全身状態が改善される．
・規則正しい日常生活が送れる．
・アルコールの問題を認め，適切に回復プログラムを進められる．

4. しばしば取り上げられる看護問題

◆1 臓器障害および脱水や栄養障害から生じる電解質平衡異常のリスク

アルコールによる直接的作用のほかに，肝機能障害などの合併症に，偏食や食欲不振から生じる栄養障害の影響が加わり，水・電解質，酸・塩基平衡にさまざまな影響を与える．具体的には，脱水状態や電解質異常（低ナトリウム血症，低カリウム血症，低リン血症など），代謝性または呼吸性アルカローシス，代謝性アシドーシスなどを呈す．重症化した場合は死に至る可能性もある．

➡期待される結果

電解質平衡異常が改善され，正常範囲を維持できる．

◆2　混乱状態による身体損傷のリスク

なぜ？

アルコールによる幻覚や妄想，見当識障害，離脱期における精神症状（興奮，焦燥，易怒性，恐怖，不安など）などによって，現実検討能力が低下し，精神運動興奮などから混乱状態に陥り，転倒･転落やけが，点滴の抜管などの事故が起こる可能性が高い．

➡期待される結果

現実見当識が得られ，身体損傷を回避できる．

◆3　アルコールの長期使用による肝機能障害のリスク

なぜ？

アルコールの代謝産物であるアセトアルデヒドは，有害物質であり，全身に影響を及ぼす．アルコールの長期使用によって，ほとんどの患者が肝機能障害を伴っており，肝炎や肝硬変，肝性脳症などに移行するケースも多い．これらの疾患は重症化し，死に至る可能性もある．

➡期待される結果

治療が速やかに行われ，肝機能障害が悪化しない．

◆4　離脱期における感情障害，併発している精神疾患の症状による自殺のリスク

なぜ？

離脱期には感情障害（不安，焦燥，抑うつ，イライラ，易怒性）がみられるほか，アルコール依存症は気分障害や不安障害の併発率が高く，とくにうつ病を併発した場合の自殺率は４割を超える．

➡期待される結果

自分自身を傷つけない．安全な方法で感情表現ができる．

◆5　栄養状態の低下

なぜ？

アルコール依存症患者には，偏食や食欲不振がよくみられ，脱水や低栄養状態にあることが多い．また，大量のアルコール分解にはビタミンB群が消費されるため，ビタミン欠乏による中枢神経障害も起きやすい状態である．

➡期待される結果

身体機能の回復に必要な栄養素と必要カロリーおよび食事量が摂取できる．

◆6　セルフケア不足

なぜ？

アルコールの長期使用によって，多くの患者が肝機能障害などを合併している．肝機能障害が重度の場合，肝臓再生のために安静が求められることがある．常時安静やトイレのみ可など，症状の程度にあった安静度・行動制限が指示される．

➡期待される結果

必要なセルフケアが行われ，安静度が守れる．

◆7　適切な健康管理行動ができず再飲酒（スリップ）となる可能性

なぜ？

アルコール依存症の心理的特徴として否認がある．そのため，受診は非自発的な形が多いことと，身体依存が形成されているため，断酒を数十年継続できていても再飲酒（スリップ）してしまう可能性がある．主となる治療は，断酒と薬物療法（抗酒薬，飲酒欲求抑制薬）であり，これらの両方が継続できるよう患者自身の適切な選択や健康管理行動が欠かせない．

➡期待される結果

再飲酒に至らず，断酒を継続できる．

5. 看護計画の立案

• O-P：Observation Plan（観察計画）　• T-P：Treatment Plan（治療計画）
• E-P：Education Plan（教育・指導計画）

1 臓器障害および脱水や栄養障害から生じる電解質平衡異常のリスク

	具体策	根拠と注意点
O-P	**(1)水分出納** ・経口摂取量 ・輸液量と輸液内容 ・体液の喪失の有無（嘔吐・下痢，尿量・ドレーンからの排液量，発汗） ・体液貯留の有無（浮腫・胸水・腹水） ・体重	●水分出納バランスとは，身体に入る水分量と，排泄・排出される量のバランスを指す．
	(2)検査データ ・尿検査，尿浸透圧，尿比重 ・血液データ（Hb，RBC，Ht，TP，Alb，BUN，Cr，Na，K，CL，Ca，Mg，P，Fe，BS，HbA1c） ・胸部X線 ・心電図 ・心エコー ・血液ガス	●電解質平衡異常が起こると，さまざまな自覚症状および身体所見を示す．
	(3)全身状態 ・バイタルサイン（Bp，T，P，R，SpO_2） ・呼吸状態 ・浮腫の有無 ・意識レベル	●電解質平衡異常が起こると，さまざまな自覚症状および身体所見を示す．
	(4)自覚症状 ・倦怠感，脱力感の有無 ・めまい，立ちくらみの有無 ・悪心・嘔吐，頭痛，食欲不振の有無 ・口渇，口腔粘膜乾燥の有無	●本人の訴えだけでなく，他覚的に観察可能な項目については観察を行う． ●電解質平衡異常が起こると，さまざまな自覚症状および身体所見を示す．
	(5)精神状態 ・幻覚や妄想 ・不安や恐怖 ・易刺激性，イライラ，焦燥感などの精神運動興奮 ・恐怖，不安，抑うつなどの感情 ・現実検討能力	●アルコールによる知覚異常や精神運動興奮などが生じている可能性があることと，電解質平衡異常に伴う症状として，見当識障害，傾眠などがあるため，精神・心理状況も観察する．
	(6)薬物療法の内容 ・過剰な利尿薬や緩下剤服用の有無	
T-P	**(1)輸液の管理** ・輸液量が確実に作動しているか確認し，1日当たり，1時間当たりの輸液量の指示を厳守する ・輸液ボトルから針刺入部までのラインを確認し，屈曲や漏れなどを予防する ・点滴に異常が生じた場合は速やかに医師に報告する	●滴下だけでなく，ライン全体を確認する． ●輸液ポンプの表示と，注入速度・量があっているかをチェックする． ●輸液による循環血液量や電解質の急激な増加は，心臓や腎機能，脳機能などに影響を及ぼす．

	具体策	根拠と注意点
T-P	**(2)定期的な水分出納バランスを確認** ・決められた時間ごとに水分出納バランスを計算する（水分摂取量，食事摂取量，輸液量，尿量，発汗など） ・体重測定は原則，毎日同じ時間に，同じ条件で行う	●水分摂取量などは，ベッドサイドに量を記載できるノートなどを置く． ●定期的に水分出納バランスを確認することで，異常を早期発見するため． ●発汗の多さや水分摂取量が曖昧な場合，体重測定の比較によって，大まかな水分出納の変化を把握できる．
	(3)水分補給を促す ・水分摂取に適した飲み物をベッドサイドに準備する ・1日に必要な水分量を患者にも説明し，治療状況にあわせてすすめる水分量を変える ・水分摂取は一度に大量に摂取するのではなく，少量ずつに分けて飲むようにしてもらう	●カフェインは利尿作用があるので避ける． ●水分は一度に大量摂取すると，排尿を促してしまうため，体内で有効利用されにくい．
	(4)水分・塩分の喪失予防 ・環境整備（室温・湿度の調整） ・環境に適した着衣・寝衣，寝具の調整	●室温や湿度，臥床時の寝衣や寝具なども，発汗に影響を及ぼす．
	(5)皮膚・粘膜の保護 ・含嗽を行う ・リップクリームを口唇に塗る ・皮膚の乾燥には保湿ローションなどを塗る	●皮膚の乾燥などは，感染の危険性が高まり，対液量喪失につながるため．
	(6)安全管理のための環境整備 ・危険物除去（刃物類・内服薬・消毒薬など） ・チューブやドレーンなどの自己抜去防止．意識レベルによっては，常時つき添いや，ミトンなどの使用も検討する ・ベッドからの転落防止（ベッド高の調節，ベッド周囲にマット敷く，ベッド柵，離床センサーなど）	●電解質異常を伴う症状に，見当識障害，痙攣，麻痺，幻覚，脱力などがある．これらの症状を呈した場合，けがや事故などが起こる可能性があるため，周囲の環境を整えて身体損傷リスクを回避する．
	(7)精神的援助 ・保護的に関わり，必要時，受容と傾聴の姿勢で関わる ・信頼関係構築	●非自発的な入院，否認などによって，治療意欲は低下していると考えられる．また，離脱期に入ると，自律神経症状や精神症状が多彩に出現するため，非常に苦痛である．したがって，保護的に関わり，本人の認識や感情を表現してもらうことは重要である．また，適切な方法での自己表現によって，精神症状が落ち着くこともある．
E-P	**(1)患者への説明内容** ・輸液の必要性と方法 ・水分制限の必要性 ・水分出納バランス算出の必要性 ・水分摂取量の記載方法 ・皮膚や粘膜の保護方法 ・病態と治療内容 ・予測される合併症の徴候 ・合併症の徴候に注意し，有無や程度について知らせるよう指導する **(2)家族への説明内容** ・病態と治療内容	●水分摂取とその旨記載することや，予測される合併症の徴候（自覚症状）などを伝え，異常の早期発見に努める． ●速やかな回復のために，患者と家族がともに参画することが望ましい．

♦2 混乱状態による身体損傷のリスク

	具体策	根拠と注意点
O-P	**(1)精神状態** ・不安，恐怖，抑うつ ・易怒性，イライラ，焦燥感などの精神運動興奮 ・幻覚(小動物幻視，幻聴など) ・見当識，現実検討能力，意識レベル	●どのような精神症状が現れているかを把握する． ●これらの精神症状によって，現実検討能力の低下，精神運動興奮などから混乱状態に陥り，転倒･転落やけが，点滴の抜管などの事故が起こる可能性が高い．
	(2)身体の状況 ・バイタルサイン ・身体機能や皮膚などの異常の有無 ・疼痛などの有無 ・血液データ(一般生化・血算，栄養状態，電解質，処方薬の血中濃度など)	●身体機能や全身の皮膚に，けがなどがないかを観察する． ●自覚がないまま傷を負ったり痛めたりしていることもあるため，他覚的にも観察する． ●検査データから全身状態を把握する． ●混乱状態に陥っている背景から，器質的理由を除外するため．
	(3)治療内容とその効果，副作用 ・治療内容(輸液，薬物療法など) ・薬物療法による症状の変化 ・副作用の有無	●輸液や投薬が効果的に作用しているか，副作用の出現がみられていないかなどを確認する．
	(4)環境 ・ベッド周囲の様子 ・行動範囲の環境	●けがや事故につながる危険物がないか，安静が保てる環境が整えられているかなどを確認する．
	(5)睡眠状況 ・睡眠時間，入眠・覚醒時刻，睡眠パターン，熟眠感，睡眠薬使用の有無	●十分な睡眠の量と質が確保されているか確認する． ●睡眠不足が精神状態に影響を及ぼすこともあり，また，症状の程度を示す指標ともなるため．
	(6)表情や言動，本人の訴え	●言語的，非言語的情報から，患者の感情や精神状態を把握する．
T-P	**(1)安心できるアプローチを行う** ・一貫性を保ち，穏やかで落ち着いた態度で接する ・患者と看護師の適切な物理的距離を意識して関わる	●混乱状態にあるときでも，外界や相手の対応などには敏感に反応するため，威圧的・攻撃的な態度は逆効果である．また，患者のパーソナルスペースは個々に異なる．通常の距離でも，患者自身にとっては近づきすぎると感じ，恐怖や不安を抱くこともある．少しずつ様子を観察しながら近づき，患者と看護師が互いに安心できる距離を見いだせるよう努める．
	(2)定期的に所在確認を行う ・リスクレベルに応じて間隔は変動する(例：30分ごと，1時間ごと)	●定期的な観察行為は，事故などの早期発見につながる．
	(3)環境調整 ・刺激が少なく，安静が保持できる環境を整える ・ベッドからの転倒・転落防止策をとる ・ベッド周囲から突起物や不要な物品など除去する ・輸液ラインや排液ドレーンなどの配置には十分注意する	●けがや事故につながる環境となっていないか，安静が保てる環境が整えられているかなどを確認する． ●精神状態によっては，物・音・光・人の行き来・においなども刺激となることがある．
	(4)向精神薬などの適切な与薬 ・必要時，指示によって臨時薬を用いる	●病的体験や感情の変化を安定させるために，適切な薬物療法を行うことがある．
	(5)日常生活行動への援助 ・不足する日常生活行動への援助を行う(食事・水分摂取，排泄，清潔保持など)	●混乱または安静のため，そしてセルフケアが実施できないため，不足するセルフケア援助を行う．
	(6)睡眠と休息の確保への援助 ・十分な睡眠がとれるよう援助する(睡眠環境調整，睡眠薬の投与など) ・適宜，休息をすすめる	●睡眠不足が精神状態に影響を及ぼすことがあるため．また，混乱状態にあるときには休息の必要性を自覚できない場合もある．

	具体策	根拠と注意点
T-P	(7)受容・傾聴の姿勢を示す	●患者の話や訴えを聴く時間を設ける．混乱状態にあり，的確に表現できないような状態の場合は，しばらくそばにつき添うなどする． ●信頼関係の構築，および，混乱状態にあって不安や恐怖をもつ患者への共感を示すため．
E-P	(1)訴えたいことや困りごとなどあれば，いつでも看護師に伝えてほしいことを説明する (2)疾患や状態について理解できるよう説明し，現在の混乱状態は病気からくるもので，症状改善とともに落ち着いてくることを説明する	●看護師からも働きかけるが，患者からも相談してほしいことを説明する． ●現状や今後の見通しについての不安などを緩和するため．

引用・参考文献

1) Osaki Y, et al：Prevalence and Trends in Alcohol Dependence and Alcohol Use Disorders in Japanese Adults; Results from Periodical Nationwide Surveys. Alcohol and Alcoholism, 51(4)：465-73, 2016.
2) 厚生労働省：平成26年患者調査の概況．https://www.mhlw.go.jp/toukei/saikin/hw/kanja/14/index.html より2020年８月26日検索
3) Dick DM, et al：Candidate genes for alcohol dependence：a review of genetic evidence from human studies. Alcohol Clin Exp Res, 27：868-889, 2003.
4) Prescott CA, et al：Genetic and environmental contributions to alcohol abuse and dependence in population-based sample of male twins. Am J Psychiatry 156：34-40, 1999.
5) 小宮山徳太郎ほか：アルコール依存症の治療．病院・地域精神医学，94：123～130，1988.
6) 北林百合之介ほか：アルコール離脱―その診断，評価と治療の実際．日本アルコール・薬物医学会雑誌，41(6)：488～496, 2006.
7) 藤井正満ほか：アルコール依存症の酸塩基平衡・水電解質異常．レジデントノート，8(7)：1006～1009，2006.
8) Hasin DS, et al.：Epidemiology of major depressive disorder：results from the National Epidemiologic Survey on Alcoholism and Related Conditions. Arch Gen Psychiatry, 62：1097-106, 2005.
9) 齋藤利和ほか：アルコール・薬物使用障害の診断・治療ガイドライン2018―診断基準の観点から ICD-10とDSM-5の扱いについて．Frontiers in Alcoholism, 6(2)：89～94, 2018.
10) 西山扶ほか：精神科・わたしの診療手順―アルコール離脱．臨床精神医学，45(増刊号)：394～398，2016.
11) 真栄里仁ほか：F1アルコール関連障害．臨床精神医学，44(増刊号)：303～313，2015.
12) 廣尚典：WHO／AUDIT 問題飲酒指標／日本語版．千葉テストセンター，2000.
13) 佐賀健：読む！新薬―アルコール依存症 飲酒量低減薬 セリンクロ® ナルメフェン塩酸塩水和物．クリニックマガジン，46(7)：56～57，2019.
14) 厚生労働省：知ることからはじめよう みんなのメンタルヘルス―アルコール依存症 https://www.mhlw.go.jp/kokoro/speciality/detail_alcohol.html より2020年８月26日検索
15) 尾崎紀夫ほか編：標準精神医学．第７版，p.503～517，医学書院，2018.

75 神経性無食欲症／過食症

1. 疾患の基礎的知識

1）疾患の概念

摂食障害群とは，身体状況のゆがんだ認知によって引き起こされる無食・過食・排出など，食行動上の障害である．アメリカ精神医学会の『DSM-5精神疾患の診断・統計マニュアル第５版』では，摂食障害群として，神経性無食欲症/神経性やせ症，神経性大食症/神経性過食症，過食性障害，特定不能の摂食障害，回避・制限性食物摂取障害，以上から構成されている．

本論では代表的な神経性無食欲症と神経性過食症を中心にとりあげることとする（**図75-1**）．両者には類似する要因が想定され，無食から過食へ移行する場合，単独で出現する場合，両者が併存する場合などがある．

(1)神経性無食欲症（AN：anorexia nervosa）

肥満に対する恐怖感が存在し，極度なやせ状態にあっても，自分は醜く太っているというボディイメージのゆがみがあり，病識がない．厳しい食事制限，過度の運動，嘔吐・下剤・利尿薬・浣腸などによる排出によって，体重を増やさないための行動に，生活の大半を費やしている状態である．

(2)神経性過食症（BN：bulimia nervosa）

大量の食物を短時間でむちゃ食いし，大食後に自己嘔吐，下剤・利尿薬の使用を繰り返す状態である．体重や体型に対するとらわれがあり，食行動の異常は自覚しているが，摂食行動を自己コントロールできず，抑うつ気分を伴うことがある．

2）原因

摂食障害群に類似する病像報告は，16世紀後半からなされている．しかし，現在もその病態形成のメカニズムについては解明されていない．摂食障害群は，気分（感情）障害，不安障害，嗜癖性障害，パーソナリティ障害と，診断が移り変わることも多くある．生物学的側面では，周産期の障害，遺伝，神経伝達物質の関与が想定されているが，薬物療法による障害の改善は限定的である．

原因仮説として，心理・社会的側面としての精神力動モデル，認知モデル，文化社会的モデル，アディクションモデル（嗜癖）などがあげられる．

(1)精神力動モデル

成育過程における家族関係，両親の不和，過干渉，過保護などによって形成される．情緒不安定，強迫的・完全主義的な性格，大人への成熟の拒否，母親への嫌悪感，乳幼児期への無意識の退行などに起因して，食行動に障害が生じる．

(2)認知モデル

体重や体型に対するこだわりが強く，他者は異常なやせ方であると認識していても，本人は太っていると認識している状態である．成育過程に起因した自尊心の低下

図75-1　代表的な摂食障害群の分類

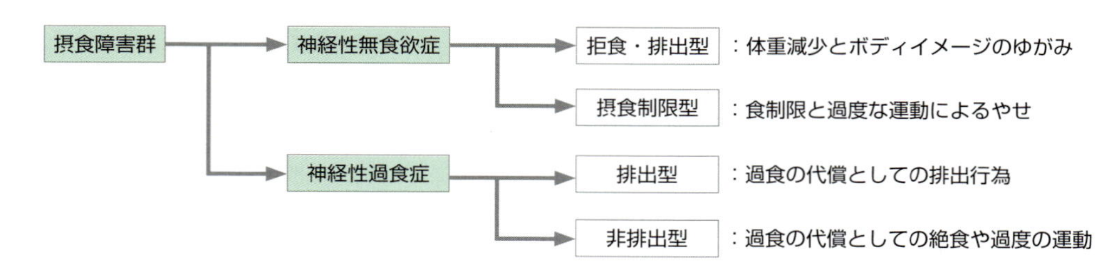

や自己卑下，なんらかの心的外傷体験が，食行動や認知に影響している可能性がある．

(3)文化社会的モデル

食文化や家庭・社会環境の変化，健康志向やダイエットなど，情報の氾濫などに起因する．やせているほうが美しいという文化より，軽い気持ちのダイエットがきっかけになることも多い．女性の自立や目まぐるしく変化する社会情勢のなか，ストレス因子が増加していることなどもあげられる．

(4)アディクションモデル(嗜癖)

人間関係のなかで，「自分自身がどのようにみられているのか，思われているのか」に端を発して，体重や体型に固執してしまい，食行動パターンが強迫的に反復的に繰り返されるうちに，自己コントロールできない状態に陥る．嗜癖性障害の行動パターンに類似するものである．

3）病態と臨床症状

病態

思春期・青年期に多くみられる病態で，症例の95%は女性であると報告されている．男性の発症では，ほかの精神疾患や器質性疾患を合併しているケースも多い．しかし，近年男性がダイエットをするケースも多く，発症は増加傾向にある．発症年齢は，小学校から30歳代と幅広くなってきている．

神経性無食欲症は，拒食による飢餓状態が持続することで，脳の萎縮や骨粗鬆症などをまねき，QOLに影響を及ぼすこともあり，長期的な自殺行為といわれている．食行動のパターンとしては，拒食期から過食期へ移行する場合と，単発でどちらか一方のみの場合，両者が併存して拒食・過食を繰り返す場合とがある．

行動特徴

(1)食物に対する傾向

ダイエットのための肥満防止やカロリー表示を徹底的に気にするなど，食に対する強迫的な行動がみられる．患者は，低カロリーで最低限のものしか食べないが，家族には凝った料理をつくり，食べるように強要することもある．食べたい欲求を抑えることから始まり，気づいたときには自己コントロールできずに，食物を受けつけない身体になっている．ときに，拒食から過食に転じて，万引きや盗食をすることもある．むちゃ食いの後に自己嫌悪に陥り，自己嘔吐，下剤，利尿薬を乱用する．神経性無食欲症の約半数は，過食と排出行為を繰り返し，慢性化に移行する．

(2)やせ願望

肥満に対する恐怖感があり，体重が40kg以下まで激減しても，なお満足できないこともある．やせ願望に対する自分自身の規則をつくり，それに従うことのみに没頭するようになる．

(3)過活動と情動障害

周囲からみると痛々しいほどやせていて，なぜこんなに活動的なのかと思うほどに動き回ることがある．同時に，感情の変動が激しくなり，いらいらや抑うつ状態が混在し，自傷行為や家族への暴力がみられることがある．

(4)社会的孤立

同性の親に対する嫌悪感やアンビバレンスな感情，性

表75-1　摂食障害の症状

		神経性無食欲症(AN)	神経性大食症(BN)
精神症状	やせ願望	必発	必発(必ずしも強くない)
	肥満恐怖	必発	
	身体像の障害	伴う	
	病識	乏しい	病識を有する
	その他の精神症状	強迫症状，失感情症など	
身体症状	体重減少	低体重	標準体重～肥満
	月経異常	無月経	一部は無月経
	その他の身体症状	徐脈，低体温，低血圧，浮腫，産毛の密生など	浮腫，過食後の微熱など
行動異常	摂食行動	拒食，不食，摂食制限，隠れ食い，盗み食い，過食	過食，だらだら食い，絶食，摂食制限，隠れ食い，盗み食い
	排出行動	嘔吐(自己誘発性)，下剤の乱用，利尿薬の乱用	
	活動性	過活動	低下
	問題行動	自傷行為，自殺企図，万引き，薬物乱用など	

松下年子ほか編：アディクション看護学．p.241，メヂカルフレンド社，2011．

への恐れ，身体に対する軽蔑，対人関係の好き嫌い，といった偏りなどがある．

臨床症状

(1)身体症状

寒がり，低体温，動悸，低血圧，徐脈，貧血，低血糖，脳の変化と意識障害，頭痛，骨粗鬆症，無月経，皮膚の乾燥・黄ばみ・産毛，手の甲の吐きだこ，歯エナメル質の腐食やう歯，咽頭痛，唾液腺腫脹，嘔吐と下剤の乱用による電解質の平衡異常としての低カリウム血症，アルカローシス，手足のしびれ，筋肉の痙攣，腸管麻痺，便秘，浮腫，起立歩行困難，飲食困難などがあげられる．

(2)精神症状

抑うつ，不安・焦燥感，集中力の低下，意欲低下，肥満恐怖，自傷行為，固執した思考，気分の変動などがあげられる(**表75-1**)．

4）検査・診断

『DSM-5精神疾患の分類と診断の手引』による，神経性やせ症/神経性無食欲症と，神経性過食症/神経性大食症の診断基準を**表75-2**，**3**に示す．

(1)神経性やせ症/神経性無食欲症

最低限の体重維持の拒否，肥満への恐怖，低体重の認識欠如などがあげられている．

(2)神経性過食症/神経性大食症

神経性過食症は，過食とそれを埋めあわせる代償行動があり，自己嫌悪を伴う自我違和的な障害であり，問題行動の改善を望んでいるケースが多い．

(3)鑑別診断

糖尿病，アジソン病などの原疾患があり，慢性的な副腎皮質の破壊・萎縮による副腎ステロイド分泌不全，食欲不振，嘔吐，低血圧，吸収不全症候群などがあげられるが，食行動や体重・体型に対する問題はみられない．精神疾患による抑うつ状態，妄想などによって，拒食・過食症状が出現することもある．

(4)検査

①一般所見

皮膚の乾燥や黄ばみ，産毛の密生，低体温，徐脈，低血圧，貧血(RBC/Hb/Ht)，白血球減少，低血糖，低タンパク血症，血中尿素・窒素の増加，血清アミラーゼの上昇，肝酵素(AST/ALT)の上昇，電解質の低下，黄体形成ホルモン(LH)・卵胞刺激ホルモン(FSH)の低値，T_3の低値．

②頭部CT

表75-2　神経性無食欲症　Anorexia Nervosa

A. 必要量と比べてカロリー摂取を制限し，年齢，性別，成長曲線，身体的健康状態に対する有意に低い体重に至る．有意に低い体重とは，正常の下限を下回る体重で，子どもまたは青年の場合は，期待される最低体重を下回ると定義される．
B. 有意に低い体重であるにもかかわらず，体重増加または肥満になることに対する強い恐怖，または体重増加を妨げる持続した行動がある．
C. 自分の体重または体型の体験の仕方における障害，自己評価に対する体重や体型の不相応な影響，または現在の低体重の深刻さに対する認識の持続的欠如

▶いずれかを特定せよ

摂食制限型：過去3か月間，過食または排出行動(つまり，自己誘発性嘔吐，または緩下剤・利尿薬，または浣腸の乱用)の反復的なエピソードがないこと．この下位分類では，主にダイエット，断食，および/または過剰な運動によってもたらされる体重減少についての病態を記載している．

過食・排出型：過去3か月間，過食または排出行動の反復的なエピソードがあること．

▶現在の重症度を特定せよ

軽　度：　BMI≧17kg/m²
中等度：　BMI 16-16.99 kg/m²
重　度：　BMI 15-15.99 kg/m²
最重度：　BMI ＜15 kg/m²

表75-3　神経性過食症　Bulimia Nervosa

A. 反復する過食エピソード．過食エピソードは以下の両方によって特徴づけられる．
　(1)他とはっきり区別される時間帯に(例：任意の2時間の間に)，ほとんどの人が同様の状況で同様の時間内に食べる量よりも明らかに多い食物を食べる．
　(2)そのエピソードの間は，食べることを制御できないという感覚(例：食べるのをやめることができない，または，食べ物の種類や量を制御できないという感覚)
B. 体重の増加を防ぐための反復する不適切な代償行動．例えば，自己誘発性嘔吐；緩下剤，利尿薬，その他の医薬品の乱用；絶食；過剰な運動など
C. 過食と不適切な代償行動がともに平均して3か月間にわたって少なくとも週1回は起こっている．
D. 自己評価が体型および体重の影響を過剰に受けている．
E. その障害は，神経性やせ症のエピソードの期間にのみ起こるものではない．

▶現在の重症度を特定せよ

軽　度：不適切な代償行動のエピソードが週に平均して週に1～3回
中等度：不適切な代償行動のエピソードが週に平均して週に4～7回
重　度：不適切な代償行動のエピソードが週に平均して週に8～13回
極　度：不適切な代償行動のエピソードが週に平均して週に14回以上

大脳萎縮，脳室拡大．

(5)身体合併症

摂食障害の身体合併症として，日本摂食障害学会が提示しているものが，以下である．

部位別にみていく．頭頸部では，意識消失，脳萎縮，脱水からの微小脳梗塞，虫歯・歯茎異常，唾液腺膨張がある．血液・循環器では，徐脈，不整脈，滴状心，心嚢液貯留，低血圧，汎血球減少がある．皮膚では，紫斑，脱毛，産毛増生がある．骨関節では，右頭頂部線状骨折，病的骨折，関節痛，筋肉痛，骨粗鬆症，腰痛がある．消化器・泌尿器では，下痢・便秘，痔核・脱肛，尿漏れがある．そのほかに，浮腫，腎機能障害，肝機能障害，無月経，低血糖，吐きだこ，低体温・冷え性がある．

5）治療

摂食障害群による死亡の主因は，低血糖，栄養失調によるものである．一般的に，体重が35kg以下で要注意となる．血糖値が50mg/dL以下になると，低血糖性昏睡に陥り，呼吸・心停止に至ることもあるため，早急な身体管理が必要になる．

(1)身体的ケア

基本的には，本人が納得して治療を進めていく必要がある．しかし，病識が欠如しているために，周囲の強いすすめで嫌々ながら医療機関を訪れ，納得のいかないまま治療が開始されるケースも少なくない．低栄養状態で，生命の維持を優先させる段階では，経口栄養法，経鼻腔栄養法，輸液，経中心静脈栄養補給法を実施する．

(2)薬物療法

精神症状に対する対症療法として，抗精神病薬，抗うつ薬，抗不安薬，睡眠薬などを使用する．摂食障害を治療する薬はない．

(3)精神療法

摂食障害の原因はまだ解明されていない．要因として，器質的な障害が想定されるかもしれない．しかし，一人の人間として，家族関係，社会的関係，社会的役割などがあり，個々の患者は，心理的・社会的関係のなかで存在している．さまざまな関係性のなかで「生きづらさ」を感じ，目にはみえないなんらかの問題が，食行動上の異常として現れると考えられる．

食事の問題に関しては，指摘するよりも見守る態度を示しながら，定期的に面接を繰り返し，患者が感じている気持ちを安心して表現できる場を提供していく．「食べなさい」という医療従事者の態度は，患者が家族から受けてきた態度となんら変らないものであり，患者の成長にはつながらない．医療現場から，次のステップとして，摂食障害の自助グループなどにつなげることも検討していく．

(4)行動制限療法

誤った食の認識や歪んだボディイメージに対し，入院治療という枠組みのなかで，一定の行動制限という治療プログラムを課しながら，新たな食行動を身につけていくものである．具体的には，1日の食事摂取量と生活範囲の枠を決めながら，1週間程度の期間で評価・承認を繰り返し，食事量の増加・活動範囲制限の緩和をはかり，患者の自信につなげていく．

(5)認知行動療法

行動制限療法による食事摂取の改善と並行して，ボディイメージや食事に対する考え方，捉え方について定期的に話し合い，言語化・文章化しながら認知の修正をはかる．

(6)家族療法

摂食障害をアディクション問題と捉えたとき，家族の生き方にも注目する．障害の理解を深めてもらうこと，親や家族の生き方に目を向けてもらうこと，同じ問題を抱える親や家族のネットワークを広げていくことが，家族の気づきにつながる．家族内の力動が変化することによって，患者の問題行動も変化することがある．

6）予後

(1)神経性無食欲症

青年期の治療の転帰は良好で，おおよそ80%がよい回復をする．しかし，この疾患が3年以上続いている者の経過は良好ではない．よい回復をする者は50%以下である．30%以下はなんらかの形でむちゃ食いを生じ，社会的または身体的な障害が残される．

(2)神経性過食症

科学的な根拠に基づいた治療を行うと，神経性大食症患者の50%以上に十分な症状の軽減がみられる．

栄養状態の悪化や，重症化して死亡することもある．

2. 看護過程の展開

● アセスメント～ゴードンの機能的健康パターンを用いて

パターン	アセスメントの視点	根拠	収集する情報
(1) **健康知覚-健康管理** 患者背景 健康知覚-健康管理 価値-信念	●自身の健康状態や食行動をどのように知覚しているのか ●医療者や家族など周囲の説得や説明をどのように受け止めているか ●病感/病識はあるのか ●教育や指導を受けながら食行動上の問題に改善がみられるか ●転倒のリスクはないか	●周囲は，顕著なやせ状態や拒食・過食状態に対して，健康状態が維持できていないと評価するが，本人は，問題を認識していないことが多く，認知のずれがある．さらに，健康を阻害する行動が常習化していることがある． ●入院初期は，極度の低栄養状態・低血糖などによって，生命の危機にさらされていることもあるが患者は病気や現状を正しく認識していない．また，長期間の食行動上の問題が続くことによって，無月経や，脳，骨などで二次的な障害が強くなり，その後のQOLにも影響を及ぼすことになる． ●体力や筋力低下などによる転倒のリスクがある．	●性別，年齢，発達段階，健康維持に対するセルフケア能力 ●診断名/既往歴/現病歴：どのような経過で食行動上の問題に至ったのか，入院形態と入院の経緯 ●病感/病識の有無，食行動やボディイメージの認識の変化 ●緩下剤や利尿薬の乱用 ●治療方針，看護方針 ●治療や入院の受け入れ状況，考え ●身体損傷の危険因子(貧血，低血圧，低血糖，浮腫，筋力低下，歩行障害，転倒リスク，など) ●バイタルサイン：体温(低体温)，呼吸，脈拍(徐脈)，血圧(低血圧)
(2) **栄養-代謝** 全身状態 栄養-代謝 排泄	●食事摂取状況はどうか ●栄養状態の悪化はないか ●標準体重の85%以下，BMI(17.5以下)になっていないか	●拒食，過食後の自己排泄行動によって，身体に必要な栄養が摂取されていない．生命の危険や二次的な障害を引き起こすこともある． ●入院初期は，極度の低栄養状態・低血糖などによって，生命の危機にさらされていることもある．また，こんな状況にあっても患者は病気や現状を正しく認識していない食事はじっくりと時間をかけてゆっくりと摂取し，食べることを習慣化する必要がある．	●摂取量，時間，内容，間食の有無 ●病院食の摂取量と内容(経口摂取カロリー) ●輸液や経管栄養などの有無(カロリー) ●飲水量 ●血液データ：貧血(RBC/Hb/Ht)，栄養状態(TP/Alb)，肝機能(AST/ALT上昇)，腎機能(BUN/CRE/UA)，電解質(Na/K/Cl) ●身長，体重，BMI ●拒食，過食，嘔吐の有無 ●間食の有無 ●食欲，偏食，嗜好，食べたいもの，食べたくないもの ●入院前の飲酒状況 ●体温の変動，低体温，悪寒 ●爪，毛髪，皮膚の乾燥・黄ばみ・産毛，浮腫 ●骨粗鬆症，骨の突出，咽頭痛，唾液腺腫脹，飲食困難
(3) **排泄** 全身状態 栄養-代謝 排泄	●排泄・排出行動はあるか	●自己誘発性嘔吐，または緩下剤・利尿薬，または浣腸の乱用などによる排泄行動が常習化していることもある．自己排泄行動によって，栄養状態の悪化や身体機能の低下につながるリスクがある． ●入院中は，治療として食事を摂取しなければならないこともある．そのため，食事をすることや体重増加の嫌悪感があり，食後に自己誘発嘔吐を繰り返すこともある． ●食後は移動せずに坐位で過ごす時間をつくり，正常な排泄行動が習慣化するようにする必要がある．	●排尿/排便回数，便の性状 ●下剤/利尿薬に対する認識や使用状況(入院前) ●水分を多量に摂取しての自己誘発嘔吐の有無 ●食後のトイレ移動/自己排泄の有無 ●自己排泄行動に対する考え，自己嫌悪感の有無 ●嘔吐による歯エナメル質の腐食やう歯，吐きだこ，咽頭痛，唾液腺腫脹 ●尿検査データ(尿比重，尿タンパク，尿糖など) ●血液検査データ(BUN，CRE，Na，K，Clなど)

パターン	アセスメントの視点	根拠	収集する情報
(4) 活動-運動 活動・休息 活動-運動 睡眠-休息	●活動状況はどうなっているか ●低栄養状態，筋力の低下，不整脈などが歩行時の転倒のリスクになっていないか	●拒食によるやせ状態や低栄養状態のときは，身体機能として動ける状態ではない．しかし，本人は，問題と認識していないため，生命の危機的な状態まで動き続けることがある． ●極度の体重減少状態からは，もう動く気力も体力もないのではないかと思えるほどである．しかし，患者は低血糖性昏睡に至る直前まで，意図的に活発的に活動を維持していることが多い．これは，強いやせ願望から「カロリー消費しなければならない」という強迫的な行動ともとれる． ●行動制限療法の開始以降も肥満に対する恐怖心が残存し，体重の増加に動揺することも多い．隠れて運動・浴槽に長時間つかるなどの，カロリーを消費しようとする行動もある．	●現在のADLの状況：日中の活動，食事，更衣，排泄，整容，入浴，排泄などの実施状況 ●これまでの活動状況，入院後の活動状況と内容，他患者との交流 ●過活動の有無 ●活動意欲，活動時の疲労感 ●歩行状況と姿勢，ふらつき，運動機能の正常確認， 身体の障害(頭痛，関節痛，筋肉痛，腰痛など) ●入院治療における活動制限の必要性の理解 ●貧血，低血糖，浮腫
(5) 睡眠-休息 活動・休息 活動-運動 睡眠-休息	●休息がとれているか ●抑うつ症状や不安の訴え，自己嫌悪感が強くなることにより，睡眠障害が出現することがある ●良質の睡眠がとれているか	●入院によって食事を摂ること，太ることへの嫌悪感やストレスが増強している状態である．また，気分障害や不安障害を併発していることも多い．睡眠の質の悪化による生活リズムの乱れは，治療意欲に影響する． ●カロリー消費を目的とした過活動により，休息が確保できないことがある． ●睡眠の質は，否定的な思考をエスカレートさせて悪循環となり，治療意欲を低下させる．	●起床時間/就寝時間，中途覚醒の有無 ●日中の臥床時間と昼寝の有無 ●睡眠に対する本人の訴え，熟睡感，浅眠感など ●睡眠薬の使用状況 ●活動と休息のバランス ●抑うつ症状や不安症状の有無と内容，程度 ●表情，疲労感，意欲，活気，眠気 ●多床室の場合は，室内環境や本人の訴え ●リラクゼーションの方法
(6) 認知-知覚 知覚・認知 認知-知覚 自己知覚-自己概念 コーピング-ストレス耐性	●食事制限によって，身体に出ている外見上の変化に気づいているか ●全身状態の変化，異常に気づいているか	●極度の食事制限によって低栄養状態をきたし，生命の危機的な状況にある．しかし，本人は，やせ願望，肥満への恐怖といったボディイメージのゆがみがあるため，危機という正常な認知と知覚ができていない状態である． ●肥満への恐怖，体重が激減してもなお満足できないという認知にゆがみがある．ゆがんだ認知は，身体的な変化・疼痛などの知覚をゆがめたり，もしくは知覚していても我慢してやり過ごしていることもある．	●身体各器官の疼痛の有無(関節痛，筋肉痛，腰痛，咽頭痛，頭痛，う歯，浮腫など) ●全身状態の変化の有無 (皮膚の変化，離床・歩行時のふらつき，悪寒/冷感，倦怠感，思考の変化，意識の変化，手足のしびれ，筋肉の痙攣など) ●看護者の問いかけに対する理解力 ●現実と本人の認知のずれの有無 ●病気，治療に関する知識 ●食欲，味覚，臭覚

パターン	アセスメントの視点	根拠	収集する情報
(7) **自己知覚-自己概念** 知覚・認知 認知-知覚 自己知覚-自己概念 コーピング-ストレス耐性	●現状をどのように受け止めているか ●患者がもつボディイメージと周囲の人たちが感じている知覚のずれがどの程度あるか	●食事摂取に対するセルフコントロールが困難になると同様に，自己知覚と自己概念のゆがみが生じている． ●心理状態としては，太ることへの不安と恐怖が強く，治療によって食事や栄養を摂取することに対しても嫌悪感を抱くことも多くある． ●入院初期は病識もなく，周囲のすすめで納得のいかないまま入院してくるケースも多い．患者は，肥満に対する恐怖感や認知にゆがみがあるため，体重が激減してもなお満足できないこともある． ●本人は，骨と皮の状態であっても，なおやせなければと思っていることも多くある．また，きっかけは軽い気持ちのダイエットであったが，その行為が強迫的となり，気づいたときには，自己コントロールできない状態になっている．過食と排出行動を繰り返している場合は，自己違和感を活用することによって治療に乗ることもある．	●病気になる前の夢や希望，感情，生活 ●食事や体重を意識するようになったきっかけ ●現在の感情（自己嫌悪感，恐怖，無力感，絶望感，不安，抑うつ感，緊張感，怒り，悲しみなど） ●入院の受け止め方 ●自己のボディイメージについての表現 ●医療者が感じている患者のボディイメージに対する反応 ●これまでの食行動の受け止め ●同じような食行動上の問題をもつ患者との交流状況 ●今後，どのような生活をしていきたいか
(8) **役割-関係** 周囲の認識・支援体制 役割-関係 セクシュアリティ-生殖	●患者が育ってきた家庭環境や家族関係はどのようなものであったか ●社会生活における役割や対人関係において感じている生きづらさ，困難さを自覚しているか	●原因仮説として，心理・社会的側面としての精神力動モデル，認知モデル，文化社会的モデル，アディクションモデル（嗜癖）などがあげられる． ●社会の所属している場所，そこでの役割や対人関係において，患者が感じる生きづらさはあるか，といった点に注目する． ●入院環境は，守られた環境であり，根本的な問題解決にはならない．退院後の環境ではキーパーソンとなる家族の支援も重要である． ●社会生活のなかで，なんらかの生きづらさがあり，その対処行動として食行動上の問題が生じている．生きづらさとしては，理解されないことの孤独・不安・怒り・自己嫌悪・依存・成熟拒否・承認欲求などがあげられ，周囲の理解と協力や，これまでの対人関係パターンの変更が必要となる．	●これまでの家族状況や家庭環境 ●家族のなかの自分の立場，役割 ●住居環境，同居家族 ●職業，経済状況 ●現在の社会的な役割と変化 ●家族関係，社会での対人関係 ●医療者との関係 ●入院患者との関係 ●社会生活のなかでの挫折体験，生きづらさの自覚
(9) **セクシュアリティ-生殖** 周囲の認識・支援体制 役割-関係 セクシュアリティ-生殖	●発病時期が学童期・思春期の場合は，正常な発育をしているか ●女性であれば，月経周期はどのようになっているか	●学童期からの発症もあるため，低身長や二次性徴に影響することも多くある．女性場合，無月経となることもある． ●身体的な成長と成熟は，社会生活を送るための基本となるため，成長期の発病は社会生活に影響する． ●無月経が続くことによって，子宮や卵巣が萎縮してしまい，妊娠，出産できない身体になってしまうことがある．さらに，無月経によるエストロゲンの減少によって破骨細胞の働きが高まり，病的な骨折や骨粗鬆症のリスクが高まる．	●性別，年齢 ●婚姻の有無 ●結婚や出産の希望 ●月経の有無，無月経の場合は最終月経 ●同性，異性に対する思い ●両親に対する思い，両親の役割分担 ●発病による生殖の変化に対する理解の有無

パターン	アセスメントの視点	根拠	収集する情報
(10) コーピング-ストレス耐性 知覚・認知 認知-知覚 自己知覚-自己概念 コーピング-ストレス耐性	●生きづらさやストレスを知覚しているか ●これまでどのようなコーピング行動をしてきたのか．それは効果的なのか非効果的なのか ●周囲に頼れるキーパーソンは存在するのか	●適切なコーピング行動がとれないことによって，食行動上の問題が出現していることもある．	●入院前の生活で感じていたストレスや生きづらさについて，その内容と程度 ●これまで，とってきたコーピング行動 ●自身のコーピング行動の効果について，どのように感じているか ●身近に相談できる友人，家族などキーパーソンの存在の有無 ●自己防衛として食行動の変化はあったのか
(11) 価値-信念 患者背景 健康知覚-健康管理 価値-信念	●治療継続，自己管理を支えるものはあるか	●患者の希望や願望は，リカバリーの要素である．発病によって失われていた人生の目標を見いだすことが，今後の人生の質を豊かにするものとなる． ●発病する前に，患者が大切にしていた夢や希望を実現したいと思うことがリカバリーにつながる．夢の実現のために必要なことは何かと考えたとき，健康であったり，体力であったり，という点に気づくことが，以前の普通の生活を取り戻すきっかけとなることもある．	●これまでにしてきた習い事，趣味，楽しみ，生きがいの有無 ●発病前に抱いていた夢や希望の有無 ●これからしていきたいと考えている夢や希望，それをかなえるための方法 ●現在，諦めてしまっていること ●これだけは外せないと思う大切なこと

3. 全体像の把握から看護問題を抽出

1）病態関連図

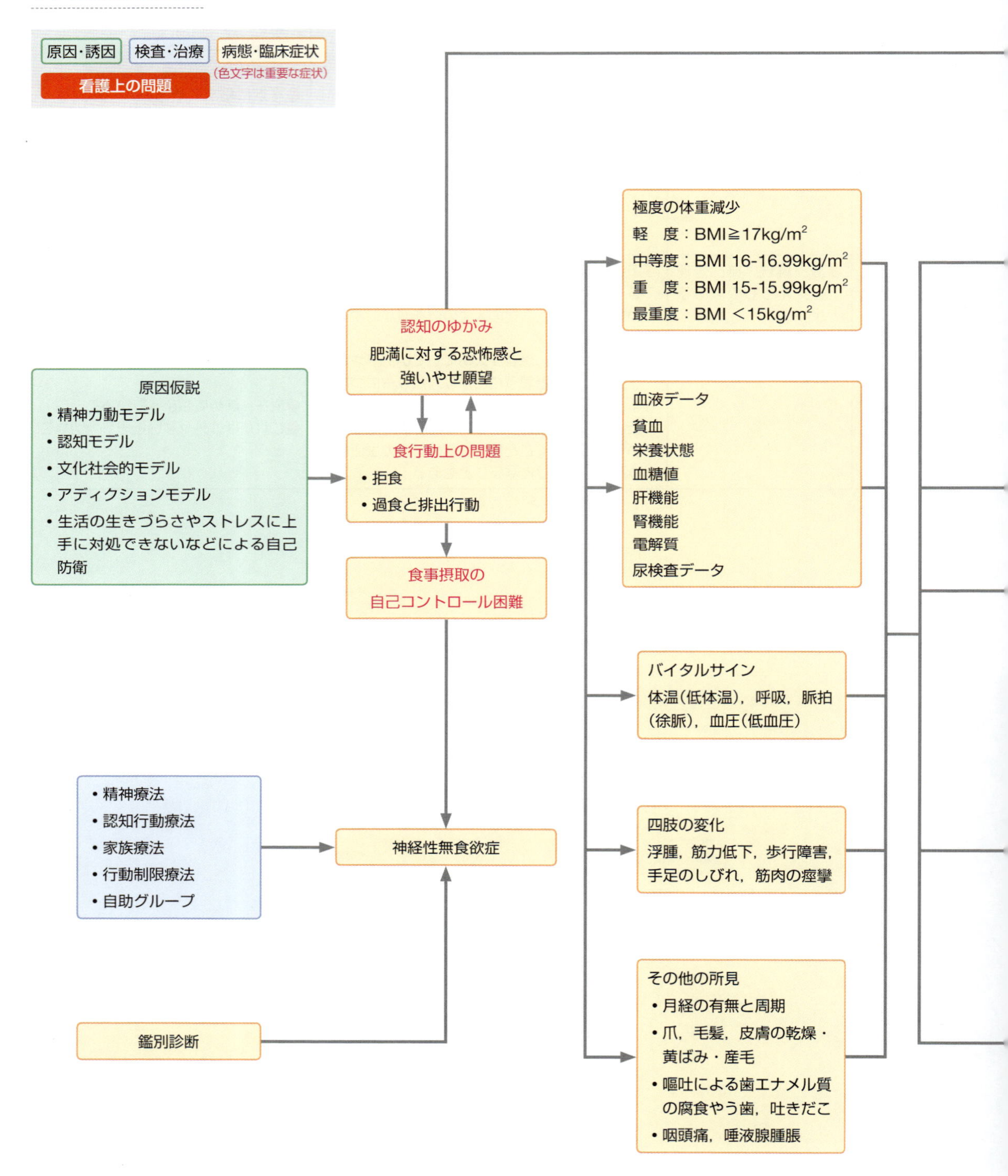

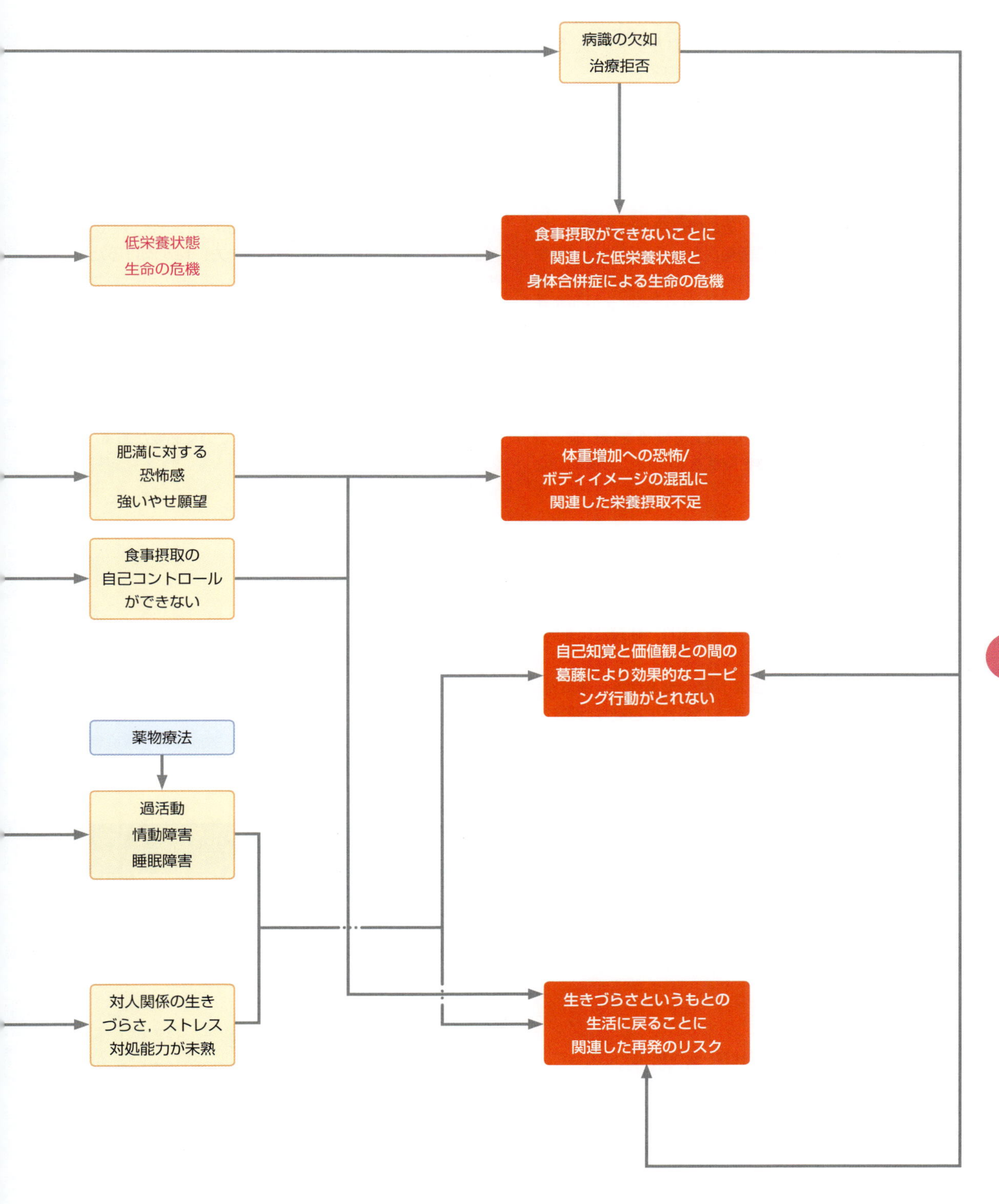
病識の欠如
治療拒否
低栄養状態
生命の危機
食事摂取ができないことに
関連した低栄養状態と
身体合併症による生命の危機
肥満に対する
恐怖感
強いやせ願望
体重増加への恐怖/
ボディイメージの混乱に
関連した栄養摂取不足
食事摂取の
自己コントロール
ができない
自己知覚と価値観との間の
葛藤により効果的なコーピ
ング行動がとれない
薬物療法
過活動
情動障害
睡眠障害
対人関係の生き
づらさ，ストレス
対処能力が未熟
生きづらさというもとの
生活に戻ることに
関連した再発のリスク

2）看護の方向性

入院初期は，急性期の低栄養状態にあり，生命の危機に直結していることから，身体管理が主となる．身体的ケアとして，輸液管理，経管栄養などの治療によって，栄養状態，身体合併症の改善をはかりながら，徐々に精神的なケアを進めていくことになる．

食事を口からとること，体重が増加することに対する恐怖や嫌悪感が，どの程度あるのかをアセスメントしながら，経口摂取を進める．初期は，治療として生命維持のために食事が必要である，という心理教育を繰り返す．食事は，どんなに時間をかけてでも一定量が摂取できるようにして，その間に声かけと見守りを継続し，食事摂取と自己誘発排泄をしないことを習慣化できるように支援していく．その際，患者自身が食事をとることや，体重に対する思いについて言語化する機会をつくり，治療の必要性や現在の状態について看護者と話しあいながら，心の変化を評価する．ここでの関わりが，今後の継続治療，食行動上の問題改善に大きな影響を及ぼすものとなる．本人が安心して気持ちを表現できる環境と，治療の必要性を繰り返し説明しながら，患者－看護者関係を築くための援助が必要である．

次に，入院環境は，治療者の管理が行き届いているため，食事摂取をすることができる．すなわち，単純に食事摂取と栄養状態の改善を，治療のゴールとすることはできない．退院後は，もとの生活に戻るため，再発を繰り返す可能性がある．これまでの社会生活，家族関係，交友関係，価値観や信念などについて，看護者と振り返り，患者自身が感じる生きづらさに目を向けられるようにする．患者が安心して食事できる雰囲気や感情表出，楽しい関係性を築けるような環境，新たな生き方や価値観を獲得できるように支援していく必要がある．新たな価値観や生き方に目を向けるための認知行動療法，同様の問題をもつ患者の手記やセルフヘルプグループなどの活動につなげながら，長期的な継続支援の方法を検討していく必要がある．

その人の生きづらさを改善するための方法，キーパーソンとなる家族の支援も重要である．社会資源としての当事者・家族のセルフヘルプグループの活用も視野に入れて，支援の方向性を考えていく必要がある．

3）患者・家族の目標

(1)患者の目標

- 栄養状態と身体合併症が改善する．
- これまでの食事摂取行動を振り返り，問題に目を向けることができる．
- これまでの社会生活，家族関係，交友関係，価値観や信念などを振り返り，生きづらさに目を向けることができる．
- 自身を助ける方法として，セルフヘルプグループの活用ができるようになる．

(2)家族の目標

- 疾患についての基礎的な知識を学習することができる．
- 摂食障害の親の会，家族会など，グループにつながることができる．
- これまでの患者との関わり方，家族関係や家庭環境について振り返ることができる．

4. しばしば取り上げられる看護問題

◆1 食事摂取ができないことに関連した低栄養状態と身体合併症による生命の危機

なぜ？

入院初期は，極度の低栄養状態・低血糖などによって，生命の危機にさらされていることもある．また，こんな状況にあっても，患者は病気や現状を正しく認識していない．

➡期待される結果

- 栄養状態，身体合併症が改善する．
- 安定した生命状態が維持できる．

◆2 体重増加への恐怖やボディイメージの混乱に関連した栄養摂取不足

なぜ？

病識もなく，周囲のすすめで納得のいかないまま入院してくるケースも多い．

肥満に対する恐怖，ボディイメージのゆがみがあるため，体重が激減してもなお満足できないこともある．

➡期待される結果

・患者が知覚している体重増加，ボディイメージについて表現することができる．
・食事を経口摂取し自己排出行動がない生活が習慣化できる．

 自己知覚と価値観との間の葛藤により効果的なコーピング行動がとれない

なぜ？

周囲の理解と協力や，これまでの対人関係パターンのなかに，理解されないことの孤独・不安・怒り・自己嫌悪・依存・成熟拒否・承認欲求など，なんらかの生きづらさがあり，その対処行動として食行動上の問題が生じている可能性がある．

食行動上の問題の原因は，具体的に限定することはできないが，なんらかの自己防衛行動と捉えることができる．

➡期待される結果

・患者自身が感じている生きづらさや，なんらかの葛藤（社会生活，家族関係，交友関係，挫折体験など）に目を向けることができる．
・これまでに無理をしてきたこと，我慢をしてきたことなどの気づきを，言語化することができる．
・コーピング行動の幅を広げることができる．

 生きづらさというもとの生活に戻ることに関連した再発のリスク

なぜ？

入院環境では，好ましい食事習慣を身につけ，栄養状態を改善することが最優先となる．入院という守られた環境のなかで，食事行動や栄養状態は改善できても，退院後の環境や生きづらさが変わっていない場合，再発のリスクがあり，根本的な問題解決にはなっていない．

➡期待される結果

・病識をもち，問題行動を理解することができる．
・同じような問題をもつ仲間がいることを理解する．
・セルフヘルプ活動が自分を助ける手段として役立つことを理解できる．

5. 看護計画の立案

• O-P：Observation Plan（観察計画）　• T-P：Treatment Plan（治療計画）
• E-P：Education Plan（教育・指導計画）

◆2 体重増加への恐怖やボディイメージの混乱に関連した栄養摂取不足

	具体策	根拠と注意点
O-P	**(1)食事摂取状況** ・量・時間・表情・態度・言動など ・排出行為の有無	●患者-看護者関係が築けていれば，患者からの不満を確認し，対処していくことができる．しかし，拒否的な言動がないまま，隠れて拒食や排出行動，過剰な運動を繰り返していることもある． ●食事摂取の説得や強制は逆効果である．患者が安定した状態で治療に乗れるように働きかける．治療方針によっては，1 回の食事摂取量を計算し，時間をかけても必要量を摂取するよう指導することによって，食事を習慣化できることもある．
	(2)一般所見　栄養状態の程度 ・体温・脈拍・血圧・体重・BMI・皮膚の乾燥 ・貧血（RBC，Hb，Ht） ・栄養状態（TP，Alb） ・血糖値 ・腎機能（BUN，UA，CRE） ・肝機能（AST，ALT） ・電解質	●低栄養状態が持続することによって，脳，循環器，呼吸器，腎・肝・消化器系の障害など，生命の危機につながる． ●DSM-5では，軽度：BMI≧17kg/m^2，中等度：BMI 16-16.99 kg/m^2，重度：BMI 15-15.99kg/m^2，最重度：BMI < 15kg/m^{2}としている．
	(3)体重増加に対する反応 ・肥満に対する知覚 ・ボディイメージ	●神経性無食欲症は，ボディイメージに対する認知のゆがみがあるため，体重増加に対して恐怖を感じていることがある．病識がなく，治療に対して拒否的になることもある．治療の導入と治療者との関係形成は，予後に影響を与える．

	具体策	根拠と注意点
T-P	**(1)入院治療の理解に対する支援**	
	①患者は，これまでの食事行動や今回入院したこと，神経性無食欲症という病気についてどのように受け止めているか傾聴する	●神経性無食欲症の特徴として，病識の乏しさがあげられる．そのため，治療の継続やボディイメージの改善のためには，初期出会いの位相においては，関係づくりが重要である．
	②入院治療の必要性について説明し，患者の思いを聞いていく．病気であるという認識ができるように支援する	
	③拒食することによる身体への影響，二次的な生活への影響を理解しているか確認する	●認知のゆがみを修正するためには，心理教育が必要であり，患者の理解度を確認していく．
	④拒否や否定的な感情に対しては，支持的・受容的態度で傾聴する	●患者自身が感じている認知をありのままに受け止め，患者-治療者との信頼関係を築けるように取り組む．
	⑤患者の言動に対しては，価値観を否定することのないように受け止め，看護者の思いを伝えながら一緒に考えるようにする	
	⑥実際の治療拒否に対しては，本人を含めたチームでの話しあいの機会をもつ	●患者が混乱しないよう，チームでの統一した方向性を決定しておく．
	⑦本人が思いを表現できていることについて，承認し，成長していることや看護者としてうれしい気持ちを伝えていく	●周囲からの否定的な対応の積み重ねによって，自己評価が低く，対人関係に生きづらさを感じていることが多い．安心して自己表現ができる環境を整えていくことが，認知の改善にもつながる．
	⑧元気になりたいということを動機づけにして，治療方針を踏まえて患者の入院目標を決める	●承認と褒賞を繰り返しながら，本人が自信をもてるようにしていく．
	(2)増加に対する恐怖を軽減する支援	●食事摂取や体重増加に対する他者の意見を聞く，自身の思いを表現することによって，問題を外在化する．
	①食事摂取に対する思いについて確認する	
	②看護者が感じている食事に関する楽しみを伝え，患者の感想を聞く	●患者は，家庭で繰り返し食べるように説得されてきている．入院環境でも一方的な治療の押しつけをされることは，効果的な看護とはいえない．治療の必要性や自身の患者に対する思いを投げかけながら，双方向的なやりとりを進めていく．
	③体重が増加してくる思いについて確認する	
	④時間をかけても食事摂取ができるように，必要時はそばにつき添う	●患者が団欒と食事できる環境や思いを表現できる，安全な環境を提供しながら，信頼関係を築いていく．
	⑤患者が食べたいものを家族に差し入れしてもらう	
	⑥食事を拒否したり，過食になる前後の様子や気持ちについて確認する	
	⑦人前で食事が摂取できないときは，個室や時間をずらして環境を調整する	●適切な食事を摂取すると，体重は増加してくる．これは回復の兆しでもあるが，患者にとって恐怖である．体重増加をよいこととして患者に伝えることは，逆効果になることもある．
	⑧適切な食事パターンが守られているときは承認していく	●患者の苦痛を受け止めながら，食事パターンが定着するように支援していく．
E-P	**・治療の必要性について**	●誤ったダイエット知識が固定観念になっていることもある．正しい知識を提供しながらも，患者の反応をみながら認知の改善につなげていく．
	①標準体重や1日に必要な食事摂取量について説明する	
	②低栄養状態によって身体的なリスクがあることを説明する	●食行動を習慣化するために，適正なエネルギー量，規則正しく3食摂取することが重要である．
	③拒食による短期的な影響と，長期的な二次的な障害について，説明する	●身体的な成長発達に影響すること．骨粗鬆症や病的な骨折につながること．女性であれば無月経から子どもが産めなくなるリスクがあることなど，理解できるように具体的な心理教育が必要である．
	④納得のいかないことや不安などについては，聞く時間をつくるので抱え込まないように説明をする	

3 自己知覚と価値観との間の葛藤により効果的なコーピング行動がとれない

	具体策	根拠と注意点
O-P	**(1)対人関係のパターン** ①スタッフ，家族，ほかの入院患者との関係 ②自身に対する表現，自尊心，自己嫌悪感 ③言動，態度，表情，理解度，認知のゆがみの有無 ④ 1 日の生活パターン	●本人の生活スキルがどの程度あり，残存機能はどの程度なのか，どこがゆがんでいるのかを知り，援助の方向性を知る． ●家族からの指摘に対しては，感情的に受け止め，反発する傾向にある．しかし，家族以外の他者からの意見に対しては，冷静に受け止めながら自己洞察のきっかけとなり，対人関係の回復のカギとなることもある．
	(2)ストレス因子，および対処能力と解決能力 ①興味や関心，趣味，楽しみの有無 ②ストレスを認識しているか ③困ったときのサインを出すことができるか	●原因ははっきりしていないが，これまでの生活のしづらさやストレスの対処パターンが，食行動上の問題として出現している可能性がある．
T-P	**(1) 社会生活，家族関係，交友関係** ①入院に至るまでの社会生活について本人の思いを傾聴する ・社会的役割について ・交友関係について ・家族関係について ・挫折体験 ・不安や孤独に感じること ②無理をしてきたこと，我慢してきたこと，これまで頑張ってきたことを振り返る ③苦手なこと，生きづらいと感じていることがあるか傾聴する ④患者自身が感じている自分の行動特徴について，思いを聞いていく	●対人関係のパターンのなかに，ストレスとなる出来事はないか検討する． ●これまでの行動パターンを振り返ることによって，考えを整理し，新たな視点を取り入れることが認知の改善につながる． ●生きづらさとしては，理解されないことの孤独・不安・怒り・自己嫌悪・依存・成熟拒否・承認欲求などがあげられ，周囲の理解と協力や，これまでの対人関係パターンの変更が必要となる．患者が退院後に安定した生活を送るためには，環境調整は必要不可欠である．
	(2)ストレスの対処行動について ①本人が感じているストレスや不安，恐怖などの感情を言葉にしてもらう ②ストレスと食行動について，関連性を話し合う ③ストレスに対する対処行動を，看護者と一緒に考える．ほかの入院患者に話を聞く機会を設ける．看護者は自分の対処行動を紹介する ④これまでに楽しいと感じた出来事について話を聞く ⑤散歩や買い物など，気分転換できる機会をつくる ⑥病棟日課やレクリエーションなど，看護者以外の対人関係をもつ機会を設定する ⑦考えた対処行動を利用してみた感想を聞き，振り返りをする	●患者が実践してきた対処行動は，自分自身を助けるために最善の努力をしてきたものであり，否定してはならない．これまでの対処行動を受け止めながら，さらによい方法をともに考えていくことが大切である． ●ストレスと対処法を言語化することによって，現実の問題に目を向けられるようになる． ●これまでの対処法に加えて，新たな社会生活技能として他者が成功している方法を活用することにより，生き方に幅が広がる． ●趣味に没頭して楽しむ，仕事に集中するなど，摂食障害の症状に左右されない現実に目を向けた時間を増やすことが，回復につながる． ●他者と比較して，自分のできないことに注目するのではなく，日常生活のなかで楽しいと思えることを増やしていく．
	(3)内省を促進する支援 ①神経性無食欲症患者の手記を紹介して，読む機会をもち，感想を聞く ②摂食障害のピアサポートグループNABA（ナバ）などの紹介をして，可能であればホームページなどを閲覧する	●肥満への恐怖や，ボディイメージのゆがみを自己修正することの難しさがある．同じ状況の体験をもつ，当事者の手記や体験談に触れることは，医療者の説明以上に，患者の内省を促進することがある．

	具体策	根拠と注意点
E-P	(1)同じような食行動上の問題を抱える人たちの自助グループがあること，その効果を説明していく (2)問題行動を繰り返す可能性があることを説明する．また，一人で問題を抱え込まずに相談の窓口があることを伝える	●自分の考えを伝え，相手の反応を聞くなかに，新たな対処行動を身につけていく必要がある． ●自助グループでは，先行する回復者のモデルを参考にしながら，自己の振り返りの場ともなる．これまでの体験を受け入れてもらい，感情を共有しあうことが回復につながる． ●一人で抱え込んでいる間は，食行動上の問題から抜け出せない．

引用・参考文献

1) 日本摂食障害学会監：摂食障害治療ガイドライン．医学書院，2012.
2) C.Laird Birmingham，Janet Treasure，太田大介監訳：摂食障害の身体治療—チーム医療の実践を目指して．南山堂，2011.
3) 鈴木高男：家族ができる摂食障害の回復支援．星和書店，2018.
4) 松下年子ほか編：アディクション看護学．メヂカルフレンド社，2011.
5) 粕谷なちほか：「やせたい」に隠された心—摂食障害から回復するための13章．新宿書房，2004.
6) 三好功峰ほか編：精神医学．第２版，医学書院，1994.
7) コルネリウス・カトナほか著，島悟ほか訳：図説精神医学入門．日本評論社，1997.
8) 山崎智子監：明解看護学双書３—精神看護学．金芳堂，1997.
9) 森温理ほか編：標準看護学講座27—精神看護学．金原出版，1997.
10) 高橋三郎ほか監：DSM-5精神疾患の分類と診断の手引．医学書院，2014.
11) 切池信夫監：拒食症と過食症の治し方．講談社，2016.

Memo

INDEX

数字・欧文

あ行

か行

さ行

た行

な行

は行

ま行

や行

ら行

わ行

疾患別看護過程の展開　第6版

1999年 12月 25日　初　版　第 1 刷発行
2006年 5月 10日　初　版　第21刷発行
2006年 12月 25日　第 2 版　第 1 刷発行
2008年 4月 10日　第 2 版　第 4 刷発行
2008年 11月 10日　第 3 版　第 1 刷発行
2012年 4月 5日　第 3 版　第 6 刷発行
2013年 10月 1日　第 4 版　第 1 刷発行
2016年 1月 15日　第 4 版　第 5 刷発行
2016年 7月 31日　第 5 版　第 1 刷発行
2020年 1月 15日　第 5 版　第 4 刷発行
2020年 11月 5日　第 6 版　第 1 刷発行
2024年 1月 30日　第 6 版　第 3 刷発行

監　修　石川（いしかわ）　ふみよ，髙谷（たかや）　真由美（まゆみ）
発行人　土屋　徹
編集人　小袋　朋子

発行所　株式会社Gakken
〒141-8416　東京都品川区西五反田2-11-8

印刷・製本所　TOPPAN株式会社

この本に関する各種お問い合わせ先
●本の内容については，下記サイトのお問い合わせフォームよりお願いします．
https://www.corp-gakken.co.jp/contact/
●在庫については　Tel 03-6431-1234（営業）
●不良品（落丁，乱丁）についてはTel 0570-000577
学研業務センター　〒354-0045 埼玉県入間郡三芳町上富 279-1
●上記以外のお問い合わせは　Tel 0570-056-710（学研グループ総合案内）